自由人（十二）

自由人總目錄

動盪時代的印記——《自由人》三日刊始末

陳正茂（北台灣科學技術學院通識教育中心教授）

一、前言：《自由人》三日刊創刊之背景

民國三十八年是中國歷史上驚天動地的一年，隨著戡亂戰局的逆轉，中共席捲大陸，國府敗退遷台，真是國命如絲風雨飄搖的危急存亡之秋。處此動盪時代中，除大批軍民同胞隨政府播遷來台外；尚有一部分人士選擇避難香江，南下港九一隅，這些人當中，有不少是失意政客和知識份子。基本上，當年選擇避秦來港的知識份子，其心態上有兩種，一則對國、共兩黨均感不滿；再則係看上香港為自由民主之地，較能有揮灑發展的空間。此情勢考量，誠如雷嘯岑所言：「在一九四九－五〇年之間，因大陸淪陷，香港乃成了反共非共的中國人士望門投止的逋逃之藪」。

這些投奔港九的政治難民，以高級知識份子居多；兼以香港時為英屬自由之地，所以只要不違背港府法令，一般而言從事任何活動是百無禁忌，相當自由的。不僅可以高談政治問題，甚至於從事政治活動亦不加以限制。於是，「從大陸流亡到港九的高級知識份子群，乃相率呼朋引類，常舉行座談會，交換對國事意見，而美國國務院的巡迴大使吉塞普（Philip Jessup），斯時亦在香港鼓勵中國人組織『第三勢力』運動，目的以反共為主。」在此背景下，港九地區的自由民主人士，在美國幕後撐腰下，「各種座談會風起雲湧，熱鬧非凡；而諸多以反共為職志的大小刊物，更是應運而興，琳瑯滿目了。」所以，《自由人》三日刊，就是在此大時代氛圍下孕育而生的。

二、《自由人》三日刊誕生之經過

《自由人》三日刊醞釀誕生之經過，最早鼓吹者，一般而言，說法有二，一為由王雲五號召發起。據其《岫廬八十自述》書中提及：「自民國三十九年開始以來，由於中共匪幫建立偽政權，並先後獲得蘇俄、緬甸、印度、巴基斯坦及英國的承認，於是匪幫的勢力在香港突然大振，不少反共分子漸呈動搖態度。旅港有識之士深感囂風日長，漸使全港華人隨而動搖，乃相與集議挽救之道。我因在港主辦一個小規模出版事業（按：即華國出版社），尤以一貫堅持反共方針，遂由多數參加集議人士推任領導。由臨時的集會，變為固定的座談；其地點經常利用國民黨在銅鑼灣某街所租賃之四樓房屋一層。每次參

1 馬五，〈「自由人」之產生與夭折〉，見馬五（雷嘯岑）著，《政海人物面面觀》（香港：風屋書店出版，一九八六年十二月初版），頁二一二。又此種座談會多在週末舉行，也有人稱之為「週末座談會」或「星期六座談會」。見馬五先生著，《我的生活史》（台北：自由太平洋文化事業公司出版，民國五十四年三月一日初版），頁一六一。

加座談者，多至三十餘人，少亦一二十人，皆為文化界人士，或為舊日與政治有關係者，各政黨及無黨派人士皆有之。後來我以香港政府最忌政治性的集會，凡參加人數較多，尤易引起猜疑，動輒干涉。加以如此散漫的座談，亦未必能持久，因於某次座談中提議創辦一小型之定期刊物，每週或半週出版一次，既可藉此刊物益鞏固反共人士之維繫，且刊物一經向港政府註冊，則在刊物辦公處所舉行的座談，皆可諉稱編輯會議，可免港政府之干涉。此議一出，諸人咸表贊同，遂計劃如何組織與籌款。結果決辦三日刊，定名為自由人，其資金由參加坐談人士各自量力提供。我首先代表華國出版社提供港幣一千五百元，此外各發起人分別擔任，或一千，或五百不等；並經決定撰文者一律用真姓名，以明責任。其後，又決定委託香港時報代為印刷發行。因是，籌備進行益力，發起人等每星期至少集會一次，間或二次，一切進行甚為順利。」[2]

二為眾人集議，早有志於此，雷嘯岑即主此說。雷言：「這時候，即有原在大陸上服務新聞界的報人成舍我、陶百川、程滄波，協同青年黨人左舜生、民社黨人金侯成，以及國民黨人阮毅成、無黨無派的王雲五，外加香港時報社長許孝炎、新聞天地雜誌社社長卜少夫一千人等，於每週末午後在香港高士威道某號住宅中，舉行文化座談會。大家談來談去，得到一項結論，要辦一份刊物，以闡揚民主自由思想，在文化上進行反共鬥爭。……適韓戰爆發，預料東亞局勢將有變化，刊物必須及時問世，刊物取名「自由人」，由程滄波書寫報頭兼撰〈發刊詞〉，標題是〈我們要做自由人〉。」[3]

然由當事人之一的阮毅成事後追記，似乎《自由人》三日刊能草創成功，仍是由王雲五一手主導的。阮說：「民國三十九年十二月二十日，雲五先生在香港高士威道約大家茶敘，其中特別提及『今日我約諸位來，是想創辦一份反共的刊物，以正海外的視聽。間接幫助臺灣，說幾句公道話。我們讀書人，今日所能為國家效力的，也只有此途。』」[4]由阮之記載，合理推論，《自由人》三日刊能順利催生問世，王氏為登高呼籲之首倡者，可能性是很高的！

但就在王氏積極創辦《自由人》三日刊之際，突發一件暗殺事件，則頗值得一述；且對後來《自由人》三日刊的發展不無影響。事緣於三十九年十二月下旬，王氏在《自由人》三日刊諸人集會散會後，在香港寓所遭遇暗殺，幸子彈未命中，逃過一劫，這突如其來之舉，使王氏決定立即離港赴台定居。此事來台後，王氏曾將真相告訴繼我而來的成舍我。王氏謂：「到臺以後，除將此次提前來臺的秘密暗中告知兒女外，他人皆不使知。後來事過境遷，才漸漸透露給若干至好的朋友，首先是對於不久繼我而來的成舍我君；因為他覺得我向

---

2 王雲五，《岫盧八十自述》（台北：商務版，民國五十六年七月一日初版），頁一〇四～一〇五。

3 馬五，〈「自由人」之產生與夭折〉，同註一，頁二一二～二一三。

又見馬之驌，《雷震與蔣介石》（台北：自立晚報社文化出版部出版，一九九三年十一月一版），頁八一。

4 阮毅成，〈王雲五先生與自由人三日刊〉，見蔣復璁等著，《王雲五先生與近代中國》（台北：商務版，民國七十六年六月初版），頁三〇～三一。有關《自由人》之發起，另有一說為萬麗鵑博士論文所言：「《自由人》為『自由中國協會』成員所辦之三日刊。」見萬麗鵑，〈一九五〇年代的中國第三勢力運動〉（台北：國立政治大學歷史研究所博士論文，民國九十年七月），頁一六四。但根據「自由人」社發起人之一的雷嘯岑回憶說：「自由中國協會」為當時在美國的胡適、蔣廷黻、曾琦等人所發起，胡、蔣、曾諸氏希望以『自由人』全體發起人為主幹，先在香港成立總會，台灣暨歐美各省都設立分會。嗣經提出座談會詳細研討，大家認為總會以設在台灣為妥，香港亦只設分會，庶合體制。結果不知如何，這個會沒有成立，終於流產了。」馬五，〈「自由人」之產生與夭折〉，同註一，頁二一四～二一六。故萬氏此說，恐不確。

來很少患病，在約定聯合宴客之日，我竟稱病缺席，舍我不免將信將疑。其後到我家探病，見我毫無病容，更不免懷疑。及我不別而赴臺，他懷疑益甚，所以在他來臺後，偶爾和我詳談及此，我也就不好意思對朋友有所隱瞞了。」[5]

上述言及之十二月下旬，實際上是民國三十九年十二月三十一日，除夕。阮氏說：是日「王雲五先生約在高士威道午餐，我應約前往，王臨時以腹瀉未到，由成舍我兄代作主人，謂『自由人』籌備事，大致已妥。」而四十年的元月三日，阮氏也說到是日，「應卜少夫、程滄波二兄之約，到高士威道二十二號四樓午膳。據滄波兄言，是日原應由王雲五先生作東，而王於當天上午，離港飛台，臨行前以電話托其代為主人。」[6]

王氏的不告而別倉促離港赴台，也使得後續有不少參與「自由人」社同仁跟進，紛紛來台，這對於原本人力吃緊資金短絀的《自由人》三日刊之發展，當然有不小的影響。至於《自由人》三日刊籌組的經過梗概，雖在王氏離港來台後，仍按部就班的進行。四十年元月十日下午，阮毅成與程滄波及左舜生又約至高士威道聚談。關於創辦刊物事，左舜生主張宜立即出版，卜少夫則以須現款收有相當數目，方能創刊。是月三十一日，雷震自台灣來，亦參加「自由人」社活動。會中大家一致決定《自由人》三日刊，於農曆年後出版。並在職務安排上初步有了規劃，即推程滄波撰〈發刊詞〉，以辦報經驗豐富的成舍我任總編輯，陶百川為副總編輯。又另推編輯委員十四人，分別是劉百閔、雷嘯岑、陶百川、彭昭賢、程滄波、陳石孚、許孝炎、張丕介、吳俊升、金侯城、成舍我、左舜生、王雲五、卜少夫。[7]

四十年二月九日，內定為總編輯的成舍我自香港致函王雲五，說到：「自由人半週刊已將登記手續辦妥，『館主』係由少夫出名，因渠後來未再提出不能兼任之困難，……編輯人經由弟以本名登記。股款雖交者仍不太多，但讀者則頗踴躍。……據弟觀察，維持六個月，在經濟上當可辦到。惟編輯方面，則危機太大，因主力軍如我兄及秋原兄均不在此，其他如滄波兄等不久亦將赴臺，（即弟本身亦恐將於三月間來臺）稿件來源，異常枯涸，然既已決定辦，弟亦只有勉力一試。」[8]尚未正式創刊，但資金人才捉襟見肘的窘境，已被成氏料中，這對好事多磨的《自由人》三日刊日後之發展，已埋下艱困之伏筆。

二月十四日，成舍我向雷震、洪蘭友等人報告，《自由人》三日刊已得港府核准登記，一俟台灣方面准予內銷，即行出版。二十八日，成舍我向「自由人」社同仁報告：台灣內銷事已辦好，《自由人》三日刊即將出版，並出示創刊號大樣。因與會者多係辦報老手，提供不少意見，而成舍我也很有風度，博採眾議，為慎重起見，同意改遲數日出版，以便從容改正，並呼籲社員踴躍撰稿以光篇幅。[9]可見在王氏離港後，《自由人》三日刊真正之台柱角色，已責無旁貸的落到成舍我肩上。

5 王壽南編，《王雲五先生年譜初稿》第二冊（台北：商務版，民國七十六年六月初版），頁七四三。

6 阮毅成，〈「自由人」參加記〉，《傳記文學》第四十三卷第六期（民國七十二年十二月），頁一四～一五。

7 見《自由人》創刊號（民國四十年三月七日）第一版的編輯委員會名單。《自由報二十年合集》（一）（香港：自由報社出版，民國六十年十月十日）。阮毅成說為十六人，疑有誤。見阮毅成，〈「自由人」參加記〉，同上註。

8 〈成舍我致王雲五函〉，同註五，頁七四六。

9 阮毅成，〈「自由人」參加記〉，同註六，頁一五。

三月七日，《自由人》三日刊正式創刊，社址位於香港德輔道中一四九號四樓。目前所知參與的發起人有王雲五、王新衡、王聿修、端木愷、程滄波、胡秋原、吳俊升、黃雪村、閻奉璋、樓桐孫、陳石孚、陳訓悆、陶百川、雷震、阮毅成、劉百閔、左舜生、雷嘯岑、徐道鄰、徐佛觀、陳克文、成舍我、金侯城、張丕界、彭昭賢、許孝炎、卜少夫、卜青茂、范爭波、陳方、張純鷗、張萬里、丁文淵等三十餘人。[10]

發刊後，一紙風行，各方咸予重視，發行之初，每期印八千份。為打開台灣銷路市場，內容安排方面，特別增加一些軟性文字，勿使論文過多，淪為說教。雷嘯岑即言：「『自由人』的作者確實很自由，各人所寫的文字題材雖相同，而見解不必一致，祇要不違背民主憲政與反共抗俄的大前提，儘可各抒己見，言人人殊，真有百家爭鳴，百花齊放的景象，……首任的『自由人』主編是成舍我兄，他包辦大陸通訊版，把大陸上的共報消息，參以陸續從國內逃到香港的難民所述情形，寫成有系統的通訊稿，可謂費苦心。」[11]

誠然如是，由於文章精彩，見解深入，內容多元，析論入理，所以出版後不久，南洋各地僑報即紛紛轉載《自由人》文章。故在香港一隅辦一刊物，無形中等於在數地辦了幾個刊物，影響所及，至為廣大。不僅如此，有關《自由人》所發揮的影響力，可以曾任該刊主編雷嘯岑之回憶為證，雷說：「自由人半週刊，頗受台灣以及海外；尤其是美國一般華僑的注意，原有的每週座談會照常舉行，參加的人亦陸續增多了，風聲所播，國際人士來到香港的，亦來參加我們的座談會，交換政治意見，如美聯社遠東特派員竇定，南韓內閣總理李範，日本工商與新聞界人士前來訪談者尤多，……唯有駐在香港鼓勵華人組織『第三勢力』的美國巡迴大使吉塞普，始終沒有接觸過，大概是他認為『自由人』半週刊這些人，多數係國民黨員，氣味不相投，我們亦以對『第三勢力』之說，不感興趣，因而絕交息游，毫無來往。」[12]

雷氏這段記載很重要，不只說明了《自由人》發刊後之影響力；也道出了《自由人》與「第三勢力」毫無瓜葛，這對坊間有不少人一直以為《自由人》是「第三勢力」刊物有澄清作用。《自由人》三日刊甫發行，負責盡職之成舍我隨即寫信給王雲五提到：「連日為自由人半週刊事，頭昏腦暈，尊函稽答，至為罪歉。現半週刊已於今日出版，附奉一份，即希鑒察。大著分兩期刊佈，並盼源源見賜。今後應如何改進之處，統希指示為荷。」[13]另針對其後外界對《自由人》諸多揣測，如與「自由中國協會」之關係等等，「自由人」社也在三月二十一日的高士威道聚會中也做出決議，大家皆一致表示，「自由人」應獨立組織，以別於其他團體，乃推定董事九人，以左舜生為董事長。監事三人，為金侯城、王雲五、雷儆寰。成舍我為社長兼總編輯，卜少夫為總經理。[14]

---

10 「自由人」社成員，據筆者統計為此三十餘人，且各會員加入時間先後不一，有關會員名單散見於雷嘯岑、阮毅成等人之回憶文章及《雷震日記》中。

11 馬五先生著，《我的生活史》，同註一，頁一六一。

12 馬五，〈「自由人」之產生與夭折〉，見其著，《政海人物面面觀》，同註一，頁二一三～二一四。另萬麗鵑博士論文也提到，為打擊「第三勢力」運動，「國民黨亦透過黨報如《香港時報》、新加坡《中興日報》、美國《美洲日報》，及其所資助的報刊如《自由人》報、《民主評論》等，展開對第三勢力的文宣戰，此即是《香港時報》社長許孝炎所說的以『輿論對輿論』的鬥爭。」萬麗鵑，〈一九五〇年代的中國第三勢力運動〉，同註四，頁一六四～一六五。又見〈許孝炎意見〉，《總裁批簽》，台（四一）央秘字第〇〇八五號（一九五二年二月二十二日），黨史會藏。

13 〈成舍我致王雲五函〉，同註五，頁七四七。

14 阮毅成，〈「自由人」參加記〉，同註六，頁一五。至於《自由人》與「自由中國協會」之關係，馬五在〈「自由人」之產生與夭折〉已言之甚為了稿源，三月二十二日總編輯成舍我又致函王雲五拉稿，其中說到：「自由人在香港銷路尚好，一般觀感亦不錯。惟共匪刊物正以全力抨擊，弟等亦一反過去自由派刊物置之不理的辦法，強烈反攻。臺灣發行未辦好，少夫兄不日來臺，或能有所改進。同人撰稿，此間仍不太踴躍，盼公能以日撰五千字之精神，多寫數篇，並乞即賜惠寄，無任感幸。又此間稿酬，公議千字港幣十元，前稿之款，已送託香港書局轉交。此數雖微細不足道，然吾輩合力創業，知識勞動之所獲，在道德標準上說，固遠勝於以吃人為業之共匪萬萬矣。盼尊稿如望歲，望即賜寄，以慰饑渴。」[15] 除簡略報告社務外，重點仍是稿源問題，而此問題也是《自由人》三日刊以後長期揮之不去的夢魘。

三、《自由人》之命名與經費及發刊宗旨

華路藍縷，創業維艱，有關《自由人》之命名，似乎是由阮毅成所起。原本成舍我欲名為《自由中國》，因與台灣雷震負責的《自由中國》半月刊同名而不獲採納。故阮毅成認為可參考台灣趙君豪所辦之《自由談》，而稍改其為《自由人》，卒獲大家一致同意，名稱問題因此而敲定。[16] 其實若從五〇年代的背景去觀察，刊物取名為《自由人》並不足為奇。蓋彼時海外正刮起一陣「自由中國反共運動」浪潮，其中尤以香港地區為最。為壯大「自由中國反共運動」，於是乎，海內外的一些知識份子刻意以「自由」二字為雜誌刊物名稱，以凸顯有別於大陸的獨裁極權。職係之故，各種以「自由」為名之刊物如《自由中國》、《自由陣線》、《自由談》、《自由世界》等雜誌，如雨後春筍般紛紛出籠，《自由人》三日刊之命名，應該是在此時代背景下而正名的，且的確有其時空的特殊意義存在。[17]

至於現實的經費來源問題，早在三十九年十二月二十日的聚會中，王雲五即定調說：「我要先與諸位約定，這是一份自由的刊物，所以，一不能接受外國的幫助，二不能接受政府的支援。同仁不但要寫稿，還要負擔經費。」[18] 王氏之所以要如此約法三章，是要避免外界將《自由人》視為拿美國人錢所辦的「第三勢力」之刊物的疑慮或揣測；另外，不接受政府支援，也是想以獨立身分之姿，能在言論上暢所欲言，而不受政府掣肘，更不想貼上政府刊物之標籤。揆之《自由人》草創之初，因經費來源由各會員出資，確實能夠如此。例如在籌備階段，王雲五首捐港幣三千元，各會員至少認捐港幣一千元，所以誠如雷嘯岑言：「大家分途進行，未到一個月，即籌募到港幣一萬七千元了。」[19]

創刊經費有著落，但接下來長期的經費支出，恐怕就不是由會員認捐可解決。到最後仍不得不仰賴台灣國府的金錢支助，在《雷震日記》中即披露不少箇中內幕，茲舉日記一則為證。民國四十年五月二十五日：「雪公（按：指王世杰（字雪艇），時任總統府秘書長）

詳，同註一。

15 〈成舍我致王雲五函〉，同註五，頁七四七～七四八。為稿源及素質起見，成舍我亦曾寫信向阮毅成拉稿，信上提到：「在臺同人寫稿，原約每期供給八千字。希望以兄之熱忱毅力，催請同人，公誼私交，達此標準。」又說：「自由人聲譽，雖日有增進。惟經濟及稿件，均危機太大。現此間已只賸左（舜生）、許（孝炎）、雷（嘯岑）、及弟共四人，稿荒萬分。如濫用一般投稿，則水準即無法維持。」阮毅成，〈「自由人」參加記〉，同註六，頁一六。可見身為主編的成舍我，為稿源及《自由人》之內容水準，真是心力交瘁，煞費苦心。

16 同註六，頁一四。

17 馬之驌，《雷震與蔣介石》，同註三。

18 同註六，頁一四。

19 同註一二，頁二一三。

來電話，可助《自由人》三千港幣，但不可明言，因《新聞天地》一再要求援助而未允許也。……《自由人》因經費困難，而負責又無專人，致有停頓之可能，由予（雷震）約集雲五、滄波、孝炎、毅成、端木愷、少夫諸君會商，由予等籌款接濟，每月假定虧二千五百元，至年底約為一萬七千五百港元，改組組織，推定成舍我為社長，左舜生代理董事長，予負臺北催稿及催款之責，總統府之三千元，由予負責，予另外再籌五百元。」[20]由《雷震日記》可知，創刊才二月餘之《自由人》，經費已拮据如此，而不得不靠政府補貼，在此情況下，其日後之文章言論，就頗受台灣國府當局之制約影響了。

另有關《自由人》之創刊宗旨，其實早在刊物出版以前，對於未來言論與編輯方針，「自由人」社同仁即做了幾點規約：（一）、發揚民主自由主義；（二）、發起人按期撰寫頭條論文，且須署出真姓名；（三）、文責各人自負，但須不違背民主自由思想暨反共救國的大原則；同時將全體發起人的姓名亦在報頭下面，表示集體責任。[21]創刊後，首由程滄波撰發刊詞，題為〈我們要做自由人〉，擲地有聲的強調：「我們今天大膽向全世界人類提出一個問題：便是世界人類，現在與將來，要不要做人？如果想做人，從什麼地方去著手奮鬥？……今天世界人類只有兩個壁壘，一個是『人的社會』之壁壘，一個是「非人社會」之壁壘。這兩個社會的磨擦，今天已到了白熱化的程度。『人的社會』中每一個人，是有人性，有人格，根據人性與人格，發揮其個性，以增加社會之幸福與個人之生活水準，從而增進世界的和平與人類的文明。反觀『一個非人社會』中，人除了具備人的形態外，沒有思想與靈魂。『非人社會』中，人只是一群動物，既不許其有人性，亦不讓其有人格，他們是奴隸、是機器。」

程滄波言：很不幸的，今天的中國大陸，全大陸數萬萬同胞一年來，即陷入共匪的非人社會中。因此我們和全世界愛好和平民主的人們，要發動正義的呼聲，救自己，救同胞，救人類。我們要揹著自由的大纛，叫著「做人」的口號，開始「自由人」的運動。爭自由，爭人性，發動全人類自由人性的力量，去打倒與剷除共產帝國主義反人性的非人社會。不殘殺，不掠奪，在不流血革命的原則下，使人人有飯吃。本此目的，以建立新中國新世界。所以，「從今天起，根據以上主張，我們謹以此小刊物『自由人』，貢獻於全世界凡是不願做奴隸的人們，也就是我們這一群人，決心獻身於這一運動的開始。全世界和平民主的人士：我們要做人，我們要做自由人。每個人爭取了自由，世界才有民主和平，人類才有幸福與光明。」[22]我們要做人，我們要做自由人，起來，不願做奴隸的人們！程滄波這篇發刊詞，簡直是一篇慷慨激昂的宣示詞，代表全世界不願在「非人社會」生活下的自由人，向共產專制極權政權，發出堅決的怒吼。[23]

《自由人》三日刊，每星期出兩次，每次十六開一張。主編人規定由原先的「座談會」同仁輪流擔任，一年一換，為義務職，故內部人事組織極為簡單，只有一主編，一助理員和事務員，共三人而已。

20《雷震日記》（民國四十年五月二十五日），見傅正主編，《雷震全集》（三三）（台北：桂冠版，一九八九年八月初版），頁一〇〇～一〇一。

21 同註一二，頁二一三。吳相湘，〈成舍我為新聞自由奮鬥〉，見其著，《民國百人傳》第四冊（台北：傳記文學出版社印行，民國六十年元月初版），頁二七五。

22 程滄波，〈「自由人」發刊詞〉，見其著，《滄波文存》（台北：傳記文學出版社印行，民國七十二年三月十五日初版），頁一五七～一六〇。

23 阮毅成也說到，這是一篇代表知識份子愛國反共心聲的大文章，義正辭嚴，擲地有聲。同註六，頁一五。

該刊內容，第一版分「專論」、「時局漫談」、「自由談」各欄；第二版刊大陸共區消息；三版則記述港、台的社會新聞；四版是「副刊」。「專論」亦由座談會同仁分別撰寫，或徵用外界志同道合人士之作品；唯「時局漫談」和「自由談」二專欄，係由左舜生與雷嘯岑二氏負責包辦。《自由人》三日刊，因撰寫團隊堅強，且作者大多具有清望，故在海隅香港頗有號召力，銷路亦不壞；又可以銷台灣，雖無廣告收入，仍可勉強維持下去，在五〇年代的香港，可謂雜誌期刊界之奇葩。[24]

四、《自由人》的艱苦經營

平情言，《自由人》三日刊從四十年三月七日發行，到四十八年九月十三日停刊，維持約八年餘。這八年多的歲月，可謂艱辛撐持，多災多難。

首先為組織渙散不健全，於是才有民國四十年下半年的重組之舉。此中最大原因為「自由人」社大多數同仁均已離港在台，分別有：王雲五、王新衡、端木愷、程滄波、胡秋原、吳俊升、黃雪村、閻奉璋、樓桐孫、陳石孚、陶百川、陳訓悆、雷震，及阮毅成，幾乎佔了一半以上；而在港的僅有左舜生、金侯城、許孝炎、成舍我、劉百閔、卜少夫、雷嘯岑等人。其後在台參加的，又增加徐道鄰，共二十二人。為連絡方便起見，在台同仁乃公推王雲五為董事長，但又因刊物在港出版，故推左舜生為在港之代理董事長，就近處理刊物，成舍我則為社長。[25]

然因「自由人」社未有組織章程，也未在台辦理社團登記，所以才有民國四十一年一月十日，在台同仁在王新衡家為此商議之事。時適值端木愷甫自香港返台，報告港方同仁最近決定取消社長制，亦推左舜生代董事長，成舍我為總經理，劉百閔為總編輯。此事，在台「自由人」社同仁有不同意見，在三月七日及十五日的兩次餐敘商討論中，均決定仍採社長制，並仍推成舍我兄任社長。只是一個三十餘人的「自由人」社，就為了區區的刊物人事組織問題，港、台同仁即不同調，其他之事就可想而知了。所幸意見儘管有異，但同仁感情尚佳，阮毅成即言：「自由人在香港創辦之初，同仁常有餐會，交換意見。在臺同仁，於民國四十年七月十二日起，舉行聚餐或茶會，由同仁輪流作東，平均每兩週一次。除談自由人社各事外，亦泛論時局，交換見聞。」[26]

民國四十一年二月九日，「自由人」社在台同仁餐敘時，有鑒於《自由人》三日刊創刊已近一年，但組織與人事及編輯立論之困擾問題仍在，因此大家有必要提出意見交換，以尋求解決之道。席間程滄波首次提出編輯態度問題，但遭雷震反對。程又謂：「劉百閔不宜任總編輯，上次，此間同仁推成舍我任社長，何以改變？此間皆未知悉。」雷震與陶百川又認為，台方不宜干涉港方人事，雙方爭論甚久。最後由阮毅成提出折衷解決方案為：（一）、自由人本係超黨派立場。只知民主、自由、反共，不知其他。此後仍須守定此項立場。（二）、港方報刊如對台灣中華民國政府，有惡意攻訐，或無理批評，自由人不可自守中立，須起而加以駁斥。（三）、人事問題，另函在港之許孝炎查詢，不作決議。

24 雷嘯岑：《憂患餘生之自述》（台北：傳記文學出版社印行，民國七十一年十月十五日初版），頁一七六。
25 同註二三，頁一六。
26 同上註，頁一七。

眾皆贊成阮毅成之方法，並請其起草一函，致在香港之左舜生、許孝炎、成舍我、劉百閔、雷嘯岑諸人。阮函送各人簽名後發出，信中報告：「弟等今午聚餐，談及自由人編輯態度。回溯創辦之初，原屬超於黨派之外。……兄等在港主持，辛勞至佩，自亦必贊同弟等態度也。邇後港方報刊如對於臺灣中華民國政府惡意攻訐，或無理批評，自由人似不便自居中立，宜即加以駁斥。如有中國之聲作者來稿，希勿予以刊登，以嚴立場。再則，此間對第三方面各事，多持私人消息。語多片斷，難窺全貌。斯後尚懇時將各方動態，擇要見示。既可為撰稿時之參考，亦為知彼知己之一道。自由人素以民主反共為宗旨。署名：王雲五、程滄波、黃雪村、王新衡、樓桐孫、吳俊升、陳石孚、陶百川、雷震、阮毅成。」[27]

民國四十一年三月十五日，《自由人》創刊已屆滿一年，留台「自由人」社舉行全體會議。會議主席推王雲五擔任，其中：

（一）報告事項：（甲）、經費小組許孝炎報告——擬募集港幣三萬元（其中成舍我、許孝炎約洪蘭友，被分配擬向各紗廠募台幣一萬元）。（乙）、編輯小組成舍我報告：1、組織擬仍採現制，並請加推一人為必要時接替編務工作之用。2、發行擬請先行籌集基金以期達到日後之自給自足。3、編輯方針方面：積極在倡導民主自由，消極在反共抗俄，至對於台灣態度應仍許有批評，但不可損及自由中國之根本。4、在台同人集體意見推定專人執筆寄港，決登載第一版，並不易一字，如係個人稿件，在編輯方面擬請仍保有斟酌之權。5、每期需要稿件二萬四千字，在港同人無多未能盡任，在台同人時惠稿件。

（二）討論事項：（甲）、《自由人》三日刊社是否仍採社長制案。決議：仍採社長制，成舍我擔任社長。（乙）、《自由人》三日刊社費應如何加募案。決議：1、經費小組在進行籌募之港幣三萬元，於兩個月內籌足，作為基金，備日後擴充發行之用。2、另由經費小組加募港幣一萬元，作為最近數月經常費不足之需，在未募起前由許孝炎、成舍我負責維持現狀。3、加推樓桐孫、程滄波參加經費小組，並以王董事長雲五兼經費小組召集人。（丙）、《自由人》立論態度應如何確定案。決議：1、除積極的主張民主自由，消極的反共抗俄外，並須維護現行憲法倡導議會政治。2、凡外界對台灣有惡意攻擊影響國本時，應予駁斥，立場務須堅定，態度務須明確。3、除專門問題研究外，宜多載通訊及趣味性文字，理論文字及新聞性宜各佔三分之一。[28]此次會議至關重要，它為已紛擾年餘的《自由人》定調，但此為台方同仁之共識，港方同仁只是被動告知，並不見得完全同意，所以日後港、台雙方仍存有歧見。

其次更嚴重的是經費短絀，入不敷出，以至於時有停刊之議。這棘手問題其實打從創刊起即已浮現，只是苦撐待變，能維持多久算多久，但情況並沒改善且持續惡化中。四十一年六月十四日，王雲五、阮毅成與程滄波等聚會，商議如何應付《自由人》三日刊之困難。王雲五謂得左舜生與成舍我二君信，信上，成舍我堅辭社長，又每月不足港幣二千元。如無法解決，則自本月十八日起停刊。劉百閔則說香

27 〈阮毅成致左舜生諸氏函〉，見王壽南編，《王雲五先生年譜初稿》第二冊，同註五，頁七六八。

28 同註五，頁七七〇～七七一。

港紙價日跌，印刷係由《香港時報》代辦，印費可以欠付。以往亦每月虧空，並不自今日始。

對此，王雲五建議是否能改為月刊，移台出版，但眾意覺得移台出版，則《自由人》功用全失，仍宜繼續在港發行。最後決定由王雲五函復，請成舍我維持至七月底止。[29]是年十二月二日，「自由人」社同仁又再行會商，由王雲五主持，會中卜少夫表示願接辦，至少可免招致停刊命運。然未幾（十二月六日），卜少夫以有人表示異議，乃謂其《新聞天地社》同仁不贊成其再兼辦另一刊物，打消原意。王雲五即席宣布仍在港出版，推成舍我兄回港主持，並改為有給職。[30]成謙辭未果，旋即表示接受。後當場推定王雲五、程滄波、樓桐孫、胡秋原、陶百川、黃雪村為在臺撰述委員，程為召集人。另推成舍我、程滄波、胡秋原三人起草言論方針。王雲五、端木愷、王新衡為財務委員。香港方面撰稿委員，由成到港後約定人員擔任。事後，當事者之一的阮毅成，對是晚之會的結果表示很滿意，還稱為是《自由人》中興之會，同仁莫不興奮。但其後，主要的重點之一，《自由人》未來的言論方針並未草成。[31]四十二年三月十四日下午，「自由人」社同仁聚集在成舍我處，參加茶會。會中，成舍我出示香港許孝炎來信，謂自由人又不能維持。因已積欠《香港時報》印刷費港幣六千元，稿費十一期。且人力亦明顯不足，雷嘯岑將來台灣，左舜生又將赴日本旅行，主持無人，不如停刊。經同仁交換意見，仍認為不能停辦，並催成舍我兄速赴港負責。

因茲事體大，三月二十一日，「自由人」社另一要角阮毅成，也在家中約集在台同仁茶敘。會上，成舍我表示其有困難不願赴港，而港方近日來函，支持為難。眾意乾脆移台編印，仍推成舍我主持。[32]二十五日下午阮氏親訪成舍我，成表示三點立場：（一）、決不去香港。（二）、《自由人》如移台出版，願意主持。（三）、未移台前，可先在台編輯，寄港印行。同月二十八日下午，以《自由人》問

---

29 同註五，頁七七四。《自由人》經費之窘困，自創刊伊始至結束均如此，阮毅成即言：「我只記得在創刊第一年中，就賠去了港幣叁萬叁仟元。時歷八年半，為數甚為可觀。這尚是距今三十多年前的幣值，如以現在幣值計算，則更為巨大。」阮毅成，〈王雲五先生與自由人三日刊〉，同註四，頁三四。到《自由人》停刊止，其經費仍入不敷出，茲舉結束前致王雲五等人之二信函為證。四十八年九月十一日許孝炎自港來信王雲五，報告「自由人」結束時經費情況。「雲五先生並轉鑄秋舍我儆寰滄波新衡秋原佩蘭少夫諸兄惠鑒：關於自由人停刊事，前經兄等決定函達克文。兄弟回港後，復經再三磋商，始於前日由在港各有關友人舉行特別會議議決定停刊，並於本月十三日起實行。茲將會議紀錄抄奉敬祈鑒察。」「預計自由人可能收入之款（連登記費在內）約為乙萬四千餘元，支出除舊欠稿費約乙萬三千元；及克文兄之欠薪近九千三百元暫不計入外，此外薪工紙張印刷房租，今年稿費應退報費及空運費等，共計約為二萬乙千餘元，不敷之數約為七千餘元。倘預計可能收入之款有一部分不能收入時則虧欠之數將必更多，如何籌還以資結束頗費周章。而有把握之登記費乙萬元則尚待少夫兄回港簽字後始能提出備用。」又十二日社長陳克文亦致函王雲五。「岫公賜鑒：茲奉上『自由人』在港同人特別會議紀錄一份，請　察閱。『自由人』經濟情形截至本年九月十二日止，共欠債務三萬餘元，除登記費一萬元外，尚可能收回之款二千餘元，結束用費約五百餘元，並此奉告，統請轉知在台各位同人為禱。」見王壽南編，《王雲五先生年譜初稿》第三冊（台北：商務版，民國七十六年六月初版），頁一〇五二～一〇五三。

30 同註五，頁七七九。《自由人》主編是不支薪的，可見其艱困於一般。同為主編的雷嘯岑曾說：「首任主編人成舍我兄苦幹了一年之後，因為準備移家台灣，不能繼續盡義務了——主編人不支薪——大家公推下走承其乏，因係義務職，唯有接受而已。」馬五，〈「自由人」之產生與夭折〉，同註一，頁二一六。

31 同註五，頁七七九。

32 雷震日記當天即記載：「下午三時半至《自由人》座談會，阮毅成提議《自由人》表面在港，實際遷台，無一人反對。我內心不贊成，但不願表示，因《自由人》遷台完全失去效用。今日雲五未到，他們囑我報告。」《雷震日記》（民國四十二年三月二十一日），見傅正主編，《雷震全集》（三五）（台北：桂冠版，一九九〇年七月二十日初版），頁四八。

題緊迫，急待解決。「自由人」社同仁乃在端木愷家中餐敘。對《自由人》前途，共有四種主張：（一）、停刊。（二）、移台出版。（三）、在台編輯，寄港印行。（四）、推成舍我赴港主持。討論結果，決定用第四法，成亦首肯。然成謂：《自由人》除發行收入外，每月須虧四千元，此問題亟需解決。[33]

四月十八日，因港方同仁頻頻催促速做決定，眾議又思移台編印，王雲五亦同意移台出版，但謂須改為半月刊或月刊。三十日下午，成舍我與端木愷、阮毅成、王新衡、程滄波等人，又應王雲五約茶敘。時端木愷甫自港返，謂港方「自由人」社已無現款，勢不能繼續。因以由今日到會者商定：（一）、香港方面自五月十日起停刊。（二）、在台登記改為月刊，推王雲老為發行人，成舍我兄為總編輯。[34]然不久，港方同仁又變掛，五月十一日，阮毅成訪成舍我，成即謂卜少夫前日到台，攜有左舜生致王雲五函，主張《自由人》仍在港出版。

此事經緯，雷震在其日記亦提到：「見到雷嘯岑來函，對我們囑香港停刊，決議移臺辦月刊則大不以為然，來信措詞甚劣，決定去電並去函說明，以免誤會。」[35]雷嘯岑甚至為此來函欲辭去社長職務。

33 雷震日記載：「下午四時，在端木愷處討論《自由人》移台問題，王雲五、徐佛觀、端木愷及我均不贊成，程滄波、阮毅成、成舍我願移台，最後決定請成舍我至港辦至六月再說，因行政院之款發至六月底止，如停刊或移台亦須至六月底再說。」《雷震日記》（民國四十二年三月二十八日），見傅正主編，《雷震全集》（三五），同上註，頁五二。

34 這問題一直延伸至四十三年依舊如此。雷震日記：「《自由人》在港不易維持，決遷台辦週刊，由成舍我任社長，王雲五任發行人。」《雷震日記》（民國四十三年八月七日），見傅正主編，《雷震全集》（三五），同上註，頁三一四。

35 《雷震日記》（民國四十二年五月九日），見傅正主編，《雷震全集》（三五），同上註，頁七四。

《雷震日記》記載：「今日午間約來臺之《自由人》報有關各位來鄉午膳，除端木鑄秋、阮毅成、吳俊升、胡秋原外，到有十五人，即王新衡、樓桐孫、陶百川、張純鷗、陳訓悆、卜少夫、卜青茂、程滄波、范爭波、王雲五、成舍我、黃雪村、閻奉璋等及另約陳方。飯後討論雷嘯岑來函辭去社長職務一事，經決議慰留。」為此事，雷震感慨的說：「《自由人》發起人在臺者，不過十餘人，港方不過數人，兩方意見不合，終會扯垮。民主自由人士之不易合作，於此可見一班。」[36]

由於雷嘯岑堅決辭社長職務，八月一日，《自由人》在台同仁藉由茶敘機會，聽取甫自香港來台之劉百閔報告，劉謂：在港同仁意見為（一）、必須在港繼續出版。（二）、改推陳克文任社長。（三）、每月不足港幣八百元，在港有辦法可以籌得。王雲五說：「左舜生有信來，克文係其物色，本人絕對贊同。」眾亦皆表示贊成。但成舍我認為每月八百元之說，計算必有錯誤，至少每月亦需賠二千五百元，所以決定請王雲五再去函新社長，請重為估計。其實《自由人》經費之短絀，可由總其事的總編輯都不支薪一事更可看出，四十三年七月十日，左舜生自香港致函王雲五即說到：「弟意，自由人編輯者，原規定每月可支三百元，以舍我、百閔兩兄任編輯時，未支此款，後任編輯一年，亦即未支。」[37]如此窘境，要不是有台灣國府當局在幕後經費贊助，《自由人》三日刊能支撐八年餘，根本是不可能的。[38]

36 《雷震日記》（民國四十二年六月二日），見傅正主編，《雷震全集》（三五），同上註，頁八五。

37 〈左舜生致王雲五函〉，同註五，頁八二四。

38 雷震日記：「王雲五約『自由人』社在台同仁晚餐，以「自由人」在港經濟困難，重申移台出版，由成舍我任編輯之議。」《雷震日記》（民國最後為文章之尺度問題，除上述言及《自由人》三日刊甫創刊即面臨稿源不濟的困難外，更麻煩的為自從接受政府補助後，基本上，《自由人》的言論立場在相當程度上已受政府箝制。以至於在很多議題上，不僅不能秉公立論、暢所欲言；且須為政府妝抹門面，極力辯解。稍一不慎，隨即惹禍，遭致抗議。如民國四十一年六月一日，「自由人」社王新衡即訪阮毅成，談話重點就說到，《自由人》最近兩期，刊載左舜生〈論中國未來的政黨〉一文，有人表示不滿。[39]為避免誤會，乃一起同訪王雲五，請其以董事長身份，致函香港總編輯成舍我，請其勿再刊出此類文字。[40]

雖係如此，但言論自由乃是知識份子的普世價值觀，用強制力約束是沒用的。果然到民國四十四年又發生更嚴重的文字賈禍事件，差一點讓《自由人》無法在台銷售。事緣於是年三月二十三日，王雲五即接到司法行政部部長谷鳳翔來函，表示《自由人》三日刊，登載雷嘯岑文章，影響政府信譽，要求王雲五代向該社方面解釋。全函內容為：「頃閱本月二十三日自由人刊載『自由談』及『半週展望』雷嘯岑先生文內謂，揚子公司貪污案牽涉本部，曷勝駭異，此種無稽之詞，殊足影響政府信譽，茲特寄上函稿二份，送請　察閱，並祈賜檢一份轉致雷君查明更正，仍乞代向該報社方面照拂解釋為幸。」[41]

由於《自由人》所刊文章得罪當道，引起了國民黨中央黨部對《自由人》言論的不滿。三月二十六日，時任《中央日報》社長，亦是「自由人」社同仁的阮毅成至中央黨部參加宣傳政策指導小組會議時，即受到中央黨部秘書長張厲生的警告：「香港《自由人》三日刊，近日言論記載，愈益離奇，須採取停止進口處分。」幸阮毅成趕快緩頰，除報告《自由人》艱難創辦經過外，並謂：「現在台北各同仁，久未與聞港事。王雲老曾去函港方，請以後勿再刊載不妥文字。又以所載台省情形，與事實相距甚遠，曾通知港方，以後遇有記載台省情形稿件，先行寄台複閱。認為可用者，方予刊布，亦未承照辦。惟自由人參加者，多為各方知名之人。如忽予停止進口，恐反而使海外人士，對政府有所批評。不如一面先採取警告程序，依照出版法，由內政部為之。一面通知在台之董事長王雲五氏，促其改組。如再有違反政府法令之事發生，則採取停止進口處分。」[42]

為此，是晚十時，阮氏尚先訪成舍我，說明會議經過；再與成同訪王雲五，報告此事。王雲五似乎對此頗為不悅，乃決定於三月三十日下午五時，在端木愷家中，約集「自由人」社在台全體同仁會商。在三月三十日的決議中，提到《自由人》的現實問題，「本刊如不能銷台，勢必停刊。為避免使政府蒙受摧殘言論之嫌，希望政府妥慎處理，使其能繼續出版。在台同仁，願意退出。惟在港同仁意見如何，亦盼政府逕與洽商。」並推阮毅成與許孝炎二人將此項決議，轉達黃少谷，另函告在港同仁。[43]

四十三年七月十一日），見傅正主編，《雷震全集》（三五），同註三二，頁三〇二。有關國民黨高層提供《自由人》之經費支援，尚可參閱〈對港澳政治活動之指示〉，見中國國民黨中央改造委員會第一六五次會議紀錄（一九五一年七月四日——附件），黨史會藏。

39 左舜生〈中國未來的政黨〉（上）、〈中國未來的政黨〉（下）二文分別發表在《自由人》第一二九期（民國四十一年五月二十八日）、《自由人》第一三〇期（民國四十一年五月三十一日）。

40 同註五，頁七七三。

41 雷嘯岑，〈半週展望〉，《自由人》第四二三期（民國四十四年三月二十三日）。雷文所寫之論揚子公司案，因涉及上海時期之揚子公司，對孔祥熙有所批評，遂奉命查辦。又〈谷鳳翔致王雲五函〉，同註五，頁八四七。

42 同註五，頁八四七～八四八。

43 同上註，頁八四九。

換言之，針對當局對《自由人》的不滿，「自由人」社在台同仁採取了委曲求全的態度，一方面願意退出，此舉可能有兩層深意，一為逼香港「自由人」社同仁，小心謹慎，莫再刊登批評政府之文章，否則與渠無關，二為多少有向政府交心之意，明哲保身，不想惹禍上身；再方面亦有請政府介入之意，希望儘量保留能讓《自由人》繼續在台銷售。[44]果然如此，四月七日，王雲五即致函總統府秘書長張群，說明「自由人」之情形，並建議將「自由人」社改組，由政府指定負責主持言論之人實行接辦。信的內容為：「惟是該刊經費本奇絀，全恃內銷而維持，一旦停止內銷，勢必停止刊行，外間不察，或不免對政府妄加揣測，弟愛護政府，耿耿此心，竊認為消極制裁，不如積極輔導，將該刊改組，由政府指定負責主持言論之人實行接辦，可變無用為有用，弟當力勸原發起各人，本擁護政府之初衷，竭誠合作。」[45]

一週後，以國民黨並無接手之意，在恐不能銷台的情況下，成舍我與王雲五、陶百川、徐道鄰、陳訓悆、程滄波、胡秋原、吳俊升、端木愷、黃雪村、阮毅成等決議：「茲因環境困難，經濟無法支持，決議停刊，由主席（王雲五）根據本決議徵求在港同人意見。」其後，在台同仁復在成舍我宅聚餐，決定在台同仁既已必須退出，而中央黨部又規定不得再與《香港時報》，發生關聯，則無地可以印刷，亦無處可再欠印刷費。外界聞知中央處分，亦必不願再行認指，環境困難如此，只可宣布停刊。並請王雲五函詢港方同仁意見，如港方同仁堅持續辦，在台同仁自不能再行參加。[46]

由於文章得罪當局，以致有禁止銷台之聲，在港負責《自由人》編輯工作之陳克文旋致函阮毅成、王雲五等人，表示「咎衍實無可辭」，「自由人停止出版，唯覺可惜，形勢如此，亦復無可如何，文與左劉兩公對此均無成見，惟此間尚有其他股東，又年來出錢出力者，頗不乏人，此事似不宜由文等三人遽作決定，即為港方同人之全體意見，擬於最近邀集會議，提出報告，徵求多數意見，再作正式答覆。」[47]但不久，事情又有變化，四月二十九日，一向敢言的左舜生，終於自香港來函，明確表示反對《自由人》停刊，並謂在港「自由人」社同人決暫予維持。信中言：

> 「雲老賜鑒：四月七日阮毅成兄來信，並附有留台同人退出決議一紙，十八日奉　公手書，知同人復有集議，以經濟環境關係，主張停刊；均已誦悉。此間於當地環境，已洞悉無遺；對　公等所採態度，並無不能諒解之處。惟念同本刊宗旨，一面在『堅決反共』，一面在『爭取民主』，四年以來，奉此週旋，雖不無一、二開罪他人之處，但大體上並未

44 《自由人》三日刊，國民黨中央嘗指示「扶助」之，以批判中共，擁護政府並同情國民黨為原則。故該刊早期立場為中間偏右，後來對國民黨的批評言論日益激烈，台灣當局乃禁止其輸入，並停止所有經費資助。故《自由人》能否銷台，對該刊影響至鉅。萬麗鵑，〈一九五〇年代的中國第三勢力運動〉，同註四，頁一六四。

45 〈王雲五致總統府秘書長張群函〉，同註四三。

46 同註五，頁八五〇。有關王雲五在此問題之角色，阮毅成有相當持平之看法，阮說：「雲五先生名為董事長，出錢出力，卻不使範圍各黨及無黨人士，一定均作統一的宣傳，致反而完全成為俗套，失去向海外為政府說話的影響力。於是在發刊期中，常常發生選稿欠當的問題。每次有問題發生，雲五先生首當其衝，常為他人所不諒解，致生煩惱。臺港兩地同仁，為此書信往返，謀求各種補救辦法，效果均不甚彰。」阮毅成，〈王雲五先生與自由人三日刊〉，同註四，頁三六。

47 〈陳克文致王雲五、阮毅成信〉，同註五，頁八五一～八五二。

逾越範圍。今赤燄正復高張，而民主亦勢非實現不可；大約在二、三月內或有變化，前途殊未可知！故此間同人，經過再三考慮，仍決定暫予維持，並囑舜代為奉復，即乞轉達諸友為荷。公等即不得已而必須退出，仍望不遺在遠，隨時予以指導，除宗旨不能犧牲以外，同人無不樂於接受。海天遙望，曷勝悲憤憂念之至！」[48]

從此以後，《自由人》三日刊似乎終於渡過了這段風風雨雨的歲月，儘管港、台大多數「自由人」社同仁情誼依舊，但經費、稿源、立論尺度等問題仍在。《自由人》三日刊即帶此痼疾，跌跌撞撞的支撐八年餘，在民國四十八年九月十三日宣佈停刊。[49]

五、結論——從《自由人》到《自由報》

無論如何，在五〇年代那段風雨飄搖的歲月，《自由人》能以香江一隅之地，在內外環境相當險惡的情況下，擎起「我們要做自由人」的大旗，反抗共產極權，與中共做誓不兩立的言論鬥爭，其勇氣和決心仍另人刮目相看的。另一方面，《自由人》雖義無反顧的支持台灣國府當局，但在恨鐵不成鋼的期待心理下，對台灣當局若干錯誤的舉措，仍一本忠言逆耳之立場，毫不留情的提出批判或建言，即使在經費斷炊的威脅下，亦不為所動，這份苦心孤詣之意，也令吾人感佩。

而此即所以《自由人》在發行的八年餘中，雖屢有遷台之議，但大多數同仁始終仍以在香港立足為佳之看法，因其言論立場較客觀中立，雖稍偏向國府，但非無原則的一面倒，兼以香港為基地，較少政府、政黨色彩之觀感，且因對國、共雙方均有批評，是以其在香港作用較大之故也。當然《自由人》之悲劇，除上文已詳述之經費、稿源、言論立場受到制約等外緣因素外，尚有深一層內緣因素存在，此即中國傳統知識份子屬性使然。知識份子主性強的「書生本色」，誰也不服誰之個性，長落人「秀才造反，三年不成」之譏，因渠主觀意識強，所以容易堅持己見，是其所是，不大能夠為大局著想，且因自視太高，未能屈己就人，所以較乏團隊精神。

這情況在「自由人」社這批高級知識份子間亦是如此，雷嘯岑曾舉一事證明之，在《自由人》是否遷台之際，「王雲五以董事長資格，致函於我，囑將自由人報遷赴臺北發行，且將繳存港府的押金萬元一併匯去。旋由代董事長左舜生召集在港同仁會商，決議仍在香港出版，但在臺北的同仁，亦可刊行臺灣版，然王雲五很不高興，說我不以他為對象，悻悻然嘖有煩言，殊堪詫異。未幾，許孝炎由臺北回港，主張自由人停刊，他怕我不贊成，先囑我莫持異議，我表示無所謂，而自由人三日刊，即於一九五八年九月十二日宣告停刊了。現代中國高級知識份子之沒有團隊精神，於此又得一實驗的證明，曷勝慨嘆！」[50]所以當年左舜生在《自由人》創辦之初，樂觀的夸談「自由人」社同仁可以組織聯合政府，永遠合作無間之見解，雷嘯岑說，實係幼稚幻想。文人相輕，自古而然，《自由人》三日刊的緣起緣滅，依然落得一個「殺雞聚會，打狗散場」的結局，這也是中國現代高級知識份子的悲劇，想來仍不禁令人浩歎！[51]

48 〈左舜生致王雲五函〉，同上註。

49 雷嘯岑說為四十八年九月十二日停刊，恐有誤。雷嘯岑，《憂患餘生之自述》，同註二四，頁一八二。

50 同上註。

51 馬五，〈「自由人」之產生與夭折〉，同註一，頁二二〇。其實雷嘯岑自己亦如是，當《自由人》剛成立時，「大家的情感很融洽，精神上團結

《自由人》雖然走入歷史停刊了，但未及五個月，一份延續《自由人》餘波的《自由報》在民國四十九年二月十七日，另起爐灶又在香港創刊了。《自由報》社址位於香港銅鑼灣高士威道二十號四樓，也是採取半週刊（三日刊）的形式，於每個星期三、六發行。社長為雷嘯岑，督印人黃行奮，出版第一期有由以本社同人署名撰寫的〈我們的志願和立場〉為發刊詞。該文強調「我們是一群崇尚自由主義的文化工作者。對社會生活篤信『人是生而平等的』這項義理，珍重個人的人格尊嚴；對政治生活認定『政府是為人民而存在的』，要求基本人權之確立與保障。……我們膺受著共產極權主義的荼毒，深感國破家亡之痛苦，流落海隅，於茲十載，內心上大家不期然而然地具有強烈的愛國情操和政治理想，要從文化思想方面，努力培育民主自由精神，發揚其潛能，成為救國救民的偉大力量。職是之故，本報的言論方針是國家至上，民生第一，我們的立場是超黨派的。」[52]

簡言之，民主、自由、愛國、反共乃為《自由報》創刊之四大宗旨，嚴格而言，此宗旨仍是延續《自由人》三日刊的精神而來。阮毅成曾說：「後來，雷嘯岑兄在香港出版自由報，乃係另一新刊物，與原來的自由人，完全無關。」[53]此話恐有商榷之餘地。《自由報》在《自由人》的基礎上，發行至民國六十幾年才結束，期間刊布了《香港自由報二十年合集》、《自由報二十週年年鑑》，影響力不在《自由人》之下。

無間，對任何事體決無爾詐我虞，或以多數箝制少數的作風。我（雷嘯岑）當時曾聲言：假使憑這種精神組織『聯合政府』，擔當國家政務，國事沒有不振興的。」馬五先生著，《我的生活史》，同註一，頁一六一。

52 本社同人，〈我們的志願和立場〉，《自由報二十年合集》（一九（香港：自由報社出版，民國六十年十月十日）。

53 阮毅成，〈「自由人」參加記〉，同註六，頁一八。

內僑警台報字第〇三一號內銷證

自由報

THE FREE NEWS

第一三〇一期

社長：雷嘯岑

20 CAUSEWAY RD. 3RD FL. HONG KONG

TEL. 771726

承印者：田風印刷廠

地址：香港灣仔高士打道一二二號

台灣分社

電話：三〇三四六

恭賀新禧

本報同人鞠躬

萬衆一心冒險一致必須以至誠至剛之精神發為大仁大勇之行動我們憑着 國父三民主義的導引先烈國民革命的精神結合海內外一切愛國同胞的力量就是加速反攻復國全面勝利的重大保證

中華民國五十二年元旦　蔣中正

一年以來中共[illegible]了對內鎮壓與向外侵略的暴行；苦難同胞集體逃亡與群起抗暴的壯舉不但加深了大陸恐怖混亂的情勢更加速了中共的覆亡。我們深信一個決定性的時代已經到來，弔民伐罪的號角隨時可以響起，我們今天慶祝中華民國五十二年元旦更要精誠團結日新又新為達成反共雪恥復國救民的任務而加緊奮鬥。

中華民國五十二年元旦　陳誠

迎新年‧念國事

本報同人

流光如駛，國難連綿，轉瞬又屆中華民國五十二年履端肇始了，自從民國建創迄今，國家無日不在動亂憂患之中，而以最近十三年來的情形尤為嚴重，大陸為共產惡魔所竊據，人民呻吟顛躓於奴役暴政之下，水深火熱，生死兩難，政府播遷於海島一隅之地，危疑震撼，撐拄維艱。回顧國際形勢，兩大集團由冷戰對立而漸趨於苟安妥協的氣氛，日見濃厚，其中利害得失，跟我們反共復國的迫切要求，適相背馳。基於集體安全的關係，中國問題固不能超越國際間的現實態勢，而作單獨的解決，道理極其淺明。可是自由世界領導國家所希望於我們的，但求確保台灣這個戰略據點不落入敵人之手，以靜待他們的吩咐處理。

換言之，他們對於中華民國的存亡，以及中國人民的生死問題，無所容心，依然是強權即是公理的思想與作風。假使台澎地區對他們的國防安全沒有重大影響，則中華民國今日是否屹立無恙，亦成疑問了，試看他們對於中東各國動亂的對策，幾曾見有絲毫的正義公道跡象呢？因此，我們應該知所惕悟而警惕之，維繫自力更生之道，至少亦須揚棄俯仰由人的惰性觀念，表現一些獨立自主的行為，而以心理建設為基本條件，否則中華民國前途，那是未可樂觀的。

談到心理建設，似有空疏渺茫之感，其實不然。任何一個國家民族的隆替興亡，沒有不是以精神因素為主的，史證孔多，不遑贅述，我們喪失中原河山的基因，就是精神空虛惰落，其他政治、經濟、軍事上的種種失策，皆源於此。今後要想復興，若不從心理建設着手，必無是處，語其大要，不外數端。

充實號召力量

在民國十五年國民革命軍尚未北伐之前，國民政府侷促於廣州一隅，內有各個軍閥割據反抗，外有國際帝國主義勢力壓抑妨害，處境之艱危困苦，十倍於今日在台灣的情勢。然全國人民皆對革命政府表示無比的向心力，一般知識青年以能夠到廣州參加革命陣營為榮幸，憑着這股心理潛力，革命軍一旦實行出師北伐，乃能以寡敵衆，以弱勝強，克收統一全國之功，這是大家共知的眼前事實。現在政府在台灣的號召力，是否具有當年這種「八方風雨會中州」的氣象？若說是有過之，無不及，顧何以海內外的反共力量尚未能團結一致，共赴國難？海外的華僑資金，皆大量流集於并不安全、且缺乏生產力的地區如香港等處，而不響應政府的號召，投入台灣以增進經濟建設能力呢？許多知識青年皆以祖國留學為急務，而且一去即不思返呢？可見我們在政治上沒有嶄新的作法，即不能產生號召力，空談革新而不繼之以行動，證之以事實，決無俾益！

掃除偷惰心情

美國第七艦隊之協防台灣海峽，繼之以中美安全互助協定，其用意只在保守台灣不讓共黨入侵而已。所以美國當道不特公開聲明沒有援助我們從事反攻復國的計劃，并且對於我們準備反攻的應有措施，亦隨時大驚小怪，多所猜疑；一面又與毛共秘密談判所謂「台灣問題」，但求毛共不以武力進犯台澎地區，於願已足。假使毛共放棄其世界革命的原則與立場，不以「美帝」為死敵，所謂「兩個中國」的醜劇，早已在聯合國演出了。這種事實，雖黃口小孩亦已瞭然在目，與中國人民要求自由生存的願望，完全相反，我們沒有理由認許的。然而，有一般政治人物，似以美軍協防為安全護符，為「泰山石敢當」，覺得台澎地區可保無虞，縱使反攻復國不可能，而台灣仍係安樂土，有美國的經濟援助，亦不致陷於民窮財盡之境況，得過且過，居易以俟命，殊為得計。甚至有一種極惰落的下意識繫於懷中，認為即令反攻復國無望，而「兩個中國」實現之日，台灣猶是大好的安身立命之所哩！

上述這種偷惰苟安的卑怯心情如不加以掃蕩，即難望政治上有「革新、動員、戰鬥」的奇跡發生，結果只有六神無主，俯仰由人，聽從別人頤指氣使，牽着鼻子走。如是乎，政風窳敗因循如故也，經濟生活專靠外援如故也，貪污風氣盛行如故也。一切的一切，都表現着多言多詐，不求進步的式微象徵，坐失時機，無所作為，而強權主義者更視我們為無足輕重的國際配角了。或許有人認為在國際現狀之下，我們既不能斷然採取單獨的反攻行動，則忍隱以待時勢之變遷，良非得已。殊不知偷惰苟安的半吊子心情若不滌除，即沒有「生於憂患」的精神力量存在，自然談不到自力更生的話，長此惰落下去，將來共匪惡魔勢力縱然崩潰了，我們在未來的世界新秩序中，亦只是居於搖旗吶喊的跑龍套之列。國際地位之取得，要從奮鬥中而來，決非因人成事的。就我們現時的環境和力量而言，祇要淬厲奮發，有所不為，在國際上至少至少可以奄有「成事不足，敗事有餘」的資質，而強權主義即不敢隨便犧牲出賣我們了。

唾棄虛矯自娛作風

由於偷惰苟安的心理作祟，政治上乃經常顯示着一片虛矯自娛的作風。談敵情研究：每每先作答案，再找理由和資料，而其結論不外是「共匪崩潰在即」，「人民奮起抗暴」云云，好像共黨不待吾人起來打擊，亦將自倒自斃，大可整裝待渡，重演對日抗戰之役的「接收」好戲。談經濟建設：總是突飛猛進，績效輝煌，且有統計數字作證。然據監察委員的年終檢討結果，許多經濟機關的事業，全賴國庫支持，對國家乃有損而無益。談外交工作：為着聯合國每年喧嚷一次的所謂「中國代表權問題」，不惜以國家基本權益為代價（如對外蒙古偽政權加入聯合國而不予以否決），委曲求全，而自認為「我國在聯合國聲望日隆」以外，別無自主的措施，且以國民外交的職責，竟託於一個到外洋參加國際市儈們所玩弄的「世界小姐選美」玩藝的女子身上。這套虛矯的宣傳技倆，共黨固優為之，我們為甚末要跟它學步呢？虛誕矜夸的氣質不改變，及其弊也，將有如唐‧吉訶德式的作風，以風車為巨人，向之作戰，不亦大可哀乎！

中華民國政府播遷海隅已逾十三年了，人生有限，歲月無情，我們瞻念國事前途，殷憂不已，當茲獻歲迎年之日，謹抒所懷，聊以自勉，并希望國人除舊更新，努力於心理建設，貞下起元，民族復興之日可立而待也。

自由談

新年談革新

自從去年冬月間，蔣總統發出「革新、動員、戰鬥」這一號召之後，在台灣的各個文武衙門、黨務機構、乃至於民衆團體等等，一窩風似的大叫「革新」之聲，不絕於口；除了擬訂革新計畫或方案對外宣傳標榜以外，逢有公衆集會時，登台演說的人，一定聲稱「我們要實行總統的革新號召」。人云亦云，此唱彼和，形成了一種「八股文章」的格調，猗歟盛哉，嘆觀止矣！

在反共救國的非常時期，政治需要革新，全民應該動員，大家發揮戰鬥精神，同心協力，共赴事功。這是每個公民應有的認識，縱然沒有行政元首的號召，亦得淬厲奮發，躬行實踐纔是。然而，在總統發出這項革新的號召以前，輿論界儘管要求庶政革新，不斷的指摘若干腐敗因循的政治現象，而從來沒人理睬，泄泄沓沓自若也。一聞元首有此訓示，如是乎，大家相率狂呼「革新，動員，戰鬥」，譁咋不休，而且搞出不少的革新辦法來，像煞有介事。很抱歉，我懷疑這又是猶吾大夫崔子的舊作風，旨在表示對領袖忠貞服從的模樣，做些表面工作，矇騙高高在上的那一人，其他皆無所謂，實際還是依然故我，滿不在乎，一堆新口號，多數舊官僚，革新云乎哉？

如果大家眞有洗心革面，除舊佈新的堅決意志，那就用不着把「革新」口號掛在唇邊，悶聲不响地各盡所能，在自已職份以內，切切實實地振作起來，興利除弊，以事實來證明新作風，這才是眞正的忠貞表現。例如最近監察委員檢討出來的那些秕政——尤其是經濟上的許多失策，當局者是否有勇氣承認過去的錯誤，而乘此機會，實行革新呢？

現在中華民國五十二年履端肇始了。我們經常強調政治反攻之說，像已往十餘年來的政治措施，實在夠不上反攻的條件，而今而後，希望大家少作表面宣傳，多採實際行動，努力崇明德，隨時愛景光，莫再蹉跎歲月，貽誤國家前途，何幸如之！

馮正先生

北市省議員執政黨提名
本省籍人士登記不踴躍
外省籍提名競爭勢必甚激烈

（本報記者台北航訊）定期於本年四月舉行的台灣省第三屆省議員選舉，執政黨黨內提名登記，已於十二月廿二日午夜截止，台北市參加提名登記的人士，計有廿二人。將來那些人能膺選執政黨台北市省議員候選人的六個名額，將先由台北市黨部審查，決定加倍的十二個初審人數，呈報上級核定。第三屆省議員選舉，由於選民人數增加，議員名額卻仍舊，且因與市長分開選舉，這場競爭，無論是落到何人頭上，都是非常吃力的。

執政黨在台北市的提名，在以往慣例上，大致分爲本省籍、福建籍、江浙籍三方面，原則上是本省籍人士三人，外省籍人士三人，婦女保障名額一人列入本省籍名額內，退除役軍人保障名額一人則列入外省籍名額內。照這個原則進行，對本省籍的決定，這次將非常簡單，因爲本省籍人士登記不踴躍，提名將無困難。執政黨這次提名登記，本來預定的截止登記日期是十二月十五日，卽由於本省籍人士登記不多，素質也被認爲不夠理想，乃延期一週，以便進行勸說徵召，但想不到結果由於大家缺乏興趣，雖延長了一週登記時間，登記的人還是不夠多。

本省籍已登記者，計有李丙心、黃奇正、陳重光、吳癸辛四人。其中以李丙心與陳重光二人呼聲較高。李丙心爲幾屆的市議員，且曾任第一屆省議員，他在工界頗有號召力。陳重光爲現任省議員；黃奇正是現任市議員，他已連任過五屆市議員，近年表現尙佳，實力不可忽視。陳重光的票源與黃奇正的票源接近，票源如不加協調的話，將是一場硬拚，鹿死誰手還很難說。

外省人士的情形，就較本省籍人士複雜了。福建籍登記的有三人：陳愷，趙邦平，沈應松。在習慣上，福建籍人士是歸在本省籍內；本省籍應產生三人，除去婦女一人，本省籍一人，福建籍的只能出一人。而福建人士之中，又有閩南與福州兩大陣營之分，過去且有閩南福州輪流出馬的「君子協定」，如第三屆能按此君子協定行事，該由趙邦平出馬；故台北市黨部必需在陳愷與沈應松之間勸退一人。陳愷競選連任，既經登記，當然想捲土重來，而沈據說亦志在必得，這就要難煞市黨部了。

此外參加登記最多的外省人，江浙籍登記的四人中，有三人表示志在必得。由於江蘇的陳大拔與姚冬聲競爭激烈，蔣淦生可能獲「漁人之利」。蔣淦生由里長做起，到現在已連任了兩屆市議員，基層很堅固，但其上層關係顯較薄弱。如果三人相持不讓，市黨部也要爲難一番。

湖南籍的蕭季璋，爲代市長周百鍊的智囊，且爲市黨部的現任委員，周百鍊如有意於下屆市長，當然會出全力來支持蕭季璋。山東籍的市黨部委員張正懋，江西籍的市議員蕭韾，雖然都想力爭上游，且在提名未截止前，山東人確實威脅了江浙人一陣子，但由張正懋出馬，因其被認爲並非山東人的「王牌」，江浙人已鬆了一口氣，預料這次外省籍人士中，大半還是江浙人的戲了。至於列入外省籍的退役軍人保障名額，已決定由郭岐連任，這是沒有爭執的。

婦女保障名額鐵定一名，已辦理登記的有現任省議員張彩鳳，張是在台北縣繼李秋遠當選無效而補實的議員，張在決定來台北市競選前，守秘嚴密，這個消息，還是本報第一家透露。張的父親張祥傳現任台北市議會議長，會出全力支持她，自不在話下，所以張彩鳳的希望很大。另一原因，爲現任省議員呂錦花已經決定不競選了。呂錦花不競選的謎，一直到截止登記才揭曉，但本報記者卻早就有報導了。

另外女性市議員李黃恒貞，孫性初，張四英，雖都登記競選，除非執政黨改變原則，婦女名額不限於本省籍，否則外省籍的張四英，連提名都不會獲得，遑論競選。

黨外人士對執政黨的提名登記加以密切注意，到目前爲止，黨外人士方面本報很早卽已報導原準備在北市出馬的李秋遠仍決定回台北縣競選的消息，已獲證實。（吳越）

香港與大陸

廣州有個勞改獄
五百犯人盡僑生

在廣州市有一個「生産性」的監獄，其實就是「勞改」獄，裏面共有五百多名勞改犯，全部都是僑生。

這消息是十一月底才由廣州逃抵本港的僑生歐陽君對本報記者說的。歐陽君本人便曾經在那個「勞改」獄中被進行勞改。祂說：那勞改獄設於廣州石井的「羊城水坭廠」。歐陽君是一九五七年從印尼被騙回大陸升學的，祂因不滿中共的政治教育和勞動教育，於一九六一年便自動休學，在廣州閒居。數月前，祂與幾個朋友在閒談中對中共作爲發了些「牢騷」，不料消息走漏，當晚便被抓到越秀公安局，經過了一星期的疲勞審訊，終被宣佈爲：「一貫反動」和「黑社會」成員，被判刑兩年，送到那個勞改獄勞改。

歐陽君說：在「羊城水坭廠」勞改獄中的五百多名僑生，每天要做苦工十四小時，並有兩小時的政治學習，生活凄慘得很。但獄中共幹強迫那些僑生勞改犯，每半個月要寫一次信給在南洋的親人，規定必須說：「生活愉快，每月吃米卅五斤」等等，每封信都交給共幹審閱，代爲發出。凡不遵命寫這樣信的，均被處罰，如不給囚飯吃及加增勞改期限之類。

歐陽君是在一次准許親人探監時，祂乘人多混雜，冒險逃出那勞改獄，再經過萬苦千辛於十一月底逃到香港來。

另據甫自廣州市華僑新村來港的僑屬李君向本報記者稱：祂有一堂弟，係一九五九年由印尼回大陸升學的，就學於廣州市石牌的「華僑補習學校」高中二，十一月中旬，祂接到該校的通知書，着其於二日後赴校，謂「有要事相商」。祂按時前往，該校的黨支書親自招待祂，告訴他說祂堂弟「反動」，接着便被邀參加宣判大會，一共宣判了四個僑生，他堂弟被判勞改兩年，罪名是：寫「反動標語」，聚賭，打架等。事後該校黨支書又找李君「談話」，要祂寫信到印尼解釋事件經過，「請勿誤會」云云。（敬斯）

紀辛亥革命軍光復南京之戰

梁一竹

筆者童年在小學時，曾讀教科書紀辛亥革命軍光復南京事，並插革命軍攻雨花臺圖畫，砲火連天，士氣如虹，印象深刻，不能去懷。最近閱新出版的中華民國開國史料，對光復南京之役，紀載很詳，其攻城戰野，斬將搴旗經過，令人不禁想到我來日反攻大陸時的壯烈場面，特摘錄如下：

初戰失利

十月十日武昌新軍起義成功後，消息傳至南京，城內徐紹楨統制所轄的新軍第九鎭（相當一師）立謀響應，但因子彈爲內奸騙去，不能卽發。清江防軍統領張勳，久疑新軍傾向革命，因此派兵將新軍包圍，並向總督張人駿獻計，要繳新軍槍械。徐紹楨聞訊，便也向張人駿說明新軍本無反意，但若強予繳械，正假革命分子以煽動之機，可能激起兵變。總督聽了，也覺得很有道理。後又得同情革命的幕僚建議，認爲新軍與江防軍既有積怨，不如調新軍出城駐紮。張人駿對這意見至爲贊同，便下令調徐紹楨一鎭駐紮城南之秣陵關，而新軍力量，因得保全。新軍到了秣陵關後，知上海已經光復，便一面派人化裝到上海接洽子彈，一面運動南京城內總督府衛隊營作內應。初衛隊營原預定於新曆十一月八日起義，不料事機不密，爲張人駿所悉，立卽把管帶（營長）殺了，全營官兵見事已危急，只好提前於十一月七日起義，計劃衛破南門，接應新軍入城。不料張勳爲防新軍，早已在南門置有重兵，所以衛隊營攻至南門時，竟被張軍殺了過半。當下新軍在秣陵關聞訊，對張不明大義，至爲憤慨，便於八日黎明誓師進攻南京，卽當時每人只有子彈三枚，所以此番作戰，端賴炸彈和白刃，而且軍糧也不足，那天自晨至暮，全軍只吃了一餐，但因士氣高昂，大家都忘了飢餓。他們進軍時，當卽遇到張軍的密集砲火抵抗，但大軍掩殺過去，張軍遂退到雨花臺壕壘裏堅守。那雨花臺只在南京南門外一里，踞高臨下，扼着城南隘口。革命軍爲了爭奪這個高地，不得不盡力猛攻，卒因敵軍工事堅固，彈如雨下，而且我軍彈盡援絕，死傷過多，以是下令收軍，於九日晨分向蕪湖、鎭江兩處撤退。沿途村民知新軍經過，都紛紛冒險攜飯食勞軍。新軍雖給以飯錢，村民都拒絕不受。他們說：「你們爲了救國，不惜犧牲，我們送點飯來，還要錢嗎？」所以新軍很順利便抵達安全地點。

張勳軍隊於抵抗革命軍之際，同時將城內留守新軍、學生、百姓等，認爲可疑者七百人，悉數搜捕殺害。九日革命軍撤退之際，張軍本擬啣尾追趕，但是日早上忽然大霧迷天，對面不能見人，所以他們追至秣陵關後，卽廢然而返，當他們走近雨花臺時，守軍以視線模糊，且鑑於日來風聲鶴唳，所以又以爲革命軍前來突襲，慌忙向他們開火，待弄清楚是自己人時，他們已死傷狼藉。當時百姓都認爲這是「天心助漢」。

再戰成功

徐紹楨統制這次起義雖然失敗，但革命聲威，已震動天下，江浙革命將領，卽推他爲蘇滬聯軍總司令，以顧忠琛爲參謀長，負責指揮各部會攻南京。時鎭江已光復，該地新軍首領林述慶，亦揮軍相助。十一月廿九日，大軍已迫南京近郊。城外有天堡城，俯瞰全城，爲南京第一天險，張勳派有重兵把守。革命軍乃於三十日總攻此堡，清軍據險頑抗，革命軍死新軍營長一人，連長二人，排長五人，士兵百餘人，浙軍敢死隊長一人，士兵十餘人，滬軍先鋒隊參謀一人，幸後援部隊趕上，敵軍不能復支，只好於十二月一日投降。此外，城郊的雨花臺、幕府山、靑龍山等清兵陣地，也爲我攻下，南京形勢已全在我軍控制之下。

這時革命軍中有一名神砲手名叫于魁，他的砲術可說是百發百中，曾在靶場中與德國駐華砲兵參贊比賽射擊，竟獲第一，使德國參贊敬佩不已。當下他便被派在前線高地，架起大砲，先轟城內富貴山張勳司令部，一砲便把那座營房打碎了。隨卽轟北極閣張人駿的都督衙門，又是一砲中的，烟火奔騰。以後連發十餘砲，無不命中，清軍紛紛逃命。總督張人駿和張勳見大事不好，便請美國領事和鼓樓醫院美籍醫生馬林等，代表清軍出城向革命軍請降，革命軍當時卽答應，但是夜張人駿、張勳等便率千人開城遁去。十二月二日，革命軍神砲手繼續轟擊，留守清軍六神無主，以是革命軍長驅入城，南京便告光復。

民國元年元旦，國父在南京就任大總統職，由徐紹楨呈請獎勵光復南京有功官兵，大總統隨卽獎有功士兵每人銀質獎章一枚，將校每人金質獎章一枚，中有孫大總統半身肖像，以示崇功之意。

華盛頓來鴻

（上接第三版）

七、查尼赫魯於一九四七年印度獲得自由後，竟一變其過去反帝國主義立場，而宣稱該國繼承過去英帝國之疆土權益。阿薩姆省與緬甸之間，有山區那葛族The Nagas，在英帝國時代卽會要求自治，尼氏亦表示同情。但印度獨立後，尼氏卽派號稱警察事實上乃武裝部隊十餘萬人，繼續壓迫該族十餘年之久。此次中共戰勝後，東北邊區事實上歸中共控制，可能設法與該族取得聯繫幷接濟軍實，同時暗中訓練印共打游擊戰，爲印度腹心之患。

八、法國學者汪因柯特de Reincourt於一九四七年游西藏，此後著有「世界屋脊」，「印度之靈魂」，「中國之靈魂」，「未來之憬撤」等書。在「世界屋脊」書中伊謂西藏在戰略上甚爲重要，因其介乎中印俄三大國之間，且居高臨下，其轟炸機距重慶二小時許，距新德里一小時，卽蘇俄亞洲之工業區若塔虛甘Tashkent等地相隔亦僅八百英里。伊謂西藏如遭共黨所佔領，則印度與東南亞在戰略上均無從守禦。

九、印度學者簡因Jain，近致函美國國家評論雙週刊，謂印度問題日益嚴重，因通貨勢將膨脹，物價亦將上漲。而大批美國記者來印度後，勢必對印度政府之貪污無能等現象，大事渲染，結果印共抬頭後，該國可踏中韓、越、寮等國之覆轍。

十、世界人口問題日益嚴重，本年四月英國之經濟學者人口學者農學者生理學者多人集會討論，各人論文在本期皇家統計學會季刊宣佈，總結論係悲觀的，雖天主教經濟學者而以國民所得研究知名之克拉克氏Colin Clark，亦改變其過去之樂觀態度。又本屆聯合國大會，在委員會中通過聯合國應以技術協助任何會員國之願推行節制生育政策者之決議。其後在大會中此點被删去，然各國代表均公認人口情形之嚴重，爲經濟發展之重天障礙。

手此敬上，並頌

年禧。

弟顧翊羣拜啓　十二月廿日

一頁珍貴的歷史文獻

墨索里尼的最後哀鳴。說希特勒不懂得地中海
指納粹德國買假情報。嘆義大利人沒有個性

·封雄譯·

「在薩爾茲堡（一九四三年四月）我向希特勒說，我們再也沒有辦法回到非洲去，義大利各島一定要被侵，唯一可避免失敗的辦法，我告訴他：『你必須與俄國講和，你必須把全部兵力移到地中海來。現在你實在無法幫助我們，當然不是你不想幫我們，除非你與俄國講和，否則一切都完了』。可是一點也沒有用！在菲爾特（一九四三年七月）我和他的會晤實在不能說是成功，預定會期三天，結果只會談了三個牛鐘頭——三個牛鐘頭！和往常一樣，我想提的問題都沒有提出來！所討論的都是希特勒提出來的問題，我又重申與俄國媾和的理論，一點也沒有用！」

「我簽署軸心國協定之後，我又爲圖阻止希特勒，最後我又寫信明白告訴他我們在一九四二年以前無法有充份的準備，在那封信中我說德義同盟就像一株小樹，需要長時間來培養。」

「希特勒宣戰以後，我依照我那不參戰的公式使義大利維持了十個月的和平，然後我不得不加入，否則我們便失去了與法國談判有利條件的機會。以我個人來說，我相信德國人在英國登陸一定可得勝，也許登陸不見得能逼英國投降，不過他們的政府必須撤到加拿大或澳洲去，於是我們便有了不可輕視的地位。」

毛基瑞：「首相，也許我們在義大利的人，所希望的事情比自己的能力大得多。」

墨索里尼：「是的，義大利的問題就是一種個性問題，其他的特點如堅忍，和毅，機智，義大利人都有，惟獨缺乏個性。」

墨索里尼痛心疾首的說他的軍令不能統一，甚至連巴多格里奧都不服從他的命令，更痛恨他軍隊組織的紊亂。他說當時因爲臥病在床不能及時趕到西西里去鎮壓當地的潰勢。等軍艦駛離薩島他還滔滔不絕的說。他和毛基瑞海軍大將在那裏分手，一直到八月十六日才重晤，那次是毛基瑞將軍護送他從龐薩島到薩底尼亞去，墨索里尼從他那龐薩島的別墅出來登上特備的驅逐艦，一路上警衛森嚴，他很沮喪的從小艇爬上軍艦，於是又和毛基瑞大將繼續談話，墨索里尼第一個問題便是：「爲什麼又把我送到薩底尼亞去？」

毛基瑞說：「龐薩島太容易受意外的攻擊。」

墨索里尼：「對的，我曾向麥歐里說（龐薩島的指揮官）：『假如英國有兩艘潛水艇和一百個突擊兵來了，你怎麼辦？』」

毛：「那裏同時也有受德國突擊的危險。」

墨：「我大概不會再受更大的恥辱了，怎麼會有人竟想到我會到德國去和德國人再恢復一個政府呢？呵！當然不會！」

毛：「一九三六年你和艾登討論阿比西尼亞問題時，你和他吵起來了，是真的嗎？」

墨：「沒有吵，我和他會晤兩次，我解釋義大利絕對需要土地以獲取原料與工作，他回答說英國並不反對我們必要的擴展，可是第二天他回來說可以把英屬索馬利蘭的西拉港送給我，我回答道：『不，第三者贈送的禮物已經夠了！』艾登向我說，『你不覺得阿比西尼亞的戰爭會與英國發生嚴重的磨擦嗎？』我說『我知道，不過你也應該把這問題再三考慮一下。』」

毛：「你辭職時樞密院怎麼樣？」

墨：「樞密院開會並不像傳說那樣亂，當然，到會的人很少能明白那次會議的重要性。西亞尼蒂，羅索尼等人都以爲那是把軍權交還義皇的問題，其實義皇從未失掉軍權，我把持軍權時，很受一般人的批評，然而事先我曾徵求巴多格里奧的意見，他覆我一信表示贊同。格蘭第（義駐英大使）的行爲一向是無信無義，狡猾卑鄙的，當然他以爲我下了台，他便是政府的首腦，天曉得以後會攪成什麼樣子！那次的會議時間很長，大概是十個鐘頭，沒有什麼大的爭吵。」

毛：「齊亞諾（墨的女婿，已被槍決）被他們撤了外交部長之職。」

墨：「我那位女婿，實在是一個無恥之徒。」

毛：「可是你們讓他作了七年外交部長！他實在有些膚淺，甚至他的私生活也很齷齪。」

墨：「對啦！每天在高爾夫球場上和一幫女朋友瞎混。最後我總算把他趕掉了。

「你要知道一直到一九三七年我們一切事情都很差強人意，作了很多偉大的工作，我們曾把帝國建立起來，我把阿爾巴尼亞也拉進帝國範圍之內。假如一九三七年我病勢沉重而嗚乎哀哉，對於我，實在是最好不過的事了。

「現在，你想想！假如俄國這次打贏了，史大林的威望還了得起！希特勒早就認爲世界上只有史大林是他值得一較高低的敵手，希特勒親口跟我說邱吉爾羅斯福都是二流人物，他認爲邱吉爾沒有什麼了不起，羅斯福更差，羅斯福太濫了！」」（下）

天南風光

——沙羅越的歷史——

朱淵明

「伯」的尊稱，倒不一定以年齡爲標準，對年老的人，固可呼之以「伯」，卽對其所敬重的人，亦多以「伯」相稱，故「老阿伯」之稱呼，在南洋一帶，也是頗爲通行的。於此，可知羅芳「伯」之變爲羅芳「伯」，乃順理成章的事。卽其繼任的人，江戊「伯」，闕四「伯」，宋插「伯」；三代均以「伯」名，絕無此巧合之事，殆係尊稱之號，毫無疑義。

及第五代傳至劉二台以後，再傳五代，均直稱姓名而不「伯」了。根據讀東林鳳超編述的「坤甸歷史」敘述至蘭芳四十五年稱：

『蘭芳四十五年辛酉，道光元年，插伯薨。劉二台「哥」嗣立，往「吧城」，大辱國

書法：劉台二「哥」，不書「伯」而書「哥」者，貶也。胡爲貶之？後稱「甲太」故先削其「伯」稱也。而書辱國體者何？身爲君而朝吧督，亦特筆而誅之意也。

賀實：吧城，卽吧達維亞荷蘭總督所駐也。

潑明：羅，江，闕，宋，揖讓而爲大唐總長，約五十餘年；此五十年間，有完全統治權，不失爲小共和國體。（十七）

華盛頓來鴻（下）

推翻毛共野蠻政權　世界災難方有轉機

顧翊羣

五、艾契遜氏關於英國霸權消失之議論，引起軒然大波。麥美倫首相對戴高樂總統交涉之不得要領，西德內部之政潮，甘麥兩氏關於飛機上火箭發展觀點之歧異，以及兩國對於剛果事件之政策不同，處處證明不僅共產世界內部有分裂，卽西方世界亦非意見一致者。弟祇願指出一點，卽歐洲對英國加入共同市場之諸多留難，除若干現實因素外，雙方在哲學上有意見亦其重要原因之一。蓋歐洲思想由理想主義以下，而至現象論，以迄實存哲學，主要的著重在「人」的與「主觀的」方面，（與我國傳統較爲接近），英美之經驗主義，實驗主義，邏輯實證論者則所着力範圍在「物」的與「客觀的」方面。據甫自歐洲歸來之李普曼氏之意見，謂德法等國目前之團結，在於重振歐洲文化，因之遂對英國不肯遷就。但李氏指出，德荷比等國與英國之經濟關係密切，德國艾哈特氏反對共同市場採用關門政策，故此後問題尙多。鄙見自由世界欲求對共產世界爭勝，必須將我國傳統思想與西方思想配合，俾對人對物無偏重，並使浮士德型之西方人與王陽明式之東方人密切合作，將我國大陸同胞由野蠻政權手中解放，使中國人「文質彬彬」之特性克能重行實現，世界災難方有轉機，各國內部以及國與國間之歧見，亦可望逐漸泯滅也。

六、最近中共與印度之戰事，證實尼赫魯之中立政策與權力政治已全部破產，其人之人格掃地，爲舉世所見。美國之承認麥馬洪線爲中印交界之舉，乃一重大失策，將來禍患無窮。麥馬洪氏爲一標準的英帝國主義實行家，不僅在當時在中印交涉中留下禍患，其後更於第一次大戰時，在埃及高級專員任內，以甘言誘騙中東回教各民族反土，而與老胡森教主互簽協定，允許其獨立，勝利後英政府竟食言而肥，更默許以色列國之成立，以致中東擾攘不寧而迄今日。總之，霸道政治收效一時，而貽禍遠久，爲歷史上鐵的事實。曾任英外交官之安萊特氏Enright近來改行爲詩人，賦詩見志，謂伊等一流英國人正在還其祖先所造孽之債務，沉痛異常，深堪儆惕也。（下轉第二版）

虛君續夢

第六回：烽火照邊陲　同惡難濟　樓船碧橫海　大慾興悲

周恩來當時插嘴問道：「閣下同艾森豪威爾共過事，究竟此人的軍事知識如何？」

蒙哥馬利冷笑道：「比起布萊德雷自然好得多。不過，也並不是第一流的軍人。說起來他對政治還是比較內行些。」

周恩來問道：「艾森豪威爾最近到遠東來訪問，依閣下觀察，他有什麼企圖？」

蒙哥馬利笑道：「就是訪問而已，你們不用担心，艾森豪威爾作美國總統，沒有大戰發生的，最近在日內瓦高峯會議時，赫魯曉夫那樣拍桌子罵他，他都不動肝火，可見他的修養已到了爐火純青，輕易不會惹是非的。」

周恩來和陳毅對望了一眼，作出會心的微笑。

蒙哥馬利在北平住了一個禮拜，參觀了工廠，礦山，人民公社，每一個工人，農民都在愉快的工作。蒙哥馬利也參觀了人民食堂，農民正在開飯，飯桌舖上白布，每桌六人，四菜一湯。米飯，饅頭，熱氣騰騰的端上來。絲毫看不出有缺乏的跡象。

出了飯堂，蒙哥馬利向陳毅說道：「你們農民的生活比較我們英國還要好，西方報紙報導人民公社的文字，現在看起來是完全造謠。」

陳毅笑道：「我們就生長在謠言世界裏，我們明明作一件好事，資產階級一定要說成壞事，好在我們也養成習慣，對於謠言是向不理睬的。」

蒙哥馬利住在北平等候見毛澤東，毛澤東卻在上海未能回來，蒙哥馬利只好到上海去看他。仍由陳毅陪同，火車進了山東，看見鐵路兩傍一望無邊都是青草，蒙哥馬利很奇怪，用手一指，問道：「你們田裏怎麼沒有莊稼，全是青草。」

陳毅說道：「這是我們種的。」

蒙哥馬利十分詫異，問道：「你們怎麼種青草。」

陳毅說道：「種青草是留作喂牲口用的，這一帶將要改成牧場。」

蒙哥馬利問道：「耕地改爲牧場，農民生活怎麼解決。」

陳毅說道：「我們江南糧食收穫太多，已經爛在倉裏，將來就運到江北來供給人民食用，這裏田地不需要再生產糧食，所以改爲牧場了。」

蒙哥馬利嘆口氣：「你們這樣以來，中國將來必然又要變成肉類及羊毛輸出國，澳洲羊毛在國際市場上一定要受打擊，所以西方國家怕你們，實在有道理。」

陳毅不敢笑出聲，咬着嘴唇點下頭。

火車過了徐州，蒙哥馬利看見鐵路兩邊呈現着無邊際的黃沙，偶然有一小塊莊稼點綴其間。當時問道：「這麼多的農田怎麼任他荒廢了。」

陳毅說道：「這裏本是沙漠，原來寸草不生。解放後，毛主席下個命令向沙漠進軍，經過地質學家率領一批工作人員苦鬥十年，才改造出來一小部份，就是生長莊稼的地方。」

蒙哥馬利驚奇道：「你們連沙漠都改造過來，眞眞偉大。」

（一六五）

孤獨與羣居

·汶津·

羣體有時須要個體的努力，但「努力」的方式仍各有不同，有人以「物」，有人以「力」，有人以「情」，有人以「德」，其結果或有差異，但都算是盡了心，甚至孤獨之時，也可以隱隱意識到自己仍是「羣居」着，只是稍稍多保持一點距離而已。即使其他的人都已不存在，我日與麋鹿虫鳥爲伴，不也是一種「羣居」嗎？甚至於天上的日月，山間的風雲，都可以爲我之密友。我們東方人該是最能悟解其中微妙的了。

孤獨的涵養可以得之於讀書，眞正的讀書不僅可以做到「旁若無人」，甚至泰山崩於前也不爲變色，因爲書中自有超越之境，而不足爲外界的幻變所限囿的。音樂也是一條坦途。其實音樂中下焉者有他人的心聲，上焉者貫古今中外的無限妙悟。面對精妙的音樂，即使形孤影隻，精神上也是與萬化交流的。從這個觀點看，我們又可以說世間根本沒有眞正的孤獨。當林白冒險橫越大西洋時，除了機艙中的那一隻蒼蠅外，不還有靄靄長空與他或爲忘形之交嗎？中國的詞集中或雙合偶的居多，中國人行事接物上也注重這點，這豈不反映出我們是最懂得造物的妙理的嗎？如果試把眼前的各種事物都孤單化了，看看我們在這世界上還能自在地生活不？

不過羣居和孤獨雖不衝突，在本身的性質上卻畧有差別。孤獨時心靈是開放的，自如的；羣居時則是帶有約束性的責任感的。在田野間你可以閉目漫步，在人叢中卻必須雙眼注視前方。在孤獨時你恍覺天地之大，但若推極而思，則不免「愴然而涕下」；在羣居時你自覺是恒河一沙，與芸芸衆生如出一轍，但你可能感到一種作爲人類一份子的親切感。在人生的境域中，孤獨與羣居可以說是相輔爲用，不可偏廢的。有些人偏向前者，那是哲人，藝術家或宗教家，有些人偏於後者，那是政治家，慈善家，教師或公務人員。人各有好，不能相強，只要不拂逆自然，背叛良知，我們何妨任其「並行而不悖」呢。（下）

南宋偏安有人才

——李綱

李仲侯

上聞綱且至，遣官迎勞錫宴，趣見於內殿。綱見上，涕泗交集，上爲動容，因奏曰：「金人不道，專以詐謀取勝；中國不悟，一切墮其計中。賴天命未改，陛下總師於外，爲天下臣民之所推戴，內修外攘，還二聖而撫萬邦，責在陛下與宰相。臣自視闕然，不足以副陛下委任之意，乞追寢成命。且顏岐曾封示論臣章，謂臣爲金人所惡，不當爲相。如臣愚蠢，但知有趙氏，不知有金人，宜爲所惡。然謂臣材不足以任宰相則可，謂爲金人所惡不當爲相，則不可。」因力辭。帝爲出范宗尹知饒州，顏岐與祠，綱猶力辭。

上曰：朕知卿忠義智畧久矣，欲使敵國畏服，四方安寧，非相卿不可，卿其勿辭！綱頓首泣謝云：「臣愚陋無取，荷陛下知遇。然今日扶顛持危，圖中興之功，在陛下而不在臣。臣無左右先容，陛下首加識擢，付以宰柄，顧區區何足以仰副責成之意？然靡不有初，鮮克有終，臣孤立寡與，望察管仲害霸之言，留神於君子小人之間，使得以盡志畢慮，雖死無憾。昔唐明皇欲相姚崇，崇以十事要說，皆一時之病，臣今亦以十事仰干天聽，陛下度其可行者，賜之施行，臣乃敢受命。一曰議國是，二曰議巡幸，三曰議赦令，四曰議僭逆，五曰議僞命，六曰議戰，七曰議守，八曰議本政，九曰議久任，十曰議修德」。文長數千言，爲南渡初期有名之奏議。其中論張邦昌爲國大臣，不能臨難死節而挾金人之勢易姓改號，宜正典刑，垂戒萬世。又謂國家更大變，鮮仗節死義之士，而受僞官以屈膝於其庭者，不可勝數。昔肅宗平賊，汙僞命者以六等定罪，宜倣之以勵士風。論戰則主張一新紀律，信賞必罰，以作其氣。議守則宜於沿江河淮，措置控禦，以扼其衝。皆能切中時弊。

李綱爲相，首劾張邦昌潛逆賣國疏云：「邦昌當道君朝，在政府者十年，淵聖即位，首擢爲相。方國家禍難，金人爲易姓之謀，邦昌如能以死守節，推明天下戴宋之義，以感動其心，敵人未必不悔禍而存趙氏；而邦昌方自以爲得志，偃然正位號，處宮禁，擅降僞詔，以止四方勤王之師。及天下之不與，不得已而後請元祐太后垂簾聽政而議奉迎。邦昌潛逆始末如此，而議者不同，臣請備論而以春秋之法斷之：夫都城之人德邦昌，謂因其立而得生，且免重科金銀之擾。（十二）

二十四節竹枝詞

並序

宗孝忱

歷刦老殘，喜說堯天舜日，眞瀛僑宿，雖忘漢臘夏正。日月居諸，省懷故土，春秋往復，彌念家園。展望後來，傷逝行而同化，低徊已往，幸風紀之猶存。惟是九夷八蠻，情趣各別，十洲萬國，風俗罕通，感寒燠之無常，歷歲時而莫辨，羌歌靡靡，胡舞蹲蹲，不有俚詞，曷資反省？爰依夏曆二十四節，作竹枝詞二十四首。國風十五，畧具端倪，禮儀三千，粗舉一二，爲月令之分析，順天序之運行，杜數典忘祖之萌，篤飲水思源之本。庶幾流傳八海，容成之協正不墜，推衍四時，羲和之功勳永著。珠聯璧合，天道有恒，斗轉星移，人事遞嬗，三才並顯，七政齊輝，敬授人時，續萬年之曆數，恭逢天臘，招四遠之民魂，豈惟絃誦及時，蒸嘗不爽，似續無忝，作息有常而已哉。幸海內外邦人君子，有以敎之。

又逢除舊與迎新，歲尾家家感苦辛，排定未來行事曆，一年之計在於春。（立春）。宿草村村野火燒，甘霖但願信如潮，一年禾稼豐成兆，最是新春雨水調（雨水）。霹靂嚴威儆百蟲，一冬僵伏影無蹤，雷聲絕似動員令，萬蟄皆驚起臥龍（驚蟄）。不寒不暖晝夜均，二月平衡一半春，占驗五雲農有備，分飛雁燕易勞人（春分）。門前插柳過清明，上墳河橋計路程，架酒炙雞寒食後，紙灰多處富人塋（清明）。雨生百穀清明後，三日天晴賞牡丹，茶慶豐收蠶事迫，子規啼徹四更殘（穀雨）。漸覺風熏入夏天，四郊麥浪遠連天，倚城閭秀聯佳會，啖李嬌容賽女仙（立夏）。登場早麥滿箱收，經涵多春小有秋，到處兒童爭餅餌；隔村父老品來鮮（小滿）。新綠盈疇稻吐芒，鄉村四月信農忙，鳥通人意知時急，割麥插禾呼不遑（芒種）。陽生已極一陰生，長至非冬應正名，物理入微貓鼻暖，還如波湧漢潛萌（夏至）。浮傢拋書午夢回，嫩鬂漁笛出江隈，風薰日暖渾無事，揮汗頻憎暑氣來（小暑）。當空火傘汗翻漿，冰水何能解熱腸，却暑眞如驅酷吏，翻開冷氣有冰房（大暑）。七月食瓜不敢涼，祝融餘烈尚猖狂，由來三伏未全盡，天府移交亦待商（立秋）。細劉示意早宣揚，處分炎威暑漸藏，白路白旗迎白帝，好風朝夕送清涼（處暑）。秋色分明有象徵，橫江露滴玻璃澄，珠光信自今宵白，佳句流倚杜少陵（白露）。不長不短晝夜平，八月秋分鵜鴂鳴，何草不黃衆芳歇，南郊喜見壽星明（秋分）。露欲爲霜漸覺寒，寒光凝射透心肝，天涯慈母憶遊子，欲寄寒衣行路難（寒露）。滿地黃花顯勁姿，肅霜九月詠毛詩，盈倉禾稼皆辛苦，又是中原播麥時（霜降）。卜了秋光菊傲霜，不凋風追葉衣裳，溫冠重襖披綿襖，仰觀天文水宿藏（立冬）。雨凝爲霰滿天空，如絮如飄撒地濃，六出飛花豐有待，揚威騰六遣先鋒（小雪）。雪片紛飛陰翳浮，太空原子凍寒流，漫山漫谷搖銀海，競說來年慶有秋（大雪）。節逢亞歲慶連珠，九九消寒始製圖，六琯葭灰飛亦準，漫云科學古來無（冬至）。黯淡燈光風力遒，夜深寒意苦吃得肌，膚長冷，何妨擁火爐（小寒）。謝竈酬神祀名殊，臘梅花放歲云徂，陰陽無忌一年了，瑞雪迎春每載途（大寒）。

我的學生生活

雷嘯岑

我在省立一中的第一二學年每學期考試成績，都是名列冠軍，如果專心致力於學問之道，未始不無小小的成就。可是，賦性不羈，好作課外活動，自第二年的下期起，陸續闖下了不少的禍事，到第三學年將屆畢業之前六個月間，始而因習字激怒校長，要開除我的學籍，繼以作文險遭不測，最後爲着本校的伙食費問題，全體同學鬧風潮，我被推爲代表之一，終於背上「爲首倡亂，肆行煽惑」的罪名，由省長譚延闓明令開除了四個學生，我又是名列第一啊！

民國二年秋季開學後，南方二次革命之役失敗了，袁世凱派湯薌銘作湖南督軍，大殺民黨人士，明令撤消國民黨籍的國會暨省議會議員資格，我的三叔父亦在其列，他潛逃到日本去了，但湯督軍勒令我家繳出三叔的議員證書甚急，常常由縣官派兵到我家中騷擾，繼父和父親四出逃避，我頗受刺激，心裏憤恨不平，仍向長沙各報投稿，藉抒抑鬱之氣。這時「民國日報」被查封了，長沙原有一家「湖南日報」是共和黨辦的，另外新出現一家「大公報」，這兩家報紙的言論都不完全擁護袁世凱。如是，我常常用眞姓名寫時事論文投刊「湖南日報」，而以筆名譔小品文刊在「大公報」上。我們學校裏經常訂閱「湖南日報」，我在該報寫的論文，同學們和教員都看到過，大家對我表示稱讚，我更加膽大妄爲，專以投稿爲能事，而將正當功課就誤，因而到第二學年最後一期的考試成績，由第一名降到第五名了。我索性不顧一切，從事於學生運動，乃認識一位甲種工業學生龐人銓，合作辦過一種名叫「九十天」的雜志，又由龐君介紹結識他的好友黃愛——後來他倆都以搞勞工運動被政府殺掉了！這是民國二年冬到三年下季的事。

民國四年春間，日本帝國主義者乘歐戰方酣的機會，向我國提出所謂廿一條要求，全國上下激動，湖南學生界尤其特別憤激。當時長沙日本領事館有一個職員，在市街上被瘋狗咬傷了腿，竟對湘省當道提出抗議，說是反日份子故意教狗咬傷日本人。這事件成爲報紙上的頭條新聞，議論紛紛，我曾經在「大公報」寫過一則題名「狗咬日人」的小品文，中有「寄語倭客，勿謂秦其無人，吾湘尙有此狗；寄語讀者，務必取法乎狗，而後可以爲人！」等句。繼而全國各界爲抗日而提倡「救國捐」，湖南學生界格外踴躍進行，但我們第一中學校長施文堯卻表示不贊成，我對他深感憎惡，即在一次習字課程中，援筆寫出下面幾十個正楷：「荷花池有一大怪物焉，面目與常人無異，唯未帶有心肝耳。」荷花池是我們校址所在的地名，故云。我當時學寫劉石庵字帖，形貌頗似，習字教員湘鄉顏息庵先生很誇獎我，給我以八十分的評價，他把我所寫那張字，放在全班同學習字卷紙的第一頁，帶到學校來發還諸生，先在教務處休息，將我們的習字課卷置諸辦公桌上，而禍事乃變作了！（四）

憶玉軒雜綴

·城獻·

寂寞朱淑貞（續）

「秋夜牽情」云：「纖纖新月掛黃昏，人在幽閨欲斷魂。牋素折封還又改，酒杯慵舉却重溫。燈花占斷燒心事，羅袖長供把淚痕。益愧風流多不足，須知恩愛是愁根。」「寄情」有云：「欲寄相思滿紙愁，魚沈雁渺又還休。分明此去無多地，如在天涯無盡頭。」這些詩含有熱戀的情事，可能吩居之後，她愛上一位男子，但又未曾改嫁，苦悶在心。

暴露情愛的詞有二，「生查子」爲最爲膾炙人口者：「去年元夜時，花市燈如晝，月上柳梢頭，人約黃昏後。今年元夜時，月與燈依舊；不見去年人，淚濕春衫袖！」又「江城子」云：「斜風細雨作春寒，對尊前，憶前歡，曾把梨花寂寞淚闌干。芳草斷煙南浦路，和別淚，看青山。昨宵結得夢因緣，水雲間，悄無言。爭奈醒來愁恨又依然！展轉衾裯空懊惱，天易見，見伊難！」此中呼之欲出者有人，果爲誰耶？（完）

內政部台報字第〇三一一號內銷證

自由報
THE FREE NEWS

第三〇二期

中華民國僑務委員會登記
台教新字第三二三號登記證
中華郵政台字第一二八二號執照
登記為第一類新聞紙類
（半週刊每星期三、六出版）
每份港幣壹角
台灣零售價新台幣貳元
社長：雷嘯岑
督印人：黃行富
社址：香港銅鑼灣高士威道二十號四樓
20 CAUSEWAY RD 3RD FL. HONG KONG
TEL. 771726　電報掛號：7191
承印者：田風印刷廠
地址：香港灣仔高士打道一二二號
台灣分社
台北市西寧南路壹壹零號二樓
電話：三〇三四六
台郵撥帳戶九二五二

一九六三年的國際形勢推測

林介山

由於中俄共雙方報章相互公開指摘，不再諱言歧見問題的事實所引起，顯然在一九六三年元旦以後，國際上會醞釀一種新的變動，可能出現新的形勢。

這個新形勢的來源，可能來自兩方面：一是由於英美合作製造而成；一是由中共救亡的需要。但無論是來自那方面，中共問題是問題的核心。這是說，今年的國際新形勢，中共將是把戲最重的角色。

中國國運的盛衰，與中共的興亡適成反比。故因中共問題可能出現的國際新形勢，特別為我自由中國人民所關切。若是有利於我們的反攻，自無需多言；若不利於我們的反攻，我們究應如何自處？

今年可能出現的國際新形勢，將不會完全有利於我們的反攻。

從英美方面說：美國對共黨的基本態度，一直是採取「備戰談和」的策略，她雖然不信中俄共有和平的誠意，但卻在有備無患的前提下，不管是和赫魯曉夫或是毛澤東，都可以坐下來談。並且堅信，憑她的實力和生產力，無論是和平或是戰爭，她都無所畏懼，但最好卻是無需經過戰爭。所以美國與中共之間，在表面上雖然如火與水之不能相容，但相互間一直就在華沙斷斷續續談判落去。自去年多中俄共歧見表面化以後，美國內部的姑息主義者，「兩個中國」的主張者，空想和平主義者，幻想毛澤東成為新狄托主義者，都一起纖湧的抬頭。他們這些天真的寶貝們，以為這正是爭取中共，緩和國際局面的最佳時機。這種天真算盤，還有兩個直間接的推波助瀾者：一是英國，一是日本。英日兩國在第二次大戰後的國勢，都一落千丈，同等期求一個長時期的和平國際局面，用來休生養息；如果戰爭來了，亦同等熱望不會捲入於任何一方的戰團。所以，對於這個偃起於亞洲的中共，英國便承認「事實」；日本則積極為兩面交往。這兩個一刀兩面的老政客，可說完全和美國那些姑息天真幻想者的意見相投，今日適逢中俄共歧見最烈的大好時機，相互間企圖如何把毛澤東爭取過來，以造成共黨國際永遠分裂，其幻想是可以理解得到。

月來西方的專家已多有認為中俄共的決裂，除非有外來的大刺激，否則更永難彌縫。這兒的所謂「大刺激」，大概是指一「戰爭」而言。這種外國專家之言，顯明是暗含「不要反攻大陸」的一個警告。因為如此的一「大刺激」，便可以刺激到中俄共復合作。這些外國專家言論，卻正是上述的國際可能有變化的腳註。

英國要員麥唐納於去年訪問北平，並有傳說今夏麥美倫亦會訪問中共區，蒙哥馬利亦可能回訪北平。據說，這是毛澤東為救亡的需要而開闢的國際新路線。他並藉此有意透露，使西方國家相信，中共是改走英國工黨的政策，以為拆散反共陣綫，還赫魯曉夫以顏色的方法。

又可能在此同時，毛澤東透過英國關係，與美國展開進一步談判。這原是西方日夕夢想新狄托主義實現過程的弱點，中共在必要時利用為挽救其政權危亡的過渡一法，是完全有可能的。

在對付中共的立場上，英美日三國是有若很微妙的關係的。正如上文所說，美國祇是「備戰談和」，英日兩國的興趣，則根本集中在苟安和平局面，以謀求自身國力恢復強盛方面去。英美日在這種和平幻象的共同旨趣下，英日在國際的立場，正好担任為美國與中共這兩個大敵人的橋樑的角色。如此一來，以美國的雄厚武力，以英國的老謀政治，以日本的對中貿易，便成為三位一體，作一次冒險玩火的嘗試。

如所週知，美國的不求勝，不作主動進攻的反共政策，部份固由國內的空想的民主自由思想所影響，部份亦由於英國抽後腳所引致。此種自由世界中的反共逆流，對付中共的算盤，原早已有此一着，其所以始終未達進行的階段，非英美日不想有此需要。這是說，中共不臨到危亡緊急之秋，決不會和西方推展緩和的關係。

現在，我們且從中共方面看看：

中共自所謂什麼總路線，三面紅旗整個崩塌以後，無論其對外如何表現死硬，如何說自己是馬列主義的正統，並大罵赫魯曉夫狄托之流的修正主義如何如何之不對，但在形勢比人強的大陸惡劣環境下，它是不能不想盡辦法去挽救敗亡的命運。是以從去年多開始，無論是來自大陸的消報，或是來自逃亡難胞的口述，和外電的報導與分析，都可顯明地確定，中共是有跡象和種種事實，可能作一異常的改變。例如在大陸方面公開的事實，是中共不斷強調優越性的人民公社，早已逐漸退回初期農業合作社的階段，至一九六二年杪，更是普遍地號召老農的生產經驗和古老的辦法，人民公社是已名存而實亡。國內的貿易市場，不獨已容許在控制下的自由，而且已泛濫着黑市價格。對於智識份子，又再一次倡言，可以在不違反共產主義的原則下，准予公開言論的自由。對於僑眷更是盡量拉攏有加，好使僑滙源源而來，解決一下外滙枯竭的經濟。

中共對內這種種討好人民的辦法，自然不是出於其心之誠，亦不是悔改行錯共產主義，更不是它的原定策略和今後的國策，而是迫於一時應付危機的過渡手段。

中共在臨於經濟大崩潰的近年間，原定寄厚望於蘇聯老大哥的大力援助，不意因反史擁史問題的歧見，赫魯曉夫不獨無助於中共挽救經濟危機，且還要中共償還因韓戰險用的軍火，又轉與毛澤東最為痛恨的投機份子狄托合作。中共在此種四面楚歌的環境下，為了死裏翻生，顯明被迫不能不走獨立的路線。它在一九六二年多之對內改變，和在今年元旦以後之可有能對外有異常的改變，來作一次冒險陰謀勾當的嘗試，也就不會是奇跡。

最近外電以為，假定中共再一次農業收成不佳，整個大陸革命就必然全面爆發起來。但在缺乏天時地利人和諸件下的中共，所謂農糧豐收，祇是鬼話，顯明是無法保證。在大陸革命尚未全面爆發之前，中共最可靠的救亡方法，對內是設法討好人民，緩和怨恨的情緒；對外是利用西方的苟安和平心理的弱點，來挑撥助長國際姑息主義者的活動，使間接拖延可以致其死命的國軍反攻大陸的時間，以謀喘息俟機再起。

所以，一九六三年最可能出現的國際新形勢，是中共把與蘇聯百分之七十七點的貿易，轉為與西方國家打交情的資本，並將與英日兩國有進一步的交往，透過二國，可能與美國再展開談判。在對海外僑胞及在野黨方面，中共的統戰必定加強拉攏，並將展開與國府和談的攻勢，甚而利用一二在野政要偽造和平的空氣，這都是中共救亡的方法，其出現不是無可能的。

總之，一九六三年，原是中共最可能全面崩潰的一年，而應是我反攻最有利的一年，但却因國際姑息主義者的抬頭，而出現了反共的逆流，消了我們的有利因素。這雖是屬於一種預言估計的性質，但這種國際變化的趨勢，顯明有甚多跡象可能是如此。作為負有反攻復國大責重任的國府，假定這些話不幸而言中，該如何打主意呢？

漫畫天下　南施

1963

歷史

新的一頁又開始了

共產主義

破大衣有什麼好爭

自由談

賭贖戰俘觀

馬子先生

美國人最近以價值幾千萬元的物資，向古巴贖回被囚在獄的戰俘一千餘名。當這羣俘虜們回到美國之際，總統甘迺迪且表示讚慰的意旨，好像這又是「實力外交」的一項勝利，阿彌陀佛！

我們東方人的戰爭哲學，強調戰至最後一人之說，而視投降被俘為奇恥大辱。他日縱得生還，亦認為是極不榮譽的一大恨事。西方人卻不然，祇要戰況稍見不利，自忖沒有勝算的可能，馬上就挂出白旗，表示束手待擒，甘作俘虜的懦種相，一旦被釋歸來，朝野上下皆大歡喜，且以英雄人物相看待，因其未曾戰死沙場也！這便是東西文化思想體系的歧異點，孰得孰失，誰是誰非，研討起來，道理孔多，雖寫成專書，亦不容易得到妥當性的定論。

不過，拿物資金錢向敵人賭買戰俘的玩藝兒，似乎不是一樁值得慶幸的事，早知今日，何必當初呢？人類如果能夠永遠採取不以戰爭為解決國際糾紛的手段，那是很好的現象，吾無間言。否則在戰場上隨便投降被俘，實在不足為訓，再又拿着財物向敵人乞贖戰俘，不亦太可憐乎？

西方人的人生哲學觀點，是以重商主義為基準的，一切講現實，重視邏輯經驗論，個人的生存第一，國家的生命和社會的生計皆在其次。所以，我們儘管覺得美國人向古巴購還戰俘的行為有些難為情，但他們的總統先生亦認為殊堪嘉尚哩！

區區并非「中學為體，西學為用」的國粹主義者，但對於「戰至最後一人」的我國舊有軍事哲學，却認為不宜全盤西化，應該發揚而光大之，庶幾乎中國可望轉振積弱之勢，有以自立。至於用財物賭贖戰俘的勾當，那祇好讓富強甲於全球的美國人專美獨步了。咱們湖南人有句俗語，叫作「老子不信邪」，世人若要打倒共產惡魔，就需要每個人都有「不信邪」的精神，奮鬥到底才行。像西方人那種重商主義的文化思想，即休想達成反共的目的，科學縱然高度發揚，核子武器儘管多，到頭來終不免紙老虎之譏也。

（本報記者台北航訊）執政黨第三屆省議員候選人黨內提名登記，經已完竣。但參加提名登記的究有幾人？各報所載不一致，如聯合報說是全省二十一縣市辦妥登記手續者爲二五四人，徵信新聞報則說是有二六一人，公論報又謂有二六五人。官方報紙的報導則不夠詳細。

省議會現任議員有七十三人，其中隸屬於執政黨籍者有五十八人，但參加此次提名登記的現任議員，只有四十二人；餘一百多人，都是新人。未參加登記的包括現任議長黃朝琴等在內。黃朝琴爲什麼不參加提名登記？言人人殊，莫衷一是，他自己的解釋說是：「退讓賢路」。

第二屆（本屆）省議員任期到五十二年六月二日屆滿，第三屆省議員將於今年四月間投票產生，執政黨內提名工作，預定於本年二月間完成。據說執政黨對此次選舉，大體上以提名爲原則，但爲適應各縣市地方實際情況，將採取下列三種變性辦法：一爲全部提名，一爲局部提名，一爲自由競選，不提名。但山地省議員候選人則將全部提名。

下屆省議長副人選傳說

議長將由謝東閔出馬　許金德李建和爭副座

據有關方面的消息說：未來的省議長人選，勢將由現任副議長謝東閔出馬，可能另無競選者；至於副議長一職，則可能由新竹縣的省議員許金德和台北縣籍的省議員李建和兩人競選，且據說他們均已在積極部署之中，因而亦使議言紛紛，有些議論高，是與政府要整飭選風的宣告背道而馳。

二人競爭副座，因爲兩人均實力雄厚，將是一場激烈之戰。

執政黨對第三屆省議員候選人提名之備受重視，可見其一斑。另外非執政黨人士之有意競選的，自然亦加以密切注視。一般的意見是：執政黨應慎擇人選，認眞做到「選賢與能」，而不在乎選舉勝敗。

在台省各屆公職人員選舉中，最爲朝野所注目的是台北市的選舉，因爲台北的選舉勝敗，影響執政黨的考驗，影響甚大。此次參加登記的雖有二十人，其中本籍有李內心、黃奇正、陳重光及吳萬辛等四人，女的有現任省議員張彩鳳。至於執政黨外人士之有意參加省議員競選的，已知有現任省議員郭國基及前任市議員李賜春等，此兩人的實力均不可侮。（健生）

套用「曹操借頭」的手段　毛共整肅農村下級共幹

一則藉此轉嫁歷年饑荒責任　再則要更嚴厲督促農民生產

（香港與大陸）

中共最近又在進行重新整頓「人民公社」，其目的，表面上是爲了提高農村下級共幹「階級覺悟」與「政治水平」，實際則是指斥整肅一些農村下級共幹，指其無能或有「富農思想」或有「反動傾向」，藉此欲把歷年來造成糧荒的責任，都推到那些被整的下級共幹身上去，并更加嚴厲的督促農民生產。

據曾回大陸探親甫由廣東興寧縣返港的李先生向記者透露：最近粵東地區各縣，中共在進行大規模的「整社」工作，李先生家屬所屬爲興寧坭坡公社，半月前，該公社的「生產組」以上的全體共幹，經已由「公社黨委書記」領導，統一「學習」「整社」文件，目前已進入到「批判鬥爭」實行開刀的階段。李先生說，此次中共「整社」，是這樣進行的：

（一）凡是「人民公社」、「生產大隊」、「生產隊」的各級共幹中，曾有違反上級黨委指示，不完成生產上級任務的，或有「盲目同情農民」，主張多分糧食給「社員」的，都被指爲有「富農思想」，而給予「整肅」，取銷其幹部資格，貶爲「社員」。至於有些共幹，曾同情「五壞分子」或「講怪話」和宣揚國民黨將反攻大陸……等行爲的，則被指爲有「反動傾向」或是「反革命份子」，這些人被整後，輕則被「管制勞動」，重的則關起來「勞改」。

（二）一些能力不足的沒有文化智識的共幹，則被貶下放到較低級的組織去工作，例如原爲「公社」幹部的，則下放到「生產大隊」工作；「生產大隊」的則下放到「生產隊」工作；「生產隊」的則下放到「生產組」工作。

李先生說：中共這次「整社」的最主要目的，乃是把大陸歷年來糧荒的責任，都推到那些被整的農村下級共幹身上，這種「曹操借頭」的手法，意在一則藉此爲中共的倒行逆施辯護，再則要就此更加嚴厲的督促農民生產。它們居然說那些被整的農村下級共幹是騙進「革命陣營」的「壞份子」，所以要對他們開刀。

李先生本人有一堂弟，這幾年來作了中共生產大隊長的幹部，工作一向是「積極」的，但其人畢竟良心未泯，因目睹農民饑餓的悲慘情況，曾向其「上級」提議應多分一些糧食給農民，還曾表示公社制度對農民管制得過於苛刻，引起農民反感。就因爲這些，李先生這位堂弟，在這次「整社」中，便倒霉了。

李先生說：他的堂弟是在公社召開羣衆大會中被整的，當時該「公社黨支書記」在大會宣佈，指他堂弟雖然做了幾年的「生產大隊長」，但不單毫無建樹，而且不服從上級領導，經常自作主張，亂搞一通，不單不帶頭生產，而且還縱容農民脫離「公社」領導，自行另搞私人副業，使公社生產大受影響。這位「公社黨支書記」說：幾年來公社社員糧食不夠吃，絕不是黨的措施政策不對，而完全是被這等騙進「革命陣營」的壞份子搞壞的云云。李先生的那位堂弟，在大會被公開宣佈整肅後，便被帶到「勞教所」「勞動改造」去了，連想回家一趟亦不允許。（徹斯）

美國「半介入」屆滿一年　越南剿共戰確有成就　勝利結束之期尚遙遠

（本報西貢航訊）在越南共和國（南越）進行的剿共戰，是一場眞正的戰爭，血肉橫飛，備極慘烈，關係亦十分重大。這場戰爭，南越曾先獨自打了兩三年，美國「半介入」這場戰爭，亦已經屆滿一年。

「半介入」越南剿共戰的美國，它所投入的兵員，到現時，已超過一萬二千名，所投下的軍火價值，儘管從來不會公開過，論其數字，當然以億爲計。至於南越政府方面，非但近二十萬官軍都參加了戰鬥，另還有大概相同數字的「民軍」或稱地方自衞隊者，亦不斷的出生入死，在做着「保衞家鄉」的嚴肅工作。南越與美國都加重視的「戰略邑」，則已經建立了六千個之多，受影響的南越民衆，已經要以百萬來計數。從這些，便可清楚的讓我們認識這場戰爭的規模。

在南越境內許多地方進行的這場戰爭，由於它是游擊戰與反游擊戰，每一戰役，雙方出動的部隊數目，有少至幾十人者，通常則是幾百人，超過千人的戰役，甚爲少見。加以，每一戰役，短的幾分鐘可了，較常見的亦不過是半天，一天或三兩天便可結束，從醞釀佈置，接戰以至於判明勝負，鳴金收兵，其超過一週以至十天以上的，百不得一。但是，正亦由於那是游擊戰與反游擊戰，戰場儘管是流動性的，往往還根本說不出有過一個戰場來，卻由於它實際上無處不是戰場，每天亦往往不知會發生若干次戰役，且統統是血戰，每一戰役，雙方必有死傷——死傷的正確數字卻找不到，官方對此，儘量的不加公佈，即有公佈，其可靠性亦非常使得懷疑。

美國「半介入」這場戰爭，開始於一九六一年十二月。先僅投入千餘兵員，及後陸續增加，到本年（編者按，指一九六二年）十一月便已達到萬二千之數。一開始，美國官員，包括文官與武將，均滿懷樂觀。對於一年來的戰果，和詞不諱話則已，否則亦是「滿意」連聲，一再的表示「進展」足資安慰。美國如此，南越官員，更是如此。十二月廿七日西貢官方消息，且說主持南越游擊戰的「越南民族解放陣線」——一個由北越胡志明共黨控制的組織——將在南越「根據地」內開一「中央委員會」，討論如何能把這場戰爭繼續打下去。其言外之意，儼然說越共已經有支持不住之勢。但這一說法，此間新聞界僉認爲不合事實，最低限度也是失之過份樂觀。

南越剿共戰，年來有其成就是眞的。這些成就包括：（一）官軍已能主動的找共黨游擊隊打，而不再像一年之前的祇能被動的作戰，即是說，現在越共固然時常主動進行游擊戰，但同時官軍亦已經常主動的進行反游擊戰了。（二）越共的「根據地」是在減少中，而非增加了。這原因就是官軍的反游擊戰生了效，把越共的若干「根據地」清除了的關係。但到底年來已清除掉多少的越共根據地，卻無可靠的統計。同時越共亦確實建立了少數新的根據地。（三）即使是越共主動進行的游擊戰，它亦已非如以往的必有所得。造成此一成績的，無疑得歸功於那些「戰略邑」的建立，使得越共往往必須攻堅，攻堅就會使戰役時間拖長，一經拖長，官軍便能及時赴援。

儘管如此，此間包括外國記者在內的新聞界無不了解：要說越共已經支持不住甚或面臨解體，即使以之作爲宣傳，亦不能算是完全明智之舉。別的不論，約一年之前，估計在南越的越共游擊隊，僅僅八千名，而現在，雖沒有人講得出它的正確數字，但其爲增多而非減少，乃是事實——或云約增一倍，共八萬六千人，更或云約增二倍，即已超過了二萬名。加以它的來源未斷，北越共軍可以不費力的不斷加以補充，八年來的愈剿愈多，便由於北越共軍大量滲入之故。是以，除非能夠有效的截斷越共游擊隊的來源，這場備極慘烈而又關重大的戰爭，還不知要打多久纔能結束。（弈，十二月廿九日寄）

黃宗焜應否停職　見仁見智各不同

（本報記者蔡德生台北航訊）嘉義縣長黃宗焜涉嫌瀆職案，經嘉義地檢處提起公訴後，至今未提是否應予停職問題，省政府經已決定：俟第一審判決後再議。

某一位省議員對記者表示，省方此一決定，就「法」而言，尚有研究的必要。他拿了一份台灣省政府公報指着說：根據四十九年十一月廿四日台灣省政府人乙字第八九七七號令：「公務人員有違法失職情節重大者，應即報請停職。」所謂「情節重大」，依照行政院令釋：「（甲）因瀆職罪嫌或其他與職務有關之罪嫌，經法院提起公訴者，屬之。并參照省府人乙字第九一三七〇號令辦理。（省府四十五年冬字第六期公報）

行政院於四十五年八月十四日令釋如下：一、公務員懲戒法第十六條第二項規定，長官對於所屬公務員依（同法）第十一條之規定送請監察院審查，或公務員懲戒委員會審議，而認爲情節重大者，依得停止職務一節。所謂「情節重大」，須視具體事實而定，原非立法上或解釋上所可一一列舉，故在適用上，應由機關長官本於行政上自由裁量之原則，視所屬公務員違法失職之具體事實而予認定。若公務員因瀆職罪嫌或其他與職務有關之罪嫌，經法院提起公訴者，自得認爲「情節重大」，至其顯然應負刑責者，雖在尚未經法院提起公訴前，亦可適用該項法條上之規定。（台四十五人四四二五號）

當然，這亦祇是見仁見智之不同而已。合省府的決定，要亦不能就此指其非法，因爲提起公訴不過說明其有瀆職的嫌疑，裁決方是其瀆職的事實確定。須說明者，與某省議員抱同一意見的，在社會上還大有其人在。

工展荼薇花事了　觀衆破歷屆紀錄

（本報訊）香港第二十屆工展會，自去年十一月廿七日開幕，至昨日（元月四日）晚宣告閉幕。曾舉行閉幕儀式，工展會各名譽會長、會長、副會長、會董、各小組主任等，均參加。本屆工展，迄至元月二日之統計，觀衆達一百二十萬人，爲以往歷屆所未有之新紀錄。

▲本屆工展會，先後曾舉行五次觀衆「幸運日」。第五次之幸運頒獎，於元月三日晚七時舉行，由工展會宣傳部長黃桂主持。是晚八時的「徵文比賽」與「攝影比賽」兩項頒獎，則由名譽會長鄧光主持。

▲本屆工展會攤位裝飾比賽、出名裝璜比賽及新出名改良品頒獎禮，元月四日晚七時半舉行，請由本港工商署長何禮文主持，並請由何禮文夫人頒獎。（白）

新年談春秋大義

趙康

暑往寒來，春秋代序，中華民國五十二年，瞬又屆臨了。筆者素來相信易經中「復其見天地之心乎」這一句話，希望由人性的恢復，以圖大陸之光復。此爲我民族的傳統精神所在，亦爲內聖外王的康莊大道所向，而具見於易與春秋二經中，新年談春秋大義，亦聊當申祝云爾。

先從「春秋」這個名詞的一般涵義說起。春秋一詞，意義深厚，而素所習知的，就是歲時的意思，如謂「春秋匪懈，歲時祭祀」。歲有四時，春夏秋冬，此處說春秋，錯舉而已。也許是因爲暑夏寒冬，不若春秋佳日的意人興緻吧。「春秋」的第二個涵義是年齡，俗云春秋已高，即是說年紀已老。年復一年的往來，暑往寒中，春秋交替，我們便由少而壯而老。這表示個人的歷史，個人一生的週期，已比歲時單位的週期爲多了。「春秋」的第三個涵義是指一本經書的名稱，即孔子據魯史而制作的一本經典。孟子曾說：「世衰道微，邪說暴行又作，臣弒其君者有之，子弒其父者有之，孔子懼，作春秋，天子之事也」。由於孔子作春秋，起自魯隱公元年，訖於魯哀公十四年，後人便將此一段二百四十二年的時間稱爲春秋時代。所以這一個時代的週期，又比個人的一生的週期爲長。而因魯史春秋之例，後世記史事的書籍，亦有以「春秋」命名的，如「吳越春秋」「十六國春秋」是。於是，春秋一詞，終於成爲超個人的民族歷史的一個指謂。

以上，我們從「春秋」一詞，看出了一週年，人的一生，世代的階段的三個涵義。一個人，從時間上說，從一週年，伸展到自已的一生，以追溯至國家天下的一個階段，他的經驗是一天一天的豐富的。在空間上說，一個人的活動，也隨時擴張，範圍也可能從家而國而天下。一個人閱歷多，飽經世故，他的胸懷也跟着開濶了，於是我們就在時空擴展的交織關係中，形成了一個「天下」的觀念。跟着「天下」觀念而來的，又有一個「大一統」的觀念。

我們現在談春秋大義的主題，是要從「春秋」這本經書，來伸明天下爲公這個觀念。原來，「大道之行也，天下爲公」。這是禮運大同篇所提出的。但宋儒胡安國先生的春秋傳，也拈出「天下爲公」來，說是春秋大義之所在，而把春秋與禮運配合起來。孔子政治上的最高理想——天下爲公，也充分表現於春秋經上。我們細讀春秋，便知胡安國先生所說是很有道理的。

一般人都認識，尊王攘夷是春秋要旨。春秋一經，是孔子意圖挽救當時病痛的藥方，即所謂要「撥亂世，反之正」。孔子因身不用，道不行，未能當位治世，救亂扶衰，只好開擬藥方，以制萬世法，但又以「托之空言，不如載諸行事之深切著明」，故從具體的史事中表現出微言大義。故春秋實爲孔子理想之所寄。春秋的所以成爲經典，而非一本歷史書，它是深具義法的。（上）

天南風光

——沙羅越的歷史——

朱淵明

自甲申荷蘭人至，則爲其屬國矣。推原其故，皆由劉台二不知國體，將畧又非所長，故甘心歸附耳。』

這位林鳳超先生，大概是熟讀公羊穀梁傳的，故編述「坤甸歷史」，乃出以春秋筆法，而正式用「伯」或「哥」來實行褒貶了。然吾人於此即可充分證明羅芳「柏」之變爲羅芳「伯」，絕非偶然之事。同時亦可進一步來探討北婆羅洲及西婆羅洲一帶的「大伯公廟」了。筆者初至沙羅越時，即欲探詢「大伯公」究係何人？具有何種功德？何以華僑多從誠敬祀，血食不衰？但所獲答案，多不得要領，或曰：大伯公廟，即是紀念羅芳伯的，看起來，也有點像。因爲所有大伯公廟的塑祖，頗與羅芳伯的遺相相似，但又一時無其他資料，可以參證，只好暫時存疑。不過吾人可以推定羅芳伯於坤甸之創業，百年有餘，對於南洋之華僑是頗有影響的，尤其是西婆羅洲與北婆羅洲一帶。

照時間上推算，當芳伯於坤甸創基立業之際，那時渤泥王朝，似已衰微，不但西婆羅洲一帶業經甌脫，即蘇屬於渤泥的蘇祿羣島之蘇丹，亦日趨強盛，且曾代渤泥戡平內亂，渤泥遂以其東北境沿海一的地域酬謝之。這也就是目前菲律賓要索回北婆羅洲的一點歷史根據了——從此蘇祿之勢力，逐漸增長，不但與渤泥蘇丹分庭抗禮，且北與「呂宋」相敵對。（呂宋即現在菲律賓首府馬尼剌所在的呂宋島）那時蘇祿已擁有北婆羅洲原屬於渤泥之東北沿海一帶領土，也就是現在的「北婆羅洲邦」的部份領土。他也想效法渤泥國王向中國朝貢故事，但爲「呂宋」所扼制，很難暢通。至乾隆廿七年，即西曆一七六二年，始遣派親臣「萬查喇」等，齎奉表章及方物，到北京朝貢。其奏疏云：

『蘇祿國蘇老丹臣「嘛喊味麻安柔律噒」，謹奏：臣向受皇帝天恩，至優至渥。皇帝一統寰宇，臣屬山海，皆在皇帝覆載之中。惟是臣地處偏隅，出產無幾，即畧獻微忱，亦不能躬親詣闕，叩謝洪恩。聞商人稱頌皇上，至聖至明，德同天地，臣時存向日之心，本當年年進貢，十九年即欲遣使叩謝，奈過洋必由「呂宋」，因與伊斜爭，未能飛越。……各國以土產爭獻者，皇上悉加優獎，要徽傳頌。臣恭遣親臣「萬查喇」齎奉表章，另差兵目「攬馬何申因目」，並通事王天謹」「旺嗟合」……等，貢獻土產方物。伏望鑒臣赤心，俯容不腆。去年呂宋發遣番丁，至臣國索取多物，臣畏其強悍，不得已飽其所欲。（十八）

新書評介

「比較地方政治制度」

——商文立著——

諸葛文侯

貴州商文立先生是現任立法委員，曾留學法國，悉心研究地方政治制度，迄今垂四十年，積四十年的蒐討考察所得，寫成了「比較地方政治制度」這本巨著，於去年八月在台灣出版。他把歐美與日本各個現代國家施行的地方政治制度，逐一提綱挈領，分別敘述，配合吾國自秦漢以來的地方行政制度沿革史實，互相比較參證，探究其利弊得失安在，然後根據自己的見解，對我國今後應以採取何種地方政治制度爲適宜，提出具體的建議和方案，用力極勤，用意甚深。這是民國五十年來罕有的政治建設著作，值得特別介紹，以提起國人一致留意的。

世界上任何一個先進文明國家，不論國體與政體如何，然其地方政治制度皆然奠立，載諸憲章，有條不紊。所以他國家的中央政府縱有變動，或者對外發生戰爭，大局危疑震撼，而其地方秩序總是比較安定，不致有驟驛失常的景象出現。我國在辛亥大革命以前的歷代社會中，亦有一套沿襲演進而來的地方政治制度，人民多是過着常態的生活，各適其適，得以安居樂業。自從民國肇建以後，舊的政治制度完全革掉了，新的又始終沒有建立起來，而一般居統治階段的人物，盡是些赳赳武夫，不識政治爲何事，但知以武力求統一，以中央集權爲急務，對於地方政制，無所容心，因而內部一有動亂，全國即閭里騷然了。這毛病誠如本書作者所指出的：「自從變法圖強開始，我看到國內許多政論家，革命家，愛國者，學者們，都主張改革政治要由上而下，澄清吏治要由中央做起，所以他們都把革命的目標，放在中央政府上面；就是對於憲法的爭執，亦只是注意規定三權如何牽制，五院如何分理……所以，吵鬧了數十年，中國政治還是不能根本澄清，政局依然危亂，人民依然不能與政府打成一片，基層政治依然一榻糊塗」。但我還要補充一點：即許多搞政治的人，嘴上經常喊着「實行國父遺教」的口號，大倡其「政府有能，人民有權」之說，實際上只顧自己如何集權，擅權乃至於濫權，不惜本末倒置，胡行妄爲，心理上壓根兒就沒有促進地方自治的意念存在着，當然談不到奠立地方政治制度的話了！作者認爲「要改革政治，必先談改革地方政治；要談改革地方政治，必先從改革地方制度」。可謂對症下藥的探本之論，是今後爲國求治的不二法門。

全書大別爲一、二、三編。第一編敘次我國自秦漢以迄今日的歷代地方政治制度，第二編據述東西各國的地方政治制度，博而扼要，廣而簡明，是一套最完備的參考資料，可使研究此道的學人與政治家，省却很多搜集史料的獺祭工夫，嘉惠不淺。第三編爲「將來地方政治制度之研擬」，也就是作者數十年來探究地方政制問題的全部心血結晶，大可細心咀嚼玩味的。（上）

瘟君續夢

第六回：烽火照邊陲　同惡難濟　樓船碧橫海　大慾興悲

兩人到了上海，住在國際飯店。蒙哥馬利一早起身，看見馬路上許多人在作柔軟體操，就問陳毅道：「上海市民怎麼在馬路上早操。」

陳毅笑道：「我們全國上下，每天早晨起床時，都要作一次早操，都市居民家中地方小，只有到馬路上來作了。」

蒙哥馬利讚嘆道：「共產黨領導下的中國人民眞是勤奮，過去都稱中國是東亞病夫，照你們這樣日日不息的鍛鍊下去，終會成爲世界大力士的。」

當天中午，陳毅陪着蒙哥馬利會見了毛澤東，在座的還有柯慶施。

毛澤東笑着說道：「我們中國的孔夫子曾說過：『有朋自遠方來，不亦樂乎。』中國人是最愛朋友的，元帥閣下遠道前來，希望能將親眼看見的一切，告訴我們，對於朋友們善意的指示，我們都願意誠懇接受的。」

蒙哥馬利笑道：「我到中國雖然時間很多，對於過去所聽到的謠言完全澄清了，歐美的報紙說中國人民已經沒有飯吃，都在吃草根樹皮，可是，我親眼看見人民公社吃飯是四菜一湯，比較英國工人的生活還要好。西方國家又說中國人因爲沒有飯吃，都餓得面黃肌瘦，現在一看到主席和陳元帥都是兩百多磅的身體，滿面紅光，就知道這個謠言造得更離譜了。」

毛澤東聽得高興，連連拍大腿說道：「元帥閣下實在是一位高瞻遠矚的政治家，只有你這樣的英國人，我們才能和平共處。」

蒙哥馬利說道：「中英兩大民族實在是應該和平共處的，可惜我們兩國之間，存在着許多難題，例如香港……」

陳毅不等蒙哥馬利說完，就搶着說道：「元帥回去轉告英國朋友，不要爲香港操心，我們絕對無意收回香港，中國這麼大的地方，已經用不了，元帥親眼看見山東省將要改爲牧場，試問我們要那個彈丸之地的香港作什麼？」

柯慶施也插嘴說道：「也許有人以爲香港是商業都市，可以獲得什麼利益。但在我們社會主義國家來說，商人只是剝削階級，上海的商人被改造爲工人階級，已費了九牛二虎的力氣，我們犯不上再去改造香港商人，就讓你們英國永遠統治算了。」

蒙哥馬利苦笑道：「不過，九龍租借地還有三十多年就到期，你們一收回九龍，香港也就不能自存了。」

毛澤東大笑道：「到期再續九十九年就是了。我們共產黨員對於領土向不看在眼裏，這些年我們讓給四國鄰國的土地，已經有幾百個香港九龍大，從沒有皺過眉頭。你們要隄防的是國民黨，假若他們統治大陸，香港就會出麻煩了。」

蒙哥馬利笑道：「這一點我們也明白，所以多年來英國朝野都在尋求與新中國和平共存之道。」

毛澤東笑道：「關於這一點，我倒有一個想法，我覺得世界上最搗亂的國家在亞洲是日本，在歐洲是西德，在美洲就是美國，尤其是德國，更是歐洲的禍亂之源，只要德國一強大，英國首先就要吃虧。」（一六六）

蒼茫

· 程綺如 ·

電影散場了，他隨着擁擠的人流走出影院。天空正飄着細雨，天色已黯下來，有些店舖已亮了燈。這時，人流開始散開，各自東西。他卻停下在一旁，考慮着到那裏去：突然，在人叢中，發現一個女人的背影，是那樣熟悉：「一定是她。」「是的，絕不會錯，一定是她！」他在心裏念着的那個女人，曾經有三年是完全屬於他的；於是，一種本能的衝動，促使他要上前去招呼，但突然興起對自己行爲的懷疑，又使他縮住了腳。

再一轉念，他想到自己這幾年來生活的苦悶：離開了她，跟別的女人一起生活，他像是被移植在陌生土壤裏的花木一般，逐漸枯萎了！況且那一個女人也早已離開了他。況他很想知道她這幾年生活過得如何。於是，他趕了兩步，走在她的背後，當她正要跨上三輪車，一聲輕輕地呼喚，使她很快的轉過頭來。

「哦，是你！」她眼睛裏閃爍着驚奇和喜悅的光輝；但很快的，那種光輝便收斂了，代之以極度冷漠的表情。

她跟他併肩走着，誰也沒有說話，細雨飄在臉上，涼沁沁地。這沉默使他倆都感到窒息。終於他偕她走進一家咖啡室，要了二杯咖啡。

「三年了！」他先開口。

「嗯！」她只哼了一聲，低下頭。他很窘，她亦并非不窘。

「素貞呢？」她突然抬起頭來問他。

「她早就離開我了。」他說。

「爲什麼？」她瞪大了眼睛看他。

「不爲什麼，她從來沒有愛過我，我也沒有愛過她。」他居然還輕輕地笑了一下。她的心劇烈地跳了起來，卻趕忙低下了頭，不願他察覺她激動的情緒。不過她仍激動地抬頭看了他一眼。當她發覺他也在注視她時，她又低下頭，努力要抑制自己的激動，不使它表露在臉上。他這時打量着她，發覺她粧扮得華麗而入時。

「你結婚了？」他問，聲調裝得頗爲平靜。

「結婚了。」她的回答同樣平靜。

又是沉默。這次是他感到難堪了：三年前，當他離開她時，他罵她，教她早點再去結婚；現在，她果眞是結婚了，而他卻……

「你知道，」他說：「我帶了素貞走，是爲了要氣氣你的。」這是他曾自己發誓要永遠不告訴她的心事，現在他終於告訴她了。（上）

南宋偏安有人才

——李綱

李仲侯

元帥怨邦昌，謂其不待征討而遣使奉迎。若天下之憤嫉邦昌者，則謂其建號易姓，而奉迎特出於不得已。都城德之，元帥府怨之，私也；天下憤嫉之，公也。春秋之法，人臣無將，將而必誅。趙盾不討則書以弒君。今邦昌已僭位號，敵退而止勤王之師，非特將與不討賊而已！劉盆子以漢宗室爲赤眉所立，其後以十萬衆降光武，而僅待之以不死。邦昌以臣易君，罪大於盆子，不得已而自歸，朝廷旣不正其罪，又尊崇之是何理也？陛下欲建中興之業，而尊崇僭逆之臣以示四方，其誰不解體？又僞命臣僚，一切置而不問，何以厲天下士大夫之節」？時執政有論不同者，上乃詔潛善等議之，潛善主邦昌甚力，上顧呂好問曰：「卿昨在國城中，知其故，以爲何如」？好問附潛善持兩端曰：「邦昌潛竊位號，人所共知，旣以自歸，願陛下裁處」。綱言邦昌僭逆，豈可使之在朝廷，使道路指目曰，此亦一天子哉！因泣拜曰：「臣不可與邦昌同列，當以笏擊之！陛下必欲用邦昌，請罷臣。」上頗感動。伯彥乃曰：「李綱氣直，臣等所不及。」乃詔邦昌謫潭州，吳升莫儔而下，皆遇謫有差。又言近世士大夫寡廉鮮耻，不知君臣之義，靖康之禍，能使節死義者，在內惟李若水，在外惟霍安國，願加贈恤。上從其請。請仍詔有死節者，諸路詢訪以聞。上謂綱曰：卿昨爭張邦昌事，內侍輩皆涕泣，卿今可以受命矣。綱拜謝，有旨兼充御營使，入對奏曰：

「今國勢不逮靖康間遠甚，然而可爲者，陛下英斷於上，羣臣輯睦於下，庶幾靖康之弊革，而中興可圖。然非有規模而知先後緩急之序，則不能以成功。夫外禦強敵，內銷盜賊，修軍政，變士風，裕邦財，寬民力，改弊法，省冗官，誠號令以感人心，信賞罰以作士氣，擇帥臣以任方面，選監司郡守以奉行新政，俟吾所以自治者，政事已修，然後可以問罪金人，迎還二聖，此所謂規模也。至於所當急之先者，則在於料理河北河東。蓋河北河東者，國之屏蔽也，料理稍就，然後中原可保，而東南可安。今河東所失者，恆代太原澤潞汾晉，餘郡猶存也。河北所失者，不過眞定懷衛濬四州而已，其餘卅餘郡皆爲朝廷守。（十三）

憶玉軒雜綴

竹坡娶伎補遺

湘芝老人北望樓煙雲注，有寶竹坡自劾去官事，所載容有出入，蓋寶之自劾，實出於先祖詠甍公所迫，欲隱瞞不可，無法自圓而爲之者。原著有云：寶竹坡名廷，與南皮張之洞，侯官陳寶琛，豐潤張佩綸，號稱清流，有聲於時（光緒十三四年），後來南皮拜寶墓時，所謂「翰院猶傳四諫風」是也。

同治癸酉，寶典試浙江，買一船妓，所謂花蒲鞋船頭娘也。回京時，由水路至通州，寶由京以車迎之，則船人皆杳。光緒壬午，又典試閩中，因娶江山船榜人之女爲妾，面麻，年已廿七，上書自劾去官，稱爲韻事。時有人以詩嘲之曰：

「昔年浙水載空花，又見閩娘上使槎。宗室八旗名士草，江山九姓美人麻。曾因義女彈烏桕，慣逐京娼吃白茶。爲報朝廷除吏籍，侍郎今已婿漁家。」

據此則寶氏兩次迎妓，按之清例，凡典試官不准挈眷，即舉子也不可携眷。（鴻鑾喜平劇中，有那有舉子帶家眷的？）寶前次旣能迎妓，此次又何以自劾？據先君所著舊德錄，紀述先祖以副主考典試閩中事，記云：

「光緒壬午，先大夫首次蒙恩派赴福建典試，任副主考，正主考寶竹坡侍郎也。試事經三月而竣，舟車北指，路過江山，其地船妓有名。竹坡好飲，招妓來侑。榜人以其女來侍侑，因震於欽差之命，寶風流蘊藉，酒醉，索侍侑，榜人囑女陪寢，一夜繾綣。（上）

新年談龜

燕謀

龜在我們中國，往古不但被視爲吉祥之物，且被視爲四靈之首，有些神聖不可侵犯性。這是因爲它的壽命很長，又力能負重，似乎秉賦也不淺，先民考宗祖以之作爲占驗吉凶之餘，自然而然也就漸生敬畏之心。現在則身價陡落了。

據說，在人與獸爭的時代，能爲人決疑解惑的，便祇有龜。加以在四靈中，其他麟、鳳、龍三者，都祇是人之臆造，惟獨龜是實實在在的東西，它的走好運，有其理由。

龜在我們老祖宗心目中的全盛時代，曾被讖緯家選爲天使，水經註云：「黃帝東巡河過洛，修壇沉璧，受龍圖於河，龜書於洛。」龜又會經被神學家喻爲神話式的工程師，元和志云：「州城張儀所築，初築時屢頹不立。忽有大龜周行旋走；巫言依龜行處築之，城得堅立。」龜形會以代表名位和榮譽，朝野僉載：「武后以玄武爲姓瑞，乃作銅龜符。」漢官儀：「列侯丞相黃金比龜。」宋史兵志：「大將之旗，以龜爲飾。」龜有時用以比喻高年的人，和松鶴並稱，郭璞遊仙詩：「借問蜉蝣輩，寧知龜鶴年。」鮑照詩：「龜鶴安可猗，俗宗則已知」。晏殊詞：「龜鶴仙人來獻壽，歡聲喜氣逐時新。」用龜命名者，春秋時代楚有關尹龜，唐朝亦有李龜年，陸龜蒙；宋代大儒楊時龜山先生，或稱楊龜山。陸放翁有堂名「龜堂」，因以自號，他的小帽子也是龜殼所製；並有新製小冠詩云：「□龜尊恰受三升醞，龜屋新裁二寸冠。」直至近代，龜是大大貶值，甚至淪爲下流的代表矣。川人罵私生子曰「龜兒子」。太座紅杏出牆，先生稱龜，或者龜頭。龜頭這名詞，在唐代已經見之，唐代教坊樂戶人家男子都戴綠幘子，可能因爲龜頭亦綠色，故而禍及於龜，使其地位一落千丈，再爬不起來。

何以罵私生子曰「龜兒子」呢？據說亦有其道理的，原來雄龜不能行「龜道」，乃由蛇長期代行其「職務」云云，所以給人看不起了。然而神話上有龜蛇二將，此其淵源也乎？而由龜又殃及於鶴，更是莫名其妙的事了。還有「王八」一詞，本來也與龜風馬牛不相及，說不上瓜葛的，也生拉活扯給攀上去了。五代前蜀主王建，少爲無賴，專幹偷非作歹如走私勾當，鄉人因罵他「賊王八」。到明代又改爲「忘八」，此意蓋指心行中無孝、弟、忠、信、禮、義、廉、恥八德之謂，或無恥之謂。

另外，龜的形象不夠雅觀，大概也是它身價一蹶不起，被人們所鄙視的原因之一。但龜在中國雖今不如昔，在日本則仍然極被推重，這顯然是華風東漸之結果，其亦可列入「禮失而求諸野」之一端乎？但無論如何，在我們中國，龜已殆無抬頭翻身的希望了。

我的嘗試

雷嘯岑

施文堯校長在教務處看到我寫的那張正楷字句，問監學，把牠取去，馬上通知我和本班的班長到校長室談話。我們應命而至，他提起我那張習字課卷，以極其嚴肅的態度問我：「你指的其大怪物是誰？」我答并無所指，隨便寫的。他獰笑謂：「這分明是罵我，豈有此理！」即揮手教我退出，留住班長胡彭年有所吩咐。既而胡君倉皇密語我，校長決定將我開除學籍，我聞訊驚駭莫名，要求他從中設法，他原是我的小同鄉人，我又是他父親的學生（我在高小時「監學」胡先生是也），他祇好再去見校長，先把我的家世叙述了一番，再指出本校曾任校長符定一先生跟我叔祖父是老友，而施與符校長原係北京高師的同班同學。因此，施校長始准從輕處分，記我大過二次，并教我寫悔過書一紙存查，總算倖免於難。

袁世凱對日本所提出的亡國條件，交涉結果，終於屈服了，全國人心悲憤不已，咱們這般天眞無邪的青年學生，尤其引爲奇恥大辱，而湖南文教界人士大多數都傾向國民黨，反袁的心情很濃，督軍湯薌銘亦特別注意，防制極其嚴密，他曾經錯斃一位「長郡中學」的國文教員（名字記不起了），罪名是查出他的學生作文課卷中，有反對袁世凱的言論。迨楊度等人倡設「籌安會」的帝制運動發生，湖南文教界有以葉德輝爲首的少數帝制派，聯絡紳商名人，公然勸進，我們第一中學校長施文堯即在其列；同時反袁空氣亦日趨濃厚，程潛在湘黔邊境起兵討袁，亂象環生，人心浮動，「湯屠戶」——湖南人對督軍湯薌銘的稱呼——在兇殘份子的工作更爲猖狂了。某星期六下午，是我們例行的作文課程，國文教員熊潤生先生（前清舉人）出的題目是「上袁大總統論國事書」，我冒失地寫了一篇指摘袁氏失職誤國的文字，勸袁辭職以謝國人。第二天熊先生派人叫我到他家中去，把我的作文課本交給我道：「孩子，你怎末這樣大膽！文章寫的不壞，可是太危險了。趕快拿回去收藏起來，莫給別人聽見，否則連我的腦袋亦保不住哩！」我當時大爲驚惶，要把這篇作文撕掉（那時用的卷格紙課本，每學期裝成一帙的），熊先生說：「不必撕毀，自己好好的保存着，可千萬不能給校長知道，切記切記。」我回到自修室翻閱原文，熊先生在文尾批註幾句話，至今還記得，那就是：「繁絃急管，錚錚有聲，其於言之不聽何？」幸而此事未被父親發覺，不然，我一定又要挨打的！經過熊老師這番教導後，我對報紙亦不敢投稿了。到民國五年春，「湯屠戶」棄職潛逃，程潛領兵進入長沙，首先即將我們施校長捉去槍斃，我的恐怖心情纔告消散，亦云險矣！（五）

內政部台報字第〇三一號內銷證

自由報

THE FREE NEWS

第三〇三期

每份港幣壹角

社長：雷嘯岑

督印人：黃行憲

20 CAUSEWAY RD 3RD FL HONG KONG

TEL. 771726

台灣分社

本報設置台南管理處啓事

本報爲推廣發行起見，特設台灣區南部管理處於高雄市，經管南部七縣市發行事宜，聘任林桂瑛君爲該處主持人。嗣後南部七縣市凡訂閱本報，皆由該處直接派送之。台南管理處地址爲「高雄市大同一路一九九號之一」，特此公告。

論反攻復國的幾個基本問題

・王世昭・

編者按：王先生這篇文章，詞氣相當激切，見解亦不平凡，吾人雖不完全共鳴，但贊許其憂國憂民的苦心與熱情，殊爲難得。王先生函說「我自覺這是忠言，毫無成見在胸中」，但寫成了十天，考慮發表的地方，決定投送本報。旣承不棄，特予刊佈，以副雅意云爾。

台灣是東方自由的象徵，是亞洲的燈塔，是中華民國的堡壘，台灣亦是太平洋上的戰略據點，是中國各黨派民主自由人士托命的地方：這一切都沒有說錯，卻是現階段在亞洲形勢上的台灣，未必就是未來的台灣。未來台灣的危機有兩點，其一是外來的，其二是內在的。外來的依世界形勢，帝國主義者必不容許中國成爲統一的強大的亞洲大國。這個心理，不論美、蘇、英、法、日，我想都是一樣的。自然，理由很簡單，基於人種的，基於殖民思想的，基於一百五十年來的優越感，基於分割形式，如南北韓，如南北越，如共產中國與自由中國，如巴基斯坦與印度以及錫蘭，如馬來亞以及新加坡，都是很顯然的。所以「兩個中國」的對立，也是西方人的如意算盤，自亦毫無疑義。關於後者，正是我們台灣當局所應着眼的地方。如何打破這個現狀？即集合全自由中國以及華僑的力量也還不夠，如果再加以抵消，那就危機重重了。

說到今日台灣本身，從穩定中求進步，這未始不是一個好辦法。可是，這個穩定，只算目前的穩定，一時的穩定，五年以後又是怎樣？十年以後又是怎樣？恐怕除了有心人之外，很少人去加以想象的。而且，即使穩定，也有不少漏洞，如政治欠開明，通貨不穩定，經濟生活需要外邦援助，五十萬軍隊集中在一個三萬五千方里的小島上，諸如此類，都不能說沒有問題。

依中國過去軍隊分區的慣例，一千萬人口只有資格養四五萬的兵員（其實已經太多了！）今天台灣只有一千一百萬人口，長期養兵五十萬，即使美國幫了三十萬以上的忙，也還有二十萬是沒有着落的，此其一。

五十萬軍隊集中在一個地區，在過去軍閥割據時代，兵多將驕便要找出路，其唯一的打算，就是向鄰省打主意；所有國內過去四十年的內戰，都是這樣形成的。現在台灣有五十萬的兵，吃了睡，睡了吃，即曾有訓練，有節制，有教育，而用武無地，撫髀興嘆，長此下去，終非良策。此其二。

我對於蔣總統的治兵，及其領導政治的威望，當然無話可說。但蔣總統年近八旬了，精力不是無限的，政府播遷到台灣，轉瞬就經過了十三年，再要花幾歲月，不能反攻復國的話，不免令人憂心忡忡的。

未來台灣問題的焦點在美國人的態度，而美國人的態度，又與海外的反應息息相關。台灣要在海外取得一致的態度，一個在軍事上，一個在政治上。軍事上如有行動，即團結是不成問題的，問題就在軍事上沒有行動，政治上也沒有做法，日復一日，年復一年，且有變，——這是內在的變，不是外來的變。我怕這個局勢，任何人居於統治地位的，都不免要手忙腳亂。不要說政治上應付不來，即使軍事上也未必能夠保險吧？軍事決定於政治，政治上不安定，軍事上即難保不出毛病，這是可以斷言的。行新政固然要用新人，可是在國家生死關頭的大決策上，卻非有老成持重的領導者不可。這些事如果不在蔣總統手上完成，我怕台灣可能成爲未來最不安定的地方。台灣如果成爲最不安定的地方，什麼也完了，還有什麼反攻復國的希望？

因此，要反攻復國，我想除非在蔣總統手上完成，假使不能完成，蔣總統應該趁着這個時候當機立斷，在政治上要有大勇氣，大作爲，大開大闔，爲我們立定根基，不致像鄭成功一樣。今天的台灣絕不能學鄭成功，因爲鄭成功的時代已經過去，而且他是失敗了的英雄。這許多年來海內外論爭的焦點，多數是集中在這些地方。我不是說除了蔣總統而外，中華民國在政治上就繼起無人，而是說繼起者所處的時代太不幸，蔣總統也面對着這個時代的考驗，多少也要爲國家打算，爲民族打算。

爲了國家民族前途，爲了反共救國的成敗關係，我想，這個政治上的大問題，不是不值得研討的。

在中國現代史上，袁世凱曾經統一了全國，威望極著，迨帝制運動破滅，付託無人，乃釀成軍閥割據的混亂局面，陷國家於長期紛亂之中。唯有孫中山先生知人善任，培植繼起人才，如蔣總統者，付以後事，才使國民革命迅告成功，而國民黨亦得執掌國政垂四十年而未替。如今中原淪於共魔，河山破碎，蔣總統的歷史任務艱鉅非常，思前想後，怵目驚心。所以台灣未來的安排，這個局勢太複雜了。太甲有個伊尹，劉禪有個諸葛亮，今天的台灣，不能說沒有人能夠繼承蔣總統的志事，可是，誰有資格作伊尹，又誰有資格作諸葛亮？

古人云：「得師者王，得友者霸」。文王之於太公，商湯之於伊尹，漢高之於三傑，光武之於二十八將，劉先主之於諸葛亮，唐太宗之於魏徵，宋太祖之於趙普，或居師友之間，或師或友。可是，這個時代雖然已經過去，也不妨提出來作個參考！民主時代主權在民，自由時代立身在我，而外交內政，又復複雜到這個程度，如果沒有妥善的安排，不特足以危及國本，更非全體國民之福，萬萬是不能兒戲的哇！

因此，爲了承先啓後，爲了反攻復國，爲了政治上的死結，必須一一爲之疏解。當蔣總統健在時期，對於這些問題提出來討論，我想不是完全無益的！

現在且就蔣總統以下的高級政治幹部人物而論，不是沒有傑出的人才，不過他若接受了國民黨與蔣總統的這一付家當，要如何承担呢？我想，未來第一問題是美國人的態度，第二是台灣人的態度，第三是五十萬大軍的統馭問題，第四是所有國民黨元老如何支持他，第五是各黨各派對於他的觀感如何。這五件事之外，還要問他能否繼承蔣先生的志事，完成反攻復國的任務？要完成這個任務，他對於海內外有沒有這種號召能力？再進一步，他對於大陸估計怎樣？他在大陸上一般非共反共的民衆心目中，是否具有領導着反攻復國的條件與力量，使共[illegible]翕然景從，而簞食壺漿以迎王師呢？

這許許多多的問題，我想蔣總統不妨考慮一下，構成一德一心的局勢，實爲當務之急，這便是我寫這篇文字的中心意旨所在。簡言之，即對蔣總統說：要舉出政治辦法，才能夠承先，也才能啓後；不然，這個歷史任務，還是要落在蔣先生的身上的！

漫画天下

南施

精彩的肉搏！

技術上的失敗！

自由談

談美國的『專家』

馮五先生

近來美國所謂專家們，對於中俄共爲着世界革命策略問題，發生爭辯一事，大抒高見，總不外是認定中俄共之間的分裂情況日益深刻，終必分道揚鑣，而幻想着蘇俄與美國將由「和平共存」，進入攜手聯盟，一致協力抵抗中共之侵略，藉以適應其內心深處所蘊藏的「黃禍論」那套陳腐思想而已。因此，他們把毛共「人民日報」最近那篇王媽媽裹脚布式的社論，用直覺的主觀見解，多所推測，長篇累牘，迭發電訊，認爲是專家們的權威觀察，好不笑煞人也麼哥！

如果說中俄共之間，由於對外政策理論上的爭執，即可能分裂敵對，而構成親痛仇快的結果，那末，美國過去與英法對蘇彝士運河進兵之役的各行其是，現在對於大箭飛彈計劃的歧見叢生，其分裂現象，視中俄共之理論爭執，尤嚴重十倍，何以西方國家又依然相諒相親，合作如故呢？俄酋赫魯歇夫倒是說出了幾句老實話，他警告西方國家莫想過問俄共集團內部的爭論問題，否則他們即可和好如初，以共同對付敵人的。事實上，毛共公開要求召開國際共黨會議，以評判是非，即係表示妥協屈從之意，只要俄共在大會上對它稍爲假以顏色，便有面子轉圜了。可是，美國的專家們卻見駱駝以爲馬腫背，斷定中俄共永無復合修好之日。天真至此，幼稚如斯，夫復何言耶？

現時國際兩大集團對立鬥爭，乃是一場激烈的思想戰，必須以文化精神爲主力，要憑政治理想來爭取最後勝利，才是根本之計。文化根基淺薄的人，遇事就祗有幻想，而缺乏理想，卻美其名曰「實驗主義」，自以爲是，得意洋洋。拿着幾顆核子彈頭，隨時顯示世人，睥睨一切，然又害怕真的使用牠，有如孩提之童，手持爆仗而害怕燃放的形相，可哂孰甚哉！

美國之所謂某某問題專家，我素來就不敢恭維，尤其是一些「遠東問題專家」，他們的知識實在譾陋得可憐。我讚許美國的財富用於全球，可惜文化精神太空虛了！

共幹惶惶不安入夜戒嚴
廣州連續發生爆炸多起
愛羣酒店時見反共傳單

（本報訊）據元月三日下午來自廣州的旅客對本報記者談稱：陽曆大年除夕之夜，廣州曾發生爆炸，元月二日晚間，廣州河南芳村，又發生爆炸，後者爆炸聲甚烈，市民多爲驚醒，中共人員惶惶不安，共軍則實行戒嚴，因此，入夜之後，廣州市民多不敢外出，唯恐共軍濫施拘捕。

這位來自廣州的旅客又稱：有高級共幹多人居住在內之廣州愛羣酒店，近來曾有多次發現有反共傳單自七樓落街上，共軍雖立即前往搜索，却毫無所獲。此外，由於共軍在沿海趕築防禦工事，以及爆炸案件頻頻發生，廣州市民，雖多有相信國軍不久將實行反攻大陸者，有的人甚且公然如此談論，說得儼似確鑿有據。

據這位來自廣州的旅客稱：元月二日晚約三時光景，廣州河南芳村，突然傳來隆隆巨響的爆炸之聲，河南一帶的殘舊屋宇，因受震動力所影響，窗門格格震動，牆壁破裂，市民從夢中驚醒，均爲之惶惑非常，竟有以爲是發生大戰者。沙面、黃沙碼頭的市民，且由屋內走出街頭，五相研究。但當爆炸發生後不久，共軍即在市面展開戒備，所有奔出街頭的市民，均被驅回屋內。共軍曾在芳村方面，展開搜查，欲找尋可疑人物，但結果一無所獲。

又稱：廣州市有傳聞，此等連續發生的爆炸，是國軍敢死隊所爲。並謂敢死隊人員，係不久前由巨型噴射機黑夜跳傘降落者。這些敢死隊員，均配有最新式武器與炸藥，降落之後，分爲小組，進行活動。聞主要爲爆炸共軍軍事設備，並伺機襲擊共軍。傳說並稱：敢死隊員進入大陸後，除進行破壞工作之外，另又向民衆鼓動策動反共行動，以便國軍反攻登陸時，裏應外合。

據說：敢死隊員見已分佈在廣州郊區如芳村，花埭，與及李登同（福林）之家鄉大塘，均有敢死隊踪跡。敢死隊員均係經過特種訓練，不但視死如歸，且均上山能爬，入水能潛，又精於化裝術，行踪飄忽，已使中共頭痛，手足無措，除了加派軍隊防守倉庫及軍事工地外，並無他法（續）。

（本報訊）據澳門消息：新抵澳門之某君稱：上月廿六及廿七日，廣州及石岐均曾遭潛伏在大陸的反共人員施行爆炸。

廣州方面是廿六日午夜三時發生爆炸的，被爆者是軍械軍，雖曾有若干共軍當堂斃命，損失情形不詳。石岐則於廿七日晚午夜十二時發生，爆炸的是市區糧庫，但並無傷人。上述兩處發生爆炸後，當地共軍立即執行戒備，並大捕可疑人物。（揮）

怕死兼殘酷的充分暴露

毛共搜捕游擊隊的辦法是強迫徒手民衆打頭陣

香港與大陸

據一位新近由梅縣內僑香港的李太向記者透露：梅縣與興寧交界之山區，去年十一月中旬，曾出現若干名武裝反共游擊隊，亦曾與共黨軍隊開火，後來中共竟以槍指嚇，強迫農民打頭陣去搜捕那些游擊隊。

李太說：去年十一月間，在興寧與梅縣交界的山區，常有若干名便衣「客人」出現，他們自稱是由縣裏派來的視察員，希望瞭解瞭解農民的實際生活，但當地農民和他們接觸後，發覺他們態度和藹，完全沒有一般共幹的那種官僚作風，所以大家都樂與親近。更奇怪的是，他們有時於講一些過去國民黨弱點後，又說是現在台灣自由中國的繁榮富強，自由民主。他們亦有時批評共黨實在太過殘暴，不把人民當人。

李太說：有一天，正當有兩位「客人」在莊稼地下「瞭解」農民的生活情況，不少農民都爭着向他們訴苦，說農村幹部太蠻橫，整天迫人勞役，飯却不給人吃飽，而共幹們自已，不論男的女的，却整天遊手好閒，生活奢侈，表示希望這兩位縣裏派來的「上級同志」懲罰他們。就在農民們你一句我一句的不停訴苦時，該人民公社的黨支書和若干共幹來了，黨支書突然之間，惡狠狠的拔出手槍，指着那兩位「上級」，並命令同來的共幹把兩人抓回公社查詢。後來才知道，原來兩人是反共游擊隊員，他們的行跡已被梅縣「公安局」知道了，特別派了一隊公安人員前來，在公社內等候，要逮捕他們的。共幹當時因爲只見兩位「上級」在村裏，唯恐「打草驚蛇」，所以教黨支書先將那兩位「上級」抓回「公社」，然後再設法去捉拿他們的夥伴。李太說：就在這緊張的關頭，突然從一個屋角裏發出一響槍聲，當堂便把持槍在手的黨支書擊斃。這時那兩個「上級」亦登時從懷中拔出手槍，並表明他是反共游擊隊員。說罷，這兩人與從屋角出來的另一人聚合，一聲再見便走了。不多時候，在「公社」的「公安人員」聽到槍聲，便蜂擁而至，立刻追趕那些游擊隊，及農民們曾聽到一些槍聲，那三個游擊隊員終於逃脫，藏到興梅交界的鐵山嶂，「公安人員」搜了半天，毫無所得。但他們竟要共幹下命令，要就近所有的居民，不管男女，凡在十二歲以上六十歲以下的，都得出動，前往鐵山嶂「圍剿特務」，抗命不去者，以通敵論罪。李太說：那些被迫的農民，誰敢反抗？所以大家祇好拿着扁担、鋤頭、鐮刀等「武器」，先被集合在山下，由「公安人員」、共幹及民兵用槍指嚇，教那些農民打頭陣，分頭向山上包圍搜查。李太說：農民們上山後，游擊隊員放槍示警，農民們要退下來，但公安人員不准許，逼大家再上去。這一來，槍聲又起，有幾個農民受傷了。農民們又要退，但共幹及「公安人員」竟在後面開槍恫嚇，非要農民上山不可。就這樣一直就延了一日一夜，有些農民甚至累得餓得暈倒了，終於在人多勢衆之下，游擊隊員又彈盡援絕，逃無可逃，有兩個被打死，有一個被捉到了。

李太說：那三個反共游擊隊員都是年青人，被捉到的那個，毫無懼色，一路高聲叫罵共黨，被「公安人員」押走了。畢竟那被捉的給中共如何處置的，李太表示大家都不知道。但李太強調：農民大衆暗中確是同情那些反共游擊隊的，大家絕對不願跑去捉他們，但在共幹們威逼之下，又不得不聽命，而結果犧牲的也就是那些農民。（敬斯）

台糧價有小波動
糧官強調糧產豐收

（本報記者台北航訊）新年前夕的幾天，糧價頗有波動，雖然波動的程度不能說大，究竟民以食爲天，小的波動，也會影響民生，因此升斗百姓對此很加注意。

台省主管糧政人員，畢竟由於職責所在，也表示了很爲重視的樣子，宣稱在必要之時，要採取穩定糧價的措施，藉以安定國民的生活。但怎樣才是必要之時？必要之時將採取的穩定糧價的措施是什麼？糧政人員並未當堂講出來，有的人遂認爲用意是企圖憑這一表示的嚇阻作用，把糧價的波動嚇得平靜下來。

根據主管糧政人員的分析，他說（一）糧價是根本沒有波動的理由的，爲的是去年第一期稻作創出豐收的最高紀錄，而第二期的稻作仍是豐收，政府糧倉與民間儲糧，並皆豐裕，有何波動的理由？（二）這種無理由的波動，完全是部份糧商的一種陳舊觀念作祟所致，即以爲年關是會影響糧價的，所以把糧價故意加以提高，企圖獲致過份的利得。這是政府所決不能允許的，因爲穩定糧價，安定整個經濟，乃是政府的一貫政策，絕無迴旋的餘地。

另外，據省府某官員透露，依據糧食局的報告，去年台省米穀生產，將再創新紀錄，全年估計將可逾二百一十萬公噸。據該官員說：去年第二期稻作種植情形，確可稱順利，發育情形亦甚良好，雖先後曾遭颱風及病蟲害的侵襲，但受害程度輕微，不傷大體。去年第二期稻作，除去較前年同期遭受災害的面積有增加外，仍較前年同期實種面積，增加了七千三百餘公頃，計增加百分之一點六五。

該官員還指出：高雄、屏東及台南地區的部份早稻，去年十月間已開始收成，台中地區部份及新竹地區稻作，亦已先後於十月及十一月起，陸續收割，近來全省又天氣良好，收成自然順利，所以糧食局估計必能創出糧產的新紀錄。

這倒是好消息，果真去年糧產能創出增產的新紀錄（按前年稻谷產量爲二百零一萬六千二百七十六公噸），則糧價的小波動，就值不得大家過份憂慮了。但願糧食局的估計並未偏高。（區）

黑色非洲國家與地區簡介

—本報資料室—

這幾天剛果問題鬧大了，大家都很注意。不但注意這個黑色剛果，同時亦注意整個黑色非洲。這裏特簡略介紹非洲三十三個已獨立的國家，及二十四個還未獨立的殖民地。非洲已獨立的三十三個國家爲：

國名	面積（千平方公里）	人口（千人）	獨立年份	原來地位
蘇丹	二五〇五	一二、一〇九	一九五六	英埃共管
剛果共和國	二三四四	一四、一五〇	一九六〇	比利時屬地
阿爾及利亞	二一七一	一〇、五〇〇	一九六二	法國屬地
利比亞	一七五九	一、一九五	一九五一	意大利屬地
乍得共和國	一二八四	二、六七五	一九六〇	法國屬地
南非聯邦	一二二三	一五、七八〇	一九一〇	英國屬地
馬里共和國	一二〇四	四、一〇〇	一九六〇	法國屬地
尼日爾	一一八八	二、八七〇	一九六〇	法國屬地
阿比西尼亞	一一八四	二一、八〇〇	一九四五	意大利屬地
毛里塔尼亞	一〇八五	七二七	一九六〇	法國屬地
埃及	一〇〇〇	二六、〇五九	一九二二	英保護國
尼日利亞	九六六	三五、七五二	一九六〇	英國屬地
坦幹尼喀	九三七	九、四〇四	一九六一	英託管地
索馬利亞	六三七	一、九九〇	一九六〇	英國屬地
中非共和國	六一七	一、二二七	一九六〇	法國屬地
馬拉西亞	五九〇	五、四八七	一九六〇	法國屬地
摩洛哥	四四三	一一、六二六	一九五六	法國屬地
喀麥隆	四三二	四、九〇七	一九六〇	法託管地
中央剛果	三四二	七九五	一九六〇	法國屬地
象牙海岸	三二二	三、二〇〇	一九六〇	法國屬地
上伏達爾	二七四	三、六三五	一九六〇	法國屬地
加蓬共和國	二六七	四〇〇	一九六〇	法國屬地
幾內亞	二四五	三、〇〇〇	一九五八	法國屬地
烏干達	二四三	六、五二三	一九六二	英保護國
加納	二三七	六、六九一	一九五七	英國屬地
塞內加爾	一九七	二、九七三	一九六〇	法國屬地
突尼西亞	一五二	四、一六八	一九五六	法保護國
達荷美	一一五	一、九三四	一九六〇	法國屬地
利比里亞	一一一	一、二五〇	一九四七	部落社會
獅山國	七二	二、四〇〇	一九六一	英國屬地
多哥共和國	五七	一、四四〇	一九六〇	法託管地
烏隆地	二七	二、三〇〇	一九六二	比託管地
魯安達	二六	二、六〇〇	一九六二	比託管地

在這三十三個國家中，已與中華民國建立外交關係的有十六國，另外八個國家與台北及北平皆無外交關係。

與我國建交的十六國爲：喀麥隆、中非共和國、乍得共和國、中央剛果共和國、剛果共和國、達荷美、加蓬、利比里亞、利比亞、馬拉西亞、毛里塔尼亞、魯安達、塞內加爾、南非聯邦、多哥共和國及上伏達爾。

與中共建交的九國爲：阿爾及利亞、加納、幾內亞、馬里共和國、摩洛哥、索馬利亞、蘇丹、坦幹尼喀及埃及。

至今，非洲尚有二十四個殖民地未獨立，這二十四個地區爲：羅得西亞聯邦（英保管國），肯雅（英屬），莫三鼻給（葡屬），安哥拉（葡屬），塞拉勒窩內（英屬），蒲那利群島（英屬），巴蘇陀蘭（英託管地），毛里求斯島（英屬），西南非洲（南非聯邦保護國），貝專納蘭（西班牙屬地），岡比亞（比屬），桑給巴爾島及奔巴島（法託管地），馬德拉群島（葡屬），斯威士蘭（英屬），摩羅哥島（西屬），佛得角群島（西屬），索馬里蘭（法屬），幾內亞，聖多美島及普林西比島（葡屬），喀奔達（比屬），塞席爾群島（法屬），里俄德俄羅（西屬），伊夫尼（法屬），斐倫那島亞森遜島及庫哈島（法屬）。（風）

新年談春秋大義

趙康

孔子自稱：「其義則丘竊取之矣」。可為明證。然則春秋的義旨何在呢？據太史公自序所述：「夫春秋，上明三王之道，下辨人事之紀，別嫌疑，明是非，定猶豫，善善惡惡，賢賢賤不肖，存亡國，繼絕世，補敝起廢，王道之大者也。」是故：春秋以道義，撥亂世，反之正，莫近於春秋。」由此，可知其大略了。

世何以亂？在於各懷私意，做不合道理的事情，此即是失義。失義便是不問是非，不分皂白。故春秋要明是非。又莊周有說：「春秋以道名分」。如是春秋道名分，懲僭越，惡爭奪，是屬於禮的一方面；春秋別嫌疑，明是非，善善惡惡，是屬於義的一方面。故春秋為禮義之大宗。而禮義為天下之綱紀。

由是，尊王攘夷，都可以在「天下為公」一義上引伸出來了。春秋經常正王，王謂仁德。文王，即是假借文王，以明含育天下萬世的文明，與野蠻為對。為什麼要攘夷狄？是因為夷狄野蠻不守禮義。春秋言民族，是以文野分。文明者，不祇因為他知能進步，而尤在其敦禮守義。禮義為仁心之發。仁者渾然與萬物同體。敦禮守義所以超越小我，而復其渾厚的本性，此為諸夏（中國人）之所表現的。如無禮失義，雖有能卓越（如楚人者），亦因其習於橫暴，桀驁侵略、春秋仍以夷狄斥絕之。而如其進於禮義，亦與於中國，並無界限制分。如今日之所謂「自由主義」者。故此說尊王攘夷的根本精神，是在「天下為公」。天無私覆，地無私載，日月無私照。天地之道，是至公的。春秋主旨在求普天之下同過着禮義的生活而已。中華民國就是我們國父孫中山先生朝着孔子天下為公理想而創造出來的。我們都知道，國父生平愛寫「天下為公」四個大字。而一般人祇知從禮運大同篇找出處，不知春秋經中亦有根源。[illegible]……國內各民族一律平等；並且還要進一步本着互助合作的精神，使全國人民無階級偏頗，男女之職業，宗教之別，[illegible]……文明終勝野蠻。（下）

新書評介

「比較地方政治制度」

商文立著

諸葛文侯

本書第三編是其精華所在，即著者為改革中國今後地方政治制度而精心建構的一套方案，內容並非書生論政式的幻想空談，而是顧應理論與事實的可行之道。從省制到縣，市制，鄉鎮制，都擬製了完備的圖則，高瞻遠矚，言之有物，在我個人看來，大可採擇施行的。

吾國現有省區之急須調整革新，最近四十年間，各方學者專家們迭有主張，如「廢省存道」，「縮小省區」，以及所謂「聯省自治」之說，甚囂塵上，中央政府且自民國廿一年夏季，創立「行政督察專員」制度，藉以補救因省區過大而不易治理之弊。實則上述各項辦法中，除却縮小省區一項是具有妥當性而外，其餘皆屬不切實際。然僅談縮小省區的片面問題，而對於省區縮小以後的各種有關問題，不予兼籌併顧，仍不免礙得孔多，難於實施。即就縮小省區而言，如何縮法才能合適，怎樣配備乃可垂之久遠，吾人深，傳想則不一，或者偏於一般理論，或者祇著眼前事實，仍有缺陷的。

本書亦以縮小省區，重劃省界為第一義，但舉出幾項原則作準：一是不拘於山川形勢而劃，二是每省人口至少要百萬人，三是每省人口不宜超過八百萬人，或少於二百萬人。這因為吾國的文字原……小省區的見解，優越多了。再看他對於省區縮小的方法，主張劃全國為八十四省，以我們湖南為例，擬劃為「湘北」，「湘南」，「湘中」，「湘西」四省，每省人口至少亦在五百萬人以上。如此縮劃，我認為很妥當。美國全國人口不過一億五千萬，領土比吾國狹小得多，卻分成了五十州，咱們全國劃……

係全民一致的，由於現代交通便利，文化交流不息，人類又有能力戰天勝地，征服自然的環境，過去那些語言隔閡，地域限制的毛病已不存在；八十四省，每省的區域和人口以及生產力，仍不失其為「一方」……如台灣一省光復後，人口增加了三百萬人，但其地區遼闊，祇要國家承平，交通事業發展，中央政府從事有計劃的移民工作，不到廿年，即可與內陸省份併駕齊驅，不成問題。著者縮劃省區的構想方案，有理論上的妥當性，亦有事實上的適應性，大可取法也。

著者對地方政治制度，縱的方面是採取省，縣兩級制，因而是以保甲為最基層的地方自治組織，殊為允當。回想在十餘年前，內政部擬訂地方自治法之際，區鄉鎮以下，採用晉豫諸省習的「閭，里」組織，當時我以參事職位，提出異議，認為南方社會沒有這種名詞，不易通行，不如沿用吾國舊有的「保甲」名稱，南北人民習知，比較適宜。但主持此事的部長薛篤弼暨民政司長人士，他們祇顧自己家鄉的習慣，堅持原議，而自治法乃始終未能通行全國。現在著者主張用「保甲」組織，可懲舊有「地方自治法」之失，吾無間言也。（中）

天南風光

——沙羅越的歷史——

朱淵明

『但向來天朝所產銅鐵硝礦，不准出境，臣國所用硝礦，皆取自呂宋，今與彼相爭，則硝礦得之無路，伏乞皇上天恩，准將銅鐵硝礦，賞賜些須。並乞天朝賞臣能造鎗砲匠役四名，則可以防禦呂宋，保守土地矣。再臣耕種土地，並無驢、駝，乞天恩賞給牝牡各一對，庶幾耕作有賴，衣食無憂。敬奉土產珍珠兩顆，劍一對，標槍一對，吹筒一對，西洋布兩疋，花洋布兩疋，竹絲布四疋，檳榔兩床，丁香粒一罐，燕窩兩小匣，玳瑁一匣，鸚鵡一個。臣部落民貧國小，惟任土作貢，表遠人之慕化，委實事君，比葵藿之傾心。臣不勝誠惶誠恐，謹拜表以聞。乾隆二十七年七月×日。蘇祿國蘇老丹臣「嘛喊味嘛安柔律噒」跪奏。』

（此奏疏見國立中央研究院歷史語言研究所所藏明清檔案）

越一年，即乾隆二十八年，西曆一七六三年，蘇祿蘇丹乃以其在北婆羅洲東北之屬地，讓與英國東印度公司。從此蘇祿領土日削，遂至終為呂宋所併。然北婆仍迭經變亂，直至一八七九年（即清光緒五年）才為英所平定，一八八一年，遂設特許公司以治之。這就是現在的「北婆羅洲邦」。也就是英國政府不理會菲律賓向北婆羅洲作領土要求的一點根據。

那期間勃泥衰微已極，在東北的領土，既由蘇祿轉讓與英國，變為北婆羅洲邦，在西南的沙羅越一帶，也混亂不堪，幾於無法統治，而北婆羅洲分為三邦的形勢，業已逐漸形成，即渤泥本邦（Brunei）（亦稱汶萊，又稱婆羅乃，以下為適合時宜起見，本文亦改稱為婆羅乃）北婆羅洲邦（North Borneo）及沙羅越邦（Sarawak）。而沙羅越的正式歷史，也就從這時期要開始了。

沙羅越成為一邦的正式歷史，一般都是從英人「詹姆士・布律克」（James Brooke）第一次到古晉的時候算起。布律克到古晉，已是十九世紀四十年代的事了，即一八三九年八月。在此時以前，這一塊地方，自然還是婆羅乃的領土，不過是婆羅乃西南方似乎很遠而又很不重要的一個省份，在所有英國海軍的地圖裏，也都沒有把沙羅越畫上去，在布律克時代之前，是很少有人知道這地方的。西班牙的歷史家「利・哈雜斯」，在十六世紀初期，把Sarawak包含在婆羅洲主要市鎮的名單裏。「利忍斯」的「婆羅洲的概況」（在一八一四年出版），把這個地方說成是『海盜首領割據商船貿易』的根據地。（十九）

廬君續夢

第六回： 烽火照邊陲　同惡難濟　樓船碧橫海　大慾興悲

蒙哥馬利連連鼓掌，說道：「主席的看法，對極了。」

毛澤東說道：「為了防止這三個國家破壞和平，我以為中英蘇法四國應該首先簽訂一個維持和平的協定。」

蒙哥馬利搔搔頭：「這四個國家簽訂協定，採取什麼形式呢？」

毛澤東說道：「形式不拘，也可以用泛太平洋公約，再拉進澳、紐參加，由英國出面領導，先作政治的結合，進一步作軍事的同盟，將來再作經濟的合作，把所有同盟國家都納入英鎊集團。」

毛澤東一席話，蒙哥馬利聽得心花怒放，連毅也大感驚奇，他不知道毛澤東何以忽然「天賦聰明」，一改故態，所談國際問題頭頭是道。再看柯慶施也在注意毛澤東，臉上含着得意的微笑。

這一次的蒙毛之會，談了幾個鐘頭，中午又共進午餐，吃的是中餐，照例是「國結菜」，由上海幾個著名菜館送來，毛澤東殷勤的夾一塊雞腿放在蒙哥馬利碗裏，蒙哥馬利知道這是中國人最恭敬的禮節，更有受寵若驚之感。

蒙哥馬利在上海住了五天，和毛澤東會了三次面，一次比一次談的投機。最後一次見面時，蒙哥馬利說道：「我明天就要離開上海去香港了，這次毛主席熱誠招待，實在感激得很，明年有機會我想再來一次，到貴國司令部去看一看，不知道主席是不是准許。」

毛澤東拍拍蒙哥馬利肩膀說道：「老元帥，你打算幾時來就幾時來，想到什麼地方參觀，就到什麼地方參觀，貴國的邱吉爾首相說我們共產黨國家是鐵幕，你這次也跑了幾千里路，可曾看見我們那裏有個幕？」

蒙哥馬利說道：「在貴國旅行實在方便得很，我自從進入深圳就沒遇見一個人檢查過我的證件及行李，這在歐州是作不到的。」

蒙哥馬利離開上海到了杭州，由中共浙江省的頭目，招待在西湖遊了一天。蒙哥馬利看見西湖周圍一個一個小洋房，蓋得十分精緻，當時指着問中共杭州市長吳憲道：「這些地方都是誰住的？」

吳憲說道：「都是工人住的。」

蒙哥馬利更是讚嘆不已。兩人在湖心盪了一段小船，捨舟登陸，到了一幢洋房前，恰好有個人拉門出來，和蒙哥馬利打招呼，蒙哥馬利一看認得是中共浙江省委第一書記江華，蒙哥馬利問道：「你來這裏看朋友？」

江華笑道：「我就在此地住。」

蒙哥馬利怪道：「你怎麼會在這裏住。」

江華說道：「這一帶洋房住的都是高級幹部，吳憲同志就住在左邊一所房子。」

蒙哥馬利大不開心，翻起眉頭看着吳憲。

吳憲連忙說道：「元帥不要誤會，我說的工人是指廣義而言，在新中國工人農民就是工人，共產黨是工人階級政黨，我們共產黨員自然是不折不扣的工人了。」

蒙哥馬利不好再說什麼，第二天就離開杭州走了。

蒙哥馬利尚未離開大陸時，艾森豪威爾已經到台北了。（一六七）

蒼茫

·程綺如·

「我知道。」他沒有想到，她竟然這樣冷冷地回答，而且連頭都沒有抬起來，在攪動着她的咖啡。

「那麼你……」他還沒有說完，她已很快地接了下去：

「你是說我爲什麼又結婚？」她抬起頭來，蒼白的臉因氣憤而顯得紅潤了，「我爲了生活！」

「他有錢嗎？」他接着她的話問下去。

「很有錢。」

「你也很快樂，是嗎？」他再追問。

「……」沒有回答，她祇攪動着她的咖啡。他也低頭喝着他的。

時間在沉默中溜走，三年前不愉快的事，又浮現在腦際，他想：如今天應該了結這一宗疑團了，是他三年前的三年裏，多次想提出來，卻終於不會提出來的問題。他到底說了：

「我問你，你爲什麼一定要給老王寫信？」

「我們不是一直都通信的嗎？」他想起這件不愉快的事，她顯然有些不高興，她是很願意忘記這件事的。

「啊！對了，你跟他在學校時就一直很要好的。」他雖然笑着，聲音裏仍不免帶着醋味。

「可是，後來我還不是嫁給了你！」她顯得生氣了，跟紅着臉。他的心被勾平靜了一點。他見她生氣，他確實有點抱歉，可是數年來積在心裏的話，他想還是在今天澈底打破這疑團罷。然而，他沒想到，打破了，又怎麼樣？

「告訴我，你曾經愛過他嗎？」他問，竭力使自己的聲音平靜。這是他結了婚以後就一直想問的問題啊！可是六年了，他讓它積存心底，直到今天。

「沒有，我從來沒有愛過他。」她的聲音如此平靜，他像被擊傷了，他的心絞痛着。還是他在努力壓抑自己的情緒了。他多麼希望得到相反的回答！他知道這不是假話，因爲，現在，她已沒有向他撒謊的必要了。

又是沉默。她在沉默中喝完了她的咖啡，他也喝完了他的。終於，他站了起來：

「要我送你回家嗎？」他問，也跟着站起來。

「不用了。」她說。

走出門，細雨仍在飄着，他替她叫了一輛三輪車，看她坐上去。

「再見！」

「再見！」她擺了擺手。

看着她的車在人叢中消失。他轉過身來，向蒼茫的夜色中走去，然而漫無目標……（下）

河東獅子羣像

匡謬

中國人怕老婆的歷史悠久，且無分貧賤富貴，都不缺乏此道中人，「河東獅子吼」的陳季常，祇是其中之一位而已，且他亦絕非箇中的翹楚人物。把已筆之於書的怕老婆者輯爲專冊，那是夠洋洋大觀的。茲所舉者，祇是較有名聲的幾位。

唐名相房玄齡，便很怕老婆。玄齡偶訴之於太宗，太宗自告奮勇，召房妻至，欲加申斥，卒反爲房妻所難。太宗乃諾玄齡：尊夫人朕見猶怕，後善事之可也。

南唐兵部尚書杜業，官拜樞密使，知方略，對於兵賦戶籍，瞭如指掌。其妻妒而悍，婢妾俯首帖耳，懼之有如嚴君。烈祖聞之，命元皇后召杜妻入，面加訓誡，謂尚書身居高位，有幾個姬妾亦很應該，但杜妻流涕陳詞，說是業主狂生，遭逢時會，得爲陛下效馳驅之勞。現年事寢長而又多病，倘縱情聲色，未老先衰，不勝負荷，有誤國家大事，豈不辜負聖恩？烈祖聞報，不僅不加責斥，反而大加獎許，賜以綵緞。

我的學生生活

雷嘯岑

我在袁世凱的專制恐怖統治政策之下，寫出那種令人慄慄危懼的反袁文字，固屬年幼無知，懵然不識利害禍福，亦由於我在民國四年暑期受過一種沒齒難忘的大刺激，迫之使然的。

我的堂叔雷濂（叔海）是武昌「文普通學堂」畢業生，曾參加辛亥武昌革命之役，以功由政府資送日本留學。民國四年夏間，他奉孫總理之命回湖南從事反袁運動，在桂陽縣起義討袁失敗，他被捕梟首於該縣城外。桂陽距我家只有六十華里，家人卽日將他的屍身搬回瘞埋，因爲「身首異處」之故，我母與嬸嬸們我三人（我以暑假回家來了）抱着死者的人頭，正在村前樹林下洗滌血漬塵垢之際，縣城裏的北洋軍隊一連人忽然掩至，我們倉皇把叔叔的人頭拋地而逃，北軍麕集我家，翻箱倒篋，這時我的祖母臥病在床，家人不及抬她出來，驚悸萬分，不久她就去世了！那時北軍還不斷地到我村中搜捕我的伯父和父親等，一家老小常在深山窮谷中，逃難度日，經過了幾個月才告安寧。因此，我對袁政府固然極端痛恨，以後對於任何不講法治，而擅作威福以臨民的政府，亦懷着強烈的反抗意識，無所顧忌，所以我在學校作文，乃不期然而然的對袁世凱加以指斥。幸而國文教員熊老師是同情反袁運動的，對我愛護備至，否則很可能闖下大亂子，禍延家庭哩！

民國五年下季，我是中學三年級，只差半年就要畢業了，這時候，省立第一中學校長換了劉石介，是年十月間，同學們指摘學校當局剋扣了學生的伙食費（學生多是住宿校內的），集會研討對策，一致決議分向省府省議會遞請願書，要求撤換劉校長，公推我起草呈文。我當時對於剋扣伙食費的內容，茫無所知，只以天性好事，跟着大家嚷嚷之後，大家便推舉我擬文稿，亦就悍然爲之而不辭。全校罷課一月有餘，問題沒法解決，一日，省府派員到校開導學生復課，我當場予以斥責。最後乃由省長譚延闓出佈告，將我暨其他同學三人，一律開除學籍，我是首要份子，罪狀八個大字：「爲首倡亂，肆行煽惑」。究竟劉校長有無吞沒學生伙食費的事實，我始終莫名其妙，少不更事，好出鋒頭，隨便胡鬧亂來，眞是荒唐之至也。記得民國十六年，我在國民政府作秘書，某日午間，在國府跟着主席譚組安，常務委員李協和兩公同桌聚餐，時譚先生問我在湖南那個學校畢業？」我答：「在省立一中尚差半年畢業，因爲鬧事，被主席以省長名義，明令開除學籍了！」他訝然詳詢經過後，笑謂：「你至今覺得後悔嗎？」我說：「承主席垂詢及此，祇有慚愧而已。」他頷首表示贊許之意。（六）

南宋偏安有人才

——李綱

李仲侯

兩路士民兵將所以戴宋者，其心甚堅，皆推豪傑以爲首領，多者數萬，少者亦不下萬人，朝廷不因此時置司遣使以大慰撫之，分兵以援其危急，臣恐糧盡力疲，坐受金人之困，雖懷忠義之心援兵不至，危迫無告，必且憤怨朝廷，金人因得撫而用之，皆精兵也。莫若於河北置招撫使，河東置經制使，擇有才略者爲之使，宣諭天子恩德所以不忍棄兩河於敵國之意，有能全一州，復一郡者，以爲節度防禦團練使，如唐右鎮之制，使自爲守，非惟絕其從敵之心，又可資其禦敵之力，使朝廷永無北顧之憂，最今日之先務也」。

上善其言，問誰可任者？綱薦張所、傅亮。所嘗爲監察御史，在靖康圍城中，以蠟書募河北兵，士民得書喜曰：朝廷棄我，猶有一張察院能拔而用之，應募者凡十七萬人，由是所之聲震河北。故綱以爲招撫河北，非所不可。傅亮者，先以邊功得官，嘗治兵河朔，都城被圍時，亮率勤王之兵三萬人，屢立戰功。綱察其智略可以大用，欲因此試之。乃以所爲河北招討使，亮爲河東經制使。

綱既相，首立軍營制度，申明紀律，造戰艦，修戰車，整軍經武，積極備戰。時朝廷議遣使於金，綱奏曰：「堯舜之道，孝悌而已。孝悌之至，可以通神明。陛下以二聖遠狩沙漠，食不甘味，寢不安席，恐迎還兩宮，致天下養，此孝悌之至，而堯舜之用心也。今日之事，正當枕戈嘗膽，內修外攘，使刑政修而中國強，則二帝不俟迎請而自歸。不然，雖冠蓋相望，卑辭厚禮，恐亦無益。今所遣使，但當奉表通問兩宮，致思慕之意可也」。

一日，論靖康時事，上曰：淵聖勤於政事，省覽章奏至終夜不寢，然卒至播遷，何耶？綱曰：「人主之職在知人，進君子而退小人，則大功可成。否則衡石程書，無益也」。因論靖康初朝廷應敵得失之策，且細論金人兩至京城，所以能守不能守之故，因勉上以明恕盡人言，以恭儉足國用，以英果斷大事。上皆嘉納。

高宗既於河東北殘破，久有南幸避寇之意，綱上疏曰：「車駕巡幸之所，關中爲上，襄陽次之，建康爲下。陛下縱未能行上策，猶當且適襄鄧，亦不忘故都，以繫天下之心。不然，中原非復我有，車駕還闕無期，天下之勢遂傾不復振矣」。

上爲詔諭兩京以還都之意，讀者皆感泣。

未幾，有詔欲南幸避敵，綱極論其不可，言自古中興之主，起於西北，則足以據中原而有東南，起於東南，則不能以復中原而有西北；蓋天下精兵健馬皆在西北，一旦委中原而棄之，豈惟金人將乘間以擾內地，盜賊亦將蠭起爲亂，跨州連邑，陛下雖欲還闕不可得矣，況欲治兵勝敵以歸二聖哉！夫南陽光武之所興，有高山峻嶺可以控扼，有寬城平野可以屯兵。（十四）

憶玉軒雜綴

·秋媛·

竹坡娶伎補遺

次晨舟車北發，竹坡語先大夫曰：此姝余將納之北歸，已付身價銀矣。先大夫期期以爲不可，此乃違犯朝廷定制。寶允到京自劾。慈禧大怒，卽詰詢副主考爲誰，寶伏地奏陳：副主考朱某，此事因其殆職自劾，故而冒死以聞。慈禧色稍霽，飭革去官職，交宗人管教。越二年，先大夫奉派主考典試雲南事。」

寶氏罷官後，不久卽抑鬱以歿。公子壽伯茀在戊戌政變時，與康梁友善，亦爲言官所劾，永不敘用。庚子禍作，聯軍入京，伯茀與弟季菊，全家男女卅餘人，閉戶自縊殉國，僅有一女逃至鄉間倖存。民初，余侍先君在故都，寶氏遺孤已嫁，窮苦異常，因變成甫之介來見，先君每月濟助銀洋十元（可購白麪八袋），如是者約五年，後來病死始停。茲以所知，爲作補遺，藉明眞相。（下）

宋之沈括，字存中，內而翰府，外而封疆大吏，威風八面，卻常爲繼配張氏扑作教刑，捽髮摘鬚。括長子博毅爲前妻所生，被視同眼中釘，竟逐出家門，括暗中接濟之，爲張氏知，復出而誣控括長子忤逆不孝，括亦因此被譏。及張氏病死，括親友皆爲賀，而括卻精神恍惚，坐臥不安，乘船渡揚子江，竟欲投水自盡，不久亦就死了。說者謂其悍潑之妻早已褫奪其魂魄，故妻死餘悸猶在焉。

晉人劉伯玉，一日對妻誦「洛神賦」，並讚不絕口，謂娶婦如此，一生可無恨矣。其妻段氏憤然作色，說是你讚美洛神，便是對我的蔑視，難道我死不能爲水神！是晚果投水自盡。七日後，託夢告伯玉云：你崇拜洛神，我今已爲水神。伯玉因而懷有戒心，始終不敢渡水。其妻投水處，因名「妒婦津」。據說女有渡河者，須服劣衣，始獲安全通過，否則風高浪大，船覆溺死。至於醜婦，雖奇裝異服，傅粉施朱，亦平安無事，故名。

隋楊素功高望重，盛極一時，貴爲上柱國，封越國公。其夫人鄭氏，性強悍。素忍無可忍，一日怒然語妻曰：我若爲天子，卿決不堪爲皇后。鄭氏竟將此語奏聞於隋帝，斷送了楊素的前程。

唐節度使李福，府中廣置姬妾，但均可望而不可及，蓋其妻裴氏嚴視甚嚴故也。李鎮守滑台時，有獻侍女者，頗有意接近，謂其妻云：我官拜節度使，然而左右乃二三老女僕，你待我未免過於菲薄了。其妻慨允姬妾得侍膳司衣，但亦止而已。李不死心，諄囑女婢，如夫人沐髮，可從速報知。已而果傳報佳音，夫人正在沐髮。福乃僞稱腹痛，呼喚使女服侍湯藥。其妻聞訊，不及梳洗，卽趨而審視，並用藥加童便調服。第二天，監軍使所屬官吏，均來問候。福具以告，謂一事無成，反而喝童便一碗。

內僑警台報字第〇三一號內銷證

自由報
THE FREE NEWS
第三〇四期
中華民國僑務委員會頒發
台僑新字第三二三號登記證
中華郵政台字第一二八二號執照
登記為第一類新聞紙類
（本週刊每星期三、六出版）
每份港幣壹角
台灣零售價折台幣貳元
社長：雷嘯岑
督印人：黃行驚
社址：香港銅鑼灣高士威道二十號四樓
20 CAUSEWAY RD 3RD FL HONG KONG
TEL. 771726　電報掛號：8191
承印者：眾風印刷廠
地址：香港灣仔莊士打道二二一號
台灣分社
台北市西寧南路壹叁壹號二樓
電話：三〇三四六
台郵撥帳戶九二五二

尼赫魯論（上）

• 岳騫 •

十多年來，我一直注視着尼赫魯，從他的一舉一動中，從未看出此人有一絲政治家的風度，甚至於看不出他一分做人的品格，不過，對於他也很難給與一個適當名詞。本港報紙經常稱尼赫魯為小丑，其實是不正確的。小丑還有一個善良的心，在台上表演只是為了取悅觀衆，因為這是他的職業。尼赫魯的醜惡作風則是為了權勢。小丑為了引人發笑，而作出醜態，其動機是善良的，尼赫魯為了個人權勢而出賣風雲雷雨，害盡世界蒼生，其本心是毒惡的。所以就人格而論，尼赫魯去小丑甚遠，呼其人為小丑，是辱沒了小丑的品格。尼赫魯究竟是個什麼身份呢？我現在可以在他未蓋棺之前予以論定，此人乃上海人口中的「小癟三」是也。

廣東的朋友或許會誤會，以為上海的癟三就是廣東的爛仔，其實二者是有很大區別的。癟三與爛仔都愛惹事生非，因為這是他們撈世界之法，但是當事情鬧大，棍子打到頭上時，爛仔還是咬着牙齦充好漢，即使打到皮破血流，連眉頭也不皺一下，這樣才能受到所有爛仔的尊敬，爬到爛仔頭的地位。癟三則不然，他的特點是得意時橫眉怒目，無所不為，表示自己是天下第一好漢，遇着警察的棍子一舉，尙未打到頭上，馬上就呼天搶地，逢人下跪。以這種標準來衡量，中共的作風是爛仔，在韓國戰場上死傷百萬人，欠下蘇俄的戰費一個世紀都還不淸，可是，到現在中共還說美國是它手下的敗將。而尼赫魯的作風則是道地的癟三。試以這次中印邊區事件而論，是非曲直暫且不說，尼赫魯在十月十二日下令要把中共軍淸除出去，則是舉世共知的事實。既然放言要把敵人淸除出去，自己總也要有三分把握，結果却一觸即潰。這種情形不由得令人想起上海灘上的癟三，遇到打架時摩拳捋袖，大叫「儂敢試試看」，但對方一動手，馬上就倒在地下高呼：「救命呀！打死人了。」

其實印度這次和中共交手，雖然吃了虧，幾旅的官兵被俘，但就整個形勢來看，原不算一回事，何至於竟大哭大叫，四處求援，甚至在尼赫魯嘴裏被稱為「世界上沒有這個國家」的大韓民國和越南共和國，都接到尼赫魯的求救訊號，要求韓越兩國派人去訓練印軍如何對中共作戰呵！

巴基斯坦是尼赫魯視為不共戴天的仇敵，印度全部兵力百分之七十五皆用以對付巴基斯坦。可是這次尼赫魯的求援信也到了巴基斯坦，阿育汗總統只是答覆了一封不着邊際的外交函件，尼赫魯就如獲至寶在議會宣讀，印度國會議員也就羣起歡呼，譽阿育汗總統是最偉大的軍人，而在一個月以前，這位「偉大的軍人」還是印度朝野上下辱罵的對象。看了這種情形，眞使人感到印度何其癟三之多也！

尼赫魯這個人，他若早崛起三十年，在國際壇坫上遇到克萊孟梭，勞合喬治，威爾遜這一批大政治家，相信他去當個小使都沒有份，即使早起十五年，碰上羅斯福，邱吉爾，史達林，希特勒，墨索里尼這般人，他的地位必不會高於今天的高棉親王施哈諾，充其量只是個沒人理睬的小丑角色，可與二次大戰前夕的波蘭外長柏克上校媲美而已。不料二十世紀六十年代的世界，竟然出了一個如此的「偉人」尼赫魯，成為舉世注目的人物，他一舉手、一投足之間，都使東西兩大陣營的領袖屏息以觀。最可笑的是前年聯合國秘書長韓瑪紹在飛機上遇難後，美國一些患着「小兒痲痺症」的議員，竟然高呼徵召尼赫魯任聯大秘書長，認為尼赫魯具有旋乾轉坤的法力，大有「斯人不出，如蒼生何」之感。這不僅是時代的悲哀，根本就是人類的恥辱！

尼赫魯以癟三之資，居然被西方大國的政治人物捧稱為亞洲發言人，其故何在？我且先講一個癟三的故事。在內地的城市裏，不論上海、南京，甚至再小一點的城市，都有劣紳存在，劣紳的特徵是出入官府，包攬詞訟，每一個劣紳必然要豢養幾個癟三，以備不時之需，其用途在於有特別事故發生時，劣紳不便露面，就唆使癟三出頭；成功了，劣紳享福，失敗了，癟三倒霉。尼赫魯就是如此這般的傢伙。要問是誰把他養成的，國際劣紳邱吉爾是也。

邱吉爾之養尼赫魯，與英國的國策有關。二次大戰前，英國是以日本為東方看門犬，結果卻被這條犬咬到鮮血淋漓；二次大戰後，世界形勢全變了，英國在遠東已沒有重要殖民地，用不着養犬，但在國際場合上却需要一名痞徒與美國糾纏，隨時挾蘇聯以自重，美國恐怕在國際上陷於孤立，不能不找痞徒的老板談條件，於是乎重歐輕亞的政策確立，而美總統艾森豪亦恭維尼赫魯的中立政策不置，說美國也是以中立主義起家的，使美國變成了英國在歐洲的看門犬。這是尼癟三興起之始。

站在英國人的立場來看，邱吉爾的政策不能算錯，以英國的國勢，若不能在外交上別出心裁，實難站穩第一流強國的地位。問題是邱翁退隱後，繼任的幾位首相未學會邱翁那套心法，不懂利用國際痞徒之道，反過來把尼赫魯當成狗頭軍師，任何事情要徵得尼赫魯的意見，癟三一旦變成了「傍友」，頓時得意忘形，有時候甚至干涉老板的家事，一九六〇年剛果獨立，總理魯蒙巴被殺，舉世指責比利時，英國偶然替比利時解釋一句，尼癟三就挺身而出，以「亞非領袖」身份，痛斥英國沒有國格。這種「世亂奴欺主」的態度，激惱了英國紳士，有幾位保守黨議員，反唇相稽，要尼赫魯退出英聯邦，他當時又賴下來。

以上是說明癟三的成因，現在再揭開尼赫魯的假面具，讓讀者們看看他究竟是個什麼東西？

當英國統治印度時，共有五百個大小藩邦，印巴分別獨立時，曾經議定按照居民的信仰，併入印度或巴基斯坦，其中頗大的一個藩邦是海德拉巴，該邦藩王是公認為是當代十大富人之一，海邦居民以信奉印度教者居多，而藩王則奉伊斯蘭教。分治開始，海邦藩王提出兩項願望：一是自行獨立，一是併入巴基斯坦。尼赫魯却宣稱海邦居民全是印度教徒，不理會藩王意願，立時派兵開入海德拉巴邦。因為該邦四面在印度包圍中，巴基斯坦鞭長莫及，輕易地就被印度武力併吞了。

另一個問題就是克什米爾。海邦問題解決後，克邦地區較海邦還大，原是一個獨立國，被英國吞併，和印度並沒有任何關連，尼赫魯自以為繼承了英國的遺產，凡是英國舊有的屬土，都該劃入印度，不准克什米爾獨立，克邦既不能獨立，只有併入印度或巴基斯坦。但是，克邦與海邦情況恰恰相反，克邦土王是印度教徒，而百分之九十幾的人民都是信奉伊斯蘭教的，援海邦前例，自應併入巴基斯坦。尼赫魯却又掉鎗花，誘騙土王宣佈歸併印度，馬上出兵佔領了克邦首府斯倫那加。囚禁克邦回教徒總理謨罕默德，至今未放。巴基斯坦聞訊趕快派兵去爭，只佔了較荒涼的幾爾幾特區，僅佔克邦的三分之一。這就是印巴糾紛的由來，十五年未能解決，聯合國也曾出面調處，安理會曾經通過了巴基斯坦的提議，舉行公民投票，尼赫魯一概不理。今年夏天，甘迺迪曾致函印巴兩國，建議派出世界銀行總裁布魯克為其私人代表，調處印巴糾紛，巴基斯坦復信歡迎，尼赫魯却予以拒絕。他的先決條件是要巴基斯坦退出幾爾幾特，克邦全部併入印度再談，和現在對中共的條件一樣。

漫画天下　南施

忙個不了

歧途

自由談

下流相

馬五先生

前幾天在香港出版的一張為毛共作應聲蟲的「午報」，刊載靑年黨首要人物左舜生先生在美國逝世的消息，第二天又自行更正，恬不知恥，眞是天下奇聞也。

號稱為報紙的新聞報導，原以正確為第一義，尤其是對於社會上知名之士的生死消息，決不能瞎造謠言，否則誹謗毀損別人的名譽，尙屬次要問題，首先就是自己那張所謂報紙也者，其價值殆比廁所裏的解手紙亦不如了！共產黨徒的宣傳伎倆，固以造謠說謊為拿手傑作，但多是限於一般的政治問題或事象，隨便誣指別人死亡的無聊行為，却是少有的。可見香港這號稱為「午報」的技能，還不配作共黨的啦啦隊，他們却以毛共為衣食父母，不亦傎乎！

一個知識份子基於自己的理想和抱負，要去作共產黨徒也罷，要去作海洋大盜或山澤賊寇也罷，我認為都無所謂，士各有志，不必強同。但應該盜亦有道，表示一點讀書人的氣質，遇事有所不為，庶幾留芳遺臭，多少可以博得人們的同情諒解。如果為着稻粱謀而無所不為，那就形成了下流相，玷污了「知識份子」這一崇高的名詞，實係知識界的一種垃圾，再要以發揮社會教育職責的新聞記者自命，未免太不知人間有羞恥事了！

我常說：吾國現代知識份子的眞面目，經過最近十餘年來毛共竊據大陸的這種大變亂局勢之後，有如燃犀鑄鼎，原形畢露，纖悉顯見了。像在某「午報」經常搖唇鼓舌，造謠生事，甚至白晝見鬼，亂說異己者死在美國的作風，無論從任何一種角度設想，都是極醜而又涵臭的本質表現，共產黨要利用這類垃圾人物在海外作傳聲筒，會有絲毫效用產生嗎？

不過，這也難怪，那張「午報」的母體出世時，曾以「本報不談政治」的不通口號，企圖欺騙世人，售其低能到了極點的奸計。有這樣的母體，當然產生這樣的嗣息，所謂種瓜得瓜，種豆得豆，理有固然。吾不暇為該報惜，祇為現代知識份子感到無限的悲哀而已。

粵東江山區游擊隊活躍

武裝犀利・人數衆多　名目有青年救國軍等

（本報訊）據確息：位居粵省東江上游的惠陽、河源、博羅、紫金與龍川五縣毗連的大山區，包括虎頭山、識門嶂、白雲峯、棺材嶺及釣魚公等地，去年十二月上旬，曾先後發現大批反共游擊隊，其名目有「東江青年反共救國軍」、「反共學生救國先遣軍縱隊」等，均擁有犀利武裝，活躍異常。

十二月上旬，在釣魚公大山，曾一次發現反共武裝游擊隊達百餘人。另在棺材嶺、虎頭山一帶山區，更發現反共武裝游擊隊一批，超過三百人。中共「東江人民電輪公司」之惠潼、飛鵬、攀風三隻電船，另拖木船六艘，曾遭反共武裝游擊隊襲擊，使中共之飛鵬、攀風兩電船着火焚燒，終致沉沒，其所拖木船三艘上載之貨物，被反共游擊隊搬運上岸，其中粗重貨物被當場縱火焚燬，食品、衣物等一批，則被搬運進入山區。

十二月十二日深夜，在紫金縣之古竹墟反共武裝游擊隊曾攻入墟內，與駐守當地之共軍發生戰鬥，當場斃傷中共軍逾二十名，又炸毀中共糧倉兩座，中共糧倉「主任」藍義等五人均被殺死。反共游擊隊於得手之後，連夜撤入山區，共軍且未敢加以追擊。（田）

（本報訊）據確息：位於中山縣三鄉之中共田料廠，元月三日夜，被反共游擊隊所爆炸，中共人員曾有五名當場受傷。爆炸係發生於三日晚間九時稍過，事後中共曾實施戒嚴，在附近展開檢查，有多名農民無辜受嫌被捕，經拷問幾天後，六日始將其中若干釋放。至該被爆炸之田料廠內損失程度，因中共不許一般民衆接近，尚屬謎團。中共且諱言此事係反共游擊隊所爲。

又本報上期發表之本月二日夜廣州河南芳村巨大爆炸案，現悉被爆炸者，爲中共「海運鋼纜廠」。該廠外圍後牆亦因爆炸震動而告崩塌，中共雖不許民衆接近，但民衆可遠遠從缺口望見該廠內部一片殘破與混亂狀態，其機器間受損傷頗爲嚴重。爆炸發生後之次日，該廠二百餘名職工，曾奉通知暫行停工，停工之理由被宣佈爲「鍋爐發生故障」。芳村「海運鋼纜廠」之爆炸，因當時爆炸聲特別巨大，不特附近民居感受震動，廣州市許多地方的民衆，均曾聞及爆炸之聲。據悉：爆炸發生之後，中共曾在附近斷絕交通，厲行搜查，但直至五日，尚未聞有人因此涉嫌被拘捕者。但截至五日，該廠亦尚未能復工。（揮）

毛共為防空降特務活動　手忙腳亂栖栖皇皇

迫人民普遍組織公安隊

平時分隊澈夜巡邏有警全體出動

（香港與大陸）爲防「空降特務」活動，中共在粵東一帶，實行强迫人民參加「防衛工作」，任何一個機關、學校、工廠企業、人民公社，都須組織「公安隊」；這種公安隊，除「五壞」份子以外，人人皆須參加，一聞有警便要出動巡邏搜捕。

據甫由廣東梅縣申請獲准來港的李太說：去年十二月初，中共梅縣委會，發出號召，要全體人民組織起來，隨時給予美國和國民黨的「軍事冒險」行動「沉重」的打擊；並命令所有機關、學校、工廠企業、人民公社，都須立即組織「公安隊」，保衛「勝利果實」。

李太家鄉所屬是梅縣南口公社的宮前生產大隊。那生產大隊在去年十二月上旬，便由「黨支部書記」親自「動員」每一個社員都參加「公安隊」，並自命爲當然的隊長。

李太稱：其所屬之生產大隊，除了廿多個「五壞」份子和成十個六十歲以上的老太婆外，全部社員都參加了「公安隊」，被編爲十小隊，由「脫產」的民兵領導，平常輪流澈夜巡邏，有警之時，更需全體出動。

李太說：她離梅縣時，這個「公安隊」剛成立不久，但已攪到人民怨聲載道了。李太說：宮前鄉位於梅縣南部卅多里，轄區盡是山坵，所以他們的任務也就更爲重要和艱巨。每當有飛機臨空時（有時是國機，有時是共機，但他們不知道）那裏的「公安隊」便得「緊急」出發，爬山越嶺去搜查「空降特務」。有一天晚上九時，突然天空出現機聲，共幹便立即敲鑼緊急集合，分十路去搜查區內的山頭，由於夜深漆黑，又不准携帶燈火（祇共幹有手電筒），加以有不少是上了年紀的人，所以那天便攪出慘劇。

李太說：那天晚上，人們一直搜查到晨早四時，已經是精疲力盡了，肚子又餓得要命，就在這時，他們忽然聽見前面山谷中有人說話，這使大家吃驚不小，有些社員，不顧一切，便向後逃，就在這混亂中，幾個人滑下山谷，結果造成三死一傷慘劇。到天亮時才知道，[illegible]

李太說：這次慘劇，人們已經不約而同的總是遲到，甚至拒絕集合參加巡邏，[illegible]法逃避巡邏，民兵也就能不去便不去了。

據李太說：雖然共黨在粵東各區加强防務，大攪「公安隊」，但大家還是聽到不少關於國軍空降人員活動的消息，在距她家不遠的「老茶亭」，且有人確實看到反共隊伍。不過人們都不出聲，一則大家同情那些反共隊伍，再則惟恐說出來又要被迫去「圍剿」送命。（徵斯）

越南剿共戰急遽變化

蘇俄已開始介入戰爭

開年以來三戰官軍均失利

（本報西貢航訊）越南剿共戰正有着急遽而值得憂慮的演化。這種演化，在戰場上有所表現，在政治上，亦有着不可忽視的表現。

在戰場上所表現的最顯著之點：其一，從元月二日起的五天之內，已經有過三次較大的戰役，其中有一次是南越官軍主攻，另兩次是共黨游擊隊主攻。五天之內便有三次較大規模的戰役，這在以往，殊爲少見。其二，在這三次較大戰役中，由共黨游擊隊主攻的兩戰役，它們固然取得勝利，在南越官軍主攻的那次戰役，官軍亦大大失利，這在以往，亦是少有的。

在政治上所表現的，首先一項，便是由於越南官軍在主動進攻的那一役中亦遭受挫敗了，不但越南官軍死傷一兩百人，美軍亦死亡三人，受傷者六人，死亡的三個美國人中，且有一個是上尉階級的軍官。加以，在那次戰役中，出動的十五架直升機中，有五架被共黨游擊隊擊落，另有若干架亦受了傷，如此重大的損失，更是以往所不會有過的。所以美軍顧問人員竟光火了，對於參加戰役的某些越南戰地指揮官，居然公開提出指摘，說他們「畏死避戰，缺乏進取精神」。

美國顧問人員對越南軍官們有所不滿，不算新聞，但公開提出指摘之事，以往卻未嘗有過。直至本月八日，越南官方不曾對美軍顧問人員的指摘，回撤過片語隻字，但他們的大不高興是可想而知的。加以，許多人的意見，在該役中，越南某些戰地指揮官，容有不稱職的表現，但美軍顧問人員那種公開指摘別人的行爲，就尤其應受指摘。何況事後檢討，造成該役重大挫敗的原因，除了某些越南戰地指揮官「畏死避戰，缺乏進取精神」之外，尚有兩大原因：其一爲直昇機空運官軍增援的情報，有走漏的嫌疑，致予共黨游擊隊集中火力，加以射擊；其二爲共黨游擊隊改變了它們一貫的「敵來我去」的故技，在該役中它們居然首先打一次陣地戰，在取得輝煌勝利之後，才又以迅速的行動，脫離戰場，致使官軍收穫無幾。

政治上的另一表現，爲中共對於越南剿共戰，固仍然不斷的爲共黨游擊隊吶喊助威，而蘇俄的副參謀總長巴霍夫中將，於上月十四日，假借北越建軍紀念爲幌子，曾率領龐大的軍事代表團，到北越活動了兩星期之久。蘇俄的這個龐大軍事代表團前足剛離開北越，越南境內越共游擊隊，便兩「捷報頻傳」了。這兩者之間是否也有其密切的關係，最低限度不是不值得加以密切注意的。

北越胡志明，以往便接受到中共的大量軍事支持，是大家都知道的。且大家都相信，在越南動亂的越共游擊隊，也一直受到中共的軍火支持與戰術指導的。但以往，雖然蘇俄亦有軍事支持北越胡志明的報導斷續傳出，但似乎蘇俄對於越共游擊隊在越南的動亂方面，它的貢獻很少，或最低限度蘇俄不會直接的給它們多大的幫助。像蘇俄副參謀總長巴霍夫率領龐大軍事代表團到北越，而且在北越活動兩星期之久的事，殊爲鮮見。

因此，西貢有識之士開始就心：以往由北越主持而由中共加以大力支援的共黨游擊隊在越南的動亂，現在不但繼續獲得的中共的支持，而且也開始獲得了蘇俄的支持。這是一個有關鍵性的演化。這演化的意味顯見是共產集團加强了在越南的鬥爭，目的在於提早奪取越南。（奕・元月八日寄）

去年國會十大新聞

（本報訊）新年期間，台北報紙紛紛刊載去年度全國及縣市地方十大新聞。記者爲此，就國會（包括國民大會與立監兩院）方面，試擬去年度十大新聞，亦「應景」之意云爾。

五十一年度國會方面的十大新聞如下：

（一）監察委員金越光，於前年在該院因檢討台灣省煙酒公賣局預算審議問題，引起台灣省議會强烈的抗議，省議員郭宋柳等於去年春並正式提案，罷免台籍監委，主張改選中央級民意代表——該案雖經省議會通過，然迄今未有具體結果。

（二）某監委調查石門水庫案無有下文，却因而出國赴歐洲和美洲去考察一番，調查案束之高閣，不了了之；唯一院會中開了一砲。

（三）監察院前任秘書長劉憺鍾涉嫌違法案，經人向報界檢舉而轟動一時，劉氏因而辭職丟官。

（四）去年十二月二十九日，監察院經濟委員會開會討論院會交下：關於曹啓文委員所提：「爲經濟部主管之國營事業十五單位經營失當，擬請澈查」案時，因鄭品聰委員說了一句「提案人不應參加調查小組，以避嫌疑」的話，致引起原提案人曹啓文委員的不滿，雙方拍桌子，擲茶杯，進而演成「對口相罵」到「全武行」，在場的記者也遭了魚池之殃。

（五）國大代表爲行使創制複決兩權，廣徵各方意見，事爲立委所悉，乃舉行座談會，加以研究，並發表反對意見，卒至發生論戰，一場對台戲，至今仍爲政壇人士津津樂道。

（六）行政院陳兼院長於去年九月十八日在立法院報告永和堤防興建經過時說：農復會與水利局的專家咸認爲永和堤防不能興建，但因一位民意代表的要挾，所以地方政府受不了，祇得興建，卒肇禍事。此一永和建堤內幕被陳兼院長一語道破之後，那位民意代表備受抨擊，有一蹶不起之勢。

（七）立法院第二十九會期，即去年五月初，在討論電動表決器裝置席次號碼顯示燈一案時，經過三次院會的疲勞研討，表決結果，該案遭多數立委所否決，被認爲立法委員爭取「表決自由」勝利了。

（八）由省議員許金德的一句「閒話」，在立法院掀起軒然大波，而導來的立委「自清運動」，終於虎頭蛇尾，在交由紀律法制兩委員會審查的形式下，迄今全無下文。

（九）立法院第三十會期委員報到時，發生立法委員互相揭瘡疤——破壞秩序之事，雙方當事人曾在院會中吵吵鬧鬧，一時劍拔弩張，最後還是由魯仲連從中斡旋而了；雖然「了」了，因此而予外間的不光彩印象，却抹之不去。

（十）去年年底鬧出的「眞假立委詐財案」，有人曾向台北各報檢舉涉嫌重大的「眞」立委罪狀，洋洋萬言，但未得見報。水落石出的希望有人說還遠，亦有人說近了。

台灣新年二三景

（本報記者台北航訊）陽曆新年在台灣絕無新年氣象，僅有的點綴爲機關、學校、社團均放假，報紙亦減少篇幅，大家趁此假期更大搓其馬將——馬將平時亦搓得熱鬧的，非僅陽曆新年爲然也。較刺激而配合時令的，厥爲「蒙古冷氣團」[illegible]

[illegible]以播遷台灣十三年餘，少壯者已老，而老者或已凋零殆盡，而全面反攻仍無消息也。（挺）

大會堂聽歌記

——野鶴山人——

本月九日晚八時起，香港東華三院爲籌募該院和中學校的工程費，特請海隅的平劇名票嚴夫人許碧娟女士，張淑嫻女士，陳惠珠女士，暨唐迪，蕭北翹，顧連春，蔣光超諸君，在香港大會堂演出四齣皮簧劇，卽黃金台，花果山水簾洞，洪羊洞，辛安驛是也。

我於九時進場，水簾洞已近尾聲，但見去孫悟空的顧連春表演幾段武工，頗有造詣而已。繼之卽爲「洪羊洞」，嚴夫人去楊六郎，我聽她演這齣拿手戲，這是第三次了。記得她第一次登台，唱「嘆楊家」這句二簧三眼時，滑了一眼，幸而程京榮君的胡琴立刻予以補正了。第二次演出，較前進步已多，唱腔無懈可擊，祇身段與表情微覺生硬。這次卻唱做俱臻上乘了，如聽得焦孟二將亡故消息而激楚害病的表情，殊爲自然逼真。她原有一副天賦的醇亮歌喉，字正腔圓，令人百聆不厭，而咬字清楚，雖不知道戲詞的人，聽來亦十分瞭解，票友而有這種本能，眞是難得之至。是夕最精采的是對着八賢王唱「自那日」這段二簧快三眼，悲壯蒼涼，感人心脾。蕭北翹與唐迪去孟良焦贊，唱工多於做工，銖兩悉稱，唐迪擅長鼻音唱腔，哀氣十足，閉目靜聽，頗似金少山的路子。

大軸辛安驛，這戲我於卅年前在上海看過荀慧生演出後，久已不聞此曲了。李惠珠女士去趙美容，首先出場來的台步和身段並無生硬呆板之象，我以爲她是內行，詢之鄰座觀衆，知道亦係玩票的。繼而聽她唱「爲我父寃枉事……」那一大段西皮流水板，一氣呵成，不是抓扯，允稱可造之材。

張淑嫻女士我早知道她對平劇學有根底，善演刀馬旦，却未曾目擊過。是夕她去周鳳英，一個箭步出場亮相，就表現氣象非凡，博得了滿堂的熱烈彩聲。接唱「自幼兒在江湖逍遙放蕩」這大段西皮慢板，純熟嘹亮，抑揚自如，尤其唱「劫殺那漁翁行商」這句詞兒的腔調，婉轉低徊，運用有致，使聽衆皆大歡喜，叫好不置。但在使用高腔時，須有迸裂之音，刺激聽衆耳膜，似宜加以洗鍊爲上。客廣改扮男裝行劫一場，甚見精采，踩蹻持刀，動作矯捷而穩練，態度大盜式的表演姿勢，極其自然，更妙是她還有一種男性的聲調，前後判若兩人，非訓練有素，曷克臻此呢？此外，如趙鳳英自感身世而觸動青年綺念的無言表情，如在洞房調侃新郎的動作，皆能適如其份，既不瘟，亦不過火，非內行莫辨的。曹金虎君的青衣胡琴，比較前幾年進步多了。但在拉西皮原板的開起那兩句花腔，似係效法大陸上流行的新玩藝，我曾在收音機上聽到過，覺得都是一種殺伐之聲，有些刺耳，大可不必畫蛇添足吧？蔣光超的牛氏，善於卽景生情，插科打諢，引起觀衆譁笑，藉以排遣疲乏心情，亦大佳事。

辛安驛演至十二時半尚未終場，我怕深宵天寒，歸途雇車不易，祇好提早離場，不待曲終而散去了。

天南風光

——沙羅越的歷史——

朱淵明

依據荷蘭人的統計，一八二〇年初，在沙羅越只有一百多個馬來人，他們大多是海盜；華人只有三家，兩個婆羅乃的村長「炳利然」（Pengirans）在管理行政。他們每年向本地的達雅克人（卽嘮子）榨取三高遠的（每高遠約等於四十担）谷粒，兩担的燕窩。

這一時期，沙羅越的名譽很壞，被指爲一塊最適合於把禁物如鹽與雅片，跨過邊境，偷運到「三發」去的地方。同時沙羅越與星加坡之間，也已進行了小規模的金砂貿易。沙羅越的金礦，是在距離古晉廿五哩之處的石隆門，（當時尚無公路，故爲廿五哩）由受強迫的達雅克勞工開採的，開出來的金砂，就由婆羅乃所委派的總督「馬可達」，賣給星加坡的兩個商行——拉巴．亨利，和莫斯．都尼。這種貿易，到一八三九年時，就不存在了。

大約在「布律克」未到古晉前四五年的時候，一個婆羅乃的「炳利然」，名叫「尤梳」的，竟在沙羅越製造騷亂。「尤梳」是婆羅乃蘇丹祖父的一個不合法的兒子，他居然想把沙羅越割與「三發」蘇丹的一個兄弟。當「尤梳」從對方接收過來一筆款項之時，風聲自然很大，婆羅乃蘇丹聽到這消息後，當然加以反對，絕不承認這種非法的割賣；但是「尤梳」爲達到自己的目的起見，乃唆使沙羅越的土人叛亂起來，而「三發」的蘇丹，爲了地盤擴充的慾望，也不惜公然給叛徒以武器與彈藥。那時「尤梳」要找一種反叛的藉口是不難的，因爲在酋長「馬可達」嚴酷的統治下，人民都積怨已久，在實行強迫開掘金礦，又不給予絲毫工資的辦法後，尤其受到憤激的反抗。反叛的士人，於一八三九年五月，曾致函「三發」的蘇丹副手，陳述想要荷蘭人統治他們的願望，但在爪哇的荷蘭殖民政府，卻沒有對他們作任何幫助，大概那時在爪哇的荷蘭殖民政府，認爲「三發」東北方的沙羅越，過去既不載於地圖，目前復名譽極壞，變亂迭起，遂不願插手罷。（二十）

新書評介

「比較地方政治制度」

——商文立著——

諸葛文侯

著者根據吾國的歷史事實，認爲「行省」制度的性質是「分權」而不是「分治」，這與美國的「邦聯」制固然迥異，亦與其他西方各國的「聯邦」制有別，國父遺教的均權說，最爲適合吾國國情。因此，省府的權力將來儘管擴張，省長亦係民選，但中央政府對於省的指揮監督權，必須掌握着，省預算非經中央核定不可。省長如有違法失職情事，中央政府可予以停職派代處分，或免職另由省民改選新任，藉免尾大不掉的毛病，這是應該的。著者指出過去軍閥割據情形爲例證，作爲中央政府對省長必須具有切實監督權力的理由，實則過去軍閥割據的唯一因素，乃是主持省政者悉係擁有軍權的赳赳武夫，不特軍事與政治權力集於一身，甚至在「以黨治國」時期，黨將黨權亦交給這類武夫之手，黨政軍三位一體，而每個封疆大吏又都竊據中央委員地位，在這種局勢下的各省主席，比視北洋軍閥割據情形尤爲惡劣，破綻就在武人隨便干政。本書對於現役軍人可否從政問題，存而不論，似係一大缺陷。如果不禁止現役軍人隨便干政，則任何良法美制皆將無濟於事。尤其是吾國現代的軍人，十九都未曾受過高等教育，政治知識與修養一點沒有，使着槍桿子以問政，其所作所爲，比舊時的北洋軍閥更壞十倍！舊軍閥自慚不學，對於政治問題，多少尚能顧及文治派的——高級知識份子——的意見，新軍閥卻不然，他們都奄有執政黨的中委資格，法寶既多，肆無忌憚。所以，今後若不實行現役軍人不得從政的法制，國家卽永遠不會走入現代化的道路，可斷言也。

本書對於省，縣與鄉鎮的財政問題，皆有詳細的檢討與設計，可謂探本之論，財政上沒有妥當的規劃，地方自治就無從談起。過去司理財政者，但知掊克聚斂，不顧其他，在所謂「統收統支」的名義下，連鄉鎮人民的社倉積谷以及祠堂產業，盡被羅掘淨盡，把地方自治的一點點基礎亦摧毀無餘了，而執政者卻隨時高談地方自治，這是何等荒謬絕倫的事啊！要縮小省區，實行地方自治，而省縣與鄉鎮財政問題若沒有一定的解決辦法，卽屬鏡花水月之談，無裨實際的。著者所擬的財政方案，我認爲大致不差，值得參考。至於省設副省長，縣設副縣長，都是進步的措施，毫無問題。唯副縣長由縣長提名，固然允妥，副省長應如何產生，亦應明確規定爲佳。著者又指出現行憲法省議會與中央關係如何，並無規定，應予補充，省長與省議會的職權如何釐定，亦待將來立法機關議訂地方自治通則時有所規畫，這都是切要之圖。

著者認爲省區縮小，地方政治制度正式奠定後，卽須充實中央內政部的職權，以便切實發揮對全國內政的監督促進之機能，原係深中肯綮之見。不過，曠觀全世界各國的政制，內政部皆居於首要部門，舉凡民政，警政，選舉，禮俗等關係人民日常生活的事情，無不由內政部全權處理的。咱們的內政部呢，法制上固然與世界各國無殊，事實上是一座無所事事的冷衙門。我曾經在內政部作過五年參事，一度又作過常務次長，甘苦有得，說來話長，總而言之，現有切八塊式的人治主義不糾正，內政部的權能卽始終無從發揮也。

本書內容有豐富的參考資料，有完備的政治設計，也有獨特的見解論斷。我拜讀之餘，乃不揣譾陋，略爲評介如此。（下）

瘟君續夢

烽火照邊陲　同源難濟

樓船碧橫海　大慾興悲

第六回：

艾森豪威爾六月十七日由菲律賓乘軍艦去台北，座艦是重巡洋艦「聖保羅號」，當軍艦過了蘇祿海面，橫過巴士海峽時，美國第七艦隊派出大隊軍艦護衛，航空母艦約克郡號，就傍在「聖保羅號」旁邊航行，中美兩國的噴射機早已經出動，在天空搜索中共的飛機，直升機拖着長纜繫住的聲音浮標，在低空飛翔，測聽水底有沒有中共的潛艇。

艾森豪威爾穿着一身輕便服裝，扶着司令塔的欄杆站着，時時仰面看看天空，神態安閒，面含微笑。

記者們都坐在約克郡號，有時也可以坐直升機過到聖保羅號和艾總統聊天。

當軍艦進入中國海面時，「約克郡號」的艦長率領一批記者走過「聖保羅號」，記者們一齊喊「總統早晨」。艾森豪威爾露出微笑，向大家招招手。

「約克郡號」艦長說道：「這裏最接近中國領海了，中共要是敢出頭攪亂，現在應該是最好時機。」

記者們問道：「總統判斷中共敢不敢出頭攪亂。」

艾森豪威爾笑着問道：「依你看呢？」

其中一個名專欄作家阿爾索普說道：「我看不會。」

約克郡艦長笑道：「閣下根據什麼情報，判斷得如此準確。」

阿爾索普說道：「我是根據事理判斷的，一頭咬人的狗沒有先出聲汪汪的。中共參加韓戰幾曾事先發過狠，可以知道他這次行動完全是恐嚇。」

另一個專欄作家李普曼插嘴道：「我也同意這項意見，中共眞有意和我們打，早就打上了，世間那有嚴重警告提到一百零八次的。」

艦長說道：「現在已經是一百〇九次了。」

阿爾索普問道：「是不是把這一次也算上了。」

艦長笑道：「這次警告大概要到明天才能發表。一百〇九次的警告，據說是我們飛機侵入了西沙群島。」

美聯社記者慕沙問道：「我們估計毛澤東的嚴重警告能警告多少次？」

艦長苦笑道：「別提了，毛澤東害我輸了一百美元。」

大家一齊問爲什麼？

艦長說道：「當他警告三次之後，我在中國海面游弋時，警告官兵要小心，再同中共遇上就要開火了。一個名叫約瑟的伍長却表示異議，他說中共警告只是胡鬧，到一百次也不會開火的。他願意和我打賭，以十元博一百元。我當時笑他是個傻瓜，就接受了。那知中共眞的警告了一百次沒動手，害我輸了一百元。」

慕沙笑道：「中共這一套作風，大概是跟希特勒學的。」

艾森豪威爾歪頭看看慕沙，笑道：「孩子，希特勒很有自尊心，這樣的事他作不出。」

一羣記者跟在總統周圍，有說有笑向台灣進發。另一方面被毛澤東派在廣州的海空軍頭目就慘了。

本來毛澤東是決定硬幹的，只要艾森豪威爾沒有強大武裝護衛，共軍就採取突擊方式，打了再說，乘蘇聯剛在日內瓦和美國鬧翻之際，大戰一觸就起來了。（一六八）

憶玉軒雜綴

談聯一續

侯官梁章鉅，入直西垣，叠膺重寄。池在粵政餘暇，輯有楹聯叢話，凡十二卷，分故事，應制，廟祀，廨宇，勝蹟，格言，佳話，挽詞，集句，雜綴，凡十餘萬字，為有清聯語之大成。茲錄康熙乾隆兩朝壽聯，皆佳構也。

康熙五十二年，值仁廟六旬壽，自大內至西直門，以達西苑，皆有樓宇，每座必有聯，皆出名公之手。如般若菴經棚云：「周雅賡歌，如山如川如日月」；「箕疇斂福，曰富曰貴曰康寧」。龍泉寺諷經處云：「沸地笙鏞，丹鳳和鳴古景運」；「彌天煙靄，青鸞翔舞纖禎符」。普慶寺諷經處云：「文德武功，兼帝王而大備」；「心宗性學，貫聖智以純全」。廣濟寺牌坊云：「算永東華，若木光騰春九十」；「祥開東極，蟠桃花放歲三千」。慈獻寺牌坊云：「十雨五風，處處康衢歌帝力」；「千秋萬歲，年年華渚耀神光」。東三官廟牌樓云：「保合太和，道綜乾始坤生，兩儀並久」；「誕膺多福，功被民熙物阜，四海皆春」。西三官廟牌樓云：「帝握貞符，禹甸盡歸滄海貢」；「天開景運，堯封常祝紫宸朝」。

各處燈棚；亦皆有聯，普慶寺燈棚云：「聲道風清，葭管萬年調玉露」；「瑤池春暖，華燈五夜徹瓊霄」。關帝廟燈棚云：「數天長戴仁天，知後天之不老」；「大地同游樂地，眞應地以無疆」。浙江省燈棚云：「日之升，月之恒，萬年延寶祚」；「天所覆，地所載，億祺奠金甌」。

乾隆五十五年八月，值八旬壽，經壇有一長聯，最為壯麗而膾炙人口，相傳是彭文勤公元瑞所撰，但在萬壽盛典中，未載，茲錄存之：「龍飛五十有五年，慶一時，五數合天，五數合地，五事修，五福備，五世同堂，五色斑爛輝彩服」；「鶴算八旬逢八月，祝萬壽，八千為春，八千為秋，八元進，八愷登，八音從律，八風縹緲奏丹墀」。

「某歲，乾隆巡幸熱河，每於中秋後一日，進哨（入木蘭圍場），重陽後一日出哨，蹕路所經，有萬松嶺，是重九登高之所。帝進哨，周覽行宮，顧彭文勤公曰，必將舊懸燬聯，悉易新語，期以登高時親閱。公構思數日，擬撰行殿正中聯，得句云：「八十君王，處處十八公，道旁介壽。」

南宋偏安有人才

李仲侯

——李綱

四鄰關陝可以召將士，東達江淮可以運穀粟，南通荊湖巴蜀可以取財貨，北距三都可以遣救援，暫駐蹕，乃還汴都，實無出於此者。今乘舟順流而適東南，固甚安便，第恐一失中原，則東南不能必其無事，雖欲退保一隅，不易得也。況嘗降詔許留，中原人心悅服，奈何詔墨未乾，遽失大信於天下？乃許幸南陽。

時黃潛善、汪伯彥，實陰上巡幸東南之議。或謂綱曰：外論洶洶，咸謂東幸已決。綱曰：國之存亡，於是焉分，吾當以去就爭之。初綱每有所論諫，其言雖切直，無不容納，至是所言常留中不報。已而遷綱尚書左僕射兼門下侍郎，黃潛善除右僕射兼中書侍郎。張所乞且置司北京，俟措置有緒乃渡河。北京留守張益謙，潛善黨也，奏招撫使之擾，又言自置司河北，盜賊益熾。綱言所尚留京師，益謙何以知其擾河北？民無所歸，聚而為盜，豈由置司乃有盜賊乎？有旨令留守宗澤節制傅亮，即日渡河。亮言措置未就而渡河，恐誤國事。綱言招撫經制，臣所建明，而張所、傅亮又臣所薦用，今潛善、伯彥沮所及亮，所以沮臣。臣每覽靖康大臣不和之失事，未嘗不與潛善、伯彥議而後行，而二人設心如此，顧陛下虛心觀之。既而詔罷經制司，召亮赴行在。綱言聖意必欲罷亮，乞以御筆付潛善施行，臣得乞身歸田。綱退而亮竟罷，乃再疏求云。上曰：卿所爭細事，胡乃爾。綱言：今人才以將帥為急，恐非小事。臣昨議遷幸，與潛善、伯彥差異，宜為所嫉。然臣東南人，豈不願陛下東下為安便哉，顧一去中原，後患有不可勝言者，願陛下以宗社為心，以生靈為意，以二聖未還為念，勿以臣去而改其議。臣雖離左右，不敢一日忘陛下。泣辭而退。或曰公決於進退，於義得矣，如讒者何？綱曰：吾知盡事君之道，不可則全進退之節，禍患非所恤也。未久，綱因張浚之劾，遂落職居鄂州。（十五）

歲暮雜談

漁翁

歲者，年也。地球以三百六十五又四分之一日，繞太陽一週；曆法用以紀歲，故陰陽兩曆，均以十二月為一歲，惟陽曆以太陽最卑點（摩羯宮十度）起算，陰曆則以近立春之月朔起算，稍不同耳。

大寒之後，歲云暮矣，以新舊之交，謂之「歲除」，謂除舊更新也。孟浩然詩：「白髮催年老，青陽逼歲除。」又以歲將盡而稱之曰「歲闌」，梁簡文帝詩：「歲闌嘉宴罷，車騎各西東」。所謂歲暮，歲闌，歲除，皆指十二月下浣而言。

我國以農立國，民間一向沿用陰曆，以配合春耕，夏耘，秋收，冬藏之四時，與立春，春分，立夏，夏至，立秋，秋分，立冬，冬至之八節，以事農功。故於歲暮，有不少故事流傳，茲舉一二，以佐鑪談焉。

老子出關：老子姓李氏，名耳，字伯陽，為道家之祖。孔子適周，向其問禮。所著道德經，計五千餘言。據初學記引關令尹內傳曰：「周元極元年，歲在癸丑，冬十有二月二十五日，老子度函谷關。令尹喜先敕吏曰：若有老翁從東來，乘青牛白板車，勿聽過關。其日果見老翁乘青牛車，求度關，喜留之，授喜道德經五千言。」

掛鍾馗像於門首：俗傳鍾馗辟鬼事，見天中記引唐逸史，謂唐明皇病瘧，晝夢一大鬼，破帽，藍袍，角帶，朝靴，捉小鬼啖之。自稱終南進士鍾馗，嘗應舉不第，觸階死。明皇覺而瘳，詔吳道子畫其像云云。據東京夢華錄記汴京十二月市街賣物風俗云：「近歲節，市井皆印賣門神鍾馗桃板桃符。」熙朝樂事亦云：「十二月二十四日，謂之交年，人家各換桃符門神春帖鍾馗，福祿虎頭和合諸圖，粘貼房壁」。凡此，皆唐宋人過年掛鍾馗像之記載。此風以唐代為最盛，由於明皇病夢而瘳，認為鍾能治鬼，時翰林例於歲暮進鍾馗像，並以賜大臣，民間亦貼其像於門首；宋元明之際猶然，以桃符，掛鍾馗，以辟一年之祟。後不知何時改懸於端午節，但民間於歲暮亦有行之者。

祭灶神：俗傳十二月二十三日為祭灶日，灶神為五祀之一。古周禮說，祝融為灶神，高誘則云：吳回，回祿之神。託於灶。又淮南子云：黃帝作灶，死為灶神。五經異義：灶神姓蘇，名吉利；夫人姓王，名搏頰。雖載在五經與子集上，但不足憑信，惟以灶出烟火，名曰祝融，火神也，言之近理。古用夏祭，至漢朝，改十二月舉行。據說，灶神司人間善惡，每年十二月二十三日上天，向玉皇作週年報告，以定賞罰。因此，人間祭灶，表示懇懃與隆重，希望灶神此去，善為言詞，得保合家清吉平安。

顧清嘉錄：北俗稱灶神曰灶王，自唐已然，李廓鏡聽詞：「匣中取鏡辭灶王，羅衣掩盡明月光」。俗又稱之為灶君。羅隱送灶詩：「一盞清茶一縷烟，灶君皇帝上青天」。足見祭灶之風，由來蓋已久矣。尤其五代末，呂蒙正祭灶一故事為最有神趣：呂家清貧，當祭灶之夕，向屠肆賒肉數兩，用作祭品，適屠者外出，屠婦憐其貧，竟賒與之。及屠歸知其事，即向蒙正索回，而肉已入釜中，屠不顧一切撈起而去。蒙正太息之下，感賦一首詩，代肉以祭之曰：「一炷清香一縷烟，灶君今日上朝天；玉皇若問人間事，為道文章不值錢！」今之讀書人，當亦有此同慨。

我的學生生活

雷嘯岑

我被開除學籍後，因為父親和三叔都住在長沙，害怕回家去挨受嚴父打罵，依然躲在學校的宿舍中不走，這時學校已經放了寒假，校內職員亦就聽我居留而不過問。到了陰曆年關伊邇，父親要回鄉里過年了，乃由三叔父派人來叫我先回到祂的寓所，並說有祂保鏢，不必害怕父親責打。我硬着頭皮回去，父親當然聲色俱厲地痛罵我一頓，第二天即帶着我坐木船溯江而上，直達衡陽，再陸行還鄉，母親見到我就掩袂而泣，她已經知道我被開除學籍這回事了！

過年以後，父親奉省府委派為湘南耒陽，常寧，永興各縣的清鄉委員，對於我的求學問題，匆匆離家赴任，讓我「閉門思過」若干時日再說。恰好縣立第四高等小學要聘請一位英文教員，母親聞訊後，託人告知該校校長，可否教我担任？校長立刻答應照辦。我居然成為「人之患」的英文教師了！這時我年方十九歲。在縣立高小教過一年ABC之後，次年我竟被推任為該校校長；再過一年，鄉父老見我是個好事之徒，又公推我兼任地方「保衞團」團總——我等於區長兼團練指揮——我不知天高地厚，亦就毅然接受，隨時以校長兼紳士的資格，出入縣衙門，妄預行政事宜，有些長輩人大感詫異，說我父親教子無方，而我因此又闖下一場禍事，幾乎喪命呵！

我的家鄉跟桂陽縣境接壤，桂陽有塊「插花地」夾在我的「保衞團」管轄區域之內。一日，有桂陽的警備隊（即民團）數名到「插花地」的市場來征收屠宰稅，對商民任意細綁，勒索，無法無天，我恰在當地目擊着，甚為不平，即派民兵將那幾個桂陽縣的警備隊士逮捕繳械，痛予斥責一番，飭教商民依照法定稅率完納，不得多繳分文，然後釋之歸去。詎料管領桂陽縣警備隊的人，是該縣閥閱之家的子弟，名叫陳鵬——他是曾任山東巡撫陳士杰的後人——對我竟採取激烈的報復手段。某日薄暮，他派遣隊兵百餘名，荷槍實彈，急馳到我住在的第四高等小學校來，進門即胡亂開槍，計畫將我擊斃於亂槍之下，再跟我家打官司。剛巧我因事赴鄰村未歸，祇是學校器物遭到很重大的毀損而已。我當然不服氣，立即電達省府乞予查究，本縣縣長亦認為太不合理，詳呈省府請派大員下縣澈查究辦。對方知道此情，亦誣我為「嘉禾土豪」，上控省府說我非法橫行，武斷鄉曲。省長譚延闓跟我們兩家的長輩人皆有交誼，經他派員實地調解，認為雙方都屬年少輕浮，無是非之可言，責成各家長嗣後嚴加管束我們，不好再胡鬧，一場官司乃不了了之。

經過這場禍事後，父親和母親皆認為非讓我出外讀書，將來很可能再會鬧出亂子來。等到學年終了時，父親在外未歸，母親搜羅家裏所存的銀錢，又向親戚和鄉里的富裕朋友們醵資「打會」，共得大洋四百元，教我辭去校長和團總職務，拿着這筆錢出赴日本讀書，不許稽延。我乃於民國九年四月初離家，單人獨騎，前往日本留學去了。這兒附帶一筆：我從民九離開湖南，直到卅一年才回鄉省親，當我經過桂陽縣城時，上述那位陳鵬先生還健在，我曾造訪他，表示感謝他當年迫使我去國讀書之德意，他亦謙遜不遑焉。（七）

秦漢雜戲

·燕　謀·

中國特技團在台北表演已很久了，觀衆也很踴躍。這些特技，完全是中國的把戲。近年大家觀賞洋把戲多了，以為外國的把戲都很稀奇，現在看了中國特技團的表演，始知我們的傳統技藝，較之洋把戲，亦不遑多讓。

考特技功夫，在中國古代甚為普遍，遠在秦漢時代，已經是風靡於民間了。這些所謂特技，大約可分為三類：一是體力表演，二是化裝表演，三是魔術表演。關於體力表演的有：

角觝戲：亦名觳抵。漢書武帝紀應劭注：「角者，角技也，抵者，相抵觸也。」文穎說是「兩兩相當，角力角技藝射御」。通考說是：「壯士裸袒相搏而角勝負。」明白點說，即是今日台灣流行的「摔跤」，北方尤其盛行，日本近年對此更極意提倡，而「大力士」輩出焉。

都盧尋橦：西京賦記云：「侲僮程材，上下翩翻，突倒投而跟絓，譬隕絕而復聯。百馬同轡，騁足並馳，射乎西羌又顧發乎鮮卑」。通考注云：「都盧尋橦為今之緣竿戲。」跟[illegible]腹旋為「緣竿表演」。按當為今日馬戲團中的升高表演，曰空中飛人者是。戲車山車，都是尋橦的一種。（一）

內警台誌字第〇三一號

自由報

THE FREE NEWS

第三〇五期

社長：雷嘯岑

20 CAUSEWAY RD 3RD-FL HONG KONG

TEL. 771726

台灣分社

尼赫魯論（下）

·岳騫·

看到這種情形，我們就可以明白，爲什麼巴基斯坦不准美國假道土耳其運出援印軍火，爲什麼巴基斯坦學生工人齊集美國大使館示威，抗議美國以軍火助印度，使它將來用以進攻巴基斯坦的所以然了。

其次要說到喜馬拉雅山麓三個小國。尼泊爾最大，雖然保有獨立主權，但是尼泊爾沒有獨立紙幣，尼用的是印度盧比。尼泊爾的執政黨國大黨是印度國大黨的分部，尼赫魯口口聲聲以尼泊爾的保護人自居，終於激怒尼王馬亨德拉，一九六〇年九月突然拘捕了國大黨的總理柯伊拉拉，一九六一年開始發行紙幣。因此和尼赫魯結了冤仇，反尼王份子以印度爲根據地，襲擊尼泊爾哨所，進行反尼王活動，迫得尼泊爾只有向左轉，中共遂乘機而入，與尼泊爾簽訂邊界條約，代尼泊爾興修公路。目前尼泊爾與中共關係，遠較與印度密切。我們知道尼泊爾本質原是反共的，她到一九五五年始承認中共僞政權，較印度幾乎晚了六年。一九六〇年四月周恩來去新德里，與尼赫魯談判邊界糾紛，歸途經過加德滿都，尼王聽說周會要來，馬上飛去日本，避不見面，其反共之堅決，可想而知。但是這樣一個反共小國，竟被尼赫魯逼得成爲中共親密友邦，尼赫魯危害自由世界的罪惡，這只是一個小而又小的例子也。

再次說到不丹。不丹原是中國藩屬，被英國佔領的。印度獨立時，不丹也想乘機獨立，尼赫魯卻不允許，依然視之爲保護國，管理不丹的國防，外交。一九四八年在新德里開泛亞洲會議之際，中國代表團的葉公超託中國駐印大使館找一個不丹的國旗，羅大使當即向印度外交部查詢，印度外交部一口拒絕，說是找不到。以後羅大使遇到不丹的官員，問起這件事，他們說根本不知情，印度外交部從未向他們要過國旗。

最可憐的還有錫金。這個僅有十四萬人口的小國，與西藏人同文同種，與不丹的情形一樣，同是在英治印度時期被英國併吞的。印度獨立後，陷入尼赫魯的魔掌，不但國防，外交受印度控制，內政也歸印度派出的專員管理，錫金王只是拿少數津貼過活。錫金王子照例要送去新德里讀書，一九四八年中國羅大使在宴會上邂逅了這位王子，十分高興，當時舉杯祝錫金國運昌隆，嚇得王子面色蒼白，不敢答話，只是偷眼注視坐在自己左右的印籍譯員的顏色。試想這種場面，是不是比溥儀在滿洲國還要淒慘呢！這就是高呼民族自決的尼赫魯幹出來的事。此外尚須特別指出一點，即目前亞非兩洲有保護國的國家，只有印度。這大概就是尼赫魯所以被西方國家捧稱爲「亞非領袖」的原因吧？

最慘的更有印度西北山地的一批那迦族，這是一個游牧民族，人數共有四萬多，從印度獨立起，就不服印度統治，尼赫魯對這個弱小民族，乃施行了滅種政策，命令軍隊在那迦地區盡量殺人放火，到現在爲止，這個民族只剩下八千人了！但印度駐在該區的武力——包括軍隊，憲兵，警察——共有五萬人，一般預料，聯合國再不出頭干涉，十年以後，那迦人必然絕種。然聯合國在英美把持之下，誰又敢惹這位被英美譽之爲「亞非領袖」的尼赫魯呢？

最後再說到果阿。這是大家都知道的問題，果阿受葡人統治是在明朝中葉，尚在澳門之前，當時印度從未有過統一政府。尼赫魯以繼承英國祖業自認，但英國並未統治過果阿，這時尼赫魯大概又以爲繼承阿育王了。就算退一步說，果阿是屬於印度，尼赫魯固然有權收回五百年前的失土，爲什麼一九五一年尚從西藏地方政府統治的達旺、提郎宗、塔克郎宗，一九五四年尚屬於中國的彼林三多等地區，尼赫魯卻又否認是中國的領土，試問這是一個什麼邏輯呢？

我們腦子中的印度人，除去髒、懶、蠢之外，似乎應該不壞。可是，經過尼赫魯十幾年以身作則的示範教育作用，卻是不但壞，而且又惡壞！我們固不必談過去對印度獨立有什麼幫助的話，但是我們同印度卻毫無寃仇，中國人同印度人世代未曾打過仗，我們沒有一絲一毫對不起印度人。我們國運阽危亦不干印度的事，然印度在國際場合對於中國的打擊，竟較蘇俄尤甚。這是盡人皆知的事實，不必多說。我現在試舉出一種大家不知的事情，看看印度人墮落到了什麼程度？

我們滇緬邊區的反共游擊隊受到緬甸攻擊，緬軍屢戰不能勝，乃組織國際兵團，印度人聽說打中國的反共軍隊，爭先應募。在一場戰爭中，我們一部份傷病兵被俘了。據親身參加戰役的鄧克保君記述：「緬軍國際兵團的印度人，唯一的任務是虐待被俘的中國弟兄，那些幸而沒有在江口陣亡，卻在向霍攻山撤退途中落伍下來，疲憊不堪，以及身負重傷的弟兄們，被印度人在後面用刺刀威逼着，排成一排，在火把高照下，驅向山口邁進。『你們開槍好了』，印度人喊。『讓我們印度人和緬甸人看看你們中國人怎樣屠殺中國人』。第一線守軍戰慄了，他們不能下手射擊自己的弟兄，但不射擊又無法阻擋國際兵團的進攻，那些印度人卑鄙的把俘虜當作戰車使用」。（見鄧克保著：「血戰異域十一年」二三頁）。

中國人看了這一段記載，假若不感到熱血奔騰，那他的血就一定是冷的！印度這種民族若認爲還有前途的話，那眞是天道無憑了！

尼赫魯目前對中共擺出打到底的姿態，決不求和，表面看來，頗類似我們在對日抗戰開始時所宣佈的「抗戰到底」的國策。但是，我們抗戰是眞打，雖然死亡兩千萬人，損失美金五百億以上的公私財產，我們從未向任何國家乞憐一句，即使英國人封鎖過滇緬路，但到了英國軍隊在印緬戰場被日軍包圍痛擊時，我們亦毫不遲疑的派隊入緬，解救英軍的仁安羌之圍，救出英軍幾千人，我們卻陣亡了一位勇敢善戰、公認爲將來必成大器的二百師師長戴安瀾。這一段辛酸往事，我本不想在英國投票贊成中共加入聯合國時候說出來，我只是要告訴尼赫魯：所謂長期抗戰，決不是僅靠着四面磕頭，終日窮吵，就能成功的。

尼赫魯目前所以聲稱要和中共打仗，絕不是基於民主自由與共產極權的思想鬥爭，只能看作是希特勒與史達林的戰爭，希特勒是在騙取美國的軍經援助。不過，有一點尼赫魯比希特勒高明的地方：希特勒是打的自己本錢，尼赫魯的打仗資本卻是騙來的。現在可以看出，印軍打仗用的武器是美國的，英國的，法國的，還有加拿大和奧洲亦幫助不少；用的錢是各個土王的，華僑的。前面說過，印度有五百多個土王，目前雖然王位已經失去，財產依然保有，尤其那個海德拉巴藩王，財產據說較洛克菲勒及福特兩家的資財都多。尼赫魯這次下令每個藩王要捐出全部財產的十分之一，這個數目實在不小，夠支持印度在目前形式的戰爭中打上[illegible]幾年。另外尼赫魯又[illegible]

[illegible]目的。

印度自從遭到中共攻擊之後，[illegible]報紙已經發出警告：不要以爲印度從此和西方國家站在一起了。[illegible]。這種論斷十分正確。我們可以斷言，只要中印之爭告一段落，軍事問題一旦結束，尼赫魯馬上就會掉頭又[illegible]，因爲這樣才能顯出他的「中立」地位。

（下轉第三版）

漫畫天下

禍由自取

碰頭？握手？

自由談

談美國的利益

馬五先生

中東小邦葉門的一部分軍人，在埃及總統納薩教唆支持之下，實行推倒王政的革命運動，該邦君王巴德爾至今還率領各地區的勤王軍，從事討伐叛徒。但美國當局卻一馬當先，不惜違背國際法例，急忙承認葉門的革命政權了。

沙特阿剌伯因爲協助葉門王室平亂，致遭納薩之忌，公然以軍事行動威脅之，該國國王向國際間提出控訴，而美國當局亦一馬當先，聲稱要以武力維護沙特阿剌伯的安全。

就一般常理來看美國的行爲，殊覺惝恍迷離，莫測高深，因其對葉門的外交政策是贊助納薩，而對沙特阿剌伯又反對納薩，這不是矛盾之至嗎？實則這樣才是符合了美國的利益，毫不足怪。

沙特阿剌伯的石油鑛產很豐富，大部分的開採權已掌握在美國商人手中，如果讓埃及勢力控制了該王國，美國的石油利益便會受到極大損失，烏乎可呢？葉門原係英國的勢力範圍，縱有石油，亦爲英國捷足先登，據爲已有了。美國即樂得以黃鶴樓上看翻船的心情，不妨對革命政權表示好感。萬一巴德爾王室覆滅了，美國很自然的可望獲致新政權對美的後果。

若有人爲，認爲美國這種作法，未免太缺乏政治理想和一貫的外交政策了。我就要告訴他：朋友，何其如此天眞，而且不合之甚也。現在是強權主義世紀，所謂正義公道以及國際公法等等、都是不值一哂的廢話，何況今日領導自由世界的美國，早已坦白聲明在案，處理一切國際問題，必須以符合美國利益爲前提。不然的話，除了停止美援之外，還要指摘別人的許多不是之處，如政治不民主，執政者腐敗低能之類，乃至於干涉別國的內政亦所弗惜。君不見美國一面教別人大力反共，一面又不許別人自由採取反共軍事行動的情形乎？

然則所謂美國利益的具體內容如何呢？曰、用歸納法的結論就是：祇要美國本土不受到外來的侵畧禍害，而美國的商品和剩餘物資又有廣泛的國際市場出路，即令[illegible]非幾大洲，美國亦依然要跟它和平共存的！

香港與大陸

假借體驗生活的鬼話

共區知識份子續遭下放

有受不了實行自殺者

中共最近又下放大批知識份子到農村，有的更是長期下放，要他們在農村「安家立戶」，美其名曰「體驗生活」，實爲變相整肅。這些住慣城市的知識份子，因爲不能適應農村的艱苦環境，多數都病倒了，有的且感到走投無路，實行自殺，了此殘生。

最近由廣州抵港的大學生李錦×君向記者透露：去年底，「中國作家協會廣州分會」及「中國美術家協會廣州分會」曾「邀請」文化、教育、美術等各單位之負責人，舉行座談會，宣稱知識份子應加强「戰鬥思想」，應深入到人民大衆中，體驗實際生活，從豐富的生活結出好的作品。並號召各與會者發動所屬單位之作家、藝術家及知識份子，都到農村去安家立戶，帶領羣衆，共同建設「共產主義社會」。

李錦×君有一位堂兄，數年前畢業於中山大學中文系、幾年來向任教於廣州市第二中學，課餘亦寫點東西在報章雜誌發表。但不久前，他有一篇作品被批判缺乏「現實性」；這次大批知識份子「下放」農村，李君的堂兄更被列爲第一批的「下放」者之列，不得不離開廣州。

李錦×君說：他的堂兄被下放到海南島琼崖縣，同行的還有三位「文藝工作者」。他們被安排在一個山區的公社裏，白天要和農民一起工作，吃飯亦同在「公社」裏吃，生活比之在廣州教書，艱苦得多。且每一個月，中共當局還要他們完成下列的任務：（一）報告與農民共同生活之「心得」，例如怎樣在勞動過程中，認識勞動人民之偉大等。（二）描述勞動人民在「解放」後，精神生活和物質生活的提高，並對比在過去國民黨時期人民所過的「悲慘」生活。（三）描述勞動人民對「黨」和「政府」的「信任」，以及其在「黨」和「政府」領導下如何忘我地建設「共產主義祖國」。

李錦×君的堂兄自從「下放」到海南島後，日見變弱，最近已患了水腫病和胃痛。

又據甫自梅縣來港之林美娥小姐說：梅縣地區亦同樣有大批知識份子被「動員」到農村去「安家立戶」。林小姐家鄉是屬梅縣西山公社；該公社有一個「國營農場」，這次有不少知識份子「下放」到該農場。她說：去年十一月，有一位原在廣州市任職的「文藝工作者」李祥湖，這次被「下放」到該地，李的妻子和一子一女亦同去了，因爲他們是「長期下放」，是要在農村「安家立戶」的。但李祥湖這一家人到了農村後，不單勞動負担實在支持不住，兩個孩子也因之失了學，又總日曝着肚餓。李祥湖就在這種環境下，「下放」不到一星期，便自覺沒有前途，憤然上吊自殺了。而李祥湖死後，西山公社還特別開羣衆大會，共幹宣佈他是「懦夫」，是「革命的逃兵」。（敬斯）

為了孔方兄・無惡而不作

毛共改變寄遞糧食辦法 目的多刮海外同胞的錢

（本報訊）毛共又宣佈改變海外同胞寄遞糧食及副食品到大陸共區的辦法，規定自本月二十日開始施行。

毛共這一「改變」的內容，大別之計有兩項：其一爲減少寄遞糧食及副食品的數量，其二爲由它自己的機構直接辦理寄遞。毛共這一「改變」的用意所在，一言以蔽之是爲了更多搜刮海外同胞的錢，藉以爭取它所極度感到恐慌的外滙短缺。

毛共爲了搜刮海外同胞的錢，十幾年來曾經施展過不少法寶。它最初是「歡迎」海外同胞「回國投資」，美麗的支票開出一大堆，說得天花亂墜，海外同胞的錢亦着實被它騙去不少。但因爲它的支票畢竟是空頭的，「投資」實際上變成了「貢獻」，有去無回，且往往還於「投資」被變相「沒收」之後，還遭受到「清算」、「鬥爭」的苦楚。海外同胞於一再受騙之餘，相率裹脚，連多年來就有之的大筆僑滙，在毛共攪「大躍進」的「人民公社」之前，便已大減特減，接近於無。

人民公社攪得遍地飢荒之後，海外同胞爲了不忍心大陸親友慘被餓死，近三四年來，乃有大批寄遞糧食及副食品到大陸之事。毛共爲了共區飢荒實在嚴重，雖然失格丟臉，亦只好靦顏接受。幾年來海外同胞所寄遞到大陸的糧食及副食品，無可計數，對於緩和共區飢荒，爲力甚大。

海外同胞寄遞糧食及副食品到大陸共區，對於毛共瀕臨崩潰的經濟，起了巨大的緩和甚而拯救作用是顯而易見的，因爲（一）寄遞到大陸共區的糧食及副食品，大多數正就是毛共從大陸同胞手裏搜刮所得，實行名符其實的「饑餓出口」的東西，它已經得一次錢了。（二）海外同胞花錢買到這些糧食及副食品，再寄到共區時，經過郵局寄的小包裹，毛共固可以分潤一筆郵費，經過深圳或拱北關大批大批的寄入的，毛共還可以徵收入一筆關稅，又可以收入一筆運費。所以一直存在着一種怪現象：一方面海外同胞拚命寄遞糧食及副食品到大陸共區，另方面毛共卻源源而大量的把大陸糧食及副食品外輸。毛共是確實已經大大的發了「飢荒財」。

但毛共尚不以此爲滿足，同時亦由於毛共實在十分需要外滙，去年，它曾兩度頒佈新辦法，鼓勵海外同胞多多滙款到共區去。那兩次辦法的要旨，是滙款達某種數額者，收款人可得多配購糧食及副食品若干。毛共以爲如是一來，海外同胞爲了減少寄遞上的麻煩，自然樂於滙款了。但爲了（一）海外同胞發覺毛共的欺騙行爲——它故意把海外糧食及副食品的價格報高約二分之一至三分之二，遂相率不願上當；（二）有些海外同胞滙欵到大陸的，亦發現收欵人並非輕易能夠配購到規定可以配購的東西，花了錢而親友仍然捱餓，誰甘心呢？結果大家就依然寄遞糧食及副食品，而不願滙欵，使毛共的算盤未得如意的實現。

這次毛共宣佈改變海外同胞寄遞糧食及副食品到大陸的辦法，仍然是沿着這條路線走，目的端在更多搜刮海外同胞的錢，爭取外滙。比方：

（一）減少寄遞糧食及副食品到大陸的數額的，如它規定：港澳同胞自攜糧食及副食品進入大陸時，限每人一次祇能攜二十公斤，其中十公斤且須納稅。二十公斤的食物中，油糖最多佔兩公斤，其中一公斤且必須納稅。目的所在，就在於藉此多收稅欵（多進去一次，它就多收入一筆）而且納稅必須用外幣。

（二）由郵局寄遞的兩公斤小糧食包，規定收件人每月限收一次。這點數量，當然不夠療飢，逼得海外同胞如果不願見大陸親友餓死，就祇有滙欵去之一途。

（三）託運方面，以往多由與毛共有關商家辦理的，現在進一步規定必須由毛共自己的機構「華僑旅運社」經理（港澳爲中國旅行社代辦），此其目的之在於藉此多收入一筆費用，甚爲明顯。當然它收的也是外幣。

毛共利用海外同胞不忍心大陸親友餓死的弱點，搜出這種種辦法以搜刮海外同胞的錢，毒是夠毒辣的，卻亦實在的卑鄙齷齪。有可能它將來還會進一步連一月一次的小糧包亦不准許收受，以逼海外同胞更多滙錢。（炎）

八旬老翁在美要自燒午飯

張君勱擬來港久居

（本報訊）現在美國三藩市僑居的中國民社黨首領張君勱，最近有回到香港久居的消息。

據說，張氏在五十歲以後，就過的是鰥居生活，迄未續娶。近若干年來住在美國講學，日常飲食起居，全靠他的一位女公子照料。但女兒在彼邦原是有工作的，白天無暇呆在家裏服侍老父，而在美國又沒法雇用傭僕。因此，張氏雖以將近八旬之年，每天的午餐還得自己動手料理，頗爲煩勞。大概由於年事過高之故，眼力亦且力衰退了，最近在寓所跌了一交，足部受傷，曾入醫院治療，尚無大礙，然親友們很替他耽心今後的起居情形。他的弟弟張公權主張他不如回到香港來頤養天年，一則香港住家可以雇用工人燒飯買菜，二則張氏有妹妹住家在香港，隨時可以招呼老兄的日常生活。就張氏的情況設想，香港確係最適當的休養地方。目前張公權過港小住時，即爲此事跟妹妹商量過，大家認爲這樣很妥當。公權遄返美國後，乃勸阿哥及早卜居香港爲佳。

台灣的國府當局，當然歡迎張氏回台居住，那兒的環境比香港更安定，很合乎學者從事著作或講學的條件。但張氏及其親友們又有一種顧慮，即怕到了台灣後，不得不過問民社黨的事，或許因此使老人更增煩擾，生活無從安閒，所以還是決定來香港的好。在香港卜居，固亦難免有政治上的應酬接觸，可是，比較在台灣就清閒多了。

（凌青）

去年司法十大新聞

（本報記者張健生台北航訊）除了上期刊出的「去年國會十大新聞」外，記者再試擬五十一年度司法方面的十大新聞如下：

（一）司法官對大法官會議解釋案，有遵守者，亦有不遵守者。如司法院解釋：「台灣銀行發行的台幣就是國幣」。之後，台中地方法院依此解釋判決一件僞造台幣案，處被告無期徒刑。但接着，台灣高等法院刑庭也判一件僞造台幣案，卻按照舊例，僅處被告九年有期徒刑。

（二）高地兩院改隸問題，經大法官會議解釋後，至今已兩年有餘，尚未實施。據說，監察院正注意其演變中云云。雖然如此，此一老問題，每年倒都有幾次成爲報紙要聞版的頭條新聞，故亦殊不寂寞。

（三）高等法院對上訴案卷，多有延擱，特別是黃坤垣等僞證案，經二審法院宣判無罪後，高檢處檢察官不服，乃於四十三年十一月二十四日提起上訴於最高法院，迄至五十一年七月間，竟仍未接到最高法院判決，乃於八月八日函詢最高法院，經最高法院函復：自四十四年後，並無受理該上訴案；高檢處乃向高院查詢，高院始於五十一年八月十七日將該上訴案送最高法院檢察署辦理，計前後歷時達七年零九個月又二十三天，爲最突出。

（四）據監察院司法委員會公佈：過去一年來，司法人員受懲罰者，計有記過者一二六人，記大過者五十一人，休職者一人，免職者五人，解職者十二人，撤職者一人。不能謂爲不夠洋洋大觀。

（五）監察院糾舉和糾正司法官的案件，去年度計有：高雄地方法院檢察官曾憲政辦理謝金獅告發前任高雄縣鳥松鄉農會總幹事張多藏涉嫌侵佔公糧一案，對於重要證據，不加深究，遽予被告不起訴處分，未盡偵查職責，顯屬失職。屏東地方法院檢察官馮女蔚，承辦屏東農業職業學校前主計主任孟憲明，主計齊國輝、廖和盼等，利用職權，盜用公款案，不予偵辦，延擱達一年之久，殊屬失職。高雄、台南地檢處偵辦台南海關職員走私瀆職一案，未依法處理，顯然不合。

（六）去年度監察院彈劾司法官的案件，則有：新竹地方法院推事牟秉衡審理桃園縣政府職員吳得成等違抗命令，强行瓜耕搶割民地案，枉法瀆職；高院推事徐軍、羅仁賢、王酒俊等審理貪案，有意偏頗，判決不公；被監察院提案彈劾。高雄地方法院推事侯驥，曾因承辦何傳與吳乾隆間請求遷讓房屋一案，侯推事爲當事人吳乾隆親自繕寫訴狀稿，請求撤銷查封，違法失職，被監察院彈劾。

（七）台中高分院於去年十月一日正式宣告成立受理訴訟案件，但該高分院之大廈，尚在興建中，故現尚不得不寄人籬下。而前任高院院長因不同意司法當局如此草創，卒掛冠求去，因爲該高分院之設立，有兩大特殊之處：一是該高分院未按照法院組織法規定：「法院之設立廢止及管轄區域之劃分或變更，以法律定之。」完成立法程序。二是法院院長係由本院推事兼任，此爲明文所定；然該高分院長一職，並非由該高分院推事兼任，而係由高院院長暫代。這兩個創舉，曾有立法委員提出質詢。

（八）提高司法官待遇問題，樓梯響了好久，卻尚未見「錢」下來。司法當局爲了提高司法人員待遇，曾擬訂司法各項規費調整案，送立法院審議，案由立法院於去年五月十五日完成立法程序，並經行政院核准自五十一年六月二十日施行，據估計每年約增加司法規費收入七、八千萬元，這筆錢原係提高司法官待遇之財源，然事經半年，未見下文。

（九）殺人未決犯陳力，在台北看守服毒自殺，一時成爲重大新聞，鬧得滿城風雨，並曾爲立監兩院所表示重視。按陳力曾持槍意圖殺死其過去長官及司法官，結果木柵分駐所警員遭了殃，案經台北地院判處死刑。

（十）台北市議會一致主張撤銷財務法庭。去年八月十五日，市議會各審查聯席會議開會，由五人小組提出調查報告書，大意謂：稅捐之稽征，查定與征收，均屬稽征機關之職權，而財務法庭之設立，在體制上，疊床架屋，致使職權混淆，爲了杜絕浪費，建議上級將這一機構撤銷。此一建議，當然被束之高閣。

貪污治罪條例評介

公冶長

關於貪官污吏枉法瀆職的事，確是當前嚴重的問題，這種風氣如再不及時肅清，將來什麼事也無法做好的。

現在，有人主張以嚴刑峻法，懲罰貪官污吏，其理由是：因爲當前貪污風氣盛行，且貪贓枉法者都是些有權有勢的要員，所以必須針對此種特殊情況，而採取治亂世用重典的原則。如宋太祖開國的時候，原先不主張嚴刑峻法，而主張減輕刑罰，免除大辟死刑，代之以杖策，但是對於貪官污吏，則仍不能免除死刑。到了宋太宗時，對於貪贓枉法之官吏，仍處以重刑，因而宋朝國祚得延長至三百多年。說者謂：過去政府對貪官污吏，並未做到明正典刑，相反的，還有兩個事實來支持貪污者，一種是社會的力量支持貪污，因爲今人「笑貧不笑貪」，對貪污者予以讚揚，說這人會賺錢，有辦法；而貪污者亦以此沾沾自喜，恬不知恥，這是基於社會上缺乏廉恥與是非觀念。一種是有權有勢的人支持貪污，官官相衛，家醜不可外揚，甚至說揭發貪污者將影響政府威信之類的話，這也在無形中助長了貪污的風氣。若再不以嚴刑科處貪官污吏，政治只有一天一天的腐化下去。

天南風光

沙羅越的歷史

朱淵明

況且中間在坤甸及東萬律一帶，還隔着一個儼然邦國的蘭芳公司哩，雖然那時蘭芳公司的頭領，因爲智短才疎，已冒昧的接受了荷蘭人所封的「甲太」名義，但它的國號猶存，實力仍在，而「三發」又是羅芳伯創業時與萬那王等插竹爲界的地方，或者荷蘭人猶有所顧忌，也說不定。一八三九年時，正是蘭芳公司六十三年己亥也。

沙羅越既經「尤梳」非法割賣不成，復鼓動土人叛亂以後，形勢愈趨混亂。爲了要鎮壓這種叛亂，於是婆羅乃蘇丹乃派其叔父「拉者」「目達哈沁」到沙羅越來。「目達哈沁」抵古晉後，對於當地叛亂情勢幾乎無法着手。

原來那時沿沙羅越河一帶是由酋長「馬可達」管理，木膠（Mukah）、烏驛（Oya）、民都魯（Bintula）等區，則由村長（Pengirans）管理，均係由婆羅乃蘇丹所選派。而彼此之間，及各村鎮與村鎮之間，是常常有戰爭的。有時一個鄉村裏忽然集合了許多人，去攻擊別村的人民，他們分乘小舟出發，划到鄰村附近，或伏於舟中，或捨舟登陸，即在密林之中安紮營集，一面派出偵探，先事偵察，若鄰村無備，即於翌晨黎明之前，一聲吶喊，攻入村民屋內，任意搶劫物資，殺人擄掠。但村民一旦發覺有人搶劫，就立即鳴鑼聚衆，以謀抵抗，一面大聲呼喊，用槍矛或火炮還擊敵人，那時雞飛狗叫，亂成一團，甚至放火燒屋，擄掠婦孺。一場劇戰，等到雙方各把陣亡的敵人首級割下帶走之後，才算結束。

各鄉村爲了防備敵人的攻襲，多在村落四週，築起堅固的防禦工事，或暗中密插尖竹，做下記號，以備本村人認識。有時又在村落附近，河流狹隘之處，把大樹砍到要斷之際，乃用一粗索縛於另一樹上，同時派人爬於另一較高之樹巔瞭望，一遇敵人小舟來襲，瞭望之人，即以暗號通知伏兵，估計敵舟將近，迅將繫索砍斷，以壓毀敵舟及敵人。

那時沙羅越境內竟有些村長，也常率領馬來人（即巫人）及達雅克人（即嘮子）乘着長形戰艇，襲擊沿海岸之船隻。他們捉到船隻後，先把船上的水手人等盡量殺死，然後再把貨物瓜分，巫人可得三分之二，嘮子則得三分之一以及被殺者的首級。因爲他們素來是獵頭民族，戰士以獵頭愈多愈受人重視之故。（廿一）

建立三民主義學術體系芻議

唐昌晉

建國工作，千頭萬緒，但其最重要，最迫切之工作，莫過於三民主義學術體系之建立。爰不揣冒昧，畧陳固陋，用就教於明達。

本人認爲欲爲三民主義建立其學術體系，便絕不應故步自封，限於照本宣讀，而須將合於三民主義之精神的現代學說，取其精華，融化於三民主義之中，以擴大三民主義之學術研究領域。另方面，學術須與政治分開，不應因其人之政治立場而廢其言。昔劉歆曾頌揚新莽，光武並未以此而禁其書，此即學術與政治分開之良好榜樣也。今研究三民主義之著作，幾至汗牛充棟，然以管窺所及，深感周逆佛海所著「三民主義之理論及其體系」一書，仍不失爲此中翹楚之作，不妨鼓勵高中以上學生閱讀，列爲教材亦未嘗不可。須知，大專學生之漠視三民主義一課，教材內容之不盡如理想，實爲重要原因之一。

中山先生爲一代大革命家，亦爲一代大思想家，吾人接受中山先生遺教，應於其畢生治學精神中，而不應於章句中求之。倫敦蒙難之前，中山先生似曾傾心於達爾文物競天擇之說，其遺墨今猶存於黨史陳列館中，但其後改倡互助，以別於物種進化之說，同時標榜服務爲人生之目的，是中山先固之思想，固未嘗一成不變者也。且時代不斷進步，墨守陳說，勢不可行。耶教於新舊約固不可更易，但後起之教徒，則因時代不同而賦以不同之解釋；美國憲法不可隨便違背，但後來所提出之憲法修正案及美國最高法院所作有關憲法解釋之判例，亦因時代不同而有所出入。今在面對兇惡共產集團及其毒素思想情況下，闡揚三民主義似應與反共理論相結合。否則與時代脫節，將不切實際矣。

中山先生少年習醫，無形中養成其科學頭腦，故其遺教甚少玄妙之論。今一般致三民主義者，多用易經或宋明理學以闡釋之，動則曰天人，曰心物，玄之又玄，恐非中山先生之本意，宜乎青年學子之不感興趣也。宋明兩代學人，似均致力探討支配人類行爲之自然法則，但所發現者有限，且多有主觀甚至歪曲之處。其所揭櫫之論點，常於同一事物，用不同名詞以表達之，或同一名詞，涉及多種不同之觀念，糾纏不清，雖下界說，吾人不宜再以國粹目之，致浪費精力，徒往牛角裏鑽。另有一點離題稍遠，惟於學術思想上亦甚重要，特附帶一提，即理學家教人，以作聖人爲第一要義。「聖人」，西方恆譯作Wise Man，乃智慧最高的人之謂。此種人，當然每個時代所需要，只不過理學家所謂之聖人，乃摒除一切生趣，六根絕對清淨之人。此種人與木偶何異？人人成爲木偶，則整個社會何由激發其蓬勃朝氣？學術關係國運至鉅，宜乎宋明兩代之積弱不振也。今日言弘揚三民主義，萬不可乞靈於理學家之門。

吾人習聞三民主義通俗化之議。按中山先生所講三民主義，平易近人，言辭淺顯，通俗之至矣。而今日所發行之三民主義通俗本，則多爲西洋句法，卒不可讀；且有將義理曖晦，極難瞭解，通俗云乎哉？

孔子既歿，儒分爲八。將來由於各人見仁見智之不同，對三民主義終必出現各種不同之解釋與評價。吾人於此自不應多所顧慮，蓋如是方可使三民主義發揚而光大之，並充份表現我立國之基本精神，即容忍的民主精神。

尼赫魯論（二）

（上接第一版）

目前可以想到，尼赫魯將來抱怨美國的第一點，就是美國不該拒絕中共加入聯合國。在尼赫魯看來，毛印之間的糾紛所以無法解決，終於訴之戰爭，就因爲中共不是聯合國會員國，假若不是美國從中作梗，毛共早就加入聯合國了。此次發生邊境衝突，只要安理會一紙命令，毛共必然要退出印度所指出的國境線以外，必不至於兵戎相見的。根據這個邏輯推演，打印度者雖是毛共，而促成毛共開打的卻是美國，印度之反美，自然是順理成章了。試看此次聯大投票表決中國代表權問題，雖然正在印軍被毛共打死二千五百人之後，然印度仍舊投票贊成中共加入聯合國，這就可以可出尼黷三的眞意所在了。

總之，英國當初培植尼赫魯，乃是一個歷史錯誤，他日自有歷史家來評論其是非得失。就過去十五年而論，尼赫魯之危害自由世界，遠甚於俄酋赫魯曉夫。假若英美政治家眞有魄力，在印邊境戰爭發生之前，毅然割掉這塊毒瘤，不要爲他的虛張聲勢所蠱惑，對自由世界以及全人類都有好處，可惜現在已經遲了。目前英美除卻援印之外，無路可走，尼赫魯雖然連吃敗仗，他在國際上的聲譽似乎猶存。時無英雄，遂使孺子成名，可歎亦復可恥也！

瘟君續夢

第六回：烽火照邊陲　同惡難濟　樓船碧橫海　大憨興悲

這番執行突襲的人有中共海軍司令員蕭勁光，政治委員蘇振華，華南艦隊司令員方強，空軍司令員劉亞樓，參謀長劉善本。大家根據雷達的報告，看見美國海空軍的龐大陣容，都嚇呆了。

蕭勁光先發制人，向劉亞樓說道：「老劉，你趕快派飛機轟炸，再遲美國軍艦就侵入我們領海了。」

劉亞樓冷笑道：「毛主席的戰畧有誘敵深入，今天我們就實行誘敵深入，等到美帝國主義的軍艦侵入領海時，我們再用軍艦出擊。」

蕭勁光一翻眼：「什麼話、派我這幾隻砲划子去碰美帝大兵船，你是不是存心害我。」

劉亞樓說道：「你不是有心害我，爲什麼叫我派飛機去轟炸，記不記得那次擊落國泰機事件，咱們的飛機跟人家碰上就好似麻雀遇着老鷹一樣，一點反手之力都沒有，我怎會派飛機去出擊。」

蕭勁光一拍桌子：「毛主席是不是派你來廣州渡假的，飛機不能打仗，要你空軍總司令作什麼用。」

劉亞樓用手指着蕭勁光，冷然說道：「你不必用大帽子壓我，我也費力氣同你抬槓，你剛才說的話把飛機換成軍艦，空軍換成海軍，就算我回敬你的好了。」

蘇振華插嘴說道：「大家不要意氣用事，應該仔細研究一下當面敵情，毛主席教導我們不打無把握的仗，這次的仗實在太沒有把握了，一動手就要吃大虧。」

蕭勁光同蘇振華本是死對頭，現在看他說話有意袒護劉亞樓，更是氣上加氣，拍桌子罵道：「猪蹄爪子養一百滾，只有向裏彎，沒有向外彎的，你居然出頭幫別人講話，依你說這個仗就不打了，我們報告毛主席好了。」

蘇振華簡直氣瘋了，也拍桌子說道：「你這人簡直是個瘋子，我從中調處你們爭吵，怎麼叫做替別人講話？你這麼有種怎麼不去打美帝，光是對我們發狠有什麼用？我就同你見毛主席好了。」

蕭勁光不再開口，站起來捲袖子就想打架，忽然有人推門進來，笑着說道：「什麼事要見毛主席，先講出來讓我聽聽誰是誰非。」大家一看原來是陶鑄。當蕭勁光同劉亞樓剛吵上時，劉善本坐在傍邊既不敢插口，又不能不理會，考慮一下，就溜出去向陶鑄報告，說蕭勁光要同劉亞樓打架。

陶鑄吃了一驚，趕快坐上喜臨門小轎車到了軍區招待所，正好聽到蘇振華後面一句話。陶鑄一開口，大家都笑了，蕭勁光放下衣袖又坐回沙發上。

劉亞樓平心靜氣把當面敵情及本身的任務說了一遍，請陶鑄代爲出個主意應該怎麼辦！

陶鑄當時收起笑臉說道：「你們萬不能在此地動手，美國擊毀你們軍艦飛機還是小事，他若逼近領海向內地打一頓砲，整個秩序必亂、國民黨潛伏的特務一定乘機出頭活動，萬一激成大變，誰負責任。」

陶鑄說過，幾個人都似洩了氣的皮球，登時軟在那裏，蕭勁光在沙發裏蜷作一堆，一句話也不敢說。還是蘇振華問一句：「我們應該怎麼辦呢？」（一六九）

憶玉軒雜綴

談聯二續

苦想不得其對，因以片紙飭价馳屬紀文達公，文達公笑曰：芸楣又來考我，卽令來价稍候，揮筆封紙付還，文勤見復大喜，啓視之，則寫有云：「九重天子，年年重九節，塞上稱觴。」上見此聯大爲欣賞，卽囑賜珍物八事，計兩份，以賜彭紀。

諸葛武侯祠楹聯句極夥，縱觀所撰，祇有三聯，能恰合身分，勝過陳壽三國志多多。（一）「可託六尺之孤，可寄百里之命，君子人歟？君子人也！」「隱居以求其志，行義以達其道，吾聞其語，吾見其人！」（二）「伊呂堪儔，若定指揮，豈僅三分興霸業；」「魏吳並峙，永懷匡復，猶餘兩表見臣心」。（三）「自任以天下之重如此；」「是知其不可而爲之與」。

揚州梅花嶺下，有史忠正公可法衣冠塚，後爲立祠祀之。蔣心餘太史撰聯云：「讀生前浩氣之歌，廢書而歎；」「結再世孤忠之局，過墓興哀」。墓柱添聯云：「心痛鼎湖龍，一寸江山雙血淚；」「魂歸華表鶴，二分明月萬梅花」。又闕名氏題云：「殉社稷以江北孤城，剩水殘山，尚留得風中勁草」；「葬衣冠有淮南坏土，冰心鐵骨，好伴取嶺上梅花」。皆爲絕構。

關帝廟遍設全國，楹聯甚多，皆喜援用三國演義話，未見其是。其精純者，在山東有：「先武穆而神，大漢千古，大宋千古；」「後文宣而聖，山東一人，山西一人」。在西湖岳廟之左者，繆昌期太史題門聯云：「德必有鄰，把臂呼岳家父子；」「忠能擇主，鼎足定漢室君臣」。此聯勝在就地着筆，推陳出新。又某處有聯云：「聖以武成名，剛毅近仁，於清任時和中，更增一席；」「學於古有獲，春秋卒業，在詩書易禮外，別有專經」。語亦矜重可誦。

吳中多周公瑾祠，有誇其撰聯工整者云：「顧曲有閒情，不礙破曹眞事業；」「飲醇原雅量，偏嫌生亮並英雄」。「大帝君臣同骨肉」；「小喬夫壻是英雄」。

成都姜維祠，有聯云：「九伐竟無成，心師武侯，能繼祁山六出志」；「三分不可恃，計誅鄧艾，已復陰平一敗仇」。

南宋偏安有人才

——李綱

李仲侯

自綱罷，所以罷去，傅亮以母病辭歸，招撫經制二司皆廢，車駕除東幸，兩河郡縣相繼淪陷，凡綱所規畫軍民之政，一切廢置，而宋室偏安之局成矣。

綱卒時年止五十八，以一身用舍繫社稷生民安危垂卅年，雖身或不用，用有不久，而其忠誠義氣，凜然動乎遐邇，每宋使至燕山，必問李綱趙鼎安否，其爲遠人所畏服如此。故史論以「李綱之賢，使得畢力殫慮於靖康建炎間，莫或撓之，二帝何至於北行？而宋室豈至爲南渡之偏安哉！夫用君子則安，用小人則危，不易之理也。人情莫不喜安而惡危，然綱居相位僅七十日，其謀猷不見用，獨於黃潛善、汪伯彥、秦檜之等，信而任之，恆若不及，何高宗之見與人殊哉！綱雖屢斥，忠誠不少貶，不以用舍爲語默，若赤子之慕其母，怒呵猶嗷嗷然挽其裳裾而從之。嗚呼，中興功業之不振，君子固歸之天，若綱之心，其可謂非諸葛孔明之用心歟。」可謂的論也矣。

二、宗澤

宗澤字汝霖，婺州義烏人。澤自幼豪爽有大志，登元祐六年進士第，廷對極陳時弊，考官惡直言，置末甲，調大名館陶尉。呂惠卿帥鄜延，檄澤與邑令視河工，檄至，澤適喪長子，奉檄遽行。惠卿聞之曰：可謂國爾忘家者。時朝廷大開御河，方隆冬，役夫僵仆於道中，使督之急，澤曰：浚河細事，乃上書其帥曰：時方凝寒，徒苦民而工未易集，少需之至初春可不擾而辦。上聞從之。惠卿辟爲屬，辭；調衢州龍游令，民未知學，澤爲建庠序，設師儒，講論經術，風俗一變，自此擢科者相繼。調晉州趙城令，下車請升縣爲軍，書聞，不報；澤曰：承平時固無慮，他日有警當知吾言矣。

旋知萊州掖縣，部使者得吉市牛黃，澤曰：時方疫癘，牛飲其毒則結爲黃，今和氣橫流，牛安得黃？使者怒欲劾邑官，澤曰：此澤意也，獨衡以聞。通判登州，境內官田數百頃，皆不毛之地，歲輸萬餘緡，率橫取於民，澤奏免之。朝廷遣使結女眞，盟海上，謀夾攻契丹，澤語所親曰：天下自是多事矣。退居東陽，結廬山谷間。靖康元年，中丞陳過庭等列薦，假宗正少卿，充和議使。（十六）

年畫和窗花（上）

保山

年畫和窗花都屬於我國民間藝術，人們在過年時爲了增添家庭祥和、吉慶、美滿的氣氛，「年畫」、「窗花」就成了不可缺少的裝飾。

年畫大約可分爲下列數種：

一、吉祥畫——例如吉慶有餘、連生貴子等，皆以一胖小孩爲主，或抱大魚，或持蓮花。此種年畫淵源最古，民俗學家考證爲上古人類崇拜生殖神的遺俗。

二、風俗畫——有農家樂、莊稼忙、接財神、新年逛六街、瑞雪兆豐年等，多爲農村或城市中實際生活的寫照。

三、警世格言畫——如朱子家訓、二十四孝、名人故事、笑林、諺語、俏皮話等。

四、戲齣畫——每幅印有戲劇一齣或數齣，中間更層層分開，我們看過敦煌的壁畫時，就會知道這種表現方法的古老了。

每幅年畫的畫面都很美麗傳神，眞是人見人愛，現在筆者且舉出「村童嬉師」、「天仙送子」、「胖娃娃耍鯉魚」、「莊稼忙」等年畫爲例，加以說明。

「村童嬉師」是描寫清朝的私塾，老師下課時打盹，學生們在嬉遊，有的在捉迷藏，有的在描寫字帖，更有的把老師頭上帶的呢帽，用老師煙嘴管頂起來玩，還有把老師圈點用的筆替老師畫鬼臉……。那些村童都是神采奕奕，精神飽滿，棉襖短掛，顏色鮮艷，令人百看不厭。

「天仙送子」這幅畫，是把仙女們的衣帶飄揚，那雲霧騰騰，烘托出仙女們是在空中飛行。同時畫面的人物刻劃生動，線條清晰，簡單幾筆，均出藝術性極高的作品。

「胖娃娃耍鯉魚」是描寫體態豐腴，神采豐滿的五個孩兒在水中抓鯉魚，娃娃的形象不僅活潑可愛，主要還刻劃出他們嬉戲的神情。在顏色濃淡相宜間，情調雅緻柔和，簡直出神入化。

「莊家忙」年畫，畫中有五十四個農夫，正在耕種，畫面全以線條勾劃，簡單而有力地表現了人物的眞美、生動，還有勞動者的節奏。繪畫技巧的熟練達到了相當的高度。我們可以想見當時的藝人，也是具有高度速寫的基礎，值得我們後人學習。

抗戰時期，很多年畫成爲宣傳形式，這不失爲有意義的做法。因爲，年畫純是民間藝術家手筆，這些作品，充滿純厚民間風味，具有古樸突及鄉土氣息，並含蓄着無窮的民族精神與思想，能使欣賞者歡悅喜愛。政府能透過「年畫」，把政府政策，用圖畫直接傳給百姓，百姓不但了解政府需要，更能接受，幫助推行國策。例如抗戰時期的「軍民合作」，「保衛鄉土」「增加生產」，「支援前綫」，都是不折不扣的很好宣傳年畫，曾收到極佳效果。

年畫的由來，據說是這樣的：從前新春，大家都知道兩句老對聯：「爆竹一聲除舊，桃符萬象更新」。年畫是由桃符而起。

我的學生生活

雷嘯岑

（三）大學時期

我奉母命，懷着大洋四百元遠去日本留學，自忖沒有中學畢業的資格，恐不容易進入大學之門，臨行向本邑同宗同學雷曦，借得他的中學畢業文憑（他亦是湖南省立第一中學畢業的），隨身帶走，以備不虞。我有兩位原在省立一中同班的學友，早已到了日本讀書，一是跟我同榜被開除學籍的益陽蕭承鄖，一是衡山向大廷，我初到日本時，承蒙他二位照顧一切，尙無困難。蕭君不讓我住在他們幾個中國學生合租的「貸家」裏面，理由是怕我學不好日本話，他把我送到東京神田區一間沒有中國人寄居的旅館中，就近好到「東亞預備學校」——專門教授中國留學生的日文，校長是松本龜次郎——報名上課，從字母讀起。我痛感語言不通的困苦，晝夜抱着一冊「日語讀本」，高聲朗誦，如「大姐請拿飯來」，「掌櫃先生請算帳」之類，雖到廁所出恭時，亦背誦不歇。某次我在廁所中揚聲誦讀着「大姐請拿飯來」這句日語，恰被旅館的女主人在門外聽到，她爲之鼓掌哈哈大笑不已，我當時不覺得這有什末令人取笑之處，後來日語學得相當程度了，才知道這眞是一大笑柄，思之可哂也。

在東亞預備學校讀了八個月日文後，已是民國十年的春季，各學校正式招生了。父親來信敎我進大學法律科，說我調皮搗蛋，必須學習法律，庶可改變氣質。我的天性是不羈的，不願遵從父命，決計投考早稻田大學政治經濟科，乃使用那張借來的中學畢業文憑，報名預試，徼倖被取錄了。入校上課不到三個月，校長大隈重信侯爵，某日專對中國學生出了一道論文題，叫作「評判中日廿一條問題」，他先對我們演說了一次，指出廿一條件原案第五項是最重要的部分，但這第五項業已擱置未獲協議，其餘各條皆屬無關宏旨的，中國人卽不應該藉此廿一條問題從事反日運動云云。我的論文指責日本當局患着近視病，對中國提出這種驚震世界的無理要求，結果又未能如願以償，徒然種下中日兩國人民間的仇恨因素，爲日本計，亦未免太不值得。課卷發下來，居然給我以六十三分的評價，殊出意外。

中國各省留日學生都有同鄉會的組織，我是湖南的新進學生，自然在同鄉大會中不便發言，只是敬陪末座而已。詎料我那位中學同班學友向大廷君，分向同鄉人士游揚我會寫文章，大家竟選舉我作湖南留日同鄉會的文書幹事，照理我不應該接受的，以免貽誤學業，但我禁不住大家幾句恭維說詞，居然接任了此項無謂的職務，自誤前程。由於這種職務的關係，卽不能不向外有所活動，因而結識了四川馬驤良，山西王用恭二君，他們都是其本省同鄉會的負責人，又是國民黨黨員，與我一見如故，傾心結交，旋卽介紹我加入國民黨，從此，外務日益增多，荒廢學業不少，這是民國十年間的事。（八）

秦漢雜戲

燕謀

索上：通考謂之「緪戲」，以兩大絲繩繫兩柱中，頭間相去數丈，兩女對舞行於繩上，對面而遇，切肩不傾。西京賦也有記。這不是今日特技團中的踩鋼絲繩嗎？而且還兩人對面而過，切肩不相傾，今天的踩鋼絲繩的還祗有一個人在上面，比起秦漢時代的技術還差得遠呢！

投石超距：超距，正是今日的三級跳遠；投石，畧近於今日的擲鐵餅鐵球。

蹴鞠：漢書藝文志說：鞠以革爲之，實以物，蹴蹋之以爲戲也。又記其戲法說：修高竹數丈，絡網於上爲門以度毬。這有些似今日的踢足球。

衝狹：正是今日特技中的「衝刀圈」，西京賦說是「卷簟席以矛插其中，伎兒以身投從中過。」這不是穿刀圈是什麼！

關於化裝表演者，有下列幾種的記載：

仙倡：西京賦注云：「僞作假形，如神仙也。」這正是今日的化裝表演。

曼延：西京賦注曼延說：人戲豹熊虎等假頭，於人浩雲中以樂以舞，至於複道閣上轉石成雷，最後僞作八十丈巨獸曼延而出。通考說是假作獸以戲。這在今日馬戲團中、和國劇中，都可隨時看到。

魚龍：西京賦說：此種遊戲，在崔巍假山中，人爲之假禽僞獸，龍、蛇、熊、虎、猨狖、大雀、白象等模擬禽獸等動作，作各種把戲。而後大魚變爲龍、蜿蜒蠕蠕而來，舍利之獸化成四鹿仙車，僞作千年蟾蜍，及弄蛇人表演其間。通考名叫「怪獸舍利之戲」。（二）

內價警台報字第〇三一號內銷證

自由報

THE FREE NEWS

第三〇六期

每份港幣壹角

社長：雷嘯岑

督印人：黃行…

社址：香港銅鑼灣高士威道二十號三樓

20 CAUSEWAY RD 3RD FL HONG KONG

TEL. 771726　電報掛號：7191

台灣分社

大陸糧荒的基本因素

司徒敏

大陸糧食問題，到現在還是一個相當嚴重的問題。中共雖然繼續向國外購買糧食及不斷販收僑糧包，而民間的飢荒現象迄無法解除。

這種糧荒現象的長期存在，外國觀察家多認爲係由於人口的壓力，卽人口的增加率超過了糧食的生產率。但人口問題並不是主要的問題，中共所公佈的人口數字及自然增加率爲千分之二十，卽百分之二，自缺乏眞實性。從中國歷史上看，每個動亂的朝代，人口都是減少，這因爲戰爭及天災人禍會直接或間接造成人類的大量死亡，因而人口的死亡率超過人口的增加率，或抵銷了增加率。現在大陸上的人口情形也正是如此。

人們知道，近二十年來的中國，經過八年抗戰，四年戡亂，人口已有不少損耗，而中共自佔領大陸後，對外更經過「抗美援朝」戰爭的犧牲，對內則經過「土改」、「三反」、「五反」、「鎮壓反革命」、「整風」、「勞改」等一連串的殘酷鬥爭運動，人民被殺害或被折磨而死者，至少在八千萬人以上。再加上長時期的奴役勞動，人民體力大量消耗，食物不足，影響其生殖能力；「人民公社」成立後，婦女被趕出家庭，她們爲減少本身的負累，多不顧早婚，或盡量避孕以及墮胎；卽使有所生育，也因營養不足，藥物缺乏，使嬰兒的夭折率提高。尤其是近四年來大陸上發生空前嚴重飢荒，人民因飢餓致死者爲數不少。根據這些情況，可以想見近十年來大陸人口──只有減少，不會增多的。卽使有所增加，其增加率亦不致達到百分之二。是則所謂人口壓力之說，並無足夠的論證。

因此，很顯明地，大陸糧食的不足，非關人口，而實別有原因。這除了因中共經濟政策錯誤，造成生產減退，及自然災害之普遍，影響作物歉收外；當係由於以下的幾項因素：

首先，是中共徵購糧食過多與大量出口的影響。所謂「徵購」，是包括徵收農業稅和「統一收購」兩部份。關於農業稅，據一九五八年中共公佈的「農業稅條例」規定：全共區農業稅率平均爲常年產量百分之十五點五；縣市按地區經濟情況，可提高到達常年產量百分之二十五；省、自治區及直轄市並可隨同農業稅徵收地方附加。正稅和附加相加，則稅額之高，可以想見。中共各年徵購糧食，一九五三年──五四年度爲八三〇億斤，佔產量百分之二十八點一；一九五四──五五年度爲九二〇點七億斤，佔產量百分之三十一；一九五五──五六年度，爲八五九點九億斤，佔產量百分之二十七點一；一九五六──五七年度爲八三四點三億斤，佔產量百分之二十五點一；一九五八──五九年度，徵購量提高到一千一百一十三億斤，佔產量約百分之三十三。

依此數字看來，中共歷年徵購糧食，可能佔實際產量三分之一以上。而地方的層層加派，更爲厲害，以廣東增城縣派潭公社爲例，這個公社一九六一年交售的公糧爲八百七十四萬斤，一九六二年分配的徵購任務比六一年又猛增百分之二十六，淨增二百餘萬斤。在淨增的二百萬斤徵購數中，包括縣增加的「機動糧」一百萬斤，公社增加的「機動糧」四十萬斤，各生產大隊增加的「機動糧」六十萬斤。這些淨增的徵購量，據說相當於這個公社糧食總產量百分之十。由此推究，卽不難看出中共「地方附加」數目之大，對糧食搜括之兇，及大陸農民負担的沉重爲何如了！

這些徵購的糧食，除了供養共黨軍隊及其黨政幹部外，就是輸出。據中共對外貿易部長葉季壯的報告：從一九五三年到五六年，大陸糧食出口數量（不包括大豆），每年爲九十萬噸至一百萬噸。肉類油脂的輸出，僅一九五七年卽出口猪肉十萬噸，佔當年屠宰猪肉總量百分之二點七；食油出口十八萬餘噸，佔當年食油產量百分之九。這些數字，自然並不確實，實際輸出必不止此數。近年來，因災荒嚴重，大陸農產品對外輸出，在若干地區雖告減少，但一九六二年內又在增加。

以對香港的輸出情形來說，據官方統計數字，去年首五個月內，大陸輸港穀類及穀類製品，比一九六一年同期增加一倍以上，由二千三百九十八萬元增加到五千一百一十五萬元。而在大陸飢民蜂湧逃港的五月份內，中共輸港穀類及其製品值八百四十八萬元，比四月份的六百三十九萬元，增加了二百零九萬元。又據本港星島日報上月三十一日發表的調查：「一九六二年大陸輸至香港的商品總值爲港幣九億七千四百萬元，由香港輸入大陸的商品總值爲港幣七千六百萬元，中共對本港貿易順差額爲八億一千九百萬元。去年中共輸港的商品，以糧食和食品類數額最大，計約值四億八千四百萬元，工業製品次之，輸出數額爲三億七千一百萬元。由此，可以瞭解，兇狠徵購與饑餓輸出，實爲大陸糧荒的第一項重要因素。

其次，是擴大經濟作物種植面積的影響。中共爲增加土特產品的輸出，十餘年來不斷地擴大經濟作物的種植面積，因而相對的減少了糧食作物面積。其第一個「五年計劃」前四年的糧食播種面積比重，由一九五三年的百分之七十九點五，下降到一九五六年的百分之七十八點一；經濟作物播種面積，由一九五三年的百分之八點八，上升到一九五六年的百分之九點四。如棉花，一九四九年爲二七七〇千公頃，一九五二年增加到五五七六千公頃，一九五五年又增到五七七三千公頃。又如烤烟、黃蔴、花生等的種植面積亦逐年增加，至一九六一年底止，在大陸總耕地十六億畝中，糧食作物爲十二億畝，下降到百分之七十五；經濟作物佔四億畝，上升到百分之二十五。由於經濟作物種植面積的增加，糧食作物面積卽相對減少，因而影響了糧食的產量。這當是大陸糧荒的第二項重要因素。

上月下旬，中共農業部在北平召開「農業會議」，決定今年的農業生產任務，仍爲糧食和經濟作物並舉，實行農業的多種經營。但大陸耕地面積有限，旣要發展糧食生產，又要發展經濟作物生產，不僅勢難達到目的，且由於經濟作物面積的提高，必將進一步妨礙糧食作物的生產。因之所謂爭取一九六三年農業生產的好轉，又將是無法實現的幻想而已。

漫画天下

這一招夠險

雙槍壞了一槍

自由談

為甘迺迪解嘲

馬五先生

最近美總統甘迺迪聲言：今後美國對自由世界要切實發揮領導作用，有時雖與盟邦發生磨擦，亦所弗惜。這種作風與態度，實屬無可非議。

可是，西歐方面──尤其是英法各國的朝野人士，乃因此譁然起鬨，說甘迺迪太過驕傲了。理由是美國不應該如此專擅自負，遇事必須跟盟邦隨時商洽，才是妥當的領導方法。這種說法我認爲毫無是處。過去美總統艾森豪在任八年的期間，採取婆婆媽媽式的作風，事無鉅細，皆與英法磋商，結果是自由世界在冷戰中一敗塗地，局勢日非；卽在韓戰那場熱戰之中，美總統杜魯門亦以受着徵詢英國意見的影響，竟弄成虎頭蛇尾的下場，損兵折將，不知所爲何來呢！這證明英法所期望於美國者，只在以全力保衞西歐一隅，其他的自由地區縱淪於共黨之手，亦如粵語所謂「關人」？作爲自由世界盟主的美國，如果這樣的攪法，那便是無可救藥的死路一條了！所以，英法輿論界實在沒有責難甘迺迪所述領導政策的資格，應該站在歷史大鏡子的前面，照照自己的尊容如何？

不過，甘迺迪先生今後對自由世界的領導方針，究竟係何內容，這倒是值得注視的問題。如其像現在這樣，聽信一般犯着思想幼稚病的所謂學者教授們的催眠術，認爲俄共集團必然分裂，終且因爲中共的强大擴張，迫使俄共不得不與美國携手合作，一致抗禦中共，自由國家卽可在「和平共存」的生活中，博得最後勝利。憑着這套思想體系以領導自由世界的話，那就會大糟而特糟，一切自由國家固然禍至之無日，宣告完蛋，卽美國本身亦大可以懸目看共禍來臨，決無倖免之理，雖擁有千萬枚越洲飛彈，也是無用之長物呵！

美國具有領導自由世界的資格，也有遏制共產極權侵略主義的抱負，自由國家亦願意接受美國領導，這些都是毫無疑問之事。問題在這場關係整個人類未來命運的大鬥爭，需要有湛深的文化精神作基礎，美國現有的那類實驗邏輯論，倫理相對主義，以及門羅思想等等，皆不足以發揮領導作用，更難望獲致最後勝利了。甘迺迪雄心勃勃，其志可嘉，可千萬不要狃於封鎖古巴之役，以爲俄帝是容易對付的，好自爲之罷！

香港與大陸

利用寒假榨取勞動力
毛共驅迫中小學生生產
全體參加無一可倖免

寒假將臨，共區中小學將有二十多天的假期，中共爲要榨取這些中小學生的勞動力，已加以組織，要他們落鄉支援人民公社的春季生產準備工作，規定具體任務數，主要爲參加水利建設和積肥等工作。

上月曾返梅縣探親甫回香港的張太稱：梅縣地區各中小學校當局，正組織各中小學生，在寒假期內，全體落鄉支援農民生產。張太有位胞妹，現就讀於梅縣梅州中學高中一，她告訴張太說：本月初，她們學校的黨支書，曾作了幾次「動員報告」，宣稱這次動員全體中小學生落鄉支援農村生產的意義有三項，（一）是爲明年春季大生產打下良好的基礎，保證明年不受水災旱災，並儲備充足的肥料，改變農村落後的現狀；（二）藉此機會，使學生與勞動人民結成牢不可破之友誼，並幫助農民認識目前之國際形勢是「東風壓倒西風」；（三）藉此機會，使學生認識勞動之神聖與偉大，認識勞動之不單創造世界，而且創造了人的「眞理」。

該校黨支書如此報告之後，各班級奉令進行分組討論，每人都得發言，說明自己對此項支援工作的態度和認識，再是由各班級分別提出「保證書」，「挑戰」「應戰」書。她的胞妹說：就這樣互相「挑戰」，「應戰」，不斷地增加了勞動任務數，把原定「支援」十天的工作，變成整個假期都得參加了，不少班級還在「保證書」上寫明，保證年初一亦要出工。

表面看來，這情形好像是出於學生們的「思想覺悟」高，表現熱愛「祖國」，自願在假期中參加「人民公社」的勞動生產，但實際上，據張太胞妹說，有許多同學（尤其是那些女同學）回到家裏便哭出聲來了，因爲那些所謂「保證書」，「挑戰書」，「應戰書」，完全是由那些有黨團組織的學生，在「上級」的統一佈置下搬出來的。誰敢反對？誰不怕被扣上「資產階級」，輕視勞動等等的帽子，永遠受罪？（敬斯）

編者按：中共此舉是全面性的，由它的「教育部」與「勞動部」會銜通知各省市發動，先期進行安排。事見中共的「北京日報」。中共估計，驅迫大陸中小學生寒假落鄉勞動，可獲「十億個以上的無償勞動日」。

爲我們的下一代着想
台省小學教育待改進
教室不敷問題應求徹底解決
私立學校的監督亦不可漠視

（本報台北航訊）台灣一切都很有進步．獨獨國民學校的教室問題，一直不曾有一個澈底的解決，孩子們直到現在還是讀半天書，留下來的半天光陰，就白白虛渡了。因爲孩子們沒有正當的去處，於是馬路上，弄堂口，就成了孩子們的天下。

目前一位國校老師，可眞夠累的了，一個人要管上五十幾位小朋友，多的超過七十，天天改本子，一天就要改幾百本，試問他（她）們有多少精力，去全心全意教孩子？此爲國校學生成績低的一大原因。五六年級要準備升學，老師家長合作來「塡鴨子」，塡得我們的第二代面黃肌瘦，呆頭呆腦。十幾歲的孩子，本來都應該是活活潑潑的。

有些家庭送孩子到私立小學去，的確，有些私立小學辦得是不錯，可是花錢的花樣也特別多，一般軍公人員那裏有這個能力？日前又有一家教會辦的小學，因爲是什麼創校幾週年，來個慶祝，孩子們從早上七時離開家，一直到晚上七時才回，足足的十二小時，其間只吃了一隻蛋和一塊蛋糕。

早上的慶祝會請了不少名人，行禮如儀之後，跟着就一個一個的致詞，有一位什麼家長會長，（不知是誰選他出來的），這位仁兄從孔子談到愛因斯坦，從東柏林談到西柏林，從第一次世界大戰談到第二次世界大戰的結束，和目前的冷戰，還談將來可能演變到的熱戰。最後在高呼響應蔣總統的革新、動員、戰鬥的口號中，總算結束了他的發表慾。足足的是四十一分又二十九秒。天啊！爲了出自己的風頭，竟叫幼稚園三歲半到小學不滿十二歲的孩子們，站立聽訓，叫人如何受得了？結果的收獲是有一半孩子小便在褲子上。孩子們從八時半起排隊到十二時多才結束，如何受得了？

下午的節目可更精彩了，爲了表示上帝有錢，特地假座中山堂舉行，氣派的確不凡，孩子們吃了一隻蛋和一塊蛋糕之後，就被老師們化裝起來，在七八度的寒冷氣候下等到下午三點鐘，大人先生總算到齊了，才開始表演。天哪，這情形誰不看了心痛？在那麼冷的天氣裏，女孩子們是露背短裙，男孩子們是汗衫短褲，什麼民族舞蹈啦，山地舞啦，還不倫不類的來個「強盜舞」。爲了滿足幾位權威人士的嗜好，半路上，再請兩位先生，來段平劇清唱。一方面是大人先生們鼓掌大笑，認爲演出成功；一方面是孩子凍得發抖，老師和家長們，都看了心疼掉眼淚。

頂莫明其妙的是，自以爲替天行道，上帝的兒子——洋人牧師，好像這學校，是他爸爸拿錢出來做好事的。在後台對孩子們神氣活現的，嚇得孩子們，哭都不敢哭。老師們看不過，說了一句「神父別對孩子那末兇」，嘿！上帝的兒子可就生了大氣，「你當我兇不兇！我通知你們校長下學期不發聘書給你，叫你沒有飯吃」！這是什麼話，就算是慈善機關，那你是做好事，也得有人接受呀！何況那學校的學費並不便宜。

這家用上帝名義開設的學校，還有一絕，就是孩子們假如遲到，趕不上洋牧師的傳教時間，還要罰孩子不吃中飯；同時規定孩子一日三餐和臨睡前，一定要唸經禱告。人們也許會說：誰叫你們送孩子到這種學校去唸書受罪？但是，因爲此一家，全日上課，窮家長們夫婦一齊上班，請不起女傭，祇好委屈一下孩子們了。

我們的教育當局，應亟重視私立小學的各項問題，多多的加以監督，並能確實的叫這種學校遵守中華民國的憲法——人民有信仰的自由，才好！（仰柯仁）

陳樹桓競選別記

（本報訊）迭次當選香港民選議員之陳樹桓氏，自去年底佈退香港「革人革新會」之後，對於本屆議員的選舉，曾經表示不擬參加競選了。但最近他又聲明，作馮婦，捲土重來。其中經過情形，值得報導。

當陳氏尚未退出革人革新會時期，爲着本港大多數市民的公益問題，曾提出了不少的主張，希望革新會加以推動，尤其是有關本港一般市民利益事項，特別注意，然結果曲高和寡，徒託空言，來了「一種碰鼻」。因爲主持本港革新會務的西人，是英國工黨人士，亦多係加入了英籍的華人，只有陳氏是個純粹的中國人，他的意見乃不受重視。爲此他作了兩屆民選議員後，就覺自己的抱負不易實現，又因創辦事業十分忙碌，乃決計退出革新會，同時對於本屆市政局選舉亦不願繼續競選，要以全部精神來發展自己的事業了。

可是，香港市政局民選議員的名額，計爲四名，而革人革新會與公民協會推定的候選人亦僅有四名，這四位候選人之中，沒有一個不是擁有英籍的，這樣一來，四個候選人可以不競而當選，且盡係英王陛下的臣民。本港市民百分之九十五以上是中國人，而民選議員竟無一個是純粹中國籍的，表面上殊不好看，事實上亦欠允妥。因此，本港的文教和工商界人士，紛紛勸請陳氏放棄消極態度，重起競選本屆民選議員，而在革新會與公民會之外，獨樹一幟，問言於選民：一以打破不競而當選的局面，引起市民的政治興趣；二則以純中國籍市民的資格，表示代表大多數市民說話的民主憲政軌範。基於這兩項條件，大家認爲唯有陳氏出來競選，最爲適宜。陳氏迫於大衆的殷切屬望，義不可卻，只好取消原意，準備再爲大衆服務了。按陳氏在過去兩屆競選中所得的選票，皆佔着絕對優勢的紀錄，此次很可能突破前兩次的最高票數而當選，因爲在全部登記合格的一萬多名選民中，都屬文教工商界人士，而陳氏所具有的條件，又決非其他的競選者所能企及也。

去年台省縣市十大新聞

（本報記者張健生台北航訊）五十一年度台灣省各縣市也發生過不少「新聞」，茲亦試擬其「十大」如次，這些「新聞」，有的已經結束，有的還在發展中；至其重要性，則與排列的次序無關。

（一）宜蘭縣市民代表林春光等，在代表大會中揭發宜蘭縣政府，以「農村輔導費」名義，撥贈三十一位縣議員每人三千元之事，曾引起一場風波，鬧得滿城風雨，一面是省財政廳要縣政府收回這筆錢，另一面，市民鄧某依據林春光代表等質詢資料，正式向宜蘭地方法院檢察處告發，被告爲全體縣議員，議長、縣長及全體鄉鎮長，案由該地檢察處受理後偵辦，最後以「事出有因」而處分不起訴。該案告發人不服，又告宜蘭地檢處首席及承辦該案的檢察官有瀆職嫌疑，結果宜蘭法院駁回其檢舉。該案至此乃告一段落。

（二）雲林縣議會第五屆議會成立週年紀念，由蕭議長要求林縣長贈送五十五位議員紀念品代金十一萬元，謂否則決議不給預算。此項秘密交易在報端公佈後，縣議會甚表不滿，乃提前召開大會，要求林縣長就此事向全體議員解釋；後由議長及縣長以含糊的口吻，來否認此事，總算亦了此公案。

（三）台中縣政府因處理豐原鎮公所「玄關」改建案不當，而引致一幕要罷免何縣長案。該案由大安鄉農會理事長等所發起，在七千餘選民的發起人中間，完成了發起人連署，在何縣長就職兩週年紀念前夕的去年六月一日，正式向省政府提出罷免申請書，列舉七大理由，倒亦做得有聲有色，省民政廳亦曾派人核對連署人名冊。但結果，由於幕後人經人疏通，該案草草收場。

（四）彰化縣議會因通過調查縣政府事務股的舞案小組報告後，親縣府的議員乃提出「自清運動」，並組織專案小組，調查議會一切經費開支情形，同時還進行罷免正副議長運動，一時鬧得緊張熱烈，其後亦經有關人士從中奔走調解，而告平息。

（五）台南縣議員陳秀雲、郭泰山等，非法組織扶老育幼慈善會，詐騙會員財產一千多萬元，案經法院處分不起訴後，縣議會會掀起「自清運動」，並發表嚴正聲明。而被害人對台南地檢處處分不起訴，表示不服，因爲嘉義地檢處便會將長壽會的主持人黃國瑰，提起公訴也。這時期，儘管各方面對陳郭二人多所指責，但他們笑罵由人笑罵，好「員」我自爲之。後來，長壽會的郭泰山議員終經法院判刑六年。

（六）嘉義部份縣議員基於縣府和議會在處理義竹區漁會、新塭區漁會及縣醫師公會的選舉，認爲「不合法」，「不公平」，乃於去年三月間醞釀罷免縣長黃宗焜及正副議長黃老達、張文正等，這場暴風雨，經過時間的考驗，也是空鬧一場。不料該縣黃縣長卻在蘇案中栽了一個觔斗。

（七）現任省議員林澄增，因違反票據法，被高雄地方法院判處罰鍰一千零十九元銀圓，或易服勞役六個月。因法院屢傳之不到，高雄地檢處乃以雄檢執字第二九五八號通緝令通緝之。爲省議員被通緝者的第一人。

（八）台南市議員參加工程監標，涉嫌收受「紅包」案，會大大轟動議壇，台南地檢處首席檢察官田濟棠也發表談話，說他對外界各項傳說頗爲重視，將展開偵查。然而該案經過一陣翻雲覆雨之後，宣告天下太平無事。

（九）基隆市長林番王放租福德市場天井案，市議會五屆四次大會，因議員會要求調查被拒絕，議會乃休會抗議。另外林市長的「家庭風波」迭起，接二連三，頗予人以好戲不妨多之感，尤其市長太太在台北捉「姦」一幕，成爲其家務糾紛的一大高潮。

（十）高雄縣府會之間的問題最多，也最複雜，洋洋而大觀。如去年八月間，縣議會否決縣政府追加義務勞動預算三百三十八萬元後，緊跟着有縣長余登發派議員進行簽署，要罷免議長吳尚卿，有另一派議員旁聽席選民大鬧議會，縣長余登發被罵。九月一日，縣議員林謀在故居永安鄉被蒙面人暗殺重傷，有人指爲「政治謀殺」。縣議員李新良陪同橋頭鄉農會職員陳秤玉至鳳山招待記者，散發陳妻署名之書面聲明，指余縣長唆使其妻舅林進才率衆毆打成傷，案由余縣長向高雄地方法院自訴誹謗，陳妻被處徒刑四月。余縣長在未當選縣長前，經高雄縣治安機關以涉嫌侵占換谷肥料，經移送法院後，以侵占、詐欺、僞造文書罪嫌提起公訴，該案高雄地院正在審理中，已延期宣判重開辯論了。十月間，府會雙方有關人士，向報界發表談話十六次，這場舌戰，是空前的。最後的一次，是議長吳尚卿具狀向法院控告縣長余登發故意扣發議會經費；十一月十七日，這兩位府會首長已在公堂相見，高潮到此暫止。

貪污治罪條例評介

公冶長

但是，也有人認爲：人之所以爲盜者，衣食不足故也。如果衣食足，人不爲盜矣。若欲禁止官吏不貪污，必先研究其所以貪污之原因。假使使之衣食足，而後禁其貪贓枉法，則貪污可止也。古人說：「欲禁民之無爲暴民詐僞不率倫也，必先爲學以教之，行道以化之。使之浸漬乎禮讓，薰蒸乎忠厚，知暴民詐僞不率倫犯爲非，然後可得而息也。欲其無相淫亂也，必先使之無鰥寡曠怨之恩。欲其無貪饕也，必先使之有羞辱而重廉恥也」。發與教化施後，而猶有犯奸作私者，則少數兇悍不肖之徒，處以重刑而無怨言矣。

因此，有些人認爲，正在立法院進行二讀會之「戡亂時期貪污治罪條例」不足以懲罰有權有勢的「老虎」們。同時，有些人認爲：該條例太嚴了！並懷疑嚴刑峻法能戢止貪污風氣嗎？且主張改善公教人員待遇爲戢止貪污事件之本。筆者基於上述兩種不同的意見和看法，乃就該條例立法之原則和精神，加以分析，使大家瞭解該條例的真面目。

必須指出，戡亂時期貪污治罪條例係由於時代的需要而產生的。它不但富於時代意義，而且合乎當前的潮流。何以言之？自從懲治貪污條例於四十三年廢止以後，這幾年來的貪污案件，一年比一年多，各方面都感到問題的嚴重性，非恢復貪污條例不足戢止貪污。經過各階層的不斷呼籲，始由立法委員林樹藝等一百十二人，於前（五十）年六月間，以澄清吏治，整飭政風，嚴懲貪墨，而利反共復國爲理由，正式向立法院院會提案。當時，各級民意代表和輿論界都非常積極地從事此一運動，所以當林委員等將該條例提出後，首先獲得海內外官民暨報紙的支持與喝采。之後，據說有人反對，於是該條例「難產」了。旋因立監委採取一致步驟，據理力爭，始獲得有關方面的同意。名御史陶百川爲此，曾在雜誌上透露過此一「難產」的經過。

至於該條例是不是如有些人所說的不打老虎或太嚴峻？如就事實而言，實有研討之必要。因爲該條例開宗明義的說：「戡亂時期，爲嚴懲貪污，澄清吏治，特制定本條例。」（第一條）由此可見，其目的所在，同時，足見其雖嚴但非峻極之法。而適用之對象，包括軍人，及依法令從事公務之公務員，與公職人員，政黨人員。所謂公務員，依照刑法上之定義，相當廣泛，它包括各級政府機關之官吏，地方政府自治人員，國營事業機構之人員，金融機關之人員和教員，甚至依法令執行公務之雇員，與郵政代辦所的人員。此有司法院歷年之解釋令可以按覆，並非如若干人所說專拍蒼蠅不打老虎。所謂公職人員，係指由選民選出的各級民意代表機關的代表。近年來，台灣各報紙載民意代表貪污不法事件，連篇累牘，確實不少。

該條例最大之特色，即「辦理社會公益或政黨有關政治之事務，以公務論。」而「其財物，以公有財物論。」立委們認爲：「政黨人員的貪污，在選舉時最易發生，如政黨在辦理公職人員候選人提名時，就有行賄與受賄情事，被提名者於當選之後，就有「撈本」的想法。若就根源而言，有些人的貪污，直接間接是受了辦理政黨選舉事務人員的影響。」這個事實，大家心裏都有數。不過，有些人不同意此一看法。（二）

天南風光

——沙羅越的歷史——

朱淵明

當時南中國海上，更是海盜的世界。在婆羅洲沿岸的海盜，更是著名的海上閻羅，強悍無比。他們的船通常可容四十至六十人，最大的船，長達百尺，有海盜一百五十人左右倨其上，在那個時候，可算是聲勢赫赫的了。船身建造，極其堅固，有的還用藤條編成護牆，以防攻擊。船中有一種武器，名曰「里拉」，乃是一種小型的土砲，發射時聲音極大，頗具聲威。又有許多土製的獵槍、利劍、長矛及盾牌。海盜以俘虜搖槳，待遇殘酷，飲食既少而又惡劣，故俘虜的死亡率甚高，一死即拋入海，海盜們是毫不介意的，死了一批，再俘來一批以補充之。俘虜們要工作十餘小時，有的疲倦到不能支持而昏迷睡去，海盜們就用胡椒粉刺激他們的眼睛，迫得俘虜勞苦至死才罷休。海盜的船，不出海時，就搶掠沿岸的鄉村，殺人放火，無所不爲，劫去鄉村所有值錢的東西，及應用的物品與食物，並擄去男子婦孺，部份留在船上強迫作工，部份則賣給外國作奴隸。

當時住在沙羅越的人民，可說痛苦已極，生命財產，毫無保障。加上婆羅乃蘇丹所委任的那個酋長「馬可達」，又貪暴無能，常常將嘮子的婦孺劫去賣作奴隸，一面強迫嘮子繳稅，一面復強迫他們掘金，開頭尚只虐待嘮子，後來對巫人也加殘虐，弄得巫人也感憤懣；再加上「尤梳」的野心劃賣不成，大加挑撥與煽動，於是由一個巫人名叫「那督亞里」（Dato Patinggi Ali）的奮起領導而叛變，來反抗「馬可達」政權，也就是反抗婆羅乃的統治。他們在「新堯灣」（Siniawan）及沙羅越河上游一帶地方，建立堡壘，與古晉的政權相對抗。婆羅乃蘇丹聽到如此混亂的消息，乃派其叔父「拉者」、「莫達哈沁」（Rajah Muda Hassin）到古晉協助「馬可達」平亂。但荏苒四年，毫無成效。有一時期，他們竟與沙羅越的人民具同一想法，很願請荷蘭人來幫助他們平亂，所不同者，是人民想受荷蘭人的統治，而酋長們則是想得到荷蘭人的助力而已。在這種情勢與一般心理的前提下，於是就替英國人「布律克」造就成天然的好機會了。（廿二）

論「三不如」之得天下與「兩不知」之治天下

·黃少游·

自從大陸陷匪，政府遷台以來，舉國上下，莫不殫精竭慮，朝斯夕斯，如何以反攻大陸，摧毀奸匪的統治，「還我河山」，再造中華。惟十餘年來，努力之道未盡如理想，以致毛匪得以不垮，誠憾事也。

英儒佛禮門（Freeman）謂：「歷史是過去的政治。政治是現在的歷史」。我國古謂：「史可鑑也」；今謂：「歷史是一面鏡子」。可知歷史之重要。孔子說：「成事不說，遂事不諫，既往不咎」。陶淵明說：「悟已往之不諫，知來者之可追；實迷途其未遠，覺今是而昨非」。讀史乘，深有感於「三不如之得天下」與「兩不知之治天下」之深切著明，故爲文以伸論之，冀有以使當局者有所憬悟，從中興大業早日完成。

一個人智能有限，精力有限，除了神，即基督徒相信上帝爲「全能」之外，世無全能之士。「政爲衆人之事，治爲管理」。衆人之事，浩如烟海，故不能不立君，及設官分職以管理之。墨子說：「夫明乎天下之所亂者，生於若政長，故選天下之賢可者立爲天子。天子立，其力未足，又選擇天下之賢可置立之，以爲三公。」（兼愛）荀子說：「天之生民非爲君也。天之立君以爲民也。故古者列地建國，非以貴諸侯而已。列官職，差爵祿，非以尊大夫而已。」（大略篇）韓愈說：「君者出令者也；臣者行君之令而致於民者也」。（原臣）世之人主（即現在之所謂國家之領袖），昧於此者必敗，明於此者必勝。謂予不信，請以下史實證之。

史記高祖本記載劉邦既敗項羽一統天下，乃置酒於洛陽而曰：「徹侯諸將，毋敢隱朕，皆盡其情：吾所以有天下者何？項氏之所以失天下者何？」高起王陵對曰：「陛下使人攻城略地，因此與之，與天下同其利；項氏不然，有功者害之，賢者疑之，此所以失天下也」。邦曰：「公只知其一，未知其二。夫運籌帷幄之中，決勝千里之外，吾不如子房；填國家，撫百姓，給餉餽，不絕糧道，吾不如蕭何；連百萬之衆，戰必勝，攻必取，吾不如韓信。三者皆人傑，吾能用之，此吾所以取天下者也。項氏有一范增而不能用，此所以爲我擒也。」這一段史實，說明劉項之爭，劉之所以得天下，乃在自知有不如人之處，而坦白虛心的而用人，而人亦爲我所用。反之，項氏之所以失敗，乃自倣其才，以爲人人都不能及己，所以連范增也不能用，所以結果祗落得「力拔山兮氣蓋世」；倘劉邦予智自雄，剛愎自用！以爲自己是全能之士，有精怪的體力，我想他必難能得天下，因爲人究不是全能的上帝，所以根本是要上下有體，分工與協作，精衆智衆力，才能成功的。（上）

瘟君續夢

第六回： 烽火照邊陲　同惡難濟　樓船碧橫海　大憝興悲

陶鑄說道：「你們趕快回去報告毛主席，這個辦法行不通。姑不用說突襲不可能得手，就算真的成功，把艾森豪威爾炸死，如何得了。事情真能這樣辦，赫老早作過了，還等到我們動手嗎？」

劉亞樓舉手敬個禮，笑着說道：「陶鑄同志，我們現在就回去向毛主席報告，不過，希望你在我們動身時打個電話給毛主席，說明這種情形，不要把責任放在我們頭上，你就算幫了我們大忙，表現了崇高的同志愛。」

陶鑄點點頭：「電話我可以打，祗是你們見了毛主席話要說得一致，千萬不要自相矛盾。」

陶鑄說過，大家都看蕭勁光，蕭勁光哈哈大笑道：「你們放心吧！見了毛主席我不說話，淨讓你們說，沒有問題了吧！」

蕭勁光等一行四人飛回北平，毛澤東已接到陶鑄電話，正在生悶氣。蕭勁光等下了飛機直接去「主席官邸」報到，毛澤東正吊着一枝紙烟閉眼沉思，聽到蕭勁光等進來，睜開眼冷笑一聲：「你們這次辛苦了。」

四個人都不敢講話。

毛澤東說道：「陶鑄同志上午來電話說的很清楚，硬是沒有辦法，沾不上艾森豪威爾的邊。但是，我們就這樣算了不成。日本共產黨居然能發動大示威，阻止艾森豪威爾訪台，我的面子往那裏放？我們有一千七百萬黨員，豈不是全部變成飯桶。」

毛澤東越說越氣，按鈴叫田家英打電話找陳伯達，譚震林，李維漢，羅瑞卿，四人來到之後，毛澤東把經過情形約略說了一下，問道：「你們看這件事情應該怎麼辦！」

陳伯達說道：「目前艾森豪威爾已到台灣，半途攔截是作不到了。剩下只有兩個辦法，一是置之不理，表示我們眼裏根本就看不起他，一是繼續予以打擊，例如發動台灣民衆暴動，仿照日本同志的辦法；這一條路行不通，就只有派人行刺，能把艾森豪威爾刺死在台北，國民黨就麻煩了。」

毛澤東拍手說道：「這真是個好辦法，我們就走第二條路，繼續同他幹到底。瑞卿同志，你回去派人到台北行刺。」

羅瑞卿苦笑道：「艾森豪威爾在台北只有二十四小時，不用說我們的人進不去台灣，就算國民黨發一張入台證，到地方艾森豪威爾也走了。」

毛澤東皺眉說道：「台灣當地沒有我們地下工作同志嗎？」

羅瑞卿說道：「台灣方面工作由台盟負責，歸統戰部領導的。」

毛澤東睜眼看看李維漢。

李維漢連忙說道：「台盟在台灣地下組織，全部被國民黨破壞了。」

廖文毅那方面不知有沒有辦法，這是由社會部掌管的。」

毛澤東擺手說道：「算了，不要亂推責任，我們辦不成的事去求廖文毅，他那一小撮人要是比我們本領大，也不必在東京作叫化子，各方面伸手要錢了。」

陳伯達說道：「真是沒有辦法時，還有一步棋可下，我們可以向金門馬祖攻展開勢。」（一七〇）

談聯三續

蘇州泰伯廟有聯云：「遵親不孝，背君不忠，致辭讓兩變傳，採藥當年心最苦；」「僭季而王，侍仲而霸，豈意吳頭楚尾，竟到處德維新」。

潮州各祠祇有兩聯絕佳，雙忠祠祀張巡許遠二公，有聯云：「國士無雙雙國士；」「忠臣不二二忠臣」。含蓄深遠，顛撲不破。韓文公祠聯云：「天意起斯文，不是一封書，安得先生到此；」「人心歸正道，只須八個月，至今百世師之」。非此地不能掛此聯，緊切潮州，精妙天成。

西湖岳墳前，有鐵鑄秦檜夫婦，及萬俟卨等四像，游者多唾之，跪在兩旁。挽傳有妙聯，千古絕唱，聯云：「青山有幸埋忠骨；」「白鐵無辜鑄佞臣」。也為松江徐氏女子所題，歷來多少文人，為之擱筆。

明末，南都既亡，江陰閻典史，孤城死守月餘，殉難。清初聽證立祠，堂中懸聯云：「七十日帶髮效忠，表太祖十六朝人物；」「三千人同心赴義，存大明一百里江山」。相傳是閻氏臨難時自題也。

憶玉軒雜綴

三十年前，上海四馬路有著名茶樓，是青蓮閣與四海昇平，以地接借門，有持殊風趣，翻粉白黛綠，常結隊而來，遂使一般茶客，以啜品香茗，復餐秀色，一舉兩得，幽常無虛。該兩樓有聯，用意巧妙，設辭新穎，不落窠臼。

蔣閣仙青蓮閣聯云：「傑閣共登臨，愧無太白仙才，斗酒百篇揮速藻；」「芳蹤齊會合，安得杜陵廣厦，金鈴十萬護殘花」。戴愁行者句云：「平章書盌冰甌，招待太白樓頭，明月清風作儔侶；」「大半烟雲霧鬟，卻讓楊青林下，美人名士共神仙」。浙西狂士四海昇平聯云：「寰宇慶昇平，聚四海嘉賓，作刹那會合；」「天涯若比鄰，共一堂茶話，締脂粉因緣」。

北平陶然亭畔，有觀音大士祠，其聯均膾炙人口，有云：「法雲廣蔭無遮會；」「慧日高懸有相天」。又云：「泡影乾坤，眞成實相；」「色香世界，幻出空花」。

西湖中天竺，有白衣殿（即送子觀音），有聯相傳云：「我具一片婆心，抱個孩兒與汝；」「你做百般好事，留些陰騭與他」。固神道設教意也。

南宋偏安有人才

李仲侯

——宗澤

澤曰：是行不生還或矣！」之：澤曰敵能悔過退師，固，否則安能屈節北庭以辱君命乎？議者謂澤剛方不屈，恐害和議。上不遣，命知磁州。

金人之再度興師也，其初志僅在得三鎮，宋廷詔王雲副康王構，往金幹喇布軍，許割三鎮地；至磁州，守臣宗澤勸構毋北行。王雲故以事為磁民所怨，磁民殺之。知相州汪伯彥聞金兵日偪，乃請構如揚。議者以為是役雲不死，構必至金，至金則不復還，南渡始局御史胡唐老，言康王構奉使至磁，為士民所留，此乃天意，乞拜大元帥，俾率國內兵勤援。於是構遂受職於揚州，帥師入衛，次東平，進屯濟州；時汴中已破，張邦昌亦立，金人亦去。呂好問說邦昌迎哲宗廢后孟氏入宮，請康王構早正大位，以繫人心。監察御史馬伸亦上書邦昌，請立構。邦昌不得已，乃尊孟后為宋太后，垂簾聽政，而遣人訪構於濟州。

其明年為構即位之元年（即建炎元年），宗澤等勸構赴南京（河南商邱縣）即位，是為高宗，尊孟后為元祐太后，太后即撤簾。以邦昌為太保，封同安郡王。五日一赴都堂預大事。用宗澤為東京留守，知開封府。時金騎留屯河上，鼓聲相聞，而京城樓櫓盡廢，兵民雜居，盜賊縱橫，人情洶洶。澤既至，原狀號復，屢出師勝敵，京師可居矣。眞定懷衛間敵兵甚盛，方密修戰具，謀入攻，澤渡河約諸將為守，京東西諸路人馬，咸聽節制，京師事愈有把握，乃累表請車駕還京。而高宗誤於黃潛善、汪伯彥等小人之計，思幸東南，棄京師不居，宋之南渡由此決矣。

大抵宗澤之謀不行，宋不復再有京師。李綱不用，宋自此終於南渡。而黃潛善、汪伯彥諸人得志，則宋之後患正未可言。凡此皆高宗一人誤之也。高宗既決定東幸之議，宗澤猶上疏言京師不可棄，黃、汪贊議遷幸之非。澤前後建議輒為黃汪所抑，二人見澤奏至，皆笑以為狂；高宗惑於二人，不能悟也。金聞南方事，知宋無可為，復以兵盡破河北州郡。（十七）

年畫和窗花（下）

保山

桃符在那裡歲時諸書告訴我們：「帖畫雞戶上，懸葦索於其上，插桃符其旁，百鬼畏之」。這記載報導了古時新春的門飾，帖上畫，懸掛葦索，畫插上桃符。所謂「符」是一種權威象徵，為了崇拜權威，民間就認為可以用來鎮鬼驅邪。

「桃符」是根據「淮南子詮言」上的「羿死於桃棓」神話，這「棓」是大杖，以桃木為之，以擊殺羿，由是以後，鬼怪畏怕桃木，必然跑開，桃符也稱「桃板」，以其木質及型狀取名。在「風俗通義」上說：玉燭寶典元旦造桃板著戶，謂之仙木，以鬱林山桃百鬼畏之。現今所謂桃符，其上著有神荼、鬱壘四字。神荼、鬱壘是古代兩神話人物，漢應劭的「風俗通」上說：「上古之時，有神荼與鬱壘二人，能執鬼」，所以把他們的名字寫在桃符上以驅除鬼怪。後來也許想求更寫實一些，就乾脆把他們的像畫在門上，那就是現在的「門神」。「門神」是年畫的一種，後來經過蛻變，發展為各種不同形式的年畫。

再談到窗花。窗花為我國農村社會，每逢新年時剪貼在窗格上的剪紙。據歷史上查證：剪紙藝術是導源於古代的「宜春帖子」，又稱「春書」。這種「春書」就是過年時盛行的剪紙藝術。過去紙剪的「春書」，中間要嵌「宜春」二字，字外配圖案，彫鏤得非常精緻。後來由紙剪「宜春」不斷擴展其範圍，而演變成今日純粹的剪紙藝術。

窗花和年畫一樣，出自農民手筆，有着一股樸實的美。同時他有着強烈的紙味及刀味特質存在。雖然那瑰麗的圖畫能吸引人欣賞，而一幅具有適當刀味的紙刻作品，更有一種無窮的含蓄。它蘊含着民族的精神和思想，並提示出各處的地方特性，使人熱愛，也使人嚮往。

我國因各地習俗不同，剪紙也有分野，論工緻以北平女工所剪鏤為最好，南方的姑蘇和潮州也不錯。潮州的偏於花卉動物，精密，幅面較大；姑蘇偏於人物故事，幅面較小；北平多受繪畫影響，疏密勻稱。三處都各滲入各地濃調，容易發覺各地鄉士氣息。

窗花的題材也很多，例如祝壽的，剪些「鹿鶴同春」、「福壽雙全」、「麻姑獻壽」等。預祝的像「牡丹富貴」、「三羊開泰」、「萬事如意」等。表示喜慶的，像「天女散花」、「鵲報平安」、「連生貴子」等。有的慶賀生財，像「招財進寶」、「年年有餘」……這些無一不是代表吉祥，慶賀的象徵。

自從大陸變色，赤燄蔓張，人民都成了「人民公社」的奴隸，饑寒交迫，再沒有人去剪年畫和窗花了。況且老百姓連家都沒有了，年畫和窗花更是無處可貼。興念及此，不勝感慨！但願早日光復大陸，重建自由幸福的家園，復興我國固有的年畫和剪紙藝術。（完）

我的學生生活

雷嘯岑

民國十一年秋間，有位留學日本帝國大學造兵科的官費生黃曦（湖南永興人），因事被湖南留日學生經理孔昭綬，呈報省府取消了他的官費，黃君乞援於同鄉會，決定推派代表三人回湘活動，請予恢復黃君的官費待遇，我亦是被推代表之一。大家推舉我的原因，是我的叔祖父（彼秋）當時充任省議員，又與省長趙炎午（恒惕）先生交誼很深，想要利用我的關係，請叔祖父向趙省長說話。我起初堅決不幹，結果還是被大家勸動了。

回到長沙後，某日在省教育會樓上遇見了毛澤東，這時他正在搞勞工運動，適來教育會舉行勞資調解會議，容貌依然是當年在第一師範讀書時那種樣兒——消瘦個子，迷離眼神——身穿長袍，外面套着一件藍布大褂。他見着我，彼此寒暄數語，即問道：「老雷，你此行任務，需要我們幫忙不？」我說用不着。如是，他敎夏曦（亦是第一師範學生，又係老共幹，在民國二十四年中共由江西突圍長征之役中，渡河淹死了。）領我去參觀他們設立的所謂「自修大學」，我到達該校後不久，毛澤東也來了，我問校長是誰？有那些敎授？毛笑謂：「既名自修，何來校長敎授呢？你這種資本主義敎育思想，太陳腐了！」我祇好笑而不答，心裏卻很不謂然。

代表任務告畢，我個人先回日本，初由長沙乘火車赴武昌，在火車上又遇到夏曦，他說有事去上海，我倆乃一道乘車坐船，朝夕談笑甚歡洽；到達上海亦一道住在棋盤街的「湘益公」客棧裏，而且同住一房間，他說可以省些房租。晚間他總是跟我談論中國大局和政治問題，認為非大大地改革一番不可。如此相處了三天，我買好海輪船位，決定首途前往日本的先夕，夏氏忽提起「中國社會主義青年團」的組織，再三勸我加入。這時我確實不知道他是個共產黨，也不明白「中國社會主義青年團」的作用是甚麼？我詳詢一切，他逐一解答，卻不提及共產黨的話，最後他說青年團就是一種革命團體。我想自己剛加入國民黨，似乎不便再參加其他的革命團體了，乃問加入這青年團要具備甚末資格？夏謂：「沒有甚末限制，凡屬年在十七歲以上，二十四歲以下的青年人都可以參加」。我說糟了，鄙人今年是二十五歲，並不合格！夏謂差一歲沒有關係。我說這不好，開始參加一種團體就謊報年齡，即係對團體不忠實，使不得。兩人討論了許久，我還是婉拒他的游說，我的眞正意念是對「社會主義」內容不甚了了，不願隨便盲從，還談不到對共產主義表示反對或贊成的話。

第二天我上船，夏氏還來船中送別，他說：「我這次沒有把你拉進青年團，殊覺遺憾之至」。我答以來日方長，彼此通信聯繫罷！握別時，他告訴我明天即回長沙。至此我乃恍然領悟他由長沙陪我到上海，目的是要爭取我參加他們的團體組織。這可見共產黨人爭取羣衆的苦心孤詣，不是一般攬政黨的人所能企及的啊！（九）

秦漢雜戲

燕謀

傀儡子：通考樂考載其表演說：作偶人以戲，善歌舞。這很明白的是今日各地的傀儡戲了，台灣叫做布袋戲是也。

象人：通考說是「今之假面，一名代面。」這也是今日化裝遊行中常見的假面具，國劇，耍獅也有。

關於魔術方面有：

吞刀吐火：魏書注說：能割人喉脈，斷人頭，令骨陷皆血出其盈斗，以草藥納其口中，令嚼之，須臾血止。後漢書西域傳說：大秦國俗多奇幻，口中吐火，自縛自解均是。實即是今日的魔術也。

興雲作霧：西京賦注引「漢宮典職說：漱水作霧，能作魚龍舍利戲。魏書載悅般國術人，能作霖雨狂風大雪。當亦魔術之一種。

由上可徵中國雜戲秦漢時代已發達；惜古人之見，多以雜戲為不正當，魯定公十年，魯夾谷之會，齊作倡優侏儒之戲，孔老夫子斥為「匹夫而熒惑諸侯。」通考馬端臨以為「非所以善民心化民俗，適以滔堙心耳，歸於淫蕩」。雖然如此，自古以來仍是盛行，不但民衆感興趣，那些貴族吃飽了飯無事做，亦深好此道。漢書武帝紀：元封三年作角抵戲，三百里內皆來觀。又云：六年夏，京師民觀角抵於上林平樂館。東方朔傳：郡國狗馬蹴鞠劍客輻湊。亦可以想見一斑了。（完）

五二年元旦天陰有作

夏日晴

初陽不見見浮雲，地僻渾忘煥沐勤；
門戟輝煌新正朔，家氈記譜舊河汾。
炎荒久著紗帽鐵，丸阪堪虞杼索羣；
草草杯盤宜獨樂，籬邊黃菊自欣欣。

內僑警台報字第〇三一號內銷證

自由報
THE FREE NEWS

第三〇七期

每份港幣壹角

社長：雷嘯岑

20 CAUSEWAY RD 3RD FL
HONG KONG
TEL. 771726

台灣分社

訓練現代化工商人才以建國

吳本中

處此太空梭子時代，要建設一個現代化的中國，必先訓練大批人才，方可有濟。科學進步一日千里，又因每國，每地，每一種工商組織，均各有其不同情形及特殊之點，而絕非書本或學校所能盡事，故我國工商人才之訓練，實有其重要性，必需性及緊急性。

英、美、法等先進工商國家，尤其第二次世界大戰以後，無論公私兩方，均努力訓練現代化有科學頭腦及科學方法之工商界及公共事業事務人員。英國政府教育部，於一九四六年八月，委派一特別委員會，後因其主席委員報告而出名，曰：「歐委克報告」，Urwick Report，對於「文職公共服務員」（英著名人事制度：Civil Service），固有建議，而對於工商業者經理部門之設計及各大工商業組織自動創設之「訓練中心」（Training Centre）等等，亦多有所貢獻。美國遠在一九〇八年即有哈佛工商事務學校（Harvard Business School），培養及訓練實務工商人才。一九二五年，在加里佛尼亞的史坦福大學（Stanford University, California），亦設有Graduate School of Business等等，均係旨在造就工業實幹人才者。法國「國立行政人員專門學校」，培育政府行政各部門，公共事業以及工商行政領導及專門幹才。他們均注重科學訓練及實用職業人才，絕對不同於我國現時各學府所造成一批又一批之空而無實，徒有其表，畢業就是失業之一般「大學生」也。

香港區區彈丸之島，乃殖民地耳；當非自由中國可比。然據本年一月四日的報紙披露：「本港工業教育系統漸趨完整」。又謂：「世界信義宗社會服務處在官塘籌建的可容一千名學生的職業訓練中心，定於本月八日舉行奠基禮，並刊出一規模宏大之該中心建築的圖則照片。又聞香港英、美兩商業集團，新在建築中具有世界旅遊事業標準之兩大旅館，將自設職員訓練班，由海外聘專家前來教導。諸如此類的情形，顯示我方又落人後矣。中國古語，常言「國富兵强」。必先國富，然後兵始能眞强。自古爲然，於今尤烈。而今世國富必先基於科學及人才，不可本末倒置也。治國者首重建設。西出玉門關，必先嘆賞「左公柳」，柳樹固小事，然其代表左宗棠之建設性，意義則大矣。台灣政蹟，先覺「土改」，因其安民富國，乃屬基本建設，否則其他恐均無所附屬矣。無論將來重建大陸或現時繁榮寶島，訓練現代化的工商及公共事業人才，均係當務之急，其理甚明。

有關工商人才之訓練，泰東西先進國有可資吾人參考者甚多，茲以篇幅所限，簡論幾點：

（一）一般工商人員之訓練。小者如一公司之「後生」及辦事員等等均屬之。蓋人之職責均有其重要性，即一守門員，係第一位先與外人接觸者，其衣冠禮貌，亦足可使顧客發生極好或極壞印象，而影響全公司之聲譽。他們均應有現代化科學辦事頭腦與方法，及從用最現代化公司所備各種機器。若不加以訓練，譬如機件不靈或損壞，必大生麻煩，且有傷公司經濟。訓練自開始徵聘，中經「接待」、「安置」「派職」，各階段，以至「受薪」、「分組負責」、「對外關係」、「互相檢討」等等，均應毫不苟且。在公司僱主方面，固希望受訓職員能趕快訓練成爲優良職員爲上，且訓練後在公司服務愈久愈好。這當然亦是人事制度問題矣。最要者，不但在技術上應訓練職工，而在心理上更應使其安心一生在公司服務，與公司爲一體。

（二）監督或主管部門人員之訓練。此部分應受訓練人員，均是監督或主管一部門或指揮一些人工作的中上級幹才。他們一方面承上司之命，另一方面要他們直屬的部門人員達成指定的工作。他們可能是由公司內一般人員昇級而來，亦可能是由外聘來。他們當然要洞悉部門內一切技術及工作程序，他們應有駕駛工人及組織、分配工作等才幹。每一個公司，有其特殊情形，且這種情形可能改變，所以要加以訓練，而且需要重新檢討，再加訓練的。一個優良職員可能是一個極好的個人工作者，但不一定能管理別人、領導別人。訓練督導階層人才之道，首要發展其影響工人的力量及改進工作效力之才能。在英國，訓練此類工商監督人才，分別熟練技巧與才幹而設課目：一曰教導的職能（Job Instruction）；二曰連繫的職能（Job Relations）；三曰方法的職能（Job Methods）。此課程大都五日半即可授完。美國四大工業組織在一九四〇年已應用此法，至一九四四年約有兩百萬監督職員已受此法訓練過。

（三）經理人才之訓練。上述監督人員是直接負責指揮一般工作人員，此類工商業人才之「經理」，是再上一層人員，在工商組織內，有不同職責與工作者。以外可能尚有總經理。經理在現代化機構是要專門的。譬如一個電氣科的經理，當然與化學事務的經理不同。一位總經理是要總攬全局的，按以上提過的英國著名歐委克報告，他們欲受這種訓練，是不能太年青而無經驗的。「專門經理」不能少過二十五歲，「總經理」不可少過二十八歲。這是一種Part-time課程，分一百小時，在一年內授畢。如「購買技術」之研究、「運輸問題」、「倉庫管理」、「人事經理」、「經理實務」等等，均爲受訓時的練習研討課目。

（四）高級行政及決策人員之訓練。爲迎合目前日新月異世界上，社會上及科學上之演進，一個現代化的高級工商行政人員，亦不能不自己單獨的或合組的勤加訓練，交換情報，增益智能，俾免落伍而嚴重影響一個事業之繁榮。他們對全盤計劃的技巧，行政的智慧，統御人才的才幹以及追隨社會大衆之期望與要求，全球市場的概況，均應無時不在學習中，即無時不在訓練中。

總之，每行有每行之特點，一業有一業的專長；中國所謂：「行行出狀元」。這即說明每一個工商業者必有訓練方可。舉一兩個現代最先進的工商國的例：英國的「洗衣工業教育委員會」爲培養他們的經理人才，設有二年的Part-time課程，包括六個月在「工業研究站」，十四星期的「事務與人事管理」，及五十八週的在各不同洗衣工廠的實際工作。又如英國的旅館業，由大不列顛多數巨店所組創之一列系「旅館經理訓練班」，先把受訓者送到瑞士著名旅館，觀察研究其方法，然後回國訓練之。每課十日完畢，人數不能過二十。對如何應對，端捧菜餚，整潔臥室，以至於接待旅客等等均大有研究，並須實際聽取客人意見。有一次考驗學生結果，在僅僅四分鐘內，發現四十四件不同錯誤或遺忘在他們預備及整理客人臥室的工作上。甚至於揷花之微，在一個名旅館，亦要有專部專人管理。其採購也，運輸也，分配也，佈置也，等等，亦不能不有經過訓練之專才。舉此二例，吾人可識一斑，亦可稍明現代工商業人才訓練之必需與重要矣。（此稿根據筆者一月六日在香港政府大會堂講演「現代工商人才的訓練」寫成。）

漫畫天下

南施

準備戰爭吧！

印度

一羣叫囂的孩子

自由談

談過年

自從民國肇建，改行公曆以來，中國人每年都要攪兩次過年的玩藝。一般社會人士狃於積習，重視舊曆年關，猶可說也，政府機關亦以所謂「春節」的名義，停止辦公若干日，大過其第二次的新年，這是甚麼道理呢？

凡是一種移風易俗的事情，必須由政府提倡指導，以身作則，樹之風聲，庶可望獲致潛移默化的結果。如其在上者首先就表示敷衍作僞的態度，不能實踐自己對人民的號召，則上有好者，下必有甚焉，無怪乎國家採行公曆已經五十多年，而始終表現着陰陽合曆，一再過年拜年的奇特景象了。

四十年前，我在日本讀書時，距明治維新，採用陽曆的期間尚未到五十年，但各大都市已沒有過兩次新年的現象，政府機關尤其奉行新制，決不偷偷摩摩地自動放假，再過一次年，而有所謂「春節」的名詞存在。如今日本全國人民皆一致實行陽曆，蔚成習慣法了。即此一端，可以證明咱們國家之所以落後，非偶然也。

農村人民要過舊曆年－，而且只是過這一次，情有可原。工商業都市就不應該有過兩次新年的浪費行爲，政府機關更不應該狐搰狐埋，把國家法定的公元制度，當作虛應故事，無所容心。如果一定要過舊曆年，亦未始不可，那就得禁止一項浪費，即在陽曆年關不要對各界親朋散發「恭賀新禧」的賀年片，否則太無聊了！

再說「春節」這一名詞亦不通，立春那一天才是眞正的春節呢！假藉「春節」名義，放假以過廢年，似此掩耳盜鈴的作風，適所以表現一切政治行爲的本質，曷勝嘅歎！幸而佛教在中國並未大行，萬一佛教徒在政治上奄有統治地位，他們再來一個佛曆的年節，那我們每年勢必要過三次新年了！

無論是任何一種年節，人們除卻在生活上平添若干財力物力的消耗以外，可謂毫無意義。若就人生的過程設想，過年乃是「去日苦多」的象徵，老大徒傷，樂於何有？再要託詞藉口，重作過年的勾當，是亦不可以已乎？

馬五先生

大批糧食衣物隨身攜帶
港胞歲晚還鄉救饑熱潮
毛共趁機攪出刮錢辦法

（本報訊）農曆新年即將到臨，從本月十六日起，香港尖沙咀火車站，又開始出現「還鄉度歲」的港人潮。攜帶大批米糧，副食品及日用品等，擁集車站，等候購票，爲購車票十分擁擠。而由於香港政府當局規定不許旅客在車站前露宿過夜，故「還鄉度歲」的人，每天一大清早，即到車站排隊，在車站露宿。香港氣候轉寒，晚間多在攝氏五十度以下，露宿車站，其苦可知。還些「還鄉度歲」的香港同胞，其實並非爲了回大陸共度過年，而係爲了趁此機會帶些糧食及日用品，去接濟他們的親友。加以因爲中共頒佈了新的接濟糧食及副食品回大陸辦法，定於本月二十日施行，故均趕於此一「還鄉度歲」中成行。

本港大小團體，辦法是接受代替團體安排回鄉，如湊足十二人，可包一架車到湛江，來回五天，費用三百元五角。同時在香港也可以購得由廣州回程車票。旅行者的行李（限到最大）其他的行李，可以在起行前交該機構托運。

香港至廣州綫的聯運，由港幣二十元。每件包價二十四元。此外它更設有潮汕專車，旅客提前三天登記，每車載三十八人，上海專車每星期二、五啟程，計海豐陸豐程八十五元，雙程一百五十元，其餘葵涌、沙魚涌、潮陽等地，亦視路程遠近而增或減。福建專車由深圳出發，單程收一百零六元，硬席雙程一百九十八元，臥舖另計。行李二元七角。由廣州開出，自十七日起至十八日截止報名。

此外，它更擴而大之，要組織所謂「華東各省內名勝旅行團」，亦有北平、武漢、沙上海、鄭州、昆明等地方，由廣州至北平沿途乘飛機，至上海一百五十元，鄭州一百四十元，全程票價三百四十元（港幣），自然是人民幣計算，而以七八折收香港幣了。（匯）

下命令特重「少先隊」
毛共加強毒害兒童思想
瞞天過海顛倒黑白無所不用其極
並表揚檢舉父親『反動』的兒童

香港與大陸

中共近年來，又在加強對兒童的思想教育，想把它們希望每個兒童都能建立「崇高」的「共產主義道德品質」，把它們從峽陸的家庭思想「解放」出來，使其將來成爲「無產階級革命」的接班人。

據南台山縣共港之學校張仁X君向記者透露：台山城鄉各小學校，最近都接到縣「文教科」的命令，曉時別重視「少先隊」之工作，培養他（她）們的「階級覺悟」和「共產主義道德品質」。

張仁X君說：各小學在近一個月來，都因此不斷的在舉行主題大會，其名目有「學習革命先烈」，「聽農民伯伯憶童年」，「今昔災年對比」，「共產主義之光明幸福」……等等。以張仁X君家鄉的東區第一小學校最近所舉行的「學習革命先烈」的大會爲例，它們由該校長和等分別講述過去「革命先烈」如何地艱苦奮鬥，不屈不撓，爲「崇高的共產主義」事業拋頭顱灑熱血，還有聲有色地舉例宣染黃繼光，向秀麗……等「英雄」之事跡。此外，大會並表揚了幾個「優秀少先隊員」。

張仁X君說：這次被特別表揚的「少先隊」員，裏面一個名叫楊道芳，係十三歲的女孩子，其「光榮」事蹟：在去年五六月間，有一晚，她在乘涼的時候，聽到父親和幾個農民在談論國民黨將要反攻，並且咒罵人民公社制度和共產黨的饑餓政策等，她聽了後，經過自己「思想鬥爭」，認爲這些行爲都是「反動派」的言論，不利於「社會主義事業」的，因此，雖然是自己父親，她也毅然向政府檢舉，揭發她父親「破壞」的罪惡。這種做法，明確「敵我界線」，熱愛「社會主義事業」，所以中共加以表揚。另一個事跡是在去年秋收工作中，表現異常積極，在整個「農忙假期」中，每天出勤，不單做的「工分」比農民多，還在晚間向農民伯伯宣傳共產主義之「幸福將來」，鼓勵農民積極生產。

張仁X君說，這間東區第一小學校還集體訪問了「人民公社」，要求「農民伯伯」講述過去童年的生活情況。這些受到「要求」的農民，其實都是共幹，先期安排準備好了的，所以，他們口若懸河的說了些：在過去國民黨時期人民如何的辛苦，飽沛飯都沒有吃過，最幸福的農民每天也只能吃兩頓稀粥，遇荒年時，便有無數人民餓死。又還說國民黨如何「殘暴」，如何「屠殺」人民，並說這些都是他們的親身經歷。

張仁X君指出：共產黨這項措施，當然是有其目的的。因爲在近幾年來，大陸人民生活太悲慘，凡是有相當年齡的人，對過去國民黨時期的生活情形，誰不了解，對比起來，當然是恨透共產黨了。但是，那些小孩子，都是在十五歲以下的，他們不單不明白過去國民黨時期的生活情況，有些更根本連「國民黨」都不明白，這就容易騙哄了。共產黨是企圖「教育」這些小孩子，使他（她）們有一種先入爲主很深蒂固的印象，以爲共產黨治理下的世界是最幸福的，其他的任何「帝國主義」以及「國民黨」，如果來了，人民將是最痛苦的。共產黨這種瞞天過海的大謊言，宣傳毒素深而且重，殊不可等閒看待。

記者曾問張仁X君：中共這樣哄騙小孩子，難道這些孩子的父母竟會完全不加糾正？張仁X君說：做父母的固然亦有暗中加以糾正的，但最大部份的父母都祇能把他們的「糾正」放在心裏，不敢說出來。因爲除非做父母的有能力把握自己的孩子，否則他們絕對不敢冒險去糾正他們的孩子，「孩子們知道什麼厲害，他們如其不經意的把父母所對他們講的說了出來，那還了得！起碼也是一個「反動派」的罪名，可能還會被加上「國特」的帽子，送掉一條命哩！（敬斯）

大陸偷入香港客每月仍達三四百
逃暴政　逃飢荒

（本報訊）雖然香港英國當局加強防範，但由饑餓的大陸經由水陸兩路偷渡進入香港的人，每月仍有三四百之譜，有時多少一點，亦有時少一點。消息是本港英文報紙所報導，衆所週知，該英文報相當接近香港英國官方，它這項報導的正確性，似乎無可懷疑之處。

據悉：自大陸經由水陸兩路偷入香港的人，每週約有六十名至一百名，他們都是以付出很大的代價，另外還要吃好些苦頭，才能夠達成目的，來到香港的。其中有的人，更因此死亡在半路上。

據說：目前偷渡越入香港境內的大陸中國人，約有五千之衆。

爲了香港防範甚爲嚴厲，如此衆多的人，想要入來香港，自非易事。於是「黃牛」乘機活動，冒險犯難，分別率領數目不同的偷渡客，越嶺翻山，夜行晚宿，等待機會，偷渡進來。據說：這些偷渡客，如從香港邊界落馬洲對過的共區，要完成來到香港的目的，最低限度要經過三天的翻山越嶺困苦的歷程，他們有時白天藏身在樹林內，有時藏身高山上，又有時要躲在人工挖掘上有僞裝掩蔽的洞穴之中，然後再於黑夜辛苦跋涉，然後，好運的能夠來到香港。運氣差一點的，仍然不免被拘獲，遭受重被遣返共區的厄運。那時，他們便祇好再接再厲，再碰機會了。

據說：在這些由「黃牛」帶領偷渡客進入香港的秘密道路上，沿途常可以拾到已經熄滅的火把，已經破爛而被棄的膠鞋，以及有共區製造字樣的紙袋，顯然是他們用以裝載食物的。甚至有時還可以拾到……以上所說，係指經由陸路偷渡的人。至於經由水路而來的，香港的海港……再由……有的自己……僥倖成功的人。（帝）

立院開年來完成第一宗立法
新所得稅法意義重大
針對時弊糾正以往稅政的錯失
係財政一大新猷輿論咸表支持

（本報記者匡廖台北航訊）立法院本年度完成通過的第一個法案——所得稅法再修正案，於元月十五日下午經院會三讀通過，完成立法程序。該法案包括總則，綜合所得稅，稽征程序，獎懲，附則等六章，共有條文一百二十六條，立法院將咨請總統簽署公佈施行。

該法完成立法程序，意義重大，可視爲本年度財政措施的一大新猷。該法的旨趣，是建立以所得稅爲中心的賦稅制度。此不僅爲政府當局近年來財政主要目標之一，而且也是社會各方面一致之要求，所以此次立法院修正通過的所得稅法再修正案，乃是近幾年來財政方面最重要的法案，對於稅政革新方面，關係極爲重大。政府以往的稅政措施，往往爲人所垢病，現在立法院修正通過了所得稅法再修正案，便是針對時弊，糾正以往的錯失，所以輿論咸表支持。

該法案在立法院審查階段，已歷時達一年之久，此次在院會討論時，立法院更爲此延長會期，加開院會，可具見立法院對此法案之特別重視。

該法修正內容，約可歸納爲三大類：（一）加強建立申報制度，以期培養自動守法誠實申報納稅的習慣；（二）簡化稽征程序，以符便民之旨；（三）配合經濟發展政策，鼓勵儲蓄投資，以培養所得稅稅源。

關於加強建立申報制度者：一、增列催欲補報程序，廢除逕行決定辦法，改採差額處罰，以加強敦促納稅義務人自動申報。二、採用藍色申報制度，鼓勵營利事業依法設帳，並使其誠實申報。三、規定不同之補征時效與差額的處罰，以後如發現有應征稅而未征之所得額，其補征時效爲十年，其處罰最重。四、增訂簡易申報書，使小規模營利事業亦一律申報，以普遍養成申報習慣。五、規定既往不咎，凡自本法實施後自動誠實申報者，對於以往年度之匿報、短報，不再補征，並免予處罰。

關於簡化稽征程序，是最受人歡迎的，綜其要點，計有下列：一、綜合所得稅暫時放棄對外國來源所得課稅。一、預估所得稅，由納稅義務人自行預估。三、暫繳由兩次改爲一次。四、扣繳申報改爲每半年申報一次。五、增訂標準扣除額，不願列舉扣除事實及舉證者，亦得選按規定標準扣除。六、寬減額內，教育寬減廢除，併入扶養寬減額內。七、個人如僅薪資所得，每月不超過新台幣三千元者，得按金額作較高扣繳率扣繳。八、舊法對在我國無住所之個人，而在我國境內有所得者，須委託代理人辦申報納稅，執行時頗有困難，新法仿照各國通例，一律改依較高扣繳率就原扣繳率辦法，即完成納稅義務，不再申報。

關於配合經濟發展政策，鼓勵儲蓄投資者，新法已將列入獎勵投資條例中之條文再予列入，以配合國家經濟長期發展。經列入者有四：一、新創事業及增資擴展者之五年免稅。二、外幣債務兌換損失特別公債之提列。三、股票公司債持有滿一年以上者，其交易增益之免稅。四、二年以上期定期儲蓄存款之免稅。

新所得稅法第二十五條後段，對於海空事業課稅之規定，民間有認爲矛盾者，但據財政部賦稅署長陳少書說：世界航空事業，其航程多係聯運性質，例如，某人由台北CAT買機票飛美國，係由日本或香港轉程，因此，某人向CAT買一張飛美國機票，飛至日本或香港後，即轉換其他航空公司之班機轉飛美國。所以在某人由台北到美國之航程中，由台北至日本或香港，算是國外第一程，應作爲課稅計算標準；而日本或香港至美國之航程，日本或香港政府將予課稅，如果政府課稅以台北至美國之全部航程爲計算標準，則日本或香港再予課稅，不但增加旅客的負担，且亦不合理。修正後之新稅法二十五條，便是針對此弊而修正的。

貪污治罪條例評介

公冶長

按諸英美法系中，各政黨競選經費與各公職人員候選人的經費，都受到限制。英國自一九一〇年起，各黨在全國競選完畢之後，都將競選的收支帳目呈繳衆議院的書記。從一九四〇年起，政府規定各黨的全國委員會，每年最多只可接受捐款三百萬元，並限定個人捐款額最多爲五千元。國會並制定法律，禁止任何大公司或勞工團體捐款襄助任何一次總統、副總統，國會參衆議員的競選。國家銀行和其他由國會法律所授權成立的公司，也都不准捐款幫助競選。而許州多也有同樣的規定。同時，任何辦理政黨提名的人，亦不得明知或他向這些人或公司要求這類的捐款。根據一九二五年的懲治貪污法案（Corrupt Practices Act）——該法案修正以前的法案——國會衆議員候選人花費於競選的費用，不得超過二千五百元，參議員則不得超過一萬元。競選者並須在選舉完畢三十天內，將他的競選費用收支帳目，呈報參議院秘書或衆議院書記。尤其一個政治委員會的會計人員，或一個在兩州以上花費過五十元以上競選費的人，必須於大選前每年、每季、每十日、每五天，向衆議院書記作詳細報告一次。這些規定，旨在防止政黨候選人及辦理政黨提名人員的貪污賄賂行爲。准此，則戡亂時期貪污治罪條例明定適用對象，包括政黨人員在內，固然有事實上之需要，即就法理而言，亦有所根據。該條例是否爲嚴刑峻法？按照修正草案所定：

凡是尅扣軍餉者，盜賣侵占或竊取軍公器材財物者，盜賣侵占或竊取軍糧或公糧者，藉勢或藉端勒索勒徵強占或強募財物者，建築或經辦軍公工程，或購辦軍公用品材物品浮報價額數量收取回扣，或其他舞弊情事者，以軍公用馬匹駄獸艦艇舟車或航空器裝運違禁物品或漏稅物品者，對於違背職務之行爲要求期約或收受賄賂或其他不正當利益者，若有上述行爲之一者，處死刑，無期徒刑，或十年以上有期徒刑；除死刑而外，得併科十萬元以下罰金（第三條）。

其次是：意圖得利，抑留不發職務上應發之財物者，或擅提或截留公款，或違背法令收募稅捐，或公債者，及利用職務上之機會詐取財物者，得科處無期徒刑，或七年以上有期徒刑，及併科五萬元以下罰金（第四條）。

再次爲：募集款項或徵用土地民伕財物從中舞弊者，或對於職務上之行爲要求期約或收受賄賂，或其他不正利益者，或對於主管或監督之事務而直接間接圖利者，或對於非主管或監督之事務而利用職權機會或身份圖利者，處五年以上有期徒刑，得併科三萬元以下罰金（第五條）。

犯第三條第五條之未遂犯則罰之（第六條）。如果有調查（司法警察）追訴（檢察官）或審判（推事）職務之軍人或公務員，對於「違背職務要求期約或收受賄賂或其他不正利益者」，得加重其刑至三分之一（第七條）。但「情節輕微」者，而「其所得財物在三千元以下者」，仍適用普通刑法與陸海空軍刑法，或其他法律之規定者，處斷之（第八條）。易言之，即貪污所得之財物，在三千元以下，該條例就不適用。若犯罪者自首或在偵審中自白者，均得「減輕其刑」，藉期利於揭發貪污。由此可見，該條例在量刑方面，因其爲特別法，故較普通刑法上之竊盜罪侵占罪及「要求期約或收受賄賂或其他不正利益者」之罪行爲嚴，但非峻極之法。（三）

天南風光

——沙羅越的歷史——

朱淵明

「詹姆士布律克」是一八〇三年出生於印度「伯納爾斯」的，那時他的父親正在那邊的東印度公司服務。在十二歲時，他就被送回英倫讀書，受過一些普通的教育後，在一八一九年又返去印度；恰值他父親年老退休，在回國前，乃把他介紹與東印度公司，公司當局見他年輕識淺，除會騎馬射獵外，別無所長，遂派他在軍隊中任一個旗手。從此這少年就開始了他的冒險的生涯。

一八二五年，東印度公司有事於緬甸，同土人打起來了，這位布律克旗手，表現英武，竟在火綫上受了重傷，遂不得不告假回國養息。一息息了四年有餘，到了一八三〇年，他才從英國動身回公司復職。誰知中途遭遇颶風，把他所乘之船打破了，他雖然泅水逃得性命，但行程就擱得超過了預定的時間。那時東印度公司的章程，凡請假的人，逾越了五年，即自動喪失職務；布律克隨後換船航行至「馬德拉斯」港口的時候，距他到「加爾各答」報到的限期，只剩下十二天，當時交通尚不便利，難於設法補救，眼看是趕不上的了，就索性用電報辭去了公司的職務。

那時布律克的旅費，大概是頗爲充裕，而且並未受到颶風破船的影響，所以他對於辭去公司職務一層，毫不介意。乃繼續向東航行，遂遊歷檳榔嶼，馬六甲，星加坡以及中國等地，然後才折回英國。一八三四年，他再度到遠東作商業上的冒險，但卻沒有獲得經濟上的成功，而只是更刺激了他要作更大更遠的冒險慾念。等到翌年，即一八三五年，他父親逝世，留下三萬磅資產給他，他遂毫不遲疑的決定了這筆遺產的用途。

一八三六年三月，布律克在他的日記上寫道：「我已決定以一艘帆船，和一百四十二噸內行李，環遊世界」。那就是他定造的一艘快艇了，定名爲「勃王」號（R: list），上裝大砲六尊，擁步槍多支，及船員多名，實際上乃是一艘武裝砲船。開始航至地中海內遊弋了一個短時期，一八三八年十二月，乃轉舵繞「好望角」向東方航行，五個月後，抵達星加坡。（廿三）

論「三不知」之得天下與「兩不知」之治天下

黃少游

又如三國蜀漢的劉備，他所用的諸葛亮當然很行，但是因爲諸葛亮傲才自信，而不信人，能自用而不能用人，閉塞賢路，棄置人才，所以終不能恢復中原，完成大業，殊爲憾事！關此，王壬秋氏在其所著湘綺樓日記中致議道：『亮在建興五年所上疏，其所後主所推荐之人物，不過郭攸之，費禕，董允，向寵四人。郭無傳，向亦無事功，行事不詳；費，董雖可稱述，平平不足道。而亮所欲錮而不之處還之於死地，則爲劉封、彭羕、廖立、李嚴、馬謖。亮之於封則慮其「剛猛難制」；於彭羕則認爲「心大志廣，難可保安」；於廖立之罪，則不過「坐自貴大，臧否羣士」；至於李、馬，本爲亮所推重之人，然亮之斥李則曰：「部分如流，趨舍罔滯」；於馬則曰：「才器過人，好論軍計」。此數人者，皆各有過人之才，而不得其用』。

又巴郡太守楊顒，曾因亮過事自用，曾經諫阻道：『爲治有體，上下不可相侵……』且躬自以身親其役，不復付任，勞其體力，爲此碎務，形疲神困，終無一成。故丙吉不問橫道死人，而慮牛喘；陳平不肯知錢穀之數，云自有主者。彼誠達於位分之體也！今明公爲治，乃躬校簿書，流汗終日，不亦勞乎」？

三國人才，以魏爲盛，吳蜀均遜不及。而其所以如此者，則在吳蜀當政者之過於自負自信不能用才，而在曹操反能師法劉邦，唯才之是求是用。如他在「求賢令」中說：「自古受命及中興之君，曷嘗不得賢人君子與之共治天下者乎？及其得賢也，曾不出閭巷，豈幸相遇哉？上之人不求之耳。今天下尚未定，此特求賢之急時也。孟公綽爲趙魏老則優，不可以爲滕薛大夫。若必廉士而後可用，則齊桓其何以霸世！今天下得無有被褐懷玉而釣於渭濱者？又得無有盜嫂受金而未遇無知者乎？二三子其佐我明揚仄陋，唯才是舉，吾得而用之』。

史記陳丞相世家載：「孝文帝既益明習國家事，朝而問右丞相勃曰：「天下一歲決獄幾何」？勃謝曰：「不知」。問「天下一歲錢穀出入幾何」？勃又謝不知。汗出沾背，愧不能對。於是上亦問左丞相平，平曰「有主者」。上曰：「主者謂誰」？平曰：「陛下即問決獄，責廷尉；問錢穀，責治粟內史」。上曰：「苟各有主者，而君所主者何事也」？平謝曰：「主臣！陛下不知其駑下，使待罪宰相。宰相者，上佐天子理陰陽，順四時，下育萬物之宜，外鎮撫四夷諸侯，內親附百姓，使卿大夫各得其任」。

由此可知，漢孝文帝之得治天下，乃在有知體之宰相在職，能分層負責，與分類負責，否則如事權之集中於一身，則又何能成其郅治？（中）

瘟君續夢

第六回

烽火照邊陲　同惡難濟

樓船碧海　大慾興悲

毛澤東苦笑道：「算了吧！上次進攻金門未成，害的我推位讓國，這次再失敗我眞要下放了。」

大家不好再說話，沉默一時，毛澤東忽然一拍桌子說道：「有辦法了！我們向金門發動攻勢作不到，可以展開砲轟，拚着打上幾萬砲也許會發生作用的。」

劉亞樓壯壯膽說道：「艾森豪威爾並不到金門來。」

毛澤東一瞪眼：「我知道他不敢來金門，但是，我們照樣打砲，這樣他就知道中國人民力量的偉大，以後就不敢輕視我們了。」

幾個人互相看了一眼，都無話可說，也就算決定。毛澤東當時告訴羅瑞卿，動員所有運輸機，限二十四小時以內把砲彈運到廈門前綫，同時命令韓先楚就現有的砲彈立時開砲，並指定開砲的規則和儀式。另一方面叫李維漢召集民主人士開會，命令他們當場發言，擁護打砲的政策。毛澤東命令下達之後，可熱鬧了，六月十七日下午九點鐘，廈門六百座砲台同時向金門展開砲轟，根據毛澤東的規定，每打一炮時，炮目先唸一句：「打跑艾森豪威爾」，黨小組長就說「開炮」，於是炮目就拉繩。接着打炮再說「轟走瘟神」，小組長又說「開炮」。每一炮一句咒語，共有十幾句，其中最妙的是「爲中國人民出氣」，「爲台澎金馬同胞復仇」，「打的艾森豪威爾抱頭鼠竄」。這一頓炮打了三個鐘頭，共發八萬六千發炮彈。

北平方面民主人士也忙了，都被找到一起，李維漢傳達了毛主席的「德意」之後，張治中當仁不讓，搶着說道：「我絕對堅決毫不猶疑的擁護毛主席這一偉大的決定，美國人只認識拳頭，對他們萬不能客氣，炮轟艾森豪威爾使美國人知道中國人民力量偉大，所以才蔑視美帝，艾森豪威爾敢在台灣住三天，我們就解放台灣把他活捉住。」

張治中說過，李維漢帶頭大拍其掌。

第二個輪到老油條黃炎培了，他站起來慢吞吞地說道：「我絕對擁護毛主席炮打金門的決定，主席的意見永遠正確，我們這次把艾森豪威爾轟走，以後美國人再到台灣來就膽寒了。」

老油條講過，何香凝、楊明軒相繼發言，也還是那一套，絕對贊成，堅決擁護的話，最後李維漢作一次總結也就散會了。

六月十九日清晨七時，中共廈門前綫又炮轟金門，共打了八萬八千七百炮。金門守軍抱着看熱鬧的心情，很少還擊，全世界都傳爲笑談，不曉得毛澤東葫蘆裏賣的什麼藥。

艾森豪威爾早晨十點鐘由台北乘機飛往琉球時，在機場遇到各國新聞記者，蔡沙先笑着問道：「總統先生，毛澤東對你很客氣呀！」

艾森豪威爾笑道：「這話是什麼意思。」

蔡沙說道：「我們未到台北，毛澤東發了八萬六千炮歡迎你，今早聽說你要動身，又發了八萬八千多炮歡送。一共十七萬多響禮炮，總算夠隆重的吧！」

艾森豪威爾笑道：「十七萬發炮彈，比起我在諾曼第登陸時，六百艘軍艦，一萬一千架飛機所發的炮彈同炸彈就少得多了。在戰場來說，原不算一回事的。」正是，憐爾班門空弄斧，將軍曾見衛揚塵。（一七一）

過年雜談

·陳澄之·

送舊年，迎新年，每一個人一年又一年，就這個樣子消磨掉歲月與生命。歲月不妨如梭，生命短長休計，獨怕消磨掉生命的歲月裏，生活得沒有意義。沒有意義的人生創造不出新的思想，也就醞釀不成新的文明，當然就不會形成具有正風移俗價值的傳統。

新年裏，無論男女老幼，首重吃喝玩樂。好像就是爲了大吃大喝，才覺得新年裏玩樂得分外有趣的。

新年裏第一次到親友家去，請吃糖果成了老規矩。

新年裏家家設宴擺酒大吃大喝，大家快快活活。那麼，新年裏吃糖果喝酒作樂，是怎麼興起來的？是不是有着深刻的含義存在着？

元旦吃糖，這在我國古時就風行了。白居易詩中有句：「歲盡後推藍尾酒，春盤先勸膠牙餳。」餳就是糖，膠牙餳就是麥芽糖。

膠牙餳，相傳創自周公，戰國時叫做餦餭，後漢才改稱餳。楚辭招魂：「粔籹蜜餌，有餦餭些。」餳又名飴，性甘大溫，和中潤腸，補虛止痛，家宜常備。古人用以製糖果，禮記內則：「棗栗飴蜜以甘之」。民間元旦例食膠餳，乃取堅固健康甜蜜和悅之義。

直到現在，新年裏還有人家，把糖果盛在攢盒裏，用來招待客人。攢盒有瓷的、漆的、木的，分成九格、七格、五格不等。

這盛糖果用的攢盒，乃蛻化自五辛盤。荊楚歲時記，風土記均載：「元旦上五辛盤」。

梁代庾肩吾詩：「聊開柏葉酒，試奠五辛盤。」五辛盤就是把葱、蒜、韮、蓼、芥五種辛嫩菜芽，雜拌了盛在盤子裏。舊時每逢元旦必食五辛，表面上俗在迎新，實則以其性辛溫，能溫中辟穢，消食下氣，利五臟。莊子所謂春月飲酒茹葱，以通五臟，多主散發，益可見含有民間自助普遍防疫的重大作用。

新年裏喝酒，決不是讓大家狂飲泥醉，當然也有着深長的意義。

蘇軾詩：「但把窮愁博善健，不辭最後醉屠蘇。」

（上）

南宋偏安有人才

——宗澤

李仲侯

兩河之民，念宋前恩，所在結爲「紅巾」，出攻城邑，皆用建炎年號，金人雖能戰，亦爲引去。及聞高宗南幸，無不解體，而金勢益張。

金知高宗南幸揚州，河南地可下，乃起燕京等八路民兵，分三道而南，尼瑪哈自雲中下太行，由河陽渡河攻河南，分遣尼楚赫等攻漢上；鄂爾多烏珠自燕山由滄州渡河攻山東，分阿里富埒揮軍趨淮南；洛索與薩里干哈富自同州渡河攻陝西。時宗澤在汴，力籌守禦之策，一時得無事。洛索等至河中不得渡，乃由韓城履冰過，破同華州，入潼關，旋破永興，鼓行而西，犯熙河；侵涇原，爲經略使吳玠所破，遂東走同華，肆寇掠。時宋兵漸集，洛索不能逞，遂東破絳州，然猶竊宋之懈，西破延安，陝西自此無事日。其分攻漢上一軍，先破鄧州，及京西州郡，河南金勢日盛。又其分攻山東一軍，亦下濰州，入青州，旋以劉豫秉濟南府事。尼瑪哈下西京後，聞宋兵方敗洛索，乃自河南而西，入關援之，幾焚西京廬舍，擄其民而去。烏珠謀侵東京，扼於宗澤不能得志，澤方招降羣盜，謀大舉，而和州防禦使馬擴，亦聚兵於眞定五馬山中，奉信王榛（徽宗第十八子）以總制諸砦，兩河遺民，多蜂起響應。

初宗澤拜磁州之命，時太原已失守，官兩河者，率託故不行；澤曰食祿而避難不可也！」單騎就道，從羸卒十餘人。磁經敵騎蹂躪之餘，人民逃徙，帑廩掃然。澤至繕城壁，浚隍池，治器械，募義勇，始爲固守不移之計。澤上言邢、洛、磁、趙、相五州，各蓄兵二萬，敵攻一郡則四郡皆應，是一郡之兵，常有十萬人。上嘉之，除河北義兵都總管。金人破眞定，引兵南取慶源，自李固渡渡河，恐澤兵躡其後，遣數十騎，直抵磁州城，澤擐甲登城，以神臂弓射走之，開門縱擊，斬首數百級，所獲羊馬金帛，悉以賞軍士。（十八）

除夕送窮

筱臣

樂富惱貧，人之常情，所以新歲揮春，照例要寫着「財源廣進」這一類吉祥語，而除夕則有「送窮鬼」之舉，希望將「窮鬼」送走，從此好運年年。

在大陸各地，以往均有「送窮」這回事，卽在除夕那一天舉行。因爲那一天例須更換桃符，舊的盡行撕去，換上新的，而且室內的一切垃圾廢物，也悉行掃清，運往附近山崗或郊外焚燬，且備香燭冥鏹爆竹等，燃放拜祭後始歸。「送窮神」，不少富有之家也舉行的。祇是時至今日，在毛共空前大暴政之下，大陸同胞，誰都已變成了窮光蛋，要送窮也送不走了。

「天中記」云：「池陽風俗，以正月二十九日爲窮九，掃除屋室塵穢，投之水中，謂之送窮。」是送窮之俗，自古卽已盛行，只不在歲暮而已。至於何時開始有於除夕送窮的習俗，倘待於考證。

且說窮與文士，好多年來，便如影之隨形；從古至今，文士的送窮文章，便所在多有，雖係游戲之作，而亦正爲其爲游戲之作，頗有可觀，下舉三者，當屬其中之皎皎。

首先爲楊雄的「逐貧賦」，其中有云：

「舍爾遠竄崑崙之顚，爾復我隨，翰飛戾天。舍爾登山，巖穴隱藏，爾復我隨，涉彼高崗。舍爾入海，汎彼柏舟，爾復我隨，載沉載浮。我行爾動，我靜爾休；豈無他人，從我何求？今汝去矣，勿復久留！」

其次韓愈的送窮文亦寫得妙。當然，此公是文，乃有感之作，他說：「聞子行有日矣，躬具船車，載糗糧，日吉時良，利行四方。五窮鬼，謂智窮、學窮、文窮、命窮、交窮也。」又說：「主人使奴星結柳作車，縛草爲船，載糗與糧，三揖窮鬼而告之。……」

「聊齋志異」作者蒲松齡的「除夕祭窮神文」，更有意思，那是用白話寫的：

「窮神窮神！我與你有何親？幸騰騰的門兒你不去尋，偏來把我的門兒進。難道說這是你的衙門？你居住着不動身；你就是世襲在此，也該到別處去權權印。我就是你貼身的家丁，護駕的將軍，你也應放假寬限施施恩。你步步把我跟，時時不離身，鰾貼膠粘，卻優似纏熱了的情人。窮神！自從你進了我的門，就居鬧市也無人問，縱有通天的手段，滿腹經綸，腰裏無錢難撐掍。你看我包內無絲毫，囊中無半文；你看我斷食絕糧，衣服當盡；你看我客飯難留，不覺的遍體汗淋；人情往往就誤，僞裝不知不聞。明知債眼是苦海，無奈何上門打戶去求人！兩言五分行利，說什麼奉懸三分，到限期立時要還，不許欠下分文。無計奈何，只有忍氣吞聲，背地裏恨！自沉吟。我想前輩古人也受窮貧：你看那乞食的鄭元和，休妻的朱買臣，住破窰的呂蒙正，不得志的蘇秦。我只有祂前半截的遭際，那有祂後半截的時運。可恨我終身困苦，皆被你窮神混！難道說你是奉着玉帝敕旨，佛爺的業文，擺下個窮神陣將我困！若怎然，那膏粱子弟，富貴兒孫，你怎麼不敢去親近一親近？財神與我有何訊？我與足下有何恩？你兩個易地皆然我總不相信。今朝是年盡，明且是歲新，化紙錢，澆金銀，奠酒漿，把香焚，我央求你離了我罷，可怕了你了，我請你去舊迎新！」

我的學生生活

雷嘯岑

我從長沙回到日本後，已是民國十二年春初，在大學裏快要混到一週年了。自思學業毫無長進，虛度光陰，不勝慚悚，決計不再預聞外事，專心讀書，以補前愆。然而，到是年夏間，國民黨駐日本東京支部改選執委時，我當選爲執委——現在台灣的安徽湯志先、路錫祉二位都是執委——旋又被推爲常務委員。我原是個好事之徒，黨義所在，更未便謙辭；加以這時有幾個從國內新來東京的湖北籍號稱國民黨員何恐、李人一（又名國琛）、馬念一（後來改名馬哲民）等，思想言論都跟共產黨沆瀣一氣，在每次黨員大會中，必發生激烈的爭論，我常常跟他們對立辯駁，多數同志亦不讓我置身事外。因此，僅僅經過了半年閉戶讀書的生活，又從事於課外活動了。未幾，湖南留日同鄉會改選，我竟被選爲會長，亦就率性兼任下去，眞成了所謂「職業學生」，而自己並未覺得這是自誤前程的行爲，豈不荒唐也哉！

在這段時間，我爲着到學校上課的便利，乃移寓於離早稻田大學不遠的高田馬場一所名叫「月印精舍」之中——這是專門招納中國學生的小型公寓，如已故的老報人王新命暨投共文人田漢等，皆曾寄居於此。我搬入「精舍」時，只有同學浙江潘廷幹（現居台灣高雄市）同住，繼而湯志先和湖南度學瀚二位亦來了。咱們四人都是國民黨員，我與湯君又係東京支部的執委，如是，月印精舍就成了國民黨人隨時談論問題，交換意見的集合場所。每逢黨部對外發佈文告或傳單，我先起稿，路錫祉兄負寫鋼板暨油印，湯志先兄負責繕寫信封兼貼郵票，潘、度二兄則担任投郵及應付特務警察（日人叫作『外事掛』，卽我國的便衣偵探也。）之職，大家幹得津津有味，樂此不疲。志先且善說笑，又能唱幾句海派的京戲如「路遙知馬力」之類，有時逗得大家逸興遄飛，充溢着歡愉氣氛，此情此景，至今記憶猶新也。

是年九月中旬，東京發生了罕見的大地震，全市屋宇大半化爲灰燼了，只有早稻田大學一帶未被焚毀，月印精舍亦無恙，經過政府一個月的善後工作，社會秩序恢復，早大照樣上課。可是，此時我的家鄉匪患滋烈，家裏來信告以無法接濟學費了！我係自費學生，在異域孑然一身，告貸無門，唯有輟學歸國之一途，卽向湖南同鄉會暨黨部請辭去所任職務，準備還鄉。適有安徽同學方樂周君（次年逃到俄國去了）聞知此情，卽來勸阻我不要灰心，慨允每學期替我繳納學費；另有皖籍學友盧彤（他剛剛進入早大），答應每月供給我二十元食宿費（當然不夠）；同時，全體留日自費生一致向本國政府所派的「留日學生監督」請求救濟。這樣我才勉強留下來，但生活之困苦，匪可言喻。（十）

除夕二三事

吳立人

一、除夕沐浴

禮記說：「三日則燂湯靖沐，其間面垢燂湯，清靧面，足垢燂湯，靖洗。」周朝時代，凡是士大夫之流，三日洗頭一次，五日洗澡一次，至於用溫米湯洗面洗脚，則是每天都不能缺少的。淸潔衛生，關係身體健康，自古以來就很注重的，但是當時周代領域是在北方黃土地區，氣候乾燥，水源缺乏，爲了注重衛生，所以也把沐浴一事訂入禮經，代代相傳，因此我們中華民族對於沐浴非常重視。陸游有除夕沐浴詩說：「老人當時節，良夜當爆竹，米瀋三生垢，湯沐意亦足！」後人要在除夕夜沐浴，不外是整容潔身，來迎接萬象更新的元旦罷了。因此每逢臘月二十四日以後，理髮店、洗澡堂通宵達旦做生意，而且定例雙倍收價，大家爲了除舊迎新，也就欣然的付費了。

二、分壓歲錢

壓歲之物可以分爲二種：一種是在除夕夜，長幼互用盤盒的器皿，裝上各種糖菓，彼此餽贈，這叫做「壓歲盤」。據夢粱錄說，這種習俗在宋時就有了。寧夏地方，每逢除夕，閨中例用棗、柿、芝麻以及雜菓等，再加上茗茶，奉翁姑或請客，叫「講茶女筵」。據說「壓歲盤」就是這風俗遺流下來的。

另一種叫做「壓歲錢」，除夕夜，長者用朱繩穿青錢，放在小孩的枕旁或床脚。富有的人家就用金銀或古錢來替代。取吉祥的徵兆，更含有「守歲」的意思。廣東石城地方，除夕夜，尊長分錢給小孩後，便叫小孩「守歲」。

（上）

內警台報字第〇三一號內銷證

自由報

THE FREE NEWS

第三〇八期

社長：雷嘯岑

20 CAUSEWAY RD 3RD FL HONG KONG

TEL. 771726

台灣分社

限制軍備與世界和平無關

雷嘯岑

美國國務院近日公佈了俄酋赫魯歇夫致甘迺迪總統的函件，表示蘇俄對於禁止核子試爆問題，同意實地視察的原則，認爲歷年來僵持着的禁止核子武器競賽的談判已獲進展，此項僵局打開之後，一般的裁軍談判前途，即大可樂觀了。這是不切實際的說法，若非基於幻想而然，便係掩耳盜鈴之詞，何以見得呢？

世界那有永久和平？

人類自有書契以來，歌頌和平生活，反對戰爭行爲的思想家，不斷地闡揚非戰主義，其理論之精闢，見解之正確，用意之善良，決非今日侈談和平共存的人士所能企及。人們對於戰爭行爲所招致的禍害，莫不言之鑿鑿，引爲鑑戒，其心情殆如對男女離婚行爲表示憎惡然，認爲是極不道德的事。可是，非戰反戰之說儘管盈天下，道理儘管充足而動人，而戰爭依然層出不窮，且愈演愈烈，這與人們一面反對男女離婚，宗教徒且懸爲戒律，而人間男女仳離事件不絕的情形，並無二致。

人類發生戰爭行爲的原因，濫觴於集團生活，開展於國家觀念，激化於資源爭奪，史證斑斑可考，不待贅述。到了現代，又增加一種對於社會制度建立觀點歧異的文化思想鬥爭因素，將來還要爲着征服太空，佔據星球的科學競賽，互爭雄長，各不相下。誰能想像世界上一般國富兵强，擁有新式武器的國家，眞會以悲天憫人的心情，永遠從事於和平共處，而可以依談判方式來解決一切國際糾紛呢？若要泯滅國際間的戰爭行爲，除非產生三項奇蹟：一是廢除國家的體制和界限；二是全球的資源統籌支配，爲全人類共有共享；三是全人類皆在一樣的社會制度之下過活。試問這是可能的事嗎？如不可能，則强凌弱，衆暴寡的情勢，即在所難免，而一些領土狹小，人口繁殖，生活資源缺乏的國家，更不能不設法擴充生存的空間，被視爲二次世界大戰禍首的德，意，日各國，當年就是援藉生存空間不夠的理由，平心而論，這種理由亦不能說它完全不對。但其餘的國家雖未感到人口過剩的威脅，然其生產品要找國際市場的出路，又須向外面爭取生產原料，剛與要求生存空間的國家利益相衝突，這除卻訴之於戰爭手段外，尙有何法來和平共處呢？所以，人類生存利益之不均等，實爲引起戰爭的基本因素，要消弭這種因素，即使廢除了國家的體制和界限，亦復無濟於事，因爲人類生存利益由「患不均」以達到均等的境界，這其間需要經過重新創造的蛻變階段——也可說是歷史發展的逆流，然社會發展現象是永遠向前，變動不居的，它決不會讓人們好整以暇，把生活和生計從歷史發展的逆流中，另起爐灶，重新來過。這亦就是共產主義永遠不能通行於世界的眞諦所在，現時共產政權之出現，祇是促進世界戰爭的興奮劑，有如殘害人身健康的春藥，而美國乃以俄共頭子所唱「和平共存」的俚曲爲「爵士舞」，欣然跳躍，且認俄酋贊同禁止核子試爆的視察原則，爲具有創進世界和平的誠意，不亦傎乎！

限制軍備的歷史教訓

歷史上關於限制軍備的非戰紀錄，不勝枚舉，即以近代的史事而言：第一次世界大戰結束後，首先就有巴黎的「凡爾賽和約」，對那黷武好戰的德國軍備，限制到不及一個小國的自衛力量，經常由英法等國派員視察考察着；繼有洛迦諾非戰公約，作爲歐洲國家和平共處的共同守則；再有美國倡導的「九國公約」，藉以維護遠東和平，旨在遏制日本的好戰行爲；最後還有專爲限制强國軍備的英，美，日三強「海軍協定」，註明三強的海軍實力爲「五，五，三」之比，相互視察監督，不許違背。這對於防止國際戰爭再起的用心，不可謂不周到，方法不能說不切實了。然而，德國一面把軍需工業化整爲零，重要部門潛移於俄德邊境，照樣生產，一面製造所謂「袖珍艦」，其戰鬥性能且超過於英美的龐體鉅艦，同時又秘密進行空中武器的發展工作。曾幾何時，英國且自由跟德國簽訂海軍協定，使德國的軍備間接解除了「凡爾賽和約」的約束。東方的日本亦效法於德國，利用國際限制軍備條約的罅隙，暗中擴張軍力。如是乎，歷時不過二十年，而二次世界大戰又發生了！

一次大戰後的世界局勢，除了簽訂上述各項防止戰爭與限制軍備的條約以外，亦有一個號稱爲維護世界和平秩序的「國際聯盟」組織，其形式與內容，跟今日的「聯合國」相伯仲。在「國聯」時代的國際問題中，由於史達林倡言「一國社會主義建設」之故，世界上尚未受到共產極權侵略主義的威脅，有時候蘇俄爲着它的生存關係，還要跟西方列强站在一邊，派代表參加「國聯」，從事維護世界和平的工作，並不像現時赫魯歇夫們以聯合國爲宣傳場所，任意搗亂破壞，情況比現在簡單多了。然而終於不能制止德，意，日各國之要求空間生存而觸發二次大戰。即此可知限制軍備與世界和平，實在沒有多大的因果關係。軍備雖系戰爭的必需工具，卻不是產生戰爭的唯一原因。戰爭的機會如其尚未成熟，大家縱然不談限制軍備的話，亦依然保持着和平姿態，揖讓周旋，大發其厭棄戰爭的論調，甚且委曲求全，無所不至。戰機一旦成熟，則任何一點小糾紛，亦足爆發戰爭的口實，振振有詞了。誰能相信第一次世界大戰的原因，眞是爲了奧國皇太子在塞爾維亞被刺這回事嗎？誰又相信二次大戰眞是由於希特勒侵襲波蘭領土而促成的嗎？

未來世界必有戰爭

美國瞧着赫魯歇夫這次對古巴飛彈事件的退讓態度，即覺得俄帝是害怕戰爭的，再以赫魯同意禁止核子試爆的視察制度，乃認爲俄帝確有和平共存的誠意，而對裁軍談判前途，大爲樂觀。我們卻認定即令蘇俄今後在一般的裁軍協定上簽字畫押，而世界戰爭仍不可免。道理很簡明：俄帝自忖目前美國擁有的核子武器，非蘇俄所能制勝，它當然不願意冒毀滅的危險，輕於言戰，祇好揭起和平非戰主義的宣傳么喝，爭取有利的時間。撤退古巴的幾十枚飛彈，並不算甚末一回事，祇要古巴的親共政權未被消滅的，即係蘇俄放在美洲的精神飛彈據點，它在古巴何嘗失敗了呢？甘迺迪先生若以此爲其强權外交的一大勝利，而忽視拉丁美洲各國正在汎濫中的親共反美潮流，實係「明察秋毫，而不見輿薪」的眼光，若更視古巴之役爲迫從俄帝實行和平共存政策的原因，那就未免太幼稚了！如果蘇俄的「核子牙」一旦長到跟美國差不多的時候，你看它還談「和平共存」，而不以暴力來埋葬資本主義社會不？美國現時強調以優勢的核子武力來嚇阻戰爭之發生，這明明是層荐放火的愚技，焉有消弭世界戰爭之望？核子武器的製造發展，祇要時間幫忙，別人亦可以急起直追，迎頭趕上的，所謂「我能往，寇亦能往」是也。苟擁有優勢實力，而不知及時先發制人，以保障自身在相當期間內的安全生活，卻幻想自己永遠具有這種優勢，侈言嚇阻戰爭的潛能，這不過遷延戰爭爆發的時日，釀或將來更慘烈的戰禍而已。

美國既以陳舊的「武裝和平」爲能事，蘇俄亦揚言一定要埋葬資本主義社會，且夸耀其核子武器的實力，再看看現在的國際糾紛中之事實和內容，雖三尺童子亦不會相信這世界有永久的和平秩序存在，戰爭的循環律，昭然可覩。我更斷定世界的三次大戰不特無法避免，並且不久還有第四次大戰發生，那就是一場人種戰爭——世界上的有色人種一致聯合起來對白種民族作戰，爲的是要爭取人種平等的生存權利也。人類經常在製造戰爭因素，而又隨時標榜和平主義，可哂孰甚哉！

漫畫天下

毛記　俄記

無奈窮何

小羔羊何去何從？

自由談

諷刺革新運動乎？

近年來，台灣有個市長不斷地鬧着男女糾紛，他的太太時而走到市府大吵大鬧，時而向法院控訴丈夫有外遇，不顧市長的責任，時而對着新聞記者或市議員們，申述其冤抑情事。熱鬧非凡，多采多姿，令人嘆觀止矣！

我們對於這類事件本身的是非曲直，固然無暇批判——也不必有所批判。但基於政治紀綱的觀點，總認爲台灣省政府爲着整飭政風起見，必不會熟視無睹的。因爲這種情形若發生在舊時的君主政治之下，當事人以「有忝官常」的罪名，除了罷職丟官而外，還要嚐受行政處分；即在四十年前的軍閥官僚政治社會中，亦不容許行政官吏常常演出這類醜劇的。所以我們暫安緘默，以覘後果。可是，今日號稱爲民主憲政時代的中華民國，對於這種敗壞政風，違背紀綱的事情，政府竟置之度外，即負有糾彈職責的監察院亦默然無聲，怪哉怪哉！

若認爲此乃個人的私德問題，與政治無關，在民主時代，大可不必計校。那末像美國的政治人物凡有離婚者——如史蒂文生——何以即受到社會大衆的非議歧視，終致影響前程呢？他如行政官吏接受了一點朋友的私人饋贈，亦就招致輿論的抨擊，而國會議員且要從事調查追究，當年艾森豪總統的親信幹部亞丹斯，即係因此去職的。若謂民選市長不能隨便加以行政處分——如停職，免職——那末，台北市長黃啓瑞何以又受到了永遠停職的處分？似這樣醜惡的政風不予滌蕩，還想革新些甚麼呢？

時代儘管不同，道德的涵義儘管有出入，但做人必須講究品格，作官應該遵守紀綱，這總不能說是多餘的廢話，或是應予唾棄的封建落伍觀念吧？一個私生活墮落惡劣的官吏，如果說他的公生活必然有所不同，且可能合乎禮義廉恥的軌範，誰其信之？假使如此，則今日各級學校關於德育的培養訓導工夫，皆係毫無意義的空事了。因此我每聞大人先生們對於文武僚屬聲言不過問其私生活情形的論調，卻爲之毛骨悚然，而憬悟到國難嚴重之所由來也。

最近台灣方面充滿着「革新政治」「整飭政風」之聲，我始終懷疑這一運動的後果如何，理由就是有鑑於某市長敗壞紀綱與政風的現實問題，居然沒人理會，其不流於空談者，鮮矣！

馮五先生

香港與大陸

大陸人民在新年期間，祇有數兩的猪肉和生魚供應，但那些農村黨員共幹，則不單可以任意取吃，還大做黑市買賣，乘機發財。

據南自廣東興寧縣北准來港的僑屬張老太太稱：興寧縣這次過年，每人可配給猪肉四兩和生魚半斤，而「軍屬」和「烈屬」則比普通人多配給一倍。

張老太太說：每逢過年或節日時，一般人民最多是有幾兩的肉類供給，而那些共幹卻都乘機發財。就如今年的春節，按照共公社副業生產完成之任務，每人是可多得供應的，因爲共黨曾規定，每養猪一條，宰殺時公社可留存百分之拾，分給農民。果如此，則每人在新年期間約可配給猪肉斤多，生魚兩斤。但是共幹卻不給這樣多給農民，他們只配給農民一小部份，而保存着大部份，說是把來變賣後充當公社生產資金。

張老太太說：實際上，那裏是充當公社生產資金。那些共幹，特別是黨支書之流，他(她)們卻成批地取回家，並半公開的向人兜售。張老太所在的呢坡公社，有一名叫張仁義的黨員共幹，就曾向張老太太家兜售，猪肉是每斤人民幣四元，生魚每斤爲二元，且要多多都有。並聲言不必害怕，絕不是什麼黑市買賣，宣稱這是支援公社生產而已。張老太太說：

大陸同胞四兩猪肉過年

一年僅得兩次嘗到肉味　共幹卻得大吃還做生意

這些共幹特別向僑屬招生意，希望僑屬以物換物，舉凡手錶、衣服、鞋襪甚至肥皂、火石等，它們都歡迎。

那些共幹的「年料」，都是極其充足的。農民所得供應的「年料」，在未過年時已經吃完了，但黨員共幹的卻成串成串的晒起來，作長期食用哩。

另據一位由梅縣抵港的何太說：梅縣今年春節，每人也祇配給四兩猪肉和六兩生魚，另還有牛肉半斤。何太說，這些東西雖少，但大家卻很寶貴它，因爲人們一年中祇有一兩次能吃到肉。

何太是四拾歲的人了，她回憶「解放」前農民過新年時熱鬧的情況，每家耙碼都有幾個肥鷄和拾把斤猪肉生魚，還有幾大籮年糕，煎圓(卽煎堆)就是那些一文不名的人，卽如乞丐，他到村裏走一趟，人家送給他的「年料」也就一兩個月都吃不完。而現在，「翻了身」人民的生活，除了那些共幹外，大家還不如「解放」前的乞丐。(敬斯)

執政黨九全大會本年四五月舉行

該黨黨員總登記首批成績美滿　執政黨有決心辦好省議員選舉

（本報記者台北航訊）執政的國民黨，將於本年春季在台北召開該黨第九次全國代表大會，日期雖然尚未最後確定，預料將不是本年四月，便是五月，五月份的可能性更要大些。執政黨九全大會的籌備工作，經已積極進行之中。

執政黨此項全代會的召開事宜，在去年十一月該黨舉行八屆五中全會時，便曾提出討論，原則上已有所決定，惟舉行的確切日期，則留待該黨蔣總裁斟酌裁決。當以近情發展觀察，當不出本年春季。依據規定，召開全代會的日期，須於兩個月之前，正式公佈。

執政黨的第八屆全國代表大會，係民國四十六年十月十日在台北舉行的，距今已五年有多。據悉，該黨第九屆全代會，將歷時約十天左右，屆時將由該黨蔣總裁親自主持。由於國際情勢的發展，對我益見有利，執政黨於此時召開全代會，其意義重大，自不待言，因之，無論執政黨內外人士，對此均予以莫大的注意。

執政黨去年舉行八屆五中全會後，於十二月二十一日起，辦理該黨黨員總登記，第一批已經辦理完成。第一批辦理登記的，是中央政府五院院長、副院長、秘書長及各院所屬部會首長，以及立法委員、監察委員與國大代表等。

執政黨此次辦理黨員總登記，亦被認爲有其重大的意義，是卽給該黨黨員以自由選擇的機會，同時該黨亦藉此機會檢閱黨員，俾作爲今後釐訂政策的依據。此次首批辦理登記時，該黨以十天的時間，給予該黨黨員考慮，是否繼續効忠該黨，繼續做一個黨員？願意辦理登記的，便於那十天之內辦理登記；如逾期不辦理登記的，便認爲其已不願爲該黨黨員，而自動的喪失了黨籍。

從去年十二月二拾一日到卅一日期內，執政黨辦理的第一批黨員總登記，結果證明成績非常美滿，百分之九拾九點九的該黨黨員，均已自動辦理登記。比如在一千多名執政黨籍的國大代表中，未自動辦理登記的，僅有二人；四百多名執政黨籍的立法委員中，未自動辦理登記的，僅有一人；而八拾多名執政黨籍的監察委員，更全部自動辦理了。五院院長、副院長、秘書長及其所屬部會首長中之屬於執政黨黨員者，亦百分之百的已自動辦理登記竣事。

這種美滿的成績，顯示執政黨內部的團結力量，甚爲堅強。今後該黨第二批、第三批黨員登記的結果，該黨第一組(管組織)預期亦有美滿的成績。這種黨員總登記的好成績，對於該黨行將召開的第九次全國代表大會，自然亦構成一項鼓舞的力量。

又，在本年四月間，台灣省議會議員將改選。執政黨對此次選舉，亦甚爲重視。據說執政黨中央已下定決心，要切實革除過去在選舉中所發生的某些弊端。執政黨決定從該黨自己的黨員自我整飭開始，務必依據民主政治的軌轍，進行決定人事，參加競選，希望以身作則，樹之風聲，辦好這次選舉。

選舉是爲了「選賢與能」的，因此，執政黨在提名該黨候選人時，經決定務必以「人才」爲第一，要提出德行、學養與能力俱佳的人，出而競選；其次在競選過程中，又決心督促下級務必以合法合理的[illegible]正人君子的風度去競選[illegible]。因爲據說，執政黨中央認爲，單憑「人才」一去選，黨外人士角逐，該黨亦自信勝利在握。何況該黨中央認爲：目前人心最爲重要，辦好這次選舉，更可爭取到人心；卽使失掉若干議席，如能獲得人心，對執政黨而言，仍然是值得的。

關於卽將來臨的省議員選舉，執政黨去年底已辦理了提名黨員登記，現正由該黨慎重考慮，決定提名人選，下月便可公佈這些人選。執政黨既有辦好選舉的決心，將來公佈的提名人選，將以予人以耳目一新的感覺。據說：執政黨不但決心要辦好這次省議員選舉，……新之一頁。(協)

還鄉救飢人潮減

棄置深圳糧食多

（本報訊）因爲中共限制進入大陸的人只能携帶二拾公斤糧食及副食品的新辦法從元月二拾日起實施，二拾六日開始的「還鄉渡歲」人潮便日見大減，每日從尖沙咀車站搭車到大陸的人，便只得六百多人。亦就從那天起，中共在深圳嚴厲執行該項限制，雖一二公斤之微，亦不予通融，致許多携帶糧食超過限量的，祇得臨時將之棄置在深圳。間亦有少數人捨不得丟掉糧食，乃實行回頭，準備第二天再去。

中共執行控制寄運糧食新辦法後，除郵寄的兩磅裝小糧包外，祇存領式的憑單領取尚繼續辦理，但規定須通過它自己的機構統辦，藉以搜刮外滙。這種存領式的辦法，包括貨價、運費、關稅及包裝費等在內，一經付款，卽由糧包商發給憑據，寄糧者將單寄大陸收件人，然後憑單到指定地區領貨品。目前中共暫定下列五個地區辦理：

一、廣州區：包括佛山、南海、番禺、順德、三水、花縣、高要、新興、雲浮、四會、清遠。

二、深圳區：包括寶安、惠陽、東莞、增城。

三、拱北區：包括中山及「珠海」縣。

四、江門區：包括江門、新會、高鶴、台山、恩平、開平。

五、潮汕區：包括汕頭、潮安、潮陽、揭陽、澄海、普寧、饒平、惠來、豐順、興寧、梅縣、紫金、海豐、陸豐。

至於糧包寄運上述地區以外地方，可委托中共機構(在香港爲華僑旅行社)在大陸郵局以郵運方式寄出，郵費須由寄物人付出。(溫)

麥美倫執政第七年

本報倫敦航訊

麥美倫已經一口氣做滿英國首相六年，現在開始進入第七年。假定英國不於本年內大選(本年內舉行大選的可能性不大)，而又沒有其他出乎意料的變故，他至少還可以在唐寧街拾號再居住一年多。

其實，不必說還有一年多的任期沒有什麼大問題，卽以一口氣做滿六年首相而言，在英國歷史上，亦就並不多見。遠者且勿論，卽如邱吉爾，他於二次大戰初期上台爲政，堅苦卓絕，力挽狂瀾，從岌岌可危的局面下替英國帶來勝利，功勳懋著，雖稱之爲不朽可也；但勝利之後舉行大選，英國人民卻不再要他，而把政權付託於工黨。邱吉爾的那一任首相職位，僅僅五年光景而已。

麥美倫是從艾登手上接任首相的，當時係在蘇彝士事件受扼於美國，半途而廢，很失顏面，英國的聲望大受打擊，發動蘇彝士事件的保守黨政府的聲望，亦陷入最低潮，說那局面是「危疑震撼」，絕不爲過。加以，在那時候，麥美倫也不是艾登之外的第一人選，當時較他資望爲居於突出地位的，是現任副首相的布特勒。當麥美倫「受命於危難之秋」，肩起首相重任之時，誰不替他兩手揑一把汗？更誰會經預料得到，他能夠在唐寧街拾號居上如此長久的一段時間？

英國曾有人描寫麥美倫做首相的鎮定沉着，很爲道他所表現「從容不迫」的氣度。本來，舉重若輕，每一個領導人才的必備條件，無論幹那一行業，都非此不足以當大任。主持一國之政的人，不消說更不能缺乏這個條件。但是，以英國保守黨政府當時所遭逢的惡劣環境，麥美倫也確實把這個條件充分的加以發揮。他臨危不亂，一派鎮定沉着，點點滴滴的努力；爲時還不久，他就把由於蘇彝士事件所帶來的英美之間的不愉快痕跡，逐漸彌縫起來，與艾森豪作老友狀，恢復「血濃於水」的情誼。時間稍久，蘇彝士創傷更淡薄，英國又開始可以在國際政治上活動而不大感覺臉紅脖赤了。

到一九五九年的大選，在麥美倫領導之下，不但造成保守黨連續三捷，而且這次是壓倒性的大捷，工黨差一點便因此潰不成軍。這一戰一結果，不但保守黨的聲望恢復到了新的高潮，麥美倫的領袖地位，亦從茲獲得確認。造成麥美倫及保守黨那次大捷的，有兩項重大因素，一是他使得英國經濟大好轉，極度繁榮，人人都享受到大繁榮的好處；另一是麥美倫最合成功一次英美法蘇四強高峯會議，就是定期於一九六〇年五月在巴黎舉行的高峯會議，及期由於「U2事件」而被赫魯曉夫把它「埋葬」了的。但那是後話。在大選之時，由於那次高峯會議的安排，麥美倫給選民造成了一項他可以帶來世界和平的印象，而贏得熱烈擁護。

麥美倫這六年首相期間，天下並絕不太平的。他卻能完全以「太平宰相」的姿態出現，表現一種滿不在乎的樣子，英國政局由危而安，由羣情洶洶而至國中舉踵景從，就得歸功於他的似無爲而實有爲，用能「手揮五弦，目送飛鴻」。但卽由於這天下的其實並不太平，近一年多來，首先由於他的內閣採取緊縮的財經政策，引起選民對保守黨的離心，在去年一年內，先後舉行的拾七次下院議席補缺選舉，保守黨頻頻失利；參加六國共同市場問題，由於反對者大有人在，爭吵激烈，麥美倫和保守黨的聲望，乃又大見低落。乃一波未平一波又起，美國「天矢飛彈」的變卦，更給予麥美倫當沉重的打擊。比之一九五九年大選告捷之時，有天上地下的差別。

在做滿六年首相之日，麥美倫接見記者時，仍是一派臨危不亂，從容不迫之狀。他雖然已經是六八高齡了，但他覺他的精力充沛，自認還可以再做首相六年，而且雄心勃勃，也還不準備退休讓賢。英國下屆大選，本年如不舉行，明年亦非舉行不可。爲爭取繼續勝利，麥美倫的寶是押在參加共同市場的成功失敗，在此一舉。他的政治生命是快結束了呢？還是可以再做六年首相？許多人都興趣盎然的在給他算命。(緻)

貪污治罪條例評介

公治長

另一特色爲人民及不具備公務員身份之人，如向公務人員行賄，亦以同公務員論罪。而犯第三條至第五條各款之罪者，其所得財物，應予追繳或依其情節分別沒收，或發還被害人。如無法追繳時，則以貪污者之財產抵償之。縱從其財產不足以抵償應追繳之價款時，亦不留其家屬必需生活費（第十一條）。如發現隱匿寄藏或代管貪污所得之財物，則處一年以上七年以下之有期徒刑（第十四條）。而「直屬主管長官對於所屬人員，明知貪污有據而予以庇護或不爲舉發者，處一年以上七年以下有期徒刑」。至「公務機關主管長官，對於受其委託承辦公務之人，明知貪污有據而予以庇護不舉發者，處六月以上五年以下有期徒刑。」（第十二條）此一規定，目的在加強主管對部屬之嚴密監督，和連帶刑事責任。不但如此，即「辦理會計審計人員，在執行職務時，發現貪污有據之人員，不爲舉發者，處一年以上七年以下有期徒刑」（第十三條）這足以證明該條例的嚴密與周詳矣。這項規定，係針對官官相護，家醜不可外揚的顧慮而來。

無論任何人知犯有貪污罪嫌者，均得告發（第十五條）。但必須有事實證據，否則，告發者將受到誣告罪之處罰，且加重其刑至二分之一。除現役軍人由軍法機關審判外，餘由法院審判。該條例總計二十條，較廢止之「懲治貪污條例」進步者，約有下列數端：

一、不採沒收全部財產之規定。其理由：因一人之貪污，致沒收其全部財產，斷絕其妻孥之生計，按諸犯罪止於其身之大原則，原非妥當；現在實際上，此種沒收全部財產之裁判，亦不列舉沒收物之名目，而我國私有財產登記制度，又欠周密，執行時困難既多，流弊叢生，此制在過去廢止之懲治貪污條例施行多年，而成效未著，其故亦即在此。

二、不採缺席判決制。所謂缺席判決，乃是係因被告逃亡而無從執行或逮捕到案，乃逕行判決之謂。依現代刑事政策重視被告利益，於訴訟上應使被告有充分的辯解機會，且該條例規定處刑較重，故林委員原提草案第十三條所列之罪犯證據確鑿經通緝六個月仍不到庭者，得指定辯護人爲之辯護，將不待其陳述逕行判決之規定，予以刪除。

三、不採獎金制度。獎金固可鼓勵檢舉貪污，但因獎金之誘惑，也可使一般壞人設法栽贓陷人於罪，且獎金財源問題，標準問題都是很難確定，故林委員原案第十五條獎金制度之規定，予以刪除。

四、犯該條例之罪宣告有期徒刑以上之刑者，並宣告褫奪公權。

「國家之敗，由法弛也。法之不行，自上犯也」。這是商子所說的話。商子又說：「明主慢法制，言不中法者不聽也，行不中法者不高也，事不中法者不爲也。」這幾句話，就是說政府要率先守法，做老百姓的模範，否則上樑不正，下樑就歪了。果能「法律之前，人人平等」，及改善公務員待遇，使其衣食足而知榮耻，則今天貪污不法者，很快就會消滅於無形的。（完）

天南風光——沙羅越的歷史——

朱渊明

布律克在乘「勤王」號炮艇離開英國之前，曾出版一冊以「婆羅洲探險」爲題的航程計劃書，在那計劃書內，祂主要的目的是想作學術上的探訪。祂計劃在北婆羅洲及西里伯沿岸作測量，如果當地居民友善的話，祂還打算深入內地，了解土人一般情況。這自然是祂兩次東遊所喚起的雄心與志願，而祂對於貿易，卻不大感覺興趣。這或許是祂第二次東遊經營商業毫無成就之所致。因之祂祗希望在祂的武裝旅行中，獲得有用的情報，貢獻政府，或許對英國貿易，有所幫助。儘管與祂同時代的人都認爲文明是跟着貿易的繁榮而進展的，祂卻並無同感，而且還強烈的反對這種觀點。祂對於土著的福利事業，有着親切的感覺，同時他也認爲歐人擴張貿易，『經常引起與土著不可忽視的權利衝突』。他並且主張歐洲的政府在他們的活動中，『應該以增進土著的富源爲目標，不應在開拓殖民地的泛濫潮流中，僅僅以佔領爲目標。』

「婆羅洲探險」一書中，布律克對於荷蘭在東印度羣島之殖民政府，及英國當時之殖民政策，均有所批評。他寫道：『荷蘭人的政策，已經從一東方的樂土』，變成一個無政府及混亂的地方，令人道與商業的繁榮，正好背道而馳』。他認爲一八一六年時東印度公司從爪哇撤退，是很大的錯誤。他寫道：『英國在東印度羣島的政策，已經標誌着動搖和軟弱。……荷蘭人在東方所建立的政府，雖然顯赫一時，卻無真正的強大，還有一段很大的距離，他們的力量，很容易在任何歐洲國家強有力的反擊下崩潰。……這事必須記得，荷蘭人之所以成爲東印度羣島的主人，僅僅因爲其他國家不願與之競爭之故』。

從這些記錄方面觀察，亦大致可以看出布律克的胸襟與抱負，更可看出祂在取得沙羅越的統治權力階段，以及正式統治沙羅越時期之各種措施的思想基礎了。

在布律克抵達星加坡之前，適有一艘英國船在沙羅越海[illegible]「目達哈沁」，曾救起船上各水手，並且予以優待，後又覓便船送他們到星加坡。星加坡的英國總督得悉此事，對於目達哈沁甚爲感激，因那時沙羅越極爲騷亂，海上又盜賊橫行，那些水手之得保全，總算頗出意外；而想致達謝意，竟亦無人敢去傳達。恰恰這時，布律克來了，而祂的目的，卻是要到婆羅洲一帶，這眞是天賜良機。於是總督就請函致謝目達哈沁，而函中並明敦請布律克爲遞信使者。同時星加坡的商會也備了一份禮物託祂帶去送與哈沁，作爲祂禮遇優待沉船水手的謝禮。祂遂於一八三九年七月二十七日啟行，至八月十五日晨抵達古晉，當天中午即晉見「拉者」「目達哈沁」，哈沁非常歡迎祂而厚加欵待。（卄四）

論「三不如」之得天下與「兩不知」之治天下

黃少游

前漢書丙吉傳載，宣帝時丙吉爲相，「嘗出逢清道群鬭者，死傷橫道，吉過之不問。掾吏獨怪。吉前行，逢人逐牛，牛喘吐舌，吉止駐，使騎吏問逐牛幾里矣？掾吏獨謂：丞相前後失問。或以譏吉，吉曰：「民鬭相殺傷，長安令京兆尹職所當禁備逐捕，歲終丞相課其殿最，奏行賞罰而已。宰相不親小事，三公典調和陰陽，職當憂，是以問之」。

丙吉認淸個人權責，不濫用權威，干涉他人職掌之事，使國家制度不成具文。此實爲我國政治史之一段佳話；無怪現今政治學者津津樂道，蓋有由也。

淮南子說：「古之立帝王者，非以奉養其欲也。聖人踐位者，非以逸樂其身也。爲天下強掩弱，衆暴寡，詐欺愚，勇侵怯，懷知而不相教，積財而不相分，故立天子以齊一之。爲一人聰明而不足以遍照海內，故立三公九卿以輔翼之。絕國殊俗僻遠幽間之處，不能被德承澤，故立諸侯以教誨之。是以地無不任，時無不應，官無隱事，國無遺利。所以衣寒食飢，養老弱而息勞倦也。若以布衣徒步之人觀之，則伊尹負鼎而於湯，呂望鼓刀而入周，伯里奚轉鬻，管仲束縛，孔子無黔突，墨子無暖席。是以聖人不高山，不廣河，蒙恥辱以干世主，非以貪祿慕位，欲事起天下利，而除萬民之害。」

莊生有云：「吾生也有涯而知無涯」。一人之智力與精力有限，衆人之事之處理無窮，當局者縱是聖人，但非全能上帝，故爲個人壽命計，爲國家之幸福計，對於「三不如」之得天下與「兩不知」之治天下之道理，何不一加深思之而爲之猛醒也耶！

亨利亞當姆士說：「具有權力和享有大名，對於所有的人，都要發生一個效果，就是使之加深病態，好像一顆毒瘤，要把病者所有的同情心扼殺之而後已」。布脫勒也說：「權力是要沖昏人們的頭腦的。」但是希臘大哲人蘇格拉底說的好，祂說：「唯一的善就是知識；唯一的惡，要是無知」。我國書畫家鄭板橋也說：「聰明難，糊塗亦難；由聰明轉入糊塗更難」。希望當局有權者細加玩味。則個人幸福！國家幸福！（下）

瘟君續夢

第七回：越境興戎　爲廷鷲白蟻
恃強犯上　與座斥青蠅

艾森豪威爾剛離開台北一個禮拜，中共又在尼泊爾邊境闖了禍。

原來西藏的游擊隊經過中共軍全力猛攻之後，山南根據地於一九五九年秋間已全部失守，但游擊隊勢力並未消滅。他們在戰爭中已學會了游擊戰的技術，化整爲零，埋伏在藏印邊境四出竄擾，不再進攻城市，只是襲擊中共鄉村幹部，破壞交通，焚燒倉庫。這種行動比起一九五九年三月拉薩血戰所給予中共的威脅更大。西藏軍區司令員張國華和政治委員譚冠三召集軍區會議，決心要徹底消滅游擊隊。張國華當時擬定的辦法也化整爲零，在藏尼邊界日夜巡邏，遇到游擊隊即加以包圍，若包圍不住就跟踪追擊，無論逃到天涯海角，也要予以殲滅。

張國華擬定了這個戰略之後，即轉知各級指戰員知道，通令全軍施行。共軍就分爲一連或一排爲單位，在交通線，邊界巡邏。有幾次和小支游擊隊發生遭遇，雙方各有傷亡。

六月二十七日晚上八點鐘左右，在藏尼邊境普蘭宗以南担任巡邏的公安大隊一個中隊，突然發現由尼泊爾境內過來一支游擊隊，正要破壞架在山谷上的一座橋樑，公安大隊立時開槍射擊，游擊隊回頭就跑。這時沒有月亮，原野一片漆黑，公安大隊啣尾急追，不覺已追入尼泊爾境內。游擊隊早已失去踪跡，卻遇上了尼泊爾的邊境警察隊有二十幾人也到這一帶巡查走私漏稅的客商，忽然遇上了中共的隊伍，雙方一打照面就開槍打起來。尼泊爾警察以爲遇上了武裝匪徒，中共卻以爲追上了游擊隊，打了一個多鐘頭，尼泊爾警察當然打不過中共的公安大隊，就向後退卻。共軍仍然緊追，結果打死了一名警官，俘虜了十七名武裝人員，帶回普蘭宗，一看是尼泊爾警察，公安大隊知道糟了。就把情形報到日喀則軍分區，轉到拉薩軍區，張國華接到電報也呆了，馬上找譚冠三商量。

譚冠三看了電報搖頭苦笑道：「確實是一個不小的麻煩，上次周恩來同陳毅同志到加德滿都，費了好大氣力，賠了多少小心，割去大塊土地，派了幾千人去修路，剛統得尼泊爾有點成功，這一仗全打光了」。

張國華一聽更着急，問道：「現在應當怎麼處理呢？」

譚冠三說道：「目前不外有兩條路，一是硬來，就說尼泊爾警察援助西藏叛匪，侵入我們國境，被邊防部隊俘虜。」

張國華搖搖頭：「你還是說另一條路吧！這個辦法根本就行不通。你要明白這不是在國內鬥地主、資本家，無論我們怎麼說，他都不能辯護。對尼泊爾就不同了，柯伊拉納十分精明，他一定要求周總理，組織混合委員會實地調查，明明打仗是在尼泊爾境內，尚有遺下的軍火爲證，我們說尼泊爾軍警幫助游擊隊，但是我們卻未抓到一個游擊隊，沒有絲毫證據。」

譚冠三笑道：「另一條路只有出軟工，向尼泊爾邊防部隊道歉，把俘虜全部送回，再賠償一部份金錢也就算了。」

張國華說道：「原則是如此，不過進行步驟還要考慮，怎樣才能縮小糾紛的範圍。」（一七二）

過年雜談

·陳澄之·

王荆公詩：「爆竹聲中一歲除，春風送暖入屠蘇」。

荆楚歲時記載：「正月一日，是三元之日也。長幼以次拜賀，進屠蘇酒。」屠蘇酒，是用屠蘇草浸的酒，直到如今，日本人家新年裏還作興喝屠蘇酒，說是喝了可以延年益壽。

屠蘇酒，據說是華陀散佚的處方之一，釀製原料由於年代久遠，大有出入，然而不外是破癥瘕、積聚，散寒濕，助命火，健胃溫中，下氣解毒的藥物。

唐代孫思邈的屠蘇酒方：赤木桂心七錢五分，防風一兩，拔契五錢，蜀椒、桔梗、大黃各五錢七分，烏頭二錢五分，赤小豆十四枚。

「玉燭寶典」載屠蘇酒方：大黃一錢，桔梗、川椒各一錢五分，桂心一錢八分，烏頭六分，泡白朮一錢八分，茱萸一錢二分，防風一兩。

沈氏尊生書屠蘇酒方：白朮一兩八錢，大黃、桔梗、川椒、肉桂各一兩五錢，川烏六錢，虎杖根一兩二錢，共剉為末。以三角絳囊盛之，除夕夜懸井底，元旦寅時取出，置酒中，煎四五沸，自少至長，次第飲之。藥滓還投井中，歲歲飲此水，足以辟除一切疫癘不正之氣。

關於屠蘇酒，中國人對之有着更大的興趣，歷代均有紀載，現代的你我爲什麼棄之若敝屣呢？

「類偽」載屠蘇酒事：「一人飲，一家無疫；一家飲，一里無疫。」

「玉箱方」書屠蘇曰：「飲藥三朝，還投井中，歲飲此水，一世無病。至飲時，俗皆東向，先從兒童起者，因東方爲日出之所，富有朝氣。藥渣投諸井，防井水中毒也」。

這個新年，我們有個期望，期望現代中國的科學家們，把屠蘇酒這一類的丹方，仔細化驗一下，看看究有什麼化學成份。說不定這些古老的丹方，對現代醫藥的研究，有着極其驚人的裨助。那麼，這新年不就過得更有意義嗎？（下）

南宋偏安有人

——宗澤

李仲侯

當康王之再使金也，行至磁州，澤迎謁曰：肅王一去不返，金敵又詭詞以致大王，願勿行。王遂回相州。有詔以澤爲副元帥，從王起兵入援。澤言宜急會兵李固渡，斷敵歸路，衆不從，乃自將兵趨開德，道過北兵，遣秦光弼張德夾擊，大破之。金人既敗，乃留兵分屯，澤遣壯士夜擣其軍，破三十餘砦。時康王開大元帥府，檄兵會大名，樞密院曹輔賫蠟書至自京師，言和議可成，澤曰：金人狡譎，是欲緩我師耳！君父之望入援，何啻饑渴，宜急引軍直趨澶淵，次第進壘，以解京城之圍。萬一敵有異謀，則吾兵已在城下。汪伯彥等難之，勸王遣澤先行，自是澤不得預府中謀議矣。

二年正月，澤至開德，十三戰皆捷，以書勸王檄諸道兵會京城，又移書北道總管趙野、河東北路宣撫范訥，知興仁府曾楙合兵入援。三人皆以澤爲狂，不答。澤以孤軍進，都統陳淬言敵方熾，未可輕舉，澤怒欲斬之，諸將乞貸淬，使得效死。澤命淬進兵，遇金人敗之。金人攻開德，澤遣孔彥威與戰，又敗之。澤渡金人必犯濮，先遣三千騎往援，金人果至，敗之。金人復向開德，權邦彥、孔彥威合兵夾擊，又大敗之。澤兵進至衛南，度將孤兵寡，不深入不能成功，先驅云前有敵營，澤揮衆直前，與戰敗之，轉戰而東。敵益生兵至，王孝忠戰死，前後皆敵壘，澤下令曰：今日進退等死，不可不從死中求生！士卒知必死，無不一當百，斬首數千級，金人大敗，退卻數十里。澤計衆十倍於我，今一戰而卻，必復來，使悉其鐵騎夜襲吾軍，則危矣。乃暮徙其軍。金人夜至得空營，大驚！自是憚澤，不敢復出兵。澤出其不意，遣兵過大河襲擊，敗之。王承制以澤爲徽猷閣待制。（拾九）

台灣的春節

王一剛

春節在台灣，和大陸各地一樣，是隆重而多彩多姿的節令。早在春節前十幾天，大家即開始做年糕。年糕有甜粿、鹹粿、發粿等種類，接着就是於農曆十二月二十四日送神之日，家家治牲醴祀神送之昇天，隨即清掃家屋內外，稱曰「淨宅」。除夕，合俗通稱「過年」，此日下午，祭神前及祖靈各擺甜粿、鹹粿、發粿，各插春花，而門神及地基主則供五味碗，祖先供菜肴以祭，叫做「辭年」。是晚入夜全家老幼聚飲，桌下置火爐，稱之曰「圍爐」。食後分壓歲錢，台灣稱曰「過年錢」。這一夜，同時年長者對年少者，換貼春聯，並於門扉立整夜的甘蔗。家中每一角落要點得光亮，同時每一個人都要守歲。以上這些節目算是新正序曲。

元旦那天，先把神桌佈置得煥然一新，除上述的柑粿等供品外，燭台還插上花燭，八仙桌圍上桌裙，桌上放宣爐，花瓶插新花。時辰一到，便供清茶或甜茶，燒香點燭，燒金紙燃放爆竹，然後家人吃甜料、喝甜茶。此日起至初五日，神案上燭火要通明，晨昏都要供清茶點香燭，燒金紙燃爆竹。家內垃圾也不准拿到外面倒掉。

元旦早餐要吃麵線，餐畢，男女老幼換上新衣，盛裝拜年，或到廟宇進香；上年祀的或婦女多依例以自己的生辰占方向，朝向吉方走去，稱爲「出行」。如賀客登門，即進甜菜，請嘗甜。這時候，賀客一面取食甜料，一面要說吉利話。更不要忘記把紅包和柑橘賞給對方的小孩。

元旦這一天，不煮飯，不吃粥，忌打破碗盤，禁說不吉利話。街上有「噴春」的鼓吹隊挨戶吹奏。大街上還有子弟班的舞獅隊伍巡行表演。初二每家要備牲醴祀土地神，並以香餚饗來客。初三俗稱赤狗日，不外出，不請客，又說是老鼠娶新娘的日子，入夜熄燈入睡，於家中每一角落撒鹽米，稱爲老鼠分錢。初四接神，下午於神前供牲醴、甜料、生果等物，接祀舊臘二十四日昇天的諸神。初五俗稱「隔開」。撤去除夕以來供在神前的春飯、甜料、年糕、柑橘等物。商家大放鞭炮開張做生意，但現已多在初四開張。初七通稱七元或人日，食麵線祈求長壽，亦有點七支蠟燭，以生果奉神者，但現已少舉行。初九俗稱天公生，即玉皇大帝聖誕。前夜於正廳長桌上疊起八仙桌，掛桌裙，桌腳墊金紙，下面接設下桌。頂桌供燈座三、果五、齋六、麵線、清茶各三杯，下桌供牲醴、龜粿。初九零時起，至天未明間，全家人整齊衣冠，依長輩挨次上香行三跪九叩禮，隆重祭拜。十五日是上元節，俗稱上元暝。普通於下午備牲醴祭土地神及地基主、床母。入夜，寺廟點綵燈和大燭，各戶於神前供清茶燒香點燭，燃鞭炮；公共場所設有燈謎，俗稱「燈猜」；樂團、龍隊、獅隊繞街歌舞，孩童則提燈籠、輪鼓、飛機、鳥獸、花卉等花燈遊玩，台北市還有赤裸上身坐於竹輿的「玄壇爺」巡遊市街，任由人燃放爆竹擲在身上取樂，但同時也要賞他紅包。婦女又有於是夜竊聽人語言，以判斷吉凶，叫做「聽香」。總之，此晚街上熱鬧異常。

台灣的民歌中有一首「新年行事歌」，茲錄於左：

初一場，初二場，初三老鼠娶新娘，初四神落天，初五隔開，初六挹肥，初七七元，初八完全，初九天公生，初十有食，十一請子婿，十二查某子返來拜，十三食清糜（稀粥）配芥菜，十四結燈棚，十五上元暝，十六相公生。

我的學生生活

雷嘯岑

我承蒙兩位安徽學友資助學膳費，得以繼續求學，雖然生活極端困苦，有時候每天只做一頓飯充飢，但想起過去聽父說，先父當年在「嶽麓書院」讀書時，自已挑水煮飯，一塊水豆腐要吃兩天的苦學情形，也就甘之如飴，滿不在乎。這樣經過半年之後，忽然幸運來臨，出現了「山窮水盡疑無路，柳暗花明又一村」的光明景況。民國十三年四月，早稻田大學政經科高年級同學廣東籍昌曹冕兄畢業了（汪精衛作行政院長時，他曾任機要秘書），他原來担任着上海新聞報駐日通信員，因畢業回國，此後不能繼續工作，報社會託他就地物色替手，他就推薦我承其乏。新聞報的通信是按稿計酬，每篇代價爲日金十五至二十元，一個月寫上四五篇通信稿，可得日金八十元以上，那時在東京的學生生活開支，有五十元就足夠了。因此，我由窮學生竟蛻變爲濶綽之士，自力更生，每月乃有餘錢買些參考書看看，生活頗爲安定。又以新聞記者的職務關係，常常跟日本政治界人物接觸，如吾黨總理孫先生的老友犬養毅，衆議員神田正雄，日本「水平社」——秘密性的社會運動團體——主幹人高津正道，以及已故的孫總理老友宮崎寅藏之子宮崎龍介等等，都是我經常訪問的對象，而我的日本話亦隨之進步了。這是我在學生生活中的黃金時代。

是年夏間，國民黨中央黨部密令東京支部設法掌握「中華留日學生總會」，聲援國民革命運動。支部決議推定我去競選該會幹事長（不稱會長），命令全體同志分向本省同鄉會活動，因總會幹事長是由各省同鄉會代表投票選舉的，結果我當選了。另有監事長一人，係東北人王奉瑞兄當選，他現在台灣。

我就任留日學生總會幹事長後，首先即發出一道擁護中國國民革命運動的宣言，各省同鄉會見之大譁，指說「國民黨份子強姦民意」，我們當然不理會這些，我行我素。未幾，北洋政府任命汪榮寶（袞甫）爲駐日本公使，他是從奉天經朝鮮到東京來接事的。我們懷疑他將向日本政府借欵購械，爲國內軍閥增進反革命勢力，即由學生總會召集了一次大會，決議全體到會人士結隊赴使館請汪公使說明一切。羣衆到了使館後，先由我個人面晤汪公使，保證無意外事發生，汪公與我一道出來向大家講話，我站立在他的身旁。汪公以激昂的詞氣，聲言：「我汪某豈肯替軍閥作走狗的人？你們太輕視我了」云云。羣衆即拾起地下的石子向汪投擲，如雨下，門窗多損壞，我的後腦亦被擊中一石子，皮破血流，而汪氏幸無恙。次日我向汪公使道歉，他反而慰問我，且跟我敘同學之誼（他是早稻田大學出身的），表示不願追究。事後上海申報刊出這幕經過甚詳，我父親見到後，來信痛責，說我小學既未畢業，中學又被開除，現到大學依然好事胡鬧，若被政府押解回國，如何得了？（十一）

除夕二三事

吳立人

北平人家則在吃過年夜飯便祀，點燭焚香，依着長幼的次序在祖宗的影像前面叩頭，此時下人們便在院子裏將花炮燃放起來。然後再依次的辭歲，給壓歲錢。守歲的大人還用綵繩穿錢，編成龍形，送給孩子「壓歲」。自從制錢廢止，銀元不通用後，就改用紙幣了。現在我們在過年時所流行的「壓歲錢」，就是用「紅包」了。

二、黏貼春聯

春聯始自何時，已不可考，但據說自明太祖朱元璋後，此風始盛。原來太祖定都金陵後，於除夕夜忽然傳旨，無論公卿士庶，家門上均須加貼春聯一付。大家聞令，無不切實遵行，待太祖微服出行時，果然見千門萬戶，煥然一新，因此非常高興。自後代代相傳，所以不分貧富貴賤、士農工商各界，沒有不注重的。鄉村之處更爲特別，就是連牛欄猪舍，也要粘上一付春聯，以添新氣。明太祖御書聯句賜贈諸臣，好句很多，膾炙人口，很據金陵瑣事載太祖御書春聯賜中山王徐達說：「破虜平蠻，功貫古今人第一；出將入相，才兼文武世無雙。」把中山王的功業，表露無遺。另有明朝詩集載太祖御賜學士陶安門帖說：「國朝謨略無雙士；翰苑文章第一家。」這也寫出陶學士文才並茂了。以後江南庶士之家，爲了要點綴新正的新氣象，能文者自已撰寫，否則也要託人代書，粘一聯方才心滿意足。卅六行的春聯，都能夠順其各行業性質而撰書，對仗精巧，美不勝收。這種風氣，至今依然存在。（下）

內政部台報字第〇三一號內銷證

自由報

THE FREE NEWS

第三〇九期

社長：雷嘯岑

20, CAUSEWAY RD 3RD FL HONG KONG

TEL. 771726

台灣分社

毛澤東那裏走？

· 方南 ·

今年世界最大的變動，可能起自中國大陸。毛澤東業已走上了「日暮途遠，吾故倒行而逆施之」的境界。在這時候研究一下毛澤東的行爲與心理，藉占世局動向，自是合時之舉。

毛澤東目前處在「三反」的困境中，正在竭力作垂死的掙扎。這「三反」是——反圍堵，反圍剿，反人民革命。

第一反的對象是美國。毛澤東是恨美仇美、蔑美的始創者，也是「美國是紙老虎」這句名言的發明人。他要在現階段爭取共黨集團領導人的地位，自非變本加厲，企圖突破美國「圍堵」的圈子不可。這一反逼他沒法走上狄托的老路，向美國騙錢來挽救內部的經濟危機。

第二反的對象是赫魯曉夫。自從東德共黨大會在柏林上演以後，毛澤東已在北平公開散發攻擊赫魯曉夫的言論。赫魯曉夫是借柏林之會來表現他「圍剿毛澤東」的陣容和力量。毛澤東毫不因此而甘心屈伏，馬上還擊，也表現出他「反圍剿」的勇氣和決心。

第三反的對象是整個大陸的幾億人民。這必然無可避免的[illegible]維持內部統治的困難。由去年「五月逃亡潮」在廣東暴發爲始點，引致共軍大舉佈防東南沿海幾省，發出了嚴防國軍反攻的警告，以至最近國軍游擊隊向大陸突擊消息的正式公佈，均足證明了毛澤東最害怕的一件事就是民變四起，配合了內部兵變和國軍由外面發動的反攻。這一反最是他特別着力的地方，但由於他在第一反與第二反替自己造成經濟上的死結，而內部經濟又完全沒有回蘇與改善的希望，最後便很可能殲滅於第三反的無效與失靈。

我相信毛澤東「氣數已盡」，是基於下述的一個事實：十餘年來，毛澤東沒做過一宗不錯的事。聚九州鐵而鑄成的大錯絕不可能憑一時的倖運與以銷解的。「自作孽，不可活」的「孽」乃是「積孽」。當世積孽最深的人正是毛澤東。他怎可以在這「三反」困境中打開一條新出路？

我說毛澤東沒做過一宗不錯的事，姑撇開共產主義的錯謬於不談，單由他高叫「一面倒」，發動仇美，替蘇俄出兵參加韓戰，以至土法煉鋼，推行「人民公社」制度，進軍西藏，燃起「印度之戰」的火頭等等，確可說無一而不是大錯特錯的。

關於毛澤東與赫魯曉夫鬧別扭的眞正原因，有些西方觀察家指出和「金門炮戰」一役有關。金門這個海上彈丸會逆共黨集團的巨輪在此爆裂，造成蘇俄和中共關係上的重大轉捩。這一說並沒有錯，但如非中共曾經替蘇俄在韓戰作過擋箭牌，毛澤東是沒有理由怨責赫魯曉夫的。

中共在韓戰損失的慘重，毛澤東心裏有苦自家知，沒法向誰訴說，韓共卻是唯一的證人。韓戰是由蘇俄下命令發動的，發令的人正是毛澤東一生低首的史達林，到了韓戰十分不利於蘇俄時，替死鬼卻是韓共與中共，蘇俄老是躲在幕後討便宜。這種事實，到了蘇俄不肯在金門一役拿出半點力量報答毛澤東一下，毛澤東便認眞光火了。

整個事實是有脈絡可尋的。我們必須注意：各國共黨在這次「毛、赫鬥爭」中公開站在毛澤東這一方面來說話的，只有韓共。爲什麼韓共要單獨對毛澤東討好？可不是爲了韓戰的創痛猶新，和中共正有同苦嗎？

蘇俄因發動韓戰而糟塌了韓國人和中國人的血肉，因在古巴暗營飛彈基地而令到卡斯特羅下不了台，其爲「虎頭蛇尾」，犧牲別人與委屈別人以圖自利自便，前後如出一轍。毛澤東敢於爲古巴事件而大發牢騷的原因在此。他是借卡斯特羅的酒杯，澆自己的塊壘，索性置赫魯的「圍剿」於不顧，乃是積恨使然也！

我們必須從毛澤東的各種行爲找出他心裏的病根，然後再看他今後必然的歸趨。

目前毛澤東只靠「迷信」來振作起一股狂妄之氣。我看他有三種迷信：一是迷信命運，二是迷信武力，三是迷信那部過了氣退了色的馬列經典。

毛澤東曾經在贛南和延安有過起死回生的舊紀錄。這更使他把今天的北平看作「新延安」，迷信他自己仍會有再來一次扭轉頹勢的奇異命運。其次，他迷信自己仍有向亞、非及中南美洲「造亂」的本領，馬列經典仍不愁沒有推銷的出路。還有那套「馬上得天下，馬上治天下」的陳舊觀念，也使他迷信自己手上的武力仍可把人民革命鎮壓得住。

我們可以清楚地看出：毛澤東的迷信是沒有眞實用處的。去年的「五月逃亡潮」爲什麼會突然發生呢？主因是人民要反飢餓。由去年五月到最近的大陸經濟情況有沒有好轉的跡象呢？據我們所知，由於「人民公社」無形解體，農民得在一片「自留地」上面爲自己的利益而着力耕種，並且獲有自養牲畜的方便，總算壓阻了饑饉與荒歉連續惡化的趨勢，但這並不是毛澤東的勝利，實是毛澤東的失敗。農民爲自己爭取了較多的一點收益，便是中共政權在實際上損失多一分剝削的權利。中共在整個大陸能夠搜刮到手的東西就只是這些農產品，其他各部門生產仍然萎縮不振，經濟好轉的希望是微乎其微的。最近寒流橫掃大陸，幾億人民都在「無衣無褐」的慘境中吐出怨聲，這可以由大陸寄赴海外求取寒衣的書信獲得確證。如果毛澤東沒辦法扭轉經濟頹勢，人民渴求革命的累積因素必然激增，絕不是空言可以應付得來的。毛澤東既已經每一措施替全盤經濟打上了死結，還要倚仗三種迷信進行「三反」到底，豈有不敗之理？

據日本報紙揭載的消息，中共打算在今年試爆一枚原子彈，美國官方亦相信有此可能。我們不妨認爲，這也是毛澤東「打腫臉充胖子」，把經濟死結打得更結實，和更加招忌的又一妄舉。他根本忘記了「羽毛不豐滿者不可以高飛」的教訓，很可能把垂竭的經濟力量押在一兩顆原子彈的賭注上面去。

觀上種種，我們應該提高信心，知道要有一分耕耘，才會有一分收穫，決無倖致之理。在過去，我們曾憑金馬的堅固防禦，以一點的堅守分裂了共產陣營的全面團結。在今後，我們更應由游擊的攻勢發展爲大陸人民革命的全面爆發。

自從國府由大陸播遷台灣以來，到今天是盛衰之態殊，攻守之勢易，輪到毛澤東步步走向失敗，處處表現衰態，被迫採取守勢，準備挨打了。國軍已在事實上向前跨進了一大步，超越了國際間有形與無形的限制，正式在大陸展開游擊活動了。這當然是毛澤東最感頭痛的一件大事。

我個人的看法是：不愁毛澤東不倒，只愁毛澤東倒在赫魯曉夫手裏，被另一個中共頭目起來替代毛澤東，仍然依附蘇俄，控制大陸。我們必須促使毛澤東快倒，並因他個人垮台而引致中共政權整個傾覆下去，達到光復華夏，擺脫蘇俄枷鎖，清洗赤孽的最高目的。

漫畫天下

南

共產主義

破裂與合作

印度

另一種攻勢

自由談

陋俗

馮正先生

廢曆新年在香港這個「番邦」領土上，特別表現着熱鬧而兼慘烈的景色。

屬於熱鬧方面的：從正月初一起，一連幾天，人們早晚奔走駭汗於彼此拜年恭喜的應酬工作之中，街上人潮洶湧，萬頭攢動，電車與「巴士」站上，擁塞着爭先恐後，相率從用衝鋒力量以登車的拜年客，私家車和「的士」一部接一部地塞滿了通衢大道，迥異尋常，大家爲的就是拜年這回事。且在互相拜年說廢說之外，還要對傭工或小孩們遞紅包，粵語謂之爲「逗利是」，你遞過來，我逗過去，好不忙煞人也！有一位朋友對我說，他在初一二這兩天之內，夫妻倆要跑遍香港與九龍兩方面的五十戶親朋之家。自己又沒有私家車，辛苦奔馳，兩腿發酸，乃大呼苛政不已。

屬於慘烈方面的：小孩和中年人，到處燃放爆竹，隨意四向拋擲——有些且從天台上或窗口中擲出，傷害行人，滿不在乎。今年我曾經看見一位女姬的新大衣，被飛來的爆竹燃燒了一大塊；另有一位朋友的耳朵，被那來自高空的所謂「火箭式」爆竹擊中，耳膜震破，頓日失靈，要找醫生治療。最慘的情形是由於亂放鞭爆而不斷地引起火警，救火車晝夜嗚嗚然橫衝急闖於市內，其聲凄厲愁慘，令人聞之心膽震慄。報載今年正月初一二這兩天內，港九即發生了火警三百幾十起，我想其中大半都與胡亂燃放爆仗攸關呢！

香港居民在聖誕節已經大事狂歡，浪費財力物力不少，相隔數十日，又爲着廢曆年節，恣意浪費，誠不知其所爲何來？尤其是讓小孩和成年人到處亂放鞭爆，妨害公共安寧秩序這種惡劣行爲，治安當局竟不加以禁止，更屬莫名其妙。人間的善良風俗，固應保存，似此有百害而無一利的陋習謬行，爲甚麼不予取締呢？有人說，統治殖民地的唯一策略，就在從當地人民的墮落生活繼繼繩繩，永不改進，其然豈其然乎？

（香港）與（大陸）

中共對於農村裏面的知識份子，特別不放心，現在又對這些人加强管制。中共不但認為在農村裏面的知識份子靠不住，更唯恐他（她）們與農民聯合起來，形成對中共政權的革命力量。

上月曾回潮州探親後返港的曾君向本報記者透露：潮州一帶的「公社」，不久前奉到縣公安局發下表格，要詳細調查在農村中的知識份子的情況。

曾君說：那些表格由「公社黨支書」發給每個農村知識份子，要每人親筆填寫四張。表格內容極其細密，除了個人歷史和家庭成員情況需填寫外，特別着重於「曾受何種獎懲」，「過去現在有無參加反動組織」，「親友中有何人是『五壞』份子，現在表現如何」……等各欄，又要每個人皆寫「自傳」，着重於「思想轉變過程」。

為了填這些表格，公社黨支書曾召集知識份子講話，强調要大家坦白填寫，否則便會當作「隱瞞歷史」或「篡改歷史」論罪。公社黨支書又坦率地告誡那些知識份子，禁止他（她）們與農民談論政治，更不容他（她）們在農民面前「造謠惑衆」，否則便作「特務」論。

曾君說：在那次談話後不久，一天，有一位一九五九年未考取大學之高中畢業生，因在幾個農民面前，很難過的表示自己前途暗淡，表情不免有些憤慨，祇這樣，被黨支書知道了，這個高中畢業生，便被公社大會「鬥爭」，罪名是不願接受勞動鍛鍊，並企圖在農民面前攻擊「人民政府」，挑撥人民與政府的關係。結果被判了兩年的勞改徒刑。

又有一次，在公社的一間廁所內，發現了反共標語，立即便有大批的「公安人員」和「公社」的公安員，嚴密進行調查，查對知識份子所填寫四張表格的字體。經過好久才查出，寫標語者只是個十六歲的初中畢業的女孩子。那位女孩子結果除被鬥爭一番外，還判了農村管制勞動，宣佈其為「五壞」份子。

所謂農村裏面的知識份子究竟是些什麼人呢？據曾君說大略可分為兩種：其一為逐年被中共「下放」的人，其二為因為「階級出身」不合格不許投考大專學校的中學畢業生。前一種人實際是被中共變相「整肅」的[illegible]，其對現狀不滿可想而知，後一種人雖屬土生土長，但因被歧視，對中共自亦不滿。中共對他們不放心，倒亦難怪。實際，就是一般農民，又何嘗滿意中共？（敬斯）

毛共害怕農村知識份子

加强管制。視同敵體
禁止其與農民談政治

※※※※

游擊隊困擾着毛共

張治中南下巡視宣撫

（本報訊）大陸上的游擊隊活躍情形，毛共雖然諱莫予深，且常誇「一網打盡」了。但事實上恰恰相反，在毛共各邊區地帶，頗有風聲鶴唳之像，有關貼近況，足資證明。

歲暮年關，寄居香港的粵籍人士，還鄉探親者不少。他們將在各個鄉里所見所聞的事情，回到香港來對人談及，其中有兩項值得報導。一是中山縣境內各要隘之處，「民兵」一步哨，持槍警戒，如臨大敵，而對山區尤為緊張，幾乎十步一哨，五步一崗。這些回鄉省親的人，初親此嚴重態勢，以為當地發生了甚麼重大的事情，不免提心吊胆，但沿途又甚平靜，迨秘密詢問家屬或親戚們，纔知道是為防範游擊隊擾亂，共黨晝夜督令「民兵」作此警戒佈署的。二是毛共的貳臣張治中，於舊曆十二月中旬，奉毛酋命令潛來廣州，名義上是視察，實際是負着對各個所謂「民主黨派」人士的宣撫使命。他在廣州並未公開露面，秘密下榻於離廣州市不遠的從化溫泉別墅裏，按日分別邀約一般非共黨人士談話，要大家安心跟着共產黨走，不要動搖意志。張氏於舊月廿三日又由粵赴昆明，進行同樣的宣撫任務，預定在昆明過舊曆年。即此可知毛共對於西南各省的治安非常耽心，一方面深怕游擊隊蠢起，同時懷疑一般投共份子靠不住，乘機擾亂。這是一個政權趨於沒落的應有象徵，古今皆然也。

香港人此番過年 花銷估計逾億元

（本報訊）今年兔年，市民慶祝春節消費相當鉅大，平均每人三十元計，其數字超過一億元，較保守的估計，亦每人二十元，消費總額亦達六七千萬元。

今年市民消費於春節能力不弱，係由於薪給工資已局部提高之故。同時，去年物價平穩，居民存款大增，寄大陸之郵包雖甚衆多，但因不少難民已經逃來本港，加之以中共限制了郵包寄人，以鼓勵用僑滙辦法滙款入大陸的影響，大家意存觀望，過年於是多有些錢，而各機構的提前發薪，購買力於是而突然膨脹。

今年春節市上燒炮竹之情形，因輿論界之呼籲，猖獗情形，雖比去春畧有不如，但估計消耗仍鉅，其為數也的確可觀，有人估計達六百萬元，即平等每人一元五角左右，（按據批發商估計，歲晚爲此發行已超過三百萬元）。

今年劏鷄殺鴨者大增，歲晚兩年之日，據鷄鴨欄估計，是日即達十萬隻，初二開年更達十二萬隻，此兩天計食鷄達廿二萬隻，平均每隻十元計，即達二百二十萬元。

今年鮮果消量亦大增，較早以前，市上因恐怕美國風雪影響收成，會預早爭先訂購，不料一時人同此心，致歲晚到貨大增，乃不得不在歲晚市場實行平沽，竟成為局部成本高於沽價的現象。今年春節香港市民消費於鮮果之數字，竟超過四百萬元。

而由於歲晚天氣暴寒之故，衣着市情突然蓬勃非常，冷織物於歲晚幾告斷市。據本港製衣業估計，此歲晚衣物市銷，當超過六百萬元。

市民從年禮之風，今年比較靜寂了。但相反的，西化的慶祝節目者大增，因此糖果市中，洋糖銷路大旺，電器市場的閃燈飾物，銷路亦暢盛，勝於往年。此等消費雖一時未能估計，但相信其數目不菲。今年春節拜年風氣依然，[illegible]

去歲風波居然平安渡過
香港今年繁榮仍可期

但躭心物價可能畧為騰貴

（本報訊）虎年過去，兔歲來臨，過年一年香港雖歷盡風波，結果商場總算平安渡過，而且保持繁榮狀態。今春開市來的展望，商家認為繁榮仍屬可期，但躭心今年物價將畧為騰貴。

過去一年，商場儘管迭有風波，卻還算相當平穩，歲晚各行商業收數，亦堪稱順利，雖然不少發出期票結數，但多在四十天內，因此，歲晚一般行業銀根雖呈緊態，但市上信心甚好，在歲晚市上嚴重之倒風，亦未有發生。

商家認為去年生意尚稱平穩與信用收縮有關。並認為今年香港繁榮仍大有希望。他們對歲晚年貨市場甚為暢旺，表示大大出意料，據估計歲晚年貨市場居然大旺，係與天氣突寒與及糧期有關。本來天氣突然轉為嚴寒，大為刺激衣着市場，應可削減年貨生意（雖然衣着亦可視為年貨之一）。卻不料，整個商場的大多數，均能提前支付一月份薪金，即政府公務員及學校，初傳不提前發薪的，後來亦尊重中國人習慣，而一律提前支薪，以致市上購買力大增，年貨生意亦因此而受到大好的開展。

商家以為今年物價將趨昂貴，除因香港購買力壯之外，並由於一年來收縮信用之結果。商場定貨比較緩，去年曾一度貨倉不能滿載。一年來入口貿易數字雖比前增加的，但此係由於商人分散訂貨之所至。

商家為何認為香港本年繁榮仍屬可期？此因他們以為本港購買力壯之故。而此又與人口增加與及銀行存款增加有關，銀行存款數字，估計已超過四十億元，此為一向未有之高紀錄；同時，香港市民入息，在過去的一年來局部大有增加。

至於可刺激物價上升之原因，首先為許多來貨國家，已相率放棄傾銷政策，甚至如日本，也有此種趨向。此其結果，將使今後貨價提高，再以有關國家貨品，去年出產未能增加，亦將提高出口價。

其次，香港地產市場，由於建築新例及政府賣地政策之發展，已由黃金時代轉流，市上担心近幾年來投入地產投機之資金將抽出來，投入其他商業活動，此雖暫不致引起劇烈之投機，但當然大足以刺激一般商品之市價。

其三，香港屋租無法平抑，但今年將實行新例凍結屋租於一定水平，而此水平必然較過去畧高，因此勢必影響一般商店的皮費加增，從而亦將使商品價格被提高，物價上升，自將連環引起生活費用提高。

其四，今年銀行新例將宣告實施，信用撥付將可能仍甚為嚴重，但亦不無比去年畧寬之可能，此因銀行之競爭將仍甚烈故也。但此亦可能影響物價。

最後，去年中，香港製品外銷頗受限制，外地市場對於港貨存底已薄，港貨外銷，本年似有提高可能，假使港製品因而起價，連環關係，亦將刺激香港物價上升。（計）

星馬合併佈署將竣
大馬組織籌備短期完成

（本報星加坡航訊）星馬合併的談判已近結束階段，組織馬來西亞的工作部署細則，預料也將於短期內完成。這是馬來亞聯合邦律政司薛里頓，總理署助理常任秘書沙加里，外交部常任秘書嘉沙利等三位要員，由吉隆坡飛抵星洲，出席元月二十四、二十五兩日假此間舉行的馬來西亞各政府聯合委員會會議時透露的。

薛里頓告記者說，這次在星舉行的會議，將專門處理星馬合併建議中的細則工作，研究有關合併工作的各項部署，並準備將研究與談商的結果，作出建議，分別向星馬政府提呈。他指出，星馬合併的談商，相信只須再舉行一次會議，即可全部結束。

關於馬來西亞的工作部署，薛里頓說，各項基層工作早已結束，成果滿意。下次將由全體委員會對有關報告事務進行細則性工作，預料全部工作可在短期內完成。

薛里頓强調，一切的籌備和部署工作已晉入最後階段。他相信即使汶萊乃加入馬來西亞的工作包括其內，委員會在工作上也能應付裕如。他說，這次在星會議主要的問題，是集中於處理有關技術性和憲制性的問題。

馬來亞聯合邦外交部常任秘書嘉沙利告記者：在這次會議中提出討論的課題，只限於有關星馬兩地的，但範圍甚廣，主要將在於處理星馬合併的最後部署工作，並在憲制上尋求與馬來西亞[illegible]之統一。[illegible]希望在今後四週之內，將所有有關星馬合併之全部工作完成，[illegible]提出報告。

嘉沙利還表示，[illegible]

台米谷增產紀錄

[illegible]

是實施國家總動員的時候了

林權敏

「我們要反攻大陸」！這是人性的表現。「我們絕對擁護你們去反攻大陸」，還也不能說不是人性的表現。但前者是爲國家民族前途打算，且是積極的，負責的，後者只是偏私的個人行爲。十餘年來，由於社會的安定，生活享受的提高，似乎是後者淹沒了前者，甚至根本就沒有前者的存在了。

反攻大陸是政府的責任，老百姓像無關心的義務一樣；殊不知政府建設台灣，實行民主，提倡自由，是敵我的政治鬥爭，黑白的對照，眞僞與是非的分明。誠然，政府的苦處與用心，獲得自由世界底同情，且贏得了大陸人心思漢的勝利，但亦種下了台灣千餘萬軍民苟安逸樂的誤會，不能說不是事實。

當然，一概而論也是錯誤，享受與反攻雙全齊美的想法就不應該有嗎？但事實上，社會是否認眞安定？卻大有問題。紙醉金迷過日子的大有人在，此時此地，能說他不是苟安的誤會嗎？最遺憾的是我們尚未有科學的儀器來檢查每個國民的心，究竟反共的成份有多少？

如果把大家的假面具拉下來，或者讓所有人的「坦白」而不致受到批評，可能有百分之八十以上的人會說「我對反攻沒有多大興趣」。這自然祇是估計，但相信距離事實並不太遠。生活水準的提高，卻多半是國民經濟畸形發展的表現，當前的影響了整個大局，窮的反愈來饑迫不可終日，失業的人多了，社會問題跟着而來。如今，反攻無人關懷，社會混亂可懼，怎不令人失望？

共匪確實是走下坡路了，如它對於台灣，最初是說要「解放台灣」，但做不到；改爲要「血洗台灣」，又做不到；又改爲要「和平解放台灣」；之後又從「和平解放台灣」改爲要防止我國軍反攻大陸了。確是共匪的悲哀。但我們這方面呢？我們貫澈了一「年準備，二年反攻，三年掃蕩，五年成功」的目標嗎？甚至我們還未能一直振奮自勵，持久的實行戰時生活，鼓舞戰鬥氣氛，也是事實。而相反的，我們實行民主，提倡自由，建設自由民主而繁榮的模範省台灣，已使每個人朝向享受的上層攀登，忘記了處身於非常時期的事實。這樣下去，「反攻」兩字勢將成爲歷史的陳跡。我們如要反攻，我認爲必先自提倡戰時生活，形成戰鬥狀態，鼓舞戰鬥氣氛始，使我自由中國一千一百餘萬軍民，個個振作起來，個個同仇敵愾，朝斯夕斯，念茲在茲，夫然後具備反攻的氣勢，而且眞的能夠適時展開反攻的行動。

「革新、動員、戰鬥」運動，總算是如火如荼了。但掀起來「革新、動員、戰鬥」運動之結果，與以往又有什麼眞實具體的不同之處？明眼人是可以看得到的。我敢說，除了「業務主辦人」在等因奉此閉門造車的弄些成果之外，依舊是在吃，在喝，在跳，在鬧，在抱美女，在上酒家，在坐洋車，在擺噱頭，因此又呈現着貪官，污吏，政客，黨棍，官僚，土霸，流氓，太保，各顯神通，各示法寶，鬧個不休，社會難安，貪污，瀆職，詐欺，搶奪，殺人，恐嚇，賣淫風起雲湧，層出不窮。試問：機關與個人對「革新，動員，戰鬥」運動有何具體表示？做了多少？普遍沒有？死角在那裏？有沒有決心？今後怎麼辦？都值得檢討的。（上）

天南風光
——沙羅越的歷史——

朱淵明

當布律克詢問哈沁關於內戰情況時，哈沁說：「那是沒有什麼戰爭的，如果有的話，也不過只像小孩子的一些玩意兒」。但哈沁卻同時表示，如果他的訪問者及其武裝之帆船能在沙羅越多留一個時期，以便向着反叛者作個示威，卻是一件非常好的事。

布律克乘着他的炮艇，急急忙忙的觀察古晉附近的河流。實際上他第一次到沙羅越，在古晉住的時間很短，到九月裏，他花了很多時間去觀察「三巴拉漢」及「倫樂」，前者在古晉之東，後者在古晉之西。後來折返古晉與目達哈沁商談有關婆羅乃和星加坡通商的問題，布律克提議：不止英國的船隻，其他各國的船隻，它必須都被允許進入所有婆羅乃的領域裏來。哈沁對英國人的一番誠意，鼓勵了布律克，因之他認爲：「星加坡可能掌握整個婆羅洲西北海岸從丹絨拉督到馬魯魯海灣的貿易」。

九月十九日，當布律克要離開沙羅越時，哈沁對他表示了很大的歉意及惆悵，因爲布律克的提議，有許多是他的力量所做不到的事。哈沁遂對布律克說到：「布律克大人，請不要忘記我。並希望你能再來。」布律克卽駛往沙隆河一帶素爲海盜駐紮的地區，略爲窺探一下，乃返星加坡復命。並強調星加坡有打通沙羅越及北婆羅沿海一帶貿易之必要，而後乃轉船往西里伯斯海（Cil[illegible]be Sea）一帶遊覽。

一八四〇年八月下旬，布律克又再來沙羅越，抵古晉後，他頗驚訝當地內亂的局勢，仍舊與過去完全一樣，哈心遂把他當老友，盛予招待，並懇求他幫助敉平內亂。布律克就答應竭盡所能，予以支持。布氏在他的日記上這樣寫：「在我們作友誼般的往還後，以一個英國紳士來說，我是不能放棄他的。」

布律克花了兩個月的時間，嘗試去促使一支勉強組成的馬來軍隊作戰，但他們似乎只想坐在木柵後面等待敵人投降，那怎能贏得一場戰爭的勝利呢？到十一月初，他氣憤得要放棄這樣膽小的盟友，於是哈心自動表示說：假如布律克幫助他戡平了內亂，他願意呈獻沙羅越的政府管理權與布氏，就是願把「拉者」（Ra'a[j]）——卽國王徽號讓與布律克。這種表示，是第一次提出來的，但布律克加以拒絕了。他認爲，只要他立卽接受這種呈獻，就等於是在別人的極端苦難上，去謀不公平的利益，將是一種罪過。然布氏也同時意識到：在這種落後地區，如不在戰爭還在進行之際，將所許的實惠簽字轉讓，而等到事平以後，再行實施，將是一種極困難的事。當時布律克也就同意繼續支持哈沁的要求。在一次與叛軍激烈交戰中，布律克親自率隊出征，最後他竟誘導叛軍放下武器。（廿五）

農民節的由來和台灣的農村

澄飛

我們中國過去是「以農立國」，而農事活動卻以節候的先後程序爲依據。甚麼節候做甚麼農事活動，都有一定，不能參差。如果「失時」，就會影響農作，減少收成。

一年二十四節之中，立春居首，因而特別引起農人的重視；而古時的農事，又爲國本所繫，所以舉國上下都重視這個節候，而不以農民爲限。古時立春之日，天子親率三公、九卿、諸侯、大夫，迎春於東郊，並行躬耕之禮。農友們也在這一天，以糯米飼牛，甚至於請牠們暢飲美酒的。月令載：「是月也，天子乃以元月祈谷於上帝，乃擇元辰，天子親載耒耜……帥三公、九卿、諸侯、大夫，躬耕帝籍。天子三推，三公五推，卿、諸侯九推。」地方官勸農務耕，在立春前一日，例往東郊迎春，祀東帝、春皇、春神，車旗服飾皆尚青。如此勸農儀式，相傳歷數千年。至於民間方面，有些地方，塑個泥牛，供以芻束，象徵着對農村勞力的尊崇。民國以還，對春耕之指導，亦至重視。迨至民國卅年三月十二日，農林部在抗戰時首都——重慶，舉行第一次全國農林行政會議，議決規定每年立春日爲農民節，並由農林部呈奉行政院核定公佈，自民國卅一年起全國施行，這就是農民節的由來。

台灣省對於農民節，一向重視，尤以近年爲甚。這裏每逢此節，各地皆舉行慶祝大會，表彰耕農，舉行農產品展覽，耕牛比賽，農產品比賽等，以鼓勵農民農業技術之增進與農業知識之交換，較之古代迎春，祭祀春帝等勸農方式，更具積極性與科學性的意義。

當然更使自由祖國的農民們興奮的，就是從前的農民們耕的是別人的田地，居於傭工的地位，和地主分租，所得有限，卽使拼力工作，大部份的利益還是歸別人享受。現在不同了，自從政府實施耕者有其田的政策後，百分之七十以上的農民，都已有屬於他們自己的土地，少數租田耕種的農民，也都受到三七五減租法令的保障，大家的收益都提高了。農民們不但生活程度提高，同時，農村裏普遍設立學校，公用事業非常發達，電燈、自來水、鐵路、公路樣樣齊全。農村裏，收音機、脚踏車、縫衣機、電扇，幾乎家家都有，由於農民生活的安定，農村欣欣向榮，因此農民節在台灣，顯得特別的熱鬧。

瘟君續夢

第七回：越境興戎　恃強犯上　翟廷驚白蟻　舉座斥青蠅

西藏方面中共頭目尚未決定對策，尼泊爾却先提出抗議，當邊境事件傳到加德滿都時，國王馬亨德拉把首相柯伊·拉納及內閣大臣找來，詢問事件發生的經過。

柯伊·拉納說道：「我們的警察在山隘巡邏，突然竄過來一批中共軍，雙方面打了一仗，我們有一名警官陣亡，十七名武裝警員被俘，此外就沒有什麼消息。我已電令當地邊防部隊進行調查，打算向中共提出嚴重抗議，並索還我們的警員。我想也許是出於誤會，周恩來應該有滿意的解釋。」

馬亨德拉國王沉吟一時，十分嚴肅的說道：「首相，我要提醒你，同共產黨打交道，決不是一件好玩的事。一九五五在印尼萬隆召開亞非會議，共到了二十九個國家，中共總理周恩來也出席了，我們派去的首席代表塔帕回來告訴我，在會場上許多國家對共產主義發出抨擊。其中最激烈的是伊拉克代表團團長賈瑪利先生，他硬替共產主義定了一個名稱爲新殖民主義，周恩來當時非常難堪。塔帕恰好坐在賈瑪利旁邊，就請問他殖民主義爲什麼要分新舊，賈瑪利當時的解釋精采極了，塔帕回來一講，給我的印象至深，所以周恩來四月底到加德滿都來，我先飛去日本躲避他。」

柯伊·拉納聽出興趣來了，連問：「賈瑪利是怎樣解釋。」

談到賈瑪利，國王似乎有無限的懷念，緩緩說道：「賈瑪利當時解釋，舊殖民主義侵畧方式大體不外兩種，一種是鯨吞，如同英國之於印度，日本之於朝鮮，法國之於印度支那三邦；一種是蠶食，如列強之在中國。但是這兩種侵畧方式都已落伍，一旦被侵畧民族覺醒，殖民主義者馬上就要退出。但是，以共產主義爲後盾的新式殖民主義就不同了，它們宛如白蟻，只要有一隻白蟻侵入，不要很久時間，就會繁殖到成千成萬，白蟻的特性是專吃木頭，而且還專從裏面吃，等到把木心吃空了，樑柱一斷，房子就倒了。所有被共產黨控制的國家，都是被白蟻吞食的。」

柯伊·拉納說道：「我平時也有這種看法，只是沒有賈瑪利先生說的如此透徹。就我們的經驗，共產黨的侵畧有一個固定的方式，首先在這個國家發展幾名重要黨員，就如在大廳內放進幾隻白蟻，然後就大量繁殖，到了繁殖的力量足以顚覆這個國家，他們就開始叛變，進行罷工運動，或者發動游擊戰，最後以摧毀合法政權爲止。所以防範共產黨的侵畧，不要光看外面，應該注意內部，只要內部乾淨，就沒有問題。好似一間大廳，只要不讓白蟻吃掉樑柱，無論何種狂風暴雨都吹不倒的。」

國王說過，大家一齊點頭，表示由衷佩服。

首相說過，大家也都點頭稱是。

柯伊·拉納又說道：「根據這個理由，我判斷中共此次侵入我們邊境殺人滋事，還是下級所爲，決非周恩來指使。我們一方面向中共提出嚴重抗議，我再給周恩來發一封信，要求懲兇，賠償，保證以後不再有同樣事件。另一方面也要防患未然，先把國內共黨押起來，不讓他們有繁殖的機會，我想目前應該沒有問題的。」

全體閣員一致贊同首相的意見，國王也表示滿意，閣議就結束了。（一七三）

蔡智堪田中奏摺

田中義一奏摺，是日本近四十年來侵畧中國的藍圖，亦造成東亞以至全世界的禍亂之原始張本之一。據此而演出的，爲九一八事變，一二八事變，七七蘆溝橋戰禍，八一三抗戰，珍珠港偷襲，第二次大戰，終至原子彈投下廣島、長崎。如無蔣總統的寬宏大量，以及美國的人道主義，幾乎亡了日本。田中義一倖而死得早，未受絞刑之罰，亦其幸事也。

此項奏摺，在民國十七年六月，台灣的愛國志士蔡智堪先生，知此密謀與中國命運有關，費盡心機，化了很多的金錢，從日皇室書庫秘密抄得一份，設法帶至遼寧，交外交委員王家楨，轉呈東三省保安總司令張學良；越時一載，始轉呈南京中樞。後來卽將此摺內容，公告全世界。當時國際聯盟會中，曾因之掀起一陣的詰詢。但日閥侵畧慾望未戢，用有九一八之變，囊括我東三省，使傀儡的滿洲僞朝出現。世勢亦日益緊張，終導來我國八年抗戰。

蔡智堪先生如何盜抄此奏摺，以前自由人報，有詳細的記述，並經蔡先生親筆來信說明，可以覆查。不幸他在四十五年秋病逝，國家對此志士，雖有周卹，但不隆。而蔡君遺族，因在戰爭中，產業俱失，備極清苦。實同此有志的國民，應有相當的飾終，明令褒揚，以彰矜式也。

奏摺內容，共分十三項，每項有一動作，如何侵華，如何擒張（學良），如何推出傀儡，如何囊括東北，如何打進關內，如何侵入華中，威脅南京，如何滲入南洋，發動海洋戰爭，如何北進，奪掠西伯利亞，言之詳盡，近三四萬字，乃黨動謀計劃的松岡洋右，竟誤信赤魔史達林之言，簽了不侵犯條約，貿然南進攻美，使蘇俄能全副精力，對付納粹的德意志，迨其進入柏林，却回師奪我東北。至此，日本始知上了史魔之當。是奏摺無大錯誤？而執行之者犯了無知的錯誤？使當時日本不南進而北進，天下事未可知也。現在日人又謀與共匪貿易敦睦，貪眼前小利，忘長遠威憂，尼赫魯印度的覆轍可鑒也。日本朝野，亦有高明，戒之慎之，無一誤而再誤焉。倘使日本赤化，明治維新的續業，十五年來的復興建設，盡付東流矣。

南宋偏安有人才

——宗澤

李仲侯

時金人逼二帝北行，澤聞之，卽提兵趨滑，走黎陽，至大名，欲徑渡河據金歸路，邀還二帝，而勤王之兵，卒無一至者。又聞張邦昌僭位，欲先行誅討，會得大元帥府書，約移師近郡，按甲觀變。澤復書於王曰：人臣豈有服赭袍，張紅蓋，御正殿者乎？自古奸臣，皆外爲恭順，而中藏禍心，未有竊據寶位，改元肆赦，惡狀昭著若邦昌者！今二聖諸王，悉渡河而北，惟大王在濟，天意可知，宜亟行天討，興復社稷。且言邦昌僞赦，或啓奸雄之意，宜遣官分諭諸路，以定民心。又上書言：今天下所屬望者，在於大王，大王行之得其道，則有以慰天下之心。所謂道者，近剛正而遠柔邪，納諫諍而拒諛佞，尚恭儉而抑驕侈，體憂勤而忘逸樂，進公實而退私僞。因累表勸進，王卽帝位於南京。澤入見，涕淚交頤，陳興復大計。時與李綱同入對，相見論國事，慷慨流涕，綱奇之。上欲留澤，潛善等阻之，除龍圖閣學士，知襄陽府。時宋與金人議和，許其割地，澤上疏曰：天下者，太祖太宗之天下，陛下當兢兢業業，思傳之萬世。奈何遽議割河之東西，又議割陝之蒲解乎？自金人再至，朝廷未嘗命一將，出一師，但聞奸邪之臣，朝進一言以告和，暮入一說以乞盟，終至二聖北遷，宗社蒙恥！臣意陛下赫然震怒，大明黜陟，以再造王室。（二十）

交友篇

漁翁

同門曰朋，同志曰友。孟子有曰：「使契爲司徒，教以人倫，父子有親，君臣有義，夫婦有別，長幼有序，朋友有信」。五者皆屬人倫，後世因稱爲「五倫」。倫者，常也，謂人所常由之道也，故又名之曰「五常」。禮云：「合生氣之和，道五常之行」。史記注鄭玄曰：「生氣，陰陽也。五常，五行也」。白虎通云：「五常者何？仁義禮智信也」。

朋友，在平日，切磋琢磨，志同道合，至老而無間言，謂之莫逆交。一遇非常時期，同風雨同舟，生死相顧，不爲任何環境而變其初衷，此又稱之曰刎頸交。在交友間之重點，離不開一「信」字，孟子言：「朋友有信」。孔子曰：「朋友信之」。苟無信，則爾詐我虞，必招日後之惡果，故後漢朱穆有「絕交論」，梁劉峻有「廣絕交論」，晉嵇康有「絕交書」之作焉。

論語：「益者三友，損者三友。友直，友諒，友多聞，益矣。友便辟，友善柔，友便佞，損矣」。所謂「近朱者赤，近墨者黑」，「入芝蘭之室，久而不聞其香，入鮑魚之肆，久而不聞其臭。」「朋友遍天下，相知有幾人？」交友不易，交益友尤難，古人慨於交友之難，而寧缺無濫，白居易詩：「所親惟三友，三友者爲誰？琴罷輒飲酒，酒罷輒吟詩。」元結云：「古人鄉無君子，則與山水爲友，里無君子，則與松竹爲友，坐無君子，則與琴酒爲友。」彼輩文人，認爲無益友良朋，不如交山水、松竹、琴酒之爲得。

可見，古之交情篤厚者，亦不乏人，其著者如管仲之友曰鮑叔牙，仲有「生我者父母，知我者鮑叔」之言，見史記。鮑叔爲齊桓公大夫，薦管仲爲相，九合諸侯，一匡天下，卒成霸業，管仲臨終，不介叔牙繼相位，而叔牙曰：「管子知我也」。如此肝膽相照，雖相知以心者，確屬難得。

俞瑞，字伯牙，爲晉國上大夫，善琴，楚之子期，所知音，與論琴律，一見如舊，後子期死，伯牙恨之，晚年於墓前奏曲曰：「憶昔去年春，江邊曾會君，今日重來訪，不見知音人！但見一坯土，慘然傷我心！不忍淚珠紛。來歡去何苦？江邊起愁雲。子期子期兮，你我千金義，歷盡天涯無足語。此曲終了不復彈，三尺瑤琴爲君死！」奏罷，將琴於地上摔破，並對子期父母曰：「子期不在，對誰彈琴？春風滿面皆朋友，欲覓知音難上難。」從此辭官，迎養子期父母，以終天年。當此種友誼之深刻，不在管鮑之下。

又其次，戰國藺相如爲趙上卿，以完璧與澠池會之功，位列廉頗上，而頗不服，嫉之。相如明大體，以社稷爲重，遇頗於途，引車避匿。頗亦爲之感動，負荊請罪，從此和好，成爲刎頸之交，至今猶膾炙人口。

今日世風日下，社會澆漓，所謂朋友，百分之九十以上，屬於[illegible]，錦上添花者多，雪中送炭者，十不得一。然則處此叔季之世，吾人應如何而處友？一言以蔽之，在乎信，一本忠誠，斯爲得矣。

也論孟嘗君

黃伯遠

宋王荆公論孟嘗君曰：「嗟乎！孟嘗君特雞鳴狗盜之雄耳，豈足以言得士？」又曰：「雞鳴狗盜之出其門，此士之所以不至也！」其言，是邪？非邪？余以爲荆公徒知其末，而未知其本也。夫天下之大，七國之衆，非無士也。而士卒不至，何邪？無他，士所以應聘而去者，以孟嘗君之待士，非不至者，一、恥爲孟嘗君之臣，而非爲齊王之臣；二、士可求而致，不可坐而得也。若如毛生之自薦，馮驩之乞魚，此與雞鳴狗盜之雄，相差亦何幾？無怪「珠履」三千，容無一士矣！

不觀乎，秦穆公之求士也：西致由余，東獲百里，迎蹇叔於宋，求丕豹、公孫枝於晉。是皆以爭取而得，非坐呼而致也。又如范叔，朝辭魏闕，暮拜秦相，強公室，蠶食諸侯，使秦成帝業，報仇雪恨於當時，揚厲名於後世。如其老死大梁，不過魏齊之下走，中大夫須賈一舍人耳，亦何能自見於天下者，守則如處女，出則如脫兔，其不願登龍門而求售，固可知也。不觀乎馮驩與毛遂乎？一則終其身不過孟嘗君一主計僕，一則「定縱」之後，寂寂無聞；若非後世史遷表而出之，誰知之者？又趙之定縱，功在毛遂，而非平原也！

我的學生生活

雷嘯岑

民國十三年九月，國民黨總理孫公特派李烈鈞將軍到日本從事外交活動，日本政友會總裁床次竹二郎，內閣大臣交通部長犬養毅，黑龍會首領頭山滿等人，對李將軍熱烈招待，接觸頻繁，唯海軍方面人士，亦曾通過民間團體舉行座談會，請李氏說明國民黨的對內對外政策，聲勢頗振。迨雙十節，留日學生總會在東京青年會舉行國慶紀念大會時，以李將軍係開國元勳，乃請他出席講演，事前遍發通告，俾衆週知，屆時到會人數近千名，我以爲這是大家因欲瞻仰李將軍的丰釆而踴躍蒞會者，詎知竟大謬不然！

當李氏登台講演中，卽有吉林學生王家楨（後來曾任國府外交部次長），向李提出質詢，指李此次來日本負有秘密任務，難免不無喪權辱國之虞云云，會衆頗多附和，主張歡送李將軍卽日回廣州去，秩序騷然。我感覺他們是有計畫的搗亂行動，卽以主席地位維持會場秩序，俟李氏講演完畢，先請他到樓上休息，李走入後面，聽着會衆喧囂之聲，笑語我道：「他們是不是要打架？若要打，我也參加一份！」我說無妨，請勿介意。等我回至主席台上，王家楨要求把剛才提議歡送李將軍卽日回國這問題付表決。我想在東京的全部國民黨員不過八十名，若付表決，反動派的主張一定通過，那還得了！乃一面敦大家守秩序，好好討論，同時寫一字條交給紀錄席上的幾位同志，要他們乘機藉詞跟反動派激辯鬥爭，把會場秩序搞亂掉。恰好王家楨在大發議論之中，提到吳佩孚反對日本甚力的話，吾黨同志浙江徐哲民（担任大會紀錄）卽躍起指斥王是個軍閥走狗，並將墨盒向王擲去，如是全場譁咋叫罵之聲大作，我謂大家如此不守秩序，這會議怎能開下去呢？安徽湯志先同志馬上持着鈴子到台上猛力搖動，高呼散會！王家楨等一般反動派仍不肯散，說我這主席違法，要另推主席繼續討論，而國民黨人羣聲反擊，幾乎動武，其餘大多數人士，聽着這種現象，相率急忙走出會場，不願捲入漩渦，王等一小撮反動份子，終於無可如何，悻悻然口出惡言而散去了。

反動派以在雙十節大會中未達到打擊國民黨特使李協和的目的，於心不甘，過了幾天之後，他們聯合着五六省的留日同鄉會，致函學生總會要求召開旅日民衆大會，研討國事。這是依照學生總會會章規定而提出的合法要求，總會無法拒絕的。但我料想他們將在大會中對國民黨大大不利，必須講究妥善的對策，有備無患，先由東京支部召集黨員大會交換意見，一致認爲這是關係本黨革命前途的重要鬥爭，萬不能示弱，而且非制勝不可。方法是邀約在東京橫濱兩地的學籍黨同志若干人參加大會，事前嚴密組織佈署，分工合作，相信以節制之師對烏合之衆，必不致失敗的。（十二）

寄舊衣

有序　姚琮

客中長衣物，如嬰兒襁褓，捐贈三毛四角（合美金一毛二角），故物稱是，尚寄破舊者。惟恐寄人無力繳稅，特檢舊衣雜寄，可謂慘已！

一宴竟至此，且將爭抱。怨府徵求急，還心旦夕歸？余家悲虎穴，何日畏龍睛？策杖倚閭望，江城海月高。

久客

前人

久客多歸夢，鳥講楚鄉兮，可憐淡江水，流向接天涯！（飛雲吾邑大江）

屏居

前人

雖得嬰兒百不知，沒有轉老猶宜？塔前春草無人問，惟有青蛇出敝帷。

內政部台報字第〇三一號內銷證
自由報
THE FREE NEWS
第三一〇期
社長：雷嘯岑
20 CAUSEWAY RD 3RD FL HONG KONG
TEL. 771726
台灣分社

論兩大集團的冷戰與內鬪

·張超·

美國前任參謀總長馬歇爾將軍，於十三年前担任國務長官時，曾聲言美國準備跟蘇俄冷戰五十年。這句話是美國在二次大戰後的對外政策說明。無論民主共和兩黨誰個執政，這項基本國策都不變的。

一、

美國採取冷戰策略的原始動機，是認定俄帝的熱戰能力永遠沒法與美英併駕齊驅，即不致輕啓發動戰爭，只要西方國家在經濟上能夠逐漸復甦，自可從政治生活方式的比賽運動中，影响鐵幕內各國人民的嚮往心情，自動起來推翻極權奴役的共產政府，而與自由世界和平共處的。因此，美國即有以援助歐洲各國經濟復興爲目的的「馬歇爾計畫」出現。繼以俄帝不許東歐附庸各國接受「馬歇爾計畫」的資助，且在希臘實施軍事顛覆陰謀，乃急忙倡立「北大西洋公約」的集體聯防制，以備萬一；並在其他各個反共非共國家領土內設置軍事基地，更分別簽訂安全互助協定。這些措施就稱爲「圍堵政策」，是消極性的防禦計畫，依然不離冷戰的範疇。嗣後雖有中共政權之僭立，以及韓戰發生等事變，美國由於重歐輕亞的觀念作祟，仍未改變其藉原子優勢實力以嚇阻俄帝發動武裝侵略的冷戰宗旨。換言之，還是以不發熱戰的雄心來實行冷戰策略，企圖獲致不戰而屈人之兵的後果。迨聞俄帝竭力發展原子武器而卓著成效的眞確情報後，美國乃大呼「原子僵局」，害怕本土會受戰火侵襲，沒法獨善其身了，如是乎基於畏戰避戰的惰性觀念，更不能不以冷戰爲號召，策略的表面如故，實質卻大異其趣了。

俄帝始終不談「冷戰」字樣，它一貫地肩着「和平」招牌，對外招搖撞騙，且聲言共產主義不是輸出品，而以反帝，反封建，反殖民地主義這類口號，大事宣傳，搖惑人心。同時悶不响地用賄買或策反手段，窃取美英兩國的原子能機密資料和設計，悉索敝賦，拚命研究發展，不到十年即已迎頭趕上美英，且搶先放射人造衛星進入太空，使美國上下張皇失措，膽戰心驚，美總統艾森豪雖在巴黎身受俄酋赫魯歇夫的凌辱詬辭，祇好卑以自牧，犯而不校。俄帝又以「和平共存」，「不干涉別國內政」，「對外實行軍經援助，不附條件」等美麗的宣傳詞令，對自由世界一般新興的弱小國家恣意誘惑，爭取同情。它處處實行「以子之矛，攻子之盾」的冷戰技術，卻絕口不提「冷戰」這一名詞，而使美國從冷戰創始者的地位，降爲招架不遑的下風劣勢了。

美國空有冷戰之名，未得冷戰之實，試看許多新興的弱小國家，在冷戰中皆採取親俄的中立主義，即其明證。俄帝卻去名取實，憑着「和平共存」這句謊言，一躍而佔有冷戰的上風。這是戰後美俄兩大對立集團的冷戰經過及其態勢，事證昭然，有目共睹。

二、

冷戰的最大作用，就是政治比賽，要以政治生活方式來激發人類讚美崇信的良知良能，而不受共產邪說的蠱惑，這是根本之計。次爲憑藉政治關係以爭取與國，增強國際陣營，即所以削弱敵方的聲勢。然而，自由世界所倡導的民主自由生活，原則固然正確，方式即多問題，事實上亦不無缺陷。由於各個國家的文化精神有深淺厚薄之不同，社會結構互異，生產力強弱有別之故，實施民主政治的方法和進度，自不免五花八門、各有一套，究竟怎樣才算眞正的民主生活呢？眞所謂「搢紳先生難言之」也。因此，自由世界領導者對於民主政治問題，祗能以大致不差的原則性爲衡量標準，庶可望產生廣泛而強大的號召力。美國常常強調美式民主生活，動則指別國的政治不民主，這就容易給敵人以挑撥離間的大好口實，對冷戰前途甚有損無益的。

談到爭取與國，問題更多。美國藉軍經援助爲爭取與國之唯一手段，重視物質力量而忽視精神潛能的作法，即我國儒家所謂「以力服人」之義，也就是霸道主義。以霸道從事國際間的冷戰工作，不特事倍功半，難達目的，而其弊害且層見迭出，博而寡要，勞而無功。最顯著的例證，就是一些新興的弱小國家如印度、印尼之類，標榜中立親共主義，揚言實行不加盟政策，向美俄雙方投機取巧，詐取物力財力的援助，而在國際政治上，事無鉅細，皆與美國的期望背道而馳。至於一般列爲自由陣營的反共國家，雖接受美援而對美國諸多怨懟，頗有貌合神離之象。老實說，如果俄帝的政治制度不是共產極權奴役生活，而是具有人性的任何帝國主義，美國在冷戰上早已一敗塗地。試看美國在聯合國大會中的影响力量，逐漸式微，每屆大會爲着某項重大問題爭取與國的艱難情形，殆可想見了。

自由陣營在冷戰中，還有一項先天的弱點，即一二在過去實行殖民政策的資本帝國主義國家，依然奄有舉足輕重的地位，美國不能不予以遷就。如是，俄帝發出反帝反殖民主義的宣傳攻勢，對一般弱小國家的誘惑力，遠比美國所倡導的民主自由主義爲強。此即蕞爾小邦的高帽，亦居然標榜不加盟政策的心理因素所在，值得警惕的。

三、

年來中俄共之間，關於世界革命的理論和原則，發生了激烈的爭執，使英美人士竊竊自喜，認爲中俄共將分裂，且幻想着俄帝將採取親西方政策，以增強其冷戰必可博得最後勝利的信念，因而一面預測中共不久即會擁有原子武器，一面宣稱必須讓中共進入聯合國（英國外交當局近日有此聲明），乃可維護世界和平。這種自說自話的一廂情願心理，徒然表現其知彼而不知己的惰性觀念，實在可哂極了。就中俄共鬪於革命理論問題的內鬨情形而言，它跟英法美之間關於軍事和經濟問題的內鬨狀況，其利害得失之數，未可同語。

如果說俄共集團爲着革命理論之爭，即可分道揚鑣，發生火拚行爲，那末，史達林晚年預言資本帝國主義國家間的相互斫伐，必先於對社會主義國家進攻時期而發生之說，豈非更具有妥當性嗎？俄共集團的內鬨行爲，並不影响俄帝對西方的軍事聯防體系，英法美的內鬨，卻直接損害到北大西洋公約組織的集體安全利益，孰爲得失，不言而喻。從冷戰的全盤利害設想，西方國家的敗徵，比俄帝更爲嚴重呢！我們決不相信俄共集團會因世界革命理論爭執而實行分裂，亦不能想像西方國家會由於戴高樂的英雄主義，而各行其是，自趨敗亡之境。冷戰持續着，雙方的內鬨情形必然隨之存在，癥結就在領導自由陣營的美國，今後是否徹悟過去的缺失，揚棄其純實驗主義的作風，而注意於以德服人的王道精神？果能如此，在冷戰上自可贏得上風，立於不敗之地，萬一熱戰發生，自由陣營更有制勝的絕對把握。否則俄酋赫魯歇夫要埋葬資本主義社會的狂論，殊不敢必其爲荒誕不經之談。

總而言之：美國祗有恃熱戰的優越力量，[illegible]用其所短。若使馬歇爾所謂冷戰五十年的主張實現，自由世界前途，勢必不堪設想也。

漫画天下　南施

各出絕招

貌合神離

自由談

談稻草人

馬五先生

美國作家阿爾索普，著文指稱中共有如矗立在田畝間嚇鳥雀的稻草人，其言可謂形容盡致矣。

可是，這個稻草人從製造細紮到插立地上，都是叨着美國當道多方贊助之賜。當二次大戰結束時，若不是杜魯門、艾契遜之流，悍然干涉友邦內政，派遣特使馬歇爾來中國調解國共爭端，稱讚毛共爲民主進步集團，不許中國政府對毛共的叛亂行爲加遺一矢，馬歇爾且在我中央政府的大禮堂上，公然指斥反共人士爲「反動份子」的話，毛共縱不消滅，亦必然無從坐大釀亂的。迨馬歇爾調解工作失敗，我政府實行戡亂之際，若不是美國當道採取親共政策，發表對華外交白皮書，聲明一筆勾消中華民國政府，停止一切援助，甚至對於我政府斥資在美國採購的軍需品，亦復禁止出口的話，毛共又何至於竊據大陸，而以「美帝」爲死敵呢？我們今日回憶當年杜魯門，艾契遜們譽稱毛共爲「土地改良主義者」，是「與蘇聯無關的社會革命集團」，副總統華萊士且上當毛澤東攀交情，自稱爲「農家子」，而締結爲同伴的種種諛詞醜態，實不勝其肉麻齒冷，而認爲美國背上毛共所加的「紙老虎」惡名，良有以也，豈徒然哉！

現在阿爾索普說毛共是嚇鳥雀的稻草人，但白宮主政者仍視此稻草人是可怕的東西，不贊成別人對它加以打擊傷害，這又是爲的甚末呢？美國的政治人物動輒批評別國政府當局爲「腐敗低能」，我們綜觀近十餘年來美國當道對於中共問題的見解與作風，實在想不出他們有那點比別人「高能」之處呵！

中共這個稻草人，原是美國政府一手製成的，它並未嚇倒一般覓食的鳥雀，卻把製造稻草人的「紙老虎」嚇得退避三舍，不敢擲邇，而且認定它將有啃上「猴子牙」之可能。這便是良巫之子死於鬼的道理，自作自受，徒留笑柄於人間，可哂而又可哀也。

·香港某觀察家的意見·

法德軸心有利自由世界
遭受重壓的是俄共集團

美國躭心危害團結其實無據

（本報訊）法國與西德軸心的建立，以及由之而來的英國被拒入歐洲共同市場，是當前的大事件，對於今後世局的影響，勢必相當重大。就自由世界而言，這事究竟是好事還是壞事？是有利的還是有害的？當為讀者所深切關懷。本報記者為此，特往訪此間一位國際問題觀察家，叩詢其意見，以饗本報讀者。

這位觀察家首先表示：法德軸心建立才是真正的大事，英國的被拒入共同市場，只是這件大事所首先得出的一項結果。後者固然亦相當關係重大，但卻絕不像一般人所想像的那般嚴重。所以，真正值得重視的，還在於法德軸心的建立。

這位觀察家說：法德軸心建立是「新歐洲」崛起的正式訊號。他認為「新歐洲」崛起遭受到深重壓力的，乃是俄共集團，它們以往便已受到經濟壓力，現在則開始受到政治壓力，將來則還會受到軍事壓力。至於美國，則只是「領導權」略為感受到威脅而已。他說：蘇俄至今對此不置一詞，好像根本無其事然，與美國的特表敏感，作栖栖皇皇狀，甚至居然說這事可能危害大西洋的團結，實在兩者都是可笑的。

這位觀察家說：蘇俄的不發一言，當不是它漠視法德軸心的建立，實際，蘇俄內心必然最感恐慌，正在暗中打主意如何應付。至於美國所表現的特別張皇神色，他以為其實並無必要，亦未免故意張大其詞。

他指出：美總統甘迺迪特別為法德軸心的建立所發表的聲明，雖强調任何事故均不能使得美國與歐洲分裂，但卻說北大西洋公約的團結如被破壞，則無論美國，無論歐洲，均難望在蘇俄集團的威脅之下，保持生存。甘迺迪又還向西德提出警告：勿得與法國成立任何足以危害北大西洋公約的團結的協議。而美參院外交委員會主席富爾布萊特，甚至不但指責法國總統戴高樂在做「拿破崙式的幻夢」，致危害自由世界的團結，還威脅要美國可能撤退其駐歐洲的軍隊。

這位觀察家說：儘管富爾布萊特是很有影響力的參議員，但到底因為他祇是議員，並非足以代表美國政府的意見，故不妨加以漠視。但儘就甘迺迪的聲明，以及他向西德提出的警告而觀，已經足夠說明美國對於法德軸心，看得的確頗為嚴重，表現出一種栖栖皇皇若有所失的緊張形色來。但實際，法德軸心是否真的會危害到北大西洋公約的團結呢？美國的緊張有沒有其必要呢？

他說：要認識這些問題，需先了解以往北大西洋公約是在怎麼樣的情形下團結的？還要了解在法德軸心建立之後，對於北大西洋公約將發生何等影響？以及將對發生的影響對自由世界而言，是有利的，抑是有害的？

他說：以往北大西洋公約，是由美國所領導的。其實何止北大西洋公約為美國所領導？自由世界的其他防衛組織，如汎美國家條約，如東南亞公約，甚至如美國祇是「贊助會員國」的中央公約，何嘗不亦是由美國在那裏領導？單以北大西洋公約而論，以往，由於英國是美國之外最強的國家，加以英美「血濃於水」的淵源，美國除經常遷就英國的立場外，對於共同盟邦的意見，事實上都不大加以理會，故亦可說北大西洋公約是由英美所共同領導的。甚至整個自由世界，亦勉强可說係由英美所共同領導。因之，美國人口中所說北大西洋公約的團結者，實際係要其他國家團結於美國單獨的意見或者英美兩國共同的意見之下的意思。但現在法德軸心建立，「新歐洲」崛起了，情形有了變化了。這即是美國或英美兩國，今後對於北約有關問題，不能不亦要顧及法德的意見；英美獨斷獨行的局面，今後將很少再能出現，或者甚至根本不會繼續出現。

他說：這樣的發展，對美國或者說英美的領導地位，確實很有影響。然而「新歐洲」崛起乃是事實，且此事實去年便已為世界所公認。法德軸心的建立，祇是更白紙黑字的把這事實公式化而已。既然「新歐洲」崛起是無可否認的事實，對於北大西洋公約有關的事情，法德所代表的「新歐洲」，難道就不該有發言的權利？儘管以往事實上北約之事悉由美國單獨的或英美共同的意見在領導着，但在表面上，美國何嘗不說一切決定都會經「詢謀僉同」，會經獲得共同會員國同意的？所以僉會員國同意的，以往所謂「詢謀僉同」缺乏真實內容，今後確已非此便辦不了事。

這位觀察家指出：自由國家的結合，本就應該是立腳平等的。今後的北大西洋公約，正就是更趨向所有會員國接近平等的態勢下的防禦公約，其團結非但不會發生問題，而且是基礎更堅實，力量更雄厚。加以，由於法德軸心所代表的「新歐洲」，畢竟還未擁有核子軍力，其力量比美國尚有距離，美國的領導地位，實際那裏會發生大問題？美國人所表現的憂慮，其實是多餘的。他認為：最低限度在今後十年八年之內，「新歐洲」還不會完全無視美國的領導地位；危害美北約團結的論調，未免杞人憂天。

至於法德軸心的建立，對自由世界而言，他認為利多於害，絕不是什麼壞事情。他說：以往，美國或者說英美，對於俄共集團的鬥爭，往往失諸軟弱被動，乃是事實。戰後十幾年來，自由世界領土日削，俄共集團勢力日形囂張，即由於美國或者說英美領導無方之所致，亦是事實。他說：今後由於「新歐洲」的發言力增強，美國或英美對俄共集團的政策，當亦不會再如往日的軟弱與被動了，這對自由世界，寧非好事？（韋）

英被拒入共同市場
香港廠商欲喜還憂

應變準備有繼續進行的必要

（本報訊）懸時十五個月之英國加入歐洲共同市場的談判宣告破裂的消息，令香港廠商感到震動，而為之一則以喜，一則以憂。

港商過去不願意英國加入共同市場，為的是香港工業製品將要失去特惠稅，也就影響了本港工業的生存。但雖如此，本港工業界自這一年來，都已準備英國加入了共同市場之後的處境的打算。

如今英國不能加入共同市場了，這對英國雖有所損失，香港方面以前的焦慮則可暫時獲得解除，這是可喜的。不過另一個問題跟着就來：英國不獲加入共同市場，其經濟上所受的損失，說不定會影響到香港來。

因為英國不能加入共同市場的消息傳來，本港金融市場已經醞釀波動，美鈔上漲，市場心理對於英鎊的市價，開始低估。

英國出口貿易，幾年來都處於低潮，卻使英鎊貶值後，也不能刺激這方面的紀錄。這幾年英國不斷用提高利息的辦法，以維持英鎊，直至最近才陸續將利息削回。因此，除卻政治的因素不談，在經濟觀點上，英國亟需加入歐洲共同市場，以擴展它的出口貿易。因此，英國不能參加共同市場，最令香港商場關懷的，將首先是關於英鎊的前途，也就是港幣的前途。

自從英國醞釀加入共同市場以來，本港工商業，即作積極打算，如分散生產，分散市場，以及開闢新市場等。

這種種準備，雖然是為了應付英國將取消特惠稅而起，如今英國加入共同市場的事情告吹，港商這方面的努力，應該是繼續進行，不可以加以終止的。因為英國不能加入共同市場，特惠稅的制度，固可能暫時保留，但在英國的經濟困難情況之下，港貨的輸英的自由，將否遭受限制，一如現在的棉織品情形一樣，這是可慮的。同時，為了英國過去緊張的準備加入共同市場，以致美國恐怕遭遇到壁壘的對抗，自動減低了關稅，這更利了港貨向美國等地市場發展。但英國加入共同市場的事告吹了，美國將否繼續減低稅自由輸入的政策，也是令香港廠商人引起憂疑之處。因此，香港廠商一年來，為了英國加入共同市場而作的應變準備，包括上列各種措施，仍應繼續發展。因為不論英國加入共同市場與否，目前本港的準備，是擴展及維持出品的市場，這一切努力方向都是對的。

英國被拒加入共同市場，不論其為了政治或者經濟，它將採取的下一步行動是什麼，自都值得港商嚴密的注意。（驊）

春節台灣大過年
節目無非吃喝玩

（本報記者台北航訊）「春節」在台灣是真的表現了「過年」的景色，因為大家都是認認真真隆重在「過年」，雖政府官員，亦未能免俗，有若干政府官員甚至在「過年」上還起了領導的作用。

「過年」景色實際是從「臘月」二十日前後便濃重得可掬而見的，臘月廿四以後，更大家都在為「過年」而忙碌了。理髮店與洗澡堂開始雙倍收費，但依然不在話下。到「元旦」的前三天，台北街頭人頭攢動，都是辦「年貨」的，交通大見擁擠。政府機關其時名義上還在辦公，實際，除非實在走不開的人，許多都已放了黑市假。

「元旦」之前，生意最好的商店，要數雜貨店，百貨店以及糖果食品店。其次則為衣帽店，皮鞋店，服裝店和玩具店……了。這些商店，多半都做生意直到除夕深夜，其餘的店家，則收爐打烊較早。而所有的商店，從元旦開始，都休業五天「過年」，許多報紙亦「減張」五天，要直至過了「破五」，始再恢復舊觀——不是百分之百的全無例外，但例外的也是很少很少。

直至「除夕」之前，統計單是台北市，為了「過年」，三天之內，一共宰殺了一萬一千頭猪，三百九十六頭牛，一百五十隻羊，魚五百噸，蔬菜的銷量則超過一千噸。

元旦開始的台北街頭，連行人都是不多的，因為大家都在非常認真的「過年」，其節目則不外吃喝玩要，打馬將的尤其普遍，差不多三家人中便有兩家有人在攻打四方城。郊遊的人亦不少，好像市郊的圓山游樂場以及兒童樂園，動物園，「年初一」與「年初二」兩天，便有購買門票的游客超過二十三萬。（界）

〔香港與大陸〕

毛共監視還鄉客極嚴厲
人人有如入虎口的感覺
言語稍不慎便帶來大禍

舊曆年關曾返梅縣探親甫回香港的劉興×君對本報記者說：中共對回大陸探親的港澳僑胞，監視極嚴，言行皆須非常小心謹慎，否則便會招來橫禍，回不來香港。

劉興×君這次回大陸，他的行李被檢查過兩次，一次是在過深圳關時的檢查，雖算得細密，總是公開的；另一次是由廣州託運行李至梅縣時，那是秘密檢查，尤其澈底，連那些煎堆角仔等食品，皆會被剝穿查驗。

劉興×君說：中共除了對回鄉客的行李檢查外，更加以嚴密的監視。在梅縣地區，每一個探親客一到家鄉，便得立即向「生產大隊」長報到，並由「生產大隊」長偕同前往「公社」之「公安部」報告，填寫履歷表，內容包括個人歷史，社會關係，在港之職業及詳細地址……等等。這亦罷了。更厲害的，是每天都有一兩個黨員共幹輪流到訪，表示「關懷和瞭解」僑胞在資本主義社會之痛苦生活，如果你應對不得其法，禍事就來了。

劉興×君有一位朋友劉超×君，原在九龍土瓜灣一家塑膠廠做工的，其人個性爽直，口沒遮攔。這次與劉興×君同行返鄉探親，就闖了大禍。農曆廿八日，劉興×君說：劉超×的家裏來了兩名共幹，當然是為「關懷」僑胞的生活而前來「瞭解」的。當共幹問到香港生活情形時，那位一貫爽直的劉超×君不單沒有揭露資本主義社會的「罪惡」，還在許多叔婆伯姆面前，滿口稱贊香港如何食得好，穿得好，祇要肯去做工，便不愁生活有問題等等。共幹雖沒有立即加之以罪，卻顯然已把他視作「危險人物」了。就在當晚，劉超×君家裏來了幾位親友，這些親友，向其訴說在家鄉的痛苦生活，這就引起劉超×君對他們的同情，談話中流露出無限憤慨，並罵了共黨一句：「沒有人道」！立刻從門外衝入幾個武裝民兵，不由分說，便指劉超×君為「反動分子」，把他逮捕去了。一直到劉興×君離開家鄉返港，不曾知道劉超×君的下落。

劉興×君說：在鄉間，每日晚間，都會發覺有共幹在其房間的窗下鬼鬼祟祟地偷聽。每當有任何親友來家時，亦發覺有人跟蹤他。結果總算處處小心謹慎，未出亂子。（敬斯）

是實施國家總動員的時候了

林權敏

我認為，這樣做不如實施國家總動員的來得徹底。難道實施總動員還不是時候嗎？我認為，唯有實施總動員，才能振作民心，才能革除一切積習，才能掃除革命障礙，才能接近反攻之路，才能拯救大陸同胞於水火，延續國家命脈，重整河山。

政府為什麼不實施國家總動員？是不是反攻的準備上還不需要？是不是根本不需要總動員就可以反攻？或者是：還沒有到實施總動員的成熟階段？抑或是我們有了吃不盡，穿不完，住大廈，坐包車的美麗寶島，還有美國的第七艦隊來保護我們，所以不妨苟安逸樂了？難道說我們在這美麗的寶島做美麗的夢真該永遠不醒？「反攻大陸」莫非真只是個美麗的夢言？否則，又為什麼？為什麼？實在不可想像！

不願反攻巳是普遍的傳染性病症，它逐漸地在蔓延而沉重，有血性的人雖還略能抵抗得了，但久而久之，習與性成，還了得嗎？政府對有形的副霍亂症曾下過功夫，卻未對無形的「不反攻」症，打過防疫針啊！於是苟安享受的「美夢」沖昏了頭，不反攻的「病魔」瘋狂的盤桓不去，大家只知道眼巴巴的看着它不動聲色，甚至亦聞聲起舞，不禁附和了。

病並不難治，最怕的是「總動員」的門診部不開，主治該病的醫師有賴得負責，採取得過且過，也對酒當歌起來。事實上，潮流也太迫人低首，一針盤尼西林常會打死人，在這樣一個情形下，總是先來個試驗階段，才可決定可不可靠。可是住大廈的達官顯要，鉅子們，根本就不承認「消炎」與「防疫」在自己的身上有其必要！如果命令之下須要普遍注射，可能在此等人的心目中，將認為這是一種妨害個人自由的作法，更可能會提出說：「吃大肉，住大廈，生活好，美女多，紙醉金迷，宵無盡夜」，是天堂與地獄的對照，是自由天國與「人民公社」的分野，是大陸匪僞必將崩潰的證明，越享受越是打擊共匪的最好工具，我們可以把家庭造得像皇宮一樣，我們可以讓生活的享受提高到像皇帝一樣，讓大陸同胞嚮往，把我們送回大陸去。同時讓大陸同胞的生活過得愈牛馬不如，他們愈會起來反抗匪偽，我們大可等待共產匪徒自己去葬送自己，不需要我們實行反攻，都能夠順利回到大陸。這種說法對嗎？出喪變為更天真可笑啊！難道真的有什麼「炎」好消？有什麼「疫」好防？享受就可以打垮共匪，何必來動員來緊張社會人心呢？我不知道當局是否也有這同樣的看法，但無論如何應該打打主意了。

總之，我認為「革新，動員，戰鬥」還不夠，應該實施總動員，才是一服全面治病的良藥。且應當從達官，顯要，工商鉅子們那影響社會的人來個消毒，以一新社會風氣，進入動員階段，準備實行反攻。時間不允許我們再享受，良心不允許我們再等待，大陸同胞的處境不允許我們再袖手旁觀。凡是有良心的中國人，有血性的黃帝後裔，都得認識到這是我們實行自救並救大陸同胞的時候了！我們還等待什麼？救國的責任豈是可以推卸的？唯有全面總動員起來，在蔣總統的領導下，揮戈北指，反攻大陸，才是我們國家以及我們每一個國民的出路！（下）

天南風光

沙羅越的歷史

朱淵明

那時酋長馬可達，眼見布律克勇敢善戰，又有謀略，心中暗為忌嫉，乃暗中召集「實加蘭」土人兩千餘，入沙羅越河上游一帶殺戮人民，搶劫物資。他這樣做，是有意破壞布律克的聲譽，好叫他難堪的。布氏見許多土番前往上游，知道必有問題，自己乃退往炮艇之上，一面囑哈沁速召回土番。馬可達的陰謀敗露，而當地人見布氏關懷民衆，心益悅服。

過後不久，哈沁再次向布律克呈獻政府的管理權。這次布氏就加以接受了。一八四一年二月，布律克得到「沙羅越省長」的稱號，由哈沁草擬的書面合同，規定這種委任，只准許英國的訪問者住在古晉，找尋貿易的利潤而已。在這合同裏，完全沒有提到領土與主權轉讓之事。這與布律克前哈沁對布律克所談不相符合的。當布氏對這點加以注意時，哈沁乃解釋道：「這份合同，只是臨時為解決某些事情而定，至於領土與名號的事，將來當向蘇丹請示而後定」。布氏也就不再追問，雖然他心中是有點懷疑的。

接着布律克又去展開貿易的活動，因此，他復往星加坡作短期的訪問，採購貨物，並買下一隻適合運貨的船隻。回到沙羅越後，布氏發覺哈沁並不急於把政府管理權移交與他，並且他也不能勸導哈沁任何人把銻砂來交換他從星加坡運來的貨物。這時還要負担繳納土酋的開支，另加上古晉的一個官長公署。布氏感覺他的經濟情況，很迅速的要趨於枯竭。正在焦慮不安之際，誰知接連又發生了兩件緊張的危機。

一件，是有一隻英國的船，名叫「麗娜」號的，到沙羅越來，觸礁沉沒了，而船上的海員，卻都被婆羅乃俘虜去了。這「麗娜」號，到沙羅越，使哈沁和其他的人們，都大起恐慌。跟着，又有一個沙羅越的「納利然」是馬可達的姊夫，曾下毒，要毒死布律克的翻譯員。馬沁，布律克認為已無可容忍，乃決定作一次武力的示威。於是一隊武裝的人員從「羅牙里」船上登岸，而向船上的大炮和槍支都裝上了彈藥，準備向馬可達進攻。馬可達那時擁有兩百個達雅克人，可以護衛他，可是那些嘍子多半都厭恨馬可達，臨到緊急關頭，多一哄而散，那時「拉者」目睹哈沁兄弟能演變，將不可收拾，遂趕緊出來轉圜，很快的另訂一份合同，自然包括沙羅越領土與主權在有條件的前提下轉讓，並即簽署蓋印。（廿六）

新年政事應有新的展佈

從王安石的「元日」詩說起

黃子實

王安石有一首詠「元日」的詩：

「爆竹聲中一歲除，春風送暖入屠蘇；千門萬戶曈曈日，總把新桃換舊符。」

從表面上看，這首詩是描寫新年景象。但是細心一想，這首詩也可能含有一點感慨的意味。因為王安石是一位有抱負有魄力的政治家，同時也是一位文采非凡的詩人，似乎不會濫寫筆墨泛寫一個應景平凡的風俗習慣。他可能是幻想著他的新政，像「新桃換舊符」一般的徹底革新。如果這揣想不錯，這首詩就很有意味了。王安石的功過得失，且不必論，他的勵精圖治銳意革新的精神，總是可佩服的。一般人的通病是因循苟且，惰性難除，過新年的時候懂得「新桃換舊符」，對於國家大事就只知道「率由舊章」，奉行故事。於是主張「行新政」的王安石就作了「元日」詩寄予感慨了。

其實，需要革新的不只是國家的政事，個人之進德修業也需要時時檢討改進。西洋人有所謂「新年決心」者，於元旦之時痛下決心，何者宜行，何者宜戒，羅列編排，筆之於簿。很可能這些決心只是一時的熱氣，到頭來全成具文，舊習未除，依然故我。但是只這一心向上，即屬難能可貴，比起我們在樑柱上貼「對我生財」或斗方「福」字的紅紙以及庸俗鄙陋的春聯，要有意義多了。一個人反身修德，效法天行之不懈，無須特別等到元旦試筆，不過一年之計在於春，這倒也不失為一個適當的機緣。修身比任何事情都重要，大學說：「自天子以至於庶人，壹是以修身為本」，沒有人是例外。

別的民族一年當中只有一個新年，我們一年中有兩個。對於勞苦的大眾，這並無傷大雅，「歲時伏臘」，本來就難休憩太少。可歎的是那些四體不勤五谷不分寄生在社會上的人，他們豈只是有兩個新年，他們天天在過新年！對於這樣的人，新年是多餘的點綴。

歲首吉日，應該導頌善禱，因此我說出一點誠懇的意見來，聊作獻詞。

烏有續夢

第七回：越境興戎　盈廷驚白蟻　恃強犯上　與座斥青蠅

周恩來接到柯伊．拉納的抗議照會，要求道歉，賠償，懲兇。最厲害的是要把兇手交給尼泊爾政府處理，以平民憤。這種條件就算抗戰前日本人對中國政府也未曾提出過。周恩來不禁大費躊躇，就去電把陳毅找來。兩人商量一時，還是委決不下，只好捧着這件去見毛澤東。

毛澤東正因為發了十七萬多發炮彈轟走了艾森豪威爾而自鳴得意。正和譚震林，陳伯達，胡喬木等在解說炮轟艾森豪威爾戰術的正確。譚震林，陳伯達沒有接腔。胡喬木說道：「主席的戰略永遠正確，戰術卻時刻改變，每一次戰役的作戰方式，都能針對敵人的弱點，所以才每戰必勝。」

毛澤東被胡喬木一恭維，渾身都覺得輕鬆，當時連噴了兩個烟圈說道：「你將來續寫中國共產黨四十年，千萬要把這次炮轟艾森豪威爾的戰果列進去，相信世界上任何一個偉大的軍事家都沒有這個氣魄，前天李先念告訴我，十七萬發炮彈要值美金一千六百萬元，再蓋一間人民大會堂都有餘，卻被我一睹氣轟掉了。」

陳伯達笑道：「這件事總說赫老很不開心。」

一提到赫魯曉夫，毛澤東登時緊張起來，連忙問：「赫魯曉夫怎麼說？」

陳伯達笑道：「赫老認為我們是一種浪費，把炮彈都打到金門島上，艾森豪威爾在台灣連炮聲也聽不到，又有什麼用處？簡直是勞民傷財。」

毛澤東把烟蒂丟進痰盂，憤然說道：「炮彈是用錢買來的，並不是向蘇聯乞討來的。炮轟艾森豪威爾，勞的我的兵，傷的是中國人民的財，與赫魯曉夫何干，他也未免太多管閒事了。」

陳伯達不好再說下去，就在這時，周恩來同陳毅走進來了。

毛澤東歪頭看看，問道：「又有什麼事麼？」

周恩來陪笑說道：「就是有事向主席報告，我們的西藏邊防部隊和尼泊爾的武裝警察發生遭遇戰，打了兩個鐘頭，打死了尼泊爾一名警官，俘虜了十六名警察。」

毛澤東已高興得跳起來連拍大腿說道：「我的兵就是能打仗，尼泊爾的警察遇上他們，還不是麻雀遇上老鷹，連反手的機會也沒有。奇怪是那一支部隊沒有？」

陳毅說道：「剛才問過國防部，是駐日喀則的公安大隊。」

毛澤東笑道：「對了，公安大隊最有用，所以把他們派在邊防。你回去命令國防部查明立功人員予以提升，全隊官兵獎給一筆錢，讓他們痛快吃一餐，下次遇見了就更勇敢了。」

陳毅連聲應是，勾頭看看周恩來，兩人都不知所措。

譚震林冷眼旁觀，已經看出其中大有文章，插嘴問道：「這件事會不會引起外交上的麻煩。」

周恩來苦笑道：「就是引起了麻煩，無法解決，才來向主席請示。」

毛澤東登時似酒醒了一樣，連聲問道：「引起什麼麻煩，是不是美國人又插上手。」

（一七四）

中華民國五十二年二月二日　自由報　星期六　第四版

西湖馮小青

以前往杭州遊覽西湖，大家對湖濱的小青墓寄予無限的感歎。此中有絕色佳人，能填詞，工寫詩，解音律，善琵琶，並擅製詞曲。奈何年僅十八，遽爾辭世。良以其大婦妒忌，加以壓迫，逼令移居山野，斷絕夫婿相見。在憂傷之下，病魔纏繞，終至香消玉殞，留供人憑弔，悽夫此妹也。

小青名玄玄，江都人，自幼聰慧異常，過目成誦，一字不悅。年十六，始嫁給馮通生，充側室。馮家大婦，對小青入門，嫉妬異常，小青雖百般忍耐，曲意奉承，終不見諒。後復迫令移居，住在山野，孤獨寂寞，不准其夫會面。其戚楊夫人，曾勸離馮改嫁，小青以詩答之：「[illegible]。」不從其勸。可是長期幽居，病魔來侵，使她雅賞難遣，而寄古詩云：「雪育閑雲靄不流，[illegible]，秋風秀色寄我懷。垂淚只怨春守少，春殘又怕風欲遲；獨倚離亭遠事難，不情不緒誰能聽？情知獨瘦轉瓣小，又遇孤鴻淚情愴。」

憶紅軒雜綴

她在臨死的前幾日，又寫一首「天仙子」，有云：「文姬遠嫁昭君塞，小青又續風流債。也虧一陣黑罡風，火輪下，抽身快。單單零零清凉界，原不是鴛鴦一派，休算作相思一概。自思自解自商量，心可在，魂可在，著衫又撚裙帶。」其哀怨可掬而得。

小青病情一天比一天重，大婦尙擬以藥滲毒害之，她雖拒藥不服，但終亦回天乏術。在臨死之日，小青扶病而起，鬧鏡梳洗，薄施胭粉，打扮淸麗，提筆爲自己畫像，形容嫵媚，極其生動，遂即自己而痛哭，累極，倚牀小寐，旋卽氣絕矣。

杜門二食客

湘陰龍子，記三湘遺事，皆民國以來，湘省的許多軍人文士，固有不少的賢良。但其中有兩位，曾作杜月笙家的記室，此杜家二食客，在民國史上，做過時任附敵的顯宦，其托跡杜門，無非爲一時的作祟，有所利用耳。（未完）

南宋偏安有人才
——宗澤

李仲侯

今即位四十日矣，未聞有大號令，但見刑部指揮云不得播赦文於河之東西，陝之蒲解者，是褫天下忠義之氣，而自絕其民也。臣雖駑怯，當冒矢石爲諸將先，得捐軀報國恩足矣。」

上覽其奏，壯之，改知青州，澤年已六十九矣。開封尹闕，李綱言綏復舊都，非澤不可。乃徙知開封府。守開封日，有河東巨寇王善者，擁衆七十萬，車萬乘，欲據京城，澤單騎馳至善營，泣謂之曰：朝廷當危難之時，使有如公一二輩，豈復有敵患乎。今日乃汝立功之秋，不可失也！善感泣曰：敢不效力！遂解甲降。時楊進號沒角牛，兵卅萬；王再興、李貴、王大郎等，各擁衆數萬，往來京西、淮南、河南北，侵掠爲患；澤遣人諭以禍福，悉招降之。遂次上疏請上還京，並言：開封物價市肆漸同平時，將士農民士大夫之懷忠義者，莫不願陛下急歸京師，以慰人心。其唱爲異議者，非爲陛下忠謀，不過如張邦昌輩，陰與金人爲地耳。除延康殿學士京城留守兼開封尹時，金遣人以使僞楚爲名，至開封府，澤曰：此名爲使，而實覘我也，拘其人乞斬之。有詔所拘金使，延置別館。澤曰：國家承平二百年，不識兵革，以敵國誕謾爲可憑信，恬不置疑，不惟不嚴攻討之計，其有實欲賈勇思敵所愾之人，士大夫不以爲狂，則以爲妄，致有前日之禍。張邦昌、耿南仲輩所爲，陛下所親見也；今金人假使僞楚來覘虛實，臣愚乞斬之以破其奸，而陛下惑於人言，令遷置別館，優加待遇，臣愚不敢奉詔，以彰國弱！上乃親扎諭澤，竟縱遣之。嘗者附潛邪獄，將以澤拘留金使爲非，尙書左丞許景衡抗疏力辯，且謂澤之爲尹，威名政績過人，今之綏撫未見其比，乞厚加任使，以成興復治民之功。是時眞定懷衛間，敵兵甚盛，方密修戰具爲入攻之計，而將相恬不爲虞，不修武備，澤以爲憂。乃渡河約諸將共議事宜，以圖收復，而於京城四壁，各置使以領招集之兵。又據形勢，立壁十四所於城外，沿河鱗次爲連珠寨，結連河東河北山寨忠義民兵，於是陝西京東西諸路人馬，咸願聽澤節制。有詔如淮甸，澤上表諫不報。岳飛時犯法將刑，澤一見奇之，曰：此將才也！（二十一）

正月雜話

漁翁

正月，一歲之首月也。亦曰「端月」，謂一年四季之開端。玉燭寶典：「秦避諱謂正月爲端月」。按秦始皇名政，正與政音同，故諱之也。「位正元場，眞如端月」，見鶡冠子。

又曰「元月」，元，始也，爲一年之始，正月朔日，謂之「元日」，元日之晨，謂之「元旦」，即一年之第一日也。晉書：「顓帝以孟春正月爲元，其時正朝日立春」。後世之稱元旦，本此。

古之王者易姓改正朔，如夏正建寅爲人統，殷正建丑爲地統，（以夏之十二月爲正月）周正建子爲天統，（以夏之十一月爲正月）是爲三正，亦稱三統。秦建亥，（夏之十月爲歲首）漢初仍之。至武帝改用夏正，以建寅之月爲歲首。自漢以迄於淸末，均以正月爲一歲之始。入民國，改用陽曆，其制雖廢，但我國以農立國，民間仍重視陰曆，未或忘卻春秋所云：「春王正月」之固有風習。

可是，一入正月，不一定是春天。從立春日起，才是春季開始。今年立春，在正月十一日，十一日以前，還是冬季的氣候。民間爲着過新年，一元復始，萬象更新，往往忘記寒冬的景緻，而認爲所呼吸的，是萬紫千紅的春季之氣息。

北方人以正月初一至初五，名「破五」，據北京猶軒錄云：「自元旦至初五日，謂之破五。於此五日內，婦女不許往人家，謂之忌門。」去則以爲不祥。」南方雖未有此種限制，而民國以前，婦女多在元宵後，方能出門。現在無論北方與南方，均百無所忌矣。

荊楚歲時記：「正月七日爲人日。」古今注云：「一日雞，二日狗，三日猪，四日羊，五日牛，六日馬，七日人。」荊楚記又云：「一日不殺雞，二日不殺狗，三日不殺猪，四日不殺羊，五日不殺牛，六日不殺馬，七日不行刑。」以正月七日爲人類大慶之生日，即有不法行爲，而在此日，不受刑罰之制裁。足見人道精神之所在。

正月十五日，曰「上元」，上元之夜，曰「元夜」，一名「元夕」，又稱「元宵」。[illegible]

[illegible]

元宵節，俗稱燈節，有兩件事，値得同慶的：一是看花燈，一是吃元宵。[illegible]

我的學生生活

雷嘯岑

我們爲着應付反動派要求召開民衆大會這回事，在國民黨東京支部和我的住所「月印精舍」內，迭次協商作戰計畫，最後決定下列幾項策略：（一）我不作民衆大會主席，改請學生總會常事長王奉瑞君担任之。（二）所有國民黨同志參加大會時，採取「散兵綫」方式，一律散坐於會場內四周圍的外線，[illegible]講演台前第一排位置中。（三）組織行動隊，由同志中選拔技擊或體力強悍者八人充任隊員，以河南籍同志劉彌九爲領隊。（四）在大會中以王家楨爲第一號敵人，決計痛予聲懲一番。我於大會舉行時，坐在會場附近之「料理店」中，聽取消息，籌機應變。他租定汽車一輛備用，如同志中有與敵人鬥爭而負傷者，即用汽車送赴醫院急救。

民衆大會仍在東京青年會舉行，橫濱方面粵籍華僑應約到會者三十餘人，會議開始後，王家楨登台演說攻訐國民黨，台下呼打之聲四起，坐在台前第一排的民黨人士，即起身擬將王拖下台來，王覩狀，脫去外套，急從窗口跳出逃走，會場秩序因之大亂，人聲鼎沸。此時有湖南籍留日高工學生彭維翰，站立椅子上，揮手操着湖南話大呼「各位莫要打架咯！」坐在他旁邊的橫濱華僑同志不懂湖南話，誤認他是王家楨的同路人，即將他推倒地下，拳足交加，肋骨被打斷了一根，昏厥不省人事。在會場外面窺視的日本便衣警察二人進來制止動亂，亦遭群衆圍毆倒地，有一人的腦蓋骨被鐵器擊破，腦漿迸流。俄而大隊憲兵到來，當場逮捕了八位華僑，押赴東京警視廳拘禁。他們都是國民黨黨員，在橫濱以勞工營生者。一場民衆大會，就這樣無結果而散。青年會的椅子卻毀壞了幾百張，該會主持人馬伯援連呼倒霉不置。

第二天，湖南、直隸等省同鄉會發出傳單，指摘國民黨人把持學生總會，無法無天，而以我爲攻擊對象。湖南同鄉會且由周芳剛代表，正式向東京地方裁判所提出控訴，東京警視廳亦向法院提起公訴。我以事頗嚴重，乃求救於吾黨老友犬養毅先生，他一面介紹日本全國律師公會會長鳩山直彥，替我們作義務辯護律師，一面寄託法部大臣轉囑地方法院，對此案不必認眞，可作爲政治問題來處理——此時犬養亦係內閣大臣，他告訴我，只能暗中幫忙，不便露面說話。[illegible]家都是靠作工維持生活的，現在家長身繫囹圄，生活無着，要我給錢救濟，而學生總會一錢莫名，如何是好呢？我祗好去找汪公使援助，他對我很同情，立卽捐助日金五千元，我大喜過望，先把八位被捕華僑的家屬生活予以安頓，解決了一大困難。這時反動派揚言要以暴力手段對付我，必須揍我一頓，我不能不加以戒備，每出門時，身懷一柄日本式的海軍刀，另以鐵條一枝作手杖，萬一與反動份子狹路相逢，準備跟他們幹！這是我的學生生活中極其辛勞緊張的階段也。（十三）

也論孟嘗君

黃伯達

（續上期）

開宗論之：戰國四公子，賢而能下士，莫過於信陵。然信陵能識侯生，禮下於侯生，而不能盡之於魏王。使能與王論天下士，有若能用之，則誠有如斯而已之所云：魏王成能聽侯生，而促晉鄙急救趙，以不蒞於危，則晉鄙可以不死，如姬可以不致，未可知也。如其然者，則魏王信陵亦不致有後來之隙衷；致乎晉鄙客以挑撥之機，使信陵醇酒婦人，汨沒以死？今曾不能，遂令千古奇士如侯生者，竟以夷門抱關者終，且非姬頓，無以自立於大梁？信陵如此，則孟嘗更無論矣。士之懷奇抱璞者，又安望能以一登龍門爲貴邪？有故曰：荊公云云，乃合本而論宋也。

內僑警台報字第〇三一號內銷證

自由報

THE FREE NEVS

第三一一期

中華民國僑務委員會銷發
台教新字第三二三號登記證
中華郵政台字第一二八二號執照
登記爲第二類新聞紙類
（本報刊每星期三、六出版）
每份港幣壹角
台灣每份售新台幣貳元
社長　雷嘯岑
督印人：黃行靈
社址：香港銅鑼灣高士威道二十號四樓
20 CAUSEWAY RD 3RD FL
HONG KONG
TEL. 771726　電報掛號：7191
承印者：田風印刷廠
地址：香港灣仔高士打道二二一號
台灣分社
台北市西寧南路一一七號二樓
電話：三〇三四六
台郵劃撥公戶九二五二

狄托主義與世界前途

・岳騫・

最近共產集團爲了南斯拉夫修正主義鬧得天翻地覆，共產主義的弱點也在世人面前暴露無遺。自從一九四八年以來，狄托始終成爲國際政壇的慧星，嚴格地說起來，狄托主義出現之日，共產主義就開始患上了癌症，中間已經幾度發作，屢瀕於危，雖然大施手術，勉強苟延下去，病菌依然在潛伏滋長，到了目前由於赫毛之爭又告發作，情況較以前幾次更爲嚴重，不問其結果如何，世人已可清晰看出共產主義滅亡的過程。

世人每以狄托主義稱南斯拉夫，其實在一九五八年以前，狄托尚不足成爲主義。狄托統治的南斯拉夫，國內政策依然仿效蘇俄，只是在外交上接受西方援助，和土耳其，希臘聯盟以抵禦蘇俄的侵略，其情況略似今日的阿爾巴尼亞。它雖然反俄，仍自認是共產主義的信徒，甚至反俄也只反一個人，此種行爲自不足成爲一個主義。所以，一旦史達林暴斃，布爾加寧，赫魯曉夫，米高揚等一起到貝爾格萊德訪問狄托，雙方面的關係也就立時好轉。中間有三年時間，所有共產國家（阿爾巴尼亞可能除外）均對南斯拉夫表示好感，中共也不例外，一九五七年一月彭眞曾率領一個人代會代表團訪問南斯拉夫，九月間南斯拉夫副主席伏克曼諾維奇訪問北平，受到重大歡迎，接着南斯拉夫聯邦國民議會代表團團長彼得．斯坦鮑利奇又率領一個代表團去北平訪問。讀者如不健忘的話，還該記得當年南斯拉夫有一個足球隊訪港，此間共報的火捧特捧情況，可以想見當時中共與南斯拉夫之間的歧見也消除了。

南斯拉夫再度與共產集團決裂，導因於一九五七年十二月在莫斯科召開的共黨大會上，南斯拉夫拒絕在十二國共黨簽署的文件上簽字，此項文件卽是今日被中共捧爲經典的所謂「莫斯科宣言」。次年四月，南斯拉夫共黨發表了新綱領草案，對各種問題都有一個特殊的看法，最重要之點是對國際關係方面，南斯拉夫認爲應該和平共處。至於經濟方面，南共綱領認爲應該盡量尊重私人所有制，直到目前南斯拉夫國內土地尙有百分之九十握在私人手裏。南斯拉夫此種措施，當然不是正宗的馬列主義，從此，共產集團就替南斯拉夫加上修正主義的罪名，所謂狄托主義，到此時才算確立。

一九五八年，共產集團對南斯拉夫的態度是一致的，尤其是匈牙利革命發生後，匈牙利反共總理納基逃至南斯拉夫大使館尋求政治庇護，以後被蘇俄騙走，解到羅馬尼亞殺死，南斯拉夫報紙及狄托本人都曾向蘇俄大肆攻擊，眞理報也予以還擊，雙方爭吵了一年時間，到一九五九年情形也就緩和下來，最近又言歸於好了。

我所以說狄托是共產集團的癌症，是有絕對根據的。在狄托與共產集團決裂之前，整個共產世界就靠史達林一根魔術棒在指揮，對內定於一尊，對外步調一致，所以在戰後幾年中間，共產世界的擴張是相當驚人的。可是，自從狄托分裂出來，史達林帝國開始呈現危機，就在史達林生前，東歐共黨國家曾被或明或暗整肅的狄托份子，計有保共首領季米特洛夫（被召到莫斯科病死），保共書記處書記當時坐第二把交椅的柯斯托夫（公開處死），波蘭的戈慕卡（判終身監禁），捷克的史蘭斯基（處死）。迨史達林死後，東歐更被狄托主義燃起了反抗之火，由於東德波茨南工人大暴動，波蘭全國人民的反抗，使戈慕卡從監獄中登上第一書記的寶座，趕走了史達林派到波蘭擔任國防部長的羅柯索夫斯基。實在說，沒有狄托路綫的影響，就不可能有德、波兩國的軍民大起義，及至匈牙利革命爆發，更震動了整個世界。假若當時美國總統不是低能無用的艾森豪，只需在華盛頓大喝一聲，不准蘇俄出兵干涉，相信匈牙利革命已經成功了，而這一筆功勞無論如何要記在狄托路綫吸引了東歐的衛星國，鼓動了德，波，匈三國軍民的反俄帝運動，到了南斯拉夫共黨新綱領頒佈之後，狄托主義（實在是修正主義）更吸引了死硬的共產主義份子，蘇俄已毫不隱諱的在走狄托主義路綫，被稱爲鐵幕外最大共產黨的意共，更是見機心馳，意共所倡的「結構改革」，雖不同於狄托主義，也是另一種修正主義，到了最近，赫魯曉夫不得不公開說：「在各個社會主義國家，存在着各種不同的觀念」。赫魯曉夫雖然未再說下去，但不同的觀念自然要產生不同的制度，到那個時候，所謂馬列主義，還成個什麼東西呢？

狄托主義吸引了蘇俄及東歐共黨，也離間了他們與中共的關係，最近在意共大會上，中共代表趙毅敏攻擊南斯拉夫在國內恢復了資本主義，卽被意共總書記陶格里亞蒂指着鼻子說道：「親愛的同志，你的發言只有損害了你自己，因爲在座的人都曉得，南斯拉夫並未恢復資本主義。」當然這只是一個開始，無論如何中共與俄共確乎已背道而馳。本年一月二十七日中共「人民日報」社論「在莫斯科宣言和莫斯科聲明的基礎上團結起來」，文長八千字，最少有六千字是罵狄托的，毛澤東確實看出了狄托主義的危險性，但是已經病入膏肓，恐怕不是一篇社論就能着手回春了。

從戰後十幾年的歷史看來，自由世界出了一個尼赫魯，共產集團出了一個狄托，對於兩個集團的危害，可說是半斤八兩。不過，尼赫魯只等於一個無名惡瘡，雖然血膿狼藉，害得自由世界轉動不靈，精神不振，可是尚不致死。狄托道地是共產主義的癌症，共產主義不亡，狄托主義永不會消失。

我們常常慨嘆二次大戰後，世界上未曾出現一名像樣的政治家，如其勉強降格以求之，狄托差堪入選的。南斯拉夫十幾年來的外交折衝，已看出狄托的政治手腕，其中有許多地方確實運用得恰到好處，例如這次錫蘭總理班達拉納夫人提議召開六國會議，調解中共與印度糾紛，本來的形勢比較對中共有利的，就在此時，狄托派了一個特使到開羅，西方國家對這件事並未注意，中共却開始大嚷大叫，指責狄托破壞可倫坡會議，南斯拉夫對此並未置辯，狄托特使不久也悄然離開開羅了。這個特使爲什麼來，何以匆忙離去，也沒人去研究，不久可倫坡會議開幕，原定的六國行政首長會議，結果只到了三國，另外派代表出席的是阿聯，印尼同加納，恰是三個重要的國家。納塞、蘇加諾及恩克魯瑪，再加上狄托同尼赫魯，乃是公認的所謂不結盟國家五領袖，少了他們三個人，可倫坡會議就黯然失色，會議的結果也有利於印度，幾乎百分之九十五符合尼赫魯的願望，印度當卽表示接受，中共却處於進退維谷之境，承認吧，等於恢復了尼赫魯口中的九八線，拒絕吧，又開罪六個不結盟國家，一時尚拿不出辦法來。中共當然知道這是狄托搞鬼的，「人民日報」天天咒罵狄托，可是外交是鬥的智慧，不是光憑罵術所能取勝的？以毛澤東跟狄托相較，可以看出高下的分野，相差實在太遠。西方國家常希望毛澤東變成狄托，其實毛澤東若有狄托一半的智慧，中國大陸不會搞得這樣糟，毛澤東亦不致陷入四面楚歌的境地，而使辛苦竊取的政權，胡里胡塗的趨於潰滅地步。

美國援外十幾年，費錢千萬億，其中援助中立國家一項，絕大多數是不必需而且浪費的，眞所謂把金錢投入鼠洞中，只有援助狄托，算是有點作用和代價。

漫畫天下

南施

共党集團

赫魯：「想不到破裂得這麼利害！」

毛澤東：「這個比吃飯還重要呢！」

自由談

誰其嗣之？

多年來主持中華民國經濟與金融事業的尹仲容氏，最近逝世了。出殯之日，台灣各界人士爲之執紼送喪者達五千人，吾聞之喟然而歎曰：公道自在人間。

愚與尹氏素昧生平，但知其治事有一種「擇善固執」的倔強氣質，雖挨罵受氣，乃至於遭彈劾，摜紗帽，仍不改其「湖南騾子」性格，是可尙也。又據說他在十年前，代表政府赴日本簽訂台糖貿易協定後，把自己應得的佣金數十萬美元，繳歸國庫。卽此一端，尹氏可謂不朽矣！

目前中華民國的急務，就是經濟建設問題，尹氏而死，誰其嗣之？當然，今人具備着尹氏的才幹學識者，不能說沒有，但要像他這樣的毅力和品格，恐怕不會太多吧？卽令才學品性都有了，又要如尹氏之博得上峯信任不貳，倚畀殷切，談何容易呢？

尹氏在政治上之所以有成就，卽在他能夠發揮個性，他的廉介操守，亦卽發揮個性的結果。蓋以位居要津而表現個性，遇事擇善固執，自然不爲流俗所喜，勢必招致許多求全之毀的，怨謗交集，乃意料中事。假使稍有貪婪行爲，卽予人以攻擊的大柄，其不身敗名裂者鮮矣。凡屬具有強烈的事業心之政治人物，都有這種志趣和情操，不辭升官，卻羞言發財，有爲者亦若是。唯有腐化官僚份子，纔不講究義利之別，扒錢第一，作官至上。對人八面玲瓏，對事因循敷衍；對上奴顏婢膝，壅蔽媚行，對下肆威作福，頤指氣使；對着民意代表們，則專說好聽的話，僞造統計數字，信口開河，欺騙一時。至於社會輿論，在所不惜，笑罵由他，好官自爲，但求乞得上峯信任，其他無所不爲了。舉世滔滔，盡是這類人物，幢幢於政壇之中，而皭然湼而不緇的尹仲容，卻不幸短命死矣，豈勝悼歎哉！

我希望政府當局鑑於尹氏對國家所表現的績業，在用人行政上，多多注意賦有個性的人才，讓他充分發展，而對於一般如脂如韋，表面上好作忠貞言行的官僚份子，予以爬疏剔抉，蔚成淬厲奮發的政治氣氛，這才是革新，動員，戰鬥的基本措施啊！

馬五先生

毛共以食物爲誘餌 欲騙農民努力生產

農民被騙已多根本不感興趣 肥料農具兩缺增產斷無可能

香港與大陸

據春節期間曾返鄉探親甫回港的何X犇君透露：中共最近又出衛欲騙使農民努力春耕工作。其「衛」爲不斷地表揚「勞動模範」，並聲稱對那些積極出工的農民給予增加糧食配額。但大部份農民對中共這些舉動，皆無動於衷。

何X犇君的家是屬梅縣松口區，他說：在梅縣一帶的公社，最近皆不斷地召集大會，表揚「社員」中之好人好事，特別表揚那些在去年曾被評爲「勞動模範」的社員。

何X犇君說：他所屬的公社，春節期間曾召開全體社員大會，在大會中特別表揚了十多位「勞動模範」之事蹟，要每位農民皆向他們學習；中共並給予「勞模」一些食品（猪肉和白米）的獎勵。除此外，「公社黨支書」還宣佈了一項新措施，想以此騙使農民積極生產。這項措施內容大概是這樣的：由春耕至夏收結束期間，舉行一次大規模的評比好人好事，而且着重點放在個人的評比，「勞模」的數額大大增加，獲選者將會得到「大量物質上的獎勵」。據「黨支書」說：凡是被選爲一、二、三級的「勞動模範」的人，將可獲得五斤至廿斤的猪肉和三十斤至一百斤的白米，以及其他日用品的獎勵。另外，公社與公社之間，亦要競賽，凡是名列前茅而且糧食的產量破紀錄者，該公社的全體社員將會長期增加一倍數量的糧食配額，希望全體社員皆努力爭取。

但何X犇君說：「黨支書」雖開出如此支票，大部份的「社員」卻對之毫無興趣，根本不想去爭取做「勞模」。因爲他（她）們都明白，過去所謂「勞模」，眞正拚命去工作的農民，並沒有機會當選，還不是祇有那些黨員共幹方有資格？至於爭取公社的產量第一，更是畫餅充饑。從前中共攪此類似的競賽豈少也哉，但得到的所謂「獎品」，農民全沒有份，祇是便宜了那些共幹獨享而已。有些農民更指出，任何一個公社，其實是沒有可能得到那種獎勵的，因爲難在要「破紀錄」。農民們說：各個公社別說是要「破紀錄」，就是規定之「最低限度」的任務，大家也未必能完成。這主要的原因，除了公社這東西本身便令人厭恨外，又還存在着許多嚴重的問題。據指出的問題，至少有下列數項：

（一）缺乏春耕的種籽。本來在去年，每一「公社」和「大隊」，都留有「一套」種子的，但由於這些種籽保管不好，有些被社員或共幹偷去的，有些霉爛了的，有些是「質」不符合標準的。所以種籽是一項嚴重問題。

二、缺乏肥料。去年底，由於忙於修建水庫和公路等，沒有充份的積肥，各公社又都沒有分配到「化學肥料」，祇是一些綠肥和廐肥，且這兩種肥料的量亦距離足用很遠。

三、缺乏農具。大陸各個公社都極缺乏農具，原因是公社的農具，都是由各個農民的私產集中而來的。幾年來沒有添製新東西，農民對於「公共財產」根本不愛護，有的還故意加以破壞，損壞率增加，農具因而嚴重缺乏。

據何X犇君說：祇這三點，對今年的春耕，已經是重大的困難，何況許多農民由於不滿共產黨的奴役措施，故意怠工的比比皆是，有幾個人還有興趣去爭取公社生產超過紀錄呢？

何X犇君並說：農民們因爲曾經歷受騙，上一次當得一次乖，再不甘心上當了。固然生產無可能超額的原因，另外一項原因，便是在上述種仔、肥料與農具並感缺乏的情形下，中共所訂之生產額，偏高了，要達成中共的預期已有困難，何能再望超額？（敬斯）

香港丁財兩旺

人口超過三百伍十萬 港產輸出續創新紀錄

（本報訊）香港人丁大旺，根據官方正式的估計數字，截至一九六二年底爲止，香港人口已突破三百五十萬的大關。在這總人口數字中，包括去年新入境的十五萬九千六百五十八人在內。

這去年新入境的十五萬多人，均經領得居民身份證，可以合法居留香港。這些人中，合法進入香港的，僅得三千九百二十五人，其餘全屬非法入境者，他們係自水陸兩路潛來香港，其中絕大部份係去年「五月大逃亡」時的收穫。官方估計此中至少有十四萬人並未取得回共的出境證，他們乃是逃暴政與逃饑餓的幸運者。

香港人口如此遽增，確屬不得了，幸而香港繁榮仍在，不但旺了丁，兼且旺財。根據最近官方統計，去年香港產品輸出，又創出空前紀錄，總值達三十億，比之前年超過三億七千八百三十七萬元。另外轉口貨值爲十億零六千九百九十一萬元，比前年亦增加七千八百九十一萬元。至於香港去年的進口總值，亦創最高紀錄，達六十八億七千七百二十四萬元，比前年增加約近七億元。

去年香港產品以輸往英聯邦國家者居第一位，十五億三千萬元，比前年增逾二億元。輸往美洲國家者次之，九億五千四百六十七萬元，比前年亦增逾二億元。但輸往亞洲國家的貨值，卻比前年低降一億二千五百萬元，而成三億八千六百九十萬元。另佔第四位的香港產品的歐洲國家顧客，共買了三億四千二百萬元的香港貨，比前年將近增加一億元。

以個別國家計，美國購買港貨最多，值八億七千八百六十四萬元，比前年幾增達二億元。居第二位的是英國，值七億一千二百四十三萬元，比前年增加一億二千五百三十四萬元。

香港輸出的工業品，有約近三分之一爲衣著類，總值爲十一億四千一萬元，比之前年增加四千五百三十四萬元。但紡織紗、布以及製成品的輸出，卻比前年減少七千八百七十一萬元，[illegible]二十六萬元。（現）

台灣省府新春漫筆

本報台中記者熊徵宇

一、歡欣

大年初四的清晨，黃杰主席和各單位的首長們，都從台北市的公館到中興新村辦公室來了。上午在中山堂團拜，舉行動員月會，接着下午還有歌舞會。

省府過舊曆年的歡欣，似乎比往年濃厚。大家都覺得，今年是我們國家在處境上最樂觀的階段，當前的共匪暴政，陷入進退維谷腹背受敵的環境，所以大家都盡情盡興的歡渡春節，給自己貫注一些精神，準備一個新的行動，一個反攻的勝利。

二、有酒過年

兩個月前就任，極力主張提高員工福利的黃達雲主席，在他所打算的，每個職員每月加發福利金二百元，工友一百，幫助他們清苦生活的計劃，在客觀環境上有很多困難，但是過年以前，也給員工們配售了一條雙喜牌的香烟和半打清酒，以公賣局的批發價格再打四折，每個人，員工一體，有一百多塊錢的好處。其數雖然戔戔，總是一份喜氣。

有位老科員，爲那六瓶酒興奮得寫了幅春聯：「有酒過年，於願已足；無血酬世，此心未安」。

三、框框思想

自從年終獎金廢除以來，每到逢年過節，省府的各單位，都是各自在業務費內抽一點錢給員工作貼補，而過年，又比端午中秋多一點。去年也是一樣，大家自己設法。除各單位首長對其科室主管的特別「寬惠」不算，就員工一體的情形來說，有的單位，每人五百，又有三百二百不等，還有幾個廳處，根本一文不名。

而有的，實在是業務費有限，沒有辦法抽出那麼大的一筆數字來，同時也沒有「公營事業」的附屬單位「進貢」，於是主管對於部屬，只有「赤心相見」；有的單位，辦法很大，附屬單位的「生財」又多，卻因能用錢的幾位主管者流，平素化慣了，「出差」費又報得多，所以輪到過年，也就只有能分錢的幾個人「哈佛」一番，衆人也就只好「清湯白水」地背後罵。

這種現象，極不公平，斥其爲大機關裏小集團的「框框思想」是不過份的。

四、週末星期五

說起「出差」可以說是省政府有幾個廳處極不合理的現象。雖然黃主席就任以來，宣佈實施星期六下午不上班，使利家在台北的員工們週末回去，星期一上午來。但還是有不少的主秘和科室主管之流，仍然是星期五的下午就和辦公室分手。不但此也，每週還得報筆出差費，一直報到星期一。這種現象，在同一廳處的衆人的心理上，是極大的一個不平。對於工作情緒的影響，是份不太小的障得！

黃主席力疾庶政，此風何日能戢？

五、新聞處長貪污？

台灣政治圈子裏的人，在去年年末傳出一些有聲有色的消息，說是舊曆年後，省府的二三級單位，有幾個首長要換，並且提名指姓，似乎也有道理。

後來我把這消息摸了一下，原來是有人控告新聞處長與紹燧有「貪污」之嫌，黃主席接到那份控告書後，表示：「如查屬實，立予撤換」。所謂二、三級機構換人之說，可能是由此而出。

我聽說，控告新聞處長的內容中，比較重點的，只有兩項，一是把美援的放電影的兩部車子賣了，化八萬塊錢買了部新車，同時化十萬元納稅；第二項，是關於「台灣畫刊」方面的問題。這件案子，省府視察室在查，是非不久會有結論。

而新主席行新政，換幾個單位主管也是很平常的。只是搞政治的人，關心本身的得失而已。

六、用人惟才？

有些人，對於黃主席上任之初所懸示的「用人惟才」的堅定宣告缺乏信心，說黃先生雖有知人之鑒，但還是擺不脫「緣情」。

他們提出，去年十二月初更換秘書處文書科的例子，作爲主要論點。

那新任的文書科長張文獻，今年二十九歲，台大畢業，高考及格，出身的是不差，但是據說行政經驗和辦事能力，曾在省府民政廳受過考驗，他四十六年，以指導員的名義進民政廳，後來當過股長，不久，又回原職。所以就有些人覺得，何以股長不能搞而能當七十多個人的科長？

後來才知道，是省議會議長黃朝琴推薦的，是黃議長的台南老鄉，台南縣長胡寶龍的女婿。

於是大家覺得，高考及格的，省府科員羣中不少，還是「朝內有人好做官」。所謂「用人惟才」，只是一種懸示。

這對黃先生「切實建立人事制度」的主張，可能是個不小的阻撓。

七、鷄、鴨、門

黃主席對於環境衛生的重視和員工們精神方面的整飭，是有立竿見影的成效的。兩個月來，凡是省府的職員，大家都佩帶證章，使人一眼看去，就知道是那個單位，因爲那些證章上有廳處的字樣；而所有的省府職員宿舍的大門口，也都掛上了名牌，那小木牌上，都有單位的名稱。

去年十二月的動員月會，黃主席曾就養鷄養鴨問題，談了近十分鐘，他希望各家的鷄鴨要關好，不要跑到馬路上拉屎，影響環境衛生，而張家的鷄鴨跑到李家的院子內，也容易引起糾紛。

黃主席曾經指示過交通處，要把廁所改修一下，因爲交通處的廁所，進門容易看見。

這位像家長一樣的主席，認爲女職員的單身宿舍有四個門不大謹慎，指示釘了兩個。他巡視中興中學時，當面告訴教職員們，說「爲人師表」的人，不能穿「加卡」，最好是穿中山裝或者西裝。

這位平實作風的主席，處處都很留意，特別注重精神。

八、迎春接福

五十二年的二月已經來了，四月份就得開始省議員選舉，這是省政方面的一大重要事件，在選政方面，如何針對以往的利弊有所興革，在這國民政治素養不夠，產業不太發達，民衆組織能力缺乏之的情況下，如何運用輔導的方法，使選舉權有正確的運用，而使民主政治不發生偏向，一反「選錢取情」的作風，達到「選賢與能，守法節約」？

尤其是當此備戰反攻的前夕，民意代表之是否洽合輿情，在精神動員方面，都有很大的影響，是值得省政當局深入研討的。

我願望一元復始的迎春接福，台灣省政府在各部門的政策上有切實革新的途徑，培養領導全省民衆當來日戰鬥的才能，把經濟的利益和進步的希望，傳佈到許許多多落後的村落。

越南總統吳廷琰其人其事

越南通訊社

現正領導越南人民與越共進行生死搏鬥的越南共和國總統吳廷琰，最近為其六二華誕，越南全國會有熱烈的慶祝，越南通訊社曾發出「吳總統生平事業」專文，茲為節刊如次，藉為讀者認識此苦難中的越南盟邦領導人之一助。

吳廷琰總統出身於一個儒風道德家庭，原籍廣平省麗水縣大豐村，於一九〇一年一月三日，在順化京城之當甘村出生。總統之父吳廷可老先生是成泰王時代輔導大臣，是一位最先思及創立新文化基礎，以溶化東方思想的人物，同時將其文學基礎提出，應用由吳老先生創立及親行負責之「國學」學校中，並曾拒絕簽名於法國殖民主義萬廢置成泰王之提議書上，因此，越中區迄今仍傳頌着吳廷可老先生的偉大精神。吳總統有五位兄弟：吳廷魁先生原為廣南省總督，於一九五四年被越共暗殺；吳廷淑先生是順化總主教；吳廷練先生是一位技師，畢業於法國製造廠及藝術學校，現為越南共和國駐英、比、荷、奧等國大使；吳廷柔先生在查特大學畢業，現為總統府政治顧問；吳廷謹先生現仍獨身在家奉養已九十餘歲老母。

吳總統於卅二歲之年，便出而為國服務，曾任官職至吏部尚書，即是順化舊朝庭中首相。渠主張政治改革使國家進步，擴大民主議院，實使人民參加政府，反抗限制政策及當時侵犯越南內政之保護當局。但是此項提議，均不獲批准，乃辭官隱居，過着克苦生活，專心研究各項政治社會問題，與潘佩珠、黃叔抗，羅抵，昌德拉鮑斯，等各位愛國革命家結交。

一九四四年，法國當局恐吳總統預謀推翻保護制度，因此遂下密令將之拘捕，逐於川擴地方，幸得有血氣人士報信，在一小時前已獲脫身。

一九四五年三月間日本發動政變後，保大曾兩次請總統組織政府，但都被總統所拒絕，因為渠發覺日本人並無誠意扶助越南，完成國家獨立基礎，而僅答應：承認越南國家之制度一如「滿洲國」而已。

之後，越共起而攘奪政權，當時，吳總統自南部前往順化，在半途被越共拘捕，禁於宣光區域森林中。六個月後，由於各個國家團體，各位抗戰份子，阮海臣老先生，各宗教人士之反抗及質問，是故，胡志明為對歷史及國民逃避責任起見，始將吳廷琰總統送返北部府。（上）

天南風光

沙羅越的歷史

朱淵明

布氏在他的日記上寫道：「在這個示威以後，事件是很愉快的結束下來，拉者目達哈心為這事件的解決而積極活動，結果，合同擬定，並被蓋印與簽署，旗飄蕩着，槍聲大鳴，我握到全權，成了沙羅越的拉者。」

一八四二年七月，布律克第一次到婆羅乃去訪問。蘇丹很熱烈的歡迎與招待他。蘇丹很同意哈心把沙羅越讓與布律克統治的事。蘇丹對布律克說：「我希望你能夠長在那邊，我不希望其他的人，你是我的親近人，這是我的事，而不是別人的事，那個地方是我的，假如我喜歡贈給你，我是能夠做的。」但不久布律克就發覺到蘇丹是一個懦弱無能的人，在他自己的宮府中，他不像是一個首領，在他的領土較遠之處，如沙羅越之屬，那就更不像主宰了。

當「目達哈心」不在婆羅乃的時候，「炳利然」「尤梳」是對蘇丹最有影響力的一個人。尤梳在此時已經回到婆羅乃，因為他要把沙羅越割售與「三發」蘇丹的兄弟之事業已失敗，而沙羅越又弄得混亂不堪，他只好一走了之。但他的態度卻令人驚奇，為的他居然掉頭支持布律克的事業，毫無嫉妒之意，他一面贊成蘇丹批准讓渡文書，一面又勸說婆羅乃的「炳利然」議會，同意蘇丹的批准，把讓渡案正式的通過，而會同簽署。一八四二年八月一日晚上十時，一切簽字手續，都告完成，這個日子是布律克歷年所希望的，也是他在沙羅越創業立基的一塊里程碑石樹立起來的日子。

沙羅越的割讓，自然是附有條件的，這條件是：每年貢稅二千五百元，以及不干涉居民的風俗與宗教，同時在未得蘇丹同意之前，這地方不能轉讓與人。其領土是自達督角起，至三馬拉漢河為止。

於是這位白色的拉者，居然在此世界第三大島的一部份土地上，建立起他的王國來了。在土人們的心目中，「拉者」，就是「大人」，而這位大人在他敉平沙羅越內戰時所表現的傳奇式之功效，又是婆羅乃所委派之拉者目達哈心所絕對做不到的，所以當地居民對他是非常崇敬而服從。（廿七）

三都撤守紀略

缺公

民國卅八年四月，中華民國政府以戡亂勦共軍事失利，倉皇自首都南京撤移廣州；秋十月，又由行都羊城播遷陪都重慶；十二月再由渝市撤赴台灣。此三都撤守之役，余皆身歷其境，目擊其情，迄今記憶猶新，特紀述概要，以誌不忘云爾。

蔣總統於卅八年元月廿五日宣告引退後，副總統李宗仁代行職權，急謀與共黨媾和，一面派遣正式使節張治中等八人，赴北平與毛共談判，同時又密令前江蘇省保安處長李明揚馳往蘇北，面晤共匪新四軍司令員陳毅，囑其勿遽作渡過長江之軍事行動。詎陳酋坦然語李曰：「無論和議成功與否，共軍必須渡江，直入京滬」。李告以自安慶達上海一帶，沿江數百里，駐有國軍白崇禧、湯恩伯所部不下六十萬人，另有海軍巡防大江，倘共軍自由行動，勢必發生衝突，延長戰禍，塗炭生靈。陳答曰：「君無憂，長江下游無戰事，吾人但以黃金數百條擲之，即無事矣。唯上游『小諸葛』（指白崇禧）防區，將不免一戰耳」。李回至京滬後，除將此段經過情形報告當局之外，私下亦向朋輩叙述無隱。迨四月旬，和談破裂，駐在南京郊區之國軍王士奎師忽告譁變，而戍屯皖境繁昌之八十八軍（原係中央傘兵合編者）亦以叛變聞，局勢已甚危急，越四月廿二日黃昏後，江陰要塞司令戴戎光竟叛國投敵，而將要塞大砲卸去砲衣，對準江面之中央海軍軍艦，務使其不能向北岸蠕蠕渡江之共軍開砲，一夕之間，共軍濟渡大江者數萬人，進迫京滬，人心大震，市面驟形混亂。政府乃於廿三日清晨宣告撤出南京，移赴廣州辦公，李宗仁飛往桂林。共匪不費一彈，即達到渡長江天塹之願望，但上海仍在湯恩伯所部固守之中也。國軍叛變各部，均係受賄而然，戴逆戎光接受共匪黃金八百兩，實行倒戈，未數日，即被其部下擊斃於要塞上，黃金仍由共匪取去，部隊一團，亦被改編為匪軍，調赴前線充砲灰。下游蕪湖之川軍楊幹才部，曾與共軍激戰，幹才且殉國焉。可見上述共酋陳毅對李明揚所言，固不虛也。

當南京撤守時，市內共諜四出活動，肆無忌憚，尤其對於金融方面之擾亂行為，無所不用其極。尚有所謂民意代表之立委許聞天，劉不同等，亦公然反對政府對共匪繼續作戰，而軍警當局乃熟視無睹，繼以迫於輿論，曾一度將許開天逮捕，然李宗仁又飭令釋放。南京新街口農民銀行門前，入夜即麕集人潮，爭先恐後，佇守至黎明銀行開門營業時兌取每人黃金一兩。某夕深更，農民銀行門前槍聲大作，市民從夢中驚醒，以為共軍或已入城，迨詳詢經過，方知係軍警為互相掩護在銀行門口擠購黃金之人羣而發生火拚醜劇。蓋此輩守購黃金者多係被僱之「黃牛」，並非真正窮而無告者，質言之，即係受僱於軍警人物，而來擠兌之游民耳。最令人痛心者，在蔣總統引退文告未公佈以前，忽有一羣受共諜教唆之職業學生，某星期日自由闖入行政院辦公室，高唱「不要你」之市井俚曲，治安機關亦不加以干涉。堂堂輦轂之下，政府猶在，乃有此怪象發生，當時司首都警衛職責之覃異之暨憲兵司令張鎮，可謂瀆職之至，事後彼輩相率投共，方知其早已動搖也。

蔣總統初無引退計劃，嗣有某軍政大員由其防區來電，瀝述「三不能戰」之理由，彼係擁有大軍者，且公然截劫中樞自四川運來京滬之糧食與械彈，湘主席程潛亦宣稱停止徵兵徵糧，又派兵追劫長沙中央銀行運至南京之金銀，而中樞文武大員如張治中，邵力子等更昌言和平，邵逆在某次會議席上，竟謂「打不過人家，祇有投降」。內外形勢如此，迫使蔣總統不得不採取暫行引退之策略，以覘後果，而大局乃無救矣！（上）

虛君續夢

第七回：越境興戎　盈廷驚白蟻　恃强犯上　舉座斥青蠅

周恩來笑道：「美國人到未插手，柯伊・拉納卻向我們提出抗議」。

毛澤東大笑道：「柯伊・拉納那小傢伙，理他作什麼？上次他到北京來，我看見他就暗暗在想，似他這樣人只能在尼泊爾當首相，若生在中國，當一名縣長也未必夠格。」

譚震林笑道：「主席看柯伊・拉納比起施哈諾誰好些？」

毛澤東說道：「柯伊・拉納就好得多了，柯伊・拉納為人還務正業，一心一意想把國家治理好，施哈諾只是一個小抖亂，一心想充大人物，拿他那個國家來說，總共不到五百萬人口，沒有我們北京一城的人多，他也到處去招搖撞騙，他若生在中國，最多能在北京城內當個清道夫，我看他的樣子到很像」。

毛澤東說過又哈哈大笑起來，周恩來雖然着急，也只好陪着乾笑。

毛澤東笑了一陣，忽然想起來，問道：「柯伊・拉納提出什麼條件。」

陳毅說道：「他要求道歉，賠償。」

毛澤東笑道：「這還不容易辦，恩來同志回他一封信，道個歉就完了，至於賠償更簡單，叫他開個數出來就是了，只要肯要錢就容易對付，咱們共產黨還怕花錢嗎？」毛澤東說過又哈哈大笑起來。

陳毅看看周恩來，怯生生地說道：「柯伊・拉納來信還要我們懲兇呢？」

聽說懲兇，毛澤東登時不笑了，睜大眼睛看着陳毅，問道：「怎麼懲兇，懲誰。」

陳毅知道周恩來的脾氣，到了這樣嚴重關頭，他是決不開口的。只好硬着頭皮說道：「柯伊・拉納要我們把開火的公安大隊負責人送交尼泊爾處理。」

毛澤東一拍桌子：「簡直放屁，把我的公安大隊幹部，送給尼泊爾辦理，不用說柯伊・拉納，就是艾森豪威爾同赫魯曉夫來信也辦不到，你怎麼答覆他的。」

陳毅說道：「我同總理就是沒有辦法，才趕來向主席請示。」

毛澤東燃着一根紙烟，猛然一口吸掉三分之一，沉吟一下說道：「我們的原則是道歉，賠償都可以，就是懲兇做不到，柯伊・拉納如果不服，盡可放馬過來，大戰三百個回合就是了。」

大家聽到結尾，都笑起來。

譚震林說道：「尼泊爾雖是小國，在國際統戰上要算一枚重要棋子，總理同志好不容易把它爭取過來，何必為這點小事開罪它。他真要兇手，就把西藏當地民兵，檢一名隊長送給他就是了。」

毛澤東還未開口，陳毅連連搖頭：「這個斷斷作不得，送去的人除非是個啞吧，否則到了尼泊爾他一定會講的，結果徒然鬧一場笑話，柯伊，拉納也不會干休。」

毛澤東說道：「現在閒話少叙，書歸正傳，你們兩人回去就根據我規定的原則給柯伊・拉納回封信，他答應了最好，不答應就恐嚇嚇他，艾森豪威爾我都能把他嚇跑，還在乎柯伊・拉納嗎？」

（一七五）

杜門二食客（續）

此二食客，是湘潭楊晳子與長沙章行嚴。當開國時，同盟會的健將，而爲國父曾加器重的。晳子又是王湘綺先生高足，自日歸來，游宦京師，因緣時會，遂成籌安會的要員。凡洪憲帝制的一套花樣，多出其智謀。原擬稱帝成功，將以雲臺畫像中人物，不意八十三天，袁氏憤死，取消帝制，嚴緝禍首，祗有暫避匿跡，流亡海上。迨黎馮繼位，以老東海當國，緝令稍弛，得稍活動。因入所介，成爲杜家記室。毛匪因事來滬，因與其爲同鄉，乘便過訪，晤談歡洽，沆瀣一氣，即建議許多策略。今日紅朝之專橫殺民，晳子的策畫亦不能辭其咎也。

行嚴爲大儒章太炎的把弟，當年太炎會稱告此人，爲其家之千里駒也。歸國後雖未大顯，但所辦甲寅雜誌，讜論風生，轟時人寰，一時曾爲海內所爭誦。曹錕當政，在平綏行臣，抨擊佞臣，有四照堂中，雀鑿泮溢之語。段芝泉柄政，行嚴任教育部，人稱老虎總長。終以處理學潮，使用高壓力，造成三一八慘案，全國譁然，擲冠南下。國府遷寧時，行嚴繼晳子而居杜家門下。抗戰時期，曾爲擇夷頌，海內外亦稱之。卅八年充和談專使北上，一經籠絡，甘充匪諜，作時頌功，竟爾有句曰：「居然吾都成豐沛」！蓋老而不死，恬不知恥矣！

懷王軒雜綴

郭師庸儒

抗戰時，余奉命駐汀州服務，時民國三十一年也。居常無聊，偶與當地友朋若飲小談，皆話當年赤匪荼毒汀府事。中有某婦與朱德的遺聞，卒因郭師庸儒而僨事，未獲成功，良用可惜。

民廿三，因江西會剿，赤匪不能立足，因竄逼長汀瑞金，踞爲赤都。匪統帥朱德駐汀總攬軍務，時有某孀新寡，美而艷，朱垂涎其色，得而嬖之，寵若專房，視同禁臠。朱幾乎每日必往臨香窟，地在南門朝斗岩附近，某寡婦。去時則橋之兩端，屋之左右前後，皆放哨兵，禁止通行。其時匪在汀城每日殺戮，必以百計，汀人受此荼害，恨入骨髓，誅以殲之，商於某孀，勸以大義，婦允爲助，但賞銀幣五千方可。問以何術，獻笑云在牀第間耳。（未完）

南宋偏安有人才

—宗澤

李仲侯

會金人攻汜水，澤以五百騎授飛，使立功贖罪，飛大敗金人而還，遂升飛爲統制，飛由是知名。澤視師河北還，上疏言陛下尙留南都，道路籍籍，咸以爲陛下舍宗廟朝廷，使社稷無依，生靈失所仰戴，陛下宜亟還汴京以慰元元之心。不報。復抗疏言：

「國家結好金人，欲以息民，卒之劫掠侵欺，靡所不至。是守和議果不足以息民也。當時固有阿意順旨以叨富貴者，亦有不相詭隨以獲罪戾者。如是乎今之言遷幸者，猶前之言和議爲可行者也。今之言不可遷者，猶前日之言和議不可行者也。惟陛下熟思而審用之！且京師二百年積累之基業，陛下奈何輕棄以遺敵國乎？」

未幾，下詔遣官迎奉六宮往金陵，澤復上疏曰：

「京師天下腹心地，兩河雖未敉寧，特一手臂之不信爾。今遽欲去之，非惟一臂之勿瘳，且並與腹心而棄之矣！昔景德間，契丹寇澶淵，王欽若江南人，即勸幸金陵；陳堯叟蜀人，即勸幸成都；惟寇準毅然請親征，卒用成功。臣何敢望寇準，然不敢不以章望望陛下」。又條上五事，其一極言黃潛善、汪伯彥贊南幸之非。然澤前後建議經從三省樞密院，輒爲潛善等所抑，每見澤奏，以爲妄。其謀不得用，終至中原盡失矣。

金將兀朮渡河謀攻汴京，諸將請先斷河梁，嚴兵自固，澤笑曰：去冬金兵直來，正坐斷河梁耳。乃令部將劉衍趨滑，劉達趨鄭，以分賊勢，戒諸將極力保護河梁，以俟大兵之集。金人聞之，夜斷河梁遁去。

二年，金人自鄭抵白沙，去汴京密邇，都人驚恐，僚屬入問計，澤方對客圍棋，笑曰：何事張皇！劉衍等在外，必能禦敵。乃選精銳數千，使繞出敵後，伏其歸路，金人方與衍戰，伏兵起前後夾擊之，金人果敗。（二十二）

春燈謎（上）

稚英

我國新春過年的習俗，各處有各處的本地風光，玩意方式，多至不能盡錄。也有各地普遍流行，方式大同小異的。譬如燈謎就是其中的一種玩意，真是雅俗共賞，老少咸宜的一種。祇要你稍懂猜謎的門徑，一定會對它發生極大的興趣，甚至會着了迷。入門對於賭博之類也會着迷，但燈謎卻斯文高雅得多了。而且除了玩耍娛樂之外，還可以開導人的思想，增長智慧識見，是富有教育意味的。

關於燈謎的製作，其格式可分爲數十類之多。但其中諸如蜂腰、鶴膝、白頭、粉底、升冠、脫靴，等等，許多都不大適合大衆的胃口，只合給一部份文人甚至專家鑽牛角尖罷了。

大抵一個好的燈謎，必須是雅俗能夠共賞，一說出謎底來大家就能會心微笑的，這才算得上乘之作。所運用「象形」「比喻」「會意」「諧聲」之類就好了。如謎底是屬於字的，成語的，以最好的燈謎應該是白描形容出來，沒有格式限制的，極其量或屬於書本中的一兩句的，也要找那些大家都認識的淺近通行語句，不可太奧僻。否則大家都無法猜得到，而即使說出謎底來，大家也不認得的，有什麼欣賞的趣味呢？

現在讓我姑舉例子來說明一下：

比方打字謎的，如「一字四方，十字中央，無頭無尾，勿猜田字」（打字一）既說一字四方，十字中央，又說無頭無尾，不是明明一個田字嗎？但卻聲明勿猜田字，那就要費點心思去想想了。原來其中的訣竅，就是在「無頭無尾」的上面：把無字的頭和尾拿下來，添到田字上去就變成一個「魚」字了。說穿了不過也很顯淺，但若不肯用腦想，依舊不易猜得中。又如「半牆斜月十分低」打「將」字，關鍵在於「十分低」，因爲將字的右方斜月之下，藏着一個「寸」字，故云。又如「春雨綿綿妻獨宿」打（一）字。是把「春」字裏頭所包的一個「夫」字和「日」字除掉，便只留得下一個「一」了。爲什麼去掉日字呢？雨綿綿則無日也。爲什麼去掉夫字呢？妻獨宿故知無夫。原來謎面這一句是要「春、雨綿綿、妻獨宿」這樣念的。否則若把「春雨綿綿」連在一起，就不易領悟出來。又如把「井」字打一現代政治名詞，謎底是「反共」。因爲「井」字就是「共」字反了過來的寫法。本來望文可以生義的，但猜者仍要花點心思。至於那個把杜詩「無邊落木蕭蕭下」一句作謎面，打一「日」字者，要把「蕭蕭下」三字看作陳朝的陳字（南朝齊梁兩朝的皇帝都姓蕭。齊梁之下便是陳）。再把陳字去了邊，落了木，就只留得下一個「日」字。

我的學生生活

雷嘯岑

自從留日民衆大會的打門事件發生後，學生總會每逢集會時，湖南、直隸、湖北等省同鄉會均出席代表，卽對我多方詰難，故意搗亂，而以湖南代表周芳剛尤爲激烈，開口就是攻擊國民黨，意在迫使我辭職。但四川、安徽、河南、山西、江西各省代表都支持我，周謾罵國民黨，當場被四川代表徐學挺一巴掌打倒在「榻榻米」上，反動派又遷怒於我（徐君跟我同學同班），誓言必予報復。如是，學生總會每逢舉行會議，河南羅日華、劉樸九趕來會議室的樓下或「玄關」前流連着，暗中保護我的安全。他們都是窮苦學生，有時候連車錢亦缺乏，卽步行而來。如此純真的同志愛，令我爲之感泣焉。至於周芳剛（又名八百）乃一極端卑劣的小人，後來廣州北伐軍一入湘境，祂又死乞白賴地在東京要求加入國民黨，回國來逢人卽以國民黨忠貞之士自居。對日抗戰時期，中央黨部曾派遣文武同志數十人赴新疆工作，周亦在其列。既而盛世才反目仇視這些中央人員，周又以出賣同志而博得盛氏的歡心，榮任行政督察專員，驕矜自喜。當時有人用他的名字嵌成聯語云：「芳不能流唯遺臭」；「剛才得意便忘形」。其人品殆可想見矣。

打門事件的官司經過了兩次庭訊，尙未結案，而我的學校又要舉行學期考試了。我白天除卻上課半日以外，全部時間皆消耗於學生總會的一切事務上，祗有晚間九時以後，方在寓所準備考試功課，某夕看書到深更時分，忽然昏倒了幾分鐘，旅舍女主人救我用濕水毛巾裹着頭部，果然清醒多了，仍勉強繼續閱讀下去，考試結果，幸免於留級之厄而已。這就是好頑外務而不專心求學的應有現象，青年學生應該引爲殷鑑的。

迨我考試完畢，東京地方裁判所又訂期審訊打門案，我雖然不是首要的被告人，但非到場不可。法官升座後，並未訊問原被告，只對雙方當事人稱說孫中山先生爲國爲民的革命精神，希望中國留學生都能效法孫先生的行爲，把國家弄好，日本以同文同種的關係，實所企幸云云。他問雙方當事人是否贊成他的說法？大家點頭表示同意。最後祂以莊重態度吩咐道：「你們既同意我的見解，這場官司就不必打了。現在請雙方當事人在堂上握手言和，本案准予撤消可也」，在押的八位華僑亦卽予以省釋。鬧了三四個月的刑事案件，就這樣很輕鬆的一筆勾消了。此不能不歸美於犬養毅先生之暗中調護。同時，日本朝野各界人士對孫中山先生的革命運動，心裏亦多表同情，東京地方裁判所的法官大概受到了上級的指示，因而將本案作爲政治問題處理了事。那位在會場上被羣衆打出腦漿來的壯士，事後據說已成爲殘廢人，由政府供給他的生活費，到死爲止。這次所鬧的事情，我父始終未曾知道，否則祂又要就憂着急，增加我的不孝之罪過啊！（十四）

袁紹論

黃伯達

讀史觀袁本初，亦一代健者，然誠與魏武較高下，則明闇判矣。曹氏當漢末，擘望，門第，都不如本初；顧能善用衆長，以補己短；當斷立行，用人惟才，不阿私偏頗，智愚或樂爲用，而莫之敢欺。本初則不然。才勝於己，若田豐、沮授者，則疑而不用；阿諛、便私、爭權、擅利，若郭圖、逢紀、審配之徒，則信而專之，以爲忠於己然。無他，能曲承其意旨，順逆其愛憎，則言無不聽耳。

向使本初，不嫉賢妒能，明判是非，虛己納善，一如沮授之勸，橫踞大河，綜合四州，收英雄，迎漢獻，蓄精養銳，待時而動，以討未復，則漢獻不落于魏武之手，而河朔……便大有可爲。奈何計不出此，致漢獻爲魏武所得，挾天子以令諸侯。其後雖悔，爲時已晚。

紹將出師，沮授，田豐諫曰：「師出歷年，百姓疲弊，應先遣使報捷天子，務農約民。若不得通，乃表曹氏，阻我王路！然後進屯黎陽，漸營河南；分遣精騎，鈔其邊鄙；令彼不得安，我取其逸。三年之中，事可坐定也」。審配、郭圖復沮之！紹不僅不聽田豐、沮授，且分授「監軍」爲「都督」，使沮、淳于瓊、郭圖各督一軍。如此判事不明，用人不專，其不能與曹氏爭短長，已明若觀火矣。（未完）

訂正

本報第三○九期（元月三十日版）第一版「毛澤東那裏走？」文第五段第二句：「這必然無可避免的增加他維持內部統治的困難」，應接入第四段末句。特此訂正。

編者

內僑警台報字第〇三一號內銷證

自由報

THE FREE NEWS

第二一三一期

中華民國僑務委員會頒發台教新字第三二三號登記證
中華郵政台字第一二八二號執照登記為第一類新聞紙類
（本週刊每星期三、六出版）
每份港幣壹角
台灣零售價新台幣弍元
社長：雷嘯岑
督印人：黃行富
社址：香港銅鑼灣高士威道二十號四樓
20 CAUSEWAY RD 3RD FL HONG KONG
TEL. 771726　電報掛號：7191
承印者：田風印刷廠
地址：香港灣仔高士打道二二一號
台灣分社
台北市西寧南路壹壹本號二樓
電話：三〇三四六
台郵撥儲金戶九二五二

華僑的前途

吉明

編者按：近年來，東南亞一帶華僑，備受歧視排斥，處境至為艱困，而吾國政府尚未能採取明確的對策。吉明先生此文所述意見，不失為解決華僑問題的一種辦法，可供海內外人士悉心研討，藉供政府採擇。凡屬對於解決華僑目前困難問題的意見，本報當樂於刊佈也。

不久以前，我國駐美大使蔣廷黻先生在紐約所發表的一次談話中，提到東南亞華僑目前處境的艱困。蔣先生認為要解除他們的艱困，最好的辦法是讓他們取得當地的國籍。依筆者所知，這是政府負責官員在國際場合上對政府所已採行的這一政策，坦白申述的第一次。

是已定的政策

據說蔣先生的話會在立法院中引起了爭論。這恐怕是免不了的，因為蔣先生的話代表了政府政策的大轉變，同時傷害了一般不明實況的中國人那種根深蒂固的自尊心：堂堂炎黃子孫，豈可以淪為夷狄的臣民？

當前華僑在東南亞各地所受的排擠，歧視以至迫害，報章所載已多，不必贅述。筆者除完全同意蔣先生的見解外，還想補充幾點：

第一，筆者所謂政府已採行這種政策的說法，是就事實觀察所得的結論，並非根據政府的公開聲明。三四年前，越南政府迫令華僑入籍，否則離境。當時政府除了囑咐華僑鎮靜，聽候合理解決外，並未作任何有效的措施。混亂過後，中越的邦交絲毫無損，而且更見融洽。假如越南政府的舉措是和中國政府的國策相違背，則結果決不會如此良好。此外，在另一方面，幾年以來，我們似並未聽說過政府對華僑取得外國國籍有所責難。

應公開闡明之

政府之所以依循這種政策，而又不願意作公開明確的表示者，恐怕也正因為對「炎黃子孫」的觀念有所避忌。但缺乏直言的勇氣，卻只有增加了華僑的憶惑與痛苦。再以越南的事件為例，當時絕大部份的華僑是不願意入越南籍的，他們同時也以為政府仍執守傳統的政策，因之一心一意地期望政府採取行動來解除他們的困苦。這種期望的心理使越南政府不得不採取更為嚴峻的辦法，同時又使華僑對政府失望以至憤恨。假如政府當時曾將內定的政策坦白說明，對華僑溫語開導，則那場糾紛即使不能完全避免，也可使其嚴重性減輕至最低限度。這樣會使華僑譏諷政府，說政府拋棄了自己的同胞嗎？可能的，因為華僑也正深具「炎黃子孫」的心理，但其為害決不如讓其誤會失望以至憤恨之甚。

政府實在有把這種新政策公開闡明的必要，同時向僑胞懇切說明取得住在地的國籍並不是一種恥辱，也不是對中華民族的一種損失——我國現行法令原是認許國民有雙重國籍的——而無寧是中華民族和文化的繼續移植與和平擴張。關於這一點，請連同下面所說的併予參詳之。

僅闡明還不夠

第二，政府即使公開向華僑闡明這種政策也還是不夠的。坦白地說，目前東南亞大多數華僑並不是不願取得當地的國籍，而是當地的國籍並不容易取得。一般地說，都得花錢。而華僑中到底是窮苦的多，有錢的少。愈是花不起錢的，因為社會地位的關係，愈非花錢不可。因之，政府要是公開採取鼓勵華僑取得當地國籍的話，還得進一步替華僑做點好事，和有關國家進行幕後交涉，為華僑取得外籍鋪平道路。

華僑取得外籍之後，是不是就像蔣先生所說的那樣，擺脫了苦境，而不受歧視了呢？亦不見得！東南亞各國之排華，並不是因為特別不喜歡中國人，而是因為中國人在他們的國土裏掌握着極大部份的經濟權。中國人的這種成就，的確是由血汗賺來的，也的確對當地的開發具有了無可抹煞的貢獻。但無論如何，任何國家都不願意自己的經濟權掌握在外僑之手。東南亞國家大體上都是二次大戰後才獲得獨立的。一個新獨立的國家，其民族主義情緒之特別高漲是必然的。其由此而作出過份的行為，固屬不足為訓的，卻也可以理解的。菲律賓的一位有力人士就曾公開而坦白地這樣說：菲律賓新興的民族資產階級決不能在外人控制之下討生活，他們也不能讓外人分取過大的部份利益。假如他們不能從自由競爭上取得優勢，則他們將利用國家的主權來達成這目的。這些話，其實也代表了所有東南亞新興國家資產階級內的想法，一切排華運動的根源，潛在此也。

還有僑教問題

華僑取得外籍之後，如其即可不受歧視，則其所已造成了的經濟地位，即可不受侵擾。但實際不是這末簡單的。不同的是，在理論上，他們可以不再在立法方面受到歧視，而經過若干時日的調整之後，他們便會成為當地社會退棄相同的一部份。以上所說的，當然與「炎黃子孫」的觀念大相徑庭，使人感覺不快。但事實上政府所應該做的，恐怕還不止此。還有一點仍然被政府摒棄在其開明政策之外。那就是僑教問題。

一直到目前為止，我們對僑教總十分重視。我們有句口號：「沒有僑教便沒有華僑」。意思是，沒有僑教，華僑即將被當地同化而不再是中國人了。而所謂僑教又差不多只是指的讀中國書。

這原來是句非常中肯的話，可是，這句話如果是代表我們政府的一貫政策，今天卻對於華僑十分不利。東南亞那些新興國家，對教育都十分重視，人材的培養也非常快——雖則還不能說精。每個國家都有其國文，而國文的熟練則為構成那個社會優秀地位必不可少的條件。不精熟其文字，你就不能夠在那個國家裏當議員，律師，各級公務員，社會領袖，團體代表：社且試設想，當地的青年學習的是當地有用的文字，我們的青年則把時間花在當地無用的文字上，若干年後，但見這個社會的領導階層都是當地人，而華僑子弟只好在商人社會中打圈子。在西方統治時代，中國人是一個中間階級，地位常在當地土人之上，不能應用當地的語文還無所謂，今後卻完全不同了。地位早就倒轉過來了，華僑業已處在最低層，再加上語文不習，進身無門，結果只好找低級的生存之路了。

利弊得失判然

總而言之：鼓勵華僑取得當地的國籍是很正確而開明的政策，但還得進一步，鼓勵華僑學習當地的語文，不要徒然鼓勵他們專門讀中國書。也不必怕他們變成不是中國人。中國強大起來的話，有一點兒中國血統的當地人都將自認為中國人引以為榮。中國如其衰微下去，則本來是百分之百的中國血統的人，也不敢承認自己是炎黃後裔，凡是到過泰國的，都可以同意這一點。

中國人的素質是比我們南隣的諸種人要強些，單是勤儉二德，就足以高居人上。給他們以平等的機會，則他們之終將出類拔萃，應無疑義。而讓他們取得外籍，學習當地語文，就是所以使他們能夠站在平等的地位上和別人競爭。這個政策實現了，則將來若干年之後，我們一定可以看見中國的後裔在那兒成為政治的社會的文化的領袖，這不是很好嗎？要是執着「炎黃子孫」的觀念，覺得入外籍可悲，學習外邦語文為可恥，則若干年後，恐怕我們只能向海外的小市場和苦力群中去找同胞了！

漫畫天下

南坊

這旗杆要倒下來了

大鬍子的詭計

自由讀

黨派漫談

馬五先生

孔老夫子有言：「君子羣而不黨」。羣和黨的區別，在內容不在形式，是沒有共同理想和目的的羣衆活動，而後者則否也。後世腐儒乃侈談「聖人之教」，或評政治人物的結黨行為，謂為有忝君子信譽，如歐陽修的「朋黨論」，即其最著者，可哂也已！

一個具有政治抱負與魄力的政治家如王安石者，身居宰輔之位，立志實行新政，而一般讀書有得的伴侶名賢如司馬光，歐陽修，蘇軾等人，皆採取反對立場，拒予合作，他祇好任用志同道合的朋友，相助為理，以期有成。這與近世的政黨政治並無二致，縱然失敗，亦是光榮的。朋黨的善惡，就看他是否植黨營私，而不顧國家的利益？搞政治一定需要朋黨的組織纔行，殆有至理存焉。

政治上的朋黨組合，匪特不足為病，而且非此不可。可詛咒的乃係黨內又有派系。所謂「派系」也者，其內容與作用，都是以營私為職志，把國計民生的利害問題，視為次要。因此，對於小圈子以外的人，即使主張相同，理想一致，亦認為「非我族類，其心必異」，排斥傾軋，不遺餘力。政治人物一有私念存在，即失去了恢閎豁達的氣度，大開大闔的作風，處處表現着小家氣。必要時，寧願求助於素無關係，或在政治上素來居於反對乃至反叛地位的異己者，且美其名曰「社會賢達」或「無黨無派人士」，藉遁所以表示其植黨營私的眞面目，國事焉有不敗壞之理呢？

假使以天下為公的精神來運用政黨政治，即用不着再搞小派系的玩藝了。祇要是志同道合的朋友，則人之好善，誰不如我，任何一個人都可以因才器使，或為忠貞幹部的，小圈子主義何有於我哉？然而，綜觀近幾十年來的吾國政黨政治現象，只是兩種人在那裏大行其時，一為有黨有派的小嘍囉，一為無黨無派的幫閒人物。最倒霉的就是一般有黨無派，始終抱着一種政治理想，希冀及時有以自見的有志之士，平日甚於黨籍與人格陷路之人，在社會上又成為十足的朋黨份子，蹈隱遁京僻地，有所不為，在黨內被論為暗然神傷，消激者憤世疾俗，挺而走險，賢良者消極悲觀，理亂不問，而神州陸沉之大禍，如是乎作矣！

黨派糾紛何時了　家務知多少

——民青兩黨近況——

（本報記者張健生台北航訊）儘管青年黨和民社黨是微弱而不足道的兩個在野黨，但這兩個在野黨的動態，仍為此間若干關心民主政治的人所注意，也是海外國人所樂於知道的，因此，記者就青民兩黨若干「滿網新聞」，而又關係當前為大家所關心的團結問題者，加以報道。

青年黨的團結問題，去年，臨全會主席于復先，會同中央黨務委員會（卽俗稱金華街「中國」派，又名新生南路派，以下簡稱中國。負責人陳啓天，及整理委員會余家菊商談，但沒有多大進展，距離團結的路尚遙遠呢！原因是三方面的意見，做法都不同。

臨全會方面主張：團結必須民主，民主必須自主。因為一個主張民主政治的政黨，本身必須是民主的，否則便是掛羊頭賣狗肉了。民主是少數人須服從多數人的意見，而多數人亦須尊重少數人的意見，其決定權力須依據一定的規範，這是民主與法治的原則，絕對不能背離的。不肯尊重民主法治原則的人，沒有是非觀念的人，而居黨內重要職務而又不辦黨事的人，要脫離組織，只好聽其自然了。

中國方面則主張：黨內職位與人事，須事先取得協議，須幕後安排，否則，談判之門卽無法打開。目前，中國方面鑒於臨全會聲勢浩大，尤其自前年十二月二日該黨創黨三十九年黨慶後，深知自己式微了。為此，中國方面不能不設法重振聲勢，比如陳啓天起初以四十五年青年黨團結方案來指責臨全會沒有「法」的根據，而今卻又不依據該方案而來委派中央黨務委員及常委，因為中央黨務委員會常委，係依團結方案第一條第三款規定，由「十一屆中央執行委員會常務委員六人（左舜生、李璜、何魯之、張子柱、鄭振文、劉泗英），十二屆之中央執行委員會常務委員十九人，及（四十年）臨全會之中央主席團十七人，以及現在出席中央聯席會議不屬於雙方（大華晚新生）黨部之同志六人為委員。」而產生的。中國派乃以中常委及設計委員為拉攏羣衆之餌，如奔走團結最力的黎衍慶，鄒人孟，以及錢煥文，鄧武，李詠南，戴雲吾等，都已再度投奔中國了。按中國原有中常委四十八人，現僅廿人左右。

中國此一做法對臨全會不是絕對沒有影響，而對本身也不是有百利而無一害，但對團結卻是無益的。因此，臨全會方面指陳啓天此一做法為兒戲。此外，據中國方面的職員裔式賢等十二人一致聲稱：陳啓天曾通知他們，自今年一月份起，中國職員的伙食費三百元及薪水，一律九折發放。但其收入並未減少，每月仍然領到八萬元的津貼，除了職員伙食費薪水九折發放外，如原有的圖書費等又取消了，這筆省下來的錢，卻用在以前所沒有的預算項目下，如各委員會召集人津貼一萬多元，伙食費五千多元，秘書長及各組召集人辦公費三千九百六十元。

因此，裔式賢等於一月二十二日下午四時許，卽春節前三天，會集體到陳啓天住所抗議，並攜帶「抗議書」，幸陳啓天處置得宜，否則，又是一場精彩的鬧劇。由此觀之，青年黨的團結，前途並不樂觀。

民社黨自從去年五月間大團結後，一直陷於癱瘓狀態中。該黨的「家務」，眞是剪不斷理還亂。團結後，首先發生的爭執是「民主中國」的（主編）人事問題，待蔣勻田同意主編楊永乾辭職後，不旋踵而又鬧發行人和社長的人事問題，直到今年一月中旬，經由六召集人會議同意由向派之余仁美出任該刊社長，蔣派之劉行之為主編，另外分別成立社論，社務委員會，並由召集人李緞籌措三萬元，在春節前交由發行人楊毓滋解決以前所欠的印刷費及稿費。不料，李緞在春節前兩天變卦而悄然去台中，因而此事仍舊成為懸案。但據該黨人士透露：民社黨內部問題，並非如此簡單。比如某些黨中要人，有邊謂雖窮，竟無法支持一個刊物的經費嗎？因為有若干人，不滿意某召集人的做法，而不願出錢出力。像張君勱致函此間某人，希望協力其學生楊永乾赴美讀書，而某黨要亦未應命。類此事件，實為團結的暗礁。

又如民社黨六召集人，年團結時曾公開宣佈於去年底召開第三次全國代表大會，然而事實上沒有如期召開，當前形勢顯示，今年是否召開，就是身為六召集人的任何一人，都不能肯定。故民社黨表面上雖團結，實質上已成為「六頭馬車」了。除非迫於時勢，或者出現奇蹟，否則，目前是不會眞正團結一致的。

大陸小學教員極其悲慘

身受其痛者現身說法

昧良心毒害下一代是精神痛苦　不受重視配給少是物質痛苦

（香港與大陸）

甫自梅縣來港原在大陸做「小學教員」被稱做「人民教師」的李淑×小姐向記者說：大陸「人民教師」的精神生活和物質生活皆極其悲慘，中共最近又迫使一批小學教師返回鄉間支持農業生產，更是慘上加慘。

李小姐說：大陸的小學教員所受的苦是超等的，因為他（她）們畢竟是知識份子，對於現實的善與惡，是與非，有一定的分析能力，這些人誰不認識共產黨那種殘酷成性，虛偽欺騙的伎倆。但是為了生命的安全，為了現實的生活，又不得不昧着良心，替共產黨做傳聲筒，毒害我們的下一代。

李淑×小姐稱：中共在小學校裏是採取「集體備課」和「集體聽課」的方法，在「教研組」裏取得統一的教材（當然是符合共產黨之毒化教育方針的）。當你講授時，便由「教研組」派員聽講，迫使不能違背規定教材講授，這在精神上多麼痛苦？中共經常迫使小學教員向無知的小孩子們進行思想教育。梅縣「文教科」的「指示」她們：小孩子們都沒有受過國民黨之「迫害」，沒有體驗過「舊社會」的痛苦生活，對「舊社會」的仇恨定然不深，所以「人民教師」的職責就是要使到每一個小孩子都痛恨「國民黨反動派」，並使他們熱愛社會主義的祖國，和嚮往「共產主義的幸福生活」……這些正是小學教員們最不願意做的，但卻不得不做。在物質方面，小學教員很慘，因為他們既不是體力勞動的人民，又不是那些高級知識份子的腦力勞動者，正是共產黨最不重視的階層，所以配糧也少，每個月僅有廿四五斤穀和壹兩油（曾有很長時期根本沒油供應）肉類亦與農民一樣，每年僅得嘗一兩次，每次三四兩光景。所以小學教員在課餘時，還得攪生產勞動如種菜和雜糧等，美其名曰「自供自給」，因為否則便生活不下去。

李小姐說：最近梅縣文教科又迫令一批小學教師回農村支援農業生產，她所屬的梅縣南口區小學校，原來有十七位教員的，最近有四位（三男一女）接到「文教科」通知，着「暫時回原籍支援農業生產」，連理由也不多說一句。他們四位分別回到家鄉後，農村共幹竟以為他們是被「清洗」的，當作「五壞份子」看待，其中有一位姓張的年青教師，在忍無可忍下，有一天曾用鋤頭打死一位共幹，並逃往黃沙璋山區，據說是參加打游擊去了。另一位女教員，因為原來已弱不禁風，經常胃痛，現在迫得要做沉重的體力勞動工作，一時想不開，便吊頸自殺了。

李小姐說，這次她僥倖得假僑屬的名義申請來港，這眞正是脫離地獄，逃出生天！（敬斯）

毛共大整公社共幹

（本報訊）毛共現已展開「整社」工作——所謂「整社」，卽整理人民公社，更確切的說是「整」人民公社中被毛共認為不夠「積極」的共幹。這是全國性的工作，大陸各地都在進行，目的所在自為增加生產，特別是農業生產。

從毛共的「整社」顯示出幾項重要的事實：第一，卽使是農村中的共幹，他們有許多亦是反對公社制度的，毛共認為他們不夠「積極」，不但自己不以身作則的去為增加生產而努力，甚至亂找藉口，懈怠工作，在監督農民大衆的生產任務上，居然得過且過，睜一隻眼閉一隻眼。所以毛共要把他們「整」掉，另換新人。

第二，毛共誠然幻想經過這番「整社」之後，便能使得生產增加，但它實際還另有目的，便是想以犧牲這些低級共幹為手段，推卸責任，表示這幾年來的飢荒，都由這些不夠積極的共幹所造成，而非毛共的政策錯誤之結果。同時亦欲藉此殺雞儆猴，嚇一般農民非提高生產情緒不可，因為共幹且要「整」，一般農民，如其再工作不力，亦就要「整」。

第三，所稱的新的共幹，固有的是「新人」，但其中「老手」更多，後者乃是十三年前毛共初攪土改時的「積極份子」。但不管「新人」還是「老手」，其出身多為貧僱農與以前的地痞流氓；毛共居然認為祇有這些人「革命性强」，沒有「思想包袱」，最能聽話，不顧一切的替它賣命。（高）

激劇的文化界動態

（本報訊）海隅某一出版社，成立已逾十年以上，因獲外援支持，業務頗為發達，基礎亦告奠定，除南洋一帶設有分機構外，觸鬚且延伸及歐美，如中國一部分留美學生所創刊的「海外論壇」，卽由該社斥資在海隅代編代印發行的。該社雖係文化機構，但其內部主幹人物，皆具有政治思想和抱負，既表示反共，亦對自由中國政府採取不合作立場，世人視之為「第三勢力」。

近年來，該社一二幹部階層人士，曾因私生活關係，發生內中隙末現象，風聲所播，信譽大受影響。最近召集幹部會議，商討今後工作計畫，決定改絃更張，專力於本身業務發展，不再干預外事，而將內部人事大加調整，分別去留。如原屬元勛地位，担任該社「東主」兼研究所所長職責之徐某，給予一年的遣散費，實行裁汰；原屬主要幹部之一的胡某，本無問題，但他主張該社依舊與海隅某一政治性刊物合作，旋經幹部投票表決，贊成者只有一票，而胡亦卽以一年遣散費的代價，讓其脫離關係，該社每月給予某刊物之經費五百元，廣告費一百六十元，一律停止。至於「海外論壇」亦不再予編印了。該社經過這次的大改革後，「大總社」社長兼東主，以及附屬機構「大陸問題研究所」所長職務，皆由新從歐洲歸來的一位女將担任，文化界人士乃戲稱之為「維多利亞時代」。至南洋方面，仍由陳某綜持其業務，今後的作風如何，且聽下回分解罷。

黃金外幣反覆上揚　港人憂心幣制貶值

權威商業人士認為杞人憂天

（本報訊）最近港市場黃金與外幣均反覆上漲，勢頗劇烈，股市亦蠢蠢欲動，稍具投機性的買賣，均勢呈不穩。商場中人頗具戒心，英鎊或將貶值的疑慮油然而生。英鎊果眞貶值，港幣由於與英鎊聯繫，當然亦隨之貶值。但是否英鎊確將貶值呢？權威商業人士認為未必其然，以為存此疑慮的人，其實失之過份敏感。

農曆新年過後，香港外幣市價，已三次掛高。此在香港，為罕見現象，商場中不少人躭心英鎊或將貶值，卽由是而起。據權威商業人士的分析，外幣與黃金節節而相當劇烈的上昇，係由於香港資金被調至英國者頗多所使然。此應為一時的現象，而與英鎊將告貶值無關。英鎊不貶值，港幣自亦無貶值之虞。

香港資金被較大量調往英國的原因，則據說有如下列：

（一）以往倫敦銀行減息後，如香港不立卽跟着減息，則在香港利息偏高的情況下，倫敦資金便大量流港。今次因為香港三家「官方」銀行幾立卽隨倫敦銀行減息而宣告減息，英資金不但未流港，原來在香港的資金，反而向英流去。

（二）英國被拒入歐洲共同市場後，若干英商估計英國將加强貿易戰，資金用武有地，因而把原來在港資金中的某種成數，調往倫敦。

（三）是東南亞連出問題，局勢大不寧靜，某些英商感到不安，為未雨綢繆，乃將資金從香港調去倫敦。

上述三個原因，果屬正確，說明香港黃金與外幣市場的波動，正是供求律的自然結果，並非意味英鎊或將貶值。該人士並提出倫敦消息，說明元月份英國黃金與外幣準備金增加二千一百萬鎊，英鎊地位鞏固，殊無於此時貶值的理由。又指出，英國被拒入共同市場後，倫英加强貿易戰，亦並非就要採取貶值英鎊的劇烈行動。原因是英鎊貶值，影響太大，倫敦當局豈會輕易出此？反之，正由於英被拒入共同市場，英國為了顯示其實力計，斷不宜於此時使英鎊貶值。甚至美國亦因某種關係，當絕不願見有英鎊貶值之事出現，可斷言也。而英鎊不貶值，港幣自亦無貶值之虞云云。（烈）

越南總統吳廷琰其人其事

——越南通訊社

一九四六年二月下旬，胡志明為攬「統戰」，邀請吳總統參加政權，由於越共態度模糊，而胡志明將與法國簽署協定（一九四六年三月六日）且對其內容又不洩露。同時，又極力鞏固其黨治制度，因此，當此外侵之際，為着全民團結，吳總統及各位國家黨派領袖，如阮海臣等，曾提出確切實現民主制度各項條件，並促越盟須將內政及公安全權移交吳總統，然而共產總部在討論後不肯答應，且胡志明一連三日夜，備邀請吳總統合作以應付飢荒，絕對不肯答覆當時有關內政及外交各項問題。吳總統即予以拒絕，不肯與其合作。

一九四九年三月八日、保大與法國簽約妥協後，吳總統是第一位發言反對之人。因為該協定不能滿足國民願望，及並無替國家帶來真正的獨立，所以一再拒絕保大之成立政府邀請。

一九五零年，吳總統認為必須向世界上表明民族立場，及澄清國際對越南問題之各項誤會，乃親自出國，經過亞、歐、美等各個國家，與各位國際政治人士接觸，訪問聯合國組織，並在各個著名大學演說，其目的不外為國家爭取完全獨立。

一九五三年年尾，吳總統抵法國，發覺有甚多人士對國家形勢發生悲觀態度，是故，吳總統便決定起而召集一部份人士，商討國家問題，並準備回國挽救情勢。然而斯時國家情勢，已類於極其嚴重階段，日內瓦會議正在討論着非常不利越南獨立的條件，人心冷淡悲觀。這時（一九五四年七月七日）吳總統遂毅然返國成立新政府，召集一般有善意及有忍耐性人士，合力以應付每一困難，領導民族渡過風雨飄搖的境地。

吳總統返國時，正當殖民者與共產黨互相勾結，簽訂日內瓦協約，將國土分割，並覬覦整個自由越南南部。不久叛國份子阮文馨，以為握着軍隊實權，陰謀乘機叛變，平川叛亂份子又在西貢都城施行殘害同胞手段。後江三斷則稱雄稱霸，橫行為害人民。同時國家政權各機構中，充斥甚多殖民與封建反動份子，服務精神極度衰落。民衆間，尤其是都城，嫖賭飲吹四害蔓延，不知殘害幾許家庭。面對着上述多種不良情況，吳總統並不畏縮，堅毅持志，勇敢以赴，逐漸獲致完全勝利，反敗為勝，轉危為安。

一九五五年十月廿三日，在舉行一次完全自由民主的「徵求民意」當中，已將全民的嚮往意志表露無遺，全民一致堅決黜廢昏君保大。在同一次歷史性的徵求民意中，全民均擁護吳總統為越南元首，負起建立共和政體重責。

一九五五年十月廿六日，為遵照民意，吳總統鄭重宣佈越南共和國政府正式成立，且膺任越南共和國第一任總統。

為實現建設民主意願，吳總統又於一九五六年三月四日進行選舉立憲國會，同年十月廿六日總統又頒佈越南憲法。在立憲國會及第一屆立憲國會之後，一九五九年又再選舉第二屆立法國會。

一位蜚全國知名及欽佩已久的革命家，是因其鬥爭立場正確，生活清廉，富有道德，加以學問淵博，內政外交經驗豐富，所以吳總統確是當時唯一可與困難環境競鬥爭的政治人物，亦是能夠實現人民願望達到完全獨立，統一國家，公理及真正和平的人物。尤有進者，吳總統因為完全為國犧牲，所以決定不成立家庭，情願一生過其克苦生活。

而亦由於上述理由，吳總統在選舉第二屆總統任期中又獲全民信任，付託以尊貴領導重責。

吳總統於一九五四年六月八日回國之後，曾宣佈稱：「越南民族被騙已久，現正在找尋革命路線，是可以滿足熱烈祈望的理想路線。」又稱：「本人堅決開闢一條路線，遭遇種種障礙亦然。」越南現時所遭遇的共黨之禍，實在便是重獲獨立的越南共和國建國途中最大的障礙，但亦是唯一的障礙，衝過這一難關，便是絕對光明坦蕩的大道。（下）

三都撤守紀略

缺公

中央政府自南京撤移廣州後，代總統李宗仁若感覺局勢嚴重，責任艱鉅，深懷覆巢之下無完卵的隱憂，自應馳赴台灣，與本黨總裁蔣公懇切協商今後策略，解除一切困難，而不必斤斤計較於個人的權力問題。再不然，即坦然表示和談既不成，蔣總統已無引退之必要，自可復職視事，自己仍以副座地位，從中弼助，冀挽狂瀾於既倒，亦不失為一個光明磊落之政治家。詎李氏不出此，由南京飛往桂林後，不願即來廣州主持政務，聲言須蔣公出國，將所有軍權財權交出，乃可視事。如是，往返磋商，時局瞬息變化之危急存亡之秋，政府以西南政綱，坐誤戎機，不智孰甚焉！旋經中樞大員居正、朱家驊、洪蘭友，以及行政院長閻錫山等，從中奔走疏解，李氏方於五月中旬到粵，實行總統職權，力主固守湘粵，以川滇黔桂各省，然蔣公認為國軍久戰之餘，師老兵疲，暫時不宜在大陸上與共匪爭衡；加以美國此時對我停止一切援助，更在精神上打擊我方之士氣民心，國軍處境實至艱苦；初擬全力保持福州、廈門，台灣暨海南島各沿海據點，靜待國際局勢之演變，同時亦可使共匪不能隨便出入於湘粵地區。但李不贊同，且反對任命湯恩伯為福州綏靖主任，指其為失守京滬之敗將，因而相持數月，軍事上迄無新佈署，而共匪陳毅部已攻佔福州矣。

迨八九月間，蔣公兩次由台灣飛粵，與李代總統暨軍政大員詳商戡亂大計，決定固守華南，行政院長閻錫山並發出寸土必爭之聲明，人心稍定矣。

十月初，在湘贛境內之共軍分路對粵省發動攻勢。是時，國軍大將白崇禧統率卅萬人，駐守衡陽、邵陽一帶，自信有擊敗敵人之絕對把握，但望粵北曲江方面之國軍能堅守兩星期，使彼在邵陽、衡山之綫，將共軍精銳林彪之主力擊潰，即回師粵北，會同友軍圍殲劉伯承、林彪所部共軍，不難扭轉大局。白氏於九月間在廣州接見湘粵主要各軍政長官，一再表示，亦謂「我一定在湘南打場勝仗給各位看」，同時又檄調所部之一師兵力，來粵北協防，以示決心。不料十月四日戰事初起時，駐在湘西方面之湘鄂邊區綏靖主任宋希濂，竟與黃杰兵團為沅陵防地而發生爭執，影響戰事，旋黃部退出沅陵，而宋不迅速接防，共匪乃乘隙大舉進佔，不數日而陷芷江，渡洪江，佔麻陽，延伸及黔邊；另以主力沿芷江境之搶渡湘，邵陽與武岡之洞口公路，迴出新寧，襲取東安，迂迴至衡陽側後，將截斷湘桂路。白崇禧所部（黃杰兵團亦在戰鬥序列中）雖曾在邵陽之樟樹坪一度戰勝共軍，然因湘西之失，已大感威脅，而粵北曲江守軍，聞有二千土共來犯，即驚惶後退，白氏見局勢危殆，急將調赴粵北協防之部隊召還，於十月九日全軍撤出衡陽，循湘桂路向廣西退去，共軍不血刃而佔領衡陽暨郴縣，奄有粵漢路南段。即此可見上述蔣公之戰略觀點，殊為正確也。

越十月十二日，共軍距廣州已不及五十華里，李代總統急發遷都令，限於十五日各機關一律撤遷至重慶辦公，李氏於十三日清晨飛赴桂林，臨行手令廣州綏靖主任余漢謀暫留羊城，負責處理軍政上未了事宜。十四日所有中樞黨政軍各機關皆離穗赴渝，余漢謀與粵省主席薛岳亦坐軍艦前往海南島地帶，斯時共軍尚在廣州市外卅里，而此臨時首都又在無戰爭之情況下，輕輕棄守矣！（中）

天—南—國—光

——沙羅越的歷史——

朱潤明

但是在布律克看來，若果只依靠這種聲望令譽與蘇丹的一紙合同，則他的統治，將永遠不會穩定，而且隨時會遭顛覆，因為他自己明白，他的力量過小，而敵人的力量太強。如果要將這個小王國發展起來，首先就非得將北面海盜之根據地剷除不可。可是如果打算用他自己日漸縮小的財富來完成這一事業，是絕不可能的，他並且很有雄心，想把婆羅洲變成第二個爪哇，要達到這個願望，就非有更雄厚的經濟後盾，與龐大的海軍力量不為功。於是他的第一件大事，就認定必需取得他祖國政府對他的王權之承認與支持。

以常理而論，十九世紀，原是歐洲殖民事業發展如日中天之時，布律克既然在海外開其立業，而事前復未費過英國政府絲毫助力，當日在已成事實之基礎上，僅需祖國予以承認，再在互相需要的情形下，量予支持，這本是順理成章，再容易不過的事情。誰知英國政府初則一再推宕，繼則再三猶豫，最後延遲到七年之久，到一八四九年六月廿日，方才予以正式承認。越一年，（一八五〇年）美國也就跟着承認沙羅越王國。

原來布律克當初是以個人身份，出外冒險，與英國政府並無絲毫淵源。他雖然獲得了沙羅越「拉者」的頭銜，但在英國殖民部看來，或許認為只是賭徒的偶然勝利，也未可知。（廿八）

瘟君續夢

第七回　越境興戎　孤廷驚白蟻　恃強犯上　鼎座斥青蠅

周恩來唯唯連聲，同陳毅回到「國務院」，照毛澤東的指示回了一封信給柯伊‧拉納，不過，信寫的十分客氣。稱柯伊‧拉納為大人，閣下，尊敬的總理，答應道歉，賠償，並將邊防部隊後撤六里，以免再發生衝突，只是關於捕送兇手的事卻略而不提。

柯伊‧拉納接到這封信，立時召集內閣會議，商量應付的辦法。大部份閣員都以為周恩來是有意打太極，假若不繼續追究，可能就此算了。不過，也有兩名左傾閣員認為中共是大國，既然答應道歉賠償，面子總也算給的十足，若是進一步要求，把事情鬧決裂了，萬一中共翻了臉，試問尼泊爾有什麼辦法逼使中共低頭。

柯伊‧拉納對這個問題無法決定，只好拿了去見國王。馬亨德拉王說道：「周恩來既然承認是他錯了，就應該按照我們的條件賠償，照這樣不痛不癢的算了，以後再殺死我們的邊防人員還可以按價賠償，中共雖然有的是錢，我們卻沒有這麼多的人送給他們殺了。」

柯伊‧拉納一聽國王的話說的十分嚴厲，不敢怠懈，用出就打了一封緊急電報給周恩來，要求他維護兩國的友誼，把兇手送來。

周恩來也是左右為難，他明知道應該安撫尼泊爾，但是卻沒有辦法能把駐日喀則的公安大隊送去幾人交尼泊爾處理。只好寫給柯伊‧拉納回電，委婉求情，願意增加賠償。這以來柯伊‧拉納真的無法下台了，就把周恩來的信件交給報紙發表了。加德滿都市民登時鼓噪起來，許多人集結到中共「大使館」門前去擲石頭，中共外交人員好幾天都不敢出門。

印度駐加德滿都的大使，一見尼泊爾同中共鬧翻，馬上報到新德里去，尼赫魯認為是天賜良機，正好乘機把尼泊爾爭取回來。

本來尼泊爾是親近印度的，印度一向也把尼泊爾視為屬國，柯伊‧拉納也受尼赫魯影響至深。但是，自尼赫魯對尼泊爾控制太嚴，派去一些協助尼泊爾的專家學者又都是一些不學無術的家伙，卻擺出一付殖民主義者的面孔，比過去英國人在印度還兇，時間一久，自然就引起尼泊爾民族主義的憤激。柯伊‧拉納所以轉而同中共修好，也還是受了印度的刺激，那知道突然發生掠俘殺人事件，使柯伊‧拉納的親共政策受到重大打擊。

中共不理會尼泊爾是否接受，定期將尼泊爾的俘虜釋放，並按當行規定辦法，賠償了死者卹金。柯伊‧拉納知道再爭也沒有用，只好忍氣吞聲收下。

尼赫魯眼見是拉攏尼泊爾的大好時機，立派其財政部長德賽訪問加德滿都，會見柯伊‧拉納，答應給予軍事、經濟援助，以抵抗中共的侵略。柯伊‧拉納明知道印度也不是一個好隣居，但是殺人掠俘的事情還作不出，兩害相權取其輕，只好再向印度靠攏，那知這樣一點陰差陽錯，竟而斷送了他的政治前途，說來還是周恩來害了他。（一七六）

郭師庸懦（續）

汀人走報漳州師部，告以計畫，師長郭考慮之再，允賞兩千元。遂不果行。或有詢歸，據告朱每夕必飲，飲必醉，醉必御，輒二時始罷。倘蒙致賞，則將投壯補助旺之藥，使其自動竭精而脫，但本人亦耗盡精氣神，非六七日不能復元，如無犒賞，雅不願冒此大險，以自戕身也云云。

憶玄軒雜綴

聯考制商榷

台灣的人口，日益增繁，學生亦隨之而加多，每年在暑假卒業的中學生，總有一二萬人。爲家長者，在這時間非常苦惱，希望他們的子弟，在聯考中獲取，才得舒一口氣。要是不取，那就大傷腦筋，祇好考私立學校，不吝每年繳二三千元的學費，等於祂一個多月的收入，良以「養不教，父之過」也。還有心地不開展的學生，爲了名落孫山，就走入了出走或自殺這兩條路子，這種情形，已是司空見慣，而教部尚未有堵截這缺憾的辦法。筆者認爲每年聯合考試這措施，有商榷改進的必要。

聯考的制度並不壞，問題是在一萬好幾千人來考，錄取的不過九千名左右，落第的有好幾千。而這次考試以後，即再無機會，有如科舉的殿試一般。我認爲應該分開公中私中女中來辦，每種舉行一次，等於三次。（去年已分開，但是一次考試。）尤其女生則在女中聯考，不混在男生一起辦理，使她們多得些機會，而把錄取名額酌予放寬。其次私立學校招考，也舉行聯合考試，由教部予以監督。再則大專聯考，應照以往在大陸的辦法，清華燕京聯考，復旦暨南聯考，中大交大聯考等；則在台灣來說，國立的與國立聯考，省立與省立聯考，私立與私立聯考，豈不使許多應考的學生，多幾個學校去投考，多有取錄的機會。

還有一點，大專招考的地點，應增加高雄，臺中兩地也予舉行，不祇限於台北一區。千言併一語，就是教部務必要負責來解決這問題。再如計分錯誤，則辦理考試人員應受處分，俾其不致草率從事，誤人子弟，視同兒戲。爲國家，爲爭才，爰志數言，尚望教部從長計及之，幸甚！

南宋偏安有人才

——宗澤

李仲侯

金將黏罕據西京，與澤相持。澤遣部將李景良、閻中立，郭俊民領兵趨鄭，遇敵大戰，中立死之，俊民降，景良遁去；澤捕得景良，謂曰：不勝罪可恕，私自逃無主將也，斬其首以徇。既而俊民與金將史姓者，及吞人何仲祖等持書來招降，澤數俊民曰：汝失利死尚爲忠義鬼，今反爲金人持書相誘，何面目見我乎？斬之。謂吏曰：我受此土，有死而已。彼爲人將，不能死敵，乃欲以兒女子語誘我乎？故斬之。謂仲祖脅從，貸之。

劉衍還，金人復入滑，部將張撝請往救，澤選兵五千付之，戒毋輕戰以需援。撝至滑迎戰，敵騎十倍，諸將請少避其鋒，撝曰：避而偷生，何面目見宗公？力戰死之。澤聞撝急，遣王宣領騎五千救之。撝死二日宣始至，與金人大戰，破走之。澤迎撝喪歸，恤其家。以王宣權知滑州。金人自是不得犯東京。

同時山東盜起，執政謂其多以義師爲名，請下令止勤王。澤疏曰：

「自敵國圍京城，忠義之士，憤懣爭奮，廣之東西，湖之南北，福建江淮，越數千里，爭先勤王。當時大臣無遠識大略，不能撫而用之，使之飢餓困窮，弱者填溝壑，強者爲盜賊，此非勤王者之罪，乃一時措置乖謬所致耳。今河東西不從敵國而保山砦者不知其幾！諸處節義之夫，自黥其面而爭先救駕者，復不知其幾！此詔一出，臣恐草澤之士，一旦解體，倉卒有急，誰復有願忠效義之心哉」！

王策者，本遼酋，爲金將往來河上，澤擒之，解其縛坐堂上，爲言契丹本宋兄弟之國，今女眞辱吾主，又滅而國，義當協謀雪恥。策感泣，願效死。澤因問敵國虛實，盡得其詳，遂決大舉之計，召諸將謂曰：汝等有忠義心，當協謀勦敵，期還二聖，以立大功！言訖泣下，諸將皆泣聽命。金人戰不利，悉引兵去。

是時高宗南渡後，不復以中原爲意，澤復上疏諫曰：

「臣爲陛下保護京城，自去年秋冬至於今春，又三月矣！陛下不早回京城，則天下之民，無所依戴！」

旋澤除資政殿學士，又遣子穎詣行闕上疏曰：

（二十三）

春燈謎（下）

稚英

像這樣轉彎抹角的隱晦意思，除了作謎者本人會這樣想之外，旁人無論如何是沒法從蕭蕭下三字聯想到陳字的。結果一定猜不出來，大家就索然無味了。這種燈謎可以說是毫無意義的。

有些謎很富文學的情趣，如：「想當初，綠鬢婆娑。自歸郎手，青少黃多，受盡幾許折磨！歷盡多少風波！莫提起，提起來淚灑江河！」打「撐篙竹」。這謎面和謎底多麼貼切，而詞句又多麼綺麗艷？要這樣的謎才稱得爲上乘的作品。

紅樓夢一書，眞堪稱爲一本不朽的傑構。即如其中的一些燈謎，也是經過作者巧妙的心思才製作出來的。那些謎語，不但謎面雅致，謎底貼切，而且祂要在「春燈謎賈政悲讖語」的預定題目之下，把那些謎語的口氣，關合到作謎者的身份和命運。如賈元春作的：「能使妖魔膽盡摧，身如束帛氣如雷，一聲震得人方恐，回首相看已化灰」（爆竹）。當元春宮中得寵，晉爲貴妃，奉旨省親之時，何等榮耀煊赫。然不久就短命而死了。不正如炮竹的命運一樣嗎？探春作的：「階下兒童仰面時，清明妝點最堪宜，游絲一斷渾無力，莫向東風怨別離」（風箏）。探春會代理榮府家政，大顯才具，家人無不貼服，但後來遠嫁離家，恩親不見，亦正像斷了線的風箏無異也。薛寶釵作的：「有眼無珠腹內空，荷花出水喜相逢，梧桐葉落分離別，恩愛夫妻不到冬」（竹夫人）。這也正是寶釵命運的自我寫照了。再看寶玉作的：「南面而立，北面而朝，象憂亦憂，象喜亦喜」（鏡子）。也把賈寶玉的性格活靈活現地表現了出來。這個謎面還借用四書裏的兩句成語，使念過四書的人都有一種意會的趣味。只有四書裏的「象」，是人名（大舜之弟）而在這裏卻僅照字面影象意思解釋，乃是所謂「雙關語」，意味更覺雋永一些也。

古人詩詞中有許多詠物之作，其中有些句語，就要把所詠之物的形象或性格表現出來的，也和謎語差不多。比方紅樓夢裏寶釵詠蟹詩中的兩句：「眼前道路無經緯，皮裏春秋空黑黃」。把螃蟹的橫行之態和其身腹的形狀，都給形容到恰如其分。如果我們就把兩句作爲謎面，而打「螃蟹」的謎底，也不只是形容螃蟹，另外還涵着一些諷世意味，所以就有微妙之處。以上對於紅樓夢的謎語比評分析，不過一些細節而已。何妨大家逢新年玩玩春燈謎，以增雅興？這不比賭博之類更有意義嗎？

我的學生生活

雷嘯岑

民衆大會的打鬥官司結束後，我準備今後少作學生運動，要好好的放心讀書，因爲再過半年就屆大學畢業期。東京警視廳的便衣偵探人員，時時來寓所訪談糾纏，甚感煩擾，乃搬出舊寓所「月印精舍」，卜居於距市區較遠的西巢鴨一個日本人家的樓上，以避塵囂，且決計於學生總會改選時不再競選了。

在我服務學生總會這一年之中，東京留日學生界鬧事最多，亂子亦特別大，歸結起來就在我是國民黨員——那時一般人都瞧不起國民黨，而對吳佩孚表示好感。因此，我雖然吃了不少的苦頭，換了許多攻擊謾罵，心裏亦沒有後悔沮喪的意念，我本來就是遵循黨的命令行事的，求仁得仁，夫何憂何懼哉！可是，國民黨人並無三頭六臂的能耐，乃以不到百名的黨員，竟能制勝近千人的留日學生大衆，其故安在呢？一言以蔽之曰：組織的力量。那些非國民黨人的各省學生，除卻少數別有用心之徒，如王家周芳剛一流人以外，盡屬胸無成見，缺乏組織的，逢着開會時，多半是以看熱鬧的心情來參加，對問題發言辯論，無所謂，一有激烈鬥爭的情形發生，大家就避之若浼，望望然去，若遇到打鬥的場面，更不願意置身於其間。我們就是利用這種羣衆心理，才敢於以寡敵衆，無所忌憚，而日本政府不干預中國留學生鬧家務事的態度，也有關係。

民國十四年元月，吾黨總理孫公應北京段執政祺瑞的邀約，北上協商國是，他繞道日本神戶前往天津，民黨東京支部推派我與安徽湯志先，江西張蒼三人，代表留日同志，馳赴神戶歡迎。這時國民黨實行容共政策，國共黨員暗鬥甚烈，我曾經看過戴季陶先生所寫的「國民革命與CP」那本小冊子，知道戴氏的思想是反共的。他在本黨素有理論家的聲譽，這次隨同總理北上，我想乘此機會跟祂談談國共問題（因不便向總理談此事），希望祂有所指示，所以接受了支部的使命。我偕湯、張二同志到達神戶，見過總理後，第二天晚間八時，即叩謁戴氏於其旅舍中，我們進入他的房間內，適有我國駐神戶副領事某正跟他談話，他教我們坐在房門旁邊的椅子上等着，我們等候了一刻鐘，靜聆戴氏與那位副領事所說的，盡是些無關宏旨的閒話，即我們湖南人所謂「扯卵談」也，我心裏已經不耐煩了。繼而副領事辭去，我們趨至戴氏的座位前，由我先行申述來意，謂特來向戴先生請示幾點黨務問題，別無祂事。詎料祂裝瘋迷竅，並不教我們坐下，即問道：「你們是不是需要錢呢？要錢可以拿些去！」我當時大冒其火，乃以激動的心情答曰：「我們並非來討飯要錢的！」說罷，提着帽子對湯、張二君說聲「走！」祂二人尚在猶夷，我即轉身衝出門外了。回想孫總理昨天對我們那種親切勉勵的言談和態度（我們叩謁時，總理正在房內跟日人頭山滿密談問題，聽說我們來了，馬上出來晤面握手，教我們努力於召開國民會議及廢除不平等條約運動，慰勉有加。）相形之下，尤覺憤慨不已。從此以後，我對於本黨這位理論家的印象，即非常惡劣，直到祂逝世時，亦未曾跟祂接觸過。

（十五）

袁紹論

黃伯遠

或者問：「田、沮之言，紹何以不聽？而郭、審等，則應之如響也？」此則有因焉。蓋獻帝爲董卓所立，紹嘗沮之，且因而出奔。其不願擁戴，明矣。而豐、授一則曰：「迎駕于西京！」再則曰：「報捷于天子！」此皆逆耳之言，非紹之所願聞，且益以啓其疑者也。郭、審則不然。圖等說紹曰：「秦失其鹿，先得者王。若迎天子，動輒表聞」云云。又曰：「今以明公之神武，跨河朔之強衆，以伐曹氏，易若反手！若不時取，後雖圖也」。夫紹自董卓亂後，已有窺鼎之心，豐、授如不知紹內涵者，則是愚昧。若已知其內涵，何以不明自指出。迎獻者乃權宜。董卓且知挾天子以自重，奈何計不出此？致便佞之徒，乃得迎合意旨，而豐、授則罷黜。此實本初之不幸，而爲曹氏之幸也。史稱：袁紹「寬雅有器度」。余觀其殺田豐，罷沮授，直局量狹之小人耳！何寬雅之有耶？」

（完）

花香月上樓小品

近人詞選

朝中措

題泗州嶺壁時希特勒戰死柏林

待旦老人

眼中多少好樓台，劫火委蒿萊。借問老瞞安在，西陵白骨苔。憑高眺遠，嶺頭花落，嶺腳花開。底事朝朝暮暮，行人去去來來！

卜算子

前人

空有相憐意，未有相憐計。日出東方，月在西，又誰把，長繩繫？解道說相思，何事成捐棄。情味年年食苦茶，又誰道，甘如薺？

鷓鴣天

海外値秦淮伎　前人

定子猶新睡臉霞，相逢涕泗各天涯；夢中故國三千里，鏡裏霜毛一半加。胡撥四，漫批把，椰聰風雨夜沙沙；昏黃又見紗籠月，憶否秦淮舊酒家？

內政部登記證內警台報字第〇三一號

自由報

THE FREE NEWS

第三一三期

中華民國僑務委員會登記證僑新字第[illegible]號
台灣省政府新聞處登記證[illegible]
中華郵政台字第[illegible]號執照登記為第一類新聞紙類
（每逢星期三、六出版）
每份港幣壹角
台灣零售新台幣貳元
社長：雷嘯岑
督印人：黃行寶
社址：香港銅鑼灣高士威道二十號四樓
20 CAUSEWAY RD 3RD FL HONG KONG
TEL. 771726 電報掛號：7191
承印者：[illegible]印刷廠
地址：香港灣仔[illegible]一二一號
台灣分社
台北市[illegible]
電話：三〇三四六
台郵劃撥第九二二五戶

法德條約與魯斯克的錯誤

·宋文明·

本年一月二十二日，法國總統戴高樂與西德總理艾登諾，在巴黎簽訂了一項法德合作條約，加強兩國在軍事，外交，文化及青年事務方面的密切聯繫。其中特別規定兩國首長將每半年聚會一次，兩國有關部長將每三月聚會一次，有關次長將兩月聚會一次，兩國外部高級官員將每月聚會一次。此外，亦規定兩國派駐世界各地的使領人員，及出席國際會議的代表，亦將經常進行接觸，以便交換意見。像法德間這種密切聯繫，不要說在西歐國家中為絕無僅有，即在世界其他地區亦不多見。甚至如美國與加拿大，美國與日本間的閣員定期聯席會議辦法，及非洲各集團間在國際外交及經濟事務上的充分合作，似乎也沒有達到法德聯繫如此的密切。所以法德這一合作條約，就消除兩國間的歷史宿怨，以平等互惠精神促進雙方的全面團結看來，確具有一種歷史性的意義。但它對於別的國家及整個西歐的關係，是否也具有這種同樣的意義？

我們知道，自戰後實施馬歇爾計劃及建立北大西洋公約以後，西歐已逐漸產生了一種整體不可分的觀念。這種觀念於經過煤鐵聯營，共同市場，歐洲議會，及原子能與人造衛星計劃的共同推動，而獲得了新的加强。所以最近這兩年多來，西歐各國一般開明人士所追求的，不僅是更多更廣泛的國與國間的合作，而是一種超國家機構的建立。就是，在六國共同市場之內，它們也會一再通過決議，授權研討成立超國家機構的各種建議。雖然由於法國戴高樂總統的阻梗，六國共同市場，從未正式通過任何一種成立超國家機構的建議，但他們也並未放棄這種努力。其中尤以荷、比、盧三小國，及法人芒納特所領導的歐洲聯邦主義者，更百折不撓，行動積極。可是現在西德與法國間這一合作條約，雖打開了西歐地區國與國實行平面團結與合作的一種遠景，但卻破壞了西歐各國欲建造立體結合的偉大理想，使歐洲聯邦運動遭受了一次嚴重的打擊。因西德與法國二者，為西歐國際社會中的兩大有力份子，今這兩國既決定未來的西歐團結將經由國與國間的合作，而不經由一種超國家的建制，則真正的歐洲聯邦就沒有多大希望。

由於法德條約完全違反了西歐國家的願望，並將嚴重影響到歐洲聯邦及盟國間的共同團結，所以這一條約一經公開之後，共同市場其他四國及美國也便立即感到極大的不安，並對法德兩國發出指責。美國總統甘迺迪於接到西德正式通知之後，便於二十三日向西德大使納甫斯亨表示口頭警告，認為這一條約將危害北大同盟。義大利總理范法尼，更於二十六日在下院聲明，嚴厲指責這一條約將破壞北大西洋公約，共同市場及自由世界團結。尤其這一條約正簽訂於戴高樂公開宣布反對英美納索會議之後，及比京會議對英加入共同市場作一正式決定之前，所以美國自然也懷疑到法德此舉乃一項處心積慮阻止英加入共同市場的預謀。由於這一懷疑，美國對於西德總理艾登諾的擺布，甘心接受戴高樂的反美行動從旁幫腔，亦已提高了戒心。

但是就在美國及共同市場其他國家嚴厲指責法德條約聲中，我們同樣也注意到另外一種相反的現象。這一相反的現象便是：就在戴高樂和艾登諾宣布簽訂這一法德條約的前夕，美國務卿魯斯克發表電視談話，竟公開讚譽「西德與法和解為一件具有歷史重要性的大事。」這一談話與稍後甘迺迪總統對西德的口頭警告，及美國政府的整個立場，無疑義形成了一種顯明的對照。有人也許認為魯斯克這一談話可能為一種失言，是由於沒把整個問題弄清楚而作的一種初步評論。假若有人果真如此想，那我就要請他注意二月四日西德總理艾登諾對「美國新聞與世界報導」記者所作的另一談話。在這一談話中，艾登諾說：「去年夏天我曾對美國務卿魯斯克，告知我們想和法國建立更密切聯繫之意，並詢問美國對於此舉的看法，認為究竟是對還是不對？魯斯克回答說，我們美國過去已和英國建有密切的聯繫，假若現在德國要和法國建立密切聯繫，那自屬再好不過」。艾登諾接着說：「當德法間簽約之議日益成熟時，美國駐波昂大使館曾經獲得充分的通知」。現在我還不能肯定艾登諾此話是否完全正確，假若最後事實證明其中經過果屬如此，那就表示：美國務院及魯斯克國務卿，不[illegible]便發生了一個更重要的問題，即美國務院國務卿魯斯克是否將這種情況呈報甘迺迪總統？假若甘迺迪總統事先毫不知道這一作法，而事後又向西德提出反對，那就更妙。可是假若甘迺迪事前未獲充分報告，而國務院自行負責處理此事，那就證明魯斯克確已犯了一項嚴重的錯誤。

事實上，魯斯克所犯的這種錯誤，並不在於他說錯了一句話，或對這一問題處理失當，而是在於他根本沒有瞭解和掌握美國的對歐洲政策。因他作為美國的國務卿，他應該深切瞭解最近年來戴高樂對美國的懷恨，戴高樂個人的野心打算；他應深切瞭解西德與法國間的任何更進一步的聯繫，勢將助長戴高樂的聲勢與氣燄；他亦應深切瞭解[illegible]在西歐獨霸[illegible]的建立，將會危害歐洲聯邦運動與盟國團結。假若說他果真沒有瞭解這些事實，那確屬不可思議。假若說他瞭解這些事實，而又支持西德單獨與法國簽約合作，直接間接協助戴高樂，反對美國，為美國的對歐政策實行拆台，那就更屬不可恕。不論他是瞭解或不瞭解，魯斯克這種表現，確證明他和美國的基本對歐政策完全脫節。[illegible]

解釋？由於這樣[illegible]

[illegible]

他也格外喜歡有意見，有主張的才智之士，不喜歡事事完全從命令是從的官員。[illegible]

漫畫天下

觀察者：「局勢好得多了！」

這紅色列車會怎麼樣？

超級的唯心主義

自由談

馮正先生

於一九六〇年游歷美國後，在莫斯科文藝雜誌發表了他的游美觀感文字，把美國社會生活的光明與黑暗面，就自己所見到的，一律描述出來，卻遭受了俄共的嚴厲攻擊。最近「消息報」著論檢討批評，指其為「在五對五的基礎上，描寫美國生活的黑暗與光明兩方面，這純是布爾喬亞的客觀主義」。

好一個「布爾喬亞的客觀主義」的評判語！人類一致承認：真理是要從客觀的價值判斷中，才可以確定的。共產仁兄卻唾棄客觀主義，認為這是資產階級思想，也就是否定「一加一，等於二」的科學定律。換言之：共產主義者對於一切事情的價值判斷，完全以主觀主義云然。

曾經獲得「史達林獎金」的蘇俄文學家克拉蘇夫，

為本，資本主義社會的人若說太陽是從東方出來的，共產仁兄就認為要說從西方出來的，才合乎「科學的社會主義」，才是基於馬克斯主義的唯物史觀！

共產黨徒經常持着一張唯物論的符咒，指斥異已者的任何言行，都是不科學的唯心主義，是資產階級的反革命思想，但他們自己的言行，卻係超級的唯心主義。共產政權明明是專制獨裁，而自命為「真民主」，且又說頭號稱為「人民民主」；共區的人民連不說話之自由亦沒有，而自命為是舉世無雙的自由生活。他們之所以如此胡說八道，恬不知恥，就是由於唾棄客觀的價值判斷，而純粹應用主觀主義的唯心論，欺天下人以無知。史達林說：「共產黨人是特別材料造成的」，我亦

職是之故，共黨勢力所到之處，必須將舊社會的高級知識份子格殺清除，因為這類人有智慧，有見解，思想正確而成熟，重視客觀價值標準，遇事不肯昧良盲從，共黨乃認為是不堪改造的階級敵人，非芟夷不可的。祇有一般血氣方剛，知識幼稚的青年人，纔容易為共黨宣傳詞章所誘惑，痲醉，莫名其妙地甘作工具，而猶以為是前進思想，是革命英雄，這不是人類的一大悲劇嗎？

史達林在生時，共黨奉之為救世主，為全能的神聖，又變成了萬惡的獨夫；他一死，為人所不惜，上帝，鞭屍、掘墓，在所不惜。你若問：他們何以前後如此自相矛盾呢？他們就說「這是唯物辯證法」呀！舉一反三，是共產主義的思想，行為，盡是這一套主觀的唯心論，試問有良知的人，還肯相信他們的宣傳詞令否？

證明有行動便有效果

突擊隊使毛共手忙腳亂

針對青少年與農民大攪思想教育　詆譭國民黨信口開河盡欺騙能事

（香港與大陸）

據利用春節回來香港的僑生李振X君稱：近幾年來．大陸同胞身受中共各項暴亂施爲的荼毒．許多在「解放」初期受共黨欺騙的「前進份子」，皆已轉頭痛恨共黨．而且在痛恨之餘．自然而然的又想起過去國民黨時期自由自在的生活。這種「大轉變」，一方而阻碍共黨之生產建設，另方面因爲人同此心．心同此理．大家自覺的或不自覺的結合形成一種反共力量，予中共莫大威脅；加上國軍突擊隊的登陸，中共更恐慌了．乃實行加强對民衆的思想控制．而特別注意青少年及農民大衆。

李振X君說：潮州中共當局．近兩月來在學校和農村．同時加强其政治思想教育，在中小學校，每天下午的「課外活動」，和政治課甚至假日的時間．都在攪「政治學習」「政治討論」。政治學習的內容．主要是「揭露舊社會罪行」和「了解共產主義幸福前途」。其辦法仍然先由共黨黨幹報告．內容無非盡量醜化國民黨．並把共產主義社會吹噓爲無限美好的樂園，接着就是佈置「討論提綱」．由學生「分組討論」，「自行教育。」討論的題目大概是：對國民黨的認識，對共產主義社會的認識之類的大題目．卻要每一個學生都發言．而且要求用「具體事例」加以說明。

李振X君稱：在此同時．中共在農村裏面．亦分別舉行「訴苦大會」和「地主惡霸罪行陳列室」等花樣。在訴苦大會時．由共幹預先佈置好若干人，首先領頭在大會中陳述在國民黨時期的「非人」生活．比方如何遭到國民黨的「壓迫」，而家散人亡之類，於是在台下共幹便乘機高呼口號，製造出一種沉痛的氣氛，企圖激起羣衆對國民黨的憎恨。至於「地主惡霸罪行陳列室」，裏面陳列的，多是些漫畫，以及若干莫名其妙的照片，都被稱作「證物」，由共幹組織並率領農民及學生參觀，並有人在旁負責講解，無非信口開河，胡說八道。

李振X君說：中共爲就變國軍突擊隊的泛濫．已顯得狠狠周章．手忙腳亂。它們除動員解放軍公安隊與民兵對國軍突擊隊採取軍事行動外．更臨時抱佛腳的大大加强其思想教育，其對象爲青少年以及農民．辦法除巳往的「政治學習」外．又有「訴苦大會」和「罪行陳列室」等．目的所在，無非欺騙民衆．要他們憎恨國民黨，盲目追隨共產黨去建設所謂美好豐足的「社會主義社會」。

爲應付國軍突擊隊　毛共動員尾巴黨派

（本報訊）在毛共統戰部的命令之下．大陸那幾個苟延殘喘的所謂「民主黨派」．包括「民革」、「民盟」等，在上個月，都相繼的舉行了它們的「中央全會」．依照中共的意旨，表演了一番。

這些「民主黨派」的這些表演．本來值不得重視！不但大陸同胞不重視他們．毛共亦其實不重視它們，它們自己更深知它們祗在「奉行命令」「照本宣科」的做戲．有若猴子然。但這次的情形有些不同：因爲毛共給予了它們頗爲沉重的任務。

表面上，這些「民主黨派」所討論的爲積極擁護「三面紅旗」與「反對帝國主義和殖民主義」、「反對現代修正主義」．實際這些祗是幌子，眞正的「使命」，乃是如何拿出力量協助毛共應付國軍突擊隊所引起的問題。這可就難爲了它們：它們那來的力量呢？尤其．它們明白，毛共居然要它們盡力，這對它們本身便是頗爲複雜的問題．憂、喜、懼兼而有之．頗有不知該怎麼做才好的情緒存焉。（義）

南昌在風聲鶴唳中

人心浮動．共幹張皇　省級共幹．打算疏散

（本報訊）記者會到由南昌來的瓷器商人某君，談及南昌近況，謂有「八公山上．草木皆兵」之概，人心的浮動，共幹的張皇，治安的混亂，在在顯示出一種頻近崩潰的景色。

這位瓷商，由於他經常販運景德鎮的瓷器來到海外銷售，爲中共爭取了外滙，所以他能來往自如，而且很受到中共的優待和重視。

據他述及，南昌的高層共幹，自去年五月起，即竊竊私議着國軍反攻消息的種種。加以國軍飛機不時飛臨上空，投擲宣傳品等物，有私家收音機的共幹，又經常竊聽台灣的播音，特別是「五月逃亡潮」的事件，他們亦知道了。因此，中共省一級的「委員」「廳長」之流，他們的家屬，均已作疏散的準備。疏散的地點，第一步仍爲井崗山的新建設區，因爲那裏的深山，已經是構建得頗爲堅固，可望據險憑守若干時。

後來情勢稍爲和緩，共幹家屬疏散的擬議雖未實行，卻又發生了「副省長」李世璋遇刺的驚人事件，使他們人人自危、

李世璋是江西臨川人，北大畢業生，他原來是隸屬於農工民主黨，一向是追隨譚平山的。大陸淪陷後，他以靠攏的民主人士姿態出現，先被派於北平的「中共中央人民監察委員會」吃碗閒飯，後來，由於前任「副省長」饒思誠病死，（按饒思誠即饒漱石的父親，因「高饒事件」，饒漱石受到整肅，生死不明，他的父親年已八十，因此受刺激過甚而死）、李世璋得遞補遺缺，做了「副省長」。

這一樁李世璋被刺事件，發生在去年十月十一日晚間，地點是在南昌東郊高級共幹的住宅區，「省長」邵式平及「副省長」「廳長」等高級共幹都住在那裏）李世璋被志士投擲手榴彈炸傷。由於事件發生在晚間，投彈的志士，事後得以從容逸去，鄰近地區的六個居民，卻寃寃枉枉被指爲「可疑份子」，而被捕去。

這一事件發生之後，那些高級共幹，更是坐臥不安，他們的住宅都加築高牆，增設警衛，儼然如臨大敵。

南昌的搶劫盜竊案件極爲盛行，原因之一是由於江西的勞動分校停辦，學生均被勒令疏散下鄉，從事農業勞動，但這些青年，不甘失學，乃不惜挺而走險，從事於搶劫的生涯。就如在中正大橋（已被改名爲八一大橋），便時常發生搶劫案件。他們事先派人分別在兩端橋頭守望，然後伺機在橋上大顯身手，使得中共爲之束手無策。（小丞）

爲競選省議員　北市黨外人士分裂

李福春黃信介互揭瘡疤

（本報記者吳越台北航訊）台北市有意競選省議員的「黨外人士」，目前已經形成兩個陣營，由郭國基率領的黃信介，張詩經等少壯派，準備火拚高玉樹派。雙方壁壘分明，正在秣馬厲兵，勢將激烈一戰。屬於高玉樹派，原巳表示無意競選的李福春，目前對競選工作，也在積極籌備。另一方面，要與李福春唱對台戲的黃信介，也正在準備，表示決定要和李福春一較短長。

黃信介曾做過李福春兩次的競選總幹事（一次市議員當選，一次省議員落選），到第五屆市議員競選時，黃信介脫離李福春自己參加競選，並獲當選。其後兩人結了怨，彼此之間成見越來越深，終至破裂。據黃信介對記者說：「只要李福春參加競選，我就不惜和他一拚。」

李、黃二人原來是一條戰線上的伙伴，現在爲何彼此弄得勢如水火，似有不共戴天之仇似的？這段反目內情，相信外間很少有人知道。

據黃信介透露，李福春兩次競選，他都是在兩個月前就住到李家去，晝夜辛勤的爲他計劃並主持一切，眞是賣命替他幹，然而：據黃信介說李福春是一個以高利貸爲生的人，他一次向李週轉的款子，過期幾天，李就不顧義氣，逼得他要命。因此黃信介認爲李福春不夠朋友，從此就不與他往來；第五屆市議員選舉，他就自行競選，因爲那些助選的班底，原本就是他的，所以他順利當選了。黃信介還說：他在競選的時候，李福春祗到過他那裏一次，幫着演講了五次，比起他替李福春賣命的情形，眞是不可同日而語，這亦使他對於李福春這個朋友，感到寒心的事。

記者見到李福春，他亦對黃信介表示很不滿意；他說，競選又不像是做生意的非做不可，他要不要參加競選，還在考慮之中。不過，他說：黃信介如要想競選，最好先丟掉妓院老板的頭銜再出來競選，說是台北市民絕不歡迎一個「龜頭」做他們的民意代表，因爲這是玷辱了台北市民。

黃信介是妓女戶老板，這是一個驚人的透露，記者對此說持以懷疑態度。可是李福春卻肯定地說，你如不信，可到延平北路一段第一信合社巷內去看看，有一家娼館就是黃信介姨太太主持的，這是他當上市議員才開設的。

記者向黃信介要求解答，黃信介從電話中傳過來一陣憤激的語氣說：這是李福春亂講！他要控訴他誹謗罪。黃信介說，那家娼館的老板叫周好X，已經六十多歲了，怎麼會是他的姨太太？他不過受周好X的請託，替她幫過些忙而已，這是一個民意代表應盡的義務，怎麼就罵他是龜頭？他堅決表示：李福春專門放高利貸，見利忘義，毫無朋友之義，他非在競選上，同他拚到底不可！

與高玉樹、李福春結怨已久的郭國基，現在對黃信介、張詩經拉得很緊，他要兩人讓他再做一屆，下一屆決定全力支持他們兩人競選；他保證把他的爭取羣衆同情的秘訣傳給他們，選票基礎移交出來，可保證他們當選。所以黃、張二人，本屆可能配合郭國基陪選，只求在羣衆中留下印象，當選與否，據說都在所不計。

而高玉樹和他弟弟高玉城，則仍將支持李福春競選。還有李賜卿（市議員）過去是郭國基的好朋友，他在廣州街的店舖供郭國基作競選辦事處，同時也是郭的主要助選員。但在不久之前，卻突然與郭翻臉，拒絕借給競選辦事處，二人鬧得不愉快。而他又是高玉樹和李福春的多年老友，所以可能加盟高玉樹旗下，幫助李福春。

另一位黨外人士是女性的李連麗卿，她在上次省議員選戰中，始終與郭國基「聯合陣線」，雖然落選，但仍願與郭國基再度合作。

「黨外人士」們之間，由於意見不一，內部發生紛爭，目前情形已經分裂爲郭國基與高玉樹兩大派，如果相持不下，便造成漁人得利的態勢了。

女性省議員許世賢主張

放寬出入境限制　由人民選舉省長

（本報記者熊雄宇台中航訊）省議員許世賢，二月六日在省議會大會中，「出入境」「地方制度」問題，向黃杰主席提出質詢。

這位嘉義籍的女議員，要求黃杰主席建議有關方面，放寬出入境限制；並實施省長選舉。

許世賢說：「如果基於憲法賦予人民六大自由之保障，何以本省人民『出入境』這樣困難？人民想出國，都必需要有三保六認，豈不是政府不信任人民？若果相對而言，人民對政府也不信任呢？」她要求前任警備司令的黃杰主席，建議有關方面，放寬入台灣省境的限制。

她要求政府，澈底實施地方自治，由本省人民選舉省長。

她說：關於地方制度問題，在憲法第十一章第一百十三條中，規定省自治法，應該包含：一、省設省議會，省議員由省民選舉；二、省設省政府，置省長一人，由省民選舉。

她說：而且，關於省的立法，應該由省議會主共事。

共攪這些欺騙把戲，固然不可小覷其作用，卻亦往往因之鬧出笑話，使它們下不來台。比方有次參觀時有一位老太婆，在聽講解人員陳述「眞人眞事」之際，她忽然大吵大罵起來，原來這位講解員正講述這位老太婆的「悲史」，說國民黨如何迫死她的丈夫和兒子，使她如何悽慘地生活……等。這位老太婆恰在羣衆中，她聽到了，不知那裏來的胆量，她高聲責罵講解員騙人，她說她的丈夫是病死的，而她的兒子，則是在「抗美援朝」時，被共產黨拉去送死的，還有她一位小孫兒，又在前年因爲沒有飯吃，餓得瘦弱不堪，後來又患了傳染病，又不獲醫治，所以死去了……。她還說：「國民黨沒有害苦我，共產黨才是眞正害得我慘！」因爲這老太婆是「烈屬」的身份，共黨一向把她做爲宣傳教育題材的，她當塲揭穿共黨黑幕，共黨卻不好辦她，一時狼狽不堪，趕快把她扶走了事。（敬斯）

由美國民氣想到台灣情形

—吳文蔚—

美國總統對古巴事件之重大決定，曾引起了舉世人士之同情與共鳴。這一重大決定曾奠定了對今後局勢的有利影響，最顯著的是：（一）使共產集團的囂張之氣頓時遏止。（二）使蘇俄善用冷戰的慣技從此有了一百八十度的轉變。（三）使民主國家——尤其是比較落後一點的新興國家人民，不再畏懼共產集團是多麼了不起的一個狐狸精。

我們對於美國甘迺迪總統的魄力與決心，固然是衷心的欽佩，而對美國民氣之盛，全體國民對於政府決策的擁護與服從，在千鈞一髮之際，朝野上下，一心一德，一致對外，在那樣極緊張而又很短暫的時間內，能夠馬上動員起來，無論軍民及各行業人士，都在嚴守自己的崗位，靜待着最高當局的命令下達，這種精神，實在令人欽慕而贊佩不置也。

舉幾個例說：一、甘迺迪總統是在去年十月廿二日下的封鎖古巴的命令。在十月廿日那天，美國各大報紙負責人會在紐約作了一次非正式的會議，在討論政府對局勢的決策當中，他們會有如下的推斷，一、政府會不會對古巴事件斷然處置？二、如果斷然處置了可能引起之嚴重後果；三、本國人民在斷然處置後之態度與行動。這三個推斷他們都無言而表示了一個共同的見解，即是擁護政府的決策命令。（上）

天南風光

——沙羅越的歷史——

朱淵明

而況他提出要求承認的條件，不但要海軍助平海盜，並且在政策上顯然大唱高調。布律克首先活動承認的進行是在一八四二年開始，他用的方式也相當特別，他是以與他的朋友「詹姆士．加拿」通訊為名，卻請「加拿」把信在倫敦用「婆羅洲的信」之名稱出版，來加宣傳，一面又囑「加拿」把原信呈送給當時的殖民大臣「史達尼西」，請其賜予注意。他原信寫得頗為俏皮，大有誰能接受他的條件，他就請誰支持，倒不一定是單望英國之意。信中有一段說：『雖然我急切要看到一個受英國影響與保護的殖民地在此建立起來，究竟它的建立，是在我們的監督之下，或者是在別人的指導之下，我卻是不大關心的。我只願意把我已經得到的權力和利益，轉讓給能夠以更好的方法和力量，去實行我之願望的繼承者。』布律克的願望，是些什麼呢？在一八四三年，他寫的另一封信裏，很清楚的說了出來．他說：『我的目標，是在我的生命史外，去取得一個永久的利益給土著。當然，我首先向英國政府，商界，及宗教界要求。假如他們都耳聾，或者不表關心，然後我打算向比較願意的，也同時能夠實行我之願望的其他人士去要求。』也就是說，只要有誰能接受他的條件，他是準備把沙羅越交給外國去取得他所需要的支持。他的條件，就是不准妨害沙羅越人民的任何福利。

在「婆羅洲的信」未出版之前不久，布律克指定一個商人叫「享利威斯」的，為他在英國的代理人。威斯以高度的熱情，盡力做着宣傳沙羅越的工作。（廿九）

三都撤守紀略

缺公

中央政府於民國卅八年十月十四日，再度由廣州撤赴重慶後，局勢日益阽危，川康軍人劉文輝，鄧錫侯，潘文華等，皆表示消極態度，劉文輝且暗中勾結共匪，從事醞亂。而在野之舊軍人熊克武，王纘緒等，則昌言保境安民，省參議會議長向傳義（育仁）原係民黨老同志，此時亦與熊、王沆瀣一氣。兵團司令羅廣文則揚言將率部來陪都坐索軍餉（羅部此時駐防綦江至黔邊松坎一帶），李代總統束手無策，亦缺乏威望感召之精神，僅賴西南軍政長官張岳軍周旋肆應於其間，然係治標方法，毋補大局。如是，李宗仁乃迭次電懇蔣總裁赴渝指導一切，俾有遵循，絕不露知難而退之意。蔣公諒其撐拄維艱之苦衷，恍於棟折榱崩之形勢，未便恝然置之，覆電應允，且以行期密告李氏，旋於十一月初旬由台灣巡飛重慶。詎李氏先日即以出巡為名，飛赴昆明，再往桂林，竟避不與蔣公晤面，而依然以代總統自居，中經蔣公函電促其回渝，又派員向李勸駕，皆不應。至此方知李氏乃以驅術誆使蔣公赴渝，置於爐火之上，彼既不聲明辭卸代總統職位，蔣公即不便以國家最高統帥地位發號施令，然又不能不坐鎮陪都，綜持軍務，以免羣龍無首。旋李氏復以赴美醫病為名，由桂林飛來香港，覥顏向美國領事館申請發給護照，卑以自牧，辱國殊甚。臨行且向新聞界發表談話，謂今後政府所獲美援，非經彼核許處理，胥屬非法云云。似此以國家存亡為孤注，藉報私怨的怪劇醜行，可謂史無前例，即明末諸悍將佞臣紛擁新君，鬩牆自殺之亡國行為，視此猶有遜色也。

李宗仁既竊負代總統名位而遠走飛高，託庇異域，而共匪又以全力由湘鄂方面分兩路進攻川省，蔣公唯有悉心擘畫，指揮西南各省軍政要務。川境戰事初起時，我軍方判斷共軍主力必自黔境及川北大巴山脈一帶進犯，決不敢從兵多地險之鄂西以窺川東，即來，亦有湘鄂邊區總司令宋希濂大軍十餘萬人堪予痛勦，保無疏虞也。斯時適有美國參議員諾蘭，於十一月十九日自香港飛渝訪問蔣公，蔣公亦以樂觀心情語諾蘭，謂國軍即將有戰勝消息告慰國際朋友。繼而警訊傳來，共軍大部皆從鄂西與川東邊境長驅進犯，陷巴東，下恩施，不旬日而酉陽，秀山，黔江，彭水諸險隘地區，盡入共匪之手，宋希濂不戰而退。蔣公曾以電話詰宋何以不戰？答言「共軍皆繞過我軍，避戰而行」，再詰以既知敵人繞過正面防綫，何不予以截擊？答以「指揮困難」。蔣公震怒曰：「爾既不能指揮部隊作戰，我來可也」。急命備車擬親赴彭水前綫督戰，左右力諫不可，旋飭令駐防松坎之羅廣文部，回師綦江迎擊來自彭水、南川之敵，別以新由陝北空運入川增援之胡宗南部兩師，馳駐彭水之綫堵截，終以大勢已去，未獲奇效，激戰至十一月廿八日，蔣公尚巡視重慶市區，聲明非至最後五分鐘決不離去，至於政府各機關，業已移赴成都矣。廿九日晨，共軍已滲入重慶對岸南溫泉，繼自其他各江邊分別偷渡北岸，包圍渝市，郊外頻聞槍聲，是夜十二時後，蔣公始乘車赴卅里外之白市驛機場，中途軍車絡繹阻塞難行，曾徒步前進，到達機場時，天未曙，濃霧迷濛，飛機無夜航設備，遂入機棚坐候，黎明乘空中霸王號飛至成都，越三小時，共軍已入渝市矣。

政府在成都駐留不及旬日，即撤赴台灣，以迄於今。蔣公在渝時，原有遷政府於昆明，繼續戡亂之計，以滇省主席盧漢反覆之故，不獲實行，詳情容另紀述以告讀者。（下）

更正

本欄（上）篇述中華民國憲兵司令張鎮未隨同政府撤離大陸一節。茲確查張氏係在台灣病故者，應予更正。

哭仲容

譚伯羽

一見眞如故，神交不記年。華京曾下榻，金韻尙連篇；接物知君厚，持身正己先；遺書猶在篋，一讀一潸然！

勝敵還京日，雞謀院幕中。長才方展翼，壯志欲飛空；經濟猶餘事，春秋更探窮；（著有呂氏春秋校釋）重泉應有恨，不見九州同。

自有超人識，誰堪過份勞！痼疾憐昨日，鬱勃看今朝；鷹隼飛常厲，驊騮蹇苦驕；（用 先君挽張子武詞舊句）湘 名不朽，凄咽敢相嘲。（出豪韻不暇計矣）

慈母倚門望，親朋相失呼。蒼天無可問，吾道亦云孤；正有今春約，其如永訣乎！年年辭歲宴，不忍醉屠蘇。

再哭容仲

讀台北報紙述仲容病逝情況及繼曾兄主持喪事，傷痛有餘，意猶未盡，再為此詩，寄示繼曾，君怡諸友

昨夜不能寐，籌低落月横。故人未入夢，孤子已兼程；碎破憐肝膽，哀榮說死生；煩君檢遺墨，郭傳或完成？（編有郭嵩燾年譜）

伯羽再稿五二年一月卅日

尹仲容兄逝世敬賦輓詩用譚伯羽兄哀悼詩前二首原韻

顧翊羣

訂交逾二紀，揖別又經年。國府安民策，春秋論政篇。解冰湯子妙，擊楫祖生先。陟屺春暉在，騎箕憾惘然。

匡濟平持矩，經綸正執中。八材董有飭，三事理無空。劉晏才原大，彥謙命惜窮。黎元皆墮淚，棠蔭古今同。

瘟君續夢

第七回：越境興戎　盈廷驚白蟻　恃強犯上　舉座斥青蠅

尼泊爾事件未了，中共同蘇聯在布加勒斯特發生了衝突。本來自從進入了一九六〇年，中共同蘇聯的摩擦也就逐漸明朗化。尤其是毛澤東的三面紅旗失敗以來，蘇聯看透中共經濟已成不治之症，不願下井救人，援助陸續削減，將款項移去援助印度，阿聯等中立國家。蘇聯這一手，確實引起中共大部份黨員不滿。

毛澤東眼見經濟情形惡化，走投無路之際，就想向外發展以轉移國內人民視線，宣洩軍中不滿氣氛，還可以搶回一批物資。最初毛澤東的打算是進攻金馬，結果碰了一個大釘子，不得已就把目標移到中南半島，想由寮國進攻南越，威脅泰國。這個計劃又被赫魯曉夫抑止了，赫魯曉夫認為這樣作必然地會同美國發生正面衝突，引起世界大戰。

毛澤東不得已求其次，想在藏印邊境鬧一點事，蘇聯更不答應，認為那樣將全破壞了整個國際統戰政策。毛澤東以為蘇聯既不予經濟援助，又抑止中共向外作軍事發展，誠心要使中共困死。這一股怒火，在胸中越燃越烈，在一次政治局會議上，毛澤東把這個問題提出來，要求全體政治局委員支持他同蘇聯的鬥爭。

毛澤東一生靠鬥爭起家，深切明白共產黨只能動不能靜，一旦靜止下來就是滅亡。不過，鬥爭也要有個目標，過去以國民黨為鬥爭目標，後來又以美國為鬥爭目標，到現在已經都有力不從心之苦，於是轉過來想以蘇聯為鬥爭目標。毛澤東這項決心，也曾經過了一番深思熟慮，自認為有百利而無一害。第一個好處可以得到老百姓的擁護，毛澤東知道中國人恨透了大鼻子，他居然敢向大鼻子鬥，總可以替老百姓出口氣，對中共的怨恨可以減少三分。第二個好處可以得到大部份共黨國家的同情，因為這些共黨國家都和中共一樣，受盡了蘇聯的壓榨，欺侮，現在看到毛澤東挺身而出，敢和蘇聯鬥上一場，自然而然地會發生共鳴。第三個好處可以迫使蘇聯增加援助。毛澤東冷眼看蘇聯的外交政策有點走上美國之路，越是同它搗蛋的國家，越容易得到援助，阿聯的納薩在國內捕殺共產黨，對着羣衆大會罵蘇聯，但是，蘇聯援助卻越來越多。狄托也專同蘇聯鬧彆扭，赫魯曉夫卻屢次提到貝爾格萊德去陪小心。毛澤東看透這一點，以為只要同蘇聯搗蛋，赫魯曉夫馬上就會增加援助。

毛澤東研究透了當前形勢之後，就決定和蘇聯攤牌，但是此種行動必須要得到全黨擁護。在政治局會議上，毛澤東作了一個冗長的報告，列舉蘇共怎樣對不起中共，如何放着兄弟國家不予援助，轉而去援助一些資本主義的國家如阿聯同印度。

毛澤東最後又以恫嚇的口吻說道：「蘇聯過去曾經援助高崗同饒漱石，想推翻以我為首的黨中央，幸而被發覺得早，算是鎮壓下去。但是，我知道赫魯曉夫不會死心，一定還要在我們黨內佈置反黨份子，我已經掌握了基本情況，一旦發現了就照高崗，饒漱石的前例辦理。」（一七七）

兔年談兔

漁翁

天文地理學家，以甲、乙、丙、丁、戊、己、庚、辛、壬、癸，爲天干；以子、丑、寅、卯、辰、巳、午、未、申、酉、戌、亥，爲地支。配合天干地支，而定年、月、日、時；又以禽獸而名十二地支，卯屬兔，今年癸卯，爲兔年。因說兔以爲談助。

兔，尾短，耳大，上脣厚，中有縫裂，上達於鼻，前足短，善於行走。毛多白色及黃褐色，可以製筆，較羊毛爲佳。產於溫帶者多，其色美，其肉味亦佳。古所謂兔纖者，即今之肉鬆也。

兔性狡獪，爲避獵取，而有三窟。馮驩客孟嘗君，爲之市義，大收成果，甚得孟嘗歡。馮驩之言曰：「狡兔有三窟，僅得免其死耳；今有一窟，未得高枕而臥也。請爲君復鑿二窟！」見國策。

然而兔雖奸巧，每爲人所獲，「一兔在野，百人逐之」。而戈兔賴乎犬，兔善走，惟犬能追及之。史記：「范蠡遺大夫種書曰：『飛鳥盡，良弓藏；狡兔死，走狗烹。越王爲人長頸鳥喙，可與共患難，不可與共安樂。子何不去！』」兔死狗烹之說，本此。喻有事之秋，延攬之不暇，一日寧靜，不僅棄若敝屣，且從而殺戮之。韓信僞遊雲夢，兔死狗烹之慘劇也。

因兔有機巧之技，故人多愛而畜之。尤其相傳嫦娥偷靈藥而奔月宮，玉兔爲之搗鍊丹藥，流爲佳話。傅咸天問篇云：「月中何有？玉兔搗藥。」辛棄疾中秋寄遠，調寄滿江紅詞曰：「着意登樓瞻玉兔，何人張幕遮銀闕？」蘇東坡八月十五夜觀潮詩，亦云：「定知玉兔十分圓，已作霜風九月寒；寄語重門休上鑰，夜潮留向十分看」。直指玉兔爲月亮，則兔兒飄飄然升居上界矣。

俗呼孌童爲兔，不知始於何時？又不知出於何典？惟諧鐸有「兔孕」一篇，言之甚詳，讀之殊堪捧腹，可爲慕男兒色者，作奉規臬。昔有春江公子，貌如美婦人，人狎之而不知羞恥。其父中丞公見而怒責之，公子賦詩云：「周公所制禮，立章何深妙？但有烈女祠，而無貞童廟」。謂爲人妖可也。

韓非子載：「宋人有耕田者，田中有株，兔走觸株，折頸而死。因釋耒守株，覬復得兔。兔不可得，而身爲宋國笑」。今年爲兔年，然兔在田間，吾人仍株守以待之乎？抑奮起而逐之乎？是則在當局有責者之抉擇矣！

南宋偏安有人才

——宗澤

李仲侯

「天下之事，見機而爲，待時而動，則事無不成。今收復伊洛而金人潰渡河，捍蔽滑台而敵國屢敗，河東河北山砦義民，引領舉頸，日望官兵之至。以幾以時而言之，中興之兆可見，而金人滅亡之期可必，在陛下見幾乘時而已」！又言：「昔楚人城郢，史氏鄙之。今聞有旨，於儀眞敎習水戰，是規規爲偏霸之謀，非可鄙之甚者乎？傳聞四方必謂中原不守，遂爲江寧控扼之計耳」。

先是澤去磁，以州事付兵馬鈐轄李侃，統制趙世隆殺之。至是世隆及弟世興以兵二萬來歸，衆懼其變，澤曰：世隆本吾一校耳，何能爲？世隆至，責之曰：河北陷沒，吾宋法令與上下之分亦陷沒耶！命斬之。時世興佩刀侍側，衆兵露刃庭下，澤徐謂世興曰：汝兄誅，汝能奮志立功，足以雪恥。世興感泣。金人攻滑州，澤遣世興往救，世興至，掩其不備，敗之。澤聲威日著，北方聞其名，常尊憚之，對南人言必曰宗爺爺。

至是澤請上還京日急，復上疏言：「丁進數十萬衆願守護京城，李成願扈從還闕，即渡河勦敵；楊進等兵百萬亦願渡河，同致死力。臣聞多助之至，天下順之。陛下及此時還京，則衆心翕然，何敵國之足憂乎」？又言：「聖人愛其親以及人之親，所以敎人孝。敬其兄以及人之兄，所以敎人弟。陛下當與忠臣義士合謀肆討，迎復二聖。今上皇所御龍德宮，儼然如舊，惟淵聖皇帝未有宮室，望改修寶籙宮以爲迎奉之所，使天下知孝於父，弟於兄，是以身敎也」。

上乃降詔擇日還京。澤前後請上還京二十餘奏，每爲潛善等所抑，憂憤成疾，疽發於背。諸將入問疾，澤矍然曰：吾以二帝蒙塵，積憤至此。汝等能殲敵，則我死無恨。衆皆流涕曰：敢不盡力。諸將出，澤歎曰：「出師未捷身先死，長使英雄淚滿襟」！翌日風雨晝晦，澤無一語及家事，但呼過河者三而薨。都人號慟。澤遺表猶極力贊上還京。卒贈觀文殿學士通議大夫諡忠簡。（廿四）

上元燈憶舊（上）

・望暉・

一輪明月，自東鄉上升，正照着一所舉行燈節慶宴的王府大廈，那門口的『日麗風和，山河霽色；年豐人壽，天地長春』的春聯，顏色一點沒有褪色，因爲過了新年不過十五天。這時月亮照得清清楚楚，然而人們對于這月亮卻毫無興趣。因他們注意的，卻是燈色。

早在白天，王府已用三部鼓吹，送了一個花燈到公所裏去。當時鑼鼓喧天，第一部先行，樂隊是穿紅而且用大鑼大鼓的。自然前頭有一對大燈籠，大燈籠標明『王府花燈』。第二部穿着紫色的衣服，用小鑼小鼓的，跟住抬着一座金碧輝煌的花燈，用七寶璉璃點着輝煌，不用說了。後面更有翠帷，許多紳士們跟着，名叫『押花燈』。更後面有第三部吹鼓，是穿着錦繡的花衣，用輕巧的音樂，沿途清唱的。這一大堆的人馬後面，又跟着無數的小花燈，沿途炮竹喧天，歡聲動地，把許多音樂都蓋住了。本來王府距花燈公所，只隔着幾條街，一下子就到了。然而他們卻繞着一個大圈子，走過數十個鄉村，走了幾個鐘頭，以顯示他們的『架勢』。

當月上的時候，正是王府慶燈宴方散之時，大廳堂幾十個孩童，攜着點着的小燈籠蹦蹦跳跳着，三爺站在門口送客方完，一方面回想今天送燈時的『架勢』，拜燈時的子孫滿堂的熱鬧，使慶燈宴更加出色。剛好老二走過來，他老人家一樂，便扯住老二說：二嫂不用說了，又兄且已見了肚子，七嫂與九嫂是應該有的，長孫媳婦看她的情形，亦應該有的，今年僅可添了四個『丁』。說着拇鬚微笑。

我的學生生活

雷嘯岑

在神戶歡送孫總理北上幽燕後，回到東京辭去學生總會職務，在西巢鴨住下，實行『下帷讀書』生活，精神比較輕鬆，對於上海新聞報的通信寫作，更爲勤力，而每月所得稿費亦增多了。如是，乃將過去兩年來經常穿着的破濫「和服」與木屐，一律收藏起來，出入改爲西裝革履，頗似翩翩闊少爺的樣兒，房東太太對我另眼看待，且因此釀成了一些桃色趣事，殊堪發噱。

我寄居的日本「貸間」主人是個孀婦，她只有一位女兒，芳年雙十，容貌不壞，我住在樓上，她們住樓下，主客之間，平日不過應酬招呼而已。有一天，我在自己房間內縫綴蓋的包布時，房東太太走上來給我代勞，說我不會做這類手工，我當然很感謝她。這時她一面替我縫鋪蓋，一面對我說道：「你們中國人總是喜歡把日本女子帶回國去，即永不再來日本了。我僅有這個女兒，捨不得她離開，假如你愛她的話，將來只要能使我母女一道前往中國，住在上海，或者就在日本長久呆下去，那我很願意教女兒先跟你做朋友，大家在一起過活，我們每天給你弄飯菜，洗衣裳，你的意下如何呢？」當時我聽到她這番話，既感驚異，亦復竊竊自喜，不知如何回答是好。因爲一則我已經結了婚，家裏又不是富裕的，萬不能再娶個外國女人，自尋煩惱；二則我立志將來回國要搞政治，又認定中日兩國將無親善合作之可能，如果娶上了一個日本女人，他日即有被國人指爲親日派的危險，影響政治生命。但對於她那位女兒，心裏又具有愛好之意。理智與情慾交戰的結果，祇好答以容我仔細考慮後再說。繼而跟幾個好友談及此事，他們一致表示反對，主張我及早搬家爲是。我準備再住一個月纔遷居，免露痕迹，而第二種桃色趣事又發生了。

某星期日薄暮，原在留日學生總會干役的女傭，（年紀不到三十歲），提着行李到我的住所來，說她已辭去總會的工作，很願意替我服務，我立即婉拒之，答應介紹她到中國留學生的「貸家」去工作。她又說：「今天我就無處藏身，請讓我寄宿你這兒一宵罷。」我再三勸她亦不肯走，而且淒然哀求不已，我就教她給我買菜煮飯，她欣然從命。是夜即寄宿在我房內，另給她一床鋪蓋，彼此分榻而眠，互不侵犯。讀者諸君：我並非柳下惠一流人物，在青年時期，何以竟有此「坐懷不亂」的決心呢？原因是她在學生總會傭工很久，各省同鄉會代表都認識她，我若跟她有所勾搭，自然瞞不了人，而那些對我懷恨積存的政敵如王家楨周芳剛等，即可能散佈我的傳單，作爲報復的大好材料，說我亂搞學生總會的下女，使我名譽掃地。想到這層，不禁懍然危懼，即令她是個絕代佳人，亦爲之心灰意冷了。這是由於愛惜羽毛的心情所使然，決非頭巾氣的關係，假使換成是那位房東太太的女兒，恐怕我就不會有這種決不動心的勇氣吧？

上述這些情節，我可以對着上帝發誓，絕無半點虛僞的成份在。可是，房東太太卻認定這個下女是我的舊相好，到我搬家時，她不再提起女兒的事了，眞是萬幸！（十六）

兔典雜談

介人

今年是癸卯年。卯屬兔，所以又稱兔年。這裏且摭拾若干有關兔的典實，而又切合當前事實的，以資談助。

兔死狗烹：含義是有事則見用，無事則獲罪。正所謂「飛鳥盡，良弓藏；狡兔死，走狗烹」。今天中共正在搞這一套；大陸若干鼎鼐份子，其尙有未被宰殺者，亦因爲還有中華民國在。過去爲中共立功的章伯鈞，羅隆基，黃紹竑之輩，均被列爲「右派」。此輩當無一不有早知今日，何必當初之感，祇可惜後悔無及，一個個變成了待宰的羔羊。

據說前幾年曾有某共幹挖苦黃紹竑一舉一動都模仿蔣總統，黃紹竑有詩而無恥的以牙還牙曰：「是呀！我前半輩子靠蔣先生發跡，現在亦還靠蔣先生生活」。黃紹竑所恃的是什麼？是有中華民國在。要是不然，他知道他這個企圖取巧投機的「貳臣」，早就給中共烹而食之了。

如黃紹竑輩的貳臣，刻在大陸苟延性命的還不少，張治中、邵力子等當年號似「忠貞」過人者，無一而非仍拜中華民國之賜。至於所謂「社會賢達」如黃炎培之流，他們亦何嘗不明白自己是靠什麼纔得以活命下去的？（一）

花香月上樓小品

近人詞選

拋球樂

國府還渝

待旦老人

瑞腦香薰睡思濃，朱櫻斗帳繡重重。疏砧敲落千家月，橫竹吹殘一葉風。不信巴山遠，依舊相逢夢中。

二

庚竹流螢的的輕，玉繩低轉斗杓傾。西風一夜吹愁去，莫伴明年春草生。誰道人千里，依舊今宵共月明。

三

記得勞勞送客亭，杏花時節近清明。桃根桃葉人千里，江北江南路幾程。自與王孫別，春草今年不肯青。

內政部警台報字第〇三一號內銷證

自由報

THE FREE NEWS

第三一四期

中華民國僑務委員會登記證 台僑新字第三二三號登記證
中華郵政台字第一二八二號執照 登記爲第一類新聞紙類
（半週刊每星期三、六出版）

每份港幣壹角
台灣本售價新台幣弍元

社長：雷嘯岑
督印人：黃行富

社址：香港銅鑼灣高士威道二十號四樓
20. CAUSEWAY RD 3RD FL
HONG KONG
TEL. 771726　電報掛號．7191
承印者：田風印刷廠
總址：香港灣仔高士打道一二一號

台灣分社
台北市南京東路二段
電話：三〇四三六

本報三周年紀念感言

·雷嘯岑·

本報創刊到今天，已歷三周年了。當年我以「知其不可爲而爲之」的傻勁兒，獨力拓墾這塊小小的文化園地，究竟能夠支持多久，自己毫無把握，祇是憑着一種理想和興趣，埋頭苦幹，不問收穫地幹一天，算一天，幹不下去就拉倒。流光如駛，忽滿三年，居然尙未倒下，眞是出乎意料之外，不能無言也。

我在三年以前，陸陸續續從事報業工作垂二十載，但都是于役於官辦的機關報，在立言與紀事方面，皆未能發揮自由意志。繼在海隅初次主持過民營的「自由人」半週刊業務，滿以爲得償自由辦報的宿願了。然事與願違，由於「自由人」係十幾個發起人集體領導之故，業務不易發展，只好知難而退，最後「自由人」亦告夭折了！這使我感受一些刺激，所以不服輸的海寧騾子性情，立志創刊本報，步武「自由人」的風格，唱唱獨腳戲，試觀後效。如今唱過了三年，還有觀衆——讀者——捧場，曷勝榮幸！

辦報本是一種自尋煩惱的事業，既要賠錢，又很費勞，所以有人說：「若想貽害某個朋友，最好的方法就是勸他辦報」。話雖如此，然甘願受害的報人，所在多有，而且並不需要別人勸進，亦樂此不疲，區區即其一也。這是基於責任感而然的。士生今日，既不能從事工商企業，自利利他，又不及置身廟堂，安邦定國，更不願隨俗浮沉，鬼混自了，總想做點有益於人羣的事，以期不負此生，而辦報乃適合「文章報國」的書生興趣，亦是人生的一項正業，何樂不爲呢！本報生存到今天，在物質和精神兩方面，荷蒙海內外若干朋友贊襄支持，嘉惠良多，鼓勵備至，如經常爲本報寫稿的岳騫先生，就曾經對我說：「祇要是你嘯老辦的報，我義務寫稿十年，亦無所謂」。這種精神鼓勵的力量，勝過黃金萬鎰，使我興奮至極，勇氣百倍，而對一切艱難困苦，亦甘之如飴了。至於其他隨時在本報發表文章的各位作家，大多數都是素昧生平的文化人，由於理想相同，興趣一致，發抒了聲應氣求的潛能，替本報增光不淺，更是值得稱道和感謝的。

香港是個外國殖民地的工商業都市，儘管居民百分之九十五以上盡係中國人，但除卻少數高級知識份子而外，大家對於政治意識皆甚淡薄，日唯孜孜汲汲地爭利於市，而置國家理亂於不聞，得暇看報，多以消遣找刺激爲主，一張新發行的報紙要想打開銷路，爭取多數讀者，即忌諱高談政治的道理與國計民生問題，要談亦得走偏鋒，弄噱頭，例如台灣方面發出了準備反攻大陸的消息，報紙上就張大其詞，把軍事反攻的幾路總司令人選，姓名揭載出來，用特大號的木刻字標題，作爲頭條新聞，藉以刺激讀者；他如社會新聞與文藝作品，亦以低級趣味爲原則，並不注意可讀性，亦無所謂新聞道德。本報的作風恰恰相反，我們是爲着政治理想而創刊的，從言論到新聞以至於文藝，無一不是含有濃厚的政治意味，如果不談政治，根本即不必辦這張報。本報初期亦曾登載過一篇武俠小說，當時胡適之先生見着我就大聲說道：「別人辦的報可以登武俠小說，你辦的報爲甚末搞這類不合時代的玩藝呢？」我馬上就把武俠小說停刊了。這說明本報在香港地區，似屬不合時宜，但我們原係以闡揚一種政治理想爲職責，媚世悅俗，務所不取。

我們的政治理想，是甚末？總而言之，即係崇尚民主憲政生活。不過，民主憲政之說，言人人殊：有的人以反對派姿態出現，認爲當前的執政者有百非而無一是，皆在反對之列；有的人以革命英雄氣慨，睥睨一切，否定一切，對於大陸上共歌政權固然唾棄，對於台灣的中華民國政府亦認爲不足愛惜，所謂「反共亦反台」是也。我們自慚庸愚，氣魄不大，祇想從一點一滴之中，促成民主政治之循序實現，以爭取合理的言論自由爲首務。所謂合理的言論自由云者，即在反共與維護中華民國的大原則之下，批評政府得失，臧否政治人物，暢所欲言，肆無忌憚，目的在培育社會大衆的容忍精神，因爲沒有容忍精神即無從奠立民主基礎，此乃必然律，而這是現代中國人士——無論在朝在野——普遍缺乏的修養工夫，我們特別重視它。如最近美國總統甘迺迪陪着太太到紐約百老滙戲院時，瞧見台上正在表演着諷刺他關於北極星飛彈問題的劇情，他只是笑笑而已。這情形如果出現於我國，恐怕當場就會發生憲兵抓人的嚴重後果呢？我們認定中國一般知識份子並不是不瞭解民主政治的意義，而是舊觀念尙未滌除，因而不知不覺地表現出許多與民主生活背道而馳的言行，大乖邏輯性。譬如政府與官吏個人的關係原是兩回事，人們評隲失職的某一官吏，乃至於涉及行政元首，並不等於反對政府，這是常識。但咱們輿論界每因此而招致無謂的求全之毀，甚且構成了嚴重的是非爭訟，爲世詬病。像當年美國總統杜魯門，把美軍遠東統帥麥克阿瑟撤職後，美國民衆曾有以紙紮人形，上寫杜魯門名字，提到街上予以槍斃者，然杜魯門不以爲意，我行我素，而他的元首地位與威信亦未受到絲毫損傷。你能說那槍斃紙紮杜魯門的人民，即是反對美國政府嗎？那是人民對自己的公僕個人，表示一種不信任的反感，亦是人民表現自由意志的應有權力，這才是眞正的民主生活。所以本報經常呼籲各界人士，先要改變舊觀念與作風，纔能夠創造如假包換的民主政治，革命先革心，變政先變俗，否則咱們喊「民主」口號，再喊上一百年，還是虛有其表，徒亂人意的！我們既要從一點一滴來促進民主生活，言論態度就不能操之過激，遏快一時，無論對事對人，總是基於理性的客觀主義，獻替可否，批判賢愚。因此，或許有人懷疑本報是變相的官方言論機構，亦未可知，然我敢發，敬告讀者，這種疑慮，絕非事實。我們都是從革命運動中混出來的，並非不能唱高調，不敢言革命的鄉愿之輩。但認爲在國家存亡，危如累卵的現階段中，對內不宜隨便作革命性的主張，只有共產黨才是唯一的革命對象，其他皆係同處漏舟的患難人。政府有缺失，我們隨時予以指摘糾正，官吏不自，更不惜口誅筆伐，卻不願輕言革命，高呼「打倒」「擁護」的口號，而使親者痛，仇者快。然則我們對於現實的政治情形，是否感到滿意呢？絕對不是！我們認爲距離民主憲政的境界尙爲遼遠，方在學步期間，民主生活又非可以一蹴而幾的，必也循序漸進，孜孜不懈地努力向前；同時民主生活亦不是由執政者給予的禮品，而須人民大衆併力爭取獲得，才是實惠，看看英國的憲政發展史，即可領悟了。本報同人就是根據這種理想以立言論事，希望在不流血的過程中，達成憲政之治，奠中華民國於長治久安之域。語云：「雖不能至，心嚮往之」，我們之所以報國者在此，所以自立自負者亦在此！

漫畫天下　南地

虛有其表

赫酋：「你跟着我奏好不好？」

自由談

破滅的美夢

馬五先生

毛澤東與赫魯歇夫藉口於共產革命的理論問題，發生了言語爭執時，以美國爲首的一般西方專家和政客們，爲之笑逐顏開，心花怒發。他們不但是料定中俄共之分裂無法彌縫，且預測蘇俄將與美英合作以抵抗中共的威脅。一種自我陶醉的美夢，酣然大作，聲震全球，好像共產世界的崩潰就在眼前了！

現在赫酋聲明中俄共「兄弟黨」的口角是非，祇是消遣的玩藝。這無異是對着西方國家那些夢想中俄共破裂的專家政客們，當頭一棒，使他們幼稚胡塗的頭腦放清醒些，莫再大發夢囈，白晝見鬼！

如果說中俄共對革命理論發生爭執，便可以釀成分道揚鑣的後果，那末，美英法各國之間，過去爲着中東石油權利，以及蘇彝士運河進兵問題，現在爲着北大西洋公約國多邊核子部隊，暨英國加入歐洲共同市場問題這類利害衝突的爭執情形，其嚴重性超過中俄共的理論爭執若干倍，美英法各國早就應該由分裂而實行火拼了——何況中俄共實際上只是感情衝突，並無革命理論糾紛之可言。

老實告訴一般所謂蘇俄和中共問題的專家們：毛澤東對俄共齟齬的眞正原因，與馬列主義毫不相干。他是因爲蘇俄在韓戰後，一面緊逼毛共償付蘇俄的軍火代價，同時對於史達林在生時答應援助毛共各種工業建設計畫的器材，又靳而不予。毛酋認爲當年參加韓戰，原係專爲俄帝効犬馬之勞，死傷中國人在百萬以上，連自己的兒子亦葬身於是役，而俄帝事後竟刻薄乃爾！如是乎驟性勃發，先寫出「土法煉鋼」、「生產大躍進」、「人民公社」等類運動，表示自力更生的報怨姿態，然後藉着赫酋與狄托修好的題目，大做其世界革命理論的文章，指桑罵槐，譏嘲赫酋爲修正主義者。這完全是藉題發揮的洩忿行爲，談不上思想衝突的話。試問毛酋素所倡說的和平外交五原則，跟赫魯歇夫的「和平共存」政策，又有甚末分別呢？

由於赫毛的口角是非係一時的意氣之爭，所以赫酋即不妨表示讓步轉圜的聲音，稍假對方以詞色，平復其怨，將來再經過國際共黨會議的勸解形式，自然和好如初的。西方人士製造核子武器以及經商漁利的智慧，自然遠過咱們，談到對共黨問題的理解和反共方法，不客氣的講，他們還是在小學生時代，淺陋得很！

辛苦得來一場空
毛共出術挖取「餘糧」 大陸農民「自願」餓肚

（香港與大陸）。去年秋收後，農村公社農民配糧有增加，粵省飢荒嚴重情形，原已稍減，但其後中共又想方設法，要農民「精打細算」，從已經配給農民的糧食裏面，抽出所謂「餘糧」，要農民「自願」賣給「政府」，結果農民於長期辛勞之餘，落得一場空，還是要過餓肚子的慘苦生活。這是春節期間由廣東五華縣到香港親探的李××君對本報記者透露出來的。

李××君稱：去年秋收工作完竣以後，「公社」裏便立即將最好的一級糧食送交縣倉，作為完繳「公糧」和「征購」的任務。之後分配農民每人每月十四斤的糧食。李君說：這些「公糧」和「征購」的數額，農民們是不得而知的，全由黨員共幹一手包辦。農民們以為每月有廿四斤糧食，總算已比秋收前好得多了，所以也沒有再提出什麼異議和要求。可是，這些糧食剛分給農民後不久，共幹又攪出一個新花樣，便是要農民進行「精打細算」，抽出一部份「餘糧」，賣給「政府」，美其名為「支援城市」，「支援工人老大哥」。

李××君所屬的「公社」，去年底曾召集全體社員，名義是學習「勞動模範」的「光榮事蹟」，由公社裏面的青年和學校學生所組成宣傳隊，演唱歌頌中共「德政」的話劇和歌頌一些「勞模」的事蹟，意在使農民更加遵從共黨的指揮，並更提高勞動生產率。李君說這次的「學習」，重點是「勞動模範」的「艱苦奮鬥精神」，例如有一個被表揚的「勞模」曹英，其人有點白癡，愛戴高帽，居然被評為「勞模」，據說為的是曹英在去年夏收期間曾經不停地苦戰一日一夜，並沒有吃過一粒飯；且在夏收征購任務中，自動將自已分得的糧食「捐獻」五十斤給政府，以支援災區。另外十多個「勞模」，則都是因為把「餘糧」賣給「政府」的關係。

李××君說：這一來，共幹便要求農民們向「勞模」學習，並說國家正在進行「社會主義建設」，及國防建設，以保衛「幸福自由」的生活，更非節約不可。共幹於是教農民「精打細算」他們的糧食，說一年中每人所有的糧食計有「公社」勞動糧為細糧(即穀類)二百八十八斤，自留地出產的雜糧可抵細糧約五十斤，而公社所分配給農民額外的雜糧，又可抵細糧五十斤。公社在開會時亦有糧食津貼（按：共幹經常開會，農民卻多不願參加，所以共幹便用糧食以引誘群眾，規定凡參加會議者，皆有二合米作為宵夜糧。）一共加起來便是四百斤，每個月便有卅多斤了。

如此「精打細算」之後，共幹便「要求」每個農民都能自願獻出「多餘的糧食」，拿出來賣給政府，又還要個人與個人，小組與小組進行比賽運動。這時，共幹預先佈置好的「積極份子」，便一窩蜂的叫着「自願」賣給政府「餘糧」若干，數額愈叫愈高。農民們在這種「陽謀」形勢下，明知是圈套，卻不得不也在自己那點活命的糧食中，抽出一部份，賣給共黨，而自己餓肚子，卻還要做出很高興的「自願」樣子來。（敬斯）

還籍不成重回北縣 張彩鳳形勢不利

（本報記者熊徵宇台中航訊）本屆省議員競選時，因訴訟而得補上當選的省議員張彩鳳，基於訴訟上的體驗，所以對於下屆的競選，非常慎重；但因「重」而失「慎」，已為即將在四月份展開競選的第一階段造成一種不利的形勢。而這種不利，並非來自任何客觀因素，而是她自己一手造成。

張彩鳳，台北縣人，因為台北縣有兩個很吃力的對手，所以把戶籍遷到台北市；一則以其乃父是台北市議會的議長，在選票上，助力很大，而且，還可以爭取婦女保障名額。這種避重就輕的打算，看起來似乎是一種「安全」的佈署，但是百密一疏，出了問題：由台北縣遷往台北市的時限，算起來，距離規定的六個月，差十四天。

於是張彩鳳發了慌，四處奔走，請人說項，但是內政部長連震東和省府秘書長郭澄，都是「愛莫能助」。他們都難能要戶政主官方面，把張彩鳳的戶籍住居時限加上十幾天。法治的尊嚴，誰也不能違反。

張彩鳳絕望之下，昨天才又「鳳還巢」，把戶口遷回北縣原籍。這對她是極不利的，因為與她打過選舉官司的李秋遠，這回也是志在必得，而女性方面的王宋瓊英，財力和基礎，都比張彩鳳強，在這兩種因素下，張彩鳳的競選，將是一場苦戰。

據台北縣方面的人說，張彩鳳把戶籍遷來遷去，已引起選民們的不滿，認為她，並非對地方建設具有熱心，而是志在議員。如果這種觀念在台北縣擴大起來的話，張彩鳳的競選結果就很難樂觀了。

尹仲容死後有殊榮 囚犯列隊欣賞電影

——寶島點滴——

▲一罪兩判，上訴發現：犯一件罪，而被兩次判刑的怪事，出在台北地方法院。有李永濤者，傷害徐訏，經徐本人向台北地方法院提起自訴，控告李永濤殺人罪。另外檢察官亦將李永濤提起公訴。結果院方刑庭將徐訏自訴李永濤一案判了刑，不久又根據檢察官所提公訴一案，把李永濤再判一次刑，變成一罪一案卻判了兩次罪刑。李永濤只犯一次罪，卻要坐兩次牢，他不服，乃訴諸高院，經高院審理後，始發現錯誤，乃將檢察官公訴地院判刑一案撤銷，判決不受理。

▲尹仲容死後殊榮：外貿主委尹仲容病故後，因其對我國財經功績輝煌，其實幹硬幹和負責到底的精神，尤堪風世，遽爾殞滅，識與不識，咸表悼惜，總統及副總統均親往祭奠。而最近一次行政院舉行例會時，正值尹氏發引安葬之日，陳兼院長因痛失良弼，沒有到院主持院會，院會中尹氏的座席亦沒有立刻除去名牌，而一如平日的擺在那裏，可算是尹氏死後的殊榮。

▲囚犯列隊欣賞電影：在台北新監受禮的六十名囚犯，五日中午整隊到桃園鎮東方戲院看電影，這是自由中國獄政史上的創舉。據新監主管人士稱：在監服刑的囚犯集體看電影，不僅是中華民國獄政史上首創舉，就是在世界獄政史上也不多見。該監主管說：這是一種大膽嘗試。他們在整隊欣賞電影時，完全未帶刑具，祇是一律都穿着監獄的服裝，以求安全。又這些囚犯平時都在學習，雖擔任各種職務，他們自治，並無潛逃的情事發生，這已步入囚犯自治階段，殊為難得。（民還）

黃信介案餘波盪漾

本報台北記者吳越航訊

台北市議員黃信介，因在議會內發言辱及公車處稽查吳國君，被台北地方法院以誹謗罪，判處罰金一百元（銀元），折算一日的消息公佈後，各級民意機構反應激烈，餘波盪漾，迄猶未已，監察院喊出了「議員會內發言，應受特別保障」的呼聲，監察委員且將提案糾正。茲畧誌各級民意機構的反應如次：

台北地院對本案的判決理由中指出：民意代表在議會內固然有言論自由，但依照最高法院字第三七三五號解釋：「參議員在會議時所為無關會議事項之不法言論，仍應負責」。所以認定黃信介應負誹謗責任。

黃由於議員在議會發言而被構成刑責，以黃案為本省實施地方自治以來的第一件，所以全省各縣市的正副議長，去年十月底在台北市的一次聚會中，即首先表示對本案極為關切，並希望台北市議會，能採一項適當措施。

台北市議會對此案的反應，先是去年十一月初舉行的第六次大會時，市議員熱烈討論此案，他們指出民主政治，首重言論自由，憲法規定民意代表在大會中發言，不負法律責任，黃議員在質詢中發言而被判刑，是與法抵觸。結果決定由洪禮錠、廖鍾脉、張詩經、孫性初、歐陽斌、尹數、沈應松等組織七人小組，研究有關黃信介在議會發言構成刑責的法制問題，並聘請孫性初、奚樹基二位律師，支持黃議員上訴，公推議長張祥傳為證人，出庭作證。

十一月末同一會期，台北市議員們認為黃案關係民主自由與法治之考驗，為了維護法治與民主的尊嚴，不能緘默，決以冷靜理智之態度，就法理方面加以研究，據理力爭，以循法律途徑解決，將請內政部釋示縣市議會組織規程第二十六條，同時並作三項結論：

（一）有關黃信介訟案部份，除循法律途徑解決，並由本會將當時發言真相公佈。

（二）地方自治法規權責範圍，函請內政部依法釋示。

（三）函請大法官解釋有關議員在議會內所為之言論對外負責與否問題。內政部引用訓政時期司法權解釋令是否適用於行憲後之地方議會，以資遵循。

台灣省議會，於去年十二月十一日民政詢問時，議員們多認為此項判決，有違「議員在會議時所為之言論及表決，對外不負責」之規定，陳重光等提案稱：法治為民主之實質，亦具表裏之關係，如民意代表未能受到此合法之豁免權保障，將無以互彰致用。該項提案，經省議會通過，請司法機關尊重此項保障。

監察委員葉時修則在院會提案，認為內政部對議員發言之範圍，擬行不當之解釋，違反憲法及省縣市議會組織規程，監察院應查明糾正，以維憲政，而重法治。案經推劉永濟、陶百川、王冠吾、王文光、張維翰等五位委員審查，並函內政部將有關省縣市議員言論責任釋示資料抄送到院後，認為內政部之釋示確有問題。

日前內政司法兩委員會討論本案時，亦多認為民意代表在議會發言有免責的特權，那怕是不法的言論，亦不應負責；因為合法的言論，本來是有保障的，而且人人都有這個保障，無所謂對人民代表的特別保障。監委們並認為黃信介在議會發言而被法院科以刑責，是不適當的。因為依照司法院三十六年的解釋，「縣參議員在會議中所為無關會議事項之不法言論，仍應負責」，黃信介議員的言論並非「無關會議事項」，不負責任，甚為明顯。而不應負責的言論，法院竟要其負責，顯然不當。

因此聯席會議決定提案糾正，並推原審查委員起草糾正案文。一俟起草完畢，提交會議通過後，即可移送有關機關注意改善。

去年度內 外國留台學生統計

總數二百五十九 分別來自五大洲

（本報記者台北航訊）據教育部的統計，在去年度之內，在台灣留學的外國學生，一共有二百五十九人，其中男生佔一百七十六人，女生佔八十三人。又其中自費留學的一百六十六人，得獎助金的六十二人，得獎學金的三十一人。

這二百五十九個外國留華學生，分別來自亞、歐、美、非、澳五大洲的國家，以國別分，計為越南的學生最多，達一百二十四人。韓國第三，為四十二人。美國的學生次多，為四十八人。為日本的十人。其餘：菲律賓六人，泰國、馬來西亞和德國各四人，挪威三人，英國和比利時各二人，澳洲、法國、意大利、南非、土耳其各一人。

這些外國留華學生，以研究人文的最多，達一百二十一人，幾佔總數之一半。其餘研究工程的十八人，研究社會科學的二十七人，研究自然科學的十二人，研究藝術的六人，研究農業的二人，研究教育的五人，研究醫藥的四人，其他一人。

教育部的統計並指出：去年為外國學生留華最多的一年，從民國四十四年度迄民國五十一年度，各國來華留學的學生總數為八百二十一人。

又，定明於二月十五日在台北開學的「非洲農業技術人員講習班」，頃明容納來自非洲十九個國家的四十位青年，首批廿六人經於十二日到達，除廿二人日內亦可到達。十二日抵台北的廿六人，來自十一國，計為利比亞四人，查德三人，塞內加爾三人，中非共和國二人，剛果（布拉薩維爾）一人，喀麥隆二人，達荷美二人，上伏塔二人，多哥二人，尼日二人，茅尼塔尼亞一人。（達）

由美國民氣想到台灣情形

—吳文蔚—

十月廿二日，甘迺迪總統的決策命令下達了，這些報紙的負責人都一致的主張：一、檢查蘇俄通往古巴的船隻。二、應付萬一備戰。三、服從命令動員。這時候有一家報紙的編輯的兒子適在古巴境內，但是這位編輯爲了響應國策的決定，也就顧不到自已的兒子了，同時他的主張是十分堅決而果斷的。由此便可看出美國的民氣，是如何的激昂了！

紐約市長在甘迺迪下達命令之後，便向市民廣播，呼籲市民冷靜沉着，聽候政府的命令，並一面準備一月的飲水和食糧。

聯合參謀會主席籲各兵種部隊，均嚴守崗位，等待命令而準備緊急行動！

如此緊張的局面，千鈞一髮，眞是民心沸騰，如火如荼，達於極點了。

就在這千鈞一髮之際，共產集團的首腦赫魯雪夫，看着情勢不對，推算後果，勝算甚少，懸崖勒馬，只好表示低頭，答應拆除古巴的飛彈基地，局勢乃告和緩。

當甘迺迪總統下達了處理古巴事件的決定命令之後，全世界的人民沒有一個不是怵目驚心，把注意力集中在這一決定以後的發展上，同時沒有一個人不認爲大戰爆發就在眉睫，人類的命運也就在此瞬息之間，尤其是美國的人民，可以說是都混出了乾坤一擲，不問禍福的氣魄。誰能料想到在此千鈞一髮的嚴重而緊張的情勢之下，赫魯雪夫肯作一百八十度的大轉變，會把以往强硬的態度一下子低首屈膝了呢？

我們知道美國人民由於物質條件的生活優厚，一向都是貪圖享受厭惡戰爭的，可是一旦戰神降臨迫得他們不得不從事戰爭時，他們卻能拋棄了一切的享受，無條件的去迎接戰爭。美國的這種浩壯的民氣，實在值得我們作爲借鑑的！

我們現在是偏促於台灣一隅。自從政府播遷台灣，這十三年來，政府無時無刻不在勵精圖治，奮發圖强，從事反攻復國，收復河山的大業。然而我們的民氣，卻是一落千丈，並且是一味地貪圖享受。我們每逢走到台灣幾個大都市的繁榮地帶，聽着舞廳酒家門上紅紅綠綠的霓虹燈，聽到那些靡靡之音的吹打歌唱，內心感覺着這玩意是民氣的一種麻醉劑。尤其這些舞廳酒家在報紙上刊登出大半版顯著的廣告，廣告上毫無忌憚地印着「美女如雲」的招徠文字，我們認爲這實在是對反攻復國前途的一大諷刺！

我們如果眞要反攻復國的話，確實還須將美國民氣作爲借鑑纔行啊！（下）

天南風光

—沙羅越的歷史—

朱淵明

自一八四二年年尾開始，威斯緊緊的向着當時之英國首相「羅伯皮爾」及其他閣員們呈上一大堆的信件與備忘錄，雖然未能及時收效，但威斯這個人確很能幹，他卻先說服了各種在英倫與蘇格蘭的商業組織，及東印度公會，使他們一致要求政府對婆羅洲採用一種更積極的政策。

但一個月一個月的日子過去了，尚無任何跡象顯出沙羅越將受英國的承認與支持。在倫敦官場中，依然把布律克看成是一個冒險者，偶然由一個馬來蘇丹，授予權力去統治婆羅洲一小塊土著國的人；而冒險者本人卻沒有被授予權力，去與任何國家進行協商。因此，對他的提議，並不予以重視。在布律克方面，最初頗幻起一個沙羅越總督的影子，及至外交大臣拒絕給予他任何外交官或者領事的職務後，他乃認爲英國政府不善於用他之特殊地位，眼看把寶貴的機會浪費掉。他不免懷疑是不是旁人把他看成爲一個流浪者，或者到處找尋職業的人。因之，有一段時期，他眞苦悶得打算失望的回到老家去。

然而布律克畢竟吉星高照，機緣湊巧，那時在遠東發生了一件空前的大事，就是中國在鴉片戰爭中打了一大敗仗，把老大帝國的紙老虎戳穿了。於是，一向不能解決的英國使節朝覲中國皇上的儀式與跪拜問題等，都迎刃而解，並且還開放五口通商，又將香港割讓給英國，這就是有名的南京條約所規定之概要，其他還有種種條件。而這條約，恰也於一八四二年的八月簽字。這就是自東方與西方交通以來，中國第一次所遭受的屈辱，也就是第一次正式替中國戴上了枷鎖。

自南京條約後，英國人的觀念漸漸轉變，認爲遠東的老大帝國，大可逐步設法，慢慢宰割，甚至不難成爲印度第二。於是婆羅洲在交通站與軍事上的意義，陡然增加了，尤其是西北沿南中國海的海岸，當英國有事於中國及日本之時，及貿易往來增加之際，形勢上，在馬六甲的東面，一個星加坡是絕對不夠應用的，而沙羅越的停泊碼頭，與煤炭，供應站，更其必需。

恰巧在布律克到沙羅越之前，在一八三七年時，有一個美國人叫「G．達斯背萊」的，到婆羅乃去訪問，在一個小島上，發現了煤炭。這個小島名叫「鏡子島」，就是因爲陽光照在露出地面的煤塊而射出的反光，才取出這個名字的。婆羅乃藏有煤礦，即由這個美國人首先報導。過後四年，當納娜船到婆羅乃去載回於婆羅乃附近沉沒之英國船的餘生者之時，即在「鏡子島」上，加上這種煤塊作爲回航的燃料，又將這種煤塊，送去「加爾各答」、英國化驗，據說化驗的結果：「等於最好的煤」，而且「十分適合於蒸氣的用途」。（三十）

盧漢反覆叛國記

觖公

當民國四十八年十月初旬，共軍向粵境大舉進犯之際，雲南省主席盧漢，受當時潛逃在香港之軍事參議院院長龍雲蠱惑策動，忽萌異志，有背叛跡象。李代總統宗仁，行政院長閻錫三，華中軍政長官白崇禧等，初在廣州密議先發制人，即派自部魯道源（滇人）兵團入滇，取盧氏職位而代之，魯氏且在湘南防次發出率師回滇之露布矣。未幾，中樞移川，蔣總裁應李代總統之敦請赴重慶，旋綜持軍國大計，採納西南軍政長官建議，對雲南問題不用武力解決之策。乃一面派遣總統府第一局局長俞濟時飛往昆明晤盧漢，曉以利害，激以大義，保證中央對盧氏倚畀如昔；一面飭令戍屯黔省之國軍何紹周部向滇境進發，藉與原駐雲南之廿六軍余程萬合力防患。

盧漢聞訊，自忖手中所掌握之實力，僅有保安隊數團耳，不足以抗衡國軍，而共軍此時又無法馳援，殊驚懼，即親自飛渝謁蔣公，表示忠誠不貳，當蒙慰勉有加，並許今後滇省一切軍民事宜，概由盧自主，中樞不予干預，但須盧實行下列各事：（一）宣言反共，拒絕龍雲陰謀；（二）改組雲南省政府；（三）拘捕共諜暨一般協同共黨釀亂之所謂民主人士；（四）解散省參議會；（五）查禁昆明各種爲共黨張目助勢之刊物；（六）封閉或整理在滇省之各級學校；（七）滇境應駐國軍兩個軍，而以一師常川屯戍昆明；（八）雲南實行徵兵徵糧；（九）實行淸勦土共朱家璧。盧均表示恪遵辦理，唯求仍以林西園暉聯省府財政廳長而已。時論認爲蔣公之和平政策甚爲成功，頗感慶幸。

盧回昆明後，曾遵令行事，拘捕各方反動份子三百餘名，中有情節嚴重者七十餘人，蔣公據報，即授權盧漢斟酌處置，以示誠信。詎盧旋將此七十餘名重要罪犯陸續省釋，其他二百餘人亦以罪嫌不足而免究，對外聲明係奉命逮捕者，不啻將責任完全推卸於中樞，更激起反動派之憤懣，醞釀日益激化矣！迨十一月下旬，共軍攻陷重慶，進窺成都，風傳盧漢又有變。時蔣公坐鎭蓉城，方擬將中央政府遷赴昆明，急派西南軍政長官張岳軍於十二月七日飛赴昆明與盧協商，並偵查實況，盧與張懇談四小時，了無異狀，只聲述地方財力艱窘，糧食缺乏，張告以當由政府解決，可勿憂。八日張偕國軍將領余程萬、李彌，龍澤滙等回成都報命，當時蔣公已諷悉盧不可靠，對三將領言談間，指摘盧漢臨難背信之非，張岳軍知龍澤滙係盧氏內戚，急以他語和緩之。九日張又偕余程萬等三將領飛昆明，對中樞遷移問題，冀與盧作最後決定，蓋成都已感危急也。

張氏抵昆明後，下榻盧公館，隨員有主任秘書周亮，軍政長官公署第一處處長龔某，則住省府招待所，但盧並未與張晤面。傍晚周氏自招待所行赴盧宅，途遇省府幹部人員，謂盧主任（盧兼雲南綏靖主任）奉張長官之命，今夕在綏署召集軍政要員會議，等語周入告張長官，張謂「我並無敎盧主任召集會議之事」，俄而駐昆明空軍司令倉皇前來報告：機場已被封鎖，勢將發生變故，曾遍尋余李兩軍長囑勿預綏署會議，速馳歸軍中，然均已外出不遇，事急矣，可奈何？（上）

瘟君續夢

第七回

越境興戎　盈廷驚白蟻

恃强犯上　舉座斥青蠅

毛澤東這一套軟硬兼施的辦法，果然奏效，全場鴉雀無聲。停了半晌，鄧小平問道：「我們要同蘇聯攤牌，總要有個最高原則，光是說蘇聯不予我們援助，似乎對人沒有說服力。」

毛澤東笑道：「小平同志，你的問題重要極了，我們現在就說赫魯曉夫是修正主義者，違背了列寧主義。」

彭眞笑道：「這項題目雖然正大，不過，也要有事實根據才成。」

毛澤東說道：「根據多得很，他上台之後，盡量放寬對農民的控制，甚至連拖拉機站都賣給集體農場，顯明的是違背了列寧主義。」

鄧小平笑道：「其實史大林的經濟政策與列寧也不相同的，列寧的經濟政策也不同於馬克思。」

毛澤東平時只知道罵赫魯曉夫是修正主義者，究竟是怎樣修正，他並不知道。經鄧小平一句話揭破秘密，馬、列、史、赫的經濟政策既然都不相同，四人中間起碼就有三個修正主義者，僅攻擊赫魯曉夫一個人必然會引起還擊。

毛澤東沉吟一下說道：「撇開經濟問題不談，赫魯曉夫高唱和平共存，與西方舉行高峯會議，是不是破壞了列寧訂下的原則？赫魯曉夫以爲不經戰爭就可以在全世界完成社會主義革命，更與列寧的觀點不合，這一個問題我是記得清楚的。」

毛澤東說過，沒有人再開口，大家都覺得在理論上雖然站得住脚，但在現實情況下，也未必能戰勝赫魯曉夫。

毛澤東一連噴了幾個烟圈，十分嚴肅的說道：「目前戰爭與和平的問題，不是空口的理論之爭，而關乎到我們的生死存亡，大家感覺到沒有。」

毛澤東把事情說得如此嚴重，大家都注意靜聽，不敢插口。

毛澤東說道：「赫魯曉夫高唱和平共存，因爲他有了共存的條件，蘇聯經過四十年革命之後，到了今天雖然物資尙感不足，但是粗茶淡飯可以自守了，東歐兄弟國家經濟情形更好過蘇聯，也願意守着目前的日子過下去，他們都具有一種中農思想，才是社會主義的大敵。」

毛澤東噴了一口烟圈，又沉思一下，說道：「可是，我們正處在一窮二白的階段，絕不能眞的和平共處，一旦靜止下來，不用兩年時間，內部就崩潰了。我所說的生死存亡問題，就是指此而言」。

劉少奇聽到這裏實在忍不住了，問道：「依我們目前力量，絕不足應付一場戰爭，眞的引動世界大戰，首先垮台的恐怕還是我們。」

毛澤東聽到這裏不由得哈哈大笑起來，坐在轉椅裏兩手拍着椅子扶手，一邊轉一邊笑，笑得在場的人毛骨聳然，不曉得他又要什麼花頭。

毛澤東笑夠了，停下來說道：「少奇同志，你這一問實在犯了教條主義的毛病，你要檢查一下自已的思想，不然就會落伍的。」（一七八）

她再來的時候

汶津

「有一件事，一直想告訴你。」

「不管是什麼，妳說吧；我聽。」

「我不知道怎麼說。也許，還是不說的好。」

「妳不說，我也不聽。」

「過一陣再說。到時候你一笑置之好了。」

我沒有再說下去。和她在一起的時候，我很少用口舌來表達什麼；我只喜歡聽她、嗅她、感覺她……。但我記得清清楚楚——那天我們對話中的一字一詞。她說時帶着異樣的神色，異樣的聲調。

我們終於分手了。正像深秋來時，燕子悄悄和北國分手一樣。我有些茫然，有些自尊心的創痛。我請了一個星期的假，去郊野，去海邊，讓大自然教給我遺忘。

今天，一聽到門鈴響我就莫名地感到驚訝。更驚訝的是打開大門的一刹那。「是妳？」我猝不及防的這樣問。

「是我。」她有些羞怯似地。

「沒有想到。」

家裏剛好沒有旁人，我毫無主見地請她進來。她並沒在客廳坐下，卻一直朝我的書房走去。

「坐這兒不好嗎？」以前我以為再見她時一定不會好聲好氣的，事實上我猜錯了。「不。」她肯定得好像在和誰賭氣。

我實在不懂得女孩子。上帝。她怎麼啦？我忽然發覺她穿着那件綠毛衣，我曾在月色下稱讚過的那一件。

她坐下了。她是一位好女孩，有一個好家庭。而我，一個孤兒，寄住在親戚家。這樣的故事不是第一次發生，正如太陽不是第一次上升。今天，分手三個月之後，她來了。好像我們根本沒有疏遠過，好像黎明之前並沒有一個長夜存在過。何況，這也不是什麼黎明哪。

「告訴我你那次跟我說的都是假的！」妳是在發號司令麼？我想。我偏不告訴妳。

「過去的事不該再談了。」我淡漠地說。

「但是你說謊——」她忽然無限委曲似地。

我……我是為你而說謊，為妳的好家庭。我在心裏說。（上）

南宋偏安有人才

——宗澤

李仲侯

澤質直好義，親故貧者多依以活，而自奉甚薄，常曰：君父側身嘗胆，臣子乃安居美食耶？始澤招集羣盜，聚兵儲糧，結諸路義兵，聯燕趙豪傑，自謂渡河尅復，指日可望。有志弗就，天下恨之焉！

張浚

張浚字德遠，漢州綿竹人，為唐宰相張九齡弟九皐之後。以太學中進士第，靖康初為太常簿。張宗昌僭立，逃入太學中。聞高宗即位，馳赴南京，除樞密院編修官，改虞部郎，擢殿中侍御史。高宗幸東南，浚言中原天下之根本，願下詔葺東京關陝襄鄧以待巡幸。拂宰相意，除集英殿修撰，知興元府。未行，擢禮部侍郎。高宗召諭曰：「卿知無不言，言無不盡。朕將有為，正欲一飛冲天而無羽翼，卿勉留輔朕。」除御營使。

宋季之誤，誤在南遷。南遷建業尚不可，況杭州哉！初高宗以京師未可往，手詔巡幸東南，既至揚州，北方日棘。張浚見高宗意志不定，請先定六宮所居地，乃詔孟庾奉隆祐太后孟氏及六宮皇子如杭州，以苗傅劉正彥為扈從都副統制。此為高宗謀幸杭州之始。太后先往杭州，而高宗猶駐揚州，後來高宗徙杭，則係金人偪之。

先是馬擴既立信王榛，自五馬山詣揚州行在，謀聯絡。金將鄂爾多恐擴以援師至，急發兵攻五馬山砦，陷之，榛亡走不知所終。鄂爾多既破諸寨，探知馬擴南來，使人馳會尼瑪哈合，未至而擴已為鄂爾多所敗。尼瑪哈聞之，遂由黎陽渡河與鄂爾多攻濮州，下之，連破大名及襲慶府（山東兗州）。明年為高宗在位之三年，金兵益南進，破徐州。宋將韓世忠時屯淮陽，將會山東兵援濮，至沭陽兵潰，尼瑪哈之師遂入淮泗。宋詔劉光世兵阻淮以扼金，光世之師又潰。尼瑪哈入天長，遣其將馬五先帥騎五百至揚州。高宗走鎮江，尋如杭州，使呂頤浩守鎮江，張浚守平江。金兵至揚州，知高宗已渡江，遂焚揚州而去。因黃潛善、汪伯彥二人居中用事，阻撓各路勤王之師，漫不設防，以至一敗再敗，不可收拾，乃免其職，並下詔罪己。

高宗居杭未久，而苗劉之[illegible]，宋亦可謂多事矣。先是[illegible]延賞不及，苗傅、劉正彥[illegible]己，頗相結，又見內侍專權[illegible]事。欲於朝廷多難之日，乘機起事。同事簽書樞密院事王淵素為苗劉所忌，於是殺淵及內侍，劫高宗傳位於皇子旉，請隆祐太后臨朝，二人俱拜節度使，專政事。赦書至平江，浚命守臣湯東野秘不宣。未幾傅等以檄來，浚慟哭召東野及提點刑獄趙哲謀起兵討賊。時傅等以承宣使張俊為秦鳳路總管，俊將萬人還，將卸兵而西；浚知上遇俊厚，而俊純實，可謀大事，急邀俊，握手語故，相持而泣，因告以將起兵問罪。時呂頤浩節制建康，劉光世領兵鎮江，浚遣人賫蠟書約頤浩、光世以兵來會，而命俊分兵扼吳江，上疏請復辟。（廿五）

上元燈憶舊

望暉

花燈公所，是在王村公所門口搭的一座頂大的棚。王村公所已夠濶大了，他裏面有三『座』深，前座是會堂，後座是宴會之所，中座中間供着一位『敕賜五顯華光大帝』，是一位火神，是最靈驗的；左邊一位是『忠孝威惠聖王爺』，他原來是春秋時代的伍子胥。紳士們為他掛上了一付對子『吳楚久墟，銀河尚識英雄氣；閶闔被澤，玉露長沾父母恩』。再過是一位水神。右邊一位是『送子觀音』，其旁一付對子，是『我是一片婆心，把個孩兒送汝；你應十分滿意，留些陰隲與他』。這些神祇，這時都顯出熱鬧的氣氛。至於王村公所前前後後都擺滿了花燈，不用說了。

公所門外的大棚，在棚門口本來規定有一付對子：「進士以舉子酒；會元夜而探花燈」，把科舉時代的『進士』『舉子』『會元』『探花』都滚了進去。現在他們覺得太陳舊，改變為「今年樂飲添丁酒；來歲欣還結子燈」，似乎更現實些。大棚的花燈，雖然不是飛機式的也不是飛禽走獸式的，但是華麗而件以彩花的燈，也有種種式式的不同，有四方的，有圓的，有八角六角的。中有大燈，各方伴以小燈。真是雲霞燦爛如堆錦了。它的來源是各家各戶送出的，將來各家又用投票的方式領回去。獨有王家三爺的燈最燦爛，所以他聲明要自家領回去。

不過，上面所說的昇平景象，都是大陸未淪陷前的追憶。自從中共搶奪大陸之後，已面目全非了。到是『路有饑婦人，抱子棄草間，顧聞啼泣聲，揮涕獨不還！』較為切合實情。因此，今天大陸同胞，不但無燈可慶，連多子多孫也不敢想了。（下）

我的學生生活

富嘯岑

民國十四年春間，我從東京市郊區西巢鴨，移寓到市內早稻田大學後面橫巷中的日本人家「金田方」，租賃其樓上僅有的一座八疊席子鋪成的房間。男主人金田治，是個搞建築工程的工頭，女主人是純粹日本式的家庭主婦，年逾三十，尚未生育兒女，環境甚幽靜，從此我乃努力讀書，不復荒唐胡鬧，每天除了上課，常在寓所看書或寫通信稿。我平日喜歡玩樂器，曾由國內帶來一架廣東的洋琴（幾十根銅絲綴於精圓的薄木匣子上，用兩支長形的小竹條敲着銅絲，即發出各種曲調的響聲。）這種樂器的好處就是聲音雅靜而不煩噪，我的女主人特別愛聽它，每逢我在樓上玩弄洋琴時，她就走到我房內佇立欣賞，既而左隣左舍的孃兒們亦聞聲而至，每天——尤其是晚間，非教我奏一曲給她們聆聽不可。久之，她們都不把我看作「支那人」——在彼時，日本人稱華人為「支那人」，是含有侮蔑意味的——親切之至。女主人且經常替我買菜，煮飯，洗衣服，甘作義務勞動，若有中國朋友來訪我，她還用糖菓代我招待之。我此時真有些「樂不思蜀」的心情，準備在日本多住幾年再回國去。

就讀書的情形而言：日本此時雖然是盛行軍國主義的國家，但學術自由的空氣尚相當濃厚。如我的母校早稻田大學內，當時著名的教授們，即有講軍國主義政治學的浮田和民，又有講急進社會主義政治學的大山郁夫（他前兩年纔去世），有崇信社會改良主義的安部磯雄（他是政治經濟學部的部長），教我們的社會問題和經濟學，又有崇信共產主義的佐野學，教我們的社會學。他們各講各的學說思想，自由發揮，立一說以為是，不禁天下人之言其非。此外如國立的西京帝國大學經濟學教授河上肇，專講馬克斯主義，他還刊行了一本「馬克斯主義研究」的個人雜志；東京帝國大學的憲法學教授美濃部達吉，在報紙上公開發表論文，倡導「天皇機關說」的理論——即認為天皇只是一種法人，並非神人，用以否定日本憲法上規定「天皇神聖不可侵犯」的條文，這在當時頗有觸犯「大不敬」罪行之危險的，然而終告無事。上述這些學者之中，只有我們的佐野學先生某日正在課堂上講學之際，忽一穿西服者前來請他出去一下，我們感覺詫異，大家隨之走出，查看究竟，那人挽着佐野邊說邊笑而行，走出校門外，即有人將一頂篾製的圓形高帽套在佐野頭上，掩蓋着他的面部，然後拉他坐在一輛汽車中，疾馳而去。後來據說是政府偵覺佐野有組織共產黨，從事秘密活動的行為，因而加以逮捕的。

是年四月，我在早大政經科專門部畢了業，但自忖這三四年來，前後祗有一年的時間，算是真正讀了一點書，其餘的歲月盡消耗於外務之中，實在不配稱為大學畢業生，加以近來的生活環境很安靜而愉快，乃決計繼續求學，不願歸國。（十七）

兔典雜談

介人

兔絲燕麥：是有名無實之義，典出通鑑梁武帝十五年，「何異兔絲麥燕，南箕北斗」一語。它的注釋是：言兔絲有絲之名而不可以織，燕麥有麥之名而不可以食。古語曰：田中兔絲，如何可絡？道邊燕麥，何嘗可穫？詩云：惟南有箕，不可以簸揚；維北有斗，不可以挹酒漿。皆謂其有名而無實。

今天中共的處境，真是已經到了山窮水盡，去年香港所出現的逃亡潮，不少中共的軍事幹部，也隨着人潮洶湧而來，中共縱有外表強大的兵力，等於紙老虎，軍心渙散，衆叛親離，名雖存而實亡，等於兔絲燕麥，沒有作戰的勇氣和戰心了。

這是普通的常識，證以歷史上匹夫專制，胡作非為，造成離心離德的王朝，沒有不遭受到覆亡運命的。更何況中共倒行逆施，滅絕人性的種種做法，它毫不顧及大陸人民的死活，是自絕於億萬同胞，誰不欲得之而甘心？

英美人以為，中共雖在大陸攪到烏烟瘴氣，民怨沸騰，卻強調中共還有能力控制其內部，五百萬以上的「解放軍」「公安隊」仍被中共嚴密掌握，憑了這些軍隊，憑了中共的歛血政策，它的江山仍然如鐵打銅鑄，老百姓無奈伊何，起義暴動徒然白白犧牲，國軍的反攻，因而亦不是時候。但這話祗有前一半是實情，後一半係由於他們的惰性觀念所生出來的幻象。實際，果真國軍反攻，百姓勢必羣起響應，那便是中共王朝被埋葬之時了。（二）

近人詞選

憶江南

國府遷台

待旦老人

多少恨，昨夜夢魂中。明月不來花落盡，淚珠點地濺春紅。無語去匆匆！

多少恨，紅雪碾成塵。留得梢頭殘照在，人間倘媛一枝春。風雨最愴神。

多少恨，燕子報春殘。飛絮落紅吹已盡，人間賸得只春寒。秉燭不成眠。

多少恨，楊柳舊台城。啼鳥六朝春似夢，蘼堤十里綠無情。何日放新晴？

內政部台報字第○三一號內銷證

自由報

THE FREE NEWS

第一三五期

中華民國僑務委員會登記證　台教新字第二三二號登記證　中華郵政第一二八二號執照　登記爲第一類新聞紙類

每份港幣壹角　台灣零售每份新台幣貳元

社長：雷嘯岑

督印人：黃行富

社址：香港銅鑼灣高士威道二十號四樓　20 CAUSEWAY RD 3RD FL HONG KONG　TEL. 771726　電報掛號：7191

承印者：田風印刷廠

台灣分社

華僑問題必須設法解決

·周啓聖·

關於吾國旅居東南亞各地華僑所遭遇的困難問題，本報曾刊佈吉朋先生一文（見第三一一期），贊成華僑不妨取得駐在國的國籍，並學習當地語文，藉以適應環境，繼續生存發展。這種意見，自與我國舊有那套「外夷狄而內諸夏」的中國本位文化觀念，格格不相入，很可能被論爲妄自菲薄的忘本思想。可是，我們如果認清時代的進化潮流，面對現實情況，要想挽救華僑當前的厄運，且使政府消除左右爲難的苦衷，則「中國本位」的華僑政策，確有改進之必要。因而不嫌辭費，還要續述我們的一些管見，藉資參證。

何以發生華僑問題？

華僑問題之發生，是最近十年間的事，這其間，有基本的和附帶的兩種因素。

二次大戰後，許多弱小民族皆從殖民地生活中翻身起來，成爲獨立自主的新興國家了。這些新興之邦，民族主義思潮極爲旺盛，儘管他們在若干方面尙未具備着獨立國家的應有條件，但對於改善經濟生活的要求，特別強烈。然華僑在海外賴以生存發展的潛力，卽係工商企業，凡是華僑最多的地區，當地的經濟命脈就多半操諸華僑手中，很自然地引起當地人民的嫉視心情。他們一時無法跟華僑社會從事公平合理的經濟競爭，祇好透過政府，使用政治力量，實行排華政策。而東南亞各國政府歧視外僑的所謂「某某化」法案，乃層見迭出，不一而足，對象就是華僑，目的卽在經濟。所以，同樣有不少華僑駐在的國家，如東方的日本，西方的美國、巴西、荷蘭等國，並不發生排華問題，而東南亞半島的印尼、菲律賓、泰國、越南等地方，卻時鬧排華之舉，用意所在，昭然可覩。這便是華僑問題的基因。

假使中華民國仍居世界四強之一，或者大陸未淪入無祖國觀念的共黨魔掌中，則東南亞諸新興的弱小民族國家，縱然爲着改進經濟生活而滋生排華心理，但由於各種關係不能無所顧忌，他們亦不敢像現在這樣，一意孤行，肆無忌憚的。就因爲中華民國政府退出了大陸，在國際上且希望跟這些屬於自由世界的新興之邦，彼此合作，而中國大陸上的共產政權，又唾棄民族主義和國家思想，視別國排斥華僑爲無關宏旨。如是乎，東南亞這些新興國家，卽認定這是排華的大好時機，稍縱卽逝。此事在他們是乘人之危，在我們則不免投鼠忌器，而駐在這些地區的華僑，乃陷於孤立無援的苦境了！這便是華僑問題的附帶因素。

現實情形如此，我政府對於東南亞各地區的排華行動，若僅止於警告、抗議這類例行公事，那是毫無用處的。至於號召海外華僑們一律歸國的辦法，不特現時行不通，卽光復大陸河山之後，亦係不可能的事。政府對於在海外的處境孤危的僑胞，如果不顧熟視無親，聽其自生自滅的話，自應採取一種於事有濟，可以解除華僑一些痛苦的對策，宣示中外，分別實施。最壞是表面強調護僑之說，實際又沒有切實可行的策略，因循瞻顧，由所居，徒使海外僑胞失望而怨懟，憤慨，這豈是謀國之道？我們以痛苦的考慮，贊同讓海外華僑們取得當地國籍，學習駐在國語文的主張，雖不敢說是妥切之策，且對華僑的傳統生活和生計，亦不無損失之處，然權衡利害得失之數，相信至少可以獲致治標的效用，總比毫無辦法的空喊急強些吧！

中國本位思想評判

咱們的國籍法規，原是認許人民具有雙重國籍的，讓海外僑胞爲適應生存發展的前途，而取得駐在國的公民資格，固不違背國策，亦不忘本的話。我們今日若不隨着時代潮流而生活，思想不進步革新，再以外國人爲「蠻夷」，[illegible]

[illegible]

是必要的。我們過去和現在，大多數人都認爲西方國家的科學比我們發達，工商業比我們進步，我們一方面要吸收他們的科學知識，一方面需要跟他們貿易通商、惠工，所以非學習英文不可，但英國人或美國人並未強迫我們一定要學習英語文啊！華僑學習當地語文的道理，亦復相同，何驕諾之有耶？若謂這是有失國格與民族自尊心的事，那就請想想聯合國創立伊始，原規定中國話爲會議中的[illegible]，而我國出席代表亦多用英語發言，而[illegible]聆聽[illegible]的這些史迹，卽知國格與民族自尊心之發揚與否，完全是以國力強弱爲先決條件。中國如其富強了，不特我們的代表在國際政壇上以華語發言時，聽者不違人相率洗耳恭聽，而別國的使者且將以能操華語爲榮幸。美國人近來盛行學習中國語文的風氣，何以過去他們就沒有這種興趣呢？此無他，因爲他們現時對中共懷有長攬的心情而已。

海外華僑的教育，不錯，歷來是純中國本位的，這在當地人民尙係過着殖民地生活，而華僑又擁有當地經濟機能的控制力量時，自無問題。如今情勢改變，駐在地區已獨立自主成爲國家了，[illegible]

結語

[illegible]自尊心亦無損也。

東南亞各地的排華運動，[illegible]

對選舉的疑義

馮玉先生

民主政治生活，已是現代人類一致嚮往追求的事情了。任何人亦不會表示反對的。可是，我對於實行民主政治的眞確性，卻一向就抱有莫大的疑問，不辭頑固反動之譏，談談所懷，以恭候世人之笑罵，是亦一樂也。

民主政治的主要機能，就是選舉——由人民大衆普選各級代議士和行政官吏，法至善也。問題卽在是否眞正可以做到選賢與能的實績？答案百分之八十皆在否定之列。何所據而云然呢？我有目擊身經的若干眞憑實據，不勝枚舉。

在產業貧乏，文化僿陋的國家，由於敎育不普及，文盲充塞社會之故，搞選舉固然是虛有其表，不成名堂，卽在富強康樂的文明國家，如歐美諸先進之邦，又何嘗眞的實現了選賢與能的效果呢？此無他，搞選舉的唯一先決條件，就得花錢——要花名正言順之錢，而賄選不預焉。但事實上，凡屬才學優越之士，大多數都是花不起錢的，縱或有錢，要他光憑金錢來跟別人競選，有些人亦不屑爲也。這情形，祇看看近若干年來台灣的選舉事實，卽可領悟。就是高度文明的美國，自總統以及國會參衆兩院議員和州長市長的選舉，那些當選者，大多數都是靠着銀彈之力而獲勝的。甘迺迪先生如果不是家資富裕，未必能夠壓倒尼克遜吧？

再說一般民衆對於候選人的抉擇，十之八九並非基於對候選人的才學認識而投票的，因爲辨認才學優劣，需要自己具有相當的學識才行——這就是官選議員多憑民選者爲較優的原因——然普通民衆不足以語此。結果只有憑着人事關係或感情作用而行事，去選賢與能之旨遠矣！這還是就大衆化的公平競選情形而言，若加上政黨作用，缺失更多了。

我們卻不必詛咒選舉必須花錢這回事，按「選」字與「鍰」字義通，是貨貝之名，而「舉」字又有「盛饌」之意，周禮有「王月一舉」之語，是指殺牲作饌。這可見「選舉」二字的先天本質，就是酒食徵逐，唯消耗財力物力是務的玩藝兒，古有明訓，夫復何言！

至於咱們中國人搞選舉的情形，最近五十年來的經過事實，我看得很多，自己且嘗試競選過，一言以蔽之曰，不是那末回事！因此，我對選舉的眞確性大爲懷疑，然又想不出其他更符合民主生活的妥善方法來，自慚窮措大，祇有「望選興歎」而已！

漫畫天下

泳池裏的是什麼？

拉丁美洲的臭虫

台省議會總質詢散記

本報台中記者熊徵宇

一、離情別緒

從去年十一月五日開始舉行的台灣省議會第二屆第六次大會，一直開到今年二月十五宣告結束；越過了草黃葉落的冬季，到櫻花開放，杜鵑發芽，歷時整整一百天。可以說是近幾年來最長的一次會期。

這其間，一則有新舊兩個年的耽擱，二則是因爲歡送周至柔主席，在酬酢上休了十天會。這次的會，是本屆省議員最後的一次大會，時間長一點，倒也多點感慨，留些人情味。有半數以上三十多位議員們，下屆可能不再來。

在這次會期裏，省主席的交接和幾位廳處長的更換，確實也充滿了離情別緒。周至柔主持省政府六年來，和省議員相處得很好，而有幾位廳處長，在省府的時間，都在六年以上，有的任期十多年，省議會也認爲他們是瞭解的，於是情緣也沖淡了政治氣氛，所以也就有不少很感動人的惜別場面。這之間的[illegible]如其說是我們固有的敦厚傳統，不如說是民主政治的可愛。儘管大家在各自的立場上，爲問題爭吵，但一旦分手，任又捨不得，[illegible]不在其位的人也充滿了這份情意。

這種情懷和場面，似乎還有一個時期，省政府各單位的首長們，還在繼續更換，而各廳處科室單位主管的調遷升降，必然也是接着來的。三三兩兩的握手言別，可能要到春殘夏交。

就省議會方面說，黃朝琴議長，也要結束他十七年來的「民意」生涯，這在他自己和別人，都是份很濃的別緒。

二、耿耿此心

在這一百天的會期裏，總質詢的日程，排了六天半，但從二月四日下午開始，到八號就結束了；時間只有四天半；大家忙着競選，很多人沒有質詢。

黃達雲主席是就任以來首次出席省議會，有幾位軍校出身的省議員，對這位黃埔一期的老大哥倍至推揚，向人稱道他對日抗戰時期的「怒江之役」，說他如何在槍烟彈雨的[illegible]戰區消滅日軍，[illegible]之師[illegible]的主力，打通了中印公路，給被圍[illegible]數年[illegible]後方，開了一條陸上交通。爲自由世界的同盟打了一個大勝仗。

尤其是，對於他在越南富國島三年半的艱壯事跡，更是充滿敬意；也有人談到他的「滄園吟草」和雄邁俊秀的字。

大家對於他在省政府的領導上，充滿了信心和希望。

黃主席提出了一份長達八千字的施政報告，闡述他省政工作的抱負和作法。他以「崇法務實，節用愛民」作爲工作的規範；說明省政的目標乃在貫徹中央反共國策，建設台灣爲三民主義模範省。強調一切爲民衆，一切爲反攻。在這個基礎上，他提出三點準則：一、發揚服務精神；二、確立整體觀念；三、講求力行效果。

他對他這三點準則，向省議員們保證：「絕非徒托空言，必求之於實際的行事」。他也說：「耿耿此心，願與諸位先生及全省同胞以共見」。

黃主席說：「當前省政工作的方針，是一切爲民衆，一切爲復國」。一切爲民衆是着力於民生福利的建設，一切爲復國是從事於充實復國的力量。這一平時與戰時的雙重要求，原來是有矛盾的，而黃主席要求以革新政治的手段，作爲克服這種矛盾的方法，是很爲省議會重視的。所以他在報告中，把「建立廉能政治」列爲省政工作的重點。

他說：「建立廉能政治的目的，就是要賢者在位，能者在職，一介不苟，一介不取，處處以民衆利益爲歸依，事事以服務民衆爲目的，辦事的方法好，工作的效率高，能以最低的代價，獲取最大的效益。」

他又說：「目前社會各方面都很關心政治的風紀，澄清吏治的要求，更爲各方所矚望。我可以負責的向各位報告，對於懲辦貪污，信賞必罰，政府有充份的決心。至於我個人，[illegible]任何循情[illegible]的考慮。」

這些話，都極有力，極有信念。省議會對於這種力量和信心，抱有很大的希望。黃主席所說：「我們的工作，必須向歷史負責，成敗禍福，完全決定於我們自己。」（上）

原則決定「五抽二」
大陸城市工商業者續被毛共驅往農村

春節傳佈噩耗　弄得人心皇皇

（香港與大陸）。中共當局最近在各大小城市中，利用「工商聯」的組織「動員」一批工商業者和其他大部份的工商業者的家屬，返回原籍農村，支援農業生產。中共此舉，目的主要是減輕城市供應之負荷和補救因農村青年「盲流」大城市和逃亡而引起的農村勞動力缺乏的現象，但卻使得這些人驚駭莫名，有如大禍臨頭。

春節期間會回梅縣探親甫返抵港的商店職員江尙×君向記者透露：春節期間，梅縣工商界會宣佈放假三天，但，其實那些工商業者，不單沒有機會在家裏與家人快樂地團聚，共渡新年，相反的，在新年期間，這些工商業者的心情卻是沉重而痛苦的。原來，在春節的三天假期間，梅縣的全部「工商聯」成員，都奉命參加以「工商聯」名義召開的「年會」，禍事亦就從「年會」裏公開出來。江尙×君說，那個「年會」的內容主要有三點：

（一）學習馬列主義、毛澤東著作和彭真最近發表的「關于國內國外形勢問題的報告」，以達到提高「愛國主義」，「國際主義」和「社會主義」思想覺悟；

（二）要求全體工商界成員，在中共和毛澤東的「領導」下，更高地舉起社會主義建設總路綫、大躍進、人民公社的「三光輝旗幟」，並積極執行「政府」政策方針，支援農業生產，爭取國民經濟的新發展；

（三）要求各部門「動員」一批工商業者和家屬，直接參與農業生產戰綫；並要求立即行動，迎接春季「大生產」。

江尙×君說：以上的第一二項內容，是和以往的政治學習一樣，照例先行聽取報告，然後分組進行討論；這雖然在精神上構成一種折磨，時間過去了，也就沒事了。此次的「年會」，最使人心驚胆戰的，卻是第三項，因爲那就是中共要宣佈那些住在城市的人和其家屬，將被驅落鄉支援農村生產，也就是被「下放」。

江尙×君說：梅縣是一個中等城市，中共未統治大陸前的商業和文化皆極發達，經過中共搞的「公私合營」和「社會主義改造」後，全縣城祇有寥寥數家的「國營合作社」、和國營的「華僑商店」，寥落淒凉，面目全非。現在中共還要在其中的人員和其家屬裏面抽調一部份下鄉支援農業生產，他們怎不栖栖皇皇？江尙×君說：中共抽調的原則是：「五抽二」，如一般較小型的「合作社」，原來有五個職員的，祇能保留三個，應抽調兩個落鄉支援農業。至於抽調的對象，則主要是過去資產階級份子曾經過「社會主義改造」的那些人，爲的是他（她）們或多或少仍存留「資產階級」的人生觀，在思想意識和生活習慣上，中共對他們不放心，決定要繼續加以「改造」。

江尙×君說：由於這次的「年會」中共決定了要一些城市工商業者「下放」，且須在短時間內回原籍農村生產，所以搞得滿城風雨，人心皇皇。因爲那些人都曉得農村的生活是何等的艱苦。這些人都是在城市居住慣的，很少受過風吹雨淋，[illegible]生活，而農村[illegible]食[illegible]配給又少，[illegible]城市[illegible]那得不着急呢！[illegible]什麼心思過年「[illegible]」？（敬斯）

春節還鄉客多人回不來

（本報訊）春節前返大陸「渡歲」的「香港觀光客」，到現在還有許多人被扣留回不來香港，有傳聞爲幾百人的，更有傳聞超過二千人的，確數無法統計。但有三項事實已經確證無訛：

（一）觀光客大都攜帶粮食衣物等回去，過深圳關時，雖亦會經中共人員嚴密檢查盤問，但大率均能過關進入，難是難在返回香港再過深圳關之時。中共人員這次的盤問，更爲嚴密，挖根究底，側擊旁敲，回答稍有被認爲有問題的，立以「蔣特嫌疑」有待深入瞭解爲辭，被扣留起來「慢慢進行瞭解」。

（二）觀光客中之被中共在海隅人員說動且由其代辦進入大陸手續者，其優待條件爲可携帶較多粮食衣物回鄉送濟親友，但其相對的條件，則爲返鄉之後必需「量力」購買「公債」若干。其數目率多於成行之前便已講好。目前尙回不來香港的人，便以這些人居多，他們實際在回鄉之後便履行了承諾的，問題可能數目上又被增加了。這些人都已函香港家屬滙欵進去，卻未說明滙欵之後能否回來。

（三）中共扣人的罪狀，極盡羅織之能事，如九龍一家印務公司的兩個職員之被扣，即僅因該印務公司會承印香港右派社團刊物，便被加以「文化特務」的罪名，被扣留起來不放。（班）

政治新聞拉雜談

——本報台北記者張健生

陰曆年大年初一是中央各級機關團拜日，各機關主管都是一趕三，要參加幾個地方的團拜，然後才回到本單位去向大家恭喜。中央機關以立法院的人數最多，四百多位立法委員，加上數百員工，其場面的是熱鬧。尤其香烟與糖菓，甚爲豐富，吃不了，大家就往袋裏裝，甚至還有人以此競賽作樂呢。春節越來越爲人重視了，尤其外鄉人，格外珍視這個節日。

執政黨九全會

近日，政治圈內盛傳：執政黨第九屆全國代表大會將可能於今年青年節在台北郊區揭幕。

爲此，記者曾從側面探聽其究竟？雖然有此傳說，但誰也沒有接到黨的正式通知。不過，院屬於執政黨籍的委員同志中，已展開九全代表之競選，乃是事實，比如立法委員趙自齊，馬濟霖、李荷、秦傑、林棟、黃强、楊寶琳、莫萱元等十多人，都有意於九全代表。因而，他們在春節中，到處向委員同志們拜托一番。也因此，三、二九召開九全會之說乃不脛而走了。

青年黨立委動態

二月一日是立法院卅一會期立委報到開始日，這次可說是風平浪靜，未有笑話產生。但因青年黨臨時全國代表大會的九位立委董微等，在報到後集體參加立院預算委員會，大大引起國會記者們的敏感，紛紛撰稿加以推測，於是而成爲新春後第一則國會花邊新聞，政界人士也談論紛紛。

此事，我曾與該黨人士接觸過，據說：董微等此一行動，一方面表示臨全會方面人的團結力量，另一方面在發揮政黨政治的運用，要使該黨東（啓天）派孤立云云。

王世憲一段話

立法委員王世憲，是民社黨六召集人之一，平時他不願對記者談黨事。日前，他在立法院新聞室對國會記者暢談其美國議會政治，弦外有音，自不待言。他說：美國人有一種傳統，隱惡揚善，視國會「新聞」爲政治性的。他又說：我國人缺少一種團體生活的訓練；而現代化的民主政治，在美國，已成爲習慣中的習慣。但他很樂觀的說：任何一種習慣或制度，不是由學人家而來的，乃是應大家的需要及適應環境而建立的。任何種制度，又不是紙上談兵可以建立的，必須要有實行的機會，如行不通，再加改革。他笑說他沒有機會實行，所以只好紙上談兵了。他對新聞界不談政治基本原因而攻擊現象及毛病，認爲這是不對的。

台省十二林區主管多將調整

（本報記者熊徵宇台中航訊）據省林務局長沈家銘二月六日對記者透露：林務局爲整理本省的林務行政，對於所屬的十二個林區主管，將在近日予以調整。他說：可能有十一個林區的主管會調動，有的調回本局，有的調[illegible]，藉以大幅度的工作調整，配合林政[illegible]。但是限於人數的缺額，和主管階等，[illegible]該調回局的，他認爲安排上，費盡心血。他認爲是否洽當是改進工作的基本要求。

選舉年，不景氣

今年是選舉年，目前在台北方面有執政黨內的九全代表競爭，已展開活動。其次是各地水利會會長的選舉，亦如火如荼。緊接着第三屆省議員，已定於四月下旬普選。而今年底，第六屆縣市議員與縣市長的選舉，將接踵而至。

但是，選舉年的社會經濟，並未隨着選舉而繁榮。因爲候選人固不似以往那樣的捨得化錢，揮金如土，大家都學會了私相授受的本事，而沒有那股上酒家的勇氣。此其所以，特種營業並未因選舉年而有所起色，仍舊門可羅雀，生意人見面都說不景氣！

寓有大陰謀。不買小頭之

清算毛共『改文』濫帳

燕謀

近來鐵幕內的大學教授、知識份子以及毛黨的「安全官」等，紛紛投奔自由，相繼來歸。他們看到了「美麗的地獄」，揭穿了共匪的謊言；同時也帶來了不少關於共匪內部的秘密，此種秘密，其實多已成爲「公開」，或「半公開」，祇是共匪還在那裏掩耳盜鈴而已。

從這些秘密中，本文爲其算算其「文字改革」的濫汚賬。這種濫賬，共匪仍在鐵幕內繼續的塗寫，攪得文化界烏烟瘴氣，古今脫節，官民隔閡，老少無所適從。然這正就共匪處心積慮之所在，它們一意的想摧毀中國文字，以求達其更加不可告人的大欲，殊未可等閒視之。

至目前爲止，共匪搞的所謂文字改革，如其所推行的簡體字，已是混亂不堪，笑話百出了。這又不光是因其完全違反中文造字的法則，使人難以辨認之故。而其因此變更人之姓名，就引起糾紛不少，如以「葉」改爲「叶」，「葉」恭綽改爲叶恭綽，據說葉恭綽不願改姓，他說：「我是姓葉，並不姓叶。你們如果隨母下堂改姓，那是你母親和你的自由，我管不着。」毛匪上海「文藝報」副總編輯葉乾，將上其名字改爲「白干」，據說葉乾曾大發牢騷，批評簡體字，以致在「反右派鬥爭」中，葉乾會大遭鬥爭。

共匪文字改革的一篇濫賬，要從毛邦老祖宗列寧、史達林算起。列寧在其「論民族問題」有言：「通往歐洲最近之路爲中國」。這一句話，實在把共匪「民族策略」，及其世界性侵略計劃，一語道破無遺。

其次史達林之「馬克斯主義與語言學問題」，亦便是本列寧意旨而發。史達林說：「使用文字的資格，都由社會經濟和政治地位來決定」。他並一口咬定「文字的制作，要受階級的影響及社會生產和文化水準的限制。」因此，他強調「文字不改革，工農要繼續忍受文盲生活的痛苦，佔全國百分之八十的勞動人民是文盲，學習政治生產技術就有困難，他們的生產積極性和生產潛力的發揚，就受到一定的限制。」

史達林這番話，不可以就其字面加以解釋，因爲他其實隱藏着個大陰謀。毛幫所攪的「文字改革」便是其遵照列寧史達林教條，走全世界人民共同拼音文字的道路，亦卽赤化全世界的一種手段。故探究其根源，共匪「文字改革」的動機，彰然若揭了。

先說說共匪在這方面所作努力的一篇濫賬的梗概：民國十八年，瞿秋白在莫斯科卽受俄人指導，撰擬了「拉丁化中國文字方案」。三十年來，一脈相傳，共匪推行此項運動，眞是不遺餘力。

民國二十年，共匪曾派吳玉章、林祖涵、蕭三赴海參威，籌畫拉丁化長期工作，舉行所謂「中國新文字第一次代表大會」，通過漢字拉丁化長期原則和規則。

民國二十一年，仍在海參威舉行第二次代表大會，提出拉丁化實驗報告。

民國二十三年，共匪在上海成立「中文拉丁化研究會」。

民國二十五年，共匪攬內新文字簽名運動結束，共得六百餘人，其中有柳亞子、陶知行、陳望道等。

民國二十六年，共匪舉行陝北新文字大運動，設夜校一百所。

民國二十七年，共匪在上海舉行新文字展覽會。

民國二十八年，共匪在上海新文字研究會公佈「拉丁化中國字運動新綱領草案」。

民國二十九年，共匪在陝甘寧邊區的延安舉行「新文字協會」，議決以十一月七日爲「中國文字革命節」。（上）

天南風光
——沙羅越的歷史——

朱淵明

於是布律克在倫敦的代理人「亨利威斯」，就把握這個機會，再進一步的上書與當時的首相「羅伯皮爾」說：『閣下，那將不會不驚奇的，在婆羅洲西邊，設立一個英皇殖民地，對英國是有許多利益的，尤其是沙羅越，它將在英屬星加坡與香港之間，形成一個環鏈。』

「威斯」又提出一個強有力的理由，說明爲什麼英國在這個時候，必須注意婆羅洲西北海岸的因素來。他說：『在東方的海岸上，及對中國的貿易上，越來越多的輪船交通，如果在馬六甲海峽東面，能取得煤的供應，無須把煤從英國運來，這將是莫大的利益』。除此，威斯也暗示着，若果英國人不乘機會去獨佔婆羅洲的煤礦，荷蘭人可能會首先插足進去。威斯又堅持的說：『在布律克對婆羅乃統治者有力的影響下，將容易取得一個廣泛的煤炭權利』。

經過威斯的多方努力，總算沒有徒勞，首先就引起了海軍方面的人士注意，在一八四三年初，有一隻海軍測量船H・M・S・三馬靈輪，要離開英國到東方去執行一個七年之久的任務時，就在將開行的最後一分鐘，由海軍大將指示這隻船說：「到達星加坡後，卽先轉到沙羅越去，詢問布克律在該處的情况，再次報告發展煤炭層的可能性」。

同時鴉片戰爭結束，南京條約簽字後，那個被中國俘擄了的麗都船長，「亨利其巴」氏，也被放出來，而受命到馬六甲去協助鎮壓海盜。當「亨利其巴」到達星加坡時，適布律克也因請求海軍援助剿平海盜事至星；二人一見，頗投機，於是大談這些海盜的活動與巢穴，及各種對付海盜的難題，他們最後得到這樣一個結論：『打擊這些惡魔海盜的根本唯一的辦法，就是毀壞在婆羅洲沿岸的海盜根據地。』（卅二）

盧漢反覆叛國記

觖公

一　斯時張氏測知盧漢必變，卽親筆致函盧氏希晤談，不報。未幾，有身著青色制服、腰繫短銃者三人，闖入張氏所居之寢室，目炯炯四向張望，張氏詢以何事，三人無語卽掉頭去。迨十時左右，有龍營長率士兵數名來，謂奉盧主任命令，前來保護張長官者，因長官素來對雲南不惡，且現已解除西南軍政長官職務（時已新任顧祝同接替），乃盧主任之客人，乞放心無虞，但望勿外出耳。繼問有無武器？張言武器在衛士身上，君等業已繳去。如是，張氏與其秘書周君亮乃遭軟禁，由座上客一變而爲階下囚矣。兩人在客廳內，各據長式「校發」爲臥榻，然心緒不寧，自難成寐，張於夜半時，再作一長函送交盧漢，勸以情誼，盼勿與蔣公絕，仍不報。十日，政府由成都派飛機在昆明散下傳單，警告盧氏速釋張岳軍離滇，並將所扣之運輸機數架放回，否則將實行轟炸昆明市云云。十一日晨，滇省府委員楊適生、楊文清聯袂來見張氏，謂盧主席擬明日派飛機送張赴香港，張請逕飛台灣，不允許。周君亮覩狀，知情形已告緩和，乃對二楊云：「我現爲階下囚，行動不自由，然行李在招待所，二公可伴我往取否？」楊文清卽偕周前往省府招待所，則見余程萬、李彌、暨保密局昆明站負責人沈醉、憲兵副司令某某等，方被囚繫一室內，相視不能交語也。旋張氏由楊適生等伴赴機場起飛時，盧漢派人送一信來，謂雲南不堪再罹兵燹，已與共軍一致行動，希諒察之。蓋盧已於十日通電叛國投共矣。

先是，李代總統宗仁於十一月中旬曾在昆明勾留七日，與盧談論國事，盧言國家到此地步，縱無共黨來，亦應革命也。詢以設使共軍一旦入滇，君將何以自處耶？盧答不外兩途，非降卽逃耳。並無抵抗之意表示，足見其決非「社稷之臣」，蓋一庸愚多慾之武夫而已。共黨原脅盧將張岳軍氏扣留不放，然盧恍於中央空軍之警告，深恐昆明遭轟炸，而國軍在滇境者尚有數萬人，權衡利害，終不敢從也。李宗仁明知盧早有叛心，亦不舉以密告中樞，私爾忘公，不亦僨乎！唯盧漢此番反覆叛變，決非偶然，雖佈置周密，豈無迹象可尋？而政府派駐昆明之情報工作人員，以及憲兵團與各軍之政治訓練人員等，事前竟懵然罔覺，余程萬、李彌等高級將領，對於盧漢僞稱奉命召集軍政會議之奸計，事前亦無覺察，致被一網成擒，殊堪駭詫。當張岳軍第二次飛往昆明晤盧，回至成都時，蔣公仍視盧爲忠誠幹部，曾擬親赴昆明，與盧策劃中央政府遷移昆明之各項問題。先由張岳軍電盧轉達此情，復電謂蔣公不必來，乃再派張去昆明游說。假使蔣公親自入滇，則盧氏或不敢公然叛亂，蓋彼實力微弱，而國軍在雲南境內者尚有兩軍，加以空軍與憲兵力量，足以震懾反動派而有餘。且蔣公蒞臨昆明後，軍方之警戒防範，亦必特別周密，盧漢更不能與共諜自由同謀作亂，局勢當有不同也。至李代總統在廣州密令白崇禧實現，恐亦難挽危局，此中錯綜複雜情形，非筆墨所能罄述也。盧漢通電投共後，毛酋澤東僅令其保護公有財物聽命於劉伯承，別無獎許詞色，說者謂係盧未扣留張岳軍所致云。（下）

瘟君續夢

第七回　越境興戎　盈廷驚白蟻　恃強犯上　舉座斥青蠅

劉少奇不曉得毛澤東又抓住什麼理由，用大帽子壓他，可是也不敢還嘴，只有睜大眼看着毛澤東的表情。

毛澤東收起笑容，正色說道：「三次大戰發生，首先遭殃的國家是美國同蘇聯，其次是英國同日本、德國，其他的西方國家如法國、意大利，加拿大也難逃掉核子彈轟炸，只有中國不怕。他們把工業設備炸完了，馬上就變成窮光蛋。我們沒有工業設備，無論怎樣炸，經濟情形也不會比今天再壞。美國同蘇聯死上一億人，就無法立國，英國同日本經過核子彈一炸，可能會絕種。但是，我們就算死掉三億人，到時還是世界第一大國。試問世界上去掉了美蘇英日德法及意大利，將是誰的天下。」

毛澤東這一番妙論，果然起了鼓舞作用，除去劉少奇、周恩來心中有數，曉得事情不是如此簡單，其餘的人都興高采烈，對毛澤東的信心又恢復一半，覺得他治國雖然不成，對世界大局倒是有獨到見解。

毛澤東又說道：「你們不要看赫魯曉夫現在夠威風，他的位子坐不了太久的。根據劉曉的報告，蘇聯內部反赫的勢力更強大了。以前只是莫洛托夫、馬倫可夫一批舊人，現在新起的人也反對他，像烏克蘭共黨總書記，主席團委員基爾欽科，原是他一手提拔的親信，去年也被免職了，還有蘇共主席團候補委員福爾采娃，是蘇共主席團唯一女性，他同老赫的關係你們也都知道。」

毛澤東剛說到這裏陳毅噗哧笑了。

毛澤東用手一指：「你笑什麼」！

陳毅不敢開口，只是陪笑。

毛澤東惡狠狠地說道：「提到女人你的興趣就來了，老赫同福爾采娃的關係，全世界共產黨員都知道，有什麼好笑的。」

陳毅陪着笑臉說道：「我不笑別的，我祗佩服老赫的胃口，福爾采娃那個龐然大物，我遇到她眞是逃都來不及，沒料到他還有人打她的主意。」

陳毅一段話，登時鬨堂。

毛澤東「哼」了一聲：「你以爲赫魯曉夫有什了不起，他吃喝玩耍都是土包子，那能同咱們比。」

陳毅看看周恩來，彭眞也看看劉少奇，都發出會心的微笑。

毛澤東繼續說道：「福爾采娃也打入冷宮了，不用說也是因爲反他。還有阿里斯托夫也是他的親信，現在也垮了。從赫魯曉夫登台以來，他的一批心腹幹部，算來算去只剩下一個柯茲洛夫，像這樣衆叛親離，不能搞得太久的。」

毛澤東的話說來都有根據，不由得大家不信。毛澤東又說道：「你們不用怕，只管跟着我走，同赫魯曉夫上一場，蘇共方面的同志都希望我們出頭，內外夾擊，一定會把他弄垮的。」

這場會議當時並未作出決議，但在中共大頭目被毛澤東一講確實心情都起了變化，覺得跟着毛澤東鬥赫魯曉夫，失敗了也有毛澤東負責任，若是跟隨赫魯曉夫鬥毛澤東，一旦事洩就會變成高饒第二，大家都抱定這個心理。不久，布加勒斯特會議就開幕了。（一七九）

她再來的時候

沈津

「我求你，告訴我，告訴我嘛。」

女孩子就是這樣。她會低聲下氣的懇求你，爲了一件不值得再提的往事。小窗外的牽牛花無邪地開着。春天，你怎麼啦？

「嬰，」我發覺我不該再這樣叫她時，已經遲了。「不要再讓我回憶！」

她的眼球裏閃着光。我第一次正眼看她，看見那裏面有淚。

「我是來向你告別的。」

「告別？」我原是斜倚在書桌旁的，忽然身子前傾——我自己也不知道爲的什麼，一定的看着她。

「在離開這裏以前，我要把往事澄清。」

「清者自清，何必再自尋煩惱呢？」

她不再說話，望着牆上的一張素描——一個嬰兒，在母親的懷裏，微笑着。是她畫的。去年暑期完了，她說要送我一件小禮物，就是它。我喜歡它。第一眼見到它我就跟她說。她高興極了。「你能喜歡的時候是真心的，不只是爲了讓我高興。我看得出來。」她天真的說，並輕輕的吻了我的額。我不知道這三個月來爲什麼一直沒想到把它撕去，也許我潛意識裏覺得那個畫裏的孩子是無辜的。去年暑假也是無辜的。

我也望着它。她覺察到了。「你仍喜歡它？」聲音是那麼細，那麼柔，美於小溪的潺潺。那幾個字一直在我心上盪漾。

「一樣的喜歡。」我好像被飄到很遠很遠。

意外的陽光突然斂去，記憶擴展得像雲影，像波光。

「陪我去散步好嗎？」她仰着首，企求似地。

「我沒有事。」

鎖上門，她發覺自己的手帕忘記在我的書房裏。「等會來拿好了。」她說。我不知道她的手帕是什麼時候留下的，我沒有去想它。

於是我想起好久以前，我們吵過嘴後的第三天，也像這樣的陪她去散步。可是這次完全不同了。怎麼不同呢？我也不知道。（中）

南宋偏安有人才

——張浚——

李仲侯

[illegible]謀除浚禮部尚書，命將[illegible]行在，浚以大兵未集，未[illegible]言討賊，乃託云：「張俊驟回，人情震讋，不可不少留以撫其軍」。會韓世忠舟師抵常熟，張俊曰：世忠來，事濟矣！自浚以書招之。世忠至，對浚慟哭曰：「世忠與俊請以身任之」！浚因大犒俊與世忠將士，呼諸將校至前，抗聲問曰：「今日之舉，孰順孰逆？」衆皆曰：「賊逆我順」。浚曰：「聞賊以重金購吾首，若浚此事違天悖人，汝等可取浚頭去。不然，一有退縮，悉以軍法從事」！衆咸憤奮。於是令世忠以兵赴闕，而戒其急趨秀州，據糧道以俟大軍之至。世忠至秀，即大治戰具。會傅等以書招浚，浚報云：「自古言涉不順，謂之指斥乘輿。事涉不遜，謂之震驚宮闕。廢立之事，謂之大逆不道。大逆不道者族。今建炎皇帝不聞失德，一旦遜位，豈所宜聞」！傅等得書恐，乃遣重兵扼臨平，亟除張俊、韓世忠節度使，而謫浚欲危社稷，責柳州安置。俊、世忠拒不受。會呂頤浩、劉世光兵踵至，浚乃聲明傅、正彥罪狀，傳檄中外，率諸軍繼進。

初，浚遣客馮轓以計策往說傅等，會大軍且至，傅、正彥等憂恐不知所出。轓知其可動，即以大義白宰相朱勝非，使率百官請復辟。高宗御筆除浚知樞密院事。浚進次臨平，賊兵拒不得前，世忠等搏戰大破之，傅、正彥遁脫。浚與頤浩等入見，伏地涕泣待罪，高宗問勞再三，曰：「曩在睿聖兩宮隔絕，一日啜羹，小黃門忽傳太母之命，不得已貶卿柳州，朕不覺羹覆於手，念卿被謫，此事誰任」！留浚引入內殿，曰：「皇太后知卿忠義，欲識卿面，適垂簾見卿過庭矣」。解所服玉帶以賜。

高宗欲相浚，浚以晚進不敢當。傅、正彥走閩中，浚命世忠追縛之以獻，其黨皆伏誅。初浚次秀州，嘗夜坐，警備甚嚴，忽有客至前，出一紙懷中曰：「此苗傅，劉正彥募賊刺公賞格也」。浚問欲何如？客曰：「僕河北人，粗讀書，知逆順，豈以身爲賊用？特見爲備不嚴，恐有後來者耳」。浚下，執其手，問姓名，不告而去。浚翌日斬死囚徇於衆曰：此苗劉刺客也。私識其狀貌物色之，終不遇。（廿六）

憶念

張健

一個在搖籃裏溫存了多年的嬰孩，一旦離開了它，也不免依依不捨，何況是那麼可愛的一個大「搖籃」，而在其中渡過的，又是如此可留戀的六年——一生中最光彩燁燁的六年！

走出校門，並不像一個走馬看花的旅客走完了一段旅程，而更像是一對新婚夫婦渡完了他們的蜜月——這將是永難遺忘的一次經驗。

我捉摸不住，我澄清不出，我這一腔子的懷念，是屬於那一部分的；不，它不是屬於那一個角落，那一個片刻的，是這整個學校的——那巍然的大樓，那親愛的師友，那草場上的一花一草一砂，那課堂中的一桌一椅一窗；那小徑我曾漫步，那小園我曾嬉遊，這兒我坐過，躺過，這兒我跑過，佇立過，打過滾；那老樹，仍是蒼勁可愛，那巨鐘仍是莊嚴肅穆。從和藹莊重的校長，到那駝背弓腰的打鐘老人，都是那麼的熟悉、親切……一張張難忘的臉龐，潮也似的在腦海中起伏。

記得在母校的大操場擴展之後，我更覺得她的開擴拓落，在它的懷抱裏，我也逐漸地成長、懂事，並有了闊天下之志。在校時我只是一個渺小的名字，但我卻毫不遺漏地沾潤了它的每一絲喜悅，正如那大草場上的一株小草迎受着朝露。這高聳的，這開朗的，就是母校的象徵，在其中，我只有獲得，沒有失落。

這兒我笑過，哭過；這兒的泥土上曾踐踏過我的足跡，然後又消失了。但不能消失的是一份憶念。我的無數個聲浪，曾在這兒升起、逸去。

如今，留下的是什麼？是無言，是淡淡的喜悅和悵惘。

到今天，我才真正地懂得「中學時代」在人生中所佔的地位，它永不會被擠入陰濕的角落中。在回憶裏，童年的生活只有幸福和歡笑，但六年的中學生涯中，卻還不止這些；那種熨貼的美的溫暖，是奇異的，不能複製的，尤其前三、四年的[illegible]味（那是理智所不能解析的）更[illegible]已。是時間在作弄嗎？抑是心靈的幻影？是永遠地爲一謎吧？讓它永遠一動[illegible]醇之又醇的[illegible]是當你十三、四歲的時候，只懂得一點點世界啊，人生啊，其實不懂，於什麼也不懂麼？）如今，那一杯酒雖逝去了，而餘香卻仍在浮漾……這六年[illegible]以外，再也不會有過的一段完整的日子。懷念，有如對祖國的，對故鄉，有如對初戀[illegible]默默地關[illegible]子，又是一連串無盡的影，又是一片無限的色彩。這時，我揚起我的歌聲，又從我的喉間湧起。

我的學生生活

雷嘯岑

我既以「學然後知不足」的志趣，決定繼續深造，即報名投考母校的政治經濟學部，準備再讀三年書。入學考試科目計爲三項，即普通論文（當然是日本文），政治經濟問題答案，英文翻譯是也。頭兩項我不愁，祗怕英文考不上，因爲在政經科三年之中，並無英文課程，而過去在中學時期學習的那點英文，已告荒疏。幸好英文試題並不艱深，只有兩三個生字不明白，詢之於同一座位應考的原來政經科同學，勉強可以完卷，結果及格了。

在政經學部的課程比較繁忙，初時感覺吃力，譬如教授「市政學」的是個美國人，他用英語講解，課本亦是英文的，我每天只好把英文字典翻之不歇，頗爲辛苦，迨聽過兩個月後，他在課堂上所講的名詞和術語，總不外是那些，也就不覺得困難了。等到暑假期間，日本政府設立的「對支文化事業委員會」——這是利用我國庚子賠欵，每年撥出一部分以津貼留日學生學費的主管機關——交由學校轉來一張調查表，教我填報，如被認爲合格，即可取得每月百餘元的津貼欵項。當時我懷疑它有收買留日學生的用意，而且自己已有上海新聞報的通信稿費可以支持學膳費之需，乃放棄不理，爲的是萬一入了轂，將來難免要揹上「親日派」的惡名哩！

是年八月下浣，同學潘廷幹兄由北京民國大學（校長是現任立法委員雷殷）來信勸我回國，我不願意，繼而民黨前輩李烈鈞將軍從張家口寄來親筆長函，說他現在馮玉祥軍中幫忙，希望我乘暑假之便，回到張垣談談，情詞甚爲懇摯。如是乎，我乃提着一只旅行小箱，由橫濱坐海船直赴天津，預備以一個月爲期，仍回東京讀書，所有的行李書物等等，一概存放「金田方」寓中不動。

我坐的是三等艙，不料某日在途中忽然上吐下瀉，冷汗不已，船員認定是霍亂症，甚爲危險，但三等艙沒有醫生，旋經船長把我抬上頭等艙，教醫生爲我打針急救，得告脫險，然到了天津大沽口上岸時，精神尚未恢復，步履維艱，幸而我的堂叔雷嗣尚由北京趕來接我，得他攙扶着登陸，在旅館休息了兩天，再行入京。從此以後，直至而今，我每逢出門必買頭等舟車票，再窮亦不坐二三等位置了。

到達北京後，潘廷幹兄介紹我跟民大校長雷渭南先生晤面，雷校長表示聘我在民大教課，我說還須回東京求學，此行係應李協和將軍之邀約，乘暑假期間，到張家口去看看而已。我在張垣住了一星期，跟馮玉祥晤談了一次，他就聘我作「西北邊防督辦公署」的參議，這原係一種虛銜，李將軍教我不妨接受之。迨由張垣回到北京，已是九月間了，東京寓所的女主人來信催我回去，並附寄一盒糖菓給我，說左隣右舍的人皆盼望我及早遄返東京，我立即復函，告以九月底一定歸來相見。（十八）

兔典雜談

介人

兔起鶻落：言其快捷也。凡書家腕力健快的，亦以此爲喻。如以喻國軍展開反攻行動以至完全摧毀中共政權，亦特別貼切。

國軍反攻大陸的準備，已達成熟階段，最近的消息指出，由於反攻在即，已使中美聯防條約，在醞釀進行修改中，我們中國的輿論，因早已強烈主張及時修改，國際朋友對此抱同一意見的，亦有風起雲湧之勢。

蔣總統最近答覆外國記者詢問時，已明白指出國軍反攻時機已成熟，中國政府此項義不容辭的神聖行動，尚有待友邦美國的精神與道義之支持，而中美條約之修改，自屬急不容緩。一方面是國軍準備就緒，另方面，大陸上不斷發生起義與抗暴，亦促使我們需早採取行動。國軍反攻大陸，爲中華民國的內政，我們應能自主自決，但我們自然亦希望能夠得到友邦在精神與道義上的支持，藉求事半而功倍。

大陸同胞的抗暴行動，正如火如荼的產生中，遠如山東青島近如廣州市郊，到處有表現，致使共幹驚慌，人心振奮。將來一朝大軍西指，同胞們簞食壺漿以迎王師固不必說，裏應外合，有如拉枯摧朽，亦在意料之中，很快便可以把毛共那個政權埋葬了。（三、完）

近人詞選

浪淘沙

待旦老人

[illegible]犯松遼[illegible]一老，坐守風雨[illegible]樓不去，壯之。[illegible]龍吟鳳[illegible]夜悲涼。[illegible]去[illegible]知人去[illegible]斜陽，花不紅[illegible]且擁胡床，花悲歌研地[illegible]慨當慷。拍遍闌干獨倚，老了王郎！

木蘭花慢

前人

[illegible]一路風塵，五年湖上[illegible]一盃在手，[illegible]續貂不狗尾[illegible]磨蘭[illegible]鶴好，春[illegible]溪笑卑[illegible]待我[illegible]

內僑警台報字第○三一號內銷證

自由報
THE FREE NEWS

第三一六期
中華民國僑務委員會登記
台教新字第三二三號登記證
中華郵政台字第一二八二號執照
登記為第一類新聞紙類
（本刊每星期三、六出版）
每份港幣壹角
台灣零售價新台幣弍元
社長：雷嘯岑
督印人：黃行寰
社址：香港銅鑼灣高士威道二十號四樓
20 CAUSEWAY RD 3RD FL. HONG KONG
TEL. 771726　電報掛號 7191
承印者：田風印刷廠
廠址：香港灣仔高士打道一二二號
台灣分社
台北市西寧南路壹壹壹號二樓
電話：三〇三四六
台郵劃撥儲金戶九二五五

由西歐看到東南亞

·方南·

觀察世局，由西歐看到東南亞，殊不能免於忡忡之憂，姑以此篇一抒所感，聊作「危言」之歎。

自由世界的主要力量在西方，而西方國家正在為着爭取西歐的領導權鬧成分裂。

把西歐目前的大煩惱，和東南亞目前的大煩惱合併觀看，再作進一步的推究，我們便會發覺自由世界的嚴重病根究竟潛伏在那裏。

因為法國與西德簽訂了長期廣泛合作的協定，而英國又因法國的反對而被拒於西歐六國共同市場之外，於是英美執政當局大為光火，輿論亦一致沸騰，所謂「法德新軸心」之說由此而起，乃至法國要做西歐新霸主的責罵亦遍傳於人口了。

與此同時，在籌劃建立中的「大馬來西亞」也在亞洲引起了軒然大波，所不同的是，英國在亞洲是「大馬來西亞」的擁合者，在歐洲卻是「法德新軸心」的歧視者罷了。

把這兩件連串起來，平心靜氣的細想一下，我們在其中異同之間，能夠發現些什麼？

「大馬來西亞」如能順利地成立，將可在東南亞出現一個有力的反共體系。站在亞洲人反共的立場，應該希望「早觀厥成」，為它喝彩。但在反對它的兩個主要國家裏面，有一個是以堅決反共著名的非律賓。

印尼要千方百計破壞「大馬來西亞」是毫不足奇的事。這個國家步步走向左傾，一個腐敗政權在被共黨的一股大力裏外催迫着，遲早是會赤化的。它正在替共黨服務而針對馬來亞施行攻擊。非律賓卻不如此，它的意思是：如要建立「大馬來西亞」，一個包括印尼與非律賓在內的更大的「大馬來西亞」邦聯體系，才值得歡迎。

非律賓所以要這樣做，除了聲稱對北婆羅洲享有領土主權的一項爭執以外，還有恐懼本身將會孤立於「兩大」（印尼與大馬來西亞）之間的心理因素。這就是說：由別人構成的聯合勢力必將對它發展為一種威脅力量。

這與英國反對西歐出現一個「法德新軸心」有什麼分別？

英國的傳統國策是：不許歐陸出現一個強大而統一的領導中心。目前法德合作的新形勢突然出現了。因此，英國參加西歐六國共同市場的基本作用是政治重於經濟。它一經加入，便可以在這個未形成的西歐聯邦裏面，拉攏法德以外的成員來構成均衡的力量，外挾美國以為聲援。這種制衡的作用是深遠而巨大的。所以，法國對於英國加入共同市場的暫時延阻，在骨子裏面也是政治重於經濟。至於西德的最後眞正意圖卻是深沉莫測的。美國顯然是要透過英國去維持它在西歐的領導權，免因「法德軸心」的崛起而終於「大權旁落」。

這可以說是一種相當嚴重的「鬥爭」，因素決非單純，它是有歷史根源的。

英國最近的做法是：我如被摒在這個聯合勢力之外，施展不出我自己的一套，我便要把它拆開來。

據此，英國在那邊的「拆」，與非律賓在這邊的「拆」，也有異曲同工之妙了。這豈是自由世界的福音？當然，誰都要替自己的國家民族利益作長遠的乃至最好的打算，但是，永遠要在維持均衡勢力的陳舊方策與路線上兜圈子，相率以「造亂」來代替「致治」與「平亂」，到底會有什麼好處呢？難道除此便沒有別的法子可想麼？眼看着大家都在挖空心思去把世局做成亂絲似的，眞不知該向誰怪責才是？

不錯，英國人有理由罵法國總統戴高樂是忘恩負義的傢伙，美國人有理由誇揚他們的「馬歇爾計劃」，說這是曾經拯救西歐的最慷慨的施與。但如從功利的觀點去看「馬歇爾計劃」，那也不過是用金錢去維持美國對蘇俄的均衡形勢，不使這塊土地與人民倒向蘇俄的一邊而已。用同樣的功利觀點去看美國援助自由中國建設台灣，也只是為了美國消極的防衛計劃，全與道義無涉。而這個「維持均勢」政策，經過了十多年的考驗，美國的領導權雖未在事實上消失，但已完全放棄了當年「解放奴役」的微弱志願，連口號也不多喊一聲，僅圖保持美蘇的核子僵局以勉保「和平共存」了。這樣的領導已在敵人面前滑退了許多步，長以維持兩個歐洲兩個德國兩個中國之類為其中心目標，受它領導的國家不可能有自己的想法和做法，而且不敢信這個領導者會不會在某一時期某一地點滑退，更不敢信它的優越力量能否與它的優越感同樣長久保持。這種心理苦悶是不是值得深切探究的呢？累積這種苦悶而發為行動，是不是「理有必至，勢有固然」的呢？

戴高樂「野心」的終極點固是一個謎，但居然有人罵他為「大獨裁者」，誣他準備建立起一個與共黨謀和的「第三勢力」了。這是不平的。美國政要勸戴高樂要有超越的眼光，向整個世界的利益着眼，勿局限於一國的利益。這也說得不錯。但正如上面所說，徒以「維持均勢」而自利的一切做法，算不算得有遠大的眼光？「人之慷慨，誰不如我？」美國執政當局及其全體人民應該有此認識。據說，當美國決心要為古巴的飛彈基地問題對蘇俄攤牌的時候，戴高樂曾經迅速致電美總統甘迺迪，表示無保留的支持。這是為了「道義」呢？還是為了法國自己的利益呢？美國人能否有宏濶的胸襟與明朗的作風，運用西德這一道現成的橋樑，在這個重要關頭打開一條融和衝突的道路，讓時間來沖淡英法雙方的怒火，將是西方以至整個自由世界命運所繫，各走極端與加强製造分裂是不成的。

我認為目前亞洲形勢萬分可慮。最近寮國內戰有再次爆發的徵象；緬甸左派軍人逐漸抬頭；泰國因受寮局影響而被共黨加强地下滲透工作；印尼的軍事優勢箭頭正在指向馬來亞。這種趨勢繼續下去，便會發展為重大的災害。設使在兩三年內，印尼變色，印度的陷落當似水到渠成。上述那幾個地區同時爆發戰禍，而中國反攻大陸的軍事行動仍被壓止的話，整個亞洲還成什麼樣子？

維持東南亞現狀的責任，表面是由參加東南亞公約組織的國家共同負起，事實是被幾個西方國家操縱了一切行動的決定權。當他們正在為西歐問題而互相吵鬧與暗鬥的現階段，對於目前東南亞的嚴重危機那裏還有精神去顧及？縱使仍有力量可以發揮的話，也只會着重自己一方面的利益，勉想維持現狀罷了。

我們可以肯定地指出：東南亞必將有變。西方的分裂必將給俄共中共以鼓勵。而古巴在美國後門所能發生的牽制作用，亦必給與俄共中共以燃引東南亞戰火的良好機會。美國不致對古巴開刀的一個成例是很重要的。共黨必以為對東南亞用兵決可橫行無忌。

漫画天下

「老友，我們和好如初罷！」

非死不可

看長文章的感想

我素來怕看報紙上刊載的長篇文字，見着它就頭痛。最近閱及台北「聯合報」所載監察院關於殷台公司案的小組調查報告書，洋洋萬言以上，我卻破例將它細讀了一遍。因為殷台公司這一樁案件，已經鬧得很久了，國家所遭受的損失也很大，作為一個新聞記者，不可不瞭解其中的內容，藉免批評庶政得失的錯誤。

監院專案小組調查報告，內容十分詳盡，觀察與批判亦甚允當。我閱畢之後，即發生了一種感想：過去在大陸上高據要津的那般貪官污吏的陰魂——也可說是「亡國大夫」的餘孽殘渣，為甚末依然又能夠在台灣鬼混作祟呢？看過監察委員這份調查報告書，而不髮指眦裂，認為咄咄怪事者，可謂莫大於心死了！原報告書將政府主管當局處理殷台公司案一誤再誤，乃至於三誤的經過事實，條分縷析，敘述詳明。尤其指出前任經濟部主管司對於上級所採取的「再誤」政策，簽呈異議，明辨利害得失，期期以為不可，而其上級長官竟顢頇自是，認為「非如此不可」，如今結果一如該主管司所預料的情形，可見政府的中下級公務人員，諸多廉幹之士，值得注意。我若是行政院長，一定先把那位誤國失職，拒諫飾非的部長撤職，而升任那位簽呈卓見的主管司長承其乏，以昭核覈名實，信賞必罰的政治信譽。這比喊一萬聲「革新，動員，戰鬥」口號的效力更宏大而深遠，不亦宜乎！

因為政府接受美援，一般貪官污吏即勾結美國的奸商市儈來脅迫政府，以遂其作弊扒錢的陰謀，結果又使政府蒙受「腐敗低能」的美國評語，忍之令人不禁冒起萬丈高的無名之火，我不知執政當局作何感想？

近十餘年來，監察委員確實非復吳下阿蒙，幹出了許多整飭紀綱，繩愆糾謬的績業，無忝民意代表的職責。即如最近卓著政聲之台省鐵路局長陳舜耕無故去職，監院亦聲稱要進行調查，實獲我心。時至今日，大家如果在政治上還不憑着良心血性來論事對人，一是皆以正義公道為本，那就休想有復興之日，再不要侈談反攻復國的廢話，各人趕快在台灣尋覓山水清幽之地，預作最後歸宿的佳穴可也！

馮玉先生

團結其表・貌合神離
民社黨陷六頭馬車狀態
張君勱來信頗表不滿

（本報記者張儒生台北航訊）團結尚未到十個月的民社黨，目前又面臨破裂的邊緣。滯美民社黨主席張君勱，最近曾致函該黨台北某人士，不同意由六召集人主持黨務，至於所謂團結文件中所列條文，在當時他不知道這件事。這是該黨一位不願透露姓名的高級人士對記者說的。

記者爲此事，曾走訪該黨六召人會議總秘書（秘書長）楊毓滋先生，請其證實。他說：張主席在春節中間曾有信來，雖對六召集人有所評述，但不像傳說中所謂「不承認」云云。據楊氏說：他已於二月八日正式向張主席及六召集人會議辭去總秘書的職務，而專任該黨創辦的民主中國半月刊發行人，專心一意辦好該刊。

去年四月間，張君勱曾致函蔣勻田等謂：如大家不能無條件息爭團結，則立即解散停止活動。這一來，大家覺得事態嚴重，卒由該黨元老金侯城與戢翼翹二人出面，奔走團結，終於有六召集人之產生，於去年五月間共同聯合發表聲明，宣佈大團結。

然而，好景不常，未及三個月，便因召集人會提出所謂民主中國半月刊主編楊永乾問題，又發生齟齬。接着什麼發行人的人選呀，諸如此類爭權位的事件，跟踵而至。於是該黨名雖團結，實則誠如張君勱所說：「貌合神離」是也。

據楊毓滋說：他正在籌劃民主中國出版的經費，預定十萬元新台幣，其中五萬元由張君勱籌措，另外五萬元，則由他和此間同仁相商，如果進行順利的話，則已經停刊三個月的民主中國，可望於三四月間復刊。

該黨另一位人士說：倘若在團結協議中，明定黨務由張主席負責，或由主席委託秘書長或其他適當人選代行，而六召集人專司籌備召開第三次全國代表大會的事宜，則今日的民社黨決不會弄成僵持癱瘓「六頭馬車」的局面，這是可以斷言的。而今之民社黨六召集人，分成四派，原來的四位副主席，蔣勻田、王世憲一派，郭虞裳、孫亞夫一派，向構父與李緞各代表一派，因此，每一位召集人均有否決權，於是任何一議案，縱然五人多數同意而一人不同意的話，六召集人會議就永遠無法通過。

據說：張君勱原不知道團結後的民社黨是如此的糟，最近可能黨內有人將上述情形向他報告了，於是他才恍然大悟自已被人蒙在鼓裏。

疑神疑鬼肆虐無辜
毛共大捕春節還鄉同胞
答覆盤問稍欠流利便被扣留
被誣爲國特者從此無影無踪

（（香港與大陸））

春節期間，港九大批僑胞、歷盡千辛萬苦，回[illegible]接濟饑餓的親人。中共當局對他（她）們卻加予嚴密的檢查和盤問，對答稍欠流利時，便遭收繳通行證，作深入之調查，有不少僑胞，在被檢查盤問時，便被指爲「國特」而遭逮捕，消息全無。

據一位去年底曾回梅縣探親並一度遭扣留終得僥倖脫險回港的江×珍女士透露：中共當局在春節期間，假「防特」爲名，對回去探親的僑胞疑神疑鬼，並且逮捕了不少探親者，好些已被判徒刑，更有不少下落不明，生死莫測。

江×珍女士係於舊曆去年十二月廿五由香港返家鄉的，她第一次遭共黨深圳當局檢查時，雖極爲嚴密，所帶的衣物和食物全被反覆查檢，最後總算通過了，並順利地回到家鄉——梅縣。可是不久，忽然有梅縣的「公安人員」到訪，詢問她在港的家庭和親友情況，這種突然的「到訪」，使江×珍女士有點慌張，對答因而不夠流利。這就更引起了共黨公安人員的注意，盤問得更緊。原來江×珍女士慌張的對答中與她在深圳時的答話有點出入（公安人員已攜帶深圳對話的紀錄），在深圳時她說在外打工，而在梅縣時卻說經商。就因爲如此，江×珍女士的「通行證」便遭收繳，同時並把她帶到梅縣「公安局」扣留起來。

江×珍女士說：她在被扣留期間，曾受多次的問話，反覆地追查「說謊」的原因，後來再在鄉間經過廣泛的查證，認爲確實無任何「問題」，才把她放了。她不但就這樣無辜地坐了幾天監牢，她的那份通行條（即回港證）更被扣留了半個多月，白白地使她躭憂受怕幾達一個月之久。

江×珍女士說：她其實還算是不幸之中的幸運者，當她在被拘的期間，就親眼見到十多位由香港回去探親的同胞，也被抓到那裏，他們之中，有兩位竟被指爲「特務」，並帶鐐着沉重的腳鐐，有三位是和她一樣，因爲受盤問時，有點慌張，把話說錯了；另外還有成十位，則是在幾年中沒有正式手續逃到香港來的，江女士說：這些人，除了那三位和她一樣情況的較有機會脫險外，其他的所謂「特務」，「逃亡客」等，皆絕無可能再回到香港。

江×珍女士還告訴記者關於共黨的一個陰謀：原來大陸這幾年來，由於農民的逃亡，農村青壯年確逃走不少，大大缺乏勞動力，因此乃迫令那些「逃亡戶」（家中有人在逃者）寫信逃到香港的親人，着其在春節期間回家，信中並要言明，回家沒有什麼危險，「政府絕不追究既往」。這些信件寫好之後，要交由「公社」檢查認可後，再統一寄出。另外中共又對「逃亡戶」加以嚴密監視，防其另行寄信。這樣，在海外的親人，接讀家人來信，雖慮有詐，但總減少了顧慮，衆之以救饑心切，便有不少人冒險回去，於是便進入中共的圈套了。

江×珍女士還談到梅縣農村公社的一般人民生活情形，她說糧食配給確已較去年秋收之前畧爲增加，祇是距離吃得飽，還遠得很，一般大約每月配給僅夠吃二十天，所以大家祇好勻着吃，自留地的出產亦貼補一點，勉能支持不餓死而已。穿着就更可憐了。至於工作，每天至少達十小時。（敬斯）

（（南部雜綴））

▲前服務於高雄港的保安警察隊，風雨成渠，有如垃圾淤塞，常之逆耳，總隊部當局爲挽救頹風，將該隊調換了。據說就是因爲人慾泛濫，職責難勝不了賄賂，致使警南阿成一氣，時滿渣滓之所致。而自新隊到達後，風氣一新，劉隊長以鐵的姿態出現，已使不法之徒龜縮於洞，備受各界讚譽。希望今後高港秩序從此獲得澄清。

▲最近台南關務方面發生了一批充公物資，於是又有人說它是一般不懂送紅包的人所犧牲的，這其實是一種下意識的想法，殊爲可怕。我們不妨相信，這事實上，乃是由於緝私人員不苟職責，而與人情與物誘抗衡所得來的成果，值得讚揚。善是善，惡是惡，是非分明，夫然後得能因揚善遂懲惡。

▲台灣省各級公共關係室，將一律改爲新聞室一案，已由省新聞處呈上級核示中。原來公共關係機構是洋化進口的，目的是在服務之廣，不管治所有事物於一爐，改新聞室之目的即爲簡化其服務對象。但事實上，易名後的新聞室，仍有公共關係股的存在，則服務範圍不但未有減少，相反的卻添上了電影、電視以及觀光等業務，形成欲簡而得繁的趣味篇。話雖如此，許多人卻躍躍心喜，盼望它能早日實現。

競選議席祇許成功
粥少僧多逐鹿科長

▲台灣省議員又屆改選的時候了，逐鹿者的各個大本營都在計議「只許成功，不許失敗」的妥善戰略，不惜計算所有人力物力，以求宿願之得償，似乎不獲此議座，即等於否定了生平一切者然。事實是否如此呢？如其獲選而留下了錢選，賄選，政治選的惡果在，（這些每屆必有的現象，不過今年選務的改善，多少會有些進步），豈不糟糕。法界人士便估計說，法院生意仍將有興隆鼎盛之望呢！

▲台灣吃飯難，做官更難，每當一缺出，即羣起而爭之，不知這是爲了過官癮？或是享受榮華富貴之福？但兩者都是忘了我們是該臥薪嚐胆之身。如高雄市府教育科長馬誠久病故後，即掀起了搶缽的狂潮，報紙每日都有爲此缺銜鋒的報導和分析。一個市級之教育科主管缺即有此般現象，省級與中央更如何？局面只有這麼大，粥少而僧多，可供逐鹿的對象到底有限，爲什麼不致力發憤爲雄，光復大陸，也好認眞一展抱負？（本報台灣區南部記者賴仕桓）

台省議會總質詢散記
——本報台中記者熊徵宇——

三、四方八面發展經濟

在經建方面，黃主席認爲當前財政的主要任務，重在維持幣值穩定，鼓勵儲蓄投資發展建設，從四方八面努力，造成經濟發展的環境，以農業支持工業，藉工業發展農業，在農漁牧各方面，充實外銷的措施。而交通與水利，在於平時支持經濟發展，戰時配合軍事需要；在於加强工業與灌溉用水，作經濟有效的調整分配。

今後的農村土地政策，還是以推行農地重劃與加强土地利用爲重點。而在都市，將貫徹實施都市平均地權政策；有計劃的，開發海埔新生地與山地農林邊際土地。

黃主席認爲，由於本省的教育非常發達，教育經費歷年膨脹，政府必需採取新的決策，倣效歐美國家的辦法，獎勵民衆私人興學，培養實用技術人才，並謀德智體羣並重。

省議會的議員們，對於這些原則性的施政方案都很重視，但是覺得，在這許多的政策方面的核心把握上還不夠充份，許多癥結上存在的環結，還沒有扣緊。對許多存在的藩籬不能冲破，缺乏針對性的創造途徑。

甚至有人說，經建方面的報告，是不痛不癢的。

四、如何尋求途徑

台灣省政，經緯萬端，當然不是一篇八千字的報告容納得了的，但既然是談施政，就得針對問題。很多議員說：

穩定幣值，當然是個基本問題，但是如何掌握調度通貨膨脹與物資供求，使其杜絕影響幣值穩定的二大因素。如何不以採行凍結美援相對基金與定期存款而使經濟的發展不受限制？進而切實的創造社會經濟的繁榮，增加從事經濟活動的人口比率。台灣就業人數的比率，只佔百分之卅一，以致形成「生之者寡，食之者衆」的現象。這對建立經濟發展持久成長的常軌，是致命的障礙。

而我們政府與民衆的消費支出，自民國四十一年以來，始終佔國民生產毛額百分之八十六以上，最高的時間，竟達百分之九十一點八，以致可以用於形成資本者僅佔百分之十六與十八之間，這種消費增加甚快而減低資本形成的情形，是亟待尋求適當的途徑遏止的。

「以農業支持工業，以工業輔助農業」的原則，也必需提出具體有效的辦法去求達成目的。如指導民間投資，撤除國內的惡性競爭。

本省地方財政的困難，也是無可爭論的，原因在於省政府基於政策上的要求，硬性規定縣市增加負擔之經費，或因擴展業務之需要而增其負荷。而員額的不斷增加，也是最大的原因，各縣市增加的員額，在五十年間，五萬人以上；而同時期，各項經費的列支標準和施政準則，都是由省頒行，導致縣市增加支出。

所以就地方財政言，如不從速改善，則即使是修正財政的收支劃分法，也難能解決實際上的困難。地方的財政，胥賴稅收，而本省的租稅制度，由於不能建立直接稅制，偏重間接稅之征收，無法納租稅制度於正軌，對稅源的損害，也影響到地方財政的收入。

五、盼望改革

台灣的賦稅，年有超收，尚不足應付地方政府的支出，而在民衆的怨懟與創弱生產者的擴張能力而言，是亟待研究的。

在目前，台灣的農業增產，已達高度的成就，在總額中，佔百分之六十七點六。但是值得注意的，是農業單位的面積產量畧嫌遲緩，成長速度有停滯現象。

若干基本問題須速予解決。尤其是「國有林地」的應該重新劃分，以免濫墾。在目前，國有林被濫墾的面積，高達四萬九千九百六十多公頃，對今日之林產，損失重大，如何使其除林業經營上必須保留者外，分別放租或者放領給山地人民，作宜農宜牧之運用，從而投資於山地事業的開發，達到土地利用的顯示。

許多省議員認爲，這些問題，都是省政的基本環結，如果不能有具體而有效的辦法和力行的決心，在省政進步與整個經濟發展上，都是重大的阻力。

他們希望黃達雲主席在這些方面，還有很多很多的省政問題，有所改革。（下）

寓有大陰謀。不可小覷之

清算毛共「改文」濫帳

燕謀

民國三十年，陝甘寧邊區共匪「新文字幹部學校」成立。

民國三十一年及三十三年，林迭肯先後編著「中國拼音文字的出路」及「國語拼音詞彙」。

民國三十三年，共匪在延安忽然宣佈：「因幹部缺乏，暫停拉丁化運動」。

民國三十四年，共匪人員在上海所辦「語文週刊」創刊。

民國三十七年，倪海曙著「中國拼音文字運動史簡編」，「拉丁化新文字概論」出版。

民國三十八年，共匪「文字改革協會」在北平舉行成立大會。東北鐵路實行拉丁新文字電報。

民國三十九年，共匪教育部召開文字改革研究會第一次座談會及簡體字座談會，並編印一千五百餘字「常用簡體字登記表」。共匪科學文字改革研究會籌備會編發五百五十字「第一批簡體字」。共匪科學院語言研究所召開「史達林論語言學中國語言研究的聯繫」座談會。

民國四十年，共匪文字改革協會編印三千三百餘字「常用簡體字典」。共匪文教委員會決議設立「中國文字改革研究委員會」。

民國四十一年，共匪「中國文字改革研究委員會」正式成立，原由馬叙倫任主任委員，後改由力主拉丁化的吳玉章接充。共匪教育部公佈「常用字表」，包括常用字一千零一十個，次等常用字四百九十個，共一千五百個。

民國四十五年二月十四日，共匪「中國文字改革委員會」公佈所謂「國語拼音方案」，盡廢漢字，用拉丁字母二十五，變形拉丁字母二，國際音標二，俄文字母一，共計拼音字母三十，母音字母六，子音字母二十四，以拼寫中國語文。並特別說明斯拉夫字母及拉丁字母，均從希臘字母演變而成，皆可作為拼音漢語之工具，以為進一步改為斯拉夫化之準備。十月十日，共匪國務院三十八次會議通過成立「漢語拼音方案審訂委員會」，十一月二十一日，由郭沫若主持之該審委會第四次會通過所謂「漢語拼音方案修正草案」，準備由共匪國務院批准施行。

民國四十六年十一月一日，共匪國務院六十次會議通過「漢語拼音方案修正草案」，十二月十一日公佈該案，並已由共匪人民政協會議通過，將提及共匪全國人民代表大會議決推行。同月十二日，共匪新華社公開發表吳玉章與黎錦熙共同聯著之「漢語拼音字母的總結」，以廣宣傳。

民國四十七年一月二十五日，共匪第一屆第五次全國人民代表大會在北平召開，共匪「漢語拼音方案」提交該會通過。該方案與前草案不同，前案拼音字母三十，該方案僅有二十六個拉丁字母，全案分為三表：字母表、聲母表、韻母表，此外，規定聲調與隔音兩種符號之用法。共匪所攪此種拉丁化運動經其着力推行之後，曾經引起許多人反對，事實上亦諸多窒礙難行，於是便另一面攪簡體字運動，其陰謀即先混淆文字之音，再亂其形，形音既亂，文字之義自乖矣。（中）

天南風光

——沙羅越的歷史——

朱淵明

布律克最感焦急的，是要給在「三里巴」與「西廣」兩地的海盜一個有力的打擊。這兩地海盜，是極野蠻也是最兇暴的，他們的巢穴，是在古晉東面六十多里的「峇當魯巴」一帶，而活動的領域，有時擴展到「西利伯」及「名査馬申」一帶去。

這兩支海盜，每隊都包含有清一色的馬來組，及達雅組，他們在十八世紀時，就已把婆羅洲西北海岸據為巢穴。他們初到婆羅洲時，就不與人數衆多的的土著嘮子交戰，反而把嘮子們吸收進去，訓練他們，也變成同夥。最初嘮子只充划船手，漸次各種搶劫技術慢慢成熟，即升為正式海盜。這些嘮子，每當一次搶劫商船，他們只要割取擄獲的人之頭顱，而將所有金錢物資，都獻與他們的領袖，於是這些自認為穆罕默德後代的混種亞拉伯流浪者，更高興用種種美麗的騙術，多方使達雅土著入圈套了。

「三里巴」與「西廣」兩地的達雅土人，在沒有正式做海盜以前，就是酷嗜獵頭的民族，他們經常向隣近的地方偷襲人頭，一個青年以獵頭的多少，來決定他英雄的地位，以獲取同族少女的歡心。他們經常又同族互相攻擊，攻擊的目的，也多半是要爭取頭顱。

這實在是一種殘忍暴烈的野蠻惡風，所以布律克自坐上「拉者」的寶座後，即會下令與兩地的土人說：「如果你們是誠意忠心和服從我的話，就應該立刻停止互相攻擊，與獵取人頭。」但三里巴與西廣人對這種警告，則以挑戰來作答覆。三里巴的首領，並在一棵高樹上掛着一個籃子，他聲言：「這個籃子，不久將盛着布律克的首級」。如此緊張的形勢，自然更促成布律克勦平海盜的決心。（三十二）

文化座談

中國人與中國文

夏正

香港大學最近決定今後各系新生入學試時，不必再考第二外國文（指中文），各界人士聞訊嘩然表示異議。該校旋聲明中文系學生仍須考試第二外國文，其餘各系按照原有決策行事。這問題的是非得失，要看該校百分之九十以上的學生是中國人呢？抑是別國人？如係前者，則造就一般不會寫中國文字，也看不懂中文書籍高等的「番書仔」，理合替外國人做買辦，或者在外國機關担任一名「文員」而已，對於中國的文化前途，毫不相干。

可是，話又說回來，過去若干年間，港大各系學生皆須考試中文，然其結果如何呢？試就香港一般中文報紙的現象仔細觀察，即思過半矣。報紙上的日常新聞紀述和評論文字中，隨時發現有許多似通非通誤，或根本不通的詞句，既非筆誤，也不是手民誤植了別字，更不是方言的關係，完全是由於寫作者中文根底太差的緣故所擺佈。如「反映」說成「反影」，「以及」說成「與及」，「匪異人任」改作「匪貳人任」，「百口莫辯」弄成「百口莫辨」之類，你能認為它是筆誤，或歸咎於排字工人之誤嗎？至於把英文「Pedestrian Crossing」譯成「滑步路過」，與夫「如要入沙嘴，乃可影擺佳」這類名句，無疑都是從本地大專學校出來的高等華人之傑作。這不能怪學校平日未注重第二外國文，而是那些教中國文的「破落戶」，不得其人，不得其法的必然結果。譬如倫敦大學亦設有漢文系，但其主任教授多係祗能說幾句中國話，或認識少數中國字的角色，香港大學的情形，恐怕比倫敦大學亦強不了好多吧？

這情形也不必怪外國人辦理的學校漠視漢文，咱們自己主辦的各級學校中的國文教師，又何嘗都是適才適任的人選呢？時至今日，作國文教師的如果沒有現代科學頭腦，懂得一點語意學和邏輯方法，而只是憑着三代兩漢以及唐宋八大家的文章，向着學生們對本相課，講解一些字義，作填鴨式的工夫，即永遠教不出一個文字通順的門徒來，可斷言也。我常常跟朋友閒談中國文的教授方法問題，而以普通常見的「良有以也」這句成語為例，若要使學生切實明瞭它的語意，且能在文字運用上恰當，不致於弄成牛頭不對馬嘴，就得先教學生瞭解一般虛字的意義和用法，再將這句話譯成英文給學生們看看，庶幾有益。否則無論你是個前清的狀元，或是現代的文學博士，皆無法使學生澈底領悟這句成語的眞諦，枉費唇舌，殊鮮實效。

最近在「民主評論」第十四卷第四十期中，看到徐佛觀先生批判台灣某大學國文研究所招生的試題——「王楊盧駱」為唐初四傑，何以杜甫譏其為文輕薄，試述其故」——據徐先生舉證說明這道試題簡直就不通！堂堂大學裏的「國文研究所」，竟有此現象，又怎能夠怪今日凡是五十歲以下的人，對於本國文字的修養多見其謭陋呢？然而，這亦不足驚奇，自民國肇建以來，「打倒孔家店」，「把線裝書拋到茅厠裏」的口號，甚囂塵上，當代要人更有停辦大專學校文法科的建議，雖未見諸實行，而風聲所播，青年人不重視國文的心情，自屬勢所必至，理有固然。加之以政府當局熟視這股逆流氾濫起伏，不予宣洩防範，無意中且從而推波助浪（如隨便派人纂修國史，即其一例。）可知現代一般中國人的漢文根基淺薄，眞是良有以也，豈徒然哉！

附啟

本欄園地公開，凡屬關於文化問題的雜感叢談文字，皆樂於刊佈，希望讀者注意為幸。

瘟君續夢

第七回：越境興戎　盈廷驚白蟻
恃强犯上　舉座斥青蠅

布加勒斯特會議之前，共產集團於一九六〇年二月在華沙召開東歐共黨國軍事會議，中共照例要派觀察員出席，這次派的卻是康生。

康生臨行時，毛澤東曾授以錦囊妙計，要他到華沙鼓吹戰爭，宣傳戰爭不能避免。這時正是高峯會議前夕，蘇聯極力向美國修好，希望能在高峯會議中討得便宜，因此在會議中赫魯曉夫發言，語氣十分溫和，接着戈慕卡等發言，也極力鼓吹東西雙方和平共存，用談判解決問題，最後輪到康生致詞，本來以他的觀察員身份，也只能輕描淡寫說一些不着邊際的話，那知康生竟然以訓話的方式，大發其妙論。

康生說道：「根據馬克思的偉大預見，資本主義決不會自動退出政治舞台，所以完成世界革命的最後階段，一場大戰是無法避免的。」

康生說到這裏，赫魯曉夫已經大皺眉頭，康生又接着說道：「尤其美帝國主義是最兇惡的敵人，我們應當集中力量對付它，只要把美帝國主義打垮，其他一些帝國主義就容易消滅了。」

這時全場裏面相當不安，許多人都在皺眉蹙額，不願再聽下去。

康生不理這些，仍然堅持原來觀點說道：「美國表面雖强大，實際上是一隻紙老虎，只要世界人民舉起棍子，它就畏縮了。我們若同他和平共處，那就給了它一個最後的機會，一旦過了低潮，它又會吃人的。」

康生說到這裏，大家都忍不住了。赫魯曉夫對着戈慕卡摸摸耳朶，戈慕卡就同總理西蘭基使個眼色。

西蘭基站起來說道：「康生同志，你的話我有些不明白，既然和平共處是不應該的，你們卻在亞非各國高唱和平共處五原則，是什麼意思呢？」

康生止了一下，說道：「和平共處只是手段，不是目的，到了我們的力量壯大到不需要周圍小國捧場時，我們就不談和平共處了。」

西蘭基笑道：「我們今天同西方國家和平共處也是手段而非目的，因為我們相信不需經過戰爭，資本主義就會自行崩潰的。」

康生連連搖手道：「這個觀點有問題，我們不能同意，美國並不是緬甸同柬埔寨，它有高度的工業設備，豐富的資源，不經過戰爭打擊，是不可能自行崩潰的。」

主席戈慕卡截斷康生的話，向大會宣布道：「大會關於當前的形勢已有詳盡的談論，因此，我們決定終止此項討論，現在就由大會發表一項文告，把各國代表的意見容納進去，就算圓滿達成了任務。」

戈慕卡說過就推定人員起草宣言，康生當時還頗為得意，總以為他的觀點可以列入宣言。那知宣言發表後，內容十分溫和，只是譴責了西德的軍國主義，連北大西洋公約都未加抨擊，康生的言論一點也未載入。康生才知道上了當，氣得雙腳亂跳。可是，蘇聯及東歐國家也了解了中共的眞意，從此華沙公約國會議，再也不邀中共出席了。（一八〇）

「你到底要去那兒？」

「告訴你吧，我還沒有作最後的決定。」

沒有作最後決定？上帝，到底是玩什麼遊戲啊。

「是去香港。」

「香港？好地方！」

「我知道你不喜歡那地方。可是，別用這種口吻跟我說好不好？」

我笑了。「教我：該用什麼口吻。」

她微嗔地看我一眼。「是家裏的意思，我自己也不想去。」

「好孩子可要聽家裏的話。」

「我知道你不喜歡我家，尤其我媽。」

我搖搖頭。這一帶很靜僻，幾乎沒有什麼行人。否則人們一定會用詫異的眼光看我們的。

「讓我們痛痛快快的把事情弄清楚吧，再這樣下去我受不了了。」我倒沒有大吃一驚，我畢竟了解她的個性，而且我正喜歡她這點，即使現在。「那時候你知道了我母親讓我做的事，你以爲我屈服了。你惱我，可是你又不願使我難堪，於是你說謊，說什麼你另外有了——你，我恨你——」

她再來的時候

汶津

「不要激動，斐，」我柔和地說：「算我錯了，你處罰我好了。」我甚至於不了解自己怎麼會這麼說的，但我知道我已經說了。

我們默默地走着，沿着淡水河邊最寂靜的一段路。

「昨晚我和媽吵了一大架，我不願意去香港。這些日子來，我一直想找你，想跟你說個明白。可是我多麼恨你，你一點機會也不給我。如果不是昨晚的事給了我勇氣……」

天色漸漸暗下來了，我問她是不是要我送她回去。她說：「嗯，但不是現在。」

「先回我家拿你的手帕？」

「不。」她燦然的笑了，不知爲什麼。

「你那本書寫成了嗎？」

「你還記得？」

「天天惦記着。因爲你說那是屬於我倆的。」

「沒有寫下去。因爲你離開了我。」

夜來了，我們重新走進了街市，走進了回憶。（下）

南宋偏安有人才
——張浚

李仲侯

巨盜薛慶，嘯聚淮甸，至數萬人。浚恐其滋蔓，徑至高郵，入慶壘，喻以朝廷恩意，慶感服下拜。浚留其衆，或傳浚爲所執，呂頤浩等遽罷浚樞密。浚歸，高宗驚歎，即日趣就職。浚謂：中興當自關陝始。慮金人或先入陝取蜀，則東南不可保，遂慷慨請行。詔以浚爲川陝宣撫處置使，得便宜黜陟。將行，御營平寇將軍范瓊擁衆自豫章至行在。先是靖康城破，金人逼脅君后太子宗室北行，多瓊之謀，又乘勢剽掠，左右張邦昌爲之徒衛，至此入朝，悖傲無禮，且乞貸逆黨傅、正彥等死罪。浚奏瓊大逆不道，乞申典憲。翌日召瓊至都堂，切責之，送棘寺論死，分其兵隸神武軍，然後行。

浚宣撫川陝將行，高宗問浚大計，浚請身任陝蜀之事，置幕府於秦川，別遣大臣與韓世忠鎮淮東，令呂頤浩扈蹕來武昌，以張俊，劉光世與秦川相首尾。議既定，浚行未及武昌，而頤浩變。關陝一帶，本久爲金所注意，自洛索出兵後，屢有攻取，其志在由陝入蜀，扼其上游，使建業、臨安失其所以爲固，而宋必亡。浚自爲宣撫使後，駐節興元（即今陝西南鄭縣），以圖中原，上疏言：

「漢中實形勢之地，前控六路之師，後據兩川之粟，左通荊襄之財，右出秦隴之馬，號令中原，必基於此。謹積粟以待臨幸」。

以曲端爲都統制，吳玠爲統制，玠弟璘掌帳前親兵。洛索知宋方備陝，益與宋爭陝西，明年攻破陝州，遂長驅入潼關，攻環慶，曲端遣吳玠拒之彭原（甘肅寧縣），敗績，端走還涇原，洛索乘勢焚邠州而去。浚以彭原之敗，罪實由端，乃罷端兵柄，貶海州團練副使。浚初聞金兀朮留江淮，議出師撓之，端立論與浚異，故不免。浚決計由同州鄜延出師，擣金之虛，兀朮聞之，遂自六合引兵趨陝西。浚乘兀朮未至，與吳玠攻復陝西諸州，於是有富平之役。（廿七）

談針灸

漁翁

我國古時醫病，除用藥物而外，亦以物理治療之。就針灸言，經載於羣書者所見不鮮，靈樞經云：「針所不爲，灸之所宜」。黃帝有針灸經，扁鵲有針灸玉龍賦，唐有明堂針灸圖，宋有銅人俞穴針灸圖。針灸經果出軒轅黃帝，有四千餘年之歷史矣。

針與灸爲二事：針者，刺也，漢書：「以鑱針針之」。即用以刺病者經脈俞穴，而使其起神經作用。灸者，燒也，用艾燃火灼之。而灸與砭，亦分爲二：按病者之經穴，刺以石針曰砭；灼以艾火曰灸，謂之砭灸。

此治病之術之針灸、漢藝文志：「周度箴石，注：箴所以刺病也，石謂砭石，即針石也。古者攻病則有砭，今其術絕矣」。但用砭之法，今雖失傳，而針灸之術，猶流傳弗替，其功效與砭灸同。

此項治病之法，相傳發明於黃帝，也有說創於伏羲氏者，至春秋戰國時甚盛行。孟子曰：「七年之病，以求三年之艾」。莊子云：「無病而自灸」。其時有醫學家秦越出，號扁鵲，以針灸法治病，屢見奇效。虢國王太子昏厥氣絕，扁鵲用針法急救而復活，恍若起死回生。

迨至漢代，名醫淳于意與華佗，皆以針灸著稱。曹操嘗患頭痛病，華佗以針治之便愈。晉初，有皇甫謐者，研究醫學，著針灸甲乙經，至爲詳盡，可爲後人施用針灸之張本。

唐時，甄權，孫思邈，李洞玄等，皆長於針灸學。時魯州刺史庫狄嶔，因患風濕不能舉弓箭，經甄權施一針，即運用自如。又長孫后懷高宗將產，數日不能分娩，詔醫學博士李洞玄候脈，奏曰：「緣子以手執母心，所以不產」。太宗問當何如？洞玄曰：「留子母不全，母全子必死」。后曰：「留子帝業昌」。遂隔腹針之，透心至手，后崩，太子即誕，後手中有瘢，即針之所刺也。孫思邈著千金方，千金翼方各三十卷，包括針灸在內，對治療更有裨補。韓愈詩：「灸師施艾炷，酷若獵火圍」，足見唐代對針灸學重視之一斑。宋時，王惟一著銅人腧穴針灸圖經，並製造兩具銅人模型，作爲研討針灸醫理之用。據宋史載：「太宗嘗病亟，帝往視之，親爲灼艾，太宗覺痛，帝亦取艾自灸」。後按，帝謂宋太祖也。後因以喩兄弟之友愛爲灼艾分痛。至宋創兩具銅人，一失諸南宋，一失在日本，國粹不存，殊爲可惜！有明一代，對針灸更有發明，如汪機所撰針灸問答，楊繼洲所編針灸大成，均作進一步之研究，精益求精，後世醫家，奉爲圭臬。及至清朝，以異族統治中國，在極權制度下，認爲針灸脫衫露體，不合禮教而棄之。尤其清室末葉，西學傳入，而更受打擊，竟有「太醫院針灸一科，着永遠停止」之旨頒佈。迨民國建立，始仍恢復，任其自由發展。

我國創始之針灸治病術，今日世界各國，如德、日等，亦做行此法而收奇效。吾人在此科學昌明時代之下，取彼之長補我之短，可也；而棄我之所好，不可也。故對我數千年所遺下之固有醫學——針灸，不僅僅保守爲已足，尤須發揚而開展之，不僅爲與西醫並駕齊驅，自滿，尤須做到妙手回春，出人頭地之地步。祗在我中醫學家研究針灸者好自爲之！

我的學生生活

雷嘯岑

我從張家口回到北京時，暫住在西城一所叫作「首善公寓」的三流客棧中，預計流連一星期左右，即赴日本上學。這個公寓許旅客們自炊飯食，有兩位「北京女師」的鄂籍女生合賃了一個房間走讀着，恰與我的住室緊隣，她們出入須從我的房門口經過，由於彼此都是青年學生，而且又係兩湖大同鄉的關係，很容易熟識交際。她們曾經嚮導我去游「中山公園」，就便詢悉我在日本讀書的經過情形後，認爲我不必賡續進入大學本科再讀三年，倒不如進研究院比較妥當些。我同意這種見解，俟到東京後，擬即申請改入研究院。研究生是不須每天上課的，自可在北京多住幾日再走。

這時候，東京寓所轉來了上海新聞報給我的一封信，內容說我已有一個多月未寄通信稿了，盼我函告原因，如果我無暇繼續寫稿，報社自須物色別人担任此項職務云云。我此時年少氣盛，認爲報社這種「另請高明」的意態，迹近威脅，頗生反感，卻不反省自己長時間未寄稿，亦不通知對方，實係缺乏責任心的行爲，其曲固在我而不在彼也。即復書該報聲明辭去通信工作，繼向那位在「民國大學」教課的同學潘廷幹兄敘述此事，猶不勝其悻悻然。潘兄即謂：「你本來不必再入大學部炒現飯的，現在既辭去了報館通信工作，若回到東京，學膳費即成問題了，不如就在民大教課罷。」我說到東京繼續求學，可望獲得日本政府「對支文化事業委員會」的津貼，且比寫通信的收入更多哩。他嗤然道：「那是收買親日份子的骯髒錢，決非我輩所願接受的。算了罷，莫再三心二意，即在民大教書，搬入教職員宿舍內，咱們一道生活着，靜觀世事變化如何，再定行止可也。」第二天，潘兄即將民大的聘書送來，登時教我收拾行李，移居於西城太平湖「老七爺府」的民大教員宿舍中——那時民大的教務長係現任駐約旦大使保君健。我的學生生活，就這樣糊里糊塗地宣告結束了！至於留在東京「金田方」的全部行李書籍等等，即寫信拜託老友湯志先兄代爲料理，除將鋪蓋桌椅，連同洋琴一架，一概贈送給主人外，書籍交由運輸行保險運來北京。後來這些書籍在海船上因爲失火，又全部給燒掉了！

我的學生生活紀錄，實際是我的一種懺悔錄，絕無矯飾欺枉之處，旨在指出青年學生在讀書的寶貴時期中，切不可妄預外事，虛度光陰，自誤前程。吾生有涯，而知也無涯，少壯不努力，老大徒傷悲，現在我很想到大學裏去重過學生生活，可是沒法進去了，奈之何哉？老實說，我現有的一點淺薄的學識，大半都是在結束學生生活後，從自修得來的。關於本國文字方面，初植基於幼年時期的家庭教育，繼於二十歲以前，在縣立小學作了四五年教員和校長，得暇閱讀若干古籍，頗有裨益也。（完）

仲春故事

筱臣

農曆二月爲仲春。這一個月在古籍的掌故中，實在是一個多采多姿花團錦簇的時光，很多富有奇趣的故事，點綴其間，佳會良辰，賞心樂事，殆無逾此。摭錄於次：

護花幡：據傳異記載：「崔元徽遇數美人，自稱李氏，桃氏，石醋醋，封十八姨，云每苦惡風，嘗求十八姨相庇，處士能於每年二月初一日作一朱幡，圖日月五星於上，立於園中，即可免矣。崔從之，其日暴風拔木，而苑中桃李等花無恙。」因名幡曰護花幡。

中和節：俗稱二月初一日爲「中和節」。據舊唐書載：「貞元五年，正月乙卯詔：四序佳辰，歷代增置，漢崇上巳，晉紀重陽，或說禳除，雖因舊俗，與衆共樂，咸合當時。朕以春方發生，候及仲月，勾萌畢達，天地和同，俾其昭蘇，宜助暢茂，自今以二月一日爲中和節，以代正月晦日，備三令節數。」

孟子誕：孟譜：「孟子生時，母夢神人乘雲自泰山來，母凝視久之，忽片雲墜而寤，里巷皆見有五色祥雲覆孟氏居。按孟氏生於周宣王二十七年四月二日，即今之二月二日（周正建子）」（一）

近人詞選

菩薩蠻

待旦老人

量珠十斛論身價，侯門賓客笙歌夜。鴉鬟楚山雲，蠻腰湘水裙。承恩原在貌，紈扇捐秋早。明鏡惜春容，可憐霜葉紅。

又

前人

石榴裙慢蠻腰窄，流鶯語滑鵾絃澀。紅濕小闌干，海棠香未殘。燭花垂別淚，點滴春心碎。短夢不成懽，枕衣斑復斑。

內備警台報字第〇三一號內銷證

自由報

THE FREE NEWS

第三一七期

中華民國僑務委員會頒發
台僑新字第三二三號登記證
中華郵政台字第一二八二號執照
登記為第一類新聞紙類
（本週刊每星期三、六出版）
每份港幣壹角
台灣零售價新台幣弍元
社長：雷嘯岑
督印人：黃行審
社址：香港銅鑼灣高士威道二十號四樓
20 CAUSEWAY RD 3RD FL HONG KONG
TEL. 771726　電報掛號．7191
承印者：田風印刷廠
地址：香港灣仔高士打道一二二號
台灣分社
台北市西寧南路壹叁叁號二樓
電話：三〇三四六
台郵撥儲金戶九二五二

實行民主政治的起碼條件

陳維藩

居今日而談民主政治，這已經不是應否追求的理論問題，而是如何實踐的事實問題了。

不過，民主政治既非裝點門面的金字招牌，亦非獵官爭權的口號咒語，更不是搞亂營私的唯一捷徑，要想實現真正的民主憲政生活，必須朝野人士不分男女老幼，大家一心一德的具備幾個起碼條件，相互自發的篤實履踐，才有希望。這所謂起碼條件，原係極其平凡的卑之無甚高論，在歐美先進國家的人士看來，乃為不值得研究之事，義所應爾，理所必然的。但在我國，仍有大聲疾呼，提起各界人士一致警覺之必要。究竟是些甚麼條件呢？

一曰守法精神

無庸諱言，國人除了一般「不識不知，順帝之則」的馴良百姓以外，多是欠缺守法精神的。越是有地位有知識的人，越無守法的習慣，他們忽視法紀的程度，每每與其地位——政治或社會的——成正比例，而且以不守法為能幹，為榮譽。試將我國現有頒佈的大經大法，彙集起來，其洋洋大觀，琳瑯滿目的情形，跟世界上任何一個先進的法治國家相比較，絕無遜色。可是，事實上大家遵守了若干，是否多半成了具文呢？民主政治的精義原是尊重「自由人權」的，但須以法律作藩籬，大家講自由而沒有守法的習慣，試問成何體統？法律之為物，本如泥塑木雕的偶像然，人們認定它是神靈而崇信膜拜，它就有禍福人的神靈作用，若視為木偶，便成廢物；倘使一時不高興，將其拋入污泥糞土中，再拾起洗滌乾淨，置之神龕上，供以犧牲，教人信奉，那是不可能的了！

法律是由政府頒訂的，要人民守法，政府官吏即應以身作則，遵循法治，樹之楷模。史載漢文帝與廷尉（司法部長）張釋之，為着人民驚犯乘輿與盜取宗廟器物這兩項罪行的處罰問題，發生激辯，廷尉堅持法律明文規定，不因帝王的感情衝動而枉法以徇；文帝亦尊重法律，不因口[illegible]天憲的專制特權，而故入人罪。這種守法精神，中國人在兩千年前即已見諸事實了，環顧今日號稱為實行民主憲政的政府大小官吏，對於法治觀念，是否有愧古人呢？商君有言：「法之不行，自上犯之」，明人唐甄說：「天下難治，人皆以民難治也；不知難治者非民也，官也。」可見官吏知法犯法，古今一例，如漢文帝者，誠是難能可貴的賢明統治人物了。法律又是由讀聖賢書的一般士大夫撰訂，再經過有政治地位和職權的士大夫之流審議決定施行的。然我國的一般士大夫亦慣於知法犯法，把自己的生活行為，置於法律範圍以外，凡是走法律漏洞鑽隙的事情，皆優為之。遠者姑不談，僅舉近事為例：現時台灣一些知識份子為着使子弟逃避兵役法的義務，上焉者執法玩法，私送子弟出洋「溜學」，下焉者將子弟帶到香港，掛名於學店之中，而以僑生姿態出現，出入港台，不受法令約束。結果乃形成「法令滋彰，盜賊多有」的人治現象，法律祇是對馴良的老百姓而設的。在這種情形之下，要想實現真正的民主憲政之治，豈非「積蘆灰以塞洪流，斷鼇足以立四極」的妄念嗎？因此，我們首先希望有地位有知識的人，先把守法的心理建設起來，大家對着神聖的法律祭壇之前，發下大願，起個硬誓，決不輕易違背法律，亦不隨便制定法律，大家只在法律範圍內發揮自由意志，庶幾乎纔有資格談民主憲政的話。

二曰健全輿論

沒有健全的輿論而侈談民主生活，那是文不對題，治絲益棼。所謂健全的輿論，固然涵義甚多，言人人殊，但至低限度應做到消極的起碼條件，這可從兩方面講：輿論的代表者為報紙與一般刊物，報紙更佔重要地位。政府除實行言論自由的憲法信條，放寬管制尺度，且創辦官報以外，當使民間的報紙普遍化，獨立化，民間報紙本身，當然亦要具備着獨立自主的條件，說自己要說的話。民間報紙不妨與官報形成顯明的分野，即容易看出輿論的反映性——在歐美諸先進的民主憲政國家，並無所謂政府機關報，亦沒有彰明較著的政黨機關報。真正的輿論，決不具有偏見的「一家之言」，貴能代表社會大衆的公共意見，方有輿論價值。政府凡有興革事業，事前必予公開討論，毫不顧忌，以覘人民公意，造成優勢的輿論，不管你是一黨一派的言論也好，只要是為大多數人民的利害而立言，屏棄成見和私慾，一定獲得羣衆的共鳴，政府即不能不尊重，也就是健全的輿論效能。

言論自由固屬民主生活的典範，但對於社會應有責任感，而不濫用其自由權利，才是健全的輿論表現，這又是涉及法治的問題了。譬如未經法庭判決的民刑案件，報紙上不能隨便批判論斷，在歐美國家是當然的，然在我國乃多見其為「由報紙來審判」（Trial By Newspaper）的現象，雖不構成「藐視法庭」（Contempt of Court）的罪行，然對世道人心和法律信用，影響不鮮，妨害諸多，即不足語於健全的輿論之列，今人所謂「建設性的輿論」，殆以此為嚆矢，而批評庶政得失不預焉。

三曰善良風格

所謂「風格」，就是人類生活動態上的一種表現，英國人的紳士派，美國人的少爺派，法國人的熱情，德國人的沉靜，都屬於「風格」的範疇。風格隨其傳統民族性而多彩多姿，但就民主政治生活而言，「容忍」（Tolerance）的風格卻一致需要，這在我國傳統文化思想上，叫作「修養」，古今來的大政治家，學者，莫不注意及此。然現代中國人士，似乎缺乏這種修養，官吏不以人民公僕自居，習慣於唯我獨尊，好諛惡直，文過飾非，平日不虛心自省，一聞逆耳之言，即認為有損威信，不願聽受，卻又修談民主政治，結果是只見其「威」，未見其「信」，而其所修談的民主政治，即為衆人是「民」，我是「主」。至於一般知識份子，平日重視「面子問題」，遇事只顧自己的面子，而不愛惜別人的面子，政治上有我一份，便是民主，否則即為獨裁。代議制原係民主政治的精髓，但官吏害怕議員質詢批判，避之若浼，議員亦以法官自命，而視官吏為待審之罪因，甚且混批評謾罵為一談，憑感情好惡而持論，這都是缺乏容忍精神，有乖善良風格，即不夠民主生活的條件。

官吏之沒有容忍風格，是昧於「公僕」的份際，擅作威福；知識份子之不注意容忍風格，是甚於「面子問題」，罔識大體。時代雖然進化到了原子世紀，而大家那種陳腐的舊觀念依然如故，民主生活怎能在荒蕪的思想園地生根發芽呢？世人每將中國政治不進步的原因，歸咎於軍閥割據與國際帝國主義侵略，實則知識份子之不長進，纔是重要因素。

以上所述三點，皆係老生常談，歐美人認為可笑，但在現代中國，卻為普遍必修的課程，不具備這些粗淺的智能，而要求實行民主政治，充其量是虛有其表，刻鵠不成，反類鶩而已。

漫畫家言

一貫作風

都不是好東西！

自由談

驕必敗

美國總統甘迺迪先生，自從以軍事封鎖政策，迫使蘇俄撤出古巴飛彈數十枚之後，認為贏得了大大的勝利，躊躇滿志，洋洋自得，乃聲稱美國今後要以強硬作風，切實領導自由世界，縱使與盟邦發生磨擦，亦所弗惜云云。是何意態雄且傑，好不威風凜凜也！

詎料法國的戴高樂將軍就對甘老總不買帳，倡言歐洲人的歐洲，拒絕美國所提多邊核子武力的建議；加拿大的戴芬貝克總理亦以美國干涉內政為理由，大發脾氣；西德總理艾德諾爾竟跟戴高樂演雙簧，不願接受美國的吩咐，為英國加入歐洲共同市場作和事佬。這一連串的事情，皆是給甘迺迪的強硬領導作風過不去，異乎「前面叫賣生薑，後面高呼不辣」，可謂大煞風景也矣。

不論任何大小團體的領導人，要想發揮領導作用，獲致預期的效果，必須具有為大衆服務的氣概，攘利不先，赴義恐後，處處表現着「我為人人」的犧牲精神，自然人人亦就為我而一致努力的。美國當道經常強調「美國利益」的對外政策，這已是有失領導風度，令人不敢承教了。繼又教友邦在集體防衛上只能增加地面部隊，不要發展核子武器，而將核武器的裝備，控制及使用權力，完全由美國一手掌握之，同時還要各個駐有美國地面部隊的友邦，分担美軍費用。這樣的領導方法，當然要發生問題的。等到甘迺迪總統狃於古巴飛彈之役，得意忘形，大言炎炎，如是乎問題即告爆發了！

現在白宮主人及其國務長官，雖對法國和加拿大表示友好和歉意，而參議院外委會主席傅爾布萊德，亦聲明美國控制核武器是暫時的。這種彌縫工作究竟有多大的效用，殊屬疑問。除非世界局勢惡化到大戰的邊緣，由於美國當道一股驕矜之氣所引起的友邦裂痕，似乎不容易平復啦。

「驕必敗」，「滿招損」，「行有不慊於心，則反求諸己」，這類東方文化的哲理，似非迷信實驗主義暨實證邏輯的美國人士所能領悟。相激相盪，很可能使世界局勢發生丕變——向壞的方面變，變到戰禍發作而後已！

馮正先生

俄人蹂躪下的哈爾濱

——道南——

我們的東北是蘇俄所特別垂涎的地方，中共對俄「一面倒」，首先就是以東北去孝敬蘇俄，白山黑水蒙羞，嗚咽，言之令人髮指。東北各地表面上雖然仍有中共的地方行政機構存在，但它們每事必須仰蘇俄的鼻息，它們祇是奴才而已，蘇俄在東北「實際」享有着殖民地利益的。

以哈爾濱來說，這個僅次於瀋陽的東北第二大都市，在二百萬人口之中，蘇俄人就佔了半數。以鐵路站爲界，老站南崗一帶的「道裏區」，幾乎全住着俄人，東北角上，靠松花江的「道外區」才是中國人及少數日本人韓國人的區域，形成兩個世界，前者是奢侈豪華的統治階級，後者則是啼飢號寒受宰割的貧民窟而已。

不錯，俄人在哈爾濱的身份是「僑民」，但數逾百萬的這些俄僑，喧賓奪主，全不受當地中共地方政權的約束，遇有什麼華俄糾紛，往往由「中蘇友好協會」出面「調度」，總是俄人犯了滔天大罪，也是有百是而無一非，受氣吃虧的永遠是中國人。這種情形，雖正大光明的殖民地或者以往的租借地，亦是看不到的。

哈爾濱怎的會有那許多俄國人？這由於一方面蘇俄歷年侵進東北，均以哈市爲其前進據點，處心積慮的經營使然，它們在那裏佈下不少間諜，這些人以哈爾濱爲其「發展」的根本，呼朋引類，嘯集其地成爲俄國開疆拓土的前鋒。另外一個原因，是中國大陸變色以後，散佈各地的白俄，束手待擒，任憑蘇俄的擺佈，多被集中在哈爾濱施行「洗腦」改造。況且老一輩的白俄，都已經凋謝，青年的一輩，對俄共的仇視已逐漸淡薄，居然亦以統治階級自居起來。所以哈爾濱容納那麼多俄國人，表面雖尚有「赤俄」「白俄」之分，實際上都是在鐮刀斧頭旗的掩蓋之下，橫行霸道，同惡一體。

哈爾濱是飽受人間冷酷待遇的代表城市，每一個中國人都懷有傷心慘痛的亡國恨。從前曾受統治於日本人，現在則在蘇俄的鐵蹄下受壓制。兩相比較，有的人指出，在日治時代，當然已經很慘了，但中國人也還可以去到太陽島消風景區（松花江中一小島，風景絕佳），領賞一下大自然之美，日本統治者也還不加干涉，而現在，蘇俄業已在太陽島道掛出「中國人免進」的牌子，但在它們虎視眈眈之下，實在比「提防惡犬」的警告更使人驚愕，誰都不敢去了。這僅是一個例子，其他可想而知。

據最近來自東北的某君說：由於赫毛的個人權位之爭，亦由於俄人在那裏太過橫行無忌，如販毒走私等勾當，都有所聞，中共地方當局居然曾破天荒的闖入蘇俄領事館，結果俄領館亦關閉了。這種鬼打架，中國人固不感興趣，但整一整「大鼻子」，大家倒是喜歡的。而因此之故，在那裏的「中蘇友好協會」，現在亦黯然無光了。祇是俄國人在那裏仍然大有勢力，一朝赫毛之爭化解了，俄國人就會又是我們東北實際的統治者了。

香港與大陸

大陸大專學校畢業生多未得適當工作安排

奉命回家侯差事徒望穿秋水　住在城市中者終於流爲阿飛

來自「大陸」的大學畢業生，近年「大學」大都不能得到適當的工作安排，有的他（她）們被遣回原籍耕田的，有被派到工廠裏掃地抹機器的，更有在城市中流浪，終於流爲「阿飛」「流氓」的。

春節期間由廣州申請來港探親的曾紀×君向記者透露：大陸近兩三年來的高等學校畢業生，絕大部份未能得到適當的工作安排，這些畢業生在考試完竣後，大都接到學校的書面通知，並每人發給廿元，着令「暫時」回到原籍，進行「適當」的勞動，等待「國務院」之通知，統一分配工作。

曾紀×君就讀於中山大學歷史系二年級，他說：這些「大專」畢業生，除了極少部份的黨員和積極份子，或被留校或經分配到中學去搞行政工作外，其餘絕大部份，係回到農村，又有的分配到工廠中充衛生人員，或回原住的城市中實行流浪閒居。曾紀×君說：以上數種「安排」中，人數最多的是回農村勞動，最痛苦亦是這些人。

曾紀×君有一個同宗名曾安國的，係去年在廣州市華南工學院機械製造系的畢業生，隨後，和幾個同學一道，被安置到農村「暫時生產」。曾安國等持着學校的公函，到指定農村公社報到，因爲「公函」中寫明係大學畢業生，按「國務院」的規定，應爲「幹部」，可獲「薪給制」的。初期，曾安國等的待遇倒還可以過得去，「公社」每月發給三十多元人民幣，另並享有「幹部」的待遇，而不必經常參加勞動。但不到兩個月的時間，情況便改變了。原來是公社的非「薪給制」的共幹妒忌他們這批回鄉的大學畢業生，指他們是不勞動的蛀米虫，於是展開向他們鬥爭，就這樣，曾安國和其他數位大學畢業生，被指爲「二流子」，「幹部」名義和薪金都沒有了，還得受到監視勞動，如同「五類份子」者然。

曾紀×君說：至於若干還被分配到工廠的大學畢業生，[illegible]

[illegible]

開始積極擴建中的 越南第二商港—蜆港

（本報西貢航訊）一個年青的國家在同一個時期中，需要負担起軍事與經濟的併行發展，其責任是相當艱巨的。越南的情形，正就是如此。但越南當局仍以大無畏的精神，除了充實軍事力量之外，在發展國家經濟的歷程上，亦相繼完成各項溝通經濟的偉大工程，例如擴建中南各省陸路運輸的脈管，及不久前落成的國際性的噴射機跑道等，都足以證明在繁榮國家經濟的原則下，越南已完成不少奠基的工作。

但繁榮國家經濟的先決條件，豈能止於陸空交通的發展，所以，越南發展經濟的第二個五年計劃，就是利用其綿長的海岸線，在中區建立第二個商港，以便均衡中南區的經濟發展，這就是本篇通訊所要介紹的蜆港商港。

目前蜆港的商港，在距離市區四公里，位於蜆港南部，在狹窄的韓江入口處，貨輪要抵達碼頭，須經過四公里長的河流。雨季的時候，河床兩岸的浮沙，便堆積於河床，所以常要進行疏濬的工作，才能保持起碼的水量（三碼半），俾讓載重二千噸的貨輪航行。

如果是二千噸以上的貨輪，那便要停泊在商港外，貨物便得由駁船轉運，工作麻煩，困難，而又耗費時間。尤其是風雨季節，運貨極其昂貴。同時，在轉運期間，貨物更會失竊損耗。因此，大貨輪便很少停泊蜆港商港，而祇能停泊西貢商港，中區的貨物祇得交由小貨輪駁載。由此可見中區的經濟發展，由于運輸上的不便利，遭受了極大的障礙。

現時在中區中原及高原，各類經濟活動正處於準備階段，所以二千噸以上的貨輪尚很少在那裏航行，此照目前中區海運的需求，尚可獲致部份的滿足，但在最近的將來，一旦廣南及崑嵩兩省的山區獲得溝通，（有賴於十四號國路），及農山與安和的重工業中心開始活動，謙光的鐵礦着手開拓，則航海運輸便要增加，纔能配合重工業的進展，及出口煤炭、鐵及木材等貨物。

由于上述理由，建立一個深水的商港，便成爲急需的措施。第二商港，蜆港商港的第二個五年計劃，規定由六二至六六年，除了改良目前現有的商港，俾繼續作爲小型航海運輸的需要之外，計劃要在仙沙山脚，建立一個深水商港。

建立第二個商港的重大工作，已交由BCEOM公司負責，該公司的研究工作，已於六〇年開始實行，該公司已派出專家多人，在預定建立深水海港的地點，進行海底地質研究的工作，及繪畫建築碼頭貨倉圖則，此工作現已完竣。

建立第二商港的工程計劃，大致如下：由六二至六三年，完成研究及繪畫圖則的工作；六四年在貞剎召小島的西北方，動工建築一條五百公尺長的堤壩，以阻截風浪（耗費約四千萬元）；至六五年，便開始建築碼頭工程。此碼頭長約三百公尺，耗費達一千五百萬元，工程須進行兩年之久。另一項疏濬河床深達七碼之工程，亦於此期間進行。至一九六六年，建築碼頭工程可完成，繼之便是建築貨倉，修建仙沙至蜆港之火車軌道及鄭明世碼頭等。

第二商港完成以後，各類巨型貨輪，便可停泊於仙沙碼頭，由汽車轉運貨物至蜆港或其他各省，再不用經由駁船轉運，運費，工作可省便得多了。所以此越南第二商港完成後，則中區的經濟發展，固未可限量，而國家之經濟利益，亦可做成均衡發展之勢。

台灣拒醫之風不可長 造因甚多須澈底根除

是亦應加「革新」者也

[illegible]

清算毛共『文改』濫帳

寓有大陰謀，不可小覷之

燕謀

共匪拉丁化運動不僅限於漢語，並已推及國內各少數民族。如民國四十五年在內蒙廢棄蒙文，改用斯拉夫化字母，定爲六年完成。又在貴陽召開所謂「苗族語言文字問題科學討論會」，推行苗族拉丁化運動。

民國四十六年二月二十二日，又在昆明召開「雲南省苗文代表會議」，通過所謂「苗文西部方言文字」，「苗文滇東北區方言文字」兩種苗文方案。同時，並在海南島舉行所謂「黎民語言文字問題科學討論會」，通過所謂「黎文方案」，亦要以拉丁化字母，拼寫黎語，禁用漢語漢文。

民國四十七年一月二十二日，僞廣西人民委員會公佈所謂「僮文方案」，推行僮文拉丁化運動。而是年六月二十二日中央社香港電稱：據共匪新華社消息：「中共新疆維吾爾自治區語言文字研究委員會業經擬訂了以拉丁文字母爲基礎的『維吾爾』、『哈薩克』、『蒙古』、『柯爾克孜』、『錫伯』等五個民族的新文字改革方案」。共匪對拉丁化運動致力之勤，於此可見。

蘇俄驅使共匪推行拉丁化及簡體字之陰謀，實爲達到斯拉夫化，以爲侵略世界之目的。德人歐克恩（Bdhard Ekos）在所著「中國與歐洲」一書中云：「中國文字乃『精神之帶』。使用此一『精神之帶』，能將各地方言不同之種族，結合一處，使其成爲一統之大民族。最近有欲以拼音式字母代替中國固有之文字者，此種運動，不僅在理論方面表現無知，而且推其用心，實爲別有懷抱。主張以字母代替中國文字之人，非具有侵略野心之國際陰謀者，卽係爲虎作倀之不肖人士。良以不消滅中國文字，卽不能分離中國民族，民族不分裂，『分而治之』之侵略原則，又安能見諸實施？」歐氏之卓見，令人驚服！俄帝及匪共之陰謀，不啻爲歐氏道破其「文字改革」之詭計，已昭然若揭。而且俄帝侵略其附庸國家已有先例，如一九三〇年烏孜別克和外蒙古文字改革，都已廢除本民族的原有文字，採用拉丁化字母；一九四〇年廢除拉丁字母，改用斯拉夫化字母，就是最顯明之例證。

今日共匪所行「拉丁化」，「簡體字」，肢解字體，破壞結構，使人不能辨認。並臆造許多怪字，尤屬荒誕離奇，其目的無非由破壞中國文字，以達到斯拉夫化，由中國之路，以實現其侵略世界之美夢。

共匪「文改」之詭計陰謀有得逞機會嗎？中外有識之士的觀察是否定的。德國著名報紙『法蘭克福電訊報』的遠東記者阿拜格報導稱：「中國大陸人民認爲拉丁化運動，是在企圖使後一代的子孫與中國古典文字隔絕，並使他們完全接受共黨文字」。但阿拜格強調說：「強迫拉丁化對於匪僞政權的命運將有反擊的作用，因爲此將引起廣大人民的反對。」此是外國人士之看法。而埋藏在中國知識份子胸膛的反擊力量，正是莫之與京的巨大潛力，必使俄匪此一陰謀詭計，遭受澈底瓦解的下場！（下）

天南風光

——沙羅越的歷史——

朱淵明

一八四三年五月，布律克赴星加坡遊說與活動的結果，麗都艦到古晉來了，布氏與其巴船長，同時都在那條兵船上，那時候目達哈治還在沙羅越，他爲整個婆羅乃利益，及他本身的地位着想，乃寫一封信與其巴船長說：「這封信是寫給我們最好的朋友的。在我們近鄰，西廣與三里巴之中，有大批海盜，他們在海上搶劫貨物，謀害人命，他們擁有三百多隻的巴香（手划的船）戰船，他們把搶劫擴展到『名套馬申』去，而經常從川行星加坡與婆羅乃之間的貿易商船上，掠得更多的物資，卻不是婆羅乃政府所能管制的。假如我們的朋友能採取步驟鎭壓這些海盜的兇惡行爲，那將是一件偉大的服務，也對於彼此的人民都有益處」。其巴船長回答說：「我將採取迅速的步驟，去壓制這一些及所有其他的海盜，並且決定首先對付三里巴海盜，因爲據稱他們的根據地是最好的」。

六月初間，一支形形色色的混合艦隊，離開古晉去執行其巴船長的計劃，這一支艦隊裏包括一隻能容納八個划手的船，兩隻單檣船，一隻麗都船上的輕快小艇，以及布律克從達雅人處所徵集來的不少小舟。

參加這個征討的大多數達雅人，都希望有個機會去向他們世代的敵人報仇。據其巴船長說：這些達雅人進入戰爭中，是急切要取人頭及物品的。

當然，凡是沙羅越的人民，都曾在不同的時候，受過三里巴海盜的搶劫或擄掠，難怪他們急於報復。不過，以一個達雅人，去殺戮另一個達雅人的做法，布律克事後卻會受到嚴厲的批評。

這支聯合艦隊，很快的擊破了三里巴海盜在「巴地」，「巴古」，及「林峇士」等處的根據地。他們燒毀了海盜的住宅區、堡壘、擄獲或毀壞了海盜的許多槍支與戰船。但海盜失掉了這些東西，情形並不嚴重，因爲這些東西，很容易而且很快又可重行建造起來。（卅三）

論戰鬥文學

吳文蔚

自由中國的文藝界近來有提倡戰鬪文學的聲浪，這在反攻復國急不容緩之時，的確是一件頗值得慶幸的事情。

有的人說：軍事反攻應該先從政治反攻入手，政治反攻應該先從文化反攻入手，文化反攻則應該先從戰鬪文學着手。

又有人說：政治反攻，文化反攻都已早就行動了。只有戰鬥文學尙在無聲無息中，所以提倡戰鬥文學是目前一件最刻不容緩的事情。

這兩個觀點我都很同意。

我感覺着戰鬥文學對反攻復國的確有極大的影響。

我們知道文學是一種藝術，它有反映現實的一種力量，它可以激發人的情緒，也可以誘導人的觀感，改變人的氣質，明白些說，戰鬥文學，就是用文學的藝術來和敵人戰鬥。這種戰鬥，出自一種潛力，然都能收效於有形，不過，它的力量是溫和的，是徐緩的，不像軍事戰鬥那樣顯著神速罷了。

有人說，自由中國沒有戰鬥文學。這話乍聽起來覺着苛刻，仔細玩味，卻一點也不算過火。

假如人們肯留心一下自由中國這幾年的文學領域，就不難深深地體會到文學的演進，是由「內幕文學」，進而轉變爲「武俠文學」，再由「武俠文學」轉變而爲「色情文學」了。

前幾年內幕文學盛極一時，到處都可看到標有「內幕」二字的雜誌和册子，彷彿這些作者人人都是約翰根室的化身，事無巨細，動輒來個「內幕」名目！

以後這種「內幕文學」，終於在邪不勝正的情勢下銷聲匿跡了，但是代之而起的是「武俠文學」。這種「武俠文學」來頭之大，確實頗夠驚人，有的出版商專以出武俠小說爲能事，於是應聲而起的就有了所謂武俠小說作家的產生，據說這種「武俠文學」的確擁有廣大的讀者呢！

「武俠文學」現在已成強弩之末了。它的黃金時代快成過去，然接踵而來的是一種「色情文學」。所謂「色情文學」，是以女人爲重心，穿插些愛情的故事，大胆描寫性的發洩，同時越露骨越明朗越能有好的銷路，而越能吸引讀者！

而世風日下，然總有出污泥而不染的正人君子，自由中國的文藝界，有的人便大聲疾呼戰鬥文學了。

現在政府在革新、動員，準備從事反攻之際，我們確需要提倡戰鬥文學！

戰鬥文學的口號出來了，我們有骨有血的人，應該立卽響應、擁護，問題就是看該如何採取步驟去行動？（上）

馬來重視印尼恫嚇 積極進行備戰努力

（本報吉隆坡航訊）對於印尼公然恫嚇要以包括軍事在內的一切手段以阻止馬來西亞聯邦成立這件事，馬來亞政府是認眞嚴重視之的，除在外交外面的努力外，在軍事上，亦正認眞做着準備，期能應付最惡劣的局面之出現。

馬來亞已經決定進行的軍事準備，是把武裝部隊擴增一倍，另外還已經考慮過在必要之時徵召全國役齡國民接受軍訓，甚至亦會考慮過實行全國總動員。但馬來亞，比之印尼大小懸殊，其現有兵力不及後者的二十分之一，卽使倍增，依然無濟於事，好在果不幸而兵戎相見，與印尼對壘的，將是英國而非馬來亞，蓋英馬間有聯防條約也。

以下爲馬來亞現有軍力：（一）陸軍：一萬七千二百名，其中萬二千名爲正規部隊，五千二百名爲後備人員。（二）海軍：僅得官兵一千名，其所擁有艦隻僅海防快艇四艘，海防掃雷艇十艘，內河掃雷艇四艘，勘察艦一艘，幾乎說不上戰鬥力。（三）空軍：官兵僅五百名，其中馬來籍飛行員不過十二名，擁有的各式英製飛機爲三十架，計爲雙引擎開拓式機十四架，單引擎開拓式機六架，捷猛式機六架，雙引擎白鴿式機三架，及惜士拉式機一架。（獨）

瘟君續夢

第七回：越境興戎 盈廷驚白蟻 恃強犯上 舉座斥青蠅

康生在莘沙公約國會議上碰壁之後，中共同蘇聯之間的矛盾在共黨國家中已經公開了。毛澤東在政治局會議上說道：「我們的黨今天處在多方面鬥爭中，一面同帝國主義進行鬥爭，一面又要和赫魯曉夫爲首的修正主義鬥爭，這項任務是長期的，艱苦的，不但要提高鬥志，也要採取主動。這場鬥爭不久必然要攤牌，我們必須多拉幾個兄弟黨壯壯聲勢。尤其是鄰近的幾個國家共產黨，假若站到赫魯曉夫那邊去，我們就太丟人了。」

毛澤東說過，劉少奇問道：「根據國務院的資料，目前有那幾個兄弟黨肯同我們站在一起。」

周恩來說道：「這些問題是外交部掌管的，我不太淸楚。」

毛澤東瞪眼看下陳毅，陳毅連忙說道：「黨務事情是由書記處負責任，普通交往則由廖承志，劉寧一負責任，要不要找他們來問一問。」

毛澤東憤然把烟蒂丟向痰盂，說道：「不要向別人身上扯，我現在就是要問你，你身爲外交部長，又是外事辦公室主任，能說一點情況也不了解嗎？」

陳毅不敢再推，勉強說道：「據我知道，北朝鮮是沒有問題，其他的都很難說。」

毛澤東冷笑道：「也不見得吧！我們同北朝鮮訂一個協定，蘇聯也跟他訂一個協定，我看金日成是在走尼赫魯的路子，想在中蘇鬥爭中兩面逢源。」

陳毅陪笑道：「這件事情我也問過他們，據我的看法，金日成好似一個待字閨中的少女，中蘇兩方面都向他追求，最初的階段她只有兩面敷衍，可是，到了最後關頭，在兩者之間只能選擇一個夫婿時，他只有選擇我們。」

毛澤東笑道：「你會不會是單相思呢？」

陳毅連說：「絕對不會，北朝鮮確有把握。」

毛澤東點點頭：「剩下的就是蒙古同北越南了。我想少奇同志和恩來同志你們分別跑一趟，和澤登巴爾，胡志明談談，希望他能支持我們。」

劉少奇連忙說道：「我是主管黨務的，一舉一動都會引起赫老懷疑，最好還是恩來同志去，以政府首長身份訪問，比較不露形跡。」

毛澤東冷笑一聲：「這樣也好，恩來同志你就辛苦兩趟吧！先去北越南，再去蒙古。」

周恩來不好再推辭，五月九日去河內訪問。北越共產黨尚未弄淸楚周恩來的用意，不過北越久在中共控制之下，周恩來來訪總是一件大事，河內城裏紮了花牌樓，組織了幾萬市民出動列隊歡迎，越共總理范文同親自到機場迎接，兩人同坐一輛敞篷車進城，周恩來用殘廢的左手扶着車，右手向羣衆揮手，扮相十足。

胡志明已在主席官邸等候，兩人見了面照例又擁抱了一番，晚間胡志明設宴替周恩來洗塵，越共高級頭目范文同，長征，春水，黎筍都應邀作陪，只少了一個武元甲，飯後，大家都走了，只剩下胡志明同周恩來兩個人，胡志明端着一杯淸茶，笑着說道：「恩來兄，這次忙裏抽閑光臨敝國，有何事見敎」。（一八二）

刺客之國

匡謬

我們中國多有任俠尚義之人物，太史公有「遊俠列傳」述其行事，其中多可歌可泣之動人故事。此在東西方其他各國，亦往往而有之。至於與此彷彿的「刺客」，則中東最多，新近又發生政變之伊拉克，尤其著者。惟此種「刺客」，方之我國的「俠客」，其精神則大異矣。

在十三世紀時，回教之中便有一教派「伊斯馬因」，其信徒在敘利亞、伊拉克、波斯等地，據有堡寨，奉一世襲之首領，視之如神人。伊斯馬因派，專門養有從事暗殺工作的「刺客」，謂之「效死者」。此等刺客，在教養期中，須接受特別訓練，凡得罪於該主教者，往往被其暗殺。當時名國王公大臣之被殺者甚多，鄰近之小國因此受其脅制，而迫其向伊斯馬因主教年年納稅進貢若干，以求安全之保障，其兇狠之程度可知。

伊斯馬因在回教中爲一旁派，飲酒遊樂，善良之回教徒，以其行爲可恥，稱之爲「木剌夷」，意即爲「迷途而不走正道者」。

但「木剌夷」信徒甚衆，聲勢浩大，十三世紀時，曾據伊拉克建國，儼然一世之強，至一二五七年始爲蒙古西征軍所滅亡。新元史木剌夷傳中紀其事甚明，據云「……所居堡寨內築宮室苑囿，務極華麗，供張豪侈，爲出力殺人者乃得入。蓄童子自十二歲至二十歲，擇其有膽勇者，日諭以天堂福地享用之樂，既而醉之以酒，乘昏迷時載之入，恣所欲爲，俟飲醉乃載以出。其人醒，詢所遇，則告以穆罕默德所云天堂福地。乃命往殺某某，事成復其故處。不幸身死，靈魂升天，樂亦如是。故人人踴躍用命，或爲商賈、或爲奴僕、不遠千里以行其志焉。」

因其以麻醉之方式訓練刺客，刺客多能爲之效死，失敗被執時，仍多坦然就死，並高呼其主教萬歲。此種中風狂走硬不怕死的作風，確得人驚。蒙古旭烈兀滅「木剌夷」，悉殲其人衆，但猶有兔脫逃散者。至今中東回教各國暗殺之風仍盛，即其流風餘緒。如伊朗之拉茲馬拉總理、約旦阿布杜拉王、巴基斯坦總理阿里漢等之被刺殺，均爲震驚世界之大暗殺事件。伊拉克獨裁者卡森四年半前攪政變，殺其國王與首相薩伊德，今亦被人攪政變殺之，以其人之道還治其人，所謂惡有惡報歟？

南宋偏安有人才

——張浚

李仲侯

初，浚聞兀朮將至，檄召熙河經略使劉錫、秦鳳經略使孫渥、涇原經略使劉錡、環慶經略使趙哲，及權永興軍經略使吳玠之兵，合四十萬人，馬七萬匹，以錫爲元帥，迎敵決戰。曲端者，本以能戰聞於金，爲金人所懼，及洛索引兵至，軍中猶張曲端旗以懼敵，洛索不信，擁衆直前，遂與宋軍大戰於富平（陝西富平縣），兀朮之師亦會，劉錡身率士卒搏陣，斬獲頗多，勝負未分，而金鐵騎直衝趙哲軍，他將不及援，哲所部將望見塵起遂驚遁，諸將皆潰，金師乘隙而進，關陝大震。浚時駐邠州，既敗退保秦州，召趙哲斬之，而安置劉錫於合州，令諸將各還本路，上書待罪，高宗手詔慰勉之。自是關陝不可復，涇原、環慶諸州軍盡爲金有。浚退保興州，遣吳玠守和尚原。

自富平敗後，宋不能得志於關陝，而川蜀幾危，賴有吳玠兄弟奮力禦金，川蜀得無事。玠之保和尚原也，金將默呼等攻之不克，於是兀朮會諸帥兵將十餘萬，進薄和尚原，玠與弟璘設計破之，兀朮大敗，中二流矢，僅以身免，亟剃其鬚髯而遁。金師挫敗，既不得窺蜀，乃思出奇兵以取之。紹興三年，吳玠在河池，弟璘守和尚原，金師乘之，分兵謀進取，玠還救與金師遇，敗於饒鳳關（陝西石泉縣西），金師入興元，四川大震。時金師深入，饋餉不繼，殺馬及兩河所獲軍士而食，玠等邀擊之，遂棄輜重而走，於是興元得無事，而四川賴以少安。未幾，金兀朮又以師攻和尚原，和尚原不守，玠退保仙人關。

初金黏罕病篤，語諸將曰：「自吾入中國，未嘗有敢攖吾鋒者，獨張樞密與我抗。我在猶不能取蜀，我死汝曹宜絕意，但務自保而已」。兀朮怒曰：「是謂我不能耶」！遂不聽其言。當吳玠之守和尚原也，饋餉不繼，吳玠慮金人必復深入，且其地去蜀遠，乃令璘別營壘於仙人關之右，移兵守之。高宗八年，兀朮等果率步騎十萬，由和尚原攻仙人關，玠璘共拒之，戰鬥頗力，兀朮卒不勝，率師宵遁，中途遇伏又大敗。是役也兀朮以下，皆攜妻孥來，以爲仙人關破而川蜀可圖。既不得逞，乃還鳳翔，授甲士田爲久留計。張浚本欲由關陝以取中原，不料關陝失而川蜀行且不保，卒賴吳氏兄弟悉力固守，川蜀幸得保全。（廿八）

仲春故事

筱臣

迎女兒：俗於二月二日，無論大家小戶，必迎已嫁之女兒歸寧。此風吳俗最爲盛行，故有俗諺云：「二月二日，家家迎女兒。不迎女兒窮鬼兒。」

改妖忌：後漢書張魚傳：「魚拜武威太守；其俗多妖忌，凡二月五日產子，及與其父母同月生者，悉殺之。魚示以義方，嚴加賞罰，風俗頓改，百姓爲之立生祠。」

張王誕：乾隆歲時記「二月八日爲相公張王生辰，霍生行宮，謁拜極盛，百戲雜陳。」張王不知何神。國內蘇省各地多有張王廟，每年二月初八日爲廟會之期，商販類多售賣農具，蓋距麥熟期近，農家多於是時添置農具也。

相傳張王性喜凍狗肉，故每逢誕期，必屠狗以祀之。又云張王有三女，一個叫做風姑娘，一個叫做雨姑娘，另一個叫做雪姑娘，每於張王誕期前數日，必有風雨雪，云其女歸寧爲父親祝壽。此蓋附會之詞，實則蘇省氣候，入春尚寒，每年正月底二月初常有寒風雨雪。

浴蠶節：二月十二日浴蠶節，農政全書「二月十二日浴蠶，以菜花、野菜花，幽花，桃花，白荳花，揉之水中而浴之。」（二）

論氣節

漁翁

氣者，息也。論語：「屏氣似不息者」。無形質可見而相感應者曰氣。節者，操也。左傳：「聖達節，次守節，下失節」。人之有志操者曰節。是則氣節，亦可解爲人之品性，謂志氣與節操也。凡不肯阿附而擇善固執，生死以之者，謂之有氣節。

孟子曰：「吾善養吾浩然之氣，至大至剛，以直養而無害，則塞於天地之間。是集義所生者，非襲而取之也」。由此可知浩然之氣，以「直」爲出發點，是集合於「義」，「雖千萬人吾往矣」。

孟子又曰：「富貴不能淫，貧賤不能移，威武不能屈」，此三者，爲有氣節者所必具之條件。故論語云：「匹夫不可奪志也」。志之所在，雖頭可斷，命可捨，而不爲任何環境所能淫，所能移，所能屈也。

人之氣節，在平時不易表現，到千鈞一髮，危急存亡之秋，始克見之。此孔子所謂：「歲寒然後知松柏之後凋也。」松柏在春夏秋之溫暖時期，與常木等耳，一至嚴冬冰雪交加，草木凋零，而松蒼柏翠，遂見其不同流俗，難能可貴也。

古之具有志氣與節操者，指不勝屈，而以南宋末之文天祥爲其特出者。文字宋瑞，號文山，吉水人。理宗時，舉進士，官至江西安撫使。元兵入寇，天祥應詔勤王，見危受命，冒險使元軍，被執，得間遁眞州。時端宗立於福州，奉拜右丞相，封信國公，募兵禦戰，力圖恢復，兵敗被俘，囚京三年，以不屈死。臨刑時，在衣帶中檢出遺言：「孔曰成仁，孟曰取義；惟其義盡，所以仁至。讀聖賢書，所學何事？而今而後，庶幾無愧」！此浩然之氣，高尚之節，千百年下，猶爲國人所崇拜。

文在囚中，所作正氣歌云：「天地有正氣，雜然賦流形，下則爲河嶽，上則爲日星，於人曰浩然，沛乎塞蒼冥」。首即指出人稟正氣而生，有此浩然之氣，足以磅礴於蒼冥間也。中引太史簡，董狐筆，張良椎，蘇武節，以及嚴將軍頭，嵇侍中血，張睢陽齒，顏常山舌……以描寫昔哲之氣節所在，而明己志，即鼎鑊亦甘之如飴也。

再如漢之蘇武，杜陵人，字子卿，武帝時以中郎將使匈奴，被留居海上，嚙雪吞氈，使節牧羝，過着：「窮廬爲室旃爲牆，肉爲食兮酪爲漿」，「平沙萬里無人烟」，等等艱苦生活達十九年之久，所謂「不淫，不移，不屈」者，蘇武有焉。

宋之岳飛，字鵬舉，抱有大志，與金人戰，所向皆捷，高宗刺「精忠岳飛」四字於旗以賜之，非直搗黃龍而志不休。讀「滿江紅」一詞，足以知其氣節之偉大，雖爲奸臣秦檜所謀害，未能展其抱負，青史留名，典型尚在，此失敗的英雄，固永垂不朽者也！

有氣節，纔能流芳，晉桓溫有大志，嘗撫枕歎曰：「既不能流芳百世，不足復遺臭萬年耶！」見世說。無志氣節操之人，如宋之張宏範，明之洪承疇，皆爲國人所不齒，而卒遺臭於萬年。

時至今日，世道衰微，人心險惡，朝秦暮楚之徒遍天下，見利忘義，無正氣，無亮節，致演成赤禍橫流之浩劫。吾人欲拯生民於水火，化乖厲而爲祥和，挽救叔季之人心，非發揮每個人內心之正義氣節不爲功。而果能人人正道而行，勵其氣節，其偉大力量固莫之與京，無堅不摧也。國運轉捩之機，唯此而已，豈有他哉！

海嶠叢談

兩航飛機之變

諸葛文侯

民國三十八年（公元一九四九年）十一月九日清晨，愚方在港寓起床，接老友某君夫人電話，謂有緊急事須與台北即刻通消息，囑設法聯繫，言下似迫不及待然。時愚對台北情形甚隔閡，深感無以爲計，正躑躅莫決，而某夫人倉皇馳來告語曰：「現駐香港之中國與中央兩航空公司飛機數十架，將於廿四小時內叛飛上海與北平各地投共，故擬以長途電話報告台北當局，且看有無制止之法」。愚謂大嫂何以知之？答言有女婿某于役中航公司充任駕駛員，因不願附逆，特以此情密告也。愚聞訊駭然，即偕某夫人往晤我政府駐港澳外交特派員某，比至公廨，寂然人去樓空矣。旋探悉某潛往郊區別墅中，急馳前往，詎彼以愚素昧生平，拒不納，愚僞稱奉台北電令來商要公者，彼乃接見，當告以兩航公司謀叛消息，盼其設法制止。彼夷然曰：「此時我有甚末辦法？大勢如斯，無能爲力矣。」

我謂：「中英邦交猶存，似可請香港政府協助。」彼仍認爲徒勞無益，愚唯有失望而退。

翌日午前，果有中航機九架，央航機三架，陸續北飛共區，兩航公司總經理暨高級幹部皆隨機而行，公有器材運去不少，留港之大小新舊機穪尚有六十餘架，亦將繼續投共——事後僅有八架被當地政府扣留未去，我政府因此曾委託民航隊主持人陳納德將軍向英倫控訴得直也。綜查兩航人員謀叛原因，不外數項：（一）國府撤守大陸，轄地日狹，業務緊縮，擬向海外開拓航綫，又爲外商所阻，香港政府且下令驅逐中航修理廠。國府雖命其撤赴台灣，而撤退工作遲滯落；（二）毛共會派前任中航高級職員查儒湖來港，先向各駕駛員游說，迫使公司負責人取一致行動，許以赴內地後另組「人民航空公司」，所有兩航公司原有職員，一律錄用；（三）過去曾任交通部長某，隱居香港，密爲兩航策畫北飛投共計畫，並予以經濟援助。當叛變陰謀醞釀進行時，兩公司之外籍職員曾表示不願北去，但要求給以遣散費每人美金六千元，否則密報中國政府。此外則有央航副經理陳文寬亦反對投共，而其他諸華僑系之職員均與陳一致態度，但人數不及對方之多，故無能挽救也。此時中英表面邦交未絕，我政府駐港機構如外交特派員公署，如交通部辦事處等等，竟坐視國家鉅大之兩航資財一旦化爲烏有，而彼外交特派員也者，且乘局勢阽危之際，肆行販賣外交部護照漁利。語曰：「國家將亡，必有妖孽」，其斯之謂歟！

內僑警台報字第〇三一號內銷證

自由報

THE FREE NEWS

第一三八一期

中華民國僑務委員會登記證、台內新字第三二三號登記證、中華郵政台字第一二八二號執照登記為第一類新聞紙類

（半週刊每星期三、六出版）

每份港幣壹角

台灣零售價新台幣弍元

社　長：雷嘯岑

督印人：黃行富

社址：香港銅鑼灣高士威道二十號四樓

20. CAUSEWAY RD 3RD FL HONG KONG

TEL. 771726　電報掛號．7191

承印者：田風印刷廠

地址：香港灣仔高士打道二二一號

台灣分社

台北市西寧南路一一七號二樓

電話：三〇三四六

台郵撥儲金户九二五二

中國人的良心問題

吳本中

國於天地，必有以立。名之曰「國魂」，似太抽象，失之神秘。稱之為「民氣」，意不全賅，亦欠科學。法哲曰「ConsCience Nationale」，譯為「民族良心」其或近之。然則中國民族的良心如何？

憶昔肄業泰西，正課之餘，欲盡讀彼邦之論我中國者。對名漢學家不但聽其在法蘭西學院講授，且謀與之約談。他山之石可以攻玉；我們自己陶醉於「五千年文化」，「外夷狄而內諸夏」的觀念中，近朱者赤，近墨者黑，不自知其究居於何等世界上，入鮑魚之肆，久而不聞其臭者，非嗅覺本能之過，乃勢使然也。

他們有言：「中國」是一個地理或一個文化的代名詞，而並不是足以代表一個現代國家的名詞。身為現代一個中國人，更因為是一個血氣方剛的中國青年，聽來當然不順耳，且有餘怒焉。他們又說：一個民族之所以存在，就是因為這個民族在良知上感覺他們的存在。法文原句精簡，清醒與深奧三者兼而有之：就是「Unpeple n'existe que par la Conscience qu'il a de son existance」。筆者不敏深恐翻譯難達其意也。

「Conscience」是法文英用，源自拉丁，本可有數種譯意。但法國人若喊：「法蘭西良心問題」，則是指法蘭西民族自覺心之表露，法國人正義感的受刺激，法蘭西的眞實性有虧損，或為法蘭西民族威嚴所難接受的種種問題而言。一個民族必先具有這種對自己的良心、良知或自覺，然後可以生存，可以自立，亦可以自強，用不着呼神遠的「黃帝魂」，而自己的靈魂自在矣。戰時從軍，執戈衛國，此乃天經地義的國民天職，若拒絕當兵，即為叛逆，可服上刑者。然在英國，上次大戰時，竟有所謂被「良心譴責」（Conscientious Objector）而堅不肯上陣殺人者。因自己良心指示而反對戰爭或服軍役，而居然不受嚴刑重典，不亦咄咄怪事哉！究其原因，乃是現世文明，自由，民主國家，必須尊重民族良心及意志，然後始能眞有國格，有民氣，而巍然昂首長立於斯世也。未有揠苗可以助長者，亦絕不會壓抑人民良心而可以立國更發揚民族文化者。英，法，美三大民族之所以居今日民主自由陣線國家之首，最有資格享受「富強康樂」現代民主自由幸福者，吾人亦可思過半矣。

現世歐美大政治家，為救國福民而奮鬥終身者，如邱吉爾，戴高樂尙生在吾人眼前，姑不置論，已故者當首推法國「勝利之父」克里孟梭。這位活到八十八歲而從不做壽，功名蓋世，而永未接受任何勳章，死而不受國葬，遺囑夜半運棺出巴黎俾免驚動大衆，種種超俗絕倫的千古「大硬漢」，綜觀其史蹟，眞令人拍案驚奇，拔劍起舞！然而這個偉大性格，卻代表了「法蘭西良心」。因小小的一位尉官Dreyfus刑事案件，在法國議會，鬧得全國沸騰。若在咱們中國，一個無名小軍官，有人說他反叛，判終身監禁，誰會管這類閒事？又誰肯惹這類是非？良心不良心，根本不生問題，「明哲保身」而已！可是，在法國，半世紀多以前，竟發生「法蘭西人的良心」問題，因此區區案件而創出歷史著名事蹟。當時克氏以壯年議員資格同受「良心」支配，而大多法國人亦要「打破沙鍋問到底」，不容政府或法院冤屈任何人！這就是一個民族的良心問題，亦就是民主，自由的眞諦，是一個民族的昌盛與否的深因所在。我們中國人亦應知所深忍，自省，警惕及懺悔。

我們如此的綿長歷史上，當然亦可以覓出幾位代表中國人良心的人物。縱然他們是遙遠的，或多少有些神奇而不甚合乎現代科學觀點的。如岳武穆精忠報國，民族正氣浩然，西湖岳墓前秦檜夫婦長跪，正所謂：「青山有幸埋忠骨，白鐵無辜鑄佞人。」然當時奸邪可富貴榮華安然逞志，不但十二道金牌可使勝利將軍班師、敵虜深入，朝野坐視，無人援救，而「莫須有」之罪竟能陷害忠良，未聞有正義狂吼者。韓文忠公亦「明哲保身」自私自利，退而騎驢遊西子湖。後世文人無聊，作詩憑弔，有何用哉。一個大民族的良心發現，是要與邪惡事實奮鬥，不顧生死禍福，不計成敗利鈍。「明哲保身」是一種卑陋怯懦行為，忘正義而圖小益與近利，漠視億兆人的共同利益而抹煞自己的良心，烏可為訓耶？

就算是古人有可以代表我們中華民族良心，且發揮得淋漓盡致，然千百年前的事，換諸近世，是否我們現代中國人仍有此偉大精神，亦就不無疑問。「千古文人最無恥，專捧流氓作天子」。劉邦無賴出身，用儒冠作溺器，然替他定朝儀，向他呼萬歲，尊其父為太上皇者，盡是儒教中士大夫。今日我們讀歷史亦為之作嘔。可是，現代政治上的事實又如何？人人心裏有數，不必詳徵博引，試問今日在秧歌王朝，口不停「毛主席偉大」，喊不盡「毛主席萬歲」者，不是過去在大陸上，一聽「委員長」三字即起立致敬，挺胸腑凹腰眼，皮鞋跟作巨響，而高呼「蔣委員長萬歲」的人嗎？昨日之封疆大吏，廟堂重臣，寵信似忠貞無比者，而今良心安在哉？這些都是赫赫師尹，顯達一時之輩，其他隨波逐流，有奶是娘，不識民族良心何物者，滔滔皆是，更無論矣。

抗戰時在重慶，某友邦大使館文化專員曾以沉痛心情語我曰：「你不知有多少中國學者來哀求我想辦法出洋。你們祖國被日本侵佔到這樣地步，他們是中國優秀分子，竟想逃避責任，不管國家興亡，遠走高飛，眞令我心厭！」這位外卿的老實話，凡有血性的中國人聽來，應當是如何的難過！筆者嗣後在抗戰期內，雖任職外交部，亦並不欲外放，從未要求入中央訓練團受訓，以取得當時外放的必要資格與捷徑，更甘願以文人而軍役第四戰區前線指揮所，面對僅距三十公里之敵人，而感覺心安理得。

總之，近百餘年來，以一個擁有世界人數最多，領土最大，且有數千年歷史文化的民族，據亞洲中央最大的一塊錦繡山河，而弄到現在如此不成樣的地步，是誰之過？原因安在？就是「中國魂」尙未鑄成，中國人的良心尙未發現，這是何等痛心的事！西哲有言：「中國譬如滔滔一壁海，投入之物將盡成中國醃味。」這話解釋有好壞兩面意義。姑言好的意義：在昔華夏文明獨尊，可使四夷同化而變成「中國味」；「中國」即是一個文化代名詞，而非具有中國良心，中國魂的一個民族和一個國家，亦無所謂。然今日核子時代，處共黨與西方兩大集團之間的生死鬥爭中，我們中國的醃味尙可醃其他民族乎？是不能不速自省悟，激發我們的民族良心，把一堆散沙，用鋼骨水泥築成堅強而高聳雲霄的中華民國大廈，光復中原，重整破碎江山，進而與世界列強併駕齊驅，立己立人，為全球人類創進和平康樂的生活，不亦宜乎！時人昌言「心理建設」，如非徒託空談，即須以全民族自動自發的表現良心血性為始基，庶幾有豸！

漫畫天下

「試試夠深了沒有，同志」

無能為力

自由談

喜新厭舊的報應

美國人當年指斥反共的古巴總理巴蒂斯塔（Batista）為獨裁不民主，大力援助卡斯特洛向古巴從事革命運動，卡氏終於奪得政權，逐漸實行共産主義，而以反美為首務。

繼而旅美的古巴人士組織革命軍，徵得美國當道同意，在向古巴登陸作戰時，美方即以空軍應援之。臨時竟由於駐聯合國代表史蒂文生的面子關係，甘迺迪總統下令禁止美空軍出動助戰，以致古巴人民的反共革命軍遭受慘敗，被俘者數逾千人，美國又以藥品及大量美金給予卡斯特洛，作為贖釋這批俘虜的代價。

現在古巴成了赤化拉丁美洲的堡壘，且以火箭攻擊美國的漁船，行同挑釁，美總統聲言命令三軍採取行動應付古巴的挑戰，而蘇俄國防部長卻聲明：美國如果進攻古巴，俄國必以飛彈應援，不惜引起世界大戰；又說俄國可以從地面指揮天空的人造衛星，對任何地區發射火箭，摧毀美國各大都市。

美國人早有「原子僵局」的畏戰心理，如今再聽到俄共軍事當局這種恐嚇之詞，有不慄慄危懼者乎？如是，古巴遂成赤化堡壘安如磐石了！推源禍始，就是美國人好新鮮玩藝之天性使然也。

十五年前，美國人同樣以好新鮮玩藝的性情，指摘反共最力的中華民國政府為不民主，千方百計地協助中共奪取政權，窃據中國大陸，成為反對「美帝」的頭號勁敵。美共在國內被視為非法團體，要向政府登記為「外國代理人」，但美國人卻教日本共黨竟有合法地位（現行日本憲法是美國人製訂的），以致成為亞洲反美的有力的幫兇者。我敢大胆預言：將來西班牙的佛朗哥政府，如果偶有芝末小事情使美國不滿意，美國人亦必指其為獨裁不民主，不惜幫助西國共産黨奪取政權哪！

似此喜新厭舊，以國為戲的幼稚行為，若謂可以領導自由世界，打倒共産極權侵畧勢力，那眞是奇蹟中之奇蹟了！

馬五先生

三埠游擊隊活躍

共軍手忙脚亂疲於奔命 到處搞戒嚴隨時亂抓人

（本報訊）一位曾回大陸接濟親友的建築工人某君，返港後對記者說：粵境三埠已因國軍游擊隊出沒無常，備極活躍，而陷入風聲鶴唳中。

他說反共游擊隊曾大規模進入三埠之長沙地區，進行爆破工作，經炸燬共軍倉庫，焚燒貨車及軍用車輛，使共軍死亡十餘人，傷者數十。反共游擊隊於行動後經已全安撤退。

另兩批游擊隊，曾攻入新昌，荻海，亦炸燬共軍設備，事後共軍開到戒嚴，進入山區搜索，但已失去游擊隊的踪跡。共軍檢查游擊隊所到之處，發見牆壁間反共標語，居民爭相圍觀，共軍竟老羞成怒，拘去十幾個無辜居民。

由於不斷有反共游擊隊出現，共軍經在三埠之新昌、長沙、荻海一帶，實行戒嚴，如臨大敵，胡亂捕人，形態甚為緊張，致入夜之後，便成死市。（介人）

未談政見・先爭規則

省議員競選一場前哨戰

候選人應否私辦政見發表會 各方見仁見智各有一套理論

（本報記者台北航訊）與三屆省議員選舉有密切關係的「選舉罷免取締辦法」，目前傳出或將廢止候選人私辦政見發表會，候選人禁設競選辦事處，不得設立助選員等。對於這項有關地方自治實施以來競選活動重大修改的傳說，各方面人士均表關切，見仁見智，各有一套理論。至於主持這項法規修改工作的台灣省政府方面的態度，據民政廳副廳長張騰發表示，是否廢止候選人私辦政見發表會，目前尚未決定，因為許多主辦單位及專家的意見不一。又說：一般來講，選舉應該是五花八門的，各種方式都有，才能激起熱鬧，使選民們踴躍投票，廢止私辦政見發表會是否影響到選舉的氣氛，這是不能不顧慮的，所以目前尚未作最後決定。

以下是執政黨與在野黨台北市負責人的意見：

執政的國民黨台北市黨部主任委員彭德，他是贊同禁止候選人私辦政見發表會的，他說：不辦私人政見發表會，不但可以節省消耗，亦可減少很多麻煩。彭氏認為：有了公辦的政見發表會，已經足夠機會讓候選人去發表政見了，何必私人再浪費金錢去舉辦政見發表會？

彭氏還說：十年以來，由於所選出來的地方行政首長及民意代表多未能為選民服務，因此使選民在投票時感到徬徨，對選舉也就不感興趣了。他強調法令應對候選人資格加以限制，對拿錢作為競選武器的人，更應予嚴格的取締，否則當選後多想撈回本錢，把「選民服務」的本責，反而擱在一邊了。

青年黨台北市黨部主任委員朱宗文，對於據傳法令將修改，即不許候選人私辦政見發表會的問題，提出三個疑慮，他說：一廢止候選人私辦政見發表會之目的，除了節省費用外，還有什麼好的地方？二限制私辦政見發表會，減少了聽衆，是否會因而影響選舉潮的氣氛而減低投票率？三候選人如用其他流動街頭演講式的變相發表政見，將作如何處理？

朱宗文顯然認為為了防止浪費而禁止私人舉辦政見發表會的理由不充分，他並對選民可能減低投票興趣的問題，舉出例證說：第二屆省議員選舉，本市的投票率只為百分之六八．六八，這還是因為候選人競爭激烈才有這樣的成績。今年選民人數增加了，倘果禁止私辦政見發表會，選民對候選人缺少認識，不夠了解，再加上候選人不如理想，只怕選民投票的興趣，還要低落。他說：講民主政治而與選民脫了節，是一種退步現象。

民社黨台北市黨部主任委員李賜卿，也不同意禁止私辦政見發表會。他說：美國總統大選，甘迺迪同尼克遜特地在電視台上，向全國選民舉辦政見發表會，讓人民了解他們的政見，好作為投票的選擇；我們卻不多給機會讓選民了解候選人的政見，這個理由實在想不通。

李賜卿說：有許多候選人，平時那有機會接觸這樣多的選民？不讓他們多有機會說明自己的政見，選民怎樣去選擇？他還認為：禁止私辦政見發表會，並不能達到防止浪費的目的，因為大家不能公開競爭，便只有轉入地下，暗地花錢活動買票，浪費得還更大。

李賜卿說：擁護政府，反攻大陸，是全國人民一致的願望，希望對於競選活動不要多加限制，讓候選人在地方上發生帶頭作用，領導民意，支持政府，完成反攻大陸的神聖使命。

在傳說將禁止私辦政見發表會之前，曾有一個傳說，說是要修改法規，積極性的限制候選人的資格。但消息傳出之後，反應不甚佳，政府也從善如流，在公佈的法規中，並未列有限制資格的規定。現在這項禁止私辦政見發表會的傳說，又引起爭論，一般相信，政府將本着「民意為歸」的原則，作最妥善的處理。而此項爭論，實際不妨視之為省議員競選的前哨戰。（吳達）

香港與大陸

暨大副校長撤換經緯

毛共欲藉此籠絡僑生加強管制

中共為了綏和暨南大學僑生不滿清算，近又施展「騙」手段，把一切過錯推到已被撤差的原任副校長（代校長之職）梁奇達身上，並從而掀起「搞好學習」的運動，藉籠絡僑生，再則更重要是加強管制僑生。

藉春節來港探親為名，不願再回「暨南大學」受罪的僑生張中言君向記者透露：幾乎來受中共統戰歌頌騙回大陸升學的僑生，都受共黨獨裁暴政的荼毒之餘，除後悔當初的愚蠢外，都對共黨產生強烈的憎恨。暨南大學收容僑生最多的，僑生對共黨各項措施均極為不滿，曾不斷寫信給海外親友，敘述大陸同胞慘狀，警告不要再受騙。中共認為情況嚴重，對其爭取僑匯的政策有惡劣的影響，檢討的結果，認為僑生之所以如此，由於過去學校行政對勞動教育抓得太緊，對知識教育卻太不重視之故，於是便使用調走原任副校長的手段來挽救。

張中言君說：[illegible]支書的話說：暨南大學過去之所以會「把學習搞垮了」，是由[illegible]「美化」學校，為建築「明湖」和「日湖」，此兩大工程需要幾十萬「人工日」，而此等人工皆由同學中得來，因此使每個同學皆須付出極大勞動力，每當課餘時甚至是上課的時間，均被召到工地上去勞動，同時糧食配給亦搞得不妥，使同學營養太差，影響身體健康而「無心向學」。另外，原任副校長又依靠權勢，強向江門縣要了一百頭耕牛（該副校長原為江門專區地委書記）在學校牧養，要同學管理，也對同學們增加麻煩。

[illegible]的辦法，其他學校無不如是。而且，該黨支書如此報告之後，立刻「要求」各系級訂製學習計劃，命令要在新的學期中「把學習搞好」。而所謂學習計劃，實際是更加強管制學生的紀律，它們就以搞好學習為藉口，不准學生外出，如就連在假日期間，若無特殊事故經許可者，皆不得外出，須留在宿舍中「讀書」之類。

但張中言君說：僑生看得多了，中共這種手段當然行不通。學生們對那些「學習計劃」亦無補打彩，甚至不加理會。大家希望的祇是如何能夠設法重到海外，脫離苦海。張中言君很慶幸他已經脫離了苦海。（敬斯）

周榆瑞其人其事

（本報訊）香港大公報記者周榆瑞投奔自由消息，最近由於周氏在英倫公開露面發表談話，又成為報紙上的熱門新聞了。本報特將周氏過去的經歷，及其決心投奔自由世界的情節，約略叙述，以告讀者。

周係福建人，英文程度極佳，中文底子不錯，是一位優秀的知識份子。我國對日抗戰時，他服務於英國駐華新聞處，在桂林居留時期，他經常與英國新聞處之同事與當地報界人士聯絡應酬，成績不壞。他跟當時在桂林出版的大公報幹部人物交誼尤深，即奠下了後來進大公報作記者的基礎。周於抗戰時期在桂林結婚的，他的太太亦係閩人，但婚後不到一百天，他忽然瘋了，見人即打罵，要用鐵鎖鍊來扣住他的手足，纔告平靜。一日他把鐵鍊弄斷，一跑到設在桂林市外的「立報」報社去，大罵大鬧，該報社長張某聞訊出來跟他周旋，他卻態度和諧，毫無異狀，而且對張氏的話，樂於聽從。因此，一般友好跟周太太商量，決定請張氏陪伴周君赴柳州一行，把他送入當時設在柳州的軍醫院（戰區司令長官張發奎將軍管轄的醫務機構）去治療，路上亦無需細鎖周氏。周在柳州治療問題，三數月後，神經已告正常，出院回家休養一段時間，已完全復元。但英國新聞處的工作，亦就無法繼續担任了。等到桂林失守，他舉家撤至重慶，未幾，進入大公報，從事記者生活，直至民國四十一年，始終未離開大公報，最後幾年，他在香港大公報服務。

越民國四十一年（一九五二年）上半季，毛共命令周榆瑞回大陸去受訓，原因是他曾經在英國新聞處工作很久，毛共認為凡屬外國駐華的文化機構，都是帝國主義的特務間諜組織，周氏既幹過英國新聞處的工作，即有間諜嫌疑，非予以勞動改造不可，報社當然不能違抗毛共的命令，周氏亦以自言無他，欣然回去受訓。詎料他一回大陸，即被關進集中營，過着「勞改」的非人生活，歷四年之久（從一九五二年到五五年）。到一九五五年下季，毛共在外交方面表示「和平共存」姿態，對英美的態度有所改變（美毛此時開始舉行華沙談判），認為周氏尚有些剩餘價值可資利用，乃將他釋放，初在大陸上的大公報工作，他表現不錯，經過相當時期的考驗後，再教他回到香港，幹着他所說的那種「不願寫而又不能不寫」的差使，亦就安之若素。他總以為自己既經過了勞動改造後釋放出來，再行「為人民服務」，能力和勞績，總歸心情可以大白，前途不致毫無希望吧？

前年英美寮國問題十四國會議在日內瓦舉行時，[illegible]報社都派記者赴日內瓦採訪新聞，香港大公報派×××（此人係老共，[illegible]），[illegible]英文程度極差，[illegible]不料結果竟派[illegible]。因此周氏深受刺激，他認定自己已被列在毛共的黑名單之中，自知毫無發展希望，將來或許有降臨不測之禍，莫若及早脫出毛共的魔掌，他就決心投奔自由[illegible]，前往英倫[illegible]。

（（（南部）））近事

殘而不廢找出路來

義勞成效有待檢討

▲台南盲啞學校學生謝茂昌，獲得保送東海大學深造的機會，使殘而不廢的教育放射一道光芒。但遺憾的是公立大專不給予這些殘缺學生插脚機會。教育當局把卅五年時的保送「中央大學」就讀底制度廢除了，在一切為復興的台灣，迄無補救辦法。此次東海大學總算在「此路不通」中找出另一條路來，值得贊揚。

▲行政院國軍退除役官兵輔導會第七屆業務大會報於二月十八日召開了，其成果一屆比一屆多，這當然得歸功於主其事者的大力推動，許多退除役的官兵都因為獲得一份不愁吃飯的工作，得以安身立命，並對建設做出貢獻。只是，有人指出，還有在自謀生活的一羣中，發現流落街頭者，也得替他們想想辦法才好。

▲台灣的義勞運動，所耗人力物力之大，倘難有具體的統計。誰都不能否認其成效與價值的，但如果儘像眼痛醫眼、脚痛醫脚的話，義勞將祇是病態的東西，形成走不完的路，治不愈的疾。

▲高雄港務局棧埠處有兩件值得稱道的事：一是實施中的RSD裝卸儲轉辦法的成績良好，一是快近完工的新建機械香蕉棚的未來作業希望。據說，實施RSD之便於費率計算及裝卸儲轉等的公允公平，香蕉棚則是為便利貨主裝卸，減少損傷，保持貨色，以爭取外貿信譽的。（本報台灣區南部記者賴仕桓）

我對台省新聞處長的抗議

憑什麼權力扣留黃主席的請帖

本報台中記者熊徵宇

那是省議會結束總質詢的當天下午，有位同業問我：

「主席請客你去不去？這是黃先生就職以來第一次招待同業，你最好去去。」

「是哪天？我還沒有接到請帖哩」。

於是他在稿紙夾子裏檢出來給我看。那請帖上訂的日期，是二月十一日（星期一）下午七時。席設台中市教師會館，主人署名：黃杰。

我看過那帖子隨口答道：「去去也好。到時候我們一起去。」

但是到了十一日的下午，他來邀我，我還是沒有收到請帖。他一再說走，他說這回請的不光是省政記者，各報駐台中市的同業都有，不會沒有我。

「也許是少寫了一張。你請去。」

我對參加政府首長的宴會，興趣一向不濃，在十四年來的記者生涯裏，體會到，政府首長請新聞記者吃飯，無非是一份具有聯誼意義的客氣，無非是尊重記者們所代表的報社。在這些場合裏，是不會有新聞發表的，只要心領這份情誼，去不去吃也無所謂。

所以我很少參加這些宴會。所以對黃杰主席的這份請帖也沒有任何感覺。

但是後來聽說有好幾位同業告訴我，說是省府交際科發出的請帖，是由新聞處轉發給各報記者的，而我那一份，給新聞處長扣留了！

起初我不大相信，覺得在行政體制上，新聞處長不可能不顧官等的尊嚴，擅自扣留主席發出的請帖，雖然這並非「公事」，但也該有「秉承」，公務人員講的是「遵守」，何致於發生這樣的事情呢？

後來，我循着職業習慣，經過一番採訪，證實這事的確是實。是黃杰主席發出的請帖，給新聞處長吳紹璲扣留了！扣留的過程，我清清楚楚；憑什麼權力？我不懂！

源始何在

黃杰主席知不知道新聞處長扣留他的請帖，那是另外一回事，但我認為這是一種侵犯，要提出抗議！

既然是省府交際科秉黃杰主席的名請我，新聞處長無權扣留；假如新聞處請客不高興請我，我沒有話說，但是主席請客不把請帖轉給我，就是對我侵犯！也是對我所代表的香港自由報的侵犯，因為那份請帖上寫得有「香港自由報記者」的字樣。請的是自由報採訪新聞的代表人。

我以我個人的名義和我服務的報社的名義，對台灣省政府新聞處長吳紹璲提出抗議！

我把這抗議訴諸本報東南亞各地和台灣的讀者。

但是讀者們一定要問：「凡事總有源始，何以扣留你的請帖？」

若有此問，是必要的。我不會為一餐酒席沒有吃到來寫這篇稿，來浪費本報的寶貴篇幅和讀者的寶貴時間，雖然這件事的本身所觸及的意義是多方面的。

這源始，來自我在二月六日本報第二版的一篇特寫稿上。

那篇稿的標題是：「台灣省府新春漫筆」。在第五節的分題「新聞處長貪污？」的文字裏，有這樣一段敘述：

「台灣政治圈子裏的人，在去年年末傳出一些有聲有色的消息，說是舊曆年後，省府的二三級單位，有幾個首長要換，並且提名指姓，似乎也有道理。

「後來我把這消息摸了一下，原來是有人檢舉新聞處長吳紹璲有「貪污」之嫌，黃主席接到那份控告書後，表示：「如查屬實，立予撤換」。所謂二三級單位換人之說，可能是由此而出。（上）

天南風光

——沙羅越的歷史——

朱淵明

但是其巴船長的聯合進攻，在精神上的影響，卻是十分重大的，因為從來就沒有人敢去闖犯三里巴海盜躲藏的地方，而現在居然有一支新敵人出現了，他們携着大砲，有高超的瞄準力，以及奇異的武器，這力量能夠攻破河上的障碍物，滲透被認為牢不可破的防線。於是「巴地」，「巴古」，「林谷士」三地的海盜領袖們很快的降服下來，答應改正他們的行為，並到古晉去出席一個和平會議。這支聯合艦隊，就此光榮的收兵回返沙羅越首府。

其巴船長正準備以同樣的行動，去征討西廣海盜時，但麗都船卻奉命要駛返到香港去，這勦海盜的工作，只好暫時停止。可是，當其巴船長去了不到兩個星期，而從英國開出的那隻海軍測量船H．M．S．三馬讓號，竟也抵達沙羅越了，它的船長「谷查」氏，在離英時最後一分鐘內，既接奉到海軍大將的指示，自然依照着計劃，來巡視沙羅越，訪問布律克，更要深明煤礦的情形。這也就是等於英國政府非正式的關注布律克在沙羅越活動的開始。可是這隻船竟在沙羅越河上一個沙灘上擱淺，乃在布律克的幫助下不久就告脫險，這也可以說是布律克氏的際遇甚佳，遂無意中生出他有出力與表現能幹的機會來。於是谷查船長很快的就與布氏極為投契，而願意為他盡力幫忙了。

隨後谷查船長在沙羅越巡視完畢後，即與布律克同赴婆羅乃訪問，並深查鏡子島之煤炭情形。二人動身時，竟有好幾艘船隻同行，那就是H．M．S．哈里奎，H．M．米信汽船，羅來里帆船，及英國商人二檣船亞里亞等作伴偕行。布律克很興奮的在他日記上寫道：『一支頗大的艦隊，也是一支足以驚醒整個羣島土著的隊伍。』

布律克何以會如此興奮的呢？因為他已由個人冒險，逐漸步入事實上得到英海軍支持的階段，而以這一支聯合艦隊為其具體的象徵，故自婆羅乃的蘇丹以下，無人不認為布律克是有整個國家力量作後盾的，再加上他平時的表現，處處異乎常人，於是布氏與其同行者，此次抵達婆羅乃首府時，蘇丹翠勞自然非同小可，而足以令蘇丹及「炳利然」們有所畏懼的了。（卅四）

論戰鬥文學

吳文蔚

我們認為戰鬥文學的行動步驟，最好還是先從報紙的副刊上推廣擴展，其次是普及於各種雜誌，再次是由各作家各出版家攜手而大量的印刷小說，詩歌，和報導文學等等的單行本，由都市而深入於鄉村的民間，由台灣而推廣到東南亞以及海外華僑集聚的居留地。

因為報紙的副刊最容易跟人們接近，短小雋永的精采作品，也最容易收到巨大的效果，雜誌篇幅較長，同時也容易敘述有系統的完整故事，使讀者能對故事內容發生出濃厚的興趣與印象。至於單行本的小說和報導文學，由於體材與故事，都須要完整的安排與刻劃，這方面更能發揮作家的天才與技巧，同時也能博得讀者的向心與愛好。

在這裏或許有人會就心戰鬥文學推廣之後，會產生如下的兩個嚴重問題，一是體材，二是銷路。因為戰鬥文學或許偏於枯澀，不能像「內幕文學」，「武俠文學」，「色情文學」那樣的輕鬆活潑而引人入勝，於是，便會削減了讀者，阻塞了銷路。

這話粗看起來頗似有理，實際上則太謬不然！

戰鬥文學的本質，是有理想，有骨氣，有血有肉的精神產物，是有朝氣，有戰鬥性的，是要把無理想無人情無倫理的赤色暴政打倒，是要把醉生夢死的市儈惡魔掃蕩，是要把已墮落了的民族靈魂從昏沉沉的死灰中挽救出來，使得它重新建立生命，重新振作，挺起胸膛，昂揚揚的站立起來，大家同心同德，併肩攜手，與敵搏鬥，在政府反攻復國的大政策下，配合着軍事、政治、文化的進攻，從事收復我們的大好山河！這與墮落的，無靈魂的，沒有生命的「內幕文學」、「武俠文學」，是不能同日而語的。因為後者是一種時代的逆流，阻礙着時代巨輪前進，所以可總稱之為「吸血鬼文學」。我們要活命，要延續我們的民族文化，我們就要以戰鬥文學來撲滅這種「吸血鬼文學」，然後才能挺起身來，與敵人鬥爭！

至於說戰鬥文學的枯澀問題，那可是不盡然的，它的內容不僅是有骨、有肉、有血、有淚、有倫理、有情味，同時它也有輕鬆的情調，活潑的趣味，奔放的詞藻，和富有生命的活力，它可以寫成散文，寫成小說，寫成報導，寫成詩歌，更可以寫成大鼓詞，蓮花落，街頭戲等，讓人們說說唱唱，任意朗誦！

像這樣多方面的不拘一格的形式，真可以任令作家們發揮他的天才與技巧，運用他的靈感與智慧把現實的故事材料，寫成散文、小說、報導、詩歌，戲劇、電影，活生生的灌輸到讀者的腦海中，怎能不會引起廣大讀者的興趣，打開市場的銷路呢？（中）

瘟君續夢

第七四

越境興戎　盈廷驚白議

恃強犯上　舉座斥青蠅

周恩來卻笑不出，十分嚴肅的說道：「胡大哥，我是奉毛主席之命，專誠前來有事相商。」

胡志明拈着山羊鬍子，微笑道：「潤之是不是又想和赫老搗蛋。」

周恩來苦笑道：「胡大哥，什麼事也瞞不了你，毛主席現在確實騎虎難下，非幹一場不可了。」

胡志明拈着山羊鬍子，閉着眼睛說道：「去年在北京參加貴國國慶，我曾和潤之談過，你們和蘇聯鬥爭，不必自己出面，最好使阿爾巴尼亞出頭，勝了，果實歸於你們，敗了，由阿爾巴尼亞遭殃，現在你們一出前台，將來勝敗都難收拾。」

周恩來笑道：「胡大哥，你的計劃固然周密，可是，赫老也非弱者，他目前的辦法是有意迫我們走出前台，到了有一天隱藏不住，非露面不可了，又怎麼辦呢？」

胡志明聽到這裏，登時把手放下，正色說道：「恩來兄，你們有什麼計劃，不妨說出來大家研究一下。」

周恩來說道：「我們估計雙方一旦攤了牌，必然引起理論上一場混戰，到時東歐國家一定站在蘇聯那邊，我們這邊最多只有一個阿爾巴尼亞，未免相形見拙，因此，我們希望亞洲兄弟黨都站在我們這邊，尤其是胡大哥是世界上資格最老的共產黨員，假若能同我們在一起，聲勢就浩大了。」

胡志明聽到最後，不由得笑起來，當時問道：「恩來兄，亞洲兄弟黨你們有把握的有那幾個呢？」

周恩來道：「現在很難說，我們並沒有公開徵求大眾意見，毛主席的意思派我來問問胡大哥，一切看你的態度而定，假若你對這件事情有所遲疑的話，我們也就沒有勇氣再找別人了。」

胡志明拈着山羊鬍子沉思一時，說道：「我在北京已經同潤之詳細談過，到了最後關頭我一定站在你們這邊，不過，別讓我過早表示態度，那樣以來最後連一個調處人也沒有了。」

周恩來連連點頭說道：「胡大哥，祇要你答應支持我們就成了，不到最後關頭，我們決不拖你下水的。」

胡志明笑道：「不過，真到了那步田地，蘇聯的援助必然要隨之停止，我們的經濟可能會惡化。」

未等胡志明說完，周恩來就搶着說道：「胡大哥，你放心吧！蘇聯的援助全部由我們補償，決不讓你吃一點虧。」

胡志明站起來握着周恩來的手，連連搖撼幾下，說道：「恩來兄，我們就這樣一言為定，如有反悔，神明不佑。」

周恩來笑道：「馬列在天之靈也不保佑」。說過兩人一齊笑起來，就結束了這次會談。

周恩來在越南共停了六天，在范文同陪同下，參觀了河內仁政鄉農業生產合作社，當地社員還送了一筐桃子給他，周恩來當時就咬了一口，邊吃邊讚道：「這桃子真甜，我好久沒有吃過了。」

范文同悄悄問道：「中國怎麼沒有桃子。」

周恩來苦笑道：「桃樹都在大煉鋼時燒光了。」

范文同不由伸伸舌頭，對於自己國家的現狀也就頗感滿意。

（一八二）

馬蹄酥與胡椒餅

廈門餅食有所謂「馬蹄酥」者，外型如小飽，器似馬蹄，中裹麥芽糖，以麵製成。其可口在于皮脆，外脆而內韌，故老翁小孩，皆喜食之，爲廈門之一種特製品。在昔，廈人婚禮，女家之唯一必備的條件，乃要求男家須以禮餅若干爲聘。而禮餅之主要物，則馬蹄酥是也。

馬蹄酥之吃法有二：一、配以香茶，隨意咀嚼。一、以沸水沖之。前者，味其新，後者，嘗其舊；風味不同，乾濕亦異也。

另一種食品，亦爲余所喜愛，不易忘懷者，名曰：「胡椒餅」。此餅亦以麵製成，如普通餅之所謂「澎餅」，澎者謂其「中虛」也。餅皮參以鹽，而置以芝麻及胡椒末一物，配用鮮肉，多葱，剁碎，并香蒜等物，炒熟，先將餅放飯面炊熟，或用蒸籠炊熟，乘熱取炒熟之料納入之。一咀一嚼，香濃味甜。食後，品小罐茶解其膩，此境南面王不易也。嚱者：此餅即古人之所謂「胡麻餅」，未知確否？然餅有胡椒，有芝麻，顧名思義，理或然也。

花香月上樓小品

黃伯遠

粵式茶樓在廈門

廣州式茶樓，通行海內外，平、津、滬、漢，無不有之。廈門亦五口通商之一，然此類茶樓，輒多虧本，不能立足。或以爲異，實則，廈門小食檔林立，各有各的風味不同，不止適宜于本地人口胃，亦多爲外省人士所歡迎。故廣州茶樓，自清末光宣以來，即屢開屢起，不能經營如意。最初有衛伯芹其人者，創廣來居，裏邊雖大飽，支持最久，卒以破產。後雖仍有繼者，亦僅可支持而已。無他，如五香、蝦麵、炒米粉、炒麵線、鹹肉粽、蠔仔粥、薄餅、肉燕等等，皆爲廈門之有名小食品，所費不多，而風味則特殊，且無時間之限制，隨時隨地，可小飲三杯，快談片刻，與夫走卒，來去自由，初不必衣冠齊整，登高樓，與雅座，而後乃買幣也。

四十年前，廈門有「五香包」，「薄餅瓏」，前者以售五香，後者以售薄餅得名。五香包在城內，其滷味纖據云已有五十餘年歷史，從未洗滌，亦從未一日斷不經火炙。薄餅瓏在鎮南關，先是，有晉江名士楊舒者，在其肆中，發現陳白沙楹聯一對，楊固有古董癖，忍欲得之，而未由也。于是，乃廣邀朋侶，時到義店吃薄餅，由此傳播，來客益衆，而薄餅瓏之名乃鵲起焉。其後，肆主人知陳聯之可貴也，乃什襲而藏之，來者遂日少，此聯亦不知所終矣。

南宋偏安有人才

——張浚

李仲侯

浚復拜檢校少保定國軍節度使。浚在關陝三年，訓練新集之兵，當方張之敵，以劉子羽爲上賓，任趙開爲都轉運使，擢吳玠爲大將守鳳翔。子羽慷慨有才略，善理財。而玠每戰輒勝，西北遺民歸附日衆，故關陝雖失而全蜀安堵。且以形勢牽制，東南江淮亦賴以粗安。

將軍曲端者，建炎中嘗迫逐帥臣王庶而奪其印，吳玠敗於彭原，訴端不整師，富平之役，端議不合，其腹心張忠彥降敵，浚初起用端，中坐廢，竊欲再用之，後卒下端獄論死。會有言浚殺趙哲，曲端無辜，而任子羽、開、玠非是，朝廷疑之，遣王似副浚，會金將撒離曷及劉豫黨聚兵入攻，破金州，子羽爲與元帥約吳玠同守三泉，金人至金牛，宋師掩斬，馘及墜溪谷死者以數千計。浚聞王似來解兵柄，且奏似不可任，宰相呂頤浩不悅，勝非以宿憾日毀短浚，行在。初，辛炳知潭州，浚在陝調兵，炳不遣，浚奏劾之，炳爲御史中丞，率同列劾浚，以本官提舉洞霄宮居福州。去國，慮金人釋川陝之兵，必將併力窺東南，而朝廷已議講解，乃上疏極言其狀。未幾，劉豫之子麟果引金人入攻，高宗思浚前言，策免朱勝非，而參知政事趙鼎請幸平江，乃召浚以資政殿學士提舉萬壽觀兼侍讀，入見，高宗詔辨浚前誣，除知樞密院事。

浚既受命，即日赴江上視師，時金兀朮擁兵十萬于揚州，約日渡江決戰。浚長驅臨江，召韓世忠、張俊、劉光世議事，將士見浚，勇氣百倍。浚既部分諸將，身留鎮江節度之。世忠遣麾下王愈詣兀朮約戰，且言張樞密已在鎮江，兀朮曰：「張樞密貶嶺南，何得乃在此」？愈出浚所下文書示之，兀朮色變，是夕即引兵遁去。時浚除尚書右僕射同中書門下平章事兼知樞密院事，都督諸路軍馬。韓世忠聞劉豫兼兵淮陽，引師圍之，兀朮偕劉猊來救，世忠還。張浚每稱世忠與張俊二人可倚大事，至是分遣俊屯盱眙，世忠屯楚州，以扼金師，別以劉光世屯合肥以復壽州。豫聞張浚會諸將於江上，榜其罪逆，將進兵討之，而乞師於金。金人鑒於大儀之敗，不許。但遣兀朮提兵黎陽以觀釁。豫因率兵卅萬，分三道入寇。（廿九）

南袁北紀

漁翁

清朝以異族入主中華，鑒於元代措制過嚴而失敗，乃以科舉束縛一般智識分子之心思才力氣質，使其迷於虛榮，醉於功名，而無思漢之心，乃得高枕而臥治之。有清一代，漢學成就最大。至於文學，要以乾隆時代爲最盛，當時之特出者，有南袁北紀之稱。袁倘風流，而紀好詼諧，併有不少佳話流傳。

袁名枚，字子才，號簡齋，錢塘人。性敏而好學，有才子之號。年十八，舉於鄉科試；時大學士張廷玉主考，知袁爲江南才子，於袁進謁時詢之曰：「君字子才，殆自謂才子耶？」袁答：「此乃先人所許，非敢自誇」。張又曰：「君讀書幾何？」袁曰：「三十年以上所出之書，皆畢讀之矣」。張嫌其年少浮誇，是科出題爲默大學序，雖寥寥數語，不爲袁所注意，致以報罷，後卒以二甲進士入翰林，乞假歸娶，人咸榮之。袁催粧詩，有「慚愧少年貧裏過，玉堂春在洞房先」之句，實其自豪也。

袁入詞林後，出宰江寧，不久棄官。其性佚宕不羈，築隨園於江寧城西，臯園林之勝，極聲色之娛，桃李門牆，遍及巾幗，王侯爲之傾倒，走卒識其姓名，文采風流，論者推爲清代第一人，非過譽也。袁所收女弟子很衆，而入詩選者二十人，席佩蘭爲其中之一，袁以三寸金蓮鞋套贈之，席謝之以詩云：「從今感謝師恩重，立雪程門不畏寒」。頗傳誦一時。

袁一生姬妾之多，殆不止十二金釵。最早者爲陶姬，亳州人；次方聰娘，金姬，陸姬，鍾姬，蘇姬，均蘇州人。俗稱蘇州多美人，信然。旋又得秦淮之鳴姬，白下之金姬，最後得吳七姑於維揚。以亳州陶姬爲納寵之權輿，而以維揚七姑爲其殿尾也。袁生平所最篤嗜者，臨水登山，尋花問柳，年屆古稀，猶有時渡江至禹穴蘭亭，有時過太湖遊石公縹緲諸峯，又有時作天台雁宕之行，南至鄧尉探梅，下洞庭，[illegible]平山[illegible]，帆[illegible]月之留連，往往有花枝招颭，同遊[illegible]手皆名花，[illegible]其老而彌篤者，殆天性使然也。

一日，袁過洞庭而入長沙，湘人欲一睹風采，爲之下榻處，擁[illegible]車馬水洩不通，[illegible]之盛，甲於[illegible]。[illegible]典[illegible]理學[illegible]弟者[illegible]不[illegible]，[illegible]門首，大書一聯云：「[illegible]風流才子，名教罪人」。袁素以[illegible]觀，一笑置之。袁並對人言：「羅先生直孔門佳子弟也！」

紀名昀，字曉嵐，河間人。生而穎異，弱冠入詞林，爲高宗——乾隆帝——所器重，官至協辦大學士。紀貫徹群籍，旁通百家，修四庫全書，爲總纂，校訂整理，每書悉作提要，歷諸館首。稱大手筆焉。紀性坦率，而以詼諧聞，試舉一二，以資談助。

紀以卿貳得入值南書房，時值夏日炎熱，紀卸去袍褂，揮扇以談，忽聞帝至，著衣不及，匿於床下。帝坐因觀書，不發一言。紀因氣悶，久之不聞聲，言曰：「老頭子走了未？」帝聞之不悅，命出，斥之曰：「何以稱朕爲老頭子？」紀有智，乃奏曰：「皇帝萬歲，曰老；居萬人上，曰頭；天子者，天之子也。」帝笑而赦之。

乾隆五十壽，臣工賀詞，皆不稱意，命紀用語體爲文，因成一聯云：「二萬里黃圖，伊古以來，開一朝一統二萬里；五十年聖壽，自今以往，尚有九千九百五十年」。乾隆滿意之極。其心靈手敏，口成章者，如是。尤其詼諧，不有東方朔之遺聞佚事，多不勝舉。

朱騮先憶語

諸葛文侯

老友朱騮先（家驊）逝世忽忽經年，最載海隅有人倡議，舉行朱氏作古周年紀念會，因而使我憶及故人的若干前塵往事，值得談談，即所以誌黃壚之痛也。

我初識騮先在民國十四年多間，那時他執教北京大學，兼任國民黨北京市黨務工作，其時共產黨人跨入國民黨內，大肆其分化挑撥魔術棒子之故，北京市黨部乃形成兩大對壘集團，即南花園與翠花胡同黨部是也。朱氏係南花園健將，常與翠花胡同派之徐謙郭春濤等，明爭暗鬥不歇。一日，民黨人士在北大集會，我以初到北京，不明國共黨人鬥爭情況，受中學同窗友人郭春濤——這時他是北大的旁聽生——慫恿，欣然相偕赴會，追會議開始，見一西裝整齊，唇間蓄小鬍一撮，口操藍青官話的翩翩青年，登台主席致詞。詢諸郭君，知爲朱家驊氏，我笑謂年紀輕輕的人，幹嗎就要留着鬍鬚呢？郭言此乃頑固反動之象徵，實在討厭。繼而會衆爭辯問題甚烈，郭竟對朱氏呼打，即有不少附和之聲，會議無結果而散。從此我知道郭春濤是跟共黨沆瀣一氣的，不敢再事往還，而對朱氏印象頗佳，但彼此止於神交而已。

民國十五年三月十八日，北京各界民衆舉行大會後，馳赴段祺瑞的執政府請願，被衛隊槍殺數十人，構成有名的「三‧一八」慘案。這次大會原係國民黨人策動的，內定由朱騮先主席，共黨份子平時加朱氏以「小鬍子」綽號而不名，是日準備在大會中對小鬍子密謀不利。湖南黨人閻幼甫悉其情，因與朱氏志趣投合，不忍朱陷於危地，然不便明言其故。大會訂午前十時揭幕，朱於九時即「邊拾」全身（純素性講究穿着的）赴閻寓訪談，蓋閻寓距天安門大會場不遠，屆時擬偕往預會也。閻君乃強留朱縱談，繼之以午餐，謂羣衆大會照例不致準時舉行，主席不妨遲到，以免在台上枯坐久候云。詎午餐未畢，而執政府門前流血慘劇已發生，全城爲之震驚。朱氏亦蹌踉馳歸北大宿舍，密與黨人謀善後之策，倖免於難。因此，朱氏頗感閻幼甫愛護盛意，故日後朱在浙江民政廳長任內，即徵閻出任百里侯，迨朱升任浙省主席時，又派閻氏爲行政督察專員，表示報答云爾。

先是，朱氏在北平遭共黨與北洋政府兩面嫉視，已難安於北大講席矣。既而吳佩孚張作霖揭出「討赤」旗幟，名爲討伐馮玉祥，實係反對國民黨之革命運動，吳張聯軍入駐北京後，搜捕革命黨人甚急，朱乃潛行出京，遄赴廣州，初受知於中山大學校長戴季陶，入中大助戴料理校務，此民國十五年莫春事也。（一）

仲春故事

臣筱

花朝節：二月十二日又爲百花生日，亦名花朝節。陶朱公書：「二月十二日爲百花生日，無雨百花熟。」但有的又以二月十五日爲花朝節。花朝月夕，世所恆言，二八兩月，居春秋之中，故今俗多沿唐制以農曆二月十五日爲百花朝節，以與中秋月夕對偁。花朝節多以綵絹縛在花枝上，祝花事繁華，俗謂之「賞紅」。舊時江南各地，均甚盛行。蔡雲吳歈有一首絕詩：「百花生日是良辰，未到花朝一半春；萬紫千紅披錦繡，尙勞點綴護花神。」

唯其有花神，所以又有賽花神或花會之事，從二月中旬到三月中旬謂之花朝月，不外點綴花盤數十事，以供人們普遍欣賞。國內最有名的花會，要算成都的花會，規模之大，時間之長，歎觀止矣。廣州每屆是節，以往士庶多到河南看花，此刻整個大陸都成了監獄，還有什麼花朝之可言？龔潔廬花朝節口占：「憐花寂寞到江郊，豈爲偷香探麗園；自是多情非好色，不教芳草怨王孫。」又一首云：「吩咐東風莫浪飄，羅苑群芳共首翹；乞就瑤台仙玉露，濃垂春暖賞花朝。」而今廣州再無此種賞心樂事了。粵東紀聞載：「[illegible]電使，年春有時，每當花朝前後，置酒饌以待來賓，賞花者不問親疏，稍有花局，故里諺有云：『[illegible]賞花。』」（二、完）

內僑警台報字第○三一號內銷證

自由報

THE FREE NEWS

第一九三一期

社長：雷嘯岑

20 CAUSEWAY RD 3RD FL HONG KONG

TEL. 771726

台灣分社

由陳副總統訪問越南菲律賓

談到我國外交陣營必須調整

·雷嘯岑·

中華民國政府遷移台灣以來的十餘年間，國際友邦的當政者如總統、國王、副總統、內閣總理等大員，陸續前來訪問的，不一而足。這表示中華民國雖在國運迍邅之中，依然受着國際友邦的重視，德不孤，必有鄰，信有徵也。我們早就希望政府有同樣性質的報聘行動，藉以加强外交作用，現在欣聞陳副總統兼行政院長訪問越南和菲律賓，自係應有之義。

國家元首之出國報聘，本質上原屬禮貌的成份居多，但有些重大的政略問題，非一般外交官所能折衝處理者，即可藉此機會，作有效的協商決定，減少外交人員若干不必要的周旋，意義深厚，影響不小。尤其是越、菲兩邦，由於地緣關係與政治理想彼此息息相通，更應緊密合作，互信互助，而旅居這兩個友邦境內的華僑又甚衆，近年來我們對華僑問題，彼此皆感覺不無困擾之處，必須設法解決才是，這問題如其糾纏不清，可能妨碍邦交，亦可能妨碍友邦工商業前途的發展。陳副總統此次訪問越、菲時，對於華僑問題，很據我們的國策，體察友邦的實況，跟友邦元首竭誠商洽，向海外僑胞詳加曉諭，如能使此懸案迎刃而解，即爲此行莫大的收穫了。

副總統出國訪問，除卻與友邦元首交換大政方針的意見外，就便可以考察當地華僑社會情況，以及本國駐外使領人員的成績。但我們希望副總統不要以使領人員作耳目，要多聽當地僑胞中有聲望和清譽而又不善於奔走權貴之門的人士的意見，並且以單獨接談爲上，若致本國的使領人員率領引見，那就僅是一片敷衍恭維的門面話，得不到眞正的輿情的。漫說當着使領國元首之前，有使領人員在座，僑胞不會講出眞心話來，即對普通的一個本國游客，如果是在公衆場合，他們亦守口如瓶，不說實話——說了害怕有後患。例如三年前，我到西柏林旅行時，據當地僑胞訴說他們向中華民國使領館申請頒發或換領護照的麻煩情形，有憑有據，衆口一詞，首先對我訴苦的，是一位山東籍的劉姓富有僑商，亦有相當知識，說他的護照被巴黎使館扣留三年亦未發下，他在西柏林受着「無國籍難民」的待遇，每月要到當地警察局換領一次臨時居留證，困苦不堪。我回來即以此情報告老友外交部長黃少谷兄，他馬上向巴黎使館查詢究竟。詎對方一口否認有此事，且要我提出證據來，大有提起誹謗控訴之勢。經我據證詳細解答後，他覺得莫奈我何，竟對那位劉姓僑胞大逞官威，說是要查明「該民」平日多是跟甚末人來往，纔可換領護照，嚇得劉姓僑胞連忙寫信懇求我莫再向外交部說話，以免謄受災禍。幸而這位劉君是西柏林的僑領，家資富裕，連德國人亦認定他是反共的，否則很可能加他以「共諜」之名，根本不再發給他的護照哩！另一方面，大陸上的毛共政權對於旅居歐陸的中國人，凡有向它請領護照者，不收分文費用，亦不問政治立場，有請即發，毫無留難。我們的使領館卻視護照爲恩賜品，藉此對僑胞擅作威福，喪失民心。即此一端，可知舊有那般老油條式的所謂職業外交官，大多數都是觀念陳腐，思想落伍，決不足以勝任現階段的外交使命了。

現在國步艱難，外交工作特別重要，外交人才的遴選與安排，更非愼重考慮不可。除卻甄別舊人，選拔新才以外，尤須注意於適時適地與適任三大條件。同係一名外交人才，放在甲國很有用，擺到乙國即一籌莫展了。或在友邦某個執政者的時期中，勝任愉快，卓著成績，但換了另一個執政者，他卻人地不相宜了。這種情形，所在多有，舉世皆然。二次大戰前，希特勒執掌德國政權，稱霸歐陸時，英國即把駐華使節韓德遜調派爲駐德大使，原因是希特勒的親信高級幹部戈林喜歡打獵，韓德遜擅長此道，可以藉打獵的嗜好，接近戈林，從而運用外交手腕，完成任務。去夏我旅行菲律賓時，跟當地華僑領袖人物談到我們最近十年來的駐菲使節，他們認爲陳質平任內頗有表現，後來的繼任者，學問才幹都比陳氏高，但成績卻有遜色，原因是陳氏跟當時菲總統季里諾的日常生活習慣很投合，隨時接近，無話不談，許多外交問題，可在交際應酬場合得到商洽解決的便利。這都是證明外交官適時適地適任的重要性，不能忽視的。

目前我們的外交重點，首先是美國，但美國有它的一套對華外交政策，它對於台灣的情形，且比咱們這類僑居海外的中國人更清楚。我們要想憑着雙方的正規外交活動，以期轉移白宮既定的對華政策，實不可能。可是，美國原係輿論作主的國家，祗要輿論一致贊同的意見，政府就不敢不接納。因此，我們的駐美大使，應以在國際上負有聲譽的績學之士，而又能言善辯者爲上選，他隨時從事於全美的社交活動，到處發表演說，跟民衆接近，其效用即比住在華盛頓的大使館，僅僅穿着禮服奔走於白宮國務院之間，强多了。如果專事正規的外交活動，我認爲誰都可以作駐美大使，反正美國的對華外交政策就是那一套，與大使的人選不相干啊！

其次，日本與菲律賓的外交關係亦很重要。我們的第一流外交人才，若不放在日、菲與南韓這些國家，而置之於西班牙、土耳其，乃至於南美那些地區，可謂浪費之至。現任駐日、菲兩位大使，資格很老，才學亦不錯，而且都是我相識的朋友，論私誼，我應該替他們捧場，然就公誼而言，我覺得他們用違其長，頗有人地不相宜之感。譬如駐菲律賓的段大使，他如其跟駐西班牙的周大使對調一下，彼此都有適材適任之美。段大使人太老實，也極規矩，要他跟菲國那般執政人員折衝往還，實係一大苦事，即使教土耳其的邵大使駐在菲島，我認爲比較相宜些。至於日本的外交，在目前我們無法動之以勢，示之以力，更不宜談現實的利害問題，唯有以人事關係爲前提，或許多少可以發生作用。因此，駐日使節人選，非如張岳軍何敬之這些先生，即不合格。以上是就舊有外交陣營的人事現狀設想，亦有切實調整之必要。此外尙有許多新人才爲我們所不知者，政府應該博訪周諮，因才器使，且不惜破格錄用，對於在外交上有用之才，尤不宜投閒置散，化有用爲無用。還有英國方面，雖然表面上沒有邦交，實際上政治理想相同，國策亦無大異，我們對英國的國民外交工作太不夠，方法尤其有問題。談到國民外交，人才的關係更重要，近數十年來，我國有不少留學英國和歐洲大陸國家的人，何不及時選拔適時適地適任之士，以付國民外交使命，爲國努力呢？無論我們反攻復國的行動，幾時開始，怎樣進行，外交工作總是當務之急。然現有的外交陣營不調整刷新，即不足以適應時代的需要，心所謂危，謹述其愚見如此。

漫畫天下

共產主義：「我沒希望了！」

赤色厨子

自由談

鬼打架

毛共「紅旗」刊物上最近載出那篇對俄共理論鬥爭的長文，我只是看到共報的摘要紀述，即斷定它是毛澤東親自執筆的玩藝。因爲文字中的許多詞彙，如「可愛的修正主義老爺們」，以及「氣壯如牛，膽小如鼠」等類語句，皆非毛酋莫辦也。

這種「鬼打架」的理論爭辯，本質上沒有甚末值得重視的。毛澤東在十年前，宣稱向俄帝一面倒的理由時，亦曾有「可愛的先生們，我們是一面倒」的名句，如今又怨俄帝不以平等地位看待，說俄酋是以沙文主義來對待「兄弟國家」，這是否「人民內部的矛盾問題」？毛酋將何以自解呢？

若說毛共當年的一面倒，是倒向史達林爺爺，非所謂於一般的「蘇聯老大哥」。那末，當史達林去世之後，投共的降虜貳臣龍雲，曾在「鳴放」運動中，指摘蘇俄既要毛共參加韓戰，又迫毛共償還韓戰時所用蘇俄軍火的代價爲不夠朋友的說法，即與毛共今日罵赫魯歇夫刻薄寡恩的意旨完全一致，何以當年竟加龍雲以「右派」「帽子」，痛予凌虐打擊呢？即此可見共産黨人的天性是喜怒無常，寃親不分，無所謂信義，亦談不到理性。毛共口口聲聲教別人「跟着共産黨走」，似此情況，凡屬有心跟着共産黨走的人，結果就只有死路一條而已。

毛共以「眞正陸稿薦」的馬列主義者自任，啃住馬克斯的陳腐教條不放，俄共斥之爲「教條主義」，爲「宗派主義」，並不寃枉。馬克斯列寧生存的時代，與今日的原子世紀生活情形，判若霄壤，豈可同日而語？共黨是講究現實存在，崇信唯物辯證法則的，然毛共的一切言行，皆以形而上的唯心主義爲出發點，俄共指其爲教條思想，不亦宜乎！

這場潑婦罵街式的內鬨把戲，一時不會收場的。赫魯歇夫決不致歇爾而息，睡面自乾，他大概要把應付之策籌劃妥當，然後作某種方式的還擊，使毛共非屈服不可。好戲還在後頭，咱們等着瞧罷！

馬五先生

毛共設阱陷害民衆 假扮國軍登陸陸豐

結果無辜受害者近千人

（本報訊）春節期中曾回大陸探親的工友某君說：中共對廣東各地反共遊擊隊的活躍，確實栖栖皇皇如坐針氈，中共在陸豐竟然因此佈下陷阱，收拾無辜的農民同胞，其行爲之卑鄙齷齪，令人髮指。

原來反共遊擊隊的活動，多係獲得大陸同胞的暗中協助的，中共對此亦清楚，於是它便佈下陷阱去捉人。它的陷阱是徵集民兵隊員，由共幹領導參加所謂「防特」及「捍衞鄉土」的演習，並發予類似國軍的制服，以及「青天白日滿地紅」的國旗，要他們演習登陸進攻的一方，而共軍則担任防守的一方。

但中共卻不把演習之事知會當地民衆，使他們完全被蒙在鼓裏。由共幹率領的民兵隊假扮的國軍從別地乘船抵達演習地區，實行登陸，而負責防守的共軍卻不立即出現，如是，假扮國軍的民兵在全無抵抗的情勢下登陸成功了。登陸後，這些假扮的國軍，由共幹出頭要求當地民衆合作，供應糧食及指示路途。當地民衆不知究裏，誤以爲確實是從台灣而來的國軍，大家高興非常，紛紛獻出糧食，又指點共軍駐營所在，有的且自願隨軍行動去打共軍，當被假扮國軍的共幹一一加以接納下來。這時，中共軍出動了，它們展開包圍，着着進逼，進行頗爲逼眞的空槍射擊演習，歷數小時之久，「結果」是把登陸進攻的一方「打敗」了，全部被活捉而去。還有自願隨軍的民衆，自更無一漏網。演習下來，自願隨軍被捉者不消說是暴露了立場，那些曾獻糧指點共軍駐地的民衆，亦被按圖索驥，一一拘捕，輕者送去勞改，情節重大的從此不知所終。計墮入中共這次陷阱的無辜民衆，爲數將近千人之衆。（介人）

立院質詢僑務中有此呼聲

政府須有反共行動 纔能爭取僑胞擁護

（本報記者台北航訊）當前的僑務政策，本報曾多次提供意見，希望政府有所革新。現在，立法委員也有同感，乃提出質詢，問政府有無整個的計劃？本文所報道的，爲廣東汕頭籍立委沈之敬向行政院所提的質詢。

沈之敬在質詢時，希望從事海外工作者，應注意海外的時代背景。他說：海外僑區，有的從殖民時代到民族自主，有的從農業社會到工業社會，又有的從工業社會進入太空時代；由於時代推演，華僑的特質有了重大的轉變，爲生存而掙扎的僑胞，數十年前的「狂熱」和「衝動」，今天已爲「遠慮」「深謀」的替代。過去，有華僑才有革命政府，今天，必須政府有反共的行動才能爭取到華僑。儘管僑胞熱愛祖國，支持政府是無保留態度的，但卻有條件，什麼條件呢？就是要政府有能有爲有希望和前途，然後他們才無保留的支持政府。所以單靠省區人事，鄉情友誼的關係，實際上是沒有效果的。沈之敬說：要海外工作有成效，必須有一個有能的政府和一個正確的政策來領導。

沈之敬說：就年來華僑回國投資的總額的八千二百餘萬元言，實際上祇有五千多萬至六千萬元。且百分之七十以上是眞華僑假投資，和假華僑眞投資，這證明眞正僑資很少回國。他又說：東南亞各國的排華風潮，是政府一件沈重的困擾，如循經濟途徑去謀消弭，把我國技術，華僑資金，和當地政府三方面的利益合一，在當地建立工商企業，促進貿易，繁榮經濟，應有成效。在泰菲兩國的初步成就，就是一個例子。

沈之敬指出：像泰國每年五億美元的對外貿易，其中有一億五、六千萬美元是透過僑商之手，和日本交易，且交易的貨品又都是我國所能供應的東西，假如有好的對策，不難爭回這筆利益。政府對此有無有效的方案？

關於僑生回國升學的問題，沈之敬主張在海外發動一次僑生教育籌款的捐獻運動。他說：在台升學僑生有一萬六千多人，佔國內大專學生之六分之一，過去有美援支持，但從五十一年起，美援開始減縮，至五十四年就完全停止，如維持目前回國升學僑生的數額，每年增加二、三千萬元的預算不可。當此教育經費短絀，大專學額供不應求之際，而僑生數額又不能不維持，請問用什麼辦法來解決這個困難？因此，他認爲政府數年來用於僑生回國升學的美援專款達兩億多元，相信在海外僑社已經起了相當深厚的影響，是否向華僑發動一次捐款運動，將籌募之款，來創辦華僑大學也好，或維持原來升學名額也好，他相信可獲得成果的，只要有適當的辦法。

沈之敬認爲僑務工作，講組織談管理，都是不易做到和不易做得好的。況目前海外工作單位也夠多了，爲了省錢，並爲了減少有關單位彼此相抵銷起見，僑委會所掌事項，以不與各部會及駐外使館職權相牴觸爲限；而僑委會主管事項，我駐外使館有指揮之權，一切透過駐外使館去處理，此爲僑委會組織法所明文規定。

沈之敬說：僑務預算，年達四千八百多萬元，其中若干開支並非絕對必要。他希望僑委會在新會計年度重新調整，把業務項目配合政策，重點使用。（健生）

春耕缺種缺牛缺農具 毛共迫農民苦戰過關

（香港與大陸）大陸各地正陸續展開春耕工作，但許多「公社」皆因爲缺乏種籽、耕牛和農具，使工作備受阻礙。中共爲解決此等問題，除勒令農民捐獻「餘糧」，用以向糧食局換取種籽外，又要農民「苦戰」一個月，克服缺乏畜力和農具帶來的困難。

曾回廣東興寧縣探親甫返港的林師奶向記者透露：大陸今年的農業生產，存在許多問題，譬如人造的天災（按共黨歷年來皆築水塘水庫，儲水以爲灌溉，但因爲係泥築成的，不夠堅固，常被水冲崩，造成大水災，故云），農民消極反共而怠工等均是；另外中共還遭遇到缺乏種籽，耕牛和農具的困難，在需要立即解決，否則過了時令便來不及了。

林師奶說：半個月前，她老家所屬的公社，共幹便會召開全體「社員」大會，在大會中首先宣佈處罰公社保管員和幾位看牛的農民，他們的「罪名」分別爲盜取公社穀種和損害公社耕牛。繼而共幹便報告公社在春耕工作中有待克服的難題，並要農民苦戰一個月，渡過增產糧食的「第一關」。

該公社共幹的報告指出：公社種籽的保管工作做得不好，去年留的種籽，被損壞和偷去了大半，整個公社現缺少三千多斤穀種。又公社那些負責看牛的社員，不好好看養，常讓耕牛餓肚子，甚而被風吹雨淋，死傷了大半，使公社嚴重的缺乏耕牛，平均每四十多畝田才分配到一頭牛。另又指大多數農民都不愛惜公社農具，用後不加以保管，隨便拋放，致使公社農具缺乏的問題更加嚴重。該共幹至此用恐嚇的口吻說：這些問題，都得迅速解決，不然的話，過了時令，勢必更減產，那時不單要受上級的指斥，全體社員亦非減少糧食配額不可。接着共幹要大家「討論」解決困難的方法，實際是它們早計劃好了，討論不過是一種形式。

解決方法如下：發動社員捐獻「餘糧」，原則上每人要捐五斤，在一天內集交至「小隊長」處，用以向糧食局換取穀種；要全體社員「苦戰」一個月，特別是挑選青壯農民組織「健農隊」，用四個「健農」代替一條耕牛，以進行翻耕工作，解決缺乏耕牛的問題；勒令公社所轄的「供銷社」和「手工業生產合作社」的全體社員們，迅速趕造犂耙、鋤頭、吊水桶等農具，以應目前之急。

林師奶說：當共幹把這些措施宣佈出來時，農民們個個神色沮喪，那些被選爲「健農」的更如聞霹靂，有一個廿多歲的女人，當宣佈了她爲「健農」時，登時大聲痛哭，並同共幹爭吵，她說：「你們這些幹部常說國民黨時期，人民做牛做馬，其實這些年來共產黨才是眞正要人民做牛做馬」！（敬斯）

胡適逝世滿一年 紀念設施開步走

（本報台灣航訊）二月二十四日是胡適之先生逝世週年，社會上發出了胡先生死後被「冷落」了的呼聲，這且不去談它。這裏報導幾件紀念胡先生的設施的進度：

（一）胡先生墓園的工程與佈置：計劃在兩三年內造成一個幽美環境，能使中外人士永久憑弔的處所。北大同學會與中國公學同學會，捐建的銅像，均予週年紀念日破土興工。

（二）胡先生紀念講座的設置：除在美國方面已由有關中美人士在胡先生的母校——康乃爾大學及哥倫比亞大學——設置獎學金外，國內方面，中華文教基金會亦經同意撥款，自本年夏季起，在台大設「中國哲學」及「中國文學」講座各一，在中研院史語所設一個「中國史學」講座。

（三）胡先生遺著、年譜與傳記的整理撰寫：已由中研院組織了一個委員會，蒐集資料，分別進行。

（四）胡先生紀念館的設立：也由中研院組成籌備委員會，規劃進行。因胡先生的著作、書札、生活照片等需相當時間蒐集，須俟佈置完妥後再正式開放展覽。目前紀念館內胡先生的書房、客廳、臥室都仍保持原來的樣子，並在胡先生生前宴客的廳房加置四個玻璃櫃，陳設胡先生一部份文稿、遺物及已出版的著作，四壁並掛有胡先生生活照片二十幅。（慶光）

合會董事長任內

黃國書被控非法 監察院調查屬實

（本報記者張健生台北航訊）在立法院第三十一會期第二次會議，即二月二十二日的會議上，正當立法委員紛紛質詢時，台北的幾家報紙，在社會版刊載立法院長黃國書，在合會公司董事長任內，被控非法之事，經監察院調查屬實，由財政委員會決議：原則上分別提案糾舉及糾正。這新聞，顯使黃國書坐立不安，他坐在主席台上，老是朝着記者席瞪眼。

提起這則新聞，國會記者俱樂部三數同仁，的確發揮了高度的採訪技巧，採訪保密工作，頗爲週至，當事人毫無所悉。因爲監察院財政委員會在討論該案時，是用秘密會議方式進行的，殊料亦被記者們獲知究竟了。

被控事實之一

監察院調查報告指出：一、前合會董事長黃國書在辭職時，被控強制該公司員工募認國光人壽保險公司股本二千萬元一節：查該合會寄託金部活期寄金第一〇〇號「黃國光人壽保險公司籌備主任黃鳳鳴」（黃國書之妻）帳戶列記所收股款，總數爲新台幣二千六百二十二萬八千元。據合會經理稱：諸者係自資繳股，並無利用公款以及強制認購情事。但國光保險公司竟將未到期之款悉數提出，而寄託金部前經理劉盛財不顧規定擅將僅存月餘或數天之前述款項，仍照三年定期最高利率百分之十二付給國光保險公司利息十萬零九千一百四十四元，該劉某顯有幫助他人套取合會公帑之罪嫌。而總經理馮慕鵠既明知而不糾正，復于監察院調查時諉爲業務競爭爭取存款而然。

惜別金四十萬

二、合會會計主任江國楷與出納陳華銘及楊「聚賢」等，否認該公司前董事長黃國書有分與「勸募費」的手續費情事。然合會四年與四五年均係以千分之十列報勸募費，迄未照省令辦理，而列記於「資產負債帳」和「應收帳」一科目內，作爲呆帳，似難辭失職之咎。

三、合會各公司經理，強行規定工友每人送八十元，共集四十萬元，作爲以現金折送董事長黃國書辭職紀念品。總經理馮慕鵠等確會聯名以：「董事長辭職，爲表惜別，請同人贈送現金，以便蒐集紀念品」等情，但否認有強迫情事。

四、合會總經理以會計主任江國楷名義預支交際費，移作爲建築房屋費用。

五、合會自董事長至科室主任家中，均由公家雇派服役之工友一人，顯有利用職權圖利自己之罪嫌，殊屬非是。

六、董事長購買高貴名牌汽車，未按法定程序而向私人洽購，價達四、五十萬元之多。監察院認爲：董事長黃國書，總經理馮慕鵠等均應負違法瀆職之責任。

真是意味深長

按二月十九日立法委員在質詢時，有人力主未就任「首長」前，一定要公布其財產，離職後，也要向社會公衆交代一清二白。當時大家不覺得什麼，事後有人說：「那些話眞是意味深長」。

我對台省新聞處長的抗議

憑什麼權力扣留黃主席的請帖

本報台中記者熊徵宇

「我聽說，檢舉新聞處長的內容中，比較重點的，只有兩項，一是把美援放電影的兩部車子賣了，花八萬塊錢買了部新車，同時花十萬元納稅；第二項，是關於「台灣畫刊」方面的問題。這件案子，省府視察室在查，是非不久會有結論」。

由於這段報導，引起「扣請帖」的事件是無疑問的。

怎樣整我？

我覺得，像這樣的一節報導，足夠含蓄夠客觀夠冷靜的，我並沒有把檢舉書中的內容全部報導出來，也沒有說那部新車子在台北是什麼人在坐，更沒有說明「台灣畫刊」的種種問題。乃因政府既然在查，是非總會清楚。

而同時我也不願意揭露那些內容，影響到查案人的麻煩。

這件案子，現在還沒結束。是什麼人在查，查了幾次，我都清楚，等必要的時候，我會從頭說起詳爲報導的。

「我心如枰」。十四年來的記者生涯，使我瞭解如何在衡量事理月且人物的尺度上守正不阿。一個職業記者不必要去巴結人，也不需要人畏懼，必須在正義道德與良心三者的嚴格標準上負責，必需對讀者和社會負責，對自己服務的報社負責。

儘管我心存誠敬，仍然是兢兢業業，唯恐見聞不廣，採訪不週，析理不密，判斷不確，要求循分守己，行所當爲。

而同時，我時常深切的覺得，我們這一代做新聞記者的人，責任實在太重了，舊的積習有待滌除，新的希望，有待啓迪，沒有健全的新聞事業，怎能推動健全的社會？而官場的腐化，更何以堪？

所以我對於應當報導的新聞，覺得沒有隱沒的必要；我們追求清明的社會，就得追求事實的是非，何況政府當前所號召的是「革新動員戰鬥」哩。

我聽到有人告訴我，說新聞處長與紹遼打算整我。

怎樣的「整」呢？光是「扣請帖」當然不夠。

紅帽？綠帽？

我想一個挾私懷恨整人的人，不外兩種方法：一種方法是抓對方的缺點來幹他；一種方法是「祭帽子」。

就前者來說，以一個筆耕維生的記者，既沒有辦法挪用公款，也不能七萬八萬的來「弄稿費」，更不能假借任何名義到什麼地方拿個六千七千；當然也沒有辦法到任何機關去拿些資料照片之類來當新聞發佈，而以廣告收錢。

所以在這一方面，整我很難。若說是要報館不用我，恐怕也不是新聞處長的權力做得到的。因爲我的行爲正是代表我服務機構的精神。

至於說「祭帽子」，似乎更不[illegible]，憑我二十二年的黨齡（國民黨），[illegible]日抗戰，到現在，受過太多的考驗；十四年來所發表的新聞稿和創作也不少，若果想祭一頂「紅帽子」，不大容易。

要說是祭一頂「綠帽子」給我，我更抱歉，咱內人天質笨拙，學不會那種本領。

但當然，若果用黑社會的那些方法來「整」我，比如找人出其不意的「修理」我一番，那又是另外一回事；但我夜晚還是會在外面走。

寫到這裏，我看看這篇稿的標題，不禁想起尼采的一句話：「你究竟是誰，誰敢對當今最偉大的偉人如是說」。（下）

天南風光

——沙羅越的歷史——

朱淵明

結果，峇查船長與蘇丹簽了一件條約，這條約規定婆羅乃政府應允要發展貿易，壓制海盜，以及絕對不與其他國家成爲聯盟等。而布律克也更進一步的取得了沙羅越的永久割讓權。峇查船長自簽約後，即乘船赴鏡子島察看煤礦，但認爲一時無法大量應用，因爲煤質雖然很好，可是非裝置蒸汽機，即不能開採之故。

到了一八四三年九月初，峇查船長就乘了三馬讓船到香港去，一直到一八四四年八月初才再返沙羅越來。在這個時候，麗都船其巴船長，也先從香港返回沙羅越，實踐他未完成的諾言，對西廣的海盜根據地，進行一次激烈的進攻。

這次的進攻，麗都號其巴船長，不僅增添了布律克所訓練出來的五百個達雅族的輔助軍，還加上屬於高貴公司的汽船「巴麗及當」號，及其率領下的四隻單檣船，這隻汽船，是專爲此次進攻，特地向海峽公司借了來的。那時其巴船長所能使用的力量，較之去年澈底制服「三里巴」海盜的時候，更其强大，更具威勢。全隊直指「巴當魯巴」河口，猛力向西廣的海盜攻打，炮聲隆隆，喊聲震天，盡力搜索及擄掠之後，又各處放火，將海盜巢穴，一連燒了三天，擄獲了五十六隻槍，及大量的火藥，差不多有一噸半到兩噸重，這在彼時，彼地，就算是可驚的軍火儲備了。又毀壞了二百多艘海盜的戰船。隨後這支隊伍，又向「巴當魯巴」河及其主要支流，分別搜索，拆毀了海盜所建的許多堡壘，及沿途的層層障碍物。

這一仗下來，雖然婆羅洲沿岸的海盜，尚未澈底肅清，但總算解除了布律克拉者的肘腋之患。這一點對於布律克之統治沙羅越，有着極重大的影響與貢獻。其實，照當時南洋海峽一帶的形勢來說，其巴船長是應該先進攻在「馬魯魯」海灣的「蘭奴」人；這些人，對歐洲人的東西交通，是更具危險性的。其巴船長事後曾說出他作此種決定的理由，他說：「我之如此，固然同樣是在鎮壓海盜，但也給一個值得稱頌的，也值得結交的布律克先生，作出了很大的幫助與支持。」（卅五）

論戰鬥文學

吳文蔚

再說戰鬥文學的材料方面，那眞是取之不盡俯拾即是的，值此反攻復國的大時代，我們隨時隨地都可以用戰鬥文學把一切現實的材料活生生的反映出來，使它發生一種巨大的力量，這方面只要它的表現是富有戰鬥意義的，就是結構上稍欠理想，甚至有些別字，也是無關大碍；同樣的是有其熱的生命的價值的！

我們在對日戰爭時的抗戰文學，大家就曾有這樣的主張，那時的作家，極力反對把抗戰文學八股化，主張富有表現熱與生命的戰鬥文學。如：

「張阿大從隨軍前線負傷下來，解手困難，方教授看見此狀，便連忙給他解褲，使他方便……」

我們在這短短的散文詩當中，就可以看出這裏面表現出極具戰鬥性的表現價值來，其一是表現張阿大抗戰的英勇爲國負傷的痛苦，以致連解手都不能自理的嚴重情況；另一是表現方教授的愛國愛同胞的熱切，也顧不到什麼教授的身份與地位了，看見戰士爲國負傷的痛苦，行動的困難，見他想解手而不能動作，便急忙給他開衣與他方便了。

教授與戰士，在身份與地位上固然懸殊，但在民族抗日的立場上，彼此都是國民，都應該盡國民的責任。在一般人看來，教授給人解褲子是一件多麼醜的事情，但是在民族對敵人抗戰的觀點上看，教授給負傷戰士解褲子，不但一點不醜，反之正表現出方教授的人格是無比的偉大和應受人們的崇敬哩！

我們如果能把觀念一致的放在戰鬥第一，勝利第一，反攻第一，復國第一的偉大時代任務上，無可諱言的我們就要竭盡一切的力量來從事戰鬥文學，我們可以用多種不同的題材與形式，把匪僞內部分裂傾軋的事實寫出來；把匪軍厭戰逃亡的情況寫出來；把匪僞政權實施公社制度的慘敗景況寫出來；把匪僞軍公人員痛恨暴政欲逃亡投奔自由的心情寫出來；把投奔自由的匪僞軍公人員歷經艱險不顧一切的堅定意志和沿途遭遇阻撓、想盡種種方法終於逃出魔掌而重見天日獲得自由的實況寫出來；把匪僞政權下大陸人民飢餓的苦況和與匪鬥抗的熱烈情狀寫出來；把我們的游擊健兒在敵後組織大陸人民從事於愛國鬥爭的活動情形寫出來；把我們的游擊隊在敵後焚敵倉庫、破壞匪僞鄉鎮機構或爆破匪的工廠、鐵路、港口，以及深入匪僞軍政機關內部的各種活動的情形寫出來。我想這些可歌可泣的事實，這些有血肉、有生命的散文、詩歌、戲劇、小說，一定能提高自由中國的民心士氣，受到讀者大衆的熱烈歡迎的。（下）

瘋君續夢

第七回　越境興戎　盈廷驚白蟻　恃强犯上　舉座斥青蠅

周恩來自北越回來之後，不到兩個禮拜時間，又去訪問外蒙，這次是帶着陳毅去的。五月二十七日到了庫倫，這塊佛教勝地現在已被改名爲烏蘭巴托，意思是「紅色的英雄之都」。

周恩來同陳毅到了庫倫，外蒙那位孩兒面貌的「總理」澤登巴爾率領高級頭目在飛機場歡迎，周恩來看看兩位曾任駐中共大使的賈拉木汗和沙可夫都沒有露面，就感到政治氣候不佳。賈拉木汗是外蒙第一任駐中共的「大使」，被認爲外蒙的親中共派，調回外蒙一度升任政治局候補委員，到了一九五八年就垮了；沙可夫也任過駐中共「大使」，態度上也比較接近中共，被調回外蒙也被雪藏。

周恩來感到情況不佳，就暗暗在打主意，怎麼把外蒙拉過來。兩人一下飛機，照例有兩位女學生獻花，陳毅拉着女學生的手，在問長問短，女學生竟然說得一口國語，清脆玲瓏。陳毅更是開心，幾乎把女學生抱起來。

周恩來抓着這個題目，笑着向澤登巴爾說道：「我們這兩個國家關係太密切了，不但民族血統相近，語言也相差無幾，所以這麼年輕的孩子都能說中國話。再加上我們國界相接這麼長，俗語說『遠親不如近鄰』，我們眞是要密切合作，行動一致才是。」

澤登巴爾已經從蘇聯方面得到指示，明白周恩來此來的用意，當時只是微笑，裝作不懂。第二天，周恩來與澤登巴爾在蒙古政府大厦舉行會談。一張長長的枱子，一邊坐着中共人員，一邊坐着外蒙人員，周恩來與澤登巴爾面對面坐在頂端的位子上，中間枱面上插了兩枝小旗。

會談開始，周恩來先說明中共與外蒙合作的誠意，願對外蒙提供經濟援助，幫助外蒙建立工廠。希望外蒙能對中共的善意有所了解。

周恩來說過，澤登巴爾帶頭鼓掌，接着說道：「我們對於中國的善意有充份的了解與支持，不過，我們希望中國除去援助之外，能給予我們更有效的幫助，例如，兩國之間的領土糾紛，應該乘此機會作一了斷，以免有礙邦交。」

周恩來聽到澤登巴爾提到領土糾紛，不禁楞了一下，問道：「澤登巴爾同志，我們之間有什麼領土糾紛，我怎麼不曉得。」

澤登巴爾笑道：「用糾紛兩個字眼也許不太妥當，但是，我們邊界未劃清楚則是事實，其中包括新疆承化以東，內蒙二連以北的達里岡崖牧地，及黑龍江省交界處一塊領土。」

周恩來奇怪道：「這些地區久已在你們佔領下，我們並未要求歸還，還要作什麼了斷。」

澤登巴爾說道：「雖然這三個地區都在我們管理下，但是，中國並未正式聲明劃與我們，終究會引起麻煩，中國何不人情作到底，經過正式手續劃給我們。」

周恩來尚未開口，陳毅搶着說道：「親愛的總理同志，我看劃界是多餘了，好比一對同居夫婦，已經生了幾個孩子，還去舉行婚禮，會讓人見笑的。」（一八三）

花香月上樓小品

黃伯遠

麵線與雞絲麵

麵線者，以麵爲之，其細如線，故名。技工皆福建漳泉人，每年輸流南洋各埠，爭取外匯不少。自從抗戰以來，廈門人之經營此業者，多遷移香港，在鴨𡉑洲及九龍荃灣一帶，設廠製售。故閩南人之因避匪避亂而流寓香江者，多賴以謀生焉。

麵線，須考究煮食之法，俟湯沸，然後將麵線放入鍋中，否則，成麵糊矣。三十年前，粵人發明「雞絲麵」，即係取麵線以油煎之，摻入少許廈門名產之肉鬆及味素，以紙盒裝璜，名之曰「衞伯芹雞絲麵」，衞氏之廣事宣傳，謂以沸水沖之，即可食用，尤爲旅行者所便利。惟冬季尚可，若在春季及夏天濕溫，則不能耐久，一經變味，則所得不償所失。雞絲麵終不久成爲陳迹，而衞氏旋亦物故。

勝利後，廈人某襲其法，作炒麵線，嗣後，炒麵線乃成爲燕席中常備之一饌焉。製法：用豬油先將麵線炸熟，取起，然後以鮮蝦肉、多菰、筍、扁魚乾、韭黃或黃芽白、肉絲等項作配料，炒熟，放入上湯。湯不要多，以適合麵線潤澤爲度。大抵，炒麵線與炒米粉同，須半乾半濕乃可。粵人炒粉炒麵，多乾爆，不若閩人之半乾濕爲有味也。

其他，如豬肚煮麵線，豬腰煮麵線，亦爲閩南人嗜好食品之一。又：廈人之患病者，多煮食麵線療飢，以麵線係鹽製成，易於消化也。

廈門蠔類食品

蠔乃水族之一，沿海地帶都有。但廈門蠔，肥美而異於其他，且常年皆有，爲可異耳。按：蠔之食品甚多，有「蠔仔煎」，「蠔仔餅」，「蠔仔粥」，及「蠔仔麵」等。廈門蠔，産地則在禾山，磐石砲台一帶，土人以石柱交叉插于有海水衝刮的海灘，海水與石融結，即能産生蠔，土人取蠔，以小鑿挖肉出，售于市，而一家之衣食住，咸賴焉。業此者，幾近五百家。

同時，廈門之貧苦人家，無力買魚，肉營養者，則以蠔爲營養品，如豆豉炆蠔，青蒜，芹菜煮蠔，皆爲價廉物美之家常便菜也。至于蠔仔煎，廈人及潮汕人多喜食之。亦閩粵極普遍食品之一。厦人以薯齋剁碎，用蠔肉、芋泥合煎之成餅，謂之蠔仔餅，香饛味遠，亦殊可口。

南宋偏安有人才

李仲侯

麟率東路兵由壽春以路合肥，猊率中路兵由紫金山（安徽壽縣）出渦口以犯定遠，孔彥舟率西路兵由光州以犯六安；時張浚與趙鼎並相，對外決策多勝利，及豫兵日偪，張俊、劉光世倡謀退保，浚以書戒二將，囑其不可。趙鼎亦言，今賊渡淮，當急令張俊合光世之兵，盡掃淮南之寇，遣楊沂中趨濠州與張俊合勢，以厚兵力。比沂中至濠，光世已舍廬州而南，淮西大震。浚聞令人馳諭光世，有一人渡江即斬以徇！光世不得已，復還廬州，與沂中、俊等相應。劉猊軍至淮東，爲韓世忠所阻，乃引趨定遠，爲楊沂中所敗，復戰於藕塘（安徽定遠縣東），猊軍大潰。劉麟自淮西次濠州間，亦爲張俊所拒，聞猊敗遁去，沂中乘勢追之，至南壽春（安徽壽縣）而還。孔彥舟圍光州，知二劉之敗，亦解圍走。北方始恐，金人始有廢豫之心。浚之爲相也，與左僕射趙鼎同心輔政，務在塞倖門，抑近習。時巨寇楊么據洞庭，屢攻不克，浚以建康東西都會，而洞庭據上流，恐滋蔓爲害，請因盛夏乘其怠討之，具奏請行。至醴陵，釋邑囚數百，皆楊么諜者，給以文書，俾招諭各砦，因驩呼而往。至湘，賊衆二十餘萬相繼來降，湖寇盡平。上賜浚書，謂：「上流既定，則川陝荊襄形勢接連，事力增倍，天其以中興之功付卿乎」！浚遂奏遣岳飛屯荊襄以圖中原。乃自鄂岳轉淮東，大會諸將，議防秋之宜。高宗遣使賜浚促歸，勞問之曰：「卿暑行甚勞，湖湘羣盜既就招撫，成朕不殺之仁，卿之功也」。特召對便殿，浚進中興備覽四十一篇，高宗嘉歎，置之坐隅。

浚以敵勢未衰，而叛臣劉豫復據中原，六年會諸將議事江上，榜劉豫僭逆之罪，命韓世忠據淮楚以圖淮陽；命劉光世屯合肥以招北軍；命張俊練兵建康，進屯盱眙；命楊沂中領精兵爲後翼以佐俊；命岳飛進屯襄陽以窺中原。浚渡江遍撫淮上諸戍。時張俊軍進屯盱眙，岳飛遣兵入至蔡州，浚入覲，力請高宗幸建康，以振士氣。自劉猊、劉麟相繼大敗後，高宗手書嘉獎，召浚還勞之，時趙鼎等議迴蹕臨安，浚奏：「天下之事，不倡則不起。三歲之間，陛下一再臨江，士氣百倍。今亦飛一還，人心解體」。高宗翻然從浚計。（卅）

土地雜話

筱臣

俗以農曆二月初二日和八月初二日這兩天爲土地誕辰，而二月的誕辰尤爲熱鬧。香港新界各地的土地廟，便都在那天舉行盛大的慶祝。雖然土地廟總是很小的廟宇，入門不到二三步，就到神前，但它鼎盛的香火，往往遠勝過許多其他的菩薩。

土地名詞的由來，有悠久的歷史。古稱里社之神曰土地，公羊傳註稱：「社者土地之主也。」清嘉錄載：「二月二日，爲土地神誕，俗稱土地公公，大小官府皆有其祠，官府謁祭，胥吏奉香火者，各牲樂以酬，村農亦家戶壺漿，以祀神匣，俗稱田公田婆。」

還有很多關於土地的故事，但土地祗是職稱而已。周禮春官，大示而外，有土示地示。這就是後人之所謂土地。因爲土示乃五土之示，即是社字，地示乃地之百示，因此祀典有社稷壇，後來便建立土地廟。但古時社稷稱爲國社，亦稱官社，其編配戶籍制度，以廿五家爲社，所謂里社則每里一百戶，立壇一所，祀五土五穀之神。這就是社壇奉祀土地的由來。

至於稱土地爲田公田婆，據「提要錄」載：「即社翁社母，因田事將興，祀之以祈農穀。」後漢書方術傳則曰：「社公之名，是天下之社神，宜通謂之公。後稱爲土地公公，且繭婆烏帽，製作白髮翁頭」。今人塑土地像，就是依照這種裝飾的。

世俗傳說，凡爲人忠誠厚道的，死後常被委任土地神。夷堅志有載：「湖州烏鎭普靜寺，本沈約父墓，約官於朝，每歲一歸祭掃，其返也，梁武帝輒遣昭明太子遠迎之，約不自安，遂遷葬於金陵，而捨墓爲普靜寺，故僧祀約爲土地神。」

宋史徐應鑣傳：「臨安太學，本岳飛故第，故飛爲太學土地神。」這和沈約爲普靜寺土地神相似，都以業主資格而享受土地神的供奉者。

另「古公說海」蔣子文傳云：「子文，廣陵人，嗜酒好色，嘗謂自已骨香，死當爲神。漢末爲秣陵尉，逐賊至鍾山，賊擊額角而死。及吳先主之初，有吏見子文於道，乘白馬，執羽扇，侍從如平生，曰：吾「土地神也，當爲吾立祠。」世傳人死爲土地，或始於此。但子文既嗜酒好色，復自稱爲香骨，未免近於誇張，何以能成土地？可怪也！不過「古公說海」一書原屬稗史野乘，中多小說家言，當眞不得的。如果蔣子文而爲土地神，應是因其逐賊而死，民感念之，而不問其好酒及色的一面耳。

過去中國是農業社會，爲了祈求豐年大有，供祀社稷之神與夫田公田婆，是毫不足異的。且說土地廟每多趣聯，如「公公十分公道；婆婆一片婆心。」又如「人人敬我二老；個個賜他三多。」言簡意賅，蓋亦勸人爲善云耳。

川黔一帶，到處有土地廟，其中聯語有出之以土語者，亦奇趣橫生，如：「五行公老者；三才二先生。」五行之末爲土，四川人叫最末一個爲公，三才之二爲地，隱嵌入「土地」二字，確甚別致。又有一副聯云：「清汪汪兩杯燒酒；黃酥酥一個刀頭。」則係指用燒酒及猪肉敬神而言。在川黔一帶，凡屬烈性一類的酒，均名之曰燒酒也。至於刀頭則係指方方的一塊猪肉而言。

海嘯樓談薈

朱騮先憶語

諸葛文侯

朱氏入廣州中山大學後，即倡辦醫學院，聘請德國醫學教授數名來校講學，擴充設備，趨於現代化。他原係留德肄業地質學的，卻致力於發展醫科教育，雖非開風氣之先，然對於國家民族前途，確有其不可磨滅的功績。

民國十五年七月，國民革命軍北伐後，朱仍留廣州，且兼任「廣州政治分會」委員，因而得與當時留守廣州之革命軍總參謀長兼粵省主席李濟琛接近，旋由李氏擢任粵省民政廳長，是爲騮先踏進仕途之暴端。從此他即紆青紺紫，飛黃騰達，由地方官吏而開府封疆，游至入閣主持交通教育大政，復贊襄國民黨中央黨務，敭歷秘書長與組織部長諸要職，可謂一代紅人，然其職務皆與其所學的風馬牛不相及。這是現代中國政治上的普通現象，不僅朱氏爲然，而中國政治之永遠不上軌道，即源於此。

朱氏在政治上的顯達因素，固由其本人善於周旋肆應，處事亦有條理，而且持身廉潔，不攜貪饕惡習，但基本的優越條件，是他的籍貫與學歷關係。他如果不是湖州人，未仕時就不致博得戴季陶的知遇；他如果不是留德學生，對當年的中德外交事項有所弼助，如我政府爲整軍工作而設置德國軍事顧問團，關於顧問人選之遴聘，以及購買德國軍械等事，致力孔多的話，也就不容易獲致中樞領袖的信任倚畀吧？這兒順帶談及一段珍貴的故事：若干年前，騮先私下告訴我，在法根霍森將軍之前担任德國軍事顧問團長某將軍（名字忘記了），當年在南京，曾經秘密對朱氏談及在位的中央軍政大員陳儀之爲人，指爲絕非忠於國家民族的人物。我問朱氏曾將這位客卿的觀察論斷，轉報委員長參考否？他認爲這種關係重大而又沒有證據之言，不好隨便上告，徒惹是非。我笑謂：「你當年愛護陳儀，爲親者諱——陳亦是浙江人——反而使他晚年不得善終，愛之適所以害之也。」他苦笑無語。

我與騮先正式論交，是在他担任浙江省民政廳長的時候。民國十七年與十九年春間，浙省兩次舉行縣長考試，我亦兩次奉中央特派爲典試委員。這時他唇邊的一小撮短髭鬚不見了，翩翩然白面書生，風度很瀟洒，我問他是不是接受閫令而整潔門面的？他極力否認，說當年在北京蓄鬍鬚，爲的是自己太年輕而執教北大，恐怕學生們不予尊敬，不得不裝出老成的模樣，其然，豈其然歟？嗣後他每次到南京來，必過我暢談，我曾經寫信介紹一位朋友赴浙江，希望作縣長，他接信三天之內，就發表我那位朋友爲青田縣令，夠得上道義之交。後來他在政治上紅得發紫，我卻跟他少所往還了。（二）

談仁與義

吉庭

仁者，人所以爲人之理也。愛人無私者，謂之仁。儒家學說最注重的便是仁。韓愈云：「博愛之爲仁」。在社會上，人與人間之所以不能互助合作，實由於不能相愛，如果人人能盡量發揮仁的精神，彼此之間，自然能互助，能合作，而做到「出入相友，守望相助，疾病相扶持」之地步。孔子講仁甚透澈，顏淵問仁，曰：「克己復禮爲仁」。仲弓問仁，曰：「己所不欲，勿施於人」。樊遲問仁，曰：「愛人」。均見論語。論語又說：「志士仁人，無求生以害仁，有殺身以成仁」。文天祥、史可法輩，能殺身成仁，舍生取義者，蓋受孔子遺教薰陶有以致之。

義者，宜也。言裁制事物，使各得其宜也。易曰：「利物足以和義」，詩云：「宜昭義問」。仗正道者，如義師，義戰；與衆共者，如義學，義倉；至行過人者，如義俠，義士。在社會上，有正當行爲，不以私害公，損人利己，處處爲人羣謀幸福，才稱之爲義。孟子云：「生吾所欲也，義亦吾所欲也，二者不可得兼，舍生取義」。他是把義看得重於生命的。眞能使仁義之道大行，共產黨便立不住腳，這世界便臻於郅治了。

內僑警台報字第〇三一號內銷證

自由報

THE FREE NEWS

第三二〇期

中華民國僑務委員會領發
台技新字第三二三號登記證
中華郵政台字第一二八六號執照
登記爲第一類新聞紙類
（半週刊每星期三、六出版）
每份港幣壹角
台灣零售價新台幣弍元
社長：雷嘯岑
督印人：黃行靈
社址：香港銅鑼灣高士威道二十號四樓
20. CAUSEWAY RD 3RD FL. HONG KONG
TEL. 771726　電報掛號：7191
承印者：四風印刷廠
地址：香港灣仔高士打道二二一號
台灣分社
台北市西寧南路壹壹零號二樓
電話：三〇三四六
台郵撥儲金戶九二五五

反攻的形勢與反攻的戰畧

·花　慈·

國共對峙的局面，相持到今天，已到了情見勢明，將有所變的時候了。中華民族的命運，要進入新的演變階段了。每一個關心祖國的命運，關心我們民族的復興，關心六億人民的疾苦和前途的中國人，都以極大的關切來注視着局勢的發展。中華民族史新的偉大而光輝的一頁，將由我們這一代人來寫。但是，行動必須有正確的認識作指導。要成功地掀開這壯麗的一頁，就必須緊握時機，果敢行動。這就要對形勢有確切的認識、準確的估計，及與此相應的最有效的戰畧作指導。

主導當前反攻形勢的變化的第一個因素，也是最基本的因素，是六億中國人民的堅强的意志：解放、自由、祖國的統一和富强。處於水深火熱中的大陸人民，堅決要求推翻共產黨的暴政，爲解放和自由而進行着不屈撓的鬥爭。處於台灣，避秦於香港和流落海外的中國人民，正迫切地期望和要求政府反攻大陸。第二個因素，是政府爲了統一國家、解救大陸人民，完成這個其必須完成的任務而進行的正義鬥爭。第三個因素，是以作爲其生命的中共，爲了苟延性命，阻撓人民的解放和政府的反攻而進行的罪惡活動。

中共已經自食其暴政的惡果了。不論在國內還是國外，它都已陷入四面楚歌之中了。已經成爲一隻不折不扣的「紙老虎」了！大陸人民，從農民、工人、商人、青年的學生到各級的知識份子，在他們的思想上，生活上，行動上都充滿着對共產黨及其政權的仇恨和鬥爭意識，從而從根本上動搖了中共政權的基礎了。大陸以外的，政府和自由世界，正給它以最大的威脅和冲擊。最近，它還要受到來自共產世界它自己「兄弟黨」的最難堪、最强烈的攻許和排擠。在大陸同胞，在整個人類，中共已經完全孤立了。中共政權已經到了日暮窮途的境界了！

但是，由於中共嚴密的組織控制、思想鎮壓和消息封鎖，人民革命的行動，一時難以集中地統一於一個思想支配之下而協同起來，一致起來，這樣，使得革命的行動零零碎碎，在寂寞無聞中被孤立起來，此起彼伏，不能呼應，造成了革命力量的損耗和分散。如何敲下這個中共統治的最後一環，是當前反攻復國的關鍵問題。只要解決這個問題，那麼，一個新的局面就完全打開了，大陸馬上就會成爲反共革命的火海。

發展的趨勢是一回事，如何行動又是一回事。趨勢並不等於事實。如果政府不能準確地利用這個形勢，有效地運用自己的力量，爭取對大陸形勢的控制權，並使之朝着更有利的方向發展，那麼，將來的變化，就是可以保證的。勝利不是可以等待得來的，而是要流血去爭取的。駕馭形勢的鑰匙是正確的認識和果敢的行動。乾草已經預備好了，誰來點火？這個任務，顯然是重重地落在政府的雙肩之上了。政府在責任上應當完成這個任務，在能力上能夠完成這個任務。

政府在這方面已經有表現了，比如最近派了一些人在沿海登陸。但是，這是不夠的。在戰畧上應當要更進一步。當然，如果現在要國軍進行正面反攻，這是不必要，是不符合於避實擊虛的原則的。上面已說過，當前反攻的關鍵，是在於從中共統治的鎖鏈上打開一個缺口，使大陸人民鬱結已久的仇恨和願望，像洪水決堤一樣，迅速化爲激烈的反共革命行動，使六億憤怒的人民，成爲吞沒中共暴政的浪濤。這是當前反攻的首要的、刻不容緩的事情。

在反攻的戰畧上，應當是空降和登陸一支或者幾支足以摧毀一定的地方政權，並以其戰鬥足以求得生存和發展的力量。進行革命的運動戰，避實擊虛，摧毀敵人的地方政權，建立即使是短暫的自由政權，招集和組織人民起來反抗暴政，在較好的環境下鞏固地建立和發展起革命的根據地，造成國軍正面反攻的有利條件，並配合反攻。這些力量活動的範圍，不應當只限於東南沿海地區，而要普遍於一切有利的地區。

人心難得，就在難於廣大人民羣衆，能接受革命的號召和鼓舞，萬衆一心，起來鬥爭。現在，這一條件已經俱在而成熟了；所差的只是一個偉大的軍事行動，去敲碎中共統治的鎖鏈，號召和組織人民起來革命。萬事俱備，只欠東風，要打開反攻的新局面，必須從這一點着手。如果不是這樣，而使國軍馬上開始正面反攻，便成了一種斧頭對鐵砧硬打硬的一綫作戰的形勢，被中共嚴密控制的大陸同胞，則難以掙脫桎梏，有效地支持反攻。在軍事上，又使中共少於掣肘，易於戰爭，而國軍艱於攻取，導致力量的巨大耗損。只有充分發動人民，制敵於其后，而國軍則擊於前，才能奏事半功倍之效。執行這一戰畧的主要作用，在於直接冲擊中共的地方政權，破壞其組織和統治秩序，使人民有條件起來革命。現已登陸的義士，他們的主要任務，應是作爲執行這一戰畧的進行而活動。大陸人民成熟的革命情緒，中共力量的空虛，是這戰畧成功的基礎。國軍力量的雄厚，是這一戰畧施行的條件。這兩者都是現成的，執行這一戰畧是充分可能的。這樣的行動，是革命的行動，美國不能牽制，蘇俄不能干涉。這樣的戰畧，是革命的戰畧，是以少勝多的戰畧。它可使中共處於難以應付的地位，有效地消耗其力量；而國軍，則可充份發動和利用人民偉大的革命力量，打擊敵人，自己則付出較少的人力、物力，以便集中地打擊敵人的要害。只有這樣，才能最有效地打擊敵人，從根本上搖撼中共的政權。

當前的國際局勢，是有利於反攻的局勢。中共失和於印度，齟齬於共產世界，在政治上、經濟上已陷入完全的衰枯，這是人所共見的了。國軍的反攻，會不會導致世界大戰和俄國干涉，這種顧慮，在古巴事件中，在共產世界的攻許中已經表明，是完全多餘的。爭取解放，爭取自由，爭取祖國的獨立、統一和富强，爭取中華民族的復興，是中國人民至死不渝的大目標，但它首先是中國的內政，這是不容混淆的。中國的事情，要由中國人民自己來決定，是決不容外人置喙的。中國人自有足夠的力量解決自己的問題，有足夠的力量，掃清竊國的妖孽！其實，毛澤東之所以如此齟齬於赫魯曉夫，除其他原因之外，正是由於害怕赫某把共產世界的空虛暴露於世界人民之前，從而鼓舞本國人民起來反抗和西方的冲擊。一切都說明，時機已經到了，只要政府採取正確的策畧，果敢的行動，自由人民向共產暴政勝利進軍的號角，就一定從中國吹起，並一定很快的便把中共妖孽解決掉！

＊＊＊

漫畫天下

窮途末路

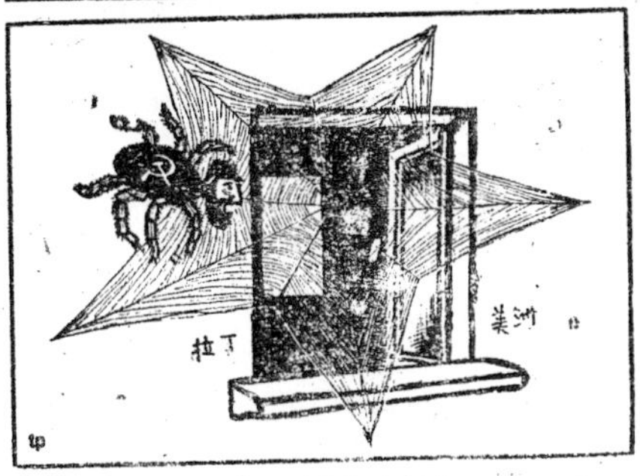

有辱門楣

自由談

亞洲的妄人

馬五先生

亞洲的政治妄人有三個，一大兩小。大妄人當然非印度的尼赫魯莫屬，舉世周知，不在話下，且談談兩個小妄人罷。

印尼的蘇卡諾當政已十有餘年，內部動亂不已，政治搞得一塌糊塗，民生顚頹，經濟困窮，卻不知自量地還要向外擴張，開疆闢土，且以武力相威脅。他藉着幾個所謂游擊隊的烏合之衆，潛赴新畿內亞從事騷擾，揚言收復失地，而英美就利用聯合國名義，出面調解，教荷蘭讓步，承認新畿內亞將來屬於印尼版圖。美國又給蘇卡諾以軍經援助，說是爭取「中立國家」。蘇卡諾嘗到了甜頭，以混水摸魚爲得計，如是又對英屬北婆羅乃如法泡製，擺出武力侵佔的姿勢。然英美態度丕變，不復慷他人之慨了，爲的是侵犯了英國的權益，蘇卡諾似非吃癟不可！

高棉的施漢諾王子，憑着一塊彈丸之地的小邦，居然要在國際上搔首弄姿，招搖闖騙，今天訪問自由國家，明天親近共產世界，最近聲言唯有中俄共政權纔是高棉眞正的友邦，纔能夠尊重高棉的獨立自主。詎料言猶在耳，潛伏在高棉境內的共黨份子紛起作亂，企圖奪取政權，而施漢諾只好以辭職退位之說來應付，希望中俄共見憐，給他苟延殘喘，暫緩予以「埋葬」！

這兩個小妄人，完全是效法尼赫魯的作風，要想以「中立」面貌騙取美俄雙方的援助，在矛盾中求生存發展。結局是俄帝將以最小代價，獲致最大的成果，而美國的軍經援助，直是投入鼠洞之中，徒然飼養一些耗子來搗亂作祟而已。大少爺遇着小癟三，沒有不上當的，謂予不信，請拭目以俟之。

（香港興大陸）

怕他們加入游擊隊 毛共嚴管「五類」份子

國軍軍官家屬多被流放

中共近數月來由於游擊隊的活躍，對「五類」分子管制特嚴，動輒加以逮捕，關入集中營；同時對於國軍的家屬，亦防範至爲周密，其少壯多被流放於東北和西北地區，還强迫寫「公開信」給台灣的親人，或到電台播音，替中共做統戰工作。

曾回梅縣探親甫返抵港的小學教師張小姐透露：廣東興梅專區一帶，因爲不斷有國軍游擊隊活動，他們懲治罪大惡極的共幹，打開糧倉把糧食分給農民，使中共備受威脅。中共惟恐那些「五類分子」投奔游擊隊，於是施予嚴密的管制。

張小姐家鄉係屬梅縣「張家圍公社」的，該「公社」的全部「五類分子」，均已被嚴密管制，每天早上五時，就得往「公社」裏報到，然後由武裝押往田間勞動，一直到晚上七時，才集體回公社，聽取共幹的訓話和進行「批評」與「自我批評」歷二小時，才准其回家。

中共對「五類」分子的這種嚴密管制措施，執行得非常嚴格，如有「五類」分子未到公社報到的話，立被查詢，輕者受到鬥爭，甚之者加以逮捕，關進集中營去。張小姐有一位隣居，是一個四十多歲的女人，因爲她丈夫過去是在國民政府做事的，故被指爲「反革命」家屬。一天，她因爲心臟病復發，不能前往公社報到，結果公社便派了兩個民兵，强把這位「反革命」家屬從床上拉走，指其「逃避勞動」，意圖「拒抗管制教養」等罪名，還定期召開社員大會鬭她。但結果這位可憐的「反革命」家屬，因嚴重的心臟病未能得到治療，加上飽受驚怕，在未被鬭整前便嚇死了。

張小姐說：中共對那些仍留在大陸的現役國軍軍官的家屬，亦特別注意，其少壯多流放到東北或西北地區，還强迫他們做一些「統戰」工作。她有一位中學時期的男同學名鍾育×，其人聰明勤奮，在中學時的成績就很好，後來考取中山大學數學系，亦名列前茅，但由於他父親係現任台灣高雄港口守備區軍官，因而中共不肯派給他的工作，把他「下放」回原籍農村勞動。去年在台灣海峽緊張時，鍾育×便被命令到齊齊哈爾教書。張小姐說，中共其所以突然給鍾育×工作安置，是有其目的的，因爲中共認爲，國軍果眞反攻，長江以南的地方它們無法守住，它們把那些國軍軍官家屬弄往東北或西北地區，一爲流放，再則作爲「人質」，俾派用場。

張小姐說：「由於鍾育×受過大學教育，他父親又是國軍的中級軍官，所以中共曾强迫其到電台錄音，「向親人講話」，報告他如何在「黨」和「政府」的「關懷」下，正過着「幸福」的生活。中共又曾給鍾育×穿上「西裝」，拍出相片，刋登在報章上。張小姐這次在返港之前，曾見到過鍾育×的母親，她的生活凄慘得很，人極其瘦弱，卻每天還得到公社裏「報到」勞動。」（敬斯）

立院質詢有精采表現 鍥而不捨技術亦進步

一問：鐵路局長易人怎麽回事 二問：國防部組織法何時送審

（本報記者張健生台北航訊）立法院委員向行政院質詢，本會期一開始，便有精采表現。比如劉錫五委員質詢「國防部組織法，何時送審？」這已經是他第二十六次的質詢了，頗顯示其鍥而不捨的精神，同時他的質詢技術，亦有了進步。

劉錫五質詢的技術的確是進步了，他先問：「如何動員復國」？並强調人的動員之重要性，他說「要政府痛下決心，大開門戶，要將國內國外有才有能有學問有聲望的人士，設法延致，使之加入革命陣營，精誠團結，共謀復國大業。這一來，無門戶之見，無黨派之私，廓然大公，則事無不舉」了。他由此又問到：「如何厲行法治」？他說：「所謂『法治』者，國家一切措施，一律以法律爲依據。在承平時，固須有法；在非常時，亦須有法。在承平時，固須守法；在非常時；亦須守法。當行憲之初，共匪叛亂，於是當時施政方針，大端有二：一曰『行憲』，一曰戡亂。蓋『行憲』自可『戡亂』，『戡亂』亦不能放棄『行憲』。二者並行不悖，亦適所以相成。」

劉錫五列舉事例說：「台灣省之地方自治，尙在試辦階段。台灣省政府之組織，亦只以行政院命令予以核定。……其重大者如國防部組織法，乃至十六年來，尙未能擬定法案送審，寧非怪事？」劉錫五是用轉彎抹角的技術，來重提舊話的，確使人耳目一新。

其次是王述先委員，他亦表現了鍥而不捨的精神，對「劉鴻生逆產案」作他第六次的質詢。他希望政府「在我軍事反攻之前，應對該案有一個徹底的解決」的辦法。

台灣鐵路局局長更動的風波，亦引起了立法委員的重視，提出的質詢亦源源本本。如青年黨籍立委李公權，就「台灣鐵路局長易人所引起的問題」，向行政院提出的質詢中說：「我不是說台灣鐵路局長陳舜耕個人去職的問題，而是陳舜耕去職所引起的問題。我們知道台灣的自治是試行地方自治，而非憲法省縣自治通則下的自治，因此，台灣省政的一切措施，還是行政院範圍以內的事。何況黃主席還經常列席行政院的政務會議，所以我們對這個問題要提出來。其次是關於台灣鐵路局長易人以後報紙上字裏行間流露出很多說法，有一個報紙社評更以『尹仲容去世，陳舜耕去職』爲題。因爲尹仲容的去世，從總統以至全國人民都引爲痛惜。今天輿論界以陳舜耕的去職與尹仲容的去世，相提並論，就可以看得出來社會人心對陳舜耕的去職是怎樣的看法和反應。陳舜耕去職之後，有一個報紙並曾登載了他去職的內幕（記者按：二月上旬，台北公論報曾將陳舜耕與現任省交通處長陳聲簧之間不愉快事件的經過，言之鑿鑿。）非常的詳細，非常的具體。如果這個登載實在的話，那麼，黃主席所標榜的是『用人唯才，愛民節用』，一個『唯才』，一個『節用』，可是這家報紙所登載的事實所反映出來的，恰恰和唯才節用兩點相反。如果不實的話，何以至今沒有聲明，否認，更正呢？因爲根據這個內幕事實所牽連的是現任的交通處長陳聲簧先生，昨天（記者按：指二月十八日）報上（徵信新聞）還進一步說陳聲簧是『奉命不聲辯』，眞是無獨有偶，前幾年有所謂『奉命不上訴』，現在又來一個『奉命不聲辯』。外間也有說陳舜耕的去職，是另有原因。本席與陳聲簧和陳舜耕兩人都無一面之緣，不過，我認爲：如果報上所登的事是不實在的，那麼就應有所說明；如果是實在的，那也應有一個態度。這是我要請行政院予以答覆的。」云云。

婆羅乃殘餘叛徒正被盡力追捕中

（本報婆羅乃航訊）婆羅乃殘餘叛徒只有在「投降，或被打死或被生擒」的三條路中選擇其一，此外對他們便再沒有其他的機會。這樣斬釘截鐵的話，是婆羅乃戡亂司令官華爾少將於二月廿七日說出的。

華爾少將當時並透露：自本年元月初至今，英軍以及保安隊斷續的與殘餘叛徒有接觸，但他並未透露在這些接觸中有無傷亡。

另外，華爾少將又透露：目前四散躲藏於婆羅乃及沙羅越森林的殘餘叛徒，約爲一百七十五名至二百名，但他並未透露除那些森林裏的殘餘叛徒之外的其他地區，是否尙有叛徒存在。華爾少將亦不肯解答殘餘叛徒的總數究爲若干？以及他們已經逃入印尼屬南婆羅洲的究有若干？據此間非官方人士的估計，漏網的叛徒約達一千五百名至二千名之衆。

華爾少將說：目前分爲若干小股藏匿於婆羅乃及沙羅越的第四和第五省地區內的殘餘叛徒，大約的人數爲一百七十五名至二百名，他們中的大多數，係在林夢，姆禮，曼嘉以及淡普隆。又說：林夢，同時曼嘉等地區，不但森林茂密，沼澤亦多，一方面便利了叛徒的藏匿，另方面亦增加了官軍搜捕工作的困難，但他强調：「雖然如此，我們仍然在盡力的追踪他們，逼使他們出而投降，要不然便把他們打死」。他說：「投降，或被打死或被生擒，乃是這些叛徒所能選擇的道路之全部。他們不能再想到別的」。

華爾少將說：本年元月初直到現在，英軍與保安隊都不曾放鬆過這些叛徒。官軍所受到的抗抵，是零星的，顯然談不到是有組織的抵抗。殘餘叛徒亦從來就未曾有過主動的進攻，反之他們都是在受到官軍的攻擊之後才還火的。（吾）

民主中國雜誌雙包案

蔣勻田口口聲聲說他不重視 談來談去又顯示幷非不重視

（本報記者台北航訊）此間民社黨人所創辦的「民主中國」半月刋雜誌，頃發生「雙包案」，又引起各界人士的紛紛議論。該刋登記在案的發行人正依法進行訴訟中。

雙包案的主角，一是民社黨八常委之一的楊毓滋，他是經內政部准予發行「民主中國」而持有登記證的發行人，一是未經內政部准許而以「啓事」方式發行「民主中國」的余仁美。若按照現行出版法的規定，前者是合法的，後者頗有問題。

余仁美在民社黨內屬於向派，爲國大代表；他發行的「民主中國」沒有說明發行人是誰，但有社長是他自己。他以「啓事」來說明，因「最近仁美經本黨最高執行機構召集人會議議決爲本社社長，於本年一月十六日會綜理社務。」

爲此，本報記者於二月二日的晚上，特驅車往訪該黨六召集人之一的蔣勻田，叩詢其意見。蔣勻田首先說道：「民主中國雙包案，我不重視。」在短短的一二十分鐘的談話中，他把「不重視」一語重複了五次之多，但他談來談去，卻又顯示他並非「不折不扣」的「不重視」。記者問道：「蔣先生，你對民主中國雙包案，有什麼意見和看法？」[illegible]規定，刋物的發行人爲主，以發行人負法律責任，是以保障發行的。既同樣的權益，記者又問：「余仁美在六常會中的啓事說：『仁美經召集人會議決議爲社長』這一點，你說可否說明？」蔣先生說：「余仁美的『啓事』可以約束國家的法律嗎？黨務會議可以變更法律嗎？」他說：「這是起碼的常識。」他繼續說：

「現在的問題，是出版法有沒有效力的問題，也不是什麼黨的問題。換句話說，是政府對這部費了九牛二虎之力才通過的出版法，到底還有沒有重視？中華民國還有沒有法律？假如答覆是否定的，則我們當然無話可說，不要說所謂黨務會議，我們的黨務會議沒有約束國家法律的權力，就是執政黨的會議也沒有這個權力；即政府也無權變更法律，唯有立法院有權更改法律。余仁美說他由社長是黨中央決定的，請他拿出來給大家看看委託書，比如說楊毓滋擔任社長是由民社黨的總秘書長張君勱主席委任並經六個召集人連署的啊！」

蔣勻田又說：「像前幾天陳慶瑜先生任台灣銀行董事長，陳慶瑜未正式出任之前，可以行使台銀董事長的職權嗎？以民社黨召集人會議十六日不是說過，會議中所議決的，祇是一件請案，不能決了就做。我們沒有像那樣的做法，有什麼用？還有誰參加？先生的宴會而去的，是召集人會議的程序。」蔣勻田急說：「最後，可惜他們太性急了，太草包了！爲什麼這樣不待法律來說呢？」

主中國雜誌簡單的說，就很重視這件案，亦值得民社黨家務的重視。但不論該黨如何總結，就是「民主」而言，無論如何是不幸的。（健生）

楊森將軍話生平

——兼談養生之道——

編者按：吾國軍界耆宿楊子惠（森）將軍，年臻耄耋，而體健神旺，黑髮童顏，望之有如四十許人。今年二月十七日爲將軍八十歲誕辰，海內外親朋故舊擬集體稱觴祝嘏，將軍婉謝之，請俟還返大陸後。是日，將軍在台北新店稻子園寓所蒔花騎馬如常，唯對二三知己畧敘生平史述，兼及養生之道，聊資紀念云爾。將軍曾應本報雷社長之請，撰寫回憶錄數十萬言，已告脫稿，不久即在本報刊佈，茲先將將軍在其八旬壽誕之日所述生活一概要，揭示於左，俾讀者先覩爲快。

余先世自湖廣省衡州府遷四川省之廣安縣龍臺寺鄉，其地毗鄰營山渠縣，山明水秀，農田肥沃，附近有古刹曰龍臺寺，因以名鄉。此寺廟貌巍峨，大門前雄蹲石猊二，高各二丈許，爲整塊白石雕成，生動活躍，龍作拏虎擲而怒吼狀。聞寺僧爲力求獅身偉大，以數百人推挽，盡十年之力，始克將此石搬運寺前，其人蓋愚公移山之流亞歟。余幼聞父老談此故事，後在全國各處以及日、美等國遊覽，確未曾見以人移巨石，成此二丈餘高之偉構。暇思如以寺僧舞獅精神，泛應一切事業，何患不能成功，此事對余啓示，實屬不小。

余世代以耕讀習武爲本。父廷安公，爲邑武庠生，母吳太夫人，教余及弟懋修傳三頗嚴。余以前清光緒十年生（公曆一八八四年）。幼從伯父廷襄公讀，四書五經能全學其辭。並涉獵子史集部，瀏覽時務新書，漸知中西學術門徑及世界大勢。吾父以余尚能讀書，囑習文事，但余視叔輩騎射莚藥，見獵心喜，輒於暇時習騎射刀弓石。余曾應文武兩考，均獲覆試。師友笑謂：設考中文武兩秀才，將如何。余聞之，亦無以自解。會清廷變法，余於十二歲時考入廣安小學，其試題爲「王猛捫蝨論」：正朔在晉，不可伐論」，獲錄取。我小學爲書院改設，內有副榜廩生秀才等，年長者達三四十歲。嗣入順慶府中學，畢業後，適陸軍部在川設立陸軍速成學校，初步招考入伍生，名曰弁目隊，首派周鳳池先生蒞川北招生，余欲投筆從戎，前往應試，各科皆及格，獨身高不夠，同考官欲黜之，周先生主持面試，向我說明身矮不能錄取之意。余遽然曰：余方年幼，所以高度不夠，稍長數年，即魁梧奇偉異常人矣。周先生爲之莞爾，因得錄取。余之一生事業，若云小有成就，應拜先生培植之賜。余入速成學校，其時黃花崗七十二烈士之饒國樑、秦俊傑，亦爲當時同學，因介余入同盟會。畢業後，分發朱統制慶瀾之六十五標，任尉級軍職。

辛亥年四月，清廷下詔將川漢鐵路收歸國有，激起保路同志會事變。朝命端方帶鄂軍兩標入川查辦，鄂軍在資中反正，端方被殺。成都於十月初七日宣布獨立，舉蒲殿俊爲都督。十八日，蒲殿俊於成都東較場閱兵，巡防軍忽譁變，戕官劫庫，焚掠市場。都督蒲殿俊，副都督朱慶瀾，逃脫得免於難。軍政部長尹昌衡，急入鳳凰山軍營，激勵將士，率之入城。余適在六十五標任隊官，遂慷慨率隊入城，平定叛亂，成都局勢，始得重獲安定。（一）

給年青的朋友們

謝　濁

鞭撻呀，鞭撻，我們少年之劍
在苦難的鐵砧，在光明的熔爐
神聖的希臘依然在流血
，拜崙的詩未冷
鞭撻呀，鞭撻，我們少年之劍
在憤怒的錘下，在嘶吼的淺盆

——白荻：「待戰歌」

年青的朋友呵！在這苦難的二十世紀，偉大的六十年代，年青的一代是被屠宰的羔羊，因爲戰爭是嗚血的！正如D．H．勞倫斯所說：「我們根本是生活在一個悲劇的時代，因此我們不願驚懼自擾，以爲大災難已經來臨了；我們是在廢墟之中；我們開始樹立一些新的小建築，懷抱一些新的小希望。這是一種艱難的工作；我們找不到一條通向未來的康莊大道；但我們卻迂迴地前進，或攀援障礙而過，不管天翻地覆，我們現在卻不得不生活着。」是的，朋友，我們不得不生活着，儘管這是一個苦難的時代！

年青的朋友呵！知否祖國處於水深火熱之中？要不，我們幹嗎不歸去，歸去自己的家鄉？說呀，朋友，我們爲什麼要穿山越水，千辛萬苦地流浪到這兩國的小島上？我們現在是行走在人家的屋簷下，被統治着淪成異邦人。難道這是我們所甘心情願的嗎？說呀，朋友，我們現在是生活在什麼樣的狀況下？

年青的朋友呵！你知道嗎？一撮細沙寄自海邊的波蘭，蕭邦的雙手像捧着所羅門王寶藏似的捧着這撮細沙，帶着熱淚，瘋狂吻着，吻着……就是一撮細沙，激起了天才兒郎對祖國的熱情；就是一撮細沙，使番，治癒絕望地哭泣着，當她所愛的人兒離開了她的懷抱；就是一撮細沙，復活了波蘭的國魂！

年青的朋友呵！想一想往昔的盛蹟吧，當法王査理七世即位之初，法國幾乎全部被英軍所佔領，英兵到處搶掠殺戮，使到法國境內十室九空，民不聊生；於是，聖．貞德挺胸而起，登高一呼，激起了法蘭西人民的愛國心，紛紛起而集合，參戰，衆志成城，終於擊敗了實力雄厚的英軍，奪回失地，還我河山。啊！那該何等上的女英雄底血呵！帶着法蘭西的史書上寫下了最光輝燦爛的一頁。

年青的朋友呵！在我們的國度裏，正充滿了無助和哭泣和絕望的嘶喊。啊！爲什麼暴君如是其多，如是其狠，如是其不把百姓當人，這是爲的什麼？究竟是爲了什麼呢？啊，朋友，吹起我們的喇叭，爲自由謳歌吧！我們將聽到無數迴盪鳴響在每一個熱愛自己母親土地的青年底心上。我們憤怒的聲音像千萬道洪水嗶啦嗶啦地洶湧着，衝擊着，奔騰着，吶喊着……天地間唯一存在的，就只有這一個憤怒的聲音一切魔鬼將被毀滅。啊中國！我呼喚你，在光明的夜裏，在沉寂的夜裏，我呼喚你，呼喚你，像兒子呼喚着母親！中國，啊，我底祖國，在屈辱中站起身來吧！你是不會滅亡的，你是不會滅亡的，你是不會滅亡的……

天南風光

——沙羅越的歷史——

朱淵明

這時正是一八四四年的八月初，峇查船長又乘着三馬讓船自香港回來沙羅越，恰好趕上征討西廣海盜工作的最後階段，但當峇查船長看到他沒有多少工作可做時，他就準備把船駛回星加坡去。當峇查，與其巴兩船長都在古晉時，他倆與布律克都成了很親密的朋友，常常研討沙羅越的將來，而當前卻共同得出一個結論：就是必須把目達哈沁及其隨從者儘速移開沙羅越，尤其是馬長馬可大，更須驅逐出境。說是他們阻礙了沙羅越的進步，更像是「一根妨害了土人利益的死木頭」。如此決定之後，峇查船長就駛向星加坡，而哈沁與馬可大，都被通知離境。自然，在各種情勢下，這兩個人及其所有隨從，是無法違抗的，只好乖乖的準備離去。哈沁回婆羅乃後，曾代替尤索担任首席部長的職務，後來密謀叛變，事發，與家屬登舟自焚而死。馬可大被逐後，藏匿於沙東（Sadong），到一八五八年十一月間，因在林夢亞灣地方搶劫「比砂耶」一女子，充爲下陳，至深夜，爲土人所殺。這都是後來的事，在此表過不提。

當一八四四的九月，峇查船長又駕着三馬讓號返回沙羅越來。他何以往星加坡去而復返這樣快呢？原來他又接受有新的使命，就是要尋找一個傳說被擄的歐洲女人。於是在十月間，布律克復搭着三馬讓號與峇查船長一同再到婆羅乃去。這兩個英人一到，即要求會晤蘇丹，這要求雖然獲得同意，可是婆羅乃政府之招待，就不像去年那樣誠懇了。然而蘇丹還是樣樣都聽從了這兩個英人的意見。那究竟是什麼道理呢？

說起來也很簡單，大體與一八四三年，即去年的八月相彷彿。去年是三馬讓號在四隻英國船的支持下（其中包括兩隻戰艦）載了布律克與峇查到婆羅乃，結果是峇查逕與蘇丹訂立了不得與其他國家聯盟等款的一項條約，而布律克卻取得了沙羅越的永久割讓權。事隔一年，再到婆羅乃，那時也有一隻戰艦，就是由峇查船長向星加坡調來的「巴麗汝當」號，先自古晉運載目達哈沁及其隨從眷屬等返婆羅乃，當時正停泊在蘇丹宮門口的石階前——即婆羅乃河中。這條河流經蘇丹宮門，實婆羅乃首府的「主要街道」，戰艦泊在此處，等於象棋中的當頭砲。

（卅六）

塞外續夢

第七回

越境興戎　盈廷鷺白蟻
恃強犯上　舉座斥青蠅

澤登巴爾不理會陳毅，仍堅持要重劃邊界。周恩來笑道：「這個問題本來已經解決，不過，蒙古友人要是有興趣重劃一次，我們也不反對。請你們把草約拿出來先研究一下。」

澤登巴爾被周恩來一句話問得張口結舌，原來外蒙當初未曾準備談判劃界，那裏會有草約。周恩來也看準了這一點，故意偷一次雞，果然把澤登巴爾難住了。停了幾分鐘，蒙共第二書記曾德說道：「草約未曾帶來，明天再討論吧！」

周恩來說道：「我們兩國交界之處，都是白草黃沙，中間既沒有界牌，又很少天然分界線，所以劃界並不容易，因此我希望蒙古方面先作一番準備工作，把邊界線勘定之後，再談判劃界。老實說，把中國領土劃歸蒙古，到無問題，怕只怕你們搞錯了，反而把土地劃給中國，就影響兩國邦交了。」

周恩來一席話把澤登巴爾嚇住，恐怕眞的偷雞不着蝕一把米，當時就同意把這項問題壓下去。

接着就討論經濟技術援助，中共答應替蒙古建市民住宅，修建工廠，派遣技術工人，澤登巴爾及曾德均感滿意，一場會議就圓滿結束。

晚間，澤登巴爾設宴招待周恩來同陳毅，席散後，三人作了一次懇談。

周恩來繞着彎子問道：「澤登巴爾同志，你對赫老的和平共處原則，意見怎麼樣？」

澤登巴爾說道：「赫老的意見當然是正確的，目前雙方的核子武器都發展到頂點，一旦大戰發生，沒有一個國家可以幸存，所以捨和平共處之外，沒有其他道路可走。」

陳毅說道：「根據列寧遺教，帝國主義是不會自動退出歷史舞台的，光靠和平共處，就想把整個世界變成社會主義，正是痴漢等老婆，最後一定會落空的。」

澤登巴爾笑道：「列寧的話雖是金科玉律，不過，也受時代的限制，在現階段不肯和平共存又怎麼辦呢？一旦打起來，大家都變成砲灰。」

陳毅說道：「那也不盡然，不問美國的原子彈，氫氣彈有多麼厲害，對付中蒙兩國並無太大用處，尤其是貴國大部份是沙漠，更不怕原子彈，所以打起來毀滅的是工業國家，我們只有好處，最低限度可以擺脫一切束縛，獲得眞正的獨立。」

澤登巴爾當時驚了一下，眼睛只是瞅着陳毅。停了半晌說道：「和平共處政策，我們本來是確定追隨蘇聯，不過，假若外界情形有變化，我們可能會守中立。」

陳毅還想爭辯，周恩來卻搶着說道：「我們知道蒙古同蘇聯的關係，我們決無意要蒙古反對蘇聯的政策，我們只希望在爭執不下時，蒙古能守中立就成了。」

澤登巴爾笑着點頭道：「這個問題要看當時的情形而定吧」！

陳毅知道周恩來又用統戰手法，把敵人變爲中立，再把中立的拉過來。於是也不再作聲。兩人在外蒙又參觀了幾間國營農牧場及工廠，六月一日飛回北平。（一八二）

花香月上樓小品

黃伯達

廈門之嫺與奴

清末民初，廈門富厚之家，蓄婢之風彌盛。不肖之士紳，竟有因緣爲利，且以洩慾爲，可畏也！蓋廈門爲閩省富厚華僑之集中地，其中三妻、四妾者，其常也。古人云：「飽暖思淫慾」，乃不磨之名言。一般多妻多妾之家，色衰則愛弛，寵極則反厭。爲固寵計，則以鉅金物色美婢，以資引誘。於是，舊則棄之，新則懷之，輾轉買賣，甲棄乙取，恬不爲恥，風斯下矣。

當時，有兩家買辦，一縣知事，皆蓄有金釵十二，既滿其數，則去其最舊，而易以新者，時謂之「一打生」或「一打長」，蓋西諺以一打爲十二之數也。其時，封建惡習，尚未排除，一般富有家庭，猶有妻、妾、奴、嫺、婢，種種觀念制度之存在。有聘禮者，曰妻。有代價，以青竹轎舁之入門者，曰妾。婢經主人沾染，要經過兩個階段，未經沾染者曰「婢」；既沾染矣，而名分未定者，曰「嫺」；迨名分已定，或既生有子女，不能不予以承認者，則曰「奴」。妾之子女，雖不能以娘，以母，以嫣，喚其生母，但可以稱之曰「姨」。惟嫺之子女，無論嫡存亡與否，皆宜呼母名，視之如婢，不能尊禮之也。故家庭之中，以婢出身者，無名分、地位可言，即有子女，苟其子女不知已爲生母，即知矣，習與性成，亦等閒視之，無骨肉之恩也。

民國之後，廈有「婢女救援團」之創立，一時婢女投訴者頗衆，顧以積重難返，而主持其事者，又不能因勢利導，大公無我，坐致有名無實。於是，婢與奴，仍爲廈門之家庭陋物焉。

品茶在廈門

我國茶葉，以福建出產者爲最佳，因之，飲茶亦以福建爲最講究。梁章鉅「歸田瑣記」中有品茶一則，述之最詳。聞諸人言：「詔安」、「雲霄」、「晉江」、「龍溪」各縣，有以飲茶傾其家者。夫講究飲，固無不可，飲而至於著迷，則怪人而已，豈爲知味也哉。以下述廈人飲茶。

按：廈門有所謂本地茶肆者，破舊老屋兩間，椅桌數張，櫃橱一箇，此外惟茶具及火爐，扇子如是而已矣。客來其間，有貴人、有名士，亦有販夫、走卒。爾飲爾茶，我說我話，各從其類，不相涉也。茶葉備多種，有「大紅袍」，有「鐵羅漢」，有各色名種，小種。最名貴者，曰：「三引水仙」，曰「白毛猴」。飲而上者，一茶之費，輒須銀圓三、五塊，次焉者亦一、二塊，不以爲昂也。（未完）

南宋偏安有人才

——張浚　李仲侯

浚以親民之官，治道所急，條具郡守監司省郎館閣出入遞補之法。又以災異奏復賢良方正科。七年，以浚卻敵功，制除特進。未幾加金紫光祿大夫。問安使何蘚歸報徽宗皇帝寧德皇后相繼崩殂，上號痛擗踊，哀不自勝，浚奏：「天子之孝不與士庶同，必思所以奉宗廟社稷。今梓宮未返，天下塗炭，陛下揮涕而起，斂髮而趨，一怒以安天下之民」！上乃命浚草詔告諭中外，辭甚哀切。又請命諸大將率三軍發哀成服，中外感動。浚退而上疏曰：

「陛下思慕兩宮，憂勞百姓，臣之至愚，獲遭任用。臣每感慨自期，誓滅敵仇，十年之間，親養闕德，受返妻孥，莫之私顧，其意亦欲遂陛下孝慕之心，拯生民於塗炭。昊天不弔，禍變忽生，使陛下抱無窮之痛，罪將誰歸？念昔川陝之行，陛下命臣曰：我有大隙於此，刷此至恥，惟爾是屬。而臣終墮成功，使敵無憚，今日之禍端自臣致，令賜罷黜」。

上詔浚起視事。浚再疏待罪，不許，乃請乘輿發平江至建康。浚總中外之政，幾事叢委，以一身任之，奏對必言仇恥之大，反復再三，上未嘗不改容流涕。時天子方厲精克己，戒飭宮廷內侍，無敢越度，事無巨細，必以咨浚。賜諸將詔，往往命浚草之。劉光世在淮西，軍無紀律，浚奏罷光世，以其兵屬督府，命參謀兵部尚書呂祉往盧州節制；而樞密院以督府握兵爲嫌，乞置武帥，乃以王德爲都統制，即軍中取酈瓊副之。浚奏其不當，瓊亦與德有宿怨，列狀訴御史台，乃令張俊爲宣撫使，楊沂中、劉錡爲制置判官以撫之。未至，瓊等舉軍叛，執呂祉以歸劉豫，祉不行，罵瓊等，碎齒折首而死。浚引咎求去位，高宗問可代者，且曰，秦檜何如？浚曰「近與共事，方知其闇」。高宗曰，「然則用趙鼎。」檜由此恨浚。浚以觀文殿大學士提舉太平興國宮。

先是浚遣人持榜入僞地間劉豫，及酈瓊叛去，復遣間持蠟書遺瓊，金人果疑豫等，以廢之。召諫交詆浚落職，以秘書少監分司西京。居永州九年，以赦復官，提舉臨安府洞霄宮。未幾，除資政殿大學士，居福州兼福建安撫大使。（卅一）

談國花

介人

我國俗以農曆二月十二日，或十五日，爲百花生日。仲春二月，在我國的氣候，正是萬紫千紅，百花競放之時，把花的生日放在這時候，確屬適切。這裏且談談國花。

我們中國的國花——梅花，向來爲詩人讚美的對象。王淇詩云：「不受塵埃半點侵，竹籬茅舍自甘心；只因誤識林和靖，惹得詩人說到今。」已頗刻劃出了梅花孤標傲世的性格。至於林和靖詠梅花詩更妙：「衆芳搖落獨鮮妍，占盡風情向小園；疏影橫斜水清淺，暗香浮動月黃昏。霜禽欲下先偷眼，粉蝶如知合斷魂；幸有微吟可相狎，不須檀板共金樽」。其中「疏影橫斜水清淺，暗香浮動月黃昏」兩句，更公認爲詠梅的絕唱，前無古人，後無來者。作爲歲寒三友之一的梅花，亦的確太可愛了。

梅原屬於薔薇科的落葉喬木，莖高可達十米。葉是橢圓形，末端很尖，邊緣有不整齊的細鋸齒。早春先葉而放花，花梗極短，花瓣五片，形圓，多爲白色，但也有重瓣的。梅花的顏色除白的而外，尚有深紅，淺紅等色，皆富「暗香」。

在百花中，桃花顏色粉紅，未免俗氣。蘭花和菊花的姿態苗條而清香，但又稍嫌樸實。梅花色澤既幽潔，姿態復大方，最具備高雅的風致。而在寒冷的冬季，百花凋零了，獨有梅花，餐風寄傲，吐露芳香，這種不畏風雪摧殘的剛毅性格，以之象徵中華民族的精神，蓋有深意存焉，誰曰之宜？

這裏再畧談英法等國的國花。英國的國花是薔薇花。薔薇花原爲歐洲產物，屬薔薇科，是一種落葉灌木，莖高一米許，生有細刺，葉爲奇數羽狀複葉，邊緣有顯明的鋸齒。花大而爲複瓣，紫紅色或白色，有清香。用水蒸溜，採取它的揮發油，可製香水。因爲薔薇花顏色鮮明，外觀亦富麗堂皇，故英國人奉爲國花。

法國的國花是百合花。百合是一種多年生的草本，屬百合科，品種繁多，花呈漏斗狀，鱗莖可供食用。花色以白色爲主，餘有綠，紫，紅等色者。百合花外表有寧靜和諧之致，據說法國人以之爲國花，係用它來表示民族的光明與自由的。

意大利亦有國花，那是雛菊。雛菊又名延命菊，屬菊科，是一種多年生草本。葉根生，呈蔑狀倒卵形，全緣微有鋸齒，花莖從葉叢間抽出，高一分米許，頂端生頭狀花。花色不一，有紅，白，紫諸色。雛菊花古樸玲瓏，花期特別長，自春至秋，繼續不斷。意大利人都很熱心栽植觀賞雛菊，而尊之爲「國花」。

希臘的國花是洋橄欖。也許有人會感覺奇怪，爲什麼洋橄欖也可以作爲國花呢？但這是中西民族觀點有異而然。在希臘人心目中，洋橄欖敦樸大方，橄欖葉又是和平的象徵，單憑這兩點，就有作國花的資格了。

以我們中國人的眼光，墨西哥以仙人掌作爲國花，不更奇特麼？仙人掌屬仙人掌科，是一種漿質的多年生植物，莖的形狀是橢圓形而扁平，重疊連接，綠色有刺，夏日開花。仙人掌樸實莊重，好像一個古雅的紳士。墨西哥人以之爲國花，除了那地方的仙人掌確實多而外，他們亦就看重它的這一份性格。

我們東隣日本的國花，如所週知是櫻花。櫻花屬薔薇科，莖高十餘米，葉倒卵形或橢圓形，末端尖，邊緣有鋸齒，葉柄和葉面都有細毛，早的二月便開花，有晚至四月的。櫻花多白色，亦有淡紅，深紅諸色的。櫻花落葉喬木，花極鮮艷，但易開易謝，來去匆匆，開起來滿樹是花，往往三五日便完全凋謝了。據說日本的武士道講究「壯烈」，要活得像個樣子，死了亦不在乎，便正是櫻花的性格呢！

海嶠譚薈

朱騮先憶語

諸葛文侯

自民國廿一年我離開南京，直到對日抗戰末期，騮先在政治上煊赫一時，炙手可熱，我始終跟他睽隔着，未嘗謀面。中央政府遷移重慶這一階段中，朱以執政黨中央黨部秘書長兼組織部長，暨調查統計局局長，身負三要職，那時我亦在重慶，因爲對黨務是外行，也就懶得與老友從事交際應酬，以免妨礙他的公務。後來在報上看到他搞出一場對國家領袖獻九鼎的玩藝，心裏頗不謂然，覺得這不是一個學科學出身的西洋留學生所能想像的事，他的清譽亦因此頗受影响，殊爲可惜。

抗戰結束之際，騮先担任教育部長，他對於淪陷區的大學生主張再教育，否認敵僞時期的學業成績，先行派員在各大都市設置「大學先修班」，藉以甄別淪陷區的學生，曾因此發生風潮。而報紙上乃有「僞學生」「僞教員」的稱呼，實不應該。當時北大教授楊人楩到南京來作代表，向教育部請願，呈文上即寫着「僞教員代表」某某等字樣，楊君對我說：他們幾個同仁在「僞教員代表」這頭銜之下簽名時，不覺淚涔涔下。我聽罷大爲激動，深鳴不平，曾以老友資格，致函騮先抗議此事，他並無答復。如是，我認定這位學者本質的政治人物，作官既久，氣質亦就爲之丕變，我自慚形穢，從此更疏遠了。

民國卅八年莫春，政府由南京遷移廣州，此時朱氏担任行政院副院長職位，我到廣州後，偶與幾個朋友一道訪問過他，他對我尚不改其老友態度，頗示親切。繼而代總統李宗仁要改組行政院，屬意於居覺生先生，騮先亦見獵心馳，但因當時李宗仁反對行政院通過任命之福建綏靖主任湯恩伯，朱在台北聲言行政院通過的案件，總統不能否決，乃爲李宗仁所不喜，結果居覺生的院長雖未實現，而騮先的志願亦告落空。嗣後他卜居台北，在政治上逐漸失勢，體力精神亦日趨衰憊。前年十月間，我在台北「榮民醫院」施手術，朱亦入院檢查身體，恰與我所住的病房緊隣，他常來我的房內聊天，一夕，我問他：「老兄過去在大陸上素爲領袖所信任，一身曾兼三要職，近來何以大不如前了，得無有喪失信用之處耶？」他笑謂：「政治上的人事升沉，無所謂信任不信任，有若貨品在市場上然，合乎當時需要的，價值就高，不合需要的貨色，縱然好，行市亦是看落呢！」其言殊妥當而足以啓發一般熱中功名之士也。

我與騮先結交逾卅年，卻說不上是他的知己，但他對我總不失其爲道義朋友。他的年齡並不算高，而忽然去世，且未能歸正首丘，尤稱不幸，言念故人，豈勝悼歎哉！（完）

釋禮智信

吉庭

禮者，理也。凡事合乎道理，謂之禮。又云履也，謂因人所踐履，定其法式，大而冠婚喪祭，小而視聽言動，皆有節文也。我國乃文明禮教之邦，孔子六藝，禮居其首，教人以「非禮勿視，非禮勿聽，非禮勿言，非禮勿動」，使各循規蹈矩，庶無爭奪侵畧之事發生。管子有言：「禮義廉恥，國之四維；四維不張，國乃滅亡」。吾人欲復興民族，挽救危亡，重要的，就要大家知禮明義行廉有恥。

智爲愚之反，深明事理也。凡多計慮謀畧技巧者，皆謂之智。若啓發其知識，表達其思慮，練習其技藝，又稱之曰智育。孔子云：「我非生而知之者，好古敏以求之者也」。好古敏求，即研智之方，智是學問，學無止境，非旦旦而時習之，不能底於成。當此二十世紀原子時代，要立國，要做人，智是不可或缺的。

信者，詐之對，不欺也。孔子曰：「朋友信之」。孟子亦云：「朋友有信」。此屬交友而言。但上至官府，下至民間，苟無以信，則爾詐我虞，上下交相欺，國何以興？民何以立？其不敗亡者幾希！以信字釋之：上之所令，至公至正，則民信之矣。否則，雖令不從。書云：「予有臣三千，惟一心」。信之力也。

內僑警台報字第〇三二一號內銷證

自由報

THE FREE NEWS

第三二一期

中華民國僑務委員會頒發
台教新字第三二三號登記證
中華郵政台字第一二八二號執照
登記為第一類新聞紙類
（半週刊每星期三、六出版）
每份港幣壹角
台灣零售價新台幣弍元
社長：雷嘯岑
督印人：黃行靈
社址：香港銅鑼灣高士威道二十號四樓
20 CAUSEWAY RD 3RD FL HONG KONG
TEL. 771726　電報掛號：7191
承印者：田風印刷廠
地址：香港灣仔高士打道二二一號
台灣分社
台北市西寧南路壹壹柒號二樓
電話：三〇三四六
台郵撥儲金戶九二五二

論陽明山三次會談問題

·陳維藩·

日前立法院會議時，有人質詢行政當局對於陽明山三次會談是否舉行，行政院副院長王雲五先生答稱：陽明山會談籌備處依然存在，政府在適當時機即可舉行的。這話當然可信，問題在所謂「適當時機」的定義如何？

陽明山會談的用意，原在溝通海內外以及朝野人士對當前國是問題的意見，進而切實團結一切反共力量，完成救國救民的大業。根據第一二次會談的經過情形，作用是在集思廣益，結論只供政府參考，其性質略似對日抗戰前夕的「廬山談話會」，充其量亦不過與抗日時期的「國民參政會」相彷彿。這種會談可以隨時舉行，且不必限於第三次，更無所謂適當時機，否則亦可以不必再開了。這話怎末講呢？

一二次會談是接連舉行的，時間相隔不遠，對社會心理和各界人士的觀感上，多少有些影響，第三次會談遲遲難產，所為何來呢？人亦有言：三次會談是交換政治意見，關係重大，出席人士將以各黨各派代表為主體，而在野黨派內部又不統一，過事關「雙包」或「三包」案，政府究竟邀請那些人士預會纔尤當，殊感困難，稍有不慎，即將招致若干無謂的煩擾，利未見而害先嘗，自非鄭重其事不可，所謂「適當時機」，即基於此。我們認為第一二次會談的工商企業與文教新聞事項，何嘗不是政治問題呢？何受邀預會者亦有各黨各派人士，何以又能順利進行呢？把第三次會談看作當年在大陸時期的「政治協商會議」，實係擬於不倫。當年的「政協會議」，是為應付共產黨的釀亂行為，希望憑談判方式避免內戰災禍，實行和平建國工作。結果由於共黨好亂成性，譸張為幻，而「民盟」等所謂民主黨派，又挾共產黨以自重，處處以箝制執政黨為首務，置國家利害於次要，因而搞出現行這部漏洞百出的憲法，貽害匪淺。

陽明山第三次會談的結論，對政府既沒有法定的拘束力，而參加會談的黨派人士，對反共救國的大政方針又無歧見，祇大家坐在一堂，交換彼此關於完成反共救國的見解和主張而已。政府邀請某黨派某些人出席，自可斟酌現實情況，自由決定，用不着多所顧慮，主人只有如請客然，是按照自己的意旨發出請柬。如果顧慮有邀請不周之處，即不妨由政府決定邀請某黨人士的名額，交給該黨自行推選之。參加這種會談的人，是要把自己的心思才力，提供於反共救國問題，聊盡國民的天職，是義務，談不到權利，參加了一次陽明山會談，亦不見得就是甚末光榮的事，斤斤爭執，胡為乎？所以我們認為三次會談隨時可以舉行，乃至於四次五次皆可，這是座談性質，與會議有別。

揣想政府當局所說「適當時機」的涵義，不外兩點：一是要等候在野各黨內部團結統一後，二是要在政府對國事將有非常措施的時候。對於前者，我們認為大可不必，黨派內部閙家務，那是常有的事，不能以公徇私，直尺枉尋。但三次會談有無必要，也非所計，若就各黨被邀請人士的出處設想，也與該黨內部糾紛無關。事實上，被邀請的人是否奉命而來，完全在他個人的看法和想法如何，有些人唯恐不及參預，有些人雖被邀請而逡巡不前，這都與黨派內閧問題不相干。對於後者，我們卻十分贊同。今日海內外人士所佇望焦急的事，即為軍事反攻何時實現。祇要反攻的號角一響，大家沒有不奮興熱烈，共赴國難的。政府在實行反攻之前，召集海內外各界人士舉行陽明山會談，發出號召，盼望大家各盡所能，為國奮鬥，應邀的一定踴躍參加，未被邀請的，亦就毫無所謂，但期政府能夠把大家帶回大陸，還我河山，其他的個人利害得失小問題，誰也不願意計較了。其次就是政府決心對內政作重大的改革時，事先舉行一次政治性的會議，亦有很大的效用，如其詢謀僉同，馬上即可以獲致精誠團結的功效。二者必居其一，會談即有需要。否則三次會談若要舉行，固無不可，但作用不過虛應故事，使政府宣示在案的計畫，告一段落，有所交代，實際不能談出甚末奇蹟來的。相反的很可能談出一些為政府感覺窒礙難行的議論閒議，又種下一些政治上的是非爭執因素，治絲益棼，徒亂人意。這便是我們認為陽明山三次會談亦可不必再開的用意所在。

三次會談的主題，既然是政治，而參加者亦多係黨派人物——所謂「無黨無派」人士，本質上即係有黨有派者，胡適之先生稱之為「二無黨」，頗合邏輯——議題很廣泛，似有不知從何說起之感，政府在事前必須有所策劃安排，庶不致漫無標準，議論龐雜，最好是針對當前的幾項重要問題，集中研討，需要馬上實施的，固然提出來談，即使目前未便着手，而將來非實行不可的事，如國大代表所倡導的修憲問題，大家亦不妨各抒所見，共策進行。總以有關國計民生的重要政務為主臬，而避免談論瑣屑的事務問題，方為上策。我們綜看第一二次會談的經過情形，覺得成績太差，不是失之空泛，便是流於微末，毛病就在事前沒有準備齊會談的綱要，有若普通的集會然，隨便提案，隨便發言，結果是空論連篇，鮮中肯綮，未免太不經濟了。

關於事前的準備工作，還有值得注意的，那就是向海外邀請預會人士的方法問題。過去兩次會談，香港方面就有若干被邀請的人，裹足不前，原因是事前缺乏聯絡，未能交換意見，貿然投來一份邀請書，受之者平日若對台灣情形不熟悉，即感覺突兀而茫然，有的受寵若驚，不知適從何來，有的顧慮矜持，不願招之即去，尤其致送邀請書的方式，太欠考究。如果祇是傳書遞信，而不因地因人，進行切實聯繫工作的話，那就不必耗費公帑，由台灣派遣大員到海外專幹送信的任務，隨便委託當地一個熟人，代為轉遞就行了，何需乎有此一舉呢？第一次會談時，海隅的工商企業界被邀人士，有半數未去，就因為事前沒有跟他們接洽，台灣派來的大員，只是把這些人的邀請書，轉託別人投送而已，似此方式，不但是達不到預期的願望，反而引起別人不愉快的觀感。這種下情，主其事者必不會瞭解的，然其影響滋大，今後非切加改善不可。第三次會談的出席邀請方式，更須注意者，多係在野各黨派具有代表性的人物，稍有疏忽一定誤事——政府希望他們預會的人，或許表示不感興趣，而樂於參加的，又未必適合標準。政治生活本來就是一種藝術性的戲劇，戲法人人會變，各有巧妙不同，誰的技巧優越，誰就是成功的政治家。

陽明山會談的作用，如其祇在聯絡感情，瞭解政治狀況，即不妨隨時舉行，多多益善。若想解決政治上的重大問題，則必須在適當的時機，有適當的人物，作適當的研討，決不宜輕率從事，虛耗人力物力，這是我們的看法。

漫画天下

請收尊手

再試試一九六四

自由談

共黨的思想改造

看過投奔自由的報人周榆瑞所寫「徬徨與抉擇」的文字後，對於共產仁兄們所謂「思想改造」的實質，乃恍然大悟，知道那究竟是怎末回事了。

思想改造的原則，是要你從呱呱墮地之日起，直到現在的一切生活情形，都自認為罪該萬死，連祖宗三代盡是些封建反動階級，自己的全身脈絡中，潛存着許多資產階級思想的毒素——那怕你是個貧寒出身的無產者，祇要讀過書，認識字，就是屬於階級敵人，雖誠心誠意地「跟着共產黨走」，亦認為決不可靠，非經過思想改造的惡作劇不可。思想改造的方法很簡單，把自己過去所做的事情——無論任何職業——都說成是反革命行為，把自己交往熟識的人——無論是中國人或外國人——都承認是特務間諜。這樣纔夠坦白，纔可能過關，而有獲得共黨「寬大」待遇的希望！

因此，你就祇能依照共幹們指示的範圍和意旨說話，譬如：他們說資本主義社會的太陽是從西邊出來的，你就說一點也不錯，所以資產階級的生活總是黑暗汚穢，決不像社會主義社會的太陽是從東邊出來的這末光明。如果你不肯昧良寡恥，要說真話，談實象，那便是不夠坦白，抗拒思想改造，即在整肅清除之列。縱使你曾經為共黨立過大功，幫過大忙，那亦是偽裝前進的特務間諜行為，不但無功可言，而且罪加一等！

周榆瑞當初對共幹吐真言，說真話，卻被視為不坦白，加重了精神虐待的痛苦。後來他領悟其中的竅要了，專門說謊，編造若干故事，迎合共黨的唯心主義，他們愛聽的話。如是乎，他由階下囚一躍而為「公安部顧問」，得以脫出魔窟，回到香港來伺機抉擇自由生活了。

明乎此，共黨的思想改造，不過是折磨凌虐黨外人士的一種手段，完全以暴力來箝制人民，不許亂說亂動。如此的統治政權，何異於建築在沙灘上的高樓大廈，一經風雨來臨，焉有不傾圮崩坍之理呢？俄減赫魯曉夫當政之後，共少「格別烏」的職權，亦不以整肅清算的恐怖政策為能事，蘇俄社會秩序即比較安定了。毛澤東卻指其為修正主義，大事抨擊，可見中國大陸同胞的災難方興未艾，可悲亦復可恨！

馮王先生

香港破天荒女船長
林秀清小小年紀　憑努力出人頭地

（本報訊）香港破天荒的出現了一位拖網漁船女船長。憑她這一職位，是得經常率領十幾二十名船員前往汪洋大海中去做捕魚作業的；在那個時候，不但這隻漁船的漁獲成敗要決定於他的指揮領導，那麼漁船和那集船漁上的所有工作人員的生死存亡，亦要決定於她的指揮領導的正確或者錯誤。

這樣一個關係重大的職位，居然落在一個女性身上，已經夠聳人聽聞了，更加出人意料的，是這位香港有史以來第一位拖網漁船女船主，居然還是個乳臭未乾的女孩子，她今年祇得二十一歲。

整個故事彷彿充滿傳奇味道，但其實並不然。實在，這祇是一個青年能夠格外勤奮格外努力以求上進的自然收穫而已。她的故事平實近人，一切發展都是水到渠成，雖然亦認真的難能可貴！「有爲者亦若是」，她是一個現成的例證。

這女船長名叫林秀清，出身貧苦漁民之家，以往祇讀到小學四年便綴學了。她這學歷本來不符合港府漁管處所辦船員訓練班所規定的資格，但她苦苦哀求，意志堅決，漁管處破格勉強的加以容納。卻不料訓練期滿，她的成績竟然出乎其類拔乎其萃，終至取得這項破紀錄的榮譽職位，使漁管處的官員以及訓練班的教師們，莫不嘖嘖稱奇，對她稱道備至。據說她的成就不但破香港紀錄，即在全世界，先例亦不多見。（楚）

許多地方乾得不能耕作
粵共動員全民「抗旱」
辦法爲封江堵河與大挖水井　由於蠻幹胡來往往勞而無功

（香港與大陸）

廣東省許多地方最近都發生嚴重的旱災，給春耕工作帶來了極大的困難。共幹爲此，強迫人民進行封江堵河，與大量挖掘水井，但一由於工程浩大，二由於共幹的盲目領導，封江堵河的工作往往勞而無功，對解救旱災無有裨益，好像梅縣便是這個樣子。

甫由梅縣申請來港結婚的何玉英小姐對記者說：中共今年的春耕工作，困難重重，許多公社皆缺乏種籽，耕牛和農具，無法使工作順利進行（詳見三月六日本版），另外亦極使中共感到威脅的，是近幾個月來的嚴重旱災，這不單使公社無法蒔田，連一些已蒔田的秧苗也枯死了。中共於是而下令全體農民和市民，全面去進行「抗旱」工作。

何玉英小姐係屬梅縣城鎮公社的，在二月中旬，城鎮公社黨支書曾召開各居民委員會幹部暨代表會議，何玉英小姐便是以代表身份參加會議的一個。但這次會議，實在祇是會而不議，僅由共幹發出一道「命令」，要各居民委員會幹部組織所有具有勞動力的居民，前往農村「抗旱」，當然去時必須攜帶簡單的鋪蓋，俾能在工地上露宿。

她所屬那個公社分爲三個抗旱大隊，何玉英小姐亦被命參加了這項工作，任務是把流經該處的韓江支流攔腰堵住，讓河水全部流入梅西之水圳，用以灌溉梅縣一帶的水田。

何玉英小姐說：被召往那地方做工的不下一萬人，包括城市居民、農民、學生，機關幹部等。共幹爲了要大家賣命，預先開出口頭「支票」，宣稱凡參加此項工作的每日增加糧食配額半斤（市斤）。共幹並照例的組織了各單位的競賽運動。

何玉英小姐稱：由那些不學無術的共幹所指揮的這種抗旱工作，是分配一部份人在兩岸開挖圳渠，另一部份人則堵塞河床，宣稱要使通過河床的水，分兩路由河岸圳渠流去。但由於共幹自以爲是的一意蠻幹，它們根本不明此等工程的計算原理，結果河床將要堵住時，才發現兩邊水圳地位有問題，除非把河床堵得很高，便無法使那些水流入新開圳渠。但堵得高時，卻因爲上游河床水位增高，使堵堤壓力增大，那個由坭築成的攔河堤，無法承受得起，所以經過半個月的「苦戰」，在那個攔河堤行將「大功告成」時，便給河水冲誇了。當時曾有十多個人被水沖走，幸水勢其實不大，結果那些人都未淹死。

之後，那些較高級的共幹，還堅持繼續搞下去，但人民卻不肯再幹了，大家因此鼓噪起來，有一位五十多歲的老婦人便大聲的指着共幹罵道：「你們搞這些都是『盤古』以來未有的傻事，徒然勞民傷財，把百姓的生命當作兒戲，你們太沒人性了！」經她這一鬧，全體被迫賣命的人民譁然，紛紛大聲吶喊：「我們不幹了！」「回家去吧！」而且大家便都實行挑着行李，不顧共幹呵斥，離開了工地。共幹亦全無辦法可住留他們。

記者問何玉英小姐：那些人斗胆不聽共幹命令，一鬨而散；那還了得，後來豈不是要受大罪？她笑說：沒有事。她說當衆人初散走時，她亦就心會受罪的，但大家都走，她亦祇得携着鋪蓋回家，及後居然完全無事。據解釋，這是因爲人太多了，中共雖然心裏大不高興，卻以衆怒難犯，要整亦整不了那許多人，所以它們亦就再沒過問這件事了。（敬斯）

台灣漏稅風氣猖獗
迄去年底接近七億元　非打老虎不足挽狂瀾

（本報記者張健生台北航訊）本省工商界欠稅和漏稅的風氣，一天比一天猖獗。而欠稅和偷稅漏稅者，並非升斗小民，多數是「特權階級」，比如台北有一家貿易行，逃稅竟達七千萬之多，因爲該貿易行老闆爲本省商界鉅子。他交遊廣濶，往來者多爲政界要人，於是，某治安機關雖在調查，亦似乎奈何他不得。這位老闆現仍逍遙法外，匿居在北投別墅中，雖足不出戶，卻自有人爲之奔走說項，即是一例。

據統計，欠稅案件在五十一年底，有三百萬件，欠稅金額接近七億新台幣。若以本省的戶口計算，平均每一戶就有二到三件欠稅案。如以欠稅七億而言，相當於政府財政上的兩年差額。自從財務法庭成立後，稽征機關也加強清理舊欠，雖有成效，但並未遏止欠稅案件，反而有日益增加之勢。比如四十五、六年間，欠稅金額尚祇有三億左右，而去年底卻增加到七億。這情形，如非政府痛下決心整頓大戶舊欠，三年以後，增加到十億實在毫不稀奇。

偷稅漏稅的問題，立法院根據財政部五十年度七月間的報告所公布中說：四十九年度，可稅所得爲一百二十二億元，按照規定，應能收得綜合所得稅爲五億七千餘萬元。這是財政部統計專家最保守的估計。但事實上，那一年只收到一億二千餘萬元，其餘應課的四億五千萬元逃掉了。

例如，四十八年民營事業的生產額，急遽增加。民營事業生產額約佔總生產額的百分之六十二，而公營事業生產額佔總生產額百分之三八。五十年度的民營事業生產額佔總生產額約百分之七十，而公營事業生產額佔總生產額約爲百分之三〇。准此，民營事業繳納營利事業所得稅，應比公營事業多一倍以上，方爲合理。然而事實上，民營事業納稅總額爲二億三千八百七十一萬元，而公營事業卻繳了四億二千二百九十六萬多元，幾幾乎比民營事業多繳一倍弱。即此可知民營事業偷漏之稅，是如何的多了。

又據稽征機關和治安機關於四十五年間聯合抽查台北市商店，在三百八十二家商店中，竟發現有二百二十六家商店漏稅，計漏稅的商店，佔百分五八。目前偷稅漏稅的情形，顯尚較那時候更爲嚴重。

立法委員石九齡爲此，他在質詢行政院時說：政府除以加價加稅來適應財政上的需要而外，有沒有更有效的辦法來達到增加財政收入的目的？他認爲：只有「痛下決心改革稅政」，始可以達到這個目的。他建議三項辦法：（一）現行各縣市稽徵處的制度，應予調查；即國省稅，另成立國稅局，兼收省稅，現有縣市稽徵處則專司稽征地方稅之職。（二）在人事上，減少臨時僱用人員，增加稅務員之名額，招考大專畢業生加以嚴格訓練後充任之。（三）爲提高稅務人員的待遇，使之安心工作。他強調，如果政府不從前述三事加以考慮，則所謂整飭稅務人員的風氣、加強稅收一類的話，都是白說。

歷經戰陣百鍊成鋼
越南國軍益趨壯大

西貢通訊

越南共和軍隊經過了八年來的過程，由於軍人的革命精神和堅決的意志，已克服了許多艱苦的困難，軍種與質素日趨改進，形成一項雄厚的力量，年來在各個戰場上已表現了很明顯的良好戰果。尤其在湄朗，補充，芒菓原野，民進十八，民進廿七，以及近如平西等戰役行軍的勝利，已使越共爲之胆戰心驚。

除了保衛國家，保衛民衆生命財產所負的任務以外，越南共和軍隊尚協助民衆實現戰畧邑的國策，俾能同時消滅「共產，離間及綏進」三項仇敵。

越南的地勢有許多險阻山林，這對游擊戰術尤爲需要，是以陸軍仍爲主要的力量。現時越南共和國的陸軍，經已組織成若干高級軍團，陸軍計有如次各種兵：

一、工兵——自一九五五年八月間成立以迄現在，已獲得足夠的裝備，這項兵種的專門技術，已有效地協助平亂事業。過去幾年來，在各項剿共行軍中，工兵混合營已有着很大的功績，當戰鬥時驍勇善戰，當建設時也證明了輝煌的能力，約有二，零零零公里的路，三零零座以上的橋，在過去八年中是由他們負責修妥的。

二、炮兵——有效地掩護各個戍防所，參與各大規模行軍戰役，其正確的射擊技術，經已證明炮兵兵種的雄厚能力。但炮兵既沒有自豪對於歷次所獲顯赫的戰功，且仍經常的努力發掘專門人員，提高技術，俾與各個兵種在越南共和軍隊裏並肩邁進。

三、裝甲兵——越南共和軍隊的裝甲兵已組織成中團。過去幾年來，裝甲兵在各個戰場上已建立了很大的戰功，自池沼原野至險峻的山嶺，無論那一處地方，裝甲兵衝破了所有的障礙，裝甲兵已轟烈的衝進了幽冥D戰區，水草平原，各個戰地巢穴，以作掃蕩。現時裝甲兵在長成中，可能的晉爲師團級制。最近裝甲兵復得裝備M一一三型犀利的戰車。

四、運輸兵——越南共和軍隊的運輸兵，係以各運載營的組織，包括若干連和排，獲得各方面足夠快捷的運輸工具。各運輸人員的勇敢和經驗豐富，使各個戰場得到及時的接運而獲得美滿的結果。每年運輸量可能運載三零零，零零零噸物料，行駛成百萬公里的路程。此外．軍隊的火車機構，在越南共和軍隊裏各單位的武器，軍用品的運載，也是一項得力的協助。

五、通訊兵——越南共和軍隊的通訊，已在搜索破獲秘密的殘敵和及時的報告軍事行動，使友軍採取主動攻勢等項，事實上顯示相當的功能。現時通訊兵經已獲得百份之九十最新式的裝備，極其靈活的應用於各個戰場上。過去一年來，通訊的系統獲援置在各個戰畧邑上，癱瘓和分離了越共的游擊戰術。

六、降傘兵——降傘兵爲軍隊裏的勇敢善戰的兵種，傘兵靈巧地衝降越南的各個戰場，散播下來，帶給越共無限的驚慌害怕，致使每次望見戴着紅帽的對敵軍人，頓告失驚，是以獲得煊赫的戰功。而傘兵因此遂被稱爲百戰百勝的兵種。

七、別動軍——這兵種雖然是新近成立的，但是在歷次的戰役中立下了輝煌的業績，以及各次突擊，伏擊中爲一特別技術兵種而揚名。在特別訓練下，各兵士和幹部忍受艱苦的精神，這種別動軍的兵種，經已在各次游擊，陣地戰的戰役中表現得很爲出色。

越南的空軍在過去八年來，經已改進長成爲：聯飛團的各個單位。

過去一年中，空軍的力量在許多地方上消滅了越共的機構、據點，和特別的首推爲轟擊消滅越共的整百幢房屋，在廣南、廣義、嵩崑等山地，燒毀越共數十座武器倉庫。

在鳳凰子飛直升機運兵等行軍戰役中，空軍已摧毀了越共的戰陣，使敵方損失慘重。現時越南空軍尚不斷的改進各個可容噴射機的最新機場，使成爲東南亞首屈一指的基地。

越南海軍的組織，分爲海力、河力及衛鋒海團，對於戰鬥方面，在越南的特別戰場上海軍在各個環境中採取有效的表現，自陰幽的水涌以至各道河流，包括沿海海域，越南海岸綫長達二，〇〇〇公里，及南部低窪沼澤地帶，均負起保衛安寧責任。

隸屬於海軍的尚有海軍陸戰隊的兵種，素負勇敢的威名。海軍陸戰旅團，與傘兵旅團，各別動大隊並肩作戰，致使越共無數的主力單位遭遇困難及消耗。

楊森將軍話生平

—兼談養生之道—

至蜀軍政府副都督夏之時，原爲余屬下之排官，先於九月十五日在龍泉驛起義東下，發動重慶獨立，此事實先得余之默契，而爲余參加同盟會之初衷也。

民國二年，余因曾參加討袁之役，見嫉胡文瀾，下令通緝，流亡至滇。民四護國軍興，以黃毓成先生之介紹，得參加蔡松坡先生護國軍第一軍總司令部戎幕。先生以余少年沉着，明兵畧而諳西南情形，畀以參謀之任。下作戰令，標識軍圖，軍事旁午，日無暇晷。先生儒雅雍容，襟懷灑落如光風霽月，料敵如神，指揮若定。余獲備員左右，親承提命，歷練日有增加，其後浮沉軍旅，能不隕越，得先生影響之力不少。

民國九年，余以川軍第九師師長兼川南道尹，駐防瀘縣。瀘縣爲川南重鎮，物阜民殷，百廢待舉。因思建設首要，在於發展交通，於是興築四川第一條公路，由南門修至山巔腦，以達永寧。並擬築井瀘鐵路，以利井鹽運輸。又以忠山至龍頭關一帶，多亂葬墳墓，乃在此區，鼓勵造林，二三年間，森林蒼蔚，達數十萬株。川南師範爲人才陶鑄之所，經大加擴充，一時人文鼎盛。合川盧作孚爲人幹練有識，余延攬之入道尹公署任教育科長，於改進學校教育之外，並從事社會教育建設，瀘縣民衆教育館及圖書館均成立於此時。並爲展開地方建設，分別成立機械廠、水電廠、磁碗廠等，因而川南新政一時並起。

當余督理四川軍務兼主省政之際，思銳意建設以滌「貧弱愚私」之恥，遂厲行肉稅獨立，充實教育經費，補助國內外留學生津貼，使得安心向學。並就成都高等師範另設成都大學及四川公學。此外如關治公園，建立通俗教育館，提倡短衣運動及早起等，凡有關益民智勵民德易民俗者，莫不積極舉辦。又以成都市區，極欠整齊清潔，未能近代化，乃將廢臬署改建春熙路，並拆卸東大街突出房屋，以新法改造馬路。甫施工，成都紳耆名流徐子休等，所謂五老七賢，狃於積習，齊來謁陳，請收回成命。余以事關革新要政，執行如故。旋已成之街，衢廣業殷，乃又爭請對其所居街道提前施工，改建馬路，前後自相矛盾，判若兩人。此外又築成灌公路，於是全省縣鄉紛起築路，蔚爲運動。

余以川軍第二軍軍長，曾兼任重慶商埠督辦。重慶市係屬山城，雙江夾抱，三面環水，其地勢有若半島。而自千廝門迄儲奇門，襟帶揚子嘉陵兩江，碼頭起卸貨物，諸多不便。士紳建議，謂三國時李嚴守江州，曾有計畫將兩路口鑿通，滙兩江爲一，使巴縣江北聯成一片，余韙其議，然以重慶爲西南諸省吐納內埠，僅局限北岸，不足以資發展，必須建築鐵橋，以通南岸，故先着手建築堤塢。方施工，以軍事倥傯報罷，僅闢成後伺坡公園，即行卸任。

民國十五年，余任國民革命軍第二十軍軍長，駐防萬縣，兼領萬縣市長。整理市政之可紀述者，爲興築萬州大橋，以溝通城區及南津街間交通，拆除城垣，改築環城馬路，闢東門至鐘鼓樓新市區，修萬梁公路，增建萬縣公立圖書館、公共體育場、商品陳列館、慈善院、市立診療所、西山公園等。在萬縣時有一重大事件發生，則爲英艦砲轟萬縣事件，即世所稱「九五慘案」是也。民國十五年九月五日，英人逞其帝國主義者淫威，不賠償浪沉民船損失，反以砲艦政策，轟擊萬縣城市，焚毀民房商店一千餘家，死傷人民數以千計。余爲保衞人民生命財產及自衞起見，下令還擊。英艦科克捷夫和威瑾兩號不支，向長江下游敗退。當即通電全國，籲請主張公道，一致抗英。同時萬縣各界，亦有急電報告全國。萬縣九五慘案抗英大會，上海商會聯合會等，亦均有通電呼籲全國向英嚴重抗議。（二）

我底學習和思想歷程

謝康

一、由中學到高師

我底一生，平淡，寂寞，辛苦，艱難，而無可紀述。但是，從思想改變的歷程看來，卻有很多事實，提供和充實我的回憶。

俗語說：「涉獵不精，是多學之弊。」我平生就吃了貪多務得，博而不能「返約」的虧。如果說「博士」的學問基礎，一定要廣博的話，那麼，也許可以說我很對得起這個頭銜。可是，現在是分工細密的時代，一個人只能做一兩門狹而深的學問工作，經過相當久的時間和努力，纔可以見長和出人頭地。這般說來，我若繼續兼營旁鶩，以百科全書的精神治學，就難免有顧此失彼或日不暇給之虞了。

我生長在廣西柳城一個所謂「書香之家」，先輩多科第中人，先祖係廣西名儒鄭獻甫（小谷）的學生，古文家王拯（定甫）的朋友，同治中葉舉人，禮闈報罷後，再無餘資北上應考，乃以縣學訓導，教諭及書院山長教讀生活終其身。父親是一個廩生和拔貢生，亦終身從事教學。我小時能飽讀舊書，多是祖父的遺澤和父親的影響。

我在中學肄業，雖是民國初元，但是，腦筋中仍充滿舊文化的思想。譬如禮記內則和曲禮所記的家庭生活規矩，至今還相當支配着我底治家和做人的觀念。四年中學生活，在柳州柳侯公園旁邊度過。這裏有羅池遺廟，荔子殘碑，有亭台樓閣園林之勝，課餘流連，每景仰先賢，立志爲古文家，恨不得做柳宗元第二，而與王定甫爭一日之短長。柳州山水，原多可遊。每當春和景明，則鸞鶴山下，立魚峯頭，同學們聯袂偕游，登臨嘯傲，藉名山勝水，開拓心胸。因此，中學時代，我最喜歡的功課，就是國文，歷史兩科。普通一些帶有古文筆調的散文，甚至於駢文詩詞，似乎也可以揮寫自如了。這就是我後日所以選讀高師文史部的原因。

但是，因爲有些同學能夠到上海讀書，引起我的羨慕。我很想到上海多讀些英文，好爲將來去外國留學的準備。於是，在家鄉當了兩年半小學教員之後，就跑到上海，讀大同大學預科。在上海一年，認識的人可不少，除陳柱尊先生和一些廣西老鄉外，還結識了商務印書館交際科科長黃警頑，中華職業教育社黃任之，看他們處世接物的態度，懇切周到，彬彬有禮，使我這個南方「蠻子」，眞是自愧弗如。這時期正值杜威博士來華訪問，五四新思潮澎湃之餘，我受了新思潮的刺激，聽了杜威夫婦演講也得到若干啓示；然後知世界之大，進步之速，決非我們鄉下人的腦筋，所能想像。加以上海租界十里洋場的富麗繁華，與華界舊式街衢平房比較之下，益覺得東方文明的停滯落後，非急起直追，趕快以西方之長，補救吾國之缺憾不可了。（一）

天南風光

—沙羅越的歷史—

朱淵明

當布律克與宮奎跟蘇丹談判多時，而舉行最後一次的會議時，據目擊者事後加以形容說：「在會議場的週圍，布置得異常嚴密，假如有任何駁船或暴徒要刺殺布律克或歐洲人，都將立即遭到我們幾百人第一槍的報復。在婆羅乃的「主要街道」——即婆羅乃河上，停泊了戰艦，一條跳板，置放在艦心的錨柱上，艦的上半部高高聳立起來，砲的子彈，裝到砲口……月台上架起一隻戰艦上的活動砲，面向着會議廳，砲口直指着蘇丹，傍邊站着一個人，手中執住燃燒着的麻繩。」

如此驚險緊張的場面，叫那個軟弱怯懦的蘇丹，怎能不樣樣順從呢？於是就決定罷免尤梳的首席部長，由目達哈沁繼任，又重申婆羅乃與英國的友誼關係及深切的願望。此外，布律克更進一步的提出要蘇丹把納閩島（Labuan）割讓與英國，作爲海軍基地，俾可協勦海盜，蘇丹自然也慨予允諾。於是就由婆羅乃政府出面，寄呈英國女皇維多利亞一封信，信上說：

『蘇丹與拉者目達哈沁深望能獲得英國皇后的友誼與援助，以便去壓制海盜，並發展貿易。只要英國允許對這些事項加以援助，他們願意把納閩島（Labuan）及其附屬小島割讓給英國女皇。這些地方，可以讓任何受女皇陛下所指定的人去安排處理』。

但英國政府對此信很久沒有答復，一直要等到一八四六年，才作正式決定。這時，布律克在倫敦的代理人，亨利威斯，依然熱烈的在爭取英國官方之承認沙羅越，作着種種的活動，及知婆羅乃願割納閩島與英國，而又係出於布律克之建議時，自更振振有詞，不肯錯過這個機會。結果，居然大有進展，仍由第一海軍大將「哈靈敦」伯爵，向他表示說：「我已同意再指示咨奮船長，叫他在那裏擬一份使沙羅越成爲海軍基地的計劃書呈送到倫敦來」。雖然那時外交大臣「亞柏珍」伯爵，依然持重的拒絕給予布律克以任何外交官或領事的名義，而殖民部也反對把沙羅越變成一個英國殖民地的一切提議，使布律克想爲沙羅越總督的夢想幻滅，但在進程中，總算發展了一步，並非徒勞。（卅七）

塵君續夢

第七回

越境興戎　盈廷驚白蟻

恃强犯上　舉座斥青蠅

周恩來回到北平，就遇上「世界工聯」理事會在北平開會，「世界工聯」是共產國際的外圍組織，主席是意大利人維多里奧，副主席十二人有蘇聯的格里申，中共的劉長勝，印尼共黨第二書記約多，總書記是法國的路易．賽揚。這個組織本由共產集團組成，負責人也都是各國共產黨的重要角色，行動也就完全一致，過去每次會議，所有決議都是全體一致通過。對於這樣一個組織，自由世界一向不重視，它的任何宣言、決議都當作眞理報的社論來看，西方記者更懶於採訪它的新聞。不料這次在北平開會竟然也鬧了糾紛。

理事會兩年開會一次。這次選定在北平開會，由總書記路易．賽揚主持，由於主席維多里奧病逝，尙未舉出繼任人選，大家就共推「地主」劉長勝任執行主席。

開會前夕，劉長勝去見毛澤東報告工聯理事會即將開會，請示在大會中應採取的態度。

毛澤東說道：「工會本身沒有什麼問題要鬥爭，你應該把和平與戰爭問題提出討論。一九五七年在莫斯科簽署的莫斯科宣言，我同意了赫魯曉夫的主張，加入了戰爭並非不可避免的話，這是一個很大的疏忽，以後我們援助殖民地的民族解放戰爭，赫魯曉夫就拿莫斯科宣言壓我們，罵我好戰。這次理事會上，你要把這個案翻過來。」

劉長勝楞了一下，問道：「我怎麼翻案呢？我可不可以說爲了完成世界革命，應該進行一次戰爭。」

毛澤東噴了幾口烟圈，說道：「這樣講恐怕遭到的反對較多，你應該說的技術些。」

劉長勝說道：「還有一個理由，就說我們進行的是正義戰爭，與帝國主義的侵畧戰爭不同。」

毛澤東笑道：「理由是對了，可是，他們也會想到無論什麼戰爭，落下來的原子彈都是一樣的。」

劉長勝想不出辦法，坐在那裏不敢再開口，停了一時，毛澤東忽然靈機一動，說道：「有了，有了，你明天這樣講：世界大戰是可以避免的，但是局部戰爭絕不能免，所謂局部戰爭就是民族解放戰爭，如阿爾及利亞，南越南，老撾，古巴，都屬於這一類。局部戰爭也不會引起世界大戰，我們應該予以全力支持。」

毛澤東一面講，劉長勝就一面掏出筆記本速記，等到毛澤東講完了，劉長勝問道：「這場會議看情形是要有一番鬥爭的，到了最激烈時，恐怕我一個人不能支持得了，可不可以請主席親自出席發表一篇演說，料想無人敢出頭反對，就可以通過了。」

毛澤東沉吟一下，說道：「這件事我不便出頭，好比下象棋，一到出老將就是要輸了。你到時支持不住，我另外派人去，總不會讓你獨力作戰就是了。」

第二日，理事會開幕，世界各國左傾工會的首腦都出席了，先由總書記路易．賽揚報告會務及兩年來的鬥爭形勢，接着就由執行主席劉長勝致詞。（一八五）

品茶在廈門（續）

茶具爲陳舊之陽羨（今江蘇宜興）小泥壺，杯則瓷類，細如小酒盞，有新，有舊，有俗，有雅。有德化瓷，有潮、汕瓷，亦有景德瓷。大抵，貴客多到者，則茶具較名貴，蓋飲客不僅品其茶，兼亦玩賞其茶具也。茶壺茶杯而外，更有「茶洗」，安茶壺也。更有「茶碟」，貯茶杯也。上焉者，亦必名瓷，古陶。古香古色，未飲先醉。醉於茶，非醉於酒也。

於是，水沸矣，蟹眼現矣，茶博士先以沸水盪壺，滌杯，徐放茶葉於壺，然後以沸水冲下，比滿，則加蓋。加蓋後，復以沸水注壺蓋，謂之「裏應外合」，不惟追熱，且以濾汚也。迨沸水既注矣，徐徐按其蓋，徐徐斟茶於杯。斟不論多少隻，人多，則杯如其數，人少，則四隻其常也。斟茶亦有則，從第一杯起，至末後一杯，須循序迴復，勿使停頓，然後，茶色始一，濃淡適宜也。盤不宜滿，以八分爲度，如是，則執杯于手，無溢出之虞，且亦便於「聞」也。

所謂聞，即聞其香氣，故曰：「聞者，品也，是謂品茶」。否則，灌腸洗胃而已，既不聞香，焉知有味耶？故廈門之茶肆，設備雖簡陋，實具有先唐品茶之風味，不可不知者也。聞嘗謂：廈門人小茶肆，講究飲茶已如此，則其他高明之家，更可想而知矣。

花香月上樓小品

黃伯遠

法官與監獄

德國名小說家艾利希．雷馬克嘗言：「每一個法官和檢察官，都應該在監獄裏住上幾個星期，這樣他們便會知道他們送犯人去的地方是怎樣的了。」這會是我國孔子所說過的：「聽訟吾猶人也，必也使無訟乎」的儒家思想意義的引伸。同時也是佛氏所說過的「不入地獄，焉知地獄苦？」和「我不入地獄，誰入地獄」意義的另一詮釋。不過，我想：艾利希．雷馬克先生亦是說說而已，天下之大，古今人之衆，除了儒家思想對於人哀矜而勿喜，曾經孔子代表而言之，以及佛氏慈悲而慨歎外，從來就未見有一個傻瓜的法官，肯進入他們送犯人去的地方，試嘗縲絏的滋味！我們認爲最簡單而又能做得到的希望，每一法官，當他們提起硃筆判某一犯人該住監獄多久，或該羈押拘留所多久之際，他能事先仔細考慮一番，設身處境去替受拘者想一想：是否已得其平，毫無冤枉？便是好法官矣！至于監獄之爲監獄，除非獄官、獄吏、獄卒們都是聖賢，或由教會選舉牧師、傳道士、修士去充任，縱有嚴格的監督，不斷的改善，多少也還是有其牢不可破的積習存在的。故曰：「不入地獄，焉知地獄苦？」確是千古不能否認的名言。

南宋偏安有人才

——張浚

李仲侯

金遣使來以詔諭爲名，浚五上疏爭之。十年金敗盟，復取河南，浚奏「願因權制變，則大勛可集」。因大治海舟千艘，爲直指山東之計。十一年除檢校少傅崇信軍節度使充萬壽觀使，免奉朝請。十二年封和國公。十六年彗星出西方，浚將極論時事，恐貽母憂，母訝其瘠，問故，浚以實對，母誦其父對策之語曰：「臣寧言而死於斧鉞，不能忍不言以負陛下」。浚意乃決，上疏謂：「當今事勢譬如養成大疽，於頭目心腹之間，不決不止。惟陛下謀之於心，謹察情僞，使在我有不可犯之勢，庶幾社稷安全，不然後將噬臍」。事下三省，秦檜大怒，令台諫論浚，以特進提舉江洲太平興國宮，居連州。二十年，徙永州。浚去國幾廿載，天下士無賢不肖，莫不傾心慕之；武夫健卒言浚者，莫不咨嗟太息；至兒童婦女，亦知有張都督也。金人憚浚，每使至必問浚安在，惟恐其復用。當是時，秦檜怙寵固位，懼浚爲正論以害己，會台臣有所彈劾，論必及浚反，謂浚爲國賊，必欲殺之。以張柄知潭州，汪召錫使湖南，使圖浚。張常先使江西治張宗元獄，株連及浚，捕趙鼎子汾下大理，令自誣與張浚謀大逆，會檜死乃免。

二十五年復觀文殿大學士，判洪州。浚時以母喪將歸葬，念天下事廿年爲檜所壞，邊備蕩弛，又聞金亮叛立，必將舉兵，自以大臣義同休戚，不敢以居喪爲嫌，且奏論之。會星變求直言，浚謂：「數年間金人勢必求釁用兵，而國家溺於宴安，蕩思無備」。而大臣沈該、萬俟卨、湯思退等見之，謂敵初無釁，笑浚爲狂。台諫湯鵬舉、凌哲論浚歸蜀恐搖動遠方，詔復居永州，服除落職，以本官奉祠。（卅二）

也談梁祝

道南

「梁山伯與祝英台」故事，經千百年來，詩人詞人歌詠之，小說家渲染之，劇曲家搬之上舞台，久已成爲家喻戶曉的愛情悲劇。邇近電影界復紛紛將之搬上銀幕，流傳益爲廣遠。梁祝故事發生在寧波，寧波的西郊龍嘘鄉，至今尚有梁山伯廟。

廟的前殿塑有梁祝男女神像，後楹即係神的寢宮，雖內中並無居人，但羅緯繡榻，角枕錦衾，明鏡粧台，儼然爲一極其優美的旋閨繡閣，供人憑弔。廟後有鴛鴦塚，據云即梁祝合葬處。廟祝還說塚間裂有一巨痕，即爲祝英台投身塚中殉情遺蹟，雖歷經鳩工修葺，終不能使之彌合云。其然豈其然耶？

寧波習俗，每屆八月二十一日梁聖君（當地人尊梁之稱）誕辰，必舉行盛大香會，歲歲如常，各地男女進香，水陸畢至，商賈雲集。甬諺有：「若要夫婦同到老，梁山伯廟到一到。」足覘其感人之深。故在會期中，釵香鬢影，白衿青衫，盛極一時。青年男女固儷影雙雙，即白頭夫婦唱隨膜拜的，亦大有其人。

有人窃疑：梁祝兒女私事，何關寧波風物，而彼邑人士如是其崇尚之也？實則考諸舊寧波府志、鄞縣志，及甬人姚穎所著「蘭江小語」各書，知梁曾任鄞令，卓有政聲，旋與祝婚媾不諧，而卒於任所。甬人之建祠祀之，蓋由於是。至於劇本上之故事，雖亦脫胎於志乘，其中卻雜以小說家言，非盡信史也。

據寧波府志載稱：梁山伯，晉會稽人，爲鄞令，病死。相傳山伯嘗與上虞祝氏女英台同學，英台適馬氏，過山伯墓，大號慟，地忽自裂，遂與山伯同葬。

鄞縣志載稱：梁山伯祝英台墓，在縣西四十里，接寺院後有廟。舊記謂二人少嘗同學，比及三年，山伯初不知英台爲女。案十道四番老義婦祝英台與同塚，即其事也（乾道圖經）。此事以舊志有，姑存。（延祐志）俗傳以暮土置灶上，則虫蟻不生（原上草）。國朝李裕詩：「塚中有鴛鴦，塚外喚不起。女郎歌以怨，輒來雙鳳子。識素證雲絲，朱鰷剪翠尾。東風吹三月，青草香十里。長裾裹泥土，歸彈壁魚死。」

蘭江小語稱：梁山伯廟，晉時梁之生祠也。考山伯爲鄞令，極有政聲，嗣卒於任所，因由祠而改爲廟云。

與今之劇本最相近者，厥爲「名人大字典」所載，然而其正確性有若干成，不能無疑。所憾者，梁祝信史如何，已杳不可知矣。名人大字典云：祝英台晉上虞人，與會稽梁山伯同學。英台先歸，山伯過上虞訪之，始知爲女；欲娶之，而英台已許馬氏子。後山伯爲鄞令，病死，遺言葬清道山中。英台適馬氏，過其處，舟不能進，英台造山伯墓慟哭，地忽裂，英台投而死。

奇怪的中醫

諸葛文侯

咱們中國的醫道，有許多神妙莫測的效驗，尤其是關於所謂疑難雜症的各種病痛，凡爲現代科學醫術不易治療者，中國的土醫生每有妙手回春的奇蹟發現。若非身經目擊的人，一定認爲是荒誕不經的神話，誰也不會相信的。試述幾項有人證可指的中醫事實，藉資談助。

民國八年夏間，我在湖南家鄉當小學校長，這時我有一位嫡親的叔母，年尚少壯，右手忽患無名惡疾，自掌部至肩際，發腫劇痛，一星期之內，漸漸腫成像一根大圓筒了，然表面並無潰爛化膿的迹象，全手膚色且與常人無殊，祇是昕夕痛楚難安。鄉間沒有西醫，一些平日聞名的內外科中醫師都請教過了，內服外敷的藥劑不知試用了若干，毫無效用，病人躺在床上呼號不已，家人束手無策，唯有望着病人發愁，不知如何是好？

一日，有一游方之士來到我的學校，自稱是道縣人，姓王，善言命理與相術，兼治奇疾怪病。我以嘗試心情，約他到家中瞧瞧叔母的無名腫毒是否能醫。他看過後，說是至多一星期，負責包醫好，但須用鐵針刺破右手大動脈，把血管中的黃水吸出纔行。他說着，即從懷中掏出一枚土製的鐵針來，形如普通的大號洋釘，只是尖端磨得相當鋒厲而已。我見之駭然，認爲用這種粗製的鐵釘施手術，凶多吉少，病人縱然不喪命，亦非殘廢不可，表示不敢信任。他謂：「請讓我醫治一下，如果病人的生命有危險，我願意抵命；如其殘廢了，我願到官府去坐牢。」叔叔聽他此言，即答道：「死馬當作活馬醫，就讓他試試罷，反正不醫亦會痛死的，不如趕快解決，免得病人多受痛苦」。

第二天清早，老王個人赴山林中採了一小包草藥回來，用口齒嚼成一個饅頭然，裝在飯盌中，另教我準備燒酒一壺，洋磁面盆一只。先把病人的左手細住，又用毛巾遮住她的眼睛，再由叔叔抱住她的身體，免她驚悸動顫，祇把右手伸出。這時我以極度緊張的情緒，從旁給老王幫忙。祇見老王開始拿着一碗清水，口中唸唸有詞，手指向着清水亂畫一陣後，把清水吞飲滿口，對着病人噗的一聲噴出，急用鐵針刺入病人右手大動脈中，他口中即含着燒酒，迨鐵針抽出的剎那間，猛力向創口吮吸幾次，每次皆吸出一口濃質的黃液，吐入磁盆裏，最後把那咀嚼成團的草藥敷在打針的地方，再用布包紮好，教病人睡到床上，問她痛不痛？她搖首表示不痛。經過七天後，果然好了，右手依然靈活如故。這是我親自眼見的情形，絲毫不假。我那位叔母活到六十多歲還很健康，如今是否尚在人間，因爲消息隔絕了十幾年，那卻不可知了。當老王上山採藥時，我要跟他一道去，他不肯。繼看他採回來的藥，有些是草本，有些是青色的樹葉，好像很普通的植物類，但不知其名稱而已。

從此老王不時前來我處，一住就是十天半月。他說言別人生死禍福之機，多奇驗。我戲問：「你可知道自己的生死禍福嗎？」他說：「我清晨起床不洗臉，對着鏡子審視自己的命相，已不下百次，自信滿卅五歲必死（此時他未滿三十零歲）。等到你在外面得意時，我已死去，享不到你的福了。」一相與大笑。民九我赴日本留學，後、迄未還鄉，民十六年冬間，我任職安徽省府委員兼教育廳長，忽然想起老王了，即函家父詢老王近況，若健在，即請他來皖。旋奉父諭，老王已去世數年了。異哉！（一）

小談唐詩人

漁翁

有唐一代，開科取士，文章之外，繼以聲律，因此，詩歌之盛行，爲歷代所不及。計流傳有五萬餘首，善詩者達二千二百餘人，其中包括帝王、后妃，將相，士大夫，僧道，娼優等，均有名句印行。由詩經，離騷，漢賦，而魏晉六朝古詩，迄李唐近體詩出，詩之格式燦然備矣，稱大成焉。

唐詩人中，李白，杜甫爲最特出；李商隱與杜牧，世稱小李杜；他如王維，白居易，崔顥，韋莊，岑參，韓翃，孟浩然，韋應物，王昌齡……等，亦皆含英吐華，即物成詠，珠璣紛呈，各有佳什。下之所舉，其犖犖尤著者耳。

李白，生於蜀昌明之青蓮鄉。據傳出生時，其母夢「太白星」入懷，因此，定名爲「白」，而別字「太白」。「白也詩無敵」，始爲賀知章所賞識，歎爲「謫仙」；言於玄宗，賜以翰林，名噪一時。其所寫「清平調」三章，使風流天子之唐玄宗大過其癮，而特加殊遇。白生平嗜好，不離杯中物，其詠歌亦幾篇篇不離酒。「將進酒」云：「古來聖賢皆寂寞，惟有飲者留其名」。又云：「五花馬，千金裘，呼兒將出換美酒，與爾同消萬古愁」。白常在酒興中寫詩歌，高妙清逸，飄飄然言出天地外，思出鬼神表，故後人稱之爲「詩仙」。杜甫詠飲中八仙，有曰：「李白斗酒詩百篇，長安市上酒家眠；天子呼來不上船，自稱臣是酒中仙」。白詩以歌行稱最，大氣磅礴。絕詩亦至佳，吐屬自然，若未經斧鑿者。其小令則開詞之先河。（一）

謁金門

待旦老人

愁不得，愁了鬢毛先白。風入疎桐寒策策，先秋零一葉。誰在水邊吹笛？吹瘦樓頭明月。隻影新來吞自惜，寒燈共冷熱。

內僑暫台報字第〇三一號內銷證

自由報

THE FREE NEWS

第三二二期

中華民國僑務委員會登記
台教新字第三二三號登記證
中華郵政台字第一二八二號執照登記為第一類新聞紙類
（半週刊每星期三、六出版）
每份港幣壹角
台灣零售價新台幣貳元
社長：雷嘯岑
督印人：黃行蜜
社址：香港銅鑼灣高士威道二十號四樓
20 CAUSEWAY RD 3RD FL HONG KONG
TEL. 771726 電報掛號．7189
承印者：四風印刷廠
廠址：香港灣仔高士打道二二一號
台灣分社
台北市西寧南路金生本號二樓
電話：三〇三四六
台郵劃撥帳戶九二五五

為我們的下一代人着想

——從香港小學改制七年談起——

林介山

在一個新的時代，任何要求適應的變革，都值得考慮。但革新，不一定好；不變革，不一定就是壞；問題當在「革新」本身的意義中去判斷。

革新的意義，主要是從「好」的方面去變革，且必須比現存的好，更合情，更合理，然後革新的意義才成立。

革新後的東西，自然亦必先經過實驗，而後可判斷是好或是壞。這就涉及秩序安危，造福或貽害的問題了。

革新的對象，如果是一樁事，一件物，或一個人，那末不妨試驗多幾次，若不符理想，不會有大影響；如果對象是關係社會多數人的事，卻絕不容許有「試試看」的心理。它事前應經過多方審慎的研究，獲得多數人的贊同，而後可以進行，否則，原有的秩序就會遭到破壞；革新也就變成危害社會的東西。

當前影響人類最廣最深，不容隨便去談革新，而又不能不想方設法革新的，有政治、經濟、社會、教育等制度，特別教育一項，不獨影響現在，而且影響未來。教育負有改造人性的任務，所以有「十年樹木，百年樹人」的說法。這等於說，不要用現實的短視的眼光來看教育；應要用遠大的眼光來看教育。用這個角度來看香港教育制度的變革，可說是深深地犯着「試試看」，而又現實短視的毛病。

檢討近十三年來的香港教育，最使人注目，使教師苦惱，使學生與家長傷透腦經，使所有教育界人士深感困擾的，計有五大項：一是原為一律平等的教師，變成了暫准教師與檢定教師問題；二是構成教師待遇懸殊，以及所謂教師訓練問題；三是中小學會考問題；四是中學改為五年制問題；五是小學改為七年制問題。尤其中小學改制問題，直使人有莫名其妙，無所適從之感。因所謂中學五年制，不過是去年（一九六二）才提出，直至今日，事實上可說仍未正式實行，更說不上普遍或否有成效的話，現在又提出小學的七年制了。若所提出的七年小學制，全不涉及中學，那還勉強可說，但所謂七年小學，據宣佈，那是包括有兩年初中課程在內，亦即是小學新制畢業後再讀中學三年，便等於舊制高中畢業。這樣說來，我們究不知中學是五年制？抑或三年制？如果說是五年制，那末新制小學實係五年，不應說為七年。若說小學七年制，那末中學便應改為三年制。

香港的中小學改制，照當局的言論表示，似屬勢在必行。但究竟是三年？五年？七年？直到現在，還是令人惶惑的。改制除此之外，還必須有充份的、合乎教育理想目的的理由，見諸當地八大教會學校負責人的說法，那是可使與英文中學會考年度一致。至所謂小學七年制，則是提高小學入學年齡至七歲，到十四歲畢業時，即可接入社會工作的年齡云云。我覺得這樣的改制理由非常之不充份，且亦簡單到可笑。按照幾個哲人的教育理想，如希臘的阿里斯多德，要養成高貴的人；德國的尼采，要養成超人；美國的杜威，要養成社會有用的人；英國的羅素，要養成有優良人性的人。可見香港中小學改制的目的，是在向實驗主義杜威大師看齊了。但想來，也並不像杜威的教育目的在於實用的知識要與社會建設相配合。憑此種預定的目的，一切有關教育的工具和方法，都要配合進行。例如課本的取材和編撰，與夫為達成此種目的的學習和教授法，都有一整套研究。決不能，把兩種不同文化──中文和英文的年度──強行拉成一致，或把小學畢業年度拉成與准予入工廠工作的年歲，便視為「社會有用的人」，而作為改制的理由。事實上恰恰相反，小學畢業進入工廠，不會眞的是「社會有用的人」，那祇是製造更多的童工。在知識貧乏的基礎下，不是害了童工的一生，便製造高級知識份子為少數特殊階級所專有的後果。這樣的教育，對人類社會的前途，是害多於利的。

而且，這種小學七年制，是由強行提高一年的入學年齡而成的。由四足歲入學幼稚園開始，豈不要讀三年的幼稚園，才可以進入小學？幼稚園祇是對家庭教育的輔助，不是獨立的教育，眞正的獨立教育，在小學才開始，所以幼稚園祇限於唱遊、故事、和有趣味、清潔、禮貌等，以及一些圖解知識，一年已經足夠了。過去六足歲准予入小學，使幼稚園訓練兩年，已有壓制兒童知識發展之嫌，今日提高到七歲方得入小學，這豈不礙阻了兩年受教育的光陰，來用兩年的犧牲，博取適合「童工」的年齡，豈是合理的事？

假定當局為憐憫中國人的窮困，必須堅持七年小學制，亦可以把勞工年歲改為十二歲，而提早於五足歲入學以相配合。如其關心學童的年歲與知識問題，實在可以把小學改為五年制，中學改為四年制，從五足歲入學，十四歲即畢業，那豈不是使我們中國人的後一代的生活知識更見充實（拙著「效率教育制度」，五年小學，四年中學，完全有可能）？除此之外，我們還要認識一點，中國人雖窮，但一般對後一代的教育是非常重視的。在七十五萬的香港學童中，祗有極少數迫不得已，使僅在小學畢業的子弟進入工廠，以助家計的。凡屬勉強可能的，都仍將設法供給子弟繼續升學。而且，中國人的平均壽命約祗在五十歲間，一個人除了學生時代及初期服務社會經驗，眞正能盡其所學以服務社會，造福人類的，實在很少。因此，我們對學制改革的目的，必須注意到儘早使之入學，而又從增大效率方法中減少其學業年度，如此可使其更有用於社會，更有助於家庭及其本人。

職此之故，就當前香港環境來看教育問題，改制似非當務之急，而在盡速實施「小學強迫義務教育制度」。如果實施義務教育制，那所謂與進入工廠年齡相銜接之說，即全無關係了。事實上，全港七十五萬學童的家長們，用雪亮的眼睛指望着的，是小學義務教育制度之實施，而不是熱望自己子弟可以去工廠做小工的教育制度。

我們認為當局既然硬性規定入學的年齡，那就不應該收學費，要收學費，即須使交費人自由抉擇。若因為繳不起學費而致貽誤學齡的學童，造成無校可入，失去正常的教育機會，甚至變成文盲，這種責任，該當誰負呢？

其次，教師除了「傳授知識外，還要有「師表人倫」的德行。中國傳統的社會觀念，後者比前者更見重視。在香港的教育負責人士無疑都是隨時講究德行的，但我們曠觀一些祗知跑馬賭博，專寫別字而月薪七百元以上的教師，和一個規矩誠實，但束修只得百餘元的教師比較之下，學童的觀感將會怎樣呢？社會風氣將會怎樣的呢？所以應從教師的私生活檢討做起，同時，亦應把教師的品學資格為規定，上策，亦有助於我們的後一代。

[illegible]

漫画天下　南施

赤帝至尊

魔鏡變形？

玩火的傢伙

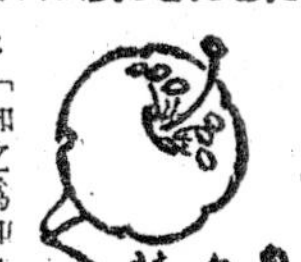

自由談

古今學者的區別

馮五先生

孔子云：「古之學者為己，今之學者為人」。又說：「知之為知之，不知為不知，是知也」。前者是治學的目的，後者是方法，時代儘管不同，這幾句格言的眞理卻永垂不朽。

治學的目的原在充實自己的智能，而學問之道無窮，一輩子亦感覺不足，決不敢自認為飽學之士，這樣纔能夠精進不已，蔚成大器，俗言「做到老，學到老」，就是古人為學的精神。所以，古之學者從不隨便著書立說，而輕率問世，即使是詩文小道，偶有寫作，亦多秘不示人，唯恐見笑方家。許多通儒大師或眞正讀書有得的學者，他們的作品，都是身後經過門生故舊蒐集而刊行的，自己在生之日，充其量把平生的各種寫作，加以審核刪定，留給後人而已。至於浩瀚無涯，廣袤無垠的知識領域，尤其不敢說樣樣精通，以孔子的學識，還說是「假我數年，五十以學易，可以無大過矣」。其他的知識份子，誰敢說一切學問都通曉嗎？

後世學者治學的目的是在為人，即處處表現着自己的學問湛深，迥異尋常，唯恐人之不我知也，如是乎對人自炫淵博，談經史子集固然以大師自命，談聲光電化亦以通儒自居；自己的一切寫作，不管成熟與否，無論牛溲馬勃，動則付之剞劂，賣弄不已，所謂「某某集」，以及彙刊小冊子之類，到處可見，目的就在教人們知道他是當代一位學富五車的名儒，很了不起。古人認為「人之患在好為人師」，今人卻認為人之患在不以大學者自命。如是乎學者滿坑滿谷，作家車載斗量，至於自己的學識是否如川諺所謂「門門懂，樣樣瘟」，那卻不在考慮之列了。我們瞻觀現代學術界，這種情形不是應有儘有，目不暇給嗎？

言論出版自由，原係現代人應有的權利，把自己的著作刊印出來，未嘗不可，但總須有所斟酌，不好將粗製濫造的覆瓿之作，亦視為學問，災梨禍棗，胡亂刊行，這是欺天下人以無知，徒使通人齒冷。為維護學術尊嚴，為提高出版事業的水準，這情形似乎不足為訓。若夫專為贈送友好審閱而刊行的非賣品，又當別論也。

至今未解決的老問題

高雄港裝卸業糾紛真相

公平處理。此其時矣

（本報記者熊徵宇台中航訊）台省議會於本月七日閉幕。本屆——第二屆省議員的任期至此亦宣告結束。省政府所提出的各種單行法規，都獲得省議會以高速度的審查方式，獲得順利通過。

但是有份由省議員徐灶生等六人聯名提出的研究報告，卻議而未決，只能留待下屆。

這份報告，似乎不為台北各報所重視，有的隻字未提，有的只有一段標題。但是這件「高雄港碼頭裝卸業問題研究小組報告」，意義並不「平凡」，具有反映議會精神與勞工問題的重大意義。也涉及到好幾位省議員的操守。

高雄港碼頭裝卸業糾紛由來已久。省議會在三年前，第一屆第二次大會時，就受理高雄市民張水官等請願：「請求撤銷高雄港輪船裝卸承攬業限制」。當時，議會請李建和等議員組成小組委會進行調查，但因糾紛難平，直到現在。

請願者要求省議會保障民營輪船裝卸業者的法益，修改公營不合理的中間剝削。而同時，萬通等十三家運輸承攬公司，也提出應以公平方式由該港全體運輸業者參加經營，杜絕地方權勢。具體指陳高雄港的承攬業務，僅許台通，碼頭，中安，南部四家承攬太不公平，應許其他的十三家加入運送，利益互惠。

而台通等四家，則認為應該保障其既得權益，排除那十三家，形成獨佔利益。也進行請願。

雙方請願，各持己見。徐灶生議員等實地調查後，曾做成(三)點結論，認為：(一)高雄港裝卸業為官股百分之四十五，民股百分之五十五是合理的，蓋有官股可以掌握非常時間之運輸調度，但那百分之五十五的民股，僅由台通等四家獨佔，而排斥其他十三家運輸業者，和碼頭工所組成的勞働合作社等，深不合理，主公開平均，將各運輸業者納入股內，以杜糾紛。(二)各納入之新股東，以基隆港各運輸業者的比率為範本。(三)全省各海港碼頭之管理及業務，應請省交通處合理改善。

省議會這回討論這份報告，對於股東問題，形成兩大陣營，一方面支持研究小組召集人徐灶生的提議；一方面則是歷次大會主張保障台通等四家既得利益的陣營。

而支持台通等四家的營陣裏，有幾位是大牌議員，能言善辯，持理股多。經過雙方爭執，使主持大會的謝東閔副議長，提出「表決」的辦法，但那天出席的議員，又不足法定人數，如是又遭擱置。

三年來，都有不同的環境，使這件為台灣南部大多數勞工所關心的案子續被擱置，原因並非理論之爭，而是「私心不已」。

很多人說：前任省議員而下屆又打算出馬的黃堯，就是台通等四家公司之一，他每年個人的收益，就有六十萬以上，所以就以銀彈攻勢，送錢給幾位省議員「護航」，阻止這案子「公平」通過。所以，每次省議會，黃堯就來台中，請那幾位「航員」徵酒逐色，抱女人睡，外加紅包。記者確悉這幾位議員是誰，但因有的已未被執政黨提名競選，有的已獲下屆省議員提名，還有的，打算搞縣長，因是之故，不便舉名。只是基於本報說公道話的立場，報導這案子的真相。

也希望，交通處拿出魄力來改善各碼頭不合理的現象。

立法院質詢有人主張

陽明山第三次會談應趕在反攻前舉行

（本報記者張健生台北航訊）青年黨籍立法委員董微，於三月八日在立法院就陽明山第三次會談，是否舉行？何時舉行？及台灣省議會議員候選人競選規則，是不是違憲？向行政院提出質詢。

行政院副院長王雲五在答覆董委員質詢時，說：「陽明山會談籌備處並未撤銷，還是準備隨時召開的」。王副院長並引用董委員的質詢詞，來答覆這個問題。他說：只要反攻時機成熟，即「集合全國海內外力量，配合反攻，是刻不容緩的舉措」。「聽取全國各階層有識之士的意見，上下一心，舉國一致，不分地域，不分黨派」。

董微委員說：「陽明山第三次談話會，是否舉行？究竟何時舉行？我認為在反攻大陸之前，還有兩件極為重要的事，急應促成：一為對內的，一為對外者。就對內的一面說，反攻大陸的事，是箭在弦上。集合全國海內外力量，配合反攻，是刻不容緩的措施。我們知道，民國廿六年準備與日本作長期抗戰時，曾先召集廬山談話會，聽取全國各階層有識之士的意見，上下一心，舉國一致，不分地域，不分黨派，終至打垮日本，爭取最後勝利」。

董委員認為：「我們這次反攻大陸，是一個艱巨的戰爭。是我們只許成功，不能失敗的戰爭。也是我們生死存亡的戰爭。所以，仍須集合全國英才、各方朝野的廣泛意見，協調合作，全力以赴。因此，在反攻前夕，陽明山第三次談話會（政治性的），實在有舉行的必要」。

他說：「這次行政院施政報告內亦有『繼續擴大海內外人士團結合作，以滙集愛國反攻力量，加速大陸重光，尤為本院黽勉以赴之任務』。根據此段報告，是否即說明決心舉行第三次陽明山會談的意思？如果是的話，究在何時舉行？」

董委員另以「台灣省議會議員候選人競選規則問題」，向行政院提出質詢。他說：「憲法第八十條規定：『法官依據法律獨立審判，不受任何干涉。』第一百七十條規定：『本憲法所稱之法律，謂經立法院通過，總統公布之法律』。現行地方自治法規，未經本院審議，不能稱為法律，即原則上各級法院法官不應援用地方自治法規，作為審理訴訟案件之依據。」

董委員說：「本年四月，省議會議員單獨改選，內政部認為台灣省妨害選舉罷免取締辦法，只適用於縣市公職人員選舉，不適用於省議會議員選舉，另擬台灣省議會議員候選人競選規則，是貴院核定，即將公布施行。此項競選規則，既未經本院審議，不能稱為法律，亦未經台灣省議會審議、又不能稱為『具有法性』，實為不折不扣之行政命令。請問貴院：如果本屆省議會議員改選時，發生選舉訴訟案件，高等法院審理時，能否依據此項既非法律又非『具有法性』之競選規則？如果謂『能』，法官何以能依據行政命令審理有關人民權利義務案件？如果謂『不能』，則擬頒此項競選規則不僅等於具文，候選人競選與入民助選，又將依據何種法規？此事關係民主法治原則，希望惠予答覆！」

內政部長連震東在答覆董委員此項質詢時，並未就問題而答覆，他輕描淡寫「答非所問」的，說明省議員候選人競選規則未送省議會審議的經過，他說：「省議員選舉罷免規程，係內政部制訂，經行政院會議通過而公布的。至於妨害選舉取締法，只能適用於縣市議員的選舉，故另訂候選人競選規則送省議會審議；當時省議會認為母法未送審，而先送子法——競選規則，所以未予及時審議」云云。

大陸「國營華僑農場」實際與「勞改場」無殊

（香港與大陸）

近十年來，被中共騙回大陸的，數以萬計的僑胞，絕大部份都被分配到「國營華僑農場」勞動，帶回來的錢都「投資」下去了，每天卻要工作十多小時，住的是茅屋，吃又不得飽，許多僑胞皆因從未生活得如此悲慘，身體被折磨壞了，精神上更苦不堪言，因而慘事重重，不斷的發生。

曾被分配到廣西省武鳴縣「國營華僑農場」勞動而於最近逃抵香港的僑胞林啟文向記者透露：約有成十萬被騙回大陸的僑胞，被中共分配往五十多個「國營華僑農場」勞動，那些農場都設立在荒山野嶺渺無人烟的地區，幾乎全無設備，與所謂「勞改場」實際並無區別。「華僑國營農場」的所在地，包括廣西的武鳴、百色、寧明；貴州省雲南省的山地；廣東的海南島，英德……等地。

林啟文君係於一九五九年由印尼回大陸的，同行的還有他堂兄一家人。當回大陸不久，他和堂兄一家人便被分配到廣西的武鳴「國營華僑農場」。在他們未到該農場之前，他們內心是充滿着希望和興奮的，因為「僑務委員會」的共幹就曾向他們吹噓安居樂業的遠景，說那裏現在已有公路，有新的宿舍，並將興建電影院……他們一行三百多人亦很樂意的接受了分配。但當他們到達該農場時，卻只看到一片荒蕪的坵陵地，在這土地上除了有幾棟茅屋和幾個寫有「國營華僑農場場址」字樣的木牌外，就什麼都沒有了。有許多僑胞，看到這種情況，真是又悲傷又憤恨，登時曾有不少人放聲大哭。但又有什麼辦法呢，他們帶回來的全部財產，都已在未來此前「投資」到這「武鳴國營華僑農場」了。

林啟文君說：這些僑胞過去大部份都係做生意的，根本就沒有體力勞動的習慣，但他們現在卻不能不做着搭架茅屋，開掘水井，墾殖荒地等沉重體力勞動，並在中共「不勞動不得食」，「按勞取酬」及「糧、油、肉、菜自供自給」的硬性規定下，每天迫着要做十四小時以上的工作，糧食的供應則每月祇有廿五斤米，二兩油和一兩糖。

林啟文君說：由於環境惡劣，加上過度的疲勞和饑餓，許多人的身體都被折磨壞了，有百分之八十以上的人都患有水腫，骨痛或肝炎等病症，他們除了服食自己帶回去的止痛片，阿士必羅外便無可如何了。因為那裏還沒有醫生或「衛生員」呢？這樣寃枉死的人多得很。

林啟文君說：在這種悲慘的環境下，華僑們都感到沒有前途，有的人因此失去生活的信心，他的堂兄就是這樣因為親眼看到一家大小受苦受難，深悔自己受騙回大陸的不智，而悲憤地實行自殺了。林啟文君的堂嫂，因為丈夫慘死，在深受折磨的心靈中再增加一次沉重的打擊，不久便神經失常，致使他們的三個小孩，無人照顧，終日啼啼哭哭，悲慘得很。林啟文君說，被騙回大陸的僑胞像他堂兄一家的遭遇的，不知有多少。（敬斯）

三八節在高雄

——賴仕桓

▲高雄的「三八」婦女節，這天，是女權至高的一天，高雄市每個角落，都可看到「婦唱夫隨」與「相妻教子」。她們說，這就是「革新、動員、戰鬥」的「三」項運動和「忠、孝、仁、愛、信、義、和、平」底「八」德的實踐，也是「男權」退讓於「女權」的表現云云。

▲有個未作人妻的廿四歲小姐向記者說：女人的三八是從年齡階段分出來的；她更具體的說：女人在廿四歲如果仍無配偶的話，即失去「三八」的意義。記者問其此意何在？她解釋說：「頭八」是被撫養階段，「次八」是求學階段，「三八」是嫁人階段。所以「三八」階段的小姐，必須有對象才有意思。我也是「三八」了，你說我該不該找個對象呢？記者只好答以「三八」該找對象了。

▲高雄市選出了幸福家庭的模範主婦八位，她們是鄭陳錦雀、許陳鳳、黃蔣變、陳王不纏、王陳仙葉、張綢繆、周謝燕、江鍾綉。這八位不但在三八的紀念會中享盡了榮譽，出盡了風頭，同時也獲得一份珍貴的獎品。她們在掌聲和喝采聲下，笑得連淚都滾了下來。可是小娘子們，禁不住心內的激動，喜極而泣，且其中有位得獎人的女兒×猛一聲喚道：「媽！我……想結婚」，於是全座譁然。她母親立罵其女「死三八」，但她並未示弱，乃答「你不是三八怎會得獎呢？」怪不得「三八」有人搶着做。

▲大貝湖是高雄的一大風景區，它不亞於關子嶺和日月潭，因為它有着「三」大建設：一為「工業給水庫」，二為「觀光國際旅社」，三為「高爾夫球場」。又還有八大風景區：一為「海天第一」，二為「山水含輝」，三為「柳岸觀蓮」，四為「高丘望海」，五為「深樹鳴禽」，六為「湖山佳氣」，七為「三亭攬勝」，八為「蓬島湧金」。此三大建設，八大風景，又是「三八」巧合。尤其是「三八」婦女節這天，遊覽該湖的女性，不知多出了男性幾倍，真可說是大貝湖就是「三八」的大貝湖了。

楊森將軍話生平

——兼談養生之道——

中國國民黨中央政治會議及北京外交部，均向英方提出抗議。所有本案始末，詳見革命文獻第十八輯中，茲不詳述。

護國之役後，余因鄉人敦促，曾返川敉恭桑梓。以處境艱困，曾派陳抱一同志面陳總理，乞賜指示。蒙賜書勗勉，中有「國家多故，時有可為，執事磐磐大才，此後自當注意全國之安危，而勿戀於四川之壟斷，則所成就，必多遠勝於一隅」等語。余奉書迴環恭誦，未敢或忘。總理北上逝世，總裁繼志北伐，余爭先參加國民革命軍，番號居川中各軍之首。淸黨之役，余躬率貔貅十萬，樓船東下，掃蕩奸宄，固恪遵總裁手令之調遣，而亦總理在天之靈之所感召也。又總理與余信函往返，大率由陳抱一、劉介藩兩同志轉陳。中承總理頒賜望遠鏡一架，囑以高瞻遠矚，彌增感奮。（二）

余恨共匪如蛇蠍，與之明爭暗鬥，數十年如一日。茲舉明爭事件之較重大者凡二。一為民國十六年國府淸共，總裁派段遠謀同志齎手諭一件，軍餉十萬元，着即出兵數師，取道宜沙，直搗武漢。余遂命躬率十萬人，大殲敵人於仙桃鎮，與夏斗寅部會師武昌。並先於四月十二日，與何應欽、楊樹莊、張羣、朱紹良諸公通電全國，擁護國民政府，清除共產黨，完成北伐，（原電載革命文獻第十六輯中）。一為民國二十四年朱毛竄至川康邊境，余任四川第四路剿匪總指揮，在寶興之靈關砏砂溪匪幹部千餘，匪勢一蹶不振。復率部翻越甲金山追剿共匪，至於虹橋梁子。蒙委員長蔣公派專機齎手書嘉勉，連同法幣十萬元，宏投懋功。書中有川軍劉匪，以第四路軍為第一，望繼續追剿以竟全功。優諭督勵，至為慚感。至於暗鬥之事，則係民國十五年朱匪德任二十軍黨代表時，暗中運動我部隊叛變。經余發覺，駢戮謀叛官兵二十三人於萬縣，朱匪懼而私逃南昌。余恨當時未能將其誅除，致使豎子遺禍中國。此外，民國三十年，共匪新四軍在湖南之嘉義地方，圖謀組織紅軍，破壞抗戰。主其事者為傅匪秋濤，經余查覺，當予殲滅。匪黨向中央抗議，中樞深明奸匪存心叵測，對本軍處置表示嘉慰。

抗戰軍興，淞滬吃緊，余在黔急電 蔣委員長請纓抗日。奉電調參滬戰，率第二十軍抵南京，先謁 委座請訓，當蒙召見賜誡，並手令加陸軍上將銜，即由國府明令發表。旋加入上海頓悟寺大場一帶作戰，是役楊師長漢忠負傷，林團長相侯戰死，犧牲慘重。以大局關係，轉進南京，奉令守秣陵關。嗣因政府西遷，實行長期抗戰，乃調皖整補備戰，任第六兵團長，與敵血戰於含山巢縣太湖潛山一帶。廿八年，奉調為第九戰區副司令長官兼第二十七集團軍總司令，長沙三捷，皆與其役。旋奉調主黔政，以二十軍交楊幹才領率，嗣該員於三十八年殉職蕪湖，總統明令褒揚，並追贈陸軍上將，以彰忠烈。

當倭軍一度侵入獨山、陪都震撼之後，中央調余任貴州省政府主席。施政方針，悉秉承 蔣公卅五年四月十二日蒞黔巡視：「改造天時，改造地理，改造人力」之三大指示。（三）

天南風光

——沙羅越的歷史——

朱瀰明

一直等到一八四四年尾，距布律克開始進行宣傳活動承認沙羅越的時候，恰是兩年有半，英國政府才首次採取探討性的步驟，沿着這步驟前進，終於導致英國統治整個婆羅洲四分之一的土地，迄今達百年以上。且由探查煤炭開始，終於開出大量石油，在遠東成為極重要的資源。又於伊朗油礦發生變化後，更一躍而居於東方極重要的補給地位，在軍事上的價值難以估計。

這步驟是什麼呢？仍舊由第一海軍大將哈靈敦致威斯一封信，信中說：『雖然給布律克的正式外交職務，還是一件在考慮着的事，但政府已經決定各方面把他當着一位密托的代理人。』又說：已派「瓦特米丁」到婆羅洲去，以便勘察最適合於建立一個海軍基地及商船停泊的地點。

一八四五年二月十七日，瓦特米丁到達古晉，把一封英國外交大臣的信交給布律克，那封信指定布律克為英國在婆羅洲的密托代理人。布氏很欣喜此一新的任務，雖然與他的願望尚有相當距離，但總算搭上了正式的關係，只要再加努力，自不愁沒有前途。於是趕到婆羅乃去，向蘇丹與哈沁報告說：「你們在抗拒海盜上要獲得英國支持的希望，不久就可實現了。」蘇丹聽後自很高興，即問：英國人什麼時候到婆羅洲來？並說：「我要歐洲人在我身旁」。

這時候，婆羅乃政府，焦急地要英國人保護，還另有特別原因。為的是蘇丹得到情報，說是有一個有勢力的阿刺伯流浪人，叫「烏士瑪」的，聲言要攻打婆羅乃首都，此人乃「馬魯魯」海灣的拉蘭族海盜首領，平時多在海洋上行劫，與婆羅乃政府尚能相安無事，但此時烏士瑪與婆羅乃的尤梳頗有聯絡，很受其挑撥和鼓動的影響。原來，尤梳自去年十月被解除了首席部長職務後，在婆羅乃的政治中，他遂變成了反英派的領袖。他最忌的是目達哈沁，因哈沁既侵佔了他的職位，又奪取了蘇丹的寵倖。而烏士瑪也激烈反對哈沁給他的命令，那命令說：「烏士瑪將視為違法者，除非他本人放棄了海盜的行為」。

所以蘇丹與哈沁就正式向布律克與米丁發出請求，希望英國海軍立即予以保護。米丁是與布律克一道乘船往婆羅乃去的，蘇丹對米丁說：「海盜們對吾人與英國聯合，表示萬分的不高興，為了毀滅在馬魯魯海灣的海盜，我們應盡力向他們進攻」。（卅八）

我底學習和思想歷程

謝康

記得由香港到上海的途中，有幾位同船搭客和我大談其「社會主義」，問我是否感覺興趣。天哪！我那時只是個思想單純的小學教師，談得上什麼主義？後來他們和我交換名片，知道他們姓濮，姓李，自承是東北人，其實都是高麗的革命左傾分子。正在這個時候，由蘇聯導演的「中國社會主義研究會」，在北京組織成立，這就是中共的前身。我所愛讀的「新青年」雜誌，因陳獨秀轉變之故，也就開始變質，讀起來好像沒有從前的文章那麼順口了。

在上海，我沒有開始寫文章，只有幾首小詩，在時報上發表。

最後因為上海讀書費用很貴，一年至少花四百光洋。父親的意思，要我轉考官費學校，我於是回到廣州，報考廣東高師的文史部。那時投考的人頗多，大約是十人中取一個，我僥倖取錄第五名，這給予我很大的鼓勵。高師校譽頗隆，是華南國立的最高學府，所收的多清寒子弟，勤苦好學的學生。校舍寬敞雅潔，嚴莊樸素，可以藏脩息游。還有舊貢院的遺跡——明遠樓和考舉人的「矮屋」可以觀覽，斷瓦殘碑，可供玩賞。圖書館有相當多的藏書，校門外府學東街有許多舊書舖，可以找到廉價的中西文書籍。校內名教授也有幾位給我們講習指導，眞是讀書之樂融融，瑤琴一曲來淸風，在學校住滿了四年，還覺得時間太短。

這四年間（一九二〇——一九二四）我思想上的轉變有幾點可得而言：

一、文字學和中國古代社會的研究（曾在報上發表），這大部份是由於黃樵仲（式漁）教授的啓發。

二、做學問必須精通一二種外國文，乃由於黃學勤先生和吳敬軒先生的啓示。

三、注意中國文學史上的問題——先後發表「離騷楚國方言考」，「唐詩的音樂價值」，「詩歌的同源與分流」，「桂海詩話」，「桂海聯話」，「廣西民歌」，「柳宗元評傳」，「蕭統評傳」，「西廂記的考證問題」，「婦女文學之心理研究」，「清代廣西桐城派古文家之研究」等二十餘篇，惜多未存稿或遺失了。

四、喜歡研究地質學和世界地理——由於黃著勳教授和李景敎授的啓發。

五、對三民主義感覺興趣——由於民十二三年，中山先生在高師禮堂演講三民主義，我們有機會常去聽講。而且早在民國九年，我曾經參加國民黨老輩馬君武，鄧家彥，蒙民偉等所主持的「改造廣西同志會」，但我畢竟是書生，懷疑國民黨容共恐怕是凶多吉少，對實際政治工作，總覺得以不參加為妙。所以在高師畢業那一年，劉震寰托甘乃光請我和幾位同學辦一份報紙來幫他的忙，請我做總司令部的參議，我也乾脆地拒絕了。雖則劉震寰和我還是柳州同鄉，又是柳州中學的先後同學。（二）

瘟君續夢

第七回　越境興戎　盈廷驚白蟻　恃強犯上　舉座斥青蠅

劉長勝昨天回去就把演講稿擬好，把毛澤東的話全部放進去，在大會上當衆一宣讀，馬上引起了紛擾。

蘇聯代表格里申繼起致詞道：「和平共處原則是一九五七年莫斯科宣言決定的，和平共處是不能夾雜戰爭的，因為有的小型戰爭也能引起大戰，一二兩次大戰也都是由於個別地區的戰爭所引起，因此，我們對於劉長勝同志的意見感到不能同意。」

格里申說過，許多代表都在鼓掌，只有中共同阿爾巴尼亞的代表坐着未動。

接着就由法國的代表弗拉商致詞，弗拉商說道：「劉長勝同志把世界大戰和落後地區戰爭分開，是一件很危險的事，即以阿爾及利亞戰爭而論，雖然只是法國同阿爾及利亞人的戰爭，但兩方面背後都有幾個國家支持，這種戰爭若不能予以制止，最後必然會演變成世界大戰。」

弗拉商演講之後，捷克，波蘭，東德，荷蘭的代表，也都是世界工聯的副主席，一致發言抨擊劉長勝的觀點。最後輪到印度籍的副主席丹吉演說，丹吉是印共書記，地位僅次於總書記高士，印共本來分為兩派，丹吉還是被認為親中共派，劉長勝總以為丹吉一定會站在中共立場發言，那知丹吉一開口就說道：「關於劉長勝同志的意見，我們覺得不能同意。根據印度的例子來看，殖民地獨立時非一定要通過戰爭的，印度，巴基斯坦，錫蘭都是現成例子。反過來看，靠着戰爭來爭取獨立的國家，到最後即使能達到目的，國家也就殘破不堪，想從廢墟上重建新國家，起碼要多費十年以上的時間，所以我們並不贊成在落後地區發動戰爭。不過，我們也相信這是劉長勝同志個人的意見，並不代表中共同志的觀點。」

劉長勝眼見陷於絕對劣勢，不敢再爭執，恐怕引起更多攻擊，他負不了責任。散會後，就去向毛澤東報告，請求毛澤東自己出馬彈壓。

毛澤東沉思一下，馬上打電話把周恩來找來。周恩來看見劉長勝，就曉得毛澤東找他是為了今天的事情，當時笑着問道：「長勝同志是不是吃了敗仗來求救兵。」

毛澤東說道：「你猜對了，恩來同志，現在就請你開上去擋一陣吧。」

周恩來搖搖頭：「我去不合適，因為我不是作工運的，再說我的理論水平也不夠，最好是由少奇同志去，他曾任總工會名譽會長，又是搞工運出身，加上他對於馬列經典修養深，由他出馬最合適。」

毛澤東搖手道：「這些問題都不重要，最重要的還是你的辯才和可靠立場。工聯理事會既然在我國開會，你以地主身份出席致詞是最順理成章的事，何必再推別人。」

周恩來看着眞推不掉，也就笑着點頭答應。

毛澤東說道：「你致詞時，千萬要堅持推行民族戰爭的必要，任何人反對這種戰爭，就是資本主義的走狗，馬列主義的叛徒。」

周恩來也學劉長勝的辦法，毛澤東說一句，他記一句，回去擬了一個演詞，把毛澤東的話全部加進去。（一八六）

一七〇公分

張健

推着單車，他向我鞠躬。「還沒回家？」我說。一片泥污沾在他的右額上，他羞澀地笑笑。「在打球。」我也笑笑。一輛軍車馳過，隆隆的聲響打斷了我再說話的打算。

「記得那時的情形嗎？你初三的時候很矮呢！」還是那種微帶羞澀的笑，那麼大的男孩子所特有的。他坐在我的書房裏，不知道該說些什麼。

「多少公分了？」我忍不住地問，掩飾不了自己的驚詫。「比老師都高了。」他又笑了，這回還帶一點得意之感，以及大孩子受了誇獎時的不自覺的神情：「一七〇了。」

「初中畢業的時候呢？」我好像又在考他。

「才一五六。」

「好快！還不到兩年。」

「正是長得快的年齡。」這句話不該他說的，但他說了，儼然準大人的口吻。我心裏很高興。此刻他的臉色很正常，這孩子長大了；還記得來看看我。對自己又很有信心的樣子。

「那天我碰到你的同班，叫什麼——噢，劉華，記得他？」

「嗯，我們那時坐在一塊兒。」

「你當然忘不了，」我最近也喜歡開學生的玩笑了，「隔不了兩天吵一次的。」

「老師還罰過我們站在黑板左右呢。後來同學們說是左右丞相。」這回他笑出聲了。

「原來你們把老師當做土皇帝啦？」

「不是。」他又靦腆起來了，「都是說着玩的。那時候小——不懂事。」何必說最後那些話呢？我想。他死命拖着別的同學摔跤的時候才好看哪，臉孔漲得通紅通紅的。我在學校的走廊上走過，幾乎不想去制止他們……

「最近看什麼書？想借書嗎？」我指指書架。

「不用了。我現在正溫習功課，暑假準備考插班生。」

「上次讀的那本，你實在還得太殷勤了。」「有的同學要問我借，我都沒答應。怕弄壞了。」我那時就在心裏笑你那麼認真。那也不是什麼好書。

他知道我這些可笑的念頭麼？他聽話的時候老是那麼恭謹地，常常低着頭。我想逗他高興些，甚至興奮些。可是，這不比讓我八歲的小弟弟安靜下來更容易。

像，他有些不自在地看着壁上那張朋友畫的素描，有想告辭的神色。我不願他就此離去，端詳他，在心裏描他臉部的輪廓。他有一絲絲的鬚。（上）

南宋偏安有人才

——張浚

李仲侯

卅一年春有告自便，浚至潭，聞欽宗崩，號慟不食，上疏請早定守戰之策。未幾，亮兵大入，中外震動，復浚觀文殿大學士，判潭州。時金騎充斥，王權兵潰，劉錡退歸鎮江，遂改令浚判建康府兼行營留守。浚至岳陽買舟，冒風雪而行，遇東來者云：「敵兵方焚采石，烟炎漲天，無輕進」！浚曰：「吾赴君父之難，知直前求乘輿所在而已」。時長江無一舟敢行北岸者，浚乘小舟逕進。過池陽，聞亮死，餘衆猶二萬屯和州。李顯忠兵在江上，浚往犒之，一軍見浚以為從天而下。浚至建康，即牒通判劉子昂辦行宮儀物，請乘輿亟臨幸。未久車駕臨建康，浚迎拜道左，衞士見浚無不以手加額。時浚起廢復用，風采隱然，軍民皆倚以為重。車駕將還臨安，勞浚曰：「卿在此，朕無北顧憂矣」！兼節制建康、鎮江府、江州、池州、江陰軍馬。金兵十萬圍海州，浚令鎮江都統張子蓋往救，大破之。浚招集忠義及募淮楚將勇，以陳敏為統制，且謂敵長於騎，我長於步，衞步莫如弩，衞弩莫於車，命敏專製弩治車。

高宗崩，孝宗立，召浚入見，改容曰：「久聞公名，今朝廷所恃惟公」！賜坐降問。浚從容言：「人主之學，以心為本。一心合天，何事不濟！所謂天者？天下之公理而已！必兢業自持，使清明在躬，則賞罰舉措，無有不當，人心自歸，敵仇自服」！孝宗悚然曰：「當不忘公言」。除少傅江淮東西路宣撫使，進封魏國公。翰林學士史浩議欲城瓜州采石，浚謂「不守兩淮而守江干，是示敵以削弱，墮戰守之氣，不若先城泗州」。及浩參知政事，浚所規劃，浩必阻之。浚薦陳俊卿為宣撫判官，孝宗召俊卿及浚子栻赴行在，浚附奏請上臨幸建康，以動中原之心，用師淮壖，進舟山東，以為與滕聲援。孝宗見俊卿等，問浚動靜飲食顏貌，曰：「朕依魏公為長城，不容浮言搖奪」！金人以十萬衆屯河南，聲言規南淮，移文索海泗唐鄧商州及歲幣；浚言北敵詭詐，不當為之動，以大兵屯盱眙濠廬備之，卒以無事。（卅三）

諾言

汶津

我將永遠珍藏着那一份純淨而坦誠的友誼。我覺得世間每一個太輕易地說出類似這種話的人，開始得突兀，結束得平淡。但不論是淡、冷、熱，它都不能改變的，它已滲在心的一隅。

那年秋天，我讀了一部德國人寫的小說，然翻到一頁褪色的舊箋。她感覺到回憶的溫暖。那是一個不相識的男孩子寫給她的信。

我感動着，並且得着了數年之久都不曾有的勇氣。

第一封信，她就覆了我。為此我會終生的感激她，敬重她。以後的一連串的通信，更使她的無可挑剔的懂事和堅定，善良，不做作的氣質，對於我成為一種光輝，那在我的記憶中，將遠為掩抑了她的容貌，以及她外表的一切。她不但使我對所有的女子重新發出了欽慕之心，更大大地助益了我對人性的信心和賞鑑。

起初是自由的漫談，接着在問題的接觸上逐漸凝聚，而也隨時展開。我們不時會為一些知識或品味上的不同意見而互辯，但每當我的言辭稍見強化的時候，她就會收束起自己的話語，輕描淡寫的徵求我的同意：還是把它擱一擱吧。漸漸的，我也學會了如何用和緩的方式表達自我。我們偶然的共鳴，但也常為「和而不同」的原則微笑。

這種忘形的交往，本會變得更深、更淳，但男主角心情的波動，卻成為潺潺長流中的泥沙。如果我也像教徒們那樣易於談論「罪」，我當承認自己曾是這段友誼的罪人。她企圖以自斂來含蘊我的動盪，如今我無法說，那是成功的還是失敗，只記得她會微微失望，也記得我曾悄然自嘲。

有不少時候，她會欣然接納我別出心裁的見地。但也常說，是她啟發了我。在那凝和了我。在那半年的空中交往，在精神上，我像是得了好幾年的教育，而她並不是一位老師，她是一個罕有的，可言喻的典範。

我不想把這說得像一則神話。我們只像是在一起讀書、聊天的伙伴。從沒有一段話涉及過那種狹隘的情感，我們好像早已有着默契。這一點該是值得我們兩個驕傲的，即使在幾十年後的蕭蕭白髮之下！——我常想。

人總是難以閃避或多或少的庸俗，我為此矛盾了。她也嗅出一些異樣的氣息。當我們熱心於豐富的生命與讀不盡的書本時，誰也不會過分留意這些。我忽然變得幼稚和蒙昧，那才一次莫名的激動後，她終於長久地沉默。起先我還試着要求，最後卻接受了那沉默。我又能奈何冥冥中的安排？

海嘯樓談薈

奇怪的中醫

諸葛文侯

對日抗戰中期，長沙失守後，湘人多循湘桂鐵路逃難至廣西，有湖南安仁縣（與江西蓮鄰境）人張伯方，擅長醫道，亦轉徙桂林，因與軍委會桂林行營秘書余覺（湖南平江人，黃埔軍校出身，久從李濟琛游）相識往來。時中央軍校第六分校設在桂林，黃達雲（杰）將軍為主任，腹脹如鼓，痛楚萬狀，曾服中西藥皆無效。余覺即介張伯方試醫之，竟告痊癒。然其法簡單而特別，即從污泥中掘取蚯蚓數百條，用藤布包裹後，再以雙手用力揉搓，使蚯蚓粉碎，流出濃質的漿液，盛入盆中，然後滲合沸過的溫水，讓病人吞服下去，未幾，腹脹霍然消散了。抗戰結束後，我住家南京城北傅厚崗，余覺隨李任潮卜居鼓樓頭條巷，時相過從，余氏為我敘述此事甚詳。平來我到台北偶晤及黃達雲將軍，卻未問過他有無此事，但相信余覺決非杜撰虛構的。

維時張伯方在桂林亦有「神醫」之名，一般新聞界人士亦樂與往還，如掃蕩報負責人易幼建、大公報王文彬、立報張稚琴等，皆跟張伯方接近。張伯方即住在張稚琴君家。稚琴現在香港，他對我敘述張伯方另一項神奇醫術的經過情形，尤堪驚詫。桂林行營主任李任潮的騎馬，但他的軀幹短小而馬高大，不易攀鞍，乃教一副官隨從扶持他上馬，另乘騎殿後，隨即起行。這副官是北方人，身體魁梧，衆皆以「北京人」呼之。一日，副官下馬時不小心，從鞍中一躍而着地，致跌損傷腿部的骨節，急送入醫院用石膏包裹傷處，把腿吊起不得動，經過兩月的治療，雖告痊可，但兩足已不平衡，走路時表現着一高一低，成了跛腳漢。余覺又請教於張伯方，張謂能醫，但望約些朋友同視其醫道。余氏即邀同新聞界人士易、王、張等在一旅館中，目擊張伯方如何醫治，此民國卅二年初春事也。張伯方先教「北京人」坐在一張椅子上，他自己取一小盤清水，他開始唸唸有詞，旁人聽不清楚。繼以右手的指，醮着清水向「北京人」跌傷的腿部點灑之，旋用雙手從病人傷腿的膝蓋骨往下按摩，約十分鐘後，病人的足部小腿間，即隆起一個像學齋大的圓形疙瘩。張伯方語衆人曰：「這就是病根所在啊！」隨用小刀對着患處劃了兩刀，並將準備好的長形小竹筒一根，套在劃破的疙瘩上，再用醮着汽油的燃燒物，從竹筒另一端的洞口投入，他吩咐病人，到了感覺刺痛時卻出聲。這時張伯方口中不斷地說着「不痛，不痛」，病人亦隨聲連說「不痛、不痛」。經過十分鐘，病人忽言「痛」！張伯方使勁把竹筒抽開，即見一圓形的黑色小血球墜落地下，他急以雙手掩蓋着病人的創口，用力揉摩，時桂林天氣尚寒，張伯方卻滿頭大汗。揉過了一刻鐘，張把雙手舉起，請衆人省視「北京人」腿部創口，已告平復，僅現出兩條刀劃的紅綫而已。如是，教「北京人」起來走路，兩足平衡如昔，毫無異狀了。大家讚歎稱奇，行不置。大公報的王文彬回去寫了一篇文字紀述這項神奇的醫術，要替張伯方宣傳一下，然該報社長徐鑄成不贊成，說這種非科學的怪聞，報紙不可登載，以免提倡旁門左道之醫。但王、張這幾位在場目覩其事的新聞記者，對張伯方的醫術十分欽佩，乃通過李任潮，擬釀資助張氏在桂林設一醫院，嘉惠人羣，張亦同意，詎料此項計畫竟被當時領兵在湘贛邊區抗戰的軍人李默庵破壞了！時附記其情節如後。（二）

小談唐詩人

漁翁

杜甫，襄陽人，字子美，審言之孫。少貧，舉進士不第。玄宗時，以獻賦得待制集賢院。肅宗時，為右拾遺，因事被黜，尋起為工部員外郎。甫博覽羣書，善為詩歌，滿潭汪洋，千態萬狀，「詩鑑」之稱，非溢譽也。甫丁安史之亂，逃難狼狽流亡之生活，尤其在同谷時，兒女餓死數人，益更慘！後入成都，卜居城西五里之「浣花溪」，題曰「浣花草堂」，蜀人稱為「工部草堂」，而以家無恆產，生活迄未改善。然憂時感事，志切民生，所寫多「史詩」之作，斯為美也。讀其「茅屋為秋風所破」歌：「八月秋高風怒號，卷我屋上三重茅」；又云：「安得廣廈千萬間，大庇天下寒士俱歡顏。」艱難困苦中而為窮人着想，胸襟氣慨，自是不凡。甫晚景淒凉，歿於湘之耒陽。唐詩人元稹為寫墓誌，有云：「詩人以來，未有如子美者」！誠然！

李商隱，字義山，又號玉溪生，河內人。開成二年進士，累官工部員外郎。詩與溫庭筠齊名；庭筠多綺羅脂粉之詞，而商隱則感時傷事，深得風人之旨。其詠馬嵬，有「此日六軍同駐馬，當年七夕笑牽牛。如何四紀為天子，不及盧家有莫愁」！蓋慨於明皇也。王安石謂唐人能學老杜而得其藩籬者，惟商隱一人。後人稱之曰「小李」。（二）

內僑警台報字第〇三一號內銷證

自由報

THE FREE NEWS

第三二三期

社長：雷嘯岑

20 CAUSEWAY RD. 3RD. FL. HONG KONG

TEL. 771726

台灣分社

中東的新危機及其解救

宋文明

一九六一年九月底敘利亞正式宣布脫離阿拉伯聯合共和國，重新獨立建國，對阿聯總統納塞是一項嚴重的挫折，也是一個極大的刺激。於是這一事件發生後的第五天，納塞即在一次羣衆大會上如此咆哮：「敘利亞叛變是一項挫折，此項挫折必將成為消滅整個阿拉伯國家境內反動及叛逆的起點。此項局勢可能會變成一項災難，變成失望，但是我們也可以把它變成一股力量，來消滅所有阿拉伯國家的反動」。現在經過為時一年半的演變，事實證明納塞這一說法絕不是虛張聲勢。

自納塞作了這一重大的表示後，我們看到阿聯共和國的國內外政策，即逐漸產生激烈的變化。在阿聯內部，由此開始，亦就更進一步從事消滅豪富階級，宣布制訂新憲，實行阿拉伯社會主義，把政權基礎由此建築在廣大農工羣衆上面。在對阿拉伯其他國家方面，它斷然放棄了過去的傳統團結方式，公開宣布與約旦，沙地阿拉伯等國的王室實行對立，積極鼓動下層革命，以期在全新的基礎上重新進行阿拉伯世界的聯合。換言之，自上次敘利亞宣布脫盟之後，納塞已下定決心，要澈底打破阿拉伯地區的現狀，逐漸消滅他所認為的阿拉伯各國現有反動政權，準備以阿聯自己的模型，來全面改造阿拉伯集團。

納塞這一與阿拉伯各國舊有政權實行全面對立的政策，在開始一個階段，曾遭遇到約、沙兩國有力的反擊。但不久之後，納塞即開始逐漸獲得上風。首先，去年七月阿爾及利亞獲得獨立並由班貝拉總理掌握政權後，阿爾及利亞在國內外政策上，即與納塞的阿聯一鼻孔出氣，互相唱和，使過去已經跌落了的納塞聲勢突為之一增。接着，去年九月二十七日，葉門青年軍官沙拉爾又發動政變，推翻剛行繼任王位不久的葉門新王巴德，宣布成立共和國，並即與阿聯建立聯盟關係。雖然葉門這一政變及其隨之而來的長期內戰，使納塞已付出了重大代價，但在基本上，葉門事件是年來納塞的一大勝利。本年二月八日，伊拉克又發生政變，將納塞的長期競爭者卡納姆及其主要助手悉數殺害，而代之以親納塞政權。同月二十二日，伊拉克即派其副總理沙德率團訪問阿聯及阿爾及利亞各國，商討加強共同團結。本月八日，敘利亞青年軍官亦發動了同樣的政變，宣布推翻阿薩姆政府，而組成了以復興黨為主體的新政府。不過兩日，伊拉克又派其副總理，外長及國防部長等一行，到大馬士革訪問，並公開提出組設伊拉克、阿聯、葉門、阿爾及利亞與敘利亞五國最高統帥部的建議。這些發展已清楚表明：在短短不到十個月的時間內，納塞已逐漸獲得了四次重要的勝利。從此之後，在阿拉伯集團之內雖還有許多國家如蘇丹，突尼西亞，利比亞，摩洛哥，及黎巴嫩等，仍不接受納塞的控制，可是真正起而反抗，公開與納塞實行對立者，實際上只有約旦與沙地阿拉伯兩國而已。

因此，現在納塞對這一地區的下一步行動，便完全集中在約旦及沙地阿拉伯兩國的身上，而今後中東局勢的發展，亦將以這兩者的如何變化為依歸。自去年葉門事件以來，沙地阿拉伯的空軍已有多次投向阿聯，而阿聯也對沙境葉門王室部隊基地作過數次轟炸。至於在約旦方面，就在最近不久，已破獲了一件企圖刺殺約王胡生及推翻政府的陰謀。所以近來自黎巴嫩的報導，一再傳出沙地阿拉伯及約旦即將發生政變的消息，尤以關於沙國者為最甚。鑒於自去年底空軍發生投降阿聯事件後，沙國政府即禁止它的空軍起飛，可是沙國青年軍官將發動政變之說，也不是完全沒有根據。假若沙國果眞發生軍人政變，其結果不論演變為如葉門一樣的長期內戰事件，或如伊拉克及敘利亞一樣的立即出現清一色的親阿聯政權，都將是納塞的又一項重大勝利。屆時阿聯勢力將由蘇彝士運河經阿拉伯半島在地中海東岸的敘利亞，即會完全連結一起，形成一個完整不可分的帝國，使納塞由此開始以世界大國的地位踏進世界舞台。

但今後中東局勢演變的最主要的關鍵，還不在於沙地阿拉伯而在於約旦。若沙地阿拉伯果被拖入納塞的勢力範圍，那對以色列將是一項嚴重的威脅。但縱使沙地阿拉伯為納塞吃掉，而約旦若能堅強抗拒，始終獨立於納塞勢力之外，則納塞對以色列的這種威脅也尚不至於發展到致命的地步。所以從以色列的安全觀點及整個中東的和平來看，約旦具有更重要的地位。因此沙地阿拉伯若發生親阿聯政變，以色列可能還會臨時觀望；但若繼沙地阿拉伯政變之後，約旦局勢顯得出不穩，或預料約旦將終難避免為納塞所控制，則以色列可能就會採取斷然行動。

在這種情形下，以色列究竟將訴諸何種手段，才能維持它的國家安全，那就全看約旦本身的態度及其內部變化。至於約旦的態度及其內部變化可能會有如下兩種。即：

（一）約旦目睹伊拉克，敘利亞及沙地阿拉伯局勢的變化，決心要在納塞勢力之外尋求獨立，那它就得毅然放棄國家的尊嚴，向聯合國或其他方面覓取安全保證。祇要聯合國或其他大國堅決保證約旦的安全，必至派軍前往予以實際維持，則約旦安全便不致發生問題，以色列亦可繼續尊重現狀。

（二）若約旦遲遲不向聯合國及其他方面尋求安全保證，或尚未獲得這種保證之前，約旦局勢已顯出不可挽救，則以色列即將斷然出兵，完全佔領整個約旦河西岸地帶。若以色列果眞出兵約旦，則伊拉克及敘利亞，再加上可能政變的沙地阿拉伯，亦將聯合進佔約旦的其餘部份領土。如此，若局勢暫時緩和，則約旦將變成一九三九年的波蘭，為以色列及其他阿拉伯國家所瓜分；若局勢繼續趨於緊張，則以色列對阿拉伯集團間的全面大戰，即將隨之爆發。

以上這種說法，並不表示以色列對約旦存有領土野心，而是由於目睹納塞正企圖實行全面包圍，以色列也準備先發制人，以期在決戰前先要改善自己的戰略地位。因為根據最近伊拉克與敘利亞兩國談判後所發表的公報，其中即明白載有：「兩國代表團曾研究過動員阿拉伯民族的軍隊，以實現解放巴勒斯坦時所將採取的有效辦法」。這表示，最近這些國家的改變，不是削弱而是強化對以色列的仇恨，把消滅以色列作為其主要目標之一。這些國家既以消滅以色列為其重要目標，則以色列即也沒有理由不採取適當的對付辦法。

為今之計，要維持中東地區的和平，不使納塞勢力的擴張危害整個均勢局面，必須立即採取兩項步驟。即：第一，聯合國或其他方面，應立即對約旦安全採行特別措施。在這種特別措施之下，聯合國應發表一對約旦安全的共同聲明，並遣派若干部隊前往約旦，以表示聯合國對約旦安全的決心。若此方式不足以充分解決此一危機，則美國應照一九五八年黎巴嫩危機的前例，立即派兵進入約旦，直至該國局勢穩定為止。

第二，若約旦不願採取或接受上述特別安全措施，則諸大國應考慮與以色列直接簽訂聯防條約，或發表聲明，表示將在未來中東危機中協助任何一個受攻的國家。

總之，由於納塞勢力的擴張，中東已再度面臨大規模衝突的邊緣。對於此種可能的衝突，只有聯合國或美國等大國有力行動，才能期望發生嚇阻的效果。

漫画天下

克翁：「再過來一點。」

馬克斯何去何從！

自由談

為海外華僑請命

馬五先生

菲律賓最近十餘年來的對華政策，政治上「親」華，經濟上「仇」華，中菲邦交始終在這種矛盾狀態中，亦張亦弛，不即不離。

我們對於一般從殖民地生活中翻身起來的民族國家，無條件地表示友好，原係固有的國策，因而對他們在政治經濟上要求獨立自主的措施，多予諒解，卻不是示弱。不客氣地說：如果論強權外交，目前在台灣的幾十萬軍隊，即可以橫掃東南亞而有餘呢！所以，東南亞各個新興之邦，如印尼與菲律賓那種毫無理性的仇華行為，殊難諒恕，我國政府當局似不宜長此容忍，犯而不校。

尤其是菲律賓近年來在經濟上採取的仇華行為，有些地方令人懷疑他們的智能是否配稱為文明國家？他們毫無憑據的指說華僑做生意歷來漏稅，清算到過去三五十年以上，勒逼擁有資財而未入菲籍的華僑補繳稅款，這無異於共黨對資產階級實行「掃地出門」的暴政。問題迄今未解決。馬尼剌的「唐人街」沒有下水道，沒有一塊完整的道路，常年污穢不堪，市政府既置之不理，又不許華僑自行集資修築水道和馬路。最近藉口馬尼剌「大中華日報」三年前刊載的一張漫畫，指為「藐視法庭」，要把該報的社長、總編輯、主筆、經理等一律驅逐出境。凡此種種，都是無理的仇華行動，史無前例的。咱們政府當局豈可熟視無覩，默爾而息？

陳副總統不日即要赴菲律賓訪問，外交部長亦必隨行，我希望乘此機會，對上述菲律賓歷年來的仇華行為，作一次誠坦的談判，問問菲政府當局，對華僑問題究竟欲何為？仇華措施有無一定的限度？我們對於海外的千餘萬華僑，再不表現一點護持的能力和方法，今後將無僑務可言了！同時，駐菲使領人員亦須及早調整，不宜再事因循，跟這個國家談外交，紳士派的作風完全無用。我們如果為着聯合國代表權問題，不能不爭取與國的關係，而以海外華僑的痛苦作代價，任由友邦對華僑趁火打劫，壓迫虐待，結果是得不償失，貽患滋大。謀國者，其念之哉！

由一個農民苦研得來『矽鎂肥料』的奇蹟

十載寒窗無人問 一舉成名天下知

（本報記者熊徵宇台中航訊）去冬今春，台灣的稻作發生一種「水稻燒根病」，使農業機構傷透腦筋，而有一種名叫「矽鎂肥料」者，卻恰好是針對「水稻燒根病」絕症具有絕對防治功效的。

這說起來也算是「奇蹟」，因為「矽鎂肥料」，並非官方的農業研究機構所發明，而是出自一個用了十年時間研究試驗的農民的結晶品。

那農民是彰化縣員林鎮的陳深炳。他今年四十二歲，在不斷的研究和試驗中，獲得這份殊榮的成就。在他這段悠遠的研究試驗過程內，他曾不止十次的請求農戶試用他所發明的「矽鎂肥料」，遭受別人的白眼。因為台灣的農民，具有時代思想，要求科學根據和經驗上的成效，誰也不願意把自己的作物做冒險的試驗。

後來有幾個農民看到陳深炳的作物，的確比別的發育得好成長得快，才引用為基肥和追肥，而結果，有的稻作在增產競賽中拿了冠軍，有的抵禦了虫害和霜害；於是一人傳十，十人傳百，引起很多農民的興趣，也廣泛地使用在稻作雜糧和各種蔬菜果樹上，結果都成功了。尤其是，「水稻燒根病」的區域，只有使用「矽鎂肥料」的田裏，不受一點影響，稻梗且格外挺，顏色分外綠。

這才引起廣大農民和農業單位的注意。於是大家才開始注意陳深炳的記錄，發現從四十九年上下年度到五十一年第一期各種農作物中，試用矽鎂肥料的功效，在他的記錄裏，使用矽鎂肥料的面積，已由四十九年的五點二甲，發展到五十一年的九、四二五甲。而銷路數量，亦已由四十九年的一一六包，發展到五十一年的一、四七四包。

而在農作物的成效上，更有令人不能置信的效果。比如：水稻本是春季「蓬萊」，秋季「在萊」更換耕作的，但是施用「矽鎂」的土地，三年來都是連種「蓬萊」也不影響產量。而本省產的麻竹筍，原以五月為生長期，但用「矽鎂」，正月初就發芽生筍。而荔枝，二月底開花提前到二月初。

同時各種的稻作農作和果菜，都有增產的記錄。

統計中更發現，稻谷增產達二成以上。其生產稻谷碾米量，有高達百分之八十三者，創記錄所未見。矽鎂肥料不但可以防制阻止水稻燒根病；他如固結土地的表皮使土壤內部水份不致蒸發，使外來高熱不致滲入，養份不流失，都有絕對的功效。

這可能為台灣的肥料和增產以及減輕災害，建立一個新的里程碑。因為「矽鎂」所需用的原料，絕大部份本省都有，存量極豐，仰仗進口的元素用量，只有百分之一，可以節省大量的外滙，且其價格較用其他各種肥料為廉，用益本比則較各種肥料為高。

在當初，「矽鎂」肥料的發明人陳深炳，曾多次向各農業機構請求試驗協助他發展，都得不到具體的鼓勵，只到今年水稻燒根病發生時，才注意了。比較之下，而最近提出具體行動的，農業單位只有兩個，一是省議會總幹事劉金約，通令全省農戶試用，要求農戶報告結果，一是糧食局長李連春，提出三點具體實施：一、通令全省農業改良場試用。二、指定彰化縣正在生水稻燒根病的溪州地區，溪湖地區十個十家正常的農戶試用。三、酌情補助發展肥料生產。

陳深炳現在已取得了經濟部的執照，核准成立公司。公司設在彰化縣的員林鎮。

其實，政府的支持像這樣該更積極些的，對於有利於農業前途的大事業，以政府的投資，以其成效，就是化一筆錢再做試驗，也是值得的。像台灣三數年來的肥料，還不是多半要靠外滙？而這種由個人心血研究所得的，許多有關單位，還是不問不聞哩。

台北新旅業新面貌

從業人員的知識水平頗高 以新觀點新精神服務社會

（本報記者張健生台北航訊）台北市觀光旅社從業人員已經成立了職工會。這不算什麼大事，但值得注意的，參加該職工會的該業從業人員中，大專學院畢業者佔百分之三〇，中學畢業者佔百分之五〇，其他學校畢業者佔百分之二〇；換句話說，這些人員中沒有一個文盲，且大多數可算得是智識份子。

比如說，該會理監事，都能說一口流利的外語，當許多外國遊客投宿於觀光旅社時，他們就本着「人生以服務為目的」的崇高宗旨去為觀光客們服務；同時，他們還負有一種為社會所忽視的使命，即國民外交的任務——當然他們祇可稱為無名英雄而已。所謂國民外交，係因從事該業的人員，在工作上，與國際人士（遊客）接觸的機會，確較任何人為多，憑工表作現，他們能夠促進國際人士對我國有更多的認識與瞭解。比如說，國際人士來我國觀光時，如果觀光旅社從業員，對這些觀光客服務不週到，而致予以惡劣的印象，觀光客在離開我國後，必定說中國人是如何如何的不好，他們絕對不會說某某旅社的從業員如何如何的壞，這樣一來，國際人士一定對我國的印象不佳，就會直接影響我們的國際聲譽了。反之，便有很好的結果。

據該會總幹事張傑對本報記者說：台省自光復後，到該會成立前，全省旅業人士並無組織，因為過去從事旅社業者都是家族化的經營，而非企業化的組織。但自政府倡導觀光事業後，台北的觀光旅社現在已有二十多家，佔全市一百八十多家的百分之一四，而從業員則有約六百人，佔總數百分之六十以上。現在參加職工會者有四百人左右。

張傑並指出：過去，因該業人員良莠不齊，份子亦複雜，故一向不受社會人士重視。少數人在工作上的表現，更未能使人滿意，致常招致輿論的呵責。但今天，新的旅業從業員，無論在學識和品格上，服務的態度上，均要求有較高的水準，該會會員亦決心有好的表現。同時，該業人員的服務，已不再局限於單純為旅客服務，而且擴展到「國民外交」的範圍內，所以社會人士也應該改變對該業人員的觀感。他說：職工會方面將全力推展下列的工作：一、為會員家庭服務，使會員安心工作。因為會員的工作係值班制，如會員在值班時而家中發生突發事件，他們將無法分身，為此，將由該會派人代為處理。二、設立專業研究班，倡導會員進修。他們將先設立「外語補習班」和加強灌輸新會員的服務知識，使大家瞭解現代國家的服務業，是如何為旅客們服務，藉資借鑑。三、設立觀光服務部，協助從業單位發展業務。諸如與國外聯繫，接待旅客，並接受臨時委托事務等。四、舉辦勞工保險，配合政府推展社會安全政策，使會員獲得安全保障。

（香港與大陸）

梅縣艾子坪水庫修了四年仍徒勞

共幹愚而自用不恤民命

中共在梅縣艾子坪興建水庫，已歷時四年，迄今仍未完成。四年之間，中共曾動員民衆四次，每次都有兩萬多人，但因人謀不臧，每次均功敗垂成，徒然勞民傷財，水庫卻總是建不起來。四年中犧牲於此水庫的民衆，至少在二百名以上。

據曾歷次被征往艾子坪參加興建水庫工作最近申請來港的何玉英小姐稱：中共歷年都在大力興建水塘水庫，但由於那些共幹不學無術，盲目迫令羣衆蠻幹，結果徒然勞民傷財，就如在梅縣興建的艾子坪水庫，已開工四年之久了，迄今得不到成果，而冤枉犧牲二百多人的性命。

何玉英小姐說：艾子坪水庫工程開始於一九五九年，中共的計劃，係欲將流經艾子坪的一條韓江支流的水，全部堵住，將河水導流於一個水庫之中，用此灌溉梅西一帶的水田地。該工程係屬於「梅縣水利部」直接領導的，它們於一九五九年在工地上設立「指揮部」，徵集梅縣城鄉民衆二萬多人前往工作。

何玉英小姐說，那工程本不算大，中共的估計，亦僅約為三百萬個「工作日」便可完工，故最多四個月的時間，足之夠矣。但由於領導的共幹無知不識，又愚而自用，一開始時，它們便要攔河築起一條堤，以為河水細小無礙工程，所以並不預先築好排水渠，結果，在攔河堤即將告成之時，春水來了，一條在冬天小小的支流，水勢暴漲，極其兇猛，當流到艾子坪地段時，因去路被封，河水都在那裏囤積下來，攔河堤是堤築成的東西，那能承受得滾滾的江水！結果，全部冲得一乾二淨不消說了，艾子坪的下游也成澤國，「指揮部」都給冲走了，又還冲走四十多人，其中有五名共幹。五九年的工程便是如此失敗了的。至於六〇年及六一年，則主要是因為大饑荒的關係，被迫往該處修水庫的人，食不飽，力不足，實行怠工，使工程無法進展，結果春水一來時，只得把工程擱下，又失敗了。去年底及今年初，「梅縣水利部」又第四次強迫二萬左右的民衆，前往艾子坪修水庫，但其結果，卻亦徒然使悲劇又重演一次。

何玉英小姐於去年十一月下旬，第三次的由公社指定參加「水利大隊」，去艾子坪修水庫的。在那個地方，由於荒山野地，杳無人烟，所以一兩萬的民衆，都自攜席子被蓋前往，晚間露宿山頭，飽受風吹雨淋，日間則要掙扎着幹沉重的工作，共幹的拿手好戲，仍然是用「競賽」、「獎勵」、「批評與自我批評」等等法寶，圖使民工偷懶不得。但是，何玉英小姐說：由於民衆長期受着飢餓，身體早已弱不禁風，那能受到了如此沉重的奴役？所以許多人都病倒了，病後又實際得不到醫藥的治療，死亡纍纍，情極淒慘。據何玉英小姐說，四年來因修那個水庫而犧牲的民衆有兩百多人，而水庫卻仍然修之不成，這些人是冤枉的白白的送掉性命的。（敬斯）

越軍上年度戰績

西貢通訊

越南陸軍在一九六二年中，由於北越共軍增加侵入越南共和國的領土，造成緊張情勢之下，越南共和軍隊乃負起了重大的任務，時常把握着各次大規模戰役的主動形勢。諸如：補充，湄朗，芒萊原野，民進十八，民進廿七，民進卅等戰役的勝利及最後的平西戰勝，證明越南軍隊的戰鬥力的超越，越共幽明，富利，五〇四，五〇二各營，逐漸的被消滅，致使北越感到憂慮和震驚。

根據在越共幹部的屍體中所搜得的資料，北越共黨頭目嚴厲的指責他們在越南活動的軍事幹部，同時核定一項嚴格整軍計劃，想克服他們害怕的四種事情：怕苦，怕困難，怕直升機，怕敵人。從這「四怕」證明，越共在越南各單位所面臨慌忙，胆怯，在越南共和軍隊暴風雨般有力攻擊之前，越共已失卻在越南戰場上的主動形勢，而不得不由運動戰退縮為游擊戰。

越南空軍在過去一年中，亦獲顯赫的戰績，最近的六個月來，直升機運軍戰術使到河內方面的越共頭腦顛狂，因使各次慘重的失敗接連的越共各個單位的被摧毀，幽明營為各單位中，唯一獲得準備嚴密者之一，企圖當頭對付直升機運兵戰術的，在安川平西戰役中，經已完全被消滅了。

在古枝（平陽），朋生，福隆（巴川），廣南，崑高，各次的掃射及轟炸中，越南空軍摧毀了越共幾千個機構；首要的為轟擊廣義省方面越共一個重要的據點，大批越共的幹部，士兵被消滅，成千噸炸藥及武器被消滅。

一九六二年，越南海軍的三個成份的兵種已獲裝備完成：這是即戰鬥成份，運輸成份，與補給成份。

除了各個海力，江力，及海軍陸戰旅團戰鬥成份之外，雖然越南海域遼濶及有着許多河流，但藉着海軍力量有合理的使用和分配，是以海軍的活動常常是取得主動的。海軍在各次剿共戰役中，很有效地給予陸軍以協助。海軍陸戰旅團曾經與越共正規軍各個單位作遭遇戰，迫使越共不得不離開其活動地區。

楊森將軍話生平

——兼談養生之道——

經手訂「建設新貴州之理論與實踐」一書，擬為具體方案。其條目為「一個目標：建設新貴州。兩種動力：大同、進化。三大改造：天時地理人力。四項建設：政治、經濟、文化、社會。」而其中為余所注意之中心工作，首為宏揚國族同源理論，獎勵苗漢通婚，泯除苗漢畛域，推行邊胞改裝及住宅改良。次為提倡發揚朝氣，全省實施復興操和短衣。次為以鄉道配合縣道，以縣道配合省道，以省道配合國道，促進築路運動。次為振興農田水利，完成惠水漣江工程，擴大造林運動，實現綠化貴州。至於鼓勵智識青年從軍，協助國立學校遷建，重建兵燹後各學校等工作，亦極注意。

民國三十七年實施行憲後，中央調整地方人事，余由黔調任重慶市長。因余曾一度任重慶商埠督辦，舊地重游，地方情形較熟，並根據現情，諮詢民意，手著「建設新重慶之理論與實踐」一書，詳述本市建設意見，提付市政會議通過後，作為施政準據。在渝市一年餘期中，其較可一述者，為建築嘉陵江大橋，擬築望龍門海棠溪間升降鋼纜車，展築大溪溝至臨江門馬路，擴建公共體育場，協助政府由廣州遷渝，設置保警訓練班等。當共匪窺川，重慶吃緊之際，曾奉令兼衞戍總司令，惜以為時太短，建白無由，即奉命後撤。並令調川陝甘邊區綏靖主任，卒以獨木難支，遂追隨政府播遷來臺，徐圖恢復，職守有虧，心滋愧矣。

旅臺踰十年，髀肉易生。曾學駕駛飛機，冀能扶搖干霄，一窺人間究竟。並曾射飛逐走，從事狩獵活動。又以體育關係國民健康，射擊有裨反攻軍事，均時與有志者共同努力，自忘其年。為避囂計，移居新店稻子園，時花種竹之餘，偶及吟詠，絳灌無文，竟隨詩社粥會諸君子之後，聯吟遣興，不禁自哂。而問字亭畔，時來乞書之人，尤覺可笑。惟聞舊部夏炯在蓉殺身成仁，及余啓佑在越南捨生取義，不禁髮指。血債血還，必將反攻大陸，掃犂虜庭，以慰死者於泉壤。自好匪三大暴政相繼失敗後，國軍反攻，時機成熟。余身在臺澎，心繫中原，追反攻號角一鳴，駕長車踏破賀蘭山缺，提十萬橫磨劍橫行匈奴中，殆指顧間事耳。年來游興倍濃，環游寶島，心繫五洲。曾於四十九年，訪問扶桑，三島名勝，皆留屐痕。游覽之便，間亦留心政情民俗，頗覺日本致力復興，自屬可佩。惜政治家首鼠兩端，無獨立崢嶸氣概，工商界貪圖近利，缺乏遠大眼光，殊堪杞憂。近為探望僑美兒女親友，陳准總統，一游北美。深感美國人力爭上游，一切尋求，均以贏得世界第一為目標，故能富強甲於全球。惟反共心理，尚未能趨於舉國一致，因而舉棋不定，尚待盟友進一步作深刻之了解，始不致永被姑息氣氛所困擾耳。

余以八十之年，自慚馬齒徒增。但心未老而志不衰，一如有為青年，時思老當益壯，效馬伏波之據鞍顧盼，為國執殳前驅。間有友好時以我用何術延年為問，則告之曰：養生之術，可分為精神物質兩方面，而以「動體靜心」四字眞言為其口訣。在精神方面：人生百年，須有三萬六千日之樂，每天均宜開口大笑數次，不可愁眉苦臉，意態消極，此為吾蜀先賢蘇東坡先生之卻病延年術，其理顚撲不破，其法簡而易行，最宜仿效。在物質方面：吾人要經常行日光浴，並透新鮮空氣，與多使用水。早起即晞朝陽，並行各種運動，無論馳馬、拔擊、打球、或駕車、散步、泛舟等，各隨所好。如能利用春秋佳日，或休沐餘閒，在名山勝水，或叢林曠野遠足旅行，以改換環境，滌盪塵襟，尤符理想。水為清潔強身之本源，俗語云：「人窮水不窮」，任何處所，均可取之不盡，用之不竭。游泳備具清潔與運動，兩種功用，更為有益。而預防江海航行，入水不溺，常獲得應變救急之術，更有需要。至於人生歲月，錢鏗八百，孫思邈三百，遐哉邈矣。開縣二百五十歲老人，實為余所親見，並曾以其照片囑李同志於民國十九年四月在南京國民政府面呈蔣主席，蔣主席祝其萬壽無疆，主席以堯天之下，有此盛世人瑞，至為欣悅。余深信人之壽命，修短操之在我，人生七十，並非不可躋致，而張岳軍先生人生七十開始之說，實為有至理之名言焉。（四、完）

天南風光

——沙羅越的歷史——

朱淵明

布律克與米丁商量之後，即借往星加坡，請求英國遠東軍的總司令「多瑪斯可哈尼」援助。到了一八四五年的秋天，即八月八日，這一請求，總算得到了響應，一支包括六隻戰艦的艦隊，到達了婆羅乃的海上，遠東軍總司令也親自出陣，他乘着自已的旗艦「亞仁可」號，躬任指揮。

遠東軍總司令先到婆羅乃，在與蘇丹的一次會談中，他提出要婆羅乃政府賠償非法扣留兩名「蘇丹娜」船員損失的要求。「蘇丹娜」為一隻英國的商船，於四年前為雷電所擊沉，逃生的船員，竟為人所俘據，這在前文也曾述及過。但蘇丹與哈沁，對於此事，堅拒應負任何責任，且把一切過失，都推到尤梳身上。並說：假使英國海軍要採取步驟，懲罰尤梳過去的壞行為，他們將十分感激，因為扣留水手一事，全是尤梳所幹的。跟着，遠東軍總司令就派人召喚尤梳，尤梳當然不敢前往。次一步驟，就派人向尤梳的住處，放槍示威。經過一陣裝模作樣的姿態後，尤梳竟亦命令他自已的隊伍還擊，幾分鐘之後，尤梳的屋子就變成了廢墟，他本人就趕緊向森林裏逃命去了。

不久，可哈尼即命令他的部隊趕到馬魯魯海灣的岸上，從海盜的後方進攻，八月十九日突破了拱衞着烏士瑪根據地之主要入口處的笨重木頭。同時五百五十個海軍及藍衣軍，三面環攻，烏士瑪的部隊寡不敵衆，整個的海盜村落，全被燒光。那一天，布律克在他的日記上寫道：『馬魯魯已經不復存在』。

馬魯魯戰役結束後，布律克開始相信他在沙羅越的地位已逐漸鞏固，因為所有內部的障碍份子，如「馬可大」，「尤梳」之流，都已驅逐，而最危險的海盜之力量亦已被分散，假如是要把凡足以影响北婆羅洲沿岸之安寧的海盜，都要趕回老家去的話，則英國的遠東艦隊，隨時支援，更其是必要的。（卅九）

我底學習和思想歷程

謝康

六、對於出版刊物的興趣——這時節我曾經主編的刊物頗多，單是知用學社前後有三種刊物，廣西留穗學會有羣言雜誌，廣高桂同鄉會有「西江潮」，有一個時期，高師校刊和七十二行商報知用日刊，也會經歸我主編。

七、團體服務的熱忱——我所參加的團體服務工作，花的時間比較多的有好幾個團體：（一）廣西留穗學會，（二）知用學社，（三）廣東高師學生貿易部（這是師生合營的合作社性質，也是廣州市販賣新文化刊物的一個中心），（四）廣州廣西會館董事會。記得有一次為着向軍隊交涉不要駐紮我們東堤的廣西新館，幾乎送了我的一條命呢，回憶起來，至今還有餘悸。

（八）跟吳稚暉先生學注音字，並談留法勤工儉學事，引起留法動機。

總之，上海和廣州兩處地方求學，是我青年時期思想轉變的重要關鍵。尤其我親愛底母校——廣東高師，它為我奠立了往後四十年立身處世做人的師範生型的基礎。

二、桂省服務的經驗

高師畢業以後，我隨詹博白朱識惺校長到鬱林省立第九中學任教，沿途七八天工夫，他和我大談其社會主義，但因我已相信三民主義之故，總覺得它格格不入。我懷疑此人既當校長，應該多談教育少談政治才對。等到將滿一年，離開鬱林以後，纔知道他原來是在日本加入的共產黨員，可是他所過的依然是相當華貴的上流社會生活，平日養尊處優，特別注意享受。因此我就判定共產黨人一得志，恐怕不能和民衆同甘苦。

往後我曾經担任省立第四中學校長兩年，同時協助地方建設，因此造成我在柳州學界首屈一指的地位。被共產份子暗中掀起了一次在廣西還算是空前大規模的學潮，當時是容共的，共黨得勢，我險些給他們「打倒」。大約有半個學期，我每逢晚間出入，必帶手槍自衞。他們將我的名字編成一首歌兒，跑到校門來歌唱：

「打倒○○，打倒○○，除學閥，除學閥，教育革命成功，教育革命成功，齊歡唱，齊歡唱！」

我自問沒有什麽重大的過失，至少是功多於過，也對得住學校和地方父老。天呀！為什麽我要受到這種遭遇？我一方面是悲憤塡胸，一方面更了解共產黨手段的險惡毒辣，為着黨的利益，他們是不擇手段的。我只有更站穩三民主義的立場，準備和他們奮鬥到底。

幸而地方軍政當局，明瞭對方的陰謀，極力維護學校，等到風潮平息，我又再三請辭，並舉原任教務主任黃煥乾兄以自代。當局發表我另一間省中校長，我也堅辭。又徵詢我是否願意担任縣長這類的職務，我也謙辭了。（三）

瘟君續夢

第七回：越境興戎　盈廷驚白蟻　恃強犯上　舉座斥青蠅

六月八日周恩來出席致詞，果然把毛澤東的話全部講出來。周恩來的演講本來富於煽惑性，脚手並用，十分動人，當他大罵反對民族解放戰爭就是資本主義走狗，是馬列主義叛徒時，蘇聯代表格里申站起來向大會執行主席弗拉商遞一張紙條，聲明保留抗議的權利，就率領代表團退席。周恩來講過之後，總書記賽拉揚看着大會要陷入僵局，又把格里申拉回來，勉強將大會開到九日，發表了一個不痛不癢的聲明，結束了會議。

周恩來的演詞不但震驚了共產國際，就連劉少奇一派人也感到大惑不解，他們都知道周恩來的個性從來不肯說負責任的話，尤其是同蘇聯作對，後患是難以預料的。周恩來何以會冒這大的險，劉少奇覺得很奇怪，就把彭眞同鄧小平找到家中商量這件事。

彭眞說道：「老歪同蘇聯作對尙不希奇，周總理怎麽也站到第一線來了，少奇同志有沒有什麽特殊情報，是不是克里姆林宮又有變化，赫老的位子不穩了。」

劉少奇搖搖頭：「沒有聽到這個消息，不過，老歪敢出頭抨擊蘇聯，在兄弟黨裏面他自以為有點把握。」

鄧小平說道：「在這種情形下我們何以自處，究竟站在那方面，我看中立是很難了。」

彭眞嘆口氣：「我們跟着赫老走，禍在目前，聽老歪的話，將來也不得了。」

劉少奇笑道：「莫斯科方面的問題還小，首先我可以取得他們的諒解，知道我們是實偪處此，其次呢？你們即使參加了反赫集團，究竟還是脅從，赫老也不能把賬記在你們頭上。」

彭眞說道：「我們追隨老歪政策，你怎麽辦呢？」

劉少奇說道：「我可以保持緘默，不表示意見，老歪還不致對我開刀。」

彭眞笑道：「這樣說到容易辦了，我們也跟着拚命反蘇，橫豎賬都記在老歪頭上，赫老不會跟他干休的，最後也許會把老歪連根拔掉，正是少奇同志前年定的養惡政策。」

鄧小平笑道：「那次是養他對內的惡，結果搞垮了他的政府主席，這次是養他對外的惡，說不定要把黨的主席也搞掉呢？」

鄧小平說過，三人都大笑起來。

劉少奇又說道：「我們現在的原則是這樣，老歪反蘇，誹謗赫老，你們只管跟着去搖旗吶喊，表現得比他還要激烈，使老歪相信大家都擁護他，他就反得更起勁，最後必然會鬧得無法收拾，赫老自有辦法對付他，我們只管站在黃鶴樓上看翻船就是了。」

鄧小平說道：「表面文章容易作，骨子裏頭的安排卻很難，千萬要使赫老知道我們反他是假的，萬不要皂白不分，一鍋煮了。」

劉少奇笑道：「我自有辦法，你們放心好了。」

三人就要分手，突然接到田家英打來電話，毛澤東又召集政治局委員開會，要劉少奇馬上就去。（一八七）

一七〇公分

張健

「看慣着電影不？」

「很少看。」

你很少說話，正如很少看電影。你也變得很少，除了你的身高，除了你潛藏着的另一面，你自己覺得嗎？

也是這樣風和日麗的上午，他走進我的視域。我意識到他並不很好。我們談天，不記得談些什麼。他的心裏塞着一些東西。

他的眼眶紅起來了。「總是罵、罵、罵。說了一遍又一遍……我簡直不要聽……我就往外面跑。」跑，像他在操場上跑着追球一樣？或者像小白兔在草原上奔逐？不，你還不了解世界，不了解自己，更不了解你的父母。你知道不？當我教過你們一年之後，我才開始體會到以前我的老師們對我是怎樣的一種情感。那種感覺，好像你們生命中多了些什麼，並且急須付出些什麼，你說不清楚的。你還小，怎麼懂得你父母親的感覺、想法？

他一定還記得我的說教式的勸勉。倔強的孩子！一七〇公分了？我簡直不能接受這樣的一個事實。

那天他吃了便飯，稍稍平和地回去了。後來是一封信，——滿篇都帶稚拙的字體；使我喜悅的訊息，——他在家裏很好了。是很好了。甚至已經不太倔強了。小太保們瞪你一眼時你仍還眼嗎？你告訴我那些事時多有趣、多奇妙啊。不，不是那種僅僅可笑的感覺。

告辭的神色演化爲言語，他站起了。

「吃了午飯再走吧。」平常我是懶得留客「便飯」的。

「不，我已經吃過了。」

「這麼早？」

「是在一家小館子吃的。」——顯然你說得不夠流利。

「怎麼騙起老師來了？」我有意無意地用充滿孩子氣的語調說。

他不好意思的笑了。

「我還是趕回去的好。」

「怎麼變得這樣子了？」我原想說「世故」兩個字的，臨時又省去了。當然省去了好得多。

「碰到同學請他們一起來玩。」

「好。」

他終於辭出了。最後的一剎那，我證實了他沒有說謊——他是一七〇。差不多高我兩公分。

「老師再見！」「再見。」

他似乎不合適寫成一首詩，所以我決定在一則淡淡的短篇裏記下一九六三年二月裏的一段——說是故事也好，日記也好；一個年輕的老師；一個成長着的學生。（下）

南宋偏安有人才

——張浚

李仲侯

隆興元年除樞密使，都督建康鎮江府江州池州江陰軍軍馬。時金將蒲察徒穆及知泗州大周仁屯虹縣，都督蕭琦屯靈璧，積糧修城，將爲南攻計，浚欲及其未發攻之。會主宰殿前司李顯忠，建康都統邵宏淵亦獻搗二邑之策，浚具以聞，上報可，召浚赴行在，命先圖兩城，乃遣顯忠出濠州，趨靈璧果取蕭琦宏淵圍虹縣，降徒穆周仁，又乘勝進克宿州，中原震動。孝宗手書勞之曰：「近日邊報，中外鼓舞，十年來無此克捷」。浚以盛夏人疲，急召李顯忠等還師。會金帥紇石烈志寧率兵至宿州與顯兵戰，連日南軍小不利，諜報敵兵大至，顯兵夜引歸，浚上疏待罪。有旨降浚特進，更爲江淮宣撫使。

宿師之罪，士大夫主和者皆議浚之罪，孝宗復賜浚書曰：「今日邊事倚卿爲重，卿不可畏人言而懷猶豫。前日舉事之初，朕與卿任之，今日亦須與卿終之」。浚乃以魏勝守海州，陳敏守泗州，戚方守濠州，部署守六合，治高郵巢縣兩城，使修滁州關山以扼敵衝，聚水軍淮陰，馬軍壽春，大飭兩淮守備。

孝宗復召拭奏事，浚附奏云：「自古有爲之君，腹心之臣，相與協謀同志，以成治功。今臣心孤蹤，動輒掣肘，陛下將安用之」？因乞骸骨。孝宗覽奏謂拭曰：「朕待魏公有加，不爲浮議所惑」。帝眷遇尤至，對近臣言必曰魏公，未嘗斥其名。每遣使來，必令詢浚飲食多寡？肥瘠何如？尋詔復浚都督之號。金帥僕散忠義貽書三省樞密院索四郡及歲幣，不然以農隙治兵。浚言：「金强而來，弱則止，不在和與不和」。時湯思退爲右相；思退秦檜黨也，急於求和，遂遣盧仲賢持書報金。浚言：「仲賢小人多妄，不可信委」。已而仲賢果以許四郡辱命。朝廷復以王之望爲通問使，龍大淵副之，浚爭不得。未幾召浚入見，復力陳和議之失。孝宗爲止誓書，留之望大淵待命。

（卅四）

科舉趣話

吉庭

漢以甲乙丙等科課士，謂之科甲。唐用科目取士，謂之科舉。宋用帖括，明清用八股試士，亦沿科舉之稱。但唐宋無縣試，省試，京試，殿試之複雜，故當時無三元之名；有之，自明始，有解元，會元，狀元之榮銜焉。

在科舉時代，使人最羨慕者有三，一曰遊泮水，宴鹿鳴，宴瓊林，二曰三元及第，三曰玉堂歸娶。三者中以三元及第與玉堂歸娶爲難能可貴，在歷代千百中難得一二也。

泮水者，泮宮之水也。詩：「既作泮宮」。泮之言半，蓋東西門以南通水，北無水也。世謂入學之生員爲入泮，本此。鄉試揭曉之翌日，宴主考同考執事各官及鄉貢士，曰鹿鳴宴。唐時宴鄉貢用少牢，歌鹿鳴之章，故有此稱。韓愈送楊少尹序：「楊君始冠，舉於其鄉，歌鹿鳴而來也」。按瓊林，園名，明一統志載：「瓊林苑在開封府城西，宋嘗宴進士於此」。後稱新進士恩榮宴曰瓊林宴，本此。

三元及第者，有明一代，享國二百七十七年，僅商輅一人。滿清入主中國二百六十八年，亦僅蘇州錢棨與廣西陳繼昌二人。一說陳得祖塋之吉地，一說灕湘二水合流處之白蘋洲，塞廣西之水口，自建立書院告成，而陳以三元及第聞，故有「白蘋洲滿狀元歸」之句。果山水足以鍾人傑歟！

按玉堂之稱，指翰林；所謂玉堂歸娶者，即入詞林後歸而結婚也。得之者不多見，惟溧陽史文靖公貽直及錢塘袁子才，皆以年少登科，有玉堂歸娶圖。溧陽父子雖位居高貴，但以禮致名，喜慶無甚鋪張，而子才素性風流，健桂詩有：「慚愧少年貧裏過，玉堂春在洞房先」之句，自謙亦復自豪也。

在昔科考時，凡父子兄弟先後遊泮水，舉於鄉，成進士，入翰苑者，固不乏人，而父子同科中舉者，爲世所罕見。惟湖南范芝田與其子有慶，於清同治時，同科舉於鄉，時人榮之。其中有一趣聞：當范父子未赴試前，芝田夢宿媳房，認爲缺德，即中止成行。其妻聞之，舉以夢告，其媳在旁應聲曰：「此夢甚佳，已寓父子同科之先兆，請毋猶豫爲。」芝田聞之喜，即偕其子就道應試，果皆取錄。宴鹿鳴時，例由解元居首席，此屆解元謙不就，以有年伯在，於是撫台請芝田入首座，並舉杯相敬。

科考之程序，分縣府試、鄉試、會試、殿試等級。縣府試爲小試，鄉試以上謂大考，小試利而大考不利者多，大考利於小試者不僅見。但是，清嘉慶間，有周系英者，字石芳，號孟晉，湘潭人，縣府試屢不售，至四十八歲，始入泮，而中舉、成進士、入翰林，爲期才二十五個月，奉派江南學政，自題一聯於中堂云：「縣考難，府考難，院考尤難，四十八年纔入泮；鄉試易，會試易，殿試更易，二十五月已登瀛。」傳誦一時。

清乾隆間，有某奉命主考湖南院試，試畢，一般貢案生員送學台歸，舟過寶塔前，學台口占上聯云：「寶塔尖尖，七級八角」；送行者咸以手揚之，不敢對。迨入京復命時，拜會首相陳壽，陳湘人，因問故鄉之學風如何？某以不甚佳對，並提及所出之淺近聯而不能應，僅以手揚之。陳相曰：「彼輩已對出矣，『手指冲冲，兩短三長』，雖未明言，而示之以手，君所不知也」。該學政爲之愕然！人謂陳相一言而爲故鄉掩拙，足見心靈。

海嶠雲談薈

奇怪的中醫

諸葛文侯

正當桂林一般文化界人士爲張伯方醵資，準備設立醫院之際，桂林市政府忽然傳出消息，將要押解張伯方回湖南安仁縣去。如是，余覺即以桂林行營主任辦公廳秘書資格，借同立報社長張稚琴，急赴市府探詢眞象，據蘇市長言，日前接到湘贛邊區抗日總指揮官李默庵密文，囑查明湖南安仁縣人張伯方下落，將其押解回鄉，聽候法辦云云，然其案情殊離奇，實與張伯方毫不相干。

原來李默庵的父親是長沙縣的一個鄉愚，貪財好貨，隨時教兒子倚勢聚斂搭克，肆行無忌。適這時候，李默庵領軍駐在江西境修水地方，李父亦在軍中。一日，「李老太爺」携帶若干行篋，由修水乘坐軍用專車赴衡陽（長沙已失守了），道經安仁境內，須以木船載汽車渡河，詎料船小車重，榜人偶不小心，在中流竟告傾覆，車輛與行篋盡墜入深淵，內有一只皮箱，滿載黃白錢貨，「李老太爺」幸免葬身魚腹，但所携金銀財寶已付諸東流了！事聞於李默庵，急派員率領若干士兵馳至出事地點，協同安仁縣政府鳩工庀材，將覆車的一段河流上下堵塞，然後用水車將那段河水車出大半，再由蛙人縱身入河中搜索皮箱，但他物仍在，唯有滿儲金銀的那一口笨重皮箱，遍索不得，顯係被人盜去了。再三偵查，據土人傳說，張伯方的侄兒善泅水，而其家即在河邊，一定是他於出事之夜，潛入河中，把這口皮箱攫取藏匿無疑，即由安仁縣府將此人捕獲嚴訊，但他矢口否認，旋派多人到張宅搜查，上至瓦簷，下及深土，旁通牆壁，掘破殆遍，皆無所獲，疑獄乃不能決。縣令以張伯方原係地方紳士，其侄平日事之若讎，若使伯方歸來，私下詢問乃侄，必卜水落石出。伯方現在桂林，乃由李總指揮部以咨文致桂林市政府，請其查緝張伯方歸案，予以押解回籍。時伯方寄居桂林立報社長張稚琴君家，消息迅即傳遍全市了。

行營秘書余覺暨桂林新聞界人士聞訊，譁然爲張伯方抱不平，認爲非其罪也。即推舉立報，掃蕩報，大公報各單位派出代表，偕往中央軍校第六分校晉謁黃主任達雲，請其電告李默庵，不得無故蹧蹋好人，縱然需要張伯方回去幫忙一下，亦不能倚勢肆威，出以押解方法。否則不但桂林新聞界一致對李不客氣，大事抨擊，且將策動大後方輿論界羣起而攻，盼望李氏自愛自重爲佳。他們向黃達雲陳情的原因，一爲黃與李俱係黃埔軍校一期生，又同屬長沙縣人，二爲張伯方曾爲黃氏醫好了便閉腹脹之疾，黃氏爲人和易，慨然應允所請。嗣後張伯方跟家中迭次通信，詢明詳情，不久自行回到安仁，爲侄兒料理訟案。據聞：原物始終不知所蹤，伯方與乃侄毀家賠償，事乃寢息。至於桂林友人爲張伯方籌設醫院的工作，照樣進行，然因伯方回鄉半年後，尚未出來，時日荏苒，未能積極從事。越民國卅三年八月，衡陽又告失守，廣西已進入前線戰區狀態，桂林人心緊張，而張伯方回來桂林的道路，由於衡陽淪陷，亦告阻絕，未幾，桂林實行疏散，大家向黔川兩省逃難，「張伯方醫院」終於流產了。假使沒有「李老太爺」失金這回事，而李默庵亦不恃勢胡行妄爲，張伯方即可不還鄉，雖桂林不守，他必隨同友好入川，出其醫道以救人，詎不懿歟！

（三）

小談唐詩人

漁翁

杜牧，字牧之，萬年人，爲岐國公杜佑之孫。太和中成進士。其詩風骨遒勁，文猶縱橫奧衍，多切經世之務。牛僧孺以宰相出鎮揚州，延爲記室，即今之秘書也。因此，牧在揚州有不少羅曼史。時牧之年少風流，日處花叢柳中，妓女遇之，如見安仁姿儀，皆連手縈繞，投之以果焉。牧之在綠酒紅燈中所爲之詩歌，量多質亦佳，而以「落魄江湖載酒行，楚腰纖細掌中輕；十年一覺揚州夢，贏得青樓薄倖名」一絕，爲最膾炙人口。著有樊川集二十二卷。時人以別於杜甫，故以「小杜」稱之。袁子才對牧之詩，尤極讚賞，遇其墓而繫之以詩，有「客裏驚花逢杜曲，唐朝風雅屬司勳」一句。袁以風流才子稱，殆亦志同道合歟？

王維，字摩詰，山西太原人。史稱其九歲知屬辭，與王勃同爲先後早熟之作家。如題「友人雲母障子」詩，「過秦王墓」詩，爲十五歲所作；「洛陽女兒行」，十六歲所作；「桃源行」，「李陵詠」諸篇，十九歲所作；而措詞練句，都非凡品，其才思誠有過人處。年十九，中第一名解頭，二十一歲成進士。玄宗時，官尚書右丞，世稱王右丞。工詩而外，亦善書畫，均以田園爲對象。所繪「輞川圖」，爲歷史上最珍貴之品。蘇東坡稱其「詩中有畫，畫中有詩」。信然。

（三）

內僑警台報字第〇三一號內銷證

自由報

THE FREE NEWS

第三二四期

中華民國僑務委員會頒發
台教新字第三二三號登記證
中華郵政台字第一二八二號執照
登記爲第一類新聞紙類
（半週刊每星期三、六出版）
每份港幣壹角
台灣本售價新台幣弍元
社長：雷嘯岑
督印人：黄行奮
社址：香港銅鑼灣高士威道二十號四樓
20 CAUSEWAY RD 3RD FL HONG KONG
TEL. 771726　電報掛號：7491
承印者：田風印刷廠
總址：香港灣仔高士打道二二一號
台灣分社
台北市西寧南路壹壹李號二樓
電話：三〇三四六
台郵撥儲金戶九二五二

毛澤東對軍權的掙扎

司徒敏

最近一月來，中共連續召開五個軍事性會議，計一是包括陸海空三軍的「全軍政治工作會議」，二是「空軍政治工作會議」，三是「砲兵首屆代表大會」，四是「鐵道兵技術幹部大會」，五是「公安部隊政治工作會議」。這五項會議的內容雖畧有不同，但基本上都是檢討過去一年的工作，確定今後的任務，並且都強調學習毛澤東思想，強調繼續開展「四好連隊」運動。可以瞭解，這些會議的共同目的，是要求加强對部隊的控制，以及透過軍隊加强對人民的控制，因之在一定程度上也反映出當前共軍內部的若干問題。

大致說來，這些問題，主要表現於下述三點：

第一，是毛澤東在軍中威信的下降及共對軍權的掙扎問題。我們知道，毛澤東控制軍權的手法，一是親自選拔和掌握重要軍事幹部，一是用他的軍事路綫作爲共軍戰畧戰術的指導原則；這是自井崗山成立工農紅軍以來，毛澤東在軍事上所表現的一項特點。但是軍隊的訓練，教育，指揮等制度，是隨着時代環境與裝備的改變而有所變化的，毛澤東過去的那一套方法，顯然與目前共軍的情況不能適應，這是自韓戰以來，中共軍事幹部即發生政治與技術問題之爭的原因，也是彭德懷自金門砲戰失敗後，反對軍人不務「正業」，反對在軍隊中搞政治運動，從而與毛澤東發生衝突之一原因。

因此，毛澤東爲維持共軍事統治，鞏固在軍中的威信，一方面將軍隊的統帥權始終掌握在以其自己爲中心的中共中央軍事委員會（簡稱「軍委」）手中，不讓屬於行政系統的「國防委員會」插手；（中共軍委，係由毛澤東，劉少奇，周恩來，朱德，林彪等領導核心組成，由毛澤東担任主席。僞「國防委員會」則，容納了若干降將在內，係咨詢機關，類似國府過去的軍事參議院和現在的戰略顧問委員會，不負實際指揮責任。）一方面則將各級軍事幹部實行「下放」，並在軍事學校，機關，部隊內展開「學習毛澤東軍事思想」的運動，重新強調毛澤東軍事路綫的正確性。而這次各種「政工會議」，仍然要求「全軍高舉毛澤東思想的紅旗」，要求「保證黨中央，毛主席，軍委對軍隊建設的方針，指示能在部隊中落實」。正反映出毛澤東在軍中威信的下降，及其對軍權的掙扎。

第二，是軍心不穩的問題。中共軍隊過去是利用「減租減息」，「分配土地」等欺騙手法，和通過「清算鬥爭」，製造「階級仇恨」等暴力手段，裹脅農民參軍。在經濟利益的誘惑，階級仇恨的煽動，以及共黨兇惡面目尚未完全暴露的情況下，尚可收到若干實效。然現在中共兵役制度已有改變，又缺少「土改」時經濟利益的誘因，特別是共軍現在的下級幹部與士兵，大部份是入伍不久的工農青年與知識青年，他們對于共黨取得政權後在大陸民間的暴虐行爲，及連年饑荒的悲慘事實，體驗最深；對家庭生活的困苦，念之最切，因而對共黨不滿的情緒亦逐漸增加，這從劉承司等的駕機投奔自由，張穆紐，張美南等的出走，以及時有大陸軍人偷渡香港邊界要求政治庇護等情況來看，可以看出共軍官兵思想的變化，也說明所謂「四好連隊」，「五好戰士」等政治騙術之無濟于事。但是共黨除了利用這些把戲以圖加強控制外，再也拿不出別的方法。因此，這次各種會議之強調繼續開展「四好連隊」運動，也正反映出中共軍心的不穩。

第三，値得注意的，是中共現在大陸正如火如荼的發動一個「學習雷鋒」的運動，而這個運動，又與中共軍心動搖及毛澤東對軍權的掙扎，密切相關。

雷鋒是「瀋陽軍區」的一個工兵團的班長，在指揮助手倒退車輛時，被倒退的汽車撞傷頭部致死。這種意外傷亡，原沒有什麼宣傳價値，而且出事的時間是去年八月十五日，距今已有半年之久，可是共黨竟將其大肆渲染，共匪各種報刊不斷發表介紹專文，毛澤東，劉少奇，周恩來，朱德，林彪，羅瑞卿等紛紛爲之題詞，共軍總政治部向全軍發出「開展學習雷鋒」的通令，好像眞是一個了不起的事件。

如實說來，雷鋒之死，既非死于「革命戰爭」，又非死于「重要的工作任務」，甚且可以說是一種不光彩的死，其一，表明共軍駕駛兵駕駛技術的低劣，其二，表明共軍車輛的陳舊與機械的損壞，其三，說明雷鋒這個人根本是一個笨人。因此，中共之宣揚雷鋒之死，在反面又正暴露出共軍的種種缺點，發生了相反的作用。然而共黨之不顧這些反面影响，仍然要以雷鋒爲「典型」，要共軍士兵以其爲學習的榜樣者，主要是因爲雷鋒在他的「日記」中寫了一些「學習毛澤東思想」的話，這在毛澤東在共軍中威信逐漸低落，共陳舊的軍事思想，與共軍官兵要求「現代化」的願望發生矛盾和抵觸之時，雷鋒的「日記」，自成爲毛澤東的唯一的「知音」，成爲當前中共的重要宣傳資本。這只要一看共軍總參謀長羅瑞卿在「人民日報」和「中國青年」半月刊發表的「學習雷鋒」一文，即可瞭解。羅瑞卿說：「雷鋒同志値得學習的地方很多，但是最值得學習的，也是雷鋒之所以成爲一個偉大戰士最根本最突出的一條，就是他反反覆覆讀毛主席的書，老老實實聽毛主席的話，一心一意做毛主席的好戰士。……一句話，毛澤東思想就是他的英雄行爲和高貴的品質的源泉」。由此可知，中共宣傳雷鋒，實際是宣傳毛澤東思想，毛澤東親題「向雷同志學習」，實際是要共軍幹部和士兵向毛澤東自己學習。這當是毛澤東在軍中威信的下降，又與其對軍權掙扎的一重要例證。因而所謂「雷鋒運動」，不僅是雷鋒的悲哀，更是中共和毛澤東的悲哀。

由上述各項情況以觀，可以瞭解當前毛澤東所面臨的問題，除了與蘇俄關係惡化及國內發生經濟危機外，最重要的還是軍隊的問題。

與蘇俄關係的惡化，雖然使中共在共產集團中陷于孤立，爲東歐及西歐共黨所圍剿，並且因俄共單方面撕毀與中共訂立的數以百計的協定和合同，使中共工業建設陷于停頓；但這些外在的壓力，仍不足以威脅毛澤東的生存。至于國內經濟危機，雖造成社會不安，人心浮動，使所謂「三面紅旗」爲之褪色；但中共仍可運用高壓政策，勒緊人民肚皮，減少支出，以渡過難關。惟獨軍隊的發生問題，則將致毛澤東于死命。人們知道，軍隊是毛澤東的命根，是中共僞政權的主要基礎，是共暴力統治的重要工具，軍隊情況一變，則毛澤東的政治資本將告清光，從而失去控制大陸的憑藉。這當是最近一月內中共連續五個軍事會議，以檢討有關問題和研究今後工作任務，以圖進一步加強對部隊的控制之一主要原因，也是開展「雷鋒運動」，以圖刺激和安撫軍心之動機所在。

但是毛澤東這些戲法並不新鮮，事實證明，決難以收到效果，因此，他的任何掙扎，都將落空。

漫画天下

古巴

由得他擺佈

各有一手

自由談

可慮的南韓政局

南韓的軍人政府，宣佈還政於民，定期實行選舉之後，忽又反汗背信，要繼續四年的軍政之治，並禁止民間一切政治活動，不許報紙上對此事有所評論，只能表示贊否的意見，否則便係「挑撥性」的言論，卽要予以懲罰。這是軍人隨便干政的典型例證，殊堪歎惜！

我不懷疑南韓一般青年軍人的滿腔愛國熱情，他們恨不得一旦措國家於磐石之安，構成富強康樂的理想生活。可是，搞政治並不像帶隊伍那末簡單，它需要高度的智慧和技術纔行，僅憑一股幹勁，過事看得太容易，操切任性而爲之，結果是愛國終致誤國，乃至於禍國。第二次大戰前的日本少壯軍人，何嘗不是基於純潔的愛國情操，反對政黨政治，憎惡資本家，因而採取直接干政的行動，刺殺內閣總理與實業巨子，排除政客官僚，把政權掌握在軍人之手，而日本卽因此受到亡國之禍！現在緬甸軍人亦實行干政，大搞其所謂社會主義建設，後果之惡劣，殆可預言。總之，軍人隨便干政，決非國家之福。

不過，話又說回來，促成軍人干政局面的，都是一般沒出息的文人政客，所謂教猱升木是也。假使南韓的開國元勳李承晚自愛自重，不因權力中毒而任意胡來，南韓卽不致發生「四月革命」的狂潮，政局至今還是安定的。卽使李承晚下台以後，反對黨的張勉一般人執掌了政權，軍人干政的逆流，亦不致激成。而使南韓陷於現在這種動盪不安的景況中，推本窮源，沒出息的政客官僚，實係導致軍人干政的罪魁禍首，到處皆然。

南韓的軍人政府，內部尚有權力鬥爭的暗潮，彼此都是藉武力作後盾，再要專政四年的話，難免不釀成比現在更惡劣的情勢，此中原因複雜，一言難盡，但誰也可以想見的。我不相信一個頭腦簡單的軍人——尤其是政治知識和行政經驗皆缺乏的青年軍人，能夠用獨裁的方式，把國家治理好。朴正熙將軍如其珍視「四月革命」的果實，退居到幕後，而以國事監督者自居，讓文人來當政，實爲上策。硬要以暴虎馮河的精神，在政壇上串演主角，將來一定凶多吉少，後悔莫及。這是一般社會進化的必然律，不會因人而異的。

馮王先生

香港與大陸

毛共折磨逃亡戶一例

視同五類份子不斷加以虐待　寄回的財物悉數被藉名沒收

中共對「逃亡戶」倍加虐待，一律均被劃為「五類分子」，早晚須到「公社」報到。有些還被抓去鬥爭之餘受罰勞改。對於海外寄回去的錢或物資，則隨意加以莫須有的名堂，而予沒收。

去年五月逃亡抵港，現為建築工人的何××君的妻子所受的待遇，便是一個例子。據何君說：日前他接到在鄉的家姊來信，得知他的妻子最近已因不堪共幹迫害，實行自殺了！他在港用血汗換來的錢寄回去的糧包，舊衣，亦被共幹沒收了。何××君家姊的來信中說：自從何君逃抵港不久，他的家便被共幹列為「逃亡戶」，而且把他的妻子列為「五類分子」（又稱為五壞分子），每月配給的糧食由廿四斤減至十五斤，並要她每天早晚攜帶五歲兒子前往「公社」報到，然後和那些「五類分子」一起，在中共民兵槍押下做十四小時的工作。何君說：這些都還不要緊，因為他妻子是勞動慣了，且這種勞役，普通農民所遭受的，亦其實差之不多，祗是名義上有分別而已。

何君說：使他妻子自殺的最主要原因，係共幹經常要她寫信叫他回去，並要她「坦白」丈夫在港所幹的「特務」工作。他說過去的約一年來，共幹不斷迫她寫信來港，要她說：家鄉已改善了配給，且「政府」對她們「很好」，要何君回去，保證不會有什麼意外：：等語。但他妻子恐他回去受罪，幾次都硬不肯寫，於是更觸怒了共幹，發動全「大隊」的農民對她進行鬥爭，罪名是唆使丈夫逃亡，不願接受「改造」，並將她關了幾天。但這些折磨，他的妻子也都熬過去了。

何君說：在不久前，他曾寄了幾次郵包和壹百元回去，信中曾提及在港生活安適。這就引起共幹更加虐待他的妻子。他家姊的信中說：有一天，幾個兇神一般的共幹，到他妻子住所，要她把所有的郵包取出檢查，當見到幾件絨衣服（按何君是從深水埗的舊衣店買來的），共幹便認為這等「名貴」的東西，在一個沒多特長的何君，是不可能有這樣多錢買得起的，所以便硬指何君在港是幹着國民黨的「特務」工作，才有這樣多「錢」。如此，共幹又把何君的妻子抓到「公社」審問，所有寄回的東西當然被沒收了。經幾個共幹輪流對她審問了幾天，硬要她「坦白交代」，但她能夠交代什麼？結果，他妻子實在受不了這種折磨，乘共幹不覺，逃出「公社」，跳進井裏去自殺了。

記者詢問何君：怎麼知道他妻子被指為「五類份子」且被鬥爭，又還要寫信教他回去呢？何君說：家中的情況，以前他是不清楚的，來港不久時接過一封妻子的信，祗說生活如常，不必掛念。以後卻就一直沒有接到家信。現在才在他家姊的信中，知道其妻子一直受管制，除了報告家鄉「轉好」和教丈夫回去的信以寫外，便什麼都不准寫了。如今把她逼死了！（薇斯）

所為何來・還是個謎

十八歲中學生冒充督學　居然頭頭是道未露破綻

（本報記者吳越台北航訊）台灣教育廳副廳長賴順生姪孫，一個十八歲的中學生，冒充省教育廳督學，居然騙過縣教育科長、縣長及全縣中小學校長，召集全縣校長會議，抽考國校學生，登台演講，頒發獎品，演來頭頭是道，活是一幕「欽差大臣」的翻版，被愚官員啼笑皆非。

故事開始於二月二十二日上午，桃園縣中壢農校校長蔡景洲陪同一位少年到縣教育科，該少年自稱叫賴金光，師大畢業，現任教育廳督學，奉令來桃園調查國民學校改進教學事項。

次日，教育科長林乾祜陪同這位少年督學參加全縣校長會議，介紹與會各首長校長及來賓，賴金光應對得體，被請至台上，與桃園縣長吳鴻麟同被尊坐在最上之席。

本（三）月十三日，全縣音樂比賽會上，賴金光被邀列席，任上級指導員。比賽完畢，賴還大模大樣予以講評，並以一面「反共先聲」的錦旗頒給音樂比賽冠軍桃園農校，署名「省督學賴金光贈」。

這時，年前曾做過賴金光老師的楊梅中學教員，認出台上督學是他教過的學生，他向教育科長指出，賴在一年之間不可能就變為督學。經林科長電話省教育廳聯絡，教廳回答沒有賴金光督學，也沒有派督學到桃園，要林科長把冒充督學的青年送警法辦。原來賴金光現在還是桃園縣私立武陵中學高中一年級的學生。

最初引見賴金光到教育科的中壢農校校長蔡景洲說：他本不識賴，是賴於二月中旬拿着部份國校常識考卷至農校探詢常識教學情形，說是受其叔祖教育廳副廳長賴順生之託來調查，蔡景洲才將他介紹見教育科長。據他所知，賴金光調查桃縣各國校常識教學情形，遠自上年七八月即開始活動，但尚未聞有藉機斂財行為。

桃園縣教育科長林乾祜，對這件鬧劇表示遺憾，他希望各級學校注意防範，以免再鬧類似笑話。

林乾祜說：「賴金光在上月廿二日經中壢農校蔡校長介紹和我認識，他所談問題，如要研究初中免試常識問題，就是教育界一致重視的事，他也談得切中時弊」。

林乾祜說，賴在廿三日的校長會議上發表演說時，談得頭頭是道，沒有人能識出破綻。賴金光自上月廿二日起，曾到中壢農校，中壢中學，楊梅國校，桃園國校，東門國校等處「視察」，對各校都送了紀念品。

賴金光曾於二月間赴楊梅、大同兩國校以「中等學校督學」的名義，在兩校視察並抽考學生成績。賴在楊梅國校，先找校長涂阿慶，然後召集常識科教師在校長室談話，詢問教師們對初中入學免考常識後的意見，並「勉勵」該校教師努力教學，不可偏廢。繼即取出數十份試卷，抽考該校六年忠班的常識成績，試畢，攜卷離去，並未要求招待。二月十五日，他又以「中等學校督學賴金光」名義致函涂校長，謂閱卷結果，平均六十三分，雖不理想，比他校好多了，且以私費購了一本「岳飛傳」，贈給該校得九十一分第一名的優良學生葉青雲。

賴金光的父親賴清福希望社會諒解他的兒子的鬧劇；他推測賴金光冒充督學，也許受社會虛榮心的誘惑，想出出風頭。他說：事件發生後，他曾調查過，賴金光並沒有其他不法的事；而且他每到一所學校，都贈紀念品，這些紀念品都是自己花錢買的。賴清福最感歎的是，賴金光一時糊塗，牽涉他的叔祖父賴順生副廳長，這是最失體面的事。

高雄調包假退稅案側記

（本報台灣區南部記者賴仕桓航訊）高雄港算是流年不利，發二連三的皮漏，就像海濤一樣的前呼後擁；若使高港是隻船的話，勢有被海浪顛覆可能。

所謂「退稅」也者，即以進口原料加工製造為成品後輸出，可以申請把原料進口時所繳納的稅欵退回。此舉目的，在於鼓勵對外貿易，鼓勵廠商爭取外銷市場。豈料奸商利慾作祟，認為是逃稅門徑，大動其「調包」腦筋，他們密設陷阱，誘使關員上鉤，以達到其無製品而能退稅的目的，即所謂「假退稅」是也。

高雄港的「假退稅」案，經有關機關偵查所得情形看，乃是一連串的行為，其錯綜複雜之程度，也算得是高港空前未有。到三月十三日止，台南關查獲的假退稅案原只廿件整數，但至十四日的下午，據高雄地檢處首席檢察官李鍾聲透露：核對案券之後，又出現了三件。這廿三件的假退稅案，其金額已逾一千萬元之巨，所牽連的廠商或公司不下十餘家，不法商人也非僅台南關所發現的興南，正中，錦宗，龍山，建龍五家旗下，台北關亦有不少歹徒牽涉其內，且還有正在偵查中的關員在，規模之大，蓋亦不難想像了。

而十五日的上午十時許，高港的四號倉庫之一的尼龍漁料繩，又發次「調包」情事。疑案發生的主角是太洋報關行的某負責人。依據「海陸通」報關行的老闆陳銀生陳情稱：他於十五日上午，發現其進口之尼龍漁料繩七十五包被太洋報關行提去了。又稱：本行進口之尼龍漁繩料七十五包，於本（三）月十五日驗貨時，始發覺本行寄存倉庫之一六六號尼龍漁料，已為太洋報關行提走，他請求從速追回其貨，或准將錯就錯，准其將太洋報關行的尼龍漁繩料七十五包提換。

原來「太洋」報關行的漁繩，與「海陸通」報關行的漁繩，不但品名相同，數量亦相同；惟「太洋」報關行之貨號（阿拉伯字）為169，「海陸通」報關行的貨號則為166，據說在提貨時，因方位角度的視線錯覺，誤認166為169，而致錯提云云。據台南關發言人黃守華稱：「海陸通」之尼龍繩料是寄存在棧埠處四號之一倉庫，除提貨人自稱誤提外，倉庫管理員仍有難推卸之責。至於是否准將「太洋」寄存在該庫的漁繩料交與「海陸通」一節，要待棧埠處說明何以錯誤發放的理由之後，才可作處理決定；目前因尚在追查責任中，只有將此件暫時凍結。

以理推論，這責任不僅是在棧埠處而已，海關亦有若干責任，因為守倉庫的負責管理員，海關也為其一。商人寄放於倉庫的已繳納租金的貨品被誤提了，棧埠處的管理員太疏忽，固應負責，但海關派駐之管理員，他有監察檢查之責。按在程序上：貨主拿了海關提單提貨，管理員照單發放，海關管理員則應核對有無錯誤，始算完成放貨手續。如此，此一「調包」責任，似與貨主無多大關係，責任完全在管理員身上。而假如貨主是有意偷龍轉鳳來個「調包」，管理員的責任更屬重大了。本案偵查的重點，管理員疏忽的責任自無庸論，尤其要看貨主的貨品有無問題，才可得知「調包」是一時疏忽錯誤呢？還是有更重大嫌疑？陣雨之後，烏雲可能找不到了，是常見之事，希望本案確是由於疏忽造成，否則就有好戲可看了。

近傳高雄港假退稅案，由於台北地檢處請求高檢處將它併入台北偵查，頗引起爭論。雖然高港發生退稅案的廠商已在台北投案，且又與台北關退稅案有莫大牽連，但以案情的程度及範圍來說，似不宜將高港案件併到台北去辦理。相信將在本案發生的重點上詳加研究後始可決定。一般人的推測，本案於南北兩地分庭辦理，尚無必要，但究竟併南併北，值得考慮，且有人以為併南的理由還要多些。

輕私重公造成惡補

大城長城無謂之爭

──本報台灣南部記者賴仕桓

▲大城，長城兩家製造彈簧床的工廠，由兄弟般的合作起至水火不相容的鬥爭止，早成為高雄衆所注目的新聞，但根據雙方在法院互控誹謗信譽的宣判結果，誰都未成立誹謗罪，因此，雙方又在無罪宣判下再繼續上訴中。假如第二審依然維持原判的話，不知道他們又將如何解決？想像很可能「驚人」。

以事實言，長城是在大城的旗下，大城是主，長城是屬，大城是賴長城耕耘發展的，由於利害的衝突，終於各逐其生，而在經營上發生競爭磨擦，這是糾紛的開端。又雙方都是外銷商，不過是大城在先，長城在後，不過長城的技術則稍好，大城未免暑遜；但大城的設備良好，長城設備則又吃了虧，而綱綫均屬日本某廠所出，所製彈簧壓縮，蓋在伯仲之間。許多人認為彼此是無謂之爭，且據說是由於有的人為謀取廣告而點起火來的，難怪有人說長城「傻」，大城「牛」，而不勝其嘆惜了。

▲台灣升學難，因而有惡性補習之患。就是說因為學生太多，學校太少，必須爭取學位，不得已而補習的。實際亦不盡然，如有的私立學校，往往經兩三次的招生仍感名額不足頭痛不已的。無疑這是由於輕私重公的觀念作祟，致形成私校無人問，公校擠不通現象。有的甚至以進了私校就如有辱祖宗一樣，因而造成惡補了。其實私校為爭取學生名額，頗有不斷耕耘，努力改進的。近年來，以考取大學的比例看，有許多私立學校成績還高居於公立學校之上，高雄的私立國際學校就是一例，其畢業生，不但在升學的比率上贏得了光榮紀錄，在社會人士的心目中，也已有了許多好評。路是人走出來的，一分耕耘一分收穫，信然。

從歷史上幾個青年時代看現在

公望

中國歷史有四個時代，足稱得上青年時代的。

第一個時代是東漢末年。當時有太學生三萬餘人，發起運動，其代表爲郭泰、賈彪等，其運動的目標，是清除當時萬惡的宦官。當時太學生與朝野清流聯合，產生很大的影響，第一次表現了中國青年力量。

第二個時代是南北宋之交。神宗熙寧元豐及徽宗的崇寧年間，學校勵行三舍法，學生衆多。到北宋末年學生代表陳東伏闕上書，請除六賊，留賢相李綱。至南宋初年，陳東又與青年代表歐陽澈慷慨陳詞，拒絕和議，其運動的目標，是抵禦強頑的外寇，他們鼓動風潮，造成正議，這是青年第二次表現了力量。

第三個時代是明末。明代內政腐敗的癥結，在閹宦與權相嫉賢忌能，以是莘莘學子，莫不以此爲改革的目標。至明末東林書院的高攀龍，顧憲成，錢一本等領導青年，反對魏忠賢，反對張居正，登高一呼，青年嚮往。昔黃宗羲著明儒學案，謂東林遍于域中，延于數世，其冷風熱血，洗滌乾坤，這是青年第三次表現了力量。

第四個時代，清末　國父的領導青年，推翻滿清專制，當時國內外青年，都紛紛景從，出生入死，尤以辛亥三月二十九日之役爲壯烈。而是年武昌新軍起義終於成功。這個青年運動不久又傳到五四運動，原來民國初年，軍閥專橫，外交屈辱，我國以第一次歐戰戰勝的國家，竟有巴黎的辱國條約，北京學生，羣起反對，便掀起五四運動。其領導者是北京大學，其對象是帝國主義，所揭櫫的是內除國賊外抗強權，卒使和約不敢簽，媚日官僚，通通罷免，這都是青年第四次表現了力量。當然以後北伐抗戰時，國內外青年之愛國熱潮，有加無已，我們也可以說是這第四個時期青年革命精神的發揚光大。

總上四個時代，第一個是對宦官，是對內的；第二個時代對金寇，是對外的。第三個時代是對閹宦與權臣，是對內的。第四個時代，主要亦以對付滿清專制，軍閥以及帝國主義的。無論對內與對外，都是青年秉至公至潔的心情，目睹國家民族的危亡，自動地，以不忍人之心，行反抗之實。風雨如晦，雞鳴不已，這些創造時代的青年也是國家民族的瑰寶。

今何時也？狐鼠竊國，血滿神州，我們是需要對內；俄寇對家，積慮百年，我們是需要對外；情勢之急，已逾于上述的中國歷史上四個時代。況復中國五千年文化，現在大陸已經拔根除積，大陸人民水深火熱，憔悴于虐政之下，引領以待死，我有血性，有意志，有不忍之心的海內外青年，誰能見死不救嗎？

然而如之何而可？全球的華僑青年，在各地的處境雖有不同，有僑居地與祖國有邦交的，有與祖國無邦交的，有僑居地僑胞自由較多的，有自由較少的，然而居海外，處人倫，有中華民族傳統文化「則一」。所受蠶共特壓力與痛憤大陸沉淪「則一」。所以我們操心危，慮患深，有意志，有血肉的海內外青年，祗有團結奮鬥，繼承中國歷代青年的正義精神，打倒殘害忠良，禍國殃民的中共。

天南風光

——沙羅越的歷史——

朱淵明

從英國的外交部，布律克獲得一個官方的地位，——密托代理人——英國政府，開始傾聽他的意見，而多瑪斯可哈尼，也忙碌的在尋覓可作海軍基地和船隻停泊處的適合地點，一個得到當時大英帝國支持的政權，已經在北婆羅洲建樹起來，於是沙羅越拉者布律克的地位，很顯然的比以往更有保障了。

到一八四六年，英國才正式接受納閩島（Labuan）作爲英國鎮壓海盜的海軍基地。而布律克也就跟着宣佈沙羅越獨立成爲一個王國，隨之就制定國旗，國旗的形式是長方形，質黃，中作十字，十字上半爲黑色，下半爲紅色。凡政府所用的，於十字形之首加一王冕，王所用的，爲北芝或燕尾形。國旗制定後，於一八四八年九月二十一日，行升旗典禮。一八四九六月二十日，英國政府承認該旗永遠爲沙羅越國旗。一八五〇年，美國率先承認沙羅越王國。到一八六三年，英國才正式承認沙羅越之獨立。第二年一月十九日，乃派「武力格」領事於古晉。至此，沙羅越才正式成爲各國所公認的一個國家，距布律克取得「拉者」地位時（一八四一年九月廿四日），已廿二年矣。創業之艱如此！然較之羅芳伯之在西婆羅洲所創的蘭芳共和國，則又難易迥異，而後果亦殊，於以知強大祖國後盾之重要矣。

布律克於地位鞏固後，即勵精圖治，並下令土人達雅族：（俗稱勞子）禁止獵殺人頭。威信既立，收效自易，此種惡風，果然逐漸消除，幾至絕跡。但至一九四一年十二月珍珠港事變起後，日軍同時南進，沙羅越自亦淪陷。惟在日軍未到，英人已退之前，這一真空期間，勞子們又多故態復萌，除搶刦物資外，更大獵人頭，華僑之遭殃者不在少數。足見英人之統治，雖已及百年，然土人蠻性仍未泯滅，可知昔日之收效，乃法令之功，而非教化之力，且統治政權解紐，舊習即乘機復發。但也賴此野蠻之風，居然亦殺了不少日軍人頭。尤其在那森林重障之內，竟因此阻遏了日軍的攻勢，雖三五十乃至百人之部隊，而亦不敢隨便下鄉，蓋土人不但獵取人頭，且用毒箭暗射日軍，樹木森茂，視線不明，日軍竟無從還擊，只好佔據市鎮，築堡自衛。於是許多由市鎮逃避至山芭的人民，（自然有大量華人在內，）遂賴以保全，這也正如俗語所說以毒制毒，以暴禦暴了！然戰後又重申禁令，此風目前確已少有所聞。（四十）

我底學習和思想歷程

謝康

就在這個時節，我隨同最幫忙我的一位同志伍展空先生訪問香港廣州，目的在延攬人才，回到廣西担任各種工作。此時國民革命軍已佔領武漢，國共摩擦日亟，隨時有分裂的可能。我們知道來日大難，正不知如何濟變，心情都很沉重。甘乃光先生這時已當了部長，在請我們吃飯時，告訴我們許多險惡的消息，我們於是趕返廣西準備迎接這場即將來臨的戰鬥。

當師範生以教育爲天職，本來是不談政治的。然而形勢比人強，誰能超然中立，完全不受政治的影響？

這時我雖則不當校長，仍然留在柳州半年時間，協助展空工作。暑假開始，我們到了南寧，他担任廳長兼代廣西省政府主席，我在省政府掛一個顧問頭銜，辦理「新廣西旬報」及學校教育的工作。但未參預實際政治，因爲我已決計出國留學，深恐担任政治工作，屆時不能擺脫，反爲不妙也。

在南寧一年，沒有什麼「羅曼史」，主要是恐怕墮入情網，又不免妨礙留學大計的緣故。但星期休假，時感無聊，我們幾個無家可歸的人，不免跑到寡婆子劉表彬老大姊的地方（當時當担任省黨部婦女部部長）。她手下有幾位女同志，很願意和我們聊天。也藉此解除我們的寂寞。我這時候所以頗能自律，多半是爲着留學讀書，同時也因爲抱着「書中自有黃金屋，書中自有顏如玉」的傳統幻想。對年輕的女同志們，一般看待，這種純潔的心情，今日回想起來，似乎是很難得，可是，也似乎有點太拘謹了。

當時對我留法計劃有相當幫助的，一個是伍展空廳長，一個是廣西銀行黃星垣行長，一個是天主教南寧教區的法國主教。還有兩位鼓勵我的朋友：曾經留法的蕭子英博士和張少傑同志。另外有引起我好奇心的一本書，徐志摩的巴黎鱗爪，眞是篇篇太細膩太漂亮了，令我不忍釋手。廣州法國領館簽證，幸得張子春教授的幫忙，許多朋友對我決意辭職出洋都表示同情的期望：在柳州有許多中學時代的朋友和親戚，在南寧有高師的一班同學，在廣州，有如用學社許多社友，我對他們的厚意和溫情，表示衷心的感謝。經過梧州時，遇到兩位四中女生，她們正在考入新開辦的廣西大學，到輪舟送別時，大家都感覺難過。我覺得這次遠行，非把感情放入袋子裏藏起來不可。

出國前我在南寧曾經出版了兩本書，一本是「社會問題」另一本是「革命與建設」，這表示我研究的興趣，已轉移到社會方面了。（四）

瘟君續夢

第七回：越境興戎　盈廷驚白蟻　恃強犯上　舉座斥青蠅

劉少奇放下電話說道：「可能有了麻煩，不然，老歪不會用電話召集會議的。你們先去，各走各的路，以免老歪又疑心。」

彭眞與鄧小平趕到不久，劉少奇也來了。

大家坐定了之後，毛澤東說道：「羅馬尼亞工人黨，將於本月二十一日召開三全大會，邀請我們派代表團出席，這本來是例行公事，誰去都無所謂的。可是，淡到劉曉的報告，赫魯曉夫將親率代表團出席，會不會在羅馬尼亞又搗鬼，我們要商量一下，派誰出席。」

停了半晌無人開口，毛澤東說道：「我想派彭眞同志率領代表團去布加勒斯特出席羅共三全大會。」

彭眞嚇了一跳，連忙問道：「這麼多的人，主席怎麼會想到我的頭上。」

毛澤東笑道：「山人自有道理，請不必着急，等我講給你聽。這次在布加勒斯特開的羅共三全大會，就其本質上說原沒有什麼重要性，蘇聯派一名主席團委員或者書記處書記去一趟也就成了。可是，赫魯曉夫忽然要去出席，其中必有文章。就好的方面想，也許是要乘此機會加強團結，就壞的方面看，大概是因爲高峯會議流產，在日內瓦丟了大人，想藉羅共的會場洗刷一下自已的過失，再販賣些現代修正主義理論。」

陳伯達笑道：「主席估計絕對正確，我也推測赫老沒有其他的把戲耍了。」

毛澤東說道：「雖然不出我估計的幾條路，但是，赫魯曉夫究竟走那一條，我們還是不知道。因此，我們這次派去的代表團只是一個尖兵，主要是探聽敵人的動靜；我固然不能去，政治局常委也不方便去，向下就輪到彭眞同志了，所以我才派你去。」

彭眞本心極不想去，曉得這次不是一個好差使，可是，聽到毛澤東說除去政治局常委就輪到他，不由得心花怒放。連忙說道：「主席派我去，我自不敢推辭，不過，到地方怎樣應付，主席還要有周詳的指示。」

毛澤東說道：「應付方法十分簡單，若是赫魯曉夫回心轉意呼籲團結，你就立刻響應，假如他又販賣現代修正主義的理論，你只管據理駁斥，不必怕得罪他，鬧翻了我們全黨都作你的後盾。」

彭眞雖然感到這個任務有相當危險性，不過，倚仗着劉少奇會替他解釋，也就慨然答應了。

散會後，譚震林同陳伯達留下未走。毛澤東已感到疲倦，當時問道：「你們還有什麼事嗎？」

譚震林說道：「我不曉得主席爲什麼會派彭眞去，你對他放心嗎？」

毛澤東笑道：「我就是不放心，才派他去的，藉此試驗他們這一小撮人和赫魯曉夫之間有無勾結。」

譚震林恍然大悟，連連點頭表示佩服。

陳伯達說道：「他會不會藉此機會把中蘇裂痕擴大，加重對主席的打擊呢？」

毛澤東楞了一下，說道：「他沒有這個胆量吧！」（一八八）

巾幗英雄卓國興

楊保山

五十二年前，有一位小女孩，名叫卓國興，年僅十三歲。別看她年紀輕，但她卻壯志凌雲，獻身於當時的革命事業。提起她的往事，簡直比傳奇式的小說中人物還要叫人不可思議。

卓女士在香港加入同盟會，黃花崗之役，由香港偷運軍火至廣州，並担任是役的縱火委員。後來又加入黃克强所組織的東方暗殺團。跟着參加女子北伐炸彈隊。她眞是一位一身是膽，不讓鬚眉的巾幗英雄。

她原籍廣東中山縣官塘，父親準先公有學有行，母梁氏者龔明詩。同胞兄妹五人，她排行第四，人皆稱她四小姐。家庭溫暖，生活安適，她的確算夠幸運了。

說也奇怪，年僅十一歲的卓小姐便鬧出了家庭小革命，她負氣出走，跟着小姨母跑到香港來。小姨母名梁國體，其胞姊梁綺川，係香港女子實踐學校校長，卓小姐便被送入該校讀書。梁校長有女北辰之譽，執教的老師們有李文甫（七十二烈士之一）莫紀彭（參加黃花崗之役選鋒隊即敢死隊第三隊隊長）等，因此，該校辦得有聲有色，就像一所革命實踐工作的成員養成所。卓小姐在該校讀了兩年書後，於十三歲入黨，由於當時革命浪潮風起雲湧，使卓小姐幼小的心靈，起了一種鼓舞性的熱情，她像一隻幼獅，立刻開始參加了驚天動地的革命事業。

運輸軍火爲革命重要的工作之一，國興才不過十四歲，便担任起這一份差事。她運輸軍火的方式是這樣：把自己裝扮成一個笨頭笨腦的走省港水客（即廣州香港跑單幫的商人）的大姑娘，另外由一個老太太同志名亞顏的與之配合。老太太扮成老水客婆，老少搭檔，守望相助，她們把軍火捆在身上由港澳乘輪船源源輸入廣州，憑着她的機智，每次都能圓滿達成任務。有一次，她們運軍火抵達廣州，尚未登岸以前，亞顏已經下了駁船，再給口接駁卓小姐時，驀地人叢中擠出一個扒手，這扒手見卓小姐身上臃腫腫的，認爲必藏有財物，正是發財機會，扒手竟狠心用小刀向卓小姐身上亂去，利鋒插入後，卓小姐感到痛澈心肺，只好咬緊牙根，迅即入駁船，緊靠着亞顏，亞顏也面如土色，幸虧再未發生意外。登岸到達目的地後，她們將軍火卸下時，只見國興負傷，鮮血從腰間流至脚跟，在場的同志相顧咋舌，一致向卓小姐翹起大拇指來。（上）

南宋偏安有人才

李仲侯

而令通書官胡昉楊由義往諭金，以四郡不可割，若金人必欲得四郡，當追還四人罷和議。拜浚尚書右僕射同中書門下平章事兼樞密使都督如故。恩退爲左僕射。胡昉等至宿，金人械繫迫脅之，昉等不屈，更禮而歸之。孝宗諭浚曰：「和議不成天也，自此事當歸一矣」。

二年，議進幸建康，詔之望等還。退恩聞之大駭，陽爲乞祠狀，而陰與其黨謀爲沮浚計。俄詔浚行視江淮。時浚所招徠山東、淮北忠義之士，以實建康鎮江，兩軍凡萬二千餘人。萬弩營所招淮南壯士及江西羣盜又萬餘人，陳敏統之以守泗州，凡要害之地，以築城堡，其可因水爲險者，皆積水爲匱，增置江淮戰艦諸軍弓矢器械悉備。時金人屯重兵於河南，爲應聲脅和，有「刻日決戰」之語，及聞浚來，撤兵歸。淮北之來歸者日不絕，山東豪傑悉願受節度。浚以蕭琦契丹望族，沉勇有謀，欲令盡領契丹降衆，且以檄諭契丹約爲應援，金人益懼。恩退乃令王之望毀守備以爲不可恃，令尹穡論罷督府參議官馮方，又論浚費國用不貲，奏留張深守泗州，不受趙廓之代爲拒命。浚亦請解督府，詔從其請。左司諫陳良翰、御史周操言浚忠勤，人望所屬，不當使去國。浚留平江凡八章乞致休，除少師保信軍節度使判福州，浚辭，改醴泉觀使。朝廷遂決棄地求和之議，國事益不可問矣。

浚既去，猶上疏論尹穡姦邪必誤國事，且勸上務學親賢。或勉浚勿以時事爲言，浚曰：「君臣之義，無所逃於天地之間，吾荷兩朝厚恩，久尸重任，今雖去國，猶日望上心感悟，苟有所見，安忍弗言？上如欲復用浚，浚當即日就道，不敢以老病爲辭。如若等言，是誠何心哉」！聞者莫不聳然。行次餘干得疾，手書付二子曰：「吾嘗相國，不能恢復中原，雪祖宗之恥，即死，不當葬我先人墓左，葬我衡山下足矣」！訃聞，孝宗震悼，輟視朝，贈太保復加贈太師，諡忠獻。（卅五）

少康一旅中興夏

羅稚英

現在我們天天說中興復國，這「中興」一詞，是從四千多年前就流傳下來的，並非新名詞。其故事則出於夏朝一位稱爲少康的帝王。

少康的父親相王，被一個大臣后羿所迫走，篡了帝位。相王逃往斟灌斟尋避難。後來后羿又爲其臣下寒浞所殺。寒浞恐相王復起，便命其子寡及、豷帶兵前往斟灌斟尋，把相王攻殺了。

相王的王后有仍氏，時方懷孕。她於敵兵攻打紛亂之際，幸得逃出，雜於難民羣中，逃往外家有仍國中。然後才生下兒子少康。少康，在有仍撫養長大。但這消息竟爲寒浞所聞，又派兵到有仍搜索。幸而有仍早得情報，即通知少康，化裝逃走往有虞國裏。

有虞國君知道少康是夏朝王室的嫡裔，對他十分維護，將她放在廚房裏當作廚師，以掩人耳目。並將一女嫁與少康爲妻。少康居在有虞，無時不積極作復國的打算。後來得到有虞氏賜給他田一成（方十里）民兵一旅（五百人）。他即以這點力量做基礎，一方面招集統亡的夏朝臣民，一方面又到處展開外交活動，爭取同情助力。此外還派幹部滲進寒浞的朝中打探虛實，後來他卒與夏朝的舊臣靡戮力合作，聯同起兵，攻破寒浞。靡把寒浞捕殺了，迎請少帝登位，恢復了夏朝的天下。這便是少康中興的大概史實。後世從事中興復國的，都以「少康一旅，中興夏室」這句話，當作是一個典型來做榜樣。

關於少康從事中興復國的經過事跡，因爲年代久遠，歷史的記載不甚詳盡，我們已經無法分清楚他在那一年那一月做的什麼事了。但有一點是最顯明的，就是少康之出生，是在民國紀元前的四〇二九年，到他復國登位，是在民前三九九〇年，中間相距是卅九年。可知他的從事復國運動，是在他的青年時代裏。

少康一生過的是孤苦逃亡的生活，艱辛已極。但他的壯志絕未爲環境所困，而積極創造自己的有利環境。他這種氣魄精神，誠是不可及的。他之所以卒獲成功，豈是偶然得來的嗎？他之成爲後世作爲一個典型榜樣，實在是從他的努力奮鬥造成的。他此種百折不撓的精神，尤應爲我們今日青年所矜式，而步其後塵的。

海嘯室談薈

奇怪的中醫

諸葛文侯

民國卅年夏間，日寇空軍不時侵襲四川重慶成都各都市。某日下午二時，日機由陝西來襲成都，我和若干朋友聞警趨赴新西門外以避之，蜷伏田野間歷一小時，警報仍未解除。忽見四川省府秘書處科長熊渭嶠，抱其稚子倉皇向着進城的道路而蹣跚其行，連聲呼喚黃包車，謂有誰願意拉他父子進城，不惜予以重賚。當時有不少的黃包車停在路旁大樹下或空曠地，暫躲空襲，因新西門外係省府各廳處疏散區域，日常車輛往來甚多，然此時卻無人接應熊君的重賞工作。熊焦急莫名，其子則痛哭不已。我從阡陌間走到馬路上叩問熊君因何事必須冒險進城呢？他指着稚子的下體答道：「不知何故，這娃兒的下體忽然紅腫起來，痛不可支，急須送進城內，找醫生治療。」我俯視小孩下部，果然，但亦無以爲計。

這時，有一老農荷鋤自田間施施來至道旁，覩熊子下部紅腫狀，夷然說道：「這毛病不必請教醫生」，他用手指着正在水田內覓食的鴨羣曰：「啫，你捉隻鴨子上來，把鴨嘴含在小孩的陰莖上，一會兒就好了。」熊君無奈，祇好試試看，即請老農幫忙進行，不到半小時，小孩已止痛不哭，再過一刻鐘，腎囊的紅腫亦消散了。我很奇怪，就詢老農何以有此醫術，道理安在？他說：「這是因爲小孩兒穿着三叉褲坐在野外草地上，被毒蟲爬至腎囊咬過，以致發生紅腫狀態，連陰莖亦受到毒素蔓延了。鴨性寒，其舌多液，可以化此蟲毒，效驗可立而見也。」熊君旋給以法幣十元作謝禮、老農笑卻之、荷鋤而去。這是農村中人由經驗得來的醫術，醫書所未載也。

我的家鄉毘鄰兩粵，位居都龐山麓，多產蛇，土人亦常以蛇肉助餐，然毒蛇所在多有，普通人皆不敢近之，惟以捉蛇爲業者，卻滿不在乎。幼時每見捉蛇者在田野間尋得長蟲藏身的洞穴，即伸手入內，探取大小蛇類而出，並無意外，滋感詫異。洎年事稍長，詢問捉蛇者何以不怕毒蛇傷害，乃知其使用秘方所致。此秘方亦極簡單，即以臭蟲數枚，置諸瓦片上，用火烘焦後，磨成齏粉，和以人身的耳屎，用水調勻，裝入小瓶內，每逢捉蛇之際，在手指上滿塗此藥，即百無禁忌了。蛇身沾到此藥，輒寸寸破裂，雖毒蛇亦不能免。業此道者，曾當面試驗給我看，他先將此藥塗滿雙手，提着一條長蟲的尾部，起初那長蟲張口搖曳將噬人，旋經他用手握住蛇的尾端往下一滑，直到頭部，那長蟲即全身垂直，動也不動了，擲諸地下，氣絕矣！

本欄前期所述爲我叔母治無名腫毒的老王，某次在我家作客時，適家中所飼養的貓兒忽患反芻病，早晚吐出積食之物，遍地狼藉，亦濊污穢，頗厭惡之，然不知如何治療。老王聆余述及此事，笑謂：「此易易也！用一片質料纖細的磁器，敲碎使成粉末，將牠摻和米飯，助以魚腥之類的食品，給貓兒吞下，即告無事」。我如法泡製，貓兒果不再有反芻情形了。

我紀述這些奇怪的中醫各種事實，都有當事人可以質證，絕非道聽塗說之談，亦無提倡中醫的意念，只是寫出來供世人參考研究，看看是否合乎科學原理而已。（完）

小談唐詩人

漁翁

白居易，字樂天，河南新鄭縣人，爲秦代名將白起之後裔。在襁褓中，已認識「之無」兩字，成語「畧識之無」，本此。六歲開始寫詩，走長安，以詩文謁名士顧況，顧曰：「長安居大不易」，迨讀至：「離離原上草，一歲一枯榮；野火燒不盡，春風吹又生」。乃讚賞不置曰：「有才如此，居亦何難？」元和擧進士，遷左拾遺，官至刑部尚書。居易所爲詩歌，深厚麗密，而平易近人，老嫗能解。所寫「長恨歌」與「琵琶行」，生動自然，尤爲後世所傳誦。晚年放意詩酒，號醉吟先生。居香山，稱「香山居士」。一生有詩文計七十五卷，而詩有三千八百四十首之多。論者稱之爲熱愛民衆的大詩人。

崔顥，卞州人，開元中司勳員外郎。善詩，以黃鶴樓所賦七言一首，爲最膾炙人口。此詩前四句，是樂府精神與民歌語氣，非律詩體裁，然其氣象之雄渾，格調之高古，可與高擧之七言歌行比肩，無怪乎李太白號稱詩仙者，亦望而卻步，而有：「眼前有景道不得，崔顥題詩在上頭」之句。沈歸愚曰：「意得象先，神行語外，縱筆寫法，遂擅千古之奇」，所評誠然。

韓翃，字君平，南陽人，天寶進士。曾爲駕部郎中，善詩，所賦寒食：「春城無處不飛花」一絕，爲最有名。知制誥時，有與翃同名者，亦爲郎中，吏部以兩韓翃名上德宗，御批「春城無處不飛花」句曰：「與此韓翃」。一經品題，聲價倍增，一時傳爲美談。（四）

近人詞選

自嘲（代柬答雷先生）

黃伯遠

開身閱到古稀年，得失從來任自然。莫笑斯文徒汗壁，也曾問價值三千。牡丹根固盆猶貴，鸚鵡能言舌未圓；留得春蠶心尚暖，何須常撤採桑錢！

內僑警台報字第〇三一號內銷證

自由報

THE FREE NEWS

第三二五期

（每逢星期三、六出版）

每份港幣貳角

社長：雷嘯岑

督印人：黃行雲

20 CAUSEWAY RD 3RD FL HONG KONG

TEL. 771726　電報掛號：7191

承印者：田風印刷廠

總址：香港灣仔高士打道二二一號

台灣分社

台北市西寧南路壹壹李號二樓

電話：三〇三四六

台郵撥帳戶九二五二

外交工作應與軍事計劃配合

雷嘯岑

中華民國反共救國之役，一方面是弔民伐罪的對內戡亂行爲，同時亦與整個自由世界的安危前途，息息相關。中國反共運動的成敗利鈍，對自由世界具有決定性的影響，這是無可否認的事實。

（一）

曠觀世界局勢，兩大思想對立集團的鬥爭情形，雖然無法調和，但彼此怵於全面核子戰爭的慘烈後果，誰也不敢輕率採取以大戰爲解決國際糾紛的手段，冷戰持續，勢所必至。但在不觸發全面大戰的原則下，多事之秋的地區，發生局部小戰，殆所不免，而以亞非兩洲的可能性更大。如東南亞，如中東，如北非，連年鋒鏑頻驚，戰火蔓延，背後皆有世界兩大對立集團的關係夾雜着，而中美洲古巴仗着俄帝的支援，公然威脅美國的安全，尤足以激起美俄的武力衝突，然俄帝臨事而懼，委曲求全了。這證明英美一般政客強調中國反共運動將觸發全面大戰之說，全係惰性自私觀念的遁詞，不足置信的。

可是，世界局勢儘管如此，英美人士由於重歐輕亞的思想作祟，對中國問題始終抱着檢便宜的靜觀態度，更隨時表現姑息中共的言行，幻想多端，自我陶醉，而不顧積極支援中華民國政府的反共救國工作；美國且以安全互助協定來限制台灣對大陸的軍事行動，英國則表面親共，內心反東亞方面殘存的既得利益。另一方面，英美政客們又藉着聯合國的代表權問題，處處牽制台灣方面屈從他們的短視政策。其他許多仰賴美國軍經援助的自由世界國家，也祇好明知故昧，隨着美英的姿態而進退。這些情況，都是與自由世界的永久利益相違悖的，祇要我們有作法，有人才，我們未嘗不可轉移他們的錯誤觀念，修正其錯誤政策。因此之故，外交工作就特別重要了。古今中外歷史上，許多弱小國家在艱困環境中站起來，進而獨立自強的事情，多係憑着外交力量而然的。反觀我們的外交情形，自從對日抗戰結束以來，直到現在，無論政策也罷，作風也罷，完全是以不變應萬變，一仍舊貫，未見革新。最近十年間，除卻每年爲應付聯合國大會的代表權問題，忙碌一頓以外，看不出有甚麼特殊的建樹。至於協助北非幾個小邦改良田水利一事，那是經濟部門各個技術專家的績業，外交官不能掠美的。

談到聯合國的代表權問題，如果聯合國憲章眞正有用的話，根本就不應該發生。因爲聯合國大會曾經譴責中共爲侵略者，且渙汗大號，出兵討伐這個違背聯合國憲章的國際罪犯，爰書俱在，情勢猶昔，何以又要邀請被討伐的罪犯進入世界政府來作主人呢？卽此可知英美政客們對聯合國的觀感是與俄帝一樣的——利用聯合國爲宣傳台，進行營私作惡，欺騙，犧牲弱小國家的勾當，絕無絲毫正義公道或維護世界和平之價值存在於其間。假使中共竊受英美的姑息媚術，而不是一貫地以「美帝」爲死敵，視英國爲「美帝」的幫兇者，毛共僞政權早已參進聯合國，且位居安全理事會的常任理事國了。我們縱然費盡心機，竭其全力以爭取與國，亦徒勞無益，殆可斷言。反之，我們泰然自處，而以蔣總統所聲明的「聯合國若允許中共僞政權參加，中華民國卽退出」這項義正詞嚴的宗旨，在外交上妥爲闡揚解釋，或許更可以博得一些反共非共國家的同情，至少亦不會比現時的情況更壞。結果還不是由美國代表在聯大辯論中國代表權問題之際，提議「擱置一年再說」，大家通過如儀，讓英美繼續藉代表權作魔術棍子，對中共表演姑息獻媚的把戲罷了！所以，我們把外交上的人力財力大量消耗於代表權這種鬧劇場中，實係舍本逐末的工作，太浪費了！

（二）

我們反共的最大目的，是剷除叛亂，拯救人民；反共的主要方法，是軍事反攻，光復中原。因此，如何設法消彌國際間對我們反共救國之役的疑懼阻撓因素，進而造成有利於我的輿論，使外交能與軍事切實配合，乃爲當務之急。這需要有適合當前環境的外交政策和計畫，有進行這項計畫的優越人才，更要有運用這項計畫的充分經費，三者缺一不可。然而，我們在最近十餘年來的外交政策，跟過去有以異乎？外交人才是否猶吾大夫崔子？外交經費能免於「豚蹄篝車」之譏嗎？答案都是肯定的——以不變應萬變。

以言外交政策，一切唯美國的馬首是瞻，事無鉅細，皆不表現獨立特行的氣概。爲了聯合國的代表權問題，且不惜付出不應有的重大代價。如對外蒙古進入聯合國案，我們爲要曲從美國當局的意旨，而黯然採取棄權行動，而美國的目的祇是使日本加入聯合國，藉外蒙作犧品，以換取蘇俄不行使否決權而已。日本如其眞是我們的益友，它加入了聯合國，卽對我們反共復國前途有鉅大的裨助，那我們作此重大犧牲，也還說得過去，然實際並非如此！當年美國與毛共開始進行「華沙談判」，協商所謂「台灣問題」時，公然宣稱「不需要中華民國政府參預」，這原是我們莫大的恥辱。然政府除卻聲明不受「華沙談判」的約束而外，並未表示嚴正的抗議，寧非過於卑以自牧乎？我絕對不是反美主義者，但在關係國格和主權的重大問題上，卻不贊成忍隱緘默。儘管一時不能阻擋國際間的逆流氾濫，卻不可不堅定立場，保持獨立國家的應有地位，而使世人認爲不是隨便可以欺侮出賣的！他如英國始終在台灣設有領事館，我們在倫敦的總領事館，當年一怒而與大使館同時撤退，至今亦未恢復；德與兩國在戰後有我國的軍事代表團，然到今天尚未設有領事館。領事館是商務機構，何以不能設立呢？果若是，台灣的英國領事亦就可以視爲「不受歡迎的人物」了。

以言外交人才，除了學識智能之外，儀表與言談皆要講究，這是外交官必備的條件。其次是適才適任而適所，且須在相當的期間內予以調整變換，這樣纔可以蔚成靈活的外交作用。省察吾國的駐外使節，合乎上述條件的究有多少？我不敢亂下斷語。但我親眼看見過有些才識平庸，而語言無味的外交官員；亦有在一個地方作上十幾年使節，有如不倒翁的（如希臘，意大利，葡萄牙，法蘭西等國的使節皆是也。）使館變成了養老院，這在平時亦不合理，在國難期間，更非所宜。外交工作須有重點，纔能夠跟國策相配合。目前我們的外交重點，無疑是以美國爲首要，美國乃是輿論政治的國家，外交工作應以國會議員和文教新聞界及社團爲對象，白宮方面尚在其次。因此，駐美使節除卻大使一人而外，須有三位適才適任的公使，分工合作，庶可望表見績效，試看英國駐美使館之龐大組織，足資取鑑了。其次是法[illegible]的興趣和勇氣了。

漫画天下

不勝其煩

病菌滿身

自由談

不知所云的專家

美國的「新聞週刊」最近刊載一篇美國幾個著名大學的共黨問題專家們，對中俄共爭論事件的觀察論斷文字，洋洋灑灑，好像眞有獨特的見地，足以震聾發瞶。我仔細拜讀這些專家的高論後，不禁啞然失笑，認爲他們眞是不知所云的胡扯瞎謅！

請看看鼎鼎大名的哈佛大學東亞研究院教授曼柯爾的見解，也就可以舉一反三了。他說：「中共必須決定是否重返印度。此舉將視蘇俄對中共公開挑戰的反應如何，方作最後決定。如果蘇俄繼續實行目前的政策，則中共可能被迫再向印度侵略。反之，蘇俄若在中共的觀點下屈服，或者爆發一項柏林危機，或將飛彈再撤到古巴去，則中共便認爲沒有再侵略印度的必要了。」我的天呀！這樣的共黨問題專家，能不教中俄共笑痛肚皮嗎？他是按照美國目前就心着的國際現實事項，根據美國本身的利害觀點，加上一種幻想而構製的共黨世界革命綱領，根本不知道共產主義的本質是何內容，更不明白中俄共之間的理論爭執，究竟是怎樣發生的。現在圍繞着美總統甘廼迪左右的外交問題智多星，盡是些哈佛大學教授，或是哈大出身的人物，而該校「東亞研究院」的教授，對中俄共問題的研究程度，乃是這末一種水準，自難怪白宮主人對東亞的外交計畫和行動，處處不得要領，令人深感失望了！

我素來瞧不起英美那些「遠東問題專家」，如美國的拉鐵摩爾，過去在我國蒙古新疆旅行了幾個月，回去寫點中國邊陲見聞錄在報章發表，便成爲「遠東問題專家」，居然混入國務院，高踞着對華政策的設計人地位，貽害至今爲烈。若以哈佛大學遠東研究院這位教授的遠東問題智識，跟拉鐵摩爾比較一下，又覺得一蟹不如一蟹，而甘廼迪政府領導自由世界反共運動的前途，亦已可想而知，無待龜著了，噫！

馮五先生

「五月大逃亡」週年前夕 港簽發禁區通行證 限制突然趨向嚴格

（本報訊）現有跡象顯示，警方對於頒發前往新界邊境禁區之通行證，已突然採取更嚴厲之限制措施。最近若干持有三個月為期禁區通行證之人士，於期滿前往粉嶺警察總部申請延期時，被拒再延期三個月，祇准暫時延長一個月時間。警方人員同時聲明以後如欲再申請此項禁區通行證，必須預先用書面聲敘理由，向警方申請，否則不予受理。本報記者就上述消息向香港政府新聞處查詢，據該處發言人謂：迄現在為止對於發給新界禁區通行證一事並無若何改變，但警方現正考慮對於發給此種證件作若干修改，其實施辦法及日期尚未決定。

查自去年「五月大逃亡」後香港當局將新界邊境若干地域劃為禁區以來，除當地持有禁區居留人士得自由進出外，其他外界人士如欲前往禁區，必須向警方領取禁區通行證，始准進入。此項禁區包括沙頭角、落馬洲，文錦渡，打鼓嶺等地區。禁區通行證大概分為兩種，一種為一次過使用者，祇限當日通行，另一種則為長期性質，規定一個月，兩個月，三個月，或半年等有效期間，在期內不限次數往返。禁區警署祇發一次使用之通行證，至於長期通行證則由警察總部發給。

過去香港居民領取此項禁區通行證時，多數係用口頭申請，祇要申請人能聲明前往禁區之理由，或出示人證或物證，而使警方人員滿意時，即可領到此項證件。而警方所發給之長期通行證，每屆期滿時，申請人祇要前往警察總部申請延期，多數批准如期延長一次，換言之，領有三個月期限之通行證，每延長一次，亦係三個月為期。

但最近警方突採嚴厲限制措施，近日有若干携有三個月為期禁區通行證人士，前往粉嶺警察總部申請延期時，竟被拒延期三個月，祇准暫時延期一個月，並聲明以後申請禁區通行證必須預先書面聲述理由，待警方查核始予頒發。

一般相信警方此舉，在於加強禁區之治安，及杜絕偷渡者自大陸滲入港境。過去曾有消息報導，謂禁區發現若干槍械武器，及不少蛇頭包庇偷渡進入市區。（新）

發生在去年十二月 海南工人華僑大暴動真相

參加者為鐵礦工人與華僑農場青年 當場被射擊死傷百餘另數百被拘走

（香港與大陸）自大陸抵港的僑胞張×雲女士透露：去年十二月間，海南島地區曾發生大規模的暴動，參加者係工人和歸僑，經共黨調集大批駐軍實行鎮壓，結果造成數百人被捕，百多人傷亡的大慘劇。

張×雲女士說：海南島人民大衆的反共情緒早就高漲的，其中又以「海南鐵礦公司」的工人及海南島「華僑農場」的成員為最。這原因為此兩單位的人員受共黨的毒害最深，前者係多屬思想「有問題」，或家庭成份「不好」的人，在「統一分配」的原則下分配去的；後者則係這些年來被騙回大陸的僑胞之一部份。

張×雲女士叙述那次暴動情形說：在去年十二月間，「海南鐵礦公司」的工場裏，有一位青年工人在工作中因過度疲勞而暈倒，終致不治斃命。當該工人暈倒之際，附近的工人都擱下工作前往施救，因而驚動了一名共幹（係黨支部組織委員），他亦趨前觀看，當這共幹看到係一名工人倒在地上時，他大聲吆喝圍觀工人回到工作崗位，繼續工作，他惡狠狠地說：「暈倒一個人嘛，值得這麼大驚小怪！」這句話立刻引起一個工人的反駁：「你們當然不會大驚小怪。就算我們全都死了，對你們也不算是大事嘛！」這麼一說，該共幹那裏受得住，他立刻像惡神一般，不由分說，抓住那工人喊打喊殺。這卻便激怒了其餘的工人，突然一聲叫「打」，立刻就有幾十個工人一擁而上，對之拳打腳踢，憤火中燒的工人，那時顯已全不顧慮後果，約三分鐘左右，該共幹便被工人們打得眼、鼻、嘴一齊流血，倒在地上，就此一命嗚呼了。

亦就在那個共幹被毆斃的同時，該暈倒的工人也已不治斃命。工人們於是紛紛談論，立刻認定該工人致死的原因，係因糧食不足和沉重的工作所致，亦就是給共產黨害死的，工人們因此情緒激昂，怒氣沖沖。卻就在這時，該公司的「黨支書」和若干名武裝的「保衛科同志」趕來了，並吆喝要把所有參加行動的工人逮捕。這樣一來，引起了工人們的反抗，即時有三四百工人都順手拿着鐵條，鐵剷之類的武器，與那些「保衛科同志」搏鬥，當場打死打傷了五個共幹，共幹同時亦開槍射殺了三個工人。

這件事情很快傳揚出去了，附近的一個「華僑農場」立刻便有幾十個歸僑青年，衝向農場的「保衛科」，幾名警衛員當即莫名其妙地被繳了械。之後，這些歸僑青年便又趕到「海南鐵礦公司」，與該處的工人結合在一起，聲勢更為浩大。正當這些工人和歸僑青年要衝出工場時，大批的共軍已經趕到了，立刻形成包圍圈，立刻不管三七二十一的便開槍射擊。而且有許多共軍士兵顯然誤認工人與歸僑青年是國軍的登陸部隊，因為他們當時曾大喊招降口號。這一來，工人和歸僑青年無法拒抗，結果被射擊傷亡的超過一百人，其餘在場的數百人亦全遭捉住，押走，經過數月的調查審問，祇有極少數人被放回來，其餘至今毫無消息。（敬斯）

高雄水權爭奪裏裏外外

本報駐高雄記者賴仕桓

歷時已達八年的高雄自來水廠與高雄港務局爭奪水權問題的馬拉松懸案，近因省府採納高港「方案」，使這個馬拉松爭奪戰透出一個終點，似乎等於說這次的冠軍是屬於高雄港方所有了。可是，敗方的自來水廠，大不服氣，他們認為輸得很不公平，要繼續爭，於是在三月廿日的高雄市第五屆第七次大會上，經專案提出討論，並以高雄市數十萬市民的用水問題增加了一重困難為號召，提出挽救呼籲，似有非爭回被搶去的權利不可，而且經過市議會的激烈辯論後，一致通過了「以集體辭職」來一則表示向省府抗議，再則作為挽救的有效行動。如此一來，成了非同小可的爭端了，一時震撼遐邇，朝野上下無不刮目以看，省府方面亦自然很重視此一問題的發展。如何處決，尚未可知。

自來水廠的不服輸要繼續的爭，以及市議會以集體辭職為手段去抗爭，他們係以為全體市民解決水荒為號召的，並非不能言之成理，祇是因為省府方面還未下達解決問題的正式命令，他們這項舉措，既有過分衝動之嫌，亦未免做得過份決絕了些。

據記者所悉，省府目前只是將雙方的計劃案經過研究之後認為高雄港方的計劃案比較可行而已，不但實施此項方案的命令尚未下達，而且將來此方案即使真被採納，交給誰去執行，亦還未知。後者有三個可能性的存在：一為交自來水廠去辦，二為交大貝湖水庫去辦，三為交給高雄港、自來水廠、大貝湖水庫三者共同承辦。市議會在此時便表示得那麼嚴重，真有其必要麼？

高雄市的自來水，從日据時期以至本省光復之後，都係單純屬於自來水廠辦理的，且亦向安無異，未有問題。及後大陸變色，中央政府遷台，隨着人口的急劇增加，始逐漸形成水荒的現象。高雄港的船舶及工業用水，亦隨着感到嚴重起來。到四十三年更由於金馬一度緊張，為了配合軍事需要，高雄港方覺得非速謀解決，難免會影響軍事行動，乃實行照會自來水廠，商洽解決之道，但廠方因感到力不能勝任，洽議於廿一號碼頭積水站，每月的積水不得超過三千噸，且如此量不敷使用而要由他處補足時，亦必須徵得廠方同意才成。這幾年來廠方因本市民用水荒愈來愈嚴重，實在無暇多所過問高雄港方向外求援的情形，這無形中使得當年所謂「洽議」的功效，為之大打折扣。且事實上，每月三千噸水是遠不夠高雄港方之需要的。

港方便為了一個月三千噸水與其實際要求距離甚遠，如不自想辦法，勢必影響航業，乃向大貝湖工業用水庫求援，獲得若干供應，始算相當縮短了所需之水的距離；但感到這並非長久解決之計，乃多次向省府請示，終於在二月省府主席黃杰南巡時，面論港、廠兩方擬具計劃及預算案，呈省府核決。近經省方專案研究結果，傳出來的消息是認為港方方案可行。這便引起市議會的風波，鬧得頗有收拾維難之勢。

據說市議會係根據港方送呈省府的計劃書中所列的預算，為五百五十萬元，即可完成全部給水建設作依據，認為港方的那個方案，勢在必行，所以才採取了那一個過激的行動。市議會為了高雄市解決民用水荒，同時為了不顧放棄高市水廠總收入的四分之一大戶頭——高港去年收額二百餘萬元，亦是原因之一。且據分析，廠方供給港方之水，每噸計收七元五角，但港方轉手給船舶商，另收運費五元五角，合計每噸十三元之多，以十三元計算，除成本外，可年賺壹百七十餘萬元。加以港方又在大貝湖獲得供應水，每噸水費只須付出五角二分五，較廠方的供應價低十二倍，賺錢更多。認為港方純係以做生意算盤在行事，而置高雄市數十萬市民水荒於不顧。議會以為，如不提出力爭，怎可對得起高市數十萬市民？

但這其實見仁見智，各有理。港方為預防水荒，發展航務及未來軍事且夕所需，廠方做長遠打算，根本解決水荒，發展民生建設以為數十萬市民福利計，也是應該的。那麼，雙方為什麼不能合力去解決問題呢？一方的力量不足，合而為之，力量便大了，那怕軍事、航政、民用，統統可以解決了，雙方畢竟爭奪些什麼呢？

毛共亂捕港漁船 統計已達五十艘

作用何在尚是個謎

（本報訊）月初開始發生的毛共武裝艦艇截捕香港漁船事件，刻仍繼續未已，據漁業界非正式統計，先後遭中共拘捕的香港漁船，數字約在五十艘左右，多係在中山及珠海沿海一帶進行，被捕漁船多被扣於中山縣的香洲及灣仔兩地。如何處理，現尚不得而知，作用何在，亦尚是謎。（憂）

國際寧靜太陽年

明年起五十四國參加研究 美將放射火箭衛星七百餘

（本報華盛頓通訊）美國科學家打算對「國際寧靜太陽年」作巨大的貢獻。「國際寧靜太陽年」是五十四個國家研究太陽及其對地球影響的空前努力。

「國際寧靜太陽年」將於一九六四年至六五年舉行，在規模和關係上，都可以和六十六個國家參加的國際地球物理學年媲美。「國際寧靜太陽年」研究只和太空有關，從離地數哩開始以迄九千三百萬哩（一億四千九百萬公里）不等。

在人造衛星世紀開始舉行的一九五七年至五八年的國際地球物理學年，研究是集中於地球的，祇用小型試探火箭和地上的儀器，對太陽作若干研究。

華府最近公佈了美國打算對「國際寧靜太陽年」貢獻的詳細藍圖。在兩年期間，美國將發射大約七百枚載有儀器之火箭，七十枚人造衛星以進行太空探測，並在地上進行幾千次觀察。

科學家將進行純粹的研究，例如，設法找出太陽光流射向地球的路線。不過計劃可能產生許多實用的結果。它可能造成改變氣候的方法或是正確預言太陽磁暴的方法。後者等於說未來的太空飛行員，可以在太空較少致命的太陽輻射的時候，排定星際旅行時間。

據一位「國際寧靜太陽年」發言人估計，美國參加的全部費用，在三億元至五億美元之間。甘迺迪總統的新預算，要求四百萬美元作為一九六四年財政年度開始「國際寧靜太陽年」特別計劃之用。

據估計，要完成那些計劃，還需要九百萬美元，不過，美國要用在「國際寧靜太陽年」上的大部份經費，都分列諸如國家航空與太空總署等探測太空機構的現行計劃中。

美國國家航空與太空總署早就擬定了未來的太空科學計劃。它們大部份將符合寧靜太陽年的研究目標。

新計劃將於一九六四年正月開始，那是因為十一年一次的太陽黑點和日燀活動循環期，明年是到達最低點。有關「寧靜」太陽的發現，將和國際地球物理學年中太陽騷動最烈時所作研究互相比較。（共華）

青年勵志六十四詠并序

宗孝忱

禹甸神皋，緬人文之所昉，春秋古史，觀睿智之何多。虞廷命官，於爺不絕，周王革命，撻伐斯張。是無才而弗彰，實有美而皆備。豈不以大川喬嶽，靈淑之所鍾，太昊軒轅，苗裔於焉蕃衍。以神明之胄，席豐厚之餘，得雨露之滋，乘風雲之會。聖賢豪傑，應運而生，蔡藿蓬蒿，得時則駕。感發興起，似續無窮，孕育涵濡，卓立有自。夐乎尚矣，猗歟盛哉。是我華夏之青年，寔爲天帝之驕子，彬彬有質，犖犖多英。瑜瑾之姿，豈容暴棄，桑榆非晚，端在幸勖。爰撰青年勵志六十四詠。不惜敷陳，用資惕勵，以一顯中華文化之悠久，一以表民族精誠之永恆。機變啓殺伐之萌，歌誦養性情之正。形而上者謂之道，形而下者謂之器。後學科而先彝倫，良有以也，重躁進而輕持重，豈宜然哉？洪流瀰漫，同般阻遏，青年習性，貴有薰陶。口吟心繹，庶幾有會於斯詠歟。

一　黃帝生七旬。穎異便能言。猗歟吾民族。靈魂此託根。

二　顓頊黃帝孫。人神共一治。十歲佐少昊。二十治天下。

三　五歲便掌火。伯益何堂堂。禹欲投天下。避居箕山陽。

四　仲尼少習禮。俎豆爲兒嬉。巍巍乎至聖。尤爲百世師。

五　顏子亶天聰。聞一以知十。得善便拳拳。服膺而弗失。

六　子思年十六。困於宋樂朔。退而作中庸。先知啓後覺。

七　孟母經三遷。斷機教子專。沖齡不廢學。道統亞聖傳。

八　至清留繼母。不計衣蘆單。大賢閔子騫。孝博乃父歡。

九　唐賢白居易。七月識之無。指認百不爽。香山成老儒。

十　異哉權德輿。三歲知四聲。四歲成篇什。詩家享盛名。

十一　孔融年四齡。讓梨方垂髫。四海皆同胞。愛先親兄弟。

十二　宋賢歐陽修。四歲即無父。畫荻學爲書。母教通今古。

十三　卓爾黃山谷。五齡誦五經。請益誦春秋。十日讀已精。

十四　陽明信奇絕。五歲始能言。熟記重閱讀。背誦如泉奔。

十五　文姬女英俊。六歲聽偏專。父邕問琴韻。能辨焉幾絃。

十六　長吉善詩歌。錦囊得句多。七歲嘉賓至。便作高軒過。

十七　七齡唐李泌。早慧閒中秘。玄宗命試詩。亟稱眞國器。

十八　八齡王羲之。得父枕中秘。書法冠古今。淵源來有自。

十九　獻之學父書。能亂羲之跡。七齡運力精。不得掣其筆。

二十　溫公猶童子。爲人講麟經。擊甕出奇計。拯溺見心靈。

二一　擊毬入樹穴。灌水使毬出。童時文潞公。智謀即超逸。

二二　萊公誠大器。八歲詠華山。師知宰相才。終必濟時艱。

二三　劉晏有奇姿。八齡獻頌辭。神童官正字。英名振一時。

二四　宗慤童子時。叔父問志向。但願乘長風。直破萬里浪。

二五　黃香纔九齡。事父孝無比。夏熱扇枕席。冬以身溫被。

二六　筆架信如山。棋盤眞似路。九齡陳敏動。應聲成對句。

二七　殘燭動離情。裁詩走馬成。多郎年十歲。淸絕鳳雛聲。

二八　希哲事公著。十歲如成人。寒暑侍左右。孝思純乎純。

（上）

天南風光

——沙羅越的歷史——

朱淵明

現在要說一說布律克所遭遇的華人事變：

布律克自登上「拉者」寶座後，雖迭次與目達哈沁及蘇丹談判，又數度與海盜作戰，但均在優勢武力，及獲得英國海軍爲助之情況下進行，所以並未遭到頑強抵抗，或意外危險。誰知遇着了華人事變，他卻受到了很大的打擊，幾乎性命不保，卒幸賴他的外甥「查理斯」協助反攻，才能轉危爲安，那就是有名的石隆門事件了。

石隆門，在古晉之西南，素以產金著名。又與西婆羅洲之「三發」及「坤甸」很近，許多中國採金工人，原在蘭芳公司屬下，至一八二二年以後，因爲蘭芳共和國當時之大唐總長劉台二已經接受在吧城的荷蘭人之封號「甲太」職務，國勢漸漸衰微，謀生不易，遂多越山至石隆門採金。及一八五〇年後，適中國洪秀全、楊秀淸等起事，號稱太平天國，兩廣之客籍男女丁壯多附從之。洪楊打破南京，建都開基，但兩廣地區，未能控制，淸吏搜捕餘黨，株連甚衆，凡與洪楊直接或間接稍有牽連之徒衆戚友，及地區人民，莫不危懼騷動，於是少壯多方脫身海外，以免禍殃。出海之後，各覓親友，四處分散。其往婆羅洲的，大都沿照舊道，先至坤甸或三發，再轉往石隆門。石隆門之華工，愈聚愈多，竟達數千之衆，儼然成爲唐人村落，一切均採自治及自制方式，不受當地政府節制。這自然多少受了一些蘭芳公司的影响，只是那時候沒有一個羅芳伯式的領袖人物罷了。

但布律克之統治基礎，此時已日漸鞏固，而石隆門一帶，亦在沙羅越版圖之內，且與首府古晉相距匪遙，「拉者」爲統一國家行政起見，自不能忍受石隆門之特殊化，於是政府與華工，在主權上即處於衝突狀態。

一八五二年，石隆門地方，有華人犯法，政府派警察來逮捕，華工聚衆拒絕將犯人帶出境外。後經政府派遣大批警察武裝而來，始將犯人捉去，這是華人與政府糾紛之先聲。（四十一）

我底學習和思想歷程

謝康

三、留歐時代的回憶

由香港到馬賽港，通過印度洋，紅海，地中海，我寫了一篇「赴歐紀程」，分期在新廣西旬報發表。沿途很多感想，這裏不能贅述。

我到法國以後，因爲環境的改變，見聞的增廣和學習科目的關係，思想上有相當大的變遷。

第一，是對天主教的好感。我因某主教的介紹，到巴黎不久，即遷入Bourg La Reine天主教學生宿舍，經過四年之久，參加許多次宗教儀式。對天主教漸漸有了同情和崇敬的心理，這和五四初期非宗教的觀念是有很大的差別的。這一個改變，對於我後來曾經到天主教學校教書也有關係。

第二，對帝國主義殖民政策的了解。尤其在一九三一年巴黎開了國際殖民博覽會以後，並參觀左派人士的「反殖民博覽會」，寫白種人的殖民世界一書，約八萬言。增加了我對於殖民地的研究與趣。

第三，愛國觀念民族意識的增强，尤其在九一八事變日本侵華以後。九一八後數日之內，僑胞及同學們異常的震驚和悲憤，每每抱頭痛哭，或相對太息。當開抗日救國大會日，大哭失聲，欷歔流涕者甚多。余因當選爲抗日會委員，並奉派至倫敦，與留英華僑抗日會有所聯絡，更加强此種敵愾同仇的觀念。

第四、國語統一的必要。無論英文、法文或別一種外國文，都不能代替我們的國語。初經星加坡時，知道各僑校已採用國語教學，一九三三年夏及一九三四年秋兩次赴荷蘭參加旅歐各國學生聯合會籌備會議，此會係由荷印留荷僑生發起召集，我只是代表留法同學應邀前往參加，此外留英、德、比各國亦有同學應邀來此。但因荷蘭僑生不諳國語，不識華字，每逢會議須用外國語文，並經傳譯爲荷文，纔能夠交換意見，致會議進行極慢，費時失事，而終於無成。因此，可知國語對於國民之團結力，關係異常重大。

第五、共產黨的破壞，和顛覆力量，只有我們自身加强團結纔可以抵禦它　共產黨是以滲透顚覆著名於世界的，我和朋友們組織「巴黎中國書報社」，並恢復巴黎中國學生會担任部份工作。曾因意大利方面之邀請，組織「羅馬參觀團」，於一九三三年十二月下旬，抵達羅馬，團員一百六十餘人，受意方招待十天，並參加在羅馬開會的東方各國學生會議。爲中國留歐學生空前未有的大規模集體旅行及國民外交工作。一切經過，相當良好，詎料共產黨居心叵測，於大隊回抵巴黎之後，暗中印發所謂「反對不良份子拍賣留法全體同學人格委員會」匿名宣言，荒誕無稽，妄肆詆譭，並聲言接收我們的「書報社」，驅逐我和陳雄飛等離境云云。經過我們社友百餘人召開同學大會，辯明事實眞相，粉碎對方陰謀，他們也就無所施其技了。（五）

盧君續夢

第七回：越境興戎　盈廷鶯白蟻　恃强犯上　舉座斥青蠅

陳伯達笑道：「三個臭皮匠就合成一個諸葛亮，只要有人給他撐腰，他什麼事都敢作的。我以爲這次到不如派少奇同志去，因爲少奇同志和赫老有相當交情，遇事都要留三分面子，彭眞同志就不同了，他直到今天北方人的一種野性未除，說不定他這次去布加勒斯特會惹出一場大禍的。」

毛澤東雖然覺得陳伯達的話頗有道理，但是話已說出，也無法改變，只好聽其自然了。

彭眞一行於六月二十日抵達布加勒斯特，次日，羅共三全大會即開幕。

羅共第一書記喬治烏德治致開幕詞之後，請貴賓講話，第一個就是赫魯曉夫。

赫魯曉夫面色鐵青，充滿一種憤怒的情緒，一上台就提到戰爭與和平的問題，說道：「有人攻擊我的和平共處政策，說我不應該和美國及其他西方國家舉行高級會議，他們不知道，世界局勢發展到了這個階段，不和平共處又怎麼辦，只有瘋子才想發動核子戰爭，那必然是一個同歸於盡的局面。」赫魯曉夫說到此處，向台下一揮拳頭，馬上响出如雷的掌聲。

赫魯曉夫繼續說道：「列寧曾經說過，只要有資本主義存在，戰爭就不可避免。列寧講這句話的時候，世界上還沒有社會主義國家，到了今天，這個理論已經過時了，帝國主義經過兩次大戰，絕大部份都垮了，剩下的也只是大衣上的鈕子，變成了象徵而已，我們還抱着幾十年的舊理論來觀察新事物，就是教條主義，可笑他們還口口聲聲自認爲馬列主義的信徒，不知道馬克思、列寧若從墳墓中走出來，也會向牠們臉上吐一口唾沫的。」

赫魯曉夫說到這裏，引起絕大部份人的笑聲，鼓掌聲，整個會場幾分鐘聽不到講話聲音，只有彭眞同阿爾巴尼亞的代表呆坐着未動。

赫魯曉夫又說道：「研究馬列主義並不是一件容易的事，起碼的條件要有能力閱讀德文及俄文書籍，假若不懂原文，只憑輾轉翻譯去讀共產黨宣言，根本就隔了一層，至於資本論更難了解，好似瞎子摸象，頂多只能摸到一條象腿，於是就洋洋得意到處宣傳象是一條圓柱型的東西，別人要說不是，就罵別人是什麼主義，這種人在我們看來實在蠢的可憐，但是，他還以爲自己是先知先覺呢？」台下又响起一陣笑聲，鼓掌聲。

赫魯曉夫繼續說道：「一位政治領袖的最大成就不是咬文嚼字，自詡淵博，或者是創立一些似通非通的理論，硬說是什麼思想，其實這都是騙人的鬼話。這種人無論讀多少書，都沒有用處，正像我們俄國一句俗話：『他讀書，卻看不見書上的字』。試問這種人讀了書又有什麼用處，何況他並未眞讀過書，只是冒充內行呢？」

赫魯曉夫這樣地破口大罵，確實出乎所有的代表意料之外，彭眞坐在那裏似木雕泥塑一般，不知道怎麼應付才好。赫魯曉夫一口氣講了三個多鐘頭，其中有一半是在罵毛澤東。（一八九）

巾幗英雄卓國興

楊保山

黃花崗之役，卓小姐是運輸軍火的功臣。臨發難前幾日，卓小姐又被選爲放火委員，放火委員共約五十人，分別編入小組。卓小姐一組有四人。放火工作原有賴於同組各同志間合作進行，但卓小姐認爲不宜人多，人數反而容易暴露目標，她堅持該小組應由她一人放火。放火原係助攻，能否發生效力，要看是否能與衝鋒陷陣的敢死隊員相互配合。黃花崗之役的發難日期屢屢更改，卓小姐一直守候放火，三月二十八日號令不來，三月廿九日又寂然如故。後來情勢逆轉，這時卓小姐再也不能忍守下去，終於點燃了一場烈火方肯憤然離去。事後據調查這場烈火是此役中最大的助攻傑作，也無形中使中華兒女的熱血都沸騰起來。

卓小姐離開是役後，即跟隨兩位同志到達香港，旋加入東方暗殺團，該團由黃克强所倡設，其宗旨是不計成敗利鈍，暗殺幾個清廷民賊，以慰七十二烈士的英靈。該團不久在廣州設有兩個機構，一在城南倉前直街，一在西關昌華大街。卓小姐住在昌華大街，並以七元港幣買了個嬰兒作伴，以資掩護。嗣後卓小姐由香港偷運兩個各五十磅的大炸彈至廣州。她還替黃克强帶了一首他自撰的蝶戀花新詞袖交廣州諸同志，該新詞寓意深長，寄景動人，而今蝶亡花落，寫史的人從未提及「蝶戀花」，茲將原詞錄後：

畫舸天風吹客去，一段新秋不誦新詞句；聞道高樓人獨住，感懷定有登臨賦。

昨夜晚涼添幾許，夢枕驚回，猶有思君語！莫道珠江行役苦，只慚博浪椎難鑄！

東方暗殺團於辛亥年九月五日暗殺了清廷大將鳳山及民賊五十名，一時人心大振，更加助長了革命的高潮，提早中華民國的誕生。未幾，武昌起義，黃克强親往督師，廣東旋告光復。接着廣東北伐軍北上，卓小姐當仁不讓，參加了北伐軍的女子炸彈隊。途次上海，因軍行太急，卓小姐未及趕上，便留守在後方担任勤務。此後卓小姐因有功民國，奉派赴美留學，時年十五歲。（下）

南宋偏安有人才

——張浚

李仲侯

浚幼有大志，及爲熙河幕官，偏行邊壘，覽觀山川形勢，時時與舊戍守將握手飲酒，問祖宗以來守邊舊法及軍陣方略之宜，故一旦起自疏遠，當樞筦之任，悉能通知邊事本末。在京城中親見二帝北行，皇族係虜，生民塗炭，誓不與敵俱存，故終身不主和議。每論定都大計，以爲東南形勢莫如建康，人主居之可以北望中原，常懷憤惕。錢塘僻在一隅，易於安肆，不足以號召北方。與趙鼎共政，多所引擢，從臣朝列皆一時之望，人號小元祐。所薦虞允文、汪應辰、王十朋、劉珙等，俱一時之彥，有名臣之目；拔吳玠、吳璘於行間，謂韓世忠勇可倚以大事，一見劉錡，奇之，付以事任，率皆爲名將有功，一時稱浚爲知人。

四、趙鼎

趙鼎字元鎮，解州聞喜人。登崇寧五年進士第，對策斥章惇誤國，累官爲河南洛陽令。宰相吳敏知其能，擢爲開封士曹。金人陷太原，朝廷議割三鎮地，鼎曰：「祖宗之地不可以與人，何庸議」？已而京師失守，二帝北行，金人議立張邦昌，鼎與胡寅、張浚逃太學中，不書議狀。高宗即位，除權戶部員外郎，知樞密院張浚薦之除司勳郎官。上幸建康，詔條具防秋事宜，以六宮所止爲行宮，車駕所止爲行在，擇精兵以備儀衞，其餘兵將分布江淮，使敵莫測巡幸之所，上納之。上兩詔求闕政，鼎上疏言：「自熙寧間王安石用事，變祖宗之法而民始病；假開國之謀，造生邊患；興理財之政，窮困民力；設虛無之學，敗壞人才。至崇寧初，蔡京托紹述之名，盡祖安石之政。凡今日之患，始於安石，成於蔡京。今安石配享廟廷，而京之黨未除，時政之闕，無大於是」。上爲罷安石配享。未幾，擢右司諫，旋遷殿中侍御史。劉光世部將王德擅殺韓世忠之將，而世忠亦率部曲奪建康守府廨，鼎言：「德總兵在外，專殺無忌，此而不治，孰不可爲」。（卅六）

青年節談立志

李荊蓀

聽得老一輩的人發出慨嘆，說：現在的青年人很現實，沒有大志，也缺少舍己爲人的精神。類似這樣責望青年人的話，常有所聞，細加考量，未必盡是，也未必全非，認眞的論列起來，老一輩子的人頗有一些志大而才疏的人，有創造性，有冒險精神，但基礎不一定實在；現在的青年人卻比較實在，傾向於穩健，有時顯得斤斤較量，恢宏的氣質，確有難以發抒的趨勢。

我以爲，這都是時代使然，環境使然。簡單說，這是一個「勢」字；能夠造時勢的畢竟是少數人，大多數人祇能適應環境。中國青年自有其抱負，亦自有其煩惱，時別是華僑青年，寄人籬下，何能無蒿目時艱之思？首先要解決的生存問題，幸而託足有處，才能談到其他，然而，這也無礙於立志的，爲了適應環境，我的看法是立志做下面幾種人之一，藉以改善我們的地位：

（一）做企業家　中國人能在海外立足，事非偶然，其足可稱述者，曰勤儉，曰忠信，曰互助，都是美德；但是，時代的潮流一步一步的推移，如我們要想在外國生存得好一點，光靠上面所講的幾種美德，似乎已經不夠了。舉例言之，中國菜在世界各國都有相當地位，但如我們固步自封，在外人以企業經營與我競爭的壓力下，不敢担保中國菜館的業務能持久而普遍地繁榮。國人缺少從事企業經營的動力與方法，在全世界走向工業化的時代，終究要吃虧。企業經營已有法則可循，我們的創造力又不比人家差，祇要我們能接受，能變化，將可立於不敗之地。

（二）做律師。律師以替人辯護爲職業，能夠彰國法，伸正義，爲民主國家進步社會所不可缺少之人。我們在海外謀生，競競業業，猶恐或失；當然不敢以身試法。可是，入境問俗，容有未週，立法與執法之意，也可能有所偏頗，在此等場合，我們需要律師，需要有能力，心向着我們的律師，臨渴掘井，就來不及了。律師之養成，非一朝一夕之功，若不於幼學時代下此決心，長大後就不易有成就。再說，律師在民事官司上可以替人保護錢財，在刑事官司上可以替人維護自由與生命，多爲當地人民服務，亦是廣結善緣之道。

（三）做教員。這椿事最艱苦，卻是十分重要。做教員在任何國家都是比較清苦的職業，然而，從事此種事業，其性質蓋與傳教師相等。需要精神上的自足爲基礎，我相信現在正在海外任教的人，正有此等襟懷。

中國人之所以爲中國人，總要有若干中國文化的成份，就外鑠的而論，或爲倫理道德的表見，或爲文學美術的傳佈，我們都能卓然自立。就內含的而論，西方文明雖爲此一時代的主流，亦已顯出其病態，改善之道，自當自哲學始，亦當自教育爲實踐之門。西方國家爲匡正闕失，宜擇善固執，華僑社會師道陵替，宜樹尊師之大纛，在另一方面，中國教員亦當以身垂教，而非以言教爲已足。中國正在由衰盛的轉捩點，黯淡的日子會過去，願大家一面適應環境，一面亦在現實中植理想之根基。

海嶠僑談會

國軍敗於共諜

諸葛文侯

對日抗戰結束後，國軍旋有戡亂之役，而毛共竟能以劣勢武力，終得竊據大陸。此中癥結所在，世人多歸讞於國軍久戰疲憊，士無鬥志，加以政治措施失當，大失民心，因而構成分析崩離之形勢，無可挽救，理固然也。愚則認爲共諜滲透顚覆之作用，實係主因，試舉數例，以明吾說焉。

徐蚌會戰之際，黃維兵團十二萬人，以最精銳之裝備，由皖北馳援碾莊戰役時，沿途並未經過正式戰鬥，即被共軍節節截擊圍困，終致全軍覆沒。黃兵團每一動向，共軍皆於事前淸悉無訛，從容迎擊，了無遺算，若非有高級共諜潛伏在國軍統帥部門，曷克臻此？黃兵團原屬華中軍政長官部之建制，而著名共諜劉仲容，當時即係華中軍政長官公署之高級幕僚也。迨張治中等赴北平和談時，周恩來於四月十一日（卅八年）最後一次談判中，曾謂：「和談成功，我軍亦必渡江；不成功，更要渡江」。隨即指出國軍自蕪湖一帶至京滬之沿江部署情況，謂某處有若干兵力，以及單位番號暨將領姓名等，歷歷如數家珍。張治中當場瞠目結舌，自愧不知，轉詢代表同人劉斐（綜持國軍作戰事宜者）是否確實？劉言絲毫不誤。實則劉氏即係高級共諜之首腦人物。而當時係爲李代總統所信任，且派其北上與共方周旋之劉仲容，亦係劉斐推薦者。此外如桂軍廿萬人，重蹈黃維兵團覆轍，最後被共軍分別消滅於桂境，片甲無存，據桂省友人事後談出，該軍最高統帥部之無線電台台長，即係共諜，統帥部之軍令剛發出，部隊尚未採取行動，而共方業已得知其詳。又如京滬衞戍總司令湯恩伯之英文秘書李某（此人現在香港），亦係一名老共，而國防部某廳廳長郭汝瑰，事後亦證明爲共黨份子。至於參謀次長吳石之共諜行爲，更無論矣。

久據中央銀行重要職位之冀朝鼎，在抗戰期間，即已有人舉發其爲共諜，因該行總裁孔某聲言願以生命財產担保冀某決非共黨，政府置之不問。迨毛共政權僭立之初，彼曾在報紙上撰文表功，題目係「我怎樣搞垮國民黨的財政經濟？」內容謂彼所採方法，爲通過中行高級人員貝某，再由貝氏向孔宋進言，以遂其滲透顚覆陰謀，無不奏效。

綜觀上述各節，可見軍事與經濟諸上級機關中，潛伏如許共諜，隨時從事顚覆活動，即使政府政治修明，軍人皆有戰陣之勇，亦未有不失敗者。因此，今日政府懲前毖後，一面嚴密防制共諜之滲透，同時禁止人們自由出入台灣，實屬未可厚非。但望對於出入境核許手續予以簡化，避免苛擾留難之弊，則幸矣。

小談唐詩人

漁翁

韋莊，唐末杜陵人，字端己。幼敏而好學，以詩詞名。丁黃巢亂而奔洛陽，飽經流離之苦，用長達一千六百一十六字，寫成一篇「秦婦吟」，把當時戰亂中之人民生活，繪影繪形，描寫備至，爲晚唐文學史上七言中之第一篇長詩，確擲地有聲。迨黃巢亂平，回返京都，考取進士，時年已四十餘矣。雖一度被任爲校書郎，奈不爲昭宗所重用，乃悄然入蜀，爲王建掌記室，及建稱帝，遂爲相，所有開國之一切典章制度，皆出韋手。卜居於杜甫之「浣花草堂」故宅，作爲別墅，從事著作，「浣花集」一書，即在此地寫成。韋以才名，自稱「洛陽才子」，時人謂其才秀異茂美，而亦讚以「洛陽秀才」之雅號。

岑參，南陽人，肅宗時，杜甫薦爲左補闕，後出爲嘉州刺史。善屬文，詩調尤高，世稱爲岑嘉州。每有所感，開口成章。尤善於寫情，如逢入京使：「故園東望路漫漫，雙袖龍鍾淚不乾；馬上相逢無紙筆，憑君傳語報平安。」似隨口占出者。李白「將進酒」有「岑夫子，丹邱生，進酒君莫停」句；所謂岑夫子者，即指岑參言，可見對岑之推崇。（五）

近人詩選

貓孵鷄謠

姚琮

報載意大利某家母鷄孵卵而死，貓爲成之，且日率小鷄徘徊圃場間，有若母子然。

孵半母先死，狸兒承其事，卵翼焉敢望，親昵如出己。義擧世應重，惠保理暗通，誰謂非族類，枘鑿不相容。炭豆泣相煎，黃臺怯四摘，獸行能弗慚，老淚落方策。

內藩警台報字第〇三一號內銷證

自由報

THE FREE NEWS

第三二六期

台灣分社

如何能解決韓國當前危機

家文明

最近以來的韓國局勢，正日益趨於惡化。自三月十六日軍政府當局發表聲明，宣佈重新停止一切政治活動，並以公民投票方式設法將軍事統治另行延長四年以後，韓國各反對黨派已發動了一連串的遊行示威。雖然這些示威所幸尚未發生嚴重事故，但從這種示威所表現出的諸種跡象看來，韓國軍政府實在沒有辦法把這些反對派的反抗予以全面制壓。

現在擺在韓國面前的，是兩條完全不同的道路。一條道路是軍政府立即設法與政界人士實行和解，共同尋出一種折衷辦法，解決爭執。另一條道路便是軍政兩方繼續完全對立，以致把整個韓國陷於全面的分裂與騷亂。假若未來事實不幸果真形成後一局面，則不論軍政府能否繼續當政，都將非韓國之福。因爲在那種局面下，縱使軍政府繼續當政，亦將無法獲得韓國人民的衷心擁戴，其一切施政自將遭遇各種消極抵抗。假若軍政府無法繼續當政，則這批遭受失敗與創傷未復的青年將領，亦絕不會泰然容忍文人政府長期把持政權。

當兩年前韓國軍人發動政變時，他們何嘗不是有一種偉大的抱負與信念，希望把韓國政府予以徹底整頓，臻韓國政局於磐石之安。可是事實上，自建立軍政府之日開始，韓國政局不但沒有獲致安寧，而且更陷於多事之秋。僅就新聞報導所已公開者而言，在這短短兩年期內，軍政府所宣布破獲的重要顛覆陰謀事件，已不下六七次。這些顛覆政府陰謀所牽涉及的人犯，大多爲過去政界人士，但也有不少是屬於軍人，甚至出於執政團內部的統治階級。至於其他如整肅舊日政客，逮捕反對派，或關閉報紙之類，更是層出不窮，時有所聞。由這些情形可以看出，韓國軍政府這兩年來的統治，不僅沒有獲得政界的支持，就是軍人集團內部的團結也很有問題。如當年被執政團所擁爲招牌人物的張都暎，於坐過一段時期的監牢，從死亡中打了一陣滾之後，即決定到美國留學，專心作「洋和尚」，從此不再過問國事。前總理宋堯讚已公開與執政團居於對立地位，並寫下遺囑，準備隨時就義。其他另一些與執政團鬧翻了的舊日軍中同僚，現在也都紛紛作了階下囚。這些人的反抗與不滿，並不完全是由於他們個人的失望和不得育，而實由於某些重大政策歧見。

當然，要說韓國軍政府這兩年來毫無成就，那也是有失公平。如它們對許多社會罪惡的力予清除，積極推行節約運動，以及全面開展羣衆性的建設活動，確給了韓國一種新生的氣象與活力。但就這些比較重要的成就，也因爲其他一些不利的條件與作法，而使其結果大打折扣。這些不利的條件與作法，主要爲：（一）這批青年將領完全不懂得政府行政，尤其是不懂經濟行政，所以一次攷慮欠週的經濟改革方案的失敗，就把執政團的銳氣與聲望一下毀掉了大半。（二）由於執政團本身缺乏互信，不夠團結，所以在政府軍隊人事上，便發生了一連串走馬燈式的調動。這種調動的結果，一面使許多極有能力，剛獲升遷的青年將領，離開了他們原所服務的部隊戰士而參加政府；另一面又使這些青年將領在還沒有熟習他們的政府業務之前，又調往別的任所。如此以來，政府既沒有獲得好的官員，而軍隊卻又失掉了許多青年有爲的將領。我們知道，今日韓國這些青年將領，都是學有專長，經長期培養而造就的人才，以這些專才去担任完全不熟習的政府職務，或以政治原因而遭受被整肅處分，實在是糟踏人才，並嚴重損害了部隊的士氣。而這種損害，亦絕不是其他方面的收穫所能補償的。

韓國今天的政治危機及其所反映的悲劇，其真正的根源，還並不完全是由於軍人操持政權，而是由於它既不能安然實行民主政治，也不能斷然實行強人政治。假若韓國堅定實行民主政治，逐步推進改革，照理應該可以解決問題。同樣的，韓國假若斷然建立強人統治，穩定一切，未始也不是一種過渡辦法。可是事實上，韓國既未能實現民主政治，而又缺乏實行強人政治的必具條件。當兩年前韓國軍人發動政變時，在他們心目中，何嘗不以阿聯的納賽及巴基斯坦的阿育布爲榜樣，希望在韓國亦能建立這種穩定局面。而結果所致，不僅沒有達到他們的這種想望，而且整個局勢亦愈來愈壞。這種原因就在於：要實行強人政治，就必須具備兩項起碼條件，即是（一）強人本身要有聲望與實力，足以絕對控制政局；（二）要具備一種堅強的精神與道德力量，足以懾服人心。假若既無實力與聲望足以控制一切，又無精神與道德號召以團結羣衆，任何強人政治都無法建立，即建立亦無法維持。在今日韓國，執政團當局都是一些青年將領，論聲望與資歷，不能和政界人物相比擬，論實際力量，又無法切實控制整個部隊，至於在精神號召方面，甚無任何口號足以打動人心，發揮民氣，所以更形成了一連逆水行舟的局面。韓國執政團的不能完全控制部隊，已有許多實例可資證明。這些例證除了見之於過去兩年的多次指控事件及不尋常的人事調動外，便是最近由國防部長領銜而發表的一項三軍首長支持執政團的聲明。假若今日執政團對韓國陸海空三軍部隊確具有堅強的控制，爲三軍自然效忠所在，這樣一種支持聲明，實在就沒有必要。由於今日韓國執政團並未眞正代表整個軍方的意志，基礎並不鞏固，所以除了政界人士的反對以外，韓國執政團也經常面臨着另一種危機。對於這一來自內部的危機，當然也不是僅靠一紙聲明就可解決的。

以今天的韓國情勢來看，執政團要想把軍事統治繼續延長下去，勢將要遭遇極大的困難。同樣的，要想韓國立即恢復兩年前的政黨政治，把政權重新交給一個不穩定的文官政府，也將是一件不容易的事情。因此要解決當前韓國政治危機，其最妥善辦法，只有軍政雙方互相和解，尋取折衷途徑，以避免各走極端。在這種尋求妥協的努力中，軍政府方面已提出了兩種辦法，即（一）要求政界某些人士自動退出政壇，從此不再參與任何政治活動；（二）軍政府擴大基礎，允許政界各方面人士參與最高重建委會及內閣。對於這兩種提議，政界人士的反應並不一致。有的表示贊同，有的表示反對。但即使同意了這些原則，其中有些實際問題也不可能迅速獲得解決。例如政界人士的自動退休應以那些人士爲對象？用何種辦法來決定那些人應予退休那些人不應退休？又政界人士參加政府的比重應該多大？換言之，軍政府所提這種建議，無非是一種換湯不換藥的辦法，旨在以微小的讓步，來安撫政界人士，企圖繼續維持軍事統治於不墜。在這樣一種基礎上，韓國政局實在也不可能會有長期的穩定。

那麼韓國危機究以何種方式來解決？在我看來，要解決韓國當前危機，並使各方獲得滿意，應遵循下列兩種作法。即：

第一，由韓國各方政界人士及軍政府，共同協商制訂一新的政治綱領或臨時約法，然後共同宣誓政界人士須嚴格遵守這一政治綱領，軍界須從此退出政府，不再干政。而基於這一政治綱領或臨時約法所建立的新政府，不是任何黨派性的政府，而是純由文官組成的全民一致政府。

第二，這一全民政府亦以四年爲一期，[illegible]種皆大歡喜的解決，韓國政治家何不樂於一試？

漫画天下

西方

印度

同病不相憐

各懷鬼胎

自由談

温故而知新

馬五先生

自從美國前任總統艾森豪讚揚國際間的中立主義以來，直到現在，美國當局對於一般標榜所謂「不結盟政策」，而實際以親共脅美爲能事的國家，如印尼，巴基斯坦與印度等，便成爲美國竭力爭取要好的對象，不惜予以軍經援助，而且慷慨大方，毫無所謂。但對於直接膺受共禍，堅決地跟共黨鬥爭不歇，誓不兩立的自由盟邦，雖亦加以支援，卻隨時吹毛求疵，多所指摘批評，表示不滿與失望。因此，一些採取兩面人作風的中立主義者，左右逢源，大行其道。最近美國克萊將軍主持的援外計劃研究委員會，即主張削減亞洲方面若干接近共黨國家的自由友邦的軍經援助，認爲這些友邦現有的武裝部隊，超過了本身所負担的任務，不如盡量援助印度與巴基斯坦，藉以保持南亞的「均勢」。

這情形恍如過去咱們在大陸上的內戰時期，凡屬表示騎牆態度的雜牌隊伍，政府即多方遷就拊循，要錢即給錢，要官就加官，而一般接受政府命令，實行整編的正式國軍，卻遇事不能自由處理，外來的干涉重重，動輒得咎。如是乎內亂不已，終至招來了外患，抗戰八年，舉國疲憊，而使共黨坐大，盜竊中原，貽禍至今爲烈。美國這套作法，將來亦難免自貽伊戚，殃及整個自由世界，思之不禁懍懍危懼也！

同時，我又聯想到目前政府當局對人民講究忠貞這回事。在此非常時間，人民對國家民族必須具有忠貞的意志和行爲，義所應爾，吾無間言，但要認眞講求，且須因事因人而有所鑑衡激勸。假使對於一向立於反對或反動地位的人，偶爾說出幾句贊許政府的話，便認爲如獲至寶，待之如國士，優遇有加，而對於一向忠貞無貳者，稍有評騭現狀的言談，即視同仇敵，打擊備至。這樣就跟過去在大陸上對待雜牌隊伍和正規軍的作風，並無二致。結果是越講忠貞，而忠貞之士越少，滔滔者盡是些面諛腹非投機取巧之輩，去忠貞之義，遠矣！

北市競選省議員重要新發展

執政黨外人士協調成功 推定楊玉城宋霖康出馬

（本報記者吳越台北航訊）台北市執政黨以外人士競選省議員，經半個月來的密切協商後，到今（三月二十四）天清晨三點鐘，才獲得一致協議，推楊玉城與宋霖康出馬競選。在原則上，所有執政黨外人士對他們的競選，都將一致支持。這是一項頗爲重要的新發展。

從二十三日晚間九時一直連續到二十四日淸晨三時的會商，除了決定競選人外，對於候選人的競選總幹事，以及助陣的主將人選，都有分配，另對政府新頒佈的「台省議員候選人競選規則」，也在協調會檢討之列。

至於沒有參加這個協商的另外兩位有意出馬競選的執政黨外人士，即郭國基與李連麗卿，他們仍將個別進行競選。不過，李連麗卿曾於二十三日晚上九時，到協商會議去表示，希望大家還是採取聯合行動，雖然對如何聯合法，並未作進一步的研商。

執政黨外人士進行集會，分推候選人，做出類似執政黨國民黨提名的方式，這是過去從沒有過的現象，使關切選舉的人士，非常重視。雖然此地新聞界對此一消息，盡量設法探取，但由於在野人士深恐消息外洩，影響行動，不願作過多透露，以致報導未能詳盡，甚至有與事實相左，而迄至今（廿四）日淸晨三時之最後決定，外間更少人知。本報記者由於透過各種關係，得以深入觀察採訪，故能獲知全盤經過詳情。

是破紀錄的現象

在近幾年的歷次選舉，執政黨外人士體會到時代潮流的趨勢，在民主政治中，單槍匹馬，取勝機會甚少，因而一致認爲有團結的必要。執政黨正式提出第三屆省議員人選後，越更刺激了黨外人士的團結。

台北市的執政黨外人士，除了郭國基和李連麗卿連成一氣，人數較少外，較大的集團是以台北市議會的廿一位執政黨外議員爲主體的一個集團。這個集團中有志於第三屆省議員競選的，有五個人：楊玉城、黃信介、宋霖康、鄧建信和前任市議員李福春。每個人都有出馬的打算，但事實上又只能在五位中推選出一或二位，來全力支持，所以便要協調，使三個人讓賢了。

楊玉城是高玉樹的兄弟，李賜卿曾經做過李福春的競選總幹事。他們當然都不便任主持協調的工作，大家乃公推出一位具有公正聲望的資深市議員廖鍾脈担任這項艱鉅的任務。廖鍾脈在接受之前，曾提出兩項前提，如果大家同意，他便出來做，否則他不做這種徒勞無功的事。結果是大家接受了他的原則，他便担任起主持協商的工作來了。廖氏提出的兩項原則爲：一，要他出來必須是大家一致的意思。二，協商好的決議，大家必須一致遵守。

協調會進行經過

二十三日由廖鍾脈和李賜卿具名，邀請熱衷競選的執政黨外人士在廣州街李賜卿家午餐，藉午餐機會，開始協調會議。計到會的人士有：二屆市長高玉樹，市議員黃信介，楊玉城、李福春、宋霖康，李賜卿、鄧建信，何宗俊、郭雄信、王松祥、洪耀鍠、林生祥、林中、謝世輝、陳錦科、葉生進、廖鍾脈，張榮鑾，另一位王石英，也參加了會議，張詩經有事離開台北，沒有參加。

在協調會上，初步交換意見結果，認爲不宜全部出馬，分散了力量。原則上決定，針對執政黨的提名情形，在台北市的南區和北區，各推一人出馬，其他的人士就出全力支持。

幾位準備競選的人士，在餐會上都講了話，大家也不便如何決定。最後還是廖鍾脈提議，舉行一次無記名的秘密投票，南，北區各選一個候選人。（參加競選的人，離開會場，表示迴避）。由與會人士用圈選出一人，另外用△形選出一位後補，以備第一候選人因故不能競選時，作爲候補，爲的是時間緊迫，恐將來不及再選了。圈好的票投入一個箱中，由參加競選的人簽字封口，交由廖鍾脈保管。因爲大家都希望他們再行協調，如有三位「讓賢」，就不必開票，免傷和氣；而如果二十三日是省議員候選人就要開始登記了的日子，才開票公佈，誰票多誰就出來。因爲二十二日晚九點鐘，高玉樹，廖鍾脈，李賜卿及準備競選的五人，在高玉樹家中開會協調，還是沒有結果。又推廖鍾脈，高玉樹，李賜卿三人，二十三日到本市各處去探訪一下民意反應，然後再來協調。

最少望選出一人

廖、高、李等三人，分訪了台北市對選舉有經驗的各方人士後，二十三日晚上九時，仍在高玉樹家中會商。綜合各方意見，他們決定台北市的南，北區各推出一位候選人，視情形如有必要，一位可以放棄，集中全力支持另一位；即是說，目標是想當選兩人，如果兩人不可能，一定要選出一個來。這原則決定後，便用電話通知準備競選的五位來高家會商。他們於十時到達，一直討論到二十四日清晨三點鐘，才獲得最後一致協議，南區的鄧建信讓賢，由宋霖康出馬，北區由楊玉城出馬，李福春和黃信介讓賢。並決定以後再看發展情形，如果只能出來一個人的時候，宋霖康也放棄競選，全力支持楊玉城出來。這一決定，執政黨外人士大家都要遵守。

會議中同時還決定，楊玉城的競選總幹事由黃信介担任，宋霖康的競選總幹事由他自己推選。至於助選的主將，比如演講，發表政見等等，楊玉城由高玉樹任主將，宋霖康則由李福春助陣。其餘的十九位執政黨外市議員，則各盡所能，努力拉票，一致助選。

空前激烈的選戰

關於新頒競選法規的種種問題，由楊玉城宋霖康兩人先去研究，有問題再由大家研究，必要時再向政府提出研究。

李連麗卿聞悉執政黨外人士二十三日的集會，於晚間九時趕往高玉樹家中，向高、廖、李三人表示，希望大家聯合行動。當時大家對聯合行動一點，都認爲原則上是應該，不過如何聯合，還有待進一步的商討。

第三屆省議員選舉，執政黨提名異常慎重，執政黨外人士也是用前所未有過的團結力量全力以赴，顯示這將是一場空前激烈的選戰。（三、廿四、九點）

以安定社會秩序爲名 毛共新三反運動 在廣州大舉捕人

〔香港與大陸〕

在「一新三反」運動下，中共最近在廣州大舉捕人，又隨意以莫須有的罪名，沒收市民和僑屬的物資。雖然究竟捕了多少人未見公布，卻一定不在少數，因而風聲鶴唳，人心皇皇。

甫自廣州市來港的僑眷張太透露：廣州市最近又在進行所謂「新三反」運動，據中共說這項運動是爲了「安定社會秩序」，並給予乘機破壞的「國特」沉重的打擊，它們大規模的捕人，被捕者包括在廣州「無戶籍的「盲流分子」」和做「黑市販賣」的僑屬，並乘機沒收被捕者的「財產」。

張太住在黃花崗之「華僑新村」團結路，她說：過去中共雖曾多次掀起各種運動，華僑新村的僑眷，尚少受波及，因爲那裏居住的，多屬較有錢的華僑和僑屬。這次則連華僑新村亦發生了捕人和沒收財產的事件。就在張太住家的隔隣，便有一家人被沒收了大量的物資（多係託運回去的），又捕去了事主的一個廿多歲的姨妹。

張太說：那位事主是於一九五八年由印尼回大陸的，他以三萬多元「人民幣」在華僑新村建了一座房子，回去時帶回大批的物資，主要是食物和衣服，海外又經常有親屬寄去，生活還算過得安穩。不久前，該事主有一位親戚由鄉間到廣州醫病，因見其窮困不堪，送了一些食物給那位親戚。該事主親戚病愈後返鄉時，也把他送的食物帶回家鄉，便被共幹發覺，追究其來源，他親戚便照實說了，但共幹卻不相信，認爲「不可能」，就是如此「高級」的東西有誰肯送給人！並因此乃强指那位親戚是從「歸僑黑市」買來的，迫他寫「坦白書」，東西當然亦被沒收了。

這事發生不久，一天，她那位隣居的住所來了幾個「公安人員」，要那位歸僑「坦白」他一貫做的「黑市生意」。這位歸僑力加否認，「公安人員」便拿出他親戚寫的「坦白書」，該歸僑雖不服氣，但在幾位凶狠的共幹大聲吆喝恫嚇之下，他無可奈何，祗得「認罪」了。結果被罰了二千多元人民幣的「補稅款」，還將剩下來的物資全部沒收，還居然把該歸僑宣佈爲「壞份子」。一位寄居其家中的姨妹，因爲沒有廣州市的戶籍，連帶的也被逮捕了。

張太又說：華僑新村最近也常開會，由一位過去是奸商現爲中共僑務幹部的姓劉的人主持，他要僑胞們都「坦白」過去所作的「黑市買賣」，要他（她）們把家中收藏的盲流份子報告派出所，說是否則便將嚴重受罰。（敬斯）

高港裝卸業糾紛續聞

——本報駐高雄記者袁文德——

高雄港碼頭輪船裝卸糾紛，三年多了，一直被省議會所擱置，未能得到合情合理的解決，請願的萬通等十三家運輸承攬業者，嘖有煩言，表示希望省府能及早秉公合理解決此一久懸未了的糾紛。

按省議會對萬通等十三家請願：「請求撤銷高雄港輪船裝卸承攬業限制，准予組設公司，參加民營裝卸業務」，早曾於二屆三次大會時決議通過，准予所請。五十年八月十五日曾以（議參字第九三〇〇〇三——三號）函知省府。省府交通處亦於同年九月一日以（府交航字第五九一八三號），令高雄港務局，通知運輸承攬業公會，轉知萬通等十三家速即組設公司申報核准。高港局同時亦在五十年十月廿三日以（高港監字第一四五三七號）函通知萬通等十三家。該萬通等十三家於接到通知後，即依照甲種輪船裝卸標準規定，購置機械工具等耗資百餘萬，正提出申請時，乃復接獲高雄港務局五十年十月廿八日（高港監字第一七四二六號）函通知：「省議會駐會委員會消息通知該案停止辦理申請」。從此石沉大海，久懸不決。

高港輪船裝卸業務，原係由官方（省府）直接經營，政府爲扶助民營企業，於卅九年改組，把百分之五十五交由台通、中安、碼頭等三家民營，四十二年復有南部申請加入。他們四家劃股方式是：台通佔百分之十八，碼頭佔百分之十七，中安佔百分之十，合計是百分之四十五，另百分之十是由官營的機埠處直接撥交給南部。在名義上南部是屬於民股，但實質上他並沒有跟台通等三家一起工作，分股且又是由機埠處直接撥交，南部便在不官不民的情況下，仍可以按月照常分股，其中原因安在？外界人士多不瞭解。

據請願的十三家代表之一的林守道說：（1）省府原定再撥出官股百分之五，同時要台通等四家民股撥出百分之十，合計百分之十五交由我們十三家所組成的公司。其實這百分之十五交給我們十三家，再加上碼頭，我們一共是十四家，按照這樣的分攤，我們所得祗不過區區之數，但爲了調度工人方便，及既得的運輸權益——裝卸利益不外溢，所以我們即使有吃虧之處，但仍樂於接受。

（2）在同一個台灣省，基隆港與高雄港的裝卸業組織規程，居然有差別，在法令上在行政上均難以瞭解。他說：爲什麼省府能把過去基隆港裝卸業糾紛處理得不偏不袒，完善無缺，卻爲何不能把高雄港的同類糾紛合理解決？

（3）四十二年省府既然能批准南部運輸公司加入民股，經營裝卸業務，爲什麼又不准我們申請參加？這豈非厚彼薄此？

（4）黃堯原係商人，憑他一個人的力量，卻能左右省議會一部份議員，阻止決議案的執行，如一旦黃堯當選三屆省議員後，本案恐將立遭否決了。因此，我們希望政府能趕快解決這問題云云。

青年勵志六十四詠并序

宗孝忱

二九酒渴思吞海。詩狂欲上天。十一劉童子。妙對才如仙。

三十存勗年十一。從征功可紀。奇表與父同。因號李亞子。

三一岳雲戰張憲。童年大敗之。所握鐵鎚二。尙存湖上祠。

三二甘羅年十二。自薦爲上卿。始皇使相趙。千載播英名。

三三荀灌奇女子。驍勇解父圍。巾幗有英傑。膚功出閫闈。

三四十三王子安。一序滕王閣。不有馬當風。豈見凌雲作。

三五十四傅介子。恥戴散儒冠。丈夫有建白。絕域斬樓蘭。

三六曹娥年十四。投江尋父尸。萬古娥江在。過者動孝思。

三七又一介之推。十五四相荊。取人智與力。孔子稱其行。

三八陳蕃年十五。一室不掃除。志在掃天下。安事一室乎。

三九十六李世民。應徵爲士卒。能解煬帝圍。畫策退突厥。

四十兄弟登高處。揷萸少一人。詩才王摩詰。十七正青春。

四一宋賢王德用。從父爲戰士。大破李繼遷。時年十七耳。

四二六出擊匈奴。不滅何以家。大將霍去病。十八露爪牙。

四三宋賢王巖叟。十八富經綸。鄉舉與廷試。皆爲第一人。

四四蘇轍年十九。上書韓魏公。詞源如倒峽。滾滾百川東。

四五崖山陸秀夫。十九登進士。文山與疊山。一榜三山峙。

四六十九王拱辰。南朝好狀元。稱於契丹王。琵琶侑酒尊。

四七卓卓文文山。二九中狀元。烈節冠今古。不孤大宋恩。

四八子房美男子。智足善運籌。二十博浪沙。鎚擊復韓仇。

四九賈誼年未冠。能文著鄉里。吳公荐於朝。二十膺博士。

五十終軍弱冠年。請纓從戎馬。欲繫南越王。萬里致闕下。

五一汪踦魯童子。執戈衞社稷。孔子許勿殤。禮經示準則。

五二蘇秦未得意。刺股讀陰符。使有田負郭。安能富貴乎。

五三匡衡曾鑿壁。偷光照讀書。學成爲宰相。殊榮被里閭。

五四承宮昔牧豕。聽講成大儒。何傷於貌醜。大名播匈奴。

五五孫敬髻懸樑。讀書自尋苦。市人罕見之。先生號閉戶。

五六車胤運靈思。捕螢入練囊。幾徵集螢火。照讀代燈光。

五七苦無讀書燈。孫康曾映雪。求學不患貧。所貴心志決。

五八柳絮舞隨風。道韞善詠雪。才冠諸弟昆。不惟女中傑。

五九祖逖與劉琨。聞雞夜起舞。省知非惡聲。壯烈開千古。

六十饑餐胡虜肉。渴飲匈奴血。精忠岳鵬舉。英年負氣節。

六一少時朱元璋。祝髮皇覺寺。一出敗羣雄。革命媲劉季。

六二偉矣孫中山。生長翠亨村。少即有大志。一呼復中原。

六三堯舜皆人爲。有爲亦若是。勗哉吾青年。勉爲豪傑士。

六四周孔不吾欺。啓迪無不至。卓爾吾青年。讀書貴勵志。（下）

天南風光
——沙羅越的歷史——

朱淵明

隨後，私會黨（三合會）滲入石隆門，華工多數加入，並秘密購置軍械。沙邦政府亦微有所聞，乃在勃利達（Boledah）建立砲壘，形勢愈趨嚴重。至一八五七年一月，石隆門有華人因犯私運雅片案，被政府處罰款一百五十鎊，華工對政府益加痛恨。

先是一八五七年歲尾，布律克因事赴星加坡，即有消息流傳，說華工將作亂，宜早準備。但政府並無準備，因這種消息，數年來屢次流傳，初聽頗以爲怪，復聽，再聽，即習以爲常，不加注意，自然沒有預防。

一八五七年二月十八日，正是中國農曆新年，石隆門之華工，在私會黨義興公司主使下，奉客籍人王甲爲領袖，率衆六百人，帶齊武器，步行至東唐，（Turdong）然後乘船沿沙羅越河而下，夜半到古晉。抵埗後，分成兩隊，分襲政府機關及各炮台。在出其不意中，炮台多被佔領，而政府機關，大半毫無防衞，自然輕易得手。那時槍炮亂響，全市沸騰，「拉者」之巫人軍隊，多被繳械，英籍軍官多人被殺，如王婿「尼古來特士」（Nicholetts, Middleton）的兩個兒子被殺，「古魯春克」（Grook Shank）夫婦受重傷。民間之死傷亦所難免。

這天布律克方從星加坡回古晉，睡到半夜，忽然四面喊聲大震，他從夢中驚醒，見各地火光沖天，知道禍亂發作，形勢嚴重，急忙持槍而出，想暫時逃避。不料王府已被包圍，前門起火，後門亦被堵截，不得已乃跳窗外出。窗外有一條小河，便跳入河中，欲游泳過去，誰知河中泥淖滋深，陷入難以拔足，無法掙扎。只好藏在水中，靠水邊叢草細枝之掩護，得免於死。幸而熱帶草木，四季皆青葱繁茂，不易爲人所見，若在溫帶或寒帶，時際嚴寒，豈不危乎殆哉？至翌晨，圍攻王府之華工，收隊渡河至古晉市區——王府在古晉市區之對河岸上，即現在之總督府——布律克方才慢慢爬到岸上，逃到某馬來人處，設法召集部下，以圖恢復王權。

二月十九日，華工首領王甲，召集古晉馬來人領袖及英人，說明這次革命之原因及理由，並要求他們協助。到會的人，自然是唯唯否否，得不到任何結果。這時候布律克的外甥「査理士」，聽到叛亂的消息，即召集達雅族軍隊，和布律克所召集之馬來族軍隊，取得了聯絡，遂於沙羅越輪船公司所屬之布律克爵士號（Sir James Rrcoke）船上，設立大本營，率衆直逼古晉。（四十二）

我底學習和思想歷程

謝康

第六，日內瓦觀感　一九三〇——一九三五，我曾經六次到日內瓦，一九三六——三九年，在那裏還住了三年的時間，大部份都是爲着朋友邀約和國際聯盟的關係。

日內瓦湖光山色，鳥語花香，給我的印象，大概是美麗、雅潔、靜穆、和平。國聯新宮，也具有日內瓦湖的這些特徵，我曾寫過一首詩：

「瑞士湖山負盛名，
衣冠國際作都城；
而今宮闕巍然在，
贏得游人讚美聲。」

我的意思是說瑞士湖山佳麗，國聯新宮亦富麗莊嚴，可是，國際和平的維持，不能達到目的，例如意大利侵阿比西尼亞，日本侵略中國，希特勒德國併吞捷，奧，進兵萊因河，國聯制裁均無效果，看來大戰無法避免，我也只有離去國聯，離開歐洲，三十六着，走爲上着罷了。今日矗立在紐約城的聯合國新宮，在性質及任務上，是繼承國聯的，然而它也不能擺脫國聯最後失敗的命運！

第七，男女性道德觀念．

我生長在舊禮教的家庭，儒家的經典，宋儒的語錄，會經讀了許多，使我對男女性的觀念是頗爲保守的。在巴黎和日內瓦，有好幾次我都能保持柳下惠坐懷不亂的本領，可是這是相當矯情的，現在想起來，不免有些後悔了。一般說來，法國人的男女關係，是比較自由的，因此男人「頭出角」（中國人稱爲戴綠帽」）或「軋姘頭」，秘密進行，或半公開的同居關係，花樣很多。我的朋友張南，在歐洲住了幾十年，開上等中國餐館，認識許多號稱上流社會的法國人（包含貴族在內），深知他們的性生活頗爲混亂，同我說起許多故事，令人驚訝，懷疑或艷羨。他們認爲男女關係，只是一種享受，一種對社會的方便，一種生理上精神上的需要，如果強自壓抑，一本正經，道貌岸然地講男女性道德，遵守天主教禮拜堂神聖結合時的誓言，那恐怕是很少數。我旅歐洲那

虛君續夢

第七回：越境興戎　盈廷驚白蟻　恃強犯上　舉座斥青蠅

第二天輪到彭眞發言，彭眞萬萬沒有料赫魯曉夫會把中共和毛澤東罵得這樣慘，他雖然不高興毛澤東，可是，自己究竟是中共代表團長，不能一味裝聾作啞。當時走上講台說道：「關於戰爭與和平的問題，莫斯科宣言曾經指明美帝是世界反動的中心，鐵托集團則是帝國主義的走狗，現在無緣無故的放棄對美帝的武裝鬥爭，縱容鐵托集團的出賣社會主義的罪行，請問是什麼道理，究竟是誰違背了列寧主義，誰不了解事物的本質。」彭眞說到憤激處，拍案罵道：「說這種話的人就是現代修正主義者，就是馬列主義的異端。」

當彭眞講到此處時，全場鴉雀無聲，幾百隻眼睛都看着赫魯曉夫，赫魯曉夫卻坐在貴賓席上睡着了。

彭眞最後說道：「關於有人在攻擊中國共產黨，本人要特別聲明，中共對此保留有反駁的權利，等到召開會議討論之後再答覆。」

彭眞說完之後，赫魯曉夫睜開惺忪睡眼，用手推下坐在傍邊的戈慕卡，說道：「上去說啊！老戈。」

戈慕卡跳上去，站在擴音器前說道：「剛才聽了中共代表團長彭眞同志的發言，我們感到十分遺憾，彭眞同志犯了嚴重的教條主義，味於世界大勢，一味抱着幾本死書來講理，實在沒有好處，不過，像彭眞同志曾經讀過馬列經典，還算是難得的，大部份人連資本論也未必讀過，因爲讀不通原文。」

戈慕卡說過台下一齊鼓掌大笑，赫魯曉夫也跟着鼓掌笑了兩聲。

接着義共代表團長朗戈，上台說道：「教條主義者不顧現實，一味自我陶醉，硬把自己說成眞正的馬列主義者，不知道馬克思主義的基礎是工人，工人是以歐美先進工業國家爲多，現在先進工業國家的黨，都成了修正主義者，反之，一些落後地區根本就沒有工人的組織，完全在農村中建立的黨，竟然成了馬列主義正統，他們自己雖然大言不慚，恐怕馬列在天之靈看到了這段妙論，也會大搖其頭的。」

朗戈說過，台下又是一陣笑聲，彭眞氣得連脖子根都紅透了。

法共書記杜克洛上去說道：「戰爭與和平問題，不能僅作口舌之爭，必須要從現實出發，有的人自以爲人多地大，原子彈炸不完，就不惜挑起戰爭，要藉戰爭毀滅帝國主義也毀滅社會主義，剩下他這一個黨眞的去統治全世界了，可是，他的陰謀別人也看得出，誰也不會上當，由得他自己去大嚷大叫，硬充好漢，以爲當眞天下無敵，那知道全世界的人都把他當成唐．吉訶德，只能與風車作戰的。」

杜克洛說過之後，捷共、匈共、保共紛紛發言，一個比一個說的尖刻，雖然沒有指名罵中共及毛澤東，但是，任何人也都曉得那是罵誰，尤其是每一個人演講後，照例一陣鼓掌時，眼睛都向彭眞身上看，彭眞又急又氣，深深懊悔不該來這一趟，不知回北平將如何交待。正是：使於四方終辱命，眞無面目見江東。（一九〇）

黃花崗與青年節

吉庭

黃花崗在廣東省城北門外白雲山之麓，民元前一年（一九一一）三月二十九日，同盟會員以全力在廣州發動第十次的起義，攻襲督署，不幸事敗，死難同志七十二人，賴義士潘達微之力，將擺在諮議局門前曠地的七十二具屍體，義葬於黃花崗，由是有黃花崗七十二烈士之稱。

可是，此地原名紅花崗，潘以紅花兩字過俗，沒有黃花崗來得雄渾，此紅花崗之所以改爲黃花崗也。並題聯曰：「諮議局前新鬼錄；黃花崗上黨人碑。」

湖南黃興，字克強，爲此役之主角，幸以身免，惟爲流彈擊斷二指，後稱黃爲八指將軍。民國成立，以三月二十九日爲黃花節，崇德報功，以昭景仰，克強祭之以聯云：「七十二烈士，酣戰春雲埋碧血；四百兆國子，愁看秋雨泣黃花」。又附以蝶戀花詞一闋曰：「崗上黃花又發處，爲囑西風，暫把香籠住。待釀滿枝霜與露，和風吹上無情墓。回首羊城三月暮，紛飛血肉，氣直吞胡虜。事敗垂成原鼠子，英雄地下長無語。」詞中所云，即孤軍深入，而不獲及時增援也。因此，地因人傳，黃花兩字，將輝煌燦爛，歷千秋萬歲兮而永垂不朽！

在死難七十二人中，多係青年知識份子，黨之精英，最少者十八歲，最老者五十二歲，平均年齡爲二十九歲，可謂青年革命犧牲最慘者，故後定是日爲青年節。

青年，少壯之人也，如草木之方青，故云。按三月屬春，何晏賦：「結實商秋，敷華青春」。人當年少，猶歲在春時，故亦謂少年爲青春。以先烈青年之革命，與序屬三春之時間而定名，誠名與實合也。

民國八年五月四日，北平青年運動，影響甚大，中央會訂爲青年節。及至民二十七年三月二十九日，於抗日戰爭發生之第二年，中國國民黨臨時全國代表大會，集議於武昌，決議組織三民主義青年團，三十二年三月二十九日，青年團舉行第一次全國代表大會於重慶，爲號召全國青年，效法革命先烈之奮鬥犧牲的精神，担負繼往開來之偉大任務，經一致決議以三月二十九日爲青年節，並經政府通過，此即青年節之所由來。

七十二烈士往矣！而烈士的精神不死。吾人今日紀念黃花崗，紀念青年節，緬懷先烈爲民族革命而犧牲的大無畏精神，不禁有同具孫中山先生在記功坊下所書的「浩氣長存」之感！

南宋偏安有人才

——趙鼎

李仲侯

命鼎鞫德。又請下詔切責世忠，而指揮其將吏付有司治罪，諸將肅然。上曰：「肅宗興靈武，得一李勉，朝廷始尊。今朕得卿，無愧昔人矣」。中丞范宗尹言故事無自司諫遷殿中者，上曰：「鼎在言路極舉職，所言四十事已施三十有六」。遂遷侍御史。

當北兵至江上，上幸會稽，召台諫議去留，鼎陳戰守避三策，拜御史中丞。請督王𤫉進軍宣州，周望分軍出廣德，劉光世渡江斷[illegible]邀擊之計。又上疏言：「經營中原，當自關中始。經營關中，當自蜀始。欲幸蜀，當自荊襄始。吳越介在一隅，非進取中原之地。荊襄左顧川陝，右控湖湘，而下瞰京洛，三國所必爭，宜以公安爲行闕，而屯重兵於襄陽，運江浙之粟以資川陝之兵，經營大業，計無出此」。

韓世忠敗金人於黃天蕩，宰相呂頤浩請上幸浙西，下詔親征。鼎以爲不可輕舉。頤浩惡其異己，改鼎翰林學士，鼎不拜。改吏部尚書，又不拜。其言曰：「陛下有聽納之誠，而宰相陳拒諫之說；陛下有眷待臣之意，而宰相挾挫沮言官之威」。堅臥不出。疏頤浩過失凡千言。上寵頤浩，詔鼎復爲中丞，謂鼎曰：「朕每聞前朝忠諫之臣，恨不知識，今於卿見之」！除端明殿學士，簽書樞密院事。

金人攻楚州，鼎奏請張俊往援之，俊不行，山陽遂陷。

金人留淮上，范宗尹奏敵未必能再渡，鼎曰：「勿恃其不來，恃吾有以待之！三省當以敵退爲陛下拔人才修政事，樞密當敵至爲陛下申軍律治甲兵，即兩得之」。上曰：「卿等如此，朕復何憂」？鼎以楚州之失，上章丐去。會辛企宗除節度使，鼎言企宗非軍功，忤旨，出奉祠除知平江府，尋改知建康，又移知洪州。京西招撫使李橫欲用兵復東京，鼎言：「橫烏合之衆，不能當敵，恐遂失襄陽」。已而橫戰不利走，襄陽竟陷，召拜參知政事。宰相朱勝非言：「襄陽國之上流，不可不急取」。上問「岳飛可使否」？鼎曰：「知上流利害無如飛者」。簽樞徐俯不以爲然，飛出師竟復襄陽。鼎乞令韓世宗屯泗上，劉光世出陳蔡。光世請入奏，俯欲許之，鼎不可。僞齊宿遷令來歸，俯欲斬送劉豫，鼎復爭之。俯積不能平，乃求去。朱勝非兼知樞密院。言者謂當國者不知兵，乞令參政通知，由是爲勝非所忌。（卅七）

黃花崗起義掌故

李東海

辛亥廣州三月二十九日之役，每見有人稱爲黃花崗之役，其實當時革命黨舉事在廣州城內，革命黨與清軍激戰，造成空前流血的大犧牲，也是在廣州城內。黃花崗僅是後來埋葬七十二烈士遺骸之處，其地在廣州城北數里外之沙河。所以三月二十九之役，就是「黃花崗之役」，在事實上是有問題的。

這一役革命黨人在城內死難，因事前極爲機密，各自部署，不相告知，故事後不知死難的確實人數，僅檢收七十二具屍體。清吏恨之切骨，任其橫陳，無人敢予收埋，延到四月三日，清廷始命城內廣仁、愛育、方便、廣濟等善堂，收拾遺骸，移置到諮議局前曠地，分十數堆。諸烈士折臂斷腦，血肉模糊，眞是慘不忍睹。

清吏先擬把諸烈士葬在狗頭山，後又打算葬在東門外之臭崗。臭崗乃是清吏刑人處所，人死後，裹葬在亘坑中，掩以浮土，暴骨露體，臭氣揚溢，因以得名。清吏擬葬諸烈士於此，無非是含有一種鄙棄侮辱之意。

事爲廣州黨人潘達微所聞，以諸烈士爲國捐軀，純爲國民謀幸福，若身後猶任其侮辱，實爲後死者的羞恥。由是不顧身家性命，挺身而出，哭訴於善堂董事徐某，幾經曲折，始求得沙河紅花崗一片地。由潘氏出貲，僱用「仵作」百餘人，費大半日之力，將烈士屍體運至其地。諸烈士屍體多以鐵索相連，合二三人爲一起，潘氏命「仵作」解索去鎖鏈，一一分開，具棺安葬。

是日，陰雲四布，微雨霏霏，路上行人，除督葬之潘氏外，僅搬運忠骸之「仵作」而已。葬事原係秘密中進行，後消息走漏，中外報紙競相刊載。潘覺「紅花」二字不及「黃花」二字之雅馴，且中國詩人有「黃花晚節」之喻，因改今名，這就是黃花崗的來由。而後來經黨史專家考證，是役殉難烈士，不祇七十二人，而在八十五人以上。

廣州三月二十九之役，革命的大本營設在小東營五號。

小東營原有幾十幢房子，都是平房。惟五號的房子建造稍殊，分前後兩幢，每幢僅一廳一房，中間隔一天井；後幢有一樓房，不僅可以眺望近處形勢，且可遙望觀音山砲臺及總督府動靜。足見這座房子之被選擇爲革命總機關，是幾經安排然後決定的。再說，這所房子的位置，也是發動革命起義的最好地點。一則，小東營本是司后街（光復以後已改爲越華路）內的一條橫街；橫街內又有許多小巷。自此而出司后街、正南街、大石街，至少有三路至四路可直撲總督府。再則，司后街、大石街俱爲兩頭通；東出倉邊街，如進攻不利，可由此直趨小北作較安全退卻。大石街西出吉祥路，司后街西出廣仁路，直撲總督府俱不過數百步，進攻得手，可一舉而癱瘓當地政權的心臟。進退之裕如，位置之適中，無有過於此者。

在抗戰以前，這所房子，還是屹然存在，勝利後因開闢馬路才把它拆了。

吳石叛國紀聞

海嶠舊談

諸葛文侯

上次談「國軍敗於共諜」，曾提到前任參謀次長吳石，他是民國卅九年在台灣以共諜罪行被破獲而伏法的。本案經過情形，政府當時並未宣佈，世人祇知道他是罪有應得，對於他的犯罪事實，則傳聞不一，不知孰是。姑據我所聽到的，略予追述，藉供讀者茶餘酒後之談助焉。

當民國卅八、九年之間，中華民國政府初移台灣，局面極不穩定，而美國國務院不斷地聲明「台灣旦夕即將落入共黨之手」，且明令撤僑，以致人心皇皇，不可終日。這時候，潛伏在台灣的共諜，異常猖獗，如外國通訊社記者李朋，如台省婦女謝雪紅，皆乘機從事內部顛覆活動甚力，李被查獲正法，謝氏漏網潛逃。然吳石的奸迹，尚未顯露，依然貴爲參謀次長，每天坐在總統府內的大樓上（國防部就在總統府內辦公），幹他的共諜工作。可是他那些日常的鬼祟行動——如晚間常在辦公室開會，而關防嚴密，連窗帘亦放下——治安機關早已注意偵查，只因他是在職的軍政大員，在未獲得眞憑實據之前，不能隨便究問而已。

某日清晨，總統府後苑中，忽見一人僵臥地下，審視之，係府中工友，頸上有深刻傷痕，決非墮樓畢命者，然而未有其他的器物足資考證，再三研究，斷定他是被人謀害後，從樓上窗口擲落下來的。旋即查詢死者日常服役情形，及其交往的朋儕中，跟某些人最接近，調悉他與侍候吳石次長的勤務兵甚親密，每天退值時，兩人總是一道出去，形影不離，但吳次長這一勤務兵，此時忽告失蹤了！根據這項線索，治安機關認爲不無破綻，繼將在逃的吳次長勤務兵緝獲訊究，乃知死者先日退值時，照例到吳次長辦公室邀約這勤務兵聯袂外出，然他在頂樓上侍候吳次長開會，死者逕登頂樓，排闥走入會議室，即見吳石與幾個親信幹部正在會議，其中且有不是在參謀部供職的人，相顧愕然。密商者怕這工友覷破奸情，密報主官，即不許他再出去，關入內，予以勒斃，迨深夜，纔將屍體從窗口投擲後苑中，裝作跳樓自殺的模樣，冀泯痕跡。

至是，治安機關乃肯定吳石是個共諜，非搜查他的住宅不可。某天晚上，派遣了幾個能幹人員馳赴吳宅，很禮貌而技巧地表示奉命前來循例檢查吳公館一下，希望吳次長諒解合作。詎吳聞之大怒，厲聲：「我是政府的高級軍政人員，你們隨便來搜查我的住宅，憑着甚末證據？是誰的命令？假使在我的家裏搜不出犯法的任何物證來，該歸誰人負責呢？這些問題不解決，我是不容許你們胡來的！」其詞凌厲而堂皇，難以辯駁，又不便將上述偵查所得的情節，向吳說出，即說，他亦可以推卸這是勤務兵的事，與他無關，自不能作爲檢查吳宅的理由。（一）

小談唐詩人

漁翁

孟浩然，襄陽人，少好節義，隱於鹿門山，所詠「夜歸鹿門」，志存邱壑，有隱者風。年四十，游京師，嘗於太學賦詩，一座嗟服。後居終南山，所作「歸終南山」一律，有「不才明主棄，多病故人疎」句。此詩作於下第後，故有不才見棄之語，一生不遇，其窮而後工歟？浩然之五言詩爲最佳，有詩集四卷傳世。

韋應物，長安京兆人。玄宗時，扈從游幸，後累官至左司郎中。貞元初，爲蘇州刺史，多惠政，人以韋蘇州稱之。性高潔，嘗掃地焚香靜坐，詩如其人。白居易謂韋詩清麗興諷。其五言又高雅閒淡，自成一家之體，在時不見愛重，必待身後，然後人貴之。著有「韋蘇州集」十卷，年九十餘歲，爲詩人中之克享遐齡者。

王昌齡，江寧人，字少伯，爲秘書郎，有聲開元天寶間。工詩，緒密而思清，當放謫入吳時，逢辛漸赴洛，有「洛陽親友如相問，一片冰心在玉壺」句，足見其胸襟之磊落，而不爲宦情所牽。惜晚年不謹細行，被刺史閭丘曉所殺，爲詩人中不得善終之第一人。論者惜之！（完）

自由報
內僑警台報字第〇三一號內銷證
THE FREE NEWS
第二三七期
每份港幣壹角
社長：雷嘯岑
20 CAUSEWAY RD 3RD FL.
HONG KONG
TEL. 771726
台灣分社

美國的國防預算和國防政策（上）

郭甄泰

現在世界分為兩大集團，自由集團以美國為盟主，共產集團以蘇俄為首，每年均在擴充軍事預算，增加國防支出，以期儘量擴充軍備，取得軍事上之優勢。美國對於共產集團之政策為圍堵與嚇阻，其世界戰略為防禦的，維持現狀的消極政策，因之其國防預算，在艾森豪時代注意平衡預算，重視：『什麼開支應作何種限制』，『量入為出』，惟恐增加下一代人之負担，結果，美國圍堵嚇阻戰爭之軍備，完全寄托於『核子阻遏』與『大規模報復』。在蘇俄對各種問題威脅之下，必須於『屈辱或傾全力的核子行動』兩者之中，任擇其一。屈辱則造成蘇俄訛詐之習慣，拒絕則須冒毀滅的危險，進退維谷，和戰兩難，每日均在提心吊胆，恐懼核子戰爭爆發，以致常受友邦責難，蘇俄威脅，被嚇詐欺，玩弄於股掌之上。

甘迺迪總統有鑑於此，自就職後即改絃更張，『軍事第一』，重視『在那些應做的事情上應化多少錢』，以量出為入的原則。所提國防預算第一次（一九六二年度）為五百一十二億一千二百萬元，為美國第二次世界大戰以來最高的記錄；第二次國防預算（一九六三年度）為五百二十六億九千萬元，較第一次更多，第三次國防預算，即下年度之國防預算，則為五百五十四億元，較第一次增加四十一億八千八百萬元，較第二次增加二十七億一千萬元，更屬空前。赤字高達一百二十億美元。甘迺迪總統仍視為毫不足異，並於咨文中明白表示，此種赤字預算將保持至一九六七年。承平時代國防預算如此龐大，實屬史無前例。甘迺迪『必需要有一個適宜而現代化的國防計劃而不必顧慮開支的限制』的明示，已躍然實現於其國防預算之上。茲特就甘迺迪國防預算將美國之國防政策分析如下。美國之作戰計劃亦可以由此窺見其全豹矣。

一、甘迺迪國防預算全貌

甘迺迪下年度之新國防預算五百五十四億元中，除五十億元係用於對外國軍援，發展原子能及其他有關於防務活動之外，全為擴展核子飛彈武力，加強普遍的陸軍，海軍和空軍部隊。分配情形為：陸軍一百二十二億元，比去年增加三億元。海軍一百五十一億元，比去年增加九億元。空軍一百九十九億元，比去年增加二億元。各防衛機構二十七億元，比去年增加八億元。軍人加薪九億元。輻射塵避難室防護及其他民防活動二億一千萬元。

次就其主要部隊實力分配觀之，陸軍減少五千人，合許有兵員九十七萬五千人，其中包括有十六個師，十四個較少的指揮單位，六個特種兵（游擊）組，八十二個飛彈營，六千三百七十五架飛機。海軍增加六千人，合許共有兵員六十七萬人，其中有三百九十五艘戰艦與四百七十八艘支援船隻，二十八個航空母艦組，連同其他飛機中隊，有八千八百六十架飛機。海軍陸戰隊，人數無增減，共有兵員十九萬人，其中有三個師，三個飛機聯隊。空軍減少九千人，共有兵員八十六萬人，其中有八十個戰鬥聯隊，一百三十五個支援中隊，一萬五千四百十六架飛機。總計陸海空人員共為二百六十九萬五千人，作戰與支援船隻八百七十三艘，飛機三萬零六百多架。最後的飛彈武力將有：擎天神，太陽神，義勇兵與北極星飛彈一千八百枚。

復次，再就其『特別的重點』觀之，陸軍係購買大量小型武器，大砲，戰術飛彈，飛機和直升機。海軍係獲得經費完成北極星潛艇四十一艘中之最後六艘，至一九六三年底將有北極星潛艇二十四艘，共有飛彈三百八十四枚。另購（一）核子動力攻擊潛艇六艘，使其計劃總數達到四十五艘。（二）摩托砲艇護航艦等二十九艘，以便從事於反潛艇與兩棲戰。（三）六百八十架戰鬥機與運輸機，以便從事於掩護與運輸。空軍將定購九百六十四架飛機，其中大部份均為實射戰鬥機，另外將完成一百枚義勇兵飛彈，使空軍飛彈的總目標增加至九百枚。綜觀新國防預算中之新添武力，主要為核子武器，反潛艇船艦及戰鬥機運輸機等。

二、甘迺迪之國防政策

甘迺迪之國防政策，就其新國防預算概括言之，約有五點：第一為確保核子武力優勢，第二為發展核子第二打擊力量，第三為加強普通武器戰事實力，第四為以飛彈代替飛機，第五為發展攻擊性武器。分述如下：

一、確保核子武力優勢。美國為發展攜帶核子彈頭的飛彈已用去了三百一十億，總計所用費用則已在五百億美元以上，備存之核彈頭約有五萬個，約為蘇俄之十倍。美國副總統詹森說：『吾人為維持核子優勢所作之努力恐係最為外間所知，而且耗費最鉅。吾人之核射放器與載射裝置，其威力與機動性在全球居首屈一指之地位，吾人擬保持此種優勢。余相信吾人經已使下述一點完全清楚，即何人對吾人動用核子武器，吾人將使此種侵略者徹底毀滅。』美國助理國防部長尼滋說：『美國的戰略武力包括以下數項：裝置在堅強難摧的核子潛艇上的一百四十四個北極星飛彈，裝置在發射台隨時待發的二百個擊天神，太陽神和義勇兵飛彈，在地面隨時戒備，接到通知後十五分鐘內出動的轟炸機六百五十架。而且這支武力正在迅速擴建中』。由此可知，美國的核子武力優勢較蘇俄業已遙遙領先。現甘迺迪猶以此為未足，下年度新國防預算中復撥款三十二億美元，發展核子武力。依美國國防部長麥南馬拉的五年飛彈計劃，至一九六八年，美國最少將擁有固體燃料發射迅速的義勇兵式飛彈九五〇個，裝載北極星飛彈潛艇四十一艘，共有飛彈六五六枚。太陽神式洲際飛彈一〇八個，戰略空軍司令部仍保持原有的B五二式轟炸機十四個大隊，和原有的B五八式轟炸機兩大隊。每一彈頭均可毀滅蘇俄一個城市或一個基地。確保核子武力優勢，實為美國之基本國防政策。

二、發展核子第二打擊力量。美國之核子戰略為決不先動手。蘇俄現有洲際彈道飛彈七十五枚到一百枚，中程彈道飛彈七百枚，核子潛艇十艘，飛彈潛艇數艘，並聲言有一億噸核子炸彈，自可予美國以重大打擊。最近聽聞由蘇俄正發展一種能由地窖中發射的飛彈及可以發射飛彈的潛艇，從可知蘇俄也已有了第二打擊力量，美國勢不得不將現在核子打擊力增加至二倍或三倍，以便摧毀其堅固的地窖。同時又勢不能不發展核子第二打擊力量，以資嚇阻。

美國之第二打擊力量係以義勇兵飛彈與北極星潛艇飛彈為主。義勇兵基地之地穴，每穴距離最少為六哩，敵方一個彈頭不能炸毀其一個以上，此種飛彈，每隊有飛彈五十枚，一次可發射十枚，三十秒鐘內可以將五十枚全部發射，射程五千八百公里，威力極大。北極星潛艇的核子彈頭，射程已增至二千八百哩，威力約相當於百萬噸黃色炸藥，等於廣島型原子彈三十倍，準確程度在一哩以內，可以迅速秘密運至襲擊目標的射程以內，且在航行與巡邏時，可長時間潛於水底，避免飛機及雷達的偵察，無虞敵人之攻擊。在接到發射命令後數分鐘之內，即可發射飛彈一枚。蘇俄對此無論以突襲或任何方法，均無法予以全部摧毀。

三、加強普通武器戰事實力。現在，美國之洲際飛彈力量已成為一種不能摧毀的力量，美國與蘇俄間之核子力量已變為僵持之局。現在如欲嚇阻共產集團之一『非全面性侵略』，自非建立強大的普通武器戰爭武力。美國陸軍戰後祇有十師，且不足額，兵員僅有四十四萬人，在甘迺迪就職前，五年內已削減了四個師。

漫畫天下　南灿

死亡約會

最後希望

讀自由

南韓的國運

馮王先生

南韓的軍政府首腦朴正熙，為着消彌政潮，避免外來干涉，近日曾與在野的政黨領袖們商談結束軍事統治的方法。朴氏要求若干聲名狼藉的腐化政客，自動退出政壇，據說這些人都是李承晚時代的知名之士，計有三百人之多。這證明滿懷愛國熱情，痛恨官僚政客禍國殃民的南韓青年軍人，一旦藉非常手段奪取政權後，由於本身缺乏政治經驗與道德聲望的感召力，終於無法穩定政局，招來難以排遣的煩惱，而不得不向現實低頭。此為軍人干政的一大課題，具有深長的教育意義。

但是，我贊同朴正熙將軍以清除腐化政客為還政於民的先決條件。否則南韓的政治生活，又將回復到李承晚和張勉時代那種糟糕現象，所謂「四月革命」，豈非多餘的事嗎？古今中外各國的官僚政客，盡是些政治臭蟲，沒有一個不腐化，也沒有一個不應該掃除的。他們總是將個人利益置於國家利益之上，藉着「民主」口號，招搖闖騙，政治權益有他的份兒，便是民主，沒有他，更是獨裁。他們既無生活基礎，又缺乏職業技能，專以搞政治為求生之道，對於政治問題，說不出一定的理想和見解，更無一貫的政綱政策，尤其不知政治節操為何物。他們在野時，攻擊執政者腐敗低能，萬一登上政壇，其腐敗低能的行為，更有甚焉。李承晚下野後的南韓政局，就是這種情況，因而逼出了青年學生與軍人們的「四月革命」運動。假使朴正熙迫於外國壓力，隨便還政於一般腐化的官僚政客之手，他在歷史上是沒法交代的。

南韓今日所需要的政治人物，是有為有守，高瞻遠矚的大政治家。頭腦簡單，以治兵方法來臨民的軍人，固不適宜，知識譾陋，以爭權奪利為從政目的的官僚政客，尤其使不得。大韓民國未來的國運如何，就看這次結束軍事統治的方式是好是壞了。

港人返大陸探親 被毛共強留勞動

（本報訊）一位於農曆年初二返鄉探親而被中共強留不許回港之香港居民，於前日自新界邊區越過打鼓嶺偷渡返港。此人雖係偷渡，但他實際係領有香港身份證之眞正香港居民，由於他在大陸時身份證已被中共扣留，而又被中共阻止返港，故迫得作偷渡之舉，倖告成功，得以回家與家人團敍，亦云幸矣。

此人名張×，四十歲，住市區某處，係東莞縣塘瀝附近之油金堡村人。張與妻兒一家數口居於香港，其母親則仍居大陸。張母因鄉間缺乏糧食，不時函催張×按時將糧食寄返，以作接濟。張爲盡孝道，乘農曆新年假期之便，特於年初二携備大批食品返鄉探母。

張之家鄉在九廣鐵路塘瀝站附近，他於初二乘火車返鄉之後，備受鄉間共幹之多方調查與盤問，當他準備返港時，被共幹所阻。共幹指張一家在鄉祇有一老婦人，並無勞動力，強迫張留在鄉間工作，參加勞動，協助鄉人生產。張在中共強迫之下，無法反抗，祇有順從，而其香港身份證亦被共幹繳去扣留。

張因懸念在港居留之妻兒，無時無刻不想偷渡返港，直至前幾天張乘工作之便，肩負兩火油罐，由塘瀝步行至邊境，於晚上用火油罐作浮筒，游水偷渡進入打鼓嶺，倖得轉家與妻兒團敍。計他被中共阻留於大陸，已歷兩個月。

毛共亂捕港漁船 目的在勒索金錢

每人被勒索人民幣二百元 無款獻納者罰做苦工作抵

（本報訊）三月廿七日出版之本報第三二五期，曾刊有「毛共亂捕港漁船」消息一則，當時僅知「被捕漁船多被扣於中山縣的香洲及灣仔兩地」，如何處理，尚未知，「作用何在，亦尚是謎」。現經獲悉：三月初至月底爲止，被中共武裝快艇拘捕之香港漁船，在百艘左右，漁民隨船被扣留者，達五百人之多，被扣的漁民，均被毛共擅處罰款平均每人二百元人民幣，繳款者可得釋放，無款可繳者，可予扣留，充作苦工。

此項消息，係本報記者親往香港大澳及青山灣漁區採訪所得，千眞萬確。

據一位倖獲毛共釋放回來的漁民對記者談稱：他是三月三號在青山灣出海作業的，他們的漁船不大，船上一共五個人。當日傍晚，抵達垃圾尾與萬山羣島之間，那處本來是公海，他們正想下網，突有一艘灰色的快艇，懸掛着五星旗，從垃圾尾駛出。那時他們還未知道有毛共快艇捕捉漁民的事發生，不以爲異，如常工作。不料，那快艇直駛過來，他們還以爲是毛共駐垃圾尾的部隊，到來蒐擇些鮮魚作食用，因爲這是在以往常有的事，於是拿出了幾條沿途釣得來的鮮魚準備快艇泊近便獻給他們，以免麻煩妨礙作業。不料，快艇泊近之後，有兩個似是下級幹部的共軍，手持駁壳和一把手提機，跳過船來指他們越界捕魚，又指他們是特務，嚇得他們五人面青唇白，忙的取出香港政府所發給他們的船牌及身份證，以資證明，並據理爭辯，謂此是公海。但共軍不許他們說話，謂奉了上司的命令，要拘捕他們回去。於是，不由分說，開動馬達，把他們的漁船拖轉寶安蛇口，然後押他們上岸，去到附近一鄉村的祠堂，見到一個較高級的共幹。那共幹指他們越境捕魚，經過問話之後，那共幹向一羣被捕的漁民指出：人民政府已經修訂了海域水界，距共區海岸三十浬之內均屬領海，三十浬之外十里爲公海。又說姑念各人是初犯，每人罰款二百元人民幣，如再犯罰人民幣一千元。

該漁民說：他們五個人，共被罰款一千元，但他們出海作業，除了攜帶必需糧食用品外，從不帶現款的，那裏有款繳罰呢？便向共幹懇求，共幹說：無款就要去勞動工作，以工薪抵償。後來他們向共幹求情，留下四個人，派一個人回港籌款，共幹允許了，於是他便由蛇口坐小艇渡過后海灣返流浮山，搭車返青山灣，向親友籌了二千多元的港幣，再往蛇口，按照牌價繳罰了一千元人民幣始獲人船釋放，返港。至於其他四人，留在蛇口一天，亦被共軍押到附近一間破窖搬運磚瓦，當了一天苦工。據說：目前仍有若干漁民尚未籌到款項前往取贖，仍在那裏當苦工，直到有款取贖始釋放。

另外有幾個漁民曾向記者訴苦說：目前正是「池魚」（回青魚）造，毛共此舉，無異打破他們的飯碗！漁民又說：漁汛來臨是有季候的，像池魚汛，禾花魚汛，有時有候，這些魚便成羣成隊，漫海游來，一過了魚汛期，便想找一條魚也艱難。故每逢魚汛，漁民便一齊出海作業，一年生計都端賴這十天半月工作。又說，魚汛期魚羣從大海中游來是有路線的，漁民出海作業，一定要依循魚羣經過的路線下網捕魚，方有收穫，否則亦空船而回。照目前的「池魚」汛，那些魚羣是從安南的東京灣向北游，穿過瓊崖海峽，沿雷州半島南部入兩陽海面，經三灶島大小橫梁島以南，橫渡珠江口，在萬山羣島與垃圾尾以南而過；過了珠江口之後，魚羣一部份游入珠江，一部份游向汕尾大海，至此魚羣即散。據漁民解釋，因爲池魚到秋冬季之間就結隊南游避寒，到這時隨海流游回來，沿途散卵，到秋天新魚卵出了，又結隊游到東京灣去，明年三月開始游回來。年年如此，所經路線不會改變的。今毛共突將領海擴展至三十浬，則魚羣所經海面，全部均在其領海範圍內，等於打碎香港漁民們的飯碗。（禮）

省議員競選開始熱鬧

未獲提名的執政黨人士 多有表示要違紀競選者

（本報記者吳越台北航訊）台灣省第三屆省議員選舉，台北市執政黨——國民黨籍候選人，已出現混亂局勢，有黨的提名，但有決定「違紀競選」者。

執政黨台北市的提名，眞是一波三折：最初是省黨部透露了一個名單，後來黨中央認爲這個名單人選不適宜，要作大事更張，而協調需時，所以台北市的不及與其他縣市的名單同時發表，並改採「個別通知」的提名方式，可見名單的決定，是經過一番困難的。

「個別通知提名」名單透露之後，參加黨內登記未獲提名的人，掀起了一片不滿之聲，紛紛表示要「違紀競選」。紛擾最多的是福建和江蘇兩省人士，另外婦女名額也有不穩。

福建籍人士提名問題，早即困擾黨部方面。福州人士方面說，第二屆省議員競選時，福州方面答應讓閩南人出馬，而條件是第三屆省議員必須由福州人出馬；有了這個「君子協定」，所以第二屆支持了閩南的陳愷當選。因此，本屆福建籍省議員應由福州人趙邦平出馬。可是陳愷卻否認以前有此協定，他還是要競選連任，黨方面最後也是決定了陳愷。於是引起福州人士不平，都勸趙邦平出來「違紀競選」。趙邦平本人三月二十二日還表示他要競選到底，但不知怎樣一來，他又變化了，自己不出來了。據說趙邦平本人雖不出面競選，卻全力支持一位福州籍的執政黨外市議員張立中競選。張立中現任消防隊總幹事，已經決定出來澆陳愷的「冷水」了。

另一位準備競選的市議員沈應松，卻是閩南人。他承認閩南與福州之間，在第二屆有過「君子協定」，第三屆應讓給福州。但如今陳愷不遵守協定，他既決定不顧黨紀，他也要「違紀競選」。沈應松在陳愷競選時，曾任陳愷的總幹事，如今反而不支持陳愷，原因何在？尙非外人可以得知。

福建人士的內部紛爭，對將來省議員選舉，全盤影響很大。因目前台北市福建人約有三萬餘票，閩南福州各佔一半，但福州人士比較團結。如果本屆省議員選舉，福建人士的糾紛不能及時協調，大家都會落選，兄弟鬩牆，徒使他人得利。

江蘇方面也有類似福建情形，黨提名蔣淦生競選，另一江蘇籍曾任第一屆省議員的陳大拔表示要「違紀競選」，且已經辦好登記。

會登記提名的女性市議員孫性初，也表示要「違紀競選」，她已經領了表，但還沒有登記。她表示，本屆省議員登記，台北女性登記共有三人，但是黨方在決定人選時，卻未在登記中挑選人，而徵召未登記者（記者按：呂錦花係未登記而徵召提名），此項決定，與提名精神不符，所以她也要「自由競選」。不過孫性初現任台北市黨部委員，她是否眞的「違紀競選」，還有待事實爲證。

又不祇北市一地而已，全省各縣市表示要「違紀競選」的尙大有人在。執政黨台灣省黨部主任委員薛人仰，爲此特別發表一篇措辭嚴厲的談話，表示對「執迷不悟，仍擬違紀競選者，則爲維護黨的尊嚴與威信，惟有依照規定，嚴予制裁，決不讓此種敗類繼續混跡於本黨組織之內」。

薛人仰指責違紀競選的人：「在做人的基本條件上已有了嚴重的缺點，此種人必爲民衆所唾棄」；至於「如果想藉此機會，對組織或對其他候選同志，有任何不正當的企圖，以爲撤消的交換條件，更足暴露行爲的卑鄙與無恥，不但組織絕不受理，亦將爲社會所不齒」。

薛人仰說：「在民主政體之下，足以抒展政治抱負的機會極多，凡有志爲社會服務者，組織終將設法成全其志願。所以希望未獲提名的同志能訴諸理智，顧全大局，不可感情用事」。

三月廿九日

香港與大陸

以「節約」渡荒爲名 粵共降低城市糧食配給

同時在農村發動大量種植木薯 春耕情況極壞糧產展望不樂觀

粵共上月又開始要城市公社社員「節約」，社實際便是降低城市社員的糧食配給。「節約」計據稱是爲了有計劃渡過三四月荒。另外又要農民大量種植木薯，藉以防備糧荒之來臨。農民們了解，要大種木薯的眞意味，乃是大家將更加挨餓了。

據甫由河源縣來港的張則×君透露：每年的三四月，是大陸糧荒最甚之時，因爲這時候，青黃不接，中共無法解決問題，唯一辦法便是讓人民更加勒緊肚皮挨餓。河源縣的共幹上月在緩和即將到來的「荒月」的名義下，已發出號召，要大家實行「節約」，以期共渡難關。

張則×君說：去月底，他所屬的「河源城鎮公社」，曾召開社員大會，由「公社黨支書」主持，宣佈了「節約」措施。該公社黨支書於宣佈此「節約」措施前，責備過去由於「社員」沒有很好地「計劃」用糧，竟把「後期糧」都提前吃完了，因此一旦荒月居臨時，便普遍產生斷糧的現象。他說：現在爲了吸取此項教訓，避免餓飯現象重現，全體社員有「節約」的必要。具體的辦法是在每個「公社」規定的配額數量上，每月由公社代爲「保管」五斤米，即是扣除五斤米，說將來再發還給社員。

張則×君說：社員們聽到這消息後個個無表情，因爲大家都明瞭這究竟是怎麼一回事。張則×君說：現在他們公社裏每個社員祇配給糧食十八斤至廿三斤，油祇每人每月壹兩，當然已是吃不飽了。如今再各減五斤米，那還了得！但社員們能夠提出反抗嗎？何況糧食是在共幹掌握中，他每月發多少是多少，反抗有什麼用？雖然大家確是恨恨連聲。

另據由梅縣申請來港之僑屬楊太稱：梅縣各公社共幹，最近均命令社員擴大種植蕃薯（又稱木薯），並嚴格規定任務。楊太稱：木薯在梅縣的地區倒是適合種植的，但因爲木薯有一種苦味，難以下嚥，加以木薯不宜多吃，多吃了便會患「腳軟」或其他胃病，現在共幹卻要求每個社員在田頭和地尾開荒，種植木薯，並規定每個「主要勞動者」要種植五十株，否則，將按照不敷一株扣除十個「勞動日」，以處罰之。

楊太說：共幹雖然說大量種植木薯是爲了增加「公社社員」之副食品，但農民們卻都瞭解，中共的目的，乃是因爲今年的春耕受自然的和人爲的阻礙，未來的糧食收成全然不可樂觀，所以共幹要想把木薯作爲農民們的主要糧食。也因此，農民們竊竊私議，憂形於色，雖不敢公然反對，卻決定以各種方式進行消極的破壞，已經使用的破壞方式，包括宣稱沒有種苗沒有肥料等，使共幹的宣佈幾乎落空。楊太說：由於農民行動是一致的，共幹雖分明了解內情，但也無可如何。（徹斯）

凱恩斯理論之再檢討

——儒伯克著・顧翊群譯——

譯者前言：本文乃儒伯克W.Ropke教授對萊特David Mc. Wright教授所發表的「凱恩斯經濟理論體系講演集」之書評。儒氏爲西德經濟學者兼文化哲學家，以策畫西德之幣制安定而知名於全世界。譯者曾撰文介紹其思想，發表於人生雜誌第二三三期。萊特教授爲美國新正統派經濟學者，所著「新保守主義之主要動向」一文曾經譯者譯載於人生雜誌第二六一期。儒萊兩氏不僅對凱恩斯主義取批評態度，伊等並認廿世紀西方文明有種種不健全趨勢。儒氏雖爲歐洲經濟復興之功臣，但近年來對歐美之不良現象，卽過度推行的「福利國家 the Welfare State」政策，曾迭次嚴加批評。本文發表於三月廿六日出版之國家評論雙週刊，其眞正意旨係對美政府當前之不健全的財政金融政策，予以針砭。二氏同爲帕勒雲山學會會員。

我與萊特教授有種種興趣相投契之處，但我等同患耳官不良於聽之事實，則不應與上者相提並論。所怪者現代經濟學者中患有耳疾者甚不乏人，社會學者對此現象似可拿來細予分析也。我對萊氏之爲人，與他在科學上的成就，久抱同情，而他對我之盛意相酬，亦甚可銘感。據我所知，萊氏大體上與我本人係屬於同一代之經濟學者，同在所謂「凱恩斯批判」以前之學術環境中，獲得專門技能，而我們爲了適應一九二九年「大恐慌」之經驗，以及凱氏對那次恐慌所提出之解釋起見，遂不得不對經濟問題的基本看法，有了相當的修改。

以上所述，足以解釋何以我對萊氏有關凱氏理論體系的講演，而最近作爲專門書籍出版者，抱甚大興趣來細心研讀。我看完此書後之第一反應，爲對萊氏成就的欽佩，因他將凱氏與其繼承者所造成之混亂，於檢討後全力賦予了秩序以及澄淸。他表現出來一種我所自愧不如之耐心，一種偉大的教師之才能，一種模範式之智見的誠實，以及一種令人艷羨的明白解說與提示（而同時無害於科學性之嚴格），以達到了一特殊之成就，使得讀者對凱氏關於就業的一般理論專書，有了不需苦攻便可把握其重要觀念的感覺。

任何認凱氏之書爲經濟著作中之最深奧的且最凌亂的之讀者，對萊氏此種成就，理應表示欽佩。我等且不免懷疑：萊氏爲致授此學說而所作之努力，除去以上列舉之各種美德以外，恐怕尚額外市惠的賦予了凱氏以某程度的協助，而有時他竟將凱氏的前後不一貫的說法，用萊氏式之三段推論法以達到完滿解答。更有若干讀者，對於號稱英國作家中「大手筆」的凱氏，居然在其著名傑作中，常時似乎未能將其自身觀念作確切的把握，難免會得有不祥的預兆之感。

凡一種作品，能使讀者發生感覺，而知道該書種種淸楚與流暢之優點，並未曾犧牲了立論之嚴格與達意之充分以爲交換者，那是最值得稱道的。萊氏之「凱恩斯理論體系」一書，卽屬於此種難能可貴的著作。我認爲不論凱氏學派或非凱氏學派的經濟學者，均應以讀萊氏此書爲快。他之各種討論，不問其有關「凱氏基本學說」之解釋，或對凱氏所應用的「工具箱」之探討，或將「經濟模型」之展開應用，或則對「凱氏式之社會政策」的試行估價，乃至他所指稱凱氏學說之「死亡的部分」，及尚可「收拾燼餘」之部分——凡此種種討論，均能引人入勝。而使讀者深感全書遵就講演形式，將各種要義，塞滿在寥寥的八十六頁的書中，引爲憾事。

（上）

天南風光

——沙羅越的歷史——

朱淵明

華工暴亂，初乏週密計劃，似乎也無什麼大志，驟襲古晉成功，擄獲一番後，原欲退回石隆門，仍幹本業，並未考慮一切後果，更無羅芳伯之頭腦，先取得當地蘇丹之支持——實則此時已與一世紀前之世局大不相同，縱得蘇丹默許，亦難逃英國遠東艦隊之攔毀——蓋此時布律克之沙羅越王國，已獲得英美各國家之承認，而王甲等之行動，等於萍聚烏合，既乏國際背景，更無祖國後援，此種盲動暴行，先天業已註定失敗。何況斯時中國正在難保自國之時，婆羅乃蘇丹復需要英國之保護以拒抗海盜，又受條約拘束，不得與其他國家結盟耶——

當時華工正欲退回石隆門之際，忽見布律克率衆進逼古晉，乃卽自石隆門領援數百人，打得馬來軍大敗而逃。但後來查理士所率之達雅援軍趕到，雙方肉搏血戰，華工首領王甲陣亡，統率無人，遂紛紛潰退。

查理士乃指揮達雅軍驟於石隆門附近之森林中作游擊戰，隨時隨地襲擊華工，華工在烏棧（Bau）和石隆門（Ban）兩地遺屍不少。此兩地名，都是馬來語，意義全是「臭」，蓋因當時華工屍體遍野，無人埋葬，臭氣沖天，故名烏棧（Bau）與烏（Ban亦譯石隆門）。又有一部份人躲入一洞中避難，亦經達雅軍聚殲，其後通洞枯骨，無人敢進，迄今土人仍名之曰「鬼洞」。

作亂的華工慘敗後，只得忍痛退出石隆門，翻山前往西婆羅洲的三發。退出的仍有二千餘人，半數爲殲滅，到了是年四月十五日，戰爭才算平息。華工之死於是役者，約一千餘人。

石隆門事變結束後，沙羅越政府對於私會黨採取嚴厲取締政策，對於各地華工，亦採取嚴密監視態度。惟對於古晉之華商，則仍用寬容辦法，這就是布律克的高明之處。故嗣後華僑在各處經營工商業，多能奉公守法，相安無事。至十二年以後，卽一八六九年，石隆門之華工人數，又逐漸聚集甚多，復有私會黨密謀叛亂，擬擁立古晉總甲必丹王長水爲領袖，但王君斷然拒絕，並勸其不要妄動。此後，沙羅越就不再有私會黨搗亂之事了。

（四十三）

我底學習和思想歷程

謝康

第九，合作社理論的信仰 由於團體服務，必須發成合作精神，進一步引起我對法國合作聯盟的業務，感覺興趣。我曾參加他們的講習會，訪問它的秘書長，讀了幾部合作理論的書籍，並且翻譯了其中的一部L'Ecole de Nimes，蒐集了許多有關學校合作教育的資料。這種研究的興趣，和高師時代參加學生貿易部工作，也是有關聯的。

第十，與國際友人和外交界往還 我因參加國聯工作，負責我們的國際宣傳委員會，主持巴黎中國書報社，參加華德教育會及國際反侵略運動大會，世界青年大會，世界大學互助社，東方各國學生會，波斯詩人費多悉誕生一千年紀念會、進同盟會等國際性的團體和集會，認識的國際友人很多，同時也注意到國際時事問題。其中對我思想影響比較多一點的有P.Langevin, T.Laloy, Magoces, R.Yoery, A.Circ, Ireda Rey 林百克，和國際反侵略大會秘書長葉君，高麗人徐嶺海。中國外交前輩顧少川大使（維鈞）、蕭參事繼功，郭參事則范，謝參事東發，胡公使世澤，程天固先生，李石曾先生。同輩的有劉鍇，汪孝熙，陳定，包華國，鄭彥棻，吳秀峯，楊聯溥，謝壽康諸君，都時有往還，也多少受他們的影響。（秀峯後來殉職，很可惜！）我覺得我國對國聯外交，應該加強，對駐歐洲各國使領館，應予改善或調整。對這些問題，在歸國前後，曾發表過幾篇文章。後來我奉派負責駐帝汶領館的工作，敢於積極從事，勞怨不辭，上述諸位的精神，也給我以鼓勵。

十一，批評的精神 法國人的批評精神，懷疑精神是世界馳名的，我從他們學習怎樣懷疑和比較與批評的方法，尤其是文學批評和歷史的批評方法，一九三一年二月號的小說月報（商務）發表我底「法國文壇對美國的批判」一文，就是這種精神的表現。

十二，對於社會學民族學的興趣 在社會學，民族學和文化人類學方面，我跟從過好幾位名教授，並且有機會在巴黎的民族學博物館實習過一個時期，我因此對各民族文化和社會學特別感覺興趣。一九三一年東方雜誌發表我的「五十年來法國社會學鳥瞰」，中央日報發表我的「歐洲文明與美國文化」，一九三八年我編譯「東方各國禁販婦女問題」，由國聯出版。一九四六至四八年，發表兩篇民族學的論文。直至最近幾年，我陸續出版三本社會學的論著，還有一些散篇文章如「曼那及台怖」，「中國巫術」，「人口問題研究」……等。我在這些方面，還有一些認識，並將繼續研究下去，終吾身而已矣。（七）

瘟君續夢

擊戾實堪驚　片言毀約
脫靴終自誤　衆志成城

第八回：

彭眞回到北平見了毛澤東把布加勒斯特挨罵經過報告一遍，毛澤東氣得暴跳如雷，罵道：「我同這頭肥猪，誓不兩立，不是他死，就是我亡，非見個高下不可。」

彭眞想起在布加勒斯特受圍剿情形，還有點胆寒，知道眞同赫魯曉夫鬧翻，必然是一個慘劇。可是，他內心裏又希望赫毛之間眞正決裂，才可以加速毛澤東的垮台，所以毛澤東要同赫魯曉夫幹一場，彭眞不但不加勸阻，反而從中加油添醋的說了赫魯曉夫許多壞話。

毛澤東沉思一下，說道：「我們今天的最大敵人除去國民黨之外，就是赫魯曉夫了，要想解放台灣，打垮美帝，非先打倒赫魯曉夫不可，他在後面扯着腿，什麼事也作不成。不過，怎樣才可以幹掉他，你有什麼辦法，不妨說出來大家研究一下。」

彭眞慌得搖頭又擺手，說道：「主席曉得我一句俄文不會講，對蘇聯內部情形十分隔膜，同赫老鬥爭，我實在拿不出辦法，主席還是同伯達同志談談，他是比較了解的。」

兩人正在談論，只見羅瑞卿匆忙進來，神情十分緊張。毛澤東曉得又沒好事，瞪着一雙大眼看他。

羅瑞卿走到跟前低聲說道：「根據各地公安同志呈報的消息，蘇聯專家都離開了工地到北京來了。」

毛澤東「哼」一聲：「這有什麼值得大驚小怪，他們大概是來北京渡假，或者是開會都說不定。」

羅瑞卿看看毛澤東的臉色實在不好看，再說下去恐怕碰釘子，不說又怕誤了大事，站在那裏十分爲難。

毛澤東一翻眼：「你有什麼意見只管講，不要這樣畏首畏尾的。」

羅瑞卿強打精神說道：「據各地所報告的情況，確實有點特別，這些專家臨行時，把所有的傢具及笨重物品，包括我們供應的桌椅，廚房的鍋碗都賤價賣掉了，可見他們已沒有回去的打算。假若是開會，渡假，都不應這麼處理的。」

毛澤東看看彭眞，問道：「你對這件事的看法如何？」

彭眞說道：「我想他們可能是整個換班，武漢的蘇聯專家也許調到瀋陽，瀋陽的也許去廣州，所以臨行時把帶不走的東西全賣了。」

羅瑞卿還是不信，問道：「他們換班不該把用具都賣掉，後來的人用什麼呢？」

彭眞冷笑道：「瑞卿同志，你未曾主管過地方行政，不了解蘇聯專家的高貴品質，就以北京市的專家來說，每次調走時，一定是能拿的拿走，不能拿的賣掉，賣不出去的毀掉，何必留下舊的替中國節省。再來的人我們還是要供應新的。」

毛澤東越聽越氣，拍桌罵道：「什麼專家，都是流氓，土匪，好似吸血鬼一樣，硬把我的血吸乾。有一天我會趕他們滾蛋的。」

彭眞看見羅瑞卿很窘，當時說道：「瑞卿同志，你可以派人到中蘇友好協會去問一問，蘇聯專家到了北京，一定要到那裏去玩的。」

（二九一）

客家情歌

啟臣

山歌民謠，雖屬下里巴音，然對於某一時期的國家政治，社會風尚，人民疾苦，男女相悅，都由它赤裸裸的流露出來，而自有其風趣，此所以一向爲民俗學家所重視。這裏搜集有客家情歌多首，可以一讀。

（一）
落雨又話落雨天，天晴又話妹唔閒；等待妹來郎又走，有緣恰似無姻緣。

（二）
米篩篩米穀在心，囑哥連妹愛眞心；莫學米篩千隻眼，要學韭菜一條心。

（三）
初一十五廟門開，鑼鼓一響妹就來；一人燒香二人拜，你我姻緣早來。

（四）
大路難怪人唱歌，放牛難怪牛食禾；阿妹胸前一對寶，難怪阿哥用手摸。

（五）
郎一出門妹就愁，三四五日唔梳頭；接到情郎書信到，髻尾放到貼肩頭。

（六）
連妹唔你好名聲，幾多愁切幾多驚；妹子幾多癈日睡，親哥幾多夜路行。

（七）
莫話親熱冇相干，忒過親熱有禍端；舊年六月蒸缸酒，唔會氣熱唔會酸。

（八）
風吹竹葉響叮噹，囑妹連郎心莫酸；萬一大郎叔公問，就話出走看姑丈。

梅縣是客家人最多的地方之一，這裏有「梅縣山歌」八首，與上述大同小異，而更有詞意纏綿，情有獨鍾的妙緒。

（一）
月亮一出滿天光，看到阿哥在井旁；家裏還有半缸水，做作挑水來見郎。

（二）
帆船出海望風順，手攀花樹望花開；腳踏竹頭望生筍，手拿釣竿望汝來。

（三）
石灰見水心花開，寡鵲飛入鳳凰台；我今好似黃蜂樣，因爲花香隨風來。

（四）
你要交情就愛交，切莫交到半中腰；洗衫愛洗長流水，晒衫愛晒長竹竿。

（五）
米篩篩米穀在心，一條絲線一枚針；莫學燈籠千隻眼，要學蠟燭一條心。（上）

南宋偏安有人才

──趙鼎

李仲侯

除鼎知樞密院川陝宣撫使，鼎辭以非才，上曰：「四川全盛半天下之地，盡以付卿，黜陟專之可也」。時吳玠爲宣撫副使，鼎奏言：「臣與玠同事，或節制之耶」？上乃改鼎都督川陝諸軍事。鼎所條奏，朱勝非多阻抑之，鼎乃上疏曰：「頃張浚出使川陝，國勢百倍於今。浚有補天浴日之功，陛下有礪山帶河之誓，君臣相信，古今無二。而終致物議，以被竄逐。今臣無浚之功而當其任，遠去朝廷，其能免於紛紛乎」？又言：「臣所請兵不滿數千，半皆老弱，所齎金帛至微，薦舉之人除命甫下，彈墨已行，臣日侍宸扆，所陳已艱難，況在萬里之外乎」？時人士皆惜其去。台諫有留行者，會邊報沓至，鼎陳用兵大計，乃朝辭，上曰：「卿豈可遠去，當遂相卿」。九月拜尚書右僕射同中書門下平章事兼知樞密院事，制下，朝士莫不額手相慶。

値劉豫子麟與金人合兵，大舉入寇，舉朝震恐，鼎論戰，[illegible]策之計，諸將各畏縮，獨張俊以爲當進討，鼎稱其言。有勸上幸他處者，鼎曰：「戰而不捷，去未晚也」。上亦曰：「朕當親總六師，臨江決戰」。鼎喜曰：「累年退怯，敵志益驕，今聖斷親征，必可成功」。於是詔張俊以所部援韓世忠，而命劉光世移軍建康，且促世忠進兵。世忠至揚州，大破金人於大儀鎭。方聲報交馳，劉光世遣人諷鼎曰：「相公自入蜀，何事爲他任患」？世忠亦謂人曰：「趙丞相眞敢爲者」！鼎聞之，恐上意中變，乘間言：「陛下養兵十年，用之正在今日，若少加退沮，則人心渙散，長江之險不可復恃矣」！及捷音日至，車駕至平江，下詔暴逆臣劉豫之罪，欲自將渡江決戰，鼎曰：「敵之遠來，利於速戰，遽與爭鋒非策也。且豫猶逆臣子，豈可煩至尊耶」？帝爲止不行。未幾簽書樞密院事。胡松年自江上還，云北兵大集，然後知鼎之有先見也。張浚久廢，鼎言浚可大任，乃召除知樞密院，命浚往江上視師。時敵兵久駐淮南，知南兵有備，漸謀北歸，鼎曰：「金人無能爲矣」！命諸將邀諸淮，連敗之，金人遁去。

上謂鼎曰：「近將士致勇爭先，諸路守臣亦翕然自效，乃朕用卿之力也」。鼎謝曰：「皆出聖斷，臣何力之有焉」。上曰：「金人傾國來攻，衆皆恟懼，公獨不畏何耶」？鼎曰：「敵衆雖盛，然以豫邀而來，非其本心，戰必不力，以是知其不足畏也」。上嘗語張浚曰：「趙鼎眞宰相，天使佐朕中興，可謂宗社之幸也」。鼎奏金人遁歸，尤當博采羣言爲善後之計，於是呂頤浩等議攻戰備禦措置綏懷之方。（卅八）

刀

汶津

說到刀，便會使人們聯想起「殺」，好像這兩個字眼天生是最親密的老友。野蠻時代如此，文明時代又何嘗不然？

但是把刀看成劊子手的代名詞，正如以惡漢囊括全體人類一樣的遼濶無當於理。靜心的想一想：刀也齊替我們做了不少事了。

一柄光可鑑人的裁紙刀，該不會使你想像到血腥吧。它除了替你做一些女孩子的細工外，多少還給了你另外一種愉悅。譬如你裁完紙後，不是會有意無意地把它握在手掌裏撫摸一番，然後沉思着遠方情人的玉手嗎？或者把它扔到空中再接住，藉以回味一次有趣的魔術表演？

文明人──尤其所謂七等人──也許厭惡或蔑視刀，把它認作蠻荒世界的陳跡。其實那似乎也不儘然。所謂文明人者，總不會是一個鬚髮蕪亂的典型吧，當他領邊的腦袋揪出了士，能不拿起一片又薄又利的刀片？至於洋人更用刀叉作食具，「民以食爲天」，那麼刀的重要性正自不減當年呢。

這還只是說到平和的一面呢，至於另外一面，從上古時代原人們造刀以作禦衞的工具以來，它的殺傷歷史便告伊始了。似乎那犀利的刀鋒生來便是要和血腥朝夕見面的。同樣今天時代進步了，槍砲已搶去了刀的不少生意，原子彈，氫彈的威風，更不是小小刀兒所能望塵，它們在義和團時代已經相形見拙，何況二十世紀的七十年代！但它之利於近攻，無聲無臭，給予那些有着謀殺趣味的人們不少的方便。

由此而論，猶不可小看此君！

刀的用途之廣，如果仔細分類起來，遠非這桿禿筆所能勝任。最簡單的分類法該是眞刀和假刀之別了。眞刀不用說，假刀除了放在孩子手裏以供耀武揚威和少數幹剪徑勾當的可憐朋友作爲嚇唬之用外，還有另一種意義。那可能是純鋼打就的，鋒銳無比，外表上卻塗上一層新鮮的油漆，或加上一些其他的偽飾，然後由荊卿一流的人物手捧上，待對手微笑伸手時，猛地張目裂眦，使盡平生之力，只一傢伙，便成了濺血十步的壯舉，並不落下頭顱一、二枚不等──全視當場情形而定。然而這樣說法多少有點不夠味，對「假」字也少有託之功，另一種解法似乎更動人，那是一柄無形的刀（[illegible]），它可不是往皮膚上刺的，而專往人心底裏直扎進去，不容你喊一聲痛，便倒了──這和患心臟病暴斃又是兩回事。明刀也好，暗刀也好，敬而遠之是第一要着。不過我們還可以在刀身上找着一些人所少有的美德──出汙泥（血）而不染。你看它們儘管殺過多少有血肉的生命，身上卻照樣一絲血印兒都不留着。唯一的限度是──在它生銹之前。

以代表忠義的關公刀，據說可[illegible]，黃巢、張獻忠的「七殺碑」又如何？[illegible]

[illegible]罷了。也許我們每個人都對刀有深或淺的仇視，但它有一份骨氣，是不可否認的：在它刀之所向，「人」都是畜牲，和萬物之靈一視同仁的時候，也不過像一下，給你多喘一口氣兒。

海嘯譽談會

吳石叛國紀聞

諸葛文侯

可是，治安人員亦不能徒勞往返，嗒然而退，仍在吳宅客廳內，對吳再三懇談，說好說歹，周旋了很久的時間，仍不得要領，而吳石的氣燄更張，喋喋不休，即報告憲兵司令部派人來查究。他以參謀次長的地位，是有權指揮憲兵的。這時，有一位治安人員站立在客廳中的一張小圓桌旁邊，聆及吳石那咄咄逼人而氣燄萬丈的嘮叨，不覺有些冒火，即跟着頂撞了幾句，說「我們是奉命執行職務，叫憲兵來亦嚇不倒人。」吳石愈怒，拍椅詈斥其非。這位治安人員即不再示弱，亦使勁拍着小圓桌而答話。那張小圓桌的構造是中間一根圓木作支柱的，一拍之下，聽到裏面發出金屬物的反應聲音，這位治安人員很機警，當然也有經驗，料定此中必有蹊蹺，乃和顏悅色的問道：「吳次長這張圓桌很別緻，裏面帶出金石之音，我們且檢查看看罷。」說着，即將桌子翻動，更有了當當的聲音發出，急將那根圓木拆下，省視，其中竟裝置着一個新式的無綫電收發報機。此時吳石的表情極驚惶，再也不敢逞威風了。如是，治安人員順利的帶着吳宅的許多函件，連同這座無綫電機，載吉普車上，併請吳次長同赴治安機關談談，吳石祇好前倨後恭，跟着治安人員出門，從此一去不復返，成爲階下囚，終至走入黃泉了。

吳石是高級軍政人員，當然交由國防部軍法處，組織特別軍事法庭來審訊。他的共諜罪證，又有那一勤務人員的人證，又有在他家中搜出的無綫電收發報機和若干文件的物證，確鑿無可狡賴，他祇好俯首自承，照實供認。據說他第一次進入軍事法庭，看見壁上懸掛的蔣總統玉照時，即向着玉照立正鞠躬，淒然道：「總統，我對不起你！」這句話，自然是出乎他的良心發現，所謂「人之將死，其言也善」，他知道自己決無生理了，因而臨死之前，說出這句良心話。現已投共的劉斐，當年亦是參謀次長，以職司軍令的軍政大員，竟係兩個共諜，我們的戡亂之役，那有不失敗的？

當李朋吳石案發生後，旅居香港的民社黨元老伍憲子先生曾慨然對我說道：「時人對台灣入境證辦法，多所指摘，認爲政府剝奪了人民出入自己國土的行動自由權。如果政府不施行出入境必須申請核許的限制辦法，台灣早已完了！許多間諜可以隨便出進台灣，政府沒法嚴密查考，後果殆可想見啊！」這話自屬公允。但我認爲治安機關的勞績亦殊堪稱道，如吳石，李玉堂這些煊赫一時的軍政大員，他們出入台灣很便當，若不是治安人員恪盡職責，偵查有方，讓他們潛伏台灣作共諜，豈不危險之至嗎？（完）

心浩然齋聯話

黃伯遠

大溪蓮座山，爲台省桃園名勝之一。山有寺曰「觀音閣」，依崖築廟，規模不大，然一面臨溪，遠山環拱，淸幽綿杳，亦岩棲穴隱地也。寺中楹聯不多，四十五年來台，僅登臨兩次，故亦不復記憶。距寺一箭之地，新近築有山門，過此兩度，惟于院長右老題「蓮座山門」四字，筆力雄偉，足資瀏覽耳。歸後，曾擬二聯，聊記以自賞而已，不敢獻醜山門，與時賢爭勝槪也。聯云：「磅礴大溪泉，僧自垂綸誰釣渭；」「莊嚴蓮座佛，我來觀水不登山」。其二：「一箭過橋來，三面風光隨客賞；」「半林貽日去，幾家燈火照人歸。」

杭州秦望山，俗名城隍廟山。山上有東嶽廟，民前往遊，見廟門懸一楹聯云：「爲善必昌！不昌？祖宗必有餘殃。殃盡，必昌！」「爲惡必滅！不滅？祖宗必有餘德。德盡，必滅！」是聯除善惡二字不重，餘字俱重，且原字對原字，古勁有力，乃楹語之別開生面者；不僅勸善懲惡，漫有意思已也。

王湘綺題南嶽雷池聯云：「雷霆起臥龍，雨不崇朝遍天下；」「池塘生春草，花隨流水到人間。」近人趙佛量評云：「此嵌字聯之有仙氣者也。」畢秋帆題岳陽樓云：「湘靈瑟，呂仙杯，坐攬雲濤人宛在；」「子美詩，希文記，笑題雪壁我重來。」左季高歎曰：「此不食人間煙火氣者。」

囊歲予役福建泉州，見一酒樓名「亦仙」，題嵌字聯云：「我亦靑衫頻典酒；」「神仙黃鶴幾登樓？」此則平白寫來，雖無仙骨，卻有仙風，亦可誦也。

內僑警台報字第〇三一號內銷證

自由報

THE FREE NEWS

第三二八期

中華民國僑務委員會頒發
台教新字第三二三號登記證
中華郵政台字第一二八二號執照
登記爲第一類新聞紙類
（半週刊每星期三、六出版）
每份港幣壹角
台灣零售價新台幣弍元
社長：雷嘯岑
督印人：黃行憲
社址：香港銅鑼灣高士威道二十號四樓
20 CAUSEWAY RD 3RD FL
HONG KONG
TEL. 771726　電報掛號：7191
承印者：田風印刷廠
地址：香港灣仔高士打道二二一號
台灣分社
台北市西寧南路李臺本號二樓
電話：三〇三四六
台郵撥儲金戶九二五三

美國的國防預算和國防政策（下）

郭甄泰

由一九五四年至一九六〇年間陸軍人數由一百五十萬減至八十七萬，購買非核子軍火的經費亦由一九五四年之三十七億元減至一九六一年之六億元。兩棲作戰船隻，在韓戰期間約爲二百五十艘，亦已減少至一百二十五艘。嚇阻力量完全寄托於『核子阻遏』和『大規模報復』，在國際糾紛中常受威脅，諸多不便與不利。

甘廼迪就職後，卽實行新軍事政策，使普通武器與核子武器同受重視。第一次國防預算，爲發展和購買現代「常規武器」共撥款三億餘元，另撥五億元編組新增軍隊，予以較佳的訓練，綜計新武器及其技術上的開支，比其上年度增加十億元以上。此外陸軍方面添置大量的裝甲軍車，五十一噸的「M六〇」坦克，自動大砲及新大砲及新製超級吉普，「潘興」飛彈及「大衛克羅吉」飛彈。海軍方面，陸戰隊由十七萬五千人增至十九萬人。新設兩個營及兩個直升機中隊，並撥款建造一百一十九型「C一三〇E」及「C一三五」型空軍運輸機，使長程空運飛機由五十架增至一百二十九架，藉以增加軍隊之運輸力量。第二次國防預算係將陸軍十四師增爲十六師，人數由八十七萬增至一百萬，添設新裝備計共用款二十五億四千三百萬元，機動性及火力均已大爲增加。第三次國防預算，則擬成立一空中襲擊師，兵員一萬五千名，約有直升機及有翼飛機五百架，以便可以迅速運用，加入戰場。

現在美軍武器業已大事革新，卡賓式步槍，已逐漸以M十四式自動步槍換發，新式步槍每分鐘可射擊七百五十發，火力極强。M六〇式機關槍，媲美蘇俄。中型坦克M六〇型有比舊式多兩倍的射程，少耗燃料百分之四十，亦已大部換發。新製自動型T一三五的一七五糎砲，較蘇俄的二〇三糎巨型榴彈砲爲優。中型T一一九六自動一五五糎砲亦較蘇俄中型砲威力爲强。射程三百哩的「潘興」飛彈，百發百中，號稱戰場王牌武器，已經開始製造，卽將用以代替射程二百哩的「紅石」飛彈。

此外美國陸軍的核子武器尚有「大衛克羅吉」迫擊砲、「誠實約翰」，「伍長」等原子砲，反飛彈的飛彈「尼克赫古里斯」等，均已大量配發。掩護地面部隊的空軍亦由十六隊增至二十一隊。美國陸軍之火力，機動力均已達至最高度，且正在逐漸增高之中。到一九六七年，美國砲兵部隊並將完全採用「潘興」飛彈，屆時美國陸軍，在戰術上將完全處於優勢，美蘇軍事勢力的均勢必將完全改觀。

四、以飛彈代替飛機。本年甘廼迪國防預算最大的武器支出項目，雖爲飛機，但已減少至六十一億美元。轟炸機部隊已被削減。B五二及B五八轟炸機，以往數年間在預算上均佔有重要比例，新預算中，則未分得一文。空軍所獲的戰略性攻擊力量的經費，全部移用在飛彈之上。在本會計年度底，咨文中說，戰略空軍指揮部將有一千多架轟炸機，此卽表示『B一四七』轟炸機將被放棄，從現在起美國將減少轟炸機約四百架。美空軍在上屆軍事預算中，佔有全部軍費百分之四六，在本屆五百二十億軍事預算中僅佔百分之三七。國防部並聲言，在一九六八年的預算中，空軍所佔費用將減至百分之二十二。

次就新預算新購飛機之種類觀之，本年度預算中空軍定購九百六十四架飛機，其中大部份均爲噴射戰鬥機，主要目的爲掩護與截擊而非轟炸。陸軍全爲直升機與輕型飛機，目的爲運輸以一萬五千人爲單位的空中攻擊師。海軍所獲得之六百八十一架飛機，亦以噴射戰鬥機爲多。復次RS七〇巨型偵察轟炸機之發展，國會雖有壓力，亦已加以限制；天箭飛彈射程一千哩，可以由B一五二型轟炸機上發射，此爲延長戰略空軍轟炸機壽命之唯一方法，甘廼迪亦在預算中規定一個堅決的原則，卽彼與空軍馬治三式戰鬥機，空軍用人駕駛的太空船，均不能取得美元。

最後就歐洲美國空軍基地言。美西基地協定今年九月卽將滿期，但延長談判於最近突行延期，其原因雖係由於西班牙要求代價三億美元，需索過高，主要關係仍爲此項基地係爲B四七型轟炸機而設，現在此種飛機落伍，一九六六年卽將絕跡，此項基地價值已逐漸消失之故。「一九六四年至一九六八年間，美國仍將維持一枝由飛彈和轟炸機組成的混合戰略空軍」，因爲整個蘇俄目標系統的大部份，雖可以用飛彈炸毀，但遠程轟炸機仍可以作爲繼續炸擊之用，其特別堅固難以摧毀之工事，仍須仰賴有人駕駛之轟炸機。但美國之國防政策決定以飛彈代替飛機，今後飛彈逐漸增加，飛機日趨沒落，則已爲確定之事實。

五、發展攻擊性武器。依照一九六四年財政年度的計劃，美國所注重者均爲攻擊性的武器，「尼克修斯」反飛彈飛彈，試驗已經成功，並且可以生產，但甘廼迪新國防預算中，決定以「尼克X」飛彈予以代替，而「尼克X」飛彈最低限度一年或兩年後始能生產，此無異於延擱任何關於飛彈防衞的決定。理由爲最佳的守衞是進攻，與其以百億美元在美國各大城市及國防中心地建立飛彈防衞，不如以飛彈防衞所用的錢移用於製造更多的飛彈及其他武器。甘廼迪新國防預算將美國城市及國防地區的飛彈防禦計劃延遲至一九六〇年代末期始能進行，雖屬一種冒險，但甘廼迪的預算爲發展攻擊性武器的預算，則由此可以證明。

次就其海軍造艦計劃觀之，上年度海軍所要求的造船預算，係以百分之四十六，作爲反潛戰武力之用，以百分之三十二，作爲北極星潛艇計劃之用。新國防預算中海軍要求撥款二十四億元，大部份亦係用以加强反潛武力。

在要求建造新艦之四十一艘中，有六艘核子動力攻擊潛艇，使其總數達到四十五艘，有六艘北極星潛艇，使其總數增至四十一艘，另有二十九艘反潛艇用的護航艦，摩托砲艇及一艘新式的潛艇油輪，「以供應機動的基地設備，並支援發射飛彈的潛艇」。此種船艦之性質均爲攻擊性的。至如陸軍之空中攻擊師等，其性質之爲攻擊的，更無待多贅。

三、從美國國防政策測世局

美國現在決定撤消土耳其，意大利雷神飛彈基地，係由於義勇兵與北極星飛彈卽將大量增加，可以代替，並非對蘇俄讓步，有任何幕後交易。最近擬撤消美國最重要的戰略區內四十五個軍事基地，亦係由於美國之義勇兵與北極星飛彈大量生產，已可以直接嚇阻蘇俄，並非對蘇俄示弱，在戰略上有何改變。美國現在儲存之核子彈有五萬枚，約爲蘇俄之十倍。裝妥待發之洲際飛彈二百餘枚，自本年一月起每日增加一枚，約爲蘇俄之四倍。第二核子打擊力量，義勇兵，北極星飛彈深藏地底，海底，隨時可以毀滅蘇俄，蘇俄在古巴撤退，在柏林示弱，不敢妄動，均係畏懼美國之核子優勢，並非眞欲退卻。惟美國之核子戰略爲不先動手，因此美國之核子實力雖佔優勢，但其目的在於嚇阻，並不欲眞正毀滅蘇俄，致受其報復的損害。因此，美蘇核子勢力現已成僵持之局。而且，在最近的將來，甚至永遠的均可能不致發生。至於普通有限度的戰爭，說者謂：「蘇俄陸軍兵力頗大，擁有二百三十五萬軍官，一百三十個師，二百五十萬人，可以從事一個長期持續的戰爭。同時蘇俄駐於東德的有十個坦克師，此外，尚有二十個機械化師或其以上之蘇俄陸軍，可於一週內到達德國前線作戰，力量强大。北大西洋各國陸軍實力裝備不全，最多也祇有八十八個師，以之對抗蘇俄約一百三十師及東歐蘇俄附庸國家的六十五個師，難免相形見絀。況蘇俄陸軍在過去十年內，曾全部改換裝備，新式火力已大爲增强，北大西洋各國陸軍，除美國之外，其餘均尚在改進之中，武器裝備參差不齊，如蘇俄發動持久戰爭，美國甚難獲得優勢。」

（下轉第二版）

漫畫天下　南施

車子開不動

時髦玩意？

自由談

我看周榆瑞

馮五先生

新聞人物周榆瑞所寫「人生須有選擇」（Aman m ast Choice）的文字散佈後，倫敦的「經濟學人」雜志首先加以批判，說是看不出周氏究竟爲甚末要逃離香港？再附以幽默的結語道：「或許因爲英文不是周氏的本國文字吧？」

繼之卽爲香港報紙對周氏多所評論，有的指摘他，有的讚許他，有人說他的英文程度太「瘸腳」，亦有人認爲他的思想太混亂。見仁見智，其說不一。我與周氏素昧生平，過去他在香港的共黨刊物上所寫那些自認是違背良心的作品，亦從未廣目過，對他可說毫無印象，好壞都說不上。最近從台灣「聯合報」上看過他的「人生須有選擇」這篇大作後，對他的爲人纔略有認識。總之，他能夠迷途知返，棄暗投明，應該予以同情的。他在其著作中，對於香港大公報負責人費彝民諸多攻擊之詞，表面上似乎有乖友道，實際卻是替費氏消解災難，他如果不指戟費某，共黨卽可能加費某以知情而故縱反動份子的罪名，豈不危乎殆哉？因此，我覺得周榆瑞很聰明，對得起朋友。

台灣「中國大陸災胞救總會」，曾致電周氏，歡迎他到台灣來。我希望台方的表示，到此爲止，再莫要死七八賴地對他獻殷勤，攀大駕。他若來台，當然接待，他不來，亦毫無所謂，事實上，他跟劉承司趙福諸義士，決不能等量齊觀的。記得民國卅九年春間，香港盛傳傅作義逃離北平，卽將到港，這時我正主持「香港時報」筆政，民黨長老何雪竹（成濬）將軍曾語我：「傅某如果眞的來到了海隅，可不能在報上著文瞎恭維，此中義理，君固知之，毋待喋喋也。」我斂容而對曰：「謹受教！」如今對於周榆瑞之選擇自由生活，觀感亦同，所以我要把何將軍這項見解敍述出來，藉供台灣黨政各界人士參考省察云爾。

協議之墨瀋未乾。分裂之風波突起

北市執政黨外人士又鬧內鬨

半路殺出張詩經指高玉樹徇私捧乃弟

宣稱除非楊玉城退出他要競選拖垮楊

（本報記者吳越台北航訊）台北市執政黨外人士競選省議員的「提名協議」，剛協議不到兩天，墨瀋猶未乾，便又開始內鬨，有人圖造「第三勢力」，一時搞得陣營大亂。現在距離正式投票還有一個月的時間，將來還會鬧出些甚麼花樣？誰也不敢臆料。

台北市執政黨外人士，本來分為兩大集團，一個是由高玉樹領導以台北市議會廿一位執政黨外議員為組成份子的集團，另一個是郭國基和李連麗卿的聯合陣線。本屆省議員選舉，郭國基下定決心爭取連任，李連麗卿出馬「陪選」。高玉樹集團協議推出楊玉城，志在必得，宋霖康如也能奪取一席，當然更好。這是高集團迄至廿四日清晨三點鐘的最後決定。

高玉樹集團的這一決定，現被另一位廿五日從南部出差回來的張詩經從根推翻了。張詩經回到台北後，立刻表示他要競選省議員，並宣佈高玉樹集團原決定替楊玉城担任競選事務所總幹事的黃信介要幫他助選，宋霖康李福春都不滿意高玉樹對楊玉城的支持，「提名協議」完全作罷。張詩經說到做到，次日便去選舉事務所領表，廿七日辦好登記手續，確實擺出了「分裂」的姿態。

張詩經這樣做，完全是基於對高玉樹的不滿意而來，他告訴本報記者，他對高玉樹有三點不滿：第一，據說是高玉樹「違背選民公意」，上屆台北市市長選舉，不少市民都希望他能出來與黃啓瑞一爭高下，結果他去國外轉了一圈，經過日本回來，一下飛機就宣佈不競選市長。內幕如何，不得而知，至少是臨陣退卻，違背選民公意。（記者按：此點難免被讀者懷疑其為替高玉樹宣傳）。第二，高玉樹對政黨政治的認識不夠。第三，去年台北市前市長黃啓瑞因案停職時，市議會執政黨外議員擬促黃啓瑞辭職，以便另行改選市長的運動，高玉樹表示不肯介入。後來市議會執政黨外議員發動罷免副議長周財源，楊玉城在市議會也不積極。原因是楊玉城在經營一間工程行，經常承包市府工程，彼此交厚，在議會就常替市府打圓場幫忙。如果以這樣的人來代表執政黨外人士，張詩經認為不適宜，所以他要反對。

李福春黃信介宋霖康都參加了高玉樹派的協調會的，為甚麼又要推翻？張詩經向本報記者說：李福春他們退讓是高玉樹逼着的。他說李福春曾經告訴他，他（指李自己）向高玉樹他們說過，論年齡論甚麼，都應該他出來；但是高玉樹有私心，一定想要支持他的弟弟楊玉城出來，他氣起來就很氣憤地說：「我不競選好了！」張詩經說，高玉樹逼出李福春這句氣話，就說是李退讓了。

張詩經說高玉樹曾經告訴過他，這次楊玉城要靠組織票而不是靠流動票，李福春沒有組織票，所以不能出來。張詩經認為既有組織票，為什麼不能拿組織票去支持李福春？可見高玉樹支持楊玉城還是自私心作祟，因為楊玉城是他弟弟。

張詩經坦白向本報記者表示，他這次並不真想出來競選省議員，不過就是氣不過高玉樹，他要出來拉垮楊玉城；如果楊玉城肯退出競選，他也一定退出競選，無論是黃信介李福春或是宋霖康任何一人出來競選，他都是全力支持。如果楊玉城不肯退出，他祇好跟他唱對台，那時候執政黨外人士的競選形勢，必成為郭國基，楊玉城和他的三分天下，縱然因此削弱力量，便宜了執政黨人，他也顧不得了。

張詩經如此相信，如果執政黨外人士好好協調，除了郭國基穩佔一席之外，黨外人士再爭取一席是沒有問題的。（記者按：這話難免使人懷疑張在替郭國基宣傳）。

另據高玉樹一派的人士向本報記者表示，也認為張詩經出馬完全是與高玉樹的意氣之爭，但說張起不了什麼作用。這位人士說：張詩經有一位哥哥，名叫陳益勝，曾任第一屆市議員，高玉樹競選第三屆市長，他曾幫忙助選，高就任後，派陳為中央市場主任，高下台，陳也跟着下台，一年多前，陳益勝因案被警總逮捕，張詩經認為高玉樹沒有去看過陳益勝，也沒有對他家屬照顧，所以由此結怨，要來反對高玉樹。至於協調是否會遭到破壞，此一人士認為影響不大。他說他們團結協調的工作，還是做得很好。又說：張詩經廿六日下午五點鐘還打電話找他們，希望大家再協商一下，但是他們沒有答應。

二十九日大部份市議員應市政府之邀去金山遊覽途中，黃信介在車上表示，他仍要担任原來協調的競選總幹，而且他也要出來協調那些不同的意見。

另一些人士對這件事的推測，認為是郭國基在幕後導演，因為張詩經是偏郭國基方面。郭國基這次鑒於高玉樹集團的團結有力，深恐影響了他的活動，分散了他的票源，所以支使張詩經出面扯高集團的腿，削弱高集團的力量，相對的就是增加了郭國基的力量。

至於郭國基方面的佈署競選情形，他是準備與李連麗卿和宋霖康三人聯合行動。他已聘好林頌和律師做他們的法律顧問，另外還想聘一位的，但那位人士謝絕了。郭國基表示要將法律顧問的姓名印在競選名片上，這又是郭國基發明的開先例的競選花樣。

以上執政黨外三種情勢，究竟誰是誰非，局外人一時尚難探清底細，選局多變，奇峯突出，投票前夕都還可能有變化。

手段依舊。名詞翻新

粵共又大攪思想檢查

要暴露變天思想逃亡思想

許多人因此被勞改或下放

〔香港與大陸〕

粵共最近又在各機關，單位中，進行一次大規模的「思想檢查」。係以一批評與自我批評」的方法，暴露各人的「變天思想」「逃亡思想」，以及貪污舞弊，黑市販賣等行為。在「思想檢查」後被認仍有問題者，多被下放回農村「改造」，甚至逮捕「勞改」。

據甫自廣州市申請來港之劉老先生稱：廣州市最近各機關單位又日以繼夜的進行開「討論會」，「思想檢查」，使許多人又遭「下放」或「勞改」之苦。劉老先生係住在文昌北路，與他同屋住的一對青年夫婦的遭遇就是如斯。

劉老先生說：與他同屋居住的一對青年夫婦，係同在「廣州醫藥公司」工作的。過去，他們兩口子感情很好，每日開工放工之時，均聯袂而行，甚見親蜜，生活亦還勉強。可是近來卻不然了。兩夫婦經常深夜才回家，而且是各自回家的。這原因是他們所在的「廣州醫藥公司」正進行着「思想檢查」運動，加以兩夫婦皆被指為需要「澈底檢查」的對象。

劉老先生說：這次，該「醫藥公司」主要的「思想檢查」，主要是注重檢查各幹部之「變天思想」，以及「逃亡思想」，「違法」的行為。這對青年夫婦分別被指為「逃亡思想」和「變天思想」。劉老先生說：男的被指為逃亡思想係因其有一胞兄在港，時有信給他，並要求他申請來港。他便持着信件向領導申請，後來因為沒有批准，曾表示不滿。女的被指為「變天思想」係因為在談話中不小心地說了一句：「吃又吃不飽，工作任務卻這樣多。」

劉老先生說：這對年青夫婦，首先要在小組裏進行「自我批評」，檢查過去一貫的思想和行動，並且要在「自我批判」中說明這等思想產生的背景和原因：接着就是各同事對其「善意批評」。如此反覆地搞了幾天，反覆最後卻仍然認為其夫婦「不夠坦白」，認為還應「改造」。

劉老先生說：最使該兩夫婦勞苦的是把他兩人分開進行「檢查」，並要他倆互相批評。據稱是因為他們是夫妻，任何思想行動皆知道的。當然不允許避重就輕。

這對夫婦那裏會料到有此一着呢？因此對同一事件所說便難免有點出入了。共幹於是便認為他們是不坦白，是拒絕受「思想檢查」的教育的。終於把男的降職降薪，留在「醫藥公司」充外勤人員，其妻則因思想受「階級出身」影響太深，更被命「下放」原籍農村勞動，這對夫婦就這樣被拆散了。

劉老先生說：就他所知，這種遭遇還屬優待的了，他有一位姓何的親戚，原在一家貿易公司工作的，因為在去年的逃亡潮時，曾到車站排隊買到深圳的火車票，企圖逃港。最近事發，公司裏便以「企圖逃亡」的罪名加以逮捕，送到粵北去勞改了。（敏斯）

自澳偷渡來港費用

普通亦需五六百元

三七蛇客被港遣返澳門

（本報訊）四月三日由港開往澳門的「佛山」輪，上有三十七名自澳偷渡來港的「蛇客」，被遣送返澳；抵澳後且將由澳門警方落案偵訊，藉以追查彼等在澳接洽偷渡之經過，從而設法捕捉「蛇頭」，加以懲罰。

此批「蛇客」係於上月十九日在新界之粉嶺聯和墟被香港警方捉住者。當時彼等業經偷渡成功，順利登岸，自慶已可在港安身立命，距料行藏被港警識破，好夢未圓，便遭逮捕，終於三日啓程遣返澳門。

按自港澳兩方警察相繼展開「反偷渡」行動後，成效卓著，先後破案多起，風聲所播，蛇業大受打擊。尤其兩次演成翻船慘劇，淹死「蛇客」數十人，使偷渡者大為寒心，輕易不敢拚卻生命以求一逞。迺以「蛇頭」不願就此罷手，失卻財源，彼等仍不斷活動，向蛇客多所「保證」，因而偷渡之事，仍時有所聞。至偷渡費用，因人而異，「蛇頭」漫天要價，能敲多少是多少，普通一般價錢，當不少於每人港幣五六百元，有等且以安抵香港後收欵以為誘惑，致慫恿來港安居的人，仍圖僥倖，實則成功希望，至為微少。（腦）

美國的國防預算和國防政策

（上接第一版）海軍方面，「蘇俄普通潛艇，估計約有四百八十艘，其中尚有核子潛艇十艘。第二次世界大戰時，德國僅有普通潛艇五十艘，西方盟國業已大受威脅，現在蘇俄已有潛艇四百餘艘，西方海上交通線所受威脅，自已更為嚴重。一旦戰爭發生，海上交通斷絕，美軍在歐處境，極堪憂慮。』實則此種顧慮亦屬多餘。現在西德前線如有戰爭，美國第七軍之原子追擊砲，誠實約翰飛彈，伍長飛彈（射程七十五哩），紅石飛彈（射程二百哩），及拍球飛彈等重武器，能於同一時間內放射二百個核子彈頭。潘興飛彈（射程五百哩）配發後，威力更為驚人，火力之大舉世無匹。此外以戰鬥轟炸機為主幹的北約戰術空軍約五千架，亦可以展開壓倒的核子轟炸，蘇俄攻勢決難得逞。且普通武器戰爭延長之結果，無一方會自認失敗，最後仍必訴諸核子戰爭，其結果不特美俄兩方必將損失以億計之人口，元氣不易恢復，世界上大部份人口或亦將因此毀滅。蘇俄對於普通武器戰爭是否敢於首先發難，亦有問題，因此有限度之普通武器戰爭，在最近之將來，亦不致驟然發生。

世界局勢今後數年，將仍為相持之局，時間愈久，核子實力愈强，和平機會愈多，可以斷言。所可慮者，核子戰爭與普通武器戰爭雖難爆發，但第三種戰爭，即顛覆活動與游擊戰爭，則可能隨時發生。甘迺迪新國防預算中設有六個特種兵組，係專為對付游擊戰爭之用。最近起用游擊戰的專家希爾斯曼為主持遠東事務助理國務卿，亦係對於亞洲之游擊戰爭，特加注意之故。至於顛覆活動，十年以前，風起雲湧，草木皆兵，幾有燎原之勢。現在共黨謊言已被揭穿，共產主義已不啻為飢餓，迫害，奴役之別名，正在退潮，世界各國人民視若蛇蠍，對之早已不感興趣，今後甚難再有進展。

美國現在對於核子戰爭與普通武器戰爭之基本戰略為不先動手，但有報復力量與制勝把握，亦決不退縮。對於游擊戰爭，顛覆活動則係採援助政策，固然不會袖手旁觀，但亦決不採取主動，積極進攻，因之並無勝利可言。夠核子戰爭與普通武器戰爭之假想敵人，係蘇俄，主要戰塲在歐洲，大體上現已『西線無戰事』；至於游擊戰爭，主要戰塲在東南亞，中共好戰成性，幸災樂禍，惟恐天下不亂，且知識太低，至今仍以美國為紙老虎，視赫魯歇夫之所謂『美國有核子牙』者為害不足懼，一旦羽毛豐滿，有機可乘，或災害頻仍時，衆叛親離，難免不設法挑動美蘇戰爭，坐收漁人之利，或自暴自棄，發動侵略行動，使世界各國共受其害，自須特予注視。從速針對亞洲現狀，擬定對付中共戰略，籌劃其游擊戰爭，圍堵其擴張政策，進一步協助中國政府解救大陸上六億五千萬人之苦難生活，澈底消滅世界之禍根亂源，實為美國今後軍事上應注意之新方向，以甘迺迪之銳氣蓬勃，高瞻遠矚，必已對此有所感覺，且已有所籌劃，固不待吾人之詞費也，容再另文借箸論之。

凱恩斯理論之再檢討

儒伯克著・顧翊群譯

我將這位旨趣相同者之作品讀完後，我自然會將（一）：萊氏終身與凱氏之論戰與結果，拿來與（二）：我個人從一九二九年「大恐慌」中以及從凱氏對那次恐慌所作之智見的反應中，（同時避免有害部分之影響）所融會的體驗，以互相比較。關於此點我願向萊氏書之讀者們，提出一種幾已被忘記了之事實，那乃是：凱氏理論中最實在的部分，並不需要等待「就業，利息，與貨幣之一般理論」一書問世以後，方被發現。遠一九三六年前亦即凱氏「救世福音」降生以前，若干國家中之經濟學者多人，業已形成了若干主要觀念，而建議對所謂「續發的經濟衰落」所應行被採用之步驟。我本人於一九三三年，在「向卡塞爾教授致敬論文集」中，所提出之論文，即以「續發的經濟衰落」爲題目，而主張故意的增加「有效需要」，以遏止經濟收縮過程之加速發展。當時抱此種看法者有多人，但祗需將以下諸學者之名字提出，便可見一斑：美國之范也納，瑞典之俄林，德國之海爾與勞騰巴克。

我還可繼續提及：當凱氏吹起警角時，「大恐慌」的最嚴重階段業經變爲陳跡，其所以然之一部分原因，即是緣於在「凱氏世紀」之前的各種建議。我還清楚的記得：當一九三三年我在倫敦時，凱氏於讀完我所著「德國商業循環的趨勢」一文後，對我所示欣慰之感。該文發表於該年九月他所主編之經濟學刊中，我在文中曾闡釋與凱氏意見相近，而在德國業經發展有效的成果。

凱氏所不應認爲係自我創見的，他之理論的實在部分，是什麼呢？那乃是：在特殊的情況之下，可能會發生促使「有效需要」實際消滅的陷阱，而引起了「凱氏式的」失業狀態，並且，在一種更爲特殊的情況之下，大規模的，故意的，將有效需要不斷的強迫灌輸於經濟制度之中，可能會得將投資不足之裂縫彌補，而恢復經濟的平衡。凡我等在三十年前「凱氏世紀」一名詞尚未出現以前，而大多可自認爲屬於他之宗派的學者，現在則全已達到結論，謂那種措施乃是對特殊事件之不得已的辦法，而「大恐慌」確是一種特殊的事件。

但是，承認對「大恐慌」之措施乃是特殊的事例，是一回事；而從此種不得已的措施之上，建構起來一種經濟觀念與政策之體系，又把對於「就業」之一種「特殊的」理論，作爲「一般的」理論，以便從該理論中開發展出來實際應用的政策，有似乎軍隊中開玩笑的軍醫之「包治百病良方」，則另是一回事了。更有進者，如對此種「不合法的一般的」理論，使用了倉促的，模糊的手法，將之建構起來，而引導到了各式各種的錯解，且更加武斷的與自命得意的表現出來，以使得向來中道的，智慧的，能以持久的自然趨勢，遭受刺激而震驚，則那幫在有一時期曾經對此「特殊的理論」抱有同情的學者們，也不得不對此號稱「一般的理論」，毅然的割席絕交了。（譯者註：此爲儒氏對現代凱氏宗派學者之警告）。

我感到十分欣慰，見到萊特教授所達到與我本人見解相類似之結論。我二人基本同意賦予凱氏以他所應得之地位。並認爲凱氏僅是一位具有若干高明的甚至聰智的見解之經濟學者，但不承認他曾將經濟科學與政策，改良到了更新的與完善的基礎之上。以下所援引萊氏書中的一段話，足以見到他之智慧的結論之一斑：『純粹的凱恩斯主義傾向於暗示：祗要（政府與公衆）繼續維持與鼓勵貨幣支出，則百事順利。此主義過分重視「需要」方面，以及「貨幣週流」之被過阻方面，而對「供給」與「資本構成」兩方面則不夠重視』。還有：『沒有一位祗知對凱氏理論體系下工夫的學者，可能會得發現對全球大部分人類有重大關係的一種失業理論』。（譯者註：例如凱氏學理之難以應用於人口爆炸之各地區。）（中）

天南風光

——沙羅越的歷史——

朱淵明

布律克除了遭遇華工事變外，也曾先後與部份土人作戰多年。原來土人種族亦甚複雜，大別之，有海達雅與陸達雅之分，海達雅多有參加海盜的，陸達雅躲在深山密林中，酷嗜獵取人頭，又兇悍好戰。有一次，「沙里巴斯」的達雅克人乘了一百多艘舟艇，出征「峇都」（Matn）「巴羅」（Baloh）「泗里奎」（Sri kei），當他們歸來時，遇到布律克與英國的艦隊，於是就在「密丁馬魯」（Reting Maru）海上作戰，達雅克人自然大敗而逃。

當時有一著名的達雅族酋長「倫達浦」（Rentape），與布律克作戰多年。倫達浦曾在「沙篤克」（Sadok）山上建築一個強固的炮台，（該山係位於現在沙邦的第二省史卡朗與拉耶之間）此山形勢險要，水陸兩路，均不易達到，周圍大山屏列，並有原始森林掩護，大有一夫當關，萬夫難進之勢，布律克第一次進攻不得其門而入，第二次復被山上的大砲擊退，第三次乃用數百人之力，運一當地最大的砲，到旁邊的一大山上，連次轟擊十七次，乃攻破防壘，並把倫達浦的砲台摧毀了。於是倫達浦與其部下就從森林中逃走，此後即不再與布律克作戰了。

布律克一面逐次敉平內憂外患，一面勵精圖治，施行新政，除一再嚴禁土人獵取人頭之惡俗外，復頒佈各種法規，其大要如次：

（一）國境內如有人命案，搶劫案，或他種罪案，得仍舊照婆羅乃國法懲辦。

（二）各族人民均享有自由貿易權利。

（三）各族人民之風俗習慣與宗教信仰，一律自由。

（四）水陸交通，任便出入，不得擅自阻撓。

（五）華人與達雅克人生意買賣，須公平交易，不得欺騙或擾亂。

（六）政府應課稅額，由政府規定公佈，各族人民均須一律遵守。

（七）度量衡及錢幣，由政府制定通行。

（四十四）

我底學習和思想歷程

謝康

十三，從文藝上研究婦女心理　在這方面還是繼續高師時代已經開始的研究工作，我曾用法文發表一部有關母性與婦女文藝的著作。我始終認定女人對人類最大的貢獻，就是母性，而愛情還居其次。

十四，法國文學的嗜好　我從留法以來，用力最多的還是法國文學，我對它趣味最濃厚，曾翻譯法國詩歌和兩三部名家作品爲中文，也曾將若干中文詩歌譯成法文。我底「文藝論集」當中，運用了不少的法國材料。但也儘可能引用別的國家的材料，以資比較。

十五，自由思想的形成　我留歐的最大收穫，還是民主自由思想的形成。我認爲所有人格尊嚴，人權保障，人類平等，民族獨立自由，和宗教與政治上的寬容，人與人的合作互助等，都是在自由思想這個大前提下培養出來的。上文第十一段所說的「批評精神」，也是思想自由的表現。我覺得自由思想家一定要保持慎思明辨，也就是懷疑精神與合理的態度所謂「大胆假設，小心求證」，也就是科學精神。但不是爲懷疑而懷疑，也不要過崇理性而取消感情生活，使人生變得枯燥無味。我主張思想與感情，有時必須調和：實行理智的感情化，和感情的理智化。但與其重主觀和感情，毋寧重客觀和理性，這比較是合於科學和民主的。

據我所得的印象：法國人重理性是很懂得生活的：瑞士人最愛秩序，好整潔和和野外生活；荷蘭人德國人更是好清潔，守紀律，愛護團體，服從領袖；比利時，盧森堡介乎法，荷之間；西班牙人意大利人葡萄牙人接近法國而更富有南歐氣味和熱情；匈牙利和波蘭，天主教和東方意味很重；英國人團結，冷靜，現實而保守。但是西方民族有其文化上的共通點，他們有共同的宗教和科學，他們都是勤勉工作努力向上的民族，待人和藹有禮貌，尤其是在法國，沒有什麼種族的歧視，使人有賓至如歸之樂。

四、國難嚴重對我思想上的影響

抗戰進行到兩年餘，第二次世界大戰在歐洲爆發之後，日寇將近佔領南寧之前夕，我從海道經安南，龍州，南寧，回到柳州（柳城）。二十八年（一九三九）年底奉命到桂林服務，馬君武先生有意約我到廣西大學，但是省政府留我辦教育研究所。

我寫了十幾首白話長詩，題名「我重新發現祖國」，可以代表我初回國的心情。（八）

瘟君續夢

第八回：擊戾實堪驚　片言毀約　脫靴終自誤　衆志成城

毛澤東聽到「中蘇友好協會」，好似被蠍子螫了一口，跳起來罵道：「趕快通知錢俊瑞，把這塊招牌除下來，免得我一看見就盧火上頭。」

羅瑞卿看見毛澤東發了這麼大的脾氣不敢多說，唯唯諾諾的退出去，大家也都散了。

又過了兩天，整個大陸所有的蘇聯專家，携家帶眷都集到北平來了，大小旅館全部住滿。周恩來看出情形不妙，派章漢夫到蘇聯大使館詢問，大使館人員說不知道，沒有得到任何消息。

周恩來又把蘇聯駐中共「國務院」的專家組長杜波列夫斯基找來詢問。杜波列夫斯基只說接到莫斯科電報，集中待命，其他情況也不了解。

周恩來猜到了十之八九，帶着陳毅去見毛澤東，把蘇聯專家可能全部撤走的消息報告一遍。

毛澤東冷笑道：「走了正好，免得日日騎在我們頭上拉屎，什麼屁專家，都是來作特務的，不是他們在裏面搞，高崗，饒漱石直到彭德懷的事情都不會發生，他們不走我也要下逐客令了。」

周恩來看看陳毅，陳毅兢兢業業說道：「其他各部門專家走了都沒有問題，只有經濟方面的專家，在現階段還有一點用處，他們若是走了，恐怕對我們的經濟建設計劃就有影響了。」

毛澤東說道：「旣然這樣，你就設法把經濟專家留下，不讓他們走。」

陳毅陪笑道：「要留就必須全部留下，單留一部份大概作不到。」

毛澤東說道：「你不妨試一試，這批專家回到蘇聯就沒有好的生活，他們在中國都不願走，你派人進行一次勸說，他們一定會留下的。」

陳毅不敢再說話，同周恩來一道走出來。陳毅嘆口氣道：「這種任務簡直是強人所難，我是神仙也不能單獨把蘇聯經濟專家留下。」

周恩來默默無言。兩人剛回到國務院，就接到蘇聯大使館的照會，內容是說因爲本國建設需要，所有在中國專家，卽日調回。

周恩來長嘆一聲：「希望一件好事會落空，就必一件壞事總是十拿九穩的，蘇聯專家一走，將來的麻煩還多哩！」

陳毅苦喪着臉說道：「我要去找契爾沃年科談談，看看還有沒有挽回的希望，最低限度能留下一部份。」

兩人正在商談，羅瑞卿氣急敗壞跑來，說道：「剛才接到機場同車站的公安人員報告，蘇聯專家已經全部動身走了。」

陳毅登時跳起來，周恩來也大爲緊張，連聲問：「怎麼會這樣快，那來這麼多的交通工具。」

羅瑞卿說道：「蘇聯派了四架圖——一零四型客機把組長以上的專家運走，另外由蘭烏巴托加開一列快車，把眷屬全部接走，因爲他們計算精確，安排周密，所以沒發生絲毫困難，不到半天時間，專家同眷屬全被撤走了。」

周恩來嘆口氣：「瑞卿同志，蘇聯專家一走，經濟部門恐怕要發生大的困難。」（一九二）

客家情歌

筱臣

（六）

一顆花生兩顆仁，合心合胆我兩人；合心合胆我兩個，除我兩個無別人。

（七）

說了有情最有情，兩人到老一人生；泥鰍生鱗馬生角，鐵樹開花不斷情。

（八）

兩人分手下山崗，翻來翻轉來看郎；只因看郎踢脚趾，只罵石頭不罵郎。

客家人辛勤勞動，生活樸素，人情敦厚，這是爲大家所熟知的，所以山歌裏面也充滿了熱情。他們有時大小男女，成羣結隊上山斬柴，頭上雖戴有凉帽，但烈日把她們的皮膚晒得黝黑。他（她）們在山上有說有笑，有時也唱起一兩支談情山歌來，歌聲此起彼伏，組成一首明朗的綺麗交響曲，這是以山歌來打男女交道。如下面的四首山歌，唱時也許彼此並不相識，但你來我答，不久郎可發生共鳴作用，而結成一對情侶。

男唱：紙做雞公唔曉啼，妹唱山歌來料涯；亞哥好比鳳凰棲，南山飛過北山啼。

女唱：山歌愛唱妹愛連，人無兩世在陽間；人無兩世人間在，花無百日在高山。

男唱：桅竿頂上種苦瓜，苦瓜葉離開白花；一心都想上去摘，有個胆量唔敢惹。

女唱：山歌唔唱唔風流，猪肉唔煎唔出油；梧桐心落心唔死，唔同郎料心唔休。

註：料郎玩耍之意，連相交之意，涯郎我的第一稱。

客家還有山歌擂台，它的開場白，也是很有意思的。例如開場白的第一首云：

愛唱山歌請過來，一條去哩一條來；手捉蝦蟆莫遁去，園裏釘囤紮等來。

這種山歌擂台，又名之爲對山歌，這完全出於自然的天籟，可說人類自有歷史以來，卽已經有了山歌。（下）

南宋偏安有人才

——趙鼎

李仲俟

五年，上還臨安，制以鼎守左僕射知樞密院事，張浚守右僕射兼知樞密院事都督諸路軍馬。鼎以政事先後及人才所當召用者，條而置之座右，次第奏行之。制以貴州防禦使瑗爲寶慶節度使，封建國公，於行宮門外建資善堂。鼎薦范冲爲翊善，朱震爲贊讀，朝論謂二人極天下之選。建炎初，嘗下詔以奸臣誣衊宣仁保佑之功，命使院刋修未及行。朱勝非爲相，上諭之曰：「神宗哲宗兩朝史事多失實，非所以傳信後世」，宣召范冲刋定。勝非言：「神宗史增多王安石日錄，哲宗史經京下之手，議論多不正，命官刪脩，誠足以彰二帝盛美」。會勝非去位，鼎以宰相監脩二史，是非各得其正，上親書「忠正德文」四字賜鼎，又以御書尚書一帙賜之曰：「書所載君臣相戒飭之言，所以賜卿，欲共由斯道」。鼎上疏謝。

劉豫遣子麟，猊分路入寇。時張俊屯盱眙，楊沂中屯泗，韓世忠屯楚，岳飛駐鄂，劉光世駐廬，沿江上下無兵，上與鼎以爲憂。鼎移書浚，欲令俊與沂中合兵勒敵，光世乞捨廬還太平，又乞退保采石。鼎奏曰：「豫逆賊也，官軍與豫戰而不能勝，或更退守，何以立國？今賊已渡淮，當亟遣張俊合光世之軍，盡掃淮南之寇，然後議去留」。上善其策，詔二將進兵。俊軍至藕塘與猊戰，大破之；鼎令沂中趨合肥以會光世，世光已棄廬回江北，浚以書告鼎，鼎曰：「上詔浚有不用命者聽以軍法從事」！光世大駭，復進至肥河與麟戰，破之，麟猊拔柵遁去。

浚在江上嘗遣其屬呂祉入奏事，所言誇大，鼎每抑之。上謂鼎曰：「他日張浚與卿不和，必呂祉也」。後浚因論事語意微侵鼎，鼎言：「臣初與浚如兄弟，因呂祉離間，遂爾暌異。今浚成功，使展盡底蘊，浚當留，臣當去，俟浚歸議之」。浚嘗奏乞幸建康，而鼎與折彥質請回蹕臨安。及浚還請乘勝攻河南，且罷劉光世軍政，鼎言：「擒豫固易，然得河南能保金人不內侵乎？光世累世爲將，無故而罷之，恐人心不安」。浚遂不悅，鼎以觀文殿大學士知紹興府。

七年上幸建康罷劉光世，以王德爲都統制，酈瓊副之，並聽參謀兵部尚書呂祉節制。瓊與德有宿怨，訴於祉，不得直，執祉以全軍降僞齊。浚引咎去位，乃以萬壽觀使兼侍讀。召鼎入對，拜尚書左僕射同中書門下平章事兼樞密使進四官。上言：「淮西之報初至，執政奏事皆失措，惟朕不爲動」。（卅九）

寒食與清明

漁翁

我國向以舊曆爲依歸，在節令中，以寒食與淸明爲最早。荆楚歲時記：「去冬節一百零五日，郎有疾風暴雨，謂之寒食，禁火三日」。後因禁火故，又名「禁烟節」，以紀念高風亮節之義士介之推。

春秋時，晉公子重耳，被驪姬之譖，不能見容於君父——獻公，爲明哲保身計，祇有出亡以避之。隨從者固不乏人，而要以介之推爲左右不離之最忠誠者；在淪爲餓殍時，割股以啖重耳，始終扶持重耳，凡十九年，其目的，在完成復國大計。此種忠貫日月，義薄雲天之耿耿衷腸，爲最難能可貴者。

迨重耳歸國後，進寶座而爲文公，論功行賞，餘人皆居要津，惟祿不及之推。而之推雖不汲汲於富貴、眷眷於虛榮，但已瞭解文公之爲人，可與共患難，而不可與共安樂，乃寫「龍蛇歌」以明志。奉母潛隱綿山，卽今山西沁源靈石介休三縣之交界處，矢志不作出山想。

此歌聞於文公，一念及割肉之恩，不禁天良發現而求之，求之不得，竟下令縱火燒山，致之推抱木而死於火坑中，時在三月五日。文公哀之，令國人禁火三日，以資追悼。同時，將所抱之木，製以爲屐，每懷從亡之功，輒撫視屐曰：「悲乎足下」！見東方朔瑣語。論者，以文公求賢之方，應效文王訪賢，載太公於後車，卽不然，如劉先主之三顧草廬，可聽其自由，若再不出，何必作此鹵莽之擧，又何必不殺伯仁，伯仁由我而死」？文公雖仁，其爲咎焉。又傳之推死後爲火神，惡火，是日不禁火，卽有風雹之變，故官府追民寒食，不許擧火。但老幼因寒食而患病者衆，於是又有反寒食斷火之擧。周擧爲並州刺史時，以舊俗禁火，老幼不安，歲多死者，乃爲文祭於介之推之廟，畧謂：禁火有害民命，非賢者之意。禱畢，郎佈告人民，使還溫食，自此其風稍革。尤以兩廣之地，向不知禁烟，故趙元鎭有「禁烟不到粤人家」一句。時至今日，此俗已不復存在矣。

至於淸明，以農曆月令推算，在春分後十五日。若以陽曆計之，則在每年四月五日或六日。居時暮春三月，萬物淸潔，天氣明朗，故名之曰「淸明」。五代史載：「寒食淸明，上嘉野祭」。是則淸明，爲民間春祭掃墓之節令，由來已久。

據史載：「諸葛亮嘗昔師事龐德公，得奇門遁甲，木牛流馬，八陳圖，連環箭之秘傳。龐臨死之夕，遺命諸葛亮，每歲淸明日爲挿柳枝於墓上，日久乃綠蔭成林」。見蜀志。因此，異俗於淸明日，家家門前遍挿楊柳。

宋權相賈秋壑詩：「寒食家家挿柳枝」。趙元鎭詩云：「挿柳紀年華」。過去大陸上，每屆淸明，孝子賢孫，皆用竹簽粘着紅紙條，挿在先人墳墓上，郎挿柳之變相。今日大陸滿目淒凉，尚有代替柳枝之紙旗可挿否？

淸明上墳，在北方稱「上河」，蓋由上巳修禊故，源流甚遠。北宋末，名畫家張擇端所繪「淸明上河圖」之情景，成爲歷史上寫實之傑構。此圖眞蹟，落於明代太倉王家，因與嚴世蕃有隙，爲嚴所害，又成爲以書畫召禍之悲劇。而上墳之風，至今弗替，國人在外者，多於淸明乞假歸家掃墓、故古有「淸明無客不思家」之載詠也。一年一度之淸明節又告來臨矣，吾人蟄居島上，歷十餘寒暑，値此佳節，萬感交集，爰成七言一律，以結吾文。

「雲收霧捲雨初晴，異國光陰老客情。海角十年悲往事，天涯三月紀淸明。惟期犀內無新鬼，那嘗山中有舊塋？島上櫻花開更落，思親佳節感懷生！」

海嘯雲談薈

閒話陳群

諸葛文俟

閩人陳羣（人鶴）原爲國民黨老同志，當年孫總理在廣州以大元帥暨非常總統名位，開府護法革命時，陳氏郎受知於孫公，歷膺幕府秘書職務。迨民國十五年夏間，國民革命軍實行北伐，陳氏被徵辟爲何應欽將軍所領「東路軍總指揮部」政治部主任，權力甚大，革命軍佔領上海後，楊虎雖担任淞滬警備司令，但奉統帥命，遇事須受陳氏指導。

東路軍於民十六年春間進入上海後，郎有淸黨之役。陳與楊虎爲貫澈淸共政策計，投身「上海共進會」，與張嘯林，杜月笙等結盟拜把，嚴切淸除共黨勢力，不稍寬假，記得當時陳氏在招待新聞界人士茶會中，聲稱「革命軍對於反革命份子的方法，只有一個字，殺！」聞者悚然，滬上致有「狼虎成羣」之誚，蓋指戟楊陳二人也。

陳氏綽具才幹，且喜讀書，對國民黨亦忠貞自矢，畢生除尊奉國父言行，信仰彌誠而外，郎敬佩胡漢民氏。然自革命軍北伐完成，全國統一後，乃不免於「冠蓋滿京華，斯人獨憔悴」之景況，棲遲春申江上，落落寡合。初受杜月笙聘任爲「正始中學」校長有年，日常生活之資，仰給於杜氏與張嘯林二人。維時內戰連綿，政潮迭起，而陳氏殊少參預，郎民十九年汪兆銘與閻錫山馮玉祥等爲反對南京而發動之「擴大會議」，陳亦置身事外。詎最後竟投入通敵叛國之汪政權漩渦中，甘作漢奸而不辭，以陳氏之知識，晚年乃喪其所守，殊令人大惑不解。蓋陳氏素以「不作名人」爲立身行己原則，常對友輩暢言其人生觀，津津樂道，亦有事實足資證明，如陳在上海隱居期間，曾與友人醵資創設「華通書局」，陸續刋行其所編譯著述之政治經濟書籍多種，但絕不署眞姓名，郎此可見其不好名之心情，並非矯飾也。然則陳氏晚節不堅之原因安在耶？就愚觀察研究所及，環境與生計迫之使然耳。

先說環境：民十六年國民政府奠都南京，實行淸黨後，陳氏在上海工作如常，聲名藉甚。旣而革命軍總司令蔣公爲消弭內亂起見，宣告辭職，陳亦意態消極，當蔣公過滬小住時，陳氏曾經晉謁，表示倦退之意，謂擬赴日本游歷若干時日，蔣公認許之。迨陳郎解除職，買舟東渡，登日輪頭等公艙，方悉蔣公暨少數隨員亦乘此輪前往日本。陳氏以蔣公於在滬接見時，未將日本之行提及，認爲此中或有別情，乃匿居艙位中，不便露面，然心中頗有不見信任於領袖之感想，鬱鬱寡歡。蓋陳氏自負爲蔣公親信幹部，對北伐之役亦不無勞績，而此次蔣公東渡計劃之竟無所聞，亦未能附於隨員之列，不免缺望。未幾，蔣公回國復職，陳亦由日本歸來，仍思有所効力，然不得當以自顯，偃蹇上海，自傷淪落。陳恃其民黨老同志資格，時發牢騷，而對當時主持黨務之陳果夫立夫兄弟，尤多微詞，旁人又從中播弄是非，飛短流長，如是乎，三陳之間，寖成水火矣。（一）

憶玄軒雜綴

秋塘

明妃故居

漢明妃王昭君，爲吾國歷史上爲國爭榮的女子，名垂千古。但是她的故里，則傳說紛紜。文穎云：王嬙本南郡秭歸人也。惟零操獨稱齊人，未知何據。一統志云：昭君村，在荆州府歸州東北四十里。圖經有載：昭君村在歸州興山縣。但在巫山十二峯之南神女廟下，有說離其故居至邇。

抗戰時，陳光烈君有秭歸行記事，載稱今湖北秭歸縣東門外，有大碑，高丈餘，鐫漢昭君王嬙故里七字。縣東北故興山縣近郊，有妃台鄉，藥有一高台，相傳王嬙入選，離家經此，登台遙望，不勝依依，因以名之。興山縣城外有香溪鎭，以溪而名，傳昭君過此，曾盥洗於溪，溪水遂香，隨郎改名。考據前人寫昭君之詩，如杜甫懷古：「羣山萬壑赴荆門，生長明妃尚有村」。又「若道巫山女麤醜，安得此有昭君村」？劉夢得竹枝詞云：「昭君坊中多女伴，永安宮外踏靑回」。白居易過昭君村：「竟埋岱北骨，不返巴東魂」。宋王十朋云：「十二巫峯下，明妃生處村」。可證明妃故居確在巴東，而非齊人也。尤其蘇轍昭君村詩：「峽如王嬙繼屈須」。屈須郎屈原的姐妹行。她是秭歸人應無疑義。

內儲警台報字第〇三一號內銷證

自由報

THE FREE NEWS

第三二九期

社長：雷嘯岑
督印人：黃行富
20 CAUSEWAY RD 3RD FL. HONG KONG
TEL. 771726
台灣分社

纏小脚的競選規則

陶百川

民主政治的關鍵是選舉。因爲沒有選舉，人民就無法參政，（人民直接參政究屬一種理想，雖高而無用），當然談不到政治的民主。選舉也有一個關鍵，就是政府對選舉的限制或監察的幅度，過嚴過寬，皆非所宜，甚至足以妨害選舉。

台灣現在辦理省議員的選舉，爲了競選規則，各方都很關切。我現在就對這個問題略述所見。

首先我認爲政府對選舉應有適當的限制或監察，（下文簡稱爲監察），但其重點應當放在金錢上面，而不該放在一般宣傳上面。

限制對象不可弄錯

三月十二日我在答覆「時與潮」記者的訪問時說：台灣的選舉我看比美國從前的情形，像美國政治學者柏羅克所著「政治競技大觀」中所說的那種情形，已經好得多了。比我們從前大陸時代的選舉，進步更大。所以政府不必多所顧慮，應該讓競選人有較多的自由，儘量用民主國家通常的競選方法（例如訪問和演講）去爭取選民。而且競選是一種很好的政治教育，政府不應加以妨碍。

但是我很痛恨賄選。而且我竭力主張要減少金錢對選舉的影響力。在去年底的監院年度總檢討會中，我提出三點建議：

第一、政府要限制競選人的競選經費，不得超過一定的限度，使有錢的人不許充分利用金錢的勢力來爭取選票。

第二、競選人所用的經費應該向監督機關詳細報告用途；並應在一定時間內，讓選民前往查閱賬目。如所報不實，或僞造單據，該競選人都應負法律的責任。

第三、爲了照顧沒有錢的競選人，有些民主國家規定，競選人可向選民郵寄一次宣傳品，而由政府補貼郵費，並且在通衢大道樹立廣告牌，讓競選人免費張貼宣傳品。

依照上述說法來檢討最近行政院公佈的「台灣省議會議員候選人競選規則」，我提出下列改進的意見：

個別宣傳准許麼？

一、規則第十三條規定：候選人不得威脅利誘，不得以金錢或實物爲期約，不得設宴招待，不得供給交通工具。這些規定，都很妥當。但第十二款規定不得對選民「期約其他設施」，我以爲有些矯枉過正。假使競選人對選民說他將促成一座大橋或一道堤防的建築，我看不出他有什麼不對，而因此一言就要取消他的當選資格，實在說不過去。

二、候選人政見發表會規定由候選人聯合公辦，似乎還說得過去。但如從而禁止候選人於聯合宣傳外再作其他競選宣傳（包括利用集會、報刊、錄音、廣播等宣傳），則實在太要不得了。而照第三條第四條和第十條的限制，候選人和助選員，似乎都不得再作這樣的宣傳。但是第二條又規定：「候選人之競選宣傳，由主辦選舉機關統籌聯合公辦。但候選人及其助選員之演講或訪問不在此限。」這個「但書」中的「演講」二字，因爲有了上述第三第四和第十條的限制，恐係手民之誤，或是有意說謊。可是手民應該不致錯誤得這樣厲害，行政院更不致公開說謊。那末候選人或其助選員應該可在第四條的聯合宣傳之外，再有個別的演講，並可在第三條的聯合政見發表會之外，再有個別的政見發表會。

以上兩說何者爲是，行政院應該說明一下。我欲向行政院呼籲採行上述第二種說法，就是在聯合宣傳外尚得有個別宣傳。

纏得過小不合時宜

三、第三條規定：候選人的政見發表字數以五百字爲限。又第四條規定：錄音廣播或登報的宣傳政見的文字，也以五百字爲限。又第六條規定十個以上不足二十個鄉鎮的選舉區內，候選人的助選員不得超過十五人。又第八條規定：候選人爲競選宣傳和交通需要所使用的機動車輛不得超過三輛。又第十條規定：除候選人和其助選員得依第三條和第四條的規定參加聯合宣傳外，任何人（似乎也包括候選人和助選員）不得「公開演講或當衆叫呼爲候選人宣傳」，也不得「分送或張貼候選人宣傳文件」，其他也不得有「其他以使候選人當選爲目的之行爲」。這些規定，我以爲都嫌過於嚴苛。在一個縣市的廣大區域內競選省議員，以有人口在一百萬人以上的，幾次聯合演講會，三輛車子，十五個助選員，五百字的宣傳文字，實在太少了。美國參議員陶拉斯先生曾對我說：他在一次競選時曾演講七百次。但像我們這樣的限制，聯合宣傳會爲數不過數次，而又不准單獨宣傳，選民根本沒有聽候選人演講從而認識他的機會，如何能夠選賢與能呢？

這樣的限制，無以名之，名之曰：纏小脚。那實在太不合時宜了。

命令可否限制競選

還有一個大問題，就是這個競選規則，有沒有法律效力？換言之，法院應否以之作爲裁判選舉訴訟的依據？有人提出否定的主張。他們說：我國憲法第一百七十條[illegible]

[illegible]

依法制定之法規，以及有法規性之命令，[illegible]習慣、法理，[illegible]亦皆爲重要法源。我國憲法[illegible]地方權限採均權制度[illegible]

[illegible]

應該無效，然仍有效

上面這個釋示，[illegible]覺得相當滿意。[illegible]因爲我國憲法第二十三條規定：「以上各條列舉之自由權利，除爲防止妨礙他人自由，避免緊急危難，維持社會秩序，或增進公共利益所必要者外，不得以法律限制之。」[illegible]

[illegible]

漫畫天下

南施

這條破船終會給弄翻

甜蜜的夢醒了吧！

自由談

見利忘害

英國要把大型鋼管售予蘇俄，又要把噴射機及其他軍需工業品售予中共。這消息傳出後，美國認爲違背了聯合國的「禁運」政策，表示異議，英國卻不理會，說鋼管並非軍用物資，而對中共出售各種工業品，爲的是「鼓勵共黨貿易」。一個彈「禁運」的陳腔濫調，一個不知所云的瞎扯淡，眞是廢話連篇，恬不爲怪，可哂抑何可恥耶？

當韓戰激劇進行，禁運政策高唱入雲之際，英美商人利用澳門和香港，把各種戰略物資向毛共區域大量販運，藉以博取厚利的事實，有目共睹。迨韓戰結束後，原列禁運物資種類，經過英美幾度會商，自動修改，面目全非，早已名存而實亡，到今天再來談禁運的話，其誰欺乎？至於「鼓勵貿易」之說，更是粵語所謂「靠諦」，幼稚淺薄，欲蓋而彌彰也。

記得第二次大戰初期，珍珠港事變發生前夕，美英商人拚命把汽油和廢鐵運售日本賺取暴利，後來日本皇軍即以這些軍用物資，從事太平洋大戰，使美英大吃其苦頭。又記得一九四九年夏秋間，中國政府在華南進行勦共戰爭時，以美國「飛雲公司」爲首，英美商人把汽油、汽車、胎輪、電料、醫藥品等，大量運至上海售給共軍，後來中華民國空軍襲擊上海數次，而英美的商人，傳教士，協同本國的商務官員，聯名發表宣言，要求英美政府以武力干涉我空軍的戰亂行動。這些都是資本主義者唯利是圖，罔知正義公道，連自身的後患亦懵然不顧的自誤誤人的一般現象。從這個角度設想，俄爲赫魯歇夫聲稱他們要「埋葬資本主義社會」，似不能視爲狂言囈語。見利忘害——義，更談不到——貪圖血腥財富，原是資本家的本質，一旦成爲暴發戶，他們又僞裝前進，大談其社會主義，對共黨獻媚邀好，如美國華爾街的財閥伊頓，即其典型代表人物。因此，我對於美英領導自由世界的未來結局，實在不敢樂觀啊！

訂正：上期自由談中「A man must choice」，被錯植。特訂正。

馬五先生

民青兩黨與省議員選舉

（本報記者吳越台北航訊）台灣省第三屆省議員選舉，候選人登記定於四月一日迄止，緊接便是一連串緊張的競選助選投票活動，一直要到開票結果，才能鬆一口氣。執政的國民黨怎樣替提名黨員助選，因爲經常有新聞報導，大家容易看得出來，兩個在野的青年黨和民社黨對省議員競選的動向，就鮮爲人知了。

據本報記者獲悉，青年民社兩黨，對於第三屆省議員競選的提名，助選，投票等各問題，都已各有決策，其中以青年黨的做法較爲具體與積極。

三月卅一日青年黨的一個有關選舉指導的會議上，不但對助選問題，就是對怎樣投票的問題，都有一個原則性的決定，該黨中央即將根據這項原則指示地方黨部相機運用。

青年黨對於第三屆省議員選舉，比較重視，最初也考慮與執政黨協議採用「政黨提名」方式，產生各黨候選人，但鑒於共同辦理選務，共同監察選舉的問題，未必能獲得解決，因此決定不提名，由黨員自由競選。該黨在決定不提名的時候，本來還準備發表一個聲明，向社會說明不提名的原因，但這個聲明至今未發表。

青年黨員參加本屆議員競選的，計有雲林縣李萬居，宜蘭縣郭雨新，屏東縣黃振三，台東縣黃順興。這些人在地方上都各具聲望，擁有實力，可是經濟力量卻不見得好。據說，黃順興差點連七千元的登記費都繳不出，要求該黨相助，該黨中央竟回他一個「歉難相助」。

青年黨某高級人士透露，該黨在經濟上對競選同志雖然愛莫能助，但在人力上卻準備全力支持。他們的計劃是投開票的時候，分別派遣現任立監委員的同志至各地方，監察選舉進行，有無確實做到「公正、公平」。在競選活動開始時，中央及省黨部將派富有選舉經驗人員，前往協助競選。

關於青年黨員的競選政見和政見發表，據該黨表示，已勸告競選黨員不作過激的批評，必須實事求是，顧全大局。

至於青年黨員如何投票的問題，三月卅一日該黨中央選舉輔導會議有原則性的決定，就是有同志競選的縣市，青年黨員的票投給自己同志，沒有同志競選的地方，投給民社黨籍候選人，沒有民社黨籍候選人的地方，投給無黨派人士，如無黨派人士過多，投給何人，授權當地黨部斟酌當地情況決定後報核。

民社黨方面，過去各派之間推選的六位召集人，早已形成癱瘓，黨務形同停止，最近再加上黨內刊物「民主中國」雜誌鬧雙胞案，裂痕且越來越深，所以，對於台灣省第三屆省議員選舉，還沒有聽說民社黨有甚麼具體的決定，祇從該黨一些較知名的個人獲知，該黨並未舉辦候選人提名，也未見該黨透露各地方黨員自動出馬競選的名單，當是一切聽憑同志自由行動了。

民社黨首腦之一的蔣勻田，曾向記者表示任何民主國家的選舉，都是政黨之間的互競，所以各黨都派有監察人在投票所與開票所監察投票與開票。他希望台灣也能這樣做，他說：如沒有這個起碼條件，教我們怎樣負責提名候選人公開競選呢？假如執政黨同意我們的要求，讓民青兩黨共同參加投票所監察投票與計票，則我們可以考慮提名候選人，參加這次的選舉。

由於民社黨的癱瘓，所以對於該黨是否有同志自由競選？如何輔助競選？黨員如何投票等問題？尚無全黨一致性的決定。假定一直如此，則該黨縱有同志自由競選，前往輔助競選的同志必是基於私誼行爲，而非出於黨的派遣。

從民、青兩個在野黨對第三屆省議員選舉的準備與佈署情形看來，青年黨雖仍有分裂狀態存在，但仍能維持一個政黨的形態和作爲，民社黨連這個的形態和作爲都表現不出來，像以前該黨黨員高玉樹當選台北市長，林番王當選基隆市長的那種「黃金時代」，已經逝去，不可復得了。（四、一。）

七十二烈士紀念日
梅縣梅州中學校 反共傳單滿天飛
東山中學一位國文教師 鼓勵學生反共抗暴被捕

〔香港與大陸〕

黃花崗七十二烈士起義紀念日，廣東省若干地區曾出現反共標語和反共傳單，甚而有反共的演講，彼等係闡揚革命先烈的革命精神，並號召愛國青年追隨此偉大的步伐，推翻共黨統治，重建民主自由富強康樂的新中國。

據一位曾於上月初回梅縣探親甫返抵港之小學教師李小姐透露：大陸人民反共情緒愈來愈見高漲。她這次回去，係因爲她弟弟患胃潰瘍病，去看看她弟弟的。她在一九五六年間，亦曾回梅縣，那時，左鄰右舍的人都勸她不要再回香港，說是資本主義社會腐朽、不自由，勸她留在祖國讀書。可是，這次回去卻不同了，那些人不單沒有再勸她勿返回香港，還對她能生活在香港表示極爲羨慕。

李小姐說：最使她奇怪的是在七八年前曾譏諷其爲「甘願做資本家的奴隸」的一位鄰隣，他是在梅州中學做事的，竟然也要求李小姐幫助他，找門路申請來港，並告訴她許多關於學校內的反共事情。

李小姐轉述鄰居的談話時說：在青年節前一天晚上，梅縣梅州中學內外，居然出現了大批標語和傳單。這些標語和傳單用毛筆書寫的，內容簡單有力，如：「繼承和發揚七十二烈士革命精神，推翻極權暴政」、「三民主義萬歲！」、「殺絕毛匪幫！」……等，而傳單卻是油印三十二開紙，主要內容是讚揚烈士大無畏的精神，揭露共黨十幾年來的倒行逆施，並號召熱血中國青年們在民族絕續存亡之際，應負起斯重任，責無旁貸。署名是「救國青年地下軍」。李小姐那位鄰居說：這次散發的標語和傳單極多，教室、走廊、校門外圍牆、廁所，甚至禮堂上掛着的毛澤東像上都貼滿了標語，此絕非一兩個人所可完成的工作。所以共黨梅縣「公安局」立即派了大批「公安人員」到梅州中學，對全部住校的員生職工分別進行嚴密審訊。

李小姐的那位鄰居說：在三月二十九日那天，梅縣的另一間曾被稱爲「革命搖籃」的東山中學（葉劍英曾就讀該校）有一位高中三年級國文教師，竟敢在課室中作反共演講，演詞雖含蓄，但使人一聽便知其係鼓動青年學生起來反對共產黨暴政。結果，這位老師被捕了。

那位鄰居告訴李小姐說：這位國文教師先是不斷地歌頌「三、二九」革命先烈的光榮偉大、其事蹟可永垂不朽。這也沒有什麼，因爲共黨還會要青年學生學習。但他後來說到烈士們所以有此種革命精神，是因爲他們有此不移的信仰：信仰國父孫文先生的三民主義，他們是三民主義的忠實信徒，大家沒有說是可恥，以爲國家民族沉淪可忍，偷生倪倪……可辱，便很嚴肅了。也在此時，座中有一位黨員學生站起來反駁，並把那位老師拉到支部去，那位老師終於被逮捕。

那位教師被捕之後的情形，據那位鄰居說，大家都不曉得。雖然大家都很關心，卻亦無人敢打聽，怕的是打聽就會惹火上身。不過她那位鄰居估計，結果必然相當嚴重，列入「反革命」送去勞改是最低限度了。（敬斯）

寶島之窗

▲省議員選舉，正式展開登記活動，但非正式的拉票活動，卻已在各個場所展開。宜蘭玉石村居民黃某父喪，日前出殯，省議員候選人陳火土及郭雨新，雖均與黃家父子不熟稔，卻先後前往弔祭，並致送大幅輓聯，又頻頻與民家握手寒喧，陪笑臉，使本來平淡的葬禮，顯得格外「熱鬧」。

▲省議員選舉，登記候選人學當影明星作風，要爭取排名先後，以便大出風頭。有許多沒沒無聞的鄉巴佬，也到選務所去領表，選務所自然不能拒絕，同時還要替他們發佈新聞。最近有一位張姓候選人，爲了發佈新聞排列次序的問題，向選務所抗議。選務所「以牙還牙」，採取封鎖新聞辦法，除發佈登記人的姓名外，年齡、籍貫、簡歷全部「保密」。

稅收銳減，請演脫衣舞
命令拖尾，雙包不辦公

▲地方政府收入銳減，鎮民代表居然建議邀請政府在下令取締的脫衣舞團演出，以裕稅收。台南縣佳里鎮一陳姓代表向鎮長建議：鑒於本鎮南美園酒家關閉，致鎮公所娛樂稅的收入，全盤預算。爲此，請延聘有名氣的脫衣舞團到鎮演出，俾資彌補娛樂稅收。鎮長對陳代表此一建議，啼笑皆非。

▲甲級貧民的女兒于歸，嫁妝竟大擺長龍。桃園縣鶯歌鎮中湖里民陳某，夙列鶯歌鎮甲級貧民之一，每逢節日，鎮當局均配發救濟物品接濟他。但三月廿七日他的女兒于歸時，嫁妝琳瑯滿目，裝滿十二輛板車，招搖過市，見者始知此君竟是甲級「富」民，平素裝「窮」而已。

▲一個廟兩個住持，鄉代會秘書發生雙包案。新竹縣芎林鄉代表會秘書發生雙包案，有兩個秘書爭着辦公，代表會每月支付兩份秘書薪金；終於縣府認爲與法不合，不予承認，下令追回一份。

▲水利局在一紙命令中拖下一條「尾巴」，害得全省農田水利會過了四天「群龍無首」的真空日子。省水利局在三月廿三日下達各水利會的命令中指出：各地農田水利會新舊會長，准於在廿八日交接，但關於一切會務，三月卅一日以前者，仍由前任會長負責，四月一日以後者，再由新任會長負責；經費動支也是一樣。如此一來，各地水利會長均於廿八日卸職，交出印信，但仍無法離開該會，因爲尚有四天的會務需其推動，但有「官職」而無「印信」，又如何辦事？新任會長雖已宣誓接篆視事，但也祇有坐冷板凳的份，因爲要四天後的會務才由他負責，如今是有「印」無「官」。舊任不去，新任已到，一會二長，既鬧成「雙包案」，二人同坐會長辦公室，又其實都不能辦事，場面甚爲尷尬。（昌文）

高雄緝獲私貨案
內幕如何官廳在查

（本報記者寰文高雄航訊）高雄港於日前再發生走私貨物偷運出港口，而又被截獲歸案一起，案情雖不算大，亦不算小，卻居然未被台省各報紙所重視，據悉係有關單位封鎖了消息所致。

高雄港於三月廿四日，二、三號碼頭有「東海」及「建華」兩艘貨輪泊岸過夜，於深夜四時（即廿五日晨四時）許，有三輪機車滿載私貨，從港口二、三號碼頭間直衝而出，但該三輪貨車剛駛離港口檢查哨，旋即被保警巡邏車截獲。初估該三輪貨車所載物品，價值約六十萬台幣之鉅，又據說他們之所以能大膽地把這批貨物偷運出港口，乃是化用了七、八萬元的賄款，始能順利過關斬將云云。因之外間懷疑：已過關斬將，而又被另一治安機關所追擒歸案，箇中是否有更加重大的曲折因素呢？

私貨而得偷運出港口碼頭，一般說來，總是頗值得重視的，原因是（1）任何貨輪進泊港口，均經由海關嚴格檢查，而此次何以未發現有走私貨物？（2）高雄港爲戒嚴地區，當深夜之際，何能有三輪貨車通行無阻？

據高雄港警所長唐鑑前坦率稱：（1）該案發生的時間，是廿五日清晨六時許，而非四時許；當時有三輪貨車滿載私貨自二、三號碼頭衝出，經本所哨警發覺，追捕歸案。（2）該走私貨品，均係洋菸等物，經估價僅值壹萬五、六千台幣而已。（3）但走私船員矢口否認有行賄情事。

該所長唐鑑前談到今後港口管制問題時表示：高雄港係國家重要軍港及貿易商港，由於商輪日有二、三艘至五、六艘之進泊，及開航不等，因而港口往來車輛及人員甚眾，頗形複雜而紊亂，在管制方面似較一般要難，唐鑑前很有自信的說：有困難我們必須盡力克服它，且相信能夠克服！

原來唐鑑前到職視事僅七天就發生這件走私貨物的偷運案件了，他說：幸虧及時發覺緝回，總算對得住國家與長官。又說：本案雖被緝回，未釀成事端，但當然必須徹查究辦，嚴懲不貸，始可望消滅此種惡風。對今後港口管制問題，唐鑑前稱，現正着手草擬有效辦法，俾加强督導，嚴密實施，並希望上級機構及法院做到賞罰嚴明，公允裁處，他相信走私舞弊之風氣可以遏止的。

凱恩斯理論之再檢討

儒伯克董・顧翊群譯

以上所引用的，以及他書中其他要義，眞是「擲地金聲」，異常名貴。我更認爲萊特教授會得同意於我在下文中所指出凱氏失敗與謬妄之處，那是與萊氏書中所指出者，有同等的重要性。各學者對何爲重要的或不重要的看法，雖不必相同，我個人則認爲：凱恩斯氏所最應負責之處，乃是他在心理習慣上有應用「總括的思想Aggregative thinking」於經濟學的傾向。此種看法使得甚多青年經濟學者們，幾乎無法見到：在各種總括性之元目（例如「國民總生產值」，「投資」，「所得」等等）之後的經濟生活之實在，那乃是無窮盡的個別市場與價格決定之體系。

將凱氏爲人與「凱恩斯主義」詳加思考，便會引起了更多的問題。此處祗需提出一個有刺激性的問題：他之爲人與著作何以能發生如此重大之影響呢？我們能否提出一種說明呢？

如謂凱氏理論之成功，係由於其能克服「大恐慌」，則是完全不對題的。我上文業經指出，不待凱氏之「就業、利息、與貨幣之一般理論」一書問世以前，所謂「貨幣再擴張政策」早已被付諸實施。我認爲如假定說凱氏與「凱氏主義」似乎對一般人所企望而模糊的想法，以及所祈求而不敢實行的作風，賦予了「科學性的祝福」，豈非較爲合乎情理嗎？不斷花錢是人人所贊同的，將健全財政美德忘記之誘惑性，是向來有力量的，特別是在現代之「大衆的民主社會」之中。社會上的忌妒心，主張將張三的財產拿去分予李四，是永遠活躍的。但以上想法與其他傾向，自古代以降，均因與智見及道德不符而不易抬頭。人類犯了此種罪過雖是不難，但實行時總有點良心不安，且確知正德的經濟學中，是不容許實行此種主張的。現在好了，當前智見偉大的巨人之一，來替我們解決問題了。凡主張花錢的，打倒富豪的，鄙視維持健全財政與健全貨幣之紀律的，都不再會有良心不安了。他們得到指示說：「你們努力向前闖好了！」

不僅此也。「凱氏主義」不祗原諒罪過，更將之轉變爲積極的美德，而對懷抱舊道德觀念者，則加以訕笑與鄙視。開始時由通達世故人物將之作爲一種帶學術性的會客廳裏的消遣，但等到此種主張變爲某種學者們的「智識投資」之後，他們爲了保護其「特殊利益」起見，自會不惜爪牙而拚命奮鬥的。對於此種人而言，「凱氏主義」變爲他們之智見的「固定」資本，而對「首創之大師」而言，他的主義祗不過是智見的「流動應用」資本而已。

在以下一點上，我要與萊特教授持不同的看法了。縱使凱氏對他的學說，祗當爲流動應用之資本，而他到晚歲時業經超出於此學說，（譯者按：此爲萊氏所主張）但已於事實無補了。大錯業經鑄成，所有「大師」的訓誡，再也不能恢復被他的學說所毀壞過了的天眞與對邏輯之信任。假定沒有了他的持續的影響，我們便難以解釋當前時代的通貨膨脹現象。後者皆知其爲一種道德上與智見的病症。但該問題說來話長，而在本文中我們不必對之加以討論了。（下）

天南風光

——沙羅越的歷史——

朱淵明

如此一來，這一塊落後與混亂之區，政治漸上軌道，人民喁喁向治，眞箇蓬蓬勃勃，遠近慕化。至一八六一年及六二年，經婆羅乃蘇丹同意，擴充沙羅越領土，由「丹絨拉突」（Tanjung Datu）至峇南（Baram）地界。其後至一八八二年，峇南河的加央族土著屢次犯邊，攻劫沙羅越人民，當時的第二代「拉者」，曾請求婆羅乃蘇丹加以制止，但因那時的蘇丹過份懦弱，權力式微，紀綱墮失，較遠的土人，多不服其節制。蘇丹一看形勢，感覺到與其名存實亡，不若割讓與人，還落一個好感，於是在一八八三年，就自動的將峇南，民都魯，及峇南河流域之統治權，割讓與沙羅越這個新興的國家。同年七月十三日，蘇丹正式簽署割讓文件，該項文件，並經英國政府予以證明。此即爲第二次之割讓。

至一八八四年，蘇丹又第三次將「杜魯山」一帶，割讓與沙羅越第二代拉者，割讓條約是在這一年的十二月廿日簽署的。

林夢（Limbang）地方的人民，鑒於峇南一帶人民，從壓迫下解放出來後，生活狀況良好，既無苛捐，亦無雜稅，安居樂業，極爲舒適，於是紛起反抗婆羅乃政府。婆羅乃的國境已愈來愈小，對於這近在它首府東北面的人民，自不能放鬆，乃採取高壓政策，派兵鎮攝，官民之間的裂痕，遂越來越深，人民認爲忍無可忍，非由大衆來解決本身的問題不可，於是上書沙羅越拉者，請求保護，並自動懸掛沙羅越旗幟。這種出自公意，正大光明的要求，沙羅越拉者，自難拒絕，乃答應將盡其所能，加以協助。至一八九〇年三月十七日，拉者遂正式接受負保護之責，而將其土地歸入沙羅越版圖之內。

沙羅越自第一代拉者布律克起，其領土面積，最初不過三千平方英里，及後經過四度和平擴充，乃達到四萬七千零七十一平方英里。而婆羅乃的領土面積，到目前，則只剩餘二千二百二十六平方英里了。這個在十五、十六、十七世紀時代，東南亞的大國，到了十九世紀的中期及廿世紀的今天，竟至如此。國家之興替，「雖曰天命，豈事非人哉」！

（四十五）

我底學習和思想歷程

謝康

我發現日寇深入，國難十分嚴重。每一個有良心的知識份子，必須以耶穌揹十字架的精神，面對殘酷的現實，可是我手無寸鐵，也無路請纓；只是每天跑着「警報」，聽聞機聲隆隆，在天空上盤旋，威脅着我們每一個人的安全，我又能做什麼呢？

我還是做一個教書匠和教育行政工作者，替政府「樂育英才」；另一方面就是演講寫文章，或者可能的話就「著書立說」，希望讀者和我發生共鳴。

我在桂林工作將近三年，就到曲江桂頭廣東省立文理學院（一九四二——一九四三）。一年未滿轉進重慶（一九四三），在訓練機關，社會服務機構及大學教書。其間廣西大學兩度約我做訓導長，勝利復員後始回廣西大學（一九四六），並當選省參議員及國民大會代表。民三十八（一九四九）年夏至廣州，籌辦知用文理學院，因時局緊張，遂到海南大學，並開始進入逃難的生活。

回國這十年（一九三九年十月至一九四九年五月），我的思想，也有多少轉變。

第一、也許因爲我在國外的時間太久，加以專心治學的緣故，一旦回國，頗感覺與環境不能配合，有時甚至格格不入。（等於在外國看慣了西方美人，初回國看不慣東方女子一樣）這是本國（尤其是本省）社會太舊嗎？還是我的思想太新一點。朋友們有些以爲「學成歸國」，便飛黃騰達。可是，我自視歉然，連出國前的地位，似乎還不如。留法學生像我對這古老的國家，似乎沒有多大用處。做起事來，手段不夠圓滑，尤其沒有小組織作後盾。辦公牘，所用的字眼，有時反不如老於此道的科長秘書（從前所謂「紹興師爺」），盛名之下，其實難副，於是毀謗佈流，人們喜歡說留學生的空話，最多看成一個洋翰林，教書匠或一個繙譯官。我雖不反對教書，但很想雪這個恥辱。從工作上表現成績，來建立我們的信譽。尤其注意言論操守，以免招來「浪漫」之譏。不過，儘可能保持思想的自由和大膽。

二、從十六年定都南京至廿七年上海抗戰，學術上中國的確有許多進步，有些外國名著，已翻成中文出版了，而我們在外國，還不知道。尤其對於美國的新東西，法國人相當隔膜。我於是搜羅有關社會學的若干譯本和國內社會學家近年來的著作，加以研讀，眞是開卷有益，得到一點進步。

三、除遭敵機傷殘之外，市區已相當摩登化，白天逃警報，頗有戰時氣氛，黃昏以後，城市中熱鬧非常，生活奢華，爲戰前內地城市所未有。我覺得這種情形，恐非國家之福，至少非抗戰最艱苦時代應有的現象。常爲文加以評論，然而無補時艱。（九）

盧君續夢

第八回

擊戾實堪驚　片言毀約
脫靴終自誤　衆志成城

羅瑞卿尚未答言，李富春同李先念一道慌慌張張走進來。李富春喘着氣說道：「總理同志，不得了哩！蘇聯專家全部走光了。」

周恩來冷冷說道：「我已經知道了，要走只好由他們去」，一切從頭作起，自力更生。」

李先念說道：「總理同志，話不是這麼說。別的部門少了蘇聯專家也許沒有關係，只是經濟部門不成，十多年來我們的財政已同蘇聯打成一片，現在蘇聯突然把專家撤走，有些問題千頭萬緒，根本就無從捉摸，怎麼自力更生。」

李富春喘了一陣，定定神說：「我在兩年前就提出警告，我們眞同蘇聯鬧翻，他們會斷絕援助，撤退專家的，可是，總沒有人信我的話，鬧到今天這個局面，怎麼收拾。」

周恩來沉吟一下，說道：「現在抱怨也遲了，你們回去檢查一下，我們有那些工業，受到蘇聯專家撤退的影響，我們的技術人員能不能頂上，擬一個詳細報告，將來拿到政治局會議上去討論，自有解決辦法。」

二李回去之後，各地告急文章雪片飛來，首先是三門峽工地打來的緊急電報。三門峽是黃河最重要的一個水壩，也是中共根治黃河的最大目標，預定在一九六一年治好黃河，重心還是三門峽。因此，中共把重要器材都運去三門峽工地，其中有一部最大型的起重機，原從蘇聯運來兩架，一架分配在「武鋼」，大躍進時被中共「政治掛帥」的黨委書記強加了一半的重量，在半空中折斷了。另一架就擺在三門峽工地，由蘇聯專家自己操作，不僅「掛帥」的書記不得干涉，就是專門學機械工程的技術人員也不能過問。

這一天，蘇聯專家正在工地上指揮，突然接到電話，馬上就離開工地回到宿舍，收拾起細軟，連夜開汽車去了鄭州，坐火車去了北平，那架起重機剛挑起一担泥到了半空，專家一走，無人操作，就在半空懸起來。

最初中共監工幹部還以爲專家有什麼緊急事項處理，稍遲總會回來，那知一等再等不見影子，收工後三門峽工地黨委書記特地到專家宿舍去拜候，詢問究竟，到地方知道專家去了鄭州，一時更摸不清頭腦。一連過了幾天，始終不見專家回來，只好去電北平告急，請求「國務院」設法把專家找回來，恐怕這担泥在空中懸久了，起重機又會折斷。

接到這封電報，李先念氣得暴跳如雷，李富春躺在沙發上只是哼哼。停一時，李先念打電話把鄧子恢找來，因爲他是「國務院」農林辦公室主任，根治黃河最初也由他負責。鄧子恢來到，李先念把電報交他一看，鄧子恢也嚇得目瞪口呆，一句話說不出。

停了半晌，李先念問道：「子恢同志，你的意見如何？」

鄧子恢自從大躍進以來，就大倒其霉，平時一句話也不敢說，看到李先念問到他頭上，又不能不理，十分小心的說道：「光是毀掉一部起重機倒還不太嚴重，好在咱們有的是人，秦始皇修長城，隋煬帝修運河，都沒有用過起重機，也一樣完成了。」（一九三）

懷玉軒雜綴

牡丹品考證

牡丹稱爲富貴花，是賀歲淸供珍品。長物志說：牡丹稱花王，芍藥稱花相，俱作花中貴裔。唐人作花譜，當時稱牡丹爲木芍藥。天寶年間，禁中初重木芍藥，得四本，植於沉香亭。明皇與楊貴妃賞花，李太白作淸平調以詠之，牡丹始著稱。在此以前，牡丹之名尚未流行。通志略亦記古無牡丹，統稱爲芍藥，自唐以來，始分爲二。酉陽雜俎記云：裴士淹奉使幽冀，在汾州衆香寺中得白牡丹，攜歸始蕃殖。隋末詩文中未見牡丹，唐以後普遍爲人知，事實上牡丹花枝則早已有之。

牡丹花品很多，大別爲紅，白，黃，紫，綠。由於顏色深淺不同，又分爲許多品，一般都以姚黃魏紫爲最貴。海山記有說廿四相牡丹，遂定名如之。有赭紅，赭木，嫣紅，壞紅，淺紅，飛來紅，袁家紅，起州紅，醉妃紅，起台紅，雲紅，天外黃，一拂黃，軟條黃，冠子黃，延安黃，先春紅，顫風嬌等。

姚黃之稱，歐陽修牡丹譜說：「姚黃者，千葉黃牡丹，出於洛陽民姚家。」又云：「錢思公嘗曰，人謂牡丹花王，今姚黃眞可爲王，而魏花乃后也。」至於魏紫，則是魏姓民家所種的紫牡丹，與姚黃齊名。洛陽牡丹記一書，有一種左紫，亦千葉牡丹，色深於安聖，生於豪民左氏家。歐陽永叔詩云：「伊川洛浦尋芳遍，魏紫姚黃照眼前」。李薦著洛陽名園記云：「天王院花園子」，可說是歷史上最多牡丹的花園，這園皆植牡丹，獨有十餘萬本。當時姚黃魏紫，一枝千錢，其貴重可知。

詠牡丹的詩詞，其鋪陳賦事，刻劃香艷，不知若千首。可以概括其餘，玉溪生集中有兩首：（一）「錦幃初卷衞夫人，繡被猶堆越鄂君。垂手亂翻雕玉珮，折腰爭舞鬱金裙。石家蠟燭何曾展，荀令香爐可待春。我是夢中傳彩筆，欲書花葉寄朝雲。」（二）「壓徑復緣溝，當窗又倚樓。終銷一國破，不啻萬金求。鸞鳳戲三島；神仙居十洲。應憐萱草淡，卻得號忘憂。」極寫牡丹穠艷，可說至矣盡矣。

芝山的天香詞云：「蜀錦移芳，巫雲散彩，天孫剪取相寄。金屋看承，玉台凝盼，尚憶藍家風味。生香絕艷，說不盡天然富貴。臉嫩渾疑，看損肌柔，只愁吹起。花神爲誰着意？把韶華總歸姝麗。可是老來心裏，不成春思！卻羨宮袍仙子調，曲曲淸平似翻水。笑囑東風：殷勤勸醉。」其意境風趣迥異尋常。

南宋偏安有人才

——趙鼎

李仲侯

鼎曰：「今日見諸將，尤須靜以待之，不然益增其驕蹇之心」。台諫交論淮西無備，鼎曰：「行朝擁兵十萬，敵騎直來，自是抗之。設有他虞，鼎身任其責」。淮西迄無驚。鼎嘗乞詔安撫淮西，上曰：「俟行遣張浚，朕當下罪己之詔」。鼎言「浚已落職」。上曰：「浚罪當遠竄」。鼎奏：「浚母老且有勤王功」。上曰：「功過自不相掩」。已而內批出，浚謫置嶺南，鼎留不下，詰旦約同僚救解，上怒不解，鼎力懇曰：「浚罪不過失策耳。凡人計慮，豈不欲萬全？倘因一失便置之死地，後有奇謀詭計，誰復敢言者？此事自關朝廷，非獨私浚也」。上意乃解，遂以散官分司居永州。

鼎既再相，或譖其無所施設，鼎聞之曰：「今日之事如人患羸，當靜以養之，若復攻砭，必傷元氣矣」。金廢劉豫，鼎遣間招河南守將，壽亳陳蔡之間，往往舉城或率部曲來歸，得精兵萬餘，馬數千。知廬州劉錡亦奏言：「淮北歸正者不絕，度今歲可得四五萬」。上喜曰：「朕常慮江淮數百里備禦空虛，今得此軍，可無患矣」。金人遣使議和，朝論以爲不可信，上怒，鼎曰：「陛下於金人有不共戴天之仇，今屈己請和，不憚爲之者，以梓宮及母后耳。羣臣憤懣之詞，出於愛君，不可以爲罪。陛下宜諭之曰：講和非吾意，以親故不得已爲之，但得梓宮及母后還，雖渝盟吾無憾焉」。上從其言，羣議遂息。

潘良貴以向子諲奏事久，上叱之退。上欲抵良貴罪；常同爲之辯，欲併逐同，鼎奏：「子諲雖無罪，而同與良貴不宜逐」。二人竟出。給事中張致遠謂不應以一子諲出二佳士，不書黃，上怒顧鼎曰：「固知致遠必繳駁」。鼎問何也？上曰：「與諸人善，蓋已有先入之言」。由此不樂於鼎矣。秦檜繼身奏事，既出，鼎問帝何言，上曰：「無他，恐朕不樂耳」。御筆和州防禦使璩除節鉞封國公，鼎奏：「建國雖未正名，天下皆知陛下有子，社稷大計也。在今禮數不得不異，所以繫人心不使之二三而惑也」。上曰：「姑徐之」。鼎檜後留身不知所云。鼎當國和議，與檜意不合，及鼎以爭璩封國事拂上意，檜乘間又薦蕭振爲侍御史。振本鼎所引，及入台劾參知政事劉大中，罷之，鼎曰：「振意不在大中也」。振亦謂人曰：「趙丞相不待論，當自爲去就」。會殿中侍御史張戒論給事中勾濤，濤言：「戒之擊臣，乃趙鼎意」，因詆鼎結台諫及諸將，上聞益疑。（四十）

彈奏者和被彈奏的（上）

汶津

一種凝合。一則故事的展開。語言，此際你是最無可奈何的。

他吻了她，她吻了他。如此簡單，如此簡單的事啊。如此複雜，又如此複雜。好像神經糾纏着神經，血球糾纏着血球。她的秀潤的臉變形了：一股力，一團模糊，一則謎。永遠沒有謎底的謎啊。

夜霧漫不經心地昇起——

「忘記今夜。忘記過去。」她喃喃地。

他站着，在曠野裏，像一根稻草，然而充溢着生機。「我不，我不能。」他的手撫摸她的髮，顫抖着，好像以前他在軍隊裏受訓時第一次用立姿打靶一樣。

世界遠離他們了，可是，他們只能短暫地背叛了世界。明天，誰又關心明天呢？

她的胸際漾起祖母的蒼老的凝視。老年人常是不自覺的解謎者，她怕；她感到汜濫般的幸福。「幸福是什麼呀。」不知多久以前她這樣問。「不知道啊。」多麼溫馨的回答！難道還有更滿人意的答案麼？你信仰什麼？你懷念什麼？一樣的，恐懼失落，恐懼豐盈之後的空白。可是，他會離去麼？他和她難道不已相互屬於？

分手的時候有教堂鐘聲的祝福。

他在床邊的小几上寫了幾行字。然後把珍貴的一夜熄去。

他們又在夢裏相遇，誰知道呢？

次晨是雨的韻律，無休無已的。愛發痴的黑貓蹲踞在屋簷下。他想起「追」。不是追什麼不可思議的神靈，只是一輛擠滿的公共汽車。

她忽然在醒來的一刻哭泣起來，沒有一個伴侶。老祖母探首進來，她蒙上了被，只露出一雙眼睛。

沒有聲息——

他們沒有約定下一次的再見。

公共汽車穿行在雨街中，帶着雨具的人們懷着戒心。一座修建中的樓房顯得比平日更爲狼藉。他在窗外的市招上找尋她的名字。它出現了一次，兩次。但第三次卻杳然了。他的脖子已酸痛了。

他回過頭來。在心坎裏我可以把妳的名字唸上一百遍，一千遍。正像雨絲調唱着那永恆的歌。

他忘記下車的站名。他沒有遇見今早要會面的人。那就過去了，像雨一樣。

她有一個空閒的上午。早餐是沒有辨別滋味的。她開始坐在沙發裏數自己的纖指。留着長指甲的多重複一遍。

他走在雨歇後的街上。她數得很慢。每數一次恰好就是她走一步。如果她是更敏感的，她會樂意地想：我在彈奏他呢？可是他卻對自己說：今晨她應該走在他的旁邊，即使不像昨晚那樣倚近。

他加快了步子。於是她心裏煩亂起來。數到「四九」以後，竟接以「二十」、「二十一」……「五一」的時候，她才發現了一錯誤。那正是他閃避一輛轎車的當兒。

海嶠舊談薈

閒話陳群

諸葛文侯

舊時一般革命黨人，多不注意自身及其家人之生計，金錢到手即耗費殆盡，無所吝惜，日常生活謹嚴者，尚能安貧樂道，有所不爲，否則未有不因此躓蹶委頓也。陳氏既非富有，而生活殊浪漫，好蓄姬妾，頗事揮霍，自民國十七年迄蘆溝橋事變發作時，長期息隱上海，賴杜月笙張嘯林供應生活費。迨京滬淪陷前夕，杜氏悄然離滬南行，僅有張嘯林不時予以接濟，已感拮据，旋張亦遇刺殞命，陳氏之日用開支，益形困窘。未幾，汪兆銘潛離重慶，到安南境內通電主和，響應日寇號召，旋受日寇誘惑北上春申，籌設僞政權，託名爲「國府還都」。斯時滬濱人心動盪，通敵與肅奸運動日趨激化，陳氏係老國民黨員，又與當道疏遠，自爲通敵之汪派所欲拉攏爭取對象，同時亦爲肅奸派注意之目標，彼曾陸續遭遇暗算五次，皆以機警得免，但袞影干戈，慄慄危懼，乃匿居於日寇勢力範圍之虹口地區，以策安全，而其行動即在日寇監視中，無自由可言矣。維時杜月笙在香港，深虞陳氏將挺而走險，踏上賊船，曾修書派員赴滬，迎其南下，但因彼遁迹敵人租界內，無從晤面，即函件亦未能遞交，迨汪記僞組織成立，陳亦置身其間，且靦顏以「前漢」人物自居，一躍而爲江蘇僞省長矣。

陳氏在附逆叛國期間，生活頗爲優裕，乃搜購古籍，自設一「澤存圖書館」於上海廬所，紀念乃父澤存先生，所藏書籍不下萬冊，中多宋元明板本，每日自課閉戶讀書四小時，雖家屬亦不許啓門白事，用力殊勤。自汪兆銘病死東瀛，美軍在太平洋實行越島戰略，節節勝利後，陳氏知日寇必敗，汪記僞政權諸重要幹部，終難逃國法制裁，即密購猛烈毒劑「綠化鉀」藏之懷中，對姬妾僞言係醫治濕氣之特效藥品。迨一九四五年八月中旬，日寇宣告無條件投降後，陳公博以次諸叛徒，猶冀苟免，然陳氏毅然服毒自裁。臨死前曾寫遺囑，又致書黨國要人某某，謂彼之功罪是非，當赴九泉聽候孫總理裁判；又聲明彼在僞府居官時期，所得金錢多作購藏古籍之用，個人並未貪黷自私，所設「澤存圖書館」，如認爲可以保存，固所大願，否則希將藏書歸諸國家，藉保本國數千年來之文化遺產云。上述遺囑與書札，陳氏留有副本，交由乃兄收存，故得洩漏於外也。

綜觀陳羣一生，才識並非庸愚，唯自負過甚，用世心切，而又不能守約安貧，有所不爲，基於意氣用事與生計煎迫，竟趨於叛國自裁之下場，良堪悲歎。然臨難從容一死，不作僥倖之想，其器識視陳公博梁鴻志之流，有足多矣。（完）

梁敦厚事蹟

吳文蔚

劉共殉難的山西省代理主席梁敦厚先生，是一個極具才幹的實行家。爲人忠厚和藹，頗富人情趣味。在閻錫山將軍領導下，對山西政治建設，極有驚人的成就，三十八年三月二十九日，閻將軍奉命赴京，由他代理山西省主席職務。

他是山西定襄人，出身山西大學，在校時，由於他熱心時事講演，所以便成了一個風頭人物，一般同學，都稱他爲熱心政治的活動份子。然而他學的並不是政治，而是一門漫條斯理的中國文學。

文學對於他似乎興趣盎然，從政多年，卻沒有寫過一本政治生活的書籍，也沒有寫過類似文學的任何文字。直至他壯烈地成仁赴義後，爲了要搜集他的文墨來紀念，東找西尋的結果，方才搜集了他的一點講演紀錄，印了薄薄的一本。就這樣作爲他遺留下的著述了。

但是，這能說是他的憾事嗎？不！前面說過，他是一個極具才幹的實行家，他的成仁取義的偉大事蹟，就是他一生從政的一部煒煒著作，他這部偉大的輝煌著作，將隨着反共戰爭的最後勝利，而光耀萬丈，千古不朽呢！他的成就，也將使人永遠的頂禮讚揚，承認他是民族正氣的象徵，代表了中華民國的革命精神！

他的經歷，可以說是一部完整的革命實踐，他追隨閻錫山將軍革命反共，使他獲得了一種反共體系的堅定思想。因而，他認識了共產黨，認識了共產主義的悖乎人性和背乎人情，是一種罪惡的主義，是一種造禍人類的主義。他的反對共產黨，就是反對他禍害人類的行爲，和錯認了人類幸福的眞理，所以他是堅決的反共，以犧牲自己，作爲人類光明前途的借鏡！（一）

自由報
內僑警台報字第〇三一號內銷證
THE FREE NEWS
第三三〇期
中華民國僑務委員會頒發
台社新字第三二三號登記證
中華郵政台字第一二八二號執照
登記為第一類新聞紙類
（半週刊每星期三、六出版）
每份港幣壹角
台灣本售價新台幣弍元
社長：雷嘯岑
督印人：黃行審
社址：香港銅鑼灣高士威道二十號四樓
20. CAUSEWAY RD 3RD FL
HONG KONG
TEL. 771726　電報掛號．7191
承印者：四展印刷廠
地址：香港灣仔高士打道二二一號
台灣分社
台北市西寧南路壹叁本號二樓
電話：三〇三四六
台郵撥帳金戶九二五二

對中印復交消息的觀感

岳騫

自從去年十月毛共與印度之戰爭爆發以來，印度有識之士已有意向中華民國發出求救訊號，如印度前陸軍參謀長、韓戰釋俘委員會的主席齊瑪耶中將，就公開說出中華民國反攻大陸是挽救印度危機的唯一有效方法。類如齊瑪耶想法的大有人在，尤其是軍人方面。只有尼赫魯，梅農之流，或由於對中華民族一貫敵視，或自知負疚良深，一時尚無表示。

適在此時，美國報紙揭出我政府當局已派人赴新德里與印度外交部秘密接觸的消息。加之三月三十日台北中央日報社論「未來中印關係展望」，亦表示既往不究，只要印度能改惡從善，懸崖勒馬，我們仍然願意與之團結合作，共同消滅共禍。

由於幾件消息的同時發表，已引起世人一種錯覺，認為中印之間已在作復交準備，一旦印度與中共斷絕外交關係，馬上中印關係即可恢復正常。實則這是一種不切實際的看法，外交當局果眞有此種打算，千萬要謹慎從事，以免鑄成大錯。

談到中印復交，首先要明白一項事實：就是尼赫魯其人決不可信賴。自九一八事變以來，三十年中的世界政治人物，除去共產集團不計，依筆者個人看法，尚未有一個人壞過尼赫魯的。任何一個國家，若同尼赫魯統治下的印度交朋友，必然會吃大虧。過去的美國，現在的毛共，均已吃到苦頭，我們萬不能再蹈覆轍。

或者有人會說，今天反共第一，只要反共的人，無論他過去幹了什麼壞事，都可作為朋友。可是，問題就在這裏，尼赫魯直到今天還是反華而不反共，他眼中的毛共即是中國，中國即是毛共。我們此時若試探與印度復交，即使它接納，也決不會以中國待我，何必自討沒趣呢！

其次，要研究的是，印度與毛共發生戰爭，並不是思想的衝突，亦非由於毛共的侵略，而是由於印度之蓄意侵略中國。強迫毛共承認麥馬洪線為中印邊界。迨周恩來承認了麥馬洪線之後，尼赫魯又把麥馬洪線向北推進三十里，硬把「尼赫魯線」叫作「眞麥馬洪線」，而毛共居然不惜斷送領土主權，也承認了，担保不越過這「眞麥馬洪線」。可是，印軍又在線北構築據點，才引起雙方的軍事衝突。到了目前，毛共軍已退過「尼赫魯線」以北二十公里，尼赫魯尚且不肯罷手。假若中印眞的復交，這個問題如何解決？

再其次，我們要了解尼赫魯的本心，尼赫魯目前抱着中立而反毛共的姿態，不但美援增加，俄援亦源源而來，蘇俄在新德里助印度修建米格式機場即將竣工，南斯拉夫也願供給山地作戰武器。至於亞非集團更顯然站在印度一邊，只看可倫坡六國會議的建議即可證明。如果中印復交，印度站在自由世界立場反共，共產集團「格於清議」，將不能再給印度以援助，蘇俄也可能要停止對印度的應援，一些中立偏左的亞非國家，態度也許要轉變。印度自中華民國所得，斷斷抵不上所失，以投機善變的尼赫魯，那有看不到這步棋的道理！所以，中印復交問題，即使是印度提出，我們也應該鄭重考慮，不宜輕率決定，而我們本身卻萬不可作出此種試探性的建議。

再從另一個角度來看，中印復交，我們能助印度者並不多，印度能助我們的地方更少。若說利用印度反共，則印度現在已經在反毛共，我們不從中策動，也許印度還比較努力，我們若直接插手，尼赫魯可能馬上就縮頭，因為他決不願為中國人民的利益而反共也。

中印復交還有一個最大障礙，就是西藏問題。尼赫魯所以不惜和毛共破臉，以兵戎相見，主要還是為了西藏。尼赫魯之存心吞併西藏，遠在印度獨立之前，所以急遽承認毛共政權，毒害中華民國，基本原因也在西藏。目前雖然時移勢易，但尼赫魯吞併西藏的野心並未稍減。達賴喇嘛逃亡印度，已經四年，始終未遣一介信使赴台，向政府報告反共鬥爭情況。這雖然是由於達賴本身及其左右具有反漢族意識，主要還是受了尼赫魯的蠱惑。最近達賴又公佈西藏新憲法，儼然以獨立國自居，如何處理西藏問題為極端棘手問題，與其在復交後發生爭執，則不如保持目前形勢，等到我們打回大陸之後，再作一次總的結算。

若是為了保護華僑，加強印度反共力量，制止毛共從內部顛覆，我們派出非官方人員赴印，教導印度如何與毛共作政治鬥爭，在大前提下，當然是必要的。但是，印度也要負責保障反共華僑的安全，像目前這種態度，隨便監禁所有華僑，硬把反共華僑也當作敵對的中國人處理，我們對印度也就愛莫能助了。

外交當局最近幾年來努力求取與國，團結盟邦，已卓著成效，尤其在非洲方面，更獲得輝煌成就。但此種努力萬不可施之於印度，對印度的未來的態度，應該採取靜觀，依筆者觀察，尼赫魯一死，國大黨本身必然分裂，到時印度可能發生內亂，目前受印度族壓迫的少數民族如錫克族的克什米爾的回教徒，印度東北邊區的那迦族，以及不丹，錫金尼泊爾，均可能羣起反抗，爭取自由，尼赫魯的大印度帝國，屆時仍然要分裂為若干小邦。因為印度在歷史上從未曾獨立過，而在地理環境，民族語言，風俗習慣各方面，均不可能建立成一個國家，我們固然沒有侵略印度之心，但到了必要時，扶植我們舊日藩屬克什米爾，不丹，錫金獲得獨立，實係義不容辭的事。在這種情況下，中印之間沒有邦交似乎比有邦交更方便些，尼赫魯當年背信棄義，與中國絕交，目前已自食其果，貽禍無窮，我們此時似不必亟亟與印度復交。

最後要特別說明的，若政府當局確認中印此際有復交必要，有幾點也要弄清眉目，決不能含糊從事，又留將來的禍患。

第一、印度政府應當正式聲明廢棄麥馬洪線，至於兩國未劃定的邊界，留待中國光復大陸後解決。所有印度與毛共之間一切秘密協定，以及私人承諾（如周恩來曾向尼赫魯口頭担保承認麥馬洪線）一概無效。

第二、印度應發表聲明，不支持西藏獨立，取締有關在印的西藏獨立機構，為了表示誠意起見，印度應促使達賴赴台，向中國政府報告西藏抗暴詳情，並接受政府的指示與應援。

第三、印度應停止迫害華僑的行動，除非毛共派在印度之特務人員，已獲得證據者，均應准其安居樂業，不得任意監禁，或驅逐出境。

第四、對於中印邊境兩個小國，中印兩國應促使走向獨立之途。目前殖民主義已在整個世界崩潰，為印度着想，更不必留此兩保護國，而背上帝國主義的惡名。

以上四點應該是目前中印復交的起碼要求，我們萬不能隨便遷就，因為就道義而言，印度留給我們的創鉅痛深，我們沒有必要一定要在印度困難時，挺身而出予以支持。尤其要預防印度穩定後，又向我們以怨報德，尼赫魯的往事可為殷鑑。就利害而言，印度在現階段的抗共戰爭中，能予我們的助力也太少，而且對我們來說，也是一個重大負担，除非印度能痛悔前非，洗心革面，切切實實作一個自由世界的反共戰士，否則我們實在沒有從井救人的必要！

漫畫天下　南

好客的人

你爭我奪

自由談

洋奴作風

馬五先生

我在本欄寫過「我看周榆瑞」的短評，談到周氏所著的「人必須有所抉擇」那本英文書，曾抄附原文名稱，旨在證明一般報紙上譯為「徬徨與抉擇」並不十分確切。詎手民將英文字句排成為「Aman Mast Ch○○e」，弄得莫名其妙，而校對人亦疏忽，未加校正，但明眼人一看即知其為手民誤植所致。華文報紙上有時候把一些極普通的漢字亦排錯，構成不通詞句的情形，屢見不鮮，錯得太離譜的，亦予更正，無關宏旨者聽之，這是常事。

不料有個自署名為「Mr. F.D.R.」的黃膚黑髮之徒，寫了一張英文信給我，譏評我竟將別人的英文書名亦抄錯了，洋洋自得，大發議論。本報編者亦就浪費篇幅，予以訂正，實係多餘的事。我所寫的短評並非研究洋文問題，縱使我連ABC亦不認識，庸何傷乎？

可是，我憎惡這種中國人對着中國人亦寫洋文信的洋奴作風，有話儘可使用本國語文來表達，雖罵我也無所謂——只要罵得有道理。

既然譏誚我的洋文修養差，而又用洋文寫信給我，這種「漢人學得胡兒語，爭上城頭罵漢人」的玩藝，除表現其為十足的洋奴相以外，還有甚末意義呢？再看來信的洋文語句，其造詣程度，並不比周氏原著中的「Think again When You open Your Mouth」這類文句更高明，充其量只配作一名洋人商店中跑街西崽而已，竟向人炫耀洋文，何其醜也！

我懷疑這個使用洋文而自署洋名，濫掉洋花槍的炎黃不肖生，或許是跟周榆瑞臭味相投的同路人。因為我那段短評認為周氏不能與反共義士劉承司，趙福等人等量齊觀，大概他心裏有些難過，卻不便、亦不敢正面替周氏辯護，乃以走偏鋒的方法，指摘我抄錯周氏的洋文書名，聊以報怨出氣云爾。

「我看周榆瑞」的短評，原係據述我個人的觀感，並不自以為是，若不同意我的看法，好樣的就堂堂正正跟我筆戰辯論，用洋文來胡扯瞎纏，這是暗中咬人的臭蟲動作，我就只好撒些D．D．T．了。

致謝

本報最近收到由台灣寄來的新書：

1. 王道先生著的「美國的迷惘」
2. 沈雲龍先生著的「黎元洪評傳」

謹此致謝，不另函復。雷嘯岑啓

西柏林「毒蜘蛛漫畫社」主持人巴亨利基過港赴台灣

本報雷社長曾設宴為巴氏洗塵

應邀作陪者有西德駐港領事等

（本報訊）規模完備，在歐洲風行一時的西柏林「毒蜘蛛漫畫社」主持人巴亨利基（Heinrich Bar）於前天下午五時半到達香港，本報雷社長約同「現代西德」月刊主編人邢紀章氏，特赴啓德機場迎接，並於下午七時在九龍樂宮樓設宴爲巴氏洗塵，應邀作陪者有西德駐港領事殷國萬（Bagelmann）、文化專員巨萊柏（Sevbert），香港中央通訊社主任陳訓念，星島畫報主持人李華倫，新亞書院教授張丕介等。

毒蜘蛛漫畫社設在西柏林，收羅東西各國著名漫畫家的作品，每星期彙刊一次，內容以反對共產主義爲主，歐陸各國出版界競相採用，本報承該社按期免費供應，巴氏且隨時致函本報雷社長洽商遠東方面的自由文化問題，並希望該社物色一位遠東通訊員。巴氏此番訪問遠東的行程，先到東南亞，經香港到台灣，再赴日本。他在港停留兩天，定於今日下午三時半乘民航機前往台灣。（青）

粵共出術敲詐僑屬

手法包括投資儲蓄等

甚至扣留探親僑胞不放　還逼其寫信說志願不回

（香港與大陸）粵共最近加強對僑屬和歸僑的搾取，其手法是要求「儲蓄」、「投資」，或加上莫須有「黑市販賣」的罪名，將財產沒收；更有一種卑鄙的手段是扣留返回大陸探親的僑胞，作爲勒索外滙的「人質」。受害者無可奈何之餘，還被迫得向海外親友報告在祖國的「愉快生活」。

據曾回台山縣探親僥倖得返回香港的李師奶透露：台山縣共幹加強對僑屬和歸僑「教育工作」，要使他（她）們更加「同情和支持」祖國的「社會主義建設」。此項所謂「教育工作」，係由「黨支書」聯同「信用合作社」的共幹共同負責，實則是一項搾取僑屬和歸僑的手段。

李師奶說：粵共農村有所謂「信用合作社」，係中共銀行基層組織。因此所有的僑滙都得由該社「過手」，它們對僑屬和其海外親人的經濟情況因之亦極爲瞭解。

李師奶說：這項「教育工作」係由「黨支書」及「信用合作社」主任挨家挨戶到僑屬家裏「訪問」，首先恭維他（她）們如何「愛國」，如何「進步」，如何對「社會主義建設」有極大貢獻，接着便要他（她）們或勸導海外親人投資、儲蓄。如果被[illegible]錢，當然不敢[illegible]不願意[illegible]）爲藉口拒絕的話，「信用合作社」主任便立刻會代爲「算細帳」，把你在海外親人的經濟情況詳加分析，使被訪問者無話可說。

李師奶說：每當僑屬有外滙到來時，這些共幹更不放過時機，宣稱協助僑屬計劃使用，祇付給百分之十左右的現金，餘者則軟硬兼施的使你「自願存入」信用合作社了。存到該社的錢，以後是絕難支取的。

李師奶說：粵共爲搾取外滙，其手段卑鄙至極，竟然實行扣留返回大陸探親的僑胞，作爲勒索外滙的「人質」。她有一位同鄉，一貫在港居住，擁有數層樓屋，單靠收租亦可安適生活。去月初，因這人在大陸的胞姊病重，要求其回去探望，並帶回一些食物，她因姊妹情重難卻，回去了。並帶了不少食物。

這位僑胞回到家鄉時，眼看左鄰右舍的人皆面有菜色，可憐得很，乃將一部份食品分給一些鄉人。這樣麻煩便來了。李師奶說：有些共幹因爲沒有分得且又不好意思向該僑胞求乞，乃懷恨在心，僞造罪名，先硬說該僑胞是進行「黑市販賣」，把她所有的食品都拿走，說是抵償稅收；

這位僑胞倒不在乎這些東西，算了。半個月後她要求回「通行證」欲返回香港時，共幹則推說送去縣「公安局」，那位僑胞乃到縣「公安局」領取，但想不到卻被拒絕發還，說她在港靠收租爲生，在大陸亦一樣可靠收租爲生，每月把在港的租金滙回，不一樣可過活嗎？那位僑胞苦苦哀求亦無效，而且勒令她寫信給香港親人，說在大陸「生活愉快」，不想返港，囑必需把租金按月滙回大陸。（敬振）

待解決的台蕉輸日問題

（本報駐高雄記者袁文德航訊）台蕉輸日問題，自青果聯合社及地方合作社主張產銷一元化後，始與台灣區青果輸出業同業公會發生利害之爭，時隔兩月於茲，到底如何才是最完美的解決之道，政府有關當局雖然煞費苦心，然仍舉棋不定，全省蕉農以事關切身利害，因此無不拭目以待。

按過去台蕉輸日制度，一切是爲配合日本政府的限制外滙政策，有關台灣蕉輸出手續，均由台灣區青果輸出業向日本「實績」者辦理。日本政府將自本（五十二）年四月一日廢止限制外滙政策，同時實行「自由化」進口制度，台灣青果聯合社及地方合作社爲蕉農利益，向政府提出「產銷一元化」，俾減少中間剝削，增加蕉農福利，提高生活水準，既可刺激生產，且可賺取更多外滙，而充裕國庫，致引起青果輸出業者發生利害之爭，在互不相讓的情勢之下，政府有關當局如不迅予謀求合理解決，此糾紛的後果，實堪想像？

據高雄青果合作社經理李金鐘告本報記者稱：戰前日本人口約六、七千萬，現增加百分之二十，近已超過一億人口。且戰後日本經濟逐漸繁榮，已超過戰前之標準。池田勇人施政採取「國民所得十年內倍增」之目標，因此日人購買力比戰前增加甚多。日本政府決定本年四月一日香蕉進口自由化後，今年進口香蕉關稅課征百分之七十，明年課征百分五十，後年以後課征百分三十，進口成本逐漸減少，消費必隨之激增，戰前最高消費量爲三百六十五萬籠，三年後輸入成本每籠只有日幣三七二六圓（每籠以Cif七美元計算），極可能消費較戰前增加一倍，即年七〇〇萬籠以上，換算美元達四——五千萬美元。如此良好市場，台蕉惜自本省「八七」「八一」風水災後，台中地區之秋冬蕉減產，供應量減少，導致日商試運中南美蕉成功，至去年本省發生副霍亂，日本禁止台蕉輸入，中南美蕉竟銷售日本達八十餘萬籠。日本香蕉進口自由化後，需蕉數量勢必激增，本年台蕉盛產時之四、五、六月，僅能供應不到三分之一之數量。依目前情勢觀察，台蕉在日地位，將由獨佔急轉爲從屬，此莫大危機，我方如不趕緊設法增產，三年後台蕉在日後可能無立足之地。事關國家外滙收入，地方農村經濟，及蕉農家庭生活興衰關係重大，政府有關當局焉能坐視？

李金鐘又說：本年四月以後香蕉在日本市場，將發生猛烈競銷現象，幸得台蕉銷日已有四十餘年的悠久歷史，日人吃慣台蕉，合乎消費者之胃口，況我們又佔交易容易，及地利之便，運輸時日較短，熟度可至八分半，而又容易保持鮮度。惟今後交易必須條件爲數量，品質，價格，今日台蕉在日市場可能變爲從屬之地位，其主要因素，乃數量過少，年間品質不平均之故；就品質而言，台蕉以春秋季產品較優良，冬夏季較差，今後應如何增加產量，改進品質，降低成本始能決定台蕉未來銷日命運。然增產之捷徑，無疑爲提高及保障蕉農之合理收益，使農民樂意投資增產香蕉。迄今日本進口香蕉採取實績制，在台灣採取聯營制，使蕉農遭受層層剝削，阻得台蕉增產至鉅，如政府能隨日本香蕉進口制度之改變而亦設法改變出口制度以應付之，則既保障蕉農之最大收益，亦係仿照戰前之運銷制度，這樣將所有收益除所需費用外悉數歸蕉農所得，三年內可望增產外銷四〇〇萬籠，蕉農收入勢必提高，而有力增施有機肥、插支柱，整梳，包紙，灌溉等，再加強管理，保護，其品質必能改善，因而單位面積產量增加，成本亦必隨之降低，競銷可立於不敗之地。

本年三月份原定銷日香蕉五萬籠，結果不足三萬籠，其主要因素：（一）政府有關當局遲遲不予公佈香蕉輸日實施辦法，蕉農深感不滿，所以不願採摘供應市場。（二）外貿會根據出口商申報核定價格爲壹百台斤計價新台幣一八六元。而青果聯合社要求價格爲二一〇元，未被同意。其實外貿會照聯合社要求價格核定給付二一〇元，除所有費用外，尚可淨賺每籠（八〇台斤）十三元之數，蕉農有感於價格過低，不願在過於受剝削的情況下供應市場。

按照目前情勢觀察，政府有關當局似應亟謀解決良策，否則由於青果聯合社及地方合作社與出口商之爭奪，蕉農採以靜待變的態度，放棄加強生產的原則，結果台蕉百分之九五的銷日市場，漸漸爲中南美所奪去，豈非國家之損失？

學童營養午餐怎麼回事

一度引起爭論現決繼續辦理

並決定下年度更加推廣辦理

（本報記者吳越台北航訊）台灣教育界繼初中入學是否恢復常識考試問題之後，又興起一個可否供應學童午餐的問題，不但教育界關心，千百萬學童家長尤其關心。在一番爭論之後，鑒於各方反應一致趨向於供應午餐的主張，教育部已不堅持停辦，決定仍照原定計劃辦理，省方並籌劃全面性推廣。

立法委員李慶[illegible]三月十六日在立法院質詢說：營養午餐係由美援協助，聞省教育廳擬在全省選一百所學校辦理。營養午餐固然無可厚非，但此問題牽涉甚廣。因此辦理不但未能普遍公平，且有傷小國民之自尊心，希望此事應予停辦。

教育部長黃季陸答覆質詢說：爲了保持下一代兒童自尊心起見，小學生營養午餐實不應舉辦。

此一問答傳出之後，輿論深不以爲然，認爲不普遍，是要慢慢逐步推廣的，不能說要辦一齊辦，要不辦就都不辦。

至於美援營養午餐不是「嗟來之食」，現在世界上多數國家，包括不少先進強國，都在接受美援，而我們在大數接受以後，小數忽然又想起「自尊心」來，那是多餘的。而且美援物資的麵粉，麥片和食油，是經由教育廳直接發給學校，學童根本不知道來源，當然也談不到傷自尊心了。

家長可以說沒有反對學校辦營養午餐的，只嫌辦理的學校太少。因爲學童午餐，是一件很麻煩的事，中午學童擠在下班車陣中，非常危險，帶飯盒又未必吃得慣，家長準備也是一個麻煩，所以學校辦午餐，增進學童營養是一面，另一面亦減少家長很大的困難。

辦理學童午餐，無疑地會給學校當局帶給很多麻煩，可是爲了下一代的健康着想，每個學校都應該樂意承受這個麻煩和加重的經濟支出。事實上亦沒有一個學校反對辦學童午餐，大家希望的只是推廣與普遍的辦。

由於這項計劃是先自偏遠地區實施，都市學校辦的很少，所以雖然大家關心，但並不完全了解，究竟學校辦理午餐，是怎樣辦法？營養夠不夠？孩子吃不吃得慣？對健康有甚麼影響？這都是每一個家長想知道的問題。因此，本報記者特於一日中午至台北市惟一辦有營養午餐的省立台北師範學校附設小學訪問。

北師附小校長譚達士告訴記者，他們辦理營養午餐的時間很短，從去年二月才開始辦理。（上）

海外紛傳排華急

競向澳門求枝棲

（本報訊）東南亞及海外其他各地僑胞，因受排華影響，不能安居樂業，多有申請前往澳門居住者。過去幾年，越南，印尼及菲律賓華僑，經已有不少獲得在澳門居留權，新近復有爲數可觀的留居印度的僑胞，因不願返回毛共控制之大陸，亦申請前往澳門居住，一俟申請獲得接受，彼等即將分批動程而來。據悉其申請獲得批准的機會甚大。又前法屬非洲海岸的馬拉西亞共和國（即馬達加斯加島），近頃亦發生排斥華僑情事，居留不易，已有約二百人之數，向澳門當局申請入境居留中，批准的希望曾比之印度華僑尤大，可能於本年六月即行來澳居留。所有申請來澳居留之各地華僑，其初祇能申請暫時居留，並繳納保證金葡幣一千元。但入境居留後又可進行申請永久居留，如獲批准，其所繳一千元保證金，即可退回。（基）

慶自由報出版三週年

武尉

時光荏苒，自由報出刊迄今忽忽已經三週年了！筆者近三年來，不訂報也不看報。我不看報的原因：第一、是由於自己是一個小市民身份；並不負國家的實際責任，小市民只要安份守己奉公守法就行了。假如國家一旦有事，接到命令，馬上應召，毫不猶豫。此外，也用不着知道什麼天南地北的消息了。記得當年「七七」「八一三」事變時，上海灘頭，報販會喊到一塊大洋一張報，還是有很多人搶着要。此時此地，唯有反攻登陸的消息是一件大事；卽化一百元一張報紙也非看不可。否則，還是靜靜地，養養精神好。

第二、這裏的報紙，我不願看，也不敢看。爲甚麼？小報夜報不用說，卽是幾家堂堂具有代表性的大報，也是千篇一律，除過第一版登些國家大事外，其餘差不多三分之二以上是社會新聞，翻開一看，琳瑯滿目，如强姦呀，詐騙呀，貪汚呀，兇殺呀，小流氓和太保太妹們鬧事呀，種種稀奇古怪的新聞，看的你頭昏眼花，心驚肉跳，幾乎對自己也起了懷疑，不知此身立於何種世界！尤其這些消息，經過一番筆墨渲染之後，由於適合一般人好奇心的胃口，報紙銷路大增，報販過處，競行搶購，越發顯得離奇多姿！

第三、一般報紙的副刊，武俠小說，章回文章佔了大半，黃色的愛情故事刊載連篇；比較嚴正的報紙，不敢說是粉飾太平，歌頌聖世，也不過是掘靈感，發幽默，在故作輕鬆！

第四、一般報紙上的廣告，可以說是絞盡腦汁，用盡了文學上的美妙詞句，如最富麗的裝璜，最堂皇的佈置，合乎國際水準，超過時代享受，美女如雲，如入仙境！如輕歌妙舞，大膽暴露，只此一幕，卽値回票價等等！天哪，這是反攻復國的基地嗎？總而言之，統而言之，台灣是沒有戰時氣氛。彷彿反攻復國是蔣總統一個人的事，或者是金馬戰士的事。縱然政府不反攻，有第七艦隊在台灣海峽，共匪是打不過來的。有此數端，所以筆者近三年來不看報。

自由報便不同了，它有若晏子，人雖長的小，人格卻偉大。它雖是一張小型報，但報格卻是大的。它雖是在香港出版，但立場卻是站在中國的。它雖是一張民營報紙，但一字一句都是國家說話。它的經營雖全靠[illegible]，它的宗旨，是當與中華民國，反攻救民，恢復神州大陸。它的創辦動機，是一種正義。它的言論內容，是一種正言，它的激越的呼號，是一種正聲。它有正義，正言，正聲的三重報格，所以筆者樂於先睹爲快。

我們知道，滿末外侮頻仍，康梁倡導維新運動，後來維新運動失敗，六君子見戮，康梁逃亡異邦。當時一般民氣可以說是低沉到了極點。梁啓超逃亡日本後，以不死之身辦了報著文，倡富强，發新論，新的思想，新的學說，不斷鼓吹而闡揚之，卒喚起一般低沉垂死的民氣。國父孫中山先生領導革命黨內志士仁人，能夠視死如歸，舍己爲人不屈不撓，其意志與精神，固然是領受國父的革命理論與正確的感召所使然，但當時志士如虹，民心鼎沸之盛氣，亦未嘗不無梁氏鼓吹新思潮之影响。現在自由報之出版，對自由中國在反攻復國的立場來說，實有如同淸末梁氏之筆，以喚起恢復神州完成復國建國的民氣。（上）

天南風光
——沙羅越的歷史——

朱淵明

沙羅越的第一代拉者布律克，到一八六八年六月十一日逝世，在位二十七年，享壽六十五歲。他留下了一個有信心和有希望的世襲國家。這個國家，既非侵奪而來，亦非交易所獲，更非純靠羣衆的力量，打下來的天下，實出於另一種特殊方式，由人心甘情願的拱手相讓。復再三再四的擴充，雖其祖國或多或少的也曾予以支持，然初衷固不及此，而其實效則大出意外。於此，可知一個人無論如何英豪有爲，若無一個像樣的祖國，在實力上或聲勢上爲之後盾，則亦將束手無計，天才埋沒。反之，若個人本身不行，縱有機緣，亦難施展。語曰：「國者，人之積」。構成之分子，自足以反映其全體。綜合沙羅越創基立業之各種史實，雖欲不曰：「布律克實人傑也」！豈可得哉？

一八六八年八月三日，卽在第一代拉者逝世後的五十天，查理士布律克宣佈爲拉者。他在襲位之前，卽曾以「端木達」的身份，實際治理沙羅越，已有五年。這位查理士先生，是一位有政治才幹的人物，在他統治期間，曾擴充領土先後三次，（沙羅越自立國後，一共四次擴充：一次是在布律克統治時代，餘三次均在第二代拉者時代）而成爲今日的疆界。

查理士統治沙羅越，幾達半個世紀，自一八六八年至一九一七年，整整四十九年。這期間，沙羅越漸漸進步，在古晉修築公路，鐵路，興辦自來水，建立船塢，裝置電話及無線電，遂得與國際間交通消息。它的歲入預算，由一八七〇年的十二萬二千八百四十二元，而達到一九一七年的一百七十四萬五千餘元。不但未曾欠債，未發公債，而且還有相當盈餘。如果說第一代拉者布律克是一個開路先鋒，則第二代拉者查理士就是一個治國能手。因之政治極爲安定，生活水準日高，盜賊幾乎絕跡，交通日益頻繁。尤其當第一次世界大戰期間，土產價格飛漲，橡膠每担七八百元，胡椒有達千元者。這多是華人辛勤墾植之功，而亦第二代拉者於一九〇〇年起，以最優條件，與福州人黃乃業，三水人鄧恭叔，以及興化衛理公會教士蒲魯士等，先後簽定墾殖條約之力也。

不過查理士，當他逝世前，卻有一件極不得意的事橫亘胸中，那就是他的王位繼承問題。原來查理士有三個兒子，大兒子名叫維納（Vynar Brooke），卻不爲查理士所喜，久欲把王位讓與第二個兒子；此事全沙羅越幾乎無人不知，都稱他爲「太子」，而稱其弟爲「二拉者」勿洛；然他終是長子，[illegible]名位至此，似已確定了。（四十六）

我底學習和思想歷程

謝康

四、我曾有機會到川滇湘黔各省考察，國族地區，更多居留或來往。我深深體認到鄉下生活，距離現代化水準，最低限度差一百幾十年。一切都離科學化，機械化太遠了。我們不能單憑一點城市工商業現代化，就可以立國。必須深入農村，從改良農業、手工業入手。尤其要根據平均地權之原則，使農人有田耕和耕者有其田。農民能安居樂業，才可推行地方自治及民團組織，消除共產黨在農村發展的惡勢力。

五、在珍珠港事變以後，我們對國事很抱着樂觀。認爲勝利總要來臨，只怕我們沒有眞實力量，來迎接這個勝利。其後果然。許多掌握權力的人，竟爲勝利來得太快，而冲昏了頭腦，不能安定民生和抵禦赤化的力量。

六、「國家之敗，由官邪也。官之失德，寵賂彰也。」我們失掉大陸一個大原因，是抗戰前後，貪污風氣之盛，是我曾經寫過「貪污亡國論」和「貪污風氣的研究」，來針砭貪官污吏的罪行。我們的懲治貪污法，何以不能實行有效？由於貪污，可使一切法律失卻效力的緣故。由於貪污，使一切經營的事業，也可能歸於失敗，於是整個社會的抗毒維生素，都爲貪污所腐蝕。吾爲此懼，希望健全的文官制度和良好的社會風氣，早日能夠形成，使廉吏可爲，貪墨斂迹纔好。

七、抗戰時期，軍事第一，無可厚非。但我親眼看到許多「有槍階級」，藉以爲軍人萬能，氣燄高張，直欲把中華民國的招牌，變成「中華軍國」的實質，甚至完全失卻革命軍人的品德，至於實行貪污，他們更多機會。我因此很自慶幸，不曾投筆從戎，否則也許要被正義人士口誅筆伐了。

八、抗戰時的國立中學，頗具規模，幾可與法國的Lycée相比美，可惜這一個良好的制度，戰後不知道保存。中國有許多好制度，都好像曇花一現，眞可惜！後任往往不加愛惜，而改絃更張，另出花樣，表示他自有一套不同的好辦法。不知道教育是百年事業，那能隨便更改學制，自矜創新，[illegible]獲呢？自清光緒廿八年壬寅學制頒訂以來，我國政府改訂學制，不知道幾多次了，至於學校校長的更動，那更爲頻繁，更無保障。制度和人事，時時翻新，教育政策也隨時改變。這一來，那能從安定中求進步？譬如廣西大學，由十七年（一九二八）開辦至三十八年，二十一年之間，搬遷多少次，校長更動九次之多；中山大學從十五年成立，也有類似的情形。民三十年我在研石中大担任研究院碩士學位校外考試委員的時候，忽然間有電報來更換校長，三天工夫，人事又一番新了。看了這類情形，我們能說什麼？何況教授也多半是一年一聘的呢！如何使他們能安心教學？（十）

瘟君續夢

第八回

擊戾賓堪驚　片言毀約
脫靴終自誤　衆志成城

李富春忍不住問道：「還有什麼事比這更嚴重呢？」

鄧子恢說道：「根治黃河之前，曾經作過一次調查，由蘇聯專家率領，以後藍圖也是他們負責擬訂的，一向也就由他們保管，假若他們把藍圖及黃河的水文紀錄，天氣資料全部帶走的話，那恐怕治理黃河工作只有放棄了。」

二李一聽都急得站起來，馬上着人打長途電話到鄭州去問，果然什麼都帶走了。

三人不約而同的嘆了一口氣，鄧子恢說道：「這一步棋就把咱們整垮了。」

李富春將信將疑地問道：「怎麼會這麼嚴重。」

鄧子恢嘆口氣：「富春同志，你主管工業，不大了解農業，黃河沿岸有一億八千萬人口，耕地佔全國的百分之四十，蘇聯專家這一走，整個農業增產計劃全落空了，你們說怎麼得了。」

李先念也覺得鄧子恢有點張大其詞，笑着說道：「子恢同志，事到如此，我們只有退一步想，只當當初沒有治理黃河就是了。」

鄧子恢搖搖頭：「先念同志，這點你又不懂了，治理黃河不是開工廠，大不了關門就是了。治黃一開始萬不能半途而廢，因爲有的地方修了很大的水庫，下游有幾處又斷了流，兩岸許多小河塡塞了，一切都要等黃河治理好才能恢復正常，現在一旦停止，這一盤棋怎麼收拾，繼續治理，藍圖被專家帶走了，誰也不曉得怎麼着手，就這樣擱下來，整個華北水道系統大亂，以後每年不淹就旱，想有一年風調雨順的年成都難了。」

李先念總得目瞪口呆，李富春更是心驚肉跳。停了半晌，李富春帶着祈求的口吻問道：「設法恢復原狀成不成呢？橫豎我們有的是人，拚着再犧牲幾萬條人命就是了。」

鄧子恢說道：「在理論上是可以，事實上行不通，我舉一個最簡單的例子，譬如三門峽是有鬼門，神門，人門三個門，現在都剷平了，請問用多大人力還能建成原狀，天下事破壞總是容易的，回頭再想建設，多付出兩倍三倍人力也作不到，我怕到了那個時候，黃河流域早變成沙漠了。」

李富春再也聽不下去了，起身拉着鄧子恢說道：「走！我們向毛主席報告去。」

鄧子恢掙脫他的手，說道：「你們兩人去吧！千萬別帶我，省得他見了我又駡我是小脚女人。」

二李無奈何只好自去，到地方只見周恩來，劉少奇都在，毛澤東正在跳着脚駡，二李一看見嚇得魂不附體，站在門首呆了。

毛澤東一回頭看見二李，擺手說道：「我正要派人去找你們，這些大鼻子專家臨走還害了我們一次，把藍圖也帶走了，你們知不知道。」

李富春戰戰兢兢說道：「剛才鄧子恢已經告訴我了，這個問題眞是麻煩透了。」

毛澤東聽到鄧子恢，不由得一怔，問道：「鄧子恢怎會先知道了，誰告訴他的。」

李先念說道：「治理黃河本來是他主管的，情形他當然比較淸楚。」（一九四）

六必居

自由報副刊有道南先生「六必居」一文，大意說：六必居是六人合夥，起初託人請嚴嵩題匾，嚴信筆寫「六心居」三字，可是請託的人一想，六個人六條心，不合邏輯，再三拜求改題，嚴把筆在心字上撇了一撇，就成「六必居」了。以余所聞，此說似有出入。

據余所知，嚴分宜家有一乳媼，其子開一店鋪，媼求分宜命名，分宜問：「此店作麼生？」媼曰：「柴米油鹽醬醋都有，只欠茶。」嚴遂書「六必居」付之？其意乃謂：開門七件事，只缺茶，故曰六必居也。以情理判之，此說似較正確。何以見之？蓋一則嚴是何等人物，替人寫招牌，決不致信筆題錯。二則，即使題錯了，他以宰相之尊，也只好接受，而不敢璧回，要求他改寫？三則，名人寫字，當着面寫，當着面求改，如非出于自動，實無如此輕易，何況當朝宰相？

花香月上樓小品

黃伯遠

按北平之六必居，數百年來，只此一家，別無分店。清宣統初元，余遊北平，分宜所書之市招眞蹟，仍可看到，但已移懸店內。字勁拔有力，匾角稍損，漆亦剝落。當時店之基本業務，乃是賣粱酒，既無柴也無米，意者因年久日遠，已稍變質乎？醇而且香，飲過之後，入口不渴，也不燥，不激火，而非其他北平各地之賣粱酒所能望其項背者也。凡到過北平而使人永遠留有印象的，除了六必居的賣粱酒外，則爲榮寶齋之銅印，和正陽樓之炙羊肉。後者余另有文記之。

鮮菇

市有售鮮菰者，美其名曰「洋菰」，不知所自來也。或曰：「澳非洋船來品也」。或曰：「否！船行一月半月，以不臭亦奇矣。」居然機運耶？何耶？市物值廉，以值賤，不可能也。

屋一底一半樓，以店屋爲菰場，余入而觀焉，東西分上下。肆有折閣，菰生以竹爲架，兩層，一竹爲牀，半樓亦如之，入牀上堆疊，其肆戶猶髮猪毛，懸電炬，日一漉水焉。彙旬再往，關，皆閉，電炬若鬼火，如履墟墓。始知視，則菰長矣，密如繁星，色白如乳。其所自來，以竹爲種子，長毛之泥土，電炬爲日月，陰濕之氣爲種子部，而益之以人工調度也。（未完）

南宋偏安有人才

——趙鼎——

李仲侯

鼎引疾求免，嘗「大中持正論，爲章惇蔡京之黨所嫉。巨議論出處與大中同，大中去，巨何可留」。乃以忠武節度使出知紹興府，尋加檢校少傅，改奉國軍節度使。檜率執政往餞其行，鼎不爲禮，一揖而去，檜益恨之。

鼎既去，王庶入對，上謂庶曰：「趙鼎兩爲相，於國大有功，再贊親征，皆能決勝；又鎮撫建康，回鑾無患。他人所不及也。」先是王倫使金，從鼎受指使，問禮數則答以君臣之分已定，問地界則答以大河爲界，二者從事之大者，或不從則已。倫受命而行。至是倫與金使俱來，以撫諭江南爲名，上歎息謂曰：「使五日前得此報，趙鼎豈可去耶！」

初車駕駐臨安，內侍移竹栽入內，鼎責之曰：「艮嶽花石之擾，皆出汝曹，今欲蹈前轍耶！」因奏其事，上改容謝之。有戶部官賈錢入宮者，鼎召至相府切責之，翌日問上曰：「某人獻錢耶？」上曰：「朕求之也」。鼎奏：「某人不當獻，陛下不當求」。遂出其人與郡。鼎嘗薦胡寅，魏矼，晏敦復，潘良貴，呂本中，張致遠等數十人，分布朝列。暨再相，奏曰：「今清議所與，如劉大中，胡寅，常同，林季仲之流，陛下能用之乎？」始賢長惡如趙鼎，胡世將，周秘，陳公輔之徒，陛下能去之乎」？上怨徙世將，而公輔等尋補外。上嘗中批一人付閣堂升擢，鼎奏：「疏遠小臣，陛下何由得其姓名？」上謂：「常同實稱之。」鼎曰：「同知其賢，何不露章薦引？」

浚薦秦檜可與共大事，鼎再相，亦以爲言，然檜機穽深險，外和而中異。浚初求去，有旨召鼎，鼎至越丐祠，檜惡其逼己，又諷謝祖信論鼎嘗受張邦昌僞命，遂奪節。御史中丞王次翁論鼎治郡廢弛，命提舉洞霄宮。鼎自泉州歸，復上書言時政，檜忌其復用，諷次翁又論其嘗受僞命，乾沒都督府錢十七萬緡，謫官居興化軍。論者猶不已，移漳州。又責清遠軍節度副使，潮州安置。在潮五年，杜門謝客，時事不掛口。有問者，但引咎而已。中丞詹大方誣其受賄，屬潮守放編置人移吉陽軍，鼎謝表曰：「白首何歸，悵餘生之無幾；丹心未泯，誓九死以不移！」檜見之曰：「此老倔強猶昔。」在吉陽三年，潛居深處，門人故吏，皆不敢通問，惟廣西帥張宗元時饋醪米，檜知之，命本軍月具存亡申報。鼎遣人語其子汾曰：「檜必欲殺我，我死汝曹無患，不然禍及一家矣」。先得疾，自書墓中石，記鄉里及除拜歲月，至書銘旌云：「身騎箕尾歸天上，氣作河山壯本朝」。遺言屬其子乞歸葬，遂不食而死，時紹興十七年也。天下聞而悲之！明年得旨歸葬。孝宗即位諡忠簡，贈太傅，追封豐國公。高宗祔廟以鼎配享，擢用其孫十一人。

鼎爲文渾然天成，凡高宗處分軍國機事，多其視草，有擬奏表疏雜詩文二百餘篇。論中興賢相，應以鼎爲首稱。蓋謀國用兵之道，有及時乘銳而可以立功者，有養威持重而後能有爲者，二者之設施不同，而其忠一也。（四十一）

彈奏者和被彈奏的（下）

汶津

她站起來，從一個衣櫥的隱秘的角落取出一札書信，謹慎的放在一隻精巧的盒子裏的。她打開第一封。

「你懂得自己的眼睛麼？」

多蹩扭的問話！可是她痴痴傻傻的去請鏡子給她答案。「我不懂得！」她說。

第二封她不想抽出來了，她幾乎能背誦出每一個字。第三封來了——

「愛是如此地平凡。只有平凡的才能企及恆久。」

她想那是一個哲人說的，但誰說的又有甚重要？

「愛是如此地平凡！」他轉進巷子，含門是更近更近了。

一陣喧嘩湧起在他腦際，他遲疑了，甚至停下了腳步。第一句話應該是什麼？

她望着窗外，一隻小麻雀停息在電線上，一個孤寂的音符，音樂家們遺忘了的。可是她，她的彈奏者呢？

第一個音符響起，電鈴的聲音使她心跳。他們彼此默視着。他開始彈奏她了。搜索着對方面容上的昨夜的餘痕。一切都已淡去了，不，整個的生命都在訴說着那些記憶。

「你終於來了。」

他鬆了一口氣。她已經爲他做了一件最好的事。他難道不知道說第一句話是最難的？

「我在看你給我的那些信。」她低頭說。

休止符那麼那麼長。

他肅穆得難以置信。

「我在巷子口的時候，忽然不想進來了。」

「你怎麼啦？」

她強烈地注視着他。眼珠和眼珠都似要相撞了。「爲了什麼？」他搖搖頭。「不爲什麼。我還是來了。」

她把那些信封收進盒子裏。「你聽，你送我的一盒餅乾。」她試着把空氣弄輕鬆些。

「今早你用它們充饑了？」他樂意自己被她所奏弄。

「先告訴我，爲什麼你有剛才的想法。」

有些事情你永遠沒法說清楚的。他有突如其來的靈感。

「你昨晚不是說今早要出門了？」

「我只是這樣想。我記不得更多關於昨夜的；許多你能嗎？」「你能記起的許多嗎？」

她的眼睛——｜——他知道，豈不是它的推一，招呼他，一｜他走過去了：「說眞的，我怕萬一我來時你不在，你知道那會使我多傷心，甚至絕望。你難道不相信命運？」

然後一種凝合，一種沉迷。再當老祖母，神秘在她的老眼中塑成故事。

上海聞人張嘯林

海嘯樓談薈

諸葛文侯

在對日抗戰時期被刺殞命的上海聞人張嘯林，椎魯無文，語言粗俗，原係滬濱流浪之徒，投身法租界巡捕房作密探，常與市井無賴厮混，既無恆產，亦不事恆業，殆一純粹的「白相人」也。然其個性重然諾，有江湖豪俠之氣，路見不平，不惜挺身使義，抑強扶弱，對人對事稍不愜意，即公開大聲謾罵，無所顧忌。因此，他在上海租界的特殊環境中，頗得下層社會羣衆的推崇，漸漸地形成了領導人物。又憑藉外國巡捕房的關係和勢力，在烟，賭，娼和走私事業各方面，攫克有方，大闢財路，進而造就他的「聞人」地位。

當民國十五年國民革命軍北伐之前，張與杜月笙皆爲上海聞人之一，兩人情誼篤好，有若昆季，曾合力創設「共進會」，志在集結同道，服務社會公益。維時中國共產黨徒亦以上海爲根據地，從事工人運動，組織工會，不時煽起風潮，破壞社會秩序，而以反對帝國主義爲號召，外國租界當局怒然憂之，乃寄望於「共進會」予以協助，確保治安。到了民國十六年春間，國民革命軍佔領淞滬後，國民黨與共產黨已由暗鬥進入明爭階段，新任上海警備司令楊虎，國民革命東路軍政治部主任陳羣，爲着反共利益，曾參加「共進會」，他們跟杜月笙張嘯林原係朋友，從此更成了江湖弟兄行。

旋國民政府奠都南京，明令淸黨，上海的共黨勢力，迅告崩潰，「共進會」的助力特多，著名的共黨頭目宣中華，就是從杜宅出來，在租界馬路上被擒獲正法的。張嘯林以功受聘爲革命軍總部參事，聲名益彰了。

張有一子名「法堯」，曾由杜月笙資助赴法國留學，三四年間耗費不下五十萬金，然資質魯鈍，屬於花花公子之流。他在法國某大學的畢業論文，是陳羣在上海代爲請好，再倩人譯成法文寄給他的，因而取得了學位，張嘯林自然感激陳羣，所以對陳氏的生活費用，隨時不吝接濟。張法堯回國來，杜月笙推薦於南京當道，輒囑其入京晤談，詎一談之下，知爲繡花枕頭式的洋盤之士，未便錄用。但張嘯林不識此中義理，總以爲自己對國府建立過功勞，而當道乃不能給其具有洋博士頭銜的兒子以一官半職，快快失望，對人常發駡座之聲，且怪杜月笙幫忙不力。既而國府開辦航空獎券，財政部將獎券發行職責交給杜月笙，張氏更認爲政府重杜而輕己，嫉怨交集，駡聲更多。

對日抗戰軍興，上海旋告淪陷，杜月笙舉家南行，而張留滬不去。迨汪記僞政權成立，滬上肅奸運動起，以張氏平日既對政府不滿，又置身敵僞勢力之下，難免不走入叛國途徑。一日晨間，張在法租界私宅陽台上，因事斥責站在門口的自己保鏢人，申申而詈，保鏢人舉槍向着張氏砰然一發，鉛彈由下頷直穿腦部，倒地死矣！

集聯叢談

諸葛文侯

用古詩集句作聯語，並不艱難，難在確切不移，而又不露集句痕跡，信手拈來，恍若新製，此非熟讀古詩孔多，且天才橫溢者莫辦也。近代人擅長此道者，首推王王秋先生。

滿淸光緒年間，鄂人樊樊山在陝西作藩台時，王氏曾經兩度應邀漫遊關中，初次入陝，在潼關結識一妓名「秋雲」，迨第二次過潼關重訪舊識，人去樓空，詢其踪跡，據言已逝世矣！悵惘之餘，集古詩嵌「秋雲」二字以挽之云：「寬夕起相思，秋草獨尋人去後；一他鄉復行役，雲山況是客中過」。切人切事切時，而對仗工穩，天衣無縫，且不能移用於第二人，尤屬傑作。

愚友閩人曾克耑（履川）以詩名，現執教香港「新亞書院」，有閩華僑在澳洲開設餐館，名曰「荷花樓」，乞曾氏撰聯，以張之，集杜詩成聯云：「荷淨納涼時，置酒張鐙促華館；花嬌迎雜樹，金谷銅駝非故鄉」。切事切地切景，而餐館僱用「花」女招待，下聯第一句之語尤具妙諦也。愚方僑居成都，有挽老畫家楊滄白（庶堪）先生，對日抗戰時捐館於重慶，集古詩以聯挽之曰：「相思白頭，獨憐錦水將雙涕；逸詩渺滄海，空向秋波哭逝川」。視王曾二公之作，豈僅小巫見大巫而已哉？學殖荒落，理固然也。

至於集古詩與成語混合作聯，雖視集詩範圍稍寬，取材亦較易，然佳構殊不多見。愚憶及民十七年衡陽李況松世丈旅居南京時，觀城南夫子廟秦淮河畔妓館林立，笙歌達且之情況，慨然集古人詩文製一聯以詠之曰：「王孫似可留，駐馬衡齋，無情最是台城柳」；「夫子何爲者，傷麟怨道，隔江猶唱後庭花」。頗具匠心，堪稱難能可貴之作。

自由報
THE FREE NEWS
第一三三期
（每逢星期三、六出版）
每份港幣壹角
社長：雷嘯岑
20 CAUSEWAY RD 3RD FL HONG KONG
TEL. 771726　電報掛號：7181
台灣分社

論菲律賓所謂逾期游客問題

雷嘯岑

台北十四日泛亞社電訊：菲律賓駐華大使羅慕斯在扶輪會發表演說，謂「二千餘名留菲之華籍逾期游客問題若再不解決，則方興未艾之菲國反華情緒，將無法制止」；「菲國失業者達一百萬以上，而游客之留駐，對失業者為一威脅。菲政府無論從保護本國人民利益設想，或從維護法律之尊嚴設想，俱有對游客採取行動之必要。此問題不解決，則中菲間即難有充分之合作，蓋任何有自尊心的國家，決不能聽任法令被破壞」；羅大使又特別指述「菲國失業者目擊華僑欣欣向榮情形，甚為不安，故游客問題之解決甚為迫切」。

羅大使這番言論，我們認為有些是令人惶惑，有些是覺得驚奇，而全篇語意亦多不合邏輯。但我們對於所謂「逾期游客」問題，亦希望迅速解決，因而不能不據述所見，藉供參考。

首先應該弄清楚的，就是「逾期游客」的性質問題。依常識判斷，這些外來客人，乃是暫時旅行觀光的，在入境之前，經過了簽證手續，賦予一定的停留期限，逾期若不取得駐在國政府的允許，即非離境不可，又何致於發生如羅慕斯大使所說：「在菲居留已超過十年，渠等繼續違反菲律賓移民法之行動」這種不合理的現象呢？如果是偷渡非法入境的，菲政府亦容易發覺，可以登時驅逐或遞解出境，更不能讓他潛伏十年以上。既能在菲境居留十年以上的，若非有親屬贍養，就亳有生活基礎和職業技能了，皆不致影響當地社會安寧秩序，按照國際間一般的慣例；這些人即可取得永久居留權（香港就是顯著的例證），似不構成「違反移民法之行動」，因為當地政府默許他們停留十年以上，並未執行移民法的規定，責任不在游客也。羅大使謂「任何有自尊心的國家，不能聽任法令被破壞」，這話很對，但縱容這些游客破壞移民法令而未及時制止者是誰呢？香港對於外來的游客，要想秘密逾限十天半月不走，決無可能，菲律賓的游客卻可以逾期十年以上，可謂奇蹟也矣！若說這二千名逾期游客，對菲律賓一百萬餘的失業者是一大威脅，更係不可想像的事。他們如係游手好閒之徒，菲政府既不負救濟之責，即對該國的失業情況不發生威脅作用；他們若有生活基礎和生產能力，且對當地失業問題具有消散的潛能，更無威脅之可言。羅大使之所謂「威脅」意義，不外是他所指出「菲國失業者目擊華僑欣欣向榮情形，甚為不安」的這種情況吧？我們認為這是一種嫉視心理，與當地的失業問題不相干。華僑以其勤儉精神，在海外刱業營生，歷代相沿，由來者漸，經濟基礎相當鞏固，這對駐在國有益無害，威脅云乎哉？

漫画天下

這廂有禮了！

倒下來了！

筆者去夏游歷馬尼刺時，在菲律賓華商代表大會席上，親聆馬卡柏加總統的演說，他聲言菲律賓是個好客的民族，決不排外，祇希望外商尊重菲國的主權，遵守一切法令，彼此互相合作。這是大政治家的卓見，令人欽佩，一般華商代表亦甚感慰。羅大使這次的言論，似與馬卡柏加總統的說法不相符合，殊為遺憾！

至於羅大使說這兩千名逾期游客的問題不解決，則方興未艾的排華情緒，無法制止，且謂中菲間即難有充分之合作云云，我們雖不敢說這是一國使節對友邦恐嚇失態之詞，但至少亦認為不免小題大作，危言聳聽之嫌。為着區區二千名游客事件，即發生兩國不合作（即有敵對意思）的嚴重後果，然則香港近十年間從中國大陸湧進來兩三百萬的難民，其中許多、且需要當地政府安置救濟，英國政府豈不是要跟中共政權作戰嗎？菲律賓的土地與產業，大過香港數百倍，這二千名游客即令盡是些土匪強盜，亦不致構成中菲間不合作的妨害邦交因素吧？自中國大陸淪於共黨之手以來，東南亞方面有些新興國家如印尼之類，利用共產黨人無祖國思想，而中華民國政府又局促台灣一隅，乃一面以親共姿態，一面乘中華民國之危，狂事排華行動，目的在垂涎當地華僑歷代累積而來的財產，趁火打劫，肆無忌憚。然該國人民類多懶惰成性，智識譾陋，缺乏生產技能，雖以無學的排華行動，非法攫奪華僑的產業，不特無從發展，且不能保持現狀，結果該國的經濟情況更加惡化，印尼便係很好的證明。菲律賓乃是反共的自由國家，與越南以及世界各個自由國家相同，最近十年間，菲國實施了層出不窮的「菲化法案」，已有步武印尼，盲目排華的趨勢，我們愁然憂之，認為決非菲國之福。如今羅大使更聲明菲國的反華情緒，方興未艾，逾期游客問題不解決，排華行動即難制止，然則過去實施的那些「菲化法案」，又是為的甚末理由呢？我們願與菲國親睦結交，是基於共同反共的整個自由人類生存利害關係，此外別無所圖，實際上，從文化、經濟以及軍事等事項，中國並不一定要乞助於菲律賓，菲國亦有心餘力絀之感。羅大使拿「逾期游客」這類小問題來要脅中國政府，實屬不智之至。如果菲國因為逾期游客問題而大事排華，即令將菲律賓百萬以上的華僑全部排除，到頭來受害最大的只是菲國，事實顯然，毋待贅述。越南的華僑比菲律賓更多，但越南政府不採取盲目排華行動，中越兩國依合理而互諒互助的方法，逐步解決華僑問題，現在越南的經濟情況就好多了。羅大使說菲國人見着華僑欣欣向榮的情形，心裏就不安泰，這是甚末道理？華僑們勤勞經商，並無資格和機會過問駐在國的政事，他們的生活縱然比較安定舒適，亦是憑着血汗勞力換來的，決無嫉視之理。何況旅菲島的華僑近若干年來，受着各種「菲化法案」的壓迫摧殘，除卻極少數加入了菲籍的人士以外，無不慄慄危懼，寢饋難安。例如馬尼刺的唐人街，道路殘破，水溝壅塞，污泥臭水到處都是，市政府既不予以修築，亦不許華僑自行醵資建造，他們亦祇好忍受下去。羅大使認為逾期游客不解決，菲國的排華行動將變本加厲，我們認為菲國如要及早解決這類懸案，即應先行停止歧視華僑的作風，奠立友好和諧的情誼，則遇事沒有不能解決的。若先以咄咄迫人的態度和行為，企圖迫使對方就範，這是強權主義國家的「沙文主義」，菲律賓似不應該如此哩！

解決「逾期游客」問題的癥結不在原則，而在技術方面。菲政府要把這些游客一概送到台灣，希望中國政府照單全收，這就沒法辦理。這些游客的政治思想和經濟背景多不相同，有的願意到台灣，有的願回故里，有的又願到其他的國境去，原因都不外是生活與生計關係。合理的辦法，是使在菲島確有生活基礎，而又沒有共諜嫌疑的，讓他們取得菲國的永久居留權；不願意回到自由祖國，且為中華民國政府同意收容的，一律遣送到台灣；願意遣返中國大陸上的，即與香港政府交涉，准其過境而去。這樣彼此都不感覺困難，問題即迎刃而解了。

我們同意羅大使迅速解決「逾期游客」問題的主張，但對於羅大使所持的見解，卻不敢贊許。一個國家駐外使節的公開發言，是代表該國的外交政策，並非私人談話，凡足以影響邦交的言論，總以避免為佳，這就是筆者撰寫本文的旨趣所在。

令人噁心的新聞

最近若干年來，我閱讀報紙上的國際新聞時，見到所謂「東南亞公約」組織的動態消息，如召集會議，舉行軍事演習之類，胸中即要作嘔，不禁大呼一聲曰：混帳！

既名為「東南亞公約」，而參加這公約的東南亞地區各國，僅有敬陪末座的資格，一切以西方一二大國的意旨為依歸，喧賓奪主，充分表現着沙文主義的醜態，這已經在政治心理上潛滋着不良的印象了。假使西方一二大國真是以保護東南亞公約國不受共禍侵襲為己任，坐言而起行，實事求是，那亦說得過去。可是，東南亞公約創立迄今，將屆十載了，實際情形如何呢？初期的公約國各種會議公報中，連「反共」字句亦忌諱使用；繼而在公約保護之下的寮國，竟由主宰公約的西方一二大國，強迫它跟共黨組織聯合政權，以致處於同樣形勢中的高棉，亦慄慄危懼，投向共黨陣營了。越南共禍猖獗，最近美國方面又有使越南採取中立政策的擬議了。泰國觸景生情，當感禍至之無日，政府當局每有改變對外政策的表示，而美英法聞之，即派遣幾艘破濫的軍艦，在東南亞海灣游弋一下，美其名為「軍事演習」，像煞有介事，這有如巫師對着病人臥榻前畫符唸咒的玩藝，可哂已極。這些就是東南亞公約的績效，你說笑話不？

日前東南亞公約國在巴黎開會，美國務長官魯斯克大言不慚地當眾聲明：美國必然負起軍事義務，保障公約國家不受侵略。我聽見這些說詞，混身肉麻不已。當年寮國受到共黨的武力侵略時，美總統甘迺迪信誓旦旦，亦說是要以武力保障寮國的安全自由。然口血未乾，美國卻以停止軍經援助的手段，壓迫寮國跟共黨妥協，而其主管遠東事務的大員哈里曼，且公然說出美國決不援助不聽從白宮意見的國家，一副強權霸道的嘴臉，令人不忍逼視。如今魯斯克又到巴黎大賣其毫無效驗的膏藥，誰會相信呢？

亞洲的自由國家如不切實團結，掌握着自己的命運，而寄望於西方那些自私自利的強權主義者來支援拯救，結果是凶多吉少，隨時有被出賣的危險，殷鑑不遠，請看越南與寮國的悲劇罷！

馬五先生

香港與大陸

為洗刷學生資產階級思想

粵各學校掀起三面紅旗教育

有的甚至實行停課全力進行 共幹聲言未攪好前決不復課

廣東省地區各級學校「黨委」正對學生「進行社會主義建設總路綫、大躍進、人民公社三面紅旗的教育」，以反對和防止「資產階級思想」的侵蝕，有的學校還停課全力進行，聲言此項教育工作未搞好之前，決不復課。

曾回潮州探親甫返抵港的小學教師何小姐透露：由於多年來大陸物質奇缺以及中共的獨裁暴政，使一般青年學生普遍的產生「資產階級思想」和「反共思想」，因而對中共吹擂的「社會主義建設」有極大反作用。

何小姐說：因為中共所採取的高壓政策，一般青年學生的「正面反共思想」是比較隱蔽的，表面上不容易覺察出來；而「資產階級思想」則不然，每一個青年學生的言行皆可看出。

何小姐舉例說：（一）一般有親人僑居海外者，都要親人代為創造申請出國的條件（如叫親人寫信要求其出國，或電報急召等），千方百計的意圖離開大陸。

（二）對由海外回大陸「觀光」或探親的僑胞生活享受極為羨慕。

何小姐說，在她臨返港時，曾有兩位鄰居拜托她，要她回港後不斷用他們母親的名字寫信給他們，並且叮囑她寫第一封信時要說明他們的母親已由馬來亞來港（因大陸更難申請到馬來亞，而他們的母親卻在彼處。）料理生意；而第二，三封信則寫明他們的母親患病及入醫院的情況，最後是用電報說他們的母親「病危」，催促他們來港料理。這樣他們便可持着信件和電報，往「派出所」申請。據說這是一個比較有希望的「申請理由」。

何小姐說：大陸一般的青年學生確都羨慕海外僑胞的生活，她有個表妹，曾拜託他在港代找對象，說祇要是「香港人」，年齡，面貌等都不必計較。她這十六歲表妹一本正經地對她說：「我的要求祇是香港人，因為結了婚後，我或者可以申請去港，就算不能去港，丈夫亦常能回鄉，帶回食用物品。在這個社會裏，麵包就是愛情嘛！」這段話使何小姐感到好笑也感到着實的可憐。

鑒於青年學生嚴重的「資產階級思想」，所以學校「黨委」最近便加強學校思想教育。何小姐的家鄉潮州市，十多間中學和小學，都開展如火如荼的「均正思想教育」工作，許多學校還停課進行，全日學生聽報告，小組討論「批評與自我批評」，學生們特別是受到精神上「虐待」。所叫韓山師範學校的，因為那裏是培養「人類靈魂的工程師」——小學教師的，特別嚴格，每一位教師和同學都得重新思想，檢討自我的「反動言行」、「資產階級反動的思想」。學校當局聲言：如果此項工作沒有搞好，決不復課。——敬斯——

光怪離奇的台北市選局

（本報記者吳越台北航訊）台北市省議員競選情形，經過幾天演變，又逐漸由混亂趨向明朗；執政黨籍未獲提名而揚言違紀競選的陳大拔，已接受勸說撤銷登記；執政黨外反高玉樹集團的張詩經已撤銷登記，不再向高玉樹支持的楊玉城打對台，而被張詩經等支持出來對抗楊玉城的李福春，不但突然撤銷登記，且來了一個一百八十度的大轉變，成了楊玉城的助選員。如此一來，執政黨外人士，又還原成高玉樹與郭國基兩集團的併肩逐鹿的情況。

執政黨籍陳大拔在第二屆省議員競選即未獲提名，他也曾做出要違紀競選的姿態，結果是撤銷登記了事。這屆是故事重演了。

至於執政黨外人士的分合，眞是光怪離奇，連他們置身於內的人士，都不免搖頭嘆息。

張詩經指責高玉樹自私壓迫朋友專捧他弟弟楊玉城，要與他抗爭到底，他登高一呼後，不滿高玉樹的李福春，宋霖康，黃信介都紛紛響應，一度形成「第三勢力」，張詩經且親自披掛上陣，登記競選，此中經過，本報四月六日已有報導。而張詩經目的不求當選，只求拉倒楊玉城，只要有能拉垮楊玉城的人出馬，他就自願退讓，全力支持。因張詩經現在國泰人壽保險公司任職，月入五千元，較一個省議員出席費多了許多，且他本身的經濟情況，也不夠他在選戰中花費，他此舉不過企圖剌激他人起而與楊玉城抗爭。所以有了李福春出馬，他便撤銷登記。

李福春在反高派的激動下，與宋霖康聯袂辦妥了候選人登記，在辦妥登記手續的當天下午，李福春到市府記者招待室發表談話，除公開指罵高玉樹「不夠朋友」外，他還向在場的宋霖康說：「老宋，不要洩氣，登記就要競選到底，中途退出就不夠種」！宋霖康回答他

月三日下午「登記」時對記者說：「一定幹到底，這不像小孩子，當然到底，怎麼可以半途而廢？」僅隔了一天，到五日中午，他又以放棄競選聞，今（四月八日）天果然去辦撤銷手續。這樣的突變，引起他是否接受了對方優厚條件的傳說，是否如此，只有他自己心頭明白。

李福春說他的放棄競選，一方面為了促進「黨外人士團結」，一方面因為「健康欠佳」，預定日內住院醫治。李福春說：「我準備在本月十八日以前出院，立即替黨外人士助選」。六日一天中，李福春的親友約有百人以上前往李家，以及有無數次的電話詢問，都對李氏此舉加以責備，甚至當面指罵或含言譏諷，說他既為顧及團結，健康欠佳不是近日突得急病？張詩經原以為支持李福春打擊楊玉城，於是自己撤銷登記，想不到李福春中途變節，大出張氏意料之外，張詩經對此深感痛心疾首，大嘆人心難測。連李福春最好的朋友，也是在他們中奔走調處最力的李賜卿也感到意外，他說：「這樣做法，實在不是味道」！至今，祇有宋霖康仍表示決競選到底，決不受任何人影響而放棄競選，也不與楊玉城或郭國基聯合，要靠自己努力。

據說，楊玉城已準備有充份的財力應付這次選舉。上月底，美軍憲兵單位會同我警方人員，在楊玉城住宅查獲來自美軍福利社禁止流入市面的未稅酒類及飲料等數十箱，訊據楊太太游淑英稱，這就是為了要競選省議員使用的。案因違反公賣條例，已移送司法機關偵辦。有人批評楊玉城恃財驕縱，待人傲慢，眞要做一個民意代表，還要檢討改善其態度。記者因對楊氏不熟悉其人，欲想當面觀察其人，七日向楊宅通電話訪問，楊氏已外出，由其家人接聽，約定次日上午八時至楊宅訪問，記者因過遲楊氏恐將外出。八日晨八時，冒細雨往訪楊氏，楊家人說楊先生還未起床，記者因昨日已約定乃將名刺請其通報，自在客廳坐候，過了二十分鐘，楊家人出來說，楊先生要睡覺，有事情打電話來好了。

現在台北市執政黨外人士競選態勢，較前已有簡化，郭國基迄今仍按兵不動，大概要到十八日才正式展開宣傳活動；楊玉城勁敵已去，宋霖康最終是否退讓，也還有待時間證明，楊玉城的形勢已經較前有利是事實，不過，如謂楊玉城勝算在握，則便是誇張之詞。

寬嚴均不免挨罵 電檢工作也難做

（本報記者昌文台北航訊）常有人說：「社會風氣不好，是不良影片教壞了人。」也有人說：「有些片子為甚麼不給我們看？」為我們担任防止不良影片侵入工作的行政院新聞局電影檢查處，遭受到來自各個不同角度的責難。

電檢處長屠義方向本報記者說：電影檢查是一樁不討好的工作，影片商嫌我們嚴了，關心社會教育和風氣的人又責備我們不該太寬了。又說：檢查影片有一定的標準，根據三個原則，那就是法律，命令和前例。其實片商該了解我們不是為難他們，而是幫助他們。電檢處時常告訴他們如何修正影片，以便符合法令，減少他們的損失。

五十一年度電檢處一共檢查了一五四一部影片，其中國台語片佔了五七五部，台語的多過國語，去年可說是台語片最旺的一年。美國片五六一部，日片八十部，此外便是法、英、意、西德和其他歐洲影片。台灣市場的外國片，美國片可以說是獨霸天下。

五十一年度被禁演的影片，外國片共計卅六部，其中美片十九部，日片十四部，英、法、西德片各一部。國語片被禁演一部，是「××奶粉之宣傳」的廣告片。

屠義方說：一部叫「桀哈赤之役」的影片是被禁演了的，還有一部叫「熱情春怨」的影片，描寫父女通姦，父親還殺了女兒的情人，像這種「亂倫」「謀殺」的影片，我們能讓它來毒害我們的社會嗎？

關於日片配額問題，電檢處原定統一標購統一標售的辦法，由於未獲各方完全同意，以致沒有實行，目前日片配額可說完全凍結。據屠義方的估計，片商大概只有一兩部片子沒有上映而已，再下去只好映二輪舊片了。

屠義方認為日片標購標售辦法，是參酌實際情況所定出的一種合法合理的辦法，不能實行，十分惋惜。最近並沒有重訂新法的計劃，如何辦理，尚待上級指示。不過他表示，將來不管辦法如何定，大概總不能脫離三個原則：第一，日本代理商制度決不能恢復；第二，要使全體影片商都能機會均等；第三，要能有助益於國產影片。

學童營養午餐怎麼回事

一度引起爭論現決繼續辦理 並決定下年度更加推廣辦理

他們最初鑒於學童帶的飯盒無法帶湯，四十九年開始為他們供應一份湯，每人收費一元。試辦情形，還算良好。家長就進一步要求辦理午餐。他們先還不敢辦理，後來得到教育廳，美援會和農復會的支持，學生家長的合作，他們才決定辦下去。先邀請各方舉行試餐會，五十一年二月才正始開辦。

譚校長說，學生參加午餐，因為不是免費，所以完全是自願參加。從五十一年五月份起，教育廳才開始補助麵粉，食油和麥片，只有二五〇人份，而北師附小吃午餐最多的時候有六百多人，本學期還有五百人，所以每人還要收三元餐費。至於帶飯盒的，學校替他們蒸熱。全校每人每日一杯牛奶，則是免費供應，已經七八年了。

為了辦理學童午餐，學校經費增加開支，老師也平添許多麻煩，七位老師輪流辦理一個月伙食。雖然加重了大家的工作，祇要是對學生有幫助的事，他們都很高興地承担。

譚校長說，辦學童午餐，開始的時候，建廚房買設備，是要花一筆錢的，他們靠家長捐助了十多萬，教育廳補助三萬，才將這些設備充實起來。自

學童在學時吃午餐的好處，據說，學生中午不必跑路擠公共汽車回家吃飯，減少交通事故；飯後有休息的時間，減少家庭準備飯盒的麻煩；可以保持食物的新鮮；矯正學童偏食習慣，養成良好的進餐態度；培養自治能力；適應羣體生活的習慣等等。譚校長不認為接受美援辦理學童午餐有損學童自尊心，她說，學童根本不知道食物的來源，何況他們還付款？

主副食怎樣配合才夠營養，有省立師範大學衛生教育系協助，他們擬定菜單，學校的經常督導監護工作，則由附小自己的衛生護導老師負責，這老師負責設計菜單，監督廚房，檢查清潔。這老師告訴記者，菜量和營養價值並重，學生吃不完的。

記者在譚校長的陪同下，參觀北師附小的廚房，寬敞清潔，因為接近用餐的時候，各班值日生都來取菜，菜分別盛在鋁鍋中，由值日生帶去教室分配。

在五年甲班，記者參觀學生用餐情形，每人端一隻鋁盤，魚貫通過值日生桌前，由一個值日生將一隻饅頭（每餐主食俱是饅頭）放入盤中，另幾位值日生則分別將一勺芹菜牛肉和一勺炒菠菜盛入小盤，番茄豆腐白菜湯每人一小盤，外加四隻小番茄作水果。每人回至課桌上，候齊進食，導師盧良館與學童陪同進食一樣午餐。盧老師說，份量連他這樣的大人也夠了。

參加營養午餐學童，在健康情形上比沒有參加以前，有沒有顯著的增進，北師附小由於試辦時間只有一年，還沒有做過測驗統計。但據桃園縣林園國校的統計報告，在實施營養午餐兩年後，學童的身高體重和患口角炎的治癒率，都有顯著的進步。

現在教育當局，從善如流，除繼續辦理已有的一百所外，並決定於下學年度另增辦一百所，且朝着推廣性的目標邁進，這不能不算是一百萬學童和萬千家長的好消息。（下）

慶自由報出版三週年

武科

抗戰以前，北平有一個小實報。這張小實報報紙雖小，銷路卻極爲廣大，不知長江以南有沒有它的去處，據我所知，在整個華北及黃河流域，到處都可以見到它的。這張小實報究竟有多大的苗頭，能有這樣廣大的銷路呢？此無他，有正言也。記得該報有一篇短評，迄今尚印象未滅，其文曰：

「國窮拮据，國帑艱難。每云國防，無力建設，任敵騎得得，只好空吁長歎！

「報載：某公爲國功勛卓著，天不假年，溘然長逝，組會治喪，衆議國葬，衆議公葬。國葬乎？公葬乎？

「所費數字不大，動輒數十萬元。

「如某公死而有知，若國葬後，疆破域淪，任敵蹂躪；不如平平安葬，移此巨款於國防建設，多修幾個要塞礮台，强固工事，根本攘敵於疆域之外。兩相較之，價值孰重？」

像這則短評，粗看來好像這個報專挑政府的毛病，有意跟政府爲難，若仔細玩味，確實是愛國的至理名言，給政府一個正塹的提議。現在自由報便具有這種正的作風，愛國的責任。它敢說話，但不亂說話，它實在是希望政府澄淸吏治，成爲一個健全的政府和萬能的政府。它恨任何一個官吏無恩無怨，好就說好，壞就說壞；說壞是希望改好，說好是希望更好。它的言論是明辨是非，希望官吏個個好，政府成爲一個大好的政府，每個官吏都能替總統分担些責任，以收革新、動員、戰鬥之實效，早日完成反攻復國神聖的使命。

筆者還記得幼年在天津讀中學的時候，有一天一位同學拿了一張滿洲國的報紙給我看，那張報紙上大字標着「皇恩普及，國泰民安」的字樣，當時在筆者小小的心靈上，頓時起了很大的反感。我很懷疑的是我們的國家受日本欺侮成這個樣子，長城綫緊張得有如大敵當前，每日海河浮屍，幾乎上學放學都不敢去坐電車，那裏有甚麽國泰民安呢？同時，我們只知道有東三省，根本沒聽過甚麽滿洲國這個名詞。於是心情便非常激憤。其實，那時，出天津一百多里路，就是殷汝耕領導的冀東僞組織，我們的國界雖然和日本還隔着一道海，實際上日本人已經闖入了我們平津的大門了。而僞滿則在日本人卵翼下，竟然恬不知恥的自講「國泰民安」？曾幾何時，「七七」神聖抗戰開始，全國軍民經過八年的浴血苦戰，終於達到最後勝利，收復了東北的河山，當勝利後筆者抵達東北坐在瀋陽滿鐵大樓協助今副總統陳誠指揮剿匪作戰時，想起幼年中學時代看的那張僞滿的「國泰民安」的報紙，心情確實有無限的興奮！至於以後東北淪於匪手，其原因很多，在此不談，筆者承認自己是個死硬派，始終不認輸，因爲那個仗本來是可以打勝的呀！

現在自由報不認爲此刻是太平時代，它認爲自由中國是處於戰時，朝野上下，該多表現些戰時氣氛，無論軍民，都要有臥薪嘗胆，聞鷄起舞，磨礪以須，建立哀兵必勝的觀念，早日完成光復神州的使命！

梁啓超有一篇論及關於消遣的文章，文內舉出朝鮮的亡國，多半由於其國民的嗜於消遣。他說，他遊歷朝鮮，看到朝鮮的國民，飯後都提一壺茶，坐在村野樹下乘凉納閒，問起當今的事情，都說，「沒事兒，消遣！消遣！」朝鮮的亡國，就是由於國民喜歡投閑置散，混混噩噩得過且過所使然。（中）

此時，忽有一位開發峇南坡（Mcam）的英人麟長名叫「佛」的（人們叫他爲緞佛），他於任滿後返英倫，竟將美里的石油產地，買獻給亞細亞油田公司（即今之蜆殼石油公司），讓該公司去開採。查理士知道此事後，心中大爲不滿，他認爲美里地方，屬於沙羅越範圍，而緞佛事先未徵得他的同意，擅將該地讓予亞細亞石油公司，實屬藐視他的王權。雖然緞佛與亞細亞公司所簽訂之合約，只是經營礦務，並未寫明開採石油，但後來居然開出石油，查理士更爲憤怒。據聞他曾暗中懸賞三千元，如緞佛踏入沙羅越任何地方，即將其暗殺，而以三千元爲獎金。

天南風光

——沙羅越的歷史——

朱淵明

但緞佛在英倫，自獻美里油田與亞細亞公司後，聲名鵲起，全英人士，都稱他爲博士。當時查理士之長子維納，正在英倫求學，他知道順理成章的繼承王位，已無希望，又知道他父親極惡緞佛，於是密向緞佛求計，緞佛對他的遭遇，甚表同情，乃慨允爲他設法。於是帶領他晉謁英王喬治五世，對喬治五世說：他就是沙羅越王的儲君。翌日，全英報紙均載未來沙羅越王覲見英王的新聞。

根據英國傳統成例，王位承繼，首先是立長的；而且當查理士登上沙羅越第二代拉者大位後，以國家粗定，亟應有所保障，故於一八八八年，曾與英國政府簽訂協定，協定內容，乃將沙羅越置於英國保護之下，此後拉者王位之繼承，如發生問題時，英國政府有最後決定之權。另外，英政府也有控制沙羅越外交之權，對英籍人民之商務，得沿用最惠國之條例處理。又有，非得英國之許可，拉者及其繼承人，不得擅將任何土地讓與其他國家等等。

根據這個協定，除非拉者繼承不發生任何問題，則英政府，似乎可管可不管。但維納既已以未來拉者身份，正式覲見英王，而且爲全英報紙所登載，若忽另立太子，豈能毫無問題？又豈能爲英國王室所承認？查理士在這種情形之下，只得改變初衷，將王位傳與長子維納；但事前父子之間卻訂有條件，條件內容，即讓維納做若干年拉者後，（大約是不超過三十年）再將王位讓予他的弟弟。假使維納登位後於三十年之內逝世，則王位即永遠屬於他的弟弟。（四十七）

我底學習和思想歷程

謝康

九、抗戰時民氣相當發揚，戰後乃逐漸歸於消沉。另一方面，戰爭也暴露我國民族許多弱點，除貪污一層在上文已提過外，還有愚、貧、弱、私、虛僞、操小派系小組織，而不顧國家民族的利益。戰後這些弱點更加暴露。加以通貨膨脹，公教人員生活極端困難；君子可以固窮，畢竟爲數太少，貧窮的威脅，道德低落，廉恥喪盡，幾不知人間有可羞可恥之事，加以共匪黨的滲透和宣傳，是非混淆，入主出奴，社會上很少的人能保存正義感。我以大學訓導長和省參議員，國大代表的資格，有機會時，是必然主持正義，抨擊邪惡的。在西大，我自組很努力說服諸生；在省參議會，我時常提案，並站在民主進步立場，「言戰整個」，尤其是初選議長的糾紛，站在法非和民主利益方面，口誅筆伐，和左派勢力奮鬥三個月。在國民大會，我擁護總統蔣總統選舉法，使投票的秩序歸於良好。在報刊上我有時也發表文章，（並主編桂林中央日報文藝副刊。）在別的學校和社團，作了不少次的演講。私意總想以一得之愚，對人心對正義公道的維繫與扶持，有所貢獻。同時，這也是我的教育工作的一部份，不過，這「教育」二字，是廣義的。這時期，我的思想和行動表現，很受法國革命精神的影響。也可說是近於孔德的「人道教」思想。

十、戰時流離轉徙，得書不易，携帶書籍，也很困難，我底藏書幾乎完全放在巴黎，帶回的只有一兩百本，時間長了，精神糧食，就不免發生恐慌。幸而，我工作的地方，大概是有圖書館的。例如桂林有桂林圖書館，西大圖書館，教育研究所圖書館；重慶有中央圖書館，沙坪壩中大圖書館，曲江有文理學院圖書館，可資利用。只可惜最新出版的西文書籍，頗爲缺乏，而且自己太忙，讀書時間少。是以學殖荒落，所有講學、著述，差不多都是販賣些舊東西，眞是「述而不作，信而好古，竊比於我老彭」。所以我常說：作爲一間大學，畢業生要爭取留學的機會；年老資深的教授，也常常要到外國走走，找機會進修，以免和他所學那一門最進步的現代學問脫節。

話說回頭，抗戰時期和戰後數年，生活雖然艱苦，但和今日逃難的生活比較起來，似乎還覺得有趣味多了。

五、十三年流亡進行曲

當共軍攻擊上海的前夜，桂林廣西大學，已充滿「解放」的空氣，左派學生在投機和左傾教授支持下的壁報，已是「山雨欲來風滿樓」，表現着勝利即將屬於他們的姿態。理工學院電機系的一次壁報，有一張漫畫，題爲「某博士正傳」，有漫畫八幅，每幅都圖寫我的事迹，從留學歸國到最後出走，頗生動有趣。那第八幅畫着我手持書包手杖在大風雨中逃出校門，並且在這幅畫的下面寫着：

「共匪黨來，如何得了？」

（十一）

瘟君續夢

第八回：擊戾實堪驚　片言毀約　脫靴終自誤　衆志成城

毛澤東越聽越胡塗，問道：「你的話我怎麼不明白，黃河又出了什麼事。」

二李被毛澤東一問，也感到莫明其妙，兩人互相望了一眼，李先念就把三門峽的情形及鄧子恢的談話詳細說了一遍。

毛澤東聽到最後，又跳起來，罵道：「剛才接到陶鑄的長途電話，說是茂名石油礦的蘇聯專家突然撤走，把藍圖及生產計劃一道帶走，現在茂名油礦三萬多工人都被迫停工，礦井鑽了一半都停止了，陶鑄來電話要黨中央與蘇共中央直接交涉，假若蘇聯專家不交還藍圖，茂名油礦就要報廢了。我還以爲你們是來談茂名油礦的事，不料三門峽又出了亂子。」

李富春聽到這裏，「啊呀」一聲，倒在沙發裏直挺昏過去。李先念大吃一驚，過去抱着他，周恩來就用力掐他的人中，停了幾分鐘才悠悠醒過來。

毛澤東實在氣極了，反而笑道：「富春同志，你千萬不能死，你主管全國工業，成千成萬的藍圖都在你肚裏，你要突然一死，比蘇聯專家帶走藍圖還要嚴重，那才眞是禍不單行哩！」

毛澤東說過，大家都笑起來。

李富春搖頭嘆息道：「主席還有心思講笑話，我可眞是笑不出了」。

毛澤東一瞪眼：「不笑又有什麼辦法，我們都在這裏抱頭痛哭，赫魯曉夫也不會把蘇聯專家送回來了。」

李富春喘了一陣，說道：「主席也許還不了解這個問題的嚴重，我們目前産石油的地區都在西北，從玉門到克拉瑪依所産石油都不能提煉高級汽油，所以我們的空軍及拖拉機所用的汽油都是由羅馬尼亞運來的，成本既高，又不能按期運到，軍事行動也受到限制。後來還是蘇聯專家勘察出茂名各地區蘊藏有大量石油，經過化驗可以提煉高級汽油，所以就出全力去開採茂名石油礦，這幾年來用的錢已經相當驚人，現在蘇聯專家一走，勢必報廢，我們將來萬一有大規模軍事行動，斷了汽油怎麼辦！」

果然李富春說過之後，毛澤東笑不出了，轉過臉向周恩來問道：「這件事怎麼辦」！

周恩來看看劉少奇，小心翼翼說道：「可不可以由黨中央致電與蘇共中央，要求他們將專家派回來，如若蘇共中央一定不肯，我們就要求把各廠礦的藍圖交還。」

毛澤東點點頭，又向劉少奇說道：「少奇同志，這個問題應該怎麼解決，我到想聽聽你的意見。」

劉少奇說道：「周恩來同志的意見我十分贊成，不過，我覺得這是兩國政府之間的事，似乎由國務院出面交涉好些」。

周恩來知道劉少奇是有意移禍江東，把責任推在他一個人身上。可是，又想不出理由拒絕。正在此時，李雪峯慌慌張張跑進來。

毛澤東一看見李雪峯的面色，也就明白又沒有好事，搶着問道：「又是那些廠礦出了事，是不是蘇聯專家又把藍圖帶走了。」

（一九五）

鮮菰（續）

夫天地生萬物以養人，如五穀菜蔬，莫不順其自然，應時而生，時過而謝。正如春有筍，夏有瓜，秋冬有芋，白，不相紊也。故人食之，順應四時，調節血氣，亦益壽而延年。今乃反其常，不以種子爲根本，不以土地爲栽培，既乏日月之光，以伸其氣，亦無雨露之沾，以固其根；更談不到風水氣候，是墟墓中生瓜果，人體內長疽癌，所謂非陰濕之氣結成，即蘊熱而發，食之不殆亦病，其理甚明。是故，余始食之而甘，如啖芡實，蓋鮮菰乃取魚肉之味爲味，而非有其本身原素在也。繼覩其人工製造之所以然，遂惕然而懼，不復再登廚灶矣。惜余非科學家，有心無力，不克以科學方法一考驗之也。聞販菰人言：「割出之菰，不能耐久，若干小時售勿出，即須傾諸溷矣」！觀此，亦可思過半矣。

花香月上樓小品

黃伯遠

木魚書

六十年前，余寓廣州德宣街，街中僑居者，多爲外省籍之隨宦者。時廣州住宅區，盛行一種「粵謳」小說，俗稱木魚書。蓋此等書賈恒荷擔上街招貨，無遠弗屆，書擔上置有木魚一，且行且敲，故稱木魚書也。德宣街爲住宅區，一般隨宦閨閣，尤喜閱之，以其可讀可唱也。

木魚書，其內容似彈詞，爲一種有韻的小說，相等于戲譜。駢四驪六，亦斐然可觀。然非熟諳粵省方言及略懂「廣東土字」者，亦如非江浙人之讀「九尾龜」內的蘇白，不知其所說者爲何也。木魚書最受歡迎者，爲孟麗君，鍾無艷（無鹽），昭君和番，二度梅（杏元和番），陳世美休妻，蔣興哥重會珍珠衫等。書本大小相等于現代之十六開本，底面皆漆以桐油，書頁多爲土製之黃毛紙，後來亦有用油光紙者。版本爲木製版，字較鉛粒之舊四號相等，惟形體稍扁。每本頁數甚少，乃木魚書賈向書店買來，而加以分開改裝者。

往時我國線裝書，多係兩頁連夾，書籍如掃葉山房所發行者，夾縫內多套一名貴頁，既增美觀，亦免容易損壞。但木魚書亦底多套入底紙，其目的乃在加厚書本圖利，非求美觀也。蓋木魚書乃賃閱者，非出賣品，而賃價以本計費，每四本賃一仙，即制錢十文。仙即一枚值十文之銅元，粵人名之曰「仙」，因粵省之有當十銅元，乃仿香港之「仙士」而製，港銅元稱一仙，故亦從而仙之耳。（未完）

南宋偏安有人才

李仲侯

方金人擄二帝北行，宗社失主，宗澤一呼，而河北義旅數十萬衆若響之赴聲，實由澤之忠忱義憤有以感動之。當時，誰目覩君父之陷於塗炭，孰無憤激之心哉！假使澤得勇往直前，無齟齬牽制之者，則反二帝，復舊都，特指顧間事耳。黃潛善，汪伯彥嫉能而忌功，使澤不得申其志，發憤而死，豈不悲哉！及趙鼎當國，則南北之勢成矣，兩敵之相持，非有灼然可乘之釁，則應養吾力以俟時，否則徒取危困之辱。故鼎之爲國，專以固本爲先，根本固而後敵可圖，國仇可復，此鼎之心也。惜乎一見忌於秦檜，斥逐遠徙，卒毀其志而亡，君子尤痛心也！宗澤易簀之際，猶連呼渡河者三，而鼎自題其銘旌，有「氣作河山壯本朝」之語，何二臣之愛君憂國雖處死生禍變之際，而猶不渝若是？而高宗惑於憸邪之口，乍任乍黜，所謂善善而不能用，惡惡而不能去，千載而下，忠臣義士猶爲之撫卷扼腕不置。國之不競，有以哉！

──趙鼎

韓世忠

韓世忠字良臣，延安人，風骨偉岸，目瞬如電，早年鷙勇絕倫，能騎生馬駒。家貧無產業，嗜酒尚氣，不拘細節。年十八，應募鄜州，挽強馳射，勇冠三軍。崇德四年（一一〇五年）西夏騷動，調兵捍禦，世忠在遣中，至銀州，（故治在陝西米脂縣東北）夏人固守，世忠斬關殺敵將，擲首陣外，諸軍乘之，夏人大敗。既而以重軍次蒿平嶺，世忠率精銳鏖戰，解去。俄復出間道，世忠獨部致死，殊死鬥，敵少卻；顧一騎士銳甚，問俘者曰：「監軍駙馬兀𨳊也」，躍馬斬之，敵衆大潰。經略司上其功，時童貫董邊事，疑有所增飾，止補一資，衆弗平。

宣和二年（一一二〇年）方臘反，江浙震動，調兵四方，世忠以偏將從王淵討之。次杭州，賊奄至，勢張甚，大將惶怖無策，世忠以兵二千伏北關堰，賊過伏發，衆躁亂，世忠追擊，賊敗而遁。淵歎曰：「眞萬人敵也」！遂與定交。時有詔，能得臘首者，授兩鎭節鉞，世忠追賊至睦州（浙江建德）清溪峒，賊深據巖屋爲三窟，諸將繼至，莫知所入，世忠潛行溪谷，問野婦得徑，卽挺身仗戈直前，渡險數里，擣其穴，格殺數十人，擒臘以出；辛興宗領兵截峒口，掠其俘爲己功，故賞不及世忠。別帥楊惟忠還闕，直其事，轉承節郎。（四十二）

文字獄

漁翁

凡以文字賈禍者，謂之「文字獄」。如秦始皇以咸陽諸生是古非今，乃坑殺至四百六十餘人。漢楊惲以報孫會宗書，招致腰斬之禍。尤以明清兩代，箝制言論，束縛士林之慘痛史實，六百年下，聞之猶不寒而慄！

明太祖朱元璋，以一布衣而統治天下，得力於化裝特務方面，故防範綦嚴，文字上稍有不檢，即藉詞或秘密的陷害之。有高啓者，長洲人，字季迪，元末，避張士誠之亂，居松江之青邱，自號青邱子。洪武初，召修元史，授翰林院國史編修官，因改修府治上梁文而被腰斬，與楊惲同一樣之極刑，亦云慘矣。

太祖崩，位傳皇孫允炆，爲惠宗建文帝，時方孝孺侍講翰林院，國家大政，悉咨詢之。後燕王反，所有討伐詔檄，均出孝孺手筆，惜建文柔懦，致有金川門之變。燕王舉兵入南京，登殿而爲成祖，縛孝孺至殿下，欲強草登極詔，孝孺大書：「燕王篡位」！成祖怒，命磔於雨花臺，並滅十族。以前專制之主，滅族最重者爲九族，即父黨三族，母黨三族，妻黨三族，滅至九族，已云酷矣。而連師生並十族而滅之，開千古滅族奇禍之先例，株連瓜蔓，爲歷代所無，殘酷至極！

滿清以異族入主中國，一般文人、鄙視滿蒙文化程度之淺薄，不甘被征服，感懷家國之痛，往往於文字上諷刺之。而清代之控制殘害，較秦始皇，朱元璋爲尤變本加厲，試以聖祖，世宗，高宗三朝，對文人之殘害，舉其犖犖大者而言之。

康熙時，莊廷獻之獄，以其所編「明史」中有忌諱語，被刑者七十餘人。戴名世之獄，因「南山集」中用明永曆年號，被株連者亦至衆。

雍正時，查嗣庭之獄，因試題「維民所止」，指爲去「雍正」二字之首，而被刑。謝濟世之獄，以註釋大學，毀謗程朱，而治罪。呂留良之獄，因曾靜講「呂氏文評」，勸川陝總督岳鍾琪反，事發，呂剉尸示衆，曾亦死之。

乾隆時，胡仲藻之獄，因詩中有「一把心腸論濁淸」句，謂不應加濁字於國號上，而繩之以法。徐述之獄，因詠正德杯詩，有「舉杯忽見明天子，且把壺兒掩半邊」；又「一柱樓詩」中，有「淸風不識字，何必亂翻書」句，謂爲侮辱滿人，時徐已故，戮其屍，並誅二子。沈德潛之獄，因詠黑牡丹詩，有「奪朱非正色，異種亦稱王」句，認爲奪朱明之天下，而鄙滿人爲異種，詔戮屍示衆。

上述不過其大概，歷代帝王欲奠世襲之基，對文人之言論出版，往往而控制之，鎖壓之，但未有如明清兩代之甚也。

民國建立，人民有言論，出版，集會，結社之自由。而共黨則最厭惡人民有此自由。民十六年，共黨在湘鄂贛，肆行農民運動，有葉德輝者，湖南人，博學多文，尤善詠諧，惟滿面麻花，人皆呼爲「葉麻子」而不名。葉以農會兩字冠首，口占一聯云：「農運宏開，稻粱菽麥黍稷，盡皆雜種；會場廣潤，馬牛羊雞犬豕，都是畜生」。一時大街小巷，傳誦不絕。共黨以葉破壞詆毀。發動農民，縛葉公審，遂死於槍刀下。

海嘯書談薈

穿洋服與說洋話

諸葛文侯

卅餘年前，林語堂在上海刊行「論語」雜誌，寫過一篇反對穿西裝的文章，認爲人類各式各樣的服裝中，最文明的又適合衛生，並且方便省事的，就是中國衣服。它的構造上下一般大小，掩蔽着人身的曲綫，雅緻而堂皇，舒適而便利。西服卻不然，使用領帶和皮帶，好似在馬身上裝置鞍轡，處處要拉緊，弄得人怪不舒服；一條硬領更使人如同套在枷鎖上，別扭之至；衣褲都按着人身的各部曲綫而剪裁縫製，形綫顯露，醜陋相，表彰出來，實在近乎野蠻哩！

他指出中國人最喜歡穿西裝的，第一是剛從外洋留學歸來，尚未找到職業的洋秀才們，生怕別人不知道他是留學生，所以隨時要穿上一套畢挺的西裝，顯耀於社交場合，而且說話時夾着洋文，表現中西合璧，教人另眼看待。其次是怕太太的人亦喜好西裝革履，現出英俊風度的打扮，博取太太的歡心。再次就是一般外國公司洋行的買辦西崽們，不特常穿西裝，連名字亦得西化，如「約翰李」「保羅張」「威廉趙」之類，爲的是要投合洋人的習慣，他希望除卻這三種人士以外，中國人都穿中式服裝，保持咱們傳統文化生活中的一種高雅氣質。因爲穿着中國衣服照樣的可以研究科學，可以坐在實驗室講求各種原理和公式，與中西服裝沒關係。他這套見解，在今天似乎更不合時宜了，但我覺得不能完全予以否定也。

談到中國人對中國人說洋話，這在學校讀書的學生哥是理有固然，他們並非炫耀自己能識洋文，而是藉此練習說洋話的本領，作爲他日出洋深造的工具，實在未可厚非。至於普通一般人對着本國同胞談話，亦復三言兩語中必夾着幾個洋文，那就未免俗不堪耐了。初回國來的留學生，亦有好說洋話的毛病，有時候遇着通人，弄到當場出洋相的情形，令人發噱。試述一例，以概其餘焉。

近代學人辜鴻銘，除通英法德各國語文之外，對拉丁文的造詣亦深。但他對本國人從不說洋話，且不穿西裝，外表上土頭土腦，有若鄉村學究然。民國十四年冬間，他在北平一家澡堂裏閒坐着休息時，有兩個穿西裝的洋秀才亦進來沐浴，瞧着辜氏那種鄉巴佬的狀態，甚爲藐視，彼此用英語說說笑笑，對辜氏大加譏誚，辜氏聽罷漠然不以爲意，照樣抽他的長煙桿。等那兩個洋秀才入沐後，他教茶房取來一張信紙，先用拉丁文寫出幾句話，再用英文批註道：「如果你們不認識這些字句，明天請到北京大學文學院去問辜鴻銘罷！」寫好放在那兩個洋秀才的座位上，他纔解衣就沐，故意久久不出來。那兩個洋秀才沐罷見到這張字條，急問茶房那老頭兒就是辜某嗎？茶房說：「是的，他常來這兒洗澡，咱們都認識他。」這二人聞之面紅耳赤，倉皇結帳，抱頭鼠竄而去。

梁敦厚事蹟

吳文蔚

他是一個極其幽默的人，講話時，富有一種詼諧的口吻，舉止平民化，絲毫沒有一點官架子。但是，凡事認眞不苟，雖細頭小事，亦必處理得清清楚楚。因此，人多喜歡與他接近。他之所以有傑出的領導天才，說起來，或許就因爲他能有平民的作風。

他自民國二十一年的春天，充任了太原綏靖公署的秘書，從那時起，他在閻錫山將軍的幕府，開始參與了軍政的機要。由於他忠實辛勤的安於服務，現出了英明練達的風度，以是得被閻錫山將軍所器重，平步青雲，直躍而升，由閻之一手提拔，最後代理了省主席職務。

九一八事變時，他協助閻錫山將軍倡導的自強救國運動，以着手進行組織民衆，曾獲得優異的成績。二十四年冬，又以防共發動民力，號召工人、學生、青年、民衆、以及婦女之組織等等，以預防共軍之襲擊。同時並成立了主張公道團，建立了廣大農村的反共細胞，以作爲對付共軍的「人民戰爭」的初步之準備。

二十五年夏天，日寇侵我益急，華北首當其衝，閻錫山將軍堅持着守土抗戰與犧牲救國的原則，加緊組織民衆。梁氏主辦了暑期健身團，召集成千成萬的平津大中學生，在太原開始了男女青年的軍事訓練，奠定了抗戰武裝民衆幹部的基礎，發揮了神聖的抗日戰爭的軍事力量。這一年秋天，適逢九一八紀念，梁氏遂從閻錫山將軍的全民動員，犧牲救國，有錢出錢，有力出力的號召，把全省主張公道團的縣，區，村幹部，集訓於太原，同時並組織了「犧牲救國同盟會」，動員全省男女老幼，普遍的準備了參加神聖抗日的工作，以與優勢的日軍持久作戰，他的卓越的見識，在這裏便可窺見了一般。（二）

自由報

THE FREE NEWS

第三三二期

中華民國僑務委員會頒發台誌新字第三二三號登記證、中華郵政台字第一二八二號執照登記爲第一類新聞紙類

（本報刊每星期三、六出版）

每份港幣壹角

台灣本售價新台幣弍元

社長：雷嘯岑

督印人：黃行靄

社址：香港銅鑼灣高士威道二十號四樓

20 CAUSEWAY RD 3RD FL HONG KONG

TEL 771726　電報掛號 7191

承印者：四風印刷廠

地址：香港灣仔高士打道二二一號

台灣分社

台北市西寧南路壹壹本號二樓

電話：三〇三四六

台郵撥儲金戶九二五二

發展科學與創進工業的要圖（上）

張善仿

自由中國負責財經貿易及美援運用的高級官員們，殫精竭慮，運用超人智慧，開了無數次會議，製造的文牘也可謂汗牛充棟，難以數計。他們經過如此艱辛的孕育，生産了一個超重型的嬰兒——加速經濟發展十九點計劃。這個嬰兒三數年來享盡人間幸福，受盡人們的恭維，從未接受健康檢查和診斷。現在筆者冒大不韙，公開表示對它的觀感，大胆予以批判，實係本諸上對億萬世之祖宗，下對億萬世之後代，中對我中華民族全體同胞所負之責任感，盱衡時勢，不得不言，不能不言了。

「加速經濟發展十九點計劃」初讀之下，富麗堂皇，周密完善，令人佩服得五體投地；再看時就覺得這個嬰兒有些痴呆，但也應疑問自身的精神是否正常，思想是否純正縝密，自我檢討校正之後，追經細心研討，並盡最大善意的去理解分析連繫之後，所得結果竟是幾塊骨骼，而沒有生命靈魂。發展經濟與創進工業需要脊樑骨，就來一個鼓勵節約儲蓄；需要頭殼骨，就昌言改善投資環境。這只是將幾塊骨骼湊集在一起，而無血無肉無動力無生機。面對着這堆枯骨，不禁熱淚盈眶，爲我們多災多難的國家民族和貧困辛苦的同胞，悲愴不已！

民國十八年公佈施行，二十年修正一次的工廠法，迄今仍錯誤成工廠勞工法，如撤去其有關勞工的條文，即空無一物。然經營工廠所關涉者，婦孺皆知絕非僅是勞工問題。又民國三十八年五月十日公佈施行的經濟部組織法，不僅缺乏活潑的動力，積極主動的精神，且早已束之高閣，視同廢紙，與經濟部實際組織脫節甚遠，而經濟部的機能，則久已陷入半身不遂，瀕入膏肓的狀態。現在自由中國企業，不僅上有經濟部，美援會、外貿會所形成的三頭馬車，還加上一個亦公亦私、非驢非馬的中國生産力及貿易中心。這個中心口口聲聲說是依據民法而成立的非營利財團法人，但卻有權評選民營公司的榮譽經理，執行着一部份經濟部的職務，而不知經濟部龜縮到何處去了？這個怪誕機構的産生，似非爲其員工可支較高薪俸，總經理室可裝冷氣機，蓋農復會已有先例可援，筆者也絕不贊成平頭薪給及落後而弊竇叢生的配給制度，祇認爲這是沒有思想，沒有知識，沒有理論體系所必然産生的畸形現象，與農復會先有億萬言的理論闡述和土地改革的鼓吹，自不可同日而語。

自由中國最高學術機構——中央研究院，及國家長期發展科學委員會，迄今張調着由國外聘請一流學者來台，以發展我國的基本科學，使西方科學在我國文化裏生根發芽，至於基本科學所指是初中數學理化？抑高中數學理化生物？還是高等數學、原子物理、飛彈火箭、人造衛星、地質氣象？其內部已爭論紛紜。而由國外聘請一位一流學者年需費用若干，則視爲機密。這種辦法是否經濟，亦未予考慮。而台灣任用十餘萬行政人員所需要的行政學術，似被視爲末流之學。對於發展工業所需要的工程學術，亦不值一顧。有限的經費不用以積極恢復工業研究所，不積極研究發展行政科學，而在一隻儀錶齒輪還不能製造的工業基礎上，在亟需高效能行政學術的時代裏，籌備恢復物理研究所，建造原子爐，聘請有限的數位一流火箭衛星專家原子物理學者，回國講學，這是什麼使科學生根發芽的思想理論，實令人困惑萬分！

尙有由工程技術人員組成，以研究工程學術爲宗旨的中國工程師學會及中國機械工程學會等，仍保留着濃厚的封建氣質，硬將其會員劃分階級，其會章條文也寫得概念混淆不明。更妙者，中國機械工程學會去年十一月中旬舉行年會時，三分鐘內通過了四個議案，其理事長在主席台上讀完案由，就在部份會員一陣掌聲中通過了。事後還招待記者大談民主通過的方案，將建議政府採納施行，實在可哂至極，幼稚至極！

自由中國的科學工業在如此上層結構之下，希冀科學有所發展，工業能以起飛，何異於痴人說夢，緣木求魚！故走進最大規模的味精工廠，竟會嗅到味精原料發酵與大便坑臭氣混合而成的氣味。會看到味精晶體與蠅蛆的對比鏡頭，食品罐頭工廠裏會有人山人海的女工，磨肩疊背的調理食品，裝罐罐頭等情況，實不足爲奇。一種新的學術觀念在台灣得不到培育滋長，更得不到伙伴們的切磋幫助，更不足爲怪。

或者有人列舉報刊上發表的工業增長統計數字，及洋人對我國工業進步的讚譽等，而對上文所舉表示異議。但彼等如能虛誠地憑着良知、良心比較台灣工業的創辦與倒閉，盈餘與虧累，以及與德日工業發展的本質差異；精心檢討十一億四千九百萬美元經援款的作用，及低薪給工資下的員工生活與影響；冷靜觀察有無幾種物美價廉的産品銷售於國際市場，以及國內生産設備閒置揮灰的情況；並且捫心自問，我國現有若干工商經建技術人員與專家，他們生活在怎樣狀態之下，如何進行研究發揮他們的智慧，經建方面有何計劃與組織使技術人員與專家發揮他們的才智？國內現有若干生産設備，研究儀器又是怎樣運用的？市面游資若干，爲何不能投資於經建事業？銀行吸收數以千萬計的存款，何以難於投資工業？以及各種商品的國際價格如何，有無來台傾銷者？對這些問題如不能圓滿答覆，更無些許資料統計分析，則應近乎勇的知所羞恥，收斂其沾沾自喜的驕傲笑容，拋棄其洋洋自得的官僚面具，離開自作忙碌狀的開會桌椅，辭去以抓錢爲目的的兼職差，用充裕的時間，思考問題的癥結，尋求問題的哲理，以求對國家民族眞正有所建樹。

我國實行留學政策已久，公費遴選優秀學子，遠渡重洋，分赴歐美接受西方文化洗禮，迄今學成歸國的財經專家與工學博士，頗不乏人，多年來也執着我國財經工建的施政牛耳，他們專精一門的學問與成就，雖然萬分令人欽佩，但其常識則處處顯得貧乏，其哲學的修養更不足道。然研習中外哲理的學者，也均對財經工業多所隔膜，未能明確揭櫫指導經濟建設的哲理，更沒有一位行政專家，由實際從政生活需要中，將二者溝通起來，實爲莫大的不幸！因爲缺乏發展科學工業所需要的哲學而發生的種種可悲後果，決不能完全歸咎於一世紀來，我們的國家民族處於內憂外患連年烽火的戰爭狀態中，蓋戰爭不是阻礙發展科學建設工業的主要因素，兩次世界大戰與十餘年冷戰熱戰，已證明戰爭的需要，反而刺激科學工業加速地發展與進步，阻滯我國科學發展與工業建設者，更非純樸勤勞的同胞，知識份子也早已無人反對科學了。故欲發展科學起飛工業，仍需先返回哲學境界，由哲理掌握問題的核心，簡言之，需從大處着眼，痛下功夫。

盲目的一羣

克魯：「只有這幅新派畫還可以看」

自由談

亞洲人之不幸

馬五先生

南韓軍政府首腦人物朴正熙已表示跟反對黨妥協的態度，他這種轉變，無疑是受着外來的壓力所使然，實際即係無法解除經濟危機。因爲南韓曾要求美國予以二千五百萬美元貸款，方可渡過難關，而美方則以停止軍事統治爲先決條件，他在無可如何的情勢下，祇好軟化了。

我曾經指出：南韓軍事統治的非常措施，是軍人干政的一大課題，具有深長的教育意義。但對於朴正熙這般青年軍人愛國家，求進步，公正無私的精神，卻極表同情，而認爲其行雖可議，其志殊可嘉也。現在他們已經騎在虎背上，遭遇到無法克服的困難，使國家陷入生死存亡的危險邊緣，硬幹既不可能，罷手又所不忍，除卻有條件的妥協，不致前功盡棄而外，別無他途可尋。

假使日本有高瞻遠矚的大政治家在朝，毅然向南韓軍政府表示，願以二三千萬美元供應南韓，藉以消弭當前的經濟危機。然後憑着這種雪裏送炭的深情厚誼，進行兩國建交談判，把各項懸案作合理的解決，實屬輕而易舉，且係最上的外交策畧，不特可以消除韓人對日本濟存的宿怨，且可使東南亞各國政府和人民，對日本的觀感大爲改變，慢慢地推崇日本居於老大哥地位，而使那位妄以亞洲發言人自居的尼赫魯，自慚形穢，無地自容。在目前，亞洲國家只有日本具備着拯救南韓經濟危難的能力，正好乘此機會表現新興的日本非復舊時面目了。就日本前途設想，實爲計之得者。

日韓如果親密建交之後，風聲所播，進而從事於亞洲自由國家的團結合作，將有事半功倍的效用，以日本的工業潛能和文化基礎，很自然的就可以創進亞洲盟主地位。語云：「雖有智慧，不如乘勢，雖有鎡基，不如待時」，可惜日本沒有這樣大氣磅礴的政治家，祇知在美國翅翼之下，依人作嫁，期望着跟中共貿易妥協，飲鴆以止渴，而昧於獨力創造的機運。此乃日本之不幸，亦亞洲人之不幸也！

北市選戰．初聞炮聲

高玉樹郭國基互相挖苦

呂錦花篤定獲取一席

（本報記者吳越台北航訊）台北市省議員選舉，由於執政黨外女性競選人李連麗卿繼李福春、張詩經之後，在最後一天也撤銷了登記，使執政黨對票源多了一個重新佈署的機會，就是勝算又增加一分，再加上執政黨外人士高玉樹郭國基兩集團的相互鬥爭，更是抵消了力量，大大造成執政黨的機會。

高玉樹集團已致力於爭奪郭國基的票，高玉樹說郭國基在台北並沒有深厚基礎，他歷屆選舉能以最高票當選，完全是出於他會耍噱頭。高玉樹批評郭國基善於製造空氣，因此，高玉樹替郭國基的票源定了一個很挖苦的名稱叫「空氣票」。說他善於運用羣衆心理，以哀兵姿態出現，博取選民同情，選民以同情弱者的心理，投給他一票，才造成他今天的地位。

郭國基過去與高玉樹之間，彼此即有了裂痕，第二屆省議員競選時，高玉樹和李福春在公私政見發表會上，都一致指責郭國基在省議會亂放大砲，遇事衝動，行動幼稚，但郭一直不表示意見，直到最後一天，才加以反擊！結果他當選，李福春落選，這是他政治技巧運用之處。

這次高玉樹譏諷郭國基是「空氣票」後，新仇舊怨，使他更加不滿，郭國基也提出反擊，指高玉樹對他放冷箭，是為他弟弟楊玉城的競選打算而忌妒他。

郭國基指出高玉樹十年以前，不過是市商會的副總幹事，無名小卒，靠執政黨外朋友支持當選一任市長，就自以為了不起，目中無人，六親不認，好比「水鬼陞城隍——不知自量」。

郭國基還罵高玉樹是懦夫，欺軟怕硬，他說：「高玉樹如果是英雄，他應該向最有力量的國民黨候選人挑戰，何必找我的麻煩？不敢惹國民黨，看我孤苦無靠，就認為可欺」！

郭國基已經在龍山寺邊建立起他的「競選連絡中心」，不承認參加執政黨外的「聯合競選陣線」，他說，不願和高家兄弟鬼混，因為他們唯一的計劃，就是打他的主意，毀他的實力。

台北市的婦女保障名額，執政黨提名呂錦花，如果一人競選，只須她投自己一票就可當選，她的票源，可以分配去支持其他的男性提名候選人。可是，有了一位執政黨外人士的李連麗卿，有了競爭者，便不能不替呂錦花拉拉票源，削弱了支持男性提名候選人的力量。因此，執政黨的內心，巴不得李連麗卿能退讓，使他們能移出實力去支持男性候選人。呂錦花固然篤定省議員席位，其他執政黨的男性候選人，也獲得一支從呂錦花處移來的實力，大大助長了當選的可能。

缺糧缺藥缺乏好醫生

大陸死亡率驚人

興寧一公社的一個生產隊　一年間死亡超過十分之一

香港與大陸

由於大陸連續幾年饑荒，人民體弱，不堪流行性疾病到處蔓延，醫藥又奇缺，醫務人員又技術落後，致死亡率激增，有些地區竟然在一年間，死去了全部人口百分之十以上。

一位不久前曾回廣東興寧縣探親甫返抵本港的張老太太慨嘆地對記者說：這次回鄉探親，最使她驚嘆的是家鄉有許多人都死去了，她家鄉屬於興寧天蕩區的人民公社，該公社有個生產大隊包括三十多家，有一百人左右，可是，在她最近兩次返鄉探親相隔不過一年時間內，竟然死去了十一個人，死者中祗有二位是五十歲以上的人，其餘都是青壯，並且都是病死的。

張老太太說：大陸所以會死這麼多人，最主要當然是因為幾年來大家吃不飽，又要負担沉重的勞動，因此許多人的身體都弱不禁風，一旦流行性病到來，少有不被傳上的，甚之者更一命嗚呼。

張老太太說：她家鄉的人若得了病，差不多就祗有等死，重病者固然死得快些，就是病輕者，亦將越來越深。這是因為大陸缺少藥品，而且一般醫院的醫務人員多是不學無術之徒，實在草菅人命。張老太太說：就興寧縣的人民醫院而言，原來有兩位比較「好手」的主治醫生，從前許多病人都經他兩人治好的，現在兩人都不在那裏了，一位調往「陸軍醫院」，一位則因為是「歷史反革命」抓去勞改了。代替兩人職位的是中等「衛生學校」畢業出來的青年，他們不學無術，祗不過是「黨」信任的「共青團員」。更由於醫藥缺乏，藥品又要優先照顧「解放軍」，「機關」幹部」等，一般人民在檢診後，亦不能拿到有效的藥品，敷衍了事。

張老太太說：有一次她姪孫病了，她便帶她到離家廿多里的「興寧人民醫院」看病，到該院時足有二百多人在候診着，為姪孫到掛號處掛號，出乎她的意料，負責人竟然叫她在兩天後再來。她吵說：「後兩天病不是更加深嗎？」但那位工作人員卻狠狠說：「你沒有看見這樣多人在輪候嗎？就算後天會死了也沒有辦法！」張老太太被迫得又帶姪孫回家。兩天過後再回去診治，卻也祗是注射了一支類似防疫針而已，什麼藥物也沒有取回。

張老太太說：在醫院裏，她還看到一件慘事：那天在醫院的候診室裏，有一位年約四十多歲的病人大量吐血，不久便暈倒地上；但歷時半小時，仍無醫生進行急救，引起病人譁然，但那後來醫生來了，但那病人已經斃命了。（被斯）

台灣出版業的歪風

內幕乃是商人勾結舞弊　大搖大擺進入文教機關

（本報台北航訊）「歪風」每個時間，每個地區，每個行業都會發生。筆者今天特要提述「出版業」的「歪風」，因為牠的對象和影響與普通不同之故。

台灣出版業的「歪風」，過去是「盜印」：有的是將暢銷書原本翻印，有的則是把能銷書改頭換面的偷印牠的內容。在盜印者固然省排工，無稿費的成本減輕而賺錢了，但作者孜孜汲汲的心血結晶卻給偷蝕了，或者合法商人的投資暗被侵蝕了。

最近所新出現的「歪風」，是不掛牌的出版業者書價訂得特別高，老牌的著名書店卻反而訂得低。依常理而論，不著名的出版業者要在著名書店裏搶主顧，非要低價招攬不可吧。而已著名的出版業者為要顧牌子，其裝、印、紙張都得保持水準，加上管理費的開支，稅捐的負担，成本當然要高，但為何定價卻反低呢？以現在台灣購買力之低，而採購書籍的又都是「高級智識份子」，斷不是能隨便可以欺騙矇混的。所以如此，熟悉此道的都知道有如下的內幕：

（一）書價訂得高，可以多打折扣；

（二）折扣不能欺買主，而現在的買主什九是機關，多打折扣不是給機關，卻是給經辦人——中飽（也可以說是貪污舞弊）；

（三）經辦人的那種收入，有的是小集團分享，有的「開明」的學校，則由「福利社」作公開的分配。

舉一個例說：三月二十一，二十二兩日的一家報紙上所載出版廣告中，前一家有一部書預約是七百五十元，另一家同是這部書卻只預約三百元。我們固知道有在此同一「競爭」的把戲，但也知道現在攪出版的，決沒有肯做蝕本生意的，所以，人們對台灣最近所見的出版業「歪風」的斷語，是商人勾結舞弊，已進入文教機關。（正風）

假督學案有餘波

五位師長記大過

（本報記者昌文台北航訊）台灣省立武陵中學高一學生賴金光，冒充教育廳督學，愚弄桃園縣長教育科長及全縣中小學校長趣聞，餘波盪漾，「禍延」母校師長，自校長以下有關師長五人受教育廳記大過處分。

省立桃園縣武陵中學高一學生賴金光冒充教育廳督學，愚弄桃園縣各界趣聞，本報三月廿三日第三二四期已有報導。桃園縣於三月十三日舉辦音樂比賽會，預定並不邀請上級官員參加，賴金光聞訊以省督學名義至教育科詢問他是否要送獎品，教育科見上級人員來問，便說由教育科代製錦旗一幅，不必頒「督學」花錢。頒獎時，因有賴「督學」在場，臨時將預定以縣長的錦旗授給冠軍的榮譽，讓給賴「督學」，將賴「督學」的「反共先聲」錦旗一面授給獲得冠軍桃園農校，縣長的錦旗則降格的授給獲亞軍的省立武陵中學。事後武陵中學老師說：幸好武陵中學只得了亞軍，如果榮獲冠軍，得來一面本校學生扮「督學」的錦旗，笑話眞是妙到了家。

妙在當時武陵中學有許多師生列隊下領獎，音樂老師教過他的課，賴金光在台上致詞並且頒獎，而台下武陵中學師生，竟沒有認出他是本校學生的，可見該校平日管理鬆懈，師生少聯繫，相處如路人，以致「相見不相識」。

該校某老師透露：該校有一千多學生，平日上課並不嚴格點名，賴金光能在[illegible]課時間外出進行「督學」工作。有此一笑話發生後，該校為「亡羊補牢」計，已規定各教師上課點名，[illegible]處之點名簿，拒絕收受。該老師說：師生課外生活教育有待加強，如師生間接觸較多，了解多了，像賴金光這樣長時期在外冒充督學的事，便不難早有所發現。

教育廳以省立武陵中學管理不善，[illegible]決定對該校各級有關人員處分，校長李序僧，訓導主任[illegible]，管理主任[illegible]，導師王清津各記大過一次。

西德來賓訪問記

凌霄

（本報特訊）西柏林「毒蜘蛛」出版社主持人亨利基．貝爾（原譯巴亨利基）來港的消息，本報已於前期報導了。他在香港停留兩天，除瀏覽港九風景區，拍了近百張照片外，就是跟友好們閒談，即於十三日飛赴台北。他這次旅行的地區，包括土耳其，伊朗，黎巴嫩，巴基斯坦，印度，緬甸，泰國，越南，香港，台灣，冲繩島，日本，最後擬由日本前往美國，再回西柏林。這些地區內的報刊，有許多都是採用該社發行的漫畫，有些按月收取稿費，有些完全贈送（本報即其中之一），但對於一般採取中立態度的報刊，卻拒絕供應。這是貝爾在香港對新聞界朋友鄭重聲明的。

記者於貝爾離港前夕，曾跟他在九龍P. rk Hotel作過一次長談。我首先提出歐洲文化復興問題，認為英國已沒落了，將來全靠德、法兩民族担當再造歐洲的責任，以德國人的剛毅性格，配合法國人的熱情，相得益彰，大有可為。他欲然道：「我們德國人經過了兩次世界大戰的教訓，再也不想在國際上稱雄了！」記者乃舉出最近德法締結友好條約作例證，他說：「一般德國人民對這項友好條約並不感興趣，因為對德國沒有甚末好處。不過，我們德國人把英國看成是個城府很深的政治家，而視法國人是個美女，我們寧願跟美女結交，而害怕跟政治家接近」。說罷相與大笑。

繼而談到東德人民向西德逃亡的情形，貝爾說：「東德儘管築了圍牆，派軍警把守道路隘口，而逃亡的人依然川流不息，原因是東德的軍警見着逃人雖然開槍，但故意偏差射擊，讓逃人安全走去，彼此心照不宣」。記者又問：這些逃入西德的難民，沒有共諜混迹於其間嗎？他說當然有，統計現在西德境內的難民羣中，就有六千名德共份子。可是，這些人在西德毫無作怪的能力，政府有方法管制他們，決無顧慮。何況這六千人之中，有些並非眞正相信共產主義的，境改變後，他們的思想與生活方式亦就變了。記者曾提及美國領導自由世界的政策及其作法，認為難以信賴。貝爾說：「我們德國卻不怕被美國出賣，因為美國在歐洲非需要我們不可」。

最後記者詢問西德總理阿特諾爾退休後，繼任者是否以現任經濟部長艾哈特為首選？他說不一定，一般人皆以最近為拘捕新聞記者事件而辭職的前任國防部長史特萊斯（現任上議院議長），他比艾哈特能幹些。記者又問：阿特諾爾不是公開表示他退休後，政權可交給艾哈特嗎？貝爾笑道：「政治家的表面言論殊不足信，他們說的未必做，做的卻絕對不說啦！」

貝爾臨出發赴台時，在機場告訴記者，他在台灣將停留三星期，要詳細考察當地的一切建設情況。

西新幾內亞僑胞

千人申請來澳門

（本報訊）由於印尼將於下月由聯合國手中接管前荷屬西新幾內亞，該地僑胞中之較富裕者，大起恐慌，除少數已得移居澳洲外，有約千人之衆，正由親友向澳門申請入境居留，其中三百餘人預期四月份即可抵達澳門。

該地僑胞多閩籍人士，此次移來攜妻帶子，備極可觀。

慶自由報出版三週年

武尉

我們現在大陸淪匪，每個人都失卻了甜蜜的家園，尤其共匪的暴政暴行，毀滅我數千年的歷史文化，倒行逆施，達於極點，這比歷史上任何一朝更替，以及清末受各帝國主義侵畧，還要慘痛百倍。我政府自播遷台灣後，奮發圖強，勵精圖治，無時不以光復大陸，恢復我宗廟社稷與錦繡之大好河山爲念。我全體軍民，應啓發自己的良知良能，體念元首臥薪嘗胆之苦心，相互勉勵，振作精神，佇候反攻號角吹起，從事爲救國救民而從事最後之一戰。我們每個國民，生此偉大時代，負此重大使命，那能苟且偷生，歌舞昇平，任社會風氣如此靡爛腐蝕墮落下去呢？

「齊人歸女樂，季桓子受之，三日不朝，孔子行」。

孔子看到魯國如此靡爛，季桓子受女色包圍而連政事也不管了，所以只好棄官而去。我們的社會，美女如雲，如入仙境，如此這般，似乎少有人想到反攻救國了。

駕機來歸的劉承司義士，在他著的「飛向自由」一書裏，有一段話頗值得我們警惕。他說：

『我們奮鬥的最終目的，不只是號召大陸同胞投奔自由，而是在團結所有反共的人打回大陸。我們不只是希望他們來，更重要的是我們要回去。我們的家園在大陸，我們的親人在大陸，我們的祖墳在大陸，我們的事業在大陸。我們必須時刻以反攻大陸爲念。』

『當然我知道，「反攻大陸」是我們全國上下奮鬥的目標，人人期盼的行動，但我一個多月來的所見所聞，總覺得少了些戰時氣氛，精神運動還不夠，我不能沒有「杞人之憂」。

「我担心：過度的自由，會渙散了我們的力量」。

「我担心：過度的繁華，會腐蝕了我們的鬥志。

『而我對自由的體認，認爲自由如水，水可以載舟，亦可以覆舟。若自由被誤解爲放縱的時候，便如無閘之水，便泛濫成災，當自由在一個意志下結合起來，便洶湧澎湃，無堅不摧。……

『今日台灣經濟繁榮，社會進步，自然這是三民主義建設的偉大成就，也是我們戰勝共匪主義的資本。但我要說，玩物最易喪志，過份重視物質生活，便要鬆懈我們對敵人的戰鬥，何況，大陸同胞尚在飢寒交迫中，我們還忍心講求個人生活的享受？」

劉承司回到自由中國僅僅一個多月的短暫時間，在身份上他說話也許會有點含蓄，然而他能觀察入微，道破我們的病根，可見是凡有良知良能與國家觀念者，大都人同此心，心同此理。其實我們的社會，除繁榮之一面外，另一面是甚麼呢？是歌舞昇平的腐爛呀！共匪謀我，無所不用其極，像這樣歌舞昇平的現象，是否共匪送來的齊人女樂，我不知道，但這種現象，至少是正中共匪的下懷的玩意兒！

自由報主張台灣經濟應積極的繁榮，國民的生活應充分的提高，以鞏固反攻基地的民生，但不主張社會靡爛，歌舞昇平的腐蝕景象，渙散了力量，消失了鬥志。自由報是一張小型報，然而它有骨氣，有報格，獨樹一幟，不避責難，不迎合權勢，當仁不讓，要說它應說的話，要做它應做的事，它也和每個國民一樣，始終本其良知良能，鞠躬盡瘁，以盡它一個國民的責任！

有上諸點，筆者認爲自由報是一張難能可貴的報紙，是一張鼓吹中興的報紙，是一張肩負反攻復國的報紙，值得慶賀，值得歌頌。筆者更認爲自由報今後的努力，一定能將它的編者，作者與讀者，凝結而膠合成一種無比的力量，不斷的發出正義，正言，正聲的呼號，爲國家強盛，爲國民健康，爲反攻聖戰勝利，爲復國建國，完成而放射出萬丈光芒來！（下）

編者附註：本文作者爲吳又蔚先生，「武蔚」筆名係編者所擬，倉卒未遑先期徵得吳先生同意，殊深歉憾。

天南風光

——沙羅越的歷史——

朱淵明

，郎因此一條件，後來演變成讓渡。及英內閣大臣亞奮自殺，與總督司徒華被刺種種問題，使沙羅越的歷史，向另一方式發展。且待後面再爲敘述。

沙羅越第二代拉者査理斯於一九一七年五月十七日逝世，在位四十九年，享壽八十八歲。同年五月廿四日，維納布律克被宣佈爲拉者，一年之後，他才正式舉行登基典禮。這就是沙羅越第三代拉者，也是最後的一位拉者。

第三代拉者維納得位經過，已畧如上述。他究屬「飯桶」式的人物？抑係有所作爲的人物呢？他在位約三十年，對各方面也都有進展，由於他剛柔兼施，寬猛並濟的政策，土著獵人頭的事，可說絕跡，國家的收入，亦大告增加，歲出自也隨之增加，但多半用於改進醫藥及教育事業。在第二次大戰期間，沙羅越之土產價格猛升，其情況猶遠過第一次大戰時期，因其出產量，已非昔比也。在太平洋戰爭未爆發前，眞可說是一般國富，政府之收支預算，非常寬裕，並有一大筆欵項，作爲準備金。這時恰已達到英籍白人拉者統治沙羅越屆滿一個世紀的時期。

當前有一件最令人值得大書特書的事，就是第三代拉者，創立一部新憲法，他自動的廢除專制政體，使沙羅越人民，踏上了自治和民主的第一步。

新憲法的內容，相當進步，茲將它的基本原則九項，錄述如左：

（一）沙羅越爲人民之世襲產業，而託余爲之管理。

（二）社會與教育事業，應加以發展及改善，沙羅越人民之生活水準，應逐漸提高。

（三）不能授與任何個人或多數人以違背本國人民意志之權力，或循任何途徑以剝削人民，或受余保護及關注之人民。

（四）須大公無私，拉者及政府公務員應隨時與公衆接近。（四十八）

我底學習和思想歷程

謝康

、

我看過之後，並不生氣，而且還覺得有趣，因爲批得不錯。那時我正在代理校長職務，本來也有權力查究這回事，至少可以質問那壁報的主編人。但是，我知道：這是我應該逃亡的訊號，雖則整個文學院員生和全校正義人士都站在我這一邊。可是，我想知幾其神，桂林不出半年，必然淪陷；一介書生，何必同他們爭一日之短長。於是藉中大聘我講學的機會請假，離開桂林，於上海陷共時到達廣州，值學校提前放假，暑假回南，乃到海口海南大學。年底以前，海南島緊張，轉到香港，仍從事教學，四十年（一九五一）七月中轉到葡屬帝汶島任教，旋奉派主持領館工作。四十五年（一九五六）十一月回香港教書。算來逃離大陸，已屆滿十三年了！前途茫茫，眞不知如何是好！

逃難中飽受刺激，思想也有多少改變，可得畧述：

一、對馬、列主義爲禍中國的抨擊；認定它和中國傳統文化不相容。判斷它在中國社會不能生根。我發表這類的文章不少。

二、我承認中國文化有自身的優點，所以談文化改造運動，似不能和舊文化斷絕關係。但對於中國文化的缺點和某些傳統觀念，也採取批評的態度。和中國本位文化論者的意見，有些地方，不能苟同，認爲不可以阿Q精神，隨便誇張自己或自我陶醉，因而與世界較新近的思想文化脫節。比方有人說：「中國文化高於一切」。也有人主張「西學古微說」，以爲西方學術，中國古已有之。也有人作文章痛罵留學生，詛咒五四運動。以爲留學生不獨無用，而且罪大惡極；又以爲五四造成「思想眞空」，引共產黨進來，以至於亡了大陸，這些責任，要由胡適之這批人來担負。也有人捧張之洞，相信「中學爲體，西學爲用」，以爲中國所缺的只是科學工藝，別的都不用學外國人。……諸如此類的論調，我覺得太偏了，常常根據所見，給它們以批評或檢討。

三、對於西方文化的長短得失，和有關文化問題，我也曾發表好幾篇文章，加以檢討。

四、我認爲人類生育，應普遍加以節制，中國也不能例外。因此我對三民主義中的人口理論，有所修正。對樂觀派和天主教人士不主張節育，不能苟同。

五、我對教育的見解，隨時發表論文，另編著一本「教育學要義」，約畧可代表我的教育思想。

六、對社會學，社會問題，中國社會史方面，近年來我也頗致力研究，而且出版了幾本專著。（另一部「社會、文化論叢」，在洽印中」）發表若干論文及演講。

七、文藝論評，仍隨時研讀和寫作，似乎也有些進境。已出版「文藝論集」第一集，二集正在整理文稿。

八、南洋生活五年餘，使我對於印尼人和帝汶土人能有直接的觀察，獲得民族學若干資料。我很同情那些土著民族的遭遇，也可憐他們文化的低落。我發現西方文化對他們有益處，在白種人管理的殖民地中如帝汶和新畿內亞，似乎是利多而害少。獨立是他們應有的權利，和最後的目的，但不可操之過急，弄到一團糟。最近非洲若干新獨立國，不乏這種例證。

（十二）

瘟君續夢

第八回：擊戾實堪驚　片言毀約
脫靴終自誤　衆志成城

李雪峯戰戰兢兢說道：「主席所料一點也不差，長春汽車廠和天津農業機器廠也都停工了」。

毛澤東這次倒不跳了，頹然坐下，點着一支烟，一口氣吸去一半，閉着眼停了半分鐘，緩緩地睜開眼向大家說道：「這個問題怎麼解決。」

當時沒人敢開口，毛澤東就向劉少奇指指，要他發表意見。

劉少奇說道：「這個問題，我們應先確定原則，究竟少了這些專家成不成。假若眞是離不開他們，那就只有向蘇共提出交涉，解釋一切誤會。」

李富春說道：「專家走了還不太嚴重，最要命的是他們把工廠礦山藍圖全帶走了，弄成今天一個不可收拾的局面。」

毛澤東說道：「我們不必再請專家回來，只交涉把藍圖還我們就是了。」

大家聽了面面相覷，就在這時，楊尙昆匆忙進來，遞上一封電報。說道：「赫老來電報，請主席到蘇聯去。」

毛澤東登時一驚，拆開電報一看，原來是赫魯曉夫代表蘇共中央來信，邀請毛澤東去莫斯科休養：保證予以適當的接待。

毛澤東縐起眉頭，說道：「這是什麼意思，怎麼邀我去莫斯科休養，我無病無災，休養什麼？」

周恩來說道：「這封電報突如其來，倒是有點奇怪，劉曉事前怎麼沒有報告呢？」

毛澤東冷笑道：「奇怪處還不止此，信上居然還說給我以適當的接待，這句話是什麼意思。」

大家都不敢開口。

毛澤東把烟蒂丟進痰盂，憤憤說道：「我雖然沒有寫過偵探小說，但是，我看得出，這句話就是賊心胆虛，一定打好主意擺佈我，故意先作這個解釋，留個伏筆，我那會看不出，他這個陰謀必然落空了。」

李富春說道：「主席若能到莫斯科去一趟，和赫老當面談談，一切誤會也許可化解。」

毛澤東一瞪眼：「你個癆病鬼出的好主意，我要到了莫斯科回不來，學喬巴山一樣被『適當的接待』到天堂去見馬恩列斯，你償不償命。」

李富春苦笑道：「我的命太賤，到那時就算肯賠償，主席也還是不夠本，何苦呢？」

劉少奇同周恩來一齊捂嘴，李先念不由得笑出聲來。

毛澤東「哼」了一聲，向劉少奇說道：「告訴書記處馬上回信給蘇共中央，我去莫斯科可以，要叫赫魯曉夫先到北平來，我幾時回來，他幾時才能走。」

劉少奇十分不解，問道：「主席這話是什麼意思，你到莫斯科去，就是爲了要會見赫老，你們一岔開，你去蘇聯還有什麼意義。」

毛澤東說道：「我要赫魯曉夫來北京作人質，假若我在莫斯科死了，你們就害死他，一命償一命，誰也不佔誰的便宜。」

毛澤東居然會有這樣的怪主意，大家都忍不住了，不由得笑起來。（一九六）

木魚書（續）

此類書賈，多屬斯文人一流，而兼壯盛有力者。因所荷之書擔爲兩具硬木製之書箱，每日荷之上街，重量至少一百五十斤，非文弱所能負荷也。然而，亦有例外者，民前光緒間，在德宣，粵秀，滙勝，致祥，洛城，天平街一帶肩貫木魚書之黃麥榴，則爲一五十以外之老者，白髮皤皤矣。其家在大北直街，余童時嘗數過之，呼之曰：麥榴伯。他孩則否，而直呼之曰：租書佬！彼謂余知禮，故貸書嘗對折收費，或不受費。彼爲一單身漢，無妻子，入其居，一牀，一桁，一几，一皮睡椅，及三數張短長凳外，其餘皆齊架書籍，惟小庭植石榴二株，階下小盆亦滿種石榴。問：「何以愛榴？」曰：「娶妻名榴，不一年死矣！見榴如見妻也。」問：「何不再娶？」曰：「已爲亡婦守節二十年矣，忍再娶耶！」

花香月上樓小品

黃伯遠

嘗爲余言其少年時事，謂：太平軍時代，被擄去當太平軍，一次炊飯，祇臘一盂，正捧而自食，同伴某已臥病二日，滴水未飲，亟捧往臥處進之。甫行，一流箭飛來，竟揷于其立而吃飯之處，設稍遲一步，死已久矣。其後與此伙伴同投湘軍某部，以戰功陞千總，亂平調身，遂棄官云。

按：民前之木魚書，除才子佳人言情說愛外，亦頗多哀感頑艷之作，如梁瑞美之恩太太，香紫蘭之杜四娘，不獨故事動人，而文筆亦極清麗，曲曲折折，入情入理。非若時下之武俠，神怪小說，以理想，以剿襲，無中生有，引人入勝者可比也。夫小說雖小道，亦每況愈下，嘗見某名小說家寫陳圓圓，其中有一段寫牛金星用毛瑟槍殺人，殆已忘明末時代爲洪楊時代矣。又嘗見以印刷美觀見稱之某月刊，載一楊翠喜圖文紀事。楊爲慶親王兒子振貝子（滿清皇族分四等，一親王，二貝勒，三貝子，四鎮國公）所眷，距今僅數十年耳。然在繪圖中，我卻發見同一席中之官僚竟有戴夏冠與戴冬冠並列者，大名鼎鼎之作家如此，可不廢書而三歎耶？

栗毓美事，見墨餘錄，而在當時之木魚書已有之，其事爲：栗毓美者，山西渾源人。少英俊，其鄰有老儒，招與其子女共讀，館之于家，使與其子同臥起，有相依意。鄰子某，慕女美，亦來就讀。一夕，老儒子與栗共飲，老儒子醉，臥栗榻，栗遂易榻臥。是夕盜越窗入，殺老儒子！官訊栗，何爲易榻？栗不能對，官刑之，遂誣服。（未完）

南宋偏安有人才

——韓世忠

李仲侯

宣和三年（一一二一年）議復燕山（路名，故治在大興西南），調諸軍至雷濆，世忠往見劉延慶，與蘇格等五十騎俱抵滹沱河，逢金兵二千餘騎，格失措，世忠從容令格等列高岡，戒勿動，屬燕山潰卒舟集，卽艤命河岸，約鼓譟助聲勢，世忠躍馬衝敵陣，旋轉如風，敵分二隊據高阜，世忠出其不意，突二執旗者，因奮擊，格等夾攻之，舟卒鼓譟，敵大亂，追斬甚衆。

欽宗卽位，世忠從梁方平屯濬縣（河南濬縣），金人壓境，方平備不嚴，金人追而遁，王師數萬皆潰，世忠陷重圍，揮戈力戰，突圍出，焚橋還。欽宗聞之，召對偏殿，詢方平失律狀，條對甚悉，總管司辟爲選鋒軍統制。勝捷軍張師正敗，宣撫副使李大彌斬之，大校李復鼓衆爲亂，淄（山東淄川）寇（山東益都）附者衆萬人，山東復擾，大彌檄世忠將所部追擊，至臨淄河，兵不滿千，分爲四隊，布鐵蒺藜，自塞歸路，令曰：「進則勝，退則死」，走者命後隊剿殺，於是莫敢返顧，皆死戰，大破之，斬復。餘黨奔潰，乘勝逐北，追至宿遷（江蘇宿遷南），賊尚萬人，椎牛縱酒，世忠單騎夜造其營，呼曰：「大軍至矣，急束戈卷甲，吾能保全汝功名」！賊駭懾請命，因跪進牛酒。世忠下馬解鞍，飲啖之盡，於是衆悉就降。黎明，見世忠軍未至，始大悔失色。以功遷單州團練使，屯滹沱河。時眞定（河北正定）失守，世忠知王淵守趙，遂亟往。金人至，聞世忠在，攻益急，糧盡援絕，人多勉其潰圍去，弗聽，會大雪，夜半，以死士三百擣敵營，敵驚亂，自相擊刺，及旦遁還。後有自金國來者，始知大酋是日被創死，故衆不能支。遷嘉州（浙江嘉興縣）防禦使。時康王如濟州（山東濟寧），世忠領所部勸進，金人縱兵滿城，人心恐懼，世忠據西台力戰，金人少卻，翌日，僞帥率卒數萬至，時世忠麾下僅千人，單騎突入，[illegible]潰。康王卽位，拜世忠光州（河南潢川）觀察使。世忠請移都長安，出兵收兩河，時論不從。是歲建御營，世忠任左軍統制，討平單州賊，魚台及黎驛叛兵，羣盜悉平。

建炎二年，高宗如揚州，世忠以所部從，張遇來降，抵城下不解甲，世忠獨入其壘，曉以順逆，衆悉聽命，其民衆十萬亦降。比至，有反覆狀，世忠先斬其黨持異議之劉彥，並縛其小校廿九人送王淵斬之，其事始定。金人再攻河南，翟進合世忠兵夜襲悟實營，不克，反爲所敗；會丁進失期，陳思恭先遁，世忠被矢如蝟，力戰得免。還汴，誅一軍之先退者皆斬，左右懼。進由此與世忠有隙，尋以叛誅。召世忠屯淮陽（河南淮陽縣），會山東兵拒敵，粘罕聞之，乃分兵萬人趨揚州，自以大軍迎世忠，世忠不敵，夜引歸，敵躡之，軍潰於沭陽（江蘇沭陽縣），閤門宣贊舍人張遇死之。（四十三）

武梁石刻

滌秋

中國的古代石刻，當推敦煌石室，龍門佛像，以其雕刻精細，爲藝林珍品，而馳名全球焉。近讀慈園先生著武梁石刻，固不下於龍門，而其年代久遠，且又有過之。

武梁石刻，或稱武梁祠畫像，在山東省嘉祥縣東南約十五公里紫雲山下武宅山北，建於東漢桓帝建和元年丁亥。武氏爲順桓二帝時，任城之望族，其地卽武氏墓在焉。墓前有石獅石闕，內有石室四座，分屬於武梁，武榮，武斑，武開明四人。石面皆水磨，平光如鏡，刻皆陽紋。所刻皆古代帝王忠臣義士孝子賢婦畫像，間有神怪祥瑞故事，並四人生前經歷，小字入分書題記姓名，亦有紀其行事以作讚語，文詞古雅，字畫遒勁。所畫人物，衣冠，車馬，宮室，台殿，樓閣，鳥獸，花木之類，細緻的動，極富藝術的價值。

四室之中，以梁、榮二室爲最佳。「梁室」有三皇五帝像，曾參，閔子騫，老萊子，丁蘭等孝子故事。宋桓公，魯莊公，吳王及荊軻等史實。「榮室」有文王，武王，周公，孔子，秦王，齊王，孝子，烈女，刺客，以及武榮一生事實。「斑與開明」二室則有伏羲，女媧，景公，始皇，信陵君等人物故事，餘刻雷公，北斗星君，噉人鬼及諸祥瑞之物，其筆力遠不逮梁、榮二室之精簡。尤有異者，始皇與伏羲、女媧並列，忠奸不辨，殊引爲怪。語石有云：今收藏家得唐人畫，已爲稀世之珍，況漢畫乎？欲觀東京以前衣冠文物，宮室制度，惟有漢畫像耳。今所傳者，惟孝堂山武梁祠爲最古，亦最完整。乾隆中，黃小松李鐵橋先後訪得之。前廿年又時有殘石出土，汪郎亭督學山左時，以拓本見貽，正祠三石，每石五列，前石室十四幅，後石室左右室皆十幅，東西兩闕各二幅，祥瑞圖二幅，新出土者十二幅，內荷畫一石，石木作匱，可證古本論語，孝堂山畫象共十幅，余亦從廠肆得拓本，但題字剝落，不甚可尋。

按兩石室所刻，皆古聖賢節孝事，然武梁祠有夏桀，又有須賈，張祿諸人，豈盡爲聖賢耶？漢時有畫紂醉踞妲己者，蓋以古爲鑑，貞淫美惡，不妨並列，且其義不僅此也。乾隆時，濟寧同知黃易（小松）至其地，得見石室，得畫像二十餘石，及武斑祠武氏石闕銘，因重葺其祠以儲之。考武斑爲殷王武丁之後，漢書有武彪（一作武儒）以謁者從高帝定諸侯，封梁鄒侯，卒謚孝，斑殆卽其嗣也。

清末，端方藏一漢畫象，共兩層，上層有漢使者及王陵母字，下層爲晉靈公，趙宣孟。觀其制度，殆亦出自武氏祠也。又有孔子見老子畫象一石，黃小松移置於濟寧學宮中，故武氏祠石刻，尚有偃於地下者，亦有移遷他址者，甚或有被盜竊者，其數究有若干，殊難考證。黃氏初得，祗有二十餘石，汪郎亭所得約四十幅，諸石所載亦同。但中國美術史論集，謂現存五十六石，其全貌爲若干，有待於他日之研討。

山東境內，多漢代畫像，如朱鮪石室，朱浮墓石壁，孝堂山，李剛石室，兩城山，洪福院，食堂，曹王墓等，皆較著稱，特不及武梁之廣傳於世耳。

海嘯雲談薈

名人的婚變觀

諸葛文侯

前北京大學校長，現任中華民國農村復興委員會主任委員蔣夢麟氏，最近與其新婚不久的夫人徐賢樂女士大鬧婚變事件，男女雙方皆有談話或書信在報上發表。我們對於這類男女家庭糾紛問題的內容，固不願研究，更不必評論是非，俗言「家家有本難言經」，倘個觀世音」，殆有至理存焉。誰若對於別人夫妻反目勃谿，妄作是非曲直的評判者，那便是天下的一等笨伯。但我因爲蔣徐婚變問題，卻發生兩點感想：

一是香港文化界人士最近演出了一場話劇，劇名爲「無家之累」，描述社會上一般過着王老五生活的人那種困苦凄涼景象，入情入理，繪影繪聲，我看過後亦有同感，認爲男女居室實係人類生活必不可少的體制，所謂天倫之樂是也。現在看到蔣夢麟先生這次提出離婚問題的聲明，說他痛苦良多，無法忍受的情形，「有家之累」的痛苦，並不下於王老五的生活狀態，因此，我聯想到婚姻的方式問題了。舊式男婚女嫁，皆由父母之命媒妁之言而決定，男女本人並不見面，夫婦間的感情是由淺而深，縱有齊大非偶或感情不融的，亦歸之於命運，彼此皆能本着宿命論的哲學思想，勉強相安，減少許多無謂的家庭糾紛與煩惱。現代人講究婚姻自主，名之曰文明生活，男女朝夕談情說愛，格外親熱，等到結合夫婦後，感情卻由深而淺，以致隨時要鬧離婚了。人生上壽不過百歲，除去童年與老耄時期，至多只得三四十年的正常生活，而世界上又絕對沒有十全十美的理想夫妻結合，何必多所講求，自尋煩惱呢？舊時的盲婚制度，實在彼善於此，未可厚非。

二是蔣校長在其婚變的聲明中，有「愧對故人」一語，這「故人」指的是胡適之。記得蔣徐婚後不久，我在台北遇着適之先生時，他對我談到蔣徐結婚事，說他曾經再三寫信勸夢麟不要貿然結婚，蔣看過胡氏的第一封信以後，在那段時期內，每逢有胡適之的來信，卽不再拆閱，以示堅決要跟徐女士結褵的意志，絕不動搖。如今故人的墓木未拱，而自己乃不得不向法院請求離婚了！言念前情，自多愧悚，假使適之先生健在的話，他倆一定會抱頭痛哭一場。這足見知己朋友之可貴，給世人以良好的啓示，我就常有「交游滿天下，知己者何人」的感想呢！

據說蔣徐婚變的基因，是關於財產問題，誰是誰非，當然應毋庸議。不過，我偶然想起了袁子才詠馬嵬坡事變的一首詩：「到底君王負舊盟，江山情重美人輕，玉環解得夫妻味，從此人間不再生」。若把「君王」易爲「先生」，「江山」改作「金錢」，「玉環」寫成「徐孃」，最末的「生」字別作「婚」字，縱然出韻，亦大可移詠蔣徐婚變也。一笑！

梁敦厚事蹟

吳文蔚

這年冬，日軍嗾使王英李守信進窺綏遠，閻錫山將軍主理晉綏軍事，命傅作義迎頭抗戰，太原爲晉綏司令台，遂於十月二十五日成立了軍政訓練委員會，命梁氏担任訓練委員，主持政訓，又任辦公室主任，綜攬全部組訓事宜，訓練了大量的青年幹部，民訓幹部，行政幹部，村政幹部。加以當時全國各大都市的青年志士，蜂聚太原，蓬勃熱烈，抗日高潮，達於極點。直至翌年七月抗戰開始，這些人員，一齊上了戰場，担任了民族禦侮的神聖抗戰，梁氏的功勞，委實是不易言宣。

二十六年七七事變後，閻錫山將軍受任爲第二戰區司令長官，梁氏率領其訓練團全體幹部，自動請纓，成立了抗日決死縱隊四個縱隊，深入太行山，中條山，呂梁山，苛嵐山等山區，建立了抗日的游擊根據地，並普遍的成立了農村民衆自衛隊，協同正規軍對日作戰，殺敵致果，成績輝煌。（三）

自由報
內政部登記證台報字第〇三一號內銷證
THE FREE NEWS
第三三三期
（每星期三、六出版）
每份港幣壹角
社長：雷嘯岑
督印人：黃行富
20, CAUSEWAY RD 3RD FL HONG KONG
TEL. 771726 電報掛號：7191
台灣分社

發展科學與創進工業的要圖（中）

張善仿

當我們的目光與注意力，擺脫掉現實問題的困擾與遮蔽之後，則甚易認識問題的癥結所在了。無論古今中外，莫不尊崇人類的創造智慧，研究哲理的學者們，均承認人類的文化是人類精神的產物，胡適博士曾發表一篇「科學發展所需要的社會改革」講演，他剴切說明，「西方文明乃是人類眞正偉大精神的成就，是我們必須學習去愛好去尊敬的，因爲近代科學是人類身上最有精神意味，而且的確最神聖的因素累積的成就，那個因素就是人的創造的智慧」。又說：「一切文明與工具都是觀念在物質上的表現」，「所以我們把科學和技術看作人的高度精神的成就。」他講的這幾句話，每個具有哲學常識的人均甚熟諳。我國負責財經貿易及美援運用的高級官員們，對這幾句話不能僅僅唸在嘴皮上，印在腦海裏，而必須予以反覆的推敲，深刻的理解，並且應能充分辨明阻滯我國發展科學工業的原因，是未能認識發展科學工業所需要的哲學思想，未能闡明發展科學工業所需創造智慧的價值，亦未爲之安排所需要的優良環境。故阻滯我國發展科學工業的責任，推諉不到中下級的官員頭上，更賓斥不到耕樸勤勞的人民大衆，而是責無旁貸的落在我國一流學者與行政當局的肩上。現今負責我國財經貿易與美援運用的高級官員們，即應深刻理解「科學和技術是人類的高度精神的成就」，切實掌握這個觀念，眞正將這個觀念作爲前提，組成周密的理論體系，而擯棄官場內傳統的上智下愚成見，對高度的創造智慧予以眞誠的崇愛支持與協助。

引導國家進步發展社會財富的創造智慧，不在愚魯白癡身上，不在碌碌勞力者的身上，而是秉性聰穎受有充分教育的士類。勞心之士在我國歷代均受社會尊敬，地位崇高，俸祿優厚，值此國家最艱困的階段，正是最需要他們運用才智的時候，他們卻遭受最冷酷的壓抑與輕蔑，他們卻忍受着悽慘的生活煎熬與折磨，國家社會進步的生機給葬送了。實爲我國政治方面的重大失策，也是國家民族的重大損失！試看在國內受過了十六至十八年教育的青年，頒給畢業證書後，竟像出嫁養女，生死聽之，無人過問。他們踏進社會弄到一個糊口職位已甚困難，收入不及擺販車夫，較諸歌女、妓女、咖啡女郎更是望塵莫及。除獨身或家口較少者外，所謂仰事俯畜根本談不到，三餐難繼，衣食維艱。眞令人慨嘆我國的創造智慧是如何的不值價呢！至於研究進修方面，文科學生的情況或較好些，圖書較易獲得，尚可自動繼續鑽研，有所成就，理工科的學生就很少機會跟儀器設備發生姻緣，較好者在工廠裏看管機器，簽轉假條，幹着領班工作，無背景無關係的不幸者，連這份工作都幹不上，甚至只能作低水準的工作混飯。在這種情況下，希冀彼等有所發明，幹出超越的成就，寧非夢囈乎？理工科畢業的學生，生活在這樣精神無寄託，衣食困窮的環境中，必然會感到無限徬徨，有家累者則逐漸消極爲混飯主義，所學習之知識日益退化；無家累者則熱中出國，另謀高就；在國外稍有成就而生活較好的，卽企圖歸化他邦。我們具有理工專長的人才，既如此嚴重的荒廢着，腐蝕着、葬送着，乃呈現空前未有的精神渙散與失望低潮。此與二次大戰期間，俄軍佔領柏林，第一件大事就是劫持德國的科學家和技術人員，不僅未加虐待，反而給予世界上最優待遇，充分供應研究所需的設備與資料，藉以發展科學與工業的作風，實不無天淵之別，而需我們痛加反省與檢討的。

若干年來我們發展工業，扶植工業的結果，僅止於協助購買地皮，減免捐稅這類消極辦法，近始努力改善廠商登記手續的困擾，迄未做到代爲建廠，供應設廠計劃與藍圖等積極措施。如無美國史丹福大學研究所的工業經濟專家來台調查與建議，今日在台灣最經濟最有利而值得投資的工業是什麼，都難確定。在我國工業發展中最脆弱的是那一環，急需補充什麼儀器設備，更不得而知了。過去十多年中，雖由國外搬來了幾個新式工廠，但進口的陳舊設備，及應送進熔爐的機器亦甚多，在國內設法添置的生產器具更是七拼八湊，因陋就簡，演進至今日，工業建設處處顯叢生，產品品質低劣，生產成本不能降低，美援建廠與倒閉併肩而進，工業起飛呼聲與生產虧累的報導，同時傳播。我們雖低薪給與退稅貼水兼施，然將工業產品推銷到世界市場仍是一籌莫展，稍遇情勢逆轉，卽呈現危如累卵的局面。並且在這十多年中，甚少看到充實工業研究發展部門，有某種研究發明的消息，也未聞設計成功何種優異產品。故在我國的工業建設進程中，迄無健全而有力的領導機構，表現出積極的主動作用，乃是不容否認的事實。

近代工業產品日新月異，千變萬化，其構成繁簡不一，其製造亦難易大不相同。複雜的產品有不同配件達十數萬種之多，絕非一兩家廠商可以完成其全部生產程序；簡單者如一紙一筆，在大量生產時，也需要精細的規劃設計。工業生產規模的龐大，固然萬分驚人，策動工業生產的研究設計工作，其繁重已遠遠超出通常的想像，其所需之組織亦甚健全堅强。在工業先進國家各種各類的研究設計機構，雖分屬於廠商或學校，或係獨立的機構，但任何一方面的專家獲得新發展，有關方面甚易予以配合及支援，新產品的大量問世，並不無費周章，遲遲難產。簡言之，工業建設處處需要組合的高度創造智慧，生產的進步，點點滴滴都需要各種科學家與工程師們的辛勤研究。持此觀點考查我國公營與民營生產事業，則處處感到運用創造智慧不僅不足，而且微乎其微。持此觀點分析加速經濟發展十九點計劃，所得結論就是無生機無靈魂。這個計劃的撰擬，缺乏哲理的引導，無一條是鼓勵研究發展運用創造智慧的條文。所以我國工業建設十餘年仍無一項傾銷世界的產品，亦無一項震驚世界的發明。工業產品品質低劣，成本高昂，如無低薪給低工資與保護關稅管制政策的兼施，卽隨時岌岌可危，實爲必然結果。以此與離開大專校門後之理工學生的遭遇相對照，實令人深感在我國工業發展進程中，多年來就存在着一個深刻的矛盾，一方面是學有理工專長的智能之士委頓消沉，不受重視，一方面卻亟需要這類創造智慧的充分發揮。十餘年寶貴光陰蹉跎過去，這個矛盾不僅日益加深，更未爲克服這個矛盾而做積極的努力，豈勝慨歎！

現在我國發展科學的理論，似停滯於胡適博士紅學研究方法的思想範疇內，由國外聘請一流學者回國短期講學，遴選優秀學人送赴國外進修一年半載，及對個別學人給予生活補助，是其思想與現實條件揉合推演的必然產物。胡博士上承杜威哲學，說明：「一切文明工具都是觀念在物質上的表現」，一切生產製造都先需創造智慧予以孕育發展，這是每一位學習科學技術的人都易於接受的觀念。但是他的「勤謹、和緩」、「大膽的假設、小心求證」的治學方法，及其紅樓夢考證方法，自視可樹之爲科學方法治學的典範，本質上卻是個人主義的研究方法，思想上僅知重視個人的智慧，而輕視組合的智慧價值，已甚落伍了。

漫畫天下

毛澤東：「喂！站穩一點！」

不要哭，不要哭！

民主與獨裁的是非

南斯拉夫的共黨頭子狄托，最近敎他的所謂「國會」通過了一部新憲法，規定狄托可以作終身總統。這是政治人物權力中毒的一般現象，不足爲奇。共產政權的本質是超級專制獨裁制度，尤其令人容易迷戀權位，到死方休。史達林在生時，廿年內亦不按照黨章召開俄共代表大會，可謂典型的權力中毒行爲。

南韓的李承晚先生爲着要作終身總統，每屆大選之前，卽主張修改憲法一次，以致引起國內在野黨派人士的反感，招來國際盟邦──美國──的指摘，終於所志未酬，黯然下野去國。看看南共頭子狄托的作法，李承晚未免太「德謨克拉西」了！現在南韓軍人朴正熙要延長軍政府的統治期間，美國總統公開表示反對，且以停止經濟援助相脅迫。

可是，美國對於狄托的專政獨裁作風，不特熟視無覩，而且很誠意地給予軍經援助，結交唯恐不及，從無不滿的表示。緬甸的軍人獨裁政府如果願意接受美援，我敢担保美國當道一定欣然贊許，不惜予以財力物力的大量應援，印尼便是很好的例子。這證明美國領導自由世界的反共產極權鬥爭，既無政治理想，也沒有民主不民主的區分。對自由國家强調「美式生活」，動則指這個友邦不民主，那個友邦是獨裁，非反對不可。對共產極權國家以及親共的獨裁政權，卻讚美應援之不遑，而美其名曰「心理作戰」！

然則美國的目的何在呢？答案很簡單明瞭，祇要表面上不指斥「美帝」，不採取武力攻擊的敵對行動，讓美國商人自由貿易，使他們的過剩生產品有銷售市場，其他皆無所謂。那怕是厲行超級專政獨裁的國家，把人民視同奴役牛馬，亦不相干。充其量表示一點希望人民自動起來爭取自由生活的外交詞令而已。

美國領導自由世界的方針與作風，就是如此這般，信不信由你，已有事實擺在眼前，未來的結局等着瞧罷！

馮五先生

大選舉小趣聞

候選議員自喻廁所
母女上陣兩代交兵

▲高雄縣競選省議員，兩代交兵，張簡戴麗珠與另一候選人余陳月瑛曾是中學同學，余陳月瑛是高雄縣長余登發的媳婦，張簡戴麗珠則是高雄縣富豪戴良慶的妹妹。第四屆縣長選舉時，余登發與戴良慶拚得天昏地暗。事隔兩年半後，余的媳婦與戴的妹妹又將在選戰場上交兵。

▲遲到五分鐘，喪失登記資格。台南市施麟，於四月一日選務所下班時候，突然趕往登記，主辦人員告訴他說，時間已過，下屆請早。施說他的錶還差五分鐘才到下班時間。選務所人員請他撥一一七電話向電信局詢問標準時間，剛好是六點過五分。來遲一步，機會錯過，歎息也無用。

▲母女聯袂競選，選壇留佳話。嘉義縣省議會元老女性議員許世賢已登記競選，她的二十九歲長女公子張貴英，於登記截止的最後一日，繼其母親之後，也辦妥候選人登記手續，爲選壇留下佳話。據說，許世賢此舉，是想登記人多，以便降低當選人得票額。

▲競選省議員拉票，自喻新廁所。台北縣省議員候選人陳秋波，在全縣鄉鎮長會報席間發表演說，請求支持，他說他是新人，他把新人比做「新廁所」，他說：俗語說：「新廁所好大便」，因此，希望與會人員能大力支持他。

▲因案判刑罪犯，出任選監委員，警察局長羞與爲伍。雲林縣警察局長劉長泗，對於洪寇志與他同列一區監察委員，認爲不方便，因他獲知最近洪某因案被判徒刑半年，一個罪犯竟被推薦爲監選委員，將來執行監選必有困難，他以治安首長身份，不便與一個罪犯同列一席，以請求監察小組諒解，如洪某不予更動，他就只好請辭監察委員一職。

▲選舉公費不收支票，張進福功虧一簣。台北縣現任縣議員張進福，於四月一日候選人登記截止前五分鐘，滿頭大汗地趕往選務所，趕辦登記手續，但他帶來繳交的選舉公費，祇有一萬現鈔，另一萬卻是一張支票，選務所難以接受，張進福急得跺腳，要求先收下登記表及現鈔，容他立刻去調現鈔，經過交涉，時間已過規定截止的三十分鐘，即使有現鈔也不能受理，張才悻悻而去。

▲夕陽無限好，拜託支持，勿使老了才當選。桃園縣省議員候選人黃玉嬌，一天到楊梅鎮公所訴苦，她說，已落選兩次，如果再次落選，又要等四年以後才出馬，到那時已經是老太婆了，必須扶杖爲民服務，太不方便了，所以此次務請多多幫忙云云。（昌文）

廣州新三反近尾聲
多人被捕罰處勞改
其中包括歸僑和僑屬

（香港與大陸）廣州市毛共近月來如火如荼地進行的「新三反」運動已近尾聲，曾大規模捕人，被捕者包括歸僑和僑屬。他（她）們被押赴市郊的「水坭廠」或「公安畜牧場」進行勞動「教養」，生活甚爲悲慘，雖病魔纏身者，亦無可倖免。

本港的中學教師王奇×告訴記者，他最近接到留居廣州的親人一封長信，對毛共此次之「新三反」運動的情況敘述綦詳，因爲王奇×的一位堂弟亦在此運動中被捕「勞改」。

王奇×說：毛共鑒於近來「資產階級意識作祟」，使社會秩序混亂，黑市買賣，盜竊，貪污之風極盛，乃進行一次大規模的「反黑市」、「反盜竊」、「反貪污」爲中心的「新三反運動」。其進行的方式還是和以前一樣——開會檢討批評與自我批評。

王奇×說：這項運動有不少機關已到達「尾聲」的鎮壓階段，許多人因此被捕，包括他的一位堂弟在內。他的堂弟原僑居印尼，當印尼排華時，因受共黨之宣傳影響，乃返回大陸，曾帶回不少衣服、食品及手錶、單車等，幾年來他的堂弟就靠這等東西變賣得來的錢，以支持學費和生活費用。卻亦就因此招來橫禍。

王奇×的堂弟在一次的鬥爭會中被指的罪名是：黑市賣單車三部，手錶八只和大批衣服，食品，嚴重破壞市場。他卒被判處三年的「勞教」。最初他的堂弟被送到一間「水泥廠」；那裏有四百多「工人」，都是歸僑或僑屬之犯罪份子，白天由十多位全付武裝「公安人員」監視着勞動，工作時間由早上六時到下午七時，晚上八時至十時則分小組進行「學習」，主要「學習」內容是批判資產階級思想之反動性，「祖國」十多年來各項「社會主義建設」的「偉大成就」……

王奇×的堂弟在「水坭廠」不到半個月時間，便因爲無法承担那種沉重勞動，而且沒有一餐吃得飽，因此，他生病了，胃病、水腫、肝炎俱發，這樣毛共便把他調往「公安畜牧場」，據稱這是給他的極大的「照顧」。

王奇×說：該場約有七十餘人，據說都是「照顧」的對象；那裏祇有兩名守門的警衛和兩名護士。受勞改者的工作大致是洗猪欄、喂猪、割牛草，牧鵝鴨雞等不走動的輕工，因爲這些人也實在祇能做此等工作。

王奇×所得的信還叮嚀他：如果他接到他堂弟的信時，絕對不要相信信裏面的表面文章，因爲該「教養場」是要每個犯人每月寫一封信給海外親人，「報導生活情況」。但那些信都是經過毛共授意所作，並經過他們檢查的，說的絕對不是眞實的事情。

據王奇×說：他卻還不會接到他那被罰勞改的堂弟的來信。又說他居留廣州市的親人信中所提到不可相信受勞改的他堂弟寫出來的信中所報導的生活情況，其實是多餘之舉；他說：根據他去年一度返回廣州探親所見所聞，不要說在勞改中的人所報導的生活情況不可信，連普通人信中所說生活美好的話，都是奉命所寫，一樣的不可信，何況正受勞改的人，一切受控制，還敢講眞話嗎？他們講的苦況他是信的，反之我自然不信它。（敬斯）

南市保安市場紅包疑案

（本報記者朱武州台南航訊）台南市保安市場部份攤位，在去年遭受火災，重建工程費發生了「紅色」疑案，市議員會在議會中提出質詢，但無下文。該案來龍去脈是這樣的：

台南市的西區保安市場，共有六棟，計三百六十個攤位；其中靠西端的一部份五十個攤位，於五十一年二月十七日遭受火災被燬，迄今已有年餘。火災之後，災戶即成立「台南市保安市場火災重建委員會籌備處」，極力向台南市府及議會陳情，請准許重建，並由當時一手促成保安市場建立之邱鴻祥議員努力奔走，爲災戶們請命，但雖經兩次向市府請求，經市府轉呈省府以防火及交通爲由，予以批駁不准。

及後再經保安市場火災重建委員會之主任委員黃文客轉託另一議員杜德泉設法，杜議員曾多方努力，並借同黃文客往台中省府建設廳面呈請願，卒經建設廳派員來台南市保安市場火災現場「勘查」「比劃」，終於五十一年十一月批准許可重建。

該項重建工程，由重建委員會發包，由彬峯營造廠以新台幣三十五萬五千四百元承包；事實上是由另一吳姓包商借用彬峯營造廠名義承包。在四月四日，台南市議會大會討論公有市場租金問題時，議員邱鴻祥即質詢市府財政科長謝浚說：「保安市場火災重建工程有發生「紅包之事，你可知道？」謝答說：「不知道」。至此主持議會大會之議長蔡丁贊設法打圓場，事情未至擴大。據悉：該項重建工程費與包商訂立合約是三十五萬五千四百元，而包商所實得爲二十九萬五千四百元，其中差額六萬元，據說是分送核准重建工程主管官署方面。

再者，該項重建工程，包商估價每攤位爲五千八百八十元，而重建委員會實收每攤位則爲七千六百元，以五十個攤位計算，超收九萬元。是以除去六萬元「紅包」外，尚有三萬元之數，據說是用在「交際費」。這兩項數字是不假的，這否也算「紅包」呢？該不該追究呢？

執政黨十六違紀競選者
八人被除黨籍．八人服從黨紀

（本報記者吳越台北航訊）台灣省第三屆省議員選舉，執政黨有八名黨員，迄至候選人抽籤時爲止還不去辦理撤銷登記，而被組織決定開除黨籍的，計有高雄市王登山，宜蘭何連煌，新竹楊盛泉，苗栗湯慶松，高縣林祺瑞，郭吳合巧，屏縣陳朝景，澎湖許等爵。與遵從組織勸導撤銷登記的八人相比，恰好是一半的一半。這些遵命撤銷者與抗命「違紀競選」者的背面各有千秋。

登記開始時，黨部曾想過止住違紀競選的逆流，省黨部主委薛人仰也曾發表公開聲明，勸告同志遵守黨紀，有一半數的人都不爲所動，黨方面才決心嚴格處理這個問題，以免將來其他選舉也發生這種情形。

台北市最初表示違紀競選意思最堅決的陳大拔，終於在勸說之下，打消原意，於六日正式申請撤銷候選人登記。

陳大拔曾任第一屆省議員，第二屆參加黨內登記，但未獲提名，也曾傳出不惜違紀競選，臨頭卻又撤銷。第二屆陳大拔未獲提名，據說是與省級黨政負責人相處不睦。省級黨與政負責人相繼離職後，繼任省黨部主任委員的薛人仰在陳氏任省議員的時候，薛爲省議會秘書長，二人在台北寓所僅一牆之隔，交誼素篤，薛氏上台後，陳大拔自忖必獲支持，誰知又是名落孫山。兩度失提，心中不平之氣已盛，再加江蘇籍人士，對於黨提名的人選，認爲不能滿意，陳大拔乃想趁機違紀競選。登記之後的一段時間，陳大拔競選決心表現得很堅強，一度傳出已將登記圖章燬去，表示決不撤銷。執政黨對此頗感困擾，黨方人士及同鄉紳耆，都曾極力勸說，陳氏終於接受勸說而撤銷競選。

陳大拔現任土地銀行監察人，除領有一筆數可觀的津貼，並配有房舍，自己還有兩三幢私產房屋出租，妻他的妹妹在菸酒公賣局，在公路局，女兒在台肥六廠都有工作，收入不惡，陳大拔如完全不理會有關方面的勸告而撤銷競選，些工作是否要受影响，便很難說，如能接受勸告，將來爲社會服務的機會很多也。

桃園縣執政黨籍縣議員葉雲錦，以「黑馬」姿態，突然登記宣佈不惜冒「開除黨籍」的危險來違紀競選，這是大出一般人的意料之外的。葉氏在二年前曾有意違紀競選縣議長，經有關方面勸導後而放棄，足見他是一個不甘雌伏，隨時都想脫穎而出的人物，葉氏出馬，對執政黨提名的葉寒青，構成嚴重威脅，有關方面極力勸他撤銷登記。

有關方面請出前任議長現任桃園農田水利會長的蔡達三，以朋友，同事，（同爲縣議員），縣黨部委員等三種身份，全力進行疏導，葉雲錦在萬分勉強下，在撤銷申請登記書上蓋了章交給蔡達三，可是並未寫委託書給蔡，因此不能向選務所遞去，這就是四日新竹縣黨部發出書面消息，說葉雲錦已接受勸告，向選務所撤銷登記，而選務到六日中午還否認收到的由來。後經葉雲錦補具委託書後，蔡達三才於六日下午五時赴選務所辦妥撤銷登記手續，使有關方面的困擾，得以解除。

台北縣張彩鳳，是台北市議長張祥傳的女兒，一屆省議員，二屆因控告李秋遠當選無效而獲補償。張彩鳳的打算違紀競選，是爲出一口氣，據她自己表示，組織中有人勸她去台北市競選，不必在北縣與王宋瓊英爭婦女保障名額，她遵命將戶籍遷往台北後，卻又未獲提名，北縣的提名也沒有她，落得個兩頭落空，所以不顧一切，非要違紀競選不可。據說，執政黨不在北縣提名張彩鳳，是怕黨外李秋遠要報一箭之仇，以致影響了黨的提名局勢。

執政黨對於張彩鳳的違紀競選，很不以爲然，曾要張祥傳以父親的地位去開導她，張祥傳甚至曾以絕食來要他女兒放棄，張彩鳳一度也不爲所動，後來經不住各種方式的勸說，終於撤銷了登記，使台北縣的王宋瓊英一票即可當選，組織的其餘一票源可以集中支持其餘男性提名候選人，當選勝算大大增高。另一位打算違紀競選的宜蘭縣史岳門也撤銷了登記。

宜蘭縣本來有徐芳、何連煌兩人要違紀競選，執政黨宜蘭縣黨部於九日該黨第七次紀律委員會議決通過，兩人開除黨籍。現在徐芳已服從勸告撤銷登記，黨籍已予恢復，何連煌因不服黨紀，卒被開除。

徐芳是縣議會內「後起之秀」，是能言善辯，但由於其年事過輕，且在首屆省議員提名時扮演一段政壇上「微妙」的讓賢過程，因而份量大減，此次最終能接受組織勸告，也是自己衡量結果，認爲違命競選未必能有當選把握，與其如此，如向組織屈服，爭取好感，是上算的。

何連煌在五結地區雖然亦有過一段輝煌的一頁，連任兩屆鄉長，惟是實力偏於一隅。（上）

報人普立茲傳

汝津譯

．波士頓港一片漆黑。已經是深夜了，只有很少的光線從船上照射到水面。這是一八六四的戰爭年代。在港灣內的一隻船上，有一個男孩子正佇立着，注視黑暗中的星星光亮。他只能看到這個。此外，甚至那些船隻的輪廓，在黑暗中也無法辨認了。

不作一聲地，那男孩子走到船的邊緣。他跳入又深又冷的水中。把頭和身子潛在水面下，他很快的泅動，像一尾魚。他努力讓自己留在水底下，一直到遠離船隻爲止。然後他的頭伸出水面，向前方的陸地望去。那兒有一些小船繫在岸邊。當天下午他的船進港的時候，他就看見它們了。他要向那個方向前進。他必須小心。假使守衛的聽到了，準會向他放槍的。

他試着泅快些，他的手臂每每拍擊着水流。輕微的波浪幫助了他。慢慢地，它們載着他的身體，並把他推向岸邊。他已經從船那兒游過了好一段路。他不須再游太多了。他已能看到沿港的那些小小街燈。但願他有游到岸邊的氣力。他又怕又冷又弱，幾乎支持不住了。好幾次，水波沖打着他的頭。他該呼救嗎？他該希求一個機會，讓別人前來拉他出水嗎？或許他的叫聲只能引來守衛和士兵？他可能被射中，守衛的也許會把他帶回原船。但他不願回船。他只有再向前進，而且希望守衛的看不到他。突然間，痛苦襲向他的右腿。然後他的左腿也碰上一件東西，大而硬的。他用雙手探身下水。剎那間，一陣大浪捲上來，把他摔向岸邊的木碚。他到達陸地了。

他休息了一會，新鮮的空氣使他的頭腦清醒了些。慢慢地他把身子挪到水面的木碚上。他必須小心。一個守衛的腳步聲正在走近。那孩子的腦袋露出在走道的木板之上。他向四週眺望。那守衛的走過去了，他已安全。現在他可以跑了。他穿過那廣濶的港岸，闖進一條黑街。

不久，他已精疲力竭，他跑進一個養馬場。馬吃的糠殼，滿鋪在地上。他無力地倒下了，躺在柔軟的糠殼上。再也動彈不得。可是，在此時，他是安全的。

時間不停的過去，他的力量也逐漸恢復。他的第一個意念便是無比的感恩。後他回想他的奇異的經歷。多麼幸運他靠着自己的努力，上了岸。想到過去幾天中所發生的那些事情，他不禁驚訝自己竟還好好活着。當他想到由於他的逃走所引起的一些麻煩，他徵募到美國來的男孩，年輕的約瑟夫普立茲，這個男孩呢，值得五百塊錢呢。當他把這孩子交給波士頓的一位聯軍軍官的時候，那位德國佬就可以淨得此數。

約瑟夫在他們的船離開德國漢堡之後，才弄清楚那個德國人的勾當。一天，非常偶然地，他聽到這傢伙用德國話跟船長談天：「我可以從這每個我帶給波士頓陸軍總部的人身上淨賺五百塊錢。當我把這批人送去，一位軍官就會按數付錢。這是我第四次到美國來。許多新英格蘭的有錢人正在找人替他們當兵打仗。沒有足夠的美國人肯拿錢代人當兵。所以我找了不少歐洲人，他們都急於找機會上美國──參加軍隊。這對他們是好機會──對我也是！」

「這是椿壞事，」船長的聲音裏有些怒氣。「我眞不願去想有錢人花錢叫人代他去打仗。這是美國人和美國人的戰爭。有錢人應該自己去參戰的。」

已得「那五百塊才對。」

「不要跟這些孩子出主意，船長！」德國人強悍的說。「一等到約瑟夫從軍以後才出來。」他急忙找到那些約瑟夫的伴侶，告訴他們所聽到的一切。那些孩子覺得並不奇怪。在歐洲，有錢人出錢僱人代他從軍是毫不希奇的。「我們最重要的是到美國去，」他們跟他說，態度「我們並不在乎這些德國人和他們的生意經。也許這是違法的。但是我們只一心想去美國，如今我們就要實現了！」（一一）

天南風光

──沙羅越的歷史──

朱淵明

（五）允許並鼓勵人民有發表言論或著述之自由，人民並有信仰宗教之自由及權利。

（六）政府公務員須切記彼等乃人民之公僕，彼等完全仰賴人民之誠意與合作。

（七）沙羅越之人民，不分種族及宗教皆一視同仁，可在政府機關內任職，其職務視彼等之學識，才幹及品行而定。

（八）須牢記自治政府爲最終之目的。在預定之時間內，將賦予沙羅越人民以自治之權力，故須不斷努力教育彼等，使彼等能負起責任及有公民之資格，庶能早日完成此目的。

（九）余及余祖先之傳統政策，乃在使各族人民能快樂及和睦相處；此項政策，余之繼承人及臣屬，以及所有後繼者，須遵守不渝。

這九項原則，是政府憲報於一九四一年初發表的。同時在憲報上，又發表「沙羅越國百年紀念」一文，由越報譯爲漢文，內容如下：

『沙羅越國王已果決的創立了一種基於民主政體原則之憲政體。它具有極充分顯露着布律克百年來統治的特徵。

經過了這百年期間，曾有三位國王專誠的親自管理國政，他們度其平淡而不浮華的生活，並以大無畏的毅力爲人民謀福利，創造現代人所共知的沙羅越王國──一個各種民族，各種信仰，獲得自由和安全，共同生活的和平國度。

現在國王感覺到應酌予人民相當參政權的時機成熟了。可是，在這土著尚未完全開化，教育尚未普及的過程裏，目前尚無可能讓人民全盤負責，但現在採取的新憲，將包含着臨時所孕育其組織的種子，這種憲法繁殖也將爲未來憲法，給人民一個更大的代表基礎，完成最後的目標階段。（四九）

我底學習和思想歷程

謝康

九、對於南洋華僑情況和僑們的問題，特別是僑教和僑社，也有了一些經驗和認識。華僑問題和國運攸關，值得我們特別重視。李石曾先生著「僑學」，惜未之見，我很想完成我底「南洋回憶錄」，供研究僑情或「僑學」者的參考。

十、古代人除少數曠達之士，能不囿於俗見以外，一般作者，多嘆老嗟卑。不能升官或發財的人，最怕老來窮；因爲世人跟紅頂白，窮光蛋要特別小心提防富人家裏的惡狗。從前蘇秦所慨嘆的「貧窮則父母不子，富貴則親戚畏懼……」這些話，現在大概還用得着。作爲一個逃難人的我，是不是自傷老大，怨命嘆窮呢？關於這個人生觀的問題，請讓我簡單「坦白」一番：

1. 在五十歲以前，我頗有做一番事業之想；現在，我再也不想什麼事業了。因爲大陸已失，我雖不是英雄，也無用武之地。「反攻」雖我之所望，但體力不能從我；那麼，我還有什麼「創業」的能力和雄心？曹操詩中的「烈士暮年，壯心未已」，我卻不是這類人物。我只想多印幾本著作，留作一生的紀念，但不敢僥倖於歿世不可知之名。

2. 五十歲以前，我喜歡有名譽和社會地位。自從逃難以後，已經沒有這種虛榮心了。我覺得現世的浮名，畢竟是暫時的；柳屯田要把它換取淺斟低唱。我不懂喝酒，也不想浮名，只好讓寂寞在我周圍，倒還樂得清靜。從前漢朝有個翟公，得勢時門庭如市；其後失勢，門可羅雀。照我看來，還是三徑就荒，門可羅雀的好。

3. 五十歲以前，我還有積財以遺子孫的觀念，現今「田園寥落干戈後，骨肉流離道路中」，逃難的知識分子，敎書不會發財的。於是我想到一句名言：「兒孫自有兒孫福，不爲兒孫作馬牛。」積財千萬，不如一藝在身，做父親的責任，不必要教子成名，只是使他成器便行了。

4. 五十歲以前，我覺得感情生活最重要；現在認爲理性比感情重要多了。中國人的好處，是通人情；它的壞處也就是太講情面，有時不免犧牲法律和理性。弄到國家政治不上軌道，社會沒有公道是非，都是重感情和在太勢利的緣故。英、法兩國都是重理性的民族，我希望能效法他們。

5. 五十歲以前，我時常懷抱着爲民衆謀利益的思想。因爲我是雙重的民意代表。現今所注意的只是教與學的問題。只要教書不倦，又能繼續學習，於願足矣。

6. 五十歲以前，我沒有求田問舍之心，事實上我的家鄉是有田園家宅可以退休的；現在貧無立錐之地，反而想得一所有點兒空地的住屋，讓我在斗室中讀書寫作，偃仰嘯歌，好像歸有光的項脊軒一般，每逢三五之夜，明月半牆，庭中蘭桂竹木，樹影扶疏，珊珊可愛，讓我能在這樣一個優美安靜的環境中領略人生佳趣，多吟幾首詩塡幾首詞，那就是我最理想的生活了。

我底生平，自己覺得最留戀的是過去，尤其己丑年逃難以前的生活，（特別是高師和留歐時代；）最悠忽和最不滿意的是現在；而最可憧憬的，似乎還在將來。我雖不是「老驥伏櫪，仍存千里之志」；可是「經籍香木，猶懷百年之心！」生活是和思想變遷息息相關的。希望晚年能有安定的生活，也許會產生比較成熟的思想吧。

民國五十一年（一九六二）壬寅臘月於香港，沙田

瘟君續夢

第八回：擊戾實堪驚　片言毀約　脫靴終自誤　衆志成城

周恩來勸道：「主席不肯去莫斯科，可以婉言謝絕，這種傷感的話，不必再說了。」

李富春說道：「關於蘇聯撤退專家，帶走藍圖的事，剛才並未得出結論，究竟應該怎麼處理。」

毛澤東氣得嘴張幾張，未說出一句話來。

劉少奇說道：「這個問題一時也想不出處理辦法，只有拖一拖再說，你們幾位負責工業的同志回去自己商量一下，擬定辦法，然後通令全國，嚴密保護廠礦不要被破壞了。能勉強開工的就先維持開工，不能的也只好停下來，不過，通知各部門不要緊張，黨中央自然會想辦法解決。」

毛澤東點點頭，看着李富春說道：「目前也只有這樣辦，靜候時局發展，拖下去也許會有辦法的。」

毛澤東說過，伸個懶腰，劉少奇同周恩來一齊站起來走出去。

李富春上了周恩來的汽車，悄悄說道：「總理同志，經濟問題想不出辦法解決，今年農村的情況更慘了。」

周恩來搖搖頭：「我能想出什麼辦法，只有拖一天算一天，橫豎總餓不死你我。」

李富春不敢再說什麼，只有嘆氣。

蘇聯專家撤走之後，工業陷於停滯，農業問題也更緊張了。農業首先遭到的困難是大旱，整個上半年統計起來，受旱災的重要省份有河南，山東，陝西，河北，山西，湖北，廣西，廣東，福建，甘肅，寧夏，受旱災的十一省區，有七個在黃河流域，就是鄧子恢所說的治黃治出毛病。蘇聯專家一走，治黃無形中停止，華北各省更難逃掉乾旱的命運。

就當關內十一省大旱同時，關外遼寧省又被洪水淹了，瀋陽整個被洪水包圍，中共幹部無計可施，仍然是用人力防洪，大家緊密連在一起，排成三道人牆，抵抗洪水入侵，由於水勢大，浪頭高，每沖擊一次，就要捲走一批人，共幹對此倒不介意，自恃瀋陽城內人多，少了一批，馬上就調一批補上，硬拿人牆去堵洪水，經過三天三夜時間，洪水終於退了，新華社發出的報喜電訊，標題「洪水衝不倒的人們」，以表彰共幹防水的功勞，但這批「衝不倒的人們」在風雨交加，飢寒交迫情況下，當場就死了一批，洪水退後，回到家中，幾乎無一人不病，由於醫藥缺乏，營養太差，一病就去死不遠。不過，共幹對此並不理，因爲他的防洪任務總算完成了。

水旱之外，其他災象也同時發生，最特出的還是草荒，這種「怪災」，由山東蔓延到了河北，河南，山西，陝西，甘肅，一年一度，而且範圍也越來越廣，黃河兩岸到處鬧草荒。共幹每年都發動農民治草，但是越治越多，幹部又不敢把情況報上去，上級幹部也就樂得眼睜眼閉，免得負担責任，草荒地區的徵收徵購糧食，全部移轉到沒有長草的地區負担，這些地區本來已經民不堪命，又加上額外的公糧，老百姓全部不吃也不夠，於是徵糧又發生了困難，徵糧不能完成任務，小幹部首先倒了霉，整個農村從幹部到人民，亂成一團。（一九七）

南宋偏安有人才

——韓世忠

李仲侯

三年，高宗召諸將議移蹕，張俊辛企宗請往湖南，世忠曰：「淮浙富饒，今根本地，詎可舍而之他，人心懷疑，一有退避，不逞者思亂，重湖閩嶠之遙，安保道路無變乎？淮江當留兵爲守，車駕當分兵爲衛，約十萬人，分半扈，江淮上下，止餘五萬，可保防守無患乎」？

世忠在陽城（河南登封東南之告成鎭）收合散亡，得數千人，聞帝如錢塘（杭州市），即由海道赴行在，會苗傅、劉正彥反，張浚等在平江（府名，江蘇吳縣）議討亂，知世忠至，更相慶慰，張浚意踊不自持：「誓不與此賊共戴天」！士卒皆奮。世忠見浚曰：「今日大事，世忠願與張俊身任之，公無憂」。欲即進兵，浚曰：「投鼠忌器，事不可急，急則恐有不測，已遣馮轓甘言誘賊矣」。三月戊戌，世忠以所部發平江，張浚慮世忠兵少，借以劉寶兵二千，舟行，載甲士緜亘卅里，至秀州（浙江嘉興），稱病不行，造雲梯，治器械，傅等始懼。

初，傅正彥聞世忠來，檄其兵屯江陰（江蘇江陰），世忠以好語報之，且言：「所部殘零，欲赴行在」。傅等大喜，許之，至矯制除世忠及張俊爲節度使，皆不受。時世忠妻梁氏及子亮爲傅所質，防守嚴密，朱勝非紿傅曰：「今日太后，遣二人慰撫世忠，到平江，諸人益安矣」。於是召梁氏入，封安國夫人，使迎世忠，速其勤王。梁氏疾馳出城，一日夜，會世忠於秀州。未幾，明受詔至，世忠曰：「吾知有建炎，不知有明受」！斬其使，取詔焚之，進兵益急，傅等大懼。次臨平（鎭名，在杭縣東北臨平山下），賊將苗翊，馬柔吉負山阻河爲鎭，中流植鹿角，梗行舟，世忠舍舟力戰，張俊繼之，劉光世又繼之。軍稍卻，世忠舍馬操戈而前，令將士曰：「今日當以死報國，面不被數矢者皆斬」！於是士皆用命，賊列神臂弓，持滿以待，世忠瞋目大呼，挺刃突前，賊辟易，矢不及發，遂敗。傅正彥擁精兵二千，開湧金門以遁。世忠馳入，帝步至宮門，握世忠手痛哭曰：「中軍吳湛，佐逆爲最，尚爲肘腋，能先誅乎」？世忠即謁湛，握手與語，折其中指，戮於市。又執賊謀主王世修以屬吏。詔授御營左軍都統制。世忠請於帝曰：「賊擁精兵，距甌閩甚邇，倘成巢窟，卒未可滅，臣請討之」。於是以世忠爲江浙制置使，自衢、信（州名，在江西上饒縣境）追擊，至漁梁驛與賊遇，世忠步行，挺戈而前，賊望見，咋曰：「此韓將軍也」！皆驚潰。世忠擒正彥及傅弟翊，送行在；傅亡建陽（福建建陽縣），追擒之，皆伏誅。高宗手書「忠勇」二字揭旗以賜之，授檢校少保。

自苗劉亂平後，高宗如江寧。金兀朮又請大舉燕雲河朔兵以侵宋，金師由山東指向江南。（四十四）

啓示

汶津

「我們一定得分開了。」臉那麼近，呼吸那麼近，淚痕那麼近，低柔的聲音更近更近。

她的眼睫像春晨的小草，沾着淸瑩的露珠。他溫柔地吻着她，內心卻已瀕臨瘋狂，他的喉梗住了。

「如果你和菁是一個人多好！」他的喃喃忽然激起了她某種感動，她輕輕的推開他。他卻順勢以他雙唇的觸覺緩緩地滑過她的髮，停留在她肩上。

每一根髮絲都纏着他的神經——

終於她站了起來，臉上瀉出理智的光輝。啊造物，她是多麼奇異的一個靈魂！他叫着，向恍恍然的自我。

「你該開始寫了。」

更像一個大姐的聲調！他漾漾地望着她。那麼像，她們姐妹倆。

沒有妳，我甚至不能寫出一字——

陽光退去了，她也消失在門口。

他沒神地走到辦公的地方，簽了到。實在是沒有什麼工作。攔得你必須想那些不愉快的事。觀察對面的那位女同事吧。她那麼細心的在編她的毛線背心；有這麼一位賢妻一定是很幸福的，她平常總是很少說話，每天見面最多點點頭，笑笑。可是他所見的並不是眞正的她，而是另外一個人。——沒有妳，我甚至願意死。

下班時間是坐辦公桌的人最敏感的一樁事，就如人們對於謠言的流傳。片刻之間，人潮已散。他懶懶地站起來。走到大門前，卻見她也正緩緩地走下階沿。

他不想和她搭訕，只覺得奇怪：這樣的女孩子怎麼沒見過男士陪着她。也許是屬於一個秘密吧。

妻爲他開口。他沒有正面看她。

「又遲了。」

他不作聲，也沒有抗議的神色。

她不在。爲什麼？她怕他了？還是怕她自己？

爲什麼她偏偏是妻的妹妹？爲什麼上帝作了這樣的安排？那些吻，那些細語……他眞不敢看她的姐姐——「她的姐姐」！

「菁，你怕？」他在湖心的小舟上——幾年以前的事了？她吃吃的笑了。

「如果我們永遠在一起，像永波和舟影——」他凝視她頰上淡淡的羞怯。（上）

大鼓懷舊

道南

台北消息稱：曾經紅遍大江南北的京韻大鼓皇后章翠鳳，由於患了重病，貧無以爲醫，現正苟延殘喘。談起章翠鳳，她是我國京音大鼓傑出人才之一，嫡承「鼓王」劉寶全的衣缽，爲大鼓名旦。

這一個突如其來的消息，使筆者聯想起她的嫡傳大師劉寶全的造詣。只要是一個京音大鼓的愛好者，沒有人不知道劉寶全的，恰如一個平劇迷無人不知道梅蘭芳一樣。一個人的成名，一件事情的成功，絕非偶然。

劉寶全這位「鼓王」已經物故多年了；現在他的繼承人章翠鳳又身患重病，氣息奄奄！能不令人爲之扼腕！大江南北塞外、邊城，「長板坡」，「華容道」，都成了絕響。

大鼓是民間的藝術之一，加以由於演唱方便，通俗易解，早經成爲普遍愛好的娛樂。戲院的舞台，自然是演唱大鼓的良好場所，野地荒山，只消鼓架一支，絲絃一彈，馬上也就可以上演。它無須更多行頭道具，正也是這藝術的特點之一。

京音大鼓是大鼓書中最通行的一種，劉寶全唱得登峯造極，不知陶醉了多少聽衆。他是北平人，小小年紀就開始學藝，而由於虛心，肯研究，多揣摩，時時改進，使他終於登上了「鼓王」的寶座。

劉唱大鼓，許多人認爲他修養最深的，便是聲音圓潤。這確是工夫，造詣稍差便辦不到。劉寶全口中唱出的任何字句，絕不使你感到有牽強生硬的地方，眞可說是行雲流水，自然極矣。這奧妙便在於善於控制自己的音帶，不長，不短，不高，不低，不軟，不硬，演來恰到好處。

其次的優點，便是咬字的眞切。我們聽梅蘭芳的平劇，還難免聽不出唱詞字句的，但你聽劉寶全的大鼓，他一定會把一個字一個字都送到你的耳鼓裏。明白了鼓詞，聽淸了唱句，你覺得比在酷暑吃一杯冰淇淋還過癮。

繪聲狀色，更可以說是鼓王的絕技。當然，這也關聯着聲音圓潤和咬字眞切。譬如他唱「華容道」唱到「大江大浪，我經過了多多少少，難道說這小小的溝渠還會保不牢」。當眞使你從唱詞中，體味到驕傲自大的漢子——關羽的目空一切的情狀。他唱到「孔明說：二將軍，別看你能征慣戰刀法好，依我看你不能前去擋曹。」更十足使聽衆感到了對於諸葛亮這位足智多謀的軍師的傳神。他唱「白帝城」，會唱得你悲憤交集，中心悸動不止。

京音大鼓更注重做工，劉寶全的做工也可以說是出神入化，他每一動作，擊鼓，揮捶，以及擅板的伴奏，都是藝術的傑作。他可以把聽衆完全征服，使你跟他的唱詞而緊張，而鬆快，而悲喜。直到收場的時候，你猶有餘音繞樑的味道。

音韻大鼓，自然要推劉寶全爲巨人，此外，足與劉寶全相提並論的，要算白雲鵬。劉寶全去世後，白繼之而爲鼓界的泰斗。劉嗓音得天獨厚，高低運用自如；白則不宜高唱。兩人韻味，則各有千秋。

白的身段表情較爲遲緩，嗓音亦較低惟，吐字亦極淸晰，如嚼哀梨，較劉不遑多讓，故極宜於唱文字優美，意義深沉，情節較細緻的戲，如「哭祖廟」，「孟姜女」，「貞娥刺虎」，「探晴雯」，「祭晴雯」之類的戲。所以劉寶全白雲鵬漸形了兩派，各有其師承與發明，今天所謂「文武大鼓」，即係指兼具兩人的優點。今天一般鼓姬所唱，均以劉寶全的爲本，因爲白雲鵬的文辭太多，記憶難周，如果功夫不深，極不易於討好叫座。

海嶠塵談薈

談軍事家楊杰

諸葛文侯

民國卅八年冬間，在香港遇刺殞命之楊杰（耿光），世人多稱道他是當代數一數二的軍事家。但他一生除卻民國十五六年間作過國民革命軍第六軍（程潛所部）的師長以外，從未正式帶過兵，打過仗，究竟他的軍事才能如何，無可鑑定，而綜觀他的軍旅生活史蹟，諸多名不副實之處，聽其言而觀其行，不能無疑焉。

民國十六年春間，楊率師與四十四軍賀耀組部攻佔金陵後，因寧漢分裂，第六軍長程潛擁護武漢政府，楊師無從歸還建置，奉命改編，辭去師長職務。未幾，國府在南京籌建工兵部隊，派楊氏主持其事，設訓練處於城內火神廟，且聘用日本顧問數名以相弼助。某日清晨八時，革命軍統帥蔣公馳赴工兵訓練處視察，楊氏與高級官長皆不在，據值日官報告，楊主任每日須九時以後，方到處辦公。統帥認爲腐敗無朝氣，非創建新軍之道，旋將楊氏調職，另遴幹員承其乏。

是年八月中旬，蔣總司令通電辭職，旋赴日本游歷，武漢方面之黨政大員孫科程潛等，相率入京，組織「黨政軍聯席會議」，以程潛爲主席兼「軍事委員會常務委員」，即由軍委會派楊杰代理中央陸軍軍官學校校長。楊到校視事之日，對全體員生訓話，有「楊杰不才，忝膺重任」之語，員生慕其名，翕然景從。閱三數月，學生指校務當局侵吞伙食費，羣起查帳有據，集矢於楊代校長，譁衆動武，楊避入更衣室，仍被曳出毆辱，楊唯有黯然去職而已。事後，校內有人製一聯語以紀其事云：「楊杰不才，才來才去」，「黃埔勇敢，敢作敢爲」。謔而虐矣！

嗣後，中樞於民十七至十九年間各次討逆戰役中，楊氏又曾受任革命軍總司令部參謀長。但奉職不及兩三月，即悄然去矣。蓋楊氏自負非凡之才，每喜炫耀，擬一作戰計劃，必對統帥揚言「這是興登堡戰略」，訂一戰鬥序列，又豎稱「這是魯登道夫戰術」，深恐別人不識其軍事天才，大言炎炎，無所顧忌，因而所如不合，到處碰壁。

對日抗戰中期，陸軍大學代理校長蔣百里逝世桂省宜山縣，中樞擬派楊氏爲陸大教育長，代行校長職務，徵其意向，楊忿然曰：「蔣百里可以代理校長，我楊耿光爲甚末就祇能作教育長呢？」拒不接受。從此他與中樞日益乖違，終乃在昆明參加反動派活動，與共黨相呼應。以楊氏的個性，他若不被刺於異域，而北上投共，最後亦必遭共黨清算整肅無疑也。

花香月上樓小品

黃伯遠

木魚書（續）

鄰子遂娶老儒女，逾年生一子，會中秋，鄰子飲于家，笑顧女曰：曩日不出辣手，胡以得卿？但苦乃兄耳！女問，愕然！詰之，鄰子具告實，乃賄盜殺栗，不虞栗易榻，遂誤殺老儒子也。女默不語，時栗在獄，秋決有日矣。女俟鄰子睡，潛扼殺抱中兒，詣縣擊登聞鼓，捕鄰子一訊而服。女出，見栗，白：君有潛德，他日必昌！妾身已辱，不能再事君子！遂自刎死！栗哭之痛。既出獄，爲位而拜之。刻一木主，不名，但書恩太太，朝夕佩于身，不復娶。後栗中進士，官河督，始納婢生子。（完）

內僑警台報字第〇三一號內銷證

自由報

THE FREE NEWS

第三三四期

中華民國僑務委員會頒發
台叙新字第三二三號登記證
中華郵政台字第一二八二號執照
登記為第一類新聞紙類
（本週刊每星期三、六出版）
每份港幣壹角
台灣零售價新台幣弍元
社長：雷嘯岑
督印人：黃行簹
社址：香港銅鑼灣高士威道二十號四樓
20 CAUSEWAY RD 3RD FL HONG KONG
TEL. 771726　電報掛號：7191
承印者：田風印刷廠
地址：香港灣仔高士打道二二一號
台灣分社
台北市西寧南路壹壹零號二樓
電話：三〇三四六
台郵撥儲金户九二五三

發展科學與創進工業的要圖（下）

張善彷

近代科學工業學術的研究發展，千頭萬緒，豐富浩繁，沒有一位學人可誇稱他對製造原子彈火箭所需要的知識，能夠全部瞭解的，也沒有一位專家可自認他對製造飛機尾巴的技術知識，已瞭如指掌。幾乎每一項工業產品的生產，都會超出一位學者的專精研究範圍。所以，如未運用組合的智慧，弄不清我國知識技術的急需，而盲目地由國外聘請一流學者，回國短期講學，所收效果即可能接近理想；遴選優秀學人分赴國外進修，如未與國內組合智慧配合運用，則不免多所浪費，無裨實際。何況國內為數約五萬餘大專以上理工科的專才，根本未予組合運用，使他們充分發揮創造智慧。如果將留居國內的理工專才視為朽木，走出大專院校的即成庸才，工作不予安排，生活不予補助，研究不予支持，而又侈談發展科學工業，堪稱荒誕之至！

過去我國曾製造飛機，但是，所需的一釘一綫，都是遠越大洋的舶來品，現在，製造汽車農耕機，所需的曲軸、汽門、噴油嘴等等也都是進口貨，手錶齒輪、真空管、電晶體、高級鋼料等，迄今無一可以自己生產製造。在這樣薄弱的工業基礎上，高談人造衛星、火箭、原子能，費盡心機由國外延聘十數位專家，返國講學，此與做考古研究的意義並無顯著差別，既不能富國，也不能强兵，然而已將有限的經費消耗大半，並將最現實的一環視若草芥，棄如敝屣了。於此尚須特別指明者，即配合反攻軍事亟需的高效能行政學術，卻無法自歐美直接抄襲，而由國外聘請來的一流學者，對高效能的行政學術，殊難有所研究發展。中央研究院與國家長期發展科學委員會，對這種國家需要，實不無責任，自不宜充耳不聞，視若無睹，而依然只是標榜一流學者，基本科學，生根發芽，這類的空論。故此兩機構的官員與委員們，應於開會聚宴之餘，徹底檢討所持之生根發芽理論，所採行的各項措施，與所訂定的綱領、章程、辦法等，是否周密完善？是否經濟有效？能否適應時代需要？能否配合客觀環境？

十餘年來政府在台灣對教育的發展與成就，固然值得讚頌，但是，育才不用，咎將焉歸？仍是一個值得重視的問題。青年們學成畢業走出大專校門，除重返學校任教職者外，教育當局實難負責安置彼等就業，蓋教育當局未賦有運用與組合創造智慧的任務，亦未賦予這種機能與權力。曠廢國家多年來培養理工農漁和商業人才的直接責任，大部應由經濟部承担。蓋經濟部不僅賦有掌理全國工礦農林漁牧以及商業貿易等各業的最高權力，也具有管理工礦農林漁牧商各行技師的職權。然而，經濟部組織的精神卻十分消極，編制甚為微小，行政效率亦甚低劣，既未能積極組合理科專長的才智，也未運用其職權，督促各廠商各同業設立研究機構，以改進產品品質，抑低生產成本，甚至迄今仍未建立技師制度，以提高工業水準。例如：三年前紡織業蓬勃發展，均有盈餘，勸勉各紡織廠商，聯合組織一個相當規模的研究所，以研究人造纖維，紡織機械與各種新產品，實係易如反掌之事，然因經濟部的機能低微，亦缺乏這種認識與魄力，致失良機。一年餘前，洋菇罐頭工業，亦利潤豐厚，急速擴張，但其設備則甚簡陋，密集的手工作業，嚴重影響衛生條件，並增大生產成本，然經仔細考查，那種生產方法，並非因資本不足，亦非較為經濟，而是未充分應用技術知識的必然結果，而經濟部於各食品公司設廠之前，袖手旁觀，未善盡輔導之責，現今亦未見督促各廠聯合組織研究機構，以改善設備，提高品質，抑低成本，且使製造罐頭所需的低溫低壓低速機械，不必自國外聘請一流的技術專家設計改善，如能給與大專程度的機械技師充分研究費用的支持，即可獲得優異的成績，因而創減所需人工半數以上，乃十分可能之事。然而經濟部無此認識，無此能力，奈何！

在近代的生產中，智慧的運用，已超出勞力的價值甚巨，實為智力劇烈競賽的時代，腕力早已退居次要地位，不運用專長才智，自必忍受生產落後的痛苦。並且，智慧的運用未必與勞力密集形成尖銳的矛盾，惟有智慧充分發揮作用，才能創造更多的財富與就業機會。現在已是我們應着手研究檢討經濟部組織機能的時候了，經濟部的機能如不改進，台灣的企業發展則必受阻滯，全體人民的生活與社會進步均將蒙受不利影響；我們更難期待經濟部能配合反攻軍事進展，順利接收匪區的工廠，及迅速恢復大陸上的工業生產。

發展工業係一種經濟活動，自易受經濟思想與理論的制約。去年秋季，自由中國工商企業的上層結構，如火如荼地倡導「減低成本，提高效率，改良品質」，嗣後經一位曾任部長的先生，應用着算術「除法」的成本會計理論，批評「節省開支，裁汰冗員」太過簡化了真正的現實，即握旗息鼓，不復再彈此調了。可是，那種「除法」理論雖然撰寫了一大篇，卻未對研究費用的性質有所闡述，故其所論要旨，與「減低成本，提高效率，改良品質」等口號，實為五十步與百步之差而已。僅在經濟學理論內團團轉，而未重視研究發展工作，所以，十餘年來，國營企業機構的研究室或工程師室，仍是孱弱不堪，而僅能設計生產落後約半世紀的漁船引擎等產品，故國營企業除獨佔性的營業外，均在虧累狀態，實非偶然。此乃領導階層的思想認識已決定了這種可悲的命運。

漫画天下　南坊

隨時可釀成巨災的火山

老赫另有一套手法

總之，現在我們所面臨的是發展落後地區經濟問題，如僅食而不化地撫拾歐美工業先進國家的經濟理論，以規範台灣的工業建設，則殊堪疑問，例如將歐美藉勞工流動率控制薪工成本的那套理論，搬來台灣，即全然失敗。所以，發展經濟起飛工業問題，不能單純地從經濟本身去求解決，而必須建立適應我國條件的發展經濟的哲理體系，在這個理論的體系中，組合理工專長的才智，給與優良的研究設計環境，使之充分發揮創造智慧，與調整經濟主管機關的組織，改進其行政效能，使之充分發揮領導作用，是最重要最具決定性的兩個環節。這兩環如獲成功，即可於設廠前，給予充分的輔導，而不是馬後炮的管制。在經濟生活裏，利之所趨，不必過分憂心人民守舊泥古而不撥不動，即使愚夫愚婦也絕不會反對政府機關幫助他們發財，解除他們的貧困與飢餓。而我國培育二十餘年，教育十六至十八年的理工專長才智之士，若獲得精神寄託，專精的研究，重視他們研究的實績，人才外流的高潮必將逐漸減退。因彼等有所研究，技術的水準必然提高。尹仲容先生在他的遺作裏，明確指出「我們的經濟發展目前正遭到技術上的死結」，但是，這個死結的形成，確實由於我國的一流學者與政治家們缺乏知識，缺乏思想所造成的。至於能否突破這個死結，則視負有財經貿易及美援運用職責的高級官員們，能否運用他們的智慧程度而定，如彼等厘訂組合運用理工專長才智的方案，與調整經濟部組織，改進其行政效能的計劃，皆十分周密完善，則突破此死結是指日可期的。否則這個死結拑制我國經濟發展，勢必延續若干年代，所造成的損害與痛苦，是全國同胞均需忍受的，那就是時代的悲劇！

筆者的觀念已形成多年，雖已盡最大努力，搜集資料與統計數字，然所獲有限，故上面的論述，不敢自以為是，錯誤矛盾之處，在所不免。佇盼識者批評指正為幸。

自由談

好個業餘戰略家！

馬五先生

美國一位衆議員佛樂德，在議會對着五角大廈的高級軍事當局，提出一項解決中國問題的絕妙計畫，說是：由台灣方面向毛共的高層軍事幹部進行策反工作，同時美國則以承認蘇俄佔領中國東北、蒙古及土耳基斯坦（即新疆）為條件，與蘇俄和解後，中華民國政府即反攻大陸。這位具有「業餘戰略家」之稱號的民主黨議員，如此妙想天開，令人拍案驚奇，而美國「合衆社」亦鄭重其事的向全世界拍發電訊報導，大概認為這是一種了不起的卓見吧？

我覺得這位「戰略專家」的設計，尚須加以補充，方臻完備。因為美國祗是把中國東北、蒙古、新疆這些土地擅行送給蘇俄，如果美國那一「强大的盟邦」英國有異議，法國亦不贊同，而美國對亞洲問題又素來是採取「不單獨行動」政策的，如何是好呢？所以，美國應該再進一步，把中國的華南和揚子江流域各省區，亦作主送給英法佔領，藉以換取西方盟邦的合作，才是最周密的戰略計畫啊！

世人皆知道美國乃是實行議會政治的國家，國會議員的權力很大，這些議員當然都是代表人民說話的優秀份子，他們的言論主張，對政府發生極大的影響力。像這類智識水準的國會議員，即可號稱為「業餘戰略家」，由此類推，美國的所謂「遠東問題專家」、「蘇俄問題專家」，乃至於政府主管外交政策的一般高級官員們，其智慧如何？其見解是否高明？舉一反三，不難想見了。

憑着這種文化程度，而高據自由世界的盟主地位，若說可以領導自由國家制勝共產極權侵略主義，寧非笑話一堆嗎？我對於美國這位高級智識份子的衆議員「戰略家」，並無憎惡意念，相反地認為他天真可愛，蠻好自相。咱們從此可以徹底領悟美國政治人物對世界反共運動的想法與作法了，善哉善哉，阿彌陀佛！

執政黨十六違紀競選者

八人被除黨籍．八人服從黨紀

徐芳和何連煌與執政黨提名的陳火土都屬溪南人，陳火土是現任的省黨部委員，土地銀行董事，曾任過省漁會理事長，因此不論從任何角度來看，當選入圍是順理成章的事。因此有人傳說，徐芳和何連煌是溪北的青年黨籍候選人郭雨新支持出來拉陳火土選票的，溪北的執政黨外候選人李清桂又是陳火土支持出來扯郭雨新腿的。對於這種傳說，陳火土和郭雨新本人都不承認。

新竹縣決定違紀競選的縣議員楊盛泉，是決心下得最大的一個，執政黨方面對他的勸服工作，雖迄未放鬆，他避免干擾，甚至離開了新竹，執政黨要勸都找不到人。十二日凌晨零時卅分，省黨部派前任新竹縣黨部主委鍾貫助偕同現任縣黨部主委黃國華及前任縣長鄒滌之等驅車直撲內灣楊宅，意圖進行勸服工作，還是撲了一個空。楊盛泉對黨方提名新埔鎮長陳利興遞補爲候選人一事，認爲有欠公允。

本來黨方提名的是彭慶順，但陳利興不滿，而陳利興之所以不被提名是因爲他三年前曾違紀參加新埔鎮長選舉，將另一位黨提名的同志黃阿龍擊敗而當選鎮長，曾受黨處分。彭慶順這次卻突然稱病向縣黨部請撤銷提名，並且悄然離開新竹。黨方乃提陳利興遞補爲候選人，認爲他有財力，基層票可觀，是東派中的實力派，對選舉不外行，有當選把握。楊盛泉在彭慶順宣佈放棄後，即向黨部請求讓同志自由競爭，結果黨補了陳利興，他不滿意這種做法，認爲厚此薄彼。據說，楊盛泉未獲黨方重視的原因，是他在第四屆縣長選舉中，替黨外人士林維和助選，而爲組織指其違紀。楊盛泉則認爲陳利興亦有過違紀事實，何以又會獲得青睞？因此他表示絕不退讓。執政黨見勸說無效，只有照黨紀處分，開除他黨籍了。

苗栗縣違紀競選的湯慶松，在他登記的時候，有些人還以爲他不過是姿態而已，但由這次雖被黨部開除而仍不肯撤銷的情形看來，他的競選是有決心的。

湯慶松現任縣農會總幹事，票源以苗栗鎮上苗里以北爲基地，在各鄉鎮農會，亦有不少票源，自黨提名落選後，湯某即公開表示，一定競選到底。在選舉事務所受理候選人領取表件，湯即首開紀錄領表，又搶先辦好登記手續，來勢咄咄迫人，似抱破釜沉舟的決心。由於湯某出馬，在苗縣派系而言，黨提名候選人黃運金受最大威脅，因彼此票源相同也。

高雄縣本有三位要違紀競選黨員，林祺瑞、郭吳合巧、邱潘秀春。現在林祺瑞、郭吳合巧被處分開除黨籍，邱潘秀春撤銷登記。

邱潘秀春現任唐榮公司公共關係室主任，唐榮公司改組後，已由私人企業變爲省營事業，人事自受政府節制，邱潘秀春如不接受勸告，工作崗位有無影響，便很難說，爲唐榮這隻飯碗考慮，是否接受勸告，便很簡單明瞭了。且她與郭吳本來不合，不必聯合郭吳來搗黨提名的王國秀的亂。

林瑞瑞屬於鳳山區，他本來很有希望獲得提名的，但因走的路線與民社黨籍縣長余登發太近，所以執政黨黨部把他剔除了。他以爲黨既然不得黨部信任，所以不惜冒開除黨籍的危險都要違紀競選了。

執政黨提名女性保障名額王國秀，是遭到困擾最大的一位。她在上屆選舉時，對另一位有意出來競選的女縣議員郭吳合巧說了一句客套話：「老大姐你不要出來了，下一屆我讓妳好了。」郭吳合巧將這句話牢記在心。黨提名王國秀後，她甚爲氣憤，認爲是上了王國秀的當，她一直從地方黨部哭訴到中央黨部，逢人便說，黨提名任何人都可以，就是不能提王國秀。因此，她負氣，開除黨籍她亦要競選到底，跟王國秀過不去。

澎湖縣僅有一個省議員名額，登記的卻有七人之多，其中屬於執政黨籍的三人，無黨無派者四人。執政黨原在澎湖地區採開放政策，任由黨員自由競選，後由中央變更提名北派現任縣議長的鄭大洽。黨中央此一決定，自有其理由，但引起的反應並不好，尤以北派人士爲甚。同派的許記盛，因爲郭石頭去世遞補上了省議員，但任期只得兩個月，本想競選連任的，現因鄭大洽出馬，使他喪失了連任機會，故北派人士對許均表同情，並指摘鄭大洽不講道義、已將他排斥於派外，派中集會已不邀他參加。許等爵，李長流便是鑒於這種混亂機會可乘，乃要違紀競選的。結果李長流接受黨的勸告，撤銷登記，許等爵堅持要競選下去，致被開除黨籍。

高雄市違紀競選黨員王登山、已被開除黨籍，他原來請好的一些助選員．都不敢替他助選，紛紛藉故辭去，只剩一位現任市議員洪見來，繼續幫他担任助選。王登山可能是全省助選員最少的一位候選人了。（下）

穗共又開始趕人落鄉

口號仍是支援農業

對象爲新三反運動稍有問題者

另外中下級幹部家屬亦在其列

香港與大陸

廣州「共幹」在「新三反運動」尾聲之際，又掀起「動員城市人民回鄉支援農業」運動，被「動員」者大部份是「新三反運動」稍有問題的人，及中下級「幹部」的家屬，其方法是把動員對象之戶籍遷回原籍之公社，停止城市的糧食供應。

據甫自廣州市經澳門來港之僑屬曾芝×小姐透露：廣州市中共最近搞的「新三反運動」（該運動詳情請參閱本報第三三三期）已告尾聲階段，在大批逮捕問題嚴重份子之餘，又掀起動員城市人民回鄉支援農業運動。

曾芝×小姐稱：中共這次動員城市人民回鄉，是鑒於近一兩年來農村的主要勞動力大量流入城市，一方面使農村嚴重缺乏勞動力，在此次春耕和抗旱工作更暴露出其嚴重性；而另一方面，則使城市加重了經濟負荷，和社會秩序的混亂。

曾芝×小說姐：廣州市中共當局以前曾幾次意圖解決此項問題，但皆因爲社會反抗力太大而失敗。這次選擇在「新三反運動」之後進行，乃是以爲大家在對「新三反運動」的餘悸猶在之時，反抗力將可望減低些。

曾芝×小說姐：這次運動的主要動員對象是「新三反運動」稍有問題的人物及其家屬，（問題較大的被罰勞改）以及中下級「幹部」的家屬。其方法，則比過去更爲嚴格周到。曾小姐是屬於廣州六二三路「派出所」管轄的。她說：這次的動員運動，先由「派出所」的「專區同志」進行訪問，調查每一住戶的成員之年齡、性別、職業、薪金、及歷次「社會主義運動」的紀錄……等，而又特別注意這次「新三反運動」之紀錄。接着便利用各種形式的會議，作「動員報告和集體討論「當前的形勢」，下鄉運動的「精神」，再由「派出所」的「專區同志」派發通知書，寫明下鄉者之姓名和下鄉的日期等。

曾芝×小姐說：這次「運動」對象絕大部份是「新三反運動」稍有問題的人，所以是絕對要服從的。她有一位同樓居住的何姓男子，原在居民委員會工作，這次因被指有「黑市販賣」的罪名，於原工作被撤除後，便接到回鄉生產的通知書。這位何姓男子，乃向「派出所」負責人要求繼續留居，說是在鄉間沒有親人，不懂得農業勞動，此外還要照顧在穗市之老母。派出所共幹則惡狠狠地說：同鄉生產已屬照顧的了，本來對壞份子（指「新三反運動」有問題者）全要送往勞改場或強發所的，若再不服從，則必重懲云云。這樣一來，何姓男子豈敢出聲？祇得痛苦地離開母親回鄉間去了。

另外還有一位在百貨商店工作的「幹部」家屬，亦接到通知書，但這「幹部」自認有可恃，當向「派出所」要求繼續留居廣州市未遂時，曾聲言堅決拒絕回鄉。殊不知派出所共幹不加理睬，反之卻把其戶籍遷回農村，配糧是隨戶籍得供應的，這「幹部」家屬因爲買不到糧食，無奈何，她只得哭哭啼啼地返回家鄉去了。

記者曾要曾芝×小姐估計廣州將有多少人被趕落鄉，曾芝×小姐表示做估計很難，但肯定那必然是一個大數字。她還說：中共趕人落鄉，一方面誠然是爲了解決農村勞動力問題，同時其實亦還有節省糧食的打算，因爲直至現在，住在城市的人，配糧較之農村的人畧多。她說城市人害怕落鄉，這亦是顧慮之一，就心體力不勝農村沉重勞動，還在其次。她說：在農村固然要做沉重的勞動，在城市何嘗不亦要勞動，而且時間一樣的長？可憐是雖長時間勞動仍然吃不飽而已。（敬斯）

台南縣不少鄉鎮

五六月經費無着

（本報記者袁文德高雄航訊）茲值五十一年會計年度歲末，各機關年度經費預算，已是山窮水盡，經費緊張異常，有些鄉鎮公所已無分文的庫存。

不久前記者到台南縣政府訪友，遇見有上十位鄉鎮長齊集在縣長室外等待接見，他們既不是縣長召見，又不是開會，也不是爲縣長的女婿張文獻助選，爲何竟有這末多的鄉鎮長不約而同要晉謁縣長？

原來這些鄉鎮長是爲了五、六月份經常（人事費、辦公費、差旅費）經費如何籌措來向縣長胡龍寶請示的。

鄉鎮公所的各項經常費用，原本有板有眼，按規定編列預算，經鄉鎮民代表會審議通過，交付鄉鎮長按步就班執行的。何以到現在竟短少五、六月份經費呢？原因是去年七月間，本省突然發生副霍亂，爲撲滅是項病症，遂普遍展開防治工作，但一時經費無着，奉縣府指令：可暫由今年五、六月經常費撥墊。如今時隔十月，這項暫墊經費究由何處開源歸還，縣政當局迄無明確指示，那些鄉鎮長，怎不懸心忐忑？

台南縣有部份鄉鎮，貧瘠難以自顧，如龍崎、北門、山上、南化、左鎮、永康等，歷年預算均靠上級補助，始得以艱困維持。偶遇特殊情況，就無以應變了。因爲這五、六兩月的經費數字，幾乎是佔了他們全鄉鎮一年稅收的十分之八之多。在這種情勢之下，開源除了向上級請求撥欵補助而外，別無他途可循。

鄉鎮公務人員，按月領取薪津，寅吃卯糧的維持一家老少生活開支者，大有人在。萬一這些鄉鎮公所五、六月份經費，到時眞無着落的話，那就慘了。

像這種情形，並非單單台南縣爲然，所以得趕快設法。

競選省議員要花多少錢

保守估計。已很嚇人

如不節約。勢成選災

（本報記者台北航訊）競選省議員，究竟要投下多少「政治資本」？一位頗有選舉經驗的人士，就台北市情形，向記者提出一個「大概」數字，據說，這還是最保守的算法。

競選費用可分三部份計算：

第一、競選總部（即競選辦事處）的八大項目：

（一）餐費：競選總部在公開活動前一個月，就秘密展開活動了，平均每天十人吃飯，每人每餐以十五元計算，一日三餐人即需四百五十元，一個月便是一萬三千五百元。公開活動二十天，平均每天五十人，十天便要二萬二千五百元。全部餐費約計三萬六千元。

（二）香烟：每天新樂園一百包計算，四十天要四千包，計需二萬餘元。

（三）宣傳車：一部宣傳車包括車租，擴音機租金，司機及擴音小姐的酬勞，電池，汽油等費用，每天要一千元，十天就是一萬元。實際上至少要有三部車。

（四）宣傳單：包括名片、海報，每區以五百元計算，全市十區，共計五千元。

（五）交通費：小包車，前一個月每天僱；以一千元計，共三萬元；公開活動十天，每天二千元，計共二萬元。同時發給活動連絡員交通費，每人五十元，每天五十人，四十天就要十萬元。總計需交通費十五萬元。

（六）登記費：一萬九千元。

（七）宴客費：拉攏特殊人士上酒家吃花酒，平均每天一桌，每桌以一千五百元計算，四十天就是六萬元。

（八）雜支：包括糖果、茶水、文具、郵電等項，四十天約需五萬元。

第二、競選分部：全市十區，每區設一競選分部，每一分部包括餐費、交通費、茶烟費等，以一萬元計，十區就是十萬元。

第三、競選連絡站：全市有八九百個里間，如果平均每五個里設一處連絡站，以十五天計算，其費用包括點心、香烟、茶水、糖菓、鞭炮等項，每站一天二百元，加在一起，又是一個大數目。

按照上面的估計，還是用在明處的錢，省議員競選費用如何龐大，已可約略知之。如果全部候選人勢均力敵，競爭激烈，到最後關頭有人花錢買票的話，花在暗處的錢，那就更是無法計數了。

競選費用雖然這樣龐大，但是，仍然有許人狂熱的在作政治性的賭博，拚命的籌賭本下賭注。難怪有人以爲搞政治好像打嗎啡抽大烟似的會上癮而麻醉。有人就心：如果不能端正選舉風氣，厲行競選節約的話，選舉一定會變成選災。（昌文）

報人普立茲傳

沈津譯

約瑟夫奇怪爲什麼人們不重視自己的權利。「假使我們一致行動，我們就能證明這個德國人對我們做了不該的事。我告訴你們，這是不公平的！」約瑟夫大聲的說，「我們簽的合同是用英文寫的。我們不認得英文。我們和美國人的合同該用德文寫，那樣我們才能自己讀懂它。這個叫我們簽字的德國人從來沒說過他可以在我們身上撈一筆。他只說美國軍隊需要我們。他說我們從漢堡到波士頓的旅費將被代付。我願意參加軍隊。我要向奴隸制度挑戰。但沒有人可以隨意買賣我！」

那麼孩子被嚇壞了。但他們是向約瑟夫發火，而不是向那德國人。「喂，住口，你這個笨蛋！你會使我們全都惹上麻煩。我們已簽了合同。我們同意加入美國軍隊。現在我們不能違約。」

「什麼事將會降臨到我們頭上？」約瑟夫說。「這些波士頓軍人沒有權力出錢買我們去打仗！」

他們圍住他。沒有一個人同意約瑟夫。「我們不能說一個英文字。你想有什麼人會相信我們的故事？我們必須到美國軍隊裏去。除此以外還有那裏可去？我們能做什麼？如果我們不從軍，美國兵發現我們，並且把我們載回德國去！」

約瑟夫看到沒有人同情他。他決心從船上逃走，並離開他的伙伴們。但他必須承認他們所說的有一點是對的。波士頓的軍人們或許是和那德國人有勾結的。當然，他們絕不會聽信他的故事。他必須從波士頓跑開。他唯一聽說過的另外一個美國城市是紐約。

他必須先上岸，然後向紐約出發。好了，他現在已經在波士頓了。天色一亮，他就可以上路去紐約了。此刻，他要在這個溫暖，乾燥的地方先休息休息。

當約瑟夫想到德國人發現他失踪之後的景象，不禁又失笑了。那逃亡時的害怕已忘得一乾二淨。現在他是一個自由人了。自由在美國，沒有一個人是他的主子。他不會說英文又有什麼關係？他可以很快的學會。他曾經獨個兒旅行，從布達佩斯到維也納，巴黎，倫敦以及漢堡，沒有任何朋友和幫助。如今，他又渡海來到美國的領土。

曙光初現，約瑟夫便在波士頓寂靜的街道上趕路了。很幸運的，他找到了一條通向西南方的道路。他精神飽滿的走在路上。不一會一個農夫停下他的馬來請他同載。約瑟夫在跳上座位之前，先遲疑了一會。「紐約？」他問，向路的那頭指去。

「是啊，」農夫說，「但是你還有一大段路要走，小伙子。你好像並沒有準備好作這樣的一次遠行。你不帶隨身衣服嗎？」

農夫向他的馬說了些什麼，他們就向前面出發了。然後他回過來端詳約瑟夫。農夫對他請上來同載的人滿腹狐疑。

「回答我，孩子！這樣早的時間在鄉村路上走是很奇怪的。你的衣服上全是水！你冷得發抖！你是逃出來的嗎？」

約瑟夫一點也聽不懂，但他感覺到農夫的態度變了。他又必須小心翼翼了。這個人可能使他惹上麻煩。

「我叫約瑟夫，普立茲。謝謝你讓我上來。」約瑟夫開始跳了下來。「我正要到紐約去加入聯軍。我要去打仗。我沒有做錯過什麼。」

「等一等，」農夫叫道，緊緊的抓住他的手臂。約瑟夫用德文說話，可是農夫聽清楚了「聯軍」兩字。

「你是一個德國人，噢！去當兵。好。你一定是逃出來的。但是假使你是想去參加我們的軍隊，我不告發你。我要儘量的帶你趕一程路。」（二）

新書評介

黎元洪評傳

沈雲龍著　中央研究院近代史研究所出版

馬五先生

黎元洪是中華民國開國元勳之一，曾經兩任總統職位，聲名甚著，而他在政治上所遭遇的禍亂亦特多，可以說是名滿天下，謗滿天下的人物。他於民國十七年六月逝世迄今，國人對於他的功過是非，以國史未待修，無從定論，其散見於私人著述中的有關紀錄和評判，又不免流於偏頗的毛病。因而今日凡屬年在五十歲以上的中國人，個個都能談論黎元洪的身世和事蹟，但誰也缺乏完備的資料，作出系統的研究結論，足供歷史家的參考採擇。

愚友沈雲龍先生勤力蒐究中國近代史，歷有年所，最近刊行所著「黎元洪評傳」，我拜讀了兩遍之後，認爲這是一部值得重視的信史，取材甚豐，持論平允，使黎氏的功罪是非，昭然可鑑，且可澄清社會上若干不實不盡的傳說，我想每個中國人皆樂於閱覽的。

我在中學生時代，每聽父老與教師們談及辛亥武昌首義革命史事，即謂黎元洪當時是逃匿私宅床底下，被革命黨人拉出來，強迫他作都督的。後來在日本讀大學時，每年雙十節國慶紀念大會皆在東京的中國青年會舉行，該會總幹事鄂人馬伯援君，以老革命黨人的資格，每次出席講演武昌起義經過事實，亦敘述黎氏於床下被拖出情形甚詳，繪影繪聲，維妙維肖，所以我總相信黎氏的「床下都督」這一綽號，決非誣枉的。如今看到「黎元洪評傳」所紀「床下都督之傳說」一節，引徵各個參預辛亥之役的私人記述，證明黎氏當初不肯參加革命行動，甚而後可，原係事實，但決非從床底下拖出來的。即此一端，可見信史之難得，而知人論事之不易平允也。尤其是歷代史官，眞能如董狐的作風者，究有幾人呢？

黎氏一生的政治生活中，最令人惶惑不解的行爲，便是民國奠立後，竟與共患難的革命黨大多數人士，由乖違而敵視，仇殺（指張振武，方維案件），終至投入袁世凱懷抱，甘爲臣虜。若論名位，他以革命軍大元帥兼湖北都督，無論誰人作總統，而副座必然非他莫屬；卽民元三月間同盟會在南京舉行會員大會時，亦公推黎氏與黃興爲協理，可見民黨對黎氏拉攏甚力，要好備至。他何以舍近趨遠，避易就難，硬要投靠素無淵源的北洋軍頭袁世凱呢？本書引述張溥泉（繼）章太炎諸人的文獻，認爲南京臨時政府成立時，對武漢起義有功黨人如孫武等，未予安置，而章太炎亦鬱鬱不得志，遂使孫章等人憤然別樹一幟，擁戴黎氏爲黨魁，以與民黨抗衡，相激相盪，終成水火。這話似不盡然。孫武並非如章太炎所說的「黎宋卿部下舊勛」，乃是黎氏最恨的方振武等人的老同志，而章太炎與民黨反目的主要因素，實爲「光復會」首領陶成章之被刺，政治名位尚在其次。元洪及其左右策士，似不致敝屣聲勢煊赫，擁有實力的同盟會副領袖地位，而沾沾於新生微弱的共和黨黨魁名義吧？（上）

天南風光

——沙羅越的歷史——

朱淵明

新憲法同時顯示着布律克族統治的因襲是不脫離的，這裏有一個重要原則領導着——保護沙羅越國被私有和保持本國民主的承繼。

當前，全國各地，都接受了這種公正的政策。但人們只須回顧十九世紀國際的擴張史，它的攫奪世界底市場，原料的競爭，和開發土人的效果，即會覺察到布律克統治的原則，是一些有遠見的觀察家所提供出來實行的堅強排除「亘大經營」，會引起批評，說是阻礙了沙羅越的發展的一種掣肘。但事實卻證明了沙羅越國到這時候，已保留着較大部份的資源和版圖，準備給它的正宗主人去發展。

在這時候，當民主政治和獨裁主義，在爭持生死掙扎的剎那，沙羅越國王重新堅誠信任民主立憲，是具備極大的意義。民主政體，它非如希特勒要世界人士相信的固定制度，它是一個活的機構，斷然要滋長和變化的。我們在這沙羅越國裏，已看到那原則的履行。現在是從「過去」生長出來的，「將來」也就是包含在「現在」裏頭。

沙羅越現在已邁步踏進它歷史上的一個新形勢了。它可以肯定明瞭這國度的磐石，已經平穩地奠定在一百年來公平和精誠的統治上面。」

我們讀了此文及新憲原則九項，頗覺維納能紹述先志，適應潮流，並非顢頇甚至「飯桶」一類人物。而查理士卻因「偏愛」，竟欲更其儲位，由弟繼承。但查理士亦非「無道昏君」之類。可見家庭骨肉之間的愛憎問題，實難以常理衡量曲直。而專制時代家事往往可以影響國政，小而混亂，大而喪亡，此「家天下」尤其是「家族專政」之所以必須廢除也歟？

沙羅越建國百年紀念會，定於一九四一年九月廿四日在首府古晉舉行，期前，所屬五省，多分別舉行慶祝，人民極爲歡欣鼓舞。第三省詩巫華僑日報，特出紀念專刊，並轉載維納拉者演說詞全文。其副標題有：

「本年九月廿四日爲布律克王族統治百年紀念。沙羅越王位合法繼承人爲王弟端木達殿下。委託行政委員會制定憲法，放棄國王專制政體。」

（五十）

瘟君續夢

第八回：擊戾實堪驚　片言毀約　脫靴終自誤　衆志成城

中國大陸情況，到了八月之後，更爲嚴重，東北的水災面積越來越廣，由於又出現了幾次颱風，遼寧省接連下了幾場暴雨，河水暴漲，渾河、太子河、遼河都超過警戒水位，泛濫成災。撫順、遼陽、本溪出現了一片汪洋，鐵路也被沖斷一部份，交通也爲之中斷。洪水不僅淹了農田、工廠，也淹了礦山，鞍山鐵礦車間被水沖進，全部機器陷入水中，中共幹部沒有辦法，迫使工人下水搶救。可是工人都站在傍邊不理。黨小組長嚷道：「大家快下去搶救啊！這是我們工人自己的財產。」

許多工人站在門首看，漠不關心，有的人還在小聲說：「這是你們的財產，干我們屁事！」

停了一時，黨支部書記來了，一看情況萬分嚴重，不敢硬來，當時宣佈道：「任何工人同志，能跳進水中搶救一台馬達的，獎給豆油十斤。」這句話果然有效，馬上工人紛紛跳入水中，潛水去搬運機器，經過十六小時的苦戰，搶出了百台馬達及有關機械。

馬達搶出來之後，黨支部書記一算這筆賬，豆油要費上千斤，從那裏張羅？於是先買通了幾名黨團員，答應每人給與豆油十斤，要他們在會場上帶頭放棄，不要這筆「獎勵品」。安排好了之後，召開大會，一名積極份子提出建議，其他的從中一附和，就把原來的諾言推翻了。許多工人眼光光望着不敢開口，大家心裏都希望再有一次水災，報復這次被騙的仇恨。

東北的水災嚴重，關內的草荒也增加了，山東省的耕地有三分之一以上長了草，中共幹部唯一的辦法，就是驅迫人民苦幹，全省動員了七百三十多萬人，河北省也動員了四百多萬人，一齊去「鋤草滅荒」。但是，草已盤根錯節在田內紮了根，不但鋤不動，用刀砍都不容易，只好任它滋生下去，共幹窮嚷一輪，也就算了。山東省的「草荒」，永遠成爲中共政權的標誌。

農業失收，牽連到各方面均告失敗，春天播種時，中共幹部見鄉間沒有肥料，就勸老百姓養猪，由人民日報帶頭鼓吹，所有報刊一齊響應，稱猪爲黑財神，猪糞是黑金子，命令每畝地養一隻猪，有些地區甚至要一人養一猪，預算全國要養六億頭猪，肥料自然不成問題，從毛澤東到人民公社幹部，都把希望寄託在猪身上，以爲只要猪肯幫忙，就不怕赫魯曉夫搗亂。那知道又作了一場春夢，各地猪隻到了秋天，尚未長成就大量死亡，小猪的死亡率竟佔百分之五十，養猪又整個失敗。人民日報無話可說，指爲反共份子破壞，各地共幹又起來捉謀害小猪的人，結果又有許多人被冤枉送入勞改營。

中共幹部眼見夏收絕望，把念頭又轉向野生植物，人民日報發表社論「讓更多的野生植物參加社會建設」。要人民大量採摘野生植物，定名爲「小夏收」。（一九八）

為購買『瘟君夢』事答讀者

近有許多讀者來函，詢問瘟君夢是否出版？在何處購買？查該書係由台北市中華書局總經銷，每本定價新台幣二十五元，讀者可就近向中華書局洽購。

啓示

汶津

如果——而他和她已經活在一起許久許久了。

他爲什麼要認識菁的妹妹？爲什麼菁讓她住在他們家兩個月之久？

他告訴自己：忘記！忘記！

一樣的上班時間。車擠、人急。一樣的女同事。他用眼神和她打招呼。剎那之間，他發現了一些新東西。她的眉宇深處！有一些非經仔細觀察不能發覺的東西——是的，你可以名之爲「憂鬱」的。多麼粗心！多少月來第一次！他不禁多停留了一下他的眼神。

那是一個可以溶化在眼淚裏的女孩啊。走下交通車，他和周打了一個照面。老同學，不同部門的同事。「他會告訴我一些。」他想。

「說簡單也眞簡單，」周爽直如舊。「她愛着一個男人，而那人是有家室的。好奇嗎？」

是有點好奇。「現在呢？」

「中國的女孩子最會用含蓄的方式控御情感，你不覺得？」

說穿了反而乏味，他在心裏嘀咕。一輛老爺車的喇叭聲揚起得好高。

沒有再看到她的影踪。菁的神情也沒有什麼異樣。他納悶。含蓄的方式——我們一定得分開——如果永遠在一起

他攤在沙發裏，完全鬆軟無力地，像浸過海水的沙灘。

一縷日光仍在玻璃窗上遊盪。他改換了好幾次的坐姿，終於站起，踱步。

迅速的晚餐，沒有交談的結束了。他站起來，看妻，又向餐桌投了最後的一瞥。

她在自己的宿舍裏，是最後半年了。一個即將自大學畢業的女孩子，菁的妹妹。

他叩門進去。只有她一個人。

「答應我，不要再來找我。」顫顫的，她請求什麼似的。

「吻你最後一次，答應我。」他湊過去，緊緊地擁抱。她躲閃，她接受。

他告訴她人類的理性是什麼。她迷惘了。

他終於離去。

她哭泣着。當她同房間的女孩子回來時，詫異地注視她。她沒有抬頭，說：

「一切都已經過去了。」

第二天，她仍上課；他也在辦公室裏再遇那位幽柔的女同事。是她，還是造物啓示了他？（下）

南宋偏安有人才

——韓世忠

李仲侯

高宗紹興元，充江淮宣撫使，守建康；韓世忠爲浙江制置使，守鎭江；劉光世爲江東宣撫使，守太平池州，尋移屯江州。而自歸杭州，升杭州爲臨安府。又如越州，玆以周望爲兩浙荊湖宣撫使，守平江。

時金兀朮之兵分爲二支，一支自滁和入江東，一支自蘄黃入江西。其趨江西也，劉光世引退，江西州縣多被蹂躪。其趨江東也，杜充無制敵之方，旋且爲敵所乘，和州太平先後陷落，建康不守，杜充竟降於金。高宗聞金兵之偪，遂如明州。金兀朮即由建康趨廣德，過獨松關（浙江餘杭縣西北獨松嶺上）而入臨安，遣將阿里富埒渡浙跡高宗所在，金兵遂破越州。其明年，爲高宗在位之四年，阿里富埒又破明州，屠其民，遂襲高宗於海，帝奔溫州（浙江永嘉縣）。金兀朮之遣師渡浙而東也，雖破明越而不能獲得高宗，乃焚臨安北行，因輜重不可遵陸，乃取道於秀州。游騎至平江，周望奔太湖，金兀朮遂連破平江，入常州鎭江。時韓世忠方屯師鎭江，準備俟金師至截擊之，遂有黃天蕩之役。

先是金師渡江，所向披靡，諸路皆潰，世忠亦自鎭江退保江陰，布置防守，以前軍駐青龍鎭，中軍駐江灣（上海市西北），後軍駐海口，擬俟敵歸，橫截擊之。帝召至行在，世忠奏方留江上，截金人歸路，盡死一戰，以挽回頹勢。帝賜扎聽其留。會上元節，就秀州張燈高會，使敵不防，奕引兵趨鎭江。及金兵至，世忠先以八千人踞金山寺（江蘇丹徒縣東江中），金將李選降，世忠斷定兀朮必親來觀察形勢，乃先伏精兵於金山龍王寺，另埋伏精壯於江岸，以江中鼓響爲號。是夜三更，兀朮果率兵前來，被其跳而免，翌日與世忠大戰江中，戰將十合，梁夫人親擊桴鼓助戰，金兵終不得渡。兀朮懼，請盡歸所掠以假道，不許，遂自鎭江泝流西上。兀朮循南岸，世忠循北岸，且戰且行，兀朮窘甚。幸得由間道至建康，復謀北渡。時撻辣在濰州（山東濰縣），遣孛董太一趨淮東以援兀朮，世忠與二酋相持黃天蕩（在南京市東北），凡四十八日，孛董太一軍江北，兀朮軍江南，世忠以海艦進泊金山下，預以鐵綆貫大鉤，授驍健者，明旦敵舟譟而前，世忠海舟爲兩道出其背，每縋一綆則曳一舟沉之。兀朮窮蹙，求會晤，祈甚哀，世忠曰：「還我兩宮，復我疆土，則可以相全」。兀朮語塞。（四十五）

談文房四寶

漁翁

宋蘇易簡撰「文房四譜」，凡筆譜二卷，硯譜，墨譜，紙譜各一卷，而筆格水滴附焉。遂初堂書目作「文房四寶譜」，爲文人日常之用具，後之人，即以紙，墨，筆，硯，而稱爲「文房四寶」焉。

自古書契，多編以竹，其用縑帛書者，謂之「紙」，以麻布等敝物爲之者，自蔡倫始。蔡字敬仲，漢桂陽人，由宦官封侯後，即專心研究有益於人類之學術，發明廢物造紙。以湘之耒陽，茂林修竹，堪爲製紙處，遂卜城南而家焉。其製造法：利用樹皮、麻頭，敝布，魚網，及纖維質之柔靭者爲原料。蔡倫名噪一時，所製之紙咸稱之曰「蔡侯紙」。

蔡侯紙，由湘推銷於全國每一角落，有功於書畫印刷包裝之用。左思賦三都，構思十年，賦成，時人未之重，惟皇甫謐稱善，爲其賦序，張華見而歎曰：班張之流也！於是豪貴之家，競相謄寫，致洛陽爲之紙貴。

墨者，黑也，古以黍燒烟和松煤爲之，今皆用煙炭。以安徽徽州府所產者爲最有名，謂之徽墨。江淹賦云：「淵雲之墨妙」。按王褒，字子淵，楊雄，字子雲，謂皆文辭之妙也。又鳳池墨妙，謂書法之妙；畫精墨妙，謂繪事之妙。王羲之爲永嘉郡守，有臨池學書處，宋米芾書「墨池」二字於其上。

宋張邦基書室，以「墨莊」署之，其書多記雜事，爲宋人說部之可觀者。又海錄碎事：劉式死，其妻聚書千卷，示諸子曰：故父嘗謂此爲墨莊，令貽汝輩，爲學植之具。今人謂書香縣延者，稱之曰翰墨流風。

筆爲書具，所以作字者。古用簡牘，筆即刀錐之類。至秦蒙恬始用鹿羊等毛爲之。六朝人以散行文爲筆。南史：「謝元暉善爲詩，任彥昇工於筆，沈約兼而有之。」凡文章之操縱離合，謂之筆法。張旭善草書，後傳顏眞卿，據云見公主担夫爭路，而得運筆之意，後見公孫氏舞劍而更入其神。故古人用筆，分筆意，筆路，筆陣等，其及成也，遒勁秀拔，如生龍活虎，蔚爲大觀。

筆，一名「毛穎」，韓愈有毛穎傳。又曰「毛錐子」。據五代史：「史弘肇有大志，嘗謂人曰：「安朝廷，定禍亂，直須長鎗大劍，若毛錐子安足用哉！」班超亦投筆歎曰：「大丈夫當效傅介子張騫，立功異域，以取封侯，安能久事筆硯間乎！」處亂世，筆桿不如鎗桿，古詩所謂「亂世文章不值錢」也。

硯爲磨墨之具，通常以石爲之。李之彥硯譜載：「黃帝曾琢玉爲硯」。果然，有四千餘年歷史矣。陶硯起源於漢代，在漢硯中較有名者，爲十二峯陶硯；到五代還有流傳。唐朝石硯陶瓷硯並行而流。至宋瓷陶漸少，以迄於清，行者多爲石硯。古以「端溪石」與「車渠石」作硯爲最名貴。端溪在廣東高要，古稱端州，故溪上所產之石，曰「端石」。車渠，蚌類之最大者，切而磨之作硯。如「玉端溪」，柳公權硯論：「自然之石爲硯至妙，青紫色者可值千金」。博雅載：「車渠石，出天竺國，一塊玉硯可值千金」。唐詩人劉夢得有「端州石硯人間重」句。「硯田」「硯池」之稱，文人恃文字爲食者，以田喻硯，蘇軾詩：「我生無田食破硯」。唐庚詩：「硯田無惡歲，酒國有長春」。硯池者，即硯中低窪儲墨處也。

海嶠寶談薈

我反共的基因

諸葛文侯

民國十五年以前，因爲我是在日本過的大學生活，對於俄式共產主義的本質及其作風，茫然毫無所悉。當時日本的報章雜志上，乃至於學者的著述中，曾將列寧政權稱爲「勞農主義」或「過激派」，並未使用「共產黨」或「社會主義」這類名詞。而西京帝國大學經濟系教授河上肇刊行的「馬克斯主義研究」雜志，我又很少購閱。所以，此時我對於共產黨，可說是好壞的印象都沒有，且在良心上很贊同英儒奧文的社會主義學說，認定人類生活決不應該形成貧富懸殊的極化現象——這思想至今未變。我憎惡共產黨人的原始因素有兩點：

民國十五年我隨同國民黨元老李協和（烈鈞）先生，于役塞北張家口馮玉祥軍中，是年八月中浣，馮軍敗於吳佩孚，撤赴五原。我和皖籍民黨同志張秋白，河北郭增愷，內蒙金佑三（國會議員）等，由張垣乘車直奔外蒙的庫倫，擬繞道西北利亞回滬。從張垣出發時，原任馮軍顧問的俄共軍官十二名，亦跟我們同行回國，他們隨身帶着十幾支步槍，沿途組成旅行團，由一位階級較高的俄軍官作團長，每天晚間聚集一個地方食宿，大家輪流着持槍放步哨兩小時，到天明各乘一車前進。咱們坐的是一部新軍用的「道奇」牌卡車，比較俄籍軍官們的車子走得快些。有一天中午「打尖」以後，我們驅車疾行，約好夕陽西下時，我們在前面找定宿處以相待。詎次晨出發之前，一個俄共用日語向我傳達那些軍官的命令，說今天我們的車輛如果再要搶先疾馳，他們馬上就從後面開槍打死我們這幾個人！我詢問是何理由？他說：「沒有理由，這是命令，不服從就開槍！」我聽罷氣極了，主張各行其是，張秋白兄勸大家忍耐，不必在旅行之中鬧出事件來。但我對於共產黨人這種橫惡無理性的言行，抱着無比的反感，心靈上的刺激亦最深鉅。

走到西北利亞鐵路終點的烏金斯克後，我們改乘火車赴海參威，我的票位是上鋪，第二天有個俄國人上車來，坐在我房間的下鋪。車行到了赤塔站，我起身下車買食物，忽見那一俄人僵臥在鋪位上，腰間流出許多血，滿濺衾褥中，我爲之大駭。但我不會說俄語，而俄人此時最痛惡說英語的，祇好默不作聲，卻不敢再走進那間車廂去了。此時車長和其他的職員，都很寧靜，好像沒有這回事。車上有個中國人担任侍應生，我偷偷地問他，那俄國旅客怎末被人殺死的？他說：「你別管閒事，這人是從莫斯科來伯力開工人會議的出席代表，因爲有托派嫌疑，幹部派郎遣人用電刀把他幹掉了。」

我經過了這兩種事情，認爲共產黨人殘酷到了極點，非人類所能忍受。後來回到國內，又見着中共到處殺人放火，打家劫舍的行爲，更增加對共黨的憎惡心理。我之堅決反共：完全是基於人性與理性觀念，與共產學說不相干，也與政治權力問題無涉。老實講，均富的社會主義思想，我是極端贊成的。

梁敦厚事蹟

吳文蔚

二十六年十一月八日，太原淪陷，山西軍政首長在苦戰轉進中，爲達成中央持久抗戰的偉大國策，閻長官特任梁氏爲戰區政治處長，加強了部隊的政治工作，提高了抗戰的軍事力量，並成立隨營軍事政治學校，民族革命大學，（爲與共匪之抗日大學對抗故名）等軍事訓練機構，以梁氏爲教育長，培養了抗日的革命軍事幹部，奠定了革命事業的新生力量。抗戰八年，艱苦支撐，各級幹部，實係受了該校的教育陶冶力量的結果。

二十八年的春天，第二戰區奉軍事委員會政治部命令，正式恢復全軍的政治工作，趙戴文主席兼主任，梁氏則爲副主任，自此軍隊政治工作，全面展開。梁氏繼又任軍隊特別黨部書記長，以軍隊政治工作，配合了黨的組織工作，雙管齊下，於是全省的民運工作，組織工作，行政工作，黨軍工作，齊集一身，執簡馭繁，以達成效。這時梁氏着實表現了他的領導天才。（四）

內僑警台報字第〇三一號內銷證

自由報

THE FREE NEWS

第三三五期

中華民國僑務委員會頒發
台教新字第三二三號登記證
中華郵政台字第一二八二號執照
登記為第一類新聞紙類
（半週刊每星期三、六出版）
每份港幣壹角
台灣零售價新台幣弍元
社長：雷嘯岑
督印人：黃行寶
社址：香港銅鑼灣高士威道二十號四樓
20. CAUSEWAY RD 3RD FL HONG KONG
TEL. 771726 電報掛號：7191
承印者：田風印刷廠
地址：香港灣仔高士打道二二一號
台灣分社
台北市西寧南路壹壹零號二樓
電話：三〇三四六
台郵劃撥儲金戶九二五二

遠東局勢檢討

林介山

最近世界的局勢，除了納薩的阿拉伯聯邦運動，可能引致中東地區出現新局面的消息，較令世人注目之外，其餘所有險惡的火藥氣味濃厚的大問題，完全都是集中在遠東地區方面。

中（共）印邊雖似緩和，但給夾在罅縫裏的小國——錫金、不丹、尼泊爾，更是左右爲難。印度視之爲禁臠，使成印北邊防之一部；中共視之爲擴張之目標，使成滲透之橋樑，兩者各具野心，亦各具戒心，殊難解除對立的癥結。

中共與印度的紛爭，表面上的癥結，是落在麥馬洪線的身上。這在尼赫魯的印度言，若能括有麥馬洪線的面積，或許已是很滿足，但這在中共方面言，祇以麥馬洪線爲藉口，其目標乃在交換取得新疆、西藏、錫金、不丹、尼泊爾等交通的聯絡，以實現其遠大的某種陰謀。假若中共眞的以領土爲重，中共在印北便不會退軍，對外蒙古的邊界協定，對巴基斯坦，對緬甸等國的協定，便不會把一大片國土奉送。

中共是以奉送土地爲籠絡小國的魚餌，是政治滲透謀畧的一環。天眞的美國人，不深入研究中共的本質，不懂得中共這種險詐策畧運用的微妙，放着很多可以眞正解決亞洲禍亂之源的方法不去做，卻去承認麥馬洪線，甚而「反復表明，美國視麥馬洪線爲傳統與會獲一般接受之國際邊界，且充分支持印度對該線之立場」（美聯社華盛頓四月十九日電）。測其用意，以爲單憑一紙「承認麥馬洪線」的聲明，便可拖垮中共。可憐！

寮國自從親共外交部長奎寧被刺殺後，局勢即驟然惡化，再度掀起內戰流血事件。

寮國戰事再起，最受指摘的卻應是美國，寮國在未組織聯合政府之前，諸沙旺的反共力量，原受到美國援助的支持，但後來爲了實現「三頭馬車」式的聯合政府，美國卻不惜公開以停止美援爲威脅，壓迫諸沙旺同意以傅瑪爲首組織包括寮共的聯合政府。當時有識者即斷定美國自出賣中國大陸以後，再一次用同樣方式出賣寮國的前途。另有一種評說，認爲這樣組織的聯合政府，不過是又一次變相式的奠邊府。法國在東南亞的殘餘力量，就是在奠邊府的慘敗中，全部被清除。美國勢力是否可以長久在東南亞取得立足點，那卻要看看此次對寮國事件的處理會否再犯錯失以爲定。

寮國本身雖是一個小國，但地理的環境，卻是東南亞的心臟。赤王子蘇發努旺領導的「戰鬥寮」（寮共），佔有寮國北部的地區，其東北的越共胡志明，與寮共有密切的關係。北越夢想藉寮共赤化寮國之利，可以成爲運軍走廊，希望一舉而消滅越南吳廷琰的反共勢力。否則，藉聯合政府的掩護，亦有利於寮共對越南的滲透與威脅。最近北越對中蘇共的歧見中，且表明態度是站在中共的一邊。換句話說，中共在越共及寮共方面的影響，顯見比前加强，寮國中南部與泰國僅一湄公河之隔，西南部則與高棉爲鄰。高棉施亞諾偏中共的態度是公開的，看情形，若是寮國沒有一個强大的右派力量來作安定統一的中心，或是美國一樣無能全力支援一個不容赤化的政權，寮國全面赤化，不會是很久的事。

寮國若是赤化，越南與泰國的反共力量，都必然同時被削弱。對於已親共的緬甸，及潛伏在星馬、沙羅越的紅色力量，亦必然更受到鼓舞，而驟然對東南亞全面發動暴力的革命，顯明是大有可能。

因爲赤化寮國是等於有赤化整個東南亞的作用，故國際共黨並不以寮國有一個「三頭馬車」的聯合政府爲滿足，而祇藉聯合政府爲掩護手段，使更能順利達成赤化寮國爲目的。故能拯救寮國，亦等於拯救東南亞，其責任與能力，已非寮國本身所能勝任。

寮國情勢早已成爲一個死局，傅瑪領導的聯合政府，自始至今僅是一個形式，實際上三派均是各自爲政。就以此次事件爲例，傅瑪身爲聯合政府總理及中立派領袖，其中立軍隊被寮共在瓦缸平原圍攻，險至全軍覆滅，右派領袖諸沙旺將軍於四月廿三日在永珍對美國記者說：「倘傅瑪總理要求此項援助，則渠仍願派兵援助康黎將軍」云云。由此可知，一國軍隊之不能統一，任何形式的組織，對該國的和平，都無實際幫助的。

美國及其他若干西方盟國，似乎最有興趣於專攪這樣的不澈底的形式組織，來作爲向世界交代的方法。

較早原有消息稱，美國將再派兵入泰國，並將不惜用武，全力恢復寮國和平云云。但最近那個一手經理寮國「聯合政府」的哈里曼，於四月廿三日從法國飛抵倫敦說，「美國不擬在寮用武」。渠在倫敦機塲對記者說：「最重要者是吾人使共黨獲知吾人不會忍受任何無理之行動，並使彼等知悉其已經破壞停火協定。寮局誠屬嚴重……」

若從事實看，共黨每視自己的行動，是一種絕對合理之行動，他們並確知，美國除了韓國一次不算外，向來祇是說說就算，對於任何無理之行動，都會忍受下去的。現在我們不對這個問題作理論上的辯爭，且以當前的寮國事件爲例，用就事論事的態度，來作爲對美國的考驗。

假定寮國有失，東南亞有失，美國用什麽向亞洲人交代。

中共最近對外的異常舉措，亦是暗藏某一項的暴風雨來臨的特徵。

中蘇共歧見自表面化後，中共已頻頻對非極端反共的國家送以秋波，又對英日兩國貿易的加强，劉少奇並第一次以元首資格出國訪問印尼及緬甸，隨着劉少奇此種活動之後，四月十九日沙羅越政府發言人說：「華僑中的共產黨，和北平有聯絡，想在這裏設立一個共產黨國家。」其情報局長摩利遜在電台廣播時說：『已發現中共文件，呼籲起來革命。』又最近南越的軍方情報，估計『有五萬共產黨游擊隊，現時在湄公河三角洲活動，比較六個月前大量增加。』又台北有消息，『相信蘇聯已在印尼開始建立軍事基地，包括飛機、火箭等裝備，達四億美元之巨。』又永珍消息：『中共正忙於築造一條由雲南省通往寮國西北南塔鎮的主要公路。』錫金消息：『中共最近在藏邊大量結集軍隊及彈藥，超過普通換防及調動性質。』綜合上述的片斷消息，不能謂爲與中共最近的異常舉措全無關聯，而印尼之挿手干擾馬來西亞聯邦之成立，顯見亦是受到某一項大陰謀所支配。

談中共問題，自不離反攻大陸問題。中共因大陸問題不能解決，爲了搶救敗亡的命運，自不甘坐斃，而尋求另一種方式解決，所謂「異常的舉措」，自與此有關。說來極端遺憾，美國的力量，一點未能防堵中共的活動，反而壓阻國軍的不得對中共威脅，這間接就鼓舞了中共的向外擴展。

漫畫天下

克魯：「我也愛和平。」

燃燒寮國的火焰

自由談

談國營事業

馬五先生

中華民國監察院爲着海祥輪失事問題，除設立專案小組，澈查責任外，並對招商局的整個營業情況，加以檢討，認爲該局組織龐大，冗員太多，而工作效率低劣，資金逐年虧蝕，再過一二年後，該公司的命運將不堪設想云云。

國營或公營事業之腐敗浪費，徒耗公帑，無裨國計民生的情形，比比皆然，由來久矣，豈僅招商局而已哉？假使沒有海祥輪沉沒事件發生，該局營業實況，縱有如監察委員們所指出的，還不是我行我素，無人注意！

私人經營任何企業，由於資金有限，總是兢兢業業地力求健全組織，節省開支，以期爭取贏利，推廣業務。國營或公營事業，決不足以語此，亦沒人設想及此，反正資金是公家的，取之不盡，用之不竭。如是乎，組織衙門化，工作官僚化，待遇特殊化，而人事進退則完全爲酬庸化，無所謂專才，更無所謂功過獎懲之說。這是國營事業的本質，也可說是死症！

所以，今日要談革新政治，應從制度與政策着手，決不是某一機構的問題。招商局的各種缺失如此，其他一切國營公營的金融和工礦企業，何嘗就比招商局的內容好呢。革新之道，首先應該釐定國營或公營事業的目標。民生主義所指凡屬具有全國性的事業，而非私人力量所能辦理者，究竟是何限度？如航業、電影這類企業，有無國營之必要？若說有，何以又讓民間私營，而不予以禁止？公私併營，既不免與民爭利之嫌，亦悖乎「藏富於民」之義。如其信口空談理論，不顧實際，則人民的一切生活資料與生計方法，都可以收歸國營，亦復振振有詞也。

制度與政策決定後，仍有國營或公營事業存在時，對於人事問題，即須嚴格規定非專家和技術人員，決不許濫竽其間，像過去阿貓阿狗都可以主持國營事業各機構的陋習不滌盪，則任何改革方案，都不過是瞎扯淡的廢話罷了。

監院糾舉經長楊繼曾

處理殷台公司失職案

轉彎抹角得來頗不易

（本報記者吳越台北航訊）監察委員陳翰珍、陶百川、劉行之三人為經濟部長楊繼曾處理殷台公司失職提案糾舉案，經審查委員葉時修、曹啟文、張岫嵐等於四月十八日上午十時審查一致通過，成立糾正案，「送請行政院院長辦理，以儆來茲，而端政風」。此一幾乎在彈劾案上胎死腹中的案件，係改以糾舉案的方式始得成立的，得來不易，其間曲折秘辛亦多。

殷台公司案於今年二月由陶百川等五人小組提出調查報告時，該院經濟、財政、交通三委員會聯席會議曾決議：「對本案主張彈劾，並提報院會」。隔日，監察院院會開會，幾乎全體委員都同意聯席會議的主張，提案彈劾，不過有的委員受了有關方面勸說，未便明白表示同意彈劾，乃以含蓄語氣決議「依法處理」，踢回聯席會議去。調查小組委員陶百川等，以院會決議「依法處理」，聯席會決議又是「主張彈劾」，於是立主提案彈劾，彈劾的對象，為該案主管人員經濟部長楊繼曾。

有關方面聞悉陶百川等將提案彈劾經濟部長楊繼曾，鑒於台灣正以經濟發展成果贏得國際令譽，如此案成立，豈非自暴缺點？顧及該彈劾案可能發生的影响，因此，盡力勸說陶委員等暫緩提出，由政府當局自行處理。該案一度無聲無氣，正以此故。後來又決定要提案彈劾。據說陶百川因受有關方面約束，未便提出該案，改由青年黨籍監察委員陳翰珍任提案之責。

彈劾案由陳翰珍委員領銜，陶百川、劉行之，曹啟文委員等簽署，於四月三日向監察院提出。該委員等惟恐該案外洩，招來阻力，以密封交與監院秘書長，由其面呈于院長批付審查後付油印。但當日下午彈劾案內容即已外洩，有關方面連夜奔走疏解，盼能諒解政府苦衷，希監察委員們愼重考慮是不是應該在此時此地彈劾一位政務官。

四月四日上午召開審查會，由袁晴暉委員主席，出席審查委員十三人，有些一向少來出席會議的監委都出席了，有的委員甚至抱病出席，結果，審查的決議是「補充資料，下次審議」。

審查會既有「補充資料」的決定，不便移付另外其他監察委員為第二次審查，可是該院又未通知提案委員補送資料去，提案委員陳翰珍等乃自動將其他有關資料補入，而審查會還是開會無期。

提案委員陳翰珍等曾約會商量，如何解決此案。經一再考慮結果，決定曹啟文退出簽署，改參加為審查委員，將該彈劾案改提為糾舉案，送請政府辦理；俾既為經濟部留一餘地，再則在監察院亦較易獲得通過。

糾舉案由陳翰珍、陶百川、劉行之委員提出，于院長批「即付審查」後，晚間七時即由監察院秘書處通知審查委員葉時修、曹啟文、劉巨全、郭學禮、張岫嵐等五人，於四月十八日上午十時審查。郭學禮、劉巨全兩委員未出席審查會，出席委員為葉時修、曹啟文、張岫嵐等三人，審查結果一致通過，主張成立糾舉案。於是此一為國人矚目的案件，終於以轉彎抹角的方式提了出來。

半數農田猶未插秧

粵省夏收勢必減產

共幹所攪的支援農業運動 徒然造成傷亡而無濟於事

（一）香港與大陸（一）

最近一個月來，粵共動員了無數人力進行抗旱和春耕的工作，但除造成許多傷亡事件外，實屬無濟於事，農民一致認定今年「夏季豐收」勢成泡影。來日的糧荒，又不知如何能以渡過。

九龍某學院經濟系學生趙×仁君告訴記者說：他最近不斷接到在鄉間的妹妹來信，信中除了要求他設法匯款寄糧包外，對家鄉處境關旱災情況敘述甚詳。

趙×仁君的妹妹係就讀於梅縣南口中學高中三，她的來信透露：與梅地區共幹，最近一個月來，「一要求」城市居民，學生，機關幹部，「解放軍」等下鄉去支援農民的抗旱和春耕。南口中學的全校師生，亦被派往南口墟附近的「生產大隊」參加此種支援工作，暫定工作時間三星期，主要是幫助農民挖井，開圳和插秧。

來信說：她們的工作是艱苦的，但卻無濟於事，挖井開圳是希望增加水源，並把水引進於農田中，但是由於嚴重的旱災，起碼要挖到兩丈多深，才可得到一點點水，這些水充其量祇可把乾硬的一部份田地潤濕一兩天，那能把秧苗插下去呢。同時，由於動員學生去做這些挖井和開圳的工作，卻造成不少傷亡事件，南口中學的學生受傷者達四五十人。來信曾舉兩個事例：初中三年級的一個小組，在開挖一個井時，由於「糞箕」（竹篾）的繩斷了，盛滿坭的糞箕從井口跌下，使在井底的兩個學生受重傷。最慘的是高中二的第一小組，在挖掘一個井時，因為沒有安全設備，當挖到一丈深時，突然井口的坭土崩下，把兩個在井底工作的同學壓在下面，待救出時，早已氣絕身亡了。

趙×仁君的妹妹還寫道：今年的「夏季豐收」已成為不可能了。且不說以後幾個月中再來的天災，「人禍」（指共幹的深耕密植，水庫崩潰等）的災害，農民的怠工等，就目前的情況，已說明豐收不可能。目前，與梅一帶地區，已有水插下秧的農田，僅有一半左右，而這一半中卻大部份是「晒白田」（即水田曾因沒有水而曬出，表面一層土被太陽晒硬），插下去的秧苗雖仍可生長，但卻絕對長不好，減產是必然的。另外一半左右的耕地，卻因還沒有水將之翻耕，看來已是無法把秧插下去了。就算幾天內有傾盆大雨，有充份的水，亦難補救，因為秧苗是有季節性的，「清明」過後不久，秧苗便會生節，雖插下田中，也難望其不至於夭折的。所以農民們皆惶惶不安，知道未來的夏收必定減產，更加挨餓，勢所難免。來信還說有不少地區，已傳說共幹們正開會，並經決定在春耕完畢時，便宣佈減少配糧額，每人每月祇配十三斤數。這如何得了呢！

因此，趙×仁君的妹妹要求趙君設法匯些錢回去，寄一些糧包回去。來信並敦促趙君必需要趕快的設法。她說本來已吃不飽了，再減少配糧，來日大難，想起來就怕。（敬斯）

越南樹膠增產中

（本報西貢航訊）樹膠是越南農產品中僅次於谷米之第二位重要產品，因此，天然樹膠的生產及輸出情形，影响着越南之經濟。

據統計，一九六二年全世界之樹膠消耗量為四、二七零、零零零噸，其中百分之四十五為天然樹膠，百分之五十五為人造樹膠。

越南天然樹膠的生產量為七萬噸至八萬噸，與世界各國二百萬之總產量比較，越南之產量頗是極微小的，雖然近數年來，跟隨着國際天然樹膠的發展，越南天然樹膠的耕作面積也逐漸擴大，產量也逐漸增加中，但尚未如理想。據農村改進部之一項最新統計資料，越南數年來樹膠耕作面積及生產量，出口量情形如下表：

年份	耕地面積
一九五六	六九、六八零畝
一九五七	六九、三三零畝
一九五八	七六、三零零畝
一九五九	二零零、四零零畝
一九六零	一零四、一九八畝
一九六一	

生產量：

七零、二三六噸

六九、六零零噸

七一、六零零噸

七五、三八零噸

七七、五六零噸

出口量：

六三、六三四噸

七五、一九一噸

六八、一零六噸

七八、四二七噸

七一、一一八噸

八三、四零三噸

近年來越南樹膠之生產及輸出確實均日見增加，但因擴張生產的時間還很短促，故耕作面積雖已大增，生產數字卻還未得有大量提高，預料尚需三數年後，所耕地有了收成，樹膠之生產始可更為可觀。

目前世界天然樹膠及人造樹膠，在生產及消耗各方面均已起了劇烈的競爭，人造樹膠的生產量似有壓低天然樹膠生產的趨勢。據專家指出，至一九七零年，天然樹膠之供應可能增加至二、二零零、零零零噸至二、五零零、零零零噸，即比目前提高二零零、零零零噸至三零零、零零零噸。

至於人造樹膠的增加數量則未能預先估計，因為目前各人造樹膠的製造廠還未全力生產，假若各製造廠全力生產，則人造膠的產量應為三、八零零、零零零噸，而非目前之二、五零零、零零零噸了。

人造膠的生產是日見增加的，但另方面，因為世界上每年的樹膠消量耗也在不斷增加中，故天然樹膠還能站穩其市場地位。

由澳偷渡來港

蛇業忽有起色

（本報訊）據旅運界傳出的消息：在香港警方津津樂道反偷渡的鉅大成效中，最近自澳門乘「蛇船」偷渡來港的「蛇客」，卻頗見順利，很少有被發覺截獲者。

「蛇船」少有失手的原因，據說是澳門「蛇業」已另外開闢了成功偷渡的途徑所致。但費用仍屬高昂，每客自澳門至港的「屆蛇」費，仍非六七百元莫辦。加以大陸毛共已限制旅客出口，偷渡者的數量實在不多，「蛇業」仍屬清苦維持的階段。不過較之兩個月前幾乎因為香港警方雷厲風行的反偷渡而入於偃旗息鼓之狀態者，則又不可同日而語矣。（適）

日本關西學院合唱團

在台巡迴演唱很成功

（本報台灣航訊）近日在衛理堂，中山堂連續聽了關西合唱團兩場演唱會，引起了一點感觸，就是他們在不同的地方，用樸實、甜美、清麗純潔的聲音，向不同身份的聽衆，唱出音色優美感人的歌曲，誠非易事。

據知這個合唱團的團員，都是清寒家庭出身，每個人都有一段艱苦奮鬥的歷程。因為苦難能訓練人的心靈發出讚美，有一種歌曲既非藝術所能教，也非樂理所能編，祇有在患難痛苦中能學會，關西合唱團的團員們，他們明白苦難的奧秘，能忍受苦難的試煉，加强自己勝過兇險的信心，使心靈得安息，才能用歌聲安慰在人生旅途上遭遇到狂風怒濤的逆境的人。所以他們所唱的歌曲，每個音符，每個旋律，都含有安慰與祝福的意義。他們和諧悅耳的歌聲抑人心絃，使傷感者撇開憂鬱哀愁與痛苦，精神上暫時獲得片刻的舒暢。他們每句歌詞，每個樂章，都流露着人間最高潔、最真摯的情誼。他們每顆心靈都被眞愛充滿了，每個人的心房，有同一旋律的躍動，這旋律是珍貴的、可愛的。這些情感的音符，聽衆祇能用心靈感受，無法用筆墨形容來描素。他們這次演唱的成功，可從幾場演唱會節目終了時的觀衆「恩哥！」掌聲中熱烈要求續唱的情形中看出是成功的。

關西合唱團演唱成功的因素有三點值得指出：（1）節目編排與團員站列位置對演唱效果都有很大的影響，例如此次演唱該團三分之一男高音排列中間，三分之二男低音分列左右及後排，藉使高低音和諧，不致使高低音有顯明的分別，而給聽衆混雜不清的感覺。節目編排成功的地方是混聲合唱與兩部合唱都分別編排，這也是在台灣音樂會少見的方式。因為前者可以避免不調和的突出聲音，後者可以發揮團員的最高能力，能唱出音高準確，音質優美，給聽衆感到舒適的歌曲。

（2）該團團員指揮年齡均在二五歲上下，沒有很大的懸殊，所以唱出的歌曲都很活潑莊嚴優美。團員的靈感注入音樂、照着指揮的意思奔放的表現出來，使團員和聽衆打成一片，激起共鳴的成果。

（3）團員們演唱的表情和節奏的和協也是成功的因素。如演唱「黑人靈歌」（Still Away）時，先由男高音獨唱訴說他們在苦難的日子裏，整天被異族奴役，得不到片刻休息的痛苦情形時，高聲祈求神來拯救他們，安慰他們，使他們解脫苦難，獲得自由，走上幸福之路；接着在莊嚴宏偉的合唱聲中結束此曲。充份表現出歌詞生動的感情。其次如唱民謠「月光與小丑」組曲時，也能用歌詞和表情形容出小丑强自掩飾憂傷的心情，裝出滑稽的樣子使人發笑，但最後用緩慢的調子唱出悲傷可憐的形狀，這也是表情流露的成功。在聖樂方面如合唱「彌賽曲」，「主禱文」等曲時，引起人愛美的天性，驅除人心的邪念，抱鬱，悲痛。不但可以鼓勵人、激發人、振奮人麻痺的心情，更可以改變人，安慰人，陶冶人的性情。

音樂不祇是單純的個人享受的工具，更是促進文化交流，發揚文化的原動力。關西合唱團在台巡迴演唱，好像溝通中日文化融和，臻至兩國人民幸福的橋樑，也是演唱者和聽衆們心靈至深的表現。（仲偉庭）

提高學生國文程度芻議

廖建安

一　前言

國文一科在今日自由中國各中學重視之程度，遠不及英數理化等科。影響所及，學生程度乃因而每況愈下。筆者刻執教于台南一頗有名氣之省立中學（本校向以學生素質及升學率高昂蜚聲全省），夷考其實，本校高三學生能寫作平順流暢（並無錯字別字）之白話文者，殊未多覯。等而下之之學校，情形必更嚴重。今後設無有效對策以挽狂瀾，後果將不堪設想。雷社長前在本報「自由談」中戲言：廿年後能以中國文字書寫通順之信件者，即可獲得中國文學博士云云。語雖諧謔，然目前學生國文程度之普遍低落，要爲不可否認之事實。筆者厠身教界有年，目睹此情，惄然心憂。年來中共政權摧毀中國文化不遺餘力，自由中國既以維護中國文化自任，則如何加強國文教育，提高學生國文程度，當爲刻不容緩之要圖。

二　學生國文程度低落之原因

（一）標準課本之影響：多年以來，自由中國各中學于國公史地四科，一致採用台灣書店出版之標準課本，此種課本于國文而言（設另無補救之道），實爲促使學生國文程度低落之一因。因歷年大中升學考試，國文命題不越此種課本之範圍；復因學生課業之繁重，爲應付考試計，實不必而且無暇多注心力于課外名篇名著之閱讀。以大專升學考試國文一科而論，高中六冊課本中，白話文不考，畧讀之文言亦少考及；換言之，其命題範圍不出課本精讀之文言部分，此種文言不過五十篇，即以畧讀文言計算在內，亦不過八十篇而已。故現實學生只須熟讀此八十篇文言，應試即綽綽有餘。學生涉獵之篇章如此其狹小，欲提高其國文程度，誠戛戛乎其難矣。

（二）國文師資之普遍低落：台省光復之初，師資奇缺，國文師資尤缺，爾後又因增班激速，國文師資即不免濫竽充數。稽之實際，目前台省各中學國文師資之低劣，有出人意料者。筆者已往因職務關係，曾抽查學生作文，其間發現教師之錯字別字，隨處可見；批語不通，所在多有；以對爲錯，強行改「正」者，實繁有徒；而高中國文教員作文（及考試）命題不通，亦非「新聞」。國文大錯時錯而引爲笑談者，教界同仁多耳熟能詳。如此師資，而欲提高學生之國文興趣與程度，寧非緣木求魚？

（三）考試命題範圍之狹隘與刻板：歷年大中升學考試國文命題範圍之狹隘既如上述，而主事者爲求計分之簡單精確，命題方式不外塡充、註釋、翻譯、注音等項，此類題目除側重記誦外，未必能測驗學生之才智、學力（如前年大專升學考試之改錯：「人不知而不溫，不亦君子乎？」改「溫」爲「慍」，不知者固爲笨蛋，知之者亦未必即爲天才」。即此一端，可概其餘。）影響所及，學校日常考試亦依樣葫蘆，學生除機械記誦外，殊少注重于理解及精深之研究；益以少數低劣教師平時既無實學以誘導學生，考試時即不免以「淺題目主義」及「寬分數之政策」，討好學生，結果國文成爲最容易及格之一科，學生之不重視國文實事有必至，理有固然。（上）

天南風光

——沙羅越的歷史——

朱淵明

居時，即一九四一年九月廿四日，全邦各地代表，齊集首府古晉，慶祝百年紀念。同時拉者維納宣佈廢止專制，實行君主立憲政體。當日紀念會開幕時，先鳴砲一百零一響，星洲總督英欽差大臣湯姆斯爵士，特派其秘書漢斯代表來晉參加。沙羅越秘書長格拉克於大會中代表官民頌述布律克歷代拉者統治沙羅越之政績。此外，中巫代表及五省代表相繼致詞，最後由拉者維納致答詞。旋即在法庭大厦中，對越王奉觴慶祝。下午，由王后主持百年紀念農業展覽會與賣物會，夜間舉行火炬遊行，越王夫婦驅車巡視展覽會及賣物場。廿六日舉行越王維納六十晉七壽辰，古晉教堂舉行特別祝禱會。廿七日沙羅越馬會舉行百年紀念第一日賽馬。其他尚有各種運動節目及授勳典禮，不及備述。

當沙羅越人民正在興高彩烈，以爲新憲施行，自治在望的時期，誰知過了兩月餘後，霹靂一聲，日本軍閥發動了太平洋大戰，香港，星洲，相繼淪陷，北婆三邦自亦難免東南亞各地區之同一命運。日人自一九四一年十二月八日偷襲珍珠港起，至翌年五月中旬佔領緬甸止，在短短五個月中所佔領南洋一帶之土地面積，達三百五十萬平方公里，區區沙羅越，自不在話下。

在太平洋戰爭爆發之前，沙羅越眞有路不拾遺，夜不閉戶之概，故有許多人稱之爲世外桃源。但戰爭無情，它打破了人們的美夢，帶來了沉重的痛苦，將瀕海外樂園，罩上了一團黑影。

當日軍襲擊珍珠港之前，沙羅越也曾動員協助盟軍，又組織防衛軍與內河及海岸巡邏隊，並應英政府之要求，修築飛機場一處，復鑒於美里油田或將爲日軍垂涎，成爲日軍南下攻擊目標之一，乃於戰事爆發前兩月，將重要機器拆卸，移去星加坡。可見當時日軍之南進政策，英美並非毫無所知，亦非全無所備。而沙羅越乃等於不設防者，星加坡乃英國遠東海軍重港，故將油田機器移於該處。

果然，珍珠港事變八天後，即一九四一年十二月十六日，日軍即在沙羅越之美里登陸，其目標顯然是在油田，登陸後政府人員均受俘，至十九日，方有日機十七架轟炸古晉，廿四日下午四時，始有日軍陸續抵達。迄廿五日聖誕節，太陽旗乃招展於古晉上空，把沙羅越國旗及大英帝國國旗驅逐得無影無蹤。（五一）

新書評介

黎元洪評傳

沈雲龍著　中央研究院近代史研究所出版

馬五先生

我認爲黎元洪投靠袁世凱的基本因素，是他愚闇而多慾的性格所使然。由於愚闇，他對於那般拔劍擊柱，跋扈飛揚的革命英雄如方振武等人，不能善加拊循，寢成水火，又無法排拒整肅，乃採取借刀殺人的愚劣手段，乞援於袁世凱，致授人以柄，終被脅持利用，無以自拔。由於多慾，他盱衡當時的現實情勢，袁世凱擁有北洋龐大武力，高據臨時總統之位，爲着個人的富貴利祿，自以親袁爲得計。所以，他在民二南方討袁之役中，即不惜助桀爲虐，派兵攻擊江西，旋又悍然通電主張先選總統，後訂憲法，終且首倡解散國會之議，媚袁唯恐弗及。迨被迫解除鄂督入京，幽居瀛台，孽由自作，悔之晚矣！

洪憲帝制出現，黎堅決不受「武義親王」之封，表面是忠於民國，內心係對袁氏報怨，假使袁氏不削除他的軍權和封疆開府的政治地位，我想他跟廣東「郡王」龍濟光的態度不會兩樣呢！繼而袁氏暴斃，黎以副總統秉有拒受洪憲皇帝封爵的事實，聲望鵲起，一時翕然，這是他一生最得意的時期。但愚闇成性，對北洋軍閥旣無駕馭之方，對南方革命勢力亦缺乏肆應之策，坐失時機，無所作爲。等到受制於北洋軍頭段祺瑞，無可如何，而戀棧心切，於非法解散國會，又效法漢獻帝之召董卓入京，求助於辮子軍，致釀成傾覆民國的清帝復辟醜劇。這是黎氏最大的罪過，後世史家不能曲筆寬恕的。

黎氏下野隱居天津五載，平日對南北雙方對立局勢，旣無潛力可言，又沒有道德上的感召，迨北洋軍閥內鬨，徐世昌被直系軍人推倒，一時群龍無首，他們又要利用黎氏過渡以免陷於無政府狀態，情節顯然，稍有常識的人，皆洞悉此中利害得失，不好隨便跳入火坑的。然黎氏由於多慾，不納章太炎勸其「杜門高枕」以待時變的建議，竟藉「廢督裁兵」的空談，作爲出山口實，迫不及待，貿然再起執政，終致招來潛逃出京，在楊村被軍閥劫持，逼交總統印信的奇辱，可謂活該！最可哂是他遭受這樣的奇辱後，還不絕意政治權位，更利用南下國會議員的聲勢，潛至上海設立政府，而不自知其愚藉何在？自討沒趣，黯然落魄而去，充分表現其愚闇多慾的本質。

黎氏對於中華民國，可說是罪多於功，史實具在，無可諱飾。原書關於上面我所指出的事項及其經過情形，都有充裕的原始資料可以印證。尤其引徵民初嚴復對黎氏的總評判，最爲允當。嚴謂：「黃陂良愿有餘，於政體國是民情外勢，皆無分曉，以傀儡性質，雖負乘之譏，覆餗僨事，殆可前決」；又說：「古之以暴戾豪雄亡國者，桀紂而外，惟楊廣耳。至於其餘，則皆煦煦姝姝，善良謹慤者也」。這些評語可作黎氏的蓋棺定論。所以我認爲「黎元洪評傳」這部書，是可重視的讀物也。（下）

盧君續夢

第八回：擊戾實堪驚　片言毀約　脫靴終自誤　衆志成城

毛澤東對內政一籌莫展，就想加強對外活動，提高國際聲望，尤其是與蘇聯接壤或者密切的國家，成爲中共拉攏的主要目標。第一個受到注意的國家是阿富汗。中共自從與緬甸，尼泊爾簽訂邊界協定後，尼，緬兩國與中共的關係已日趨密切，柬埔寨的施哈諾，屢次受到中共的捧場，感恩之餘，把三個兒女都送到北平去留學，表示向中共一面倒，印尼自從搶掠了華僑資產之後，與中共已沒有糾紛，所以「邦交」也日趨敦睦，中共乃下力去拉攏阿富汗。

中共看上阿富汗，有兩個原因，一是因爲阿富汗過去介於英俄之間，態度上比較親英，英國退出印度後，印度和蘇聯的力量不能相比，阿富汗乃轉而親蘇，毛澤東想把阿富汗拉過來，以截斷蘇聯和印度的陸上連系。

另一個原因是準備對付巴基斯坦，巴，阿之間有一批帕坦族，在民族血統上屬於阿富汗，在領土上卻歸屬巴基斯坦，阿富汗希望帕坦族能獲得獨立，最低限度應該獲得高度自治，卻爲巴基斯坦拒絕，巴，阿之間因此交惡，巴基斯坦雖然承認中共，本身卻是一個反共國家，是東南亞公約及中央公約的會員國，在美國亞洲盟友中，與土耳其地位同等重要，中共拉攏阿富汗，意在要挾巴基斯坦，如若巴基斯坦繼續反共，中共就可利用阿富汗在巴，阿邊境製造事端。中共決定政策之後，就派陳毅赴阿富汗訪問，參加阿富汗獨立節，慶祝阿國獨立四十二周年。

陳毅到了阿富汗，會見阿富汗的首相的達烏汗，經過了幾次商談，簽訂一項「友好互不侵犯條約」及「交換貨物支付協定」。

阿富汗以前曾爲中國藩屬，對中國尚有深厚的感情，見到陳毅來訪，十分歡迎。那知陳毅一到地方就鬧了笑話。在達烏汗首相的歡宴席上，陳毅說道：「目前同中國友好的國家，都是從阿字起頭，如阿爾巴尼亞，阿爾及利亞，再加上貴國阿富汗，足見得中國實在是同阿字有緣。」

陳毅說過，當時也引起一些掌聲。陳毅不禁得意忘形，又繼續說道：「我到了喀布爾之後，對於貴國的一切設施，都十分欽佩，只有一點，稍爲感到遺憾。」

陳毅這句話一說出來，與會人員都爲之愕然，因爲這種態度是有違反外交慣例的，大家不曉得陳毅對什麼事感到遺憾，都在瞪眼聽他解釋。

陳毅又說道：「我在中國未動身時，久仰阿富汗婦女的美麗爲阿拉伯民族之冠，可是，來到喀布爾所見的婦女都帶着面紗，究竟美麗到什麼樣子，卻無緣看到，不能不認爲這是一大遺憾。」

陳毅自以爲這段話講的很俏皮，那知犯了伊斯蘭教的大忌，講過之後，再也沒有人拍掌了，一時形成僵局，場面十分尷尬，達烏汗首相趕緊起來講了幾句話，才把緊張空氣緩和下來。

陳毅在阿富汗共留六天，居留期間阿國的報紙尙保留一點禮貌，等到陳毅剛剛動身，喀布爾的報紙一齊發出這段新聞，各報充滿了冷嘲熱諷，把陳毅說得一文也不值；不過，這時他已到了北平，根本不知道了。（一九九）

憶玉軒雜綴　·秋琳·

憶南口，懷居庸

余在民五入故都，十七年南歸，前後逗留約十二年。關於北平附近的險要，或風景，備加遊覽，而平張鐵路線，尤其使人懷憶不已。因爲那裏有北湯山（沙河站坐騾車約走六小時），十三陵（明代帝王墓地），八達嶺，萬里長城，居庸疊翠，再如詹天佑銅像（像不足奇，而此線的工程，如此築成，外國工程師爲之咋舌），足以使人與無限感慨。至於五郎像，六郎像，穆桂英點將台，更表示北宋當年如何抗拒遼兵的陳跡。此南口所以偉大，居庸所以天險，並不是過甚其詞。無此鎖鑰，明清兩代，焉能有五百餘年的垂治。惜現在爲赤魔盤踞耳。

抗戰時間，湯恩伯軍駐守南口，日寇來侵，引起激烈戰鬥，膠住了有兩週之久，後方逐漸移轉，從容從事，絲毫未損。此大規模的南口之戰，戰史有大書特書之頁。出北平西直門車向北行，迨出南口，看到羣山萬壑，連綿不絕。起伏的萬里長城，巍然聳立，翻山越嶺，蜿蜒北向，氣勢雄偉無比。在全國之中，有如此形勢者，也祗有此地。山海關前，不足比擬。此天然形勝，非人力所能致之。

元代，在關之西南，建一合曰雲台，全部用漢白石砌成，建築工程，非常閎壯。門上雕刻有四大天王像，面目猙獰，但浮雕精美，幾疑鬼斧而非人工。平劇中有驪珠夢，卽記述武宗攜鳳姐南歸回京，鳳姐目覩此像而驚得病，不久香消玉殞，武宗爲瘞葬於其北面空地，所奇葬畢，一夜之間，墓地泥土，盡變白色，遂稱白鳳塚。雖是稗史附會，但民間多如此傳說，若有其事。離關不遠有一名勝曰彈琴峽，峽中流水潺潺，清脆可聽，環境幽靜，渾似置身在縹緲空靈之間，大可小憩一聽。

在車過青龍橋邊，屹立有銅像，是詹天佑先生遺型，爲吾國最偉大的工程師，名聞中外。迨車行約二公里，翻上八達嶺，是居庸的前哨，海拔一千多公尺之高，峯巒重疊，長城蜿蜒在足底，猶如長龍一條，不見其首，亦未窺其尾，挺拔雄姿，歎爲奇跡。所以據高臨下，兵家必爭，下瞰燕雲十六州，誠是天險。明末遺恨，莊烈帝曾云：「聽說是居庸關又被賊搶（其實守關太監投降），三百年錦江山化爲灰燼。」思宗碌碌，有心無才，卒自縊於煤山，慨夫！

南宋偏安有人才

——韓世忠

李仲侯

又數日，求再會，言不遜，世忠引射之，亟馳去，謂彼諸將曰：「南軍使船，欲如使馬，奈何！」募人獻破海舟策。閩人王某，敎其舟中載土，平板鋪之，船穴板以櫂槳，風息則出江，有風則勿出，海舟無風不可動也。又有獻謀者曰：「鑿大渠接江口，則在世忠上流」。兀朮潛鑿渠卅里，且用方士計，刑白馬，剔婦人心，自割其額祭之。次日風止，我軍帆弱不能運，金人以小舟縱火，矢下如雨，孫世詢嚴允皆戰死，敵得絕江遁去。是役也世忠以八千人抗兀朮十萬之衆，相持四十八日，兀朮亦自謂自興師以來，從未有遇過如此之勁敵者。金人自此役大敗後，再也不敢渡江，高宗凡六賜扎褒奬，拜武成感德軍節度使。

建安（宋建寧府治，今福建建甌縣）范汝爲反，辛企宗等討捕不克，賊勢愈熾，以世忠爲福建江西荊湖宣撫副使，世忠曰：「建居閩廣上流，賊沿流下，他郡皆血肉矣」！亟領步卒三萬，水陸夾攻，五日城破，汝爲竄身自焚，斬其弟岳吉以徇，禽其謀長謝響，施逵及裨將陸必強等五百餘人，世忠初欲盡誅，建民李綱自福州馳見世忠曰：「建民多無辜」。世忠令軍士馳城上，毋下，聽民自相別，農給牛谷，商賈施征禁，脅從者汰遣，獨取附賊者誅之。民感更生，家爲立祠。捷聞，帝曰：「雖古名將何以加」！賜黃金器皿。世忠又乘勝討平江賊，降者八萬，遣詣行在。又移師長沙，斬賊首劉忠，授太尉。

紹興四年，世忠爲江東宣撫使，駐鎮江。金人與劉豫合兵分道入侵，高宗命世忠圖進取，遂自鎮江濟師，遣統制解元守高郵，（江蘇高郵縣）候金步卒，親提騎兵駐大儀，（鎮名，在江都西）當敵騎，伐木爲柵，自斷歸路。會遣魏良臣使金，世忠撤炊爨，給良臣云：「有詔移屯守江」，良臣疾馳去。世忠度良臣已出境，卽上馬，令軍中曰：「視吾鞭所嚮」！於是引軍次大儀、勒五陣，設伏廿餘所，約聞鼓卽起擊。

良臣至金軍，問王師動息，具以所見對，聶兒孛堇聞世忠退，喜甚，引兵至江口，距大儀五里。別將撻孛也擁鐵騎過五陣東，世忠傳小麾鳴鼓，伏兵四起，旗色與金人旗雜出，金軍亂，我軍迭進，世忠所部之背嵬軍各持長斧，上揕人胸，下斫馬足，敵被陷泥淖，世忠麾勁騎四面蹂躪，人馬俱斃，遂擒撻孛也等二百餘人。所遣董旼亦擊金人於天長縣之鴉口，禽女眞四十餘人。解元至高郵遇敵，設水軍，夾河陣，日合戰，相拒未決，世忠遣成閔將騎士往援，復大戰，俘生女眞及千戶等。世忠親追至淮，金人驚潰，相蹈藉，溺水甚衆。捷聞，羣臣入賀，帝曰：「世忠忠勇，朕知其必能成功」。沈與求曰：「自建炎以來，將士未嘗與金人迎敵一戰，今世忠連捷，以挫其鋒，厥功不細」。帝曰：「第優賞之」！於是部將董旼、陳桷、解元、呼延通等皆峻擢有差。論者以此舉爲中興武功第一。

時達辣屯泗州，（州治淪入洪澤湖）兀朮屯竹墩鎮（在盱眙東南）爲世忠所扼，以書幣約戰，世忠許之。會雨雪，金饋道不通，野無所掠，殺馬而食，蕃漢皆怨，兀朮夜引軍還。劉麟劉猊棄輜重遁（四十六）。

談錢

漁翁

錢，貨幣也，鑄金屬爲之。古以農器爲交易之媒，其後制幣，因象其形而爲之，今見古泉有貨布字者，其形卽古錢鏄之錢也。後世始圓周方孔形，仍沿錢之名耳。晉魯褒錢神論，「親之曰兄，字曰孔方」。故稱錢爲「孔方兄」。宋黃庭堅詩：「孔方兄有絕交書」。

舊唐書食貨志云：「武德四年七月，行開元通寶錢，俗謂之開元通寶」。玄宗時，王元寶巨富，時人呼錢爲「王老」。宋史食貨志云：「淳化時，改鑄淳化元寶，自後皆以元寶爲文。至元寶時，仍曰通寶。」元明清各朝皆因之。

以錢之字義而言，左爲金，而右有兩戈。以農器論，卽鐵鏟，用以剗地除草者。今之貪官汚吏，搜括民財，稱之曰「剗地皮」。錢固有用，然得之靡易，非從千辛萬苦中掙扎而莫獲也。

錢有利，亦復有害，據幽蘭鼓吹載：「唐張延賞判一大獄，召吏嚴緝，見案上留一帖云：錢三萬貫，乞不問此獄。張怒擲之。明日，乃復帖子云：如十萬貫，可止不問。子弟詢張云何？張曰：錢十萬，可通神矣，無不可回之事。吾懼禍及，不得不止」。又左傳云：「匹夫無罪，懷璧其罪。」言以璧爲資而懷之，則人將艷其璧而加之以罪也。是則錢可通神，亦易召禍。鄧通有銅山，可自鑄錢，然終不免於餓死。

鑒於錢財爲害之烈，也有視若阿堵物者，據世說新語：王夷甫口未嘗言錢，婦欲試之，令婢以錢遶床前，夷甫晨起見錢，呼婢曰：「舉卻阿堵物」。按阿堵物爲當時俗語，卽今說「這堆東西」之意。後因王夷甫語，遂以阿堵物爲錢之別稱焉。

清袁簡齋，有五言七言的詠錢詩多首，載在小倉山房詩文集中，引古證今，與晉袁所寫「錢神論」，有異曲同工之妙。特錄數首於次，以爲世之逐逐於金錢者，作晨鐘暮鼓而提醒之。

「人生薪水尋常事，動輒煩君我亦慈。解用何嘗非俊傑？不談未必定清流！空勞姹女千回數，屢見銅山一夕休。擬把婆心向天奏，九州添設富民侯。」

「牙籌且莫慨王戎，本草嚐來味果濃；五福富登洪範傳，六官人愛大司農。分明輪廓無方寸，最刻風波有萬重。怪我緣慳君欲去，祗須臨別少從容」。

「五銖衣薄稱開身，緗罷銅符早閉門。萬選儘憑詞賦力，半文不受祖宗恩。搖空撲滿心原淡，獨飲廉泉體自尊。記得清明分白打，開元兩字最消魂。」

「風吹荇藻滿池斜，老去持籌敢自誇。早買名山非斷，不騎仙鶴也豪華。富徒慳守貧何異？來得分明去亦嘉。我有青蚨飛處好，半尋烟水半尋花」。

還有一首五言絕句，恰到好處，詩曰：「百物皆可愛，惟錢最寡趣；生時招不來，死時帶不去」。

生平自奉豐，把錢看得甚淡，罷官後，樂守隨園，垂四十餘年，尋花問柳，弄月吟風，陶陶然而自得。而食物亦無一不備，樹有果，池有魚，籠有鷄，土有蔬，讀隨園食譜，足見其享受之一斑。「半尋烟水半尋花」，「獨飲廉泉體自尊」，「可謂善用錢者矣」。有錢能善用，方爲無價寶，否則，成爲阿堵物，甚至變爲萬惡，而惹懷璧之禍也。

報人普立茲傳

汶津譯

由於在農夫的態度中直覺到一種新的溫情和友誼，約瑟夫又坐上座位，並且向四處眺望。一片開闊的原野展在朝陽下，使他回憶起家鄉來。他多麼喜愛農村。那匈牙利的小鎮馬果，他出生的地方，是一片肥沃的土地。可是約瑟夫的父親原來是開店的小商人，普立茲家住在布達佩斯。當約瑟夫年幼的時候，他家有足夠的錢，衣食無虞。但當他父親死後，他的生命改變了。他的母親再嫁，他的繼父，馬克斯包勞，是一個生性卑鄙的人。他使約瑟夫的家庭生活艱苦不快。十七歲時，約瑟夫決定離開布達佩斯和家。

最初，他想做一個奧國軍人。但他的視力不好，身體也差，軍隊不要他。於是他又去巴黎，甚至倫敦，希望進入行伍。他仍沒有如願。多次的旅行花完了他所有的錢，他就決心回匈牙利去。在漢堡他遇見了那個德國佬並且答應參加美國軍隊。他之想成爲一個軍人的願望是可以理解的。當戰爭過後，他可以謀出路。美國是一個大有可爲的新地方。或許他會在此有所成就。

現在，天空是明亮的，他可以清清楚楚的看到那片原野。它和匈牙利的農地大不同。許多樹木和鮮花是一樣的。但是這兒，使他最喜愛的是潔淨，整齊的田地。約瑟夫私付美國的農人，比他自己家鄉的可憐農人們生活得好多了。他將永遠記得他們馳入一個小鎮時的一幕。那位農夫的馬緩行在佈滿塵埃的街上走。突然，一個穿着講究的騎者疾馳而過，大團的灰塵揚起在他們身上。約瑟夫身旁的農夫站了起來，高舉手臂向那騎者怒喊。沒有一個匈牙利農人敢這樣做。他的國家裏的農人會把自己的馬牽到路旁，靜候富人的車騎過去。在匈牙利，每個人都應當對有錢人恭恭敬敬地。

約瑟夫花了差不多一星期才到紐約。但是那旅程是平易的。他曾步行了許多里程，並且也搭了一些便車。他睡在一些農家，他爲主婦們工作來償付他的食宿。他學着說英語，而且已會說一些簡單的話，像「謝謝你」，「工作？可有什麼工作讓我做？」「這條路是去紐約吧？」

紐約城的規模並沒有使他驚奇。它並不如歐洲某些大城那麼大，也不夠美。但使他着迷的是大街上的那種匆忙，那種喧囂，那種擁擠。許多大企業的建築物和美觀的房子正在造起來。他喜愛人們談話時快速的口齒。他感受到力和成長。紐約城正如他自己一樣，年輕而充滿着生命力。（三）

梁敦厚事蹟

吳文蔚

遺一年三月，總裁電召赴渝，參加了中央訓練團第三期的訓練。畢業後，率中國國民黨中央執行委員會任命梁氏爲山西省黨部執行委員，及三民主義青年團山西支團部籌備處幹事，主理山西黨團工作，組織了廣大民衆的自衛力量，以新認識，新作風的總動員號召，粉碎了日寇的晉西掃蕩戰。這時候，山西處境，非常險惡，前受日寇攻擊，後遭共軍偷襲，兩面作戰，腹背受敵，於是又實行了一面抗戰，一面防共的措施，開始了肅僞除奸工作，樹立了抗日防共的力量，梁氏受任升充了第二戰區政治部主任，領導軍隊政治，以迄最後勝利。

自從政治協商決裂後，共軍發動了全面的叛亂戰爭，企圖奪取政權，當時，閻錫山將軍，因爲軍務過繁，省府事務，卽命由梁氏代爲處理。三十七年夏，共軍傾其全力，發動了晉中總攻擊，閻將軍爲了發揮軍政民衆一元力量的總體戰，成立了總體戰行動委員會，由梁氏任主任委員，發動民力，支援前綫。（五）

自由報

THE FREE NEWS

內僑警台報字第〇三一號內銷證

第三三六期

中華民國僑務委員會頒發
台教新字第三二三號登記證
中華郵政台字第一二八二號執照
登記為第一類新聞紙類
（半週刊每星期三、六出版）
每份港幣壹角
台灣零售價新台幣貳元
社長：雷嘯岑
督印人：黃行奮
社址：香港銅鑼灣高士威道二十號四樓
20. CAUSEWAY RD 3RD FL. HONG KONG
TEL. 771726　電報掛號：7191
承印者：田風印刷廠
總社：香港灣仔高士打道二二一號
台灣分社
台北市西寧南路壹壹李號二樓
電話：三〇三四六
台郵撥儲金戶九二五三

從寮戰看世局

高瞻遠

寮國中立派部隊與寮共軍的戰爭，到執筆時仍時打時停，就寮國情形來看，已宛如中國大陸淪陷的前夕，就整個世界大局來看，自由世界又多一次挫敗。最值得痛心的，無論吃了多少次虧，西方大國的立場和信念永不會改變，瞻念前途，確使人不寒而慄。

寮國之動亂導源於一九六〇年八月九日傘兵營長康黎上尉在永珍發動政變，推翻民選的薩那尼空政府，擁傅瑪親王組閣。就當時的情形而論，康黎這一舉動，基礎十分脆弱，真正附和的也不過是一營傘兵，另外寮共因不服收編逃走的一營，正藏身於桑怒地區，尚無攻城略地的力量，假若當時的寮國一批政客不貪圖目前的地位，西方大國能表明立場，不承認康黎製造的政權，大局依然可以挽救。但是，西方國家卻只顧苟安，一任寮局爛下去。到了傅瑪上台，與蘇聯復交，康黎又在飛機場以紅氈及歌舞迎蘇聯大使，西方國家才開始懷疑傅瑪政權的中立性。適在此時，諾沙旺將軍在寮南起兵勤王，奉彭庵親王組閣，揮兵攻下永珍，寮局算是呈現一絲轉機，但麻煩也隨之而來。前面說過，康黎本身實在沒有力量，當永珍光復時，傅瑪偕一批親信逃去金邊，康黎則向寮北逃亡，此時康黎殘部所餘不足二百人，擺在面前只有兩條路可走：一是向永珍政府投降，一是向越共投靠，康黎終於選擇了後者，由當時任政變後傅瑪內閣宣傳部長的貴寧．奔舍那為特使，至河內求援，越共乃派遣軍隊偽裝寮共軍參戰，首先攻下川壙，擊潰了苗王李蓬（彭庵親王內閣司法部長）的自衛隊，在川壙組織政府，迎傅瑪回來，一時寮國出現了兩個政府。由於越共軍直接參戰，寮國政府軍連戰皆北，瓦瓶平原全部失守，重鎮南塔，猛信均先後陷落，一時王都琅布拉邦及行政首都永珍均告吃緊。就當此時，那位專門親共、媚共自保的柬埔寨元首施哈諾看準時機，提出召開十四國日內瓦會議解決寮局的建議。這個建議，一看就知道有利於共黨，但是美國方面卻藉此抽身，特別表示興趣。會議結果，議定寮國停火，成立聯合政府，由傅瑪任首相，反共的彭庵親王政府宣告解體，反共最堅決的諾沙旺將軍分配到一名副總理兼財政部長，內閣中國防，外交，內政，宣傳等重要部門均落入寮共及中立派之手。接着來的是正式承認中共及越共，與中國及越南共和國絕交。

寮國的中立顯露出美國對亞洲沒有鬥爭的決心，影響所及，巴基斯坦與中共開始談判疆界，泰國也打算接受蘇援，美國的信用，在自由亞洲又一次的破產。

聯合政府成立後，那位政變首領，年方二十八歲，身高不夠五尺的康黎上尉，雖因諾沙旺將軍的堅決反對，未當上國防部長，但是，傅瑪在川壙時已把他提升為准將，於是就變成了康黎「將軍」；共產集團對於這名「將軍」到是頗有興趣，不久，康黎就同寮共軍司令辛加坡組了一個軍事代表團，由康黎任團長，辛加坡任副團長，去周遊鐵幕。到了北平，中共總參謀長羅瑞卿親赴機場歡迎，並以隆重軍禮接待，雖然照相時康黎尚不到羅瑞卿的肩膀，但還是讓康黎站在中間。接着是周恩來歡宴，毛澤東「接見」，極盡籠絡之能事。康黎一行離開北平去莫斯科，馬林諾夫斯基也在機場歡迎，赫魯曉夫也設宴招待，在這種場合下，一個少不更事，又充滿野心的康黎，那會不墮入彀中？

可是，就當康黎周遊鐵幕之時，寮共已在作工夫分化康黎部下，被傅瑪任為第五軍區司令的敦（Col. Donne）上校（港報譯杜安上校），就同寮共勾上，接着康黎部隊擴編後的一個青年砲兵營也變了過去。康黎依然不知，還在作他的英雄夢。

當康黎率領叛軍與寮共軍配合進攻諾沙旺將軍所部政府軍時，所謂中立與左派部隊之防區，並未嚴格劃分，而攻城略地又為越共軍之功，所用武器則由蘇聯中共供給，所有攻陷城市除去少數如桑怒，豐沙里久為寮共所據，其他地區均由兩派軍隊共同駐守，合組一最高指揮部，由康黎任主席，辛加坡任副主席。兩派軍隊合駐一個防地，在作戰時尚能相安，一旦停止下來，摩擦自然難免。寮共方面感到康黎利用價值已漸過去，就想乘機驅逐康黎，改由敦上校出任中立派首領。此時，寮共除去勾走敦上校之外，在永珍首都又把一向親共的外長貴寧．奔舍那勾走，所謂中立派，不論在政治或軍事上均已分裂。

不過，當時因為右派力量仍然強大，兩派尚不肯公然分裂，表面上仍維持虛偽的一致。以後兩派正式決裂，導源於兩個因素：第一，美國應傅瑪之請，運糧接濟中立派軍隊，運糧機曾兩次被寮共擊落，康黎認為寮共是有心斷絕中立派軍隊生路。因為寮戰停止以後，康黎部隊增至萬人左右，川壙一地無法籌出足夠給養，左派軍隊由河內接濟，中立派只有向永珍求援，由永珍政府向美國求援，在法律上並無不合之處，寮共竟而開槍射擊，顯然寓有最大陰謀，曾因此向寮共抗議。寮共則指這架飛機是敦上校部隊擊落的，進一步調查果然如此，康黎開始懷疑敦上校的立場。越共當局眼見康黎與寮共之間即將全面衝突，乃邀康黎赴河內開會，經過短期思想改造，勉強放回。及至康黎回到川壙，敦上校已佔據川壙廣播電台，傅瑪流亡政府原設在川壙之國防部，經濟部均被佔據，並將所有文件掠去。

敦上校的行動，引起康黎大部軍官的反感，兩方在川壙不斷發生火併，延至二月十二日中立軍野戰軍司令蘇納凡被刺達到最高潮。蘇納凡被刺之後，中立派查明是由於敦上校部下所為，而最高策動人則為永珍政府外交部長，康黎的「文胆」貴寧．奔舍那。到了四月一日，奔舍那又被担任警戒的中立派衛兵刺死，中立派與左派到此算是全面決裂。

第二，康黎部本來只有幾百人，以後因為自成一軍，永珍政府又協議三派軍隊各為一萬人，康黎乃大量擴軍，原在川壙之反共苗民軍被共軍擊潰後無處容身，轉投康黎部下，苗民本來絕對反共，又被共軍摧毀其家鄉，此批苗民軍加入後，康黎部隊迅速轉為右傾，與寮共益難共存，目前寮共方面提出和談條件，要康黎遣散其部隊中「土匪」，即指苗民軍而言。

不過，寮共雖然在現階段戰事中，將康黎部隊追奔逐北，打得潰不成軍，但寮共卻仍不願消滅中立軍番號，只是要把中立軍首腦由康黎換為敦上校。因為根據政府協議，中立派可保有軍隊一萬人，假若有一個親共的中立派軍司令，寮共就可掌握三分之二的軍事力量，所以寮共仍然維持的中立軍名義，而不肯把他併入共軍。

目前康黎部已失掉所有瓦瓶平原據點，假若寮共再作進攻，康黎非向西逃去琅勃拉邦，就是向南逃，寮共也只看透永珍這一點，不願逼狗跳牆，暫時也不肯根本解決問題，但是偽中立軍火併，仍打打談談，過去共黨打打談談的故技，故意造成緊張局勢，引起人心不安，使物價飛漲，最後促使傅瑪政府整個崩潰。

在這次寮戰中，美國的表現太令人失望，哈里曼訪問莫斯科與赫魯曉夫會談，把寮共停戰希望寄託在赫魯曉夫身上，美國人似乎忘記了赫魯曉夫是蘇聯共產黨的領袖，而不是一位和平使者。共黨對征服世界的信念，從來沒有改變過，對於寮國這個熟透的果子，赫魯曉夫那有丟手之理？又何況今日寮共的後台中共、越共，究竟有多大內東南亞也是要打個問號。

目前挽救寮局只有一個辦法，就是美國拿出勇氣，警告越共如不將軍隊退出寮國，美國將進軍越南，政府部隊在海登陸寮國行間開闢第二戰場。只要美國能放出這樣空氣，取得協議，否則即使運十萬美軍至泰國，也無補於寮國的覆滅。

漫画天下

虎視眈眈

寮

和平　停火

又是共黨的傑作

自由談

我要抗議！

馬五先生

台灣一位女作家郭良蕙，因為寫了一部小說「心鎖」，被一般衞道之士指為黃色作品，妨害善良風俗，謗聲四起，攻訐大作。終於「心鎖」列為禁書，而郭氏且被台灣的婦女團體和文藝協會開除了會籍，大有擯諸四夷，不與同中國的趨勢。咱們中國真不愧為世界第一的禮義之邦也，善哉善哉！

我與郭良蕙素昧生平，她的作品亦很少閱讀。最近因為「心鎖」被禁止售賣，憑着好奇心，將它稍加瀏覽，纔知道內容描寫叔嫂通姦的故事，不無過份暴露性生活情狀之處，但比較「査泰萊夫人」之類的寫作，還是小巫資格，何足道哉？可是，她在咱們這禮義之邦，卻成了「國人皆曰可殺」的人物，而文藝界且一馬當先，證為叛徒，大張撻伐，這真是怪事處處有，台灣特別多，令人不勝迷惘之至！

過去我在台灣報紙上，亦曾經看到「李清照」和「唐太宗」的歷史小說，長期刊載。前者描寫李清照與丈夫趙明誠久別重逢之際，急不暇擇，一見即擁抱「做愛」——這是香港文壇上的詞彙，指男女性交也——的淋漓情況，以及李氏孀居時，由於思春情急，走到庭院中淋雨的性慾熾烈狀態；後者描述李世民垂涎弟媳的美貌姿色，因而釀成玄武門之變，殺死建成，元吉，達到了「叔嫂通姦」的目的。這類作品，跟「心鎖」的內容至少亦在伯仲之間，為啥就沒人指為誨淫呢？「心鎖」中關於男女問題的寫法，縱不免於大胆暴露——且係女作家的手筆，殊堪驚駭。然則男作家所寫男女曖昧行為，比「心鎖」暴露得更厲害，如上述「李清照」等類小說，大家何以又熟視無睹，恬不為怪乎？若再擴大視綫，觀察報紙上每天刊載那些姦盜淫殺的社會新聞，何嘗不是把經過情節渲染得有聲有色的景況，從未聞衞道之士有所訾議，難道這對社會人心就毫無影響不成？

我並不提倡黃色文藝，更贊成明禮義，知廉恥的倫常觀念。但法理之前，人人平等，我反對因人而異的理論與作風，認為官方與民間對待郭良蕙太不公道，我要提出抗議！

刑求法官案的眞象

本報記者台北航訊

近日來，在台北鬧得滿城風雨的台北地方法院檢察官王鎮被刑訊案，據記者多方訪查結果，其中有許多曲折情形，問題並不是一般人所想像的那末簡單。

王鎮是因為辦理商家漏稅案件，涉嫌受收了鉅額賄金，才被停職扣押偵訊的。首先揭發他的瀆職行為者，是本案直接犯人在法庭的供述，繼續奉命調查本案詳情者，是司法行政部所屬的「調查局」。這調查局在體制上是屬於司法行政部的機構，但其職責為掌理情報工作，調查貪污亦為工作之一種，實際是中樞情報機關之一環，與治安機構的關係最密切。王鎮受賄事實已有一部分資料可以證明，但他在法院偵訊中，始終避重就輕，堅不照實作供——據情報人員詳查，王鎮手中尚有百萬元台幣以上的賄款，是漏稅商人送給他的活動費。他是法官，很知道法律責任的構成性，更知道如何避免刑責的方法，所以他在司法機關偵訊時的供詞，決不承認有收受鉅額賄賂情事。如是，司法行政部所屬的調查局，乃向地方法院看守所將王鎮提解到治安機關來偵訊。按理，法院拘留着的人犯，非經主管長官核准，不能隨便提解到外面去的，但調查局是司法行政部的直屬機構，它就可以提訊犯人了。這便是王鎮由法院解到治安機關的經過情形。

治安機關偵訊王鎮時，亦未用刑，祇是採取個別的疲勞審訊方式。王鎮還是沿用故技，堅不吐實，而疲勞審訊亦持續不休，王鎮感覺有些受不住了，同時想到將來的後果很嚴重，要設法製造一種對自己有利的事情纔行。如是，計由心裏起，惡從胆邊生，他在一座小房間內跟審訊人員對話之際，忽然奮起揮拳，把那位訊問他的官員，猛力毆擊，眼額亦打腫了。王氏是壯年人，體力强健，審訊員突遭意外襲擊成傷，急開門呼喚衛兵保駕，丘八哥進得門來，瞧着犯人敢對問官逞兇，這還了得？登時把王鎮痛打一番，以致王氏的頭，胸，腿部皆留下了傷痕，等到監察委員陶百川，[illegible]為調查「刑求」眞象，[illegible]王氏見面時，傷痕猶顯見也。王氏之妻聞悉丈夫挨打成傷，即一面到司法行政部跪地告哀，一面又到台北地方法院擊鼓鳴冤，因而引起社會各方面的注意和責難。這是這次「刑求」案的內容。

現在監察委員對此事尚在詳細調查中，將來必有報告書公佈。但一般人士認為治安機關縱然可以提訊王鎮，亦不必採用疲勞訊問的笨拙方法，況現代發明的測謊器這類工具，除外還有其他的若干旁證可資採擇，法官判案時，又有「自由心證主義」，這項法定權力可以使用，犯人雖狡展，然其犯罪情節俱在，不難定讞，又何需乎疲勞訊問這一著呢？此事發生後，最感苦悶的就是司法行政部長鄭彥棻，他受着輿論的責難，又不便聲述意見，只好表示秉公查究而已。（四月三十日寄）

人事行政制度強化

空言無補貴在實踐

省農林廳人事主任一篇檢討　條理分明針對時弊值得參考

（本報記者熊徵宇台中航訊）自從省主席黃杰去年十二月一日就任以來，曾一再强調要改善人事行政，切實建立制度，但到如今，這半年來，並沒有提出具體有效的興革方案，也沒有任何創造性的揭櫫，仍然是沿襲成規，「公文」一如也。

省政府方面近些時來，常有廳處所屬的主管人員更易，往往不經過廳的人事單位，而由人事處逕行決定。廳處的人事主管，負有「考績」的責任，而沒有人員的調動和任用上簽具意見的機會。這對人事制度的建立，顯見是不利的。

在立法精神上賦予獨立行使與行政權並行的人事制度，多年來一直為政府和民意機構乃至輿論界所討論，總是希望能以强化，配合各機關的業務發展。但是如今看起來，又是因「人」而「事」，濛濛一片了。

前些時，我在台北銓敍部看到一份人事行政的檢討，把人事行政方面的優點和缺點，部分析檢討得非常深刻，並且提出興革的意見，雖然這份檢討的範圍只是省府農林廳的，但觀點卻是全面性的，可以反映出省府方面在人事行政措施上的諸種病態，而指出人事行政的展望和從事這份工作應有的態度和精神。

提出這份檢討的農林廳人事主任雷亨利，在農林廳担任了近十年的人事主任。他在提向銓敍部的檢討中，說台灣省農林處改制為農林廳，內部分設的五室六科四個組以下，所轄的分支機構，共有八十二個，人員共達一萬二千五百五十九人。組織的龐大，為大陸任何一省所沒有，但就存在的人事觀點看，問題很多。

「現有職權的殘缺不全，若干重要作為與事權的分散，乃至內部機構組織不能充分標示工作的重點。現有人員素質低落，優秀技術人員則因精神與物質條件不能滿足而外流，在强化機構事權和健全組織的功能上，是個很大的障礙」。

他指出：「機關組織原為適應業務需要而訂定，所以必需周密合理的靈活運用，才能作為分工的重點，而台灣的農林機構，事權分散，省農林廳，只是行政上的配合，比較完整的業務，可以說只有林政。在這種情形下，農林廳本身的組織與編制，有的歷時過久，和原有的業務現況不符，有的單位名稱和業務範圍不恰當，所以有的科室和單位，部份可以合併，部份可以加強。比如農業調查科沒有單獨設立的必要，可以併入農民組織科，與市場小組合為農業經濟科，使調查與農會主管一元化，並賦予其他農業經濟有關任務。充實原有的農業新聞小組成立農業推廣科，把四健會農會輔導等工作納入該科。」（未完）

北市選戰事後結算（上）

（本報記者吳越台北航訊）台北市第三屆省議員選舉結果：黃光平，楊玉城，蔣淦生，黃奇正，陳重光，呂錦花六人當選。這是使一般人的預測都落了空的選舉結果。一般原認為執政黨只能當選四人的，竟然「五福臨門」，一般原認為郭國基穩可當選的，結果卻是榜上無名。

這一次的省議員選舉，雖然表面上是各候選人在競爭，實際他們的背後，都各自有台北政壇上活躍的人物在暗比苗頭，因此，可也看作是周百鍊，黃啓瑞，高玉樹，彭德等人的一次民意測驗，為明年市長選舉的前哨探測戰。

執政黨在台北市提名六位候選人，也未作全勝之想，只要能有五人當選，就可以滿足了，有四人當選，也還差强人意，如只有三人當選，便要認為是失敗。因此，執政黨的打算是：把握四名，爭取五名。

在投票以前，執政黨對於把握四名的把握，都還不大，原因有幾方面：第一，黨提名候選人的票源幾乎集中，比如黃光平與蔣淦生，都是在大安區；陳愷，陳重光，黃奇正又集中在城中區。以票源性質來分，陳重光的工商界選票與黃奇正相近，而陳愷對軍票的爭取又與黃光平牴觸。若非呂錦花因婦女保障名額，由於李連麗卿的撤銷登記，而可一票當選，黨內提名的候選人，自己陣裏先開始了混戰。第二，由於提名未能盡滿人意而引起的反感，比如福建名額，福州人士說本屆應由福州人趙邦平出馬，但閩南的陳愷卻要競選連任，黨方面也決定了他，以致引起福州人的不平，雖然趙邦平不便「違紀競選」，但卻支持一位福州籍黨外人士張立中出馬扯陳愷的腿，福建票經兩人一分，陳愷當選希望就大不了。另外一位江蘇籍名額，黨方提名蔣淦生，也引起一些江蘇人的不滿，陳大拔一度要違紀競選，雖在公告前夕被勒令撤消競選，但不幫助蔣淦生卻是一定的。因為有陳愷和蔣淦生未必能當選，所以執政黨以為，能抓牢四名就很好了，而且陳重光也在危險邊緣。

執政黨提名的黃奇正，是一個粗線條人物，學識很平常，演講激動而不成文法，他自稱是一個「粗人」，「在市議會打架的就是我」。可是一般社會羣衆，卻欣賞他這種作風。因案免職的前台北市長黃啓瑞，是他的幕後支持者，黃啓瑞雖不親自出馬助選，他的助選班底，卻幫他助選，所以開始時候，黃奇正的行情看高，認為可能以高票當選。但事實證明，他那種粗豪作風，未見能受一般智識程度較高的選民歡迎，開票初期僅陪男性當選人的末席，結果到底黃啓瑞的影響力不減，最後開票才得晉升一位，為男性當選人五名中的第四名。

黃光平在最初開出的六七個區的選票數字並不高，但因他是代表退除役官兵及軍眷出來的名額，軍票及軍眷鐵票由組織指定投他，所以在最後幾個軍票軍眷票源較為集中的區域開票出來，他脫穎而出，以四萬七千餘票的最高票當選。黃光平的當選，在投票前幾如女性保障名額的呂錦花一樣，已成定局。

蔣淦生在開票以前，行情一直看低，就是執政黨內黨員都對他不樂觀，一位大安區的區黨部委員就對記者說過：「蔣淦生在大安區任鄰里長多年，地盤就在大安區，這裏還危險，其他地區更不能談了。」有位區黨部委員告訴記者：「蔣淦生是台北市黨部主任委員彭德一定要支持的惟一外省人，如果不能當選，看他怎麼辦」。由於江蘇人對蔣淦生並不一致支持，在競選期間，江蘇同鄉會努力為他協調活動，組織也拚命為他下功夫。廿七日晚間，還自己買了鞭炮在衡陽街博愛路一帶商家，請在他宣傳車過時燃放，助長威勢，作最後的努力，二十八日投票的當天，還動員了許多人去催選民投票。開票初期，他在其他選區的票，幾乎難望當選，幸好最後大安區開出一萬多票，才把他送入當選名單的第三名。

農民怠工嚴重　毛共百端防整

香港與大陸（一）

粵共最近動員大批黨團幹部下鄉，監視農民工作，防止農民怠工，其手法是組織「驗收小組」，進行「突擊檢查」，並對農民的工作進行鑑定，若不符合「標準」者，便予各種處罰。

上月曾回潮州探親的某飯店工友蔡君向記者透露：潮州一帶公社的農民對共幹分配的農活，均敷衍了事，一切祇為取得「勞動工分」。有許多農民表面雖在工作，其實卻大部份時間在閒談怠工，優哉悠哉；只有在見共幹來時，纔裝裝努力工作的樣兒了事。

農民這種消極情緒，被共幹發覺了，乃在學校，機關，城市動員大批的黨團員落鄉，企圖解決此一嚴重問題。

蔡君的家鄉所屬的「生產大隊」，上月中旬亦到了四位「工作同志」，他們到後便在大會中告誡農民勿再希圖「偷工減料」。他們連同當地黨支部共幹，組織若干個「驗收小組」，專在農民工作之際，突然出現，進行查察，並進行「鑑定驗收」。

蔡君說：農民們對「驗收小組」是恨之入骨而又畏之如虎的。有一次，一位農民在幹「脫秧」（把秧苗從秧田拔出）工作時感到頭暈，乃在田路邊休息。剛巧小組到了，不由分說，立即被抓到公社裏，除了扣除了他的配糧外，還要在公社開大會時檢討他，鬥爭他。有兩位促使農民集體怠工的，被判了三年的徒刑。

「驗收小組」的驗收標準是極可笑的，譬如，「驗收」農民的「脫秧」工作時，發現秧苗中夾雜有一兩株稗苗時，竟然要農民重新進行翻檢，蓋上如果發現有過多的泥黏時，則要重新沖洗；此等工作不單要花去許多時間，而且損傷秧苗的。又如「驗收小組」竟在一塊農民正插秧的水田，用尺插進水田中探測深度，發現犁田時犁得淺，於是嚴厲指斥農民「偷工減料」外，並命令立刻把插下的秧苗拔出，要犁田的農民再進行一次深耕。（徵斯）

提高學生國文程度芻議

（自第三版轉來）

四、結論

目前自由中國中學生國文程度之低落，已至足以動搖國本之地步。吾人為維護及宏揚固有文化計，似有急謀對策之必要。上述諸端，卑之無甚高論，聊貢一得之愚，敬而提醒教育界人士當局採擇改進之參考，致已。倘因管見而使此問題有所解決或改善，筆者固馨香以祝，而嘉惠學生亦當非淺鮮也。（下）

提高學生國文程度芻議

廖建安

（四）國文在升學考試中得分容易，復無不達一定標準不予錄取之規定：國文升學考試之命題方式既如上述，則學生僅須于課本稍事記誦，即可獲得相當分數。（按歷年大中學升學考試中，國文零分者，殊未之見。）且國文分數與他科分數一視同仁，又無不達一定標準不予錄取之規定，學生必以其精力，時間用于得分較難之英文數理，或得分較易之史地等科。制度如此，安能誘導學生重視國文？

三、提高學生國文程度方案

（一）標準課本之補救：現行標準國文課本，係配合民族精神教育而編，復便于學生升學考試準備之利，自有保留之必要。（按標準國文課本缺點甚多，急須重編，教界同仁多有同感，然此係另一問題，在此不擬論述。）然為提高學生之國文程度計，改絃更張，事在必行。筆者以為除現行課本外宜由各中學國文教師公選佳作（並可酌增中外名著若干部）高中二百篇，初中一百篇，作為課外補充讀物，爾後各種考試命題兼及課內課外，並明定其命題比率，深信採行此法，必有助于國文程度之提高。

（二）升學考試計分方式之重新釐訂：目前大中升學考試錄取之標準，決于其各科得分總和之多寡，國文與他科不分軒輊，此實學生不重視國文之要因。筆者以為今後升學考試核算成績，宜以其在校三年學習時數，以其各科乘積總和之高低，決定錄取與否之標準。如此因國文一科所占比率甚大，足使學生非多加注意不可。此外復宜明定錄取學生國文必須到達一定標準，似可定為攷生平均國文成績提高若干分。否則即作不及格論，不予錄取。至志願入文法學院或師範大學（他校教育系同）學生，尤須比照一般錄取學生提高若干分。經此改革，于學生重視國文，當可收不期然而然之效。

（三）命題方式之改進：現行國文命題方式，蹈近「懲罰天才，獎勵笨伯」，急待改進。改進之道，宜從兩端着手：（1）命題種類必須增加，題目宜求普遍，須有測驗學生才智與學力之功能，即理解記憶須兼籌並顧，不宜過于簡單平易，即稍涉艱深亦無不可，範圍當兼及課內外（說詳一），並訂定其比率：分量上宜作普通者，較難者，艱深者各占三分之一；有才學之學生可獲其優長。（2）作文與課本分開考試：前者側重發表，後者側重理解，現行作文課本考試，倂在一節時間內舉行，十分鐘，顯嫌不夠，以致作文章率多草率成篇。如採此議，則學生作文有發揮技巧及體裁學殖豐儉，仍然可以見優劣，課本考試固可求其詳備，草率成篇，僥倖取巧之弊，亦可消除。

（四）國文上課時數之酌增，作文次數之增加：現制高初中國文每週上課六小時，在高二以上及初三提授進度，已感吃力，遑論對學生作課外之指導？唯有增加時數，方可從容應付。又作文次數稀少，目前實為學生作文能力低落主因。依課程標準規定：初中每期十一次，高中十次，但各校實際作文殆為初中九至十篇，高中八篇，高三初三尤少于此數，平均兩週以上方能作文一次，實嫌不夠。但在國文教師言，每班人數又多（縣市及私立學校每班有多至六十餘人者），負担已屬不輕。筆者以為中學生每週必須作文一次，倘能酌增上課時數，此等問題即迎刃而解。目下各省校國文教師兼導師，不兼導師者增授史地公民等兩小時。縣市私立學校國文教師負担尤重。故今後一面宜酌增國文教師，一面固宜令國文教師教授一班為度（可酌增授史地公民等課程），如此學生作文次數可以增加，而教師亦較有餘暇從事學生課外閱讀及文藝研習之指導，作文批改尤可期其精細。

（五）師資素質之提高：為提高中學國文師資素質起見，當局宜明令各校：新進初中國文教員，宜在大學文史系畢業生中優先遴聘。高中國文教員之聘請，除上述條件外，尤須注重其實學及初中之教學年限。現行教育廳教員資格甄別辦法中，初中教員担任國文三年即可檢定為高中國文教員，其期間似應略加延長。至國文教員之資格放試，尤宜本「寧缺毋濫」之旨，從嚴錄取。又現任各校國文教師，出身于大專國文及教育系者甚少，于教材教法、教育心理、文字學、聲韻學、訓詁學及專籍選讀等，未必有普遍而深入之研究，鼓勵進修，實為提高素質之不二法門。倘能在師大長期專設中學國文教員進修班，使有志進修者得以帶薪受訓一年，則于師素質之提高，必有裨補。

（下轉第二版）

天—南—風—光

——沙羅越的歷史——

朱淵明

日軍佔領沙羅越後，志得意滿，驕橫不可一世，竟將首府古晉，改名為「久鎮」，以示永久鎮守之意。又將第三省首府詩巫，改名為「志布」，以表日軍之志已布達該處之意。日軍總部設在「久鎮」市，分部則遍設沙羅越各大縣鎮。

在日軍尚未侵入之前，該地華僑，為了祖國國難日深，乃有抗日會及籌賑會之組織。抗日會自然名正言順的是抗日；籌賑會，則表面上以賑濟難民為名，實際則籌款協助祖國抗戰。因此，日軍攻佔沙羅越後，對參加該兩會的人員，均痛恨入骨，大肆逮捕，百般凌虐。其中犧牲者不少，而以劉忠宏．張傑儒二君之死難為最著名。

日軍將婆羅洲的歐美人士，也一概拘捕，多數集中於古晉，集中營就設在現在的巴塔林丹師資訓練所的地方，男女分列，中間隔一大溝，雙方可望而不可即，其在三年半以上的期間，可歌可泣的事，自亦不少。這只要讀一讀艾妮．凱斯（Agnes Newter K ith）所著的「萬劫歸來」一書，即可窺見一斑。

日軍佔領沙羅越後，各種苛政，相繼施行。首先，要人民向「皇軍」先行帽脫，再行九十度鞠躬禮。否則即加毆擊，甚或拘禁。人民不勝其苦，遂相屬不敢戴帽，以免麻煩，遠遠見着「皇軍」，即繞道而行，因之，現在南洋一帶青年，也相當成風，雖在烈日之下，竟科頭露頂，任其蒸晒。香港之地區亦然，實屬不大衛生，此殆「皇軍」之遺毒也。

隨即徵收「國防金」，「人頭稅」，沒收華人資產，封閉華僑學校，發行軍用票，設立同調會，種種奴化政策，使人民日陷於水深火熱之中。

隨着大戰情勢之轉變，一九四三年後，日軍在太平洋的軍事，節節失利，海軍大部被殲滅，促使日軍在航運上更形困難，因航運的影響，沙羅越之日軍食糧，乃大起恐慌，因沙邦只注意樹膠及胡椒之生產，而不注意稻麥，故平時食糧，卽靠海外接濟，一旦來源斷絕，自然軍民交困。（五十二）

報人普立茲傳

紋津譯

每次只要他說到「聯軍」兩字，人們就會幫助他。最後他到達市立公園，他知道自己已經找到聯軍總部了。在公園邊上有一些盒子型的小辦公處。在此地年輕人們簽約加入聯軍。約瑟夫觀察其他男孩子們走入不同的辦公處。他知道他必須選擇一個他樂意參加的支部。在一間小辦公處前他看到幾個字：林肯騎兵隊。林肯的大名他早已耳熟能詳。但是他並不懂「騎兵」二字的意思。

他逡巡在辦公處前，不知怎麼是好。忽然一個士兵對他用德文說話：「你能騎馬嗎？孩子。」

約瑟夫的心跳得很快。他能騎馬嗎？那是他最拿手也是最喜愛的。於是他恍然大悟「騎兵」的意思了。對了，這就是他願意在軍隊裏幹的腳色。

「你們的軍隊要人嗎？」約瑟夫試探地說。

「請進吧，孩子！」一隻厚實的手碰着他的肩膀。「進來談談。你願意為我們的國家打仗？才從歐洲來的船上下來，嗯？你要讓人瞧瞧你能做一個如何標準的美國人？好極了，你找到最合適的地方了。所有林肯騎兵隊的人員都是來自德國的上等家庭。他們會像兄弟一樣地照顧你。」

站在室內的士兵們叫着，喧嘩着。「你帶來了什麼，同志？這孩子根本還不到從軍的年齡！」

那士兵使羣衆平靜下來，並叫約瑟夫坐在桌旁。他拿起紙來開始寫。「你的名字，孩子？」

「約瑟夫．普立茲。」

那士兵寫得很差勁，以致約瑟夫在軍隊中一直被人叫波勒滋。

「幾歲？」

「十七。」接着約瑟夫又補充說：「一八四七年四月十五日生的。」

「你父親的名字和職業呢？」

「腓力浦．普立茲（……）的。他老人家已經死了。」

那士兵記得很快。「你母親呢？」

「她叫路易莎．柏格。現在她的全名叫路易莎．普立茲——包勞了。」

「你的國籍是——？」那士兵迫不容緩的要招這孩子入伍。

（四）

瘟君續夢

第八回：擊戾實堪驚　片言毀約
脫靴終自誤　衆志成城

在陳毅訪阿富汗之前的一個禮拜，伍修權又去了古巴，古巴自從加斯特羅取得政權，局面已日漸左傾，但是，加斯特羅對美國還有所顧忌，不敢過早暴露共產黨員的身份，所以外交方面仍然保留着中間偏左的身份，在世界人士看來，古巴立場只是比印度左了一點，去共產主義還遠遠得很呢！

伍修權去古巴之前，毛澤東告訴他，第一步要把古巴拉進社會主義國家陣營，第二步要使古巴親中共反赫魯曉夫。伍修權到了夏灣拿，中華民國與古巴尚未斷絕邦交，僑民更沒有人出來歡迎，伍修權感覺甚為沒趣。晚間古巴的貿易部長圭華拉設宴招待，圭華拉本是阿根廷共產黨員，當加斯特羅作地下活動時，圭華拉奉莫斯科命令趕來協助，加斯特羅革命成功，圭華拉就出任貿易部長，掌握古巴經濟大權。

宴會一開始，伍修權就忍不住問道：「圭華拉同志，你們為什麼還不承認中華人民共和國。」

圭華拉笑道：「這個問題牽涉太大，目前西半球還沒有任何一個國家承認你們，古巴實不敢開其端，恐怕會變成衆矢之的。」

伍修權問道：「你們怕什麼？美國總不敢出兵打古巴。」

圭華拉說道：「那個到不至於，我們担心拉丁美洲國家會羣起施以經濟制裁，就麻煩了。」

伍修權拍胸說道：「這個問題，你們大可放心，如若因為承認新中國在經濟上受到損失，我們負責包下來。」

圭華拉說道：「伍修權同志，這個問題可不是說着玩的，古巴的糖完全以美國為銷場，一旦美國不買我們的糖，幾百萬噸糖賣向那裏？」

伍修權笑道：「你若不放心，我們現在可以訂一項協定，凡是你們賣不出的東西，全部賣給我們就是了。」

圭華拉讚道：「伍修權同志，你們眞慷慨，我也曾和蘇聯派來的同志們談過古巴經濟問題，從來沒有得到這樣具體的答覆。」

伍修權笑道：「圭華拉同志，經過了這一次接觸，以後你就曉得新中國的大方了，我們寧可讓自己的人民餓死幾百萬人，決不會在國際同志及朋友們面前失去一點信用。」

當晚宴會後，圭華拉就帶着伍修權去見加斯特羅，伍修權又把剛才的話再說一遍，加斯特羅十分開心，捋着大鬍子說道：「古巴同美國的鬥爭是長期的，也是艱苦的，希望新中國能永久支持我們。」

伍修權連說不成問題，保證支持到底。

第二天，伍修權繼續同圭華拉談判，又拜會了古巴陸軍總司令小加斯特羅，提出對古巴的軍事援助。經過了一週的談判，中共與古巴簽訂了「貿易預支付協定」，「科學和技術合作協定」。一切佈置就緒，伍修權飛回北平，古巴接着宣佈承認中共政權，中國民國大使館立時撤退，一部份華僑也跟着撤退到了美國。

古巴的轉變，打破了西半球的統一，伍修權得意洋洋回去報功，古巴卻從此墮入深淵，不克自拔。（二〇〇）

曉公軒雜綴

閒話秦淮

六朝金粉，端賴秦淮。秦淮之馳名，尤在明末之諸名妓，頻添湖山景色，板橋雜記言之甚詳。論此河風景，則河水尙有很淺之區，難以盪舟。不過歌館舞樓，駢列兩岸，小橙輕敲，竪簫味永，而河中畫舫，蕩漾小駛，其味爲別處所難有，才子佳人故事，因是迭出耳。

秦淮勝區，雖多曬棄河岸，但亦有擇地取靜者，故自釣魚巷起，迄東關頭，石壩街以達鈔庫街，綿亙五六里，皆有河廳，屋宇軒敞，遂成麗姝名花，鶯藏卜居之所。若如丁管營，小石壩街，琵琶巷，烏衣巷等，則小園藏麗，盡多佳色，有如衆香國，迷塊洞，但無識途老馬，斷難問津，以此中有名門閨秀，豪家怨女，在情意苦悶，偶作寄托，暑事神女，藉贈其家，每多上選，輒爲捷足先登，世無紅娘，不易一見之也。洪楊之亂，河畔佳麗，多以入官，尋常百姓無心戀此，因之極闌珊之致。曾文正規復金陵，首舉兩事：一開雕坊，舉行特試，四方舉子絕於科舉有年，相率蘆至。二復秦淮燈船，也即重興秦樓楚館，來考的士人，當然試罷尋樂，夫子廟旁，秦淮河畔，不及一年，生涯鼎盛。父老相傳，此爲極盛時代。迄庚子以後，又漸式微。迨及民國，則盡賣笑博纏頭，其能通翰墨者，書香如黃鶴，甚至絕跡。是亦時代趨向，祇求刺激，不復言情矣。

民初之張幟於秦淮者，輒將倩影榜之門首，而書額曰秦淮閣，萃香居，羣芳小築等。產物則北由淮揚，南從蘇杭。揚產以色勝，蘇產以媚勝，一般醉翁，多屠門大嚼之流，於是而揚產勢盛。畫舫小者可上溯至復成橋，大者僅在文德橋。小舫可以遨遊，但無樓合。大艇則有樓，可置楊設席，樓下並能容兩席，作方城戲。河中畫舫，以戴四何二兩家爲最著，其船菜烹飪，味特佳美。余曾嘗之。

四十年前，先叔執教於南京高工（即後來的中央大學），因暑假期中，命往金陵投考，並作一遊。試罷，先叔約在夫子廟店肆吃飯，夜遊秦淮河，有鬻歌的劉玉寶，急招來唱，聽了賣馬與宇宙鋒，能生，亦能旦，聲調頗清醇，據告每晚可獲兩百金。玉寶於文武崑亂，皆能應付，由其夫爲之司琴，得心應手，均合符節，足足紅了三四年。其女小竇，能承衣缽，頗有成就，惜後來時代歌曲代起，河中盡是歐風美氣，平劇崑曲揚調，漸就衰落。

秦淮之奇，在於水流並不通行，間或有阻，而生惡氣，但遊客趨之，有如過江之鯽，蓋人多憧憬於六朝金粉，有以致之也。

南宋偏安有人才

—韓世忠—

李仲侯

紹興六年（一一三六年），世忠爲京東淮東路宣撫處置使，置司楚州（江蘇淮安）。世忠披草萊，立軍府，與士同力役，夫人梁氏親織薄，爲屋；將士有怯戰者，世忠遺以巾幗，設樂大宴，俾婦人妝以恥之，故人人奮厲。又撫流散，通商惠工，山陽（郡名，即淮安）遂爲重鎭。劉豫兵數入寇，輒爲世忠所敗。時張浚以右相，視師，命世忠自楚州進圖淮陽，世忠即引軍度淮，旁符離（在安徽宿縣北）而北，至其城下，爲賊所圍，奮戈一躍，潰圍而出，不遺一鏃。呼延通與金將牙合孛堇搏戰，扼其吭而擒之，又乘銳掩擊，金人敗去。既而圍淮陽，城堅守不下，約曰：「受圍一日，則舉一烽」；至是六烽俱舉，兀朮與劉猊皆至。世忠求援於張俊，俊以世忠有見吞意，不從。世忠勒陣向敵，遣人語曰：「錦衣驄馬立陣前者，韓相公也」！或危之，世忠曰：「不如是不足以致敵」。敵果至，殺其導戰二人，遂引去。尋奉詔班師，復爲楚州，淮陽之民從而歸者以萬計。十月邊報急，劉光世欲棄廬州（安徽合肥），還太平（州名安徽當塗），張俊亦請益兵，都督張浚曰：「今日之事，有進擊，無退」！於是世忠再引兵度淮，與金將訛里也力戰。劉猊將寇淮東爲世忠兵所扼，不得進。紹興七年築高郵城，民益安之。初，世忠移屯山陽，遣間接山東豪傑，約以緩急爲應，宿州（安徽宿縣）馬秦及太行羣盜，多願奉約束。金人懨劉豫，中原驚動，世忠謂機不可失，請全師北討，招納歸附，爲恢復計。會秦檜主和議，命世忠徙屯鎭江，世忠言：「金人詭詐，恐以計緩我師，乞留此軍蔽遮江淮」。又力陳和議之非，願效死節，率先迎敵；若不勝，從之未晚。又王倫藍公佐交河南地界，乞令明具無反覆文狀爲後證。章數十上，皆慷慨激切，且請詣闕面陳。帝率優詔褒答。後金果渝盟，咸如其言。金使蕭哲之來，以招諭爲名，世忠聞之，凡四上疏，言：「不可許，願舉兵決戰。兵勢最重處，臣請當之。」又言：「金人欲以劉豫相待，士大夫盡爲陪臣，恐人心離散，士氣凋沮」。且請馳驛面奏，不許。既而伏兵洪澤鎭，將殺金使，不克。紹興十年，金人敗盟，兀朮率撤離喝李成等破三京，分道深入。八月世忠圍淮陽，金人來救，世忠迎擊於加口鎭（在江蘇邳縣西北卅里），敗之。又解元擊金人於潭城，劉寶擊金人於千秋湖，皆捷。親隨將成閔從統制許世安奪淮陽門而入，大戰門內，世安中四矢，閔被卅餘創，復奪門出。世忠奏其功，權武德大夫，閔由此知名。世忠進太保，封英國公，兼河北諸路招討使。（四十七）

孟夏韻事

道南

時序匆匆，初夏來臨，初夏又稱孟夏，歷來韻事頗有足道者。

農忙節。在中國農村，四月是最忙的時候，宋范成大詩云：「鄉村四月閒人少，纔了蠶桑又播田。」尤其在大陸的産麥區，在這「四月南風大麥黃」的季節，「遍地黃金」待收割，確是夠忙的，農諺說：「黃金鋪地，老少低頭。」是也。

浴佛節。農曆四月初八日是浴佛節，相傳是佛教祖師釋迦牟尼的誕辰，又稱佛生日。在這一天，各地頗多奇趣習俗。佛教徒照例要在這一天用阿彌陀飯供佛。清嘉錄云：「佛生日，市肆賣青精飯爲糕式，居民以供佛，名曰阿彌飯」，亦名「烏米飯。」惟在湖南江西等地卻沒有這種做法，竟以是日爲祛除毛虫聖日，用黃紙硃筆寫着「四月八日節，洞賓來借歇；仙風吹一口，毛虫盡皆滅。」

隨着浴佛節而來的，還有四項習俗，那就是禁屠，放生，祈子，結緣。前二項，凡屬好談因果的，無不奉命惟謹。例如：河北良縣和四川成都等地，在佛誕禁屠一天，仕女紛紛赴江邊購衆禽魚螺蚌之類，縱之放生。江南民間卻於是日持齋禮懺，出資收買龜鱉，結伴乘舟同往江中放生，叫做放生會。

祈子之俗，始於南北朝，荊楚歲時記云：「四月八日，長沙閣下，有九子母神，是日市肆之人無子者，供養薄餅以乞子，往往有驗。」後世相沿，於是就產生了送子觀音娘娘的傳說。北方人在這天要祀碧霞元君，沈榜宛署雜記：「燕京舊俗，四月八日祀碧霞元君，俗傳此日神降，傾城婦女往乞靈，祈生子。」按碧霞元君即泰山神東嶽大帝之女，其崇祀之盛，等於南方的天后聖母。

結緣之俗可能始於明季，據明人劉侗帝京景物略說：「四月八日捨豆兒，曰結緣。[illegible]」今俗各地僧衆以[illegible]，[illegible]「邀請遊客食之，叫做「結緣」。[illegible]

海嘯樓談薈

談武夫衛立煌

雷嘯岑

最近偶在海隅的共黨報紙上，看到過去以剿共著名，晚年以投共喪命的椎魯軍人衛立煌的老婆韓權華，爲紀念衛氏去世三周年，在北平發表談話，胡說八道，把衛立煌描繪成一個思想前進，手不釋卷的儒將人物，且追述衛氏當年因失守東北而被政府拿問時，對着監視的憲兵與特工人員，會表現一種英雄氣概，說他隨時持着手鎗，準備殉難，又謂他由幾位大學校長陪着出來的。閱之令人作嘔。特將我所見所聞的關於衛立煌當年離開大陸逃到香港，以及在香港五六年間鬧出的若干笑話醜事，提出來談談。

民國卅七年秋末，衛氏見時局日趨緊張，攜其妻孥玉帛，潛至廣州，準備轉入香港作寓公，旋由中樞最高統帥電令廣州行營主任宋子文予以扣留，押解回京究問，情形頗爲嚴重。嗣託人哀懇其鄉長吳履卿（忠信）從中緩頰，未卽置之於理，適蔣總統宣告引退，衛氏乃得乘機逃脫，偕韓權華急走香港，度其優裕生活。他在海隅很少公開露面，從事社交，僅與前任東北軍政首長熊某相往還。他對舊時袍澤固避之若浼，即對一般具有相當交誼的老友，亦一概視若路人，相應不理，爲的是害怕別人向他借錢。

香港的屋宇內多有甲由蟲，形似內陸的「偷泥婆」，初時衛氏深惡之，斥資請清潔公司爲之設法剷除乾淨，但他投資營商，每遭虧損，甚爲懊喪，他聽人說，甲由蟲有招財作用，又花錢僱人搜集這種蟲豸放在住宅中，讓它繁殖，其鄙陋有若是者！對日抗戰末期，他在滇緬路担任我國遠征軍總司令，美國按月津貼我遠征軍軍餉美金若干萬元，他從中吞沒不少，成箱的美鈔當時封未動，隨身帶到香港，因恐被人調悉，又不敢庋藏於銀行保險箱內，一律保存身旁。戰時美軍在海外各地區使用的美鈔，都是註有特別號碼的新製通貨，票面油漬未乾即散發各方，流通市面，這類美鈔在戰後是禁止流入本國境內的。衛氏吞得的大量美鈔，久未啓封動用，年復一年，受到炎熱與潮濕的氣候影響後，票面油漬發生化學作用，每疊每張鈔票皆黏住不易揭開了！他懊急之餘，每逢夏季，即在住宅的臥室內，關着房門，夫婦倆只穿上褻衣，用電熨斗一疊一疊的熨，弄得滿頭大汗，卻不敢兒女們幫忙工作，以防消息外漏。這情形，後來是他的大女兒反對阻止，他自己提到此項趣事，我才知道的，其愚騃又若是者！衛氏在香港損失的金錢，總不過港幣二百萬元上下，原屬九牛一毛，然已痛徹骨髓。最妙是他還一項損失，並非因商業失敗，而是被人捉弄詐騙所致，有苦說不出口，作啞而入者亦悖而出，信有徵也。（上）

梁敦厚事蹟

吳文蔚

以後共軍迫近城垣，梁氏遂又執行「太原保衛戰」，與共軍艱苦搏鬥。三十八年三月，閻將軍奉命赴京，共商國事，命梁氏代理山西省主席職務。四月九日，共軍乘和談進行，閻將軍未回太原之際，調集其精銳六十餘萬人，[illegible]遠射程大炮三千多門，輕重機槍十萬餘挺，對太原發動了最後的一次總攻擊——第七次總攻，以人海戰術，四面環攻，用遠射程炮火，推毀了城週三千餘碉堡，城內各處，又被燒夷彈燃起大火，火光沖天，[illegible]如雨下，房屋震動，天日夜相繼，[illegible]市區房屋，焚毀一空，斷瓦殘垣，狀至淒慘。至二十二日，城內城牆已被轟塌，共軍波浪衝入，戰事最高潮階段，梁氏日以無線電向閻將軍報告，這一天，又同時他也發出了緊急的一函，[illegible]他的堅決志願（註：閻錫山將軍奉召赴京共商國事，因太原戰況危急，曾經要欲飛返太原持降落傘落，均被民航機師博瑞智拒絕駕機，阻擾其行程，因返並未果，故梁氏有慰阻閻將軍打消歸意之請）。（六）

[illegible]蠶月。「西吳蠶略」載：「吳興四月爲蠶月，是月家家閉戶，[illegible]」

近人詩選

暮春感作

遯叟

屈指清明穀雨過，客中無奈暮春何。
久悲故壘成焦土，欲省先塋悵網羅。
孟夏將逢新草木，幾時才復舊山河？
魚游釜底終非計，棄暗投明仗倒戈。

內僑警台報字第〇三一號內銷證

自由報

THE FREE NEWS

第三三七期

中華民國僑務委員會頒發
台灣省新聞處登記證
台數新字第三二三號登記證
中華郵政台字第一二八二號執照
登記爲第一類新聞紙類
（半週刊每星期三、六出版）
每份港幣壹角
台灣零售價新台幣貳元
社長：雷嘯岑
督印人：黃行營
社址：香港銅鑼灣高士威道二十號四樓
20. CAUSEWAY RD. 3RD FL. HONG KONG
TEL. 771726　電報掛號：7191
承印者：田風印刷廠
地址：香港灣仔高士打道一二二號
台灣分社
台北市西寧南路壹壹零號二樓
電話：三〇三四六
台郵撥儲金戶九二五二

由英國外交人事制度論我國外交人才選拔（上）

吳本中

一國外交機構的組織，猶古玩店之架櫥，非藝術品的假古董放置其上，則此古玩店之架櫥無價值。外交機構組織縱然擴大，倘不謀外交人事制度健全及外交人才愼重遴選以配合之，則亦猶古董店之贋品滿架，並亦如經濟學上之通貨膨脹或劣幣驅逐良幣；於外交加强曷有哉！又於國家何益乎？現我外交部組織擴增後將共有十一個司，比英國外交部之設有三十八司者，倘如小巫之見大巫，若再對外交人事制度及外交人才考選規章，不積極取法乎上，確實予以建立與改善，掃除積弊，大事革新，則雖國難日深而外交機構將仍徒具外形而無實質，外交策動仍是俯仰由人，外交人才仍尚不及北洋政府之英才輩出矣。憂國者豈能不慨乎言之？謀國者又焉可不速即振作而幡然痛改之？

立國今世，國運隆替，繫於外交者至爲重要。而我民族欲重整大陸，復興中華，尤多外交是賴。談一國外交，不外三點，即（一）外交人事，（二）外交政策，及（三）外交組織是也。

現我國外交政策，實至簡明，主要是反共抗俄，聯合世界上與我同志國家與民族共同奮鬥，喚起世界人民同情，廣求與國而已。至於外交組織，最近外交部擴大組織已完成立法程序，將共設十一個司又三處一室，計比前增三司。吾人十四載於茲，雖嫌其遲遲而來，然既呱呱墮地，亦祗可賀其降生，觀其後效，而無暇論其長短。

關於外交人事，吾人認爲乃現階段我國外交上極關重要之事，不可不鄭重加以檢討，更確切大施改革，良以，外交機構之組織，就如珠寶古玩店之架格櫥箱，架格櫥箱之設，所以陳列有價值之眞藝術品。苟濫置假貨贋品充斥其上，則此古玩店必毫無價值，雖櫥架好，又有何用耶！我國外交部即使設有三十個司（英國外交部設近四十司），假如每一位司長非上器，每一位科長非專才，則此不特窒有支架，虛耗國帑，且將如財政上之通貨膨脹，亂造『外交官劣幣』，騰笑友邦，有損國家信譽矣。依我國外交部習慣，司長即可出而任大使，科長即可爲總領事，小小一位科員，亦可洋洋得意跑到人家大商埠作領事；若不先求眞才實學，而徒具門面，我國外交前途其堪問乎？識者慨嘆我國運現危險到此地步，而外交人才尚遠不如北洋政府時代之盛　當時如顏惠慶　顧維鈞，施肇基等等諸位先進，其學養與外交技術，均足在國際炫耀　其氣派亦比較沉重，所謂『君子不重則不威』，非若今者一般之浮淺，甚至有等說幾句順口洋文，擠眉撫背，亦可封爲外交官矣。

論外交人事制度，在英，法，美三大民主國中，似以英國『文官制度』中之外交人員選拔比較好。尤其自『艾登革新』（The Eden Reforms）後更形好轉。現英國外交服務人員，在制度等級上全體分A，B，C，D四大組，每組又分若干級。『組』是按職責性質及地位高低而分；『級』是因等級資歷而不同。A組，B組，及C組人員，每位均有在國內及國外服務義務。他們的主要工作可分爲：外交，領事，商務及情報四大類。他們可能被派担任任何上項工作之一。C組爲速寫及書記等長用人員。至於D組人員，則專在國外服務，如長用負責看守使館人員，及專門司管遞送外交機密郵袋者。後者其職務流動性極大，無固定性，因工作之需要，可在海外由某一任所隨時被調至另一任所。他們被稱以榮譽名銜：『英皇陛下御用外交信差』。其選派另有特別規定，不屬於一般外交官員之內。現約有四十餘位分佈於世界。除陸海空三軍武官參贊等等亦不屬於外交人事考選制度外，英國尚有『勞工參贊』約十七位，駐外兼管廿九個國家勞工事務，乃由勞工大臣派任。此外因國際債務問題，尚有『借債專員』（Expert on Loans）；甚至因米糧問題亦派『粮米顧問』（Rice Advisers）等等，駐在友邦。英國外交部又有法律顧問及其助理人員等，斯均乃高級專家，長期專心服務者。以上各員無論職位高低，工作均有重要性。其選拔因其專責而各異，而爲外交機構內之所不均可缺少者。根據近幾年估計，英外交部職員人數，在國內服務者有四千四百七十一人，在國外者七千五百五十人。不過屬於A，B，C，三組外交人員則約僅三千人。這三組人員，是必需經過嚴格外交官競試，選拔後又經過長期訓練，考驗與淘汰的。

爲明瞭英國外交人事制度，須再就實際情況稍加研究。考英國外交駐外人員，按英外交術語有所謂『代表資能者』（Representative Capacities），分爲四大類別，即（一）外交，（二）商務外交，（三）領事，（四）情報是也。此四類人員，又按『職位』與『品級』之分別而不同：

第一類稱『外交人員』，職位品級分成八種，共約三百三十餘人：（1）大使　他們的品級是A組的一級至六級；（2）全權公使　十一人，三級至六級；（3）公使（在有大使主管下服務者），約二十人，三級至五級；（4）參事，約五十人，五級至六級；（5）頭等秘書，約一百人，他們的品級亦是在A組內，但僅能列入七級；（6）及（7）二等秘書及三等秘書　仍在A組　不過屬於八級或九級而已。九級是A組最低品級。（8）有七八位二等秘書，論品級，甚至只能是列入B組的二級或四級。B組總共分爲八級；C組兩級；D組三級。

第二類『商務外交』人員　按品級分成六種，共約一百二十餘人。其級位是：（1）公使七位，屬A組四級；（2）參事二十一位　A組六級；（3）頭等秘書三十五位，A組七級；（4）二等秘書及三等秘書十四位　A組八級及九級；（5）頭等秘書十三位，級位屬於B組二及三級．（6）二等秘書三十三位，級位屬於B組三及四級。

第三類『領事人員』，依其品級可分列爲七項，其數約三百人。屬於A組四級者有總領事十四人，六級者約五十人，七級者有領事職三十六人。又有副領事六人，亦屬於A組品級的八至九。其餘各領事及副領事均屬於B組二至四級。

第四類『情報人員』約八十人，其品級是屬於A組者公使一位，列入五級；參事五位，六級；頭等秘書二十四位　七級。屬於B組三或四級者，頭等秘書十七位；又二等秘書三十三位，屬B組四級。

綜觀以上英國外交人事制度，其足令人深思者爲：（1）爲資格分類嚴密性，（2）爲其實事求是性（3）爲其職位與品級分別性。譬如副領事是領事職位中最小者，然亦可能級位列入與大使同級A組中。反之，一等秘書或領事職位雖均在副領事之上，然亦可能無資格列入A組而僅被叙爲B組中之二級，三級甚至低至四級。

英國是講究實際的民族　注重商業，航海業及國際情報，故其外交人事制度亦特分爲商業外交及情報兩大類專職人才。此點凡以海洋立國，應所深悉。

漫画天下

活動傀儡

莫斯科

寮

克爾：「走遠點不要緊。」

讀自由

要打破環境

馬五先生

據說，環境可以改變人的氣質，這話確具妥當性。

譬如島國之民，一般都是胸襟狹隘，眼光短淺，處處表現着多慾多枝　器小易盈的小丈夫氣派，日本人便是很好的例證。英國人如果不是以航海拓荒起家　殖民地遍佈於全球　曾經創進了所謂有太陽的地方即有英國國旗的大帝國生活，他們那種「紳士派」的氣質亦就不會存在，更不能養成「約翰牛」的民族性，殆可斷言。

咱們中國地大物博，秉有五千年的歷史文化，信乎其爲泱泱大邦，中國人的氣宇　應該比世界上任何民族都要恢閎豁達，有如國父孫先生那樣的風範　才可以自立自强，垂萬禩而不敝。可是，自從中原淪於賊寇，政府播遷台灣以來，迄今十餘年間，凡在朝在野的各界人士，無論立身行已或對事對人，總是一派渺小而虛憍的氣概。廟堂之士，但知唯唯諾諾，患得患失，絕少高瞻遠矚，大開大闔的政治家作風，更談不到公爾忘私，有所不爲的情操；闤闠中人，日唯孜孜汲汲於鷄蟲得失，愁貧慕富。然大家口裏又經常强調着革新戰鬥　復興國家之說　嘵嘵嘩咋，自欺欺人。最突出的現象　就是許多從大陸上逃難來到寶島的智識份子　其氣質竟視過去在內地時判若兩人，度量狹小　忮懻之心大作　天天默唸黨員守則和總裁訓詞　實際行爲卻背道而馳。這些人的知識　大多數都是學貫中西的，何以旅居寶島十餘年之後　就變了質呢？唯一的理由，即是受着環境的支配所致。

然則芸芸衆生之中，就沒有大氣磅礴，有爲有守的人物嗎？當然有。怎奈這類人在此島國環境之下，處處不合時宜，或屈居在下位，或曳尾於泥途，永遠抬不起頭來，得以暢行其志。如是乎積非勝是，以紫奪朱，乃構成了苟安一時，渺乎小矣的格局。今日要想改革政風、克奏反共救國之功，若不從改變知識份子氣質這項基本工作着眼，大澈大悟，身體而力行之，以期打破環境、改造環境　那就是文不對題的廢話而已。古往今來，幾曾見有以渺小狹隘的作風，而可以幹出大事業來的呢？

人事行政制度強化 空言無補貴在實踐

省農林廳人事主任一篇檢討 條理分明針對時弊值得參考

（本報記者熊徵宇台中航訊）（續上期）雷亨利說：「一廳屬機構似應調整者有五：一，以獸疫血清製造所為中心，充實畜產試驗所，以與農林、水產三試驗所平行，而成為完整之試驗體系。二，以茶業傳習所為中心，併各地試驗所為茶業改良場，配合實況為作業重點。三，檢驗局各分局之組織，急待重新修正。四，水產所併入水產公司是不合理的。該所新成立了水產生物系，而人員並未增加，很不合理。該所的重點業務，該着重於水產生物和漁撈的試驗研究，以及養殖的發展與加工的試驗，可以劃歸實驗加工廠。五，農業加工實驗廠的存廢問題值得考慮。」

他認為要求糾正行政機構各自為政的現象，必需加強設計與考核的工作，通盤策劃的修正組織規程和辦事細則。而要求機關業務的順利推行，首在要求人事安定，建立升遷制度，厲行人事公開。

他說：「技術人員的素質不能提高，原因乃在法令有空隙，致使沒有較深學歷的人員，依其年資勞績，竊據高位，而不能名實相符的担當高級技術人員的使命，而使大專畢業的青年學生列入低級臨時人員編制，相形之下，極不合理。居高位者不能指導下級，有才識者無法發揮其功能，形成人事上的死結。」

他認為：善惡是非的觀念，是人事行政的獎懲。而目前最普遍的現象，是機關裏看不到獎懲，原因是既無可「獎」，而又不敢「懲」。所以也可以說是缺乏善惡，沒有是非。所以他在自己的工作範圍裏，非常重視，在法治觀點上儘量去做：「公平審慎的執行獎懲，並不是為人事工作增加無形的敵人，而是間接地推進機關的業務」。

雷亨利在檢討書中說：「一個機關團體裏面，要想永遠維持蓬勃的朝氣，就必需要有公正的是非觀念，如果善為惡欺，是非混淆，則至君子道消，小人道長，形成多做多錯，不做不錯的觀念，於是唯唯諾諾，比比皆是。一般員工，屈己逢迎，阿諛所好；而少數不願同流者，亦必設法高蹈，明哲保身。虛耗納稅人對國家的貢獻，而不能負責盡職。」

他對人事的基本看法認為：「人事工作，包括人與事兩大因素。求人之得所，則心安而不藏力；事之得人，則事半而功倍。否則交互糾纏，必致人事兩蒙其害。但要求推行順利，則為機關主管之決心，人事幕僚　責其策劃。所以內部人事的成敗得失，應由機關首長負主要責任」。

雷亨利對於目前有些農林部門的研究機構名實不符提出很詳盡的檢討，並且提出「強化」的途徑。而認為，推行「職位分類」，旨在沖淡官吏思想，使每個人的精神都集中於工作的推行和研究上；而建立考核輪調制度，乃在加強人事活力。

這位從事於人事工作近十年的行政工作者，在他一萬多字的檢討書中，指出了當前人事行政的種種癥結，具體的提出各種可行的途徑，這在台灣省政府是很難見到的，實在可以作為修正現行人事法令的範本。

若如省主席黃杰所言「改善人事行政，切實建立制度」，這份檢討，更值得重視。我覺得，政府機關的官階等級，並不是建立在智慧上的，有時，卻正相反，往往一個小職員從實際經驗中所得的體驗，勝過判行通令的皇皇方案。而銓叙部，似乎也可以從這份檢討書中看出一些時弊，以人事行政體系的立場，提給地方政府參考。

我基於對省政的體認，覺得雷亨利所說的都是問題的所在。主管全省人事的單位，不妨找來看看，參考參考。（完）

省議員選舉功德圓滿

比以往確屬大有進步 若干枝節現象尚有待於改進

（本報記者昌文台北航訊）緊張了幾個月的台灣省第三屆省議員選舉工作，已順利的在四月廿八日完成投票。這次選舉，比之以往確屬很有進步，大致可以說得上是「功德圓滿」。不過，從這次選舉過程中，同時也發現有值得檢討改進的地方，有的是由於競選規則的不切實際，有的是由於候選人的越軌，當政府及各方面都一致聲稱要「辦好選舉工作」的時候，記者特就客觀所見，並綜合各方意見，將有待改進之點加以報導，作為明年縣市長縣市議員選舉的改進參考。

在本屆選舉之前，有關係的各項法規，遲遲未見公佈，非正式透露的規則，卻又是限制重重，以致引起許多不必要的猜疑。選舉不是臨時措施，政府何不事先提早準備有關法規？

本屆選舉法規的制定和執行方面，有人認為與「立法要寬，執法要嚴」的立法原則恰恰相反，變成了「立法過嚴，執法過寬」的現象。由於立法過嚴，引起許多批評和怨懟，過激的甚至指為是「控制選舉」，這些都是本來可以避免的誤會；由於執法過寬，使人生玩法之心，認為規定雖嚴，不過具文而已。如此一來，損害了法律的尊嚴，在定法時又遭到指摘，何苦來哉？所以，政府今後制定法規，應該從寬，但執行卻應從嚴，人民對法治的觀念和認識才會確實建立起來。

競選規則規定，候選人及其助選員之演講時間，地點或訪問計劃，應於二日前報備。演講的時間地點，屬於事先安排，及便於監察小組前往監察，在二日前報備，是做得到的事；至於訪問計劃，屬於游動性質，而且多屬於候選人拉攏票源的秘密，誰肯公開，致被「政敵」探悉？縱然勉強要求，報來的有幾分可靠性？所以，競選規定要求報備「訪問計劃」，因其實際做不到，儘可不必有此規定。

競選規則第六條規定，候選人之助選員應有一定名額限制，演講，散發名片，演奏音樂人員都限於候選人及助選員担任，助選員應佩帶頒發的標誌，否則應予取締。在候選人座談會議上，有候選人提議放寬限制，有候選人指出如有人與某候選人不睦，故意為他散發名片，故意使人發覺，因而處分某候選人，非他本意的他人行為，而要某候選人負責，會引起糾紛的。監察小組的解釋是仍要依法取締。可是事實如何，記者親見台北市的情形，有許多並未佩帶助選員標誌的人，仍在分發名片，登台演講，管理播奏音樂，在監察員面前走來走去，但從未見被取締。這種情形執政黨和黨外的候選人都有。似是監察小組已默認，放寬處理。既然如此，又何必訂法規？（未完）

北市選戰事後結算（下）

（本報記者吳越台北航訊）（續上期）陳重光的背後支持者，據說是代理台北市長的周百鍊，但得票率不高，有人因此說這可看出周百鍊的政治行情。開票結果，廣播電台的連續報導，他都是落選的，但最後被宣佈他得二三、〇八四票，僅五五票險勝黨外人士宋霖康而獲當選。

執政黨提名的陳愷，得票二一四二五票，另一位與他同屬福建籍的黨外人士張立中得一六三二九票，兩人合起來的票數是三七七五四票，足夠當選而有餘；所以，陳愷這次落選，可說是福建人「兄弟鬩牆」自己鬥垮了的。

陳愷和蔣淦生選前的危機，早就有人看出，甚至向黨部建議，要兩人中的一人退讓，集中全力支持一人，以便穩操五人當選的把握，否則陳蔣兩人都會落選。結果蔣淦生總算當選了，也算幸事。

執政黨外人士最初的協議，是推出楊玉城宋霖康出馬競選，但局勢不利時，宋霖康退出集中全力支持楊玉城，作「坐一望二」的打算（見本報三月卅日報導）。中途出於張詩經不滿高玉樹，力捧乃弟楊玉城的「自私作風」，出頭登記競選，進行干擾，後由高玉樹利用「春」「反間計」將張詩經的干擾計劃打破（見本報四月十七日報導），以致氣得張詩經遠飛日本。最後這一集團中便剩下楊玉城宋霖康兩人參加競選，郭國基王英石則是單獨行動。

楊玉城郭國基宋霖康王英石四人，後來組織一個聯合競選辦事處，聯合競選，辦事處的經費由四人平均負担（王英石經濟情況較差，可以七折出錢）。開始競選的幾天，四位候選人及其助選員，還能遵守約定，向選民演講時都是要求支持四個人。後來選戰越來越緊張，各人便只為自己活動了，聯合辦事處「名存實亡」。郭國基和高玉樹甚至互相攻擊，相互挖票，大傷感情。演講言論也有過激過火的地方。宋霖康算是風度較好的一個，沒有參加他們的相互攻擊，他的演講都以「民主，自由，法治，人權」為題，可謂雖敗猶榮。

高玉樹為乃弟楊玉城出盡了全力，為他助選，為他親自挨門送名片拜託，結果總算如願以償，楊玉城由市議會晉升入省議會。

宋霖康二十八日聽到電台連續廣播，說他當選為第四名，但選舉事務所後來宣佈他為落選，比第五名還差五四票，以致他認為計票有錯誤，要求重新核算。此為今次省議員選舉的第一案。

郭國基在一般人心目中，原認為再度當選已成定局，因為前兩屆他都是以最高票當選的。結果卻名落孫山。郭國基之未當選，雖然高玉樹說他的票源是「空氣票」，是靠製造空氣而來，有點跡近挖苦，但郭國基在台北並無固定基礎，卻是事實。這一屆有高玉樹積極為乃弟楊玉城拉票，他們的票又都同是靠演講刺激而來，票源相同，多數選民對郭的花樣也不感興趣了，郭國基自然要受影響而落選了。郭國基現年已六十四歲，下屆省議員選舉時他已達六八高齡，為選民服務已不可能，所以，這次郭氏不能當選，看來也就是他此生政治生命的告終。

至於另一位執政黨外候選人王英石，得票很少，且早被認定他無當選可能，然則他為甚麼還要出馬競選？據與他親近的人士透露：他競選省議員不過是為下半年競選市議員鋪路而已。

（香港與大陸）

搜刮外匯不擇手段 毛共公開敲僑眷 給錢便可離大陸

一位香港商人梁先生對記者透露：中共為吸取外匯不擇手段，愈來愈針對它在大陸的僑屬僑眷迫切希望「出國」的心情，實行向海外僑胞開刀，祇要僑胞在外付出一筆可觀的款項，便可保證順利領取「通行證」，「優先照顧出國」。

梁先生告訴記者：他一位弟弟最近由廣州市順利「申請」抵達澳門了。他弟弟原在大陸一家小學任教，兩年前因身體有病辭去職務，閒居在廣州，兩年間曾向所屬的「派出所」申請出國十一次，但都被拒絕批准。所以梁先生亦認為他弟弟無有被批准「出國」的希望了。可是，前一個月，他忽然接到其弟弟來信，謂不日將可批准來港，但懇求他付出六千元港幣，作為申請的「手續費」。梁先生為了救弟心切，且據說此六千元是「見貨」的，也就半信半疑的答應照辦了。

梁先生的弟弟的來信要他回覆一信，信上說明他本人所開的舖店地址，表示願意付出六千元，蓋以舖章，另在所指銀行存放六千元，便可批准。梁先生當時雖一切照辦，卻還並不全信其說，而祇是姑妄試之，豈知竟極為靈驗，僅約一個月，便在澳門與他的弟弟見了面。

梁先生說，他見到他弟弟後才知道這個辦法是共幹教他的。且不祇他，凡曾申請離境的僑屬僑眷，都被共幹通知，說是祇要申請人的海外親人願意付出一筆款項，經過一定的安排，便可得到優先「出國」。至於款項數目因人而異，據見是能敲多少是多少。他的六千元是經過討價還價的。

梁先生的弟弟還告訴他：這筆事情係由粵省中共黨委所負責辦理的，而由「華僑事務委員會」的「僑幹」跑腿，由此等「僑幹」直接向僑眷僑屬「招徠生意」，並講價錢。

梁先生的弟弟還告訴他說：此等「僑幹」為了「方便工作」起見，均持有類似委任狀的「工作證明書」，證明係由「省委會」派遣的。此等「僑幹」還極坦率的說明中共這樣做是為了爭取外匯，所以凡是曾經申請出國而被「暸解」為有錢的僑屬僑眷，已統統知道這種門路，至於所需的「手續費」，則因人而異，最少六千，其餘八千，一萬，甚至更多，海外親人的「身家」愈大者，「價錢」便愈高。（敬斯）

讀王道著「美國的迷惘」

熊徵宇

提筆談這本書的時候，我想起兩年多前的一段往事。那時我在李萬居先生主持的公論報担任省政新聞的採訪。有一天晚上，我接到台北報社打到台中的電話，李社長要我去看王處長。

我照約好的時間到新聞處，見面就說：

「李社長要我代表他來對你表示歉意。爲我們報館的事，使你丟了官。」

「哪裏的話……」他堆滿了笑意地說：「我爲你們報館對『雷震案』的言論，還照出版法警告兩次哩。」

「再一次警告就要關門。」

「像自由中國半月刊？」

我們說着，相顧而笑。

那是個初夏的晚上，我發現他身上那件麻紗香港衫的領子是破的。我笑着說：

「你給美國國務院請去訪問，怎麼忘記帶兩件衣服回來？」

他迎着燈光看看身上。我指指他的上身。他恍然有悟的摸摸頸子：

「忘記了。」

「兩個多月的時間，不是可以想起很多事？」

「不注意的事，兩年也想不起來。」

「那麼你注意的……」

「當然很多。」

於是他就談起訪問美國的很多觀感。說：

「現在正好。新聞處長不幹了，可以寫書。只是份量太重，不曉得寫不寫得好？」

「像你十年前寫的那本『反攻論』，不是還是很多人在找麼。」

我告別時，已近午夜。皓月當空，市聲寥落。我回憶和這位新聞處長相處的愉快，覺得他的爲人，像這夜色一樣：清澈而明朗，平靜而深邃。祝福他能把對美國的看法，不保留的寫出書來。

似乎是去年的夏天，本報社長雷嘯岑老由港來台。我隨嘯老到西門町的「國光」吃飯，恰好碰到王道。於是我們在咖啡店談了很久。我曾偷偷問他書在寫沒有？他說剛動筆。叫我不要告訴嘯老。怕那書將來見不得人。

想不到時隔一年多的現在，他的書不但見了很多人，而且在發行不到兩個月的時間內，這本書已經在印第三版。

只要了解台灣情況的人，都知道一下子銷近萬冊的書，是近年來少有的。中英文各報紙一致讚揚固然影響讀者。但我覺得，主要原因還是這本書的內容。

這本書的主要精神，乃在指出：共產黨影響今日世界局勢的基本路線何在？在這核子時代中的戰爭是怎樣在變換他的形式和內涵？自由中國在這偉大的時代中担任一個怎樣的角色？乃至於世界大戰將怎樣打？美國在近二十年來如何在共產敵人的面前迷惘？

不祗是提出了新的觀念，而且可以說是幫助美國和愛好自由的人們，對於共產黨作進一步的了解。充滿了檢討與研究。

尤其是對於自由中國目前的處境和願望，提出求生的意志與求犧牲的精神，代表自由中國的朝野，說出了生成和毀滅。說明我們面對自己和人類當前的命運，致於像尼采所說的：咬下永久循環的「蛇頭」！

有鐵的嚴肅和死的戰慄，乃至於死的大寧靜！

如同鋼的籠箍上紮着一封信，投射給美國朋友和這時代的一個信訊！一份見證！

評論這本書的朝野人士很多。我所寫的，只是我讀後的觀感。（一）

天南風光

——沙羅越的歷史——

朱淵明

那時人民多躲入山巴闢地種薯，或種蕉，以苟延殘喘，日軍自無法深入山地與民爭食。於是乃利用可耕之荒蕪地區，以種糧食，藉以自給，結果大大失敗。隨即由三井農業株式會社，總管各地農場，是以全邦沿海一帶可耕之地，均被徵用無遺。

日軍在平時即盡量搜刮物資，以供軍用，如布疋，棉織品，藥品等，尤其是米糧，原早已絕跡市場，自運輸艱困後，黑市物價遂日益飛漲，日軍也輾轉向黑市爭取物資，一面利用奸民搜求，經費不足，乃濫發紙幣，起初發行的尚有號碼，但到後來，便將號碼取消，紙質和印刷也愈趨愈劣。日軍印了多了紙幣，人民當然不知，恐怕連他們自己也不知其確實數額。眞是荒謬之至！

到了戰爭末期，人民生活更趨艱困，有許多以樹皮來代替衣裳，因爲沙邦原不產布，布疋來源早已斷絕，無論市場或黑市，縱有錢也買不到之故。若干人則吃硝莪粉度日。

一九四五年三月初，有一批聯軍飛機到第三省的詩巫來掃射，這使沙羅越的內地人民，都明白了日軍已成強弩之末，聯軍反攻，若已在望，故生活雖極痛苦，也很焦急的企望着。

一九四五年五月八日德國投降、聯軍得集中太平洋以應付日軍，七月廿三日波茨坦宣言令日軍無條件投降。而沙羅越方面，聯軍已到達與北婆交界之納閩島（Labuan）遂以該島爲根據地，聯軍的降落傘部隊即乘機降落於拉讓江上游加帛一帶。這在當時，日軍並不知情，而加帛一帶人民，自也不會通知日軍。因日軍所至之處，莫不驕橫萬狀，對人民百般殘虐，充分暴露出他們原始野蠻的侵略本質，這在政略上說，早已註定失敗，儘管它以東亞對付歐美，有色人種對付白種人相號召，也等於零。尤其是到了沙羅越這個地方，因爲沙羅越原是白種人布律克純以善良的動機，所創造出來的一個新的邦國，幾曾見這種狂妄殘暴的所謂「皇軍」作風！（五三）

報人普立茲傳

汶津譯

「匈牙利。我父親兼有馬格亞和猶太血統。我母親是德國人。我是一個天主教徒，因爲母親希望我如此。」

那士兵曾經到過布達佩斯。「我很清楚那個城，」他說。「眞美！那些沿街的樹木和那流經布達和佩斯之間的達努伯河——」

突然之間熱淚盈滿了約瑟夫的眼眶。那士兵的話使他憶起他年少時的愉快生活。那人看出這男孩眉睫間的傷感。「你幹了些什麼，孩子，逃出來的？」他柔和地問。

喜出望外地找到一個懂德國話的人，約瑟夫告訴他自己的故事。他說到馬克斯·巴勞和他可愛的母親。他開始解釋他到美國的理由。他興奮不已，他的話語奔瀉而出。但是那士兵並沒有什麼興趣，他用一個命令截斷了那故事：「在這裏簽名！」一張文件放在孩子的前面。約瑟夫開始寫他的名字，然後抬頭看那個人。唔對了，他記得了。他等了一會兒，因爲他想到自己有權得到的五百塊錢。他該開口要嗎？也許這士兵在每個從軍的外國孩子身上賺錢呢。唔，如果任何人能從這椿交易上得到鈔票，那只許是約瑟夫自己。

「我的五百塊錢怎麼說？」約瑟夫神經質地說。

那士兵的沉重的臉轉變成暗紅色。「五百塊錢！」他的嘴巴張得大大的。這孩子對錢的要求驚住了他，他無辭可對。「什麼——你知道五百塊錢？誰告訴你——我以爲你才從船上下來——」

約瑟夫知道他沒有弄錯。那士兵的突然的震怒和他的話語證明了這點。

「我在拿到五百塊錢之前決不簽字。要去打仗的是我，你憑什麼拿這筆錢？」約瑟夫向門邊走去。

那士兵收攏了帶怒的言語，並叫住約瑟夫。「好，你拿錢去，孩子。」他把手放在約瑟夫肩上。「我只是開開玩笑。當然你拿那份錢。當你去履行任務的時候，我將坐在這溫暖的辦公室裏。別以爲我會拿一個像你這樣的新兵的錢！」

不等到錢到手，約瑟夫不簽字。

「現在，照我說。」那士兵命令着。

一種喜悅與驚奇之感流注着全身，當他宣誓成爲一個林肯騎兵隊的剎那間。

那士兵繞着桌子走過來，站在約瑟夫面前。他的兩隻大手合在一起，像是要打架的樣子。他的臉上流露出一種暗晦而卑鄙的神情。他粗重地說：「現在，孩子，你正式加入軍隊了。我要教你別騙我！」拍！重重的一巴掌打在約瑟夫的臉上。「我要教你服從長官們的命令！」又一巴掌打在約瑟夫的腦袋邊。「你不用敢在接受命令時回嘴！這可以給你一個教訓，讓你知道每當你忘了它就會管到些什麼！」那堅硬的手又打在約瑟夫的臉上。又驚怕又無助，而且不能置信這一切，約瑟夫痛苦地倒下，雙手和膝蓋撐地。（五）

瘟君續夢

第八回：擊戾實堪驚　片言毀約
脫靴終自誤　衆志成城

阿、古的外交活動結束，越共勞動黨又召開第三次大會，毛澤東對這件事更爲重視。自從中共與蘇聯鬧翻之後，亞洲的共黨國家只有北韓站在中共一邊，越共雖然袒護中共，但始終持模稜兩可的態度。毛澤東知道這次越共大會，蘇聯一定派人出席，就想在大會上迫越共攤牌。不過，派什麼人去主持這場鬥爭，倒頗費躊躇，在政治局常委會上，毛澤東首先提出鄧小平要他率領一個代表團去河內出席越共大會。

鄧小平搖頭說道：「我去不合適，假若我們要爭取越南勞動黨的全力支持，就要針對當前情況，派出主管經濟事務的同志前往。」

毛澤東問道：「你這些話是什麼意思。」

鄧小平笑道：「主席同胡志明相交幾十年，應該曉得他的脾氣，這個人一身都是油，想抓牢他實在太難。自從我們同蘇聯發生歧見，他私下裏總是說站在我們一邊，可是，一到了公開場合，他就要滑頭，若非閉口不言，就是說些不着邊際的話。過去，一直把他當成老滑頭，只是一種膚淺的看法，骨子裏他是待價而沽，那方面給他的援助多，他就站在那方面，蘇聯可能還未看出門道，雖然不斷派人到河內去，結果還是勞而無功。我們應該抓緊機會，這次一定要搞出眉目，遲了恐怕要輸掉一個棋子了。」

毛澤東連連點頭：「小平同志的話很有道理，分析得十分精闢，只是，經濟部門派誰呢？陳雲不便派，李富春只要說三句話不咳嗽就喘，派了去也沒有用處。」

劉少奇笑道：「富春同志患的是長遠病，一時也死不了，到北越去的主要任務，只是簽訂援助協定，歷來都是他經手，更駕輕就熟。至於向大會致詞，只要書記處擬好演講稿，讓他照讀一遍就是了。」

毛澤東點點頭：「這話到也不錯，就派痨病鬼去出一次風頭吧！」

周恩來說道：「最好軍事方面也派一位，到河內談談軍事援助問題，尤其是老撾方面，將來要仗北越軍隊出頭支撐的。」

毛澤東說道：「就派葉劍英去好了，他同武元甲有過長期交往，擬訂任何計劃都比較方便些。」

周恩來說道：「我想不如加派廖承志一道去，因爲同東南亞各國兄弟黨的聯絡，實際是由他負責的。」

一切決定之後，就派李富春爲出席越共第三次大會代表團長，葉劍英，廖承志爲副團長，浩浩蕩蕩開向河內。

蘇聯方面也十分重視這次會議，派出書記處書記阿里斯托夫爲代表團長，飛河內參加會議。

李富春比阿里斯托夫先到一天，當晚和越共政權總理范文同，人民委員會主席長征，越共總書記黎筍開了一次會議，不出鄧小平所料，范文同果然開門見山提出援助問題，李富春雖然明白中共實在背不起包袱，但是，毛澤東派他來就是專誠送禮的，假若送不掉回去一定要受處分，當時就一口答應沒有問題。不過，李富春也提出反要求，就是在這次鬥爭中，越共一定要支持中共立場，共同狙擊修正主義。（二〇一）

談古硯

中國古時文人用物，以文房四寶爲最要，四寶分類，即紙墨筆硯。因爲用毛筆應工，所以硯爲特要。國內産硯石之區不多，惟有廣東高要縣端溪所産的「端硯」，安徽徽州婺縣龍尾山連武溪所産的「歙硯」，又有以漢瓦當背面作硯，更有山西絳縣（薛仁貴故鄉）人製的澄泥硯。或云南通亦産澄泥硯，多數是以蘇州靈岩山礓石村石來爲充的。若論品質，自以細潤而發墨的端硯爲上，所以極爲名貴。在帝王時代，每年必採製若干塊，送入內廷，以備中式的舉子，作爲恩賜的賞賚。因就地取材，産量較多，硯質更好，因此名傳古今，以端硯爲第一。

硯之功效，凡端歙漢瓦澄泥，皆是注水而未磨用，則硯眼淸水，歷旬日而不乾。更其如用好墨，則所寫的字，所繪的畫，皆可發光。唐宋元明的字畫，傳至今日，幾近千年，而墨色殷然，並未褪色，皆在好硯好墨所奏功。端歙漢瓦，名稱殊多，文房四譜一書，詳載無遺。玆記澄泥之名稱，有鱔魚黃，綠頭靑，玫瑰紫等，其黃上有斑點，大者名豆瓣砂，細者爲菉豆砂。據古硯考載云：絳州澄泥，唐人硯品，列爲第一，今人罕見矣。如此可知，澄泥品質以晉爲最佳，其他所製者，皆不免多粗燥，可知難矣。

憶玉軒雜綴

民十三，馮玉祥以拔除帝制禍根爲辭，逼走溥儀。他們倉皇逃入南河沿醇親王府，變服改裝遁往東交民巷日本使館。宮中遺物，率被擄掠。未及一月，琉璃廠各店發見了許多其光潤如鏡的古硯，有三百餘塊，且嶄新未經使用。先君以偶遊廠甸，斥三十金購得一端硯，其狀則硯頭有如魚首，注水入池，其眼即發出水氣。同時財部同人約購三十餘方，有龍形，有虎頭，有蝦蟆，有蚌殼，更有雙龍搶珠者，價值百元。其妙在一經用墨，用罷約用水洗，即淨潔無垢，不須抹擦。

嘗聞庭訓，先祖在翰苑時，聞說每年賞給翰苑，約近二百方。民十七，先君歸海上，有畫家看藏硯，願納貲三百元以易之，未曾恝然相讓。其後先君於抗戰時病卒，父執蔡遐厂堅主以硯殉葬，置放棺中隨同入土，此吾家於硯僅有之一事，併以附述。

南宋偏安有人才

——韓世忠

李仲侯

紹興十一年，兀朮恥順昌（安徽阜陽縣）之敗，復謀再入，詔大合兵於淮西以待。旣而敗於拓皋，（鎭名，在安徽巢縣西北）復圍濠州，（鎭名，在安徽壽陽縣東）世忠受詔救濠，以舟師至招信縣，（在安徽盱眙西五十里）夜以騎兵擊金人於聞賢驛，敗之；金人攻濠州，五日而破。破三日，世忠至，楊沂中軍已南奔，世忠與金人戰於淮岸，夜遣劉寶泝流，將劫之，金人伐木塞赤龍洲，扼其歸路，世忠知之，全師而還。金人自渦口渡淮北去，自是不復入侵。

世忠在楚州十餘年，兵僅三萬，而金人不敢犯。秦檜收三大將權，四月拜樞密使，遂以所積軍儲錢百萬貫，米九十萬石，酒庫十五歸於國。世忠旣不以和議爲然，爲檜所抑，及魏良臣使金，世忠又力言：「自此人情消弱，國勢萎靡，誰復振之」！北使之來，世忠乞與面議，不許；遂抗疏言檜誤國。檜諷言者論之，帝格其奏不下。世忠連疏乞解樞密柄，繼上表乞骸，十月罷爲醴泉觀使，奉朝請，封福國公節鉞如故。自此杜門謝客，絕口不言兵，時跨驢攜酒從一二奚童縱遊西湖以自樂，平時將佐罕得見其面。十二年改潭國公。顯仁皇后自金還，世忠詣臨平朝謁，后在北方聞其名，慰問者良久。十三年封咸安郡王，十七年改鎭南武安寧國節度使，二十一年八月薨，進封太師，追封通義郡王。孝宗朝追封蘄王，謚忠武，配享高宗廟庭。

世忠初得病，勅尚醫視療，將吏臥內問疾，世忠曰：「吾以布衣，百戰致位王公，賴天之靈，保首領歿於家，諸君尚哀其死耶」？及死賜朝服，貂蟬冠，水銀，龍腦以斂。世忠嘗戒家人曰：「吾名世忠，汝曹毋諱忠字；諱而不言，是忘忠也」！世忠性戇直，勇敢忠義，事關廟社，必流涕極言。岳飛冤獄，舉朝無敢出一語，世忠獨攖檜怒，指斥備至，極言其冤。又抵排和議，觸檜尤多，或勸止之，世忠曰：「今畏禍苟同，他日瞑目，豈可受鐵杖於太祖殿下」！時一二大將多曲徇檜苟全。世忠與檜同在政地，一揖外未嘗與談。世忠嗜義輕財，錫賚悉分將士，所賜田輸租與編戶等。世忠持軍嚴重，與士卒同甘苦，器仗規畫，精絕過人，所傳克敵弓，連鎖甲，狻猊鍪，及跳澗以習騎，洞貫以習射，皆其遺法也。嘗中毒矢入骨，以強弩括取之，十指僅存四，刀痕箭瘢如刻劃。而知人善奬，用成閔，解元，王勝，王權，劉寶，岳超起行伍，秉將旄，皆其得力部曲。解兵罷政，臥家凡十年，澹然自如，若未嘗有權位者。晚喜釋老，自號淸涼居士。（四十八）

說夢

漁翁

人在睡時，依據身體內外之刺激，感覺中惹起半意識之狀態，謂之「夢」。古人多視爲不可思議之事。近代科學昌明，依哲學及生理學之推測，謂夢之成立，由感覺中樞之神經細胞，因睡停止作用，蓄積精力，故腦髓之一部分興奮甚強，影響於血管，使血液集於其處，而成幻象及錯覺也。

試以古人之所夢而證之，有不期然而果驗。如黃帝夢大風吹天下塵垢皆去；又夢人執千鈞之弩，驅羊萬羣，帝寤而歎曰：風爲號令，執政者也，垢去土，后在也，天下豈有姓風名后者哉！千鈞之弩，異力也，驅羊萬羣，能牧民爲善者也，天下豈有姓力名牧者哉！於是依二占而求之，得風后於海隅，登以爲相，得力牧於大澤，進以爲將，黃帝因著占夢經十一卷。

杜牧文：「呂傅得於夢卜」，謂殷高之於傅說，得之於夢，周文之於呂尙，得之於卜也。文王夢天帝，服元纁，以立於令狐之津，曰：賜汝望！文王再拜稽首，太公於後，亦再拜稽首。文王夢之夜，太公夢之亦然。其後文王見太公而詢之曰：爾名爲望乎？答曰唯，遂與之俱歸，以爲卿士，故名爲太公望。見周志。

孔子兩楹之夢，見檀弓。唐明皇自言夢見太上老君，宋眞宗與其臣皆言夢見神人，雖散見於羣書，而其理玄妙不可解。

墨莊漫錄云：「東坡先生知揚州，夢在山林間，猛虎來噬，公方驚怖，一紫袍黃冠以袖障公，叱虎使去。明日，有道士投謁，曰：昨夜不驚畏否？公曰：『鼠子乃敢爾！吾本欲杖汝脊，豈不知汝夜來術耶！』道士駭惶而退」。足見東坡之聰明過人處。南史載：江淹少時，夢人授五色筆，由是文藻日新。後宿於冶亭，夢一丈夫，自稱郭璞，謂淹曰：吾有筆在卿處多年，可以見還，乃探懷中，得五色筆以授之。自後爲文，絕無美句，時人謂之才盡。又據開天遺事：李白少時，夢筆頭生花，自是才思贍逸。果詩文得之於夢中者爲尤妙歟！

凡婦人生男者，曰「夢熊」。詩云：「吉夢惟何？惟熊惟羆，大人占之，惟熊惟羆，男子之祥」。言夢見熊羆者爲生男之預兆也。又名「夢蘭」，鄭文公妾燕姞夢天使與己蘭而生穆公，事見左傳。今言婦人有身曰夢蘭有兆，本此。李賀詩：「移燈想夢熊」，庾信詩：「今朝得夢蘭」，本此。

李白春夜宴桃李園序，有「浮生若夢，爲歡幾何」語，以表示光陰如百代之過客。唐盧生客邯鄲，遇道人，時主人蒸黃粱，一睡由娶妻生子，成進士而爲宰相，垂數十年，及醒，而黃粱尙未熟，後人稱爲「黃粱夢」。又以其在邯鄲所爲，一名「邯鄲夢」。人世之事，可作如是觀。

日之所思，夜則凝結而爲夢，謂之「夢想」。漢光武曰：「夢想賢士，共成功業」。心有所思，精誠入於夢寐者，謂之「夢魂」，李白詩：「夢魂不到關山難」。在釋家喻夢爲空虛，所謂一切有爲法，如夢幻泡影，如露亦如電。與蘇東坡所詠：「空裏浮花夢裏身」，一轍也。

古人言夢，雖有時而驗，但百不得一，日思夜夢，而成爲幻象者多。筆者客港，凡十三寒暑，無日不望國思家，亦無夜不在作夢，夢還故鄉，妻子歡樂，親朋喜笑。待且醒來，猶在天涯海角，作夢歸一首：「十年卜築荒郊下，此地夕陽容易斜。投筆有懷期報國，臥薪無夜不還家！重逢妻子團圓樂，更見親朋笑語譁。待且醒來惟一夢，蒼茫猶是在天涯。」

談武夫衛立煌

諸葛文侯

海嶠舊談薈

曾任國民革命軍總司令部副官處長暨平漢鐵路局長的何競武，原係衛立煌的貧賤之交，亦是他的恩友。民國十七年革命軍總司令蔣公二次北伐時，擬派何氏担任蚌埠警備司令，何力舉衛氏以代，說衛是安徽人，人地相宜，且驍勇慣戰，才堪大用，這時衛不過是某部隊中的一名下級官而已。從此兩人交誼彌篤，患難與共。衛亦靑雲騰達，顯赫一時，在大陸未淪陷以前，往來固極親密也。

毛共竊據中原後，何競武攜家卜居台灣，衛氏逃難香港，彼此亦有書信往還。民國四十年秋間，何由台灣來港旅行，到港之日，即以電話與衛聯絡，告以下榻之旅店，並謂征塵甫卸，擬事小休，明日再行走訪。暢話別後。何氏預料衛氏即夕必來旅邸相晤，但告失望。次日午後乃赴衛宅叩訪，閽者言衛已赴寫字樓，何將其寫字樓地址記下，廢然而返，心裏不無異樣的感覺了。第三天上午，何氏專誠赴衛氏寫字樓「香港華人行」五樓訪問，剛踏進電梯，即見衛亦在人叢中，即忻然呼喚道：「俊如，我來看你的！」衛漫應之，意態殊淡漠。迨電梯升至二樓稍停時，衛急掉頭走出。何氏猶以爲彼或因事須在二樓有所接洽，仍坦然直上五樓，比至其公司門口，回首覩衛氏施施從梯次步行拾級而至，狹路相逢，無可閃避，祇好招呼入內，在晤談中，何氏表示故人久別重逢的愉悅心情，而衛竟木然似初識之狀，唯唯諾諾，別無他語。此時何氏乃認定衛從二樓走出電梯，潛行登至五樓，旨在躲避老友，其行可鄙，其心可誅，即與辭告退，巡往當時僑居海隅之國府軍政要人熊某家，憤然訴述前情，痛罵衛氏不是東西，謂將向新聞記者宣佈衛氏若干醜事劣迹。熊某急加安慰，相約訂期在其寓所歡宴，邀衛氏前來當面解釋誤會。

屆時衛偕其少艾韓權華同來，坐席未煖，何以滿腹牢騷的激動心情，歷述過去替衛幫忙的種種情事，如數家珍，且問衛氏是否屬確？倘有誣枉之處，不妨當熊某面前，據實駁復之。衛俯首無辭，但謂他在公司未能殷勤招待何氏，乃當日適染小疾，精神不佳所致。何謂：「你不必狡辯，實係害怕我來向你伸手借錢，因而避之若浼。我現在當衆聲明：何競武縱然在台灣餓死，亦決不向你借一文錢。但我要寫本書，把你一生的醜事穢跡，詳細告訴社會人士哩！」衛婦韓權華插言道：「何先生寫書，該不致把我亦寫進去吧？何先生不看我的情面，亦希望念在跟家兄的交情，稍留餘地。」蓋韓氏有兄服務銀行界多年，亦與何氏有深交也。何答道：「爲着我與令兄的關係，將來可以不涉及你。」如此詬誶一場，飯後衛亦並無疚歉表示，嗣是兩人實行絕交，死而後已，其涼薄失態，乃至於此！（中）

梁敦厚事蹟

吳文蔚

四月廿四日，匪軍衝入太原市區，敵我進行極慘烈的巷戰，城內着火千餘處，形成一片火海，幾垣廢墟，不忍卒睹。這時候，梁氏復向閻將軍報告了最後的一電，即命其副官白光榮，將浸過汽油的木材，堆在東花園的鐘樓旁邊，復囑白副官速作緊急措施，於是梁氏當匪軍進入綏署週圍，綏署侍衛隊同時務圖奮勇抵抗，與匪進行慘烈的肉搏戰時，梁氏便將閻錫山將軍配贈的自殺藥水，吞服成仁了。

梁氏死後　梁之白副官即將梁氏屍體縱火焚化，而白本人亦吞藥自盡。梁氏壯烈的確實踐了閻錫山將軍——死屍不與共匪見面的訓示。這一幕悲壯齊天的事蹟，實奠定了中華民族在反共戰爭歷史上的浩然正氣；光耀萬丈，與世永垂！

共匪佔據綏署後　曾大肆搜索，到處尋覓，終於在灰燼中，尋得梁氏水晶圖章一枚　腿骨一塊　至此，匪才斷定梁氏自殺火化了。（七）

內僑警台報字第〇三一號內銷證

自由報

THE FREE NEWS

第三三八期

每份港幣壹角　台灣零售價新台幣壹元

社長：雷嘯岑

20 CAUSEWAY RD. 3RD FL. HONG KONG

TEL. 771726

台灣分社

由英國外交人事制度論我國外交人才選拔（下）

吳本中

我國本太平洋東岸最大國家，與美國隔洋相望，前途亦在海上。尤其現政府遷居台灣，有遠見者，早應注意航業，國際商業及情報；而此項外交人事卽不能不早爲之謀。又領事人員與外交人員，性質終有不同處，在英國除受外交部直接管轄外，亦受海外貿易部和交通及民航部指令。此亦英人重實際行政之處，而爲吾人所應學習者。

關於英國外交官考選制度：A組應選者年歲限二十歲半以上，二十四歲以下，資格是必於考選當年已獲得被政府承認的大學之優異獎或至少有「二級榮譽獎」（Second Honours degree）的學歷。考選的程序是先經過一項筆試及一種外國語的口試。過此第一關，然後始正式面對英國著名的「文官遴選委員會」的嚴厲考選。這個機關爲對外交官考試的鄭重，安靜與不受一切打擾起見，本來是在鄉下一所極僻靜園宅工作，現移在倫敦之一靜居。此委員會主席須一位已退休而年高德卲絕對公正可信的高級文官，輔以數位在職文官及心理學職業專家，外加一位借用的外交人員。此考選互三日之久，把入試者分別考試。應試者先被分成『組』，每『組』又分爲兩小『組』，每小組由『遴選委員會』派委員一人爲主席，外加『觀察員』一位及心理專家一位。全部考試包括以下數種測驗：1口驗；2筆驗；3個別單獨詢問。而每種測驗所考核者爲：（一）純粹智慧之測驗，（二）實務幹才的測驗。前者是品定應選者的天資與學問，後者是評判應選者的性格與能幹及實際行政管理等才能。他們是經過有科學系統的多次測驗，每一應選者單獨被主席，觀察員及心理專家屢經考驗而不爽者始有希望過得此關。蓋此三日的測驗結果，僅考試程序之主要一部分；此外尚須詳細考核其以往學業記錄及大學負責特別報告書。再未落選者，方能受最末的考驗，接受另行特別組織之「最終考選委員會」之評判。這個『最終考選委員會』係由英國全國文官遴選委員會的第一委員親自作主席，再邀多位全國工業界代表，大學代表，工會代表，現職文官，以及外交部現職及退休的幾位高級官員，任委員組成之。在這種如我國古代殿試考翰林，狀元，那樣隆重的典禮下，依據無可否認的明顯證據，全體評定最後分數，選最優者若干名，而公開鄭重、正式、宣佈被取名單。

且也，此非言被選者可平安保險作大英帝國外交官。他們尚須經過三年之久的試用，考驗滿意後，始能正式被政府委任。這三年『見習期』的關口再通過　他們纔確是英皇陛下的堂堂外交官了；初時品級是A組第九，職位是三等秘書。至於B組的人員及C，D二組，其考選又大與A組九級的人員不同。因其不如A組的重要。此短文內無暇論及。

英國外交人員考選制度，縱然如上所述之公正，嚴謹，愼重與精密，然此並非意謂所有經過考選成功之職業外交官，如能循規蹈矩，不犯嚴重錯誤，終可於退休養老前，登外交官系統之高峯也。蓋縱然是十全十美的職業外交官，亦不一定可使於四方不辱君命。艾登外交人事改革優點之一，係革除英舊外交界高級外交官『臃腫病態』，很長一張『候補名單』常使有爲外交人員望而灰心，不知何年何月補上。故英職業外交人員，到相當時期，其才幹不足以負使節重任者，退休而接受養老金，幾出於强迫。此所以對新陳代謝，注入新血，長保生氣，不使一個使館變成養老院，外交部是自己職員獨佔專利公司也。『外交』本來是一國政治的對外的延長與表現，所以外交使節乃是政務官　職業外交官並不一定均可升爲公使或大使。現代國家大體如此。法國外交人員考選，在筆答上似最難，無論是他們所辦的『大競選』（Grand Concours）或『小競選』（Petit Concours），均是一種最艱苦的考驗。且競選者人數過多，而每次徵選定額不過五位而已。比較上，英國的外交官考選是重實際而不似純學院取士者。美國制度雖亦嚴，然似比較簡易；好處是引起青年人作外交官的興趣。因美國比較無法爲新重國，又兼工商界富裕，有爲青年不一定願擠入外交界爲公務員也。

他山之石，可以攻玉。上述現代外交先進國制度，無他，不過吾欲貢獻於自己國家參考與採擇，而眞能革除積弊，確切實行一種良好外交人事制度與外交人才選拔規範，終且英才輩出，在世界外交舞台上創出輝煌記錄也。

茲不自揣愚陋，復貢芻蕘如下：（一）應速組織一『高級外交官選派諮詢委員會』，聘五人至七人屬於全國資歷最高學識最深　外交經驗最豐富者充之。譬如現任國際法庭大法官顧維鈞博士，大主教現兼任輔仁大學校長之于斌博士，考試院副院長前駐德大使程天放先生等；遇政府擬派使節之先，以密擬候補三人名單，徵詢其寶貴意見，或請其另舉適當賢能，秘密經行政院長審閱後呈元首令派。顧少川大使歷任我國駐英，美，法等大國使節，精英文，諳法語，又曾主持近代世界最重要國際外交大會，現雖然身份是國際公務員，但以國事秘密諮詢之，當無不可。他的意見，應必值得政府的重視。予野聲總主教不時周遊列國，精通法，意，英諸國文字與文化，每抵一國，景仰之人萬頭擠動，數我國國民外交勝利者，無出其右。他是宗教家亦政治家。對我國外交及國內外外交人員極熟悉，他的寶貴意見亦不能不徵詢。這兩位先生，地位超然，是最可貴處。程天放先生代表我國考試權，亦爲國際法學會中國主席，兼爲外交先輩，有特長及經驗，亦中國所稱年高德卲，必能公忠爲國，備政府諮詢，以選拔第一等外交英才。上數賢亦不過學例，備考而已。五人至七人必不難聘得，保持單數，用得察多數意見如何，爲元首定奪之準繩。

（二）現外交部組織擴大後（其實因環境需要隨時應改善與擴增），應遠即擴充及改善我國外交人事及考選制度，並眞誠實行之。如此方不致有外形而無實質，具骨架而無血肉與靈魂。國人動曰『職業外交官』，其實能混入外交部者，焉可竟稱爲職業外交官！這往往是魚目混珠投機取巧而起家。試問未有實行一種完善外交人事制度與考選，頗人情或政治勢力而潛入外交部者，如何能算是『職業外交官』，很不是濫竽充數，『外行外交官』而已。在外交人事上他們的功用是『劣幣驅逐良幣』，盤據外交部以至於老，於死，使眞學過外交，眞有外交才幹與經驗者，往往被嫉視，被排斥而造成外交人才之不景氣耳。斯不亦國人及謀國者所應亟加痛改者乎？

（三）現外交部職員，無論其在國內或國外，位高或低，均應該逐漸以分期，按比例別加嚴格調整，『審別』與『淘汰』不符者，合『革新』的精神，不客氣加以整飭。再吸引新血，必使我外交界渙然一新，如生龍活虎，方可應付世界外交堅苦戰爭。十餘年在外逛覺或老而辭退休者，不能借口託辭，仍令其永在外洋作寓公；成績平常，久而無建樹者，便可以回家休養老，政府應設立一特別『外交人員調整委員會』，選超然外交界，大公無私，正直不阿者組成之。如英國之外交考選委員會，由考試當局及各界代表爲主要人員，而請外交部一二人員副之或備諮詢而已。

總之，刷新我國外交界，建立堅强優良的外交人事制度與考選，應爲現時我政府的第一要務。當今之世，一國外交制度不健全，這種對外的機構尚未改善，即其國政治大有毛病，一切恐均徒託空言。所謂『進步』者，表面而已；所稱『改善』者，詞令而已。此吾欲復興中華者所應深戒也。

漫畫天下

南施

前途暗淡

找錯對象

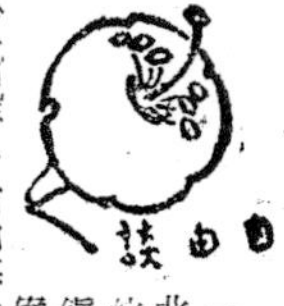

自由談

轟動一時的台北地方法院法官王鎮被刑訊案，本報台北記者曾有內幕性的通訊報導。王鎮犯罪的事實是否眞確，自應依法訊理裁判，我們毋庸置喙，所可注視者，在彼不在此也。

受賄瀆職案件，並非屬於軍法審判之列，台北高等法院檢察長爲甚麼核許將王鎮移送治安機關偵訊呢？若因王鎮在法院狡展不肯供認實情，不得已乃有此借助於治安機關的處置，那就是表現法官無能，且默許對犯人不妨採取逼供的非法手段，這證明所謂司法獨立與保障人權之說，盡係自欺欺人的瞎扯淡。依此類推，各級司法機關根本可以撤消，把一切民刑案件皆歸治安機關受理好了！似此太阿倒持，教猱升木，我認爲治安機關是否有「刑求」行爲的問題尚屬次要，法院本身溺職丟人，損害法治國家信譽這問題很嚴重。不知尸位法曹最高層的袞袞諸公，作何感想？

知法犯法

近年來官吏瀆職受賄的事件，時有所聞，而以法官爲特甚，動則貪贓鉅萬金錢，前有高嵩案，後有王鎮案；膾炙人口，驚震一時。世人總以爲警察與稅收吏容易犯這類罪行，然事實證明法官纔是中華民國最大的貪官污吏！這表示現階段法界官吏的品質低下，操守惰落，孰爲爲之，孰令致之，決不能歸咎於待遇菲薄，其本原因是「訓練」失敗，所謂法官訓練所之類的官辦教育機關造就出來的人才，除卻擅長鬧派系，搞小組織以外，其餘不足觀也矣。這也難怪，官吏固不宜、亦不能負作育英才之責，而短期訓練的最大作用，祗是技術問題，至於陶冶性格，培育節操等工夫，決非憑着一些官員在短期內以說教方式所能奏效的。官吏之貪廉，純爲個人道德的修養關係，法官的道德觀念如不健全，則知法犯法的事情必優爲之，走法律漏洞的本領亦特別高强，王鎮卽係典型的代表人物，豈勝嘅歎！

馬五先生

旱情破本世紀紀錄
香港農田早造無望

（本報訊）久旱無雨，香港新界農田，大部呈龜裂狀態，本年早造收成已告無望。據非官方統計：新界農田有百分之八十缺水，已無法插秧，損失估計爲八百萬元港幣。

自去年十一月一日至本年四月卅日爲止之過去半年中，香港所獲雨量，僅爲六分七厘。此爲本世紀六十餘年同時期中所獲雨量最低的紀錄。按自本世紀開始以來，香港同時期所獲雨量最低紀錄，原爲一九〇一年十一月一日至一九〇二年四月卅日之四寸二分四厘；現此項最低紀錄，已成爲現時的紀錄所代替，而昇爲次最低者。

據香港政府一九六〇年年報統計，新界耕地共爲五十一平方英里，伸合爲三萬二千六百四十英畝。此中能一年種兩造的耕地約爲一萬八千四百七十七英畝，一年僅能種植一造的耕地爲二千九百餘英畝。

一年能耕種兩造的農地的分佈情形爲：錦田最多爲二千二百餘英畝，次爲打鼓嶺二千英畝餘，元朗一千[illegible]百餘英畝，大埔，青山及西貢均一千五百餘英畝，新田一千三百餘英畝，屏山一千一百餘英畝，沙頭角與上水各約一千英畝，沙田粉嶺各七百餘英畝，荃灣二百八十英畝。其餘南丫島，大嶼山，馬灣等離島，雖亦有可種稻的農地，但數字均甚低微不足道。

新界各區穀物產量，以近三年爲例，呈逐年減少趨勢。如一九五九至一九六〇年爲一百五十六萬八千九百六十擔，一九六〇至一九六一年爲一百五十萬五千四百九十五擔，一九六一至一九六二年爲一百四十七萬六千二百一十四擔。此其原因，爲有的農地已改變爲屋地或廠房之故。（昌）

司法奇譚二三事
祇因同名冤枉坐牢
並未上訴竟遭駁回
王鎮案引出了一連串的問題

（本報記者吳越台北航訊）警檢雙方，一錯再錯，誤捕同名通緝犯，根本未予訊問即將其送監執行，遭受不白之冤。

郭壽是廣東台山人，五十六歲，住台北縣貢寮鄉，於四月中在新竹市被警察局以違反票據法通緝犯的罪名逮捕，第二天送到基隆地方法院檢察處收押，十九日移送台北監獄執行有期徒刑六個月。

郭壽的女兒郭亞妹向記者說：他父親不識字，從未用過支票，根本不可能違反票據法。她說：這個違反票據法的人當時在銀行登記「郭壽」，其身份證是〇〇一七號，四十六歲，住基隆市孝一路十六號。但她父親郭壽的身份證是「北縣貢口字第〇〇〇四號」，今年五十六歲」。她說：她父親是胡胡塗塗的入了獄，要求司法當局查明釋放。

▲馮京作馬涼，不奇；奇在問也不問便把人家收監起來。

▲法院判決錯得離譜，被告沒有上訴，竟判決上訴駁回。原來是法官老眼昏花，竟爾張冠李戴。

章陳清秀與嚴郭桂香互控傷害，兩人都成爲被告，也都被台北地院判罪。嚴郭桂香不服提起上訴，而高院卻錯把嚴郭桂香當作章陳清秀，乃判決章陳清秀的上訴駁回。此事被最高檢察署檢察長趙琛發覺，提出非常上訴，指該判決於法不合，案經最高法院審理後，認爲高院確係將嚴郭桂香錯爲章陳清秀，乃將該判決撤銷，並將該案定爲判例。

▲台北地方法院檢察官王鎮，涉嫌假出口案受賄兩百萬元瀆職被捕，據說在某治安機關曾受刑訊，遍體鱗傷。王妻向立監兩院請願後，監委陶百川、衡權已着手調查，台北地檢處三十幾位王鎮的同仁，集體憤而向司法行政部長鄭彥棻請願，要求查究。

監院陶、衡兩委員還要調查的項目是：王鎮非軍人身份何以由軍事機關偵訊？是何人如此決定？爲何這樣做？有無法律根據？過去有無此類先例？

立法委員滕昆田說：自王鎮受刑事件傳出後，很多老百姓都打電話給他們說，王鎮因爲是一位檢察官，受了刑訊，還有人替他說話，但老百姓遭受刑求的事，過去屢見不鮮，誰又替他們說過話？滕委員說：台北地方法院的檢察官，對王鎮遭受刑求一事，甚爲重視，前天會集體向司法行政鄭部長請願，昨天下午又在開會，此種關心同僚的行爲，自是無可厚非；但過去老百姓遭受刑求，在公開法庭提出血衣證明，承辦的檢察官與推事們會否重視？在他們制作的起訴與判決書中，是否有所交代？假如沒有重視，沒有交代的話，希望能由王案事件的啓示，今後對老百姓要求查辦的刑訊案子，要表示一點關切。

王妻的姐姐同道雲女士，是立法委員，在立法院也提出質詢。有人說：如果過去遭受過刑訊的老百姓也有一個做立法委員的姐姐替他們說話就好了。

立法委員曹俊和、吳延環都認爲這件案子本來應由司法機關辦理，但檢察官不辦，要把他送到別的機關去偵訊，自甘大權旁落，這不僅是違法，而且也表示檢察官不尊重自己的職權。

梁肅戎委員認爲立法院對人權的保障，司法與軍法的劃分已作了多種努力，但今天仍發生了像王鎮這種案件，實屬遺憾。他說：今天有很多案件，都是治安機關自動協助偵查，而不是應檢察官的請求。這種作法是否合法，實在值得研究。

台灣高等法院檢察處首席檢察官夏惟上說：王鎮的傷是自造，希圖博取社會同情，減輕刑責。

台灣警備總部說明協助偵查王鎮經過中說：王鎮在偵訊中打傷偵訊人員李中校，李傷並經高檢處檢察官檢驗屬實。又說：王鎮希圖自行造傷，以爲栽誣之張本，而遂其推卸刑責，吞沒贓欵之目的。人員制服時，故意猛力掙扎抗拒，亂踢亂撞，以致造成輕微擦傷。

王鎮之妻具狀向台北地院檢察處申請發給驗傷單，楊鳴鐸首席檢察官迴避着不予答覆。

監委陶百川，衡權在地檢處爲王鎮驗傷後的四天，去地檢處索取傷單，法醫說照片還未洗好。這不知是否推諉；否則辦事效率未免太差了。

立法院司法委員會已決定本（五）月六日上午邀請國防部，司法行政部，警備總部，高地檢處等首長，及請願人王鎮之妻同道媛至該會調查。（五，二）

比以往確屬大有進步
省議員選舉功德圓滿
若干枝節現象尚有待於改進

（本報記者昌文台北航訊）（續上期）選舉監察機關先解釋：報刊，雜誌，廣播電台及電視台等　如爲候選人作宣傳　依違反競選規則第十條第三項「其他以使候選人當選爲目的之行爲」處罰。這樣一來，新聞界除非不提競選的事，只要一提，便難免有「使候選人當選爲目的」之嫌。選情的分析都不可有了。後來終覺此一限制未免說不過去，乃又重新解釋爲「報刊，廣播電台等自行訪問候選人，介紹其政見，應屬報導新聞之職責」，如非專爲指定某一候選人宣傳，不算助選行爲」。

對於競選規則的解釋和違反競選行爲的認定，在這次選舉中發現有前後及彼此不一致的現象。比如，候選人於競選時散發名片，先前解釋不准刊印政見和相片，理由是說爲了節約；其實在同一張名片上，多加一幅相片和幾條政見，又能浪費多少？後來的解釋又完全不同了，不但刊載相片政見不加限制，就是印上登記號碼及「請惠賜一票」字樣也不予限制。苦只苦了候選人，以前印的名片都要重新印過，這才眞是浪費。又如使用宣傳車的數量，有的縣市限定每人一輛，有的二輛三輛，甚至如桃園縣還說一輛都不准使用，寬嚴全不同。再如苗栗縣候選人馮永村在宣傳車上化裝一幅大砲，台北市候選人郭國基在宣傳車上化裝一幅大砲；苗栗縣監察小組認定馮永村車上化裝大砲是違反競選規則第二條「違背……善良風俗」的行爲，勒令他取下來，而台北市候選人郭國基宣傳車上的大砲卻始終無恙，照用不誤。

競選規則規定，每一候選人之助選員應有一定名額限制，同一助選員不得爲二人以上候選人助選。台北市執政黨外候選人楊玉城、宋霖康，郭國基，王英石四人組織聯合競選辦事處，四位候選人的助選員集中使用，無形中便等於每一候選人增加了三倍的法定助選員名額，對於其他未組織聯合競選辦事處的候選人來說，是不公平的，可是未見選舉監察小組作有效的處理，這又是執法過寬　自損法律威信的地方。

很多候選人及助選員在私辦政見發表會上的演講，都有顯然逾越言論自由軌範的地方，比如有的人說要「清算某某黨」，這便是很不妥當的口吻。還有一位候選人在「學經歷」中居然有一項「光復前後向二個國家犯過兩次反叛大逆罪」，不知何所指謂。如謂是指本國，如此「叛逆」焉能有資格爲候選人？選舉事務所竟將如此莫明其妙的學經歷刊入選舉公報，也是咄咄怪事。又有一位曾任市長的助選員，在演講時說：「他們坐一等車，本省人坐三等；他們睡床鋪，本省人睡地下，」他們來此說過兩三年就走的，現在十幾年了還不走。」這種挑撥同胞感情的話，任是一位公正人士聽了，都不免會遺憾其言詞之失當。

投（開）票所監察員，是執政黨外候選人爭取最力的一件事，一若投（開）票所不讓他們派監察員，便不能證明選舉是公開公平合法似的。這次競選法規規定，候選人可以平均推派監察員共同監察投（開）票所。台北市執政黨外候選人　應推出四百多位監察員，可是他們只找得出一百多人，無法湊足名額，結果只好向省立法商學院商借三百名學生才湊足了數。（完）

準備伺機衝出地獄
大陸青年熱中英文

香港與大陸

大陸青年學生，現時有學習英文熱，舊書攤裏的英文書均被搶購一空。能懂一點英文的人，大行其道，收入可觀。大陸青年熱中英文之目的，是爲將來逃亡港澳作準備。

據曾回梅縣探親甫返抵港的李老伯透露：最近大陸青年學生，匪不努力學習英文，常見不少青年隨身帶着英文文法ABC，英語會話等類書籍，隨時用功研讀。

李老伯在五年前曾回大陸一次，那時根本見不到青年有喜歡習英文的，有一天，他曾勸他一位侄兒，該讀點英文，結果他的侄兒不單不受教，還把他氣了一頓。他侄兒竟說：學習英文是「資產階級思想」，英文乃資產階級的文字，牠行將毀滅了，學這種文字有何用處？

李老伯說：這次他再回到大陸，他的侄兒和幾位青年朋友特來訪晤他，要求他在回港之後爲他們購買幾部英文字典和一些英文書籍，因爲大陸書店書攤極少此類書籍，有少許亦已被搶購一空。他們又還苦苦要求他作他們的短期英文教師。李老伯對他侄兒的這種改變感到納罕，後來他侄兒偷偷地告訴他，現在一般青年人都熱中讀英文，因爲他（她）們都候機逃亡，他們聽說在國外懂得英文，絕不會吃虧，甚且較易謀生。又說一般青年學生均感學習俄文極爲乏味，因爲他們認爲中共大勢已去，國民黨定必回來，更無心讀俄文了。他侄兒又告訴他，過去曾有一些被斥爲讀「資本主義文字」的英文教員，如今亦大行其道，月入亦可觀，許多青年學生都要找他們補習英文。

另據由廣州市華僑新村來港的僑胞陳淑英小姐透露：廣州市青年，亦有喜讀英文的現象。中共因與蘇聯發生所謂理論衝突，曾把有些學校的必修科俄文改爲英文，但現又發覺此舉有毛病，而會使「資產階級思想」更加泛濫。所以中共當局現在特別重視對英文教師（包括補習教師）的思想改造和管制，就是爲了怕他們傳播資本主義思想。

有一位一九六〇年由馬來亞被騙回大陸的僑胞林君，因懂得一點英文，也被數位青年拜爲老師，林君在一次的閒談中，曾談到在馬來亞，香港等地，對英文極爲重視，懂英文者方更不少。但就因爲他說了這些話，結果被指爲傳播資產階級思想，毒害青年，給抓去判了兩年的勞改。中共對一些學校的英文教師，一般均管制極嚴，經常派有黨員和積極份子進行監視其言行。（敬斯）

讀王道著「美國的迷惘」

熊徵宇

這本書，不到三十萬字，共分八章，八十七小節。開頭叙述「迦太基的故事」，說六世紀時代，這座地中海濱的突尼斯灣名城，如何以其富裕和戰備來抵抗羅馬的戰爭。但是經過一百年的時間三次大戰的結果，使迦太基人厭戰了，希望和羅馬和平。但羅馬人兵臨城下，卻把這城夷爲平地；殺盡壯丁，發賣婦孺。因爲羅馬人所需要的不是財富和羣衆，而是要繳下他們的武器，消滅這座城；這一個幻象的和平，成了歷史上的悲劇！

王道在這書中指出：二次世界大戰以後，是美國的一個起點。具有担負世界人類抉擇自由的不可抗拒的力量。過此起點，在十七年的考驗中，這能力已日益削弱。

「在那起點上，世界上只有兩億人民生活在黑暗的世界，現在，已有十億人民關進了鐵幕。在二次世界大戰中，美國人喪失了若干萬的生命，消耗了若干萬的金錢，來參加這個戰爭，所爲的是什麼呢？他們的戰爭目標是什麼？

「是不是爲了要去掉一個兇殘的納粹而招來一個更兇殘的共產黨呢？是不是把東歐的人民從納粹手中救出來，轉交給俄共呢？把中國的人民從日本軍閥手中救出來，轉交給中共呢？」

雅爾達會議，羅斯福答應史達林，將我國的東北和旅順大連的權益交給俄共。外蒙古的命運也從此決定了。羅斯福總統忘記了他的中國盟友爲國家的領土主權的完整，已經流了十四年血！

把德國分爲兩瓣；東德交給俄國；柏林問題在這十餘年來，成爲抽緊美國神經的主要拉練。

武裝叛亂是美國憲法絕對不容許的行爲，但在二次世界大戰後，杜魯門總統任內，美國卻以極大努力，命馬歇爾將軍以特使的身份到中國，幫助擁有叛亂武裝的中共舉行協商會議，影響所及，使六萬萬以上的自由人民陷入鐵幕！

共產黨在美國是不合法的政黨。但美國佔領日本期間，卻贊同共產黨爲日本新憲法中的合法政黨。

美國答應俄國從北緯卅八度劃了一條線，種下韓戰的禍根。傷亡了十五萬以上的美國子弟，打了一次戰史上最不合邏輯的仗。韓國仍然是一面黑暗一面光明。

美國在越戰中，擱置了法國三度乞援的呼籲。眼看着法國的十七個營在奠邊府覆滅，而沒有伸出援手。又在北緯十七度上劃了一條線。並沒有阻止俄共的南侵。

一九五六年十月，匈牙利總理納琪不甘俄共壓迫，公開否認華沙公約，宣佈匈牙利的中立，全國人民反抗俄共的統治，要求美國保護。但是美國只眼巴巴的看着俄共六千輛的坦克車，和二十萬紅軍，開進佈達佩斯。匈牙利的志士在俄共的槍口下，一個一個地倒下去！

莫斯科挑動埃及收回蘇彝士運河，美國卻阻撓英法的進軍，卡斯楚登陸古巴，美國斷絕當時反共政府的巴提斯塔，幫助卡斯楚成功。使古巴的赤流奔向整個拉丁美洲，嚴重危害美國的安全。

寮共的叛亂，莫斯科原只希望形成兩個寮國，但是美國卻代爲組織了聯合政府，爲共產黨鋪平赤化全寮的道路；共產黨意在赤化南太平洋，借印尼人的手拿着俄製的武器侵略荷蘭屬地西新幾內亞，美國卻幫助蘇加諾使荷軍撤退。（十一）

天南風光

──沙羅越的歷史──

朱淵[illegible]

當時日軍總以爲聯軍必從港口正面進攻，故防禦工事，都面對海上。殊不料聯軍從拉讓江上游，順流而下，日軍遂不免手忙脚亂；恰恰八月十號，日皇業已決定投降，聯軍飛機又迭次轟炸，至九月十一日，澳洲軍開抵古晉，日軍全部繳械，集中候船返國，於是沙羅越三年零八個月的淪陷黑暗生活，也隨之重見天日。

經日軍蹂躪過的沙羅越，瘡痍滿目，人民雖慶來蘇，然殘破之餘，亟待振興，故拉者三世認爲須有鉅額經費，始能着手，而沙羅越本身無能爲力，遂打算把領土主權出賣英國，以達成其願望。這也是他早已決定了的腹案。

原來當沙羅越淪陷時，拉者維納，正在澳洲，他得到國土失亡之消息，遂在澳洲設立一個沙羅越流亡政府，繼續執行本邦的行政工作。至一九四二年四月，他又商得英國政府之同意，設立一駐在倫敦的委員會，並指派王弟「端木達」爲主任委員，委員會之任務，乃代表沙羅越拉者負責管理沙羅越經費，並保護沙羅越利益，該會全部委員，均由拉者委任。

至一九四四年的夏天，英殖民地大臣，曾通知拉者，說是英國政府的觀點，認爲原來英國與沙羅越之間的協定，須重新談判。卽一八八八年由第二代拉者與英國所定的，將沙羅越置於英國保護之下，以及拉者之繼承問題等等，（條文大意見前）以及一九四一年十一月間所簽訂的補充協定，均須再加商討。

根據補充協定之規定，英皇可以派遣一名代表駐在沙羅越，舉凡關於沙羅越的外交關係，外國權力地位，國防上的各種事務，均必須採納彼之忠告，或受彼的影響。代表的工作，是協商，對本邦之一切行政　彼有權貢獻意見。

（五十四）

報人普立茲傳

汶津譯

第二章

拉姆賽上尉站着向林肯騎兵隊的指揮官說話。忽然他聽到一個士兵用很大的聲音叫着約瑟夫。波勒滋。拉姆賽上尉沒法聽清楚那孩子說些甚麼，但他知道那士兵在發瘋。那孩子又惹上麻煩了。

上尉爲約瑟夫感到不安。他向指揮官迅速而且怯地看了一眼，便準備離去。也許他能幫幫那孩子。

「留在這裏，拉姆賽上尉。」指揮官堅定的說。

「是，長官。我知道你不喜歡波勒滋。但是那孩子一天比一天難捱了。士兵們不喜歡他，像向他做些惡意和殘忍的事。只要他們能用說話或捶打去傷害他，他們就幹。昨晚我看到他的頰旁有一個傷口。他說他曾從馬上摔下來。我知道那不是事實。有人揍了他。我不能袖手旁觀而不去幫他。他是一個好孩子──」

「一個好孩子──」指揮官乾笑着。「對你他也許是一個好孩子。「對軍隊他可是一個大問題。你並不屬於林肯騎兵隊，上尉。你在這兒跟我們是負有特殊使命的。你只跟波勒滋玩棋。你聽他的意見。你以爲遊戲和談話能造成一個好軍人嗎？拉姆賽上尉，我要待部下三件事：勇敢作戰，服從我的命令，不向任何長官頂嘴。這波勒滋還沒有機會去打仗。但我能確定一件事。如果波勒滋有機會去和一個敵人談天而不是作戰──他準贏。每個人都這樣說。他不想服從命令，他詰問命令，而且他不時的回嘴。他必須學會去控制自己。他必須改變。我的部下會幫我改變他！」

拉姆賽提醒指揮官：「長官，你忘了一個騎兵隊員必須騎得很好的馬。你一定得承認約瑟夫是你最好的騎手之一。」

「我不會忘記他騎得很好，」指揮官答道。「我從來沒見過那麼好的一個騎手。但是他簡直不是一個軍人。他站不直。他從來不看他走的地方。他常忘記自己的帽子。問波勒滋一個簡單的問題，而你卻沒法使他站着回答！」

拉姆賽微笑了。「那正是約瑟夫，可是拉姆賽也知道其他的原因。約瑟夫的奇異的外貌和他神經兮兮的神態使指揮官惱怒。有一天指揮官大叫起來，「叫那混蛋滾開。我不需要他在我的部隊裏！」

這些話使約瑟夫成爲一個特殊份子，並且把他和其他的士兵分開。自此以後，約瑟夫受盡長官和同袍們的冷眼。拉姆賽相信這孩子在軍隊裏一個朋友也沒有。大部份的人都儘可能地時常以傷害他來取樂。

拉姆賽上尉必須承認約瑟夫爲自己找來不少麻煩。在那些受盡戰爭磨鍊的老兵當中，約瑟夫不能自抑他高尚的靈魂。這些人曾身經百戰，飽經艱辛。他們眼看他們的朋友死去。年輕的波勒滋根本不知戰爭是怎麼回事。可是他偏偏說個不休。也正是他那種孩子氣的談話激怒了老兵們。（六）

瘟君續夢

第八回

擧戾實堪驚　片言毀約

脫靴終自誤　衆志成城

范文同說道：「關於這個問題，胡主席早些日子已向我們指示過，原則上我們絕對支持中國同志的立場，但在運用上要靈活些，才適合辯證法。」

李富春明知道中共卽使拉緊越共，對蘇聯也沒有威脅，只是更擴大兩國裂痕，最後吃虧的還是自己。所以也並不十分苛求。雙方經過會談之後，簽訂技術援助協定，中共給予越共經濟及軍事援助。

九月五日越共第三次大會開幕，胡志明率領越共全體頭目出席，參加會議代表照例起立，鼓掌如儀。李富春同阿里斯托夫都坐在貴賓席上。胡志明致了開會詞之後，上午會議就宣佈結束，下午由總書記黎筍作黨務報告，這是一篇政策性的演說，從越共政權的內政談到外交，除去攻擊美國之外，也談到和平共處問題，黎筍說：

「我們不反對和平共處，不過，和平共處的最後目的應該是怎樣埋葬帝國主義，如若把和平共處看成永久性的，那就不是馬列主義者應有的觀點了。」黎筍說過，李富春同阿里斯托夫一齊鼓掌，兩人覺得都合自己的心事。葉劍英同廖承志坐在旁邊已看出越共仍然在打太極，不願明顯站在任何一方，晚上宴會之後，回到招待所

葉劍英先說道：「富春同志，毛主席派我們來開會，主要目的是把越南勞動黨拉過來，像黎筍今天的演詞，還在走打太極，兩面光的政策，我們簽了協定，給予越南這麼多的援助，將來回去怎麼交待。」

李富春愁眉苦臉說道：「我早就說過我不是這塊材料，都是毛主席要派我來。」

廖承志說道：「我們既然來了，就要鬥爭，萬不能空手回去。明天來賓致詞，第一個當然是阿里斯托夫，第二個就臨到你，你千萬不能客氣，要狠狠地罵修正主義一頓。」

李富春苦笑道：「毛主席交我的演講稿，我絕對一個字不漏照讀一遍就是了，但是也沒有用處啊！」

葉劍英笑道：「你只管去讀，我另有辦法拉越南下水，不怕山羊鬍子滑頭，總有一天要他滑不掉。」

廖承志說道：「你的把握在那裏，是不是想借重蘇發努馮親王。」

葉劍英大笑道：「承志，你真要得，怎麼這步冷棋你都能看得出。」

廖承志笑道：「開會時，我看你只是盯着蘇發努馮，好似陳毅同志看女人一樣，目不轉睛。我就明白了你的用意，散會後，我先去看了他一次。」

葉劍英高興得連連拍手，說道：「承志，你是專門搞國際統戰的，確實有一手。你同蘇發努馮怎麼談的，他有沒有提出要求。」

廖承志說道：「他的部隊被老撾政府編爲兩個營，開到永珍偷跑出來一個營，現在桑怒鄉間打游擊，只要有接濟，馬上就可打回去。」

葉劍英說道：「這種事情我已經知道，我準備今晚先同武元甲商量一下，怎麼支援老撾人民解放軍。」

廖承志笑道：「現在又有一個新的機會，更助長了老撾的民主力量。」

（一〇二）

「莫須有」與岳飛之死

周燕謀

「莫須有」三字，爲秦檜陷害岳飛之詞窮藉口，成爲千古一大冤獄，後世用以爲冤案之代名詞，或故入人罪之譬喻，沿用至今。細加推敲，「莫須有」三字，究竟是說岳飛有罪或無罪呢？而今一般以故入人罪者用之，其意皆以爲是無罪之意，或若是誣控之意。岳案爲南宋一件巨案，秦檜奸狡黠詐聞於當時，豈其自陷錯誤如此，而承認自己要治岳飛之罪全無道理根據？本文之說，乃在探討「莫須有」三字之含義及岳飛之死因，俾明秦檜所說「莫須有」三字爲如何藉口，而非爲奸佞秦檜開罪也。

關於岳飛冤獄羅織經過，宋史奸臣萬俟卨傳及岳飛傳，均有明晰之記載。據岳飛傳，岳飛被捕後，秦檜命何鑄訊問，飛將衣服撕破，以背示何鑄，有「精忠報國」四個大字，深入膚裏。何鑄並審查諸項文件，證明岳飛無罪，以之答覆秦檜。檜乃另以萬俟卨（音沒其塞）代之，務必殺飛而後已。

然卨治此案，亦苦無確切證據，其事萬俟卨傳已明載之云：「檜怒，以卨代治，遂誣飛與子雲致書張憲，令虛聲報警，以動朝廷，及令憲措置使還飛軍。獄不成，又誣以淮西逗留之事。」岳飛傳記載亦大致相同，文曰：「何鑄旣證飛無罪，檜改命萬俟卨治之。卨誣飛與張憲書，命虛報敵情，以動朝廷。雲與憲書，使飛還軍。言其書已焚。飛在獄兩月無可證者。或教卨以言官所指淮西事爲言。又逼孫革等證飛受詔逗留，命評事許龜年取行軍時日，故意錯亂之，以符合其獄。至歲暮，而獄仍不成。檜手書小紙付獄，即報飛死。」

觀此，此冤獄在尚未定讞之下，便已決定將此一代忠良殺害了。而且其死狀如何？當時是無人得知，各傳亦鮮有及其死狀者。岳飛之死，乃被奸賊秦檜暗中秘密處死無疑。而治獄者旣係秦檜奸黨萬俟卨，而當時忠梗之士，則多畏奸佞之權勢，甚少人出頭爲岳飛辯誣。惟有韓世忠，在憤怒之下，曾面質秦檜。「莫須有」三字之出現，即在韓世忠質問奸佞秦檜時說出。其情況岳飛傳畧記如下：「獄之將上也，韓世忠不平，詣檜，詰其實。檜曰：『飛子雲與張憲書雖不明，其事體莫須有？』世忠曰：『莫須有』三字，何以服天下？』」（上）

南宋偏安有人才

——韓世忠

李仲侯

世忠之忠勇，在南宋除岳飛外，罕見其匹。其請都長安，先牧兩河，是其明地勢也。反對移蹕南，留江淮，是其明經濟也。金使蕭哲之來，以招諭爲名，世忠欲舉兵決戰，是其明國恥也。此豈一勇之夫哉！黃天蕩之役，幾擒兀朮，爲漢奸王某所敗。金人廢劉豫，中原震動，世忠請北討，爲奸檜所阻，遂乞骸骨，鬱鬱以終。宋室重文輕武，奸佞輩出，高宗另有私圖，惟檜言是聽，卒以外患亡其國，詎非咎由自取歟！

岳飛

岳飛字鵬舉，相州湯陰人，生於宋徽宗崇寧二年。飛生之夕，有大禽若鵠，自東南來，飛鳴於寢室之上，父和異之，因名焉。飛生有神力，未冠能引弓三百斤，腰弩八石，嘗學射於鄉豪周同。一日同集衆射，自炫其能，連中的者三矢，指以示飛曰：「如此而後可以言射矣」！飛謝曰：「請試之」，引弓一發破其筈，再發又中。同大驚，遂以其所愛弓二贈飛。後飛益自練習，能左右射，隨發輒中。及爲將，亦以教士卒，由是軍中皆善左右射，屢以是破賊鋒。同與飛別未幾而死，飛往弔其墓，悲慟不已。每朔望則鬻一衣，設卮酒鼎肉於同冢上，奠之而泣，引所遺弓發三矢，又泣，然後酹酒瘞肉於冢之側，徘徊悽愴，移時乃還。衣就盡，父和覺而索之，默不言，撻之亦不怨，後伺其出，而竊從往視之，盡見其所爲，乃問之曰：「汝所從射者多矣，獨奠泣於周同墓何也」？曰：「兒向者學射於周君，而時與兒厚，不數日盡其道以歸。念其死無以報，聊於朔望致禮耳」。又問其故，曰：「射三矢者，識是藝之所由精也；酹酒瘞肉者，周君所享，兒不忍食也」。父和始甚義之，拊其背曰：「使汝異日得爲時用，其徇國死義之臣乎」？飛應之曰：「惟大人許兒以遺體報國家，何事不敢爲」？父和乃歎曰：「有子如此，吾無憂矣」！

宣和四年，飛二十，値眞定府路宣撫劉韐募敢死士備胡，飛首應募。韐一見大奇之，使爲小隊長。相州劇賊陶俊、賈進和，剽縣，殺略吏民，官軍屢戰失利。飛請以百騎滅之。給與步騎二百，飛預遣卅人易衣爲商人入賊境，賊掠以入於部伍；飛乃夜伏百人於山下，自領數十騎逼賊壘。賊易其兵少出戰，俊箕踞坐馬上，嫚罵交鋒，飛佯北，賊乘勝追鋒，伏兵起擊，所遣卅人自賊中擒俊進於馬上，賊衆亂，莫知所爲，遂俘獲其衆，餘黨盡散。（四十九）

鬍子趣談

漁翁

口上曰髭，口下曰鬚。俗稱鬚爲鬍子，本作胡，以其生於胡之下也。男子之美，在於鬚眉，故稱男子爲鬚眉丈夫。南史褚彥回傳：「公鬚髯如戟，何無丈夫氣！」足見鬚髯之威嚴而動容也。蘇東坡一嘴鬍鬚，其妹嘲云：「忽口角幾回無覓處，只聞毛裏有聲傳」。又鄧允端東坡赤壁圖詩亦云：「留得清風明月在，網漁謀酒付髯蘇。」故咸以「髯蘇」呼之。

世界上鬍子最長者，首推阿刺伯密丁與美國史密斯。密丁花了三十六年的時間，把鬍子留成十一英尺多長，鬍鬚內可藏一母雞與兩貓頭鷹而不現形。史密斯的八字鬍，也長逾八尺，拖到地上而有餘。

印度人滿面皆鬚，謂之「連腮鬍」。日本人愛蓄髭，謂之「八字鬍」。八字鬍比連腮鬍爲雅觀。外國人好蓄鬚，表示威嚴，最引女人們的好感。即如古巴獨裁者卡斯特羅，滿面皆濃黑鬍子，却爲古巴女人所狂愛，蓋所羨慕者，威儀也。

我國則不然，多不喜留鬚。間有蓄之者，必在五十以上。蓄鬚後，咸以鬍子呼之。鬍子，即老人之別稱。鬚髯滿面，爲女子所不滿，故男子在三十歲初生鬍時，皆各備刀片，每日修飾一次。不如此，不但於飲食方面有所不便，且不能得內人之歡娛。此與若干外國人之風習，恰成一對照。

星相家爲人相面，如下顎過弱，即勸其蓄鬚以培之。因此，有視鬚如命者。在抗戰之前一年，筆者襄辦湘省高中以上學生集訓時，軍政教官，達二百餘人，就中有一上校軍事教官，年雖强仕，而留鬚有年，爲免學生譏笑計，欲婉勸其除之。該教官毅然應曰：「余鬚蓄已十年，朝夕以手撫摩，愛若生命，寧辭官不幹，而此鬚不可拔一毛。」言已，竟掛冠而去。不愛功名，祇愛鬚，凜凜然有丈夫氣，眞不愧爲鬚眉男兒也。

反之，筆者之同鄉，有一窮秀才，三十歲時，即好奇而蓄八字鬚，時剃時留，視爲兒戲。一日，入理髮店，理髮師爲之整容，至修面時，問此髭可剃去否？含糊應之曰：「哼」！該理髮師以其平時或剃或留，不關重要，故剃去。於是窮秀才大發雷霆，以「哼」字乃拂意聲，身體膚髮，受之父母，不敢毀傷，而爾竟毀我鬚，非毀爾招牌不可！理髮師無奈，祇得向其道歉，並以銅元兩千賠禮而了之。

抗戰時，實行征兵制，有在適齡年內，而欲逃避者，苦無良法，祇得蓄鬚以冒充老人，一時留鬚之風大作。事聞於上，征兵官吏，見留鬚之壯年人，捕之官署，削其髮，剃其鬚，則現廬山眞面目，以之充甲級兵送征。自此不見再有蓄鬚者，亦趣聞也。

劉伯溫所作之「燒餅歌」，與明太祖一問一答，用隱語以論未來之興亡，絲毫不爽。可是，從光緒後，無註解，惟寫至現在，有云：「一個鬍子大將軍，按劍馳馬察情形，除暴去患人多愛，永享九州金滿瀛」。此一鬍子大將軍，不知是那省人士？他能除暴去患，旋乾轉坤，惟望其惠然早出，按劍馳馬，以解救鐵幕內羣衆之浩劫，俾出水火而登袵席爲快也。

海嶠屋談薈

談武夫衛立煌

諸葛文侯

衛立煌在海隅經商迭遭失敗後，心情抑鬱，殊不自憀，而同病相憐，惺惺相惜之厲公熊某，亦已離開香港了。

旣而有一般流落海外的舊時文武知識份子，乞得國際上某方人士的同情支援，進行反共又反中華民國現政府當局的「第三勢力」運動，聲勢張甚，頗聳聽聞。衛固不知政治爲何事，久蟄之餘，不免見獵心馳，旋經其同鄉人冷某加以游說，即欣然同意參加。但自負過去曾是軍事上的方面大員，不能與羣衆等量齊觀，必須居於領導階層，方愜心意，他希望担任該政治團體組織中的「軍事委員會委員長」名義。然同時參加該組織的若干軍人，知識皆視衛氏優越百倍，即論資歷，亦有不下於他的，對於他這項非份的要求，認爲難以接納，充其量祇能予以「副座」地位，而他不願屈就，幾經周旋折衝，決定不設「委員長」，改爲「常務委員制」，共推常委三人，衛氏亦其中之一，算是把難題解決了。初時大家以爲衛氏擁有雄厚資財，頗具利用價值，故爾對他表示遷就借重，並非認定他有甚末號召力量，或其才幹可作掛帥人物。詎衛氏珍視金錢，一毛不拔，而對於「第三勢力」發展前途，別無絲毫裨助之可言，未幾，該組織爲着發佈「成立宣言」的措詞問題，內部發生意見，原負組織重任的某一高層主幹人，憤而聲明退出，不復過問「第三勢力」運動，組織計劃即隨之停頓，終於一哄而散，衛氏乃不勝其彷徨迷惘，蹙蹙靡騁之憂。

他想遠走歐美，苦無護照，若久住香港，又怕朋友和舊時袍澤向他借錢，爲之寢饋不安。如是乎「愛人」韓權華乘機勸他投共，說她可以負責疏通，保證毛共決不清算過去的血債。韓氏原係西南聯大出身的共黨同路人，她把衛立煌願意投共的消息，暗中透露給共方後，毛共認爲衛氏庋藏美金甚多，極表歡迎，即飭張治中致函於衛，聲明担保他回到大陸後，不特免算舊帳，而且予以所謂「全國政協委員」的名位，條件是全家大小一律要回去，目的就在搾取他的大量私財。衛氏夫婦先走，教兒女們陸續跟進，只有大女兒抗不奉命，且在刊物上發表她諫阻乃父投共的長信，並勸告諸弟，莫自投羅網。衛有一子亦會表示不願投共，然要求自由中國政府給他五萬美金，送他到美國留學，好像他若投共，即對中華民國前途將有莫大的影響然。妄自尊大，奇貨可居，荒誕不經，殊堪發噱，信乎有其父必有其子也。

衛氏以「金作贖刑」的條件，溜返大陸後，當然隨時誠惶誠恐，表示「臣罪當誅」的意態，毛共教他研究馬列主義，先把思想搞通再說。可憐他以風燭殘年，椎魯知識，經常抱着「毛澤東全集」和「列寧全集」這類教條主義的著作，看不懂也要看，還得按期提出「讀書心得」的報告，雖然韓權華可以相夫說教，但精神痛苦殊甚，尤其是置身於「社會主義研究院」之中，日與後生之輩上大課，開檢討會，又沒有不說話之自由，韓權華說衛氏「手不釋卷」的話，當屬事實，然由於目不識丁之故，唯有對卷發昏而已，研究云乎哉？他在這種生活環境之下，內心上的痛楚，無可言宣，憂懼於邑過甚的結果，只有死路一條了。（下）

梁敦厚事蹟

吳文蔚

繼梁氏自殺成仁而壯烈犧牲者，有閻錫山將軍之堂妹——國大代表閻慧卿女士，與太原警察總局長師則程，太原警憲指揮處長徐端，山西省第一區黨政督察專員尹遵黨，以及戰至最後相繼成仁者，共五百又八人，總稱之爲五百完人焉！

當時政府南遷廣州，立法院正値集會，聞五百完人成仁消息，不禁肅然立正，並高舉拳頭，大呼「中華民國不會亡」的口號，悲壯昂揚。

太原保衛戰，我軍初以熾盛的火海戰術克制匪軍的人海戰術，俟華北陷匪後，匪集長江以北各軍的大砲三千餘門，齊集太原，構成了遠射程的火海戰術，轟擊我近射程的火海戰術，每發射一次，即有三千餘發炮彈落入太原城內，因而我軍的火海失效，只好望空嘆息而已了。（八）

内僑警台報字第〇三一號内銷證

自由報

THE FREE NEWS

第三三九期

中華民國僑務委員會頒發
台政新字第三二三號登記證
中華郵政台字第一二八二號執照
登記爲第一類新聞紙類
（半週刊每星期三、六出版）
每份港幣壹角
台灣零售價新台幣貳元
社長：雷嘯岑
督印人：黃行審
社址：香港銅鑼灣高士威道二十號四樓
20 CAUSEWAY RD 3RD FL HONG KONG
TEL. 771726　電報掛號．7191
承印者：田風印刷廠
地址：香港灣仔高士打道二二一號
台灣分社
台北市西寧南路壹壹本號二樓
電話：三〇三四六
台郵撥儲金戶九二五二

論中日合作問題

——從八屆中日合作策進會議說起

金達凱

中日合作策進委員會第八屆全體會議，已於昨日在東京閉幕，並經發表共同聲明，說明雙方對於當前國際局勢特別是國際共產主義運動及中共對世界和平的破壞性已獲得一致的瞭解，並在兩國經濟合作與文化交流等方面達成廣泛的協議。中日合作策進會係中日兩國爲促進政治、經濟和文化合作而組織的民間團體，會議的決議雖不能作爲兩國相互間的外交政策與方針，但由於此一組織的成員，多爲兩國執政黨或政府的負責人士及有地位的社會人士，因之會議的舉行與其決定的事項，對於加強兩方的合作，當有相當的影響。

這次中日合作策進會議，係在兩種情況下舉行：其一、是日本對中共政策的逐漸轉變，即日本前任文部大臣及現任自由民主黨顧問的松村議三，和前任日本通商產業大臣及現爲自民黨國會議員的高崎達之助先後前往大陸，接受中共的所謂「貿易三原則」、「政治三原則」和「經濟、政治不可分的原則」，而由後者代表日本與中共簽訂了一個變相的五年貿易協定，進行了自一九六三年到一九六七年內，平均每年進出口交易總額爲三千六百萬英鎊的安排，使中華民國與日本間的關係投下一層陰影。其二、是日本的左翼勢力的活動又告抬頭，如最近日本科學家之聯名反對美核子潛艇在日本的停泊，及地方選舉中，日共議員名額在長野、秋田、石川、神奈川、京都府等十六個府縣和九個市議會以及東京特別區議會所佔席位的增加。這是日本政治局勢的又一反映。在此情況下，第八屆中日合作策進會議，在反共與加強合作等方面能够取得一致意見，聲明在若干問題上採取共同立場，當是會議的一項成功，尤其是中國代表團的一項成功。

中日合作問題，是大半個世紀以來，尤其是二次大戰後的十餘年來，一直爲兩國有識之士和有智慧的政治家所共同追求實現的一項目標，且爲中華民國政府在謀求調整亞洲各國關係所努力的重點。當年日本投降後，中國之不採取報復，放棄賠償要求，以及迅速遣返日俘，對侵略中國而經放下武器的日本軍人、浪人和一般平民，一概予以寬大待遇，開創戰勝國對戰敗國待遇的特例，即是我國根據「以德報怨」的傳統觀念而創造中日合作條件的具體證明。這在本月七日日首相池田勇人在與中國總統府秘書長亦即此次中日合作策進會議中國代表團高級顧問張羣的晤談中，亦向張氏提及中國此一寬大態度與蔣總統對日人的恩惠。

但是，不無遺憾的是，日本朝野雖對中國有若干感激之情，然並未眞正從此一歷史事實中吸取教訓，因之對中國也無眞正的悔悟。甚至乘中國處境艱難之際，有意無意地做出許多損人利己的活動。除了對中共態度曖昧，多方勾搭，在貿易上准許共黨延期付款，及暗中打算製造「兩個中國」，以及不顧與中國外交關係，庇護台奸廖文毅在日本掛出什麼「大統領」的招牌，顯露出對台灣還有若干野心，等等事實，人所共睹，在此不必贅述外；現僅從幾項小的事情來看，中日要眞正做到合作，還有若干實質上的困難。

其一、是前年日本向我國索取漁船賠償的問題。此事雖經中國政府賠償，懸案已告解決。但它所代表的意義，並未就此消散，而且在中國人民內心留下長久的影響。

日漁船賠償問題的簡單經過是：一九四八年和四九年，日本漁船越過盟軍總部規定作業的「麥克阿瑟綫」，侵入我國近海捕魚，爲我海軍拘留了二十九隻，並撥交軍用。日本獨立後，即要求賠償，經過數年談判，中國政府終于同意付給日方賠償費八十九萬美元，另對日漁民家屬賠償美元八萬元。由此一事件，可以看出日本之不因我國的恩惠而在其一已的利益上有所放鬆，同時也說明我外交部門對有關國家只知片面的爭取，妥協讓步，而無一堅定的國家民族的立場。

談到中日間的賠償，無論從那一方面來說，應當是日本對中國實行賠償，而不是中國對日本的賠償。我們且不說八年抗戰中國政府所付出的龐大戰費，及公有事業的損失，也不必提出全國軍民的大量傷亡，僅單就當年日本在華的經濟掠奪而言，即可構成巨大的賠償要求。爲保存若干歷史事實，筆者現簡略地舉出幾項數字。

一、物資的掠奪：如「滿洲重工業開發會社」、「華北開發會社」、「華中振興會社」及其所屬機構，對東北、華北和華中各種礦產資源的刧奪，僅生鐵每年達六百萬餘噸，煤達三千五百餘萬噸。至于糧食、棉花、蠶絲及其它重要物資之被刧運者，更不知凡幾。

二、金融的搜括：如東北的「滿洲銀行」、華北的「中國聯合準備銀行」、華中的「華興商業銀行」，以及南京的僞「中央儲備銀行」和張家口的「蒙疆銀行」等，除發行僞鈔外，並推行日鈔和軍用票，使中國淪陷區人民在財產上受到巨大的損失。到現在，日本銀行尚有汪僞政權「中儲銀行」的數百萬美元的存欵，仍未交還中國。

三、工廠的損失：抗戰初期，僅上海一地被毀工廠達二千三百七十五家，連同其它城市被毀的工廠當在一萬家左右。至于農村田地、屋宇、林木、牲畜等所受的損失，更爲數不少。

此外是勞力的刧運，據前年日本「世界」雜誌引日外務省的統計，自一九四三年四月到一九四五年五月，被運到日本的中國善良居民有三萬八千九百三十五人，其中因受虐待而死于日本者有六千八百三十八人。

這一些受害的事實，在日本投降後，我國即宣佈一筆勾銷，未向日本索取分文。而其它遭受戰禍國家，均向日本取得賠償，如菲律賓獲得的賠償達八億餘美元，他如印尼、印度、緬甸以及其它有關國家無不獲得日本相當數目的賠償。甚至中共也曾聲明「保留要求日本賠償戰爭損失的權利」。可是日本却回轉頭來向如此寬大的中國政府，追算[illegible]條在其未獲得獨立以前在中國領海損失的漁船，及追討若干漁民家屬的撫䘏，而我國政府也居然照價賠償。對比之下，這也當是國際外交關係中的另一「創例」。

其次，關于近年來中日間經濟和文化合作的問題，如貿易方面日本進出口順差與中國逆差的逐漸增加，合辦電視的特殊條件，以及「秦始皇」影片和以金門爲背景的影片的「聯合拍攝」，都沒有從平等兩利的前提出發，中國方面甚至一味的受人擺佈。現在又有與日本三菱工業會社、新三菱重工業會社和三菱造船會社「合作造船」的計劃的醞釀。如果我國經濟部門負責人對此不縝密加以考慮與處理，則將不免重蹈「殷台」的覆轍。此外據說日商計劃在台北興建跑馬場舉行跑馬。果如此，則台灣的鈔票又將源源滾入日商的口袋。何況在政府一再呼籲軍民進行反攻準備，實行枕戈待旦的緊張時期，是否可容許外人來搞這些聲色犬馬的玩意，是值得嚴重考慮的問題。

以上所述，我們自無意重加檢討中日關係，也無意批評現階段中日在經濟和文化上的合作內容。但是如要改善中日關係，促進兩國的進一步合作，則我們必須注意兩個條件：一是保持獨立平等的地位，如張岳軍先生日前在中日合作策進會上致詞所說：亞洲國家的經濟合作「必須是有關國家站在平等的地位，自動自願的結合，不能由一個國家去控制其它國家」。二是要確定原則，堅持立場。多多考慮國家民族的利益，不要隨便在不切實的「合作計劃」之下，進入人家的圈套裏，以致損失利益，甚至喪權辱國。

五月十一日

好一頭駱駝

誰去救它？

自由談

網羅人才之道

馬五先生

承平之世的政治人才，以循規蹈矩，謹小慎微爲合宜，但期人人奉公守法，政簡刑清，即有國泰民安的績效可觀。動亂之世的政治人才，則以勇於負責，敢作敢爲爲上選，使大家能够發抒抱負，遺大投艱，庶足以挽狂瀾於既倒，奠撥亂反正之功。

古今來任何一個具有統治權力的人物，沒有不想求得賢才以資贊助的，被用的人，亦沒有不想竭盡所能，立功以自見的，問題只在任用與駕馭人才的方法上，所謂「知人善任」是也。知人的義理，古先賢哲言之綦多，闡發盡致，而世界上林林總總的英雄豪傑，眞能身體力行者殊不多見，因而他們之中，失敗者衆，成功者寡，探究本源，只是一個「私」字作祟而已。胸中橫亘着「私念」，很自然地就產生對人的懷疑心理，隨時不免戴着有色眼鏡以看人，經常念兹在兹的，不是某人的才能高下問題，而是其人是否忠實可靠？對人對事總是放不開，信不。落很自然地又影響到「駕馭人才」的方法上，妨害着「善任」的良知作用。如是乎，不知不覺構成了「天下爲私」主義，雖昕夕求賢若渴，而人才終不可得，事業終歸失敗，良有以也。

歷史上眞正具有知人善任的氣魄與風度者，當以唐太宗李世民爲首屈一指。他能擢用反對或反動派的人物如魏徵尉遲恭這些文武人才，推心置腹而倚畀之，已屬難能可貴了，而在駕馭方法上，尤堪稱道。他誠心接納魏徵提示「願陛下使徵爲良臣，勿使徵作忠臣」的意見；又對尉遲恭在御宴中爲爭座位而兇毆宗室親王的魯莽行爲，只是曉之以義，喻之以情，却不執法以相繩，使這位恃功而驕的悍將武夫，從此知禮明法，改變氣質，終其身不復有放肆的言行。像這樣的政治領袖，任何人皆願意爲他効死力，矢誠矢勇，必信必忠，所謂貞觀之治，豈偶然哉。

人性本善，凡屬從政者，誰也不會存心要給長官幫倒忙，作壞事的——除非他是個敵人的間諜——亂臣賊子之所以產生，甚本原因是由於統治主缺乏知人善任的智能而然。亂世需要人才，也容易考驗人才，而濟之以德行，則天下無不可用之人，且無一而非忠貞有爲的幹部了。這是政治哲理，決非老生常談。其各勉旃！

大陸命相業死灰復燃 老百姓苦悶趨之若鶩

斷言毛共將滅共幹有因而洗手者

香港與大陸

曾被中共整得很兇的算命看相的行業，現在又死灰復燃了，不滿中共暴政的「落後份子」固然相信他們所說中共垮台在卽，聊以慰解，連若干共幹，亦相信其說，而有因之洗手不幹者。

（一據甫自梅縣城申請來港之僑屬林×嬌女士透露：梅縣人民由於受盡了勞役和饑餓之苦，非常關心政府反攻大陸的消息，大家的這種消息來源，除了得之於地下反共組織外，便祇有從算命的或看相的人口中獲得。這些人雖曾被中共整得很兇，絕跡好幾年，如今却又已告死灰復燃。這些看相算命的人，他們的言論，都隱隱約約地暗示共黨政權行將毀滅，所以老百姓趨之若鶩，深信不疑。

林×嬌女士說：梅縣城鄉最近出現了大批「仙姑」和「××先生」，人們有什麼難題，皆樂於向他們請教，最使人們覺得靈驗的是在東郊塘背三坑村的一位自稱「赤脚仙姑」，和一位在城內市塘唇的何二先生。他兩人雖各有宗派，奇怪的是兩人所說往往不謀而合，很投合老百姓的心理。

林×嬌女士有一位鄉居，在去年三四月間，因爲曾被公社共幹宣佈「管制勞改」，但却忽然失蹤了，其家人認爲凶多吉少，惶惶不安，他的母親便向「赤脚仙姑」求教，「赤脚仙姑」勸她不必憂慮，謂其子已朝南方行去，正擺脫厄運，並言一個月左右會得好音。他母親又去到市塘唇「何二先生」處相命，所言亦完全相同。果然，在一個月左右，便得到她兒子從香港寄回的信了。如此一傳十，十傳百，兩人在老百姓心中，儼然成了活神仙。

另一位原在中大任經濟學講師其後被指爲「歷史反革命」的陳君，聽說何二先生的靈驗，也前往相命。何二先生對他說：君之命，大富大貴。但這是依君之八字所推算，應該已是大發之時了。祇是個人之「命運」與「家運」、「國運」相因相成，君之命雖到「大發」之時，却受「國運」「大衰」之壓，所以倘無所表現。不過以「國運」亦行將起色，「甲辰年」必轉機了云云。（按甲辰年卽一九六四年也）陳君對何二先生之說，極爲相信，蓋因他自己以「經濟學原理」着眼，早認爲中共難過經濟關，在一兩年內，必在其各種各式暴政之下，使大陸經濟陷於絕境，而促成中共瓦解滅亡。

林×嬌女士還說：類似何二先生這類說晤共黨在甲辰年滅亡的說法，還有很多。被共幹稱爲「劉嬌麼」的仙姑，也說：「天國上有一妖怪在大鬧天宮，但她已受衆仙包圍，將被殺死了。」

林×嬌女士說：此等算命看相者之言，不但老百姓深深相信，連若干共幹亦很相信，表現其誠惶誠恐的心情，有的共幹且因之辭去職務，洗手不再幹整人害人的勾當了。（敬斯）

香港終於決定建造海底隧道

已吵了六十三年

（本報訊）香港興建「海底隧道」的計劃，可說「歷盡滄桑」，因爲早在六十三年前，曾經有一個叫孫士的海事處長建議造一座貫通港九的天橋，及至一九四七年，建隧道的建議又甚囂塵上，至一九五五年，港府甚至爲探討建天橋及隧道的可能性，委出一個委員會來研究，擬訂了好幾個方案，至一九六一年，維多利亞發展公司又擬製了天橋、隧道兩個方案送給港府，這兩個方案送到倫敦後，天橋的計劃因影響航空事業的發展而被否決了，終於是「海底隧道」計劃得利。

海底隧道港島方面入口處，是在銅鑼灣新避風塘，這一帶海面將要進行填海，增加一條新街，則新海傍街；九龍方面的進口則在漆咸道紅磡新填地，將連接到未來的新火車總站。本來灣仔的摩利臣山曾被考慮作爲天橋的落脚點，可是終被決定作爲貫通港島南北的香港仔隧道口。這條隧道將來可與海底隧道聯繫起來。將來，南端從香港仔起，可從隧道到達灣仔，再從灣仔到達海底隧道紅磡新火車站，再到達九龍塘、獅子山，沙田隧道以至新界，港九整個交通網，就將被系統化起來。

計劃中的隧道全長一英里，內分三條道路，兩側之兩條各闊十二呎，中間的一條闊十八呎。

隧道建造費將達一千三百廿萬鎊，連利息在內，資本總額達一千七百七十萬鎊，伸港幣二億八千三百廿萬元。此隧道將來得在十六年內償清全部建築費用本利，政府以不動用公款爲原則。

將來車輛經過海底隧道是要收費的，汽車或的士每輛每次二元五角，雙層巴士每輛五元，貨車每輛七元五角。（高）

海地風波背景種種

除主要的海地現總統杜華利亞血腥恐怖統治與左傾外，也還有民族問題存在。海地與多明尼加，則既有宿怨，再加上新仇，於是而形成勢不兩立。

（本報華盛頓通訊）正在軒然大波中竭力掙扎的獨裁左傾的海地總統杜華利亞，本月十五日便是他六年任期屆滿之時。杜華利亞會否於屆時下台呢？海地國內的杜華利亞反對者和因反對杜華利亞而被迫陸續流亡外邦的海地人士，以及幾乎除共產古巴以外的全體美洲國家，都希望他能夠知難而退，自動下台。杜華利亞却早經多次宣佈：他絕無下台之意。

杜華利亞這一屆總統職位，是從選舉中取得的。他如果於本月十五日任滿以後仍然戀棧不去，作其總統如故，那便是出於他的「自封」。據杜華利亞自己的說法，他之決定在任滿後還霸佔總統職位如故，係出於他「對國家的責任感」，「海地國家的利益不容他高蹈遠引」。就由於他居然以爲今之海地非由他繼續執政不可，於是他決定無須辦理選舉，「天命所歸」，他應該「當仁不讓」，領導海地。

杜華利亞的反對者的立場，却亦至少與杜華利亞同樣的堅定。他們曾經許多次宣稱：如果杜華利亞不肯活着退位讓賢，他們便將以一切手段置之於死地。杜華利亞的反對者，好幾個月以來，便認眞的在依照他們所發出的威脅做下去，狙擊與襲擊事件層出不窮，連杜華利亞的兩個未成年的女兒，亦差一點便被狙擊而死。另方面，杜華利亞爲鞏固其權位，他的血腥高壓手段亦變本加厲。他襲擊反對派，打死他們或把他們投諸監獄中。過去幾個月，被杜華利亞以恐怖襲擊所殺死的，超過百人。關入監獄的人數更多，這些人都受到酷刑甚至予以屠殺，其中包括幾十個陸軍軍官。杜華利亞對於他手中的海地陸軍，亦不敢推心置腹的加以信任，參謀長已換過四個人。

杜華利亞這種獨裁的高壓血腥統治，再加上他的步步走向赤化的傾向，便是今天海地風波被掀起來的根本原因。而近因則是反杜華利亞份子於逃無可逃之時，便分別走入太子港的美洲國家使館去請求庇護，至今據說已達一一四人之多。其中逃入多明尼加使館的，便超過二十人，杜華利亞爲抓他們，四月底曾兵圍多國使館，因而招來多明尼加政府的憤怒，向杜華利亞提出最後通牒，宣稱要使用武力對付，軒然大波於是而起。

海地與多明尼加同處一島，兩國擁有共同的邊界。兩國是有着宿怨的。杜華利亞近年來的作爲更增加雙方的仇恨。據明多尼加說，多國前獨裁者特魯茲羅家族若干人，目前便在海地庇護下活動，圖謀復辟，威脅着多明尼加的安全。而流亡國外的反杜華利亞份子，同樣亦有若干集中於多明尼加，這就更使得雙方都感覺到勢不兩立。

杜華利亞血腥恐怖統治與赤化傾向，固引致海地內外人民急於要打倒他，美洲國家亦認爲杜華利亞政權不推翻，將是西半球的共同禍事。多明尼加指斥杜華利亞與共產集團有勾結，特別是指斥杜華利亞允許以基地供應卡斯特羅共產古巴使用，最是給美洲國家帶來不安。覺得長此以往，絕對危險，乃必需想法子把他收拾掉。杜華利亞把他與多明尼加糾紛投訴到聯合國安理會，美洲國家表示反對，認爲問題應由泛美組織處理，正是爲此。

海地雖百分之九十係黑人，但國內亦存在着民族問題：黑人與黑白混血人的問題。混血人是海地傳統的統治階級，他們對黑人亦歧視而輕蔑，其程度往往是以一「美國南方」的白人之於黑人。杜華利亞却是純粹的黑人。

目前在海地國內，杜華利亞的死對頭是巴鐸。巴鐸本爲杜華利亞的部下，後來鬧翻了，成爲冤家。巴鐸手中有游擊武力，幾個月來對杜華利亞及其死黨的襲擊事件，均由巴鐸所領導。在海地國外的有兩個領袖，一爲[illegible]另一爲費諸爾，刻在[illegible]是混血人，頗誠實頗得[illegible]年曾與杜華利亞競選[illegible]利亞如其垮台，回去[illegible]是狄佐。足以狄佐爭衡的，則是如今棲遲美國的費諸爾，他是一個黑人，費諸爾人很能幹，但思想亦左傾，據說美國人不大熱心支持他回去取代杜華利亞，就心換湯不換藥。（弗）

今夏之前無大雨 港九將隔日供水

（本報訊）天久不雨，港九隔日供水的厄運似已殆難避免。除非在五月十四日之前有沛然大雨，又當別論。但就天文台的氣候預測，期前降大雨的希望幾乎全不存在。

香港工務司於四月廿九日宣佈港九供水時間縮短爲每日三小時的時候，便曾附帶聲明：如其兩星期之內不降大雨，港九均將實行隔日供水，卽每兩天供水三小時。這項限期將於五月十四日屆滿。因而這些天來，港九許多人都在私心裡望天打卦，祈禱速降甘霖，藉免已經爲水的問題而痛苦不堪的港九居民屆時更加痛苦。

實際上，長洲已定於十三日開始隔日供水。則除非就在十三日那天有大雨降下，隔日供水的厄運勢必普遍降臨於港九地區。依據官方報告，截至十日晨九時，港九各水塘存量，共爲二十四億七千六百萬加侖，加上尙可自深圳方面取得的三億七千五百萬加侖，存水總量爲廿八億五千一百萬加侖。確實不得了。

五月九日與十日，本港通書壇的道士們，曾經「作法求雨」，其結果雖然無效，用心却是可嘉，亦爲香港苦旱中的一項「花邊新聞」也。

（又訊）香港政府鑒於[illegible]例低降，特別提出警告，並有情形[illegible]要大家到街喉取水。（員）

林權敏評省議員選舉

青年黨台省黨部主席

認有顯著進步秩序良佳 對今後選舉提三點意見

（本報高雄航訊）中國青年黨台灣省黨部主席林權敏認爲：這一次省議員選舉，確有顯著的進步。尤其選舉風氣以及秩序之佳，爲歷屆選舉之冠。他說：在競選過程中，尙有若干不如意的事，但綜合各方面的情況觀之，優點總比缺點爲多。

一、從辦理選務來說，政府對法令規定上嚴密的修正，將可能造成弊端或引起疑慮、紛漏之處，充分予以堵塞。

二、執政黨方面對這一次選舉，開始便揭櫫以公正、公平、公開的「三公選舉」的堅定立場，嚴禁其黨工人員參預選舉業務，更能約束其參加競選助選之黨員，以謙和容忍態度，與黨外人士作和平合理的競賽。

三、由於政府和執政黨都有共同開明而明智的作風，使得這次選舉從登記者的衆多，政見發表會聽衆的踴躍，候選人的守法、節約等，可以覺察這次選舉的進步。尤其從公開競選活動開始到選舉完畢爲止，全省各地，始終保持着平靜無事，選舉風氣以及秩序之佳，冠於歷屆選舉。美中不足者，就是投票率比上屆較差，最主要因素有二：（一）沒有上屆縣市長同時選舉競爭的劇烈，因此選民投票的興趣降低。（二）候選人比上屆節約，花費較少，公開活動僅有十天。

四、這一次選舉中，尙有若干候選人、助選人的守法精神不夠，欠佳。選舉是實現民主政治的必要手段，守法又是民主的第一要義，民主與法治不可分的，正同於人類須要空氣始能生存一樣。如果選舉不守法，民主政治的精神，便被貶毀了。尤其在發表政見時，超越了法律範圍，煽動分裂，挑撥是非，破壞團結、損害國家信譽，違背基本國策等等言論，最堪遺憾。他說：凡此，選舉監察機構都應予有效的制止，不然，選舉監察機關形同虛設，且有浪費人力和物力之嫌。

五、對於今後的選舉，林氏提出三點改進意見：（一）監察工作須加強化，監察設備，小組人員不齊，應予調整，尤其在野黨提名的委員，人地不宜者，務必改聘。（二）提高候選人素質，革新選政，修改選舉法規。（三）實行選舉獎懲辦法，對辦理選舉有功人員或守法的候選人，助選人應加獎勵，對妨害選舉者，應從嚴究辦。

讀王道著「美國的迷惘」

熊徵宇

在作者所舉的這些故事裏，使人了解這世界的局勢是怎樣的在發展，如何的嚴重，美國何以失去第二次世界大戰前後雄據世界的軍力，使絕對的優勢降爲不能相對的趨勢。美國在政策上的顚三倒四，舉棋不定，在自由世界是悲哀的！如果這樣發展下去，不光是美國的生命安全發生問題，全人類自由與奴役的命運也在這決定上。

「美國國防的最大敵人是共產黨。爲什麼美國做出來的事實常常是幫助他的敵人？」作者有深入的分析和冷靜思量，提出了自由世界的人們所共有的疑問。而這疑問的答案，乃在「挖出共產黨行動的根源」－軍事上的、政治上的、經濟上的；戰略與戰術的各種大魔術。

「核子賭場的煙霧」使美國迷惘了：兩顆原子彈結束二次世界大戰後，美國在一切戰爭的形態上，都歸納在核子戰爭的形態內。但是當俄國第一顆人造衛星射入太空軌道以後，又因此而驚惶不安，於是下下籌碼，太空競賽。

王道以全書五分之一的篇幅把美俄雙方的籌碼作了精確的分析，對「冷戰」和「嚇阻」有深入的見解。他說：

「艾森豪以核子嚇阻政策作爲基礎，盡量以發展核子武器爲第一優先，把傳統性的武力，尤其是陸軍兵力的優先秩序擺在最後。所以十餘年來，美國除在嚇阻以外，在任何戰區都因兵力不足捉襟而窮於應付。同時又不願像韓戰那樣陷於戰爭泥濘，於是只好節節退讓，一直退讓到今天無可再退的地步。於是又回過頭來發展傳統性的兵力，尤其是陸軍。以二次世界大戰後十七年的今天，在備戰的思想上繞這大的一個圈，不能說不是一種浪費。不能說不是重大的挫折」。

而俄共和中共，在這十餘年來就是因爲有了傳統性的兵力的優勢，一直無往不利。韓戰中，中共可以承受一百五十萬以上兵員的犧牲，美國的傷亡只有十五萬人，就感到萬分痛苦。於是韓戰在沒有結束的情況中結束了。

越南的戰爭，到奠邊府最後的關頭，美國不願再犧牲子弟的生命，只好讓法國十七個營的兵力在戰場上送掉。而寮國也是一樣。

在歐洲，北大西洋公約組織，兵力抵不過俄共的華沙公約組織。以美國目前十六師的陸軍和五個陸戰隊師，分佈於全世界廣大戰場上作警察行動，當然是杯水車薪，捉襟見肘。如是處於被動地位。

一個劣勢的兵力，又處於被動的地位，同時又加上一個姑息退讓的防禦的心理因素，就無怪乎問題是一天比一天的嚴重而倡促。

所以美國在「核子賭場」上下的籌碼，只能達到俄共的敲詐實效。

由於陸軍兵力的不足，美國無法從事傳統性的戰爭。而非傳統性的戰爭在心理與實質上的準備又不完善，所以俄國基於軍事上「恐怖的平衡」，以嚇阻對嚇阻，從事於非傳統性的戰爭，改變整個世界的形勢。

共產黨所執行的非傳統性的戰爭，以四個戰場的交叉結構成非傳統性的戰爭的完整形態。這四個：組織戰、心戰、經濟戰、游擊戰，的交叉，佔有了「角鬥的空間」。正是美國國防的缺口。

共產黨分佈在全世界四千多萬的黨員，正在採取各種不同的角度向自由世界的心臟進攻。向非共產黨的人群和個人，向非共產黨的政權和組織，進行腐蝕性的戰爭。是不穿制服的強大軍力。這些第五縱隊的隊員，一直進攻了美國的國務院，工會，以及許多要害的地區，向美國的國防核心襲擊。

（三）

天南風光

沙羅越的歷史

朱渊明

此外他又可以出席最高議會及立法會議。不過在這補充協定簽訂後不够一個月，太平洋大戰即已爆發，不久沙羅越亦隨星加坡而淪陷，故英國政府根本沒有機會來執行這個任務。

當一九四四年夏天，英國殖民地大臣通知拉者說：「英國認爲現有的協定，沒有充分使其對沙羅越的將來，無論在政治上，社會上及經濟上所採之發展政策，卸脫完全責任，爲澄清戰後英國與沙羅越間發展關係的觀點起見，一定需要舉行一次談判」。

這談判遂於一九四四年九月在英國殖民部中舉行，拉者則委派王弟「端木達」代表出席。未幾，王弟「端木達」因健康關係，辭去沙羅越談判委員會主任之職，拉者於徵得王弟之同意後，乃改派其姪「拉者木達」主持其事，但於委任國中，說明各事須尊重委員會意見，不得擅專。當時亦會呈報英皇，說明對於此項組織，無須作正式承認，因其組成之委員，僅爲沙羅越拉者的私人代表，其目的乃專爲談判已往之協定用者。

一九四五年上半年，英政府與沙羅越政在倫敦的臨時政府委員會之談判，仍在繼續着，但此時拉者維納忽然宣佈，說是：若遠東戰事結束及沙羅越光復後，彼已決定在一九四一年頒佈的憲法下，恢復其王位及權力，同時並終止他的姪兒爲政府行政長官，以及設在倫敦的臨時政府之作用。於是英沙之間的談判，遂受了這一宣佈的影響而無形停頓，不久，也就結束了這一個沒有進展的談判。

拉者維納，在這一段時期內，又曾經表示說：目前民主洪流，聲勢壯闊，若再以白人爲沙羅越的拉者，顯與時代觝觸，乃是一種不明智之舉。並說：爲了土人們自己的利益，他（拉者自稱）經已想到應將領土及主權讓渡與英皇陛下的政府。

（五十五）

蘇東坡逸話（上）

吉庭

有宋一代，文學之風，不減漢唐，而以蘇家父子兄弟爲最著稱。眉山蘇洵，號明允，年二十七，始發憤爲學。嘉祐間，至京師，歐陽修上其所著書，除校書郎，名動京師。所爲文奇峭雄拔，有先秦之風。洵生性傲岸，不阿權貴，對王安石面垢忘洗，衣垢忘洗之不近人情，作「辨姦論」以譏之。洵長子軾，字子瞻，嘉佑進士，工文章，縱橫奔放，雄視百世，詩詞書畫，亦飄逸勁遒而不羣。次子轍，字子由，與其兄同舉進士，官翰林學士，文章高雅，平正中有奇氣，不在乃兄下。父子兄弟，均以文章名世，號稱「三蘇」。在唐宋八大家中，彼父子已佔其三，論者稱爲眉山靈秀所鍾，其信然乎！

三蘇中，以軾之聲名爲最噪，其軼事，有足錄焉。

軾十歲時，父游學四方，教育責任，由母程氏負之。其母亦有學識者。一日，母讀「范滂傳」，慨然太息！軾曰：「我若做范滂，母其贊許否？」母答道：「爾做范滂，我難道不做范滂之母親乎？」按范滂，東漢征羌人，字孟博，少勵清節，慨然有澄清天下之志，爲冀州清詔使時，守令之臧污者，皆望風解去。由此，可見軾幼年時，已有堅貞不屈之氣節。

仁宗時，軾轍同入京應試，歐陽修爲主攷官，試題：「刑賞忠厚之至論」，軾文所引「臯陶曰殺之三，堯曰宥之三」，考官梅聖俞，以事不見據，亟以示主考官，歐亦不知此典何出？待軾拜謁時，因問之，軾曰：「曹操滅袁紹，以袁熙妻賜其子丕。孔融曰：『昔武王伐紂，以妲己賜周公。』操驚問見何經，融曰：以今日之事觀之，意其如此」。堯，臯陶之事，某亦意其如此」。歐乃歎曰：「此人可謂善讀書，善用書，他日文章，必獨步天下」。後果如歐言。

軾嫉邪傲物，卓有父風，因與王安石議政不合，復遭厄於黨禍，一謫黃州，再謫惠州，最後貶到瓊州。雖一生坎坷，而及時行樂，隨遇而安，寄情於山水間，收烟月於囊中，摒紛華於壓外，所至有詠。

按黃州，爲春秋邾國，隋置州，明改府，即今之湖北黃岡縣。軾貶此邦，築室東坡，號「東坡居士」，後之人，往往稱東坡而不名。城西北有「赤鼻磯」，因山石垂下若鼻，色赤紅，故名。東坡兩度泛舟夜遊，作前後赤壁賦以抒懷者，即此地也。

在赤壁門坊上，繪有「蘇東坡泛舟夜遊圖」，入內爲「二賦堂」，刻「前赤壁賦」與「後赤壁賦」於其中，書法遒勁秀拔，與文章縱橫豪放，並稱二美。距「二賦堂」而近，曰「坡仙亭」，內有「化字塔」，據傳爲東坡讀書之所，「赤壁懷古」一首，在此地詠成，爲平生得意之傑作。陳益稷詩云：「黃州淡月照坡仙」，乃指東坡爲一飄飄者。再行數十武，有小亭名「睡仙」，爲東坡休息處，所遺石榻，今倘存。又有「景蘇閣」，因景仰蘇東坡而築也，周圍壁上，嵌東坡墨蹟多起，詩文書畫，亦別具一格，爲歷史上文化古蹟之一。

據「苕溪漁隱叢話」載：東坡云：黃州西山麓，陡入江中，石色如丹，……今日李委秀才來，因以小舟載酒，飲於赤壁下。李善吹笛，酒酣，作數弄，風來水湧，大魚皆出，山上有棲鶻，亦驚起。赤壁賦所謂：「客有吹洞簫者」，即此人也。

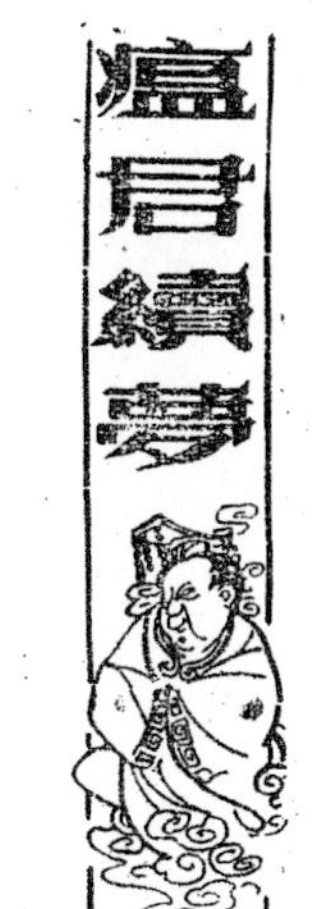

鴻君續夢

第九回

擊庚實堪驚　片言毀約
脫靴終自誤　衆志成城

李富春同葉劍英都問什麼機會。廖承志說道：「老撾王國政府有一個傘兵營長叫貢勒，上個月突然在萬象發動政變，推翻了原來的薩那尼空政府，擁國會議長傅瑪出來組閣，傅瑪與蘇發努馮是親兄弟，已經派人來同蘇發努馮聯絡過。」

葉劍英問道：「這個貢勒是個什麼樣的人呢？」

廖承志答道：「據我們在萬象的人員報告，貢勒今年只有二十七歲，身高不滿五尺，體重也不到一百磅，可是，野心非常大，眼見阿聯的納薩，伊拉克的卡森，都是一名中級軍官因發動政變，一夜之間躍登總統、總理的寶座，所以也眼紅，想照樣來一下，所以發動這次政變。」

李富春問道：「依你的看法，貢勒政權能不能穩定下去。」

廖承志搖頭道：「當然不成，首先是老撾全國的軍隊就不會服他指揮，因爲他的地位實在太低，威信根本沒有。加之右派反動勢力也相當大，在南方全是右派的勢力，更不會接受貢勒的統治。再退一步說，就算無人反對貢勒，他建立的政權能穩定下去，不出一年他又要發動政變，推翻傅瑪內閣，自任總理，所以老撾貢勒這一鬧，永無安定之日，我們的機會就來了。」

葉劍英問道：「蘇發努馮現在的力量又怎樣，他有什麼打算？」

廖承志說道：「蘇發努馮目前只有一個營，在桑怒地方打游擊，只要能予以接濟，馬上就會壯大起來。我同他會面時，勸他同貢勒多聯絡，對這樣一個野心小傢伙很容易應付，儘量把他捧得高高的就是了，利用他去對付右派，到了右派垮台後，再整他也不遲。」

李富春一連咳嗽幾聲，撫着胸口說道：「你的統戰法實在可以傳給蘇發努馮了。」

廖承志說道：「光靠統戰，沒有軍隊還是不成的，目前蘇發努馮有一營人作爲基幹，可以大加擴充，只要越南方面肯給予援助，所以我就想到請劍英同志和武元甲商量一下。」

葉劍英說道：「武元甲一人也作不了主，這事還要得到胡老頭子同意才行得通，現在我去找武元甲，你仍然和蘇發努馮保持接觸，富春同志去同胡志明切實談一談，老撾若能早日解放，對他只有好處。」

三人商量定了之後，各自分頭進行，老撾局勢就一天比一天緊張，蘇聯駐在寮國大使，看出其中問題，就報到莫斯科去。

赫魯曉夫自從高峯會議破裂，對國際方面的活動也沉寂一個時期。他天性是個好動的人，那能閒得住？眼見中共又向寮國伸手，更不肯落後，就想在國際方面鬧一場大事，調立威信。本來他想再開一次高峯會議，但自U二機事件發生之後，美國始終不肯道歉，赫魯曉夫自己也覺得下不了台，不好意思再提高峯，就打算開一次更大的會議，以轟動世界耳目。赫魯曉夫靈機一動，宣佈要親自出席聯合國大會。消息傳出，果然舉世震動。

（二〇三）

從以上韓世忠與秦檜之簡短對詞中之文意省察，秦檜決不至自陷於錯誤，而承認岳飛是無罪的。然而因此舉爲悖情違理之事，故後人便對此「莫須有」三字，臆加修改，或臆加解釋。玆請先徵引各家臆改之文，後陳筆者之說。

如徐乾學「資治通鑑」後編，便將「莫須有」改作「必須有」；畢沅續資治通鑑考異，則引「中興記事本末」而實之，他說「原作必須有」。朱彝尊見之，以爲深得其實。此種臆改，未免太過危險了！試想「莫須有」三字，普遍流傳若是之廣，記諸載籍甚多，皆爲「莫須有」，而宋史中對此亦毫無異詞，是此如何致發生此巨大訛文？俞正燮乃直接由字面加以解說，雖亦未得其實，但卻甚近情理，他在「癸巳存稿」岳武穆獄論中說：「莫須有者，莫，一言也；須有，一言也。檜遲疑之，又言有之。世忠截其語而合之，以詆檜之妄」。俞氏之釋，雖較上諸說近情理，但其說尚不足徵信。

因此「莫須有」三字羅織之南宋巨獄，尚待進一步探討爲是。

「莫須有」與岳飛之死

周燕謀

大陸雜誌十二卷一期，有曲頴生先生釋「莫須有」一文，有進一步之解釋，是誠可謂深得其實之說也。曲氏說：「莫，是疑詞，秦檜口中說出『莫須有』時，實係秦檜每言一項岳飛罪狀時，世忠即加以駁斥，最後弄得秦檜辭窮意窘，竟作反答辯說：『莫不會有嗎』？（更明確些，可釋作『難道不會有嗎？』）而世忠立即抓住其話中最重要之不會有三字，緊接說道：不會有何足以服天下？」並徵引宋代以後各著作中對「莫」字之詮釋以實之。

玆將曲頴生氏所引之說，再加闡釋。如劉淇「助字辨略」對「莫須有」三字釋云：「莫須，猶莫是也。」劉氏又引包何詩云：「莫是上迷樓」下云：「莫是者，方言，猶今云恐是也。」是劉氏亦視「莫」爲疑辭。又論語「文莫吾猶人也」句，朱子「說類」釋之云：「莫疑詞，猶今人云莫是如此否？」又有「莊子」則陽篇「莫爲盜」註云：「莫疑辭也」。觀此，莫之爲疑，遠在戰國時代已爲此意，而在晉代已有此注疏文，在宋元以後著作更普遍。除朱熹語類之外，又見於蘇軾與子明兄書，書云：「兄自有三哥一房鄉居，莫可作此繁否？又只恐亦不忍與三哥作兩處也。」（東坡全集）又在稍後之元人戲曲及小說中，亦多採用之。如關漢卿雙調新水令套：「莫不是貪睡人兒忘了那，偃塚在藍橋下？」又秦簡夫「東堂老」「恁兄着小弟猜病症，莫不是害風寒暑溼麼？……莫不是爲飢飽勞逸嗎？」（中）

南宋偏安有人才

——岳飛

李仲侯

知州王端奏其功，補承信郎。六年，賊首張超率衆數百圍韓忠獻故壁，飛適見之，怒曰：「賊敢犯吾堡耶」！起而視之，賊方恃勇直前，飛乘垣引矢一發，貫咒而踣，賊衆奔潰，堡賴以全。

欽宗靖康元年，路分李團練（失其名）知飛勇，以百餘騎檄往慶陽檢次縣說賊，謂之硬探，猝遇虜衆，騎士畏却，飛單騎突虜陣，出入數四，殺其騎將數人，虜衆披靡，不敢逼。至夜以虜服潛入其營，遇擊刁斗者，譯爲胡語答之，遂周行營柵，諦得其要領以歸。補進義副尉，會夜渡亡其告身，飛又棄不復問，間行歸相州。是年高宗皇帝以康王爲兵馬大元帥開府河朔，至相州，飛因劉浩得見，命招羣賊吉倩等。飛受命出，自薄暮與以百騎，頓所部宿食，自領四騎逕入賊營，羣賊駭愕，飛呼倩等慰諭之曰：「胡虜犯順，汝曹不轉義以立功名，反於草間竊活，今我以大元帥命招納汝曹，此轉禍爲福之秋也」！倩等素知飛名，且感其至誠，置酒延之，飛亦豪飲不疑。酒酣，倩謂飛曰：「倩等既騷動州縣，今既受招，恐未免誅戮」。飛開諭再三，衆已聽令，忽一賊起與飛搏，飛批其頰，應手仆地，拔劍向之，倩等羅拜請免，相率解甲受降，凡三百八十人。由是受知於大元帥，分鐵騎三百，使飛往李固渡嘗虜軍，戰於侍御林，敗之，殺其梟將。

未幾，檄從劉浩解東京圍，與虜相持於滑州南，飛乘浩馬，從百騎習泳河上，河凍冰合，虜忽至，飛麾其下曰：「虜雖衆，未知吾虛實，及其未定擊之，可以得志」！乃獨馳迎敵，有梟將舞刀而前，飛以刀承之，刃入寸許，復拔刀擊之，斬其首，屍仆冰上。騎兵乘之，虜衆大敗，斬首數千級，得馬數百匹，以功遷秉義郎。

飛天性至孝，自北境紛擾，母令以從戎報國，輒不忍，屢趣之，不得已乃留妻養母，獨從高宗渡河。次北京（即大名府），以飛軍隸留守宗澤。建炎元年正月與金人戰於聞德，以兩矢殪金人執旗者二人，縱騎突擊，敗之，奪甲馬弓箭以獻。二月戰於曹州，飛披髮揮四刃鐵簡，直犯虜陣，士皆鼓勇，無不一當百，大破之，追奔數十里。自此後，宗澤對飛大奇之，謂之曰：「爾智勇才藝，雖古良將不能過。然好野戰，非古法。今爲裨將尚可，他日爲大將，此非萬金計也」。因授以陣圖，飛一見即置之。後復以問飛，飛曰：「留守所賜陣圖，某熟觀之，乃定局耳。古今異宜，險夷異地，豈可按一定之圖？兵家之要，在於出奇不可測識，始能取勝。若平原曠野，猝與敵遇，何暇整陣哉？況飛今日以裨將聽令麾下，掌兵不多，使陣一定，虜人得窺虛實，鐵騎四蹂，無遺類矣」！澤曰：「如爾所言，陣法不足用耶」？飛曰：「陣而後戰，兵之常法，然勢有不可拘者。且運用之妙，存於一心，留守第思之」。澤默然良久曰：「爾言是也」。

（五十）

曾左彭胡

漁翁

滿清以異族入主中華，對漢人不免有畛域之分，人民在專制極權之下，含怒而不敢言者，垂二百餘年，至道光咸豐間，內憂外患，相繼並起，羣衆躍躍欲動，而有揭竿起義之舉，首創者爲洪秀全楊秀清等在廣西桂平縣之金田村，由粵西下湖南湖北，直達金陵而定都，建號太平天國。

當太平軍聲勢鼎盛之際，清廷危急萬分，時湘人曾國藩，左宗棠，彭玉麟，胡林翼輩，督練鄉團，整編成軍，乘太平軍諸將爭權相殺之機會，戮力進兵，卒將其消滅，轉危爲安，爲清室中興之功臣，世人簡稱「曾左彭胡」。

曾國藩，初號伯涵，後改滌生，湘鄉人，道光進士，以庶吉士入翰林院。咸豐登極，拔升侍郎。丁艱回籍，適洪楊起義，西南半壁騷然，曾即組織團練，捍衛鄉邦，屢挫太平軍，旋奉命改編，成爲有紀律有訓練之勁旅，嘗以岳武穆「文官不愛錢，武將不怕死」二語，以自勵勵人，遂復沿江諸地，而直搗金陵，以功封毅勇侯，官兩廣總督。國藩治軍居官，皆粹然有儒者氣象。其論學謂義理考據詞章三者，闕一不可，所爲古文，亦卓絕一代，而列入桐城派，在明清八大家中，爲首屈一指人物。卒於同治十一年二月四日；穆宗聞耗，輟朝三日，追贈太傅，諡以「文正」，名與實符，凡讀過「曾國藩家書」，及「治家語錄」，便知其持盈保泰，居仁由義之一貫作風。

左宗棠，字季高，湘陰人，道光時，舉於鄉，咸豐初，洪楊軍起，以四品京堂統軍，轉戰於浙江福建間。後又平陝甘，定天山，累官總督，拜東閣大學士，封恪靖侯，諡「文襄」。論功不在曾文正之下。當駐防西北時，寓兵於農，卹民以教，平靜時，說禮樂而敦詩書，有事之秋，執干戈以衛社稷。尤其軍行所至，恐逸則生惰，即舉行植樹運動，在陝省六七百里地方，種樹達三十萬株，在甘屬涇川至玉門關一帶，綿亘數千里，所植更不可以統計，後人稱之曰「左公柳」。左去後，當地人頌之曰：「崑崙之墟，積雪皚皚。杯酒陽關，馬嘶人泣。誰引春風，千里一碧？勿剪勿伐，左侯所植！」足見其遺愛之深。

彭玉麟，字雪琴，又號退省菴主人，衡陽人。幼失怙，家貧，始入石鼓書院肄書，所獲不能自給，改投協標充書記，爲衡州知府高人鑑所賞識，命入署攻讀，以求上進，應童子試，名列第三。玉麟文兼武備，有經世之才；曾國藩治水師於衡陽，彭與楊載福分統之，轉戰長江各省，克武漢，下九江，安慶，蕪湖等處，以功官兵部尚書。而彭不逐逐於富貴，眷眷於虛榮，屢辭官歸田，辭疏中有：「臣以寒士來，願以寒士去」之句。既歸，清廷知其廉介，復詔每年巡閱長江一帶，以儆官邪，時人稱爲包孝肅第二。故其歿也，諡之曰「剛直」，後之人亦皆稱彭剛直而不名。彭僅一秀才耳，故未得諡「文」。

胡林翼，字貺生，又號潤之，益陽人，道光進士，官湖北巡撫。時洪楊盛勢，胡以勝敗賴軍事，欲固軍心，非經濟莫屬，所謂足食足兵，百戰百勝，於是創釐金，通鹽運，改漕章，增收入，以固守武昌，爲各省戰事之根據地，尤其治軍，務求紀律之嚴明，賞罰之公平，嘗曰：「兵之嘗者無不疲，將之貪者無不怯」。又曰：「才者無求於天下，天下當自求之」。當世以爲知言。胡一生致力於軍政，未獲歸田退休，竟卒於軍，贈總督，而以「文忠」諡之。

曾左彭胡，皆文質彬彬，遭遇時故，而明恥教戰，統領師干，所向克捷，有過於赳赳武夫者。四人皆湘產，湘省山有衡嶽之勝，水有洞庭之秀，其地靈而人傑歟？

報人普立茲傳

汶津譯

拉姆賽估量着一些使約瑟夫與衆不同的條件——他的敏於思索的心智，生動的談話，以及他對書本的愛好。約瑟夫有那種十七歲孩子的可塑性和不定性。但他時而是一個孩子，時而又是一個成人。軍營生活對他是艱苦的，他的不幸的遭遇驅使他憤怒而無望地流淚。

拉姆賽想約瑟夫的仁慈的父親和溫文的母親沒有準備讓孩子熬受這種痛苦的生活。至少，他們可能給了他他們自己在外貌上的優點。但約瑟夫的瘦長的身軀抗着一顆大腦袋，上面長着又密又亂的頭髮。注視那張敏感的臉，你可以看到那美好的眼睛和傲氣而強硬的鼻子。隊中另外的那些年輕孩子都習於和老兵們相處。他們的孩子相使老兵們回憶到家園中的童年，而約瑟夫的端正的臉却成爲取笑的對象。

上尉很受用他和約瑟夫的交往。但他從不告訴那孩子他該怎麼做。一晚當他們玩棋的時候拉姆賽打破了這個慣例。他問起約瑟夫和別個士兵的一次打鬥。

「沒什麼，拉姆賽上尉。」他看着他們的遊戲，平靜地說。

「可是約瑟夫，那士兵鬧得不成話，你怎麼說沒事！」

孩子端詳着上尉的臉。「今天早上我詢問那士兵給我的一個命令。他對我簡直瘋了。我是對的，但是他認爲我在抗命。」

拉姆賽微笑着，使他的話不致傷人。「約瑟夫，即使你認爲你是對的，不要詰問任何命令。在軍隊裏是不行的。你問得太多了，孩子。你總想知道爲什麼會發出那些命令。或者那命令有何目的。你對各種事情的興趣和好問的習慣在你離開軍隊後會是很可貴的。但是當你是一個軍人時，你不是一個『人』。你走別人走的路；你的一舉一動都在別人指揮下。軍隊會代你思想。去猜想格蘭特將軍在西部幹什麼可不是士兵波勒茲的份內事。或者爲什麼林肯總統如此這般的做法。或者爲什麼席雷登要一半的騎兵隊去維吉尼亞——」

「是嗎，拉姆賽上尉？我們什麼時候走？我們得到命令了嗎？另外一半騎兵隊上那兒去？快了嗎？我會去維吉尼亞？那該——」

拉姆賽猛舉起雙手。要想改變那孩子實在是無計可施。「停下來！你簡直不可救藥！約瑟夫。我們繼續下棋吧。」

那消息是眞的。士兵們樂意重新挪動。這顯示着戰爭即將結束。因爲士兵們有了較多的工作要做，約瑟夫的麻煩相對減少了。一個士兵告訴約瑟夫他曾聽一些老兵們說起波勒滋是林肯騎兵隊的最佳騎手。那他們說全隊都得以他爲榮。可眞是使約瑟夫興奮的一刻。可是第二天他又有麻煩了，而且是一個士兵所能惹上的最大麻煩。

（七）

梁敦厚事蹟

吳文蔚

梁氏在戰爭激烈進行時，嘗抽餘暇觀察敵我陣地，他的辦公室在省府二樓，面對着東山，僅幾華里，所以他常用望遠鏡瞭望東山敵我情形，尤其夜間炮火連天，驚心動魄，令人顫慄，但他鎮靜如恒，視若平常，絲毫沒有一點畏懼。當城陷前夜，他還拿着手電筒到綏署各處室巡視，笑語橫生，對同仁慰勉有加，而對其本身職責，仍然照常處理指揮。這種好整以暇的精神，和沉着勇毅的作爲，是至大至剛的氣概，與完美的人格和純眞的德操的自然表現。

太原保衛戰終結了，太原城市毀滅了，梁敦厚代主席成仁了，但革命精神沒有完，反共聖戰正在延續，這就如同閻錫山將軍所說的：「我們以革命犧牲的精神，完成了革命的種子，豈止今日成功確有把握，將來的發展更屬無量」。

（九）

自由報
內警台報字第〇三一號內銷證
THE FREE NEWS
第三四〇期
中華民國僑務委員會頒發
台教新字第三二三號登記證
中華郵政台字第一二八二號執照
登記為第一類新聞紙類
（本週刊每星期三、六出版）
每份港幣壹角
台灣零售價新台幣弍元
社長：雷嘯岑
督印人：黃行齋
社址：香港銅鑼灣高士威道二十號四樓
20 CAUSEWAY RD 3RD FL
HONG KONG
TEL. 771726　電報掛號 7191
承印者：四風印刷廠
地址：香港灣仔高士打道二二一號
台灣分社
台北市西寧南路壹壹本號二樓
電話：三〇三四六
台郵撥儲金戶九二五二

再認識美國

·方南·

十多年來都在「迷惘」狀態中的美國，業已成為一個「令人失望的美國」。這當然會為仇者所快，親者所痛。

面對着這個無可否認的事實，想到美國目前和未來的關係，我們應該怎樣才是？

這是要認眞切實檢討的時候了。不容佯為不見，不必諱疾忌醫，不要以為沒有美國的同意便什麼都幹不成。

美國作為令人失望

美國最令人失望的事實，莫過於禁止古巴反共志士，進行各種活動。古巴共黨政權是美國肘腋之患，美國尚且不准古巴志士去動他一下，出爾反爾，始亂終棄，還會在其他遼遠地區敢作敢為麼？

看了古巴的榜樣，是不是要說我們無可避免的要放棄反攻大陸的願望呢？

誰都不會說我們要放棄這個願望。政府一直以此為號召，大陸同胞一直要求國軍實行反攻，海外僑胞一直在呼籲，必須迅速反攻。設使反攻被宣佈為絕望，等如說中華民族應該永遠沉淪。這是可以的嗎？

事實擺在眼前，我們如必須倚靠「美援」才可反攻，豈不是憑口頭空掛着一錢之望，實際確已絕望麼？這縱為憂時之士所不忍言，但決不能不認眞用心去想吧！

就事論事，我們確應認定：美國已不是自由世界精神方面的領導者。它只靠物力來維持反共陣營的一條漫長防線，並且早已陷入支絀的困境中。

在從前，有人會說太平洋是美國的太平湖，最近卻連加勒比海也頻起烽烟了。蘇俄業已「越洲」向古巴進軍，開闢拉丁美洲新戰場，使古巴成為美國敲不破的堡壘，這總不能不說是美國的一項重大失敗吧！美國要「自食其果」的事情還多着呢。由於阿聯勢力的不斷擴張，美國正在憂慮以色列和阿聯正式衝突；由於寮國聯合政府岌岌危殆，美國正在為了對付寮共的策略而苦惱。

共方打擊針對美國

在共黨決策者的眼裏看，一切「反動勢力」都是「以美國為首」的。他們本着「蛇無頭而不行」的看法，決拿美國當作「蛇頭」來打。中共所以一貫在大陸進行「仇美」宣傳運動，蘇俄所以敢向拉丁美洲「越洲」進軍，同樣為了「打蛇頭」這個目標。目前我們可以很清楚地看到：蘇俄正在用盡一切方法去保持古巴這個據點，作為長期牽制美國的一隻重要棋子。它要使美國惕於「近憂」而逐漸忘記了「遠慮」，這便會更加有利於共黨在其他地區進行零星戰鬥，逐塊割裂吞併，符合了「先打中小城市才打大城市」的戰略要求了。設使未來形勢符合共黨的期望而逐漸發展下去，尤其拉丁美洲這一地區的情況變得更糟，我們便該提防美國本身的「心力」變得愈弱，再不會有什麼遠謀。

從另方面看，有人認為：自由世界和共產世界都在鬧着內部分裂，雙方的領導中心同時失去了原有的控制力，一元的領導正在漸變為多元。因此，美國的處境仍不會比蘇俄為劣。美國甘迺廸政府現行的政策是：極力避免核子大戰，投合蘇俄赫魯曉夫在共產集團內部所倡的「和平共存」。這政策在表面看是軟弱的，但就長遠觀點看去，它將會對共產集團內部發生一定的影響，而蘇俄和中共的長期內鬨也會帶給美國以良好的運氣。無疑的，這種說法會為害怕戰爭而就於保守的惰性美國人所接受。但由這政策帶給中華民國的禍害，便是長期壓制國軍的反攻行動，把民族復興的願望放入冰箱裏去。

但見物力不識心力

截至現在為止，美國人眼裡的戰爭，只有一種純靠「物力」的「制勝的戰爭」。他們根本不會想到怎樣運用反共的「心力」進行另一種性質的戰爭。依據他們過去所做的許多事情來判斷，他們對於鐵幕以內可供運用的一切力量，除了可能供給他們以情報的一小撮份子，其餘都要徹底放棄。

反之，共產黨卻在發動一切可用的「心力」來配合「物力」，盡其可能使用的各種方法，給美國以來自四方八面的各種麻煩。雙方依此纏鬥下去，我們沒有理由相信美國能夠把什麼力量帶進鐵幕裡面，促使共產集團發生有利於自由世界的變化。而相反的一方面，共黨必然鍥而不舍，有辦法帶給美國以更多的麻煩。

看透了以上的一點，我們該有如下的認識：第一，新生的反共力量源源而起，在歐洲，非洲，亞洲，在鐵幕內部與外部都是如此。絕大多數反共者都是為了維護人類原有的理性，以及應該享受的自由而起來的。力量出自人性與人心，是共黨斬不盡與切不斷的。向新生不斷的反共力量着眼，我們便不該因美國的迷惘而沮喪。

第二，「以美國為首」的「物力」，只是反共的一部份本錢，仍有大部份本錢是在「心力」方面，等待大家去動用。只要我們眞正能夠恢復建國時的「革命精神」，便有資格動用可以「求之在我」的另一部份本錢，配合「物力」方面的本錢去作戰。

國人應更自勵自信

這一段話，從前儘可看作老生常談，但看過去年大陸的「五月逃亡潮」，再看到最近美國政府怎樣對待古巴的反共志士，我們在這一方面的認識，應該比以前越更透徹，自勵與自信也應該比以前積極吧！

凡是可以運用來反共的「物力」，不管是美國或其他什麼國的都該受用，但要在精神上心理上擺脫依賴附從性，不受任何束縛。我們的責任是開發「心力」，本着革命者以犧牲小我造福大我的精神，以非常積極的刻苦奮鬥來扭轉機運。這一點「心理建設」不只要馬上着手，而且要長期普遍培養，不然的話，「哀莫大於心死」，只成了美國「物力」之奴，濟得甚事？

有人說：十多年來，美國走失了一個最好的機會，那就是勾牙利反共革命運動爆發，而當時的艾森豪政府，毫無勇氣採取必然有效的援應行動。而自由中國走失了的唯一機會，便是去年的「五月逃亡潮」。我們試檢讀去年五月逃亡到香港的志士們所作的各種紀錄，可以完全證實這一說法。如再以去年秋冬之間由大陸傳出的若干確實消息作為旁證，可感慨的事情更有不少。我們連「盡其在我」這四個字也實在沒有做到呢。

求之在我盡其在我

一年已逝，今年五月也很快過了一半。瞻望雲天，萬里苦旱，大陸這七個月來的旱災確實非常嚴重，說不定會再來一次更加洶湧的「逃亡潮」，到那時，我們能否做好了把握變局的妥善準備？

這裏不是要作什麼預言，信筆所及，只想着重在「求之在我」和「盡其在我」這兩句話，尋求旋轉乾坤的機竅於我們方寸之間。

漫画天下

赫魯曉夫的煩惱

「喂，同志，對寮國停火！」

自由談

龜道主義

馬五先生

最近香港的一個魚商，被人控告他有虐待烏龜和甲魚的行為，喧騰於報紙上，這是我旅港十餘年來，第一次聽到的新聞消息。過去祇知道香港設有「虐畜會」，人們若對雞鴨貓狗之類有「虐待」行為——如雞籠裏裝着過多的雞，使它擁擠太甚，或者倒提着雞鴨在街上行走等情形，即被控告「虐畜罪」，受到懲罰，如今連烏龜甲魚亦光被這項深仁厚澤了！馬五先生曰：今恩及於烏龜王八，而野有餓莩，路多棄嬰，苦力乞兒，遍處可見，從未聞有人加以憐憫救援者，慈善家何其賤人而貴畜也？

同情人類的危難災禍而思有以拯救之，叫做人道主義，憐憫烏龜受困苦而惻然鳴不平，其為龜道主義乎？然而子非龜，焉知其為受虐也？學佛的人，講究放生，其因果關係雖然渺茫，但使可能喪生於人類手中的動物，放縱於養生復活之地，總算是物我同觀，於心無愧。唯有禁止虐畜這種觀念，實在不足為訓。自己經常殺雞宰鴨，咬貓屠狗，更以烏龜甲魚為無上的補品，嗜食不遑，卻因這些動物在臨死的剎那間受到魚販的一點漠視，即指為犯罪的暴虐行為，這不是假慈悲嗎？

在中國大陸上的人民，近十餘年來所膺受的凌虐慘痛生活，亙古罕有，令人不忍聞聽，害怕敘述。但安居在海隅的一般畜道主義者，似乎漠不關心，毫無所謂，有時候對於那殘賤人類的共黨暴虐政權，且不免表示讚頌之意，寧非咄咄怪事！

惻忍之心，人皆有之，這是事實，但是非、羞惡之心更不可少。賤人貴畜的觀念，就是只有些許惻忍的意思，旨在沽名釣譽，冒充慈善家而已。世之所謂偽君子、眞小人者，其在斯乎！其在斯乎！

慈悲為懷，物我平等，而仁心仁問，於是乎生焉。這樣的仁人君子，殊堪敬佩。賤人而貴畜，重小而輕大，這比孟子所謂「遠庖廚」的心理尤為下流。所以，我寧願遇着江洋大盜，亦不願瞧見偽慈善家。可是，社會愈號文明，偽慈善家卻愈多，奈之何哉！

香港與大陸

毛共為防人民反抗 再玩軟硬兼施手法

中共為減輕大陸人民的反共情緒，正軟硬兼施，一面實行鎮壓，一面又酌量暫時放寬限制。

原為中共縣級幹部，最近逃抵香港不願透露姓名的某君說：大陸人民反共情緒的高漲，中共那撮人是深切明白的，中共並確實瞭解其產生的原因及其嚴重的後果。中共便又一度使用一面鎮壓，一面略為放寬某些限制的方法，以圖挽救。

他說：五華縣和廣東大部份地區，最近兩個月均掀起「平反」運動，大力整人，它最近幾次的「宣判會」，判決了廿多個人，其中有兩名被鎗決，十多名五年到廿年的徒刑，其餘為二年到五年的徒刑。他們的罪狀是暴動或造謠。但同時，糧食的配額稍為增加了，自由市場的交易少了些限制，只要有錢便可買到一些較「好」的東西；學生的勞動也較前少些；支援春耕時間較減短了；並暗示機關幹部暫時不「下放」。

他說：中共這些做法，一些頭腦較簡單的人，不是誤認其政策有有所改變，便誤認經濟情況已趨好轉。其實大謬不然。他說，他因為是縣級幹部，深知道些都是預為研究安排的手法。他說：很簡單，大陸人民早就誰都想起來反抗，但誰都知道在共產黨的高壓下，反抗鮮有成功機會；但，如果飢餓加上一味的鬥爭，迫得人民發覺絕無生機時，難免就會孤注一擲的起來與共黨拼命，使中共走向滅亡。中共認為唯有軟硬兼施的手法，才可望降低人民反抗的情緒，而使其政權得以苟延殘喘。（敬斯）

選戰結束兩星期

選舉糾紛鬧出七件

內容各不相同所採手段亦異 有的已成官司有的故意不打

（本報記者吳越台北航訊）省議員選舉已經過去，但跟着來的，卻是一連串的選舉糾紛。這種情形，在歐美各民主先進國家，也是司空見慣，倒亦不足為怪的。

記者特就選舉後所已鬧開的糾紛，作簡要報導，一以使地方選民了解糾紛的因由實質，因而對事理能作理智客觀的批判，一以使主管當局，能參酌現實情形，作為今後改進地方選舉的依據。

現在已經發生的選後糾紛及其內容，略誌如後：

苗栗縣的省議員落選人傅添榮，本（五）月七日，印就一項「告全縣父老書」，分發縣內十八鄉鎮，對此次選舉提出抗議。除此以外，傅添榮並向縣選舉監察小組提出書面建議，書中指摘該小組對若干候選人之賄選熟視無睹，使神聖的民主政治，抹上一層汚點。但傅添榮對記者表示：他無意對若干因賄選而當選的人提出選舉訴訟，不過必須將內情公開，好讓選民有所瞭解。

桃園縣省議員落選人林丕讓，他拒絕領回選務所發還的選舉公報費剩餘欵一千餘元，他認為這次候選人繳的公報費一萬元，選務所在運用時跡近浪費。林丕讓指出：這次省議員選舉，公報印了十萬份，耗資五萬六千元，而且在議價時係由大光印刷廠得標，但實際上卻由大新印刷廠承印，這顯然有浪費情事。他說：第三屆省議員候選人共七名，每名繳交公報費一萬元，共七萬元，其開支明細表指出：㈠印刷選舉公報十萬份，五萬六千元，㈡公報分發搬運費八百元，㈢招標公告費一千二百元，合計五萬八千元。尚餘一萬二千元，七人均分各得一千零七十四元二角八分。林丕讓對上項開支表示不滿，他表示：現在治安單位已在進行調查，他除了聽候治安人員調查清楚外，並拒絕領回餘欵。

台中市選舉監察小組，於本（五）月三日開會決定，將涉嫌散發味精，為候選人賴榮木賄選之王華松、張江山二人移送台中地檢處偵辦。據監察小組調查所得，張江山於四月廿六日從賴榮木的朋友手中，領到津津味精一兩重盒共一百盒，賴榮木的競選名片一疊，經邀請王華松共同在東區東成里一帶散發，至育英路熊某家中時，被熊等三人扭送警三分局提出檢舉。目前因為無法查出賴榮木的朋友是誰，無從提起賴榮木當選無效之訴，但散發味精的王華松、張江山二人，卻將依妨害選舉論罪。

台北縣落選人陳秋波，五月二日向台北縣選舉監察小組，檢舉當選人李炳盛「違法賄選」。他在檢舉書中指出：投票之日中午，李炳盛的助選員吳連城，曾在林口鄉第一六九號投票所附近，與頂福村長蘇室池洽商買票賄選，被鄉民周基杉發現，曾予阻止而發生爭吵，繼而動武互毆，嗣由鄉民向林口分駐所報案，並向選舉監察小組檢舉，當場作成調查筆錄可資查証。

台北市的落選人宋霖康，於投票日的第二天，到台北地方法院檢察處按鈴申告，檢舉台北市各投開票所職員瀆職，該案已予受理，並於日前開過一次偵查庭。宋霖康向檢察官告發說：「根據官方的警察廣播電台廿八日晚十時後，連續播出三次的省議員開票結果，我是第四位當選，而且官方的新生報電動新聞，亦曾報導我已當選，不料後來變成得票第七位的落選人，顯然全市各投開票所職員有瀆職嫌疑。」據主辦台北市選務的市府民政局長張燦堂，在第一次偵查庭中辯稱：當選落選乃根據各投開票所之開票結果報告，電台之報導資料何來？是否正確？選務所不負責任。現宋霖康已進行請求複查全市選票。

嘉義省議員落選人林樂善，四月底向選舉監察小組申請複查省議員選舉的全部選票。林樂善以嘉義公益廣播電台廣播，他得票二萬九千張為理由，認為他自已應在當選之列，但選務所統計票數，他只有二萬二千餘票而落選。但據公益廣播電台事後發表聲明稱：公益電台於水上鄉開票時統計林樂善獲票八百三十二票，因係用阿拉伯字登記，此項數字由電話傳至電台時，播音員誤讀為八千三百二十票，而播音員播出後發覺錯誤，隨即重播更正數字。該電台並表示：林樂善因此項數字之誤播，而進行對嘉義選務所之訴訟，實屬毫無意義。

省府電省內縣市公職人員選舉罷免監察委員會，查明高雄縣政府秘書沈義，行政課課長鄭李惠非法為人助選實情，依法處理報核。據聯合報刊載指出：省府電文中高雄縣議員曾玉清，前議員余耀波，及縣府秘書沈義，行政課長鄭李惠，因被檢舉違反黨紀，為黨外人士（記者按：是指余縣長的媳婦余陳月瑛）助選，經縣黨部報請上級開除黨籍。查各級軍公教人員及辦理選務人員不得有助選行為，違者從嚴處。省監察委員會正依法徹查中。（五月十日）

香港歷史上兩次大水荒

比目前更嚴重

（本報訊）香港苦旱，水荒嚴重，非但隔日供水開始實行，甚至關閉住戶水喉一律到街喉按照人口定量分配用水之舉，亦已呼之欲出。居民談水色變，就心最困苦的日子還在後頭。

水是香港開埠以來便存在的老問題，以往的缺水紀錄，且有比目前情形更嚴重的，如一九〇二年與一九二九年，便是如此。

一九〇二年五月初，照說早應該是雨季開始的時候，但卻一如目前的炎陽高掛，亢燥無雨，而當時由於水塘所存水量均不及目前的多，故供水時間縮為每天一小時，幾等於全日制水。當時當局為解決水荒，從大陸裝水來港，注入海傍的儲水箱內，定量分配，且當時霍亂與鼠疫相繼而來，尤使居民苦中加怕。好在這種情形維持不久，到五月的第二個星期，便大雨連綿而來。

一九二九年的情形更不堪。那年六月，為解決用水，香港政府在海傍築起碼頭和鐵質的儲水箱，火車車卡改裝成水車從大埔運來市區供應。到六月七日，香港八個水塘有五個完全枯乾，當局組織了緊急委員會應變，主要的水源由澳門附近西江，用大批水艇從那裏載水來應用，一些大洋船還從上海等地裝水來港。六月十九日最後一個水塘大潭篤也枯乾了。旱象一直維持到六月底才解除。但整個七月份，供水仍限制甚嚴，每天供應水量不過四百萬加崙，每人分配六加崙餘，可知其慘。（會）

港隔日供水首天 街喉秩序甚紊亂

（本報訊）香港開始隔日供水之第一日，即五月十六日，各住戶因多先期儲足用水，問題尚不多，在街喉輪水者，則因秩序欠佳，糾紛至多。此種情形，說明全日果眞斷絕一切住戶水喉，全體居民均到街喉取水，秩序問題，將更為嚴重。

港九若干地區，多已裝之公家水喉，據說此即為他日被迫非要關閉住戶水喉不可時之準備。此一由滅火龍頭所改裝之街喉，甚得居民歡迎，因減少輪水者之等候時間，較長之人龍較短之舊式街喉排隊。

但在街喉輪水之秩序則甚為紊亂，特別以荃灣區方面為然，許多人並不依次序放置水桶，有等將五、六個水桶同時擺列，亦有將水桶之排列在空地上空展，作成疊羅漢陣勢，致引起糾紛不少。尤其發現了「水霸」，以一人佔用十餘個水桶位置，以致守秩序之輪水者無法得水，特別一般婦孺，更無法依秩序取得用水，為當局所必須注意改善者。

多事基隆市府又有事

這次是為了市長主秘失和 雙方各執一詞互相揭瘡疤

（本報記者昌文台北航訊）多事的基隆市政府，在市長林番王的領導下，一直沒有停止過是非非的新聞。最近又與主任秘書紀裕常失和，雙方互揭瘡疤，市長說主秘不能配合，主秘說他是明媒正娶而來，市長不能隨便遣棄。鬧得滿城風雨。基隆市民實在已經厭聞這些爭吵，希望林市長用點精神在為市民服務上去。

上（四）月廿六日，基隆市政府員工舉行動員月會，主任秘書紀裕常沒有參加，會中有人指責主秘紀裕常官僚作風，不受市府同仁歡迎，且指紀裕常會頤指氣使地令一個高年股長在市府門前拾檢煙蒂，凌辱同仁，有辱官箴，與會員工一致決議要求市長林番王撤換主秘紀裕常。林番王當場表示，決照全體同仁意見辦理，報省撤換紀裕常。

紀裕常知道動員月會的決議後，即表示認為這是林番王所導演，有意對他加以排擠。在林、紀失和的情形下，紀裕常如此推定，自或不無理由。不過，紀裕常在接任之初，向全市府員工致詞，要求大家守法從公，不遲到，不早退。而他在講過此話的第二日，即是星期六下午辦公時間，卻巡乘市府公務車返回台中寓所去了。此事會引起基隆市府員工一陣竊竊私議，批評他「言不顧行」。

林、紀失和表面化之後，近日突有所謂市政「七件黑幕」之事，在基隆社會傳播，都是不利於林番王的，有謂此為主秘紀裕常所為。但在議會答覆議員質詢時，紀裕常卻稱：「均係揣測之詞，非出自本人手筆」。有的記者認為，所謂「七件黑幕」係紀裕常向各報記者所稱，自然非出其「手筆」。

紀裕常表示，他是林市長正式向省府請派來的，他好像是林市長的太太，林市長不能隨便遺棄他，他一定要有始有終地跟隨林市長。他表示保證今後合作到底，否認不配合之事。

林番王卻公開指責紀裕常不够資格，林番王說：「因為他不能與我配合」。

林番王說：主秘是市長的幕僚長，而且要幫助市長推行政令，配合市長計劃市政之實施；但是，新任主秘紀裕常就職兩月來，所作所為卻完全與此一意義相反，致造成各單位主管及員工一致不滿，四月廿六日，動員月會才有員工提議撤換主秘之事發生。林番王表示他深信員工此舉，沒有任何人操縱，而是紀裕常自己所造成。林番王非常激動地說：「像昨天有關公車處與建大樓代商請免罰違約金事，這完全是市府內部之事，紀居然公開對外發佈新聞，可見他根本不與市長配合，也不够資格當主任秘書。

近日市議會議員質詢市長林番王，以特殊關係，派任一中教員徐凌雲為市立四中籌備主任，徐某為進一步獲得校長職務，以「紅包」三萬元進貢市長，中間被經手人「黑吃」一萬，再由徐某補足一萬之事，是否屬實，並肯定指責此一謠言，係與他失和的主秘紀裕常所造成。林番王憤激地說：「如果眞有這回事，我確定是主秘玩弄的花樣！」林番王並稱：四中籌備主任徐凌雲，事

紀裕常對外解釋，他與市府同仁結怨，是由於他處事認眞，在開支上處處設法為市府省錢，可能使一些同仁感到不方便。他又說，他批過的公事，每一個字都是可以貼在市府大門外公開展覽。他批評有些人批的公事，只能藏在抽屜中，見不得人。

現在基隆市市長與主秘的失和，正在高潮上，將來是和好？還是分開？一般人的看法，市長與主秘，關係如此密切，如果各懷異見，勉強湊合，彼此都甚苦事，何必呢？

讀王道著「美國的迷惘」

熊徵宇

這位生長在和共產黨鬥爭了幾十年的苦難中國的作者，由於學校教育和軍事教育的完備，以及他所担任的許多工作的體驗，對共產黨的魔術，看得特別深切，對於禍害中國的共產黨研究得特別廣泛。在第二次世界大戰期間，他以二十九歲的年齡，担任軍少將，在中國北戰場的第一戰區，南戰場的第六戰區，指揮中國游擊部隊。而作戰的地區，都與共產黨的游擊部隊「犬牙相交」，掙扎於日軍與共軍游擊部隊之間，所以在這本書裏，對於共產黨「四個交叉戰場」的觀點，說得深刻而澈底。

他把他自己和國家所受的痛苦的經驗，訴諸自由世界的人們，和美國朋友們，特別指出美國人在這方面的弱點和應該採取的抉擇。

他強調：「以游擊戰突擊中國大陸共區，是最良好的戰爭形式」。

他說：「自由世界如果把握這件有利的條件，把握這條最輕易可行而不致觸犯核子大戰的危險，是解決核子大戰的最佳方式。幫助鐵幕內受共產黨蹂躪的人民向共產黨作游擊戰，是今日在核子時代中所能採取的最主要的方向；如果讓時間和機會像水一樣的輕輕流過，那將是人類歷史上最悲痛的事。」

自從二次世界大戰結束以後，有一種趨勢已經改變了世界地圖，這種趨勢，不是核子戰，也不是傳統性的戰爭，而是游擊戰。美國前陸軍部長史塔爾於一九六二年三月廿三日，在全國記者聯誼會演說時，說出十年前就應該說出的話。他說：「一項最原始性的作戰方式，互相使用非正式部隊……

……實際上今天世界上許多地方正在進行着游擊戰爭，而自由世界最後的命運，很可能掌握在這些所謂非正式部隊的手中」。

史塔爾先生講這話的時候，世界的形勢已經被這型的戰爭作了重大的修改。

美國總統甘迺迪曾說「反游擊戰最好是游擊戰」這話是正確的。但是沒有一個行動和政策作爲這句話的註脚，只是斤斤計算敵我兵力在數字上的大小，或是寄托於談判，後退，安撫與自我陶醉，那是無義的自殺行爲。

王道評判美國目前的政策說：在心戰戰場方面，美國所作的只是浮在表面的宣傳，而共產黨卻認眞的在這個戰場內投下雄厚的兵力與大量的武器。以其武器之一的宣傳品數字而言，美國在非洲宣傳品上所用的金錢，抵不上共產黨用於非洲印刷品上的運費。

這些宣傳武器最重要的有四種：一是辯證邏輯，二是它們的辭典，三是近代心理學，四是核子恐嚇。把陸海空的核子基地移到會議桌子上去，再由心戰戰場來談判問題，這是自由世界所遭逢的不幸，哪些不是來源於會議桌子上？

「而共產黨的基本思想中，最後的目標是如何消滅民主國家」。像「迦太基的故事」。

「與共產黨直接在經濟戰場角鬥的美援效果如何？」王道指出：「美援運用的二十年中，千億以上的軍經援助所收的效果，實在不能與投下的資金相平衡。主要原因在與政治目標常常脫節」。

在二次世界大戰期間，美國以一百億美元以上的經軍援助，一億噸以上的物資，給俄國迎擊納碎德國，殊不知所幫助的，是比納碎更可怕的共產帝國；現在，印尼攻擊荷屬新畿內亞，印度攻擊果亞的軍需品，都是美國援助的。（四）

天南風光

——沙羅越的歷史——

朱淵明

維納的這一打算，自經公開說出後，凡屬有關方面，自不免議論紛紛，其中牽涉到兩個問題：第一個是繼承權的中斷問題，第二個是善後的經濟問題。關於繼承權一案，前文業已大略述及。按照拉者維納於爭取到太子地位時，同他的父親第二代拉者查理斯所訂的秘密條件，是他做拉者一段時間後，即須讓位於其弟。這時間預計在第二次大戰結束後就要到期，而一九四五年上半年，德意業已投降，歐洲戰事結束，日本雖猶頑抗，但損失慘重，乃指顧間事；而沙羅越之收復，爲期久支，故沙羅越之拉者維納乃於此時發表讓渡主張，是不啻斬絕其弟繼承之希望，而其弟健康不佳，其侄則早已代替其父担任沙羅越之行政長官，無形中已爲其父之合法繼承人，若其父無繼承希望，即等於其侄無繼承希望。而况拉者維納又宣布終止其侄之行政長官地位，是不啻火上加油，自難免激起其異常之反感。於是其侄在倫敦猛烈加以反對，又用許多方法，促成馬來人的共同反對，此事愈演愈烈，後來古晋政府竟下令禁止這個侄兒入境，各華文報紙，亦登載這一消息。

又傳說那時英內閣大臣亞捷，是維納侄兒的表兄，頗同情其表弟之處境，而思斡旋，並想影響內閣之決策，但終於無能爲力，憤恨交併之餘，竟至引槍自殺。這是沙羅越讓渡案的第一個犧牲者。

原來那時凡是知道維納爭取到太子地位而接任爲第三代拉者經過情形的，對於他的此一讓渡主張，自不免有所議論，甚或不値其所爲。蓋疑其假公濟私，欲推翻與其父所訂之密約，（實際這密約已成爲公開的秘密，只要看報紙上公然說他弟弟爲沙羅越的合法繼承人即可知）大有「寧贈祖國，不與家弟」之概。儘管他表面上的理由說得冠冕堂皇，然而權力思想與報復主義，仍難抹煞於一般人之胸中。尤其馬來人，更有露骨的表示，終於後來演變成行刺總督的慘案。

——隨後再述——（五十六）

報人普立茲傳

汶津譯

清晨，士兵們奉命集合。約瑟夫稍遲幾秒才跑到他的位置上，上衣還沒扣好。帶隊的看到他匆忙的跑到隊伍裏。他命令約瑟夫站出來。這孩子出列站在那帶隊的前面。那人向他大聲嚷着，全隊都聽到他的刻薄話。侮辱他的國家、祖宗的髒話都出口了，約瑟夫忍無可忍。一陣白熱的憤怒燃燒着這孩子的全身。他用盡渾身的力量和憤怒向那帶隊的臉上打去。一時之間士兵們大感驚訝，然後全都沉寂下來。一個年青的官長前來收拾那局面，也呆若木鷄的站住了。士兵們不能相信他們所看到的。揍一個官長－那是沒有一個兵敢犯的。

「士兵，把這傢伙帶到總部去。」年輕的長官平靜地發出命令。他向從地上站起來的人說話：「繼續行使你的任務，官長。我來處理波勒滋。」

約瑟夫被帶到指揮部，一個武裝的士兵押着他。他坐在那裏的一張小床，頭放在雙手裏。這是他一生最恐怖的經驗了。他幹了些什麼？這是戰時啊。他可能被槍斃。他不是一個在扮演士兵玩的小孩。他在一個在成人的世界裏被以成人的法規抓起來了。他不敢在他的床上睡下。黑色的恐怖可能征服他而使他不禁哭泣。

約瑟夫並不後悔他所做的。他將做同樣的事，如果有人再那樣地向他說刻薄的謊話。時間消逝着。他精疲力竭地睡去，然後一陣喧鬧聲使他突然站了起來。有幾百匹馬和幾百個士兵在行動。他將會怎樣？他們會把他從軍隊送走而且在他的紀錄卡上寫下惡劣的記載嗎？也許在軍隊出發之前他會被槍斃。夜來了，多奇怪他已被人忘懷了。

此時他聽到堅定的腳步聲出現在他的房間外，一個低沉的聲音在向衛兵說話。一隻手拉開了門。約瑟夫跳了起來，他舒展肩膀並昂着他的頭。於是他迫切地看到黑暗的門口的那張臉，當他看到那是拉姆賽上尉時，他的心猛烈的跳着。這位長官的神情嚴肅，他簡短的向他的年青朋友說話。「嗯－約瑟夫，你又惹事了！」

「他們－他們將要把我怎麼樣，拉姆賽上尉？」

「你揍的那人瘋狂得足夠使你大大麻煩了。可是你那一隊的一夥兒去到指揮官面前，他們爲你說好話，約瑟夫，他們保你免於受罰。」

「那麼我不會被槍斃了？」

「槍斃？你怎麼會那麼想？軍隊不會這樣對付一個十七歲的孩子的。可憐的約瑟夫，你就在想這些麼？」拉姆賽上尉輕輕的碰碰孩子的手臂。他的聲音更溫和了，「約瑟夫，你已奉命去維吉尼亞了。我們就得告別了，我跟席雷登走。我走之前，孩子，聽我說。記住我說的：在戰爭結束以前，停止你向軍隊的挑戰吧！」上尉把手放在約瑟夫的肩頭。「我們現在說再見吧，約瑟夫。不要讓你的棋藝退步，你是一個了不起的棋手！」

二十分鐘之內約瑟夫已上了馬，準備向他的新駐地出發。當他騎着馬時他決定照拉姆賽的話去做。此後他在軍隊裏的那一段時間，他始終沒有再惹事。可是軍旅生涯的艱苦和那種不人道的待遇在他的生命中留下一道深痕。他不再是一個快樂、歡愉、生氣勃勃，而且能在每張臉上發現友誼的孩子了。

突然地戰爭結束了，一八六五年五月二十三日，聯軍最後一次在華盛頓行進。對於約瑟夫，他正隨着林肯騎兵隊一起騎行，這是重要的一刻。街上顯示出勝利、和平的快樂跡象。可是這仍是一個哀傷和寂靜的城市，因爲林肯死了。

（八）

蘆君續夢

第九回：擘戾實堪驚 片言毀約　脫靴終自誤 衆志成城

赫魯曉夫自己去還不算，又進一步要把各國首腦都拉到聯合國大會，先從東歐各國下手，分別去找波蘭，捷克，羅馬尼亞，和各附庸國首腦商量，大家自然一致表示同意。決定同坐蘇聯郵船前往，因爲坐船時間久，可以在船上詳細商量戰略。

阿爾巴尼亞接到赫魯曉夫通知，霍查却拒絕出席，只派總理謝胡爲代表團長，要算是所有附庸國家中唯一例外的。

一些所謂中立國家，特別愛出風頭的如尼赫魯，蘇卡諾，平時沒有事還想找一件事表現一番，有了這樣的好機會自不會放過，尤其尼赫魯心裏在想，這次赫魯曉夫去聯合國開會，和艾森豪威爾勢必發生爭執，到時候正可出來作一個和事老，發表一篇艾、赫、尼三巨頭聯合聲明，這個滋味就妙了。至於蘇卡諾是全世界最愛旅行的總統，平時還要找些理由出國亂跑，現在有這樣的好機會，大可去到荷李活和女明星鬼混一番，更是高興萬分。其餘還有非州的兩個中間偏左的總統，加納的恩克魯瑪，幾內亞的杜爾，也都欣然接受赫魯曉夫的邀請，預備到聯合國去出一次風頭，見見世面。

美國當局看準赫魯曉夫的企圖，想在聯合國舉行一次高峯會議，白宮發言人特別發表聲明，艾森豪威爾總統不出席聯合國大會，也不向聯大致詞；至於開會期間到美國的貴賓，除非事先與總統有約會的，亦不擬招待。

這是兜頭一瓢冷水向赫魯曉夫澆下，赫魯曉夫還不介意，總以爲到了美國，艾森豪威爾一定會竭誠歡迎的。每日在船上和戈慕卡，諾沃提尼等人開會，商量和艾森豪威爾談判的戰術。其中最尷尬的是謝胡了，他也上了蘇聯郵船，但是赫魯曉夫却不肯和他打招呼，開任何會議也沒有他的份，只是孤零零地坐在房內，有時出來在甲板上散步，遇到東歐附庸國的首腦，也無人敢和他交談，謝胡受不了這種精神虐待，就去電報向霍查報告，馬上就傳到北平。毛澤東被一連串的國際消息搞得頭昏腦脹，聽到赫魯曉夫在船上故意冷談謝胡的經過，更是氣上加氣，就把劉少奇和周恩來找來商量，要給赫魯曉夫一點顏色看，使他在聯合國下不了台。

周恩來問道：「主席打算怎麼對付赫老。」

毛澤東笑道：「容易得很，他這次在聯合國還是出賣和平膏藥，我們只要發動一場小戰，就等於隔海打他一個耳光，他就捧着那顆猪頭叫痛了。」

劉少奇笑道：「主席是不是打算再向金門島發動攻勢。」

毛澤東搖頭說道：「金門島還是不要再碰它，免得把自己碰得頭破血流。我的意思是向西藏邊境放把火，尼阿三這次也被赫魯曉夫邀去助陣，一聽到藏邊發生戰爭，必然會向赫魯曉夫叫苦，請他出頭幫忙，他就慘了。」

劉少奇同周恩來未開口。

毛澤東又說道：「赫魯曉夫去聯大開會，就是以社會主義國家的領袖自居，才敢去出賣風雲雷雨，我們一動手就打破了他的假面具，讓世人知道他並不是全世界共產黨的唯一領袖。」

（二〇四）

「莫須有」與岳飛之死

周燕謀

小說中，如京本通俗小說之拗相公，老叟笑道：「莫非官人與王安石有什麼親故？」同書金虜海陵王荒淫，女侍詔道：「貴哥莫非與老爺沾親帶骨麼？……莫非原是衙內打發出去的人？」……定哥叫住道：「你往那裏去？莫不是你見我不答應，心下作了忙麼？」又「西遊記」偶於一日午時，見一白衣秀才，從正東而來，便拜和尚萬福萬福：「和尚今往何處？莫不是再往西天取經否？」又水滸傳中「莫」字作爲疑辭用的更多，如第一回「太公道：『客人莫不會使槍棒麼？』」同回「史進唱道：『李吉，張我莊做什麼？莫不是來相腳頭？』」第二回「你要尋王教頭，莫不是在東京惡了高太尉的王進？」第十六回「楊志又問道：『你等莫不是歹人？』」第十七回「宋江道：『莫非賊情公事否？』」第二十回「宋江道：『莫不是縣裏有甚麼要緊事？』」第四十二回「那婦人道：『休要高聲！卻纔一個黑大漢來家中，教我做飯，莫不正是他？』」又在十四回中「晁蓋大笑道：『先生所言，莫不是北地生辰綱麼？』」又十五回「北斗上白光，莫不是應在這人？』」更爲實證的。

建炎以來繫年要錄中亦有「莫須」兩字連用的，而且與「莫須有」三字用法相同。文云：「如淵與李誼入對，上曰：『士大夫但爲身謀，向使在明州時，朕雖百拜，亦不復問矣。』上辭色俱厲。誼曰：『此事莫須召三大將來，與之商議，取其穩當乃可？』上不答。」此「莫須召」據上下文意，與「莫須有」用意相同，常釋爲「莫不要召三大將來？」此與秦檜對韓世忠所答稱「莫不會有麼？」亦可釋作「難道不會有嗎？」

以上種種例證，皆爲疑辭之解釋。其他有關中國曲詞戲劇中，「莫不是」，「莫非是」，「敢莫是」等等，用作疑辭甚夥，更不勝枚舉。

至岳飛之死，即在「檜手書小紙付獄，即報飛死。」岳飛死時年僅三十九歲。其子岳雲固係斬首，而岳飛是如何處死的？無人知道。平劇中有「風波亭」一齣，演岳飛被害，是用鐵燒紅灼死；而川劇「風波亭」，即爲絞死，所謂三絞廢命是也。戲劇演風波亭，治飛用非刑，其意乃爲用非刑逼供者乃想當然之事。飛本無罪，豈肯落此不白之罪名於後世？意者秦檜當係秘密處死之無疑。然而尚有一點疑問，就是飛並未招供，即未定讞，而秦檜竟以一張小紙條，即報飛死。有人說岳飛之死，實際幕後主謀乃係宋高宗（趙構）；不然檜賊何能殺之？那有此胆量？再者飛繫獄兩月餘，千方百計而不能得殺飛之口實，如不是趙構立謀，秦檜也不敢隨便殺一大將！是飛之屈死，宋高宗爲主也！秦檜特其爪牙耳。

（下）

南宋偏安有人才

——岳飛

李仲侯

高宗即位，改元建炎，飛上書數千言，大概謂：「陛下已登大寶，黎元有歸，社稷有主，已足以伐虜人之謀。而勤王御營之師日集，兵勢漸盛，彼方謂吾素弱，未必能敵，正宜乘其怠而擊之。而李綱、黃潛善、汪伯彥輩不能承陛下之意，恢復故疆，迎還二聖，奉駕日益南，又令長安、維揚、襄陽準備巡幸，有苟安之漸，恐不足以繫中原之望，雖使將帥之臣戮力於外，終無成功。爲今日之計，莫若請車駕還京，罷三州巡幸之詔，乘二聖蒙塵未久，虜穴未固之際，親率六軍，迤邐北渡，則天威所臨，將帥一心，士卒作氣，中原之地，指日可復」！書奏，大忤用事之臣，以爲小臣越職，非所宜言，奪官歸田里。

是歲八月飛往河北招撫使張所處，所一見待以國士，借補修武郎閤門祗候，差充中軍統領。所嘗從容問之曰：「聞汝從宗留守，勇冠三軍，汝自料能敵人幾何？」飛曰：「勇不足恃也！用兵在先定謀。謀者，勝負之機也。故爲將之道，不患其無勇，而患其無謀。今日之用兵者，皆曰吾力足以冠三軍，然未戰無一定之畫，已戰無可成之功。是以上兵伐謀，次兵伐交，欒枝曳柴以敗荆，莫敖採樵以致絞，皆用此也」。所本儒者，聞飛語，矍然起曰：「公殆非行伍中人也」！因命飛坐，促席與論時事，飛慷慨流涕曰：「今日之事，惟有滅賊虜，迎二聖，復舊疆以報君父耳」！所曰：「主上以我招撫河北，我惟職是思，而莫得其要，公嘗計之否」？飛曰：「昔人有言，河北視天下猶珠璣，天下視河北猶四肢。譬人之一身，珠璣可無，而四肢不可暫失也。」

（五十一）

蘇東坡逸話（下）

吉庭

「苕溪漁隱叢話」又載：元豐五年十二月十九日，東坡生日也，置酒赤壁磯下，踞高峯，俯鵲巢，酒酣，笛聲起於江上，客有郭石二生，頗知音，謂東坡曰：笛聲有新意，非俗工也。使人問之，則進士李委，聞東坡生日，作新曲，曰「鶴南飛」以獻。呼之使前，則青巾紫裘，腰笛而已。既奏新曲，又快作數弄，嘹然有穿雲裂石之聲，坐客皆引滿醉倒。委袖出佳紙一幅，曰：吾無求於公，得一絕句足矣。東坡笑而從之。詩曰：「山頭孤鶴向南飛，載我南遊到九嶷；下界何人也吹笛，可憐時復犯龜茲」。而所謂吹笛者爲下界，悠然以上界自居矣。

紹聖初，東坡因作詞被御史議斥，貶寧遠軍節度副使，安置於惠州，即今廣東惠陽縣。城東有「白鶴峯」，下臨東江，與豐湖諸山對峙，傳昔有一道士，在此地養白鶴修煉，其修煉處爲「白鶴觀」，風景幽雅異常。東坡性好山水，乃築室以居，更名「合江樓」，以樓當東江西江合流處也。樓中有「思無邪齋」，作銘一首：「飲食之精，草木之華，集我丹田。我丹所家，晝煉於日，赫然丹霞；夜浴於月，皓然素葩。金丹自成，曰思無邪」。味其言，欲藉飲食，草木，日月之精華，冀煉丹化鶴而成仙焉。

東坡在合江樓，一住一年，歌詠甚多，錄二首於次：「海山葱曨氣佳哉，二江合處朱樓開；蓬萊方丈應不遠，肯爲蘇子浮江來。」「江風初涼唾正美，樓上啼鴉呼我起，我今身世兩相違，西流白日東流水。」樓之左右有池二：一「硃池」，一「黑沼」，池沼之旁，東坡手植古榕數株。在樹枝蒼翠間，又有一亭、亭上鐫東坡鶴峯返照詩：「絕巘蒼茫已夕曛。尙餘倒影入層雲。丹梯歷歷無塵埃，惟有樵歌送客閒。」所志風景，歷歷如畫，讀之令人神往。詩人劉克莊題「白鶴故居」，有「巳爲韓子騎鯨去，不見蘇公化鶴歸！」之一句。地由人傳，人因地名，文豪與名勝，相得而益彰。

紹聖四年四月，由惠州再貶蠻烟瘴雨之瓊州，在今廣東瓊山縣，一名「海南島」，昔爲窮蠻之地。而東坡逆來順守，陶然自得，案牘之餘，仍不忘詩書，於海口築讀書樓，樓外有兩石碑嵌於壁間，右碑刻「前赤壁賦」，左碑刻「後赤壁賦」，據傳爲東坡眞蹟，遊人每翻印去，如獲至寶。

後瓊人紀念蘇公，於讀書樓故址，建「蘇公祠」，左有「兩伏波祠」，紀念漢時路博德，馬援兩將軍，中有「五公祠」，奉祀唐相李德裕，宋朝李綱，趙鼎，李光，胡銓五人，彼等皆因譖閒竄逐而至此，其遭遇與東坡同。

樓上有聯語，琳瑯滿目，就中以清學政徐琪之，舉人潘存之兩聯爲最妙，徐云：「於東坡外有此五賢，自唐宋迄今，公道千秋垂定論；處海南中別爲一郡，望烟雲所聚，天涯萬里見孤忠」。潘云：「唐嗟末造，宋恨偏安，天地幾人才，龍於海外；道繼前賢，教興後學，乾坤有正氣，在此樓中。」足見瓊人景仰東坡之殷，較在黃州與惠州，殆尤過之。

東坡對衣食住，極爲重視，所到之處，擇幽雅地而卜築之。尤好飲食，嘗以猪蹄烹之，配以豆醬，味甘可口。讀食猪肉詩云：「黃州好猪肉，價賤如糞土，富者不肯吃，貧者不解煑。慢著火，少著水，火候足時特是美；每日起來打一碗，飽得自家君莫愛」。按今膳中有所謂東坡肉者，本此。

東坡在瓊解組後，不二年即病故於常州，（今江蘇武進縣），享年六十有六，謚文忠。著有「東坡全集」，「東坡易傳」，「東坡書傳」等書。

（完）

海嶠塵談薈

名人婚變的韻事

諸葛文侯

前北大校長蔣夢麟與徐賢樂女士的婚變事件，曾據台北報紙紀載消息，曾在本欄加以評述，并戲改袁子才詠馬嵬坡事變的七言絕句以紀其情況，內有「金鐲情重美人輕」一語，原係消閒的意思，對當事人雙方決無左袒的意念。

最近我到台北旅行，接得一位自稱「黃岡三輪車夫」的讀者來信，頗爲蔣氏叫屈，說他之所以發生婚變，并非爲着金錢關係，蓋係傷心人別有懷抱也。亦很風雅，他聲明：「晚雖乃一個市井賤民，從來與權傢門，與夢麟先生亦無任何淵源或主僕關係，祗在鳴其不平耳。」他沿襲我的故技，把袁子才的另一首詩戲改云：

不須聆「判」（曲）聽「楂」（秋）聲，何必「桑間濮」（仙山海）上行；只要「軍人」（姚崇）「少」（還）作「孽」（相），「先生老姐」（君王妃子）共長

原函倘敘述了若干與詩意攸關的事實，希望我到某機關調查一下。我對於人間婚變這類事情，根本就如滬諺所謂「當伊唔介事」，自然懶得浪費精神，多所追究。我常說：人們結婚那張證書，弄得莊嚴極了；結婚人，證婚人，介紹人都要鄭而重之的署名蓋章。實際上，除了將來鬧離婚時，作爲呈送法院的證件以外，試問有甚末意義和作用呢？這不啻是一個結婚，同時就準備着鬧離婚，打官司的證據了，可謂無聊！

考友樂均獻（寒操）兄，某日在厲所約集現居台灣而年紀皆在七十以上的九位老人宴會，致我參加，屆時如命敬陪末座。九老之中，最年輕的雲南張純鷗（維翰）先生亦七十七歲了！我呢，很得意，居然是個來賓羣中的少年人（主人比我還小一歲），跟諸老揖讓周旋，談笑風生，忽然扯到了蔣徐婚變這回事，我叩問諸老：假使各位長老自已遇到了這種問題，究竟如何處理才好呢？山西李範老（鴻文）答道：「你放心，我一蹬子亦不會發生這類事件了。」湖北張懷老（知本）即舉出上述我戲改袁子才那首詩來，對衆朗誦一番。如是，詩人張純老詩興大發，又唸出一首詠蔣徐婚變的六言詩云：

賢者而後樂此，同夢未必育麟；徐淑遇人不淑，蔣欽休妻何因？

按「蔣欽休妻」是四川戲劇的名目，西南川滇黔各省人士皆習知之，別省人或許不知所出何典。因此，我斷定這首絕妙好詞，必係張純老的傑作無疑也。李範老精神健旺，談話多趣，他認爲男子到了六七十歲若要結婚，最好是找個十八九歲的小姑娘，包你相處得很和諧，如果跟那些四十五十而無聞焉的虎狼之年的老小姐結合，沒有不糟糕的，其然豈其然歟？

愚友馬樹禮汪寶瑄兄（都是立法委員）某日約我宴會，席間濟濟多士，亦以蔣徐婚變事件爲談話資料，汪兄說：有人擬出一個聯語徵求對句，下聯是「徐娘半老，賢者亦樂此乎？」要用成語來對。他笑問我道：「馬五先生試對一下罷！」我連聲答曰：「不才名句少，多口美人嗤」，豈敢豈敢—讀者諸君如有人對得上聯，不勝企盼之至。

名片溯源

漁翁

在社會上交際應酬，離不了「名片」，片上所印姓名，別號，職銜，地址，及電話號碼，以備通訊聯絡之用。其初曰「名刺」，後改爲「名紙」，「名帖」，即今日之名片，粵人則稱爲「名咭」焉。

古今事物考載：「古未有紙，削竹木以書姓氏，謂之「刺」。後以紙書，謂之「名紙」。蓋始於漢制。」在漢以前，曰「謁」，名刺也。爾雅云：「謁，請也」。釋名云：「謁，詣也；詣，告也。書其姓名於上，以告所至詣者也」。故漢有中書謁者令，典朝謁。後漢書徐穉傳：「留謁而去，皆名帖也。

漢末用「刺」，以木片爲之，宋范成大詩：「添丁誇列懷中刺，過午飛留簿上名。」唐時改用紙。開天遺事：長安平康坊妓女所居，每年新進士以紅箋作名紙，游謁其中。明文徵明詩：「不求見面惟通謁，名紙朝來滿敝廬。」旋又改爲名帖，賓主通謁，以柬署名，俗謂之帖。古人每值新年開始，用大紅帖分送而不親去，答者亦然，名曰「飛帖子。」

明時，始稱名片。蕎華閒話：「寸楮往來，始於崇禎，以嚴禁請託，於投拔爲便也」。因面積小，故稱爲「寸楮」，即今日長約二寸，寬寸餘之名片也。

梁敦厚事蹟

吳文蔚

是的，火，自由之火，反共戰爭的聖火，將飽着梁敦厚先生的犧身之火，而蓬勃起來，不到共產主義完全瓦解不會熄滅！

梁代主席壯烈成仁後，政府爲褒揚梁氏忠烈事蹟，於三十八年六月，三十九年九月，由總統頒賜褒揚狀，並於台北圓山建立太原五百完人招魂塚，計招魂塚一座，祭堂一座，紀念碑一座，中置梁氏及五百完人靈位，以供後人憑弔。有聯云：

「圓山何幸留高塚，淡水無言泣忠魂」。

（十。完）

內僑警台報字第〇三一號內銷證

自由報

THE FREE NEWS

第三四一期

每份港幣壹角

社址：香港銅鑼灣高士威道二十號四樓
20 CAUSEWAY RD 3RD FL
HONG KONG
TEL. 771726　電報掛號：7191

台灣分社
台北市西寧南路壹壹零號二樓
電話：三〇三四六

印尼接收新幾內亞以後

·宋文明·

本月七日，印尼總統蘇卡諾於巡視剛行接收的新幾內亞後而返抵雅加達時，曾公開宣稱：「我們對西伊里安的奮鬥雖已結束，但並不認為我們的革命已大功告成」。根據蘇卡諾這一說法，印尼不僅未因已取得新幾內亞而感到滿足，反而似乎因這一新的勝利而更增加了它的野心。這種情形，正猶如當年納粹德國的由萊因而奧地利，而蘇台德區，而但澤走廊，直至最後激發世界大戰一樣，勝利永遠不能使一個國家滿足，而是使它更加瘋狂。

我不知道蘇卡諾所謂革命，究係指何而言。但就他這句談話的全部含義看來，他所說的革命，顯然並不是在指從今之後應如何整頓印尼的經濟，如何促進印尼的文化建設，以及如何使印尼儘速達成工業化與現代化，以改善印尼內部的社會經濟狀況。既然他所說的印尼的革命並非在於對內，以推行全面建設為目標，那麼這種革命的意義，也便只有從對外方面來求解答了。對外實行革命的結果，不外發生兩種情形：一是鼓動別的地區起而作亂，破壞現有的政治與社會秩序；二是攫取新的土地，以擴為己有。假若蘇卡諾今後正如他自己所表示，認真要推行這種革命，不是這兩種方式同時進行，便是兩者必有其一。不過不論訴諸何種方式，而這種革命的唯一目標，都是在為印尼利益設想，準備將印尼的勢力範圍擴大到更遠的地區。

自去年底以來，印尼已採取了若干值得注意的行動。這些行動包括：(一)庇護婆羅乃民族運動領袖人物阿薩哈立，並積極支持其他北婆羅洲地區的獨立活動。(二)已非正式支持葡屬帝汶的共和國運動，要求葡萄牙允許帝汶及附近諸島獨立。(三)在蘇門答臘北部已成立一個自由馬來亞運動，準備向拉曼統治下的現時馬來亞政府實行顛覆活動。這些跡象已清楚表示出，印尼於正式取得新幾內亞以後，其緊接而來的行動，將是同時向上述這三個方向加施壓力，使此三者的情況逐漸轉而有利於印尼。現再就這三者具體情況，略加分析如下：

(一)對北婆羅洲三區，印尼現時作法，並不是直接提出領土要求，而是在積極支持這一地區的立即脫離英國，以實現獨立。可是就印尼對這一地區的名稱，已由北婆羅洲改為「北卡拉曼坦」來看，印尼對此地區的領土野心仍昭然若揭。因此現在印尼對於這一地區，先以民族主義的口號，協助其脫離英國統治，並拒絕馬來西亞聯邦，以促成完全獨立。俟這一獨立完全獲得確定後，印尼勢將再利用與這一地區民族運動間的既有關係，設法使之與印尼合併，或參加印尼聯邦。

(二)對葡屬帝汶，印尼現行對策，正如對北婆羅洲三區一樣，就是先協助其從葡萄牙統治下獲得獨立，然後再設法把它置於印尼版圖之內。由於葡屬帝汶的國際關係比較簡單，而葡萄牙國力又極微弱，所以這種方式更易獲得成功。

(三)對現時由拉曼總理統治下的馬來亞，印尼既不敢存有領土野心，也無法使其接受印尼的領導，於是祇好採取改變政府的辦法，協助馬來亞不滿份子，推行顛覆活動，以期最後能建立一個與印尼協調的馬來亞政府。以目前馬來亞與印尼的實際處境來說，印尼對馬來亞的這種作法，確屬不易獲逞，祇要一旦馬來亞果眞出現一個由印尼所支持的政府，則馬來亞亦有可能步其他小國的後塵，參加印尼聯邦，變成為印尼衛星羣之一。

因此，蘇卡諾今日的所謂革命，就是要以分頭並進的方式，設法將英屬北婆羅洲，葡屬帝汶，及馬來亞（包括星島）三者，置於印尼的勢力範圍之下。葡屬帝汶地處印尼國土之包圍圈內，其最後命運的勢必與印尼合併，殆成定局。英屬北婆羅洲，雖有多種國際關係可資依靠，但亦無法單獨抵禦來自印尼的長期壓力。至於印尼所以設法要推翻現行拉曼總理的馬來亞政府，主要就由於：一是馬來亞為北婆羅洲的靠山，祇有以擒賊先擒王的手段，先行控制馬來亞，才能順利達到控制北婆羅洲的目標。二是馬來亞現在的政治經濟情況正欣欣向榮，假若再讓它繼續發展下去，而仍堅持現時這種敵視印尼的政策，則它對印尼內部分離份子勢將產生一種重大的鼓勵作用，迫使印尼在國際政治上退居守勢。尤其這些地區中現時人口最多如馬來亞者，只有七百萬人，其次英屬北婆羅洲及葡屬帝汶，人口各為一百三十萬，八及五十萬人，這和印尼的九千萬人口相較，實在相差太多。所以，從現實的國際政治觀點看來，印尼總統蘇卡諾的所以存此野心，企圖將北婆羅洲、帝汶及馬來亞置於其勢力範圍之下，不僅是基於地緣上的接近，認為可以垂手而得，而且也是由於這些國家國力微弱，才引起了他的貪慾。

蘇卡諾現在的對外目標，直接針對上述三地，但他未來的整個想法，亦絕不以這三地為限。等到他取得了這三地區，他又會向其他新的地區來發展。這種想像中的其他地區，主要有澳屬新幾內亞及菲律賓南部回教地區諸羣島。現在澳屬新幾內亞的整個情況，並不比原荷屬的另一部份更好，地質人種，文化落後，兩者之間亦無明顯的疆界。於是印尼取得了荷屬新幾內亞之後，澳荷兩者間的關係，正如印尼所屬的婆羅洲與英屬婆羅洲互相往來一樣，為印尼的更進一步擴張打開了一條道路。現在印尼由其所屬婆羅洲地區經常派遣曾受過訓練的士著，向婆羅乃及沙拉瓦克進行游擊行動，使英國感受極大威脅。印尼今日剛行取得新幾內亞不久，當然不會立即對澳屬部份採取這種軍事行動，可是它將絕不放過一切方便，設法經由當地土人，向澳屬地區實行政治宣傳攻勢。而且印尼取得新幾內亞以後，已著手進行移民活動，等到十年之後把五百萬印尼人送進新幾內亞島，則澳屬部份實在沒有抵抗這種壓力的可能。所以現在澳洲已有人提議與印尼簽定互不侵犯條約，以保障澳屬新幾內亞的安全，在聯合國內亦有人建議立即允許澳屬新幾內亞獨立，以協助其自身的發展，但這一切似乎都不是對印尼擴張主義的一種有效回答。

至於菲律賓南部諸羣島，尤其峨答那峩，不僅地廣人稀，菲國統治基礎薄弱，而且由於宗教信仰不同之故，內部早已潛伏有強烈的分離傾向。這種分離傾向若無外力為之煽動，尚難為大患，若一有外力挑動，或附近國家環境發生激變，它自會成為菲律賓的一大威脅。現時蘇卡諾尚無暇注意及此，但等到其他問題解決，印尼國力膨脹更形強大，那它就絕不放過菲國南區這塊肥沃土地。

總之，印尼總統蘇卡諾的所謂革命未完成之說，並非在指印尼將如何實行內部的改造及革新，而是在指如何將繼續擴大印尼的版圖及勢力範圍，以使印尼最後成為一個橫跨兩洋的海上大帝國。在蘇卡諾的想像中，這一帝國不祇包括英屬北婆羅洲，及葡屬帝汶這些現在仍未獨立的殖民地，而且也包括馬來亞半島，澳屬新幾內亞，菲屬峨答那峩諸羣島。甚至未來可能還要加上泰國南部的幾個回教省份，使印尼勢力更能深入亞洲大陸地區。

像這樣一種夢想，今天可能沒有多少人可以相信，正如當年很多人不相信希特拉的「我的奮鬥」一樣。可是只要我們多玩味一下蘇卡諾本人及其他印尼領袖人物最近的談話，再來看看印尼出現「自由馬來亞運動」這一事實，使我們不得不承認一個重大的國際事件正在發展中。

漫画天下

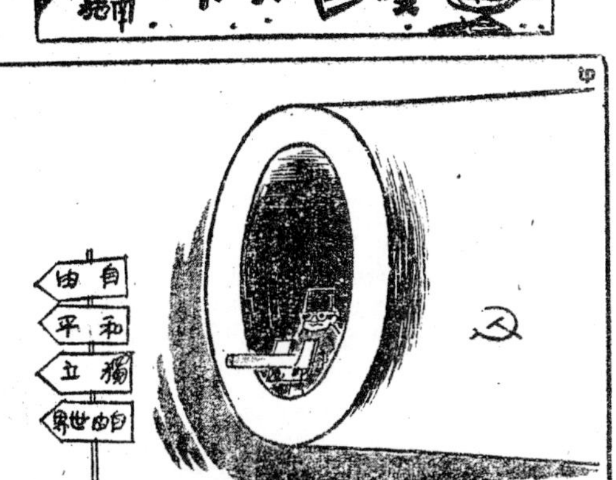

笨伯

手臂夠大嗎？

自由談

師道凌夷

台灣有位大學校長，被該校教職員聯名控告他有貪污行為，經教育廳查無實據，校長憤而辭職，官府即予照准，而誣告者泰然自若，不負任何責任。我說怪事處處有，台灣特別多，信有徵也！

堂堂最高學府，師表羣倫，主其事者竟被控貪污罪行，這是何等嚴重的事情！既經查無實據，為珍視學人的信譽計，豈能置之不問？校長基於羞惡之心，表示學人的人格尊嚴，毅然求去；理所應爾。官府不講是非，熟視健訟誣陷的惡劣風氣，蔓延於最高學府，無所容心，使文化界與卑汚苟賤的政治界現象，等量齊觀，這還有甚末尊師重道之可言呢？影響所及，將來一般學校生活，勢必跟井市無賴和官場無聊的情形，毫無二致；社會上充溢着乖氣與戾氣，相率以無恥之恥為當然。憑着這種惰落的文化精神，頹敗的民族情操，而謂可以復興國家，誰其信之？

士豪劣紳之輩，為着個人的利害關係，動則指控官吏貪污，以健訟為能事，官吏為保持本身的祿位，多方疏解，百計請託，縱使查無實據，亦復恬不知羞，好官自為，洋洋得意。清高的學術界却不應容許有土劣作風的人物溷迹於其間；否則文化精神即趨於下流，民族道德即難望有止於至善之日，國脈因之斵喪，國運永難振興。今日主持百年樹人之計的鐘鳴鼎食者流，如果不明斯義，尸位自娛，目前是有虧職守，辜負衆望，他日即係民族罪魁，難逃歷史家的嚴正裁判。師道凌夷，學風敗壞，這情形及其後果，比「通諜敵國，企圖危害本國」的罪行尤為嚴重，當局者豈可忽乎哉！

馮正先生

馬來西亞誕生期愈近 共黨破壞行動愈猖獗

蘇加諾中風狂走為共黨火中取栗

（本報星加坡通訊）馬來西亞聯邦的組織，現已進入最後的階段，如果沒有重大阻力，它便於本年八月卅一日正式成立。主要的阻力表面上是來自鄰邦印尼和菲律賓，但菲律賓的態度已趨和緩，印尼則愈來愈惡，五月下旬在馬尼拉舉行的馬來亞，菲律賓，印尼三國外長會議，看來殆難有成。而最使人担心的却是共黨的蓄意破壞，陰謀策動叛亂。

馬來西亞聯邦的成員是現時的馬來亞聯邦，星加坡，北婆羅洲，沙羅越和婆羅乃。爲甚麼馬來亞總理拉曼於一九六一年會提出組織這個新聯邦的主意，而有關的五個地區的進步黨派均表示歡迎？其主要理由之一，是新聯邦的產生將提早結束北婆羅與沙撈越的英國殖民統治。同時，在英國政府看來，這個計劃是保存獨立的一種方法，因那些比較落後的屬地在一個較大的單位內，可以通過它們的聯邦成員而發展繁榮。但是這個聯邦計劃却成爲共黨痛恨的目標。初時，各該有關地區的左翼黨派曾經歡迎此一建議，可是後來明白這個新聯邦將妨礙共黨在東南亞地區擴張時，立即由支持改變爲反對。

自此以後，馬來西亞聯邦計劃便不斷受到共黨方面的攻擊，主要出馬的是印尼共產黨。一九六一年年底，印尼共產黨中央委員會通過一項議案，首先發動猛烈的攻擊，他呼籲「印尼人民和政府，一致提高警惕，反對帝國主義者，特別是面對馬來西亞聯邦的建立，形成一種殖民主義力量集結在我們的邊境。」該項議案又說：「印尼人民必然支持馬來亞，星加坡，沙羅越，婆羅乃和北婆羅洲的愛國人民，以反抗成立這個馬來西亞聯邦」。一九六二年一月廿四日「海峽時報」發表印尼共黨領袖艾迪的談話，他指責「馬來亞簡直是一種新形式殖民主義的延續，包含有軍事方面的活動，那是對印尼有危險的。馬來西亞的計劃是一種殖民主義的陰謀，有很多理由是必須予以反抗的。」

事實上，馬來西亞總人口約爲一千萬人，而根據一九六一年的人口調查，印尼共有九千六百萬人，故印尼共黨所稱馬來西亞將威脅印尼，無非是欺人之語。況且印尼軍隊由蘇俄供應軍火，裝備良好，它的實力是馬來西亞所望塵不及的。

印尼共產黨的攻擊馬來西亞方針，在一九六二年間，逐漸由東南亞各地共黨組織採取爲共同方針。親共的馬來亞社會主義陣綫於一九六二年一月廿六日至廿八日在吉隆坡召開的「社會主義陣線會議」，目的便是欲獲得各地共黨支持及贊成印尼共黨的反對馬來西亞方針。一九六二年十二月八日婆羅乃發生叛亂，耶加達的共黨報紙和若干由共黨支配的團體，均表示同情叛黨。印尼共黨領袖艾迪於四天後的十二月十二日公開說：「北卡里曼丹的革命是正當的，整個世界的新興力量必須予全力支持；首先是由印尼人民予以支持。任何企圖挫折這種革命力量，不論是來自英國或馬來亞或任何其他方面，必須予以譴責及反對。」

婆羅乃叛黨領袖阿薩哈里的主要目的是組成一個北婆三邦的聯邦，但是就在婆羅乃叛亂的同月，北婆羅洲當地政府舉行選舉（人口五十萬），百分之九十的選民，均擁護親馬來西亞的政黨，由此顯示當地人民不贊成阿薩哈里的聯邦計劃。一九六三年二月，北婆羅洲，婆羅乃，沙羅越，星加坡及馬來亞等五地的政黨代表在北婆羅洲的亞庇舉行爲期兩天的會議，强烈表示贊成合併，並通過一項決議，表示決心於八月卅一日成立馬來西亞聯邦。他們「一致支持確保馬來西亞五邦的安全與完整的政策，以對抗敵視的力量。」決議案並警惕「外來干預的威脅」，並聲言彼等「一致決心保證馬來西亞的一千萬人民將由自己決定彼等的命運，而不畏懼外來的恐嚇與干預。」

所謂「外來的干預」，就馬來亞方面來說，已經有事實的揭露，馬來亞反對黨「社會主義陣線」的頭袖包斯丹曼於今年二月被捕後，國內安全部長於三月十日即發表有關逮捕包氏的聲明。據稱，從可靠方面的情報，當一九六一年，包斯丹曼前往印尼時，印尼共黨領袖艾廸訓令他發動一項反對馬來西亞的政治攻勢。而包斯丹曼於被捕後會公開供稱：「我是準備與共產黨合作，來達成我的長期計劃，將印尼，菲律賓，婆羅洲三邦，泰國南部，馬來亞和星加坡聯合成一個大馬來西亞國家。」他又承認曾與婆羅乃的叛黨領袖有密切聯絡，並且在去年婆羅乃叛亂發生前六個月，他已獲悉該項計劃。馬來亞安全部長在聲明中又透露稱：「我們接獲可靠的情報，一九六二年十二月，包斯丹曼開始在馬來亞組成一個秘密組織，這個組織將在幕後担任要角，利用馬來亞與印尼間緊張關係所可能發展的任何嚴重危機。這個秘密組織的另一部份工作，是協助印尼共黨滲入馬來亞聯邦，換句話說，即爲第五縱隊奠基石。」

共黨雖策動反對馬來西亞不遺餘力，但這五個地方的多數政黨更進一步表示支持政府。馬來亞主要反對黨之一的人民進步黨，由該黨的秘書長公開聲明擁護馬來西亞計劃；聯合民主黨促請馬來亞人保持沉着和堅定，藉以表示百分之百效忠國家。北婆羅洲於三月舉行的地方選舉，又另一次顯示親馬來亞的政黨獲得壓倒性的勝利。沙羅越的議會於三月八日通過一議案，歡迎馬來西亞於八月卅一日成立。北婆羅洲立法議會於三月十三日一致通過贊成組織馬來西亞聯邦。可是，共黨却不顧當地種種擁護新聯邦的事實，他們繼續厲行他們的反對運動，指責馬來西亞聯邦是帝國主義者的陰謀。中共的新華社於三月十六日報導印尼共黨領袖艾廸指責「在馬來西亞陰謀的背後，不僅有英國，而且也有美國的帝國主義。」又說：「馬來西亞計劃不僅目的在於對抗中共，北韓和北越，而且也在於包圍印尼共和國。至於印尼則是堅守它的獨立政策和反對侵略軍事集團的。」莫斯科電台於三月十三日向印尼廣播時，提及帝國主義者正藉着所謂馬來西亞計劃加緊活動，這項計劃是星加坡的民主力量和北卡里曼丹人民所堅決反對的。

一般預料，在馬來西亞定期於本年八月卅一日成立前的期間內，共黨將加強他們的反對運動，作爲他們最後奮鬥的努力，以阻止馬來西亞的誕生。（彭）

南越官軍打得好

預料明年夏末秋初局勢將可澈底扭轉

（本報西貢通訊）南越剿共戰爭是一種消耗極大的戰爭；這戰爭由於戰事上失之消極，祇想「剿」而不是想「打」，而其實「剿」又剿不起來，故許多人都認爲即使打到天老地荒亦分不出勝負。但南越官軍年來打得好亦是事實，所以亦有人認爲，再假以一年時間，戰局將更改觀。

南越政府的軍事及超軍事努力已成爲極大力量，今年最初三個月以來，越共份子向政府投誠的比率，已比去年每月大約四十人的比率，增加一倍，僅在三月十九至廿五日一週內，投誠者達一百二十四人。本年的穀米預期將會大豐，南越雖然是東南亞糧倉之一，但去年的穀類出口總額，祇有五萬噸，預算今年則會達到卅萬噸。

隨南越官軍陸續收復從前由越共所統治的地區，政府的工程隊正加強工作，在新解放地區內，修理被越共破壞的公路及重架被爆斷的橋樑，使國內的交通和貿易，能夠迅速恢復。

游擊區裏的農民，湧入戰略邑之後，也可以不受到共產黨的恐怖統治，並使一方面政府的政令易於達到，另方面則大爲切斷了越共的供應。戰略邑今天的成就，遠出乎一般人意料之外。在一九六一年，政府軍在對越共的作戰中，可說是屢戰屢敗；去年四五月時，雖然不再敗得那麼慘了，但尚未能够獲勝；到了十月開始，政府已反敗爲勝。

有人預料，如果沒有意外發生，則明年夏末秋初，越共的壓力將一定和緩下去。但如果越共每一次戰役都戰至最後一人，則南越政府的掃蕩戰，可能要十年才能結束。

由於越共仍然可以在其控制的地區內徵兵，此舉確令到政府軍方面增加傷亡，但估計其情形將絕不會像美國民主黨參議員曼斯菲爾所領導的調查團那樣暗淡的報告。該報告以爲南越的內戰，可能會最終使美國人捲入漩渦。

吳廷琰所獲得的民衆的支持，亦愈來愈大。吳氏本人，正逐漸得到軍隊，政府及農民隊伍中青年的衷誠合作。而戰略邑的收效也是一種鼓勵，使他深信越局非無可爲。各省的青年領袖中許多經年工作而未享受一小時遊樂，大部份農民已深悉南越的一切，比起北越的同胞所面對的好得多，他們也知道北越由中共方面學來的種稻方法，迄未成功，並且帶來了失敗。

越共針對戰略邑的成立，他們最近已加緊了包括放火燒村及殘殺婦孺的恐怖行動，同時也正在加緊爭取左傾的青年去參軍及請求北越方面加派人員支持。但由於戰略邑的建立愈來愈多，青年由白區到紅區的行動，已不再那樣容易了。（吾）

香港與大陸

毛共接返印度僑胞 多被驅往開荒勞作

最近由印度遣回大陸的僑胞，多半均將被安排到各個新開的國營農場去，開荒勞作，自食其力，一切均得「從頭學起」，瞻望前途，許多人都不寒而慄。

幾個月來，中共所接運回大陸的華僑，其中除極少數是印度不歡迎的親共份子外，其餘全屬無辜遭殃的僑胞，而也以這些人的遭遇最慘。

一位在中環某洋行做事的蔡君，他堂兄一家就是枉遭其害的。去月底，蔡君曾返湛江去探望他們，昨天才回抵港。蔡君稱：他堂兄是一個從來老實的安份守己的商人，這次被印度遣逐的原因，是有一次偶然買了一張共黨「統戰人員」出版的報紙，被印方人員發覺，於是遭此横禍。

蔡君的堂兄對他說：他們這次一家人回大陸，正和其他許多僑胞一樣，乃出於無可奈何。一方面是印度尼赫魯政府的壓迫，再方面是誤信中共的「無限關懷」，走投無路，姑且信之，但當他們坐着中共派去迎接的輪船抵達湛江港時，却都已後悔莫及了。

蔡君堂兄說：中共這次把他們接回去，那裏是爲了「關懷海外僑胞」，而是像上次迎接印尼僑胞一樣，目的僅在於政治宣傳，祗是利用一小部份較突出僑胞，作爲宣傳的工具而已。他說：他們這批難民到達湛江的幾天後，已經過了不少的政治學習，並且填報了若干份詳細的履歷表。中共根據這些履歷表，依照「利用價值」的高低，把他們分成三個等級：第一等的是在家庭中有外國籍人一起回大陸的；第二等是在外國仍有很多關係（包括在外國的親人朋友者）和與大陸共黨官員有關係者；第三等是確實無辜者；後者人數最多。

蔡君的堂兄說：那些「第一等」的人，他們被高級共幹遂往「歡迎大會」，還接受「新聞界」的訪問，生活也較舒適；而「第二等」的也得派往氣候較佳，基礎較好的「國營農場」或者工廠機關任職；而最大多數的「第三等」人，則被決定派往荒山野嶺去開闢新的農場。

蔡君的堂兄說：他們這些「第三等」人，最近會集體參觀了湛江的「湖光國營農場」，這個農場原是一片荒山，幾年來已經用了無數印尼「回國」華僑流血流汗，據中共說已獲成果。這次他們參觀時，帶領的共幹强調那些印尼僑胞如何辛勞工作，「白手起家」，藉示意要這些印度僑胞向那些印尼僑胞「學習」，繼承其「艱苦奮鬥精神」。

蔡君的堂兄說：這批「第三等」人傳說已被決定要派往廣西的西部山地和雲南等地荒山去建立農業，而那些但他們不懂農業勞動，中共還表示無法幫助他們，要他們自己想辦法去「從頭學起」，去「白手起家」。所以，那些「第三等」人，無不心驚肉跳，不知道將來何以活得下去。（敬斯）

苦旱中的安慰

石壁水塘建成 祇等天降大雨

（本報訊）香港苦旱缺水聲中，唯一好消息是石壁水塘業經建成，可以儲水了，只可惜老天爺不肯降一次滂沱大雨，以致十六日起香港人已開始遭遇到隔日供水的厄運。石壁水塘耗資達二億二千萬元，其儲水量爲五十億加侖，用一條長凡八英里的海底水管與香港相連。這水塘如能於去年建成，多有五十億加侖儲量，香港人何致要受今天這種苦旱缺水之罪。

本月十五日，香港曾下了五分鐘的雨，但石壁水塘却滴水無存，因爲那五分鐘的雨立刻給過分乾燥的地面吸光了，根本流不去塘裡。據專家說：香港必須下一次有三四時雨量的大雨，先讓乾燥的地面吸滿，然後水塘才可以有水可儲。現在却還不知何時會有此大雨沛然而降。天文台三天前曾說大雨可能於十八日之前來臨，却居然并未來臨。（運）

讀王道著「美國的迷惘」

熊徵宇

而在東德境內與美國在西德境內駐軍正面對敵的有波蘭陸軍，而波蘭就是接受美援的國家。

美國在二次大戰期間軍援中國，在印緬戰場上裝備勁旅，這些部隊表現過卓越的戰力。但是後來美國却以禁運軍援給這些軍隊作爲要挾中國政府與共產黨組織聯合政府的條件。

一九六二年，美國一方面以美援給予堅強反共的寮國，一方面又以停止經援來迫使寮國政府對美國擬議的與共產黨組織聯合政府的主張就範。

這些事實都反映美援二十年來運用的跡象。美國只有戰勝目標，而缺乏政治目標，與俄共或中共的軍援或經援，無不以反美，孤立美國，削弱自由國家，打擊美國聲望作爲軍援與經援的目標恰恰相反。他們的每一塊錢，每一磅物資，每一顆子彈，都包涵在政治的目標內。

作者對這份許判，提出一些很精闢的見解，提出很多美國該走的路。

組織戰的第一個目標是從美國本土開始。第一道攻擊要點，要從國務卿的辦公桌旁開始。赤色第五縱隊和他的外圍是否有些分子滲透埋伏在這個國防核心爲美國製定政策呢？

羅斯福第三次當選以後，國務院的希斯就是俄共間諜。而希斯主管過中國事務。

對美國所面臨的各種問題，對目前戰爭的主要形態，王道都提出很多焦點，很多修正，說出美國迷惘的根源；說出美國應該走出「十字街頭」，走出「濛濛的霧」。

尤其是對於有人認爲：台灣解救中國大陸，會導發世界大戰的說法，是最嚴重的觀念上的錯誤。他用了不少的篇幅推翻這錯誤的觀念。說出我們具有的反攻必勝的實質，指出自由中國求自己的生存與世界眞正和平願望，提出我們爲這目標求犧牲的精神。

我覺得，這本書如其說是王道先生有很多獨到的精闢見解，不如說是通過中國人的苦難智慧，我們歷盡了歷史上的許多痛苦，歷盡俄共的欺騙。

王道先生所提出的，所引證的，所呵斥的，是自由世界的人們和我們中國人共同親身經歷的故事。他沒有故意的誇張，是極眞摯深刻的描寫，點點滴滴是美國的迷惘，是中國的悲憤，是世界人類所面臨的陰霧瘴雨！

王道似乎是以死的爭靜的大嚴肅來寫這本書，他的筆觸充滿了生的意志與活力。他獨到的見解是：「馬克斯主義無法在這些人性的慾望上站得住脚」。

這是一本帶有藝術和創造傾向追求眞理的書。

這本書，對美國當代政治領袖們的看法，如同作者引用在扉頁上，甘廼廸在「當仁不讓」之中所說的：「我們以爲我們已經掌握答案了，不知怎的，答案卻從我們的指頭間溜走了。」

而在我卻想到：吉訶德抱着濟世救人的心到處亂撞，把風車看成巨人，而如今，却有人把「人」看成風車！

這也許是共產黨宣傳的技巧。他們可以把一條漫長的死胡同，描成美麗無邊的大道；一個噴着溶岩的火山口，寫成風光旖旎的高峯。使世界上千千萬萬的人，被他們美麗的言詞欺騙曚蔽！

王道的筆觸是顫慄的，顫慄於人類的生存和毀滅。我以爲，對政治不論有沒有興趣的人，尤其是一班依然還在昏昏然憧憬着共產世界的美境者，應該一讀此書，最低限度，這本書可以加強他們的判斷力，使頭腦清楚，看看美俄的角鬥，認識民主和極權兩大陣營的「兵備」，而知何去何從。

我敢說：這本書的英文版，可能在美國發行，目前有十一家出版公司在和作者接頭。我默禱這書能在美國暢銷，使美國讀者能注意這本書的思想，因爲美國的趨向不僅關係一國的興亡，實際左右整個人類的前途。

一九六三年四月十五日於台中

天南風光

——沙羅越的歷史——

朱淵明

維納宣佈讓渡主張後，自也有若干人表示同情與支持，那就是基於第二個問題——善後的經濟問題——無疑的，在經過大戰之後的國家，百廢待興，非有雄厚之資力，殊難使各種事業，恢復原狀，再進而發展。像沙羅越這樣的新興落後小邦，尤非大力建設，無以立足於近代。況在淪陷期間，拉者維納先在澳洲建立流亡政府，自然需要開支，而身無分文，勢須舉債。又在倫敦成立臨時政府及談判委員會等，亦非向英政府借錢不能維持。而沙羅越之收復，拉者維納並無一兵一卒參與，全係澳洲軍兵之力，澳軍豈能白盡義務？西方國家，金錢第一，義務權利，必須相等，故最低限度，所消耗之軍費等等，必須清償。

綜計這許多項目，勢非殘破之沙羅越所能負担，若不另籌辦法，其將何以善後？於是讓渡一案，就在許多人研討與考慮之中。而拉者維納，也愈來愈益堅定其主張。

但維納認爲在對英國政府作正式性建議之前，應先透過他私人秘書關係，對沙羅越主要土著及議員，表示拉者對於他的領土之將來處理的願望。當與倫敦有關方面，於非正式的接洽有頭緒後，拉者就派他的私人秘書，會同英國殖民部的一位高級官員——他是代表殖民部大臣，到沙羅越作實地觀察者——一同訪問本邦。其時沙邦剛告光復，尚在澳軍統治之下。一九四六年一月，開始協商，雖然他們係採用的會議形式，但歷次會議，並沒有公報，所以不能認爲拉者的建議，已獲得沙羅越國會的同意。然維納則覺得向英國政府提出此種建議的時機，業已成熟，遂正式備文請求將沙羅越之領土與主權讓與英皇。

（五十七）

報人普立茲傳

汶津譯

七月七日，在紐約，林肯騎兵隊員們收到他們最後的薪金。現在他們可以各自回家了。許多士兵無家可歸，他們便留在紐約。約瑟夫的薪金使他比以前任何時期都有錢，他要好好的花一花，在紐約他找了一個好的地方住下，他到最好的地方吃飯。人們處處以友愛的態度待他。在他們眼裏，他是一個穿着戰破的袍甲的青年軍人。當他走過街頭，人們請他停下，和他握手，並祝他好運。新來的和平使陌生人們親若兄弟。

那是在最初。三週之內，紐約已擠滿了軍人。約瑟夫注意到一種轉變，人們不再對軍人有任何興趣，待他們也不再那麼好了。曾經參加戰爭的孩子們已被人們置之度外，讓他們自個照顧自己。約瑟夫的錢花得很快，他必須找一個工作了。他說英文仍舊說得很糟，而他又沒有什麼行業專長。他很快就知道每一個需要人的工作都會有幾百人去求職。紐約沒有足够的工作給退下來的士兵們，實業界領袖們要求這些人離開此城。

約瑟夫日窮一日。他花很少的錢吃飯住屋，每天他找着工作。不管有錢沒錢，約瑟夫仍要儘可能穿得講究。他對衣服上的破洞無能爲力，但他仍看來相當整潔。只要一有足够的錢，他就到法國旅館附近的一家小店裏去擦亮他的鞋。

一天擦鞋的人跟他說：「喂阿兵哥，我很抱歉，請你下次不要再來我這裏了！」

「爲什麼？」約瑟夫驚奇地問。

那人不願傷害約瑟夫的自尊。可是他也不願失去他的工作。「因爲你對我的生意有壞影響。那些從法國旅館來的客人不願坐在一個像你這樣窮的人的旁邊。他們不願意看到這麼多軍人在這兒。」

約瑟夫看看他的衣服，他必須同意那個人。當他正要離去時，他聽到那人叫出來，「離開紐約吧，孩子。隨便去什麼地方。那總比你在紐約好！」

（九）

毛共統辦糧包業務 一再稽延大有內幕

（本報訊）中共一度計劃實現通運全大陸的糧包業務，於一再遷延之後，迄今仍無法實現。

糧包商人認爲中共擬以轉郵方式將糧包通達全大陸而未能實現的原因，主要係郵遞轉運工作，動用人員過於龐大，在生意經上，並不划算之故。

目前自港與寄運糧包至大陸，仍僅至廣東各縣及福建若干地區爲止而已。

據查：中共自將港澳間的寄運大陸糧包統由香港方面的三大公司營運後，雖然係以專營方式經營，惟憑單取貨的托運業務，反不如往時之佳。糧包商指出其原因，可能係寄運緩慢，付件人於托運後，收件人竟須逾月始收到糧包之故。

同時中共托運業務，僅以若干糧食及副食品爲限，且不能還寄廣東省外地區，故一般人遂寧在港澳兩地郵局付寄兩磅庄小郵包，或經由中共銀行，滙款返大陸親屬，因彼等之親屬可憑僑滙證在大陸配購到各種糧食及副食品與若干日用品，雖吃虧至大，以除此必無他法，祗好忍受也。（厥）

瘟君續夢

第九回：黎庆實堪驚　片言毀約　脫靴終自誤　衆志成城

周恩來說道：「主席的意見不妨透露給契爾沃年科知道，使赫老了解我們的立場就算了，不必眞鬧起來，家醜總不宜外揚。」

劉少奇說道：「我們在小的方面同蘇聯鬥也不是辦法，應該要求赫老召開一次兄弟黨會議，作一個根本解決。」

毛澤東憤憤說道：「一切情形你們都看得清清楚楚，我並無意去同他們鬥，硬是赫魯曉夫逼得我無路可走，別的不說，光是他撤走專家這一舉，你叫我怎能對他尊敬，再喊蘇聯是社會主義國家的頭，蘇聯是全世界共產黨的頭。」

劉少奇說道：「我的意思也正是這樣，我們應該要求召開一次全世界兄弟黨會議，繼承一九五七年主席去莫斯科時發表的宣言，對全世界的鬥爭策略作一次新的估定。」

毛澤東笑道：「辦法當然可行，不過這次去莫斯科開會我是不去了，要去就由你去。前月赫魯曉夫邀我去莫斯科休養，我所以不去，就是怕遭受暗算，總之赫魯曉夫不死，我是不去莫斯科了。」

劉少奇陪笑道：「這一點恐怕主席是多慮了，赫老那敢作這種事。」

毛澤東冷笑道：「咱們共產黨人作好事的胆量也許小些，作壞事的本領比誰都大，季米特洛夫，喬巴山是怎樣死的。」

劉少奇笑道：「那究竟是史大林時代的事。」

毛澤東冷笑道：「哥特瓦爾特同貝魯特呢？都在史大林死後了吧！」

劉少奇不敢再辯，恐怕毛澤東起了疑心，當時就決定由劉少奇和契爾沃年科商談，關於召開共產國際會議的問題，契爾沃年科把劉少奇的建議，電告蘇聯外交部，馬上就轉給赫魯曉夫。赫魯曉夫這時已經到了紐約，在船上時，他總以爲這樣一個龐大陣容，美國一定要傾國出迎，那知到了紐約，只有聯大秘書長哈瑪紹及少數亞非國家的代表趕來歡迎，美國朝野只當沒有這回事，理也不理，赫魯曉夫這以來氣大了，決心要顯個顏色給美國人看。

因爲赫魯曉夫帶着東歐共黨首領一道出席聯合國大會，引起了舉世注意，一向愛出風頭的印度首相尼赫魯，阿聯總統納瑟，印尼總統蘇加諾，迦納總統恩克魯瑪，加上南斯拉夫總統狄托，他們自封爲不結盟國家五領袖，除去這五個頭之外，還有許多尾巴如柬埔寨的施哈諾，幾內亞的總統杜爾，馬里的總統凱塔，也都趕來了。西方國家雖然不願同赫魯曉夫舉行談判，但是，也料不定他究竟搞什麼鬼，於是有幾位領袖如英國首相麥美倫，加拿大總理狄芬貝克，澳大利亞總理孟齊斯也都來了，準備應付赫魯曉夫的挑釁。

赫魯曉夫到了紐約之後，接到莫斯科的電報，報告中共有意召開共產國際會議的事，赫魯曉夫這時全部精力在應付西方，希望能在聯合國舉行一次高峯會議，對於中共的要求，就無暇理會，順手丟在一傍，自去作他的活動，第一個目標是和艾森豪威爾作一次會見，解釋前嫌。

（二〇五）

閻錫山與陳納德

吳文蔚

一、初創設民航隊

民航空運隊（簡稱民航隊）於民國三十五年（一九四六年）十月正式成立，成立三個月後，才開始有了飛機。陳納德將軍與衛勞爾二氏，都希望民航隊及早開辦，希望能夠趕上湖南省的救災運輸工作，因爲當時湖南省正遭遇着大災荒，但因曾受了中央、中國兩航空公司的阻撓，直至是年十二月才開始正式營業。

民航隊就是由陳納德將軍與衛勞爾二氏所創辦，陳氏魯衛塞那州人，以飛虎隊著名於世；衛係紐城人，曾於普林斯敦及哈佛大學畢業。

衛勞爾行年四十，始習航空。他原先只對普通運輸頗感興趣，但是他的經理職務，使他不得不經常的飛行，他曾一年內飛行的里程，等於兩個星期即繞地球一週。陳納德將軍那時已五十多歲，他是一個技術很好的飛行員，更是一個戰鬥機專家，他指揮的飛虎隊的成就，足使他永垂不朽。飛虎隊是一個志願集團，更於珍珠港事變前，即協助我國對日作戰，後來飛虎隊改編爲美國空軍第十四航空隊，陳納德將軍被任命爲少將指揮官，以迄贏得對日抗戰而後已。

當二次世界大戰終結之後，我國的環境，使飛機運輸成爲迫切需要，當時全國運輸機構破壞，陳納德將軍與衛勞爾曾飛全國各地調查，認爲我國航空公司的業務，務須從速加強。適值聯合國救濟總署正開始援助中國，他們的業務，是將大批的救濟物資運送至內地。唯一可靠而又快捷的運送方法，便是空運。聯總曾透過行總（行政院救濟總署）暫借給民航隊二百萬元，這筆款項，足夠購買美國剩餘飛機（C-47五架，及C-46十六架）。那時是稱爲行總空運隊的，由此演變，便成立了以後的民航空運隊。

一位外斯上校是美國紐色爾塞州春唐地方人，中等身材，愛吸香烟，曾爲陳納德第十四航空隊有力助手。他招來五個駕駛員，在上海華懋公寓的房內就職，那五個人，當時還穿着美軍航空人員的制服，他們自戰事終結的數星期來，即設法找尋工作。他們坐在房內，外斯上校對他們的吩咐：「這是美金五百元，我要派你們到菲律賓去，照這一張飛機（C-47）剩餘飛機的表選購五架最好的C-47飛機，使他們安裝好就飛回來！」

當時民航隊尚有信用可以購買剩餘飛機，但開辦之後，另還有一項更要緊的事，就是要照陳納德和衛勞爾開始營業的時候所決定的——必須聯合些優秀的駕駛員——這些駕駛員必須深切了解民航隊業務，努力的往前幹。（一）

南宋偏安有人才

——岳飛

李仲侯

本朝之都汴，非有秦關百二之險也。平川曠野，長河千里，首尾通亘，不相應援，獨恃河北以爲固。苟以精甲健馬憑據要衝，深溝高壘，峙列重鎭，使敵入吾境，一城之後，復困一城，一城受圍，諸城或撓或救，卒不可犯。如此，則虜人不敢窺河南，而京師根本之地固矣。大抵河南之有河北，猶燕雲之有金坡諸關；河北不歸，則河南未可守，諸關不獲，則燕雲未可有。聞昔恐及童宣撫取燕雲事，每發一嘆。何則？國家用兵爭境土，有其尺寸之地，則得其尺寸之用，因得以養其兵，因其兵以實其地，因其練習之人以爲嚮導，然後擇其要害而守之。今宣撫不務以兵勝，而以賄求。虜以爲京師援兵，但得其人民，而席捲南東，付之以空虛無用之州，彼則以爲燕雲之資，我則以天下之財力以實之；不知要害之地，皆敵所據，徒使所吾分之後，一乎而入，復陷腥羶。故取燕雲，不若諸關，是以虛名受實禍，以中國資夷狄也！河南河北，正亦類此。朝廷命河北之使，而以招撫爲名，越河以往，半爲胡虜之區，將何以爲招撫之地？爲招撫職事計，莫若盡取河北之地，以爲京師屏障。不然，天下之四肢絕，根本危矣！異時醜虜既得河北，又侵河南，險要既失，莫可保守，陵駮未已，幸江淮，皆未可知也。招撫誠能許國以忠，竊命天子，提兵壓境，使飛以偏裨從麾下，所不惜，惟招撫命耳，一死爲足道哉！」所大言，彥補武翼郎。未幾，招撫命飛從都統王彥渡河，至新鄉，虜勢盛，飛約彥出戰，彥不進，飛疑彥有他志，抗聲謂之曰：「二帝蒙塵，賊據河朔，臣子當開道以迎乘輿。今不速戰而更觀望，豈眞欲附賊耶！」彥默然，與置酒。幕下有姓劉者，勸於掌上書斬字示彥，彥不聽。飛怒起，獨引所部鏖戰，奪纛而舞之，諸軍鼓譟爭奮，遂拔新鄉，擒千戶阿里孛。又與萬戶王索戰，敗之。明日將戰侯兆川，飛預戒士卒曰：「吾已兩捷，彼必併力來；吾屬雖寡，當爲必勝計，不用命者斬！」及戰，士卒重傷，飛亦被十餘創，與軍中皆死戰，卒破之，獲士馬不可勝計。

（五十二）

四大美人

漁翁

吳者：外觀之善也。論語：「子謂韶盡美矣，又盡善也」注：「美爲聲容之盛，善者，美之實也」。婦女容貌之美者，謂之美人。史記：「所得謂諸侯美人，以充之」。我國歷代女子之美者，實繁有徒，而以西施、王昭君、貂蟬、楊貴妃爲最著稱，謂之「四大美人」。

西施：春秋越苧蘿村人，西鄰薪之女，有姿容。李太白云：「西施越溪女，出自苧蘿山，秀色掩今古，荷花羞玉顏」，艷妍，爲世人所羨慕。時越王勾踐敗於會稽，大夫文種知吳王好色，因獻七術以謀吳，王使大夫范蠡一求美色，得西施於苧蘿山，教以羅縠，習以容步，習於土城，臨於都巷，三年學成，乃令范蠡獻之吳。吳王大悅，遂迷惑亡政，而句踐十年生聚，十年教訓，乘吳王荒色佚樂，舉兵入吳，而卒復會稽之恥。吳亡後，西施歸范蠡，從遊五湖。或云吳亡，沈西施於江，以報鴟夷。在我國美人，均有墓可考，惟西施蹤跡不明，讀唐人詩，有「濁泥猶得葬西施」一句，則沈江之說，不無可信。西施以越人，爲雪恥復國而辱身，勝於鬚眉男兒多多矣。

王昭君，名嬙，姊歸人，王穰之女，有殊色。穰獻之宮中，爲漢元帝宮女。時宮女繁多，帝命畫工繪圖以進，惟昭君以貌自恃，獨不與，畫工毛延壽乃惡圖之，故無召幸之機。迨漢與匈奴和親，帝以昭君出嫁，臨行上殿，貌爲後宮冠，帝悔恨之下，將畫工毛延壽等三十六人棄市。昭君臨行，作哀怨之曲，後人名爲「昭君怨」。唐詩人杜甫詩：「千載琵琶作胡語，分明怨恨曲中論」。蓋紀實也。昭君入匈奴後，爲呼韓邪單于妻，稱閼氏，及呼韓邪死，其子繼位，復妻之，卒葬於黑河岸。據傳塞外黃沙白草，獨昭君墓草皆青。示不忘漢，亦女中之奇特也。晉時，避司馬昭諱，稱爲明妃，故石崇作歌，改稱王明君。晉後，仍以昭君之名傳世。

貂蟬，爲東漢司徒王允之歌姬，初許呂布，旋獻董卓，而因殺卓而斃之。三國演義，繪影繪聲，描寫盡致。呂布，字奉先，九原人；善弓馬，人號爲飛將；然有勇無謀，朝秦暮楚，初事丁原，而尋殺原歸董卓，既而因桃色案而刺董卓，後又投袁紹，結果爲曹操所害，不得善終。而貂蟬爲呂布妻，經散見於羣書，「呂布戲貂蟬」一劇，尤極傳神之妙。唐李長吉呂將軍歌：「榼榼銀龜搖白馬，傅粉女郎大旗下」，即陳壽三國志呂布傳，亦載呂布有妻甚美語，可見貂蟬之名雖未見諸漢書，而確有其人在。用女間以誅漢賊，誠勝於千軍萬馬也。

楊貴妃，小名玉環，楊國忠之從妹。初爲女道士，故號太眞。唐玄宗愛之，封爲貴妃。七月七日，明皇與貴妃在華清宮，向牛郎織女乞巧，並密相誓心，願世世爲夫婦。八月十五日，又偕遊月宮，作霓裳羽衣曲；悱惻纏綿之風流艷史，不可以言語形容。唐白居易長恨歌，有云：「春宵苦短日高起，從此君王不早朝」。淫佚荒政，致召安祿山之亂，玄宗倉皇奔蜀，至馬嵬坡，六軍不發，太眞乃縊死，一代美人，如此下場，可嘆，亦復可憐也。清袁子才過馬嵬題詩云：「不須鈴曲怨秋聲，何必仙山海上行；祇要姚崇還作相，君王妃子共長生」。果姚崇之流爲相，而楊國忠李林甫之流，無從引進，何有祿山之變！君王妃子，可長此賞其艷福矣。袁此作意義深長，堪稱絕妙好詞。

在四大美人中，西施身陷敵國，結果蹤跡不明；王昭君結怨胡人，永作他邦之鬼；貂蟬遇人不淑，不得良好之結局；貴妃雖盛極一時，而終不免馬嵬坡之慘禍。彼四人者，均哀怨悲慘以終，所謂紅顏多薄命者，信然哉！

海嶠漫談

新官場現形記

諸葛文侯

少時閱清末出版的說部「官場現形記」，總以爲多是野史家講瞎話，未必確有其事。迨年事稍長，涉及政界垂卅餘載，目擊一般官僚政客的言行，其庸俗鄙陋之狀，實較「官場現形記」所述者，尤有甚焉。

官場中人的普通現象，自古迄今，不外吹牛拍馬二術，交互使用，恬不知羞，俗不堪耐，而表演者且甚爲讀書有得的知識份子，別人感覺肉麻的，他卻認爲得意，有不少怪哉！這類事情，所在多有，若要逐一枚舉，雖萬言亦難盡，茲摘述當代三數眞人眞事，以概其餘，姑隱其姓名，聊供讀者一粲云爾。

現在大陸投共之立法委員劉不同，對日抗戰時，担任國民參政員，家居重慶。一日，路遇舊友某，以其爲中樞官員，攜手樂談，倍示親切，劉嶴示擬約某於次日到寓所便餐暢敘，某從懷中取出日記本，稍事翻閱而答曰：「明天何總長約我吃飯，後天也不得空。」劉固謂：「大後天何如？」某又答：「後天孔院長請我吃午飯。」劉知此人有吹牛癖，乃正色曰：「大後天你卻非來我家吃飯不可！」某詢有何要事相商？劉答：「我剛纔晉謁蔣委員長臨別時，他叩問委員長，大後天可否賞光到寒舍吃餐便飯？委員長說可以，但希望有你老兄在座。委員長特別指定你作陪客，簡在帝心，你能不來嗎？」某至此乃領悟到劉君是故意譏刺他，即根據擬手道：「以後再說吧」，含笑別去。事後劉逢人說及這場笑話，自命爲以其人之道，還治其人之身，是亦一樂也。

余有大學同窗友劉君，在學生時代，即好吹牛，友輩謚以「劉牛皮」綽號而不名。後來他投身政治界，弄到一官半職，吹牛更甚，每聞人談及當代文武顯貴人物，彼必謂「我們是老朋友」，愚鄙之。對日抗戰中期，我住家成都，一夕，有三數友好適在舍間閒談，劉君忽至，入門即謂：「林主席今天從峨嵋回到成都（按此時林主席在峨嵋山避暑），轉赴重慶，我剛纔跟他談了兩小時的話，他垂詢前線戰況甚詳，老人家對我眞客氣！」我肯定他又是當着老友面前瞎吹牛皮，頗感肉麻，急謂：「今天有位余致力先生從重慶來成都公幹的，係奉蔣委員長之命，到處打聽你的住址，找你一定有事情商量。」劉謂：「啊！余君是老朋友哪！」當時我忍俊不住，教他趕快去查詢余君住所。他出門後，在座朋友詰詢余致力是何許人？我謂：「是總理遺囑第一句的，烏有先生，故意捉弄牛皮客的」，朋友相與大笑不已。

愚友徐佛觀教授，對日抗戰時期，服務軍事委員會侍從室，担任組長職責。侍從室人員每週舉行會報一次，研究重要問題，且約集政府各有關單位的主官參加。某次會報談到當前的經濟問題，佛觀大發議論，別有主張，當時即有某部長駁斥佛觀之言，認爲一無是處，最後由主席陳布雷先生作結論，綜合各人見解，予以論斷，謂徐君所言，不無見地，本人頗表同意云云。某部長急起發言：「布雷先生的話很對，我極端贊成。剛纔我因爲一時疏忽，未加考慮，會有反對的意見表示，殊屬不妥，謹此聲明撤消。」拍馬之術如此，可謂嘆觀止矣！

以上所述吹拍人物，除「劉牛皮」因陷身大陸外，其餘皆在政治界，顯達之閣，若有志作官，幸勿視爲笑談，即可引爲寶鑑。

富貴與貧賤

陳宗敏

魏文侯之子擊遭田子方於道，下車伏謁，子方不爲禮，子擊怒謂子方曰：「富貴者驕人乎？貧賤者驕人乎？」子方曰：「亦貧賤者驕人耳！富貴安敢驕人？國君而驕人則失其國，大夫而驕人則失其家；失其國者未聞有以國待之者也，失其家者未聞有以家待之者也。夫士貧賤者，言不用，行不合，則納履而去耳，安往而不得貧賤哉？」子擊乃謝之。

「言不用，行不合，則納履而去耳，安往而不得貧賤哉？」唯此方足以語貧賤而驕人。否則貧賤又何能驕人之有？所謂：「不義而富貴，於我如浮雲。」所謂「貧賤不能移，富貴不能淫。」不是平常人所可致，也不是一種高調。儒者自孔、孟起，便時時砥礪後人，涵養此種性格。魏文侯每過段干木之廬必式，師事卜子夏，田子方，雖見當時敬賢的風氣，在當日的讀書人，也確有爲風俗表率的風範，觀子方答子擊之語，眞是侃侃然高風亮節。

自漢代公孫弘等以儒者之名干祿致仕，帝王亦由此籠絡爲用，降至後代，儒者不復爲君師，卑章奏稽，誠惶誠恐，朝見上謁，三跪九叩，除卻少數英明之主，能用諍諫之臣，餘皆唯唯否否，不敢正言是非，明分鹿馬，奴顏卑膝，劣之極矣！迄今，自由民主之思潮泛濫天下，而奴隸性殆猶未一旦解紐，可慨也！

內政部警台報字第〇三一號內銷證

自由報

THE FREE NEWS

第三四二期

社長：雷嘯岑

20 CAUSEWAY RD 3RD FL HONG KONG

TEL. 771726

台灣分社

正視印尼排華暴行

高瞻遠

本月十日印尼萬隆發生排華事件，這是自一九六〇年以後最大規模一次排華暴行。起因據說是由於一名印尼青年刺死一名已經取得印尼籍的華裔青年，偏偏審判的是一位華裔法官，將這名印尼青年判了徒刑，於是引起印尼的排華行動，由萬隆迅速蔓延到耶加達及茂物等地，華僑商業全部停頓，部份商店遭洗劫一空，僑胞在暴動中死亡的已有數人，直到今天，一切秩序仍未恢復。

這次印尼排華行動，適當中共政權「主席」劉少奇、「外長」陳毅到耶加達訪問之後的瞬間，時間上未免太巧合，而事件發生後，中共駐印尼「大使館」根本置之不理，和一九六〇年高唱護僑時的態度完全不同，而所有大陸及海外共報，又對此事隻字不提，有意封鎖新聞，因此引起人們懷疑，以爲印尼這次排華行動是蘇加諾和劉少奇一雙「戰友」在耶加達訂下的「戰略」。

就這次排華事件全部經過來看，很明顯地看出是一種預謀，要了解這次事件的背景，必須從印尼當前情況說起。目前整個世界經濟最困難的政權，除去大陸上的中共政權以外，大概就要說到蘇加諾政權了。印尼的外滙儲備，在一九六〇年報告只有六千萬美元，以後就未曾正式公佈過，預料情況已惡劣到不堪報導的地步。因此，幣値江河日下，官價與黑市相差達三十倍，全國人民已有三個月沒有配給食米，任由民衆自行設法。因此，引起整個經濟混亂，其嚴重情況實非想像所能及。據報載西爪哇郊下一間學校，只剩下校長一人，全體教員都去跑單幫，這位校長也因爲生活無着，即將宣佈關門，自去謀生。一個國家無論環境怎樣困難，也不致使學校關門，我國抗戰期間，情況何等艱苦，但是，並沒有一間學校因經費困難而停辦，並且較戰前更增了幾倍，相形之下，蘇加諾實在死有餘辜了。

蘇加諾統治了十幾年的印尼，可以說經濟情況始終未曾穩定過，加之蘇加諾大權獨攬，一意孤行，反對人士採取各種方法予以杯葛，所以印尼局勢始終在動盪中。但是蘇加諾師承希特勒、墨索里尼故智，挽救國內困難的最好辦法，就是向外發展，十幾年來，蘇加諾不斷製造藉口，向外鬥爭，以轉移國內目標。最初是反荷蘭，高呼收復西伊里安，沒收荷蘭僑民財產；以後荷蘭僑民全部撤退，蘇加諾又藉口華僑操縱印尼經濟，大舉排華，禁止華僑經營零售商店，沒收華僑財產；以後排華問題告一段落，西伊里安也被收回，蘇加諾再製造反對馬來西亞事件，支持婆羅乃叛軍阿薩里，企圖向沙撈越作游擊戰；這些行動都是爲了轉移國內民衆的不滿情緒。明白了印尼的情況及蘇加諾政治手法，才能對這次事件有所了解。

就這次排華經過來看，是有一種預定陰謀，即使沒有華裔法官判決印尼青年徒刑，排華事件也會發生的。不但鄰近印尼的國家有這樣看法，就連印尼官方通訊社也承認示威暴動是有組織的行動。至於行動的目的何在，大體說來可分兩點：第一、轉移目標。這次參加示威、暴動、搶劫的都是青年人；印尼青年爲什麼要作爲排華的先鋒隊，當是由於他們失學、失業、難得一飽，一種怨火鬱結胸中，找不到地方發洩，經蘇加諾及其部下因勢利導，把仇恨目標移到華僑方面，好似印尼民衆之所以挨餓，不是因爲蘇加諾窮兵黷武，驕奢淫佚，而是受了華僑的剝削；而另外一方面，印尼青年要想獲得一飽，也只有搶劫華僑。

第二、與馬來西亞有關。自從西伊里安問題解決後，蘇加諾向外擴展的箭頭：又指向馬來西亞，蘇加諾把馬來西亞的成立，指爲對印尼的威脅。蘇加諾雖然是有意說謊，但在印尼宣傳已久，對印尼人民可能有深切影響，馬來西亞的構成，華人可是主要力量，印尼人可能因此移恨到印尼華僑身上，找到機會就要加以報復。假若此項推測不錯的話，華僑的災難可能只是一個開始。

不過，印尼人排華雖是預謀，假使沒有劉少奇這次訪問，可能不會爆發得這樣快。劉少奇訪問印尼時，蘇加諾爲了表示大國風度，報答中共在一九五六年北平出動五十萬人歡迎他的盛況，也下令耶加達市民傾城出迎，自從一九六〇年排華事件以來，由於印尼政府的惡意宣傳，印尼人民久已把中國人看成次等民族，猶如阿拉伯人之視以色列人，現在被迫去歡迎劉少奇，自然不願。劉少奇抵達印尼時，蘇加諾又命令華僑懸出中共旗幟，以表歡迎；自從一九六〇年以來，印尼當局即不准華僑懸旗，中國國旗固不准懸掛，即使中共的五星旗也在禁止之列。此次各地華僑在劉少奇經過時，均須懸出中共旗，華僑雖然心中不願，而在印尼人看來，又引起狹隘的民族主義思想，更增加了對華僑的仇視。

在劉少奇訪問印尼時間，蘇加諾又陪同到峇釐島去了一次，這個島火山剛剛爆發過，許多地方濃烟尚未熄，蘇加諾爲了娛賓，竟召一批峇里女郎跳舞，以招待劉少奇同陳毅，此種荒謬舉動，主人固然沒有心肝，客人也太不識大體，久在飢餓、恐懼生活下的印尼人民，一腔怒火就隨之爆發。印尼人不敢向蘇加諾政權反抗，卻拿手無寸鐵的善良華僑來洩憤。追源禍始，劉少奇的訪問，要負很大的責任。

當然劉少奇一行尚未離開耶加達時，已得悉印尼人即將有排華行動，中共在印尼特務人員，曾有報告。但劉少奇在備受歡迎，志得意滿之際，對這個問題根本就未曾理會。假若劉少奇稍有人心，當時向蘇加諾提出交涉，敦促印尼政府切實保護華僑，即將發動地區先實行宵禁，這場災禍也未曾不可消弭於無形。

當印尼大舉排華事件發生時，劉少奇尚在柬埔寨訪問，中共首領對此事均無表示，中共駐印尼大使館人員，坐視華僑商店被燒，僑胞被暴徒用刺刀刺死，竟然無動於中，連一個口頭抗議也未提出。此間大小共報對此事件更是噤若寒蟬，隻字不敢提及。依照中共慣例，遇到海外有排華事件時，必然要大叫一通，儘管此種口惠而實不至的行動，對當地僑民有損無益，但中共總希望藉此達到宣傳目的。此次一反常態，其中必有不可告人隱私。

因此，對於西方報紙所傳中共與印尼狼狽爲奸，將在南中國海發動戰事的消息，就不能不令人注意了。否則中共何以如此恭順，毛澤東今天連赫魯曉夫尚且想碰一碰，又何懼於蘇加諾，由於印尼排華事件逐漸蔓延到全國，暴動份子不僅搶奪華僑，進一步並且搶劫印尼政府軍火庫及大米食油，危及蘇加諾政權的根本，再發展下去，必然變成揭竿而起，全印尼飢餓人民將團結起來向耶加達進軍，蘇加諾這才慌了手腳，下令禁止示威。印尼官方通訊社及報紙，奉令把責任推給反對蘇加諾政權的革命份子，中共新華社到這時才敢發表這項消息，並把印尼排華事件指係美國策動。至於排華事件是否就此終止，還不能確定。

就此次印尼排華事件可以看出，中共雖然窮兇極惡，以大國自居，其對僑民不能起絲毫保護作用，並凡與中共有邦交的國家，掀起排華行動時，中共除去乘機運返一批僑民，多開幾處[illegible]塲之外，拿不出一絲辦法去維護華僑利益。對印度如此，對印尼也是一樣。過去還敢提空頭抗議，現在連抗議也不敢了，毛澤東尚靦然以大國自居，太不知恥了。

漫畫天下

近朱者赤

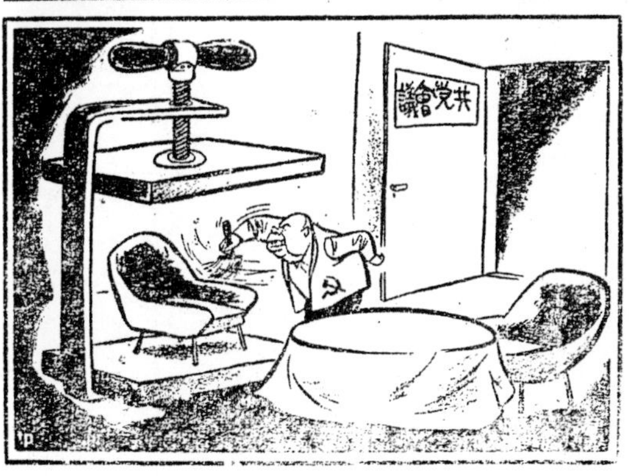

老手法

自由談

反對與反動

馮[illegible]先生

個人或團體對於政府的某些措施表示不贊成，而加以指摘批評，在不違悖國家民族生存利益及抵觸國法之下，自可暢所欲言，藉明是非。這是政治術語所謂反對派，爲民主憲政國家習見的事，毫不足奇。若夫罔顧國家民族生存利益，漠視法紀，對政府作惡意的攻訐誹謗，乃至於造謠惑衆，淆亂黑白，危害社會安寧秩序，以期逞快一時，這就越出了反對派的界說，構成了反動言行，政府即有禁制懲處的職責與權能，萬不能假藉「言論自由」作護符的。

最近台灣各縣市舉行省議員選舉時，台北市有個候選人發表政見演說，公然主張跟大陸上的毛共僞政權貿易通商，又謂政府開闢台灣橫貫公路，作用只是爲內地人游覽而已。似此狂悖言論，居心雖在譁衆取寵，誑得選票，然已構成通敵叛國，造謠生事的反動行爲，無論在任何國家，亦所不許的。英國號稱爲憲政之祖的民主國家，然其政府以哲學家羅素煽動羣衆，集體游行反對核子武器，認爲危害國家利益，毅然將羅素置之於理，予以懲罰，誰能說麥美倫政府是專制獨裁嗎？

這個候選人的胡言亂語，中華民國刑法上亦有明文規定，無可諒恕，他雖然因此而受到選民的唾棄，悽然落選，但法律責任，無從諉卸。政府在當時既未予制止，事後亦不聞查究，[illegible]之下，容許反動言行肆無忌憚，這實在太民主了！果若是，則「自由中國」雜誌主持人雷震以叛亂罪坐牢，豈非冤獄乎？最近日本人倡言要與毛共貿易，咱們朝野人士即不斷向日人提出警告，假使對方根據台北市這個候選人的言論主張，反唇相稽，試問將何以自解呢？民主須循法度，自由不能胡來，我們固不贊成政府箝制人民的言論，亦反對對某種人物作無理的姑息待遇，姑息適所以養奸，及其弊也，可陷天下於大亂。反對與反動的義理必須辨別，沒有嚴正無私的法治軌範，而侈言民主自由，其不禍國殃民者鮮矣！

香港與大陸

已六七月未下大雨
廣東旱災情形嚴重
饑荒已屬定局共幹還喊節約
人心皇皇不安反抗事件迭出

廣東省大部份地區，由於嚴重的乾旱，大部份水田無法把秧苗插下，或則荒棄，或則臨時改種番薯，未來糧荒，勢難倖免。因此而人心皇皇不安，破壞和反抗事件迭起。

近六七個月來，廣東省大部份地區，從未下過大雨，乾旱災情極爲嚴重，大大影响了春耕工作。就以興寧，五華一帶地區而言，由於沒有水，有約半數的水田無法插秧，另有百分之三十已插下秧苗的，也因缺水，多數枯死，否則生長情形亦極惡劣。有若干公社則臨時把水田改種了番薯。

北角一家工廠的看門人李君，最近接到其家鄉親人的呼救信，對旱災情形，敘述極詳。來信強調未來糧荒絕對無可倖免。來信說：雖亦還有約百分之三十的水田已下種稻穀，但生長得極不好。至於那些改種了番薯的，也未可樂觀，因爲水田的坭土黏性比旱地大，并不適合種番薯。又說：就算那百分之三十的水田種的稻穀和種了的番薯都生長得很好，得到高產，大家也還是要餓肚的，因爲那些稻穀用來繳交「公糧」、「水利糧」、「肥料糧」、「生產工具糧」……都不够，農民那有得米吃？至於吃番薯，因爲番薯是不能久留的，在悶熱的天氣，最多能耐得二個月，過此便會腐爛壞了。是以，即使想靠番薯以捱到十月的秋收，也斷斷不可能。

來信又說：公社的共幹在最近召開的大會中，已不諱言災情之嚴重，強調要大家勒緊腰帶，努力增產節約。并公然宣佈將要減少社員的糧食配額，藉以渡過災荒。來信還要求李君在香港購買麵包皮，將之晒乾，然後寄回去，據說因爲麵包皮不但價廉，且又耐放，不必買麵麪或其他食物，改買麵包皮，份量將多得多。又說麵條固然較好吃些，但他們不敢想了，希望多買麵包皮寄返好了。

另據甫由梅縣來港的僑屬李少梅小姐稱：梅縣旱災的情況亦非常嚴重，大家都知道未來的日子又要挨餓了，在忿恨之餘，乃產生各種消極和積極的反抗行動。

李少梅小姐說：梅縣最大灌溉的西水利陂頭，有幾塊用來擋水的重木板，最近突然被人搬走了，使僅有許可用灌溉的水白白流失。共幹一時又無法重做這些木板，後來才在距離二里多些的山坑中找到了那些木板。共幹聲稱這是反動份子搞亂。

李少梅小姐又說：近來梅縣城鄉又經常出現反共傳單和標語，其中許多是提到未來的災荒，有一張傳單說：「同胞們，天災人禍造成的糧荒又來了，我們與其活活餓死，不如大家團結起來，從死裏求生。我們應該從共黨手中奪回生存！從共黨手中奪回自由！」云云。（敬斯）

越南華人投資工業
情緒踴躍成就輝煌

（本報西貢通訊）在越南共和國的華人，包括華裔越人及華僑，近年來接受政府號召，紛紛投資創辦工業，情緒備見踴躍，成就亦頗輝煌。

據越南政府統計，一九六一年全越南有各種大小工廠，計一萬一千八百四十家，其中百分之五十四左右集中於西貢、堤岸，惟絕大多數爲中小型及家庭手工業，例工廠中，僅十三家擁有員工四百名以上的大工廠，餘者均爲僱用工人十名以下的小工廠。

越南的工業在規模方面是以小型佔絕對多數，在性質上則多屬農產品加工廠，如碾米廠有一千五百家，椰油廠有八百六十五家，煉糖廠有四百十八家，舊式蔗廠有二百五十四家，鋸木廠有一百八十一家。這些工廠中，以華僑經營者爲多，惟其中四家大規模的新式煉糖廠則屬越南政府經營，餘者均爲中小型工廠，其中椰油業及鋸木業皆爲華裔經營，碾米業規模大者亦屬華裔，且均具悠久歷史。換句話說「早年華人從祖國輸入加工技術，在越南創設加工工廠，以提高越南農產品的經濟價值，及增加越南人民的就業機會的，不過這些工廠均屬農、林、漁產品的簡易加工業，利潤微薄，同業間競爭又至爲激烈。

至於少數屬於投資金額較大之消費品工業，則在法治時代，屬法商獨佔經營，目前亦由越南政府及原經營外商繼續經營。如前述四家大型糖廠由越南政府經營。米酒廠及啤酒廠合一家均由法商經營。汽水廠大型二家造冰廠大型一家爲法商經營，中小型二百餘家多爲華裔經營。捲煙廠大型三家爲法人士經營，中小型二十五家爲中越人士經營。火柴廠大型一家爲法商經營，肥皂廠大型一家越人經營，餘廿家爲法商經營。九家中小型工廠爲華裔經營。人造木板一家爲越南政府經營正在籌建中。化學廠大型一家（年產鄉氣五十萬立升、炭氣十三萬立升）爲法商經營。電力廠爲越南與美合作經營。煉油廠爲越南政府與美孚及亞細亞公司合營在籌建中。大型玻璃廠四家爲法商及越人經營，小型玻璃廠二十家爲華裔經營。水泥營造廠二百家爲越南政府與法商合資經營。大型製袋廠一家爲法商經營，造紙廠一家爲越人經營。

以上就越南工業規模及其經營者看，很明顯地指出，少數利潤較大的工業，均由越政府或法商獨佔經營。惟自華裔響應越南政府提倡工業建設的號召，籌建越南紡織廠之後，華人在當地集資籌建各項新型大企業，正呈現越南華人以全力發展當地工業的現象。至目前爲止，已建廠成功或在積極籌建中者，有大型紡織廠三家，染織整理廠六家，碱絲米糠提油廠一家，食品罐頭廠一家，製膠加工廠一家，及正在洽商中者更遍及各行業。近年來越南工業的發展以華裔爲主，進而蓄有新式工業投資，則目前越南華裔所有新舊式大小型的工廠，在當地所佔的比重就日見重要了。例如紡織廠原有中小型紡織廠一千家左右，大部份爲華裔及南撤越北難民經營，而目前新建的大型工廠四家中，除一家爲越南政府經營外，三家屬於華人。

目前越南華裔發展的工業與原有華裔所經營者比較，顯然有以下兩優點：

（一）在企業組織方面：目前華裔經營的工業，多屬股份有限公司組織，投資人不一定自任經營管理重職，多能發揮現代化企業組織的優點，較之舊有華裔企業多屬個人獨資或少數戚友合夥經營，其成敗多繫於出資人的經營能力，而談不到組織的力量者不同。

（二）在資金運用方面：目前華人經營的工業，由於組織股份有限公司，故能聚集較大量的資本，或爲同僑出資，或爲當地人士投資，或由當地金融機構及外國經濟援助機構之貸款，總之成能籌集經營該項企業所需的資金，既能採用新式生產設備，提高生產能力與產品品質，同時，也使單位數量的產品成本降低。

月底之前無大雨
港將進一步制水
氣溫亢熱破百年紀錄

（本報訊）嚴重的香港水荒，自從本月十六日起實行隔日供水四小時後，水的消耗雖已確實減少，但因氣候仍屬亢旱，每日驕陽高懸，全無雨意，「坐吃山崩」，後患堪慮，政府發言人再提警告，宣稱「進一步制水的各種有計劃的步驟，時刻均在政府考慮之中，以便現行的亢旱持續下去之時，隨時予以實施。」

所謂「進一步制水的各種有計劃的步驟」，意何所指，未可得知，但傳言紛紛，殊爲駭人。傳言有云：如其五月份之內仍無大雨，將實行隔日供水甚有謂將實行每週供水二次者。另據悉關於關閉一切住家水喉，居民一律到街喉取水，按人口配給之議，政府雖未放棄，但認此爲最後手段，非萬不得已將不實施。據說此議之所以不輕易實施，係警方以爲屆時秩序必大亂，以目前警力，即使放棄其餘所有任務不加理會，專注於輪水秩序之維持，亦負担不起云云。

近日香港氣溫，每天均超過九十大關，十九日達華氏九十三度六，破一八八四年以來五月份最高溫度的紀錄。二十日更達九十三度九，打破了一百年來五月份最高溫度的紀錄。如此亢旱，又逢水荒，其苦可以想見。

關於水荒的嚴重問題，政府目前的措施，重在節約，香港居民亦大多能會到不節約亦其實不得了。至於開源一層，可能政府亦在努力，如交涉向深圳增購水額之事，便迭有傳說，但爲了廣東正鬧旱災，深圳河水見底，即有所獲，亦必不多。民間有主張蒸餾海水的，則因尚無此設備，亦還水救不了近火。（界）

水荒打擊香港各行業
貧苦人家受禍害最重
這裏報導一個有代表性的實例

（本報訊）香港正遭受到嚴重的水荒。水荒使香港各行各業都或多或少受到打擊，但最沉重的打擊的承受者還是貧苦的家庭。這些家庭必需「輪水」，這不但是件辛苦事，更重要的是就誤了他們幹活的時間，減少了收入，生活立刻發生困難。

這裏報導的是一個實例，可以作爲代表，反映水荒對於貧苦人家的重大打擊。

有一個家庭，他們一共五個人，住在九龍大磡村（許多人叫這地區做「飛機山」）的一間石屋裏。丈夫是一位三十多歲的拆船工人，大孩子十二歲，老二九歲，都在牛頭角庇護小學唸書；「三小姐」五歲，跟着母親身邊。因此，這個家庭的主婦，也就走不動了。

她每天在家庭做些什麼呢？除了家頭細務，看孩子，她每天至少有五六個鐘頭，都埋頭在「整膠花」。每天她「整膠花」整到晚上十點鐘，大概可以得到二塊五角錢到三塊錢的工資。她的丈夫每天大概可以有八塊錢。兩個人合起來每月大概就有三百塊錢的收入了。

一個五口之家，每月有三百塊錢上下的收入，還在「下層」社會中當然不算最壞，但無論如何不能有充裕的機會。如非節衣縮食，就一定無法將孩子送進學校去。

但這種「不算壞」的生活情況是在平常和「平安無事」的日子之下，才可以享受的。要是家裏的任何一位成員有了意外，例如孩子生病，丈夫「歇工」，那就立刻會使情況緊張起來了。

去年有過一個時期，拆船業不怎麼好，拆船工人三天上兩天工，做妻子的爲了支持家庭，每天就只好煞多兩個鐘頭去「整膠花」。有時大孩子和二孩子也參加工作。去年年底，塑膠花是很有去路的。

今年以來，拆船業比較的好景，丈夫天天都有工做，妻子依舊在家裏「整膠花」。生活當然不會充裕，但總算還可以對付得過去。

誰知「好景不常」。現在却因爲「輪水」打破了這個家庭的正常而平靜的生活。

「輪水」是水荒所引起的。水荒使整個香港的每一個家庭都受到困難。但生活遭受到打擊最重的，還是那些居於貧民區和木屋區的「下層」社會的貧苦家庭。

就以我們講的這個主婦來說吧，她在「輪水」的這一天，幾乎什麼事情都不能做。水喉是於下午五時開的，上半天她做完了家務，就必須準備好「輪水」的用具，水桶，扁担，繩索；還有，家裏的一個小水缸。然後，於四點鐘的時候，就得將挑水的用具挑到「輪水」的地方去。那裡早已有了一條「水桶龍」，幸而你遇到熟識的鄰居，你或者可以將水桶排下之後，請她們替你關照一下，你就可以回家去，等到開水喉，再來「輪水」。下一次「輪水」的時，你替你的鄰居「看水桶」。——這樣，就大家可以省下一半的時間。

但無論如何，你於四點鐘以前就得再趕回「輪水」的地方。

這裏，你幸而於開水喉不到二十分鐘就輪得了一担水。你將這担水挑回家，倒進水缸，又忽忽的趕到「輪水」的地方來。

這一次你就得挑着水桶排隊，你在「輪水」隊中等了兩個鐘頭或者三個鐘頭，一直等到將近關水喉（下午九點鐘）的時候，才能够再輪到一担水，也就是天大的幸運了。

一個五口之家，兩天用兩担水，一共就是用二十加侖的水。也就是說，每天每人只有兩加侖的食用水。這決不是浪費食用水之家。

不過，幸而輪到了二十加侖的水，這位主婦就得花上四五個鐘頭。她於下午八點多鐘，才能够下厨房去燒飯。吃完飯再料理孩子的制服，那時候已經是將近午夜十一點鐘的了。

本來，下午六點鐘就可以將家務做完，開始下半天的「整膠花」，現在，下半天爲了「輪水」不能開工了。

我們的這位主婦，本來每天「整膠花」可以「整」得三塊錢，如今，輪到「輪水」的這一天，一塊錢也拿不到了。

這樣一來，她每月「輪水」十五次（天），就得損失了三十塊到四十塊錢的收入。四十塊錢的收入，在她和她的家庭，應該是一個大數目。損失了這個數目，生活就會隨而發生緊張，那乃是毫無疑問的。

論「演說街」的精神

——從僑聯座談支援反攻說起

林介山

「華僑支援反攻」問題，經有跡像指出，正由文字呼籲階段轉入實行階段。香港時代批評半月刊曾於二〇及二一兩期社論公開呼籲全球僑領支援這個問題，隨而菲華反共抗俄總會響應展開「支援反攻種子運動」，最近南非洲全體華僑亦聲明一致動員起來支援這個號召。與此問題有直接關係之僑聯，曾不祇一次座談交換意見和討論，自是不在話下。但僑聯座談較使人有印象的，是最近一次舉行以「華僑援反攻運動之展開」爲題的座談會。尤以席上由該會副秘書長梁子衡所提出的建議及指陳的「演說街的精神」，更具有意義。

梁氏建議有三點：一是華僑宜準備負起支援反攻後的救濟工作及國家復興工作；一是所有華僑的支援反攻運動聯合一致，並與當地政府的反共工作配合；一是主張組織「僑生軍中服務團」。在總的方面說，梁氏籲請正視孫中山先生在奔走革命時那種「演說街的精神」，對號召華僑支援反攻的重要性。

曾主持僑務行政，現任僑聯常委的李樸生，在所著「華僑發展簡史」一書裏，亦有介紹「演說街」精神對辛亥革命的助力。華僑之被稱爲「革命之母」，即由此種精神所激發。

今日之「反攻大陸」問題，是中華民族生死存亡的問題，不是極權暴政的潰亡，便是自由人權的淪落。比於進行辛亥革命的艱巨，有過之而無不及。當時滿清腐化庸懦，組織鬆懈又缺乏思想戰鬥及國際力量支持，且海內外有「反清復明」之潛力，故革命對象單純，易於激發，祇要有人肯堅持「漢賊不兩立」的口號，憑藉「演說街」精神，到處遊說演講，便可造成一方勢力。但今日的複雜環境，並不如當日之單純。幾乎有人的地方，便有兩種敵的思想；而有政權的地方，也每每裂分爲二；且每每是民族混淆，敵友混亂一片。故「演說街精神」的原則，雖仍可用，但發揮「演說街精神」的效用，主要則在演說內容方面。倘若「慷慨陳詞」不得其當，或對華僑情緒及其需要，缺乏親切與刺激鼓舞作用，而流於反共八股的口吻，便將反爲多詭辯之中共黨徒利用爲反擊的資料，這是首要考慮的地方。

華僑有兩點絕不含糊的熱望，一是嚮慕於有血緣關係的鄉土的歸宿；一是能使其從安定中求發展。前者是情緒問題，後者是生活上的需要問題。前者並爲一般中國人在傳統上的性習，他們「重視孝道，尊老慈幼，全心爲組織一個溫暖的家而獻出一生」的觀念所在。

中共由於施行暴政，無論它如何編導欺詐華僑的魔術，但其狂作妄爲，如由土改到人民公社這些惡政所造成的血債，即已使華僑「咬牙切齒，恨之入骨」。

土改期間中共把華僑用血汗淚水賺來的數畝田地，亦視爲大地主，藉此清算留鄉僑眷，公開向海外華僑勒榨大量金錢。

中共在推行人民公社運動前後，並同時推行新婚姻法，拆散所有中國人的家庭，仳離夫妻，離散骨肉，使中國人最重視之貞操美德，人情厚道，在中共的淫暴的統治下，一下子呈現「亂倫」一片。尤其那些留鄉的無知僑眷婦女所遭遇的更慘。中共的所謂「前進」的美麗名詞，與性慾飢渴的誘惑下，華僑留鄉的僅有財產屋地固被沒收，妻女亦從此離散，成爲共幹洩慾的工具。

由上例看，中共所作所爲，不獨未符上述華僑兩點的熱望，且明顯地是與華僑的熱望背道而馳。中共這類不可寬恕的暴政，已成爲所有中國人仇共的烙印，華僑社會尤其普遍地蘊藏着恨共的火燄。

但是，時間會冲淡仇恨的意識，無知會易於受到詭辯的愚惑。華僑一般的教育及智慧都不甚高，且亦有不少壞份子潛伏在華僑社會中爲虎作倀。如此一來，如果有適當的演說內容，「演說街的精神」，正好派上用場，善加運用，可成爲號召「華僑支援反攻」的一大助力。

（上）

天南風光

——沙羅越的歷史——

朱淵明

隨後英國政府答覆拉者維納，就是：這種重大的政權移讓手續，必須要獲得沙羅越人民的接受，因此越王應即回返其領土，更必須在國會中獲得正式之通過，以完成在立法和憲法上的程序，方爲有效。

當拉者維納正進行完成立法手續時，英國下議院忽又發生一種疑問，那就是沙羅越國會是否足夠代表其領土中居民的觀點？以及沙羅越的人民對於此種重大問題，究竟作何反響？於是英國政府不能不愼重其事，乃與拉者簽立協定，規定派兩名英國國會議員，代表兩個主要政黨——工黨與保守黨——訪問沙羅越，代表英皇政府，作非正式而獨立的採訪；「採訪目的，就是要明瞭拉者對於沙羅越國權讓渡的建議，是否已獲得土著及全體民衆普遍的擁護和接受？」此時拉者維納亦另借一位殖民部的高級官員與一位殖民部的顧問，先行抵達沙羅越。

一九四六年四月十五日，拉者由澳軍手中接收回沙羅越行政管理權。同年五月二日，英國議會兩名議員抵達古晉，經過第一次的公開會議，及五月三日之全民代表會議後，此兩位議員，即出發到各處訪問，在許多地方，都曾舉行過各族民衆代表的公開會議，聽取民衆意見。

同時在一九四六年五月十五日，拉者即將讓渡法案提交沙羅越國會。同月十七日，國會投票表決，贊成讓渡者十九票，反對者十六票，總算以三票的多數，通過了這一件在沙羅越歷史上佔重要地位的一案。五月廿一日，即由沙羅越拉者，最高議會議員，及英國政府代表共同簽署於古晉。

而那時英國國會的兩位議員，亦已將他們訪問的結果，對英國政府提出報告，說是：「在沙羅越的民衆，對於沙邦國會所通過的讓渡法案，已有足夠的默許及贊成」。這兩位議員，並堅決的建議：「應從速採取行動，不可遲延」。

（五十八）

報人普立茲傳

汶津譯

這不愉快的遭遇使約瑟夫下定決心離開這個城市。他沒有任何理由留在紐約，不管是爲了工作或朋友。他不知道該去那兒，但有一點是確定的，他要找一個沒有人說德國話的城市。他必須勉強自己說好英語。那一天他遇到一位林肯騎兵團的老隊友。約瑟夫告訴他要離開紐約的計劃。

「你想我該去那兒？」約瑟夫問。

大部份士兵都曾想好好的調弄年輕的波勒滋一番。這位仁兄也一樣。「我知道一個適合你去的地方。在聖路易每個人都說英語。那是在西部，屬於密蘇里州。你去吧，年輕的波勒滋。你將感謝我——那正是你要找的地方！」

約瑟夫相信了他。「好。如果你到那密蘇里去你可以來找我。我改名做普立茲了。對於美國人那是如此發音的。你來聖路易看我吧！」

約瑟夫仍不知道他是受騙了。聖路易最初是由德國人移居去的，而且每年有成千成百的德人住進那城。人們說德國話，思想和行爲都是用德國的方式。在聖路易說英語的人非常少。但這孩子沒法知道這些。許多士兵曾說西部才是眞正的美國。約瑟夫決定去密蘇里並且深信他所有的期望到那兒都可以實現了。

翌日約瑟夫走出紐約市時，他身邊只剩很少幾文錢了。但他沿途步行並儘可能的搭火車。當他到達密蘇里河時，他已用完所有的錢，並賣掉了一些衣服。

那是十月十日的傍晚。一陣出其不意的暴風雪襲來了。約瑟夫站在密蘇里堤岸邊的風雪中，隔河注視着聖路易的遙遠燈光。他老遠從紐約趕來，現在已近終點，可是他卻沒法到達那城市。沒有橋通過河上，又沒有錢付渡船，他永遠到不了他所企盼的城市聖路易。餓，冷得發抖，他不知道那裏可以讓他渡過這暴風雨之夜。他覺得自己既無意志也沒力氣去找食物和一間溫暖的屋子。他站着看河上的船離去。舟子叫他走開，但他不能使自己走動。沉溺在夢境裏，他呆看着那些人和船。

他很靠近其中的一隻船，他可以聽到船上的人彼此叫着。一個高聲叫着「約杭！」。那憤怒的聲音又起了，「約杭在那裏？當我們須要他作工的時候他總不在！」

約瑟夫如此地冷而餓，使他幾乎停止了思想和感覺。但突然間又警覺了。那些舟子在說着德國話！

「嗨，請問！可以給我一個工作嗎？你們須要人幫忙嗎？我要去聖路易而一文不名。」淚水湧出眼眶，他狂叫着。他們必須聽他的！

一個高大的舟子走到這狂亂的孩子面前。他向約瑟夫被寒風吹得發青的瘦臉看了一眼。「你要什麼，孩子？」

（十）

瘟君續夢

第九回：擊床實堪驚　片言毀約　脫靴終自誤　衆志成城

赫魯曉夫也知道他自己同艾森豪威爾訂約會，十之八九要碰釘子，就找中立國家出馬。要他們給艾森豪威爾寫封信，勸告舉行一次艾赫會談。

赫魯曉夫先和尼赫魯商量，尼赫魯拍胸担保沒有問題，一定可以勸告艾森豪威爾回心轉意，坐下來談判。

赫魯曉夫問道：「這些信由那些人出名寫呢？」

尼赫魯不由得一驚，不過，他究竟是老奸巨猾，不動聲色說道：「您的意思要誰出名呢？」

赫魯曉夫摸摸又肥又大的鼻子，說道：「我看就請你同蘇加諾、納薩、狄托、恩克魯瑪五個人聯名好了，你們是中立國家五個領袖，艾森豪威爾不能不賣你的面子。」

尼赫魯不料自己獨一無二的亞非集國領袖，竟然變成五分之一，眞是越想越氣，可是，面上却不露聲色。連連點頭說道：「這個辦法很好，另外四位就請您分別同他們談談好了。」

赫魯曉夫聽了尼赫魯的話，分別去拜訪，請大家支持他和艾森豪威爾舉行高峯會議。這幾個人，作夢也料不到有一天會成爲美蘇的調人，都是滿口答應。尤其那個恩克魯瑪，生平第一次到聯合國開會，不料竟然出了這麼大一個風頭，更是喜得手舞足蹈。

赫魯曉夫安排之後，寫了一封信，送去請中立國五領袖簽名，不料排名秩序又發生問題。五人中間有四個總統，只有尼赫魯一人是首相，所以尼赫魯排在末尾毫無問題，只是誰領銜呢？又爭一陣，還是狄托出來講話，推定蘇卡諾領銜，因爲他總統當的最早，統治的人民最多，同時他又有個博士頭銜，總算是個讀書人。

狄托舉出一大堆理由，大家雖然不十分情願，也無法駁倒他，於是排定秩序：蘇卡諾，狄托，納薩，恩克魯瑪，尼赫魯。

信寫好了之後，怎樣送到艾森豪威爾手裏，又費了一番斟酌，用掛號信寄了去未免太草率，交到白宮新聞處又怕不能馬上送到艾森豪威爾手裏，稍遲恐怕就誤了時機。

此時尼赫魯忽然張口說道：「我後天和艾森豪威爾有個約會，你們把信預備好，我要他派人來取。」

納薩說道：「你既然後天會見艾森豪威爾，當面交給他就完了，還繞這麼大的彎子幹什麼？」

大家當時一齊表示，公推尼赫魯把信面交艾森豪威爾。尼赫魯回到寓所，馬上打個電話給赫特，說是有要事必須在後天同總統會面。赫特不知道尼赫魯葫蘆裏賣什麼藥，當時答應同總統秘書聯絡一定安排在後天見面。

尼赫魯打通電話之後，陰森的臉上浮現一絲笑容。當晚睡在床上又想了一夜，計劃怎樣向美蘇雙方要錢。

赫魯曉夫聽說尼赫魯第二天要去會艾森豪威爾，立時又過來拜訪，談了一陣閒話，不由得扯到正題。赫魯曉夫問道：「首相先生，你明天會見艾森豪威爾，有什麼重要節目談嗎？」

尼赫魯苦笑道：「有什麼好談的，還不是借錢，你知道我們的景況，沒有援助就支持不下去。」

（二〇六）

閻錫山與陳納德

吳文蔚

這些優良的駕駛員，就是會同外斯上校談過話的五位：1.傅瑞智，頭是鬈髮，麥西坎州加的來克人，會任海軍飛行教練。2.丟，是一位漂亮的飛行員，是髮，會任美國陸軍飛行員，阿爾坎賽斯州漢堡人，當馬歇爾奉命來華調和談時，他曾爲馬歇爾駕駛飛機。3.魏爾登，坎賽斯州齊倫里府人，會任美國運輸機駕駛員。4.蔣倫，阿里生那州四馬鎮人，與傅瑞智爲海軍同事。5.哈博，泰克賽斯州阿拉城人，會任美國海軍飛行員。

以上這五位駕駛員，偉揮留美金五百元，前往馬尼拉附近的克拉克機場，担任瞭員美國剩餘飛機的任務。

這五位駕駛員在馬尼拉機場買好飛機裝好汽油，用油漆在機身上寫好民航空運隊的標誌（C.A.T.），飛到香港，然後又回到上海。

民航空運隊很快的發展到中國各地，他們集合許多精明的幹部及勇敢的駕駛員以適應交通運輸上的需要，它的成立，恰適在共匪叛亂到了一個明朗的階段。

他們沒有經過甚麼成立的儀式，遽然就開始營業了，一九四七年二月底，只有員工一二八人，和五架飛機，同年底，已經發展到十八架C—47及C—46式的飛機，員工八百二十二人。在一九四七年的一年之中，民航隊共飛行了八十五萬三千五百五十八英里，所運的貨，包括新西蘭的優種牛羨，棉花，青菜種籽，食糧，猪牛毛，預防霍亂疫苗，角爾籌的牛，蠶卵，雲南火腿，煤炭，炭菜，魚桶，教會醫院的藥品，以及國軍在各戰區的軍火。

民航空運隊的飛機，在緊接中國周圍的航空線上，每一英里都能飛到。那些堅強不屈的運貨機，有的是黃綠色和淡灰色，而標誌則爲深紅色和藍色，在那些航空線上，幾乎任何機場，任何時間，都可看見，如東京的大軍用機場齊哈瓦機場，關島的阿哈納機場，日本南部山地的阿西亞機場，台北的松山機場，香港的啓德機場，以及西貢的潭生納特機場和曼谷的廊曼飛機場。

二、被射擊最多的民航機

民航空運隊，以在共匪射擊之下，飛行中國各地，冒險經營著名於世，在亞洲的航空貨運上，當首屈一指。這個特別的商業航空隊，由陳納德將軍倡辦而與一羣美國人合作從事於對共匪的鬥爭的，他們與共產黨的衝突，遠在政府在大陸時業已開始，直到現在還依然繼續未曾終止。（十一）

南宋偏安有人才

——岳飛

李仲侯

夜屯石門山下，或傳虜騎復至，一軍皆驚，唯飛堅臥不動，虜卒不來。糧盡累日，殺所乘馬以饗士，乃引所部從北擊虜，彥不許，乃引所部益北，與虜大戰於太行山，擒拓拔耶烏。居數日，復與虜遇，飛單騎持丈八鐵槍，刺殺虜帥黑風大王，虜衆敗走。

自諸將後，飛自知爲王彥所疑，乃自爲一軍，歸宗澤，澤命爲留守司統制。二年正月，戰胙城，又戰黑龍潭，均大捷。八月與金人大戰於汜水關，虜有騎將中矢而斃，虜衆大亂，官兵乘勢大破之。又駐軍竹蘆渡，與虜相持，選精銳三百，伏前山下，令人各以薪兩交縛其束，四端爇火，夜半皆舉，虜疑援兵至，驚潰，飛追擊，大破之，以奇功轉武功郎。

三年正月賊首王善、曹成、董彥政、張用、孔彥舟率衆五十萬薄南薰門外，鼓譟震地，杜充推飛背曰：「京師存亡在此舉也」——時飛所部纔八百人，衆皆懼不敵，飛師曰：「賊雖多，不整也。吾爲諸君破之」！左挾弓矢，右運鐵矛，衝數騎橫衝其軍，賊軍果亂，復騎皆死戰，自午及申，賊大敗。未幾賊杜叔五、孫海據東明縣，飛與戰，擒之。轉武畧大夫借英州刺史。二月，王善圍陳州，寇兵出掠，充檄飛從都統制陳淬合擊之，飛先命裨將拓亭以游騎絕其剽掠之路，獲其餉卒牛驢，善兵不敢復出，勢益沮；二十一日戰於淸河，大敗之，擒其將孫勝、孫淸等以歸，所降將卒甚衆，轉武德大夫授眞州刺史。四月又檄從陳淬合擊善衆，六月廿日飛軍亦推橋續西，又遇善軍，迎敵敗之，單騎與岳亭深入，執誠乃還。

是年廿月，杜充棄京師如建康，飛說之曰：「中原之地尺寸不可棄；況社稷宗廟在京師，陵寢在河南，尤非他地比。留守以重兵碩望，且不守此，他人奈何！今留守一擧足，此地皆非我有矣！他日欲復取之，非捐數十萬之衆，不可得也。留守盍重圖之」？充不聽，遂從之建康。師次鐵路步，與賊首張用戰，敗之。至六合，檄討李成，破之於黟縣。成又退保滁州，充命王瓌討之，瓌提兵至梁路，徘徊不進，其輜重在盧，成遣輕騎五百襲奪之，不獲，掠寺僧百姓百餘人，劫取憲臣裴懷輜軍銀絹。飛方渡宣化鎭，聞之，急進兵掩擊，賊兵盡殪，得其梟將馮進，還掠人於良盧，成奔江西，瓌竟不至滁而返。

（五十三）

談水

漁翁

水，乃輕氣養氣化合之液體，無色無臭，在攝氏寒暑表百度則沸，冷至零度，則凝爲冰。爲吾人日常所必需者。水性就下，范成大詩：「功名水到自渠成，」謂實至名歸，不期然而然也。

可是，「水可載舟，亦可覆舟。」洪水爲患，與猛獸同。人之死於水者，謂之溺。禮：「冥勤其官而水死。」漢書注：彭，彭咸，胥，伍子胥，皆水死者。在汪洋大海中，舟被颶風而覆沒者，時有發生，其次山洪暴發，而冲毀房屋禾田者，亦所在多有，皆稱之爲「水患」。

水患雖屬天災，而人力可得而挽救之。唐堯時，洪水氾濫於全國，歷時九年，爲人民之大患，使禹治之，而水土始平。今日修堤築壩，順水之性以宣洩，使民得灌溉之利，謂之「水利」。

久晴不雨，便成旱災。古詩云：「久旱逢甘雨」，認爲最快幸之事。蘇東坡守扶風，今陜西扶風縣，建亭於官府側，爲休息之所，亭成適久旱而得大雨，乃著名「喜雨亭」而爲之記：「斝酒於亭上，以屬客而告之曰：「五日不雨，可乎？」曰：「五日不雨則無麥。」「十日不雨，可乎？」曰：「十日不雨則無禾。」無麥無禾，歲且薦饑，獄訟繁興，而盜賊滋熾。則吾與二三子，雖欲優游而樂於此亭，其可得耶？」久旱而逢雨，誠甘霖也。

香港屬海洋氣候，每年有雨季風季之來臨，雨季在陰曆春夏之交，風季多在秋天。今年入春以來，不見一雨，連去年多季，歷六月之乾旱，致水塘所存，已逐漸減少，居民三百餘萬，一旦缺乏食水，較絹糧無以異也。故近來爲着一「水」字，引起香港人士之關切，大街小巷，皆談論此一問題。記得目前與友人談及：三日無雨，可乎？曰：三日無雨，必減少食水；五日無雨，可乎？曰：五日無雨，將隔日供水；七日無雨，可乎？曰：七日無雨，勢必街喉輸水。證諸今日果然。

求水例須禱雨，宗教人士，紛紛設壇建醮，向天公乞雨，事雖不可必，但也是一種希望，果能「下修人道，上應天和」，至誠格天，或可消弭天災人禍於無形。

在未求到雨水以前，惟一辦法，祇有儘量節流。有以食水淋花者，水務局可能對他們採取法律行動。同時各學校亦紛紛響應節水運動，有禁着白色校服，有實行隔日食飯，改食乾糧，而理髮店不洗頭，酒店與洗衣店，亦各厲行節約……等。

節流，乃臨時補救法，而根本還望天公早降甘霖。古云：「月暈而風，礎潤而雨」。按暈，月之旁氣也，月有旁氣，則知其將風；礎，柱下石也，石上潮潤，則知其將雨。筆者每望月而未見暈，視礎而未潤，於燥之下，難免焦枯，不禁有焦灼煩悶之感！

好在颱風開花，魚兒躍出水面，顯示風雨將要來臨。見近日報載，天文台亦測得月內將有大雨，果爾，則「官吏相與慶於庭，商賈相與歌於市，農夫相與忭於野，憂者以喜，病者以癒」。讀者「喜雨亭記」，日爲之爽，心爲之舒，頭腦爲之清新，精神爲之振奮也。

而據筆者得知，大陸之廣東省亢旱不雨者，亦已達七個月，中共竟自端騙人民「戰勝天災」，而成效不著，春耕水稻田之未抽秧者，二而一焉。然而饑荒將更甚矣！可憐吾土吾民。

海嶠書談會

上次我談「名人婚變的韻事」，提到友人汪寶暄兄所擬對聯的下聯：「徐娘半老，賢者亦樂此乎？」希望讀者能夠續成上聯，永留佳話。茲有老友寒操李漁叔二位，合作應徵，允稱上選，聯曰：「蔣徑全荒，孟母鄰之矣！」不特切合當事人的姓名（蔣夢麟先生別號孟鄰），且虛字亦對仗工穩，眞不愧才子吐屬也。按漢代名士蔣詡，頗著淸望，時人稱其居所爲「蔣徑」，事見漢書本傳，而三字經有「昔孟母擇鄰處」二語，聯語句句皆有來歷，決非杜撰牽強之作。

寒操素有聲於時，知道他的人很多。漁叔是我的老鄉——湖南湘潭人——年紀比較輕，他能詩詞善書，具有才子的本質。讀者或許有人對他不無陌生之感，所以特別介紹一下。記得五六年前，何浩若兄（亦湖南湘潭人）在香港「友聯出版社」座談會中，暢談湖南地理形勢，他認爲湖南山水靈秀之氣，皆集結於湘潭一隅，因而該縣誕多特殊人物。如清代名學人王闓運，八子頭陀和尚，洪憲帝制禍首之一的楊度，近代大畫家齊白石，卅年前卽以神童蜚聲全國的沈鞶若，乃至於今日之竊國大盜毛澤東等等，無一不是湘潭人。現在李漁叔兄亦以詩書延譽於文壇界，何氏所述，似非誇蘿者說自己籬辣的矜夸之談，不知讀者以爲何如？

文壇趣聞

諸葛文侯

由於梁李二位的嵌字聯傑作，又聯想到近代人的幾項同樣故事：清末的進士「榜眼」夏壽田（午詒），湖南桂陽州人，他父親夏時，曾任江西巡撫，政聲不佳，贛人怨懟之餘，將他的名字嵌成一副成語對聯云：「夏德若茲，罪不容於死」；「時日曷喪，余及汝偕亡」。絕妙好詞，信手拈來，確屬天衣無縫，令人傾佩之至。

湘人郭嵩燾，從曾國藩參預征討太平天國之役後，力倡政教文物「西化」之議，頗受當時一般國粹主義者的詆諆排斥。他初次由上海購乘一艘小火輪回湘，旨在顯示輪船比舊式木船的速度特別高，証明他的「西化」主張確有必要。但湘人深惡之，以火輪停泊長沙城外江邊，卽被民衆焚燬了。繼而他奉命出使英國，回湘料理公私事務，準備放洋，湘人又製一聯語揭示通衢云：「出乎其類，拔乎其萃，不容於堯舜之世」；「未能事人，焉能事鬼，且去夫父母之邦」。

民國廿年汪精衞長行政院時，陳公博任實業部長，他以國民黨中央委員資格，被指爲「外交小組會議」委員之一，同寅有羅家倫（志希），梁寒操，唐有壬暨其他若干顯貴人物。一日舉行會議，卻無重要問題足資研討，陳氏閒坐無聊，卽將桌上紙條亂寫字句，傳遞在座者，隨便開玩笑，他將羅氏姓名製成聯語一副云：「家法難容」；「倫常大變」。另製橫批曰：「自投羅網」。志希見之，惱色謂：「志未如此惡作劇呢？」公博答：「你莫急，且看我自己的聯語罷！」卽寫道：「公娼存焉」；「博徒是也！」橫批爲「陳腐不堪」。羅亦莞爾無言了。陳氏好冶游，外遇頗多，每被其婦偵知怒斥之際，卽誓言「我若有此事，將來必遭槍斃而死！」婦卽意解。友人勸其何必作此惡誓，陳說：「像我這種人的下場，有不遭槍斃的嗎？」可謂有自知之明矣。

士以器識爲先

陳宗敏

日本宮崎寅藏君，號白浪滔天，著「三十三年落花夢」，第四節「中學校及大江義塾」云：「世界敗類之人，其知識未成而預計吾異日當爲何官，就何職，或得俸若干，足以贍養孤孀，嚇隣里，此爲人道之最下級。而不意中學校之學生，語其志望，皆如是。」

宮崎寅藏君此書寫於我民國初，前有「壬寅八月支那孫文逸仙拜序」一序文，蓋距今又數十年了。很可觀時下學風，與宮崎筆下的當日日本中學校學風，又有何不同？

史記劉邦及項羽見秦王車駕，劉邦說：「大丈夫當如是也！」項羽說：「彼可取而代也！」語氣雖然不同，但意義仍是一樣的。由此，他們的革命，也就止於另一個家天下換了原來的一個家天下而已，而其私心立意與秦王亦只是五十步與百步之間。

從前的士人，除了少數有器識的如范仲淹才說出：「士先天下之憂而憂，後天下之樂而樂。」的話，大多數無不像儒林外史刻劃下的「士」，讀書只爲做官，而做官所附帶的另一意義，就是發財，所謂「千里爲官只爲錢」也，豈得而不糟？

時代激動時，人心亦越動盪，彼稱爲讀書人的士，要能在動盪的時代，砥柱中流，樹之風聲，不從培養及恢宏器識着手，可乎哉！

自由報
內偹警台報字第〇三一號內銷證
THE FREE NEWS
第三四三期
每份港幣壹角
社長：雷嘯岑
督印人：黃行宜
20 CAUSEWAY RD 3RD FL HONG KONG
TEL 771726
台灣分社

我國對法國外交之檢討

·吳本中·

面對極權，英、法、美三大民主國家，除美被中共視爲死敵不論外，英早承認中共，惟法國與自由中國尚保持外交關係，未承認中共政權。然十四年餘，中、法兩國外交從未能開展。法國歷屆政府對台灣不重視。最近法外交部長聘日本，爲期週餘，來遠東而對我們過門不入，不稍理睬，其故何在哉？我們在民主國自由陣線中，除看美國顏色外，等於棄兒，不亦應深思痛惜乎？

自中國大陸變色以迄於今，法國對避居台灣中國政府之外交，其態度可分數階段言之。其始也，是一種準備承認中共政權，誠如當時法駐滬總領事R君所告：「我們巴黎的政府固未明言。然訓令我們堅守崗位，繼續下去；這就意會着對中國的新政權，不無企冀。」筆者旋即迅離大陸，離上海前夕，深夜與之暗談，蒙其臂助，由其同事英駐滬總領事用外交郵袋密函介紹港督政治顧問。余之得立即到來香港大學執教，蓋非無因。約兩年後，R君夫人及女孩始先經香港返法，R君及其他法國外交人員漸乃逐一離中國大陸。蓋因越南事件，中共全力支持越共反抗法國，法政府自不能承認中共在中國大陸政權。此項轉變之有利於中國，固不待言。

其次的轉變，是以北越[illegible]，[illegible]讓時可謂法國全國鼎沸，幾可與歷史上法國開始征服安南時被我方黑旗軍帥劉永福入敗時情形相似。法議會開會討論時，羣情激憤，多主張勿惹中國，投票多數僅一票之差；乃因前清昏庸，安南遂失。

至於奠邊府之役後，今日我們的政府雖不能謂爲昏庸，然外交上無眞識法國之人才，因以未能乘機對法稍施縱橫捭闔之術，拉攏離間之能，至少可以加強中法外交，換一換大使，此則無可否認者。

又本的演變，亦於我們有利。這就是阿爾及利亞的對法痛心事。「痛心」二字形容得一點也不過甚；因爲在法國人眼中阿爾及利亞就是法國的本土，分爲行省，百萬餘法國人已世代生於斯，長於斯，死於斯。比如我們中國的新疆，雖有維吾爾等族雜居其上，我們能夠願意他們同我搗亂，鬧獨立嗎？如有外國人支持他們打我們，我們能不恨死這些外賊嗎？中共是極力支持阿爾及利亞叛離法國的，法國人能無芥蒂嗎？這本來也是我們的一張外交上的王牌。試問我們利用過未有？我們不敢希望有什麼雄才大略，翻手爲雲，覆手爲雨的大外交家，然而果熟於眼前而不知摘食者，此其損失，吾何以言之哉！

現在，法國對遷居台灣之中國政府看法如何？政策如何？此篇短文無暇深入研究，更不便明言。事實是：「戴高樂腦子裏如何想法，無人得知。他的親信及外交政策執行者，繆維爾部長，對自由中國表現的不夠熱烈。」這是一位法國高級外交官前兩三年的私人談話。筆者譯出，保全其眞。所謂「不夠熱烈」，脫去辭令外衣，就是「冷淡」。這個冷淡的表現，就是我們的外交失敗。要知道現任法外交部長，他的[illegible]，就一望而知是高貴世家出身，博古通今，他又是前任法國駐羅馬大使，歐洲古文化策源地，法人認爲是最貴族化外交官所派駐地。他早即參加自由法國工作，據其至交余友法空軍將軍T君所述，乃一彬彬有禮，興趣橫生之人。這類法國「紳士」典型人物，而對我們不甚理睬，甚至在日內瓦對與法國無外交關係之中共外長陳毅「元帥」尚說有笑。

在我外交部長黃少谷聘法時，未陪戴高樂，根據法政府記錄：當時僅派一位外部參事級職員陪見，後此員派任駐美公使級參事。最近我去駐法公使級代辦升爲駐比利時大使辭行，例餐於法總統府，亦無法國外交部長伴陪。而他赴日本訪問，更對我們過門不入！諸如此類事蹟，殊令我們心裏不爽快。按外交慣例，歐西君主對辭行之友國使節，優禮有加，除晚餐外，往往於辭行之際贈名貴禮物，如金質寶石鑲製鼻煙壺之類。現世元首雖不如以前帝王之豪闊，然請吃一頓飯乃係常事。尤其對待如我國派的一位久駐十四載（外交史上很少此成例）之使節，原先本在巴黎留做過雇員，配合法國政策遣返華工與學生，當然更不能不稍有表示。我國以出聘外國代表總統的副總統兼行政院院長之尊，曾鄭重柬請法國駐台代辦於其升爲駐菲律賓大使辭行時，以晚餐敬客，外交當局伴陪。

比較起來，實優禮有加。因爲法國無副總統，祇有戴高樂本身，在外交禮節上能代表法國。而午餐與晚餐在外交禮節上又大有鄭重不同之分。午餐乃簡食快餐之意，於辦公休息時間，草草了事。晚餐則比較隆重多矣。而所請陪客亦大有分寸。我們若因戴高樂請餐，竟「受寵若驚」，大登官報，競相傳播，則足証我們虛浮，並不甚懂外交應酬眞諦，慕其表而不求其實，是烏乎可！「外交禮節」源自法國，法「總統府」的典禮官乃法國全國禮節之「大仲裁」，他們在外交禮節上絕對不會欠我們一頓送行餐的。我們有一點自尊心，自不必過於重視此小節。而對於法國拾幾年不肯加強對華外交，僅僅派一代辦及一秘書駐台北，到應當有話說了！

以上就是法國十數年來對我們的外交姿態，吾人雖然不禁慨乎言之，但描寫的確係實情，且出自一顆愛國熱心。今後對法外交又應如何呢？吾人認爲應做到以下數點：

（一）法國對台灣建設與經濟不無興趣，我們正可經過經濟利益而達到加強兩國政治外交之目的。法國在香港本派駐有一位公使銜商務參贊，兼理台灣經濟及商務發展事宜，常來往兩地。上任法駐台代辦B君（現在非洲任大使），本係自香港總領事職調往台北。筆者與二位，經過多次長談，深知法國對台中部之達見大水庫建築工程極有興趣，對我招商局之造船多艘頗思幫助，對台灣進口，如小汽車，火車頭等等，大鐵軌，無一不思有所貢獻。法國的土木工程，近世紀來，冠於全球。其開濬蘇彝士及巴拿馬兩運河，固無論矣。而近在我們香港啓德飛機場深入海中之噴射機跑道及大嶼山壁水庫等巨大工程，均法人所包工者，乃人人可親眼看見者。獨於台灣建設乃不得其門而入。造船業法國亦有名，其大公司亦曾在台灣競爭投標，然敗與之全。台灣請外國人所造船隻，有出自臭名四揚之殷台公司，輕工薄本之日本貨，亦有最近沉海之意大利造者，獨法國無與焉。甚至於小汽車之微，亦誠有如法代辦所言：「你看意大利造的小汽車在台北街上各處跑，我們法國萊諾工場造的流線型小汽車，既便易又快速，竟一部不見！」自由中國難道如此這般就可使戴高樂政府心折，僅賴一些虛浮外交人員，官式文章就可以加強對法外交嗎？無怪乎，有外交關係，在巴黎設有大使館，乃一遇派大使，即被人擋駕矣。

（二）法國是歐洲文藝復興後上承古希臘，羅馬文化之嫡系，法國人大都是有學養的。我們談反共八股或台灣區一島的幾許「進步」，他們是難動於衷的，且可能嗤之以鼻。唯我們五千年文明大帽子加冕於他們頭上，他們是樂於接受的。是即言，自由中國要以繼承與保護中國五千年文化者姿態出現，是必受法國人鼓掌的。我們處處要以此點引起他們同情。由文化路線而使他們在不知不覺走入我們的政治外交目的地。文化的外交，其道多端。譬如顧少川大使持節巴黎時代，以「虎痴」畫家張善子旅法之便，在世界聞名之凡爾賽佛宮前，Orangerie大廳開展覽會，請法大總統及各界人士參觀。又在法都巨厦Salle de playele演中國古裝美女舞蹈歌唱等等活動是也。筆者當時追隨，躬與其盛，至今思之，猶覺其對祖國揚眉吐氣，喜不自勝也。爲表示現在我們乃是中國文化的哲嗣與保護者，應將在霧峯所藏故宮博物院中最能代表中國文化之精品如書畫、銅器等等，在巴黎開展覽會。至少應以精印彩片或照像展出。即細微如最近台灣民間手工藝品之竹絲製成之畫碟，彩印唐「韓幹牧馬圖」等贈寄法友，亦獲很深印象，而成爲民外交之恩物。此筆者個人之小小可信經驗也。

（三）我們派駐法外交使節，應以精通法情，熟悉法國文化者選拔之準繩。一如此，方能與他們混在一起，知己知彼，潛移默化，終能達成外交使命。

（下轉第二版）

漫畫天下　南翔

世界革命　和平共存

手段不同，結果則一。

跟着侵畧步伐的蘇加諾。

自由談

及早修憲

馬五先生

最近台北文教界人士在座談會中，提出了一個關於法學與政理的問題，即中華民國現有的立法院，究竟是政權機關呢？抑是治權機關？

若說它是行使政權的民意代表機構，但立法院又係中央政府五院組織體系的一環，總統發佈重要命令時，立法院長須與其他四個院長一同副署，實爲行政首長之一，其性質迥異於一般民主憲政制度的國會。若說它是治權機關，然現行憲法規定行政院長須向立法院負責，而立法委員亦係民選的，於義又不可通。這問題實在令人迷惘之至。

究其癥結所在，還是現行憲法毛病叢生，以致咱們的政制弄成了一種「四不像」的畸形怪狀。夷考當年各黨派政治協商會議起草憲法的經過實情，在野黨的唯一觀點，即是要在憲法上多方防制必然繼續執政的國民黨人的統治權力，爲着這種原因，執政黨與在野黨的代表，不知吵過多少嘴，鬧過多少別扭，最後彼此懍於共產黨的叛亂威脅，纔互相遷就，勉強訂定了現行這部憲法。這證明當年參預憲法起草的人士，大家只注意於黨派權益的制衡護持，而漠視了法理與政理，換言之，即黨派利益高於國家利益。到今日乃發生許多難解難分的事實困難，徒滋爭辯，毋補大局。其始也簡，將畢也鉅，謀國之道，是輕率不得的！

要消除這種政治上的痼疾，除修改憲法以外，都是不得要領的瞎扯淡而已。世界各國的憲法，沒有不是經過若干次修改的，修憲乃尋常事宜，有甚末大驚小怪之必要呢？時人談到修憲，即以總統連任問題爲言，這依然是當年起草憲法時所抱持的那種爭權奪利的下意識作祟，試問現行憲法除卻總統連任這點以外，難道都是盡善盡美的大經大法不成麼？

因此，我認爲修憲工作實爲當務之急，即使政府明天實行軍事反攻，而修憲工作之進行亦不得事，茲事體大，決非咄嗟之間可以完成的。政府應該設置修憲委員會，聘任各黨派各職業界的賢明人士，躬預其役，國家前途，庶幾有豸！

梅貽琦紀念館

（本報台北航訊）五月十九日爲梅貽琦先生逝世週年紀念日，清華大學曾于當天下午在新竹「清華園」舉行紀念儀式，并以該校的原子爐實驗館命名爲「梅貽琦紀念館」，以紀念這位畢生從事教育，提倡科學的教育家。

清華原子爐是我國第一座水池式核子反應器，也是由梅先生生前一手策劃籌設而成的最後貢獻。此一原子爐自五十年四月十三日裝置完成，作初次臨界試車後，總計已運轉四百次，接受照射申請四八六件，包括對醫學、農業、生物各方面的試驗研究，成績甚爲可觀。

目前的清華大學原子科學研究所設有核子物理、核子化學，核子工程、反應器、同位素、保健物理及科學儀器等七組，利用核子反應器（原子爐），分別作爲深學理與基本科學的研究，并向社會方面推介原子能理論及其應用的技術服務。最近一年來，該所的重要研究工作，如對中子非彈性散射的研究，對高能量放射線測定的研究，對放射性落塵災害，環境放射線測量，以及對反應器低能率性能試驗等的研究，都有很大的成就。尤其對放射性同位素的研究，本年度巳先後製成磷—32、硫—35、碘—131、金—198、鈉—24、鉀—42、鐵—59、鉻—51等八種同位素，供應各學校醫院研究所等作農業化學與醫學上治療研究之用，對國家科學發展而言，具有非常的貢獻。因此，清華當局以原子爐實驗館來紀念梅先生，意義也特別重大。

梅先生的陵墓建在清華校內的梅園，依山拾級而上，氣勢磅礴，建築宏偉。但是見過南港胡墓與新竹梅墓的人，兩相比較之下，則不免感到一代學人胡適先生的墓園，是簡陋得令人爲之傷感不已。（涂慶光）

香港與大陸

饑荒旱災加上過度疲勞

粵瘟疫流行死亡載道

河源醫院常見板車拖運纍纍屍體

粵省不少地區，近一兩個月來，都發生各種流行瘟疫，患者及死亡者不計其數。這主要是因爲長期的饑餓，過度的勞役以及乾旱之天氣所致。

據甫由廣東河源縣來港之僑屬林老先生向記者透露：河源縣城鄉，最近一個多月來，隨處都可見到抬着死屍的，若果行經「河源縣人民醫院」，更可見到用大板車載着一層層的屍體，運到荒郊埋葬。

林老先生說：這種死人衆多的情況，他想起來也猶有餘悸。他說：許多人表面看起來還非常年青健碩，但，忽然因有點頭昏目眩，或痾一吐，便一命烏乎了。在工地上，在路上，甚至在吃飯的時候，常有莫名其妙倒地死去的。這情形早已不是新聞。他說：患病和死亡的數字確實太使人駭怕了，他家鄉所屬的公社，有一天竟然有六十多人患病和十二人死亡（全公社有一百多戶共三百四十餘人），怎不教人心驚肉跳！

林老先生指出：大量人民患病及死亡的主要原因有如下數點：

1.由於共黨長期的飢餓政策，大陸人民長時期的吃不飽，穿不暖，一般都羸弱至極，遇有什麼流行性的疫症到來，許多人便都無法抵抗而病倒了。飢餓之「饑不擇食」，大家都再不講究清潔衛生，祇要可以填肚皮者，便都取來充飢。在他所屬的生產大隊，就曾有一對青年兄弟，一天在田野間拾到一隻將死未死的大老鼠，因飢餓之故，便把牠煮了吃，終致那兄弟都滿身紅腫而死。

2.過度的疲勞。近兩三個月來，粵境各地都進行春耕和抗旱工作，其中不少地區都缺乏勞動力，因爲青壯年多逃亡擠到城市去求生存了，剩下來的多爲老弱婦孺，工作進度極慢，共幹且多方迫令農民延長勞動時間，平均每天在十五小時以上，如此在毒熱太陽的炙熱下長時間的勞動，大家就無法支持了。

3.幾乎沒有醫療設備。在河源縣，祇有一個「人民醫院」；但該醫院的醫生，祇有一個的醫術不錯，其他五六位都是中等衛生學校的「醫士科」、「護士科」畢業出來的，而該等人居然都做了該醫院的「主治醫生」。求診的人經常極衆，經常在「排號」後被排定相隔三天才得診治。在診治後，又少有配藥的，或注射一支「清血針」，或給數粒「頭痛片」、甚而保喉片，便敷衍了事，打發大家走了，那得不大量死亡？又有的人雖患了病，因爲雖以請假或怕麻煩，根本不去診病，祇是自己找一些「車前草」、「田着頭」等的草藥來吃下去，這怎麼行？那得不大量死亡？

李先生一路講，一路搖頭嘆氣，他說：「苛政猛於虎」的話，在中共統治下生活的人，纔眞能體會到講得實在是對極了。（敬斯）

內情不平凡的集會？

蔣勻田高玉樹等邀宴執政黨外新選省議員

（本報記者吳越台北航訊）新當選的執政黨外省議員，日前在台北市集會，檢討本屆選舉工作，及交換將來在省議會應採取的態度，此在六月二日省議會即將正式成立的前夕，執政黨外議員的此一集會，意味着內情頗不平凡。但此一新聞，迄今雖然已經過去了兩三天，台灣報刊竟無一家刊載，成爲漏網新聞。

蔣勻田、高玉樹、吳三連、夏濤聲等人，爲祝賀本屆當選的執政黨外省議員，特於本（五）月十八日下午七時，在台北市中山北路美而廉餐廳三樓，邀宴本屆當選的執政黨外省議員，應邀出席的省議員及其他人士，計有齊世英、余登發、林番王、楊玉城、許新枝、郭雨新、余陳月瑛、張豐緒、李萬居、宋霖康、李福春、黃信介、李賜卿、謝世輝、何宗儀、廖宗脈、許世賢等多人。

席間，蔣勻田代表主人向執政黨外新當選的省議員致賀詞。

在檢討本屆省議員選舉前，蔣勻田引證一段他在美國見到的選舉情形，他說：一九五八年，他在美國正巧看到美國參議員選舉的情形，美國也還是沒有眞正百分之百達到公平合理的理想。不過，他們由政黨共同辦理選舉，由候選人推派監察員的制度，他認爲是非常良好而值得我們效法的。

他把美國今天的選舉進步，歸功於不斷的檢討改進，他說，多檢討才有進步。

蔣勻田讚揚本屆省議員選舉，比歷屆都有進步，是一種好現象。他說：這次台灣省議員選舉，規定可以由每一候選人推薦監察員，是一種革新與改進，只要這樣不斷的改進，將來的選舉工作，自然會做到公平合理的境地。他希望在台灣辦好選舉工作，返回大陸後，將這種楷模帶回大陸去。

在美國曾有人問蔣勻田：台灣有沒有民族性（地域觀念）的問題，他說：他告訴美國人，台灣根本沒有這種問題存在，本省同胞除了極少數的山地同胞，是屬於台灣眞正土著外，絕大多數的本省同胞，都是從大陸遷來的，與大陸同胞本來即屬一體，所以根本不會有所謂「民族性（地域觀念）」的問題。如果有這樣的說法，那可能是由選舉而發生的誤會。

蔣勻田認爲要辦好選舉，大家都有責任。他說：民社黨與青年黨，歷次選舉都會經要求由政黨共同辦理選舉，共同監察選舉，但未被接受，因此民青兩黨也就沒有提名候選人。這種情形，在英美等民主國家，在剛開始實行選舉的時候，也少不了有這些不合理的情形，但一次一次的選舉，才有了改善，有了進步，是大家努力的成果。我們這裡如果也這樣不斷改善，不斷進步，選舉工作，一定也有做到眞正自由、公平、民主、合法、完全合乎理想的一天。

最後，蔣勻田提出了幾點意見給當選的議員作爲將來在議會發言和提案的參考。他說：現在選民的智慧和判斷力，已日漸增高，用謾罵來爭取選票的方式，已成過去了，應該多做實際的事來爭取選民。用我們的理智，不要用任何偏差的觀念，不能激動，不能講與選民不相干的話。否則，不但爭取不到選民，還會發生反作用。老百姓投一票，他希望他所選出的人，能爲地方，能爲老百姓，眞正解決一些切身問題。民主政治就是議會政治，大家不偏激，不激動，以理智良知，在省議會發言提案，就是眞正發揮了議會政治的功能。

許世賢被當選的執政黨外議員公推致答詞，許氏的致詞很簡單，他代表當選同仁感激大家的支持愛護，今後對於在議會的發言和提案，還請隨時多多指教。（五，廿一）

解決香港嚴重的水荒

官方考慮自日菲運水

（本報訊）水荒爲當前香港第一大事，如何解決水荒便成爲衆所最關心的問題。

自六日起，已實行隔日供水四小時，官方并警告，如果居民不認眞節約用水，六月起可能逼得非隔三日供水甚至隔四日供水不可。這些都屬於節流方面的，另方面官方，還已考慮到開源——自外地運水來港。某等商人會公開主張運大陸西江之水來港，但官方未加考慮；反之，是考慮自日本或自菲律賓去運水。

據說官方考慮中之計劃，按目前用水量，香港須在七月前每日裝運約一千五百萬加侖之淡水，以緩水荒。一艘載量五萬噸之運油船，僅能載運一千一百萬加侖之水，約等於本港目前每日耗水量四份之一。以從日本運淡水來港爲例，則上述裝油船大約需時二至三週作一次來回程。因此，本港需一隊二十至三十艘巨型裝油船，經常來往本港與日本之間，始能使港人獲得淡水總量四份之一。而租用一艘五萬噸裝油船之費用，每月約需港幣九十萬元，港口收費及燃料費未計在內。

簡單的計算方式，如以廿五艘巨型裝油船經常來往港日運水，單是一個月的費用，已需款二千二百五十萬元，加上港口收費及燃料費，竟等於港府一九六二至六三年度之水費全年預算了（按：是年港府水費預算爲二千四百餘萬元）。而且，所得淡水量，祇不過是目前消耗量的四份之一而已。

一個月的運水費用相等於一年之水費預算，是運水行動一旦實現，這二千四百餘萬元的龐大費用，將由誰來負担呢？這從本港財政司郭伯偉和非官守議員簡悅強於本年所發表的預算案演詞探討，極其可能這二千四百餘萬元將用增加水費及增加差餉的方式，由市民負担。

財政司今年說過：「……近數年來，差餉比較食水供應增加更迅速。我曾經想過提高收費的最好和最公平的辦法，在許多人可能滿意於供水較短時間而收費較廉的時候，要每個人負担全日供水的大量額外成本，我認爲是頗不合理。採用某種收費率，依照個人消費增加而提高水費，可能十分適宜。一個可能的解決辦法，是提高目前差餉方面食水所佔百分之零點五，大概即可使差餉在負担食水總成本所佔的比例，回復到水平。」

非官守議員簡悅強的意見稱：「……我完全同意財政司的意見，認爲有增加水費的需要……我和財政司意見不同的地方，在於他的籌款辦法。財政司認爲以增加差餉來增加歲收的方法，比增加水費的好……除非我的意見有錯，否則水費是本港人士全體要負担的唯一課稅，作爲他們對本港歲收的一份適當貢獻，我們最好不要忽畧這個問題。」

按過去，港府爲了興建水壩，彌補水費赤字，已向增加差餉動腦筋，將來如果眞的實行運水的話，一月費用便等於全年水費預算，自需籌覓來源。一般意見，這筆錢理應向富裕者身上打主意，未可貧富一視同仁。富裕者有此義務，更是不成問題的事。（黎）

我國對法國外交之檢討

（上接第一版）

並實行法人所稱之『餐桌開放』外交，今日請大學界幾位吃飯，明日留新聞界數巨子便餐，後日約經濟界人物小酌。如此川流不息，我們的影響力自日漸擴大而不患他們不重視我們。請客並不要鋪張虛誇，意識禮敬乃最好的外交。祇要有四五盤合乎法國人口胃的精製中國菜餚，佐以刺綉優美之國瓷，高雅宜人，法國嘉賓必皆大歡喜而去，誇耀於其各親朋矣。

法國又有一句俗諺：『最好外交，由胃口開始！』我們中國的廚藝還不能開他們外交口胃嗎？吾人常想，要派一位使法人敬服的使節，我們最好能派出一位赫赫聞名世界的元帥與戴高樂周旋。然此乃不可能者。我們抗日『慘勝』，無一位軍人其戰蹟有世界標準化爲法人所聞名，所佩服。次則必派一位深懂法國的飽學之士。與他們談詩，可誦雨果；同他們論樂，能知樂聖貝多芬傑作；與他們論政，亦詳識自由法國之事故與戴高樂之細史。當然有關我們自己文化，如孔、孟哲學，藝術與故等等，法國人所愛聽者，亦必侃侃然如數家珍。如此方能發生作用，以利外交。若夫能與法外交部中職員，官式來往，擠眉撫背，送花遣糖，豈算『搞好對法外交』？十餘年如一日，吾誠不知其可也。

論「演說街」的精神

——從僑聯座談支援反攻說起——

林介山

筆者與梁子衡氏早年有同衙之誼，回憶於一九五八年時（中共推行人民公社初期），梁兄在離港去台前夕，我即曾提出一個類似「演說街精神」的方式。當時我以爲「政府若能把握人民公社對華僑威脅的心理與實際情況，就應挑選若干精明能幹的僑務委員，經過嚴格訓練，及搜集充份有關人民公社對中國人家庭、倫理、孝道、尊嚴的損毀與破壞的資料，特分別就其對華僑社會的關係派出訪問及演説，纔可能促使華僑迅速團結一致反共，成爲「支援反攻」的一枝不可思議的力量」。

假使當時我們對提出類似於「演說街」精神的方式，不是限於閉談式的討論；又假使不是「人微言輕」而成爲有力的建議；我看今日一九六三年，僑聯席上，當不止於仍在理論上探討的階段了。

談到應藉「演說街精神」來作爲引導「華僑全面支援反攻」的問題上，我以爲亦不應把問題過份着重於華僑本身上面。其與華僑有關的外交使節，僑務行政，與可溝通政府與華僑間的橋樑，更應負上重大的推動與感召的責任。我在各報刊上一次檢討到僑委會之對外的微妙，除我們又沒有殖民地，相似於各民部，又沒有這麼單純；是海外的福利部，又不是這麼簡單；是負有僑教、文化、福利的責任；是負有穿插國民外交的責任；是行政院一個獨立的專門委員會的行政部門；但這些又都是組織上的職責。這樣一來，僑委會無疑是政府的機關，不是民間團體的組織，但實際上則是半官方的機構。（編者按：此純爲林先生的意見）因爲在國內的僑務政策，是決定於外交部；在國外的僑務主權，是分屬於駐外的大使館。所以若是僑委會與外交部取得「特殊的密切」關係，僑務的實質主權也就成了問題。這個問題不獲得解決，也就會削弱了「發動全僑支援反攻」的統一主權與效果。

華僑祗是國民的一份子，在國內的人身責任是放在內政部，那麼在國外說，就應放在僑委會。除非所有大使館有關僑政部門都有僑委負責，否則外交部便祗應專責國際交涉一方面的工作，才使僑政收內外一致之效。

「演說街」精神的推介，其目的在喚起全球僑胞熱烈參加支援反攻的運動，但若（一）外交使節的態度與僑政脫節，（二）僑委會的僑務主權不統一，（三）沒有依據「演說街精神」而組織的專門研究委員會或訓練班，（四）沒有派出適當人選到適當的地方，及以適當的演詞與各僑團僑領僑胞分別交換及呼籲，我看，此次僑聯席上的寶貴意見，也祗是意見而已！

僑聯應主動地不斷運用多采多姿的方法，誘導華僑在一個目標下全力支援反攻。不是在等待華僑自動自覺而後進行。當前如何實踐「演說術的精神」，使形成「新辛亥革命」的能源，正是一個好的開端，願當局愼勿忽略此一「實踐」對反攻助力的重要性，及其對爭取華僑歸心的成效。（下）

天南風光

沙羅越的歷史

朱淵明

英國政府，對於這份報告，經過一番研究後，即通知沙羅越拉者維納布律克說：根據國會兩議員的報告，英皇及政府認爲沙羅越國會所通過的讓渡案，經已完成，在立法和法上的程序，自當予以承認。而英皇陛下於一九四六年六月廿六日勅令此項文件自一九四六年七月一日起，發生效力。於是沙羅越即正式變爲英國的殖民地了。英廷委派首任總督克拉克實行統治。據聞讓渡之代價爲二百二十萬英鎊。

自一八四一年布律克爲沙羅越拉者起，至一九四六年讓渡與英國止，先後整整一百零五年，經過三代，布律克王朝遂以終結。論其時間，似較羅芳伯在西婆羅洲所建立之蘭芳共和國，先後歷時一百零八年，猶少三年；但其規模與成就，則迥不相侔。蓋羅芳伯可說是白手創立的事業，而布律克則係有祖國背景的成就。及其亡也，蘭芳共和國乃爲荷蘭人所吞併，而沙羅越王國，則爲當時拉者所出賣。這就是兩者的不同之點。

有人發生疑問，說是：維納是否必須讓渡，始能渡過沙羅越的難關？或曰：然。或曰：不然。然的理由，已見於前。說不然者，則認爲大戰之餘，各地多已殘破，國困民窮，大抵皆然。戰敗國無論矣，即以同盟國而言，除美國外，何國不艱苦萬狀？縱係無落日的大英帝國，亦莫不賴馬援——即美國馬歇爾的援外計劃——以蘇喘息，區區沙羅越自難例外。在善後與復興之大前提下，何不援各國之例，要求美援？況且美國在一八五〇年，於英國尚只承認沙羅越國旗時，即已承認沙羅越王國，憑此歷乎百年之歷史淵源，當無不受考慮之理。即不如此，亦可以國家收入爲抵，而向外舉債，戔戔數百萬鎊。在個人固屬可觀，在一國則何足道？且沙邦人民勤苦，特產豐饒，一旦復員，數年之間，不難全部清償。謂予不信，讓渡之後的五六年，即一九五一年至一九五二年，沙羅越政府國庫盈餘，即已超過讓渡的代價三倍——庫盈餘約達五千萬叻幣——即足以資證明。

（五十九）

報人普立茲傳

汶津譯

「一份工作，請求你，隨便做什麼——我沒有錢坐渡船，但我如果留在這裏一定會凍死了。你可以給我一份工作嗎？」

約瑟夫的聲音哀求着，他的叫聲感動了那船子。他注意到那單薄而破舊的衣服。「好，孩子，你知道你在不幸中。我告訴你，如果約杭還不來，你可以代替他工作，並且一直做到過河。你將必須整晚做工。那是艱苦的工作，而且你必須在船艙燃西北風！」

除了得到工作，約瑟夫什麼都不管。當約杭仍未出現，那船子便叫他開始工作。船是須要很大的力量來推動的，尤其在這暴風雨中。約瑟夫是造成這份動力的人力泉源，他的工作是保持火的燃燒。他用盡全身之力工作。一而再地，一整夜功夫他都在加煤燒火。冰冷的風襲擊着他背部，而赤熱的火氣又熾着他的臉。最後的旅程結束了，船被繫在聖路易岸邊。這時約瑟夫幾乎不能登陸。他曾又快又長久地工作了一夜，已是混身痛楚。那和善的人付給他工資並告訴他往那裏去找吃的和住的。當約瑟夫到達住所時，雪停了，沉睡的都市仍一片寂靜。很費了一番勁他才走上台階到那門口。一個瞌睡的門房引他到一間房間。他見到床就撲上去。黑暗掩覆了他，此外他什麼也不記得了。

第三章

清早，噪雜聲使約瑟夫醒來，下床走到打開的窗口。背上和四肢的一陣痛楚提醒他昨晚的工作。但當他倚窗外眺時，他忘記了他的煩惱。那是一幅驚人的景象展開在他的眼前。

暴風雨已停了。太陽照耀着偉大的密西西比河以及這烟霧瀰漫的城市建築物。那些喧噪聲是由於河中及岸上的人和船的活動而生。

約瑟夫的愉悅和迫促的飢餓使他急急穿上衣服走進大街。他買了些麵包邊走邊吃。他要看看聖路易和其他的城有些什麼不同。但最使他感興趣的還是那些人們。街上滿是獵人和商人；還有穿著豪華的婦女及貧窮的工人；軍人和移民的家庭。形形式式的人羣匆匆去向城市的中心，約瑟夫發現自己也在隨着前進。

新的公司，銀行，學校到處都是。這些是很好的標誌，使約瑟夫了解這是一個有前途的城市。歷史正在聖路易醞釀。戰爭的結束使西部工業化。這是一個東、南方的人湧向西部擁有土地並定居下來的時期。大部份都穿過聖路易。他們購備大量旅行所需的食物及用具。從聖路易人們出來去打獵，掘金，開墾，找尋新市鎮並建造新州。

看到這一切使他興奮，但約瑟夫需要一份工作。用他最後的一文錢，他買了一份報，並細看職業廣告。在聖路易工作不難找，次日他就有了差事了。此後數日，他幹了不少不同的工作，但沒有一樁是他心裏願做的。

約瑟夫很高興找到一間好房子，和一家德國人一起，他常和仁慈的奧古斯圖大太談自己的問題。她試着幫助他，但她不能了解他。她告訴他，他必須有一個固定的工作，如果他想要成功。

（十一）

毛共妙計騙外滙

誆人滙款儲大陸

（本報訊）中共爲爭取外滙，目前又在推動一項挖空心思幻想出來的「妙計」，是即要大陸同胞寫信給海外親友，勸他們滙款回去儲蓄，而以「安全及利息優厚」兩點爲其號召。

本報連得四位讀者來信詳述他們所接得的大陸信件，均提及此事，其所用說詞，幾完全相同，足證其出自中共的授意。（道）

瀛台續夢

第九回：擊虎實堪驚　片言毀約　脫靴終自誤　衆志成城

赫魯曉夫說道：「蘇印是親密友邦，我們也願幫你一些忙，不過，我們這幾年糧食收成也不好，所以在經濟方面眞是力不從心，假若你們需要其他方面的幫助，我們到是可以考慮的。」

尼赫魯聽了這句話，登時打蛇隨棍上，眨着山蟾眼說道：「我們印度雖然是亞非領袖國家，但與西方國家比，各方面仍然落後的很。經濟方面固不必說，軍事配備也差的多，抵抗外侮就感到不足，蘇聯以前答應給我們的軍事援助，尤其是噴射飛機，若能運到，對我們的幫助比經濟援助更有用處了。」

赫魯曉夫問道：「你所說的外侮，是指的巴基斯坦，還是指的你們北方的那個隣居。」

尼赫魯看看赫魯曉夫的面孔，一本正經的說道：「我生平不說謊話，更不會騙閣下。我們實在是對付兩方面的。」

赫魯曉夫大笑起來，拍拍尼赫魯肩膀笑道：「首相實在坦白，我就喜歡這種人，回去我就命令有關部門先運一批飛機到印度去，將來再要他們在印度設廠，幫你們製造。」

尼赫魯不料赫魯曉夫如此爽快，一時千恩萬謝，感激涕零。

赫魯曉夫接着說道：「首相明天去見艾森豪威爾，希望能促成高峯會議，解釋以前的誤會。」

尼赫魯嘴裏連聲應是，心裏却發出冷笑。赫魯曉夫總以爲尼赫魯一定用盡力量，促艾森豪威爾再舉行一次高峯會議。可是，他根本不了解尼赫魯的心理。尼赫魯始終認爲世界上只有三個領袖，就是代表西方集團的艾森豪威爾，代表共產集團的赫魯曉夫，代表亞非集團的他。這三人中間當政時間又以他爲最久，而赫魯曉夫的地位並非由民主選舉產生，艾森豪威爾作總統則是半路出家，相形之下，自己更是全世界第一偉人。這次來聯合國開會的主要的目的，是在美蘇爭執不下時出作調人，發表一篇尼、艾、赫三巨頭聲明，才覺得過癮。那知道赫魯曉夫一時疏忽，搞出了五人聯合致信艾森豪威爾的事，尼赫魯以爲把他和恩克魯瑪排在一起，簡直是奇恥大辱，假若這封信發生了效力，以後就確定了五領袖的身份，就尼赫魯立場看來，不但無益，而且有損。想到這裏，尼赫魯就顧不得噴射機了。

第二天，尼赫魯和艾森豪威爾同進午餐，尼赫魯就把中立國五領袖的信遞過去。

艾森豪威爾看過信之後，微笑說道：「這個問題，實在抱歉得很，我以爲目前實在沒有同赫魯曉夫總理會面的必要，如若再鬧決裂了，大局將更不可收拾。」

尼赫魯說道：「總統先生的主張，同我的意見十分接近；無論如何，聯合國絕不是舉行高峯會議的地方，此種惡例是斷不可開的。」

艾森豪威爾連連點頭，十分讚賞他的話。

尼赫魯又說道：「我以爲今後要舉行高峯會議，應該換一個方式，不必要英法出席，另從中立國家邀請一有份量又與西方友好的領袖出席，對於解決困難，到是有很大幫助的。」

（二〇七）

閻錫山與陳納德

吳文蔚

民航空運隊從事於補給的奮鬥及運輸救敵的軍品和商品，在大陸時政府對匪作戰時是如此，在韓戰時協助聯合國運輸亦是如此。

在大陸剿匪時期，民航隊經常以運輸需要的食糧和軍火，飛越匪據地區，搶救爲共匪所包圍的城市；並將上千帶萬的難民運至安全地帶，有時且能打開經濟上窒塞不通的城市，乃爲處在敵人戰火之下的各處醫院運送藥品，並協助政府遷移，將無數的公務員運至台灣，繼續神聖的戡亂工作。

民航隊成立不到一年，他們的工程人員，即經常在運輸機的兩翼上發現了槍彈穿孔的。民航隊各主管人員與各駕駛員，都有同樣的經驗，而陳納德與衛勞爾亦曾有這樣的遭遇，是共匪在民航機飛越「解放區」時被射擊的，但各工作人員若無其事，繼續執行使命。

特別危險的，是在共匪快要來的時候才開始撤退的種種情形，這是民航隊多次遇過的事。民航隊所曾用的飛機場，最早陷落的是東北的瀋陽機場，其次是天津機場。

當時奧亥屋州博戴唐鎮的哈芬博爾正在天津飛機場，該地已在戰場以內，距城約三十華里，有一個飛機輪胎破裂，他站在飛機場不到五分鐘，共匪即沿路衝下來。他不敢再整修輪胎了，要走勢已不可能，但當匪軍趕到時，他已跳上C—47飛起來走了。

在天津還有一位聖德路易斯人約乃普藍克，以前也是海軍飛行員，他的起飛，民航隊人員亦認爲是一個奇蹟。當天津城被攻擊到最劇烈的時候，他担負着一個救濟的任務，運些醫藥用品。該飛機場原是賽跑場的中心，周圍有兩三座樓房。飛機卸貨後，共匪正以迫擊砲向機場射擊，跑道僅有兩千尺長，C—47起飛，僅可敷用；而約氏的飛機，適放在跑道中間，他絕沒有時間按經常的規則起飛，也甚至顧不及把引擎發熱，便與他的助手一齊跳到飛機上，引擎即行開動。他飛機的兩翼，幾乎撞到了賽跑場的美國領館三層樓頂。

民航隊的重要職員博瑞智曾遭遇過很大的危險，有一次飛到一個很吃緊的地方，那要算是民航隊史上最危險的一次，是在共匪所包圍的濟南。當時共匪對於該城，正大力壓迫，究竟該地的飛機場能保持多少時間，誰也不能斷定；博瑞智是由青島飛到濟南的，他要觀察當地的實際情形。他所乘的飛機，是由一位察克賽斯州普勞可陶地方的人加唐駕駛着。博瑞智一到，即與一位負責的將官談話，這位將官向他保證在一期內飛機場可保無慮。博瑞智了指揮台詢問天氣，看看回程如何？忽然間，砲彈不斷的飛來，他趕快跳上飛機，別的人也都一齊湧上來，連這位將官亦在內。（三）

南宋偏安有人才

李仲侯

——岳飛

十一月，金人大舉兵與李成合寇烏江縣——充閉門不出，諸將屢請不答，飛叩寢閣諫之曰：「勍虜大敵，近在淮南，睥睨長江，包藏不淺。臥薪之勢，莫甚於此時。而相公乃終日宴居，不省兵事，萬一敵人窺吾之怠，舉兵乘之，相公既不躬其事，能保諸將之用命乎？諸將既不用命，金陵失守，相公能復高枕於此乎？雖某以孤軍効命，亦無補於國家矣」。因流涕被面，固請出視師，充漫應曰：「來日當至江滸」。竟不出。

十八日，虜由馬家渡渡江，充始遣飛等十七人領兵二萬，從都統制陳淬與虜敵，戰方酣，大將王璞以數千衆先遁，諸將皆潰去，獨飛軍力戰。會暮，後援不至，輜重悉爲潰將

引還，士卒乏食，乃全軍夜屯鍾山，遲明復出戰，斬首以數千百計。諸將洶洶欲叛，飛屬下亦有從之者，飛灑血厲衆曰：「我輩荷國厚恩，當以忠義報國，立功名，書竹帛，死且不朽！若降而爲虜，潰而爲盜，偷生苟活，身死名滅，豈計之得耶？建康江左形勝之地，使胡虜盜據，何以立國？今日之事，有死無二，輒出此門者斬！」音容慷慨，士爲感泣，不敢有異志。又招餘將曰：「凡不爲紅頭巾者隨我」。於是傅慶、劉經以軍從，充竟以金陵府庫與其家渡江降虜。餘兵皆西北人，素慕飛恩信，有密白飛願請爲主帥而俱叛北者，飛陽許之，有頃，其部曲首領各以行伍之籍來，飛按籍呼之曰：「以爾等之衆且強，爲朝廷立奇功，取中原，身受上賞，乃還故鄉，豈非榮耶？必能滌滌舊念，乃可相附。其或不聽，寧先殺我，我決不能從汝曹叛！」衆皆幡然歡呼曰：「惟統制命！」遂盡納之。

金兀朮趨臨安府，飛引所部邀擊之，至廣德境中，六戰皆捷，斬一千二百一十六級，擒女眞漢兒王權等廿四人，俘諸路剃頭簽軍首領四十八人，察其可用者，結以恩信，遣還虜中，令夜斫營，燒毀七稍九稍砲車及隨軍輜重器仗，乘其亂，縱兵交擊，大敗之，俘殺甚衆。駐於廣德之鍾村，是時糧食罄匱，飛資糧於敵，且發家貲以助之，與士卒最下者同食。將士常有飢色，獨畏飛紀律，不敢擾民，市井鬻販如常時。虜之簽軍涉其地者，皆相謂曰：「岳爺爺軍也！」爭相降附，前後萬餘人。虜侵溧陽縣，飛遣劉經將千人夜半馳至縣擊之，殺獲五百餘人，生擒女眞漢兒偽同知溧陽縣事渤海太師李撒八等一十二人及千戶留哥。（五十四）

厓山湖往

漁翁

我國歷朝滅亡之最慘者，莫宋明兩代若，因兩代之敵對者，一爲蒙古，一爲滿洲，均以異族入主中華，與漢人有夷夏之分。尤其蒙古人橫衝直撞，強取豪奪，所以宋末之君臣，分弃流離，較明朝下場爲更悲哀！

自宋室南遷後，定都臨安，即今之杭縣，僅偏於西南半壁山河，而君臣以西湖風景秀麗，乃沉醉於杭州，作小朝廷以圖苟安，於是給北人整軍經武，隨時奪取之機會。林洪詠西湖，有云：「山外青山樓外樓，西湖歌舞幾時休？暖風薰得遊人醉，直把杭州作汴州」。偏安無倖存之理，可鑒也。

元兵佔臨安，恭宗被俘，死在沙漠。群臣立恭宗之弟昰爲端宗，於福州，封其三弟昺爲衞王，兄弟兩人，過着極艱苦之流亡生活。元兵追端宗於崗州，憂憤而死，此時趙家後代，僅趙昺耳。一日，忽於嶺南海上，發現黃龍，群臣認爲有復興預兆，交相慶賀，改元爲「祥興」。

時張世傑與陸秀夫，共掌軍政大權，護衛帝昺，顛沛轉徙，據宋史載：有一次走到官富場，即今九龍城，暫駐一時。旋以九龍半島，乏險可守，非安全之所，乃轉移於廣東新會之厓山。

厓山，又稱厓門，在縣南大海中，有上下厓門之分，南北亘二百餘里，東南控海，西北則港汊交錯，背山面水，形勢險阻。張陸以爲天塹可守，乃命伐木造行宮，建軍房，作爲臨時帝都之所在地。蒙主忽必烈，以宋王尙在人間，足爲心腹大患，不去之不能高枕，乃命張弘範爲江東宣慰使，統蒙漢水陸大軍，分道南下，而以李恒副之，張李皆漢人，蒙用以漢制漢計，以收事半功倍之效。

張所部攻漳、潮、惠三州，李率陸軍由梅嶺前進，節節勝利，而會師於廣州。探知宋帝流亡於新會之厓山，始遣人勸降，而世傑不屈，乃以水陸軍四面包圍，斷其糧食與飲料，致宋軍民二十餘萬人，困於饑渴，不能作持久戰。陸秀夫在此時勢急下，[illegible]首先投海而殉國，[illegible]結束趙家十八代之天下。

國人追念忠烈，在厓門建「大忠祠」，祀文天祥、陸秀夫、張世傑三忠臣，故又稱之曰「三忠祠」，並建「慈元廟」，以紀念太后殉節，與「義士祠」，以紀念與宋室同殉之無名英雄。清初嶺南詩人陳獨漉過厓門，賦詩云：「山木蕭蕭風更吹，兩崖波浪至今悲，一聲望帝荒山殿，千載愁人拜古祠，海水有門分上下，江山無地限華夷；停舟我亦艱難甚，長向蒼苔讀舊碑。」

張弘範知宋帝沉海，大「功」告成，[illegible]不知恥，在厓門海邊石上，大書：「張弘範滅宋於此」七字。[illegible]相傳張弘範題字未刻去之前，陳白沙已在原刻七字上加一「宋」字成爲「宋張弘範滅宋於此」八字，以示對[illegible]之諷刺也。賦春秋一字定褒貶。

海嘯雲談會

關於患近視病者的趣事，自來傳說孔多，繽紛有緻。茲述近人的故事數則，以供讀者閒談資料焉。

新笑林廣記

諸葛文侯

現任立法委員陳顧遠先生，對法學有深邃研究，然其近視，與他的法學修養成正比例。據說，他曾在友家應酬中從事雀牌娛樂之際，有一旁觀客，以站立過久，不免疲乏，卽仰臥於桌旁的長籐椅上，頭部恰近陳氏座位右側，斜然入夢了。陳先生手持香烟，聚精會神以應戰，他認爲仰臥在側的那位旁觀客的頭部是茶几上之烟灰碟，順手將烟灰向其臉面彈之，別人亦未注意及此。初時那人雖滿面被撒着烟灰，繼陳氏將吸餘的烟頭亦投去，幾焰燙及皮膚，仰臥客痛極大呼，纔知道他的頭部并非茶几，陳先生錯認了！

吾友汪寶暄兄（亦係現任立委）言：他有一位患有高度近視的朋友某——名字我忘記了——亦好雀牌娛樂。一日在雀戰中，主人置有蠶豆及其他糖菓在桌旁茶几上，任客隨意取啖。那位近視客嗜食蠶豆，抓一撮放在桌子的右角上，不斷地擷取一二粒細細咀嚼，饒有味。他當過莊家後，下家作莊開牌時，兩顆骰子忽然失踪了，大家從桌面到地下搜尋不得，四人又起身振衣抖袖，亦無所見，一時疑竇叢生，莫明其妙。旋一戰友瞧着那位近視客口中咀嚼未已，乃問道：「你口裏吃的甚末？」答曰蠶豆。再問：「莫非你把骰子當作蠶豆吃了嗎？」近視客一面說「那有這回事」，一面吐出口中咀嚼物看看，果然是兩粒牛骨頭製的骰子，表面上的污塵已被嚼得乾乾淨淨，潔白無瑕了。餘衆哄然大笑，近視客爲之赧顏而已。

老友羅敦偉兄，善言統制經濟政策，其近視程度并不亞於上述二公。熟人在路上與敦偉迎面走過，他決不會向你點首招呼，若認爲他傲慢無禮，你就錯了，他實實在在是未辨認出熟人的眞面目。最近我在台北赴馬樹禮、汪寶暄二兄的宴約時，客人都到齊了，敦偉後至，入門照例跟衆客寒暄一番，他從我的身旁走過，向諸來賓逐一握手，就對我表現着「旁若無人」之態，我深知他的毛病，默不作聲，迨大家就位宴飲中，他聽到我說話的聲音，纔問道：「你幾時來的？」我若不出聲，他始終不會知道我在座呢！

敦偉曾主持上海和平日報，且常撰寫社論。一夕，他伏案疾書，寫好一張即交排字房，等到全文排好，校對人員檢閱「小樣」時，全篇語句有許多地方皆不成文章，[illegible]審視原稿亦然，[illegible]並非排字工人弄錯的。急往叩詢主稿人，而敦偉業已出門了。再請示總編輯同至敦偉的寫字枱上尋查是否遺落一張未交下？旋在寫字枱的玻璃板上找到兩端，[illegible]原來敦偉在桌上撰寫時，因爲近視太甚的原故，把稿紙與玻璃板看成一色，有些字寫在玻璃板上！此事敦偉矢口否認，但和平日報同寅言之鑿鑿，似非向壁虛構之談。

水牛將軍田桐

周燕謀

田桐，字梓琴，別號玄玄居士，湖北蘄春人。幼而秉承父訓，於諸子百家及唐宋以來名家文集，靡不兼誦博覽。稍長文思益進，惟對於八股文章，則鄙視不顧。少好交遊，嘗從學於廬山，遍覽諸名勝古蹟，後乃讀書白鹿洞。年二十二時，湖北省學風漸趨維新，乃考入武昌文普通中學，已嶄露頭角。同學之中，有桃源宋敎仁者，少負奇氣，議論縱橫，梓琴與之志同道合，遂共倡言排滿。鄂吏聞之大駭，因有查究校中學生嚴厲之議。於是於一九〇三年（癸卯）東渡日本求學，與黃興、曾亞伯、陳天華、白逾桓、宋敎仁、劉揆一等志士相交甚密。反滿革命之志，由是益堅。并與劉仲文、白逾桓、魯魚、宋敎仁等，創刊「二十世紀之支那」雜誌，鼓吹民族主義，不遺餘力。

一九〇六年夏六月，孫中山先生自歐抵橫濱，號召留學界有志之士，組織中國同盟會，開第一次成立會於東京赤阪區檜町內田良平寓宅，梓琴與齊入會者六十餘人。不久，同盟會機關報之「民報」出世，「二十世紀之支那」與之合併，民報撰文有署名「恨海」者，卽梓琴之別號也。田桐以民報偏重法理考據，不適於普通社會之人，乃與高旭（天梅）、雷鐵崖（昭聖）、柳棄疾（亞子）等，另創「復報」以應之。（一）

內警台報字第〇三一號內銷證

自由報

THE FREE NEWS

第三四四期

中華民國僑務委員會登記證 台教新字第三三二號
中華郵政台字第一八二八號執照登記爲第一類新聞紙類
（星期三、六出版）
每份港幣壹角

社址：香港銅鑼灣高士威道二十號四樓
20 CAUSEWAY RD 3RD FL HONG KONG
TEL. 771726

台灣分社

從美國遠東戰略看反攻大陸（上）

·郭甄泰·

囊昔立國，談國防，國防問題高於一切，已浸演爲政治上之金科玉律。現在立國雖談國防，但國防已變爲政治上之附屬品，其重要性已大爲減少，原因有四：現在世界分爲兩大集團，民主集團以美國爲盟主，共產集團以蘇俄爲馬首，如有戰爭必爲國際戰爭，終局必爲核子戰爭，現在世界各國除美、英、蘇外，均無核子武器，無核子武器之國家，不可能有獨立之戰略，即不可能有獨立之國防，一也。

現在戰爭爲國際戰爭，以美國爲首的民主集團，對共產集團係採取防禦的，維持現狀的消極政策，大敵當前，民主世界各國，祇有世界防線，而無國境防線；二也。共產集團所採的戰術爲顛覆，滲透，利用共產第五縱隊，腐爛其他國家，民主集團各國，必須設法改新政治，提高人民生活水準，以資對抗，如政治，經濟不健全，國防即等於虛設，至軍事上對蘇俄個別作戰，則除美國外，螳臂當車，殆無用武之地；三也。國際聯盟主張，以和平手段解決國際糾紛爲原則，在此項原則之下，世界任何國家不得窮兵黷武，任意侵略鄰邦。境界之爭，領土之爭，在蘇俄赤化世界之威脅下，猶若小巫之見大巫，已變爲雞手蒜皮之爭，無關重要；四也。有此四因，現在民主世界各國，對於共產集團，祇能談世界反共戰略，而無法僅談本國之國防與願望。國家之防衛與願望之重要性，在國家之性質上，已大爲減少。僅談自己一國之威望，生存，利害，而不顧自由集團之全球性的反共戰略，難得到國際上之同情與援助。

一、中共爲遠東禍亂之根源

中共醉心擴張，好戰成性，實爲遠東禍亂之根源，舉凡韓戰，寮戰，越戰，印戰，台海之戰，均係中共直接間接所發動或策動，中共政權不倒，遠東將永無太平之日。甘迺廸總統去年國情咨文中說：「中共的擴張野心還較蘇俄爲大……大躍進的失敗，並不能阻止中共建立亞洲霸權的野心。」美國副國務卿哈里曼說：「目前來自中共的威脅較來自克里姆林宮的威脅爲大。」美國新任印度大使鮑爾斯說：「中共爲東亞之無上力量，有衝力，渴望土地與資源，人口增加不已，顯然懷有擴張目的，如果不能說服中共走向和平之道路，則是否至少能夠對之施以圍堵？抑或與之直接衝突爲無可避免之事。」英國外相休姆說：「蘇俄是一個核子國家，他們知道核子毀滅的意義是什麼，中共則不是；但是我認爲中共已有準備，因爲他們祇有很少可損失——他們的人力是可以犧牲的——他們已準備在某種情況下，觀看一場世界大戰。」一名高級日本出版家說：「中共之威脅日益增加中，中共已公開要求以核子戰爭進行共黨對世界之征服，其在今日對自由世界之威脅遠較蘇聯爲大。」現在所有世界各國之大政治家，評論家，均無不異口同聲，承認中共爲世界禍亂之根源，綜其論據，大要如次：

一、人口衆多。大陸上人口號稱六億五千萬，約爲世界人口四分之一，每年復尚增殖人口一千五百萬，地大而物不博，資源豐富而調查不周，開發未盡，人民終歲勞動，不能一飽，在過去十九個月中曾由國外輸入食糧一千五百萬噸，而六億五千萬人口中亦僅有八分之一，即三百萬軍隊，一千萬公務人員，六千萬各級行政幹部與中共黨員能獲得足够之食糧，其他均面有菜色，野有餓殍，非向外發展不能養活其過剩之人口，東南亞之米倉，大部西比利亞之失地，均勢非攫取收復不可。五月五日紐約時報於檢討過去一週的「亞洲問題」時說：「由於人口龐大及正在擴張中的中共，飢餓的注視着「亞洲米倉」東南亞」。確屬實在情形。

二、希望核子戰爭。中共東南兩方，受美國之圍堵，西北兩方受蘇俄之控制，一籌莫展，至希望兩虎相爭，漁人得利。最近俄共與匪共，裂痕日深，中共因此更主張以戰爭手段征服世界，反對赫魯曉夫之「和平共存」。美國史學會主席加蘭德說：「美國及蘇俄之一場全面核子戰爭，終將導致中共支配全世界」。「在一次兩敗俱傷之核子戰爭中，兩國將在世界上消逝。」「中共在現在也許驅迫蘇俄與美國進行核子戰爭，因而美蘇在自相毀滅下，亞洲人便可在全無抵抗下湧入蘇俄，繼而沿着彼等祖先之舊路，侵入阿拉斯加，加拿大及美國。」甘迺廸於前年十二月美日經濟貿易會議中亦謂：「目前施行共黨統治亞洲之運動之人物，不僅爲階級鬪爭之信仰者，且爲國際階級鬪爭之信仰者，其目的在引發第三次世界大戰。」共匪現在各地遇機即挑動戰爭或火上加油，用心叵測，毋待煩言。

三、兵力強大。據日本防衛廳宣佈：「中共陸軍爲二百五十萬人，海軍艦艇七百六十艘，飛機三千架」。「數字上較自由世界，中華民國之陸軍四十萬人，海軍艦艇二百艘，飛機五百架，海軍陸戰隊二萬六千人」；「南韓陸軍五十四萬人，艦艇七十艘，飛機三百架」；「日本陸軍十七萬一千五百人，艦艇四百艘，飛機一千架左右」，均強。弱政昧，夜郎自大，伺機蠢動，在所難免。

四、共黨政權本質。共產黨之最終目的爲赤化世界，手段爲階級鬪爭，其政權之本質即爲征服。擴張，滲透，顛覆等侵略措施，無法停止。美國國務卿魯斯克，英外相休姆和法國外長卑維里日前一致同意認爲：「中共與蘇俄仍具有一個共同目標，毀滅自由世界」。根據魯斯克的說法：「他們希望擊敗資本主義國家，民主制度，還是危險的來源。」紐約時報說：「要求採取侵略措施以擴展共黨革命的中共理論，也支配着中國大陸的國家中的直接行動」。亦係指此而言。

二、美國之遠東戰略

美國對於共產集團之世界戰略爲圍堵與嚇阻。圍堵與嚇阻並無目的，有之則爲維持全球的現狀。此種戰略，既不企圖勝利，亦無勝利可言。美國之遠東戰略爲美國世界戰略之一環，且有重歐輕亞之傳統，自然亦爲圍堵與嚇阻，不能例外。韓戰時美國大軍仁川登陸，追奔逐北，大可渡過鴨綠江，一舉而消滅中共政權，但結果仍一退再退，退到三十八度線，甚至因此而撤換麥帥，亦所不計。美國援助越南剿滅越共游擊隊，援助僅限於武器與運輸，據稱此項剿共戰事，曠日持久，須待十年之久，俟河之清等於白痴，但對於轟炸河內及轟炸胡志明運輸線以及在北越成立游擊隊等有效戰術，均仍棄之不顧。大陸六億人民，水深火熱，引頸待救，國軍枕戈待旦，渴望反攻，美國雖予以物質上之援助，但對中國反攻，但美國對匪保證：「美國決不援助中國反攻大陸。」印尼受蘇聯軍援達十億元，赤化跡象，極爲顯著，但美國最近數月中仍予蘇卡諾政權以緊急援助四千萬美元，藉事拉攏。此何以故？即美國遠東之戰略爲圍堵，目的爲防範中共之擴張，坐待其自行崩潰，既不願採取進攻行動，以打破竹幕爲政策，亦不願採取戰爭行動，以消滅中共政權爲目標也。

次就其防線言，美國第二次大戰後，確定自阿留申經日本至菲律賓線內地區爲其防衛的必守範圍，韓戰發生後，杜魯門始將此防線修正包括南韓及台灣海峽在內；東南亞公約組織成立以後，美國的遠東防線，隨公約組織所劃定的範圍，包括了寮國，南越與泰國。及後美國因寮國既無海港，又無公路，不便作戰，又決定使其中立；改守越南之一七線。目前美國在遠東的防線爲韓國之三八線，台灣海峽，南越之一七線，美國之戰略目的，即爲守住此三條線，希望共黨在此三條線前止步，並保持寮國之中立地位。共黨如在此三條前線進攻，或破壞寮國之中立地位，美國即必將竭盡全力予以遏阻。越南現在局勢，胡志明不過使用了一些游擊隊進行騷擾，但美國即派出了上將，驚動了五角大厦，整個遠東防衛機構，太平洋總部，以獅子搏兔之勢，予越南以非參加戰爭以外之一切援助，蓋美國之遠東戰略爲圍堵，國策所在，戰略所關，威信所繫，自不能讓匪共再越雷池一步，得寸進尺也。

至於美國在遠東之嚇阻力量，共有二種，一爲第七艦隊，一爲琉球基地。第七艦隊編制就其作戰能力與裝備觀之，實爲世界上有史以來的最大艦隊。

漫画天下　南施

毛酋：「那邊的味道更好！」

爭生意

自由談

談「自覺運動」

馬五先生

最近有個美國留華學生在台北說：「中國人的人情味很濃厚，然缺少公德心」。如是乎，咱們的青年學生界即掀起了一種「自覺運動」，提倡個人自動注意公德，誰曰不宜？

中國儒學最講究個人立身行己，對人接物的修養工夫，而以「克己復禮」，居敬存誠，不愧屋漏爲信條。這種學說，中國儒家闡發得最透闢，尤稱世界第一，西方人的宗教義理，瞠乎後矣！然而時至今日，我們這文明古國的禮義之邦，竟被西方人視爲缺少公德的社會，而知識青年乃急起倡導「自覺運動」，吾聞之，不禁愧悚汗顏，無地自容！

既言「自覺運動」，即是過去咱們中國人都不自覺地汩沒了公德心，把數千年來的傳統文化精神斲喪殆盡了，孰爲爲之，孰令致之？推本窮源，能說不是國家的教育政策失敗所致嗎？自民國肇建以來，半個世紀之間，我們的教育政策和方針，皆以勦襲外國的法例爲主，而又朝秦暮楚，變動無常，今天要這樣，明天又要那樣，野心政客且隨時利用青年學生爲爭權奪利的工具，所謂做人的道理，這種儒學教條，不特沒人留意，甚至指爲腐敗迂闊之談，唯恐避之弗及，要把線裝書拋到茅廁裏去！似此教育政策之下，自難怪知識青年界多有「太保太妹」之輩，誰也不講究做人的道理，更談不到公德心了。至於一般政治人物，相率以自私自利爲服務之本，毫無一點正義感，而對於太保太妹式的兒女，庇護縱容，滿不在乎。請大家想想：這現象是怎樣構成的呢？

「自覺運動」只是一種治標方法，等於神經衰弱的人注射一次嗎啡針而已。根本之計，必須有妥當的教育政策和方針，而主持教育行政的，尤須使通儒碩學之士承其乏，政客官僚固然要不得，迷信外國月亮亦比中國好的僞學人，尤其不堪承教！

訴聲洋溢於寶島

選舉訴訟五花八門　文化官司難解難分　名人婚變調解無望

（本報記者台北航訊）近月來，台北社會上的熱門消息，無過於控訴爭訟事件了。若以「花落訟庭間」為太平盛世之徵，今日台灣朝野人士之忙於爭訟是非，即無疑是亂世的現象了。

台北地方法院法官王鎮被刑訊案，由於王鎮業已提回高檢處依法偵訊，原可告一段落，但餘波蕩漾未已。立法委員要詢究司法行政部對此案的法律責任，極不滿意該部首腦人物所謂「援用『調度警察條例』」的解釋；監察委員要糾舉與本案有關的文武官吏，好戲還在後頭，要角即是高院檢察長夏惟上。他在刑訊王鎮案揭發的次日，會公開聲明王鎮移送治安機關偵訊，是經他核准的。一肩挑起這項嚴重責任，很夠勇氣，袞袞諸公對他一定不放鬆，提出彈章，乃意料中事，而夏惟上的現任職位，豈非岌岌可危，搖搖欲墜乎！有人說他太戇愚，何必急遽聲明，硬揹木梢呢？有人卻說他很聰慧，挺身為上級長官承担禍事，大不了丟却現有這頂紗帽，既已立下了汗馬功勞，還愁他日沒有出路嗎？孰是孰非，且聽下回分解。

台省議員選舉揭曉以後，訟聲大作，落選的控告當選人非法競選，又指控監選所舞弊，當選的候選資格發生問題，應有儘有，其中以新竹縣的當選人李秋遠，台北市的落選人宋霖康表演得最出色。李秋遠曾因行醫的過失，被法院判處徒刑兩個月，為着競選關係，以拖病的理由，申請延期服刑，照准在案。他當選省議員後，馬上向法院投到入獄，臨行之前，四出拜客辭行，說是要去坐牢了，好像以坐牢為光榮之事，矯揉造作，莫名其妙。目前台省選舉監察委員會，即根據這項事實和選舉法規，請求把李秋遠的當選資格撤消，然省府又早已公告新選省議員的合格名單，李秋遠亦在其列，這案件將來夠爭訟的，結果殊難逆料。宋霖康說他是由當選變為落選，指控監選所舞弊，實際情形并非如此。當日監選所唱票已屆十分之九的時候，宋霖康的得票數字頗佔優勢，台北市一家廣播電台，為着搶先報告選舉消息，迫不及待的就說宋氏當選了。詎知最後「松山區」的選票開出，使宋氏以數十票之差額，屈居副榜而宣告落選。因此，他乃以廣播電台的報告作証據，指控監選所弄弊，核與事實不符。

作家鄧學稼，立法委員胡秋原，控告台北「文星雜志」發行人蕭孟能及寫稿人李敖誹謗罪案，雙方對簿公庭已兩次，未能定讞，而胡氏又再控被告律師李晉芳亦犯下了誹謗罪，理由是說李律師替蕭孟能所撰辯訴狀，越出了辯護的範圍，這問題更玄妙複雜了。最妙是胡氏與李敖李晉芳皆為鄂省人，幾個湖北老鄉在異域為着文章而糾訟不已，可謂奇觀。蕭孟能在台北開設「文星書店」，出版新舊書刊，胡秋原在文字上指稱蕭某「乃一書賈耳」，頗示鄙薄之意，蕭對人說，他已刻就「一書賈耳」的圖章，藉作一生紀念，頗以開書店為榮譽。有人說胡氏過去在上海亦做過出版社的經理，何必妄自菲薄呢？本案最近又有雙方的朋友從事調解，但條件殊難接近，原告方面要被告在台港兩地報紙上登載聲明認錯的文字，并負担原告的訴訟費，即可免予窮追。被告認為最大限度只能承認當日在筆戰中的措詞，或許有對原告失敬之處外，決不承認對問題的事實（指胡氏控案）有何錯誤，更不願以哭窮的態度，哀求原告豁免訴訟費的賠償，這未免近於侮辱了。

蔣孟鄰與徐賢樂的離婚訴訟，台北地方法院已依法開庭試行調解，因徐賢樂女士堅持須蔣氏親自出庭面談，方有調解可言，而蔣氏又堅決表示不願再跟徐氏見面，和解決不可能。這場官司可以打上若干年，蓋離婚官司從一審打到三審完畢之後，第二步尚有財產官司。三審時若裁定維持原判，那末在兩三年之內可望結束，如其發還更審，循序再訊判，層層進行，即非十年八載不能蕆事，蔣孟鄰先生已經七十多歲的人了，是否有此糾訟的餘年，頗成問題。所以，這案子最好是能協議離婚，否則法院於判決離婚時，即將現已過戶凍結的蔣氏存款判作徐氏的贍養費，庶可免與民事訴訟，一了百了，實所企幸。（五月廿七日凌晨）

印尼反華暴行真象

事實証明乃是蘇加諾政府自己有意挑起來的，非常之卑鄙齷齪。中共政權為了「政治理由」，對蘇加諾所胡說八道亂扯一通的鬼話，從而和之，其為心肝俱具，卑鄙齷齪之尤，更無待言。

（本報星加坡通訊）印尼的反華暴行尚在繼續演進之中。這種暴行起初還局限於爪哇島的中部與西部的，自從東爪哇的泗水亦發生這種暴行之後，人口最密集的整個爪哇島已無一片乾淨土地；加以比爪哇島大得多的蘇門答臘島的棉蘭與巨港，亦已有同樣暴行發生，西里伯斯與婆羅洲亦然；說它已蔓延而成為印尼全國性的反華暴行，絕非過份。將來畢竟會推演到何種地步，難以想像，甚至不忍想像，不敢想像。

反華暴行的內幕究竟是怎麼一回事呢？蘇加諾所說其為「外國顛覆份子」與「印尼反動份子」所組織與策動的那些鬼話，當然是胡說八道，亂扯一通。中共政權先之以不理不睬，並實行封鎖新聞，欲以自己假裝不見，遂行其一手遮天，掩盡天下人耳目，繼之實在遮掩不了，乃又先之以由其御用通訊社「新華社」之畧畧一提，非但對反華暴行的規模、聲勢避而不談，對暴行的種種的情況與華人所遭受的慘重損失，更無一字道及，反之却一味引一些印尼官方人士以及完全控制在蘇加諾手中的印尼報紙的說法，藉為所謂「外國顛覆份子」與「印尼反動份子」所為云云，做其脚註，且公然指明：「外國顛覆份子」乃是「美帝」。不特此也，中共的大使於五月廿二日與印尼外交官員談了一陣之後，進而表示了對印尼官方的諸般行動「讚揚」之意——至於所謂交涉，抗議，護僑行動等等，當然絕無其事。荒謬絕倫，心肝俱具，竟至於此極！

印尼反華事件的內幕，果真不可以索解？蘇加諾與中共政權果真能夠永遠蒙蔽眞相不使外洩？當然是不可能的。僅從這些暴行的發生經過，演進情況研究，不但可以尋得出蛛絲馬跡，且可以得到確切不移的眞憑實據，說明其乃是慣玩「魔術」的蘇加諾的陰謀，非常之卑鄙齷齪。而中共政權的居然從而和之所表現的卑鄙齷齪，自更不待言。

印尼反華暴行最初起於井里汶，時間為三月廿七日，到現在已整整兩個月有餘。原始起因為一個印尼青年殺死了一個已入印尼籍的華裔青年，偏偏審訊此案的法官，也是一位華裔人士，該華裔法官依法判了該印尼青年的刑罰。當地印尼人就因為法官是華裔，懷疑其判刑太重，乃起而遊行反對，且演為暴行，若干華人商店均遭搗毀了。這最初一宗反華暴行事件，有着民族意義是顯明的，那次的事件，還有理由可解釋之為印尼民衆情感壓倒理智的自發自動之不幸事件。

井里汶反華暴動事件發生之後，由於中共政權之「元首」劉少奇即將到印尼作「官式友好訪問」，蘇加諾政府一面嚴密封鎖新聞，一面採取確切防範措施，故整個四月份平安渡過，風平浪靜。而在劉少奇離開印尼約兩週光景的五月十日，萬隆及其附近市鎮的反華暴行發作了，繼之中爪哇、西爪哇、東爪哇以及蘇島的巨港與棉蘭，還有西里伯斯及南婆羅洲總共十幾個地方，均有同類事件之演出。這些事件，（一）規模越來越大，出動的印尼青年（大多數是學生），有多至數萬人者；（二）行動越來越兇暴，殺人放火，打家刧舍，燒商店，燒商品，燒汽車，無惡不作；（三）印尼各該地官員與軍警，起初總是袖手旁觀，待暴徒恣其所為之後，再以大隊軍警開來，暴徒也就揚長而去。最可觀是芝安珠一地，暴行長達八小時之久。印尼官員始終不聞不問，他們的解釋是人太多，制止不了，祇好不管；（四）印尼中央政府，僅由其宣傳部長道一聲「對討厭的事件遺憾」，最後則是蘇加諾兩次出面，「呼籲」印尼青年不要亂來之外，就是指出事件係由「外國顛覆分子」與「印尼反動份子」所策動與組織，其中一次是蘇加諾「黃袍加身」，接受「終身總統」的集會之時說的。跟着，蘇加諾便很悠哉游哉的出國休養旅行去也。

從井里汶事件後個多月不出事，說明祇要蘇加諾政府採取措施，它是可以控制局面的。從萬隆事件以後的儼然無法無天的無政府狀態，說明蘇加諾政府豈但縱容，簡直就是發動者與指使者。而蘇加諾所亂扯一氣的「外國顛覆份子」與「印尼反動份子」策動之說，果其是實，他們居然有力量攪得印尼天下大亂，有如此者，那麼，蘇加諾又何能於此時「黃袍加身」，做起「終身總統」來？

蘇加諾政府為什麼要擺這種「魔術」？很簡單，轉移印尼人民對現實政治經濟的不滿情緒是也。這在蘇加諾是慣用此手法的，曾有前此對荷蘭人與對華僑的往事可尋，以古證今，彰明較著。但蘇加諾的「魔術」直到現刻，受害的固為華人華僑，但以棉蘭事件印尼學生同時所表現的不滿現實，頗有可能，害人者終歸難免害到自己。而從此次事件，更證明中共政權在其所謂國際主義之下，對海外黃帝子孫，根本漠不關心。（佛）

香港今起四天供水一次

（本報訊）為應付嚴重的水荒，香港當局自今日（六月一日）起，採取更進一步的制水措施：四天始供水一次，每次三小時（人口密度特別高的地區，每次供水四小時）；但街喉仍為隔日供水一次，每次仍為四小時。今天起的供水辦法為：（一）六月一日：人口密度普通地區，上午六時至九時。人口密度特別高的地區，下午四時至八時。街喉亦為下午四時至八時。（二）六月二日：無水供應。（三）六月三日：街喉供水，時間為下午四時至八時。（四）六月四日：無水供應。到六月五日，供水情形一如六月一日；六日如二日；七日如三日；八日如四日。周而復始。

當局之所以採取此進一步制水措施，係由於住家喉用戶節水不夠理想所致。街喉仍隔日供水，係因往街喉取水者為最貧苦人家，彼等無法儲多量的水；有住家喉可用者，如感四日供水一次不足用，亦可往街喉排龍取水。（公）

香港與大陸

大陸大中學今年招生人數比去年更見減少

百分六十畢業生祇能下鄉耕地

大陸的大中學校今年擬招的新生人數又比去年少，絕大部份的中小學畢業生都得回農村去「當一輩子農民」。因此學生們皆惶惶不安，有的打算逃亡，有的愁懼成疾，甚之有實行自殺者！

一位在香港經營米舖的潮州人蔡先生，最近接到他幼女由鄉間來信，詳述大陸學校今年招收新生的擬議以及同學的情緒。並要求蔡先生在今年暑假代她申請香港當局派發的「入境證」，以便她在鄉間申請來港的「通行證」。

來信說：中共的文教機構，最近已公佈了各大中學校的招生人數，據統計：招生的百分率比去年又減少了些，僅為百分之二十四左右。招生的規則仍然是繼續「貫澈階級路線」，「增加工農成份學生的百分比例」的原則下進行。因此，所有「地主」，「富農」，「資本家」，「右派份子」和「反革命份子」的子女都得回農村做農民。另外有一個新的規定，是「公社」所辦的農業中小學的畢業生，都不得報考昇學，必須回原「公社」作農民。

來信說：近幾年來雖然所有的人都痛苦的在混日子過，但是，却又以農民生活的悲慘為最。他們所配給的糧食最少，而勞動的時間却是最長。所以，學生們聽到招收新生的名額如此之少時，都惶惶不安。

來信說：現在各中小學校的情況都異常混亂，一些有親屬在海外或內地各大城市的同學，多準備逃亡，不能逃出大陸，也希望逃到大城市；雖然他（她）們覺得希望極微，而且有危險性，但也在所不顧的了。至於無此條件的同學，則沒有不為自己的前途愁懼的。當招生人數公佈時，有不少人都因為此一「壞消息」而駭倒了。蔡先生的女兒讀的那所學校，有一名高中三的學生韓秀英，就因為她的成份是「地主」，當得悉招生的情況時，深知自己是無法升學了，她在農村又無親無故，而且農村的那種滋味她是嘗過的，因此，她居然跳河實行自殺！

來信又催促蔡先生在今年暑假一定要代她申請入港證，因為她現在是高中二年級，雖然沒有畢業，但看到這種情況，已感到無限悸悚，加以在大陸的畢業班學生是不能够申請「出國」的了。

另據一位由廣東韶關市來港的李君透露：大陸學生的水準非很低劣。最近，該市的若干所中學，曾進行數學，物理，化學等科的「質量檢查」，而結果合格的人數平均竟只有百分之三左右。

他說造成此現象的主要原因是（一）教師水準極低；（二）勞動多；（三）政治運動多；（四）不少學生更覺得讀書與不讀也是「差不多」，反正前途渺渺茫茫，因而無心向學。他（她）們進學校的最大目的，無非是為了可以不必像農民一樣整日做沉重工作而已。（敬斯）

奬勵私人興學辦法之檢討

不容造成學店專利的惡劣風氣

章貢新

要救國，教育是一個根本。任何國家的富強，莫不由於國民道德的高尚及知識的進步。生存於廿世紀七十年代的國家，若無高尚的國民道德及進步的知識，會處處吃虧，自更不能受人重視。今日頭二等强國如英、美、法各國，其國民道德及知識之進步，均在水準以上的。究應如何提高一般國家的國民道德及知識程度？這便是教育的功能所在。教育於是成了現代國家立國的前提。今日我國正處於危急存亡之秋，政府列奬勵私人興學為主要政策，實在是賢明之舉。

英美等國對於奬勵私人興學是有一套辦法的，如對於將財富捐助興學者予以免稅，而對於私人財富所課征的所得稅、遺產稅、均稅率甚高，使富人既無法浪用財富，而又樂於捐助於社會。這是使社會的財富，仍然歸之於社會大衆共享的好辦法，免除了社會財富不均的弊病，又使社會財富納入正軌，相因相成，發生正當的作用，社會自然而然日益進步向上。同時對于私人興學，又予以種種便利，民間創辦，機會均等，可自由競爭。只要有能力，有條件，就可以興學，政府並無嚴格的限制。辦理不善，以學店為能事者，便必歸於自然淘汰，固無待乎政府的取締。

英美等國對於民間興學，祇是多方鼓勵，不加以何等限制之結果，遂致有各種各類的教育機構，在適應時代需要的條件下產生，在公平競爭條件下，日新又新，繁榮滋長。只要你有能力，有學問，你就可以創辦教育；辦得好，政府社會都鼓勵你；辦得不好，你也自然受淘汰了。政府并不需要何等繁瑣的立案手續，去麻煩有志興學者，同時對有志興學者絕不加以任何限制而致形成一種只有少數特權份子可以興學，受到專利，造成學店的流弊，有如我們目前的現象。

英美等國教育發達，學術興盛，實在是由於他們的獎勵私人興學政策的明朗堅定，徹底執行，有以致之。我國近年來也提倡鼓勵私人興學，但却實在沒有一個完善的辦法。以至於根本就談不上奬勵。如前時政府對中學的貸款，十分之八九都是公設學校，因此被譏為「公而忘私」。而立案手續的繁瑣，興學條件五花八門，表面上是防止變成學店，實際是鼓勵特權階級大辦學店，而徒令有志興學者望官興嘆。由富前的事實來看，我們很惋惜，政府如此良好的獎勵私人興學政策，全沒有好好的去貫澈、實行，反之，甚至還有許多阻撓，刁難，使有志興學者，望而却步。這便造成政府徒有奬勵私人興學之名，而無其實了。此其結果，受到損害的，並不是任何欲從事興學的個人，而是我們整個的國家。這是一個事實，筆者深信並無誇大。

政府對於設立大專學校的無原則的限制，更是違背了獎勵私人興學政策。因限制設新校，於是乎造成幾間學校的專利的趨勢。學子為了取得學位，也只有拼命向這幾間學校去擠；日間擠不進去，現在有了夜間方便之門，便從夜間擠進去。什麼師資？什麼教學？也無從致詰，只是求混一張文憑而已。於是這少數幾間學校，便門庭若市，應接不暇，學費高至三千以上。在如此限制繁嚴的情形之下，學校一經立案，便等於取得專利權，造成一種學店之風，因興學而大發其財者，於是乎頗有其人了。像這等造成學店專利的風氣，對於復國建國的教育，實在是致命傷。我們在此不得不大聲疾呼，請政府早日檢討私人興學政策，開放大專學校的設立之門，糾正這種造成學店專利的惡劣風氣，誠國家之幸！社會之幸！

天南風光

沙羅越的歷史

朱淵明

故曰，維納讓渡之動機，乃純為沙羅越善後復興着想者，殊難以成立。而沙羅越人民多數贊成，甚至是絕大多數同意讓渡之說，亦難以成立。這只要看國會於投票表決該案時，贊成者不過十九票，而反對者也達十六票，僅勉强過於半數，即可一目了然。若在通常憲政國家，遇着此類異常重大問題，其重大猶超過於對外之宣戰與媾和，一經提到國會，苟非全部議員四分三以上之出席，出席人三分二以上之通過，何能有效？自然，英國下議院，也會經發生此疑問，即「沙羅越國會，是否足够代表其領土中居民的觀點？以及沙羅越的人民，對此種重大問題，究竟作何反應？」於是，就兩大政黨中各推一議員，前赴沙羅越作獨立的採訪；採訪的結論，是：「全國民衆，對此問題，已作有足够的默許及贊成。」其措詞可謂巧妙之至。而兩位議員，跟着，堅決的建議：「應從速採取行動，不可遲延。」殆亦明知遲恐生變歟？是豈英國亦欲於各舊殖民地紛紛獨立之聲中，（如印度，緬甸等），樂得以較小代價，獲一新殖民地耶？此當係一歷史公案，或許維納在他的回憶錄中，可以提出答案，假定他有此類寫作，而又能坦白率直的話。

這並非不可能的事，因為這位末代拉者，現猶在倫敦養老，一九五六年，他已達八十高齡，沙羅越有幾位他的老友，還特為專電馳賀。目前如果還健在的話，已是八十七八歲的大老了。據說，自讓渡以後，十餘年來，靜處家中，深居簡出，很少有人同他來往，即係他的家屬與戚友，亦復如此。果爾，則豈非家族與王國，同時出賣了嗎？晚景淒涼，良足哀矣！趁此機會，寫寫過去種種，也是打發無聊歲月之一道啊。（六〇）

報人普立茲傳

汝津譯

「我不知道我要做什麼，與太太。當我說我不要長久做一件工作，聽來好像我根本不想做事，但那可不對，我一直在努力工作賺錢。朋友們說我永遠不會有前途，我相信一切都在未來。我不能判斷我以後該做什麼才好。我希望我能够像其他的人們那樣做一件工作。但是我改不過來—」

奧太太搖搖頭。「現在此地有很多工作，可是將來到聖路易的人更多，便沒有太多工作留下了。你學說英文嗎，普先生？」

「進度太慢了—假使我能買英文書讀就好了，可惜我沒有錢—」

「買？普先生，你可以到圖書館去看，它們是任你選的。你可以在那兒讀或請求借出。」

「你說我可以利用圖書館？但是我不名一文—沒有人肯借書給一個賠不起的人。那些人不會信任我這樣的一個陌生人—」

「在美國，人們信任你。」奧太太肯定的說。

多不平凡多驚人的消息—普立茲想了一想，轉向那婦人。「我下定決心了，」他說，「明天我要去圖書館問問我是不是可以用那些書。如果我能把書借回來，我將停止工作專心研究。我需要時間去開開眼界。」

「開開眼界」的機會正是約瑟夫所亟需的。聖路易為每一個年青人準備了無限的前途。但約瑟夫，做着那些少工作，沒時間去看看那城市可能給予他的一切。各種建築物都在不斷的計劃施工中，店商們大賺其錢。

次晨他到默堪廸圖書館去。他沿着市場街走。在一幢建築物前他站下來看看一間辦公室。律師們都紛紛搬入此間。

約瑟夫想到這些律師是否需要幫手。以前他常想研究法律。或許他能用每天的一部分時間在此工作。他向門邊的一個衣著整齊的人說話。

「你要一個助手嗎？」約瑟夫問。「我能為你每天工作兩小時。任何工作都可以。我要學做律師，你可能幫助我？也讓我讀讀你的書？」約瑟夫的雙瞳閃着希望之光。那人轉身向室內的律師們。於是他們叫住約瑟夫並告訴他他們願意有一個助手。他們告訴他可以任意的使用他們的書。那時代的律師還不要進什麼法律學校呢，一個年青人可以在律師事務所學做律師。只要他完成了必要的學習，他就可以做律師了。

一個月之內約瑟夫讀書，研究。每晨他去默堪廸圖書館。時候一到他便急急的去律師事務所。最初，讀那麼多英文書對他是很難的。可是他學得很快，不久便已讀了許多書。他又讓自己通過那些法律書，他用英文來思索。這種讀和學的機會是他所需要的。他讀所有圖書館裏能找到的東西，但他最喜愛的是那些厚而有積塵的記載事實的書本。（十二）

港水荒中物價上漲

汽水麵包理髮領先

（本報訊）水荒中的香港，不少物價上漲了。首先漲價是汽水，理由是糖價漲，他們不能不加價。同時由於水荒，汽水生產減少，對零售商減低配給，零售商為「挹注」，又公開的私下提高售價，做成汽水的雙重漲價。繼汽水漲價的為麵包業，口實亦為糖價上漲。又繼漲價的是理髮業，却未說出漲價的理由來，儼然要漲就漲，不必要講什麼理由。而且在上三者中，漲得最高的正是不說明漲價理由的理髮業。（耳）

寡君續夢

第九回：擎庆實堪驚　片言毀約／脫靴終自誤　衆志成城

艾森豪威爾笑道：「閣下的話很有道理，留待將來再說吧！目前就請轉告赫魯曉夫，我不方便接待他，請原諒。」說過就告訴白宮秘書哈洛第，馬上起草一封回信，送給中立國五領袖，拒絕與赫魯曉夫會晤。

尼赫魯回去見了赫魯曉夫，把會談經過隱瞞起來，另外編了一套鬼話，說明自己如何苦苦懇求艾森豪威爾賞臉，與赫魯曉夫會面一次，解釋誤會，促進和平，但是艾森豪威爾却堅持不肯。

赫魯曉夫眼都氣紅了，問道：「依你看，艾森豪威爾堅決不肯同我見面，基本的原因在那裏？」

尼赫魯說道：「問題當然很多，他對五名調處人也不太滿意。」

赫魯曉夫奇怪道：「你們五人不過從中作一個介紹，他肯不肯會晤與介紹人何關。」

尼赫魯紅着臉說道：「他以為有幾位不够份量，尤其是中立國過去只有一個領袖，現在怎麼跑出來五個，恐怕人多嘴雜，反而誤事。」

赫魯曉夫本是個莽漢，這種曲折心思倒沒有尼赫魯深，當時居然信以為真，對其他幾名領袖，也就看低了一級，更覺得尼赫魯是個寶貝，以後不惜和中共決裂去援助印度，種因就在這次會議，以為尼赫魯真有份量。

赫魯曉夫未能見到艾森豪威爾，自己也覺得頗失面子，回到寓處，就召集東歐附庸國首腦開會，商量對策。

波蘭共黨首領戈慕卡說道：「我們這次到聯合國來，本意是想和美國妥協，既然艾森豪威爾不肯，我們只有採取強硬立場了。」

赫魯曉夫點點頭：「我也是這個意思，不過，從什麼地方着手呢？」

捷克總統諾沃提尼說道：「聯合國開會總有許多議案要討論，凡是與美國有關的，我們一齊反對，蘇聯可以施用否決權，使它一項也通不過。」

葛羅米柯坐在旁邊笑道：「聯合國大會是沒有否決權的。」

諾沃提尼的臉不由得紅了一陣。

保加利亞的日夫科夫陰笑道：「我到另有主意，美國政府目前最討厭的不是我們，而是古巴的卡斯特羅。美國國內問題，最怕世人知道的，就是黑白種族糾紛問題。我想赫魯曉夫同志最好同卡斯特羅作一次長談，然後一道去訪問黑人區，和黑人廣泛地接觸，作友好談話，相信美國政府就發慌了，一定要自動來找我們談判的。」

赫魯曉夫咧開猪嘴大笑道：「這真是妙計，日夫科夫同志，你眞有一手，我們就這樣辦！」

第二天，赫魯曉夫去拜訪卡斯特羅，兩人共進午餐，飯後又一道去紐約黑人區訪問。赫魯曉夫到了地方大顯身手，遇到黑人孩子就派糖果，不斷把黑童抱起來吻下，兩人又訪問了幾個黑人家庭，兜了一個圈子之後，卡斯特羅還興高采烈，赫魯曉夫却冷下來了，原來他看見每一個黑人家庭，都有寬敞的住房，有收音機、電冰箱，還有汽車，在蘇聯只有高級軍官同工程師才有這種待遇，赫魯曉夫雖然詭辯，也感到無話可說了。（二〇八）

閻錫山與陳納德

吳文蔚

、此時飛機尚載着食粮，這位將官緊緊把住機尾，其餘約有卅人，都搶着要上到尚在懸掛的梯子上，他感到載重有過量的危險，於是將食糧一齊扔下，並將站在梯子上的人拉進來一部份，趕快起飛。以後究竟發生了什麼事故，和那位將官的結果如何？他一概不知底細。

傅瑞智還有一個經驗，那就是民航隊的敵人不僅是共匪的地面部隊，同時還有俄國人。他們在華北及東北不斷的飛進共匪佔領區，在蘇俄佔領的大連，曾看見美國製的一種飛機很明顯的有俄國的標誌，曾向一架民航隊的運輸機射擊過三次。以後俄國的飛機每遇見青島瀋陽線上有民航隊的飛機，就想射擊。以後民航隊的機航處長畢由 Bob buol 即不斷碰見俄國人的麻煩。

大陸戰事快終結時，民航隊有兩人被共匪俘虜，畢由即是其中之一個——他刻下尚被扣留；另外一個，是民航隊一位很稀奇的駕駛員，名馬可高望，係牛角塞州伊犁薩伯地方人，陸軍戰鬥機駕駛員出身。他是一九五〇年一月初間，在雷州半島遇險降落時被共匪扣留，以後他設法由上海找了一種路線，用港幣行賄給共幹解脫出來的。

畢由是在蒙自被扣。他去蒙自原為民航隊新闢一個基地，不幸他到該地便遇了危險。他的夫人，民航隊人員均呼她的小名娘 Sue，係充陳納德將軍的秘書，公餘之暇兼營民航隊所經營的中國之友社，這是在台北美國人的總聚會之處。他是一個美國人，但有許多美國駕駛員，倣照陳納德將軍的作風，娶了中國太太。

民航隊自稱是東方人的航空企業，其實牠的內外工作人員，係來自好多個國家——約有十幾個國籍，而核心的負責人則都是來自美國，英國人是例外，助理駕駛員則多半是中國人。

民航空運隊在中國各地區担任運輸工作，究竟遇到了多少危險和被匪射擊過多少次，在統計文件內，多是語焉不詳，沒有一個正確的數字，但却在閻錫山將軍處聽到關於民航空運隊的一段英雄佳話。

閻錫山將軍以堅持太原保衛戰聞名於世，他早已與他的幹部預備好五百零一瓶氰化鉀毒物，這五百零一瓶毒藥中，就有一瓶是供他自己最後服用。以後因為閻將軍奉召赴南京共商國是，不能返回太原，故太原城破時，服毒自殺者為五百幹部，被稱為「太原五百完人」。

閻錫山將軍當時是任太原綏靖主任兼山西省政府主席，他是太原保衛戰的最高指揮官，以後又任戰鬥內閣首揆——行政院院長。他會以太原保衛戰的忠貞堅毅的精神，在急劇動盪與危殆時期內，把中華民國政府遷來台灣。（四）

南宋偏安有人才

李仲侯

——岳飛

四年五月，金人攻常州，守臣周杞遣屬官趙九齡來迎，飛欣然從之，且欲據城堅守，扼虜人歸路，以立奇功，會城陷未及行。郭吉在宜興擾掠士民，令佐聞飛威名，同牽書以迎，且言邑之糧粮可給萬軍十歲，飛得書，遂赴宜興。甫及境，吉已載百餘舟逃入湖矣，飛即遣部將王貴、傅慶將二千人追之，大破其衆，戮其人船輜重以還。時又有羣盜馬皋、林聚等精銳數千，飛遣辯士說之，盡降其衆。有號張威武者不從，飛單騎入營，手擒出斬之，收其軍。常之官吏士民棄其產業趨宜興者萬餘家，邑人德之，各圖其像，與老稚晨夕瞻仰，如奉定省，曰：「父母之生我也易，公之保我也難」—又相率即周將軍廟闢一室祠之，邑令錢諶為之記。

是時飛駐宜興，於軍務之暇，始與當地士人，文酒聯歡，有所唱和，如贈方逢晨斷句曰：「日月卻從閑裡過，功名不向鬧中求」。距宜興三十里之張渚鎮，飛會屢至其地，贈當地士人張完絕句曰：

「無心買酒謁青春，對鏡空嗟白髮新；花下少年應笑我，垂垂羸馬訪高人」。

是夏四月，金人再犯常州，飛邀擊，四戰皆捷，賊擁溺河死者不可數計，擒女眞萬戶少主孛堇漢兒李渭等十一人。復尾襲之於鎭江之東，戰屢勝。軍過廣德金沙寺，題壁留句：

「余駐大兵宜興，沿幹王事過此，陪僚佐，謁金仙，徘徊暫憩，遂擁鐵騎千餘，長驅而往。然俟立奇功，殄醜虜，復三關，迎二聖，使宋朝再振，中國安強，他時過此，得勒金石，不勝快哉！—河朔岳飛題」。

詔令就復建康，乃親將而往。二十五日戰於淸水亭，金人大敗，僵屍十五餘里，斬耳帶金銀環者一百七十五級，擒女眞渤海漢兒軍四十五人，獲其馬甲一百九十三副，弓箭刀旗金鼓三千五百一十七事。五月兀朮復趨建康，飛設伏於牛頭山上待之，夜令軍衣黑衣混虜中，擾其營，虜人驚，自相攻擊，虜乃益邏卒於營外伺望。飛復潛令壯士銜枚於其側，伺其來往，盡擒之。初十日兀朮發於龍灣，要索城金錢帛緞驢馬及北方人，飛以騎三百，步卒二千人自牛頭山馳下，至南門新城，設寨邀戰，大破兀朮，凡其所要獲負而舟者，盡以戈殪其於水，溺塡委於岸者山積。（五十五）

竹林七賢

漁翁

晉書：嵇康所與神交者，惟陳留阮籍，籍兄子咸，河內山濤，向秀，沛國劉伶，瑯琊王戎，遂為竹林之遊，世所謂「竹林七賢」也。

嵇康，字叔夜，三國魏譙郡人，丰姿俊逸，醒若孤松獨立，醉若玉山將頹，導氣養性，乃著養生論，拜中散大夫，不就，嘗彈琴以自樂。家居河南修武縣西北，因嵇康故，而名其地為「嵇山」。所著「明胆論」，「釋私論」，「聲無哀樂論」，皆變漢人之舊體。山濤為選曹郎，薦康自代，康作「絕交書」以拒之。又與呂長悌絕交書，憤激切直，情見乎辭，卒以此取禍。鍾會嘗謁康，康不為禮，會去，康曰：「何所聞而來？何所見而去？」會曰：「聞所聞而來，見所見而去。」會以此恨之，因構誣陷，而死於司馬昭之手。晉書為立傳，實在康死時魏祚未終，不得謂為晉人也。

阮籍，字嗣宗，魏尉氏人，博覽群書，才藻豔逸，或閉戶著書，累日不出，或登山玩水，竟日忘歸，每至途窮，輒痛哭而返。性好莊老，尤嗜杯中物，縱酒昏酣，忘懷得失而不聞世事。司馬昭欲為其子炎求婚於籍，籍醉六十日，不得言而止。鍾會欲以時事問之，因其可否而致之罪，亦以酣醉免。世謂酒能傷人，而阮因酒而避禍；不然，豈得考終命哉！所為「大人先生傳」，洋洋數千言，皆憤世嫉俗之作，與陶情淑性者有別，較之嵇康，伯仲間耳。

阮咸，字仲容，晉尉氏人，三國魏司空軍謀祭酒阮瑀之孫，阮籍之姪，任達不拘，少解音律，善彈琵琶，瀟洒不羈，官至散騎侍郎，其聲名不在乃叔下。相傳琵琶之屬，為阮咸所製，狀如今之月琴。據國史纂異載：有人破古塚，得銅器，似琵琶，人莫能辨，元行沖曰：此阮咸所作器也。命易以木而弦之，其聲亮雅，音樂家即命其名而為「阮咸」。

山濤，字巨源，晉河內懷人，少有器量，超然不群，性好老莊，每隱身自晦。在魏為趙國相，遷尚書吏部郎，為司馬氏父子所器重。入晉為吏部尚書，垂十餘年，立於朝，清儉無私，甄拔人物，均一時之彥。其用人行政，皆先密啓，然後公奏，舉無失才，時稱「山公啓事」。嘗論用兵之本，以不去州郡武備為宜，帝稱為名言。年七十九卒。在七賢中，以山濤之身名為俱泰。

向秀，字子期，晉河內人，少為山濤所知，與嵇康，呂安等相友善。康被害，秀思之不已，因作「思舊賦」，雖寥寥短篇，而極纏綿悱惻之致。所注莊子，發明奇致，未竟而卒。有郭象者，竊為己註。其後秀所注之別本出，故莊子有向郭二注，其義一也。

劉伶，字伯倫，晉沛國人，縱酒放達，與阮籍，嵇康等相善，仕晉為建威將軍。伶雖嗜酒，而性不亂。著「酒德頌」以明志，認為縱酒必之以德，若酒而無德，則必如放蕩之馬，橫衝直奔而無有歸宿。故今之言酒者，當效法於劉伶焉。

王戎，晉臨沂人，初仕於魏，至晉惠帝時，為賈后所用，官至司徒，司機要。但雖立於朝，而無所匡救，性復貪吝，所置田園，徧諸州邑，且膽特聚而不散，儉嗇不自享受，時人謂之膏肓之疾。竹林中，以王之聲譽為最劣，賢云乎哉！

竹林七賢皆鶩清談，缺乏創造精神，就中以文字傳世者，當推阮籍與嵇康；以政事名者，則稱山濤。七賢死後，後人於其常遊之地，建「七賢祀」以紀念之。

台北聆曲記

諸葛文侯

十年前在台北獻藝賓紅的前上海戲劇學校出身的「正」字輩平劇坤角們，自從台柱顧正秋擇人而事，絕跡歌場以後，皆陸續尋求歸宿，不復現身紅氍毹上了。最近為着替她們那位去世的老師關鴻賓子女籌集教育基金，由顧正秋約同張正芬，畢正琳暨老生周正榮等，在台北「新生社」劇場演出「四郎探母」帶回令一齣舊劇。原定正秋飾鐵鏡公主，嗣因她的婆婆反對，改由正芬承其乏，正琳去楊宗保，正榮去楊四郎，其餘角色係「陸光國劇團」藝員担任。我初看報紙預告消息，說顧正秋親自登台，急忙預購了戲票，迨演出之夕（五月廿一日），辭却朋友宴約，欣然前往聽歌，詎知顧女士并未濡臉，不無缺望耳。

飾楊四郎的周正榮，咬字正確，唱腔亦循着大路子，不作纖靡花巧之音，韻味純和，彌覺可聽，出關受擒的「吊毛」，亦輕快有工夫。祇在被擒後，與楊六郎見面唱「弟兄們分別十五春」這句詞兒時，嗓音忽嫌澀，未能博致台下的采聲，殆為美中不足。

張正芬的戲藝，八年前我在台北看過，那時她與顧正秋劇團的刀馬旦，嗓音殊偏仄，固無傷也。是夕演花衫重頭戲，且以唱工為首要，我很替她躭憂，但她演來頗不賴，嗓音比八年前寬些了。唱西皮倒板「夫妻們打坐在皇宮院」，居然未將「皇」字的音韻倒唱成「荒」字，殊出意外。因為一般男女伶工都是把這個字唱倒了的多，梅蘭芳早年所灌這段戲詞的唱片，亦就唱成「荒」字了——只有程硯秋無此毛病——測度駙馬爺心事的表情，細緻而有變化，不現呆板之色。離去劇壇多年，已生育兩個孩兒的家庭主婦張正芬，還有這點本領；眞是難能可貴哩！琴師王君，拉老生戲劇很高明，托腔墊板，肆應自如，在台灣的同行藝人中，除却復興戲劇學校的梁訓益以外，無有出其右者。唯拉青衣劇的時候，他每逢高腔皆使用外絃，不特聽者有些刺耳，即唱者亦頗吃力，如能運用「和聲」的韻律，比較完美。

畢正琳原是唱閨門旦的，嗓音寬亮而醇厚，是夕去楊宗保，唱小生娃娃腔，嗓子「亢」極了，博得聽衆采聲甚多。愚友李荊蓀兄告語，說她跟一位空軍戰士結褵有年，久居台南，這回因為替老師的遺屬幫忙籌教育費，名正言順地登台演出，樂得使出本錢，大唱一下，聽衆固然過癮，她自己又何嘗不過癮呢？這話有理。可是，她的小生道白腔調，却不無可議之處，好在是反串，亦就無關宏旨了。

這台戲雖然說不上特別精采，但集結若干息影已久的坤角，一同獻藝，殊為難得，花費台幣五十元代價，并非枉然，故樂為之記。

附帶我要談及台北一位後起之秀的坤旦徐復玉女士。她原是空軍將門之後，以性嗜戲劇，父母亦就讓她發展個性，初入復興戲劇學校肄習青衣劇，嗓子好，扮相佳，五年前她尚在稚齡，我就看過她演唱「綵樓配」，宗梅派，曾許之為新梅蘭芳，後來聽說她脫離了復興——不滿該校校長的差別待遇——旋參加空軍「大鵬劇團」。日前偶在電視中看到她和台大學生劉英女士演唱新編皮黃劇「人面桃花」，人已成年，嗓音更圓亮而甜蜜了，閉目聆之，酷似當年的梅蘭芳。她唱西皮二六和南梆子兩大段，我不覺連聲叫好，而深以復興戲劇學校主持人不知作育英才為有忝厥職，希望教育部對該校要加以監督整頓纔對。

水牛將軍田桐

周燕謀

所藏田桐之詩有贅句云：「大哭一聲黃帝墓，兒孫這樣怎安排？」是為近代白話文之濫觴。又編輯明朝遺老所記佚事，及滿人嚴禁之書，名曰「亡國慘記」，章太炎題辭云：「沾襟何所為？悵然懷古意。秦裕尤未除，漢道將何冀！」出版後風行一時。一九〇七年（丙午）某日，田與章太炎、林時塽、胡漢民等，在牛込區築土八幡町廿一番地孫中山先生寓所閒談，偶及田單驅火牛破燕故事，田桐自得道：「田單在古代用火牛，吾謂今人可用水牛。若革命軍舉事，滿軍有馬隊，而革命軍無之，吾人大可預先訓練水牛隊以臨陣，必可制勝」云。太炎趣之云：「乃祖用火牛而後人更發明水牛戰術，可謂後先媲美」。衆大笑。自是人皆以「水牛將軍」稱之。（二）

內僑警台報字第〇三一號內銷證

自由報

THE FREE NEWS

第三四五期

中華民國僑務委員會登記證
台數新字第三二三號登記證
中華郵政台字第一二八二號執照
登記爲第一類新聞紙類
（本刊每星期三、六出版）
每份港幣壹角
台灣本售價新台幣貳元
社長：雷嘯岑
督印人：黃行宣
社址：香港銅鑼灣高士威道二十號四樓
20 CAUSEWAY RD 3RD FL HONG KONG
TEL. 771726 電報掛號：7191
承印者：田風印刷廠
地址：香港灣仔高士打道二一二號
台灣分社
台北市西寧南路金華大樓二樓
電話：三〇三四六
台郵劃撥儲金戶九二五二

從美國遠東戰略看反攻大陸（下）

·郭甄泰·

擁有航空母艦四艘，配有遠距離飛彈的巡洋艦三艘，驅逐艦三十艘，護航驅逐艦十艘，潛水艇七艘，掃海艇等七十艘，總噸數在五十萬噸以上；另外配有轟炸機，戰鬥機，對潛哨戒機等約六百五十架，總兵員約六萬人，分爲六個機動艦隊，另有五個機動小艦隊。其中隨時警戒大陸的爲第七機動艦隊，擁有最大航空母艦六萬噸的「雷殷吉號」，艦上有高度全天候適用的雷達重轟炸機A3D－2型，白晝用噴射戰鬥機F8U2，超音速全天候噴射戰鬥機F3H2等機六個中隊，戰鬥機裝有空對空自導飛彈，A3D型轟炸機搭載量爲二噸或三噸，可携帶大型核子炸彈在一萬四千公尺高空攻擊敵人，航續能力超過三千公里，所裝配的核子火力超過第二次世界大戰中日本軍所耗火力全量十倍以上。

美國第七艦隊司令穆爾將軍本年四月十七日在星加坡說：『第七艦隊擁有軍艦一百二十五艘，飛機六百五十架，及兵員六萬四千人－包括海軍陸戰隊兩萬四千人，吾人能在太平洋實行任何種類之海軍任務。』最近美國在東南亞局勢緊張中復調世界第二最大航空母艦「星座」號前來遠東加入第七艦隊，該艦載有可投核子彈之A三〇式重轟炸機及超音速FSU式戰鬥機八十架以上。第七艦隊在東南太平洋，確是一個主力作戰的態勢，日本人經常稱爲『具有政治壓力作用的艦隊』，在遠東具有壓倒性之安定力量，無一國家敢攖其鋒。

另一嚇阻力量爲琉球基地。美國在琉球駐有射程一千五百哩超音速及有核子攻擊能力的鐵矛B型飛彈，此項飛彈携有普通高爆性彈頭或熱核子彈頭，並有電子反制設備，敵人無法攔截防禦。匪共南京中程飛彈基地及華東，華南，華北沿海一帶的飛彈基地，大城市，以及所有工業中心區，均在此飛彈之攻擊圈內。共匪如敢妄動，駐琉球的鐵矛B型飛彈將配合台灣所有的屠牛士飛彈，將數以百計的核子彈頭帶進大陸中共軍事基地，工業中心，均將立即化爲粉末。此外美國在琉球尚集結有六十五架F－一〇〇式帶有核子武器的戰鬥轟炸機，陸戰隊一萬八千人，陸軍一萬一千人，空軍一萬人，海軍二千人，可隨時對於緊急戰場立即赴援。同時，對於琉球本身防禦方面，亦已加強：琉球原設有八個赫古里斯式地對空飛彈基地，現復增置三隊地對空蒼鷹飛彈以防襲擊。美國在琉球現在已建立起一枝龐大的戰略後備軍。陸戰隊，直升機，戰鬥轟炸機及其他供應品，源源湧到。琉球已成爲美國太平洋之前哨基地，兵站，司令塔，不沉航空母艦。聲勢烜赫，威力強大，具有戰術上的報復力量，中共對此，提心吊膽，望洋興嘆，遂不得不在台海及東北亞方面採取守勢。

三、美國遠東戰略之新藍圖

美國之假想敵國，西爲蘇俄，東爲中共。西方之戰場在西歐，戰爭型式爲核戰爭；東方之戰場在東南亞，戰爭型式爲游擊戰爭與普通武器戰爭。據「美國安全戰略」報告的執筆者梅爾曼教授說：『美國在儲存核子武器方面，已經達到損失百分之三十的攻擊力量，而仍能毀滅蘇俄一千二百五十次的程度』，『在理論上，蘇俄擁有足够毀滅美國一百四十五次的核子力量』。有人估計，世界上如有五六十顆氫原子彈同時爆炸，整個地球的氣壓，即將不適於人類的生存，全人類命運即將陷於危殆的狀態』。現在美蘇兩國均存有數以萬計的核子彈頭，數以百計的長程飛彈，從可知兩方均有嚇阻對方之力量，並有毀滅人類之能力。核子戰爭在美蘇兩國握有核子電紐之權力者尚未瘋狂以前，不致發生。至西歐前線，可以說是『西線無戰事』。至於東方，中共係以美國爲假想敵，並希望美國退出太平洋，放棄支持中華民國，而此在美國之戰略與國策上，又爲其所絕不可能者，美與中共遲早必將發生衝突，殆屬無可置疑。

美國現在西線既已緩和，對於東方，自可從容佈署，採取新戰略，考慮積極的消滅中共威脅之方策。前據美聯社華盛頓五十一年三月二十八日電稱：『一個高級美國官方人士說，對於美國擬出防衛非共國家之一項新戰略，估計最少將再費時一年，並稱，直至此項政策被擬出時，美國將須繼續對於亞洲安全問題，扮演一個比諸其希望扮演之較積極角色』。『官方對此新政策設計之路線，無明確表示，但美國顯欲見到中共六億人之力量爲一羣非共國家所抵消，此一羣非共國家，一端將由日本伸展至印度，另一端則由巴基斯坦伸展至印尼、菲律賓，泰國及南越。不過此種結合之可能性被視爲仍甚遙遠』。復據美聯社華盛頓本年四月十八日電稱：『美國軍事計劃家預料：美國將減少其在西太平洋的軍事部署，而預期日本最後在空中與海上的監視及反飛彈防衛方面担任較大的角色……美國軍事計劃家希望日本最後將在東北太平洋區域，包括韓國半島南部－有充份的海、空軍武力。』由此可以証明，美國遠東防衛新計劃，正在逐漸形成之中，吾人對此可獲得三種概念：一、美國新遠東戰略自擬計劃現在已逾一年，現在最少已有新的藍圖。第二新戰略藍圖將爲中共周圍非共國家之結合。第三爲美國對亞洲安全問題扮演角色之比重將逐漸減輕，其目的在於消滅中共侵略威脅，但不直接介入，藉以避免核子戰爭。輪廓如下：

一、促成東北亞中日韓軍事同盟。韓國爲民主世界在東北亞洲碩果僅存的前哨，其武裝部隊約六十萬人，爲舉世規模最大，訓練最佳及作戰最勇敢的軍事組織之一，對日本，菲律賓，沖繩及中華民國的防衛，其抵禦共產主義的能力，均異常重要。日本陸海空實力，在亞洲方面屬於最高水準，在全世界各國實力比較中，亦列在第十四五位之間，如將日本人口一億，工業力及技術水準等合併計之，日本實力大體可與英、法、西德、意大利、瑞典，中共、加拿大等國，相提並論。次就日本軍事形勢言，『就空中形勢說，如果共產國家基地進展至朝鮮半島南端，九州，四國，中國，近畿的全區域，還有北陸，東海的一部份區域，將包括在戰鬥機行動半徑以內，再就海上形勢來說，現在北韓以北的海軍基地進達元山，木浦，鎮南浦的結果，共產國家的行動力將伸張到中國海，南太平洋……』（海屋興言）。由此可知，日本與南韓唇亡齒寒，在軍事上應有密切之連繫。至就中國言，中國係以反攻大陸爲基本國策，此亦有賴於韓國之呼應與本之支助。中國對日抗戰犧牲了二千萬人，大陸赤化亦係由於日本軍閥侵華所導致，但抗戰勝利後，中國以德報怨，並未要求日本賠償，大陸淪陷，中國人國破家亡，對於日本亦無怨言，就遠東利害，世界和平前途，中日友誼計，日本對於中國反攻大陸，在道義及物質上均應有援助之義務。

當去年日韓恢復邦交談判時，美國態度頗爲積極，匪共新華社謂：『美國積極推進日韓兩國之談判，主要目的在建立一東北亞軍事同盟，而以日本爲其核心，藉以加緊進行其原定利用南韓及日本爲反共棋子之計劃。』『東北亞軍事同盟之最終目標，將爲擴大其包圍－社會主義陣線之侵略性軍事網』。蘇聯之眞理報亦指摘此談判爲：『在建議組設中之東北亞公約組織將包括日本，南韓及中華民國：美國外交手段之主要努力，皆在首先獲得東京與漢城締訂一軍事同盟。』其後美國官方人士對於眞理報此項報導，加以否認，謂：『對於該文稱：東北亞公約組織將日本，南韓，中華民國聯結起來，與已有的東南亞組織相結合之計劃未有所聞。日本依第二次大戰後訂的和約，不得加入任何軍事集團，南韓更不願與日本一起參加該報所云的軍事盟約，蘇方此種指摘，實與蘇方不時指摘美國軍事侵略相似。』針鋒相對，曾舌戰一場。由此可知東北亞同盟在實際上蛛絲馬跡曾有醞釀，惟繼因韓國政局突變，日韓復交談判，未能成功，以致在苒至今，尚乏端倪。但此項同盟之促成爲美國政策之一，則屬毫無疑問。

（下轉第三版）

漫画天下

南施

大鬍子的好「表演」

但觀其背

讀自由

應以實力護僑

馬五先生

自從中國大陸淪陷於無祖國觀念的共產黨之手，中華民國政府播遷台灣以來，東南亞一些新興之邦，即基於乘人之危的卑劣心情，掀起排華運動，而以印尼爲最甚，過去我國對印尼獨立運動之同情應援，不啻是自尋煩惱。

最近印尼人民無端發生排華暴行，燒殺刦掠，不一而足，大陸上的毛共政權視若無覩，台灣的中華民國政府除透過第三國的關係，要求印尼當局制止這種暴行以外，尚未採取其他的有效對策，海外華僑仍處於孤危無援、任人宰割的慘痛境遇之中，殊堪悲憤！

日前立法委員袁良驊向外交和僑務首長提出質詢，主張對印尼排華暴行，應該採取三種對策：一是通過第三國的關係，要求蘇卡諾從速禁止排華運動，二是向聯合國控訴，要求對印尼加以譴責；此兩項正規的外交方法如無效，咱們即不妨鼓勵印尼的三百五十萬華僑實行自衛的革命運動，必要時，我們海陸空三軍亦從事應有的護僑措施。我認爲對付印尼這類野蠻之邦，唯有以牙還牙之一法，其他都是廢話。袁氏的見解，具有妥當性，不宜等閒視之。

十餘年來，我們對於這些不成其爲文明國家的所謂獨立之邦的無理排華行動，總是出以忍讓的態度，講道理，論法律，說人情，而以正規的外交方略爲標準，結果是對牛彈琴，毫無用處，反而增加了他們的排華氣燄，認爲毛共對此事固無所謂，中華民國政府偏促台灣一隅，亦無暇採取有力的護僑行爲，大可趁火打劫，滿不在乎。我們如其長此因循示弱，則海外千餘萬僑胞的心理，勢必發生變化，其後果十分嚴重，思之可怕。如今的世界依然是強權主義流行，一個國家要想生存發展，不被強權主義者蔑視出實的話，至少亦應該有不怕搗亂的勇氣與作風，跋前疐後，左顧右瞻，那是沒有前途的！

台南市議會起風波
半數議員集體辭職
內情不簡單如何發展頗堪注意

（本報記者吳越台南航訊）台南市還剩有八個月又八天任期的第五屆市議會議員，廿八位中的十四人「怒髮衝冠」的集體辭職了，這件開創台省民主政治上空前未有的風波，導因是集中興建二〇六戶國宅工程在秘密比價的方式下發包，議員要市府停工及收回暫付款；市政府的態度則相當堅決，願意接受對工程發包有無私弊的調查，却對「有目的之要求」難以答應，國宅決不停工。何謂「有目的之要求」？顯示這次風波的內情，頗不簡單，太堪尋味。執政黨市黨部已命令黨籍議員即行自動撤銷辭職，否則將予最嚴厲處分；已有兩名辭職議員態度軟化，只要有面子下台，並不堅持辭職到底。又有申購國宅市民致函國宅會說，市議會前有議員對工程要紅包，即使該等議員不辭職，他們也要發動予以罷免，越更增加事件的撲朔迷離，讀者不難從中體會出許多新聞報導以外的內幕。

五月廿三日下午市議員魏神助、莊金壽、陳木火、蘇振通等十四人堅持要求市府對正在動工中的國宅停工及收回一百卅萬元的暫付款，未獲市府官員答應，憤怒地將預先準備好的十四人聯名集體辭職書在會中提出，交給主持會義的議長蔡丁贊後，拍桌指責市府官員及議長蔡丁贊的作爲，并一哄而散，造成一片紊亂的空前未有的緊張而刺激的場面。

市府主任秘書盧明代表市長辛文炳答覆說，此係委託代辦工程，手續即使不合，當爲行政責任上的問題，現在此事刑事責任及有無舞弊之嫌，已由地檢處偵查中，行政責任市議會已通過報請監察院及省政府徹查，如果遽爾停工，將如何向承購戶交待。社會科長徐鋒也稱，沒有辦法停工及收回暫付款。

議員蘇振通、陳木火、魏神助、莊金壽、楊碧華對盧明和徐鋒的咨覆，表示極大的不滿，指責盧主秘以法院偵查爲掩護部下的藉口，行政與刑事是一回事，停工與收回暫付款是一回事，國宅會未開委員會，手續已屬不合法，主秘再予包庇，豈有此理。

繼即拍桌大罵，指市府官員藐視議會，開會時市長辛文炳不來，有關官員也不到，議長蔡丁贊，副議長林全興表演「公文偷渡」等傑作，深感做議員實在太冤枉了，何以對得起市民。

魏神助議員說到還裏，即大叫大家辭職好了，說罷，議員們大都站起說「辭職！辭職！」，魏神助即自口袋內拿出預先寫好的簽名蓋章的十四位議員的辭職書，氣呼呼的走上主席台交與議長蔡丁贊，然後議員們即一哄而散。

議長蔡丁贊對此一突起的巨大風暴，一時嚇得呆了，不知如何是好。議會主任秘書黃奐高聲叫議員們坐下來，議長有話講。但會場除了李銅、杜德泉、朱德旺、陳全賓、張丁在外，集體辭職的議員都已走下市議會大樓，不顧而去。

此一場面的出現，市府幾位在場的官員都看得目瞪口呆。

市議會共有廿八名議員，十四名集體辭職，恰巧是佔該會的半數。集體辭職的十四名議員爲魏神助、莊金壽、蘇振通、蔡水安、趙福惠、楊碧華、陳木火、黃華、歐[illegible]清、郭清林、魯錦龍、翁余森櫻、薛秋良、林招知。

魏神助等十四名議員的辭職書，說來冠冕堂皇，全文如下：①辭職人等本於爲民服務，督促地方達成民能政治之宗旨，參加本市第五屆議會議員競選，辱承全市父老兄弟姊妹之雅愛，得以當選，私衷感奮，非言可喻。就職後復以民意代表職責綦重，僉認所作所爲悉應以民意爲依歸，亦即先哲所言以「民之所好好之，民之所惡惡之」，竭盡棉薄，努力以赴，期不負我之全體市民之付託。②自本屆議會成立以來，地方施政毫無計劃，各項措施爲人詬病，其中弊端百出，貽笑大方，辭職人等雖於每次大會中針對事實提出質詢，建議改善，而市府當局不但不加採納，甚且變本加厲，背道而馳，對議會之決議案多不執行，藐視本會，漠視民意。

台南市長辛文炳廿三日說，他對市議會十四名市議員因國宅案討論所引起的集體辭職風暴，決定採取不聞不問的態度，他說，市議員辭職是議會的家務事，他不願多管。

辛文炳並稱，國宅會的工程仍照常動工，決不受市議會十四名市議員集體總辭的影響。他已在市議會說過，願意接受調查，但對有目的要求，難以答應。

辛市長所云有目的要求，顯然指市議會。記者加以追詢，辛市長有什麼要求目的。辛市長說，爲了怕其他麻煩及其他波折，他不願指明。

廿四日辛文炳市長再度表示：國宅工程決不停工廢標，國宅工程，是接受市民委託辦理的，何來好處，今弄成如此地步，使他對建設工程感到困難重重，如果議員們的「條件」要求，例子一開，以後市府將如何辦事呢？

國宅會執行秘書葉仲行，廿四日亦已由台北南返，他也說國宅工程，決定照常進行開工，而且沒有辦法停止。

記者會詢葉仲行秘書對十四名議員的爲國宅案集體總辭事作何感想，葉秘書說：他不願公開內情。如果公開內情的話，眞的要大家法庭相見了。

社會科長徐鋒所說的，也與葉仲行相同。爲何公開內情要法庭相見，這句話實在太堪尋味了。

執政黨台南市黨部方面對此至表重視，王秀春主委曾漏夜以長途電話向省黨部主任委員薛仁仰報告詳細經過情形，薛人仰主委會呈報中央，業已獲得指示，將參加集體辭職的黨籍市議員，採取強硬措施，命令他們即行自動撤銷辭職，否則將予最嚴厲的處分。

執政黨台南市黨部會於廿三日夜舉行委員會議，對十四名市議員的集體辭職，商討處理步驟和措施，會中決定，將以命令方式要黨籍的市議員，服從組織命令；並對黨籍議員各發自動撤銷辭職書表格一份，令他們於廿四日十二時以前，塡妥撤銷辭職書送達市議會，否則他們的辭職書即行掛號生效。對其他黨外議員，則發動地方人士郭池中等予以疏解勸導，希望他們能撤銷辭職，共同爲地方建設和地方團結而努力。

十四名集體辭職的議員廿四日經各有關人士及執政黨方面疏解下，有自亂陣脚的趨勢，已有二名議員態度軟化，郭清林已經撤銷辭職，在集體辭職書上劃去名字，魯繼龍也有打退堂鼓的說法。

市議會方面廿三日說，十四名議員的集體總辭是向議長提出，尚未有正式掛號。據議員辭職以正式掛號爲生效，並報省核備爲完成手續。但另據對地方自治法規有研究的人表示，依規定辭職書提出已經生效。

按照縣市議會組織規程的規定，議員任期尚有三月以內不需改選，超過三月如十四名議員堅持辭職到底，需進行改選。（五・廿四）

交通部的政績如何
有的做得好。有的辦不通

陳思

（本報台北航信）沈君怡以工程專家接長交通部，闊時二年了。他抱着作事的志願，很想有所表現，視事伊始，即擬訂了四點計畫，分途進行，由於政府財力有限，他的計畫殊不易實現。但這兩年來，交通部主管的事業，亦有幾點大小的成績可資稱述。

台灣是島國的環境，有如丹麥然，經濟發展須以對外爲目標，而航業即居首要地位。沈氏原想將舊有的五十萬噸航運能力，增進到一百萬噸，厄於財力，一時難以如願。不獲已退而求其次，即一面把舊有的輪船逐漸更新，增加航行速力，減少超齡的毛病，一掃疲癃殘疾的性質，一面儘可能製造新輪，同時輔導民營航業齊頭併進，現在中華民國的航運力量，已擁有七十萬噸了。

其次是整頓郵政滙業儲金事宜。過去各單位爲着應急起見，每有挪移人民儲金的情形，沈氏認爲這是損害政府信用的莫大秕政，絕對要糾正的。他費盡心力把內容弄清楚，然後籌措新辦法，使已經挪移的民間儲金，陸續歸還。去秋台北報載某市郵政滙業儲金局「倒閉」的消息，即源於此，實際上該局依然營業如故。若非沈氏堅持其維護政府信用的主張，急起改進，後果實在堪虞。

沈氏認爲行政機關的人事應有新陳代謝作用，現有的「人事凍結令」，殊不合理。但交通部未可獨立特行，故違功令，他就提倡公務員及時退休制。可是，一般到了退休年齡的職員，都是內地人，他們按照法令所獲的退休金，最高額亦不過八九萬元台幣，不足以維持未來的生活之資，大家乃表示有進無退的決心，沈氏亦無可如何，他祇好放棄原有主張，另作增進員工福利之計，對於員工的婚喪以及子女教育事宜，皆有相當的救助方法，且不仰給於國庫，這算是一項德政。

不過，沈氏亦遇到若干難題，甚感棘手，如國營招商局的積弊，已到了病入膏肓的狀態，監察院早有詳盡的調查報告，糾舉其弊害所在，最高當局責令沈氏全權整理，然由於該局積弊太深，而內容複雜，談何容易！又如拆除過齡輪船這回事，看似簡單，實際上麻煩不少。專營拆船事業的人，固然當仁不讓，視爲禁臠，而若干與民意代表有關係的公司，亦爭着要幹這項差事，應付之難，匪可言喻。再如台灣的汽車牌照費，規定每次爲台幣四百元，沈氏認爲未免太昂貴，主張減爲兩百元，一年換幾次，車主的負担亦就可觀了，國庫雖少收幾百萬元（台灣共有大小汽車三萬多輛）亦無所謂。但主管機關認爲牽動了它的預算，亦抹煞了它的成績，堅不贊同，沈氏祇有搖首歎氣而已。

沈氏會担任聯合國的防汛工作，最近聯合國的主管單位，由台灣銀行滙給他美金三十餘元，說是當年算錯了他的服務日期一天，應該補發一天的薪金。這一天的工資美金數目折合台幣，恰與交通部長一個月的薪俸相等，即此一端，可見我政府公務人員的待遇爲如何矣！

（五月廿九日於台北）

香港與大陸

中共勒令大陸學生暑期社會公益勞動
既榨取勞力又防止反側

大陸各學校，最近均接獲其上級文教機構的命令，必須立即與附近的工廠或農場「掛鈎」，以便在即將來臨的暑期，組織學生參加「社會公益勞動」，使學生們「獲得更好的鍛煉和教育」。

據就讀於九龍某大學社教系的林惠×君說：他最近接獲在鄉的表弟來信，信中除對林君能在香港讀書、生活，表示十分羨慕嚮往外，便是敍說在大陸的青年學生的辛酸生活。

林君的表弟現就讀於廣東省興寧縣第一中學。來信說：上（五）月，他們學校已接到了縣文教科的命令，要該校在暑期中組織同學到工廠或農村進行「社會公益勞動」。學校當局經過一週時間的「動員」和組織，已把全校師生，編爲兩個勞動大隊，其中一大隊偏於體力的勞動，另一大隊則偏於宣傳方面的勞動。

林君的表弟被編入偏於宣傳方面的勞動大隊的，據說：該大隊雖然在勞動過程所支付的體力是較少的，但精神上的負担卻就很重。他們學校雖將考試，但他們仍在忙於演劇和歌舞的排演與練習，就是爲了暑期落鄉宣傳的準備。

來信說：此次的「社會公益勞動」，爲期預定兩個月，在兩個月中，每人要做足四十個「勞動日」，（普通的學生每天不能做得一個「勞動日」的），且必需經過當地黨支部的「鑑定」才行。這是最使同學們感到頭痛的，因爲黨支部可以用「鑑定」來威脅他（她）們，要他們絕對服從命令地工作，否則，同學們如有被認爲不夠滿意的，在下學期要受到批判，甚至變成檔案，這種「污點」將永遠洗不清，作爲以後各種「政治運動」的參考資料。

來信指出：中共組織學生去參加「社會公益勞動」，雖美其名爲使學生們「獲得更好的鍛煉和教育」，其實中共的目的係在於：（一）剝削學生們的無代價勞動力，（二）不讓學生們在暑假期間閒起來，以致從事各種對共黨不利的活動。要每一個人都遭到在加緊沉重的勞動下，既無有交談的時間，亦無思索的時間，正是中共控制人民的一貫手法。

來信又說：目前大陸學生中的思想極爲複雜，凡有親友在香港的人，皆盼「學生證」寄回，要求在港的代爲申請港府「入境證」，好要求此種「證明書」，如今有了「社會公益勞動」，更中共批准來港，看來更不容易了。

林君的表弟，今年祇有十五歲，且還在有一次的勞動中跌傷了脚，至今走起路來仍有點跛。（敬斯）

從美國遠東戰略看反攻大陸

（上接第一版）

二、中非泰越軍事同盟。泰國與寮國接壤，寮國現有三分之二之領土爲共黨所控制，共黨現在東南亞侵略的箭頭指向寮國及越南，次一大目標，則爲泰國。東約組織意志分歧，西方與遠東國家泰菲有異見，英美法三國間向不一致，巴基斯坦的參加組織亦係勉強湊數，加以每一國均有否決權，任何一國均可以否決出兵援助他國之議案，軟弱無力，不能依恃。中、非、泰、越四國如能締結一軍事同盟，共同在中南半島實行剿共戰爭，先肅清南越游擊隊與拯救寮國，然後再俟機將共黨侵略勢力反擊至中國滇桂邊境以北，如此因地理形勢關係，對大陸西南各省必將發生巨大影響，廣大民衆，揭竿而起，抗暴武力必將迅速形成。美國於此僅持同情與支援態度，即可使中共政權趨於崩潰。爲援助中國大陸六億人民重獲自由──根絕亞洲共禍計，美國對於此項同盟，自應加以推動。

三、印巴同盟。印度現有人口四億三千六百萬，但糧食太少，且貧富懸殊，因之主要問題厥爲發展經濟。如果印度經濟發展失敗，則中共勢將囊括整個亞洲。所有亞洲小國均將自動鄙棄印度所走民主的道路向高度資本主義發展，而走向中共的極權道路向共產主義前進。如此則世界軍事優勢必將永遠轉移於共黨世界，所關極大。甘廼廸總統說：『印度是亞洲命運的關鍵』。鮑爾斯說：『從純軍事觀點立論，一個雄強和民主的印度，比任何口頭協議或莊嚴條約更能使美國安全得到強大的保障』。確爲至理名言。現在美國對於印度無論在經濟及軍事方面，均係竭盡力量予以援助。惟印度巴基斯坦兩國因喀什米爾問題時起糾紛，以致兩國力量互相抵消，不能集中，影響印度對付中共軍力之部署，日前聞美國擬派員調解印巴糾紛，其欲印巴和好，以期遠東新戰略得以早日形成之心理，實屬甚爲明顯。

四、促成馬來西亞聯邦。馬來西亞聯邦包括馬來亞聯邦（人口六百五十萬），新加坡（人口一百六十萬），沙羅越（人口七十五萬），北婆羅洲（人口五十萬），和婆羅乃（人口十萬），共約人口一千萬，土地十三萬九千七百六十平方英里，在戰略上爲亞洲十字路口，係東南亞與共產主義不能兩立的一股巨大的安定力量，預定今年八月卅一日成立。日前美國第七艦隊穆勒海軍中將在吉隆坡稱：『馬來亞及美國均係反共國家，第七艦隊之任務，係在於保護及支持美國及其在此地區之盟友』。有詢以如果敵軍對馬來亞發動任何進攻，第七艦隊將採取何項行動者，穆勒中將答稱：『第七艦隊如遇常然者，將奉命準備採取行動』。現在馬來西亞聯邦雖遭受到菲律賓，印尼之干擾與反對，但美國亟願此一聯邦早日成立，亦屬顯而易見之事實。

五、拉住印尼。印尼人口九千七百萬，爲世界第五人口最多的國家，領土橫跨赤道海洋二千七百哩，南太平洋各重要島嶼及其交通線，均在其控制之下，如婆羅洲將來歸共掌握，則印尼的戰鬥機及轟炸機勢將控制南中國海南半部，一如中共之控制其北半部，美國將其軍援至南越之運輸線，事實上將感受威脅。現在蘇俄給予印尼之軍援，已達十億金元，空軍共有戰鬥機和轟炸機一百五十架，海軍共有W級遠程潛艇十二艘，砲艦二艘，魚雷艇及海岸巡邏艇數十艘，巡洋艦一艘（一萬九千噸），陸軍二十七萬五千人，大部配有俄式裝備，爲蘇俄在東南亞一個威力最大的武庫。惟印尼現在對蘇負債已達八億元，每年須償付武器價款六千萬美元，經濟上已不勝負荷，其次蘇俄所製武器頗畏潮濕，不適於熱帶之用，二年之後一半即將變爲垃圾，印尼對此悔不當初，因對蘇俄採取敬遠態度，頗有覺醒之趨勢。美國政要最近屢次表示不放棄印尼，並不顧國會之反對予以緊急援助。蓋拉住印尼以杜塞美國遠東戰略「圍堵」之漏洞，並藉以減輕南太平洋軍事上之威脅，實爲美國遠東政策之一環，不能輕易予以變更也。

以上爲美國遠東新戰略形成之要素，亦爲美國致力之目標。在此新戰略之要素尚未形成以前，美國祇有採取直接嚇阻之圍堵政策，不會退卻，但也不會進攻，亦不贊成窮人進攻。在此新戰略形成以後，美國當然可採取間接支援之積極反攻政策，在核子戰爭不會發生，即蘇俄不至介人之情形下，剷除中共政權。美國助理國務卿去年於主持菲律賓遠東使節會議之後，曾訪問日本，漢城，台北，曼谷，西貢及永珍各地，其在香港談及其遠東之行的印象時，曾說：他發覺遠東各國政府的合作不夠充份，他希望能夠鼓勵各國政府作更多的合作，並說：美國並無義務援助認爲與美國立場不符之國家，這已不是秘密。由此可證明美國對於遠東各國之期望及援助之立場。反攻大陸爲我國基本政策，全世界人士有耳共聞，不能變更，不容拖延，惟如何始能實現，條件之一，似爲與美國政策及戰略配合，並努力達成其新戰略形成之要素，方能獲得其同情與援助，達到目的。愛國人士對此宜予注意也。（完）

天南風光

──沙羅越的歷史──

朱淵明

正式成爲英國殖民地的沙羅越，其首任總督克拉克氏，自蒞任後，各種政制及法規，一仍舊貫，並無若何重大的更改，一般人民覺得與布洛克王朝沒有什麼差別，故多能相安。雖然有一部份馬來人，反對讓渡，而前越王之侄安東尼布律克（Bajah Anthony Brooke）自然反對的猛烈，但以總督的統治手腕，甚爲圓滑，是以在克拉克三年有餘的任期中，沙羅越並未發生過什麼不安的事故。隨後克拉克調任爲非洲黃金海岸的總督，英國政府改派司徒華（D. G. Stewart）繼任，於是就做了沙羅越讓渡問題中間的第二個犧牲者。（第一個是英前內閣大臣亞崔氏，前已述及。）兩百餘年來，大英帝國的殖民地，遍於全世界，雖然統治之初，動亂或許不免，但以交易方式獲得一塊區區沙羅越，竟至引起內而大臣自殺，外而總督被刺，這種例子倒也很少見咧！

司徒華是一九四九年十一月間到沙羅越接任總督的，初到古晉，船未靠岸，就有若干馬來人駕着小艇，手執紙旗，在沙羅越河上游行；總督座輪將抵碼頭前，那些小艇即繞着座輪而行，據說司徒華也曾看到，加以詢問，因旗上寫的是馬來文，故答者輕描淡寫的說：恐怕是來表示歡迎的罷！也就過去了。在司徒華總督看來，沙羅越讓渡與英，業達三年以上，如有任何不安現象，必然是在首任總督克拉克任職期間，早已發生；他之來沙，乃率由舊章，自然毫無問題。誰知那些紙旗上所寫的都是反對讓渡的標語呢？

還有一件說巧不巧的細事，在迷信者看來，也許認爲是不祥之兆罷。原來司徒華自倫敦來沙羅越，隨身行李，甚爲簡單，但卻攜來兩具絞人的刑架，當時有人看到這兩件令人起栗的物事，都產生一種異樣的感覺。（六一）

報人普立茲傳

汶津譯

此時，有些特別的事對約瑟夫發生了。他交了一個朋友。一天他在圖書館裏遇見湯瑪士·達維生教授。達維生比約瑟夫大一點，他從蘇格蘭來，在一家學校裏教書，這個人是以學問好才智高聞名遐邇的。

教授很快喜歡上了約瑟夫。他叫那孩子每天傍晚去他家看他，約瑟夫對教授是一個新經驗，達維生沒想到他遇着的孩子會竟是這麼會說，而且會行遍萬里路。達維生立刻問他關於他自己的事，然後談到美國，「你對這個國家如何，約瑟夫？」

「美國是一個了不起的國家。」約瑟夫答道；他注視着教授，希望他能聽他的，並回答他的若干問題。「可是這是一個充滿不同觀念的國家，而那些觀念是不盡一致的。這使我很難了解。美國是建立在所有的人必須自由的觀念上；這一觀念對世界來說是全新的。可是美國在很早以前就容許畜奴，現在還必須爲解放黑奴而打仗。這些爲自己爭取自由的美國人怎麼能容忍畜奴的觀念呢？」

「畜奴不只是一種觀念。」達維生說。「那是使地主們賺錢的一大捷徑。那是他們的生財之道。但是奴隸制度一定不能久存，因爲它不能和新興的工業相抗衡。」

教授談到世界各地所發生的許多變化，約瑟夫驚喜地聆聽着。這人知道一切！達維生停下來時，夜已深了。

「我又像一個學校教師一樣說了一大堆，你準是很興奮，約瑟夫。你是一個好聽者！」

「我可以再來嗎？達教授？」

「叫我湯瑪士，我願再和你長談，約瑟夫。」

「明天？」約瑟夫渴望地說。

達維士有一會沒有回答。然後他發覺自己願意再見那年青人，「請明晚再來。」他笑着說。

這份友誼一直延展到他們的一生。約瑟夫第一次找到一個願和他談並傾聽他的人。達維生能用一種使約瑟夫聽得明白的方式回答他的問題。教授很高興看到他的朋友，謹慎地探索每一件他們所談的事的眞相。約瑟夫的敏感使得達維生對他們的聚談必須有所準備。（十三）

瘟君續夢

第九回：擊戾實堪驚　片言毀約　脫靴終自誤　衆志成城

美國政府對赫魯曉夫的行動毫不介意，仍然置之不理。赫魯曉夫搞得沒法下台，就打算在聯合國大鬧一場，出這口惡氣。

聯大開幕以後，各國代表輪流上去講話，臨到赫魯曉夫，他走上去就罵美國，從U二機事件罵起，罵美國設飛彈基地包圍蘇聯，罵美國不承認中共，罵美國想害古巴，罵美國霸佔台灣，罵美國奴役日本，罵美國支持剛果非法政權；他指手劃腳，口沫橫飛，眼睜得似銅鈴一樣大，頭搖得像簸浪鼓。這時台下卻鬨起來：中國代表蔣廷黻，日本代表岡崎勝男，剛果總統卡薩武布，都向大會主席提出抗議，要求制止赫魯曉夫的誹謗。主席也惱極了，連連敲小槌示意，要赫魯曉夫講快些。他還是不理，仍然在罵，最後罵到北大西洋公約，中央公約，東南亞公約，赫魯曉夫一跺腳說道：「這些國家都是美國的僕從國，都是美帝國主義的幫兇」。

這一席話引的風波更大，英法首先站起來向主席遞交一紙抗議書走出去，接着有關國家一律退席，最後一些眞正中立國如南北美及黑非洲的大部份國家也相率退席，赫魯曉夫看看會場上除去東歐共黨國家的代表，也只剩下中立國「五領袖」還在那裏坐着，另外還有美國首席代表史蒂文生精神奕奕坐在那裏，洗耳聽[illegible]寫。赫魯曉夫只好結束講演走下來。

美國記者都很奇怪史蒂文生何以這麼耐心聽赫魯曉夫罵人，大家提出詢問時，史蒂文生笑道：「花多少錢能看到這麼一齣狗熊表演，不看才寃枉呢？」大家再看史蒂文生拍紙部上並未寫字，卻把赫魯曉夫各種動作都用速寫方式畫下來了，一羣記者都大笑起來。

接着一連幾天，正式表決提案，赫魯曉夫所提出「中共加入聯大案」；「美國侵略案」；「聯大討論裁軍案」；都被大會否決。反過來西方國家所提蘇聯侵略匈牙利案，中共屠殺西藏人案，都被列入議程。赫魯曉夫更是氣上加氣，他這時對美國已感到無法可施，就拿聯大秘書長哈瑪紹出氣，指責哈瑪紹在剛果問題上作了美帝國主義的幫兇，要撤換哈瑪紹。

哈瑪紹是標準紳士，也被赫魯曉夫激惱了，等到赫魯曉夫說過之後，哈瑪紹起立答辯道：「本人聯大秘書長由安理會推荐，經大會選出的，並非某一個代表團所委任，也不能因爲少數人不滿意而自動辭職。」

赫魯曉夫在下面拍桌子嚷道：「你的薪水有一部份是蘇聯負担的，拿我的錢就要聽我管，你再幹下去我就不出錢。」

全世界代表從耳機中聽到翻譯人員譯出赫魯曉夫這篇怪論，登時來了一個滿堂采，不論是黑種，棕種，黃種，白種都哈哈大笑起來，只有赫魯曉夫一個人鼓着腮幫子生氣。第二天他又提出一個補充議案，要廢除聯大秘書長制，由西方，蘇聯及中立國家各推出一名代表，合組秘書處，三人各擁有否決權。這個提案一旦提出，美國首先表示堅決反對，各國代表也都表示不贊成。赫魯曉夫眼見提案又告失敗，氣的拍案大叫，最後手拍痛了，就脫下腳上皮鞋用力拍桌，張開大嘴狂叫。這個怪行動不但替西方專家增加了笑料，也嚇壞了非洲的新興國家，大家開始了解蘇聯的眞面目，更緊緊的靠向西方。正是：脫靴罵座終何補，留與人間作笑談。（二〇九）

閻錫山與陳納德

吳文蔚

閻錫山將軍到台灣不久，便交卸了行政院長的職務，住在一個山野而又陳設簡陋的房屋內，早晨被風吹得顫動不已，老將軍卻在裏面安靜地從事著作。當他談起民航隊的故事時，精神奕奕的說：

「陳納德，這位我忘不了的好友，他所領導的民航空運隊，於勝利後，如何長途空運，使太原延長了好幾個月的支持，直到最後淪陷」。閻將軍繼續以激動的語調說：「我們住在太原的人，有好幾個月的時間，每日都在盼望著民航空運隊飛機飛臨太原上空。我們聽到共匪的炮火鎗聲並不感到麻煩，我深信我的精神可以支持得住，但是如果聽不到民航隊的飛機聲音，我就真的麻煩了，因爲那時太原的存在，完全要空運來的食糧。最後飛機不再來了，其餘一切，你就可想而知了」。

閻將軍說：這些青年飛行人員，眞夠令人驚異，他們幾乎每次來，都要被敵人射擊，但是他們仍然照常的來。這因爲陳納德將軍瞭解我的處境，和他的飛行人員都知道他們所担任的職務的重要。大家要知道，共匪最後佔據了太原周圍的各山頭，并佔據我們在山中所建築的千百個炮位和碉堡，從這些高地，他們的大炮，可以射擊到我們的飛機場，當空運開始時，我們僅有三個飛機場，最後我們增加到九個。如果某一飛機場被炮轟過於激烈時，我們就利用另一個機場，如此共匪須另覓些時間，調整他們的炮位，我們的飛行人員如果敏捷，即可乘此時機降落。最後這九個機場或被共匪佔領，或在共匪砲火之下，以致飛機不能降落，但他們仍然將食糧送來；飛機來時雖被射擊，抑仍在機場上空繞飛，降至距地面三百尺處，直等到食糧袋完全投下才又飛向高空。如此繼續空投，約有數月之久。如果飛機降落的基地未被敵人佔據，倘可多維持數月。最後空運停止，未經數日，太原即告淪陷。

三、冬季的空運情況

北平淪陷後，如果有人在那嚴多的時候，走進民航隊辦公室內，他一定有一個奇怪的感覺——將年月搞混，誤認爲返回一九四〇年左右——到了中國地區美軍戰時空軍機地，因爲同樣的一切，都表現出來了：同樣的粗野的辦公室——四面圍牆單薄的草屋，不足防禦難耐的寒夜；同樣的煤油爐火；奇怪的擾亂無線電的高度悲哀聲和尖銳聲；約有半打的電話的鈴子聲；機航人員以英語或華語努力的喊叫着；進進出出，講些笑話，並且是非常急促而緊張的空氣。（五）

南宋偏安有人才

李仲侯

岳飛

斬禿髮垂環者三千餘級，僵尸十餘里，降其卒千餘人，萬戶千戶十餘人，得馬三百匹，鎧仗旗鼓以數萬計，牛驢輜重甚衆。兀朮遂奔淮西。飛乃入城，撫定居民，俾各安業，虜無一騎留者。飛報捷狀曰：

「照對岳飛自建炎三年十一月廿二日起離建康府，至廣德軍界，與金人六次見陣，收復溧陽縣，及於常州界以來，遊擊金人，襲逐至鎮江府。恭依聖旨，親提重兵至建康府與金戰鬥，其生擒到偽知溧陽縣事，太師李撒八，千戶留哥，及女眞漢兒等，今差使臣管押申解前去，謹具申尚書省（並密院）伏候指揮。」

先是飛與劉經合軍屯戍宜興，飛領兵往建康，刼金人於靖安，得勝回軍溧陽縣，得經軍將官王萬報，經欲殺其母及妻。飛併其軍，飛大驚，即命姚政往圖之。政夜行襲宜興，以飛母命傳語經：適得家書，請其來議事。經不虞其詐，入其室，則有楊某者伏於壁間，遂殺經。少刻飛到撫其衆。

六月獻俘行在所，高宗詢所俘，得二聖音問，感慟久之，賜飛袍鞍馬。飛奏曰：

「建康爲國家形勢要害之地，宜選兵固守，比張俊欲使臣守鄱陽，備虜人之擾江東西者。臣以爲賊欲渡江，必先二浙，江東西地僻，亦恐重兵斷其歸路，非所向也。臣乞益兵守淮，拱護腹心」。

上嘉納之，褒獎數四。飛自揚州復返宜興，遊張渚張氏園題壁云：

「近中原板蕩，金人長驅，如入無人之境；將帥無能，不及長城之壯。余發憤河朔，起自相台，總髮從軍，大小二百餘戰，雖不及遠涉遐荒，亦足快國讐之萬一。今又提一壘孤軍，振起宜興，建康之城，一舉而復。今且休兵養卒以待。如或朝廷見念，賜予器甲，使之完備，須降功賞，使人蒙恩，即當深入虜庭，迎二聖還京師，取故地再上版圖，他時過此，勒功金石，豈不快哉！此心一發，天地知之，知我者知之。建炎四年六月望日岳飛書」。

同時又題五岳祠盟記：

（五十六）

談寡鵠

漁翁

寡者，少也。禮云：「老而無夫曰寡」。今女子喪夫，不論其年齡之老幼，皆稱之爲「寡婦」，又曰「寡女」。說林：「有寡女獨宿不寐，傍壁孔中視隣家蠶離箔。明日，繭都類之，隱然如愁女。蔡邕見之，厚價市歸，繰絲製絃，彈之有憂愁哀怨之聲，問琰。琰曰：此「寡女絲」也。」琰字文姬，知音律，寡女多幽怨，而此絲之音，足以表達其抑鬱悱惻之情緒也。

寡婦，亦名「孀婦」，往往以鵠鶴二鳥喻之。據黃鵠歌：「黃鵠早寡兮，十年不雙」。白居易詩：「暗鏡對孤鸞，哀絃留寡鵠」。又洞簫賦：「孤雌寡鶴，娛優乎其下兮」。阮卓詩：「霜風秋月映樓明，寡鶴偏棲中夜驚。」寡鵠寡鶴，終夜悲鳴，孀婦聆之，寧無傷感！

古者，重視道德，凡孝義貞節之婦，建坊賜匾以褒揚，謂之旌表。尤以婦人從一而終，夫死誓不再醮者，當地官府，爲之申請表揚，幷建坊於通都大邑，俾衆瞻仰以爲榮。昔有共姜者，其夫衛太子共伯早死，姜守義不嫁，父母欲奪而再醮，姜作柏舟詩以自誓，故後之女子，夫死而守節以終者，謂之柏舟失志。

可是，少婦喪夫，守節不嫁，由少而壯，由壯而老，獨居空房，經過數十年之悠長時間，其幽怨哀感之情景，有非筆墨所能形容，舉一隅而三反，長夜漫漫，守節誠屬不易也。

據譜譯載：有趙蓉江者，在未第前，主館東城陸氏家，時主婦新寡，有子七歲，從趙受業。一夕，秉燭夜讀，聞叩門聲，啓而納之，主婦也。叩所自來，含笑不語，固詰之，則曰：先生離家，孤眠岑寂，不揣自荐，願共度良宵。趙正色曰：婦珍名節，士重廉隅，稍不自愛，交相失矣。促婦出，堅不行，推之出門，反身又入，趙急闔其扉，而婦人兩指夾於門隙，呼痛，微啓之，脫手遁去。婦歸，羞悔萬分，取刀斷其兩指，用石灰藏之，誓不再作如是想，而趙不之知也。後趙辭館去，成進士，官居顯要；陸氏子亦中進士，爲母請旌，趙屢申屢駁。母乃出一盒，囑子呈師；趙啓之，即兩指也，大悟，遂准請旌。此事並詳載其家乘焉。

上述故事，孀婦與家庭教師之一段羅曼史，孀婦有意，而教師無心，不但高尚個人之人格，抑且促使該婦悔改而以守節終。今之爲人師者，應以爲圭臬，男女之間，持之以正，正則不亂，比之柳下惠之坐懷，不多讓也。

不過，婦人守節，爲最痛苦，最悲慘之事。相傳有年少而寡，守節數十年，臨死之前夕，出錢一百，以示兒媳曰：「吾年少喪偶，獨守空房，夜長不寐，散諸房中，以銅元百枚，散諸房中，滅燈拾還，至疲倦思睡而後已。數十年如一日，苦況非身受者所能知。爾等可囑後代，萬一有不幸事如乃母者，切勿勸其守節，以受悽楚，偶或失檢，則身敗名裂，不若再醮之爲愈也。」此事雖未見諸書典，但衡之情理，有必然者。

時至今日，世俗澆薄，道德倫理觀念，已非昔比。夫死再嫁，理所宜然。與其終身痛苦悲哀，或中途而失貞，爲世子孫羞，誠不如愼之於始，從而克保令名也。

談容人之量

諸葛文侯

海嘯雲談薈

凡是要想創進大事業的人，除卻知人善任，資爲心膂幹部以外，最重要的條件就是容人之量。尤其是政治人物，如果缺乏「休休有容」的氣度，[illegible]

近人陳炯明以由國民黨叛竄起家的老同志，爲個人一時利慾薰心，竟稱兵作亂，黑夜砲轟總統府，要把數十年來受知最深，淋漓最重的領袖孫公置之於死地。這種梟獍行爲，無論從那方面說，都是不能諒宥的。然而，事後吳稚暉先生出面調解，叩問孫公需要何種條件？孫公答以沒有甚末條件，祇要陳氏自知錯誤，具一悔過書，即照樣信任如故。這是何等偉大崇高的容人之量啊！當時區區還在大學讀書，從報紙上見到此項消息後，感動得爲之泣下，不能自已。往後涉足社會，從事政治生活，每逢受到拂逆挫辱，即不免悻悻然忿不能平，但一想及孫公對陳炯明這種恩情，登時心平氣和，自愧丈夫能度了。今人多以國父信徒自許，抑很少人能够學私淑國父的容人之量，此天下所以大亂也歟！

就現代政治要人的氣度而言，比較具有容人之量的，吾湘譚組安（延闓）先生允屬首屈一指。何以見得呢？有事實爲證：民國十八年以前，有個湖南人張冥飛，僑居上海以賣文營生，常常在報紙上寫些小說和雜文，對當世顯貴人物，多所譏刺評騭，極盡嬉笑怒罵之能事。某年譚先生五十歲生日，張冥飛竟在報上爲文加以醜詆，內有「茶陵譚生，五十之年，吃紹興酒，打太極拳，立德立功，一無聞焉。爾乃養尊處優，無所事事，做一生馮道之官，寫幾筆嚴嵩之字」等語，另指摘譚先生三次督湘，任用親戚故舊，貽禍桑梓的各項情形，尖酸刻薄，無禮已極。譚先生左右對張氏莫不切齒痛恨，欲得而甘心。

越民國十八年，譚先生任行政院長時，張冥飛窮愁潦倒之餘，跑到南京以鄉誼上書譚院長乞援告貸，譚在原函封面批註「招宴晤談」字樣，左右期期以爲不可，說是「何必對這種痞子客氣呢？」——按「痞子」係湘諺罵人之語——譚不以爲意，折柬宴約張氏於其成賢街寓所。張驚喜交集，屆時懷着極度緊張的情緒，應命而至。譚一見張氏，親切握手道：「久仰久仰，你的文章寫得很好，我很佩服，湖南人像你這樣的才華殊不多觀，所以我要見見你。」張赧顏連說「慚愧」，別無他語。飯後，譚先生對張說：「我擬聘任閣下爲行政院諮議，月薪二百元，這決非我有意徇私，也不是怕你罵我而然，乃是爲國家愛惜人才。希望你以後生活能安定，多讀書，多修養，寫文章從大處落墨，以期裨益於國計民生，成爲國家有用之才，替湖南人增光。」張氏再三感謝，嗣後即未見有他寫出玩世不恭的作品了。譚先生這種雅量，說來似不足爲奇，若使今日一般達官貴人易地而處，我絕不敢相信他能有譚先生的風度呢！

當政的人應該領悟到一項確切不移的道理，即政治是管理衆人之事，自己好像是爲大衆弄飲食的廚子，做出任何一種肴饌來，總是不可能使大家都合口味的，有的贊美，有的斥責，有的不負責任亂批評，挨罵乃是當政者必然的事情。沒有受氣挨罵的雅量，結果還是自己要吃大虧的。不信，且談談現代政治人物一段相反的故事罷！（上）

水牛將軍田桐

周燕謀

一九〇八年春，赴南洋，造在荷屬爪哇華僑學校任教兼新加坡中興日報記者，與保皇黨之南洋總匯報爭論革命民政與君主立憲得失，大開筆戰。其撰稿仍以「恨悔」署名，深受僑胞之歡迎，其名大著。總匯報戲撰「葉石無靈精衛焉能塡恨海」一聯以嘲之（葉石，居正在報上之筆名。）一九〇九年（戊申）雲南革命軍頓挫，南洋基礎動搖，中興報因而停刊。田桐因鑑於革命挫敗，究其原因，乃未於中央攻破，於是乃倡議向革命對相之中央政府進攻；謂各國革命卒成大業，無不從中央進攻。並謂吾黨歷年均在海疆從事活動，實不足以制虜之死命，此後吾黨必須分一部分黨員在京畿一帶從事進攻，庶可以收擒賊擒王之實等語。同志皆以爲深具卓識。

於是梓琴變姓名北上，與宋教仁、程家檉、白逾桓等分頭進行。既抵燕京，乃與同志發刊「國光新報」爲言論機關，表面上以倡導立憲排斥官僚政治爲號召，密與井勿幕、續西峯、景定成、熊克武諸人，聯絡北方豪俊，以襲據京師。（三）

內僑警台報字第〇三一號內銷證

自由報

THE FREE NEWS

第三四六期

中華民國僑務委員會頒發
台教新字第三二三號登記證
中華郵政台字第一二八二號執照
登記爲第一類新聞紙類
（半週刊每星期三、六出版）
每份港幣壹角
台灣本售價新台幣貳元
社長：雷嘯岑
督印人：黃行靈
社址：香港銅鑼灣高士威道二十號四樓
20 CAUSEWAY RD 3RD FL HONG KONG
TEL. 771726　電報掛號 7191
承印者：田風印刷廠
地址：香港灣仔高士打道一二二號
台灣分社
台北市西寧南路壹壹本號二樓
電話：三〇三四六
台郵掛號金戶九二五二

沉痛的「自覺」

·方南·

報載：「青年自覺運動」近正在台灣蓬勃興起。它的起因是：一位在台灣留學的美國大學生，以「狄仁華」筆名投函中央日報，提出善意的忠告，指出中國人很多大學生缺乏公德心的例証，認爲中國人有豐富的人情味而缺乏公德心，必是達成「法治」的最大障碍。他這一封信得到很好的反應，熱烈的響應表現出青年人自覺與自勵的精神。

讀了這個消息，我覺得這是值得重視的好現象，但由此而引起很複雜的聯想，思緒騰湧，感慨萬端。窃以爲應該有一個全面的「自覺運動」，不該限於在學青年。

知恥近乎勇

這正是「明恥教戰」的非常時期，「知恥近乎勇」，要有勇才可在各方面負起戰鬥（廣義的戰鬥）的任務。這位美國友人的忠告是合理的，是善意的，足以使大家知恥奮發，正由於自覺運動，勃然而興，本可看到人心猶有可爲，青年足以任戰。但應該知恥與自覺的，決不只青年人爲然。

外國人給中國人以類如上述的忠告，就我所能記憶的，當以美國傳教士明恩溥所著批評中華民族「性格」一書，最爲率直而深切。（此書有譯本，許多年前由中華書局出版，書名已忘記）。該書列舉中國人的流行諺語，藉以證明不少人習慣於不誠實，缺乏同情心，並引證一大堆事實，指出中國人每每見死不救，麻木不仁，自私成性等等，而結論則爲：中華民族歷史悠長，飽經災難，有過多次戰爭與飢饉的嚴重威脅，逃難的人爲了求存而改變其原有品質，乃至熟視疾病與死亡而無所動心。

我在抗戰開始時讀到這本書，內心非常不安，後來奔走四方，痛嘗流亡的苦味，從本身體驗所得，確信大多數農村的男女老幼都有很豐富的同情心，樂於殷勤招待外客，予以週詳的指導，還有許多無名英雄，慷慨赴難，確足以驚天地而泣鬼神，這使我對於該書所指述的一切，有了相反的論證；但是，該書所痛陳的若干劣點，我也常常在某些人物身上發現，事實確鑿，亦屬無可否認。

我們必須對中華民族永遠保持信心，但我們也該承認下述的一個理論：災難可以使人變成堅強，災難也可以令人不死亡即墮落。一個受得起災難長期鍛鍊的民族，必須在萬分難危中也不失掉自信，更要常常自覺與自勵。所謂「自覺」之「覺」，尤應含有知恥之義。

自信最要緊

目前正是我們非死亡即墮落的關頭，如消失了自信，決不能變成堅強，如無知恥自覺的精神，決不能有勇。

「狄仁華」指我們的知識份子大都缺乏公德心這一事實，並不新鮮。在我個人的認識與感覺來說，人物不論新舊，公德心的表現是因人而異的。即以赴約開會必須守時的一點習慣而論，我看過不少由西洋留學回來的新人物從不守時，而一些只讀舊書的老先生却是準確的守時者。另一方面，素來講究傳統修養工夫的高級知識份子，胸襟器量都應該高人一等，但在從事民主政治運動的實際表現中，我卻看到有些根本不懂得「容忍」是什麼一回事。這種事件每使我看得迷惑難明，認爲這除了「反求諸心」，人人從自省與自覺做起，恐怕明恩溥所要譏諷的主要對象，正是那些被視爲民族精華的知識份子，而與大多數樸厚無文的農民沒干係。

說到自信、自省與自覺，着眼向中華民族綿綿不斷的命運，我也有幾點「雜感」。

比比和想想

一、我深信中國人的智慧不會比任何國人爲低。中國人的智慧向那一方面發展也好，成績決不至於比美國人、德國人、法國人以至日本人爲低落。這可拿近年中國科學家在美國的傑出成就來做証明。那麼，爲什麼在此以前，中國科學人才總不能在本國生根，發榮滋長，一向被人家把中國看作一個科學落後的國家呢？前事不提也罷，今天在台灣各大學中優秀青年，儘有不少確具有科學頭腦，可資深造，堪成大用的呢。他們如不能出國作進一步的科學研究，怎才可替他們好好安排一個適宜於進修的環境？其中一些能到外國去深造的人才，怎才可免使「去如黃鶴」，長有「華才美用」之歎，漸與「中國本位」這個原則脫節呢？我們如能自省，便應自覺，切實「從無辦法中想辦法」啊！何況這還不是毫無辦法之局麼？顯要子弟一個又一個的放洋何足喜，青年出國留學而要出之以「走私」，才正是可恥之尤啊！

二、我深信中國人民不只長於耕田，而且長於經營工商業。中國雖不是一個重商的國家，但由司馬遷寫的「貨殖列傳」看中國人的「生意頭腦」，可信自古便已不差。目前香港的工業出產品是從非常困難的環境打出天下的。全球工業國都爲此而震驚，有些還在深深嫉妒，多方打擊它。這些工業成就大都是由中國人的資金、技術、與勞力協同產生的。這証明中國人的智慧也可在這方面發展。但爲什麼在此以前，中國人在國內發展工商業的成績從未達到如此輝煌的程度呢？便以今天台灣工商業發展的速率來和香港比較，不是差得太遠嗎？這裏面有該使我們自愧自勉的地方麼？中國的農業科學人才正在協助非洲一些新興國家改良農業技術，中國的工業建設人才也會幫助南越建立新式的工廠，這都是近年殊值興奮的好消息，但就工商業全盤發展的進度來說，縱使不拿香港作比較，便拿日本、西德、意大利、和北歐若干小國來比量一下，也應該有許多「自慚不如」的地方啊！

能不覺悟麼

三、中國人的開拓與發展，是由黃河時代到長江時代，珠江時代，以至「海外時代」，人口流注的趨向亦然。近年海外華僑數量遞增，迫及二千萬，而以散佈東南亞各國爲最多。中國人口向外流注的尾閭已盡，而這個「海外時代」是在多災多難之中誕生出來的。果然東南亞一大混亂，由印度到印尼的僑胞受苦絕慘，棄誰去救援他們。印尼排華暴動的無地無天處，比之當年納粹德國排猶，所差亦不太遠。中國人對開發南洋具有絕大勞績，史載事實，昭昭可考，例如「大馬來西亞」的建立，印尼和菲律賓都叫囂不已，難道中國人沒有說話的歷史地位，只合有動輒受排的份兒麼？前幾天馬來總理拉曼和印尼總統蘇加諾會因這一問題而欵欵深談於日本東京。爲什麼日本會成爲他們的撮合山？一向以排華著名的蘇加諾在搗些什麼鬼？身爲中國人，看到這種極可悲痛的狂亂現局，想到中共爲華僑造成這種苦難的悖謬與殘酷處，應該如何自省與自覺？試想想：反攻大陸如不能在預見的將來斷然實施，在台灣的二千萬同胞和海外的二千萬同胞將何以自存於天地之間？大家的命運是否相連？還有，並世各國那有一國眞正講道義的（包括西方國家和亞洲的新興國家）？我們如不能達成光復大陸的使命，必在支離破碎而隨時隨地都會遭受迫害欺淩的苦境中過日子！於此而猶不自恥與大覺大悟，我們還算得是炎黃子孫麼？

漫画天下　南宮

東南亞

爭風

巴古　良　Ep

大禍臨頭不自知

讀自由

表面緊張乎？

中華民國政府遷移台灣以來，有幾點新作風，令人不敢稱贊，如各機關的人事凍結，以及晝夜忙於開會等情形，實在不足爲訓，非改革不可。我對此曾經披瀝所見，迭加批評，而作風依然如故也。現在本諸新聞記者的職責，基於恨鐵不成鋼的愛國情操，還要指出兩點不合理的政風，希望大家省察一下。

去年冬間，蔣總統提出「革新，動員，戰鬥」這一號召之際，各級行政機關一窩風似的熱烈響應，訂出了許多革新計劃和方法。當時我就警告大家，莫要以虛應故事的舊觀念，作表面上的忠貞言行，等到事過境遷，又把它置之度外，我行我素了。最近我到台北旅行一段時間，只看見中山北路大橋旁的鐵塔上，懸着一幅「革新，動員，戰鬥」的大字標語，大橋南端的對面墻壁上，亦有同樣的大字標語赫然入目——因爲這地段蔣總統常常經過——至於各機關的辦事情形，却看不出有甚末革新的表現，還不是猶吾大夫崔子？

若說有，那便是各機關每天辦公時間規定爲八小時，雖週末亦無例外。可是，這一「革新方法」比不革新的舊章更糟！工廠裡的工人有工可作，體力勞動八小時，自有實績可覩。行政人員的情形與勞工迥異，他們是勞心的。漫說沒有這末多的事情絞腦汁，即令公務叢脞，也不宜嚴格的課以每週四十八小時的勞役。事實上，除卻一二行政首長每天忙碌而外，大多數公務員都是以談天看報或寫私信來消磨時間。讓他們在週末有半天的休息，對於服務精神，或許更有裨益，表面緊張，實際空虛，於事何濟乎？

爲政之道，必須平易踏實，近情合理，虛矯的氣習不革除，政治上即休想有維新之望，不知袞袞諸公，以爲何如？

馬五先生

印尼排華暴行無法無天 立委袁良驊主強硬對付

辦法爲必要時鼓勵印尼華僑起而革命 同時我國陸海空三軍亦準備出而護僑

（本報記者昌文台北航訊）因主張強硬對付印尼無法無天的排華暴行而一舉成名的立法委員袁良驊對記者說：像印尼這種野蠻國家，像蘇卡諾這種背義忘恩的人，他們認識的是實力，只有力量才可使他們懼怕，使他們屈服。你向他客氣，他還以爲你是怕他。軟弱外交是無濟於事的。」

袁良驊所主張的強硬對付印尼，包括必要時鼓勵印尼華僑起而革命，爲生存而奮鬥，同時我國陸海空三軍亦準備必要時起而實行護僑。袁良驊的此一主張，係於五月廿七日立法院僑政委員會會議提出時，會議曾邀請外交部及僑務委員長高信等列席報告印尼排華情形，並備質詢。與會委員紛紛發言，一致指責印尼當局後，袁良驊便提出他的意見，他說：

「印尼在殖民地政府控制下的時代，我中華民國不斷予以同情；而第二次世界大戰，日本投降之後，印尼醞釀獨立之際，我國在聯合國也曾大力支持。這樣恩人的道義，在尚有一線良知的民族，自應感激不暇。而事實上，蘇卡諾自從勾結共匪，印尼政府和共人民就背義忘恩，在一九五九年印尼開始一連串排華行動，最近其暴行愈演愈烈，時至今日，吾人已無可再忍。

我國爲着應付這次嚴重事態起見，應採用如下的步驟：首先透過第三國的關係，警告蘇卡諾政府立即制止這種暴行，並賠償受害華僑的損失。如無效果，應進一步將印尼暴行向聯合國控告，要求譴責印尼，着令制止暴行，賠償損失，並保證嗣後不得再有這類事件發生。如再無效，我國實迫處此，惟有鼓勵華僑起來革命，爲自己生存而奮鬥！到那時，我們的海陸空三軍，也應該有所準備了。如果我們的友邦還有批評的話，我們要反問他：如果他們的僑民遇到這樣野蠻民族的摧殘，又怎樣辦？『己所不欲，勿施於人』。如果友邦還懂得這個眞理的話，不但不應該阻撓我國的行動，反而會給予我國同情和支持。因爲沒有一個國家能夠眼睜睜地忍心看着它的國民遭人宰割而不予援救的」。

據傳說：有關方面事先獲悉袁良驊將在立院提出如此強烈的質詢，會設法勸說，其不必提出，以免發生刺激效果。但未爲袁良驊所接受。

袁良驊向記者鄭重表示：印尼敢於這樣野蠻排華，原因自然很多，但我們一向外交上的軟弱表現，也是足以引致印尼輕視我國的原因。

袁良驊認爲，他是立法委員，是人民的代表，他有義務反應人民的意見。他說：「武力護僑是可以做的。」

他說：「中華民國是海外華僑的父母之邦，僑胞受盡外人的無理欺凌，我們不去救他們誰去救他們？僑胞對國家的貢獻是如此的大，將來反攻大陸的大舉，也要全體僑胞的支持。但在他們有危難的時候，我們卻坐視不救，說得過去嗎？會不令海外僑胞寒心嗎？」

記者問袁良驊：「鼓勵華僑起來革命，是否會激怒印尼政府，使華僑處境更爲困難」？

他說：「印尼排華並不是從現在開始，過去就殘殺了不少我僑胞，被殺害僑胞的鮮血都染紅了一條河水，那條河現在已被改稱爲「紅河」了。僑胞最壞的處境，不過是被殺頭，不革命還是要被殺頭，不如起來革命，還可以死裏求生。以前古巴的革命，還不是華僑幹起來的」。

「如果我國出動三軍護僑，會不會引起國際糾紛？」袁良驊說：「武力護僑在國際上並不是沒有先例，我在質詢中也說過，如果世界還有眞理的話，不但沒有人阻撓我們，反而會同情支持我們」。袁良驊又說：「如果不使用正規軍，我們可以徵募志願軍」。

半數議員辭職成真戲 台南市政壇從此多事

（本報記者吳越台南航訊）由國宅秘密比價發包工程風波，而演出的十四名市議員集體摜紗帽總辭政治風暴鬧劇，業已成了「眞戲」，今後南市政壇的萬端變化，和連台「好戲」，一般預料將連續不斷的幕幕上演。

十四名市議員的集體總辭，有人說在最初雖然是怒氣衝衝狀表示不幹，但在市議會大會中宣讀提出了總辭書，交與蔡丁贊議長，當時仍然是預留一着的；他們料想市政府也一定會讓步，答應他們的條件，結果議長來個面子一卡，市政府答應「條件」，再來一個冠冕堂皇的道歉，不是可以下台了嗎？總辭議員擔說尚有另一想法：議員任期只剩下八個多月了，補選需一個時期，有關當局一定爲了息事寧人，使用壓力要市府「就範」，議長蔡丁贊也不會有這個膽量讓十四名議員總辭，將全力爲他們謀「福利」，給他們如願。他們也料定市府國宅會不敢公佈內情，天下的「黑吃黑」的事情，到最後，雙方都會吃虧的。正如國宅會執行秘書葉仲云：說出內情將「法庭相見」。

豈料在總辭一齣演出後，有關方面在請示時，接了一頓「官腔」。認爲高議會爲爭水權鬧總辭，台南市議會議員，也出這宗把戲，眞是「豈有此理」。囑令採取強硬措施，命令於第二天自動撤銷辭職，否則將予嚴厲處分，並讓其辭職，辦理補選，決不作「討價還價」的讓步。

這一強硬措施，發揮相當的作用，郭清林將圖章交給了拜把兄弟陳全寶議員，塡了自動撤銷辭職表，繼龍也態度軟化的將自動辭職；送至市議會；其他辭職議員，由於曾經發誓要採取集體行動，共同進退，獲悉了強硬措施後，頻頻集會研商結果，有的態度更爲激烈，更爲憤慨，認爲無論如何不能作「無條件的投降」，所以在市府未表明態度以前，他們難以自動撤銷辭職。

議長蔡丁贊，見有關方面有強硬態度表示，也就穩定了着急心情，經與市府首腦商量後，認爲只要能拉回一名兩名，其餘讓其辭職，再慢慢對付，反正所要談的，所要求的「條件」差不多，在市議會臨時大會未開會前，就暗中談判過，既然談不好，該等總辭議員曾醞釀罷免他的議長職務未成，留置、疏解、調停也無法阻止，已有有關方面支持；不如讓之辭職好了，因此就命令市議會對辭職書予以辦理登記，總辭僵局乃就此正式形成。

市議會在辦理了收文掛號登記後，即以快速函致市政府，這一來很多難題就又轉移到市政府了。市政府方面因爲議員們的集體總辭一下就有十四名之多，在本省實施地方自治史上爲前所未有過的例子，更罕見的是參加辭職者又有兩名中途打「退堂鼓」，請自動撤銷，前者已經是開創民主政府自治史上的紀錄，後者連台灣省縣市議會組織規程上，都無法找到這條規定。關於議員辭職，縣市議會組織規程第五條只有縣市議員辭職以辭職書送達議會即行生效，根本沒有辭職書提出後可以申請自動撤銷的規定。這些難題，地方自治史上前所未有的破紀錄怪事，連民政廳長連震東、駱錫卿，辦理選務頗有經驗的民政廳第五科長江穆五，二十日在台南時也無法提出解釋，表示將送省後會同法制室研究後始能有所表示。一般認爲，議員辭職書既送到議會即行生效，根本沒有自動撤銷辭職的解釋。

這次總辭的議員們因已演成「眞戲」，在氣憤和不甘之餘，暗中頻頻集會，欲採取進一步對策，聯絡各選區發動罷免運動。一位辭職議員生效的某人士向記者說：他們要先發動罷免議長蔡丁贊的議員身份，將他「連根拔掉」。據他分析：只需百分之二公民提議，百分之九的公民連署，投票公民的三分之一，超過一半同意，即可罷免成功。蔡丁贊是第一選舉區選出的議員，第一選舉區約有公民人數十三萬人，只要一千三百人提議，一萬餘人連署，三分之一，只要有四萬三千人投票，二萬二千人同意罷免，則蔡丁贊的議員身份就失掉了。下一步他們要發動罷免市長辛文炳。可能還有第三步第四步呢！台南政壇從此多事將看好戲形成定局。（五月廿八日）

望天打卦早降滂沱 香港需否外求淡水 兩週之後要做決定

（本報訊）三四兩日的喜雨，使香港獲雨逾二吋，此數超過過去九個多月所獲雨量的總和，但對香港水荒補益不大。爲解決香港水荒，節流之外，當局只有積極進行開源工作。工務司莫爾庚前往廣州談判，便是開源工作之一。莫爾庚已於四日下午歸來，但對談判詳情未有公報。據報：汲取大陸西江之水，現已無問題，唯不一定實行。又據說：是否汲取西江之水，暗中將視今後兩星期內降雨情形而定，包括期內有否滂沱大雨降落以及期內食水消耗情況如何。

當局透露：就使將來非自外運水以濟燃眉之急不可，估計需租用十艘一萬八千噸的油船作運輸工具。此等油船租期，最少爲六個月，而決定租賃之後，則約需三個星期，此等油船始可到達。又運水油船運到淡水之後，尚須有陸上水管的設備，始能將其輸入蓄水塘。此種陸上水管的安裝設備，業經開始分段緊急施工，一天廿四小時不停，亦約需三星期時間，始能完成。

此等水管，全長六千餘呎，分直徑廿一吋，廿四吋及三十吋三種，大部份均將敷於地下，藉使一則無礙交通，再則又保持久運，爲他日必要時之用。工程並非很小。顯見，無論香港當局以及一般居民，均希望兩星期之內，便有大雨傾盆而來，使香港水荒得以霍然而解，水管之敷設，固以備而不用之爲愈也。（唐）

香港與大陸

大陸作家們的悲哀

毛共逼其落鄉歌功頌德 農民痛罵他們沒有良心

大陸中共當局又迫使一批的「作家」「藝術家」等高級智識份子落鄉，就是藉此體驗勞動人民的生活，使其作品「更適合大衆的需要」，以期廣泛的促進「新社會主義（共產主義）的文化」。

一位就讀於香港某大專「中國文學系」生謝偉×君告訴記者：日前接獲一留居大陸的哥哥來信；他們那單位的全體人員，經已被派到農村工作，將在農村工作多久，一直尚未接到指示。

謝偉×的哥哥數年前畢業於廣州中山大學中文系後，因身染肺病，乃回到原籍——汕頭市閑居休養，平時喜歡寫寫東西，因此便參加了「作家協會」（汕頭市分會）。來信稱：在上月初，該協會曾召開會員大會，並由市「文教科」之負責人作專題報告，指出由於中國農村過去長時期受到「封建制度」的影響，因此「舊思想」，「舊風俗習慣」等在農民中仍然普遍存在，極大地束縛着農民，使其無法提高生產力，並與「共產主義思想」產生極大抵觸；鑑於斯，文教科該負責人便「要求」他們那些智識份子，應「光榮」地負起此項任務，身入農村，廣泛的促進「新社會主義的文化」而努力。

來信說：他雖然身體仍未復元，但眼看大部份人都「報名」參加，自己也祇有硬着頭皮報上名了。因爲如果不報名的話，以後不知將會遇到多少麻煩，故雖明知自己體力難以支持，也無可如何，祇有聽天由命了。

來信說：他們在出發前，該「作家協會」的負責人曾要求他們訂出「寫作計劃」，強調希望他們的新作品要「更適合大衆的需要」。而且還對他們指示說：作家、藝術家必須要與勞動人民生活在一起，瞭解勞動人民的慣用語言、興趣和共做一切，更要瞭解農民過去「反抗封建勢力和反動派」的「英勇行爲」，說是祇有將此等事實搬入作品中，才能成爲改造農民，鼓舞農民的最好作品。

來信說：他落鄉後卻陷於極端痛苦中，一則從小至大皆習慣城市生活，對於農村日夜的沉重的勞動，確是受不了；另一方面，則因語言不通，晚上或休息時間，也不能與別人傾談，孤孤單單的（其他的同事雖同在附近幾個「公社」中，但非住在一起。）十分寂寞了。而最痛苦的，還是精神上的，因爲一方面「領導」要他們完成寫作的任務，爲「歌頌」農民過去的英勇反抗封建勢力和反動派的事跡，但據他在農村中的體驗，農民幾乎無人不強烈的反共，他們從未有過反抗反動派的。有不少死硬的農民，當聽道他落鄉是爲瞭解情況，準備用來對共產黨歌功頌德之時，不但對他態度冷淡，甚而實行破口大罵，說他們那些執筆桿的共黨御用文人太沒良心。使他毫無辦法，雖跳下黃河亦洗不清。（敬斯）

吳廷瑈闡釋越南戰略邑

西貢通訊

越南頒行「戰略邑」國策一週年，曾舉行集會紀念，越南總統府顧問吳廷瑈，即越南總統吳廷琰之介弟，革命主持紀念會，發表演講，對「戰略邑」有詳盡之闡釋。越南年來剿共戰，「戰略邑」厥功至偉。爲使讀者明瞭越南實施「戰略邑」情況，特將吳氏演詞全文錄誌如次：

率總統及政府命令，並代表戰略邑中央委員會，來紀念一年來全民爲打倒殺戮、離間、共黨三種敵人，而從事建國和救國的鬥爭。

本人謹向各位爲祖國及戰略邑革命政策而犧牲的戰士英靈和其家屬，致以誠懇敬意。

這一個大會是有責任將戰略邑國策成績總結，檢過去一年從事消滅：封建、殖民、共產，殺戮及離間，戰鬥運動各方面，得總驗，以證現政策。

本人爲使在會議工作達到更多結果，特確定下列各點供以參考。會議所得結果，將決定現在及將來我們民族之進步。

首先，我人須認識及把握戰略邑政策之出發根源，須顧明正當實現政策，同時須不斷的提高鬥爭正義。

各部級人不應忘記的是：在各次討論會中和與地方民衆接觸時，須特別注意二千年來越南民族歷史運動中，戰略邑政策所佔的位置。我人可以以上古時代北越各部落之北進，中古時代，近代及現代民族之南進及現今正在準備之北進，山胞之移居等壯舉爲借鏡；所有該歷史變動均有明朗的局面，使我人正在進行戰鬥運動之歷史位置具體化。

戰略邑國策重要性

這些優秀工作，未滿足一些好奇知識前輩所重視，及不能證明任何一制度。在過去一年中戰略邑政策之進步過程及主要觀念，已發動了一項運動將全部思想重行檢討，所有各項制度之組織及紀律，特別是現在越南共和制度。軍民政幹部各次會議中正在演變之檢討運動，其實這是戰略邑政策具體化成績及最重要勝利。

民族歷史中我人明施行各項政策，是各幹部全部鬥爭中最切要的事，由此，須透澈了解路線與工作符合心理及趨向，有效且擴大人位眼光。

爲了鬥爭，所以在每一項活動上須尋出歷史上及現在的根據，尤其是鬥爭最決烈的現在。爲什麼活動？從何而起鬥爭？目的是什麼及接連着是什麼？

從這些的抗戰看去，我們並非自那一邊異世界到達這裏，現在面對着的環境及政治，經濟，社會，文化等條件並不是一時便具有的，我們及全民的背後，是民族之整個進化運動過程和鬥爭，我們及全民面對着的是整個尚要進步的過程，任何人不能代替我們的命運，這一命運是由各該歷史位置所決定。是故我們須明瞭該歷史位置，它解釋及證明現在我們所進行的活動。

目的在建立新社會

實現戰略邑政策綱目中是一項歷史任務，另一種說法，是出於民族之歷史運動，及實踐鬥爭條件及環境中，而戰略邑政策始獲成立以應付革命鬥爭需求。

該項需求包括各部份內容及形式：內容方面是全民之革命願望，希望實現一項有新價值的新生活。形式方面是建立戰略邑以保衛有新價值的新生活。

建立一個有自足自給自衛等價值的新社會生活，首先自邑深開始進而發展至上層以建設國家，這不是全民的意願嗎？因此，戰略邑政策是革命意識直接實踐於社會而告成了。

戰略邑政策並非僅是一項以抵抗共產武裝的軍事戰略，亦不是由外國輸入抵抗共方法。共黨經常捏造無稽宣傳以降低戰略邑政策之革命作用，或有一部份人仍以爲事實及無意陷入共黨的操縱圈套中。

本人非常明白，並不是在一日或一個月而可能在一般已建成戰略邑中實現新生活。這是整個的條件問題，物質生活與教育意識及民衆心理同時而行。依照新生活運動過程，則向有許多困難，須作更多努力及犧牲，各階層須警覺鬥爭，創造更多才能及技能。

這是長期鬥爭計劃

這並不是一件簡單工作，而是一個長期計劃，任何人都不敢自豪和自認爲數個月以至一年時間中，可能替數百萬人建立一項完整的新生活條件。不要說是在戰爭時期，就是和平時亦無可能的。

在這戰爭時期中，我人不必猶豫的說：由越共造成戰爭時期中，我人剛設立的基礎及所得到條件將能在抵抗幾進，離間及共產破壞的過程中，替多數工民，民衆實現新生活，我人果決的說，這是一條充滿着所有困難的路，將我們民族道於一次的考驗中，這一次考驗需要我們民族所有鬥爭及創造能力，以解決民族所面對着時代的各方面問題。然而我人相信我們的民族將在各方面的努力及在所有愛好和平進步友邦民族之精神和物質援助下，達到成功。我人隨時接受不論來自何方所給予之建設性思想及意見，但是只要配合越南民族之革命運動，但是我人亦不因一些偏面指責或檢討以任何理由破壞而不安。（一）

天南風光

——沙羅越的歷史——

朱潤明

有的甚至想到：或許溫和的時期已經過去，今後要面臨嚴厲而酷烈的統治了吧。果真不幸，在平靜無瀾之達百年的沙羅越，忽然爆發了一片政治性的謀殺火花。

一九四九年十二月三日的早晨九點半鐘，司徒華總督乘坐一艘白色專艇，從古晉出發來到第三省詩巫，作首次的巡閱。斯時專艇正慢慢地靠近詩巫第三碼頭，當地首長、縣長，及各高級官員均前迎迓，陪同上岸，在禮砲聲中，先檢閱儀仗隊，旋與各碼頭至縣署沿佇候歡迎之公務員，各民族領袖，學生，民衆等致禮，並與各民族領袖一一握手。

在縣公署前設有司令台，這司令台專爲總督向民衆致詞，及代表英皇喬治六世授M.B.E.勳章與華僑領袖周玉麟而設。當總督行近距司令台十餘步之地點，忽然在群衆中閃出一個年約二十歲左右，身材短小，黝黑之馬來人，胸前掛一箱照相機，他追着總督前行幾步，即雙手高捧照相機，佯作欲拍影之狀，隨即迅速拔開照相機，在左手袋中抽出長約八寸之雪亮短刀，向總督直撲過去，原欲直刺頸部，不意行動匆遽拔步過猛，身體前傾，刀鋒竟指向德督胸部，這時德督正與群衆行禮之際，忽見眼前有刀光閃動，急忙以右手抵抗，刀鋒經此一壓，突向右腹刺入，總督頓時神色大變。立即警笛大鳴，警察蹤往將兇手捉住。

這時民衆行列中，忽又衝出一個馬來人，也拔出利刃，衝向德督背上刺去，乃爲一警察抱住，該馬來人乃轉鋒而刺那警察，傷其左臂，血流如注。兇手亦立即被其他警士抓着。同時，另有一年約十七歲之馬來青年，乘群衆混亂之際，也拔刀欲向省長刺去，乃爲總督隨從人員克氏猛力一腳踢開，那青年摔了一個跟斗，即棄刀，擠入人叢中，乘亂逃去，一直等到當日下午，才在拉讓江邊被捕。（六二）

報人普立茲傳

汶津譯

這回約瑟夫說：「你對人們所做的事比爲什麼更有興趣。你不想知道人們爲什麼做那些事？爲什麼觀念會改變？爲什麼少數人會有的大多數人改變？」

約瑟夫沒時間談這些，他說只有夢想者才想這些事。

「夢想者曾幫忙改變了歷史，」達維生指出道。「我想，約瑟夫，你可以成爲一個大政治家。一個好的——改革家。你不能改變歷史但你可能幫着造成它。」

一個月的研究很快終了。約瑟夫再度去做很多工作，使他在學習期間能賺到錢。一八六七年他結束了法律的研究，並準備去做一個正式律師了。

唯一的問題是他沒錢自己設一間事務所。

一晚他在歐堤廸圖書館看着到兩個人在下棋。他們對着下的一步棋不能互相同意。約瑟夫旁觀着。突然他跳到桌前大叫，「別走那步！」

兩個人都張大了嘴驚訝地看着約瑟夫。他拉開其中的一個對他說：「假使你走那步，你要輸了！」

他根本沒考慮到另一個會提出抗議，就把棋子放到棋盤上的另一個位置上。「看見嗎？你該放在這兒，然後這樣——那麼，你就贏了！——」

他們看看約瑟夫，看看棋盤。然後，勝利者靠上他的椅背，開心的笑了。他對約瑟夫說：「你對！那正是我想下的子。艾米兒——這是幾週來我第一次贏過你。讓我幹得多好！」

他的朋友瞪視着他。「最後一步可不是你自己下的，卡爾，讓我提醒你。同時，這是不公平的。」

當約瑟夫離去時，兩人中的一個叫住了他。「來，年輕人，我要認識這位了不起的棋手。也讓我介紹我的朋友給你。這是艾米兒·普利多利博士，我是卡爾·蘇滋。」

有一陣約瑟夫不知說什麼是好。他可嚇了。他曾衝到這些有名人士的面前告訴他們該怎麼下棋。普利多利博士和卡爾·蘇滋是全聖路易人都知道的，卡爾·蘇滋更是全美聞名。他是共和黨的發起人之一，他曾幫助林肯成爲美國總統。

約瑟夫以前從沒見過大政治家，但像所有聖路易的德國孩子一樣，他知道不少關於他們的事。蘇滋來美國是一個窮小子，可是現在他已是密西西比的國會參議員了。（十四）

瘟君續夢

第九回　枵腹爭雄　壺漿招餓鬼　苦心糾衆　風雨會羣魔

赫魯曉夫在聯大鎩羽消息傳出之後，更增加了毛澤東鬥赫的信心。毛澤東這時的辦法，對內是力爭正統，宣傳自己是馬克思、列寧主義者，凡是與他反對的都是修正主義者；毛澤東又怕別人不明瞭他的意思，把修正主義者當作考茨基一批人，特別加上現代兩個字，說明現代修正主義者是活着的赫魯曉夫和狄托，不是死去的考茨基。

除去理論之爭，毛澤東在外交上爲孤立蘇聯，凡是與蘇聯有密切關係的國家，毛澤東一定大力拉攏，首先被看上的是西非洲的幾內亞總統杜爾。

幾內亞本是法屬西非的一部份，戴高樂上台後，給予全部屬地獨立，舉行全民投票，願意留在法蘭西邦聯之內的，法國深表歡迎，不願意的也不勉強。投票結果絕大部份都願留在法蘭西邦聯之內，只有幾內亞要求完全獨立，與法蘭西邦聯斷絕一切關係。戴高樂總統當即下令撤回法國在幾內亞的所有行政及技術人員，一夜之間，幾內亞全陷於停頓狀態，街市上連一個電燈泡都買不到。

就在這時，蘇聯乘虛而入，與幾內亞交換大使，派出技術人員作大量經濟援助，杜爾自然對蘇聯十分感激。加之杜爾又自稱是馬克思主義者，於是幾內亞就成了共產國際在西非的灘頭陣地。

中共當然也不甘落後，同樣派出大使，給予幾內亞大量援助，又簽訂貿易協定，可是，根據貿易協定運去的纖維，竟然發現有泥土、頭髮及糞便，使幾內亞人對中共留下一個惡劣的印象，「邦交」也爲之疏遠。

中共頭目充分了解幾內亞的重要性，知道要想滲透黑非洲，與蘇聯在非洲爭霸權，便要取得幾內亞的合作，所以當這次聯合國大會開會時，杜爾也應赫魯曉夫之召，親自出席聯大。中共於是乘機提出邀請，請杜爾順便到北平訪問。

杜爾當時答應了，蘇聯駐幾內亞大使恐怕內裏有鬼，去電建議蘇聯政府也邀請杜爾訪問，以抵消中共的陰謀。蘇聯政府收得報告時，赫魯曉夫已準備動身去紐約開會，當時也只好循例發出邀請。杜爾先經過莫斯科，這時赫魯曉夫已不在，只有布列日涅夫率領一部份高級官吏在迎接，場面十分冷落。杜爾到了莫斯科，蘇聯政府只草草宴請一次，即無下文。

杜爾何不到四十歲，血氣方剛，那裏受得下這股悶氣，住了一天就動身去北平。毛澤東已經曉得杜爾在莫斯科的情形，決計舉行盛大歡迎，命令組織一百萬市民列隊歡迎，劉少奇、周恩來以下全體到機場歡迎。幾內亞全國只有二百五十萬人，杜爾生平也未見過百萬人集會的盛景，對中共自然加深一層感激。到了北平之後，當晚劉少奇在「人民大會堂」宴會廳舉行「國宴」，所有高級頭目及民主人士全到了。第二天毛澤東又約見，對杜爾說了許多恭維的話，把杜爾是反帝英雄，全世界反殖民主義的先鋒，更恭維得杜爾心花怒放。第三天周恩來又請，杜爾剛提到在幾內亞時久聞上海之名，打算遊覽一次，周恩來馬上就答應陪杜爾同去。（二一〇）

閻錫山與陳納德

吳文蔚

在太原緊急時期，任何夜間，你都可看見飛機場內閃耀的煤油燈，牠發出強烈的光線，照見跑道上放着戰時的舊飛機C—46和C—47，塗齊褐色的油漆；你還可以看見機械士們，站在飛機架上，以腳蹬踏，連續取暖，且手執火把，檢查機器各部；還有大卡車載運士兵及揭開的飛機艙口旁邊所堆積的貨物；你還可以聽見步卸貨物的人們，在困苦的工作中，唱些歌曲；忽然間一位美國中部人的聲調串風而來，說着不流利的華語，「啊，夥計們，趕快裝吧！」

民航隊飛行的情形，不但自己感到危險，即許多會飛越中印航線駝峯的老手們也說：「要是比起民航隊在華北的飛行來，那駝峯的飛越，只等於一個郊外飛行」。

由上海飛到太原，往返九個半小時中，除僅有的四十五分鐘的安全外，其餘均在匪軍佔領區域，美國飛行員認爲強制降落，是最傷腦筋，不堪想像的危險事，而且他們之中，已有好多列入共產黨的戰犯名單，因爲共黨認賴他們由民航飛機艙門外扔下去很多個炸彈。如此的艱危，這趟飛行並沒有航運的協助，或其他的降落地。

一個C—46飛機，長途往返，幾乎剩不下多少保險的燃料，雖是好天氣，飛機同來所剩的燃料，亦不過僅够三十分鐘用。但是華北的冬季，好天氣却是很少。

民航隊的飛行人員雖有這些痛苦，但很少有人訴出：駕駛員們，待遇尚好，至少記帳，因爲有時三幾個月沒有現款，而他們的工作相當冒險，平均每人每月兩千元之譜，其底薪爲每月飛行六十小時給八百元，此外每飛行一小時給十元。在此情況下，時間另有新的意義，一個駕駛員，飛行一小時得十元，他就要向別的駕駛員說：「你在機場，有何益處」？實際上沒有飛機向北飛一小時，在北飛行的都是每小時十元。這又豈能說是完全以金錢爲目的的！

那年多季，華北部份的將領們，不斷的叛變，而閻錫山將軍，却在太原堅強抵抗，毫不動搖。他這種精神，激勵了民航隊陳納德將軍，和全體的工作人員，無論是飛行人員，或經理辦公人員，都全體一致的願爲他努力幫忙。

據參加最多次往太原空運的民航隊重要職員博瑞智說：「我們的同人，無論對中國任何人，概沒有對閻錫山將軍這樣的飛行過。例如在青島，我們有三架飛機上的引擎，忽然因炭化器結冰而損壞，要是專爲金錢，絕沒有人願意在那一種氣候裏飛行；但閻錫山將軍的作風，使我們不能不爲他努力。他所作的，難得極」。（六）

南宋偏安有人才

李仲侯

——岳飛

「自中原板蕩，夷狄交侵，余發憤河朔，起自相州，總髮從軍，歷二百餘戰，雖未能遠入荒夷，洗蕩巢穴，亦且快國讎之萬一。今又提一旅孤軍，奮起宜興，建康之城，一鼓敗虜，恨未使匹馬不回耳！故且養兵休卒，蓄銳待敵。嗣當激勵士卒，功期再戰，北踰沙漠，喋血虜廷，盡屠夷種，迎二聖歸京闕，取故地上版圖。朝廷無虞，主上奠枕，余之願也。河朔岳飛書」

初，叛將戚方，掠廣德軍，老稚以歸，成賞之。方屬勦，約成罷，還所掠。成不悟而往，方伏壯士殺之，併屠其家。成死，其部曲相率歸於飛。廣德守臣亦奉書以方之難來告。會詔飛討之，飛以三千人行，營於苦嶺。方時發兵斷官橋以自固，飛射矢橋柱，方得之大驚，遂遁。飛命傅慶等追之不獲，俄益兵來，飛自領千人出戰，凡十數合皆勝，復遁。飛窮追不已。方生路垂絕，知必爲飛所獲，張俊復來會師，方乃間道降俊。俊爲飛置酒，令方出拜，方號泣請命，俊力爲懇免。

飛謂俊曰：「招討有命，飛固當稟從。然飛與方同在建康，方遂叛去，固嘗遣人以順逆喻之，不聽。屠掠生靈，毆劫郡縣，又誘殺屬將而屠其家屬，拒命不降。比諸兒爲甚，此安可貰？」俊再三請，飛呼方謂之曰：「招討既赦汝一死，宜思有以報國家！」方再拜謝，立於左。當廣德之戰也，飛身先士卒，方以手弩射飛中鞍；飛納矢於箙曰：「他日擒此賊，必令折之以就戮」。至是取矢畀方，方寸折惟謹，飛與俊皆大笑。方汗流股慄，不敢仰視。

時有刪定官邵緝者：上書廟堂，言飛驍武沉毅，而恂恂如諸生，頃起義河北，嘗以數十騎乘險據要，卻胡虜萬人之軍，又嘗於京城南薰門外，以八九百人破王善、張用五十萬之衆，威震夷夏，而身與下卒同食，民間秋毫無擾。如虜金人留軍江南，簽制官軍，大爲東南之患，則奮不顧身，克復建康，爲國家奪取形勢咽喉之地，使逆虜掃地而去，無一騎留者。江浙平定，其誰之力！歷數功效，無慮數千言，廟堂以其書奏，上於是有意超擢。

秋七月，宰臣范宗尹奏事因言：張俊自浙西來，盛稱岳飛可用，上曰：「飛杜充愛將。充於事君，失臣子之節；而能用飛，有知人之明，猶可喜也」。（五十七）

上國之冠

匡謬

吾華族自古被目爲「上國衣冠」之國。考我國之有衣冠，自黃帝始，禮記云：黃帝作冕垂旒，目不邪視也。古代即設有司服之官，天子十二冕，與十二旒；諸公之冕九，諸侯之冕八，伯之冕七，子之冕六，男之冕五，庶士則冠玄冠而已。

冠爲頭部之物，與衣並重。冠冕衣裳，爲禮之表徵，亦爲階級之表示。茲擧我古代各類冠冕，以見上國之冠爲何如。

緇布冠：又名進賢冠。爲周制，以爲始冠之冠也。夏后牟追冠，長七寸，高五寸，廣五寸，形如覆杯。三王田獵之用冠也。漢則公卿大夫行禮冠之。

通天冠：本秦制，唐以前各代，天子於朔日元會多朝會諸祭等，則冠之。

長冠：漢高祖採楚制長冠，形如板，以竹爲裡，亦名齊冠。後以竹皮爲之。高七寸，廣三寸，故又曰劉氏冠，所用於宗廟之冠也。

遠遊冠：有具服遠遊冠與公服遠遊冠二種，漢代采楚制而成，天子太子諸侯均用之，惟有多少不同而已。晉而後，則成爲皇太子之常冠。

高山冠：秦滅齊，獲其君冠，以賜近臣，因而仿制之。形如通天冠，歷代大臣均冠之。

法冠：秦滅楚，獲其君冠，以賜御史，文柱，以纚爲展筒，一名柱後，執法者冠之。

武冠：一名趙惠文冠：秦滅趙，以其冠賜近臣故名。

建華冠：漢制，謂之鷸冠。以鐵爲柱卷，貫大銅珠九枚，天地五郊明堂，舞人祀之。

方山冠：漢制，似進賢冠，以五采縠質爲之。祠宗廟八佾四時五行之樂人冠之。

巧士冠：漢制，高七寸。皇帝郊天黃門從官冠之。

却非冠：漢制，似長冠。宮殿門吏僕射等冠之。

樊噲冠：漢將樊噲所冠。項羽有意殺漢王，噲以鐵楯裹冠之，入立漢王旁，項王嘉其勇，故名之。

術士冠：漢制，趙武靈王好服之冠也。

翼善冠：唐時皇帝朔日視朝之冠也。

皮弁：以鹿皮爲之，周制，五采玉璂，前後絳，王視朝時冠之。

韋弁：周代卑賤執兵者冠之，皆事兵之服。

幘：漢元帝額有壯髮，不欲使人見，始施幘，群臣皆隨焉。王莽秃，幘上施屋。孝文時，幘有文武二種，文長耳，武短耳。

帢：魏武以天下凶荒，資財乏匱，擬古皮弁，裁縑帛以爲帢。

帽：野人之冠也。上古穴居野處，衣毛帽皮，不施衣冠，以帽而勾額。魏管寧在家，常着白帽。帽合乎簡易隨便之義也，以色別其貴賤。

葛巾：東晉制，以葛爲之，形如帢而橫著之，爲尊卑共服。祭酒博士冠之，六朝之後無傳。

幅巾：漢末，王公名士以幅巾爲雅，袁紹、崔豹之徒，雖爲將帥，皆著之。黃巾：漢末黃巾賊以黃巾爲號，帝因號黃巾賊。四角巾：周武帝時爲之，唐亦因之。折角巾：郭林宗遇雨，巾折一角，時人謂之林宗巾。袁紹戰敗，幅巾渡河。此巾庶人亦用之，卽軍吏亦皆用之。

巾子：唐武德初始用之，最初尚平頭小樣者；天授二年，武太后內宴，賜群臣高頭巾子，呼爲武家諸王樣。景龍四年三月，中宗內宴，賜臣以下內樣巾子，其樣高而踏，以帝在藩時所冠，人號爲英王踏樣。

海嶠雲談薈

四川學人何魯，留法學生，對數學有湛深的研究，亦能作本國的舊詩，又寫得一手王羲之體的漢字。他具有一種玩世不恭，自負的人所謂名士派，通病。

對日抗戰時期，何氏住在重慶市郊區的北碚，担任復旦大學教授，復大校長章益友三善。某日，當教育部長陳立夫應邀赴該校講演「唯生論」，學生們正在靜聽講演之際，何魯挾着書包到校授課，而該班學生都在聽講，禮堂門口呼喚學生來上課。聲言：「陳立夫的講演有什麼可聽的？」他一喚，門很高而宏亮，陳部長亦聽到了，他問章校長：是何人？答言本校教授何魯。陳部長默而誌之，照樣講演完畢而去。

繼而教育部通令規定全國各大學教授，一律改爲部聘制

談容人之量

諸葛文侯

，何魯名落孫山，祇好離開復大，在重慶市外創辦了一所「載英中學」，自任校長，心裏對陳部長十分不滿，隨時藉着機會發牢騷，斷則漫駡在朝的當政人員。民國卅一年，我受命担任重慶市教育局長，邀集各中學校長會議，與各校長見面認識，會上計明各校長會務，時下雨，會畢，何魯即起立發言，大罵我不應該硬性規定校長必須親自出席，使他從鄉下冒雨而來，有失尊師重道之義。他說話聲振屋瓦，會衆相顧愕然，怕我發脾氣。我與何氏素昧平生，自信對他幷無私人恩怨，當場只解釋這次會議必須校長出席的理由，他亦沒有再說甚麼了。次日我拜託一位與何氏有深交的川籍朋友，詢問何氏爲甚麼要對我作此罵座之舉？他說：「陳立夫的黨羽我就要罵，別無原因。」我聞之大笑，是夕親訪何氏於其寓所，說明自己的爲人和身世，對他表示敬仰之意，兼談到教育部未繼續聘任何氏爲復大教授，殊覺遺憾。他很高興，即暢述政治的道理，他說：「作官的人一定要挨罵，不沒有挨罵之雅量的人，不配作官，更不能作大官。」相與抵掌歡笑不已。從此我倆竟結下深切的交誼，他對我再也不作反對的言論了。有一天，他特來見我，提出商務印書館出版的一本微積分數學教科書，指說其中有一道練習題弄錯了，始終沒人發覺，他已加以說明改正，做出了答案，請我將他的原稿作爲教育局的意見，送給商務印書館查照，於再版時改正之，以免貽誤莘莘學子。

抗戰末期，政府號召青年學生從軍，首都學校應該起帶頭作用。我召集重慶市公私立中學校長商討其事，幷請市黨部主任委員方治（希孔）兄蒞會講話，會場借用中央黨部禮堂。開始由我說明會議目的，各校長一致贊成。旋請方主任致詞，何魯突起罵座，指黨部壓迫學生，與吳鐵城大爲鬧翻，幾使會議發生了衝突，急派人來詢問，我告以無事。嗣方主任予以答復，他即退席。我怕何魯發狂鼓動學子，乃當衆指定他擬就決議，幷用一大張紅紙自己寫好正楷字送到我家來。我問他在會場亂罵人是何意思，他說：「我並非罵你，乃是罵陳立夫。」這證明何魯對陳部長銜恨至深，怨恨殊甚，他使陳除他的大學教授資格，那種雅量，且不致使我和希孔兄無端挨受狂士罵座之辱。古人謂「有容乃大」，信然。（下）

水牛將軍田桐

周燕謀

……卒因清吏戒備嚴密未成。辛亥秋間，湖北新軍之計劃已經成熟，急赴武昌。時武昌已光復，黃興繼黎元洪任都督之後，被任爲革命軍總司令，梓琴被任爲隨軍參謀。初戰頗利，及馮國璋率其精銳來攻，漢陽情勢危急，梓琴獻策，請謀取漢陽兵工廠，以其銅鐵板爲渠掩體濠壍，以禦砲彈，得持久月餘。黃興事後告同志曰：吾始以梓琴爲文士，今乃知其智計亦大過人也。

民元年，南京參議院成立，梓琴任臨時參議會議長。及南北統一，乃北上復辦國光新報，爲文斥袁世凱闕失，揭發陰謀，不少容藉。袁世凱深恨之，令農商次長張仲華以十萬元支票來社，商請轉移論調。梓琴囑經理李基鴻退還不理。閱者僉以爲禍在旦夕。一日，[illegible]彈[illegible]其屋頂，梓琴因事在外得免。有人勸他小心戒慎爲妙，梓琴答道：死生有命，吾何懼焉！

民國二年，正式國會開幕，乃由湖北舉任衆議院議員。開會議憲之日，袁世凱令湯化龍、梁士詒、王賡諸人組織御用黨，以阻礙（四）

內政部警台報字第〇三一號內銷證

自由報

THE FREE NEWS

第三四七期

中華民國僑務委員會登記
台數新字第三二三號登記證
中華郵政台字第一二八二號執照
登記為第一類新聞紙類
（半週刊每星期三、六出版）
每份港幣壹角
台灣零售價新台幣貳元
社長：雷嘯岑
督印人：黃行寬
社址：香港銅鑼灣高士威道二十號四樓
20 CAUSEWAY RD 3RD FL HONG KONG
TEL. 771726　電報掛號：7191
承印者：田風印刷廠
地址：香港灣仔高士打道一二二號
台灣分社
台北市西寧南路壹叁壹號二樓
電話：三〇三四六
郵政劃撥儲金戶九二五二

自覺運動和公德心低落問題

·韋錦周·

五月十八日一位自稱為「夷人」的狄仁華先生在中央日報副刊上發表了一篇「人情味與公德心」的文章，把他在中國留學兩年所看到我國人民缺乏公德心的事實很誠懇的告訴我們，並希望給我們「引起一個提高公德心運動」，於是乎首由台大學生發起，各校青年紛紛響應展開了一個「自覺運動」。這幾天青年們忙着開會，忙着寫文章，記者們亦忙着採訪、報導這個「如火如荼」的運動。筆者對這個問題有不能已於言者：

第一、中國人的缺點和毛病，不必外國人指點，我們大家都很清楚，絕不像某些人所說的「當局者迷，旁觀者清」的鬼話。過去我們所以不敢針對這些缺點和毛病，一方面是麻木不仁，一方面是裝聾作啞的結果。試想，狄仁華先生所指點的那些事實，是多麼普通的現象，多麼普通的道理，誰都知道不守秩序不好，誰都知道考試作弊要不得，誰都知道在公共場所抽煙不應該，誰都知道借用別人的軍證犯法，但是為什麼依然有那麼多人買票不排隊，上車不排隊，註冊不排隊，照X光也不排隊呢？為什麼仍有那麼多人在公共宿舍裏、在戲院裏大抽其煙呢？為什麼考試時仍有人明知故犯的作弊呢？為什麼仍有人隨地扔果皮紙屑，隨地倒垃圾，隨地丟煙頭，甚至隨地吐痰，隨地小便呢？難道這些缺點這些毛病我們都不「自覺」，必須經洋人指點以後才忽然覺悟起來嗎？才轟轟烈烈地搞起「運動」來嗎？我很慚愧！一是慚愧我們的「自覺」運動仍然是被動的，不是自動自發的。我這樣想（相信許多人都這樣想），如果那篇掀起這次所謂「自覺運動」的發難文章不是出於「夷人」的手筆而是「黃帝子孫」們寫的話，我敢說連看的人都不多，更不必說能引起什麼運動了。像狄仁華先生的那些話，學校老師常以之教導學生，勉勵學生，政府人員也常以之勸導人民，勉勵人民，但為什麼都不發生作用，而一聽洋人說話之後就踴躍的熱烈的響應起來？這是什麼心裡？形成這種心裏的潛意識是什麼東西？難道中國人真是這樣奴性，這樣低能嗎？為什麼自己人的話等於放屁，洋人的話就奉之若聖旨，奉之為圭臬呢？筆者平日常和朋友談這些問題，有一位朋友悲憤之餘竟爾說中國至少要做半世紀的亡國奴，讓別人管教管教，也許可消滅其頑固的劣根性，將來才有改造復興的希望，因為中國人誰都不服誰，誰都不聽誰的話，只要洋人一管，便俯首帖耳，乖乖聽話。他說曾見許多居住香港的中國人，在英國政府統治之下，都能安份守己，奉公守法，儼然上等國民。但有的偶回廣州省親，便又故態復萌，又幹起隨地吐痰，隨地小便的勾當來，你說可惡不可惡？當然這番話未免太忿激，太悲觀，不足為訓，但如果我們的「自覺」是得自外國人的靈感，我們的「運動」是來自外國人的推動，那麼這種運動本身就含有可悲的下意識作用。而這種可悲的下意識，亦即可恥的崇洋心理，我以為在我們的「自覺運動」中應該首先受到檢討，首先受到糾正！然後才檢討如何糾正我們那些由來已久的缺點，如何培養我們的責任感，如何建立我們的公德心。

第二、在大家熱烈的展開「自覺運動」的今天，上面這番話並非故意唱反調，故意給大家潑冷水；至於提到崇洋心理的可恥可悲，也並非意味着筆者在兜賣那些所謂「民族本位」的發霉貨。老實說，我們今天需要的是大家一點一滴的做，切切實實的做，埋頭苦幹的做，並不需要那些華而不實的「運動」，更不需要那些五分鐘熱度的「運動」！我們中國各種形式主義的運動太多，而且這些運動往往是一方面毛病的徵候。例如報紙上刊載我們提倡「好人好事」運動，那就表示我們社會上好人好事太少了；提倡「革新」運動，那就表示我們的作風或做法太陳舊了；提倡「節約」運動，那就表示我們的社會太浪費了；至於舉辦什麼「交通安全週」之類，也就說明我們的交通不夠安全，必定到處有闖紅燈、闖平交道的危險行為。而現在又掀起了自覺運動，當然也就表示我們過去太麻木，多麼不覺悟了！至於自覺什麼呢？自覺我們過去太缺乏公德心，太缺乏法治精神，但今後應怎樣建立公德心？怎樣培養法治精神？絕不是開會、演講、簽公約、寫標語、貼壁報等等所能濟事的，必須每個人切實的做，有始有終的做才有功效！如果不這樣做，我敢說經過一陣吵吵鬧鬧之後，又是回復原形，我行我素：照樣買票不排隊，上車不排隊，註冊不排隊，照X光也不排隊，照樣考試作弊，照樣在公共宿舍裏抽煙……於是狄仁華先生臨別贈言所綴起的一池春水，其所得的總評還是那一句刻薄挖苦的話：中國人只有五分鐘熱度！

第三、現在我們來檢討為什麼中國人多缺乏公德心呢？我以為最根本的原因是缺乏一種對人群社會的責任感。國人的責任感多限於個人與家庭的小圈子裏，凡與個人或家庭無關的，都認為是「閒事」，漠不關心，等「閒」視之。例如馬路中央一塊石頭，行人熟視無睹，讓它連續拌倒行人，掀翻車輛。地上死老鼠，讓它飛蠅叮，傳播疾病。公共場所果皮紙屑，任它滿地亂飛，妨害衛生。這種漠不關心的「清高」態度，正是因為缺乏對人羣社會的責任感的緣故。當然在中國社會，也有修橋補路的好人，也有撿焚字紙的好人，但其基本觀念是修個人陰德，不是為社會服務；其出發點是對「神」負責，不是對「人」負責。此外中國人對於責任問題常抱着悲觀消極的態度，而且是一種黑白不清是非不明的鄉愿態度。好一點的所謂獨善其身，不管閒事；壞一點的則為非作歹，同流合污。譬如說有人做了壞事之後，還自我安慰說：「唉！沒有辦法，別人都這樣……」或且說：「大家都做壞事，我一人做好事有什麼用？一個人也救不了國家……」等等似是而非的話。試問我們中國人難道個個都做壞事嗎？個個都不負責任嗎？答案當然是否定。那麼為什麼不問你自己有沒有做好事，有沒有盡了責任，而以為別人都做壞事而自隨之墮落？試想這將變成什麼世界？所以我們不必問別人如何如何，凡事先從自己做起。我們必須負起責任，必須要有好管「閒事」的精神，去管那些別人不愛管的閒事。先則獨善其身，繼而兼善天下，實在是我們這一代應該努力的方針。

第四、國人缺乏公德心的另一原因是自私自利的心太重。小焉者凡事只求自己方便，不顧別人損失，如買票不排隊，註冊不排隊以及借用別人乘車証貪小便宜等等。大焉者則凡事只求自己有利，不顧別人或國家受害，如大家所熟習的惡性倒閉，貪污舞弊等等。像這種唯利主義者流，凡遇有利可圖時，莫不爭先恐後，你搶我奪，秩序大亂；凡遇無利可沾時，莫不推諉責任，袖手旁觀。自私自利和不負責任是一對狼狽為奸的歹徒，責任感一天不建立，自私心一天不剷除，公德心便一天不會出現。

第五、對自由的誤解，也是國人公德心低落的原因之一。我們常常看到一些不守秩序的人，不守法紀的人，自以為他們的行為是個人的自由，不許他人置喙。譬如有人在戲院裏抽煙，你如果受不了煙薰，請他停止，他老羞成怒之後，也許相應不理，繼續製造烏煙瘴氣，也許會瞪你一眼：「這是老子的自由，你管不着！」如果在街上勸人不要隨地吐痰，可能也同樣好心得不到好報，自討沒趣。再譬如說打牌這件事，外表看來似屬個人自由，如仔細分析，許多不道德的事情常因打牌而起。目前樂此不疲者大都份是公教人員，贏錢大吃大喝，輸了錢打歪主義，還談什麼公德心？上了牌癮的人，據說比鴉片還要厲害，欲罷不能，如果你勸他立下決心，趕快洗手不幹，碰上手氣好的時候，他也許敷衍你算了，碰上手氣壞的時候，他可能大罵你一頓：「老子打自己的牌，輸自己的錢，關你屁事！」或且也像那戲院裏抽煙的仁兄一樣：「這是老子的自由，你少管閒事！」嗚乎哀哉！我們國家盡最大的力量來養幾十萬大軍，如果是為了保障這批「老子的自由」，實在可悲得很！可悲得很！

（下轉第二版）

漫画天下

非州獅子不上當

寮國被釘死了

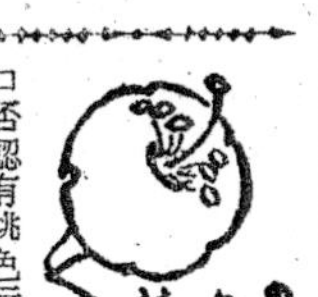

知恥

馬五先生

英國陸軍大臣普羅佛莫，為着自己曾對下院議員矢口否認有桃色行為，而實際又確有其事，由於良心的責備，自行投劾去職，因而引起政潮，貽在野黨以攻訐的口實，構成政海的軒然大波。這纔是真正的自覺運動，所謂知恥近乎勇也。

這事如果發生在咱們這號稱「禮義之邦」的中國政界上，我敢具結，當事人不特好官自為，行所無事，即使受到輿論指摘，甚至有人舉發了，政府亦不會理睬的，認為這是所謂「私生活」行為，與公務無關。君不見許多黨國聞人和地方官吏對於男女間的腐敗墮落生活乎？或與良家婦女苟且胡來，或與酒家女郎同居厮混，或跟電影明星瞎纏亂搞，雖然鬧出家庭大糾紛，告到了法院，而政府依然視若無睹，不加究問，為的是公家不管官吏的私生活啊！

一個人的日常私生活腐敗惡劣，昧良寡恥，而能在公務上有為有守，遵循紀綱法度者，實為亘古罕有的奇蹟。相反地，視其所以，觀其所由，察其所安，在日常私生活行為中，很可以瞭解一個人的品格才氣如何。這道理，古人闡發詳明，實行而有大效，如曾國藩的事業，即得力於此道也。今人不讀書，不講求修身齊家與治國平天下的義理，昧昧然強作解人，胡說八道，而自命為前進的新思想，宜乎天下大亂，終至神州陸沉，飽嘗國破家亡的慘痛滋味，不亦大可哀耶！

老實說，今日最需要實行「自覺運動」者，既非一般青年學生，也不是芸芸眾生的老百姓，乃是那些自認為讀書明理，隨時以「作之君，作之師」的臭氣派，對人說教訓話的達官顯宦與名流之輩。英國陸軍大臣的自覺行為，如其能使這般人有所啟發，實為國家之大幸，企予之望！

財源有着落。辦法亦具體

調整軍公教人員待遇
立法院即將專案檢討。

（本報記者吳越台北航訊）立法院上（五）月卅一日三讀通過五十三年度中央政府總預算案，院會中並決議定期集會，就總預算審查報告中所列重要檢討事項加以檢討，「調整軍公教人員待遇問題」，即被列為首要專案討論之事項，足見立法院對此一問題之重視。檢討後將作成決議，向行政部門提出建議，由行政部門去執行。此一造福萬千公教人員，而為全體公教人員所期待之專案檢討，立法院近日內即將舉行。

為數約五十餘位的立法委員黃煥如、李公權、張九如、張子揚、徐漢豪等，最近在審查明年度總預算案時，為革新預算調整待遇提出過詳盡意見，其中指出五點：（一）精簡機構，平衡收支；（二）集中支付，化暗為明；（三）集中供應、化私為公；（四）改善公教子女教育補助；（五）調整待遇範圍與財源。

他們曾為調整待遇問題仔細算過賬。他們認為，目前的國家收入，有顯著的改善，國際糖價上漲，台糖外銷有超額收入；黃金產值增加，金鑛含金成份較前有顯著提高，使國庫收入更為充裕；還有國防特捐餘額可資挹注；美援軍貸款項可資調劑；調整待遇，此其時矣！

立法委員根據國際糖價，認為五十二年度的台糖外銷收入，將較預算超過台幣十六億元，他們指出，台糖五十二年預算每噸九十美元，目下糖價已上漲至每噸二一三美元，每噸超過預算一二三美元，照全年六十八萬噸外銷量計算，其平均價格，將超收美金四千餘萬元，折合台幣十六億餘元。

至於黃金產量方面，由於金銅鑛務局所發現的富金鑛（即金色），每噸鑛砂含量較過去增加百倍，五十二年預算黃金產量為五千公兩，如果增加百倍，應為五十萬公兩，因運輸及處理等關係之減損，實際也可增加二十五萬餘公兩，折合台幣約為十二億元左右。

前述兩項特別收入，已可使政府增加收入二十八億餘元，還有單從公用汽車集中管理下，每年即可節省一億二千萬元，以之調整待遇，都是最可靠的財源。所以立法委員們認為，調整待遇不是有無財源，而是政府有無決心。

立法委員認為，調整待遇，提高效率，確屬亟應倡導實施之新政，但有幾個先決條件，要政府有決心，有魄力來貫徹：（一）首須實行俸給法，劃一待遇，化繁為簡。（二）嚴格執行績效預算，剔除浪費，化暗為明。（三）厲行人事制度，實行職位分類，一人一職，選賢與能。（四）新設立之集中支付機構，應就各機關原有人員擇優任用，汰除老弱，裁減冗員，不要濫用新人，增加國庫開支。立委們認為，果能貫徹以上四項，自然百廢俱舉，耳目一新。

繼財政集中支付之革新措施，立法委員認為還應材料集中採購，車輛房屋集中管理，統籌分配，減少浪費。

車輛問題，好多位立法委員指出，各機關大小汽車，本為員工上下班代步工具，事實上小汽車幾為主管所專有、競求新異，形成浪費，甚至一人有車數輛，子女上學，下女買菜均坐小汽車，員工上下班反擠公共汽車。鄉鎮長稅捐處長，亦有小汽車，不論階級大小，只問有無收入。影響觀瞻，影響心理，傷害社會風氣，減低行政效率。立法委員主張集中管理，統籌分配，按實際需要，最低限度可將現有車輛減少一千輛，全年可節省購價，折舊，稅捐，油費，修理，司機待遇等浮費一億二千萬元。

房屋分配與房租津貼，立法委員指為是各機關待遇最不公平、最不合理的事。低級職員、未配房屋，僅月支津貼四十元；其餘有收入機關，則各自為政，高級人員之房租津貼，多到數千，少亦數百；一人可以花數十萬元代頂房屋，此有一面住公家房屋，同時領高額房租津貼（夫婦同為公務員者多此事實）；其配房居住者，待遇亦各不同，上焉者不僅稅捐，水電及房屋修理等全由公家負擔，家裡男女傭工，亦全由公家開支，至於類似過去中央銀行總裁供應制之首長，更是得天獨厚；而多數軍公教人員之領四十元房貼者，租屋受漲價威脅。部份立委提出改革辦法，治本辦法兩項：（一）將現分配私人居住之房屋一律收回，訂定價格，或租或售，另訂房貼統一標準，最高首長與最低職員，一律按人口支領，各自負力租屋，公家不負擔任何稅捐修理及用人費用。（二）多建軍公教住宅，取消所有房貼，一律按階級按人口分配住屋。治標辦法：凡已分配房屋及支領高額房貼者，均暫維現狀；其未領房貼及支領房貼不符實際需要者，一律按實際需要，予以提高。

立法委員認為，子女教育補助費，亦為現行待遇最不公平不合理者。公教子女規定三人以上開始補助，僅子女一二人者，完全享受不到教育補助的權利。補助數額，亦距實際需要尚遠。銀行郵政子女，均照實際需要補助，不限名額。有些單位自辦子弟學校，完全供應，則超過補助範圍，此種不公平不合理之措施，不僅違背教育平等之原則，亦且影響軍公教人員心理。立法委員主張根據實際需要調整，至多照現預算增加十倍到十五倍，不過五千萬元，尚不及唐榮墊款十分之一──唐榮墊款早逾六億，現仍繼續借墊，政府縱財政困難，何至厚一家而薄全體軍公教人員。

黃煥如委員認為，如果待遇全面改善，一時無法做到，則應先就子女教育補助費及房屋津貼等作合理的調整。超額的收入如能專款存儲，以作改善待遇之用，以行俸給法，劃一待遇，化私為公，化暗為明，不但可使行政效率提高，且能耳目一新，收到宏效。

四日一供水苦況已難捱
香港可能進一步制水
汲取珠江水準備密鑼緊鼓

（本報訊）香港當局現正採取各項必要措施，作為再進一步「制水」的準備工作。

本月之初的兩次降雨，雖已使鬧水荒的居民心情沒有從前那麼緊張，但事實上水荒的形勢並未見弛緩。香港當局目前應付水荒的辦法，一方面在加緊減少水的消耗量，一方面則準備到珠江去取水。在到珠江取水未實行之前，第一個辦法，將見越來越緊。一般相信政府在各區增設街喉，當為萬一必須實行「配水」時作準備。（按：港府新聞處已承認「配水証」正在準備中）。香港中區亦已決定設立街喉，此顯見乃是進一步制水的先聲。

香港居民已深感四日一供水的苦況難捱，如果再進一步制水，那還了得。四日一供水的苦況，尤以身居大廈較高層的人家最為狼狽，許多居然每次僅約五分鐘有水供應，而紛紛叫苦不迭。為此，水務當局已一再呼籲各住宅樓宇的較低層住戶，准許住在同樓較高層的居民，到樓下從他們的水喉取水。在向居民發出的呼籲中，水務局一發言人說，水務局在一天之內收到八百多件來自較高樓層住戶水壓不足的投訴。該發言人說，水壓低弱，似由於樓下住戶，欲取得超過他們需要量的更多的食水。他提醒大家，不要存儲超過最低需要的用水。特別是住在較低層的人家，應儘可能控制他們的取用量，使住在較高層樓的居民，能有一合理的機會得到供水。

另外，水務局工程人員，現正儘力保持水管的水壓，使所有用戶能得到適當供水。據說：水務當局經常不斷注意各區的供水情況，如果嚴重，將更改供水系統，提供最低限度所必需的水壓。水務局一發言人指出，水壓的問題，需要得到住於同一樓宇住戶的合作。他敦促居民考慮鄰居的需要，又說：倘若偶發覺你的住宅有水供應時，不要趕緊跑到水龍頭，馬上扭開水喉，載足你所需要的用水，而是在供應期間，相隔若干時間取水。「同樣地，在上午六至九時獲得供水的居民，應將取水時間平均分配。舉例來說：現行取水的高峯時間是在上午八時後，居民應在利用較早的時間取用他們所需要的用水」。水管的水壓力，在下午供水時間一開始，由於各用戶都開他們所有的水喉，因此水壓是很低的。其結果，多層樓宇的較高層住戶，及人口稠密地區的居民，都無法獲得他們的供水。水務當局表示將盡一切可能協助居民獲得公平的食水供應。

關於汲水方面，當局雖尚未決定實行汲取珠江之水，但已決定調派船隻試航珠江，作為將來取水之準備。至於接水管工程，則早經緊急開始，本報上期曾有報導。

當局調派者為「金文泰爵士」號，經於八日由港起程沿珠江而上，準備作五天的試航，其目的在於試驗在各種潮汐情形下，考察珠江之水的鹹度。隨船前往者，有海事處高級海事官侯爾斯與政府化驗師艾格里。據悉「金文泰爵士」號將在駛抵珠江口的大山時泊岸。（意）

香港與大陸

共區高中應屆畢業生
健康糟糕得駭人聽聞
平均每個人有兩種以上的病

據一位上月下旬曾回大陸探親，甫返抵港的某中學教師何先生透露：大陸各地最近曾要全體高中應屆畢業生進行一次體格檢查，彼等之健康情況，實在令人咋舌；與此同時，也進行一次思想檢查，結果亦大有問題。中共則乘機又迫一批青年學生回鄉耕田。

何先生此次回大陸，係因其胞弟患了嚴重肺結核病，其母着其帶點藥物回去的。何先生之胞弟原就讀於東莞一家中學的高中三年級，本年暑假應屆畢業的。最近，大陸各地都進行一次高中應屆畢業生之「大考」前體格檢查，結果，他（她）們的健康情況糟得駭人聽聞，不少人因此被勒令休學了。何先生的胞弟就是被勒令休學者之一。

何先生稱：其弟所在之學校，本季有九十多位高中應屆畢業生，上月中，他（她）們都被指往城內「人民醫院」進行體格檢查，結果百分之百患砂眼病（其中百分之六十左右係重砂）；七十多人患神經衰弱（其中有一半是嚴重者）；胃病的廿多位；肺病的十八位（其中患「放射性」要立即隔離者十位）……平均每人有二種以上的病。

何先生稱：這些有病的學生，最慘的是那十位患「放射性肺結核」病的人，他（她）們不單因為共區缺少「雷米方」「鏈黴素」之類的肺病藥而得不到醫療，還被強迫立即休學回家；當然也被取消考大學的資格了。何先生的胞弟，就是那十位最不幸者之一。

何先生說：他弟弟及他弟弟的九位同學，雖名為「休學」，但當他們回到農村，那些共幹們卻不管你害什麼病，皆「一視同仁」的要你做苦工。若你提出身體有病要求照顧，他們也會振振有詞地用「長征」的故事，「革命先烈的精神」來「教訓」你，否則乾脆以「不勞動不得食」作武器使你不得不服從命令。何先生的胞弟就是因為被學校「休學」變體地回到家裏後，還要被命令去勞動，而支持不住，大量吐血，幾乎把生命犧牲掉。

何先生說：在健康檢查的同時，他弟弟所在的那間學校，又曾對全體高中應屆畢業生，進行一次「思想檢查」，檢查的方法，除同學們進行「批評與自我批評」，要彼此「坦白」或互相檢討各種非「共產主義思想」（包括資本主義思想、逃亡思想、反動派思想等），另外還得重新填寫五份表格，表格的內容和以前的一樣，無非是家庭成份，個人簡歷，家庭關係，社會關係……等等，所填之表格稍為與以前填過的有出入者，便被嚴格追查；甚之者則被指為隱瞞歷史或假造歷史等罪，且有被取消大考資格者。還有不少則被指為「香港思想」，「逃避勞動思想」……等等怪罪狀，這些人雖未有取消「大考」的資格，但「大考」時取錄的機會是極微的，因為中共區的「大考」還是「政治掛帥」，凡是有「污點」者，都祇有回農村去的一條出路。（敬斯）

自覺運動和公德心低落問題

（上接第一版）

[illegible]

吳廷琰闡釋越南戰畧邑

西貢通訊

本人特再提示各施行戰畧邑政策幹部，應認定深遠意義及國策路線，以有效辦法去服務國家民族，以切實辦法替民衆服務。關於切實為民衆服務方面，本人特別向各級幹部強調，民衆之生活才是真正目的，戰略邑則僅是一項設備，不應該且不可將目的與設備混亂在一起。

我人已建立數千個戰畧邑，我人已召集數以百萬計的因戰爭分散居民進入各戰畧邑。這是我人進行抵抗共產黨的路上所獲得的一項重大成功。共黨在南部發動戰爭造成如火如荼情勢，如彼等所說是要製造條件以奪取政權及將整個越南貢獻給國際共產帝國。

然而我不可能忘記的是：戰畧邑之成功，僅是為實現各主要目的，從事製造條件中所獲得成功，是為民衆在新社會中建立一種新生活。

新生活的真正內容

新社會與新生活並不是僅有新的瓦屋，規模宏大辦事處，醫院，學校，兒童花園以至公共花園；這些東西在首都，在各城市到處都有，但試問首都及各城市民衆已一定得到新生活嗎？

本人所欲說的新生活，是一種自由，公平，兄弟般和睦，健康的生活，由共同發展促成調和國家實況，進而達到每一方面，每一階層。

生產生活方面如何？家庭，社會共同生產方面如何？政治文化生產方面已進步至何種程度？戰鬥生活方面已達到何種程度？

它是分為多種階層的：以新經濟條件為物質生活基礎，以新教育條件為各方面心理生活基礎，用上述所有新條件為思想生活基礎。

今年是開始年，將集中我人所有努力從事替各戰畧邑及保內農工民衆建設新生活運動。我人須特別注意民衆之各方面及各階層生活，農人的衣食才是我人所應顧慮的事。勞働界的一滴血汗對我人是一件寶貴的物品。

人民之懷疑、憂慮，才是我人最關心的事。

人民對文化，政治，經濟，社會上各方面的願望，才是我人所要尋求的事。因為這些公共問題是我人所必要知道，明白，及須要研究學習的事，俾可有效的進行服務群衆工作。

亦由於上述理由，我人不可將一種假造生活粉飾在人民頭上，我人須與人民一起合作，建造一個新生活基礎，這一個新生活基礎是起源自民族，國家之人力與資源，須符合人民之情感和意志，須符合地理條件及社會實況，須符合現代之進步。

這種新生活是建設於民主人位基礎上的，將每一戰畧邑及保變成為鄉村中，城市中，各中央機關中的民主文明中心，成為地靈人傑，有力的將民主人位主義曙光照射四方。

這種新生活是依照人位路線共同鬥爭所實現，及自下發展至上及自上發展至下，同時人民鬥爭至何等程度，則跟着至該程度，這點以前本人曾解釋多次。

至於奮起，愉快，健康的與羣衆合作以建設新生活，是鞏固及發展過去一年中所成立戰畧邑及保以完成計劃的最有效力及最切實的方法及路線。

同時須經常記得的是：「人心做成的城牆」是最堅固的城牆。

幹部所負重大任務

目的已經提出，路線亦已劃出，實際上工作之成敗是由各地各級幹部決定。

這一成敗，並不以幹部五隻手指，以發出命令及紙張可以決定的，成敗與否，都是視幹部之每一活動，每一工作，是否熱心生活嚴明，認識程度，領導能力，施行工作上組織技術，思想與方法來決定。亦即是須具有上述所有要素始成為一位幹部。否則不能成為一位符合「幹部」意義的幹部。

由此，在過去一年中，我人曾相繼舉辦各屆幹部訓練班，以訓練成為適合工作幹部。我人曾提出一般基本問題，有如幹部問題，領導問題，意識問題及鬥爭理論等……

我人所有努力是訓練出甚多幹部及幫助每一幹部有一基本戰鬥綱領，是即：

甲、一項具有鬥爭德性基本人格。

乙、一項具有鬥爭理論基本認識。

丙、一項具有領導民衆鬥爭方法的基本技術。

一位幹部的首先任務是修養本身，吸取經驗及不斷學習，一方面有效的實現政策服務羣衆，一方面鬥爭以抵抗共黨破壞，放大眼光及以鬥爭發揚我們的人位精神。

欲達到上述兩項目的，不論何時，幹部須接近羣衆，各方面須表示忠直及反映出民衆之各階層生活，以及在進行新生活運動中發生問題時，可及時解決。（二）

天南風光

——沙羅越的歷史——

朱淵明

第一個行刺的馬來人名叫「哇斯里」（Rosli），第二個名叫「摩西里」（Moshi）。這兩個兇手被捕時，神色泰然鎮定，當哇斯里押入警察局時，竟對警察演說，他說的自然是馬來話，而沙羅越的警察，也絕大多數是馬來人，故不慇言不通。他說：「反對沙羅越讓渡給英國，是合理的」。希望警察們同情他。他又對探監的他父親說：「我既得現在我非死不可。但我目的已達，死無遺憾。」

司徒華總督遇刺後，即抬入醫院，經醫生檢查，腹部傷口深三寸，腸被刺破十餘處，遂施急救手續。一面急電東南亞最高專員麥唐納氏請求醫藥援助。麥氏接電後，即令馬來亞大學外科教授梅基醫生帶同一名看護，由皇家空軍撥出一架達蘭氏水上飛機，載這一批人於四日清晨七時一刻飛抵詩巫，此時總督之傷勢已趨嚴重，乃於當日即乘來機由梅基醫生護送飛往星洲，立即送入中央醫院治療。關於沙羅越總督職務，則暫由秘書長道遜氏代理。

總督司徒華遇刺消息傳出後，英國下議院極為注意，英皇及殖民大臣以及前王維納氏均有電致慰。總督夫人亦乘皇家運輸機於五日晨飛抵星加坡，奉侍左右。惟傷勢惡化，百般醫治無效，竟於十二月十日逝世，享年四十五歲。星加坡市即下半旗誌哀。

這次行刺總督的慘案，據兇手供述，事前醞釀已久，其行動計劃則決定於司徒華將抵詩巫之前夕。蓋自一九四六年以還，沙羅越反對讓渡協會，即不斷發動反對讓渡呼聲。此次行刺，是在十二月二日，於詩巫甘榜十字口之馬來青年協會會所樓上召開會議所決定。開會時，桌上置有利刃四把，當場徵求勇士，以行刺總督、省長、縣長、及一名英國官員。（六三）

報人普立茲傳

汶津譯

這兩個人擁有德國報紙——聖路易西部郵報。蘇茲曾籌錢組織林肯騎兵團，他在戰爭期間是一位將軍。

約瑟夫漲紅了臉，當他告訴他們的名字時。他很快的補充說：「我知道你們，我讀你們的報紙。雖然現在我已經不像讀英文報那樣常讀它了。」

蘇茲友善的笑了笑。「如果那可以幫你學英文，那很好。可是別讓其他的聖路易報改變了你的政治意識。你的政治立場如何？」

「卡爾！」普利多利揷嘴了。「這年輕人下得一手好棋。讓他下棋吧，別給他塞滿腦子的政治東西。約瑟夫——坐下和蘇茲先生下一盤。瞧他瞧他是不是你手下敗將」。

約瑟夫立即全神貫注在遊戲中。但當蘇茲和約瑟夫下棋時，那兩個人都親切地問着約瑟夫的身世。當約瑟夫說到他曾在林肯騎兵團服役，那兩個人感動地相對而視。遊戲完了，約瑟夫滿懷興奮歸去。他不能測知他們對他知道了多少。

普利多利博士和卡爾，蘇茲已對他留下深刻印象。試想約瑟夫才二十歲大。可是他已經當過士兵，律師，有學識，而且是一個好棋手——

約瑟夫離去後，他們便回報館去。他們要告訴路易士·威理希，他們的編輯，說他們已找到一個西部郵報的新記者。以前那個人已離開聖路易，他們正要找個人代替他。當他們走在街上，不約而同的想約瑟夫·普立茲正是適當人選。很久以前他們就認為威理希須要為郵報作一些改進工作。他已我行我素太久了。也許一個年青的新手會促使編者改變方針。

他們把約瑟夫告訴威理希。「他是一個了不起的小伙子，」普利多利博士說，「他還沒在報館做過事，不過我確知他一定能學着做好。」

編輯舉起手來。「先生，他能幹些什麼？也許他還不能寫篇像樣的文章呢！」

「難道訓練和經驗是一切嗎？威理希。如果你訓練他，他可以學。」蘇茲說。

普利多利知道一個使編輯同意的方法。「卡爾，等一下。也許他能找到一個十分有經驗的記者。一個對改進郵報胸有成竹的人。」（十五）

瘟君續夢

第九回： 楞腹爭雄 壺漿招餓鬼　苦心糾衆 風雨會羣魔

杜爾在北平住了三天，由周恩來陳毅陪同去上海。又發動幾十萬人出迎，到處懸燈結彩，家家門首都懸出幾內亞國旗，比較在北平的歡迎還要整齊。在上海停了一晚，杜爾又回到北平，中共就向杜爾示意，願與幾內亞以無息貸款，經過半日磋商，簽訂「友好條約」，「經濟技術合作協定」，「貿易和支付協定」，規定中共在一九六〇至一九六三年給予幾內亞無息貸款一億盧布。

一億盧布的官價是美金二千五百萬元，幾內亞只有二百五十萬人口，平均每人可以分到美金十元貸款，實在是一個不小數字，杜爾感激萬分，在宴會上舉杯向毛澤東說道：「蒙主席的逾格優待，本人實在感激萬分，貴國朝野的熱情，在其他國家是見不到的。」

毛澤東拍拍杜爾肩膀笑道：「總統閣下，咱們都是有色人種，自以為優秀的民族，那裏會看得起我們。」

杜爾連連點頭，勾起了對蘇聯的新仇舊恨，次日，杜爾就赴聯大開會，在致詞時竟然偏袒西方國家，指摘蘇聯不是，大出赫魯曉夫意料之外。一年以後又發生蘇聯駐幾內亞大使被驅逐事件，說來都算是毛澤東搗的鬼。

杜爾到北平的同時，日本社會黨的衆議員穗積七郎也到了北平。中共同日本的貿易，自從長崎市民扯下中共旗之後，已經停頓了幾年，最初中共其勢洶洶，要日本賠償，道歉，懲辦肇事人員，不履行這個三原則，絕對不與日本恢復貿易，一時在內地大肆宣傳反日，海外的共報也受命響應，禁止海外僑民與日本貿易，誰再同日本貿易，誰就是新漢奸，一時鬧得滿天神佛。可是，日本方面根本置之不理，中共自吵了一陣，覺得吃虧的還是自己，於是派劉寧一到日本去了一趟，向日本親共人士示意，要他們出頭來圓場。不久專門負責促進「日中貿易」的鈴木一雄赴北平，和周恩來作了一次談話，周恩來又提出「三原則」，是「政府協定」，「民間合同」，「個別照顧」。

鈴木回去之後，日本方面覺得可以接受，於是穗積七郎又到北平同周恩來當面磋商。

兩人見面後，穗積七郎首先對長崎撕旗事件，表示歉意。周恩來大笑道：「這是小事，我們從不介意。」

穗積七郎覺得好笑，你們既然不介意，為什麼到處發動反日運動，把貿易停頓幾年。

周恩來接着說道：「我們目前的三原則可以並行不悖，也可以單獨執行，例如政府協定如能簽定，雙方各派駐商務代表在對方，這是促進國交正常化的初步，但因為日本政府由反動的自由民主黨執政，暫時不易實現，我們只有暫時執行民間合同，由日本商業團體出頭簽訂貿易協定，至於有些個別商號，一向就和中國通商的友好商社，我們也願個別的予以照顧，使他們有生意可做。」

穗積七郎聽了周恩來的話，遠超過自己的希望，當時十分高興，向周恩來千恩萬謝，愉快地結束了會談。次日共區報紙所有的反日言論全部消失了，苦就苦了海外的尾巴報，也要跟着作一百八十度的大轉彎，給非共人士留下新的笑料，逼着共報承認他們是新漢奸。（二一）

「按照一般的情形，亦如同柏林一樣，應該是政府空運的工作，但我們不知道是什麼理由，中央、中航，兩航空公司，擁有許多運貨機，比民航還要多，但是除過少數例外，他們多不願在惡劣氣候下飛行；在夜間，更不願起飛。他們曾有二十日，爲兩師人空運，由其他區域運到被包圍的太原，這就代表了他們爲閻將軍部隊支援的總數。而閻對此事，亦默無一語，按常識說：他對於全般的情形，當有他的苦痛！」

閻將軍抵抗共匪，其時間之長，實超過任何地區。他的防禦是流血的，是最倔強的。自從勝利後，共匪佔領了全山西的三分之一，一九四五年的冬天，太原與臨汾交通隔絕。一九四六年，共匪開始截斷出入太原的汽車路與火車路線，並佔據重要地區之大同。一九四七年春季，太原與其他非共產世界隔絕，閻將軍遂即要求中國各航空公司運送必需物資，以維持其工廠照常開工。這就是二年空運的開端。

閻錫山與陳納德

吳文蔚

因爲共匪的壓迫，日漸接近，閻將軍即着手將太原城的各工廠遷入城內。爲了維持各廠的工作，很需要幾種原料，這些物品，必須利用空運，如銅管、銅條，經合署的麵粉、電線、烟葉，其他零星貨物及鈔票等等。當太原機場尚能降落時期，可以運出的貨物，有石膏、洋灰、生鐵、石炭酸、苛性素達等。

有一個時期，閻將軍的部隊所控制的區域，尚有許多農田，可將食糧送至太原。一九四八年的八月，共匪突然攻至距太原周圍十公里的地區，至十一月下旬，全城居民所需食糧及軍事工廠所需的原料，均需由外空運，從此，太原的空運便更爲重要了。

四、空運危險日見增加

閻將軍要求各航空公司每日增加二百五十噸運輸量的班機，當時民航隊雖係三公司中之最小者，但對於太原之空投量，至少担任了一半，以十八架運輸機，由國軍控制的海岸基地，輪流起運，每日平均達二十八架次。

一九四九年之初，北平淪陷，太原空運大受打擊。因爲民航隊必須將他的總辦公處移至青島，較北平距太原要遠一半。上海虹橋機場，雖然航程更遠，亦不得不把它作爲空運基地。雖然利用兩個空運基地起飛，而民航隊，如僅按經常的晝間運輸，則不能適應閻將軍的要求。所以從一月份起，開始夜間運輸。從此空運時間，每日廿四小時，晝夜不息。（七）

南宋偏安有人才

——岳飛——

李仲侯

遷武功大夫昌州防禦使，通泰州鎮撫使兼知泰州。飛以公牘申省，請辭通泰之命，願以母妻幷二子爲質，乞淮南東路一重難任使，報聞。八月金人攻楚州急，簽書樞密院趙鼎遣張俊援之，命飛受俊節制，俊辭曰：「虜之兵不可當也，趙立孤壘危在旦夕，若以兵委之，譬徒手搏虎，併亡無益」。鼎再三辨，俊亦再三辭。鼎奏上曰：「欲俊憚行，臣願與之偕」。俊復立辭。乃詔飛率兵以援楚，又以飛孤軍，命劉光世遣兵，而促光世親率渡江，光世將行，又暮下或止之，遂已。上聞之乃顧鼎曰：「移文不足以盡意，卿可作書與光世詳言之」。鼎遂移書光世，又不肯行。時主上雖已詔飛，而飛方自行在歸宜興，與程吏部赴鎮，尚未知也。十九日飛發宜興，廿三日軍至江陰，俟舟未濟。飛開督，輕騎先，廿六日入泰州，未幾，籍鄉中敢死士及部押使臣效用，責其從軍願否狀，盡收其馬，置之校場。

乞兵馬糧食濟師。狀曰：「飛昨奉聖旨指揮，差充前件差遣，於八月十五日還至常州宜興縣，祇於十八日起發前來，赴新任，廿二日至江陰軍歇泊。據探報金人見圍楚州，飛遂速急權差統制王貴管押兵馬等船濟渡，切慮遲滯，有失事機，不免躬親先入泰州。於廿六日夜三更到泰州城外，承准八月十九日指揮，令飛與趙鎮撫立犄角，飛遂措置調發兵夫糧食，幷不住差人勾喚王貴等軍馬，實緣舟船數少，今月初九方盡到泰州。飛已差張憲權行守城，見今大軍屯駐三墩，與金人大寨不遠。惟是新復建康之後，所有士馬，瘡痍尚新，羸弊方甚，兼自到伍，未及一旬，芻茭糗糧，一一窘乏，本未能即從王事，重以承楚之急，甚於倒垂，不可以頃刻安居，理宜前進。欲望鈞慈捐一二千之衆，假十餘日之糧，令飛得激厲士卒，逕赴賊壘，解二州之圍，掃犬羊之迹，下以裨相州之盛烈，上以寬主上深憂，不勝幸甚」！（五十八）

東坡與荔枝

漁翁

荔枝，爲常綠喬木，產於廣東福建等省，四川亦有之。樹高三四丈，葉爲羽狀複葉，有透明之小點。所結果實，外皮有龜甲紋，肉色白，味甘多汁。種類繁多，其核如豌豆，殼赤如丹砂，上有綠線一條者，謂之「掛綠」，尤爲珍貴。

據農政全書：龍眼樹亦如荔枝，惟枝葉稍小，殼青色黃，形如彈丸，肉白而帶漿，甘如蜜。荔枝過即龍眼熟，謂之「荔枝奴」。是則龍眼與荔枝，雖屬同類之物，而龍眼列爲荔枝之奴，在漢時已成爲可貴之貢品。

唐代楊貴妃生日，命小部奏新曲，未有名，適有進荔枝者，因名其曲爲「荔枝香」。又宋朝蔡襄作「荔枝譜」，三卷凡七篇。蔡爲閩人，所記皆閩產也。

荔枝，固味甘可口，而蘇東坡一首七絕，更使其名不脛而走，蘇詩云：「羅浮山下四時春，盧橘楊梅次第新，日啖荔枝三百顆，不妨長作嶺南人。」

東坡第一次被貶粵屬英德，是元祐黨禍，東坡爲知州，旋再謫寧遠節度副使，安置於惠州。時東坡行年六十歲，跋涉七千里，若以前朝韓昌黎比擬，不免有「雲橫秦嶺家何在？雪擁藍關馬不前」之感，而東坡不然，過羅浮山，見荔枝，即遣而詠。可見東坡雖一生坎坷，但隨遇而安，寄情山水，深得莊周養生之道。

按羅浮，爲粵中名山，在增城縣，東界博羅，袤直五百里，峯巒四百餘，瑰奇靈秀，風景絕勝。山之西有浮山，爲蓬萊之一阜，橘綠橙黃，遍地皆是，而尤以荔枝爲最著稱。

當蘇東坡南來時，在途中遇顧秀才，談及惠州風物之美，即賦一律云：「到處聚觀香案吏，此邦宜着玉堂仙。江雲漠漠桂花濕，海雨翛翛荔子燃。聞道黃柑嘗抵鵲，不容朱橘更論錢。恰從神虎來弘景，便向羅浮見稚川。」句句不離荔枝與橘柑，借物養性，瀟洒自然，眞不愧一代之大手筆。

又水果中以香稱者，有香蕉，香櫞，香橙，香檬……等，而以蕉爲最香，產於熱帶各地，葉大，花淡黃色，實長四五寸，徑寸許，香而味甘，彼此鱗接，故又稱之曰「甘蕉」。香檬，粵人呼爲「芒果」。香橙，外鄉人稱曰「柑」。香櫞，名「佛手柑」。皆爲消化上品，食後，便找着一粒或多粒種子，作下一代生殖張本。惟香蕉一類，把牠皮剝去，肉內不見有核，找不出種子的所在。

可是，無論何項植物，皆有種子，香蕉亦不例外。從樹上摘下已熟透的蕉子，剝去蕉皮，那肉的中部，現出五個裂縫，在裂縫裏藏着一條黑色小粒子，即是其傳播下代的種子了。因爲市面所售者，多未十分完全成熟，那細小而色白的粒子，與果肉混在一起，不容易辨別而已。

不過，香蕉雖有種子，據生物學家研究，已逐漸退化，憑着地下莖去繁殖。在溫暖適當環境下，發出許多不定芽，吸收土內養料，便長成一株一株蕉苗來。苗之基部肥大，頭部尖小，如竹筍然，名「竹筍苗」，很容易成活，所結果實，較由種子結成者爲肥大。故種蕉者，多利用地下莖，施以肥料，而獲得大量之收穫。

海嶠書談

近承滇省李宗黃先生以其所著「領導學」見贈，愚受而讀之，對他所揭櫫的政治領導人物之才識智能，吾無間言。只覺得他列舉中外九位模範領導人物中，大多數都不够格，且沒有把中山先生在內，尤不無千慮一失之感。

談領導人物

諸葛文侯

李先生選選模範領導人物，計爲中國人六位，即秦始皇嬴政，漢高祖劉邦，漢武帝劉徹，漢光武劉秀，唐太宗李世民，明太祖朱元璋；美國人三位，即華盛頓，林肯，艾森豪威爾是也。論事功，這九個人除卻艾森豪而外，都有值得稱讚之處，但以李先生提示的領導三原則，六綱領，三方式，那就三分之一似乎都不足取。因爲政治上最成功的領導人物，必須才德兼備，創進王道事業，纔足以垂範後世，澤被八荒，一時的霸業，何足道哉！若以霸道爲模範，則蘇俄的史達林，德國的希特勒，皆不亞於中國的秦始皇啊！秦政於統一六國後，雖有開拓疆土，改革政制的功績，但以嚴刑峻法爲求治之道，焚書坑儒，偶語棄市，窒息文化精神，箝制人民思想，不旋踵而其帝業即歸於敗亡了。漢劉邦，明朱元璋皆爲流氓無賴之殺功臣，殘賊智識份子，天下爲私，飾非拒諫，他們決非所謂「聖主明君」的材料。漢劉徹晚年暴戾恣睢，陷害忠良，寵殺妻兒，信任僉壬，敗壞國事，爲着貪圖帝王權位的私慾，妄求長生不死之藥，不知害殺了多少人，這豈可資爲政治領導人物的模範嗎？至於美國的艾森豪，乃是一個庸懦之輩，作了八年總統，對國內幷無特殊的建樹可觀，相反地，因爲他接任總統後，不知策進原子科技之積極發展，孜孜於節省公帑，平衡預算，弋譽沽名，而讓蘇俄領先，嗣乃大呼「原子僵局」，使美國在第二次大戰中奠立的威望，一落千丈。對國際問題，則在蘇彝士運河之役中，出賣英法友邦；在匈牙利人民反共革命運動中，連一句同情的話亦不敢說，等到匈國人民被俄軍大量屠殺，革命運動消滅了，纔派遣副總統尼克遜赴奧匈邊境上去憑弔一下，這是何等卑怯醜陋的作風！他在巴黎出席國際高峯會議之際，被蘇俄頭子赫魯歇夫藉着U－2飛機事件，辱罵得狗血噴頭，亦不敢有所答復，而黯然跑到葡萄牙首都去納悶，這那有半點英雄豪傑或大政治家的氣質呢？像他這種人物，美國有的是，我認爲他要跟二次大戰末期逝世的羅斯福總統作個幹部的資格亦沒有，領導人物云乎哉？

李先生列舉的領導人物中，眞正才德兼備的角色，唐太宗李世民尤屬第一。他除了知人善任，納諫聞過之外，最難得的是能够以誠待人，以德服衆，不特使叛徒降人感激知遇，劾死勿去，且使前朝的奸佞僚屬如封倫，裴矩之類，丕變氣質，成爲忠貞幹練之才。這決不是左手拿官爵，右手持威柄所能做到的，唯一潛力就是領導者的道德感召。例如他在出征遼邦途中，房玄齡坐鎮京都，因有人上封事密告玄齡謀變，房爲自白計，派人追報詳情，請示如何處理，他即批以「君何不自信」，置之不問。若無知人的才識，信人的智慧，服人的德行，能有這氣度嗎？他對於一般功臣，皆能全始全終，兼顧公誼私情，了無遺憾，而其文治武功亦震鑠千古，流芳百世，這樣纔算是完美的政治領導人物。後人每以玄武門之變，爲李世民白圭之玷，實則這是他父親淵之過，當年既對李世民許下了「事成立汝爲太子」的諾言，中途又變卦，而以庸才的建成作嗣君，自然會激起事變的。「立嫡」之說，只能適用於承平繼位之時，創業垂統伊始，必須以功績才幹爲取得政治地位的標準，在君主時代，非如此不可也。（上）

水牛將軍田桐

周燕謀

又私借外債以排斥異己。梓琴知其陰謀，勢將動搖國本，乃南下晉謁孫總理，力主興兵討袁之議。孫總理早有此意，但當時民黨諸都督多乏勇氣，一時未敢輕舉。一日孫總理召民黨將領於自宅，商討討賊方略，黃興等多主持重。梓琴起而怒道，是不足以有爲也。乃間關至淮上，入張滙滔軍，勸其稱兵獨立。不久李烈鈞、柏文蔚均起發難。時因袁世凱已預先戒備，使馮國璋進踞浦口，李純下九江，倪嗣冲奔命淮北，民黨諸軍以準備未周，缺乏聯絡，先後不支。梓琴當時參與淮軍幕，事敗，乃亡命日本。

民國五年，袁世凱稱帝，孫總理令陳其美、居正、鄧鏗等在海疆各省討之。梓琴亦被委充中華革命軍湖北總司令。及抵湖北，袁將王占元聞其名，大爲恐怖，不敢與之戰。袁世凱憤疾而死。黎元洪繼任，乃解兵入國會，於時政多所獻替。時歐戰正酣，段祺瑞欲開邊釁以龍斷衆，向國會提出參戰案，梓琴率衆反對極力。段大怒，於六年六月十二日下令解散國會。梓琴遂偕各議員南下，開國會非常會議於廣州，舉孫總理爲大元帥，稱爲護法政府。（五）

內僑警台報字第○三壹號內銷證

自由報
THE FREE NEWS

第三四八期

中華民國僑務委員會登記證
台教新字第三二三號登記證
中華郵政台字第一二八二號執照登記為第一類新聞紙類
（本週刊每星期三、六出版）
每份港幣壹角
台灣零售價新台幣弍元
社長：雷嘯岑
督印人：黃行藩
社址：香港銅鑼灣高士威道二十號四樓
20 CAUSEWAY RD 3RD FL. HONG KONG
TEL. 771726　電報掛號：7191
承印者：田風印刷廠
地址：香港灣仔高士打道二二一號
台灣分社
台北市西寧南路壹叁零號二樓
電話：三〇三四六
台郵撥儲金戶九二五二

越南佛教徒與政府衝突事件

高瞻遠

越南最近發生的佛教徒與政府軍隊衝突事件，歷時已經一個多月，至今尚未平息。其情形雖然沒有美國阿拉巴馬州黑白種族衝突事件嚴重，但也是自由世界一個不幸事件，稍一不慎，必為共黨所乘。

事件發生於五月八日，當天是佛祖誕辰，越南古都順化僧侶及佛教徒集會紀念，並在寺廟塔上懸旗。這一天恰是奠邊府失陷的九周年紀念日，越南政府一向把這天當作國恥，禁止一切集會慶祝，軍警就闖入寺內，要求羣衆散去，並扯下塔上旗幟；如是激起衆怒，雙方發生嚴重爭執，就在爭吵不休時，突然有人擲出手榴彈一枚，當場死亡七人，傷者更多，以後死亡人數更增加到十二名。引起全國佛教徒的憤怒，紛紛集會抗議。

五月十日全國佛教徒著名八士聯名向政府提出五項條件：（一）取銷禁止塔上懸旗的命令；（二）與耶教寺院有平等待遇；（三）停止對佛教徒的拘捕；（四）有信仰佛教的自由；（五）懲辦殺害佛教徒的兇手。

政府當局否認炸彈係軍警所擲，指為共產黨有計劃破壞，說以製造事端，越南政府的指責自有相當根據，吳廷琰總統且接見佛教領袖，表示原則上接受所提條件，依照發生的情況估計，出於誤會者十分之八九，由於人謀者不過十分之一二，只要政府能一秉大公處理，本來是很快就可以解決的。但由於政府一再遷延，終使事態越趨嚴重。

越南與泰國、緬甸三邦，佛教最為發達，居民信佛教者佔百分之八十以上。泰緬兩國至今仍訂佛教為國教，不同佛教相皆有當和尚的義務，如同一般國家之徵兵制度。現任泰王蒲眉蓬，泰國前任總理鑾披汶，皆曾出家為僧，沿門托鉢數月。緬甸前總理宇努也會一度為僧。只有越南自被法國佔據後，以政治力量灌輸天主教，基督教，佛教勢力較衰，漸式微，但同為法屬之柬埔寨與寮國，仍定佛教為國教。

越南在二次大戰後，由於保大王的貪污無能，越盟共產作亂，國內民不聊生，由於是邪教蠭起，其中最著名的如高台教、和好教，平川教，不唯擁有廣大信徒，且擁地稱雄，擁兵自固。吳廷琰上台之初，即先後與三派軍隊作戰，經數年之力，始將三派軍隊擊潰，收編，南越政令始得完全統一。這一個歷史過程，大概說來與吳廷琰對天主教以外各種宗教的敵視心理。至於南越軍隊，在兩年來對付共黨突襲，晴殺亦感心力交瘁，不免過份緊張，對於佛教徒之暴動，亦嚴厲禁止，自屬矯枉過正，其動機或可原諒，其行為則不可原諒。

在現代宗教中，佛教徒是最和平的，佛教徒處世之道首重戒貪、嗔、痴，輕易自不會與人打架鬥毆，越南軍警必要逼迫，忍無可忍，由低眉菩薩變怒目金剛，不唯擁護佛教，亦且為國家，自身也必招惡報。就吳廷琰總統本人來說，我們相信尚不致於有迫害佛教徒心理，但由於吳總統是一名虔誠天主教徒，一般佞倖之輩，或者希意承旨，以邀恩寵，作此排斥佛教之舉，以討好當道。

關於共產黨從中搗亂，引起動亂，在中國人聽來更是記憶猶新，勝利以後各地學潮都是共黨策動，而每次若流血事件，暗地開槍者必是共產黨，即使打死的是共產黨學運幹部亦在所不惜，只求達到嫁禍政府之目的。此次越南佛教徒流血事件的發作，但誰為之孰令致之，越南政府也難辭其咎。

越南本是佛教國家，即在保大時期，佛教與天主教都相安無事。吳廷琰總統出身於天主教家庭，其兄現任順化區主教，全家皆天主教徒，吳總統終身未娶，至為虔誠。吳氏執政後，天主教人在政治上逐漸得勢，吳氏或者以為天主教徒反共立場堅定，於是政府用人，尤其軍隊方面，幹部皆天主教徒，佛教自不免受到歧視，歷時既久，雙方積怨已深，一旦發生衝突，竟成星火燎原之勢。

目前情況雖未惡化，亦未全盤解決，政府當局硬指此次係共產黨策動，以逃避責任，實在是不智之舉。即使此事當初係由共黨煽動，政府亦當設法善後，不能一推了事。何況越南正處在共黨鬥爭的前綫，一舉一動都不容掉以輕心，佛教既為全國百分之八十人民所信仰，政府欲使全國團結一致，奮起抗共，更非尊重佛教徒的信仰，使佛教徒與政府結成一體，則不易奏功。

越南政府多年來艱苦抗共，功在自由世界，但弊之所在，諱亦隨之，美國方面對吳總統施政方針已深感不滿，指為獨裁。去年美國參議員在越南作一短期考察後，回國已建議政府迫使吳總統下台，另換「民主」政府，雖然美國政府尚不致明顯干涉越南內政，但佛教徒事件如擴大，將增加美國反越人士的口實，使美國政府無法放手援助。

另外還有一點可以肯定的，中共決不放過打擊越南政府的大好機會，目前已有跡象是錫蘭與柬埔寨佛教徒已集會聲援越南佛教徒，要求政府出面干涉，錫蘭是亞洲最左傾的國家，柬埔寨的施哈諾更一貫為中共效勞，這兩個國家佛教徒首先出面，不問而知其中含有極複雜的政治背景。越南政府短期若不能平息佛教徒憤怒，化除內爭，預料問題將發生變化。一貫愛興風作浪，亂出風頭的施哈諾，可能又要求亞洲佛教國家召開會議，解決越南政教之爭，即使此項會議由於越南政府之堅決反對，召開不成，但也對越南極大困擾。另一方面它們未必不欲鼓勵越南佛教徒繼續與政府為難，將共產黨內亂變為宗教戰爭，越南政府將失去政治號召，美國可以助越南剿共，斷不能助越南政府剿滅佛教徒。事情發展到此，吳廷琰政府非倒台不可，越南半壁河山將自然落於共黨之手，整個東南亞局勢益發不可收拾。

即使局勢發展不至如此，最低限度佛教徒若對政府作杯葛行動，越南情勢亦不堪設想。因越南人民百分之八十以上係佛教徒，羣起對政府採取不合作行動，則越南政府不唯無可練之兵，抑且無可籌之餉，大局將如何支持下去？

中越兩國唇齒相依，處此整個局勢險惡之際，更是風雨同舟，艱難共濟。我們決不願越南政府發生困難，使遠東抗共勢力失去一大支柱。因此不得不鄭重提出，勸告吳廷琰總統，中國成語「有容乃大」，尤其一國元首，更應有濶大胸襟，對所有人民應不分種族、信仰，一視同仁，始克成功為一個富強康樂的國家。再就中國歷史來看，任何一個執政者，如一意排斥佛教，結果國運必不昌。中國佛家所稱「三武之禍」的北魏太武帝，北周武帝，唐武宗，皆會封閉寺院，勒令僧尼還俗，每次僧尼死者達萬人，但三帝皆享國不永，後世亦不昌，史實俱在，可以覆按。而當「三武」滅佛時，佛教徒不過數萬人，在整個中國來說，所佔比例甚少，結果均徒勞無功，佛教更爲昌明。況今日越南佛教徒佔全國人口百分之八十，欲以政治力量使其改變信仰，有識之士，皆知絕不可能，而徒滋紛擾，削弱國家力量，使親痛仇快。為吳總統計，若能一視同仁，無分畛域，使佛耶各教，團結一致，消滅無神論之共產黨，使國家早日統一，人民同過幸福生活，至於信仰，是不關重要的宗教事了。到十一日兩個越南僧人分別在西貢順化兩地舉火自焚而死，捨身殉道以示抗議，種種表現，實在可見其怨毒之深！要之南部份地方當局的高壓手段，無助於解決問題，非常明顯。

漫畫天下

「請退後一步吧！」

寮國之局

自由談

人才與國運

馬五先生

無論古今中外，凡是一個國家要在艱危局勢之中復興起來，必有一些獨立特行的政治人物，以摩頂放踵的精神，擔當撥亂反正的任務，盡其所長，有以自見。遠者不必談，祇看滿清中葉和民國肇建前後的史事，即可領悟了。

滿清咸同之間的局勢，可謂危如纍卵，太平天國的勢力，控制着全國三分之二的地區，而女主當國，朝綱不振。賴有曾、左、彭、胡這般書生奮起民間，以天下為己任，朝廷亦信倚不疑，特假威柄，終奏中興之功。迨國父孫先生首言革命，推翻滿清王朝之後，又逢袁世凱叛國稱帝之役，繼續護國護法，號召全民共赴國難，賴有國民黨若干優秀幹部，文如胡漢民，戴天仇，于右任，汪精衛，武如黃興，李烈鈞，陳其美暨今總統蔣公等，皆一時賢豪之士，其才幹並不亞於曾左彭胡諸人。所以，國民黨乃能創造中華民國，進而打倒軍閥，完成國民革命的大業。這些擺在眼前的事情，大家都熟悉的。

目前我們的國運艱迍情況，較諸滿清中葉咸同之際，尤為嚴重，而中華民國政府的處境，亦跟當年國民政府偏促廣東一隅不相上下。海內外人士企望國家復興，至為殷切，在朝者亦以反攻復國為職志。可是，環顧政壇人物，像曾左彭胡的角色有不有？如國民黨當年那般文武革命志士的人才，又安在哉？光靠一個領導宵旰勤，就能還我河山嗎？國父晚年常告誡同志，人人要以領導者自任，決不宜遷就依人成事的惰性觀念，希望革命成功，實為不刊之論。

人才有無與國運隆替，如影隨形，關係最深，我不相信今日沒有奇才異能之士，問題祇在如何發掘和任使而已。擲筆三思，不禁憮然！

台灣省第三屆省議會
執政黨外議員點將錄
似難希望他們作精采表演

【本報記者吳誠台北航訊】台灣省第三屆省議會已於六月二日正式成立。本屆執政黨外當選的省議員，計有李萬居、郭雨新、李源棧、許世賢、李烏棕（以上是連任的老議員），李秋遠、李炳盛、楊玉城、吳一衞、葉炳煌、余陳月瑛、許新枝等十二人。以人數而論，與上屆相差無幾，但將來在議會質詢發言上的表現，有人認爲可能較上屆爲減色。

本屆黨外議員有幾個特色：一、新任七人，連任五人，新將比老將多；二、古往今來，老者高高在上，尚老賣老，自命不凡；新將血氣方剛，不服領導，各自爲政，因此雖然同屬黨外，但非同一陣綫；三、老將或因世故已深，或因心餘力絀，作風已趨保守；新人入門尚淺，行情不諳，橫衝直闖，自以爲是，作風上與一般老將格格不合；四、由於執政黨議員佔百分八十以上，黨外議員勢單力薄，加以有的人明哲保身，有的人自謀出路，剩下少數人不是心懷自卑，就是孤掌難鳴。所以，希望他們有怎樣的精彩表演，殆屬不切實際。茲試作逐個分析：

李萬居連年多病，九死一生，病後之身，弱不禁風，一舉一動都要靠手杖扶持，已不復重見當年在省議會的雄風笑容。過去幾年，他在省議會實際參加會議的次數，少而又少。今後要他從台北跑到霧峯去，已是力不從心，大有「獨道難」之嘆，除了總質詢上或許還能聽到他一點砲聲外，其餘的會議，恐將見面亦難了。

郭雨新與李萬居同屬於青年黨，在議會自然是一搭一擋。郭氏出席議會很勤，且有「小鋼砲」的雅號。只是以後李萬居不常去之後，難免有形單影隻，孤掌難鳴之感。何況他自己的事業也很忙碌，所以，他除在省議會總質詢時，也許有所表現外，其餘最好不存奢望。

李源棧在上一屆是參加會議最勤的一位，但他正計劃明年四月間競選高雄市長，在地方上之佈署，在關係上之協調，都要他抽出一部份精神去應付。何況老將星散，他在議會是不是還能維持上屆的幹勁，亦非不是問題。

許世賢的情形類似李源棧。這位女將，過去是不肯放鬆任何質詢機會的，遇有特殊問題，其力戰羣雄的潑辣作風，常使男議員不敢直攖其鋒。

李烏棕和許世賢，李源棧都是醫師出身，他的省議員資格，比起上述二人，是最嫩的一位。因爲資格嫩，所以，他即使發砲，恐亦難望中的。

新將之中，李秋遠、葉炳煌、許新枝、吳一衞鋒芒較露。不過，李秋遠的當選資格仍有疑問，台灣省縣市公職人員選舉監察委員會決定向法院訴請判決當選無效。葉炳煌在第一屆中，表現平平，幾年來的封難重重，在各方面可能進步不少，但要作太高的估計，也許要令人失望的。許新枝、吳一衞雖然經驗有，場面見識歷練還是不夠，如期望他們能提出切中時要的問題，或是作有刀的質詢，恐怕很難辦到。

至於楊玉城，被目爲是後起之秀，他胞兄高玉樹攪政治很有兩手，應該是強將手下無弱兵，但楊玉城開了一間工程行，專門承包官方生意，如果把官員開火了，又非生意人和氣生財之道。他在台北市議員任內，有些黨外市議員便批評他爲拉市府生意而「護航」。站在生意人的立場，省議員拉生意的範圍又擴大了，爲開砲而蝨走賺錢機會，從生意經上說，是不划算的。不過，楊玉城剛露頭角，政治前途正在發靱，幕後有人導演，再加上年青人的三分鐘衝勁，偶爾有些動人演出，並不是不可能的。

余陳月瑛是高雄縣長余登發的媳婦，雖然她是在野，但她公公却是「在朝」，如果余陳月瑛在省議會中，對一些官員不客氣，說不定有人要把那筆帳算還在余登發頭上。她是聰明人，當不會替她公公增加麻煩的，所以一般認爲，她不可能有太大作爲。

台灣的地方自治已經推行十年了，大家對於放砲的看法，與過去截然不同。行使質詢權的議員，如果還不了解大勢，說些使官員聽來頭頭是道，心服口服，遵命辦理的有用言論，而光表現個人英雄主義的放砲方式，對國家，對地方都其實沒有助益。

應能就此樹立之風聲
監院糾正黃國書

【本報記者張健生台北航訊】立法院院長黃國書，在台灣合會儲蓄公司董事長任內，經檢舉違法失職一案，監察院派員調查結果，認爲事證確實，該院財政委員會特於五月卅日舉行第二〇七次會議公決，應先提案糾正。至於涉嫌違法失職之公務員，將另案移送法院偵辦。

中央民意機關代表兼任公營事業監事而被監察院提案糾正者，當以此立法院長、前任台灣合會董事長黃國書爲第一人。此一創例之成立，應能樹立風聲，對現任民意代表而兼任公營機關董監事者，在作爲上起警惕作用，那就好了。

密度高增殖率大可耕地少
台灣人口問題嚴重

（本報台北航訊）近年來，台灣一直受到人口壓力的困擾。據台省政府民政廳公佈，五十一年底以前，台灣全省人口總數爲一一、五一一、七二八人，五十一年人口出生數爲四二三、四六九人。而形成今天日趨嚴重的人口問題有下面三個因素：

（一）人口密度高：目前台灣人口密度爲每平方公里三〇〇人，佔世界第二位，僅次於荷蘭。但是，台灣本島面積僅三、五七六、〇〇〇公頃，其中百分之五五爲山林地，百分之二九爲農地，百分之一六爲其他用地。就實際可耕面積言，每平方公里人口密度高達一、二一〇人，是世界各國罕有的現象。

（二）人口增加率高：台灣人口自然增殖率爲百分之三點二六，近十年來每年平均增加率爲百分之三點五，稻米每年增產率爲百分之一點六。就人口與自然資源的比例，台灣人口增加率已居世界首位。農復會主委蔣夢麟說：台灣每年增加三十五萬人口，即需增加六萬噸糧食。石門水庫完成後每年亦僅能增加稻米七萬噸。糧食的增產是趕不上人口增加的需求的。

（三）人口消費率高：根據台灣最近一次人口普查結果，全省十四歲以下人口佔百分之四四點五，即沒有生產能力而消費的人特別多。在經濟發展上是一個很大的負担。美國國際合作總署中國分署署長郝樂遜于五十年十月曾指出：台灣國民經濟成長率爲百分之三二，民間消費增加率爲百分之四十，政府消費增加率爲百分之五十；在十三個受援國家中，台灣消費率之高佔第二位，投資率之低則佔倒數第二。近年來由于經濟繁榮，國民平均每人所得雖然增至四二〇五元，仍爲世界各國中最低的國家之一。而台灣經濟發展大部份依賴美援，今後美援方式變更，我們必須減低消費，做到經濟上的自給自足。

由於人口的急遽增加，在升學、就業、糧食、住宅、社會治安各方面，在在都發生問題。以教育而論，據教育部長黃季陸向立法院教育委員會提出報告：目前各級在學人數總計爲二百六十九萬九千八，各級教育經費總數較十年前增加六倍，而現在尚有失學青年一百萬人，這是很嚴重的現象。

我們知道，中國的傳統觀念是「多子多孫」，不主張節制生育。但是，在目前情況之下，無論就國民所得，自然資源，經濟發展，與人口密度而言，對於人口問題都不容再採取「放任政策」。政府當局雖然一向表示重視而且希望由加速經濟發展來減輕人口的壓力，然而，人口增加率與經濟成長率恰成反比例。假如我們不能採有效的措施來遏止迅速膨脹的人口壓力，則經建成果將完全爲人口颶風所消失，今後可能遭遇的困難也愈多。這是一個值得重視而亟待解決的問題。（涂慶光）

香港與大陸

毛共爲防軍隊叛變 控制籠絡雙管併行

近一年來，中共當局在軍隊中除加强政治思想控制，要軍人成爲「毛主席的好戰士」之外，另一方面也加强優撫工作，以防止軍人的思想蛻變，而成爲「社會主義」的敵人。並聲言此一運動係持久性的。

據甫自大陸申請抵港醫病的林山君透露：一年來中共當局深感「內憂外患」之逼迫，就「內憂」而言，他們最憂懼者莫過於軍人思想的蛻變甚而武裝「叛變」。因爲其他階層的人民，就算他們暴動，也受到武器和糧食的限制，難望傾覆共黨政權。若果軍人進行「反叛」，則共黨的統治立刻完蛋。

林山君說：鑒於上述，中共近一年來乃特別在軍隊中加强政治思想工作。此一工作是圍繞着一個主題——如何做一個「毛主席的好戰士」而進行的。他們先後施行了高級將領下連隊「傳經」；「五好個人運動」；「四好連隊運動」和「向雷鋒學習」……等。而要每一個「戰士」都臻於階級立場堅定，愛憎分明，永不忘本，忠於「黨」和「毛主席」，忠於「人類解放事業」，決心做個永不生銹的螺絲釘；更艱苦樸素，大公無私，嚴格要求自己學習「毛主席」的著作，接受黨的教育，鍛鍊自己，改造自己達到高尚的人格……這些運動係採取首長報告、組織讀報、圖片展覽、座談討論等形式進行。

林山君說：在此同時，中共又加强優撫工作，譬如在物質方面的待遇也較爲改善了，基本上可以說得上是吃飽穿暖了，比其他各階層的人民確是要好得多。就是對退伍軍人和軍屬，中共亦有所「照顧」，要求農村公社幫助他（她）們解決困難。對彼等特別訂出「優待勞動日辦法」和「補助辦法」。

林山君又說：中共此舉無非是希圖挽回急速下降的士氣和叛離的軍心。但中共是否已如願以償？據林山君說：他的哥哥是在「解放軍」中當排長的，所以他們算是軍屬家庭，但這次的運動及中共額外的「照顧」，卻使他們兄弟更爲不安。而且也更希望能逃離共區。他舉例說：中共此舉在農村中所引起普遍的反感，農民們認爲「解放軍」並無特殊可敬處，他們的家屬也應和大家一樣，不勞而獲，剝削大家的勞動成果。有些農人還對軍屬說：既然你們是「光榮家屬」，那麼凡事都得起帶頭作用，應作最艱苦的工作，吃最少糧食云云。

最後記者詢問林山君病痊後還回大陸否？他回答說：當然不回去了。記者再問他：如果不回去那位當「解放軍」的兄弟豈不要受累嗎？他卻準備請人寫信回去說自己已不治而死了，如此或可減少他們受累的程度。（敬斯）

香港水荒中 兩矚目案件

【本報訊】香港嚴重水荒聲中，近日發生兩件引人注意的浪費食水案件：第一宗是美國副領事某君因浪費食水，被剪了水喉；此舉頗使一般居民稱快，認爲有益於節用食水。第二宗爲香港電話公司總經理吉坦拿殊被控將食水作不適宜用途；但他否認控罪，經定期審訊。[illegible]

觀第四屆青影展

【本報台北航訊】中華基督教青年會一批對攝影具有濃厚興趣的會友，純爲知己同好，志在研究藝術，曾於四年前組織青影攝影社，經常定期集體旅行郊遊攝影活動，按月舉行作品觀摩會，藉此交換各人攝取山林海灘風景題材的經驗，研究改進攝影技術，并請專家郎靜山，鄧南光，李鈞綸等先生將會友日復一日，年復一年在各地所攝之最佳作品選出展覽，公諸同好。今年已是第四屆「青影展」，計有七十八幀入選佳作，均係會友們一年來於公餘之暇專心致意的精心傑作。其中有神態自然栩栩如生的人像；有鄉土情趣的百態景物；有人情味自然美的感人鏡頭；有蘊藏着生命活力的抒情作品。每幀角度均取之有方，姿態畫面處理得也恰到好處。新穎獨特的風格，使人有清新絕俗的感覺。

其中如楊正宇的「戲鳳」，運用側攝的技巧，將廟簷的鳳角與雲層次第地在絢爛陽光下映射表明出來。陳勝遠的「雪山小城」，運用斜度反攝的方法，照出極富詩意踏雪尋梅的雪景。劉長壽的「母愛」和黃宗欽的「協力」等幀，均能把握現實題材，刻畫出感人的鏡頭。黃穗銓的「姊妹」這幀，充份表現了人類希望的決心。王金塗、張世鋼等五幀，氣韻明顯，線條優美，風格獨特，使人有神秘性的妙造自然之感。

這次青影社所展出的會友入選作品，無論在構圖、取材方面，都有嶄新的表現，也是他們過去一年來辛勞的成果。攝影在目前國內外已漸大衆化，攝影技術增進，凡是愛好攝影藝術的人，均不妨觀摩借鏡。（仲偉庭）

吳廷琰闡釋越南戰略邑

西貢通訊

兩項基本工作方針

本人提出兩項譬喻於下：現在各個戰略邑，均有設立一本「鄉約」，是戰略邑和保約的憲法。從這本「鄉約」的內容，即是我人欲將自由權交給人民，由人民自行管理其在邑與保中生活，這一本「鄉約」是否會影響邑內民眾之政治生活？政治與邑內居民的關係如何改變？邑民委會與民眾對民主合作關係是否自願自覺？是否與我人所希望的相反，僅是一項少數統治者與多數被統治者而發生的關係？由於那些條件，由於這新的「鄉約」，政治與政府，及地方民眾如何改變？由於這一本「鄉約」，經濟社會文化各方面生活已進步至何等程度？是自力發展抑或是一項假造的發展……

負責戰略邑幹部須懂得確定、把握、運用邑內之實際人力物力，依照民主人位理想以逐步改善各該關係。

第二項譬喻是我人主張在各戰略邑實行民治法則，民主生活，教育問題必須與普遍學習憲法問題同時提出，學習基本法律對農工們生活是有關係的，這樣使民眾在每日生活中，對民主法治有所認識及運用。教育羣眾工作，對各方面生活中尚存有武裝意識的作用，以之反對地方政權之濫權及共黨之無稽宣傳和操縱。

幹部們須應記得的是，當中央政府提出民主法治理說時，則幹部們的任務是要在羣眾中發揮民主法治意識，當採取實踐社會政策時，須將實際問題及一般懷疑反映至中央，然後中央根據其反映始可能確當的解決進行新生活運動及所發生的問題，戰略邑和保內的民主法治問題。

本人希望各級幹部須是學習及創造民主法治運動之前鋒，因為這一項運動對我們所進行鬥爭是有決定性的作用。

戰略邑已孤立敵人

對於敵人方面，戰略邑所負擔着的角色最為重要，所設立的戰略邑和戰略保，從召回戰略邑民眾等數字看去，已是過去一年中敵人重大失敗的有力證據。

僅站在社會及政治鬥爭方面，則我人已可發覺，敵人正逐日與民眾脫離而孤立及完全被逐出農村社會，敵人須逐漸撤至荒林地帶及撤出邊界，從而四出強奪及恐嚇村民，敵人已無可能利用農村社會為游擊地盤，已無可能利用羣眾力量以從事進行破壞性戰爭了。由於無可能利用羣眾力量，游擊戰便告失敗，故彼輩須放棄游擊轉入運動戰，暴露其殘惡真面目了。

敵人由於政治方面及用「照顧南部」美名為滲透南部主張宣告失敗，彼輩便主張在國內造成戰爭壓力，給予彼等之國際主子有利條件，以從事在世界上提出「南部問題」，使越南國家變成國際共產手中一張國際牌。彼等所進行主張，都是共黨的傳統本質，一如以前彼等以民族抗戰為名義而和殖民者講價分割越南領土相同，現在爪牙的「南部中立化」政策的意義及其越南人民一定未忘記彼等迫人民付出代價以完成彼等之陰謀：

一九五四年越共以「因尊重人民愛好和平之忱」為理由，宣佈瓜分國土。一九六二年亦與上述同一尊重，越共中央局提出路綫如下：「擊破戰略邑，全軍及久遠的一次全面鬥爭，敵人獲得設立即是敵人將人民武裝力量孤立，敵將勝。若欲望對付敵人陰謀，我人須懸烈鬥爭及長期忍受艱苦」。

這是一種承認之詞：承認共黨欲將戰略邑變為彼等之戰鬥機構的初步主張所遭到的失敗。

并承認彼等之主張：製造戰鬥以追隨國際共產目的及并不顧慮到南部人民之和平願望。

我人及全民應記住彼等在鬥爭路上所承認之詞。

招撫越共投歸正義

和實現戰略邑政策接連在一起的是進行招撫運動，呼籲一般被共黨所迷惑及利用人士歸回與民族在一起。招撫運動是有一項非常重要意義的，並非是一種純手段，這項運動是一種合乎民族情感與意志的政策，我人將準備迎接一般被共產利用份子歸順正義。（三）

天南風光

—沙羅越的歷史—

朱潤明

於是「哇斯里」、「摩亞里」及十七歲的第三兇手，挺身而出，各取刀一把，剩餘一把，無人敢取。乃決定三人行兇，而以較高之兩個英人為對象，即總督與省長。是以第二兇手乃協助第一兇手，而第三兇手復行兇不遂，故僅僅只總督一人因傷重斃命。

慘案發生後，逮捕嫌疑犯十餘人，自然都是馬來人。審訊結果，判決兇手及主使者死刑，從犯等亦各判十五年、十年、七年及五年等徒刑。判死刑者，在古晉監獄內行刑，即以司徒華總督親自攜來沙羅越之絞架執行之。行刺案遂告一段落。

於是英國政府乃另派艾貝爾爵士為沙羅越第三任總督。艾貝爾爵士於克拉克被刺之後到沙羅越來任第三任總督，初不免誠惶誠恐以應付這種艱危局面，但因其態度沉着，手腕靈敏，施展寬猛並濟之政策，運用剛柔兼施之手法，不久即控制全局，獲得人民好感，不但讓渡風潮，消弭於無形，即新起之搗亂行動，亦隨時將之化解，並做了許多新興事業，任期滿後，沙羅越人民自動挽留，請求英庭延長任期，居然一延再延，延任達十年之久，誠不能不說是肆應的長才！有人比之為香港的總督葛量洪，真是頗為相像咧。

沙羅越的讓渡風潮，似因克拉克之被刺，積怨之氣發洩殆盡，反對根源，亦因兇手之服刑，而剷除無餘，故艾貝爾總督所面臨之困難，並不在此，乃在於中國大陸之整個變色。蓋艾總督蒞任之時，正一九四九年尾，及一九五〇年初，適逢中國大陸政權轉變之際，古晉原設有中國領事館一所，領事自係由中國政府所委派，然斯時竟有不穩的傾向，而華人青年，復多表示前進，華僑老成，更思想紛歧，態度不一，因之整個華僑社會頓現混亂而緊張，與夫一般所有市鎮，也趨於混亂與緊張。這是眾所週知的事，華人多居於市鎮，整個工商及金融事業，大半在華人手中，南洋一帶皆然，沙羅越自不例外，幸虧混亂的是思想，緊張的是情緒，尚少其他軌外行動，故英國殖民政府，猶能於充分注意中加以應付。（六四）

報人普立茲傳

汶津譯

這是威理希最害怕的。「等等，等一等，先生。也許我們可以用年青的普立茲。我來教他該做些什麼，他也許會變成一個好記者。我同意，讓我們給他一個機會。讓我們給普立茲那個工作。」

約瑟夫成為郵報記者的事就這樣決定了。當普利多利博士和蘇滋離開報館時，不禁相向大笑——他們捉弄了他們的編輯。威理希很頑固，要改變他的腦筋可得假以時日。他們都覺得普立茲似乎是一個不平凡的青年。他們給他一個機會是聰明的。

他們寄了一封短信給約瑟夫。要他次日早晨去西部郵報社。然後他們又坐下來下夜棋了。

第四章

翌晨約瑟夫坐在威理希的辦公室裏。他聽到編輯在跟他說話，但那聽來像是夢中的聲音。

「你需要這工作，不是嗎，普立茲？」威理希問。這位編輯對約瑟夫缺乏好感。昨晚卡爾。蘇滋和普利多利博士說他很聰明。他們錯了。這個普立茲連簡單的問題都答不上來。

「噢，是的，我是需要這工作，」約瑟夫匆匆地答道，「請告訴我我該做些什麼。」

「你得去採訪二十二第三街的一樁槍刦案。是在羅斯蘭書店發生的。」

「我聽說過它。」約瑟夫說。

「好。快去書店看看到底發生了些什麼。你懂嗎？寫下那故事！找出一切事實。但是不要給任何人惹麻煩。假使你看到一個叫彼德斯的人，跟住他。問彼德斯發生了什麼——那可比你問一大串問題好。快去！」

約瑟夫一路跑去。他沒有時間細想這難得的新工作——這份天賜的禮物。他是郵報的一個記者了。只是他還沒有弄清楚一個記者究竟是什麼身份。

羅斯蘭書店是約瑟夫常去的。那老闆喜歡他並半價賣書給他。或許羅先生會告訴他這案件的一切細節。當約瑟夫到達時，有許多其他記者們站在門口。大家都忙着記下門口那人所說的話的要點。

「這是整個故事，各位，」那人緩緩的說，「刦案在今天清晨發生，那時羅先生還沒來。門被打開，兩百塊錢被拿走。警察局認為是一個金髮的高個子幹的。羅先生昨晚曾看到一個陌生人在書店外巡逡。警察局將要找到一個金髮的高個子。就是這些了！」

「謝謝，彼德斯，」記者們說，他們寫完筆記，準備離去。約瑟夫不信任地看着那人。他怎麼能用這麼少的事實寫一個故事？必須有更多的資料。或許他遺漏了些什麼。他趕上那個叫彼德斯的人，拉住他的胳膊。「彼德斯先生，我是西部郵報記者。你願意告訴我更多關於那搶刦案的事嗎？它是今早幾點發生的？為什麼他們想這是一個陌生人幹的？」

彼德斯逼視着約瑟夫。「我已經說過所有的故事。再也沒什麼可報導的了。」（十六）

瘟君續夢

第九回：枵腹爭雄　壺漿招餓鬼　苦心糾衆　風雨會羣魔

其實中共對日貿易，到還是平等交易，尚不能算是賣國；至於同一時期與緬甸簽訂的劃界條約，喪權辱國，實在是漢奸行為了。整條界綫上起滇藏康交界之江心坡，下達薩爾溫江三角洲的猛卯、南坎，全程亘二千多里，中國政府把它分成北段未定界，南段未定界。北段之間，又分南北，其間由於地形複雜，勘測不易，加之英國政府包藏禍心，利用未定界作為侵略的跳板，所以多年以來始終成為懸案。

民國三十年初，英國乘中國抗戰最艱苦之際，突然提出建議，要求劃北段未定界南端界綫，中國政府當時處境艱苦，不願開罪英國，勉徇其請，派人在該段會勘一次，結果算是劃了一條國界；不過，國界以西有一個爐房銀鑛廠，中國政府堅決不肯放棄，後來英國自動讓步，准許中國在爐房銀鑛廠保留百分之四十九的股權，事情才告一段落。

抗戰勝利後，中國報紙提出重劃滇緬未定界的建議，外交部發言人也表示政府正在考慮此項問題。緬甸當時的總理也是宇努，馬上就策動緬甸報紙羣起攻擊，指中國剛變成強國，就欺侮弱小隣邦，恰好中國當時的外交部長是一位有名的磕頭外交家，見外國人就磕頭，不論大國小國，白種黃種，當時被緬甸報紙一罵，登時嚇得軟下來，不敢再提劃界的事。

不久，中國大陸淪陷，中共政權成立，緬甸搶着承認，比印度還早一天，算是鐵幕以外承認中共的第一個國家。以後在國際場合處處替中共助威幫腔，主要還是為了滇緬未定界的問題，恐怕中共找麻煩。

到了一九五六年，緬甸總理換了宇巴瑞，態度較為堅定，逐漸傾向西方，中共於是派兵佔據了被英國人侵佔的村落片馬，崗房，古浪。這三個小村子，本是中國領土，被英國佔據後就移交給緬甸，中共突然派兵收復失地，緬甸朝野大為震驚，宇努以執政黨主席身份訪問北平，要求周恩來命令共軍停火，不要再向前進。周恩來當時就答應了，滇緬邊境局勢又停頓下來。不過，由於這一次的衝突，宇巴瑞的總理坐不穩了，不久，又換了宇努。這時緬甸政府就打算同中共劃界，宇努向周恩來提出試探，中共馬上覆信同意，並派出原任駐緬甸大使姚仲明任代表團長，緬甸方面也派出昂季准將任代表團長，進行磋商。

最初，緬甸是恐怕中共索價太高，要收回全部失地，連緬北的重鎮畹町，八莫，說起來也都是中國的。可是，雙方會談之後，昂季發現姚仲明根本無意收回失地，只是作為一種宣傳手段，向國際進行統戰。昂季看清楚中共底牌，大膽提出對全部未定界的要求。第一次磋商後，姚仲明就把經過情形報去北平，周恩來也頗感意外，就帶着陳毅去報告毛澤東，請示如何處理。

毛澤東問道：「劃界的本意是在爭回領土，還是向緬甸進行統戰，這兩個問題要先弄清楚。」

陳毅笑道：「當然是為了統戰，要是為了土地何必去同緬甸爭北方失去的土地要大過緬甸幾十倍。」（二一二）

閻錫山與陳納德

吳文蔚

如此辦理，太原的空運單位增加了，空運時間延長了，駕駛員、機航組、運輸組及地面工作人員，都忙到極點。例如三月三日，一個民航隊的駕駛員，名叫李卡生，美國唐納塞州人，二日之間，飛行了二十一小時又四十五分，但是他們集體努力的薪資，均按時清償。三月一個月，民航隊的運輸，超過應運量百分之四十，按合同每一架次，運六千三百九十磅，而民航隊實運到八千四百磅。其實「夜間飛行，簡直是要命的事」，無綫電羅盤，因夜間氣候關係，常有錯誤的報告，而且夜間不能用看見的標誌，計算行程，以故飛機只有冒險的估計，直飛目的地。當飛近太原時，必須與閻將軍用電話聯絡——簡直是一日二十四小時不停的聯絡。

討厭的，是共產黨在太原靠北十幾里外，也設有一個電台，波度與太原相等，無形中添了很多困難，使民航隊的駕駛員很容易飛越過太原。他們所帶的汽油，很少有剩餘，這樣的飛行，是最危險不過的。

夜間飛行，還有很嚴重的問題，駕駛員們奉到了命令，飛近太原時，務須息滅了航行燈，以免敵人的高射炮射擊。但有一次夜間，美國米里沃克地方的司米斯君，在適當的高度飛行，幾乎與太克塞斯州人畢哥所駕駛的飛機相撞；他們認為高射炮的危險不甚厲害了，遂趕快息了燈，以求安全。

另有一種危險，情形較為複雜，即三家航空公司的數架飛機，同時盤旋在太原上空，而在地面指揮運輸的中國官員，便難免控制不得其宜。於是三家航空公司，對於採取直接而非正式的航綫，自行商定控制辦法，如某駕駛員以無綫電話說：「我的六千尺高」，別的飛行員說：「很好，我的是五千尺」，其餘亦各自報告，以免互撞。

在長期的冬季飛行，雖是白天，也是夠寒冷的，要是夜間，那更不易消受，因為在幾秒鐘內，就要把一百五十袋食糧扔下去的飛機，很快的已經過了投擲地帶，飛機旁的兩個艙門，必須趕快關起，怕的冷氣進了艙內和外界一樣的冷，如何是好！

冬天的氣候，經常是零下三十度。駕駛員的室內，按學理說，應該暖一點，但民航隊的駕駛員要對「學理」二字畫一個記號，因為總有一半時間，暖室的器具，準備不好，升降儀器凍了，油壓計凍了，駕駛員也受凍了。

這些駕駛員最苦悶的，是那長夜的寂寞厭倦。為了打破此寂寞，並免瞌睡起見，駕駛員們便在無綫電上互相談話。有一次一個駕駛員為閻將軍的無綫電台帶來些美國的唱片。（八）

十八學士

漁翁

唐太宗李世民，幼好文學，雖貴為天子而猶手不釋卷，故文章書法，皆有足稱。當其為秦王時，即以房玄齡，杜如晦，虞世南，孔穎達，陸德明，薛收，蓋文達，薛元敬，許敬宗，于志寧，褚亮，姚思廉，蘇勗，蘇世長，李守素，李玄道，蔡允恭，顏相時等十八人，並為學士；旋收卒，復召劉孝孫補之，命閻立本圖象，褚亮為贊，題名字爵里，號十八學士，藏之書府。時人傾慕，謂之登瀛州。

按瀛州，東海神仙居也。史記：徐市言海中有三神山，名曰蓬萊，方丈，瀛州，仙人居之。秦始皇曾遣徐福即徐市率童男童女五百人，乘海舶求之不得，然三神山之名，仍長留國人夢寐間。

唐代建都陝西長安，即今之西安，太宗命房杜等組織弘文館於都中，時人目該館為小瀛洲。自後凡入翰林院者，即以登瀛稱焉。惟十八學士中之經歷，有不甚詳者，茲舉其大概於次：

房玄齡，唐之名相，臨淄人。博學宏識。太宗為秦王時，玄齡為記室，從帝征伐，富有謀略，太宗比之蕭何。累官尚書左僕射，居相位十五年，舉賢才，與文致，致貞觀之治。封梁國公，卒諡文昭。

杜如晦，杜陵人，字克明，為人英爽風流，而持大節。太宗即位，為尚書右僕射，與房玄齡共筦朝政，臨機輒斷，有幹國才，亦為太宗所倚畀。封萊國公。

虞世南，餘姚人，字伯施。始為弘文館學士，後以銀青光祿致仕。太宗稱其有五絕：德行，忠直，博學，文詞，書翰也。尤其書法，為唐代大家，所寫太子廟堂碑，膾炙人口。

孔穎達，衡水人，字仲達。少聰敏，善記誦。隋時，煬帝召試天下儒官於東都，以穎達為第一。入唐為國子祭酒。嘗受太宗命，撰五經正義。

陸德明，吳縣人，名元朗。精名理之學。高祖時，為國子博士兼太子中允，著經典釋文，凡三十卷。諸經音讀，多恃以為依據。

薛收，年十二即能屬文。太宗在秦邸時，薛為主簿，能倚馬作露布，以敏捷見稱。後授天策府記室參軍。為十八學士中之早熟作家。

蓋文達，信都人，以春秋三傳見長，嘗與宿儒碩學劉焯劉軌思等，談論疑義，文達依經辨析，一座驚服。[illegible]大夫。薛元敬，[illegible]與薛收[illegible]弟齊名，[illegible]河東三鳳[illegible]參軍[illegible]以文名者[illegible]鳳而艷稱之。

許敬宗，善屬文，太宗時以著作郎兼修國史。及高宗嗣位，武后嗜引為助，潛逐顧命大臣褚遂良，長孫無忌，及武氏弄權，酬以右相，位雖崇顯，而人格卑鄙，為士林所不齒。

于志寧，洛陽人，官至太子太師，同中書門下三品。監修國史，封燕國公。

褚亮，嘗授太宗文學，官散騎常侍，封陽翟侯。姚思廉，武康人，善文學，與魏徵同撰梁書。蘇勗，武功人，有美名，官吏部侍郎。蘇世長，武功人，官諫議大夫。李守素，趙州人，官倉曹參軍。李玄道，為幽州刺史，以風續稱。蔡允恭，江陵人，為太子洗馬。顏相時，為顏師古之弟，官禮部侍郎。

南宋偏安有人才

——岳飛——

李仲侯

其時光世雖奉詔援楚，而不肯渡江，僅遣裨將王德往，以虜遁奏。帝賜飛札令，協力剿撲，札曰：

「近據劉光世差王德等統率軍馬過江之後，累奏戰捷，殺獲金人甚多。賊久踞江淮，即漸抽退，其未去者，數雖不多，若不乘勢剿除，終作腹心之患，正諸將立功報國之秋也。岳飛奮命許國，忠勞甚著，朕常嘉之，今可與光世所遣將領等協力並進，往承州楚州等處殺伐金賊，期於剿撲，當議不次推賞。其有能獲龍虎太師者，白身與除觀察使。九月十五日付岳飛」

飛奉札後，即申司進兵，狀曰：

「竊念飛以行伍賤隸，辱知朝廷，蒙被厚恩，殞殁難報。每以為國家之難，雖非所命，猶當戮力，矧承楚之事，危迫如許，累准朝廷指揮備督，此正飛等捐身殉義之秋。切緣王鎮撫林、郭鎮撫仲威等，並不見差撥軍馬前來，使司王統制雖聞已起發，即目尚未知駐屯去處，使飛孤軍委實難以枝梧。今月十二日准本州遞到今月六日指揮，飛除已邁褁外，契勘金人盤泊日久，連破諸鎮，王鎮撫、郭鎮撫各斂兵自保，其志已驕，目即承州楚州一帶人民逃死，別無據掠，易於攻却。據探報虜人急攻楚州，切恐萬一疏虞，於淮南諸鎮利害不細。飛已於今月十五日具申使司去訖。飛一面起發前往承州已來措置剿殺外，伏乞鈞慈，特捐一二千之衆，別差統制官一員，前來犄角，庶立大功，不致上誤國事」。

九月廿日飛抵承州，轉戰彌月，三戰皆大捷，殺其大酋高大保，擒女眞、契丹、渤海、漢兒軍等，又俘阿里孛堇及里眞阿主黑白打里酋長七十餘人送行在。帝賜札曰：

「岳飛節義忠勇，無愧古人，所至不擾，民不知有兵也。所向必克，寇始畏其威也。朕甚嘉焉！方今國步艱難，非卿等數輩，朕孰與圖復中土者耶？奈何江表尚多餘寇，卿可竭力措置，擒獲必期淨盡，無使越境，為吾之憂。姑賜卿金注盌一副，盞十隻，聊示永懷也。七日御押」。

金人既陷承楚，詔光世措置保守通泰。時飛在承州，泰州盜起，王昭寇城東，張榮寇城北，於是飛得還守通泰之命，乃旋師。自北岸村之柴墟屢戰皆大捷，死者相枕藉。

（五十九）

海嘯廬談薈

談領導人物

諸葛文侯

漢光武劉秀，崛起田間，糾合文武人才，推倒王莽僞政權，復興漢室。在位時，尊崇節義，敦勵名實，為政則綜持大體，至公至正，用人則推心置腹，賞罰嚴明，而對於饒有品格的讀書人，特示敬重，看他以帝王之尊，跟故人嚴子陵抵足而眠的風度，即可概見了。東漢時代一般士大夫皆崇尚氣節，倜儻無華，因而社會風氣充溢着篤實誠樸的生活景象，使後世景仰不置，實源於劉秀以身作則，德行感召之力。這種文化精神之創進培育，對國家民族前途，遺澤至大，嘉惠匪淺，值得大書特書的。他在歷史上，沒有好大喜功，殘虐臣民的言行紀錄，卻是歷史上最出色的中興之主，政治上的領導人物像他這種成就的，古今中外，能有幾人呢？

就中國前代創業垂統的領導人物而論，宋太祖趙匡胤亦比劉邦朱元璋優越多矣。他能保全勝朝柴氏子孫，不效法前人仇視舊主後裔的殘酷行為，使功臣安享富貴，無所憂懼，且以「不殺讀書人」為家法，刻碑垂訓，永矢弗諼。他在政治上的設施，亦頗多興利除弊，福國利民的績業，這都不是劉邦朱元璋所能企及的。

至於美國的華盛頓，領導北美人民獨立運動，創造「北美合衆國」，身經百戰，盡力最多，厥功甚偉。然他一任總統之後，即飄然引退，不復蟬聯，奠立了優良的民主政治軌範，亦不愧為才德兼備的領導人物。林肯能在百年前就有解放黑奴的思想行為，其見識之高超，魄力之宏毅，實屬難得，即此一端，也就不失其為模範的政治家，而勝任領導地位了。

談到國父孫先生，可說是出類拔萃，前無古人的領導人物。古今中外歷史上那些林林總總的政治領袖們，雖有他同樣的才幹，卻沒有同樣的事業與德行，而德行事功縱然相埒，又不及他的學識豐富。這決非阿好溢美之詞，史事昭然可證也。

孫公對國家民族的豐功偉烈，永世人所共知，無待贅述。然其偉大功績之成就，乃基於他的學識與德行，決非偶然倖致的。[illegible]「誠」「廉」兩德，[illegible]政治領袖的基本條件，[illegible]而孫公不特具備之，且以身作則，發揮到了最高峯。如民國元年廣東各界曾推舉孫公的令兄孫眉為都督，並經孫眉親往南京向孫大總統說明一切。然孫公認為乃兄絕非政治人才，一面勸他勿作此想，同時電覆粵省各界人士，飭其另選賢能，[illegible]決無絲毫徇私的意念。他一生倡導天下為公之說，力行不渝，[illegible]以忠恕之道為本，陳炯明叛變作亂，[illegible]他於死地，事後他表示，要[illegible]陳氏悔過，仍信任如故，這是何等偉大的胸襟呢！孫公的清廉，只看他身後除卻書籍萬卷外，沒有分文的私有財產存儲着，暨上海寓宅一棟以外，在國內[illegible]即可概見了。他對於一般文武幹部的任用，選拔皆能[illegible]表現知人善任的[illegible]。在[illegible]過程中，曾有許多人向他[illegible]名義和金錢，[illegible]

[illegible]

像孫公這樣的領導人物，允屬世界之寶，[illegible]

水牛將軍田桐

·周燕謀·

民九年，設中國國民黨本部辦事處於廣州，委任梓琴為黨務部長。與師北伐，委為大本營宣傳處長。時陳炯明已通款於吳佩孚，突於六月十六日舉兵叛變，且令叛將葉舉等指名嚴索田桐。梓琴厲聲應之曰：「老子就是田桐」！遂被捕。有警一巨饉，叫叛兵攜行，叛兵遲遲不理，梓琴責斥道：爾等捕我，即應當為我攜行李。叛兵相笑言道：田將軍眞倔强人也。陳炯明因不願開罪他省議員，遂令釋放。

十二年夏，曹昆謀以金錢賄選總統，梓琴告諸議員曰：君等欲貪利受汚，則乾坤正氣盡矣。不願受賄之議員，則遂梓琴赴上海。

民十五年，國民革命軍大舉北伐，梓琴受命為江漢宣撫使，兼湖北省政府委員。嘗募死士炸燬孫傳芳運械軍火之江永輪，使革命軍得以順流而下。十六年，擁政府命令，入晉說閻錫山來歸中央。十七年，革命軍定北京，全國統一，先後任為國民政府委員及山西政治分會委員，立法委員，革命黨史編纂委員，均不就任。閒居上海，以著述為事。除獨力發刊「太平雜誌」外，另著有革命閒話、扶桑詩話，詩文集十餘卷。並綜合古今中外盛衰興亡之道，著為一策，題名「太平策」，在太平雜誌發表。（六）

內政部台報字第○三壹號內銷證

自由報

THE FREE NEWS

第三四九期

中華民國僑務委員會登記證僑台報字第三二二號
中華郵政台字第一二八二號執照登記爲第一類新聞紙類
（本報逢星期六出版）
每份港幣壹角
台灣零售每份新台幣壹元
社長：雷嘯岑
督印人：黃行奮
社址：香港銅鑼灣高士威道二十號四樓
20. CAUSEWAY RD 3RD. FL. HONG KONG
TEL. 771726 電報掛號：7191
承印者：田風印刷廠
地址：香港灣仔高士打道一二二號
台灣分社
台北市西寧南路壹壹號二樓
電話：三○四三二五

美國對華政策的謀略

鄧懷冰

最近在一個非公開的座談會，交換中美關係的外交意見，聽了很多高論，終因時間已到，致無表達淺見的機會。事後我又考慮，以中美兩國的友誼，綿延達一世紀以上，今日總算仍在友好合作的階段。所有兩國間的關係，無論光明的一面，或晦暗的一面，雙方總應直言無諱的多加檢討，以匡救彼此間發生的錯誤，進而增強合作的基礎。

中國傳統的文化，在社會關係上，素重交友以直，交鄰以誠之道。實際直與誠爲一體兩面，表裡爲用者。無誠莫能直，非直不足以表達誠。因此我抱着這種心情，將那天未會發表的意見，把它形諸文字，藉以表示我對中美關係的現實看法。我的直言出諸至誠，是善意的。我熱切冀望友邦人士，不具任何成見，深自反省。

翻開兩世紀來的中西關係史，這裡面以中國爲舞臺，表演了形形色色各種悲劇。中國人在這種慘痛桎梏中，掙扎解脫，結束了這一幕長期浩刼。現在我們回想過去，恍若大夢一場，淡然置之。這並非中國人是健忘者，乃因此一民族，具有獨特的文化背景，其思想特點，渾然厚重，廣漠無垠；不拘小節，無分畛域。儒家的政治學說，勉人以大事小，以德報怨，出則天下，入則大同；民胞物與，尤見其偉大。中國人世代沐浴於此種文化領域中，薰染浸潤，習焉不察，以故造成和諧敦睦的民族性格。

在兩世紀以來的中西關係，特別論到中美關係，可以說美國在此長期歷史悲劇所演的角色，多半是配角地位。它有時隨波逐流，有時置身事外，有時却能仗義直言。但對中國的態度，若接若離。自從國務卿海約翰（John Hay）發表門戶開放聲明後，美國對華關係，算是有了政策。此時美國已瞭解到，位於太平洋對岸的文化古國，關係美國的生存發展十分重大，因之爾後纔開始重視中國問題。跟着海約翰聲明的延緒，美國一直維持着以「政治獨立主權完整」爲原則的對華政策。

實際中國人很淸楚，海氏的聲明，基本上是基於美國在太平洋伸展的利益。所以在對華問題的處理上，是向欲瓜分中國的帝國主義者表示，分我一杯羹的意思。所謂「機會均等、利益均霑」的基礎建立在此。

一國外交政策的確立，當然本乎自身的利益爲出發點，自勿庸疑。因之美國爭取分華利益，即使美國研究近代史者也承認此一事實。他們列舉一八九九年、一九○○年、一九○二年，對歐洲列強在中國有利益關係者，發出的三件通牒，其中所包括的思想，是含有經濟與政治意義的。就是說，當時美國對華政策的構想，在經濟上，聲明不能被排擠於中國門戶之外；在政治上，絕不承認列强瓜分中國之藍圖。因此，它堅持中國的「政治獨立主權完整」原則。

以「機會均等、利益均霑」的要求，阻止列强瓜分中國，是美國插足中國事務的一套手段，並不是具有崇高的慈悲心腸。這一觀點，美國史家亦曾强調。但在中國人對此一政策的感應，是友善的。因爲中國的傳統精神，特重道義。衡量朋友，只要事實表現有可感之處，終生不忘，絕不深究其當初之動機，是眞誠的，抑僞善的？

從海約翰聲明後，中美關係在意識上結成了友誼的蓓蕾，開創了美國外交史上一個重要里程碑。中國人對於美國的認識，可以說也增進了一步。

第一次大戰後，威爾遜總統提出了「十四點計劃」，作爲解決國際持久和平方案。十四點中，從第六點到十三點，都是以民族自決爲對象，實與孫中山先生之理想相符，甚合中國的與情。威氏的理想雖未實現，其影響中國人心者頗大。因之，中國人對美國這一朋友，益感其不僅有道義，而且具理想。

及至一九三一年，日本侵佔中國的東北領土，美國宣佈了「史汀生主義」，不承認以違反條約義務爲任何領土性的變更。此一宣告，雖然僅止是一種軟弱的外交措施，但在當時瀰佈瘴癘的國際氣氛下，中國人對美國此次的聲援，仍然以爲是可感的。

由於感之深，信之堅，中國人絕無絲毫顧慮美國朋友會出賣我們。不幸兩國於一九四一年至一九四五年太平洋地區併肩從事反侵略戰爭而行勝利，雅爾達會議一紙密約，竟將中國出賣於蘇俄。此一歷史猶痛，使中國人如晴天霹靂，黯然神傷！從此中美關係不幸被羅斯福總統投了一把無情之火！中國政府處此焦頭燗額無地自容之境，逆來順受，接納美方勸告，似若無辜之羔羊，但然被賣。這也說明了中國人爲交此多年朋友，曲益苦衷了。

二次大戰之勝果，由雅爾達協定完全摧毀！新世界的序幕，轉變爲另一幅更悲慘的畫面。是造成今日愈演愈烈、了無止境的緊張國際局勢的由來。悲慘主角之美國，能否以回天之力，化轉悲劇爲喜劇？一時頗難預測。現階段則明顯的美國是咎由自取了。

美國面對今日之慘局，負咎自責，本屬公平不爭之論，應有雅量有勇氣承當。承當之後，尤宜痛加悔悟，改變方策。然而默察它的對華政策，似乎仍然沒有改變羅斯福時代之後期，及杜魯門時代的思想道路。而此一思想的具體設計，多半出諸艾契遜一流人物之手。截至現在，美國的對華政策，仍在他們的陰魂影響之下。因此，我很憂慮美國將再鑄成第二次大錯！

平情而論，這幾年美國對華政策的思想基礎，多少含有抑制中華民族的成份。由美國在亞洲的佈局，蛛絲馬跡，確有一番心機包藏在內。我的看法當然不會爲美國朋友所公然承認，但事實表現，不能不使中國人有所懷疑，有所警惕。

美國以自由世界領導者自居，亦爲多數盟邦所承認，其對華政策之確立，自應以雙方之共同利益爲依歸，不能遺忠實盟友於被支配被牽制之地位。可是我們發現不是如此。實際它是以雙軌思路。運用政策之基礎的。

根據其雙軌思路，產生了截然不同的兩種定型觀念，即反共問題爲政策之一端，中國問題爲政策之另一端。也就是反共問題爲政策之運用，中國問題爲政策之根本。在反共的一端，基於美國現實利益，就其好惡實施援助，而發揮力量之主動權，不能操之受援國，而以共無知的姑息政策約東盟友。在中國問題的一端，則始終保持分裂中國的[illegible]圖案。雖然美國最高行政首長諱言此一觀念，事實上政策的執行，係根據此藍圖在實施。我們認爲美國政府此種處理中國問題的居心，實漠視中華民族的整個利益，及輕視中國人對美國的誠摯友誼！

[illegible]根本不同之範疇。因此，迹象很爲明顯，美國之長遠策略，係以扶植印度爲中心，企圖以印制華。其制華的目的，不是現實的，而是久遠的。如果美國助印僅限於現實需要，即爲了抑制中共，則談到抑制中共，尙有逾於厚增中華民國力量者乎？何以美國竟大加削減甚或欲停止對中華民國的援助？事實上台灣的實際情況，並非如美方所云將足以自給。尤其以種種方式凍結台灣之發展，足資令人懷疑。

歷史上中印兩大民族和諸相處，敦睦善鄰。美國此一謀略，顯然製造中印兩大民族之矛盾，貽中印兩國永無息止之紛爭，勢必後患無窮！作爲一個中國國民，不能不深切警惕！尼赫魯印度之執政者，[illegible]家包爾斯（Chester Bowes）再作駐印大使，足以證明美國將以最大賭注爭取印度。是則美印對華之謀略，合爲一，其有損於中美兩大民族之合作，至重且大！

說者或謂，美蘇雙方支援印度，可收異曲同工之妙，[illegible]

漫画天下

克魯：「我現在沒空！」

餓昏了？

「黃禍」思想

馮王先生

中華民國政府要反攻救民，還我河山，這是天經地義的事，凡屬與中華民國締有邦交的友邦，在不介入中國內戰漩渦的原則下，對咱們政府予以精神和物質的應援，亦爲義所應爾，歷史上前例甚多，人所共喻。

可是，現時極力反對我們採取反攻行動的友邦，即係跟中華民國具有深厚邦交的美國。它對我國經常予以軍經援助，致咱們整軍經武，不遺餘力，却要制止對大陸採取軍事行動，理由是防止引起世界大戰。認爲我軍如反攻失利，美國未便坐視；假使反攻勝利了，蘇俄必起而應援毛共，實行參戰，而美國亦有被拖下水之虞，實則這些都是廢話！美國如果怕惹禍上身，儘可聲明無論我軍成敗利鈍，皆不過問就得了，難道這樣表示，也會激怒蘇俄，把飛彈射到華府紐約來不成麼？

我覺得美國內心深處有一種說不出的隱情，那就是百餘年來，西方帝國主義者所倡說的「黃禍」思想作祟。它們害怕中國眞正統一起來，自强不息，因而使西方國家失去經商漁利的大好市場。所以，過去西方帝國主義者總是對中國實施分化政策，一面援助軍閥割據，分別與西方國家相勾結，一面跟中央政府結交，以便取得不平條約的合法地位，目的祇在使中國沒法統一。二次大戰後，即將若干國家分爲兩個，如東西德南北韓，南北越，以及現在的兩個中國等等，都是爲西方列强的帝國主義前途利益設想，而以英國主張最力，美國隨聲附和。我敢大膽指出：假使毛共不以「美帝」爲死敵，願與美國結交，讓美國商人到中國大陸貿易牟利的話，美國早就承認毛共政權了！對台灣的中華民國政府，還是現在這種政策。兩個中國存在，乃是英美的內定政策，藉以防止中國有統一强大之一日，詎不覺甚末？防止核子大戰，甚末集體防衛，甚末自由運動，都是些聊以解嘲的屁話，誰要相信它，誰就是蠢材！

監院糾舉案竟然出岔子

利害關係人徧遞請願書

【本報記者台北航訊】監察院以往所作糾舉、糾正及彈劾案，很少有出岔子的，但眼前卻有一項糾舉案，出了岔子，被利害關係人以：監察委員調查案件不實，根據片面之詞，提案糾舉政府官員違法失職，並影響人民之財產權益為由，向立監兩院、省議會及內政部、省政府陳情請願了。此事現構成一件懸案，很引起各方面之關注。如何善其後，殊難逆料。

事緣監察委員孫玉琳於五月六日，提案糾舉省地政局長沈時可，科長凌華及科員劉炳榮，暨新竹縣長彭瑞鷺，該縣地政科長賈介華及竹北地政事務所主任徐趨等，在辦理新竹縣關西鎮日據時代福利合資會社土地權屬問題一案，不依法令處理，遽准福利合資會社經營者羅享錦等十八人辦理系爭土地所有權移轉登記，顯有玩弄法令，偏袒徇私之嫌，並移送台灣省政府依法處理。

因此，本案利害關係人福利合資會社之羅享錦、羅慶增等十人，乃於五月二十九日分別向監察院內政委員會，台灣省政府及省議會，內政部暨立法院若干委員等請願。請願書長達兩萬言，除說明當年創設「福利合資會社」暨向日人永井儀三郎購買坐落新竹縣關西鎮馬武督段赤柯山及六畜小段一帶之土地六百三十四甲多土地之經過外，並說明這筆土地早於民國三十五年六月間依法向新竹地政事務所（現改為竹北地政事務所）申報權利，並經該地政事務所於三十六年六月十六日仍以福利合資會社為有所人之名義，登載於土地登記總簿。至監察院糾舉案所謂「系爭土地」一事實上誠如糾舉案文書所說，「民國二十一（昭和七年）由羅碧玉、羅享錦、羅慶煥、羅享彩等四人，以當時地價五萬八千元，向該日人（永井儀三郎）承買。買賣契約記載：面積共為六三四點九〇〇〇甲，於同年（二十一年）十二月十六日，以『福利合資會社』名義辦竣土地所有權移轉登記」。於此可見，所謂「系爭土地」之說，豈非自相矛盾？

其次，糾舉案所指「既未辦理登記，亦未辦理名義變更登記」一節，乃糾舉案所不爭之事實，因為糾舉書指該會社「已於民國四十四年由該會社代表人羅慶煥檢同會社資本證件，送請本（財政）廳審查」，並「製發財產查證第三〇號審查企業法團資本組成證明書各在案。該會社所有土地，應由原會社代表人持同上項證明書，依法申報總登記，領取權利書狀」。況省政府於四十一年七月廿日函復內政部時，也說明該土地所有權人羅享錦等「於三十六年六月十六日，所登載於土地登記總簿有案」。（上）

粵共遍設華僑機構

兼作詐財監視用途

華僑旅客回大陸者無一倖免

香港與大陸

粵共在廣東各縣市，已普遍的成立了「華僑旅行服務社」、「華僑房屋建設委員會」、「華僑投資公司」等機構，向歸僑和僑眷詐財，並且作為一個控制和監視華僑旅客的特務網。

梅縣探親甫返抵港的僑商劉君透露：梅縣地區最近在原有「華僑旅行服務社」外，又新設立了「華僑房屋建設委員會」及「華僑投資公司」兩個機構，以便更有效地「幫助」華僑建造房屋和對「社會主義建設」的投資。

劉君說：任何出入大陸的華僑和僑眷以及海外僑胞行李的托運手續，都得通過上述三項機構，因此華僑旅客受盡其剝削，行動當然更受到嚴密監視。劉君說：當海外華僑要大回陸「觀光」或探親時，首先便要與「華僑旅行服務社」接觸，行李要經該處託運，一路回鄉途中所住的旅館，都得和該處聯絡，否則住食亦有無法解決之虞。此一「關」主要是用來檢查歸僑的行李和監視歸僑的行動的。及你回到家鄉時，「華僑房屋建設委員會」及「華僑投資公司」便會有專人到訪，他們會用「愛國主義」、「社會主義」等的「大道理」來訓導你；也會以蜜糖一般的語言（如投資工農業建設利潤如何高，購置房屋價錢如何便宜等）去誘惑你；當然也會嚴肅的暗示你必須服從他們的指示；否則便有家破人亡之虞……總之，如果一位華僑回去大陸，沒有受到一場驚恐，回來時不囊空如洗者，絕無其事。

劉君說：他本人此行就有這樣的遭遇。他雖然僅帶極少的食物和一些藥物（已持有大陸親人之醫院證明書的），但「旅行社」卻要了他五百多元之人民幣作為運費和稅金。回到廣州時，他被「統一安置」於廣州海珠廣場新建的「華僑大厦」居住，連房間的號碼都早已安排好。該大厦的費用極昂，每日要一百元人民幣以上，而享受卻如同香港的下級旅店。他回到梅縣時，又被「安排」到城內的「華僑服務社」，雖回家或外出，都非得預先告知他們，並得到允許不可，而美其名為「派員保護」。

劉君在本港開有一間頗具名聲的酒家，因此更得到「華僑房屋建設委員會」和「華僑投資公司」的「垂青」，屢加「訪問」，要他在城西五里亭興建的「華僑新村」購一座房子，價值二萬多元（人民幣）；又「要求」他投資梅縣的造紙廠。在無可如何之下，他只好答應買一層屋和投資五千元了。

劉君說：雖然明知此等款項有如拋石入海（因為自己在鄉已有大屋一間，無需多購新屋，至於造紙廠，一切管理人員皆係共幹），但他有何辦法不就範？他知道，身在大陸，假如稍為觸怒了共幹，便難免有莫名其妙的罪加到身上。而且他更有一位正患病的老母在大陸呢？劉君說：失財事倒不算什麼，但中共如此攪法，形同搶刼，卻實在太不成話。（敬斯）

香港汲用珠江水

本月底便可開始

【本報訊】月初以來香港雖已獲雨四次，水荒情形仍屬嚴重，當局且正做應付最惡劣情況的準備，經過試驗之後，汲取珠江之水，已勢在必行，預計本月底便可開始。

當局除已向日本租得一艘二千噸級的中型運油船及兩艘一萬八千噸級的巨型油槽船，作為運水之用外，復準備在香港就地租用兩艘小輪，備作緊急時期專供郊區食水之用。

珠江河水的鹽度，經試驗後認為適合食用。港府汽船金文泰號，此次前往珠江，航行五日，實地試驗該河水流潮漲潮退時之鹽度，結果認為圓滿，該船已返抵香港。

該船曾在珠江各停泊處，往來凡廿六小時，在不同潮汐之下不停採取河水樣本，並即製定鹽度比較圖，俾獲悉該河水在何時最適合食用。

高級海事官侯爾斯及政府化驗師艾格里在該船上首先調查黃埔附近之內港等情形，發現該區內之水，時時都很新鮮，且該處可同時灣泊四艘至六艘船隻。

在蓮花山之另一停泊處，驗水鹽度表顯示該處之水，在廿五小時之潮汐循環中，適用者計有十八小時。該處可同時灣泊三艘。其他停泊之輪船，亦經予以檢驗之處，結果認為似不適於食用。

吳廷琰闡釋越南戰畧邑

西貢通訊

進行招撫運動後，我人的正義鬥爭，將獲在國民面前發揮及明朗，因為正義是民族精神團結範圍內一項正義運動之精神基礎所造成。我人將伸出雙手來迎接被外來理說所迷惑之民族子孫醒悟歸回正義。

在結束談話之前，余再次提醒各級幹部：戰畧邑政策與招撫運動包含豐富之社會革命與治革命內容，標示着民族之創造成績，此係為許多人因慣於從外表觀察及只注意形式而未能意識到者。

此種內容現正藉發動全面檢討組織及技術思想運動而予以更加豐富。以實踐之經驗，以不斷學習與創造，以在羣衆中之學習來豐富其內容，乃是革命幹部之一種榮譽與不能錯過的

我盼望全體在此地或不在此地之幹部能夠奪得此種榮譽。豐富各政策之內容，掌握及實現該內容，粉碎「形式主義」，乃是我們臻於勝利之活動方針。（四〇完）

四天一供水

不致再緊縮

【本報訊】香港最大水塘石壁水塘現已貯有九千二百萬加侖水，為最使人興奮的消息。該水塘之水平，已增高四呎半。不過，塘內水平仍要再昇高十八呎半，始到達可以供水之部位。政府發言人會指出，在必要時，存水隨時可以泵出經由海底水輸管往港島。

（本報訊）四日一次的供水辦法已不致再緊縮了，原因目前的耗水量，平均每日二千四百萬加侖，一個月是七億二千萬加侖。水塘的存水量，是十七億九千萬加侖。即使全無雨水，及不派輪去運水，一個月後，水塘存量仍有七億七千萬加侖。

然而此後一個月，應該不可能不下雨。颶風「雪麗」雖不來港，但有一股低氣槽，由海南島起，伸展至海灣，此外還有一股冷空氣，海外風力正在加強，本港將繼續有雨。預料端午前可見風雨俱來。雪麗是本月份以來的第二股颶風，此後一個月，一定還有新起的颶風，只要一股風經港，本港水塘，便可逐漸告滿，只有一股風在香港邊沿吹過，供水便可逐漸放寬。

中煤公司業務答客問

本報記者台北航訊

中國煤礦公司，屬於國營事業之一，其經營是否如監察院所指：「反盈為虧」？「其推銷費，管理及總務費用，數字龐大，實堪驚人」？

過去，政府對此曾有所說明，認為監察院的指摘，未免言過其實，並加以辯論。此一爭論，現在尚未獲得最後的結論。因此，監察院成立專案小組，就所有國營事業機構的業務狀況，加以調查、研究中。

現在記者僅就中國煤礦公司的業務，用問答方式，彙擇其中精彩重要的部份，作成「問答」紀錄。「客問」代表監察機關，「主答」代表經濟部中國煤礦公司。讀者看了之後，可以看出該公司經營的真實情形。

客問：「五十、五十一兩年度，各礦於管理費「其他費用」開支員工誤餐費，為數不少，請負責分礦分月統計詳實數目，分析原因，有無改善辦法」？

主答：「本公司所屬各煤礦員工入坑，以坑內情形特殊，坑道有長達一千公尺以上者，員工出入坑道，倍感辛勞，為適應實際需要，特參照其他礦廠規定，訂定本公司所屬煤礦員工入坑誤餐費支給辦法一種，於四十八年七月廿一日以（四八）中煤人字第二六五七號令知所屬新竹、豐林、南湖、三礦，自是年七月十六日起施行。本項員工誤餐費用，均列有預算，嚴格執行。以各礦坑道情形不同，故數額頗有出入。

「員工入坑誤餐費統計表（五十二年四月十九日製）載：

「五十年度：新竹煤礦誤餐費十一萬七千二百六十元；豐林煤礦三萬零七百三十七元四角；南湖煤礦八萬七千三百九十五元。合計二十三萬五千三百九十二元四角。

「五十一年度：新竹煤礦二十一萬五千一百零九元；豐林煤礦三萬三千二百五十九元；南湖煤礦六萬八千八百七十元。合計三十一萬七千二百三十八元。」

客問：「請分列總公司及各礦汽車數量，并分別詳列五十、五十一兩年度行駛里程，修理費，燃料費，保養費，各若干」？

主答：「茲列表說明如下：

「中國煤礦開發股份有限公司暨新竹煤礦汽車行駛、修理、燃料、保養等費用表。（表略）

客問：「貴總經理未到職前，每月虧損情形如何？是否有逐月減少趨向？到何時可以收支平衡能有盈餘」？

主答：「四十九年度：

「營業收入：五千零三十八萬七千七百三十六元零六分。

一、銷貨收入：五〇、〇六七、一九三・〇四元。

二、其他營業收入：三二〇、五四三・〇二元。

「營業外收入：二百二十八萬八千七百五十九元四角八分。

一、利息收入：六、八四〇・二一元。

二、盤存盈虧：一、九八八、〇四一・三三元。

三、出售資產盈虧：二九、六〇二・四三元。

四、前期收入：一六三、二二六・七七元。

五、雜項收入：一〇一、〇四八・七四元。

「營業支出：五千五百三十萬零一千四百九十六元六角九分。

一、銷貨成本：四四、七〇五、五二二・七〇元。

二、推銷費用：七、六五三、四四六・八〇元。

三、管理及總務費用：二、九四二、五二七・一九元。

「營業虧損：四百九十一萬三千七百六十元六角三分。

「營業外支出：五百萬零二千五百十九元二角八分。

一、利息支出：三、二四一、七二六・八二元。

二、其他財務支出：一三八、九三〇・六五元。

三、前期支出：一、五三一、八〇二・五〇元。

四、非常損失：一八、四六二・五一元。

五、雜項支出：七一、五九六・八〇元。

六、營業外虧損：二百七十一萬三千七百五十九元。

「營業虧損與營業外虧損合計七百六十二萬七千五百二十元四角三分。

「五十年度營業支出虧損八百七十八萬五千九百七十元二角二分。營業外虧損七百九十一萬一千四百零一元一角七分。兩共一千六百六十九萬七千三百七十一元三角九分。」（上）

中研院三十五週年

塗慶光

六月九日爲中央研究院成立三十五週年紀念，中研院於當日上午舉行紀念儀式，並開放各研究所、圖書館暨胡適紀念館，供各界人士參觀。

中研院是國家最高學術研究機構，自民國十七年國民政府遵照國父中山先生遺旨創設，至今轉瞬已三十五週年。三十多年來，國家多難，中研院也一直在艱難中成長。在成立之初，曾羅致了全國學術界人才，盛極一時。抗戰期中雖然輾轉播遷，且一度增到十四研究所。勝利復員後，並接收敵僞時期的許多學術研究機構設備，直到大陸撤守，于卅八年忽忙中搶運歷史語言和數學兩研究所古物及圖書設備來台，大部份儀器圖書與研究人員一時均未及撤出。

中研院遷台後，最初幾年由于經費困難，篳路藍縷，極爲艱苦。經主持人的大力策劃，始在台北近郊南港舊莊購地三百四十六市畝，建立院址，陸續建築研究大樓二棟，並增設攷古館、圖書館各一棟，宿舍十八棟，近代史、民族學兩研究所及動物、植物、化學研究所籌備處。直到四十七年胡適先生出任院長，胡先生以學術地位與國際聲譽，於短短四年之中先後由國內外籌措經費，一方面爲中研院興建了學人宿舍（蔡元培館）、圖書館（傅斯年紀念館）、民族館（朱家驊紀念館）、化學館、數理館、生物館等研究大樓，並先後召開三次院士會議，爲國家選出碩學之士三十八，使中研院又漸具規模。

中研院院士爲終身名譽職，其職權在于選舉院士及名譽院士，選舉評議員，議訂國家學術方針，並受政府委託研究學術設計審查及研究事項。第一屆院士的選舉，遠在三十七年三月由第二屆評議會就全國學術機構所提四百餘名候選人中，選出院士八十一人，集全國學術界一時之彥，于當年九月在南京舉行第一次院士會議。其後因大陸撤退，大部份院士滯留大陸，政府遷台後報到的院士十八人，計爲胡適、朱家驊、王世杰、李先聞、李濟、凌鴻勛、蕭公權、董作賓、趙元任、陳克恢、陳省身、李書華、林可勝、汪敬熙、吳憲、袁貽瑾、吳大猷）。于四十六年四月在台北舉行第二次院士會議，決議恢復院士選舉。于四十七年四月十日召開第三次院士會議，選出四十六年度院士十四人（數理組李政道、楊振寧、吳健雄、林家翹、林致平、潘貫、朱蘭成，生物組趙連芳、李卓皓、王世濬，人文組蔣廷黻、姚從吾、勞榦、蔣碩傑）。又于四十八年七月一日召開第四次院士會議，選出四十七和四十八年度院士九人（數理組顧毓琇、范緒箕，生物組王世中、汪厥明，人文組凌純聲、楊聯陞、劉大中）。五十一年二月二十四日召開第五次院士會議，復選出四十九和五十年度院士七人（數理組梅貽琦、任之恭、柏實義、程毓淮，生物組李景均，人文組何廉、陳槃）。但是，在當天下午歡迎新院士酒會中，胡先生以心臟病猝發，救治不及，溘然逝世，一代學人竟猝于學術崗位，中外人士同深哀悼。

胡先生病逝後，中研院于五十一年三月廿日舉行評議會選出，與大猷、王世杰、朱家驊三人爲院長候選人，經總統特任王世杰繼任。王院長于五月十五日正式視事，爲中研院的第四任院長。首任院長蔡元培任職十二年（十七年至二十九年），二任代理院長朱家驊任職十七年（二十九年至四十六年），三任院長胡適任職四年（四十七年至五十一年）。歷任院長對中研院的發展可說都有輝煌的貢獻。王院長就職後一再呼籲朝野人士在財力人力上來支持中研院的發展工作，以完成它「從事科學研究與指導聯絡獎勵學術研究」的任務。今後如何達到此一任務，實有賴于朝野一致的努力與學術界人士的精誠合作。

天南風光

—沙羅越的歷史—

朱潤明

當第二次世界大戰結束，中國抗日戰爭勝利之後，中國列爲五強之一，在國際上的地位，無形提高許多，華僑之地位，自然也隨之提高。但大陸忽然如此一來，華僑社會，自然受到很大影響，最爲嚴重的，莫過於青年學生。古晉的華僑中學，因思想的衝突，竟接連驅逐校長，甚至結隊遊行，到處大扭其秧歌之舞。這時的英人政府，處境甚爲困難，蓋英國斯時已經承認中共政權，而實際上它的政策則是反共，最低限度是不能准許共黨組織在殖民地內公開活動。加以馬共在馬來亞的猖獗，更使沙羅越格外警惕。及至韓戰爆發，聯合國出面加以征討，英國部隊亦正式參加，沙羅越遂乘機決定其對華僑之態度，首先限制懸掛中國國旗，即青天白日旗與五星旗均不准懸掛，認爲都係外國旗，遇有慶典禮節，只能懸掛英國國旗。而又慢慢喊出「沙羅越化」的口號，以代替「華僑」二字，於是華僑都要變成「華人」，以與巫人及土人並列，否則就是不忠於沙羅越。但沙羅越的官方語言，則爲英語，巫語及達雅語，又不承認華語。其他還有種種限制，不勝枚舉。首先是華僑的地位，真可說是一落千丈了。

政府最注意的是華僑青年，尤其是華僑學校，初因中國事變，學校多受地下組織之控制，中學風潮時起，政府乃先從爭取教師着手，遂於香港物色大批思想純正之教師，陸續進入沙羅越各華僑中學，以期逐漸轉移青年觀感，果亦漸漸有效。隨又醞釀將各中學改爲津貼學校，提高教師待遇，減低學生學費，雖然也有若干左派份子倡議反對，要求無條件津貼，但形勢所趨，津貼終於實現，而控制自亦隨之。數年以後，津貼學校又要改制，即變爲英語學校，而以保留華語十節或十二節爲準，即將華語改爲外國語，而正式以英語爲國語，否則即取消津貼，或任由學校自動退出津貼。（六五）

報人普立茲傳

汶津譯

約瑟夫「一個人留下在人行道上。也許一個有經驗的記者能就簡單的事實寫成一則長而使人置信的故事。但他不能僅此便去見羅希。此外，他的新的案的興趣更驅使他去找出更多的事實。

約瑟夫跑回書店。一個警察在門口和羅斯蘭先生談話。當約瑟夫開始問那老闆，那警察喝止他。「走開！」一種簡截的命令口吻。「這書店封閉了。是警局的命令！」

羅先生向約瑟夫微笑。「沒什麼，警察。我認識普立茲先生。但是我不知道你在爲西部郵報寫稿。給我們個方便，警察先生，讓我們告訴他這案件的詳情吧。」

那警察說了一遍彼德斯所說的同樣的故事，又補充說，「我們想那是發生在今晨六時。」

「六點左右已經有不少工人在街上走，」約瑟夫提醒警察。「你什麼時候到店裏來的？」

「我六點半到的，普先生。門仍關着。當我打開它時，我知道有人會把它打開。」

「你的助手艾格士先生呢？」約瑟夫問。

「我不知道。」羅先生答。「他還沒來。昨天他沒上班，因爲他病了。今天也許他仍留在家裏。」

那警察驚奇地望着羅斯蘭。「多告訴我些關於艾格士的事。我還不知道你店裏有了助手呢。」

「我沒記得告訴你。」店主說。

「我想這案子有些奇怪的地方，」警察說。「如果沒人看到一個人打開這扇門，他一定知道怎樣很快地把它弄開。他也知道怎麼打開保險箱拿錢。我找錯了線索。我敢確定這案子是艾格士幹的。他很可能在得手後搭上火車跑了。」

「是的，約翰知道錢放在那兒，」店主神經質地補充說：「他想遠去西部。」

約瑟夫的故事差不多齊全了。他跑到火車站去問，是否有一個像艾格士模樣的人在那天早上搭上火車。是的，好幾個車站工作人員看到艾格士上車的。

感覺着很驚奇約瑟夫探訪和報導這案子這樣出色。但當他喜歡時他並不流露出來。他繼續讓約瑟夫忙碌地到處採訪，跑遍全城。那第一天約瑟夫寫的東西都是出奇地好。這編輯不得不承認他的新記者表現了對工作的特殊興趣，而且他非常樂於工作。

那晚約瑟夫告訴大維生他的工作情形。他的臉龐閃出愉快的光輝，說：「這是我一生中最精彩的一天。我簡直不能置信我被選來做這種工作。工作？這簡直不是工作！」

「好，約瑟夫。我從沒見過你這麼快活。或許，這正是你幾個月來在找尋的東西了。」

「是的，我也這樣想，」約瑟夫同意道。「我看到各種各樣的人。我問問題。想想看，湯瑪士，我由問問題得到收入！」

（十七）

大馬將壓抑華商說

星馬華人備感不安

【本報吉隆坡航訊】馬尼拉報紙消息：本月七日在該地舉行的菲律賓、馬來亞及印尼三國外長會議所協議之成立研究機構進行籌組大馬來西亞聯邦中，有所謂菲、馬、印三國今後之一種共同行動，爲迅速壓抑中國商人一節，在星馬引起極大之不安，咸認其果眞如此，必然爆發最大規模的種族糾紛，其結果華人固不免有極大損失，亦將爲三國帶來災禍式的紛擾，是否明智，甚堪懷疑。特別以星馬而論，星加坡華人佔百分之八十，如何壓抑之，固成問題；馬來亞華人亦約達三百萬衆，僅次於馬來族人，壓抑亦談何容易！且壓抑華人有何好處？將帶來何種結果？聰明的馬來亞當局，應必不能不予深思熟慮者！華人於此，亟望馬來當局有所說明。

擒君續夢

第九回：捫腹爭雄 壺漿招餓鬼 苦心糾衆 風雨會羣魔

毛澤東說道：「既然是爲了統戰，就不必愛惜土地，他要什麼，我們送什麼就是了。」

周恩來笑道：「眞要達到統戰的效果，不但他們要什麼送什麼，甚至他們沒有想到要的，我們都要自動送上去。」

毛澤東一拍大腿，說道：「這就對了，就根據這個原則去談，緬甸要的我們全給，緬甸不好意思開口的，我們也自動送上，這就沒有話說了。」

周恩來根據這個原則指示下去，姚仲明也就心領神會，雙方先談北段，昂季說道：「關於片馬地區我們願意交還中國，希望中國承認江心坡歸緬甸。」

姚仲明笑道：「既然貴國如此慷慨，願意把片馬讓給中國，我們爲了表示善意，加強中緬友好，也就把江心坡交給緬甸就是了。」

昂季沒料到姚仲明這樣容易講話，高興得起身拉着姚仲明的手連連搖撼，緬甸代表個個喜上眉梢。

坐在姚仲明旁邊一位由科學院地理研究所調過來的一位專家大爲着急，低聲說道：「主任，這種換法我們可是吃大虧的，片馬一帶只有三個村落，方圓不過幾十里路，江心坡全境比起浙江省還大，怎能作爲交換的條件？何況片馬等地現在我們手中，根本就不必談，要談也只談江心坡才對。」

姚仲明一瞪眼：「這裏那有你隨便說話的份，就算有十個浙江省大，有我負責，你管這個閒事幹什麼？」

姚仲明一發脾氣，大家都不敢開口，接着又討論到北段未定界的南端。

昂季說道：「爲了答謝中國方面的盛意，我們願意把永邦三區劃歸中國，至於中國在爐房保有百分之四十九的股權，仍然照舊。」

未等昂季說完，姚仲明就擺手說道：「永邦三區，班洪、班老，一向歸中國，仍歸中國算了；至於永邦已自英治時期就歸緬甸，現在變動起來反而麻煩，我們就乾脆照目前的界綫劃分，永邦仍歸緬甸就是了。」

昂季簡直不能相信自己的耳朵，世間竟有讓地不受的國家。恐怕姚仲明是故意說反話，迫使緬甸讓步，但是，細看姚仲明一本正經，頗有誠意。只好連連道謝。

姚仲明又接着說道：「至於爐房礦權由中國保留百分之四十九股權，更是笑話！社會主義國家沒有在外國保留特殊利益的，所以中國放棄了這項股權。」

昂季不明白姚仲明到底是何居心，反而覺得不好意思，十分謙遜說道：「閣下太客氣了，其實爐房銀礦本是中國人開的，三十年前還屬中國，現在由兩國平分股權，也是十分應該的事，何況中國只佔了百分之四十九。」

姚仲明擺手道：「話不是這樣說，爐房既然已劃與緬甸，就是緬甸的領土，我們若是保有股權，反而違背了自己的原則，會變成現代修正主義者。所以我們對於爐房股權是絕對放棄的了，閣下千萬不必勉強，陷我們於不義。」

昂季原來擬定的計劃也沒有姚仲明自動讓步的多，當時深感不安，再三鞠躬，拱手致謝。（二一三）

又一次駕駛員飛近目的地，忽然發現炮彈從天空飛了過來，發出黃色的光線，駕駛員趕快發出信號，投擲兵（坐機的七人），也趕快將很重的糧袋，堆到艙口前面，當飛機飛至太原方面所指定的地點上空時，投擲兵急速將糧袋從艙口踢出；一次沒有踢完，駕駛員須再飛繞過來，如此四五次，始將糧袋完全投下。

要是天氣不好，不能低飛時，民航隊飛機即在一萬尺的高空，將糧袋投下去。（太原周圍的山是九千尺左右）因為他們的飛機沒有雷達，投擲糧食，全靠很簡單的估量，飛機所受到的指示是先直接飛到無線電台的上空，再照方位角三百二十度的方向，飛行一分半鐘投下。

民航隊與閻將軍的聯絡，有時是意外的，利用不公開的途徑，有一位駕駛員羅基爾非，美國紐約人，他說：如果不是青島有美國海軍軍艦，我們的航運恐怕不能再繼續下去了。太陽落後，他們的燈塔，不能常開，為了我們的回航，只有間斷的開放，使從太原回來的飛機可以安全的飛回來。這種交涉，是非正式的，也許軍官們還不知道，是一羣好朋友善意的幫忙，但是有些朋友受人反對，不讓幫忙。

閻錫山與陳納德

吳文蔚

到四月間，閻將軍的存糧，完全用罄了，雖三家航空公司照規定運到最高紀錄，而太原民衆，每人每日，只准食米十五兩；早起空投，就是他們有了中飯；午後空投，就是他們有了晚飯。太原的壽命，不是遭共匪的幾十萬軍隊的圍困而可怕，可怕的完全是受空運和食糧所主宰。

五、駕駛員的額外紅利

從一萬尺的高空往太原投糧，雖然食糧是用雙層蔴袋裝着，但投到地上，即有百分之二十已告破裂，在飢餓線上的軍民們，雖見一杯食糧，也想把它拾起來。為了正常供給，最好還是在地面下糧，總比空投好得多。閻將軍的部下，用種種方法，引誘駕駛員們降落地面，僅幾分鐘，即可將糧完全卸出。

其中一個最有效的辦法，即是額外給錢——民航的駕駛員們稱之為額外的紅利——這是他們地面人員與駕駛員間私人的交涉。這些地面人員，將本日的降落報酬以無線電話報告，由飛來的駕駛員考慮。開始降落時，僅美金二十元，而增加至五十元，八十元，一百元。飛機一降落下去，立即交付現款。飛行員們每日一次或兩次取得額外的報酬，僅冒幾分鐘的危險，還沒有一點什麼奇怪。但有些飛行員冒險降落，不一定是為了金錢，而還是為了幫忙閻將軍，不因為閻將軍的堅守太原，實太令他們感動了！（九）

南宋偏安有人才

岳飛

李仲侯

飛在泰州持法嚴，衆不敢犯，前軍統制官傅慶，衛州窰戶也，有勇力，善戰，飛愛之；慶恃其才，視飛為平交，飛亦無忤色。及飛為鎮撫使，待之頗異，慶覺之不悅。會光世遣王德來承州，飛命慶以兵會，慶與德交馬而語云：「願事劉公」！德許之。統領官王憲聞其語以告，飛恨之，戒憲勿洩。至是飛令諸將射遠，慶獨至百七十步，既而飛取上所賜戰袍金帶遺統制官王貴，慶醉謂飛曰：「當賞有功者」！飛問：「有功者誰」？慶曰：「慶在清水亭有功」。飛大怒，焚袍毀帶曰：「不斬傅慶，何以示衆」！遂斬之。

諜報金人併兵二十萬，將取通泰，俄已破張榮茭城。光世復違詔不遣援兵，飛以聞。十一月有旨，泰州可戰即戰，可守即守，如其不可，且於近便沙洲保護百姓，伺便掩擊。飛顧虜勢盛，泰無可恃之險，初三日全軍保柴墟，戰於南霸塘，金人大敗，擁入河流者不可勝計。相持累日。初五日乃下令渡百姓於陰沙，飛以精騎二百殿，金人望之不敢逼，遂屯江陰。時劇賊李成，自號李天王，乘金人殘亂之餘，據江淮十餘州，連兵卅萬，有席卷東南之意，遣其將馬進犯洪州。上命張俊為江淮招討使，俊入辭，盛言李成之衆。上曰：「成兵雖衆，不足畏」！因諭俊，以為今日諸將，汝無功。俊遽曰：「何為無功」？上笑曰：「韓世忠擒苗傅劉正彥，卿殆不如也」。俊恐悚，承命而退，退而畏縮，自度必不可勝，思諸將惟飛為謀勇，乃請以飛軍同討賊，詔許之。紹興元年二月，飛至鄱陽與俊合兵，題詩鄱陽龍居寺，詩曰：

「巍石山前寺，林泉勝復幽；紫金諸佛相，白雪老僧頭。潭水寒生月，松風夜帶秋。我來囑龍語，為雨濟民憂」！

又題東松寺壁：「余自江陰軍提兵起發，前赴饒郡，與張招討會合，崎嶇山路，殆及千里。過祁門西約一舍餘，當途有庵一所，問其僧曰東松，遂邀後軍王團練幷幕屬隨喜焉。觀其基址，乃鑿山開地，創立廊廡，三山環聳，勢凌碧落，萬木森鬱，密掩煙霞，勝景瀟洒，實為可愛。所恨不能欵曲，進趨遲速。俟他日殄滅盜賊，凱旋回歸，復得至此，即當聯結善緣，以慰庵僧。紹興改元仲春十有四日」

三月初三次洪州，賊連營西山，王師不得渡，諸將莫當其鋒。俊大懼，召飛問曰：「俊與李成前後數戰皆失利，君其為我計之」。飛對曰：「甚易也！賊貪而不慮後，若以騎兵三千自上流生米渡，出其不意，破之必矣！某雖不才，願為先鋒以行」。俊大喜從之。（六〇）

台北古廟龍山寺

匡謬

台北「龍山寺」，為當地最古之寺廟，亦為台省最美麗而著名之古剎。民國四十年十一月，省府已列之為台北市「名勝古蹟」之一。中外人士來此觀光參謁者，與日俱增，龍山寺之名，亦因而遠播中外。

龍山寺興建於清乾隆三年（一七三八年），乾隆五年落成，迄今已有二百二十三年之歷史。龍山寺之興建，據傳說：在雍正年間，有大陸某氏，來台開墾，將其所佩之觀音菩薩香火，掛在現龍山寺前東側之大榕樹上而去。後來風傳該樹於晚間常發光芒。人皆以為異，以為是菩薩的顯聖，因而漸為人們所膜拜。至乾隆初年，便有人提議在該地興建寺廟，到安海龍山寺掛香，正式奉祀觀音佛像，落成之後，因係安海龍山寺之分靈，故亦名「龍山寺」。

寺落成後，香火鼎盛，在距今百餘年前，遂使當年之艋舺（今之龍山區）成為台省北部第一大市鎮，而享有「一府、二鹿、三艋舺」之盛名。歷代賢能輩出，而龍山寺亦成為北部團結的中心，寺董勢力甚大，其言動可直接影響於官署之行政。光緒十年（公元一八八四年），法人侵寇基隆，進犯獅球嶺時，劉銘傳以台北不可守，準備南遷，當時艋舺人士聞知，羣情鼎沸，該寺董事及地方紳士，集議龍山寺，作陳情文，加蓋「龍山寺」之公印，進謁劉銘傳，請罷南遷之議，北部軍民均願協助官兵死守台北；同時把守通往南部要隘關口，阻拒官兵南下，又組織民兵，到淡水港、獅球嶺等處協助防衛，法軍竟不得逞，台北因之得以保全。後劉銘傳以艋舺人士愛鄉愛國之熱忱及其軍功，並龍山寺觀音大士之靈感，奏請光緒，賜龍山寺御題匾額「慈暉遠蔭」。以資激勵。

劉銘傳擬在料館口（現在龍山國民學校附近）建造通新莊之大橋，因該橋東端適在豪族黃川流大厦之正面，黃恐傷其門前的竹圍，乃擅自草擬陳情，偽蓋「龍山寺」公印，偽造輿論，呈上撫署說：艋舺人士反對在料館口附近造橋，請移別處等情。劉銘傳為尊重艋舺民意，竟將大橋改造在下流地方。由此可知當時龍山寺為中心之輿論，如何受官府重視矣。

龍山寺曾飽經滄桑，先後修築及改修四次：第一次大修築，於嘉慶二十年（公元一八一五年），因該年六月初五，台北遭受大地震，龍山寺除佛殿之外，悉被震塌。由其他寺董黃朝陽、楊士朝等募捐修建。第二次大修築為同治六年（公元一八六七年），是年夏季，遭受颶風暴雨之襲擊，該寺牆壁多有損壞，由寺董林春峯、黃進清諸氏首倡捐題。第三次大改築，則為民國九年（公元一九二〇年）因該寺自同治六年重修以來，已經五十二年之久，柱壁蝕，棟樑蟻蝕，丹青剝脫，由當時主持福智禪師，及管理人吳昌才、林卿雲諸氏之積蓄節衣縮食所儲之七千餘元，並致力當時為台北商界鉅子辜顯榮氏號召地方人士捐募資金而成其事，至民國十三年三月二十三日落成。此次重建，是將舊寺全部拆除，擴大地面，改建為宮殿式之建築，雕刻精細，工巧美觀，因結構優美，竟得東洋第一華麗之稱，為民國最近三十一年來之修築。

次長叛國與將軍殉國

丘也山

諸葛文侯先生所撰「吳石叛國紀聞」一稿，先後發刊於第三二三號及第三二四號兩期的本報上，令人讀之警惕不置。惟所紀雖詳，而猶有未盡，且所紀與筆者所聞，亦稍有出入。

大家都說，「共產黨為目的，不擇手段」，這就整個共產黨的總策略上說是不錯的。但就共產黨人個別的活動上說，則「共產黨人為目的，而最講究手段」。我們知道，共產黨人無論在任何場合，均利用「服務精神」博得儕輩的同情與頂頭上司的賞識，進而取得最高長官的信任。所以共產黨人一有機會進入某機關或團體，在初任職時期，必奉公守法，勤謹供職，熱心公益，同情助人，常使自己作事一帆風順，從而把握時機，暗中進行其所負黨的使命。故其成功常在你不知不覺之中，甚至亦在你無可奈何之下。

吳石叛國之前，久在政府機關服務，洊升至參謀次長，共匪即以忠誠盡力本職，博取長官以迄層峯的信賴，倚畀有加。等到共黨公開叛亂，他認為時機已成熟，便利用職權，有計劃的打擊國軍，乃至打垮國軍，進而消滅國軍。他身為共諜首腦而居指揮作戰中樞，於國共兩軍情形瞭如指掌，乃運用陰謀而左右戰局，以達到共利害倒置的目的。他這項詭謀，初行之未被發覺，久之則使前方將領漸漸懷疑了。

首先懷疑這一微妙關係的就是丘清泉將軍。他身任兵團長，深感國軍在歷次戰役中，每與共軍自由作戰獲勝，正待乘勝追擊時，即奉國防部令知就地暫行駐防，聽候命令行事；迨遵令進軍，又必趨向共軍險地，適共毒手。丘將軍遂於徐蚌會戰前，趕返後方密向最高當局陳情，謂國防部內必有共諜存在，非嚴查肅清不可！當局初不之信，且謂彼等皆忠貞之輩，飭即返防供職。到徐蚌會戰開始，共軍傾數十萬衆南侵，丘兵團與黃維兵團共同自由作戰，迭獲勝利，擬一舉而殲滅匪軍。詎圍殲之勢已成，兩兵團進至僅距十里之遙，而國防部留駐原防，候令行事的命令又到。於是匪軍從容集全力向丘兵團進攻，先使近在咫尺的黃兵團以遵奉同樣命令，無法馳援，而丘兵團本身又未奉出擊命令，只好挨打。匪軍得手後，轉而進擊黃兵團，終被個別擊破。當情勢萬分危急之頃，丘將軍曾緊急召集部屬，宣佈此中神秘，聲言軍人以服從命令為天職，彼為主將，督率所部，唯有遵令死難；但各人則應求生存，方為上策。丘將軍卒以不辱軍令，壯烈殉職。（關將軍胞弟言，此一事實經過，已收入丘將軍傳畧中云。）

這一個奧秘的謎，直到吳石案發前，大家都莫名其妙。尤其在當時，各方還對丘兵團發生很大的誤解，譏其軍行緩慢，竟錫以「牛步兵團」之名，甚至謂牛步還不如，簡直可稱之為「蟻步兵團」呵！洎吳石伏法，大家乃恍悟丘將軍之枉死，惜已嚙臍莫及矣！（上）

石鼓

漁翁

俗稱石鼓鳴，則天下將大亂。晉書五行志云：「吳興長城夏架山，有石鼓，鳴則三吳有兵。」渭水注云：「冀縣朱圉山，在梧中聚，有石鼓，不擊自鳴，鳴則兵起。」又酈道元水經注亦言：「衡陽縣北一里，有石鼓，鳴，主天下兵革之事。」然則，是即所謂「不鼓不成列」歟？

陝西寶雞縣之陳倉，有琢石鼓凡十，每鼓約徑三尺餘，史籀作文，為周之大篆。初不見稱，至唐時始為人知。原散棄於野，後鄭餘慶始置於孔子廟中，而亡其二，皇祐四年，向傳師求於民間，乃得之。其文證於書斷，元和志，法書苑，金石錄等書，皆稱為宣王大狩所作，但歷久殘缺，在唐時已不完備，宋歐陽修所見，僅四百六十五字。至清高宗臨雍講學，見石鼓原刻，懼其日益漫沒，為立重欄以護之。

唐詩人韋應物，以陳倉之鼓，在周文王時已有之，至宣王刻詩文，而韓退之直認為宣王之鼓，以張籍持文來，而作歌曰：「張生手持石鼓文，勸我試作石鼓歌」。又云：「鐫功勒成告萬世，鑿石作鼓隳嵯峨」。唐詩三百首亦載之。

水牛將軍田桐

·周燕謀·

田桐性豪放，不事家人生產，得錢則以分士。晚歲得肝高疾，十九年秋漸劇，一日讀報，大感傷，嘔血斗餘，遂於十九年七月二日逝於上海寓次。其在革命閒話中有「牢騷語」一則云：「我之責任⋯⋯同盟會之目的未達，我之責任未盡也。國民黨之目的未達，我之責任未成也。民國之國是未定，我之責任未償也。願我之心力未弭也。孫××之大業未成，⋯⋯」蓋致力於天下者，無不自己為我，自其小功也。身革命千古，宜其為青年人所效法之命。（完）

內僑警台報字第〇三壹號內銷證

自由報

THE FREE NEWS

第三五〇期

社　長：雷嘯岑

督印人：黃行富

社址：香港銅鑼灣高士威道二十號四樓

20, CAUSEWAY RD 3RD. FL. HONG KONG

TEL. 771726　電報掛號：7191

台灣分社

男女問題，社會習俗與政治風波

因中國名人婚變，英陸相辭職事有感

吳本中

『易』起乾坤，『詩』首關睢。『飲食男女，人之大欲存焉！』『食、色，性也。』孔老夫子祗云：『吾未見好德如好色者也！』他但說明事實，並未痛罵，醜詆人類生而俱來之性。所謂聖人之道不離人情之常。孟子對齊王之『寡人有疾，寡人好色。』認為無妨於治國平天下。若能推而及於全民，則家無怨女，野無曠夫，豈非郅治之道？

西哲有言：『人類在兩性與天地合為一體時，亦就是最偉大與最奇異之時。』『天地』是由Universe翻譯來的，亦可以譯為『宇宙』。『奇異』就是由英文Marvelons而來。是的，說老實話，男女若無這個本性與行為，我們大家由何而來？人類由何而存？又講什麼文明，談什麼道德？虛偽何用？道貌岸然何必？『鄉愿德之賊也！』

『飲食男女』乃人類自然科學的自然律。其本身並所『醜』與『美』，『善』或『惡』。視為『醜』『惡』或『美』『善』者，大都係人羣社會的一種人造的觀念，信條或習俗所釀成。就是西語所稱Social Convention，而這種社會信念，常因地域，宗教，時代種種因素而不同；至於其合理與否乃更成問題。天主教義視離婚為罪惡，然世界演進，終不能不在民事上有離婚之制度。我國古時有男女授受不親之禮，今且不能不男女握手致敬矣。男女同校，昔日視為洪水猛獸，現行之，青年並未闖下滔天大禍。諸如此類，不勝枚舉。

問題是：性猶水也。順其性而利導之，則可以載舟，可以灌田。逆之，則足以氾濫於天下。如何『順其性而利導之，』使男女之間『大慾』得償而又不害及社會秩序，斯乃善莫大焉。治國者，謀人羣之福利者，在食的問題解決外，必亦解決男女問題。否則，怨女曠夫一日多，精神上的愁悶且爆發，社會秩序必亂，政府亦因以推倒。

『醉臥美人懷，醒掌天下權。』這說明，政權與美色，均為人生之熱烈慾望，而這種『慾望』Wants確與『經濟學上的『慾望』不同。不是有『交換價值』的物質可[illegible]的，或講什麼[illegible]』問題的。這[illegible]上的熱情之所[illegible]，非常複雜與[illegible]』情人眼中出[illegible]『而又黃金萬兩難買美人心的。這[illegible]，凡有涉及桃[illegible]或政權問題，因為在人人靈魂深處[illegible]求之，所以一[illegible]成大新聞，不[illegible]，人人有話講[illegible]大風潮。昔之帝王，富有四海，天下事為所欲為。六宮[illegible]不足，英明大略如乾隆者，且思染指千萬里外生有異香之異國尤物。香妃艷蹟，固證據斑斑可考也。拿破崙第一，雄飛歐陸，叱咤風雲，其愛情熱度亦有過人處。曾暗中秘藏法國國家大舞台一色藝雙絕芭蕾舞女，於日理萬機，軍書旁午時，忽然跑去溫存幾十分鐘或一兩小時；有時十數日竟忘記，累得美女寂寞過甚，逃之夭夭。古今中外數不雜英雄人物，無論是明或暗，為人所知或不知，恐均逃不了『求之不得，輾轉反側！』嗚呼，政權與美人，其豈小事哉？要之，在不令其氾濫，傷性敗禮，有損社會秩序與國家安全耳。

為謀社會之平安，人類之幸福，賢人哲士不應因習俗或傳統之成規或信條而有所諱言，以自保身價，免引毀譽。有幾要點，確係真理，不能不注意：（一）男女兩性乃自然法則，千古不變，與人類永存；（二）社會習俗或人羣信條與制度，是可能改變的，且不一定對，有時更可能阻碍人類之進步；（三）愛情是由異性自然而發生，結婚是社會人為的制度。故法哲有言：『愛情與婚姻，兩者並不一定能携手同行。』而世間許多煩惱事或所謂『醜聞』者，在我們的傳統『宗法社會』中不斷發生，即是因為前者為自然的，後者為人為的，兩者往往不能調和而『攜手同行』所致。

藏高樂因誤傾茶水，濕污一位少女裙襟，自己深覺不好意思，而此位淑女亦羞紅滿面，靈魂震動。兩人結為夫婦，一生幸福。邱吉爾早年頭角崢嶸，已擠貿易大臣之位，人爭向其介紹小姐，冀能獲一乘龍快婿。邱氏常應接不暇，煩惱曰：『她們給你們都是國色天香。可惜！不是給我。』卒遇現在人人所知的賢淑邱吉爾夫人，即與結婚。在其回憶錄說：『我結婚了，一生幸福。』對這兩位名人，愛情與婚姻是『携手同行』了。這是人類莫大的福氣與運氣。但是，許多人在現代雖然比較改善的社會制度內並沒有這個福氣的。法國被稱為『勝利之父』的克里孟梭，他的愛情歷史就很慘。壯年旅美時，欲觀察新大陸的民主制度，教法文為生，遇到一位美國女人與之結婚，且生一女孩。然夫妻不睦，旋即離異。終身未再結婚。但此非言克氏此後如同木石，對女人不感興趣。相反的，傳說他竟以部長之尊與法國國家大劇院女演員有染。究竟是真是假，尚無歷史證據。白里安總理是法之政治家亦外交家，一生未能結婚。生前亦未聞有什麼風流賬。但是死後有人看見一位高貴雍雅夫人不時來墓前獻花致祭。情婦乎？崇拜者乎？不得而知也。法國人對政府人員的個人私生活相當守秘密與尊重。但求其對國家民族立功，並不以察察為明也。

邱吉爾的伯父法定襲承祖先赫赫大公名爵者（邱父為第二子不能襲爵，故邱亦無世爵）與當時勢力炙手可熱的皇太子因爭一位美麗的有夫之婦而驚動倫敦高級社會。邱吉爾之父LordRandolf助其大哥作不平之鳴，因而觸怒太子，聲明抵制所有與邱父社交關係之權門豪貴。於是乎全英京上流社會均享以閉門羹。邱祖父無法，只可乞英皇調任為愛爾蘭總督，帶其子及幼孫小邱吉爾離倫敦以避之。故在邱氏歷史上，幼年時曾一度寓居愛爾蘭。又邱吉爾性爽直，有時不拘小節，私人女秘書需陪他工作到深夜。不但有時舒舒服服臥在浴室溫水中享受不肯離開，邱夫人與賓客在餐室久候不見邱氏下來，且尤有甚者，他靈感一動，在浴盆中想出好計劃與意見，竟喊女秘書進來記錄下來！以上二事，前者證明今日英國政府比較確大有進步，不但太子爺不能再橫行，與人爭愛，即貴為人君，亦早不能與一離婚婦人任意結婚，祇可失却皇位，『不愛江山愛美人』好了！縱然親貴為女皇胞妹，會為皇冠承襲之第三位者，亦終未能與那位離過婚的瀟洒武官成親。現在英陸軍大臣卜洛佛莫之辭職退隱，若無國家安全問題而僅因與一個風塵女子一度短期有私，則更嚴格矣。後者邱吉爾待其女秘書之坦蕩蕩，他的家內私事，在英國無人置評。可是若在咱們成見在心，常以卑陋眼光視男女關係者一流人物，必『以小人之心度君子之腹』，便疑邱吉爾有什麼不可告人之事了。

談起英陸相辭職事，關鍵在乎是否有洩漏機密事。據最近直接來自倫敦航空版大報如Times，Ob-server等，工黨首領威爾遜會聲明（六月九日Sunday Times）『在這個事件裏，我們所要追問的是國家安全有沒有危險的問題，但是我們已弄清楚了，我們並無意思究查私人的行為問題。』卜氏前在議院說謊，不立即辭職，急流勇退，使政府無辜累，乃是他政治行為上的錯誤。黑社會人物利用美治神秘而來路不明的壞女人，三年來作有計劃的敲詐，陷當閣員以不義，又寫『回憶錄』，大登報端，發表私函等等醜行，亦當使正人君子憤恨。英警方早即拘捕主角按摩醫生瓦得而欲嚴辦之，足見英國政治尚屬清明。一位在香港熟悉中國情形之英國人士慨然告筆者，謂中文報紙對英陸相事，過於桃色化，甚至醜化。加彩添油，亟所不宜。如某共產黨報更標題用：『英國的醜事愈擴大愈臭』等字眼；這種態度，不甚高尚，髣髴共黨首領私生活均非聖賢，而對『愛人』一杯水主義非共黨所獨創者然。

一個健康正常的社會必憎惡奸邪，蓋利用人家一時弱點使之墮入陷阱，甚至危及全民族之安全而不顧，這是何等罪惡。騙取人家真情，不管別人痛苦，而作為自己發財登龍之術，這種行為當為稍有正義感者所痛絕。以別人悲劇作自己喜劇，這種男女，其心可誅。政治門爭中，野心所驅使，有時良心昏暗。然吾尚信英國以其『民族良心』及正義感，必能撥雲霧而見青天。政治風波早息，有驚無險也。至於我們中國自己的『名人婚變』事件，吾儕若以仁人君子立心，希望那位已年高七八十歲的『新郎』對於那位『生為蔣家人』『死為蔣家鬼』，『賢而樂之』的太座見一見面吧！

（下轉第二版）

漫畫天下

克翁：「怎麼打倒一個又有一個？」

什麼叫做和平？

徒法不能自行

馮五先生

爭鬧了許久的懲治貪污條例，立法委員諸公似有順利完成三讀程序，成為正式法案的趨勢了。別人對此皆認為是善舉，我卻無興奮之感。這不是贊許貪污行為，而係傷心人別有懷抱也。

有官吏存在，即難免不發生貪污情形，貴能有犯即懲，不問親疏貴賤，一是皆以法治為本。過去何嘗沒有懲治貪污的法令，然竊鉤者誅，竊國者侯，小污吏無一倖免，大貪官逍遙法外，即臺諫御史的糾彈參劾，亦僅能拍拍蒼蠅，要想打虎，戛戛乎其難哉！在這種政風之下，縱然頒訂任何嚴酷的懲治貪污條例，將來倒霉的人，亦只是一些末秩小吏而已。

貪污風氣之形成，一為紀綱敗壞，廉恥道喪，大家笑貧不笑娼，祇要有錢可資奢侈享受，雖男盜女娼，亦無所謂。二是法律因人而異，大貪官行所無事，而且地位日見高陞。至於公務人員待遇菲薄之說，關係甚小，適所以給貪官污吏一種減輕罪責的口實耳。試回憶對日抗戰時期的公務人員待遇實況，與今日豈可同語，而一般大小公務員的生活享受，比較當年在四川的情形，不啻天淵之別了！

為正本清源，建設廉潔政府計，應實施公務人員生活調查，各自報明其私有財產，然後憑其俸給所得，核其日常生活消耗是否相稱？例如一個科長階級的官吏，家裏裝飾豪華，生活奢侈，便查究他的錢財是那裏來的？果能如此，雖無懲治貪污條例，而貪污行為亦可望肅清。英倫政府對於從海外殖民地作官吏帶回來的金錢，即稽查甚嚴密，如其超過了俸給所得和日常生活消耗的比例額，便視為非法利得，予以究處。咱們政治上好師外國作風，為甚不能對公務員實行生活調查呢？

總共已有五十多間 粵省境華僑中學內幕

錢由僑胞出・事歸中共管 既以之宣傳・復用作控制

香港與大陸

中共在廣東省境內各僑鄉，已設立了五十多間「華僑中學」，大都是由華僑投資辦起來的「私立學校」，學費高出普通公立學校三倍，學科自然是以政治教育爲主。

據一位由廣州市來港不願透露姓名的僑胞透露：近十年來，廣東境內各僑鄉，紛紛設立了「華僑中學」，就他所知已共有五十六七間；其中祗有廣州、汕頭和海口三所華僑中學係由中共撥欵所辦，屬於「公立」性質，其餘全部是由當地的華僑或僑屬所「捐獻」或「投資」者。據說：中共設立這麼多「華僑中學」，是有其滿肚密圈的算盤的：

（一）假借名義向華僑和僑屬刮龍。華僑和僑屬，皆熱心於公益事業，尤其是興辦學校，論理屬於培養下一代和促進家鄉文教事業，他們更唯恐落後，樂得出錢。中共便乘借辦學的名義，要大家掏腰包，它則從中刮龍。

（二）既利用這些學校向海外宣傳，也對華僑歸僑的子弟進行思想控制。因爲「華僑中學」的紛紛成立，中共可向海外華僑大事宣傳它如何照顧華僑子弟，這些學校成績如何卓越等等，騙取海外華僑的好感，更加樂意出錢；而另一面，共又可藉此把華僑子女的思想緊緊控制起來。

（三）減少華僑子女或歸僑學生的不滿行爲。因爲這些學校可大量招收華僑學生，使他（她）們免於閒居浪蕩，自亦不[illegible]

「華僑中學」招收的學生，確實大部是華僑子女，其學費比一般學校高出三倍，理由當然因爲是「私立學校」。至於課程的編排，則政治課比一般學校更爲重視，理由則是爲了華僑子女會經接觸此資產階級思想，非如此不足以糾正之。

該僑胞說：這些華僑出錢興辦學校，除了得到一些空銜如董事、董事長之外，一無所有，眞正有權有職如校長、教務長等等，全係由中共[illegible]

[illegible]

香港水荒還得捱

目前四天一供水辦法 不再緊縮亦難望寬放

〔本報訊〕香港四天一供水的現行辦法，由於本月起先後已降雨四次，以及汲取珠江水已快開始實行，供水辦法將不致進一步緊縮，本報上期業予報導。但與此相反的，雖有上述兩項原因，短時期內，現行四天一供水之辦法，亦尚難望得能放寬，唯一例外是本月底之前再能得雨十五吋。

按本月以來香港四次降雨，共計得雨量六吋。月底以前要再得雨十五吋，雖非絕對不可能，卻亦接近於不可能，故居民欲得放寬供水，唯有望天打卦而已。據當局估計：香港需再得雨六十吋，各個水塘始能告滿。

由香港租用準備前往珠江汲水之油輪，其第一艘「伊安德」號，已駛來香港，將先進入九龍船塢清理水槽，然後待命前往珠江，汲運食水。「伊安德」號懸掛非洲利比里亞國旗，船重一萬八千零一十噸，船長爲英國人鍾士。據鍾士船長稱：彼曾到過中國之大連、青島、及上海等處，但未到過珠江水域。該輪曾由澳洲載運穀物前往大陸。當日所載之穀物有一萬七千噸，相信載水亦可相等於四百萬加侖。以「伊安德」號之通常航速計算，約需四小時即可由香港駛抵珠江。將來果眞前往珠江運水時，係逐日往返一次，抑或多少次數，由港府決定。船上設有二十四個水槽，四個強力抽水機（水泵）。該輪在來港途中，已由船員自己清理油漬，但仍須入塢大事清理，始適合運水使用。

繼「伊安德」號後之第二艘運水船「朱安尼達」號油輪，本月廿一日可自曼谷駛抵香港。該輪懸挪威旗，船重一萬五千七百七十五噸，比「伊安德」號略小。

港府宣佈：政府現又租得第三艘運水船，該船爲「旭邦一號油船」，懸日本旗，船重一萬八千四百七十八噸，建於一九五二年。預定下月十日駛抵本港。

除上述三艘萬噸之巨大油輪外，港府又已租得太元公司拖船一艘及躉船一艘，又向有榮公司租得船隻兩艘。該躉船一名「海龍」號，可載水五百噸（一十一萬二千加侖），一爲「有風」號，可載水四百噸（八萬九千加侖）。

自六月十三日以來，上述兩艘躉船已從外埠來港之輪船中，接載淡水約一千九百噸，並將之卸入本港的供水系統之內。

中煤公司業務答客問

本報記者台北航訊

客問：「那羅煤礦已停採，據告係受銷路影響所致，未悉貴公司對今後煤市場打開計劃如何？」

主答：「本公司新竹煤礦所產淨煤，歷年產銷本平衡，惟自五十一年四月間，政府公佈煤焦統籌供應方案後，本公司一方面奉令停止煉焦，一方面由於煤調會未能立即依照方案切實執行，致本公司淨煤內銷中斷四個月，同時唯一外銷對象之日本，因鋼鐵業不景氣，需煤量減少，無法增購台煤，在此內外滯銷情形之下，本公司淨煤存量最多時達三萬噸之鉅，故不得不遵照經濟部指示，實施減產，將成本較高之那羅及尖石兩採煤場分別撤收與停產保管。……故今後淨煤銷售計劃，仍爲內外銷兼籌並顧，但亦視鋼鐵市場之情形而定。」

客問：「貴公司自開辦以來，開鑛工程設計及技術上有無發生錯誤？如有發生過共有幾次？詳情如何？」

主答：「……本公司自開辦以來，計開拓有豐林、南湖及新竹三礦，在開坑工程計劃上，均經於工程完工後驗證，均做到相當確程度」。不過，以新竹煤礦之「新樂場」爲例，該場採該煤田之向斜東翼，在適當地點開鑿斜坑，長六百公尺，並在適當坑位分開片道，此項片道原設計爲沿煤層，嗣因沿走向距斜坑兩側六百公尺範圍內，岩磐變化甚劇，乃將片道變更，岩石斗上煤層採煤，實施以後，坑道保維情況大告改善，此爲採煤工程計劃順應坑內岩層變化適時調整，以達成工程經濟之原則之例證。蓋沼煤層開片道之原設計不能視爲錯誤，惟因適應岩磐局部情形，修正爲更有利之開採方法而已」。

客問：「貴公司五十年度推銷費用內，磅差及運輸損失，計一百二十萬七千一百五十八元零五分，五十一年度一百九十一萬七千六十八元六角四分，何以損失如此之鉅？請分析說明」。

主答：「一、五十年度銷貨折讓九七〇、四三一・一二元。五十一年度銷貨折讓一、三七一、五七一・二〇元。

「二、磅差及運輸損耗：五十年度運輸損耗二三七、一二六・九三元，係該年度銷日淨煤五〇、二九四噸裝船水尺損耗。五十一年度與南莊承辦樹林交台電煤磅差損失，計二五四、二二五・零八元。內銷淨煤磅差損失，計四四一、七八六・六元。外銷淨煤磅差損失，計二一三、三三七・三元，外銷淨煤駁船水尺重量損耗，計二一、二五〇・四三元。輸日淨煤磅差損失四二九噸，裝船費、駁船費、拖船費，共計一〇、二九六元」。

客問：「新竹煤礦在五十一年十二月，始發放坑內外工頭八月上期一半工資，何以積壓五個月之久？又職員薪津，何以亦積壓二個月？請說明原因」。

主答：「近年來本省煤礦業不景氣，產品供過於求，以致一般煤礦欠資在四期（按：鑛半個月爲一期）以上。本公司新竹煤礦所產淨煤，內外滯銷，截至五十一年九月底止，存煤已達三萬噸之多，積壓資金過鉅，財務週轉，陷於困境。爲謀解決方案，呈奉經濟部於五十一年九月八日核准，將成本較高之那羅採煤場撤收，尖石採煤場停產保管，以節開支。當於同年九月及十月先後兩次資遣職工，支付退休、資遣等費用計四百三十三萬元，其餘員工薪資，以一時限於財務調度，不得不稍延緩。……綜計應付記鑛欵項，五十一年十二月底爲一、〇四五萬元，至本年三月底已減爲四五〇萬元。現仍分期結清中」。

客問：「董事長、總經理四十九年及五十年度，（一）房屋修繕費，（二）家俱佈置費，（三）交際費，（四）傭人費，（五）水電費，（六）其他什支費等，情形如何？」

主答：「四十年度，董事長房屋修繕費一萬七千八百九十七元，赴日銷煤贈送禮品七千六百四十元，宴請外賓八千六百八十八元五角二分。總經理房屋修繕費五千三百三十四元五角五分。一般交際費，董事長四千六百十七元九角五分，總經理四千一百零七元七角。傭人費，董事長四千八百元，總經理六千六百元。出差交通旅費，董事長爲六萬四百六十四元七角，總經理爲七百二十七元四角。水電費，董事長一千二百元。

「五十年度，（上述各項開支）董事長爲十萬四千八百四十四元五角四分；總經理爲四萬一千六百五十六元」。（下）

男女問題社會習俗與政治風波

（上接第一版）

[illegible]『一日夫婦百日恩』，『人生有幾？』算了吧！波拿巴將軍（即後日之拿破崙大帝）[illegible]悉其妻會與一漂亮軍官有私，囑其兄覓律師離婚，自己鎖門室內，拒不見妻。妻知事態嚴重，奔覓其夫，而哭門外，哀求再有一面之緣，僵持兩點鐘[illegible]，波氏不忍，開門任其妻投懷抱，[illegible]其兄等趕到，則見波氏夫婦併坐，和好如初，惟有目瞪口呆，唯唯而退而已。其妻卽後日晉封爲約色芬皇后者，此後終身愛拿破崙，忠誠不渝。卽因未生嗣子，給拿皇而同意離婚，亦並未稍改對拿皇深情。拿破崙生於一七六三年，約色芬按公開年歲是生於一七六九年，然歷史考據則證明長於拿破崙九歲，她自已瞞藏了年歲。她又曾爲當朝權貴巴勸主席的情婦。所以有人諷刺拿皇戴『雙料綠帽』（法文：CoCu，英文：Doubly Cuckold）。[illegible]

（一九六三年六月十六日草稿）

監院糾舉案竟然出岔子

利害關係人徧遞請願書

等十人遺件土地糾紛的導因，「據請願人羅亨錦本省實施耕者有其田條例時，被政府征收放領與農民者，計：田四七點四八八三甲，畑一八九點八二八六甲，其餘林地建地有山二二二點二六三一甲，既非田畑，則全部仍由請願人（羅亨錦）等保留。副農民如陳應琳，羅慶輝等食髓知味，於上開耕地放領後，復逐年蠶食侵墾，擴大其面積，不聽請願人等之制止」，「乃該等農民蓄意泥鬧，志在必得，於是提起訴願再訴願，迄今仍在行政訴訟中」。

其次，「至於石山部份，則於四十五年十月十五日與亞洲水泥公司立約開採原石，約明供應原石一千萬噸，有效期間五十年，以該公司出產水泥每噸新台幣四元，計原石價欵，是則依約供應一千萬噸原石，可出產水泥七百萬噸，請願人等，即有二千八百萬元之利益」，「自不免爲人所眼紅」。於是，「亞洲水泥公司因近年來外銷水泥暢旺」，而「要求請願人（羅亨錦等）對其增加生產採石部份，予以優惠，請願人等以契約無此規定……，未允所請。詎該（亞洲）公司以要求未遂，又因聽信陳應琳、羅慶輝等所謂請願人等所有之土地『原爲日人永井儀三郎產業，本省光復時爲不肖之徒狡弄，變爲福利合資會社所有』之流言，認爲有機可乘，一面拖延給付原石價欵，一面利用內政部辦理再訴願案之承辦人員王新民……左右其事，再行草擬不利於請願人等之決定」。

再次，「王新民等於五十年九月二十六日到達新竹，二十七日到達關西鎭公所調查……晚間轉到請願人（羅亨錦等）玉山石礦辦事處，調閱福利合資會社所有有關書類，王新民等一再表示福利合資會社土地有問題，應收歸國有，旋私下對請願人羅慶增謂可以幫忙，暗示需賄之意，請願人等以所有土地權源正當，無求他人幫忙之必要，未予置理。王新民以需索不遂，惱羞成怒，後卽轉到竹北地政事務所，面囑該所主任徐趨新竹縣政府地政科長賈介華，以：『福利合資會社所有土地處理，未辦土地總登記，依法同無主土地處理，不准受理登記』等語，應此項事實，有徐趨、賈介華可資質證」。

請願書抨擊監察院委員孫玉琳所提糾舉案，說：「鈞院之糾舉案，既非據利害關係人之請求，又非據人民之告發，提案人孫委員玉琳不知其事，則其糾舉案之所由來，亦不問可知矣。（中）

鄭成功在日本的遺蹟

水平

名垂青史的明賜姓鄭成功，於明熹宗天啓四年（西元一六二四）陰曆七月十四日辰時（早晨七點至九點之間）誕生於日本肥前平戶的千里濱。他的誕辰換算成陽曆，恰爲八月二十七日。今年將屆他三百四十歲的冥誕了。

平戶是日本一個商港，過去凡是留日的外商，無論中國人、英國人、荷蘭人，都落脚在那兒。平戶現屬長崎縣松浦郡。千里濱和長崎一衣帶水，風光明媚，景色秀麗；長林大道之旁，有一塊巨石迎人聳立，上面鐫有「兒誕石」三個字。據當地人說：『昔吾國有義俠女，曰『田川氏』，實爲平戶士人之女，年十七八，婚於明人鄭一官芝龍爲妻。一日，田川氏出遊千里濱，風雨大至，不得歸，田川氏拾文貝爲戲，忽覺分娩，踉蹌就濱內巨石以生。或曰：「生時，氏恍聞金鼓聲。」或曰：「氏恍見海中有物，長數十丈，大數十圍，兩目如炬，以驚田川氏。」於時中國掀天蓋地之英雄乃墮地。史字之曰：「福松」。福松者，就石側古松以爲祝也。』（據清末匪石著「鄭成功傳」）

關於鄭成功，在日本人的文字和口碑中，有種種神異，並且有過份強調其和日本的關係之處。這一方面是日本人崇敬鄭成功，一方面亦有意藉此強調這偉人日本亦有份。有關鄭成功的古蹟，在日本也就不少。

飛鸞島——距千里濱不遠有個「飛鸞島」，據說鄭成功曾題詩於此，詩云：『破屋荒畦趁水灣，行人漸少鳥聲閒；偶迷沙路曾來處，始踏苔光常榮山。樵戶秋深知霽冷，僧扉晝靜任雲關。霜林獨愛新紅好，更入風泉亂壑間。』

但鄭成功在日七歲便回國，此後亦沒有再去過日本，這詩固然并不好，究不像是一個七歲的小孩子做得出的。且詩的意境，也絕不類一個氣吞河嶽的英雄人物的口吻，眞實性當然極其可疑。

以往台灣省人到日本去的多要到千里濱和飛鸞島一遊，也留下不少詩篇，如新竹鄭毓臣有「舟過平戶弔延平王」詩云：『已過金廈據雙門，遺要騎鯨過七鯤；能使紅毛歸故物，敢將赤手扶中原。英風颯爽飛鸞島，舊雨淒涼兒誕村；養士知君猶有報，算報君恩。』又澎湖陳夢華有「平戶村懷鄭延平」詩云：『抗師金廈冀回天，失色磚城豈偶然？千載未除忠憤氣，鯨波終夜撼肥前。』

鄭氏遺蹟碑——在千里濱「兒誕石」之東，有日本名儒葉山高行的「肥前國平戶島千里濱鄭氏遺蹟碑記並銘」，記賜姓一生行誼，完全用我國古文寫成。碑陰有記說：『乾齋公欲爲鄭氏建碑，初命朝川鼎撰文。鼎，字五鼎，號善庵，爲碩儒，居東都，仕於吾藩。往年，大村侯邀之於其封邑，鼎竣事，來平戶，遂探討鄭氏遺跡，歸東都，稿成，進呈，題曰：「鄭將軍傳碑」，凡五千五百餘字。以字夥，不能上石。欲使改刪可刻，未成而歿。於是，復命高行。稿成，凡千五百餘字。二稿各有取舍異同。今刻其簡者。鼎所撰，浸版藏於碑西河內浦羽流喜相院。——其庭有鄭氏遺愛竹柏樹，土人謂之「力柴」，探討者併見亦可矣。「兒誕石」石碑西砂礫間，建石標之——舊來相傳：「斯石忌人之上蹈，若上之，聞空中有兒啼，而得疾者多不起矣！」所傳雖屬神怪事，或係人命，不可不記也！』

「兒誕石」、「遺跡碑」和「力柴」，都相鄰近，並且有連帶關係。

據傳鄭成功在六歲的時候，曾經在附近「花房」地方向一個武士學劍，因而在這位武士住宅旁邊種了一顆椎樹；這顆樹被日本人小心保護三百多年，現在已經是盤根錯節，鬱鬱蒼蒼了，而且成爲當地勝景之一，以「松浦心月」爲號。樹旁立了一塊石碑，碑上刻了日本人原銓的詩：『鄭森往昔在壺陽，講武修文練鐵腸。此樹當年親手植，至今蟠踞鬱蒼蒼。』詩不好，却使人一看就懂。「松浦心月」也是觀光客必遊之地。不過形勢不十分開濶，樹旁邊還有私人住宅，不及「遺跡碑」那一帶氣勢之偉，景色之秀。

天南風光——沙羅越的歷史——

朱淵明

在艾貝爾總督任內，除了提倡自治，修正憲法，改良市政，發展交通以外，最主要的是增強警察實力，及組織野戰部隊。所有新訓練的警察，都是採用最新式的配備，並募集三個分隊的野戰部隊，入營受訓，許多高級警官及低級警官，都派往馬來亞，受森林作戰之訓練，訓練結業後，即附屬於英國軍團。彼等加入戰鬥隊伍中，因爲爬山越嶺，敏捷矯健，偵查敵蹤，屢建功勳，故迭得上峯之嘉獎。

沙羅越的財政狀況，在艾貝爾總督任內，每年都有盈餘，至一九五四年止，盈餘現金達五千六百萬元叻幣，因之政府所設立的「發展部」，得以逐漸發展許多事業，慢慢改變若干地方的落後形態。又因提倡自治，而准許人民組合政黨，遂於一九四九年產生了沙羅越的「人民聯合黨」，隨後又有人組織了「沙羅越國家統一黨」，及「沙羅越國民黨」，以及「沙羅越土生人士陣綫」，於是「自治」、「獨立」之聲，即高唱入雲。

艾貝爾總督，於最後一次延長之任期滿後，堅決不肯再延，遂於一九五九年十一月退休，光榮的返回英國。自一九四九年十二月起，以至卸任，整整十年，沙羅越的人，迄今猶有許多對之懷念不置。

第四任總督爲亞歷山大華德爾爵士。恐怕他也是沙羅越最後的一任總督了吧？自這位總督接任之後，獨立運動，日益高漲，不久即產生「馬來西亞」，以馬來亞的總理東姑拉曼爲中心，此一運動，逐漸開展，跟着就由英國政府正式承諾，隨即決定於一九六三年八月卅一日正式成立。所謂馬來西亞國，乃包括馬來亞、星加坡、婆羅乃、北婆羅洲及沙羅越五個單位而成。自然這五邦中，也各有不少反對這個組織的人，尤其是沙羅越的人民聯合黨，但在數量上恐仍屬少數。（六六）

報人普立茲傳

汶津譯

但是次晨約瑟夫遇上一個紅臉、暴怒的編輯。「你混帳！」威理希大吼着。「這將是我們報紙的末日！每一張報紙報導一樣的刦案消息——只有西部郵報例外。我們的故事跟別家完全不同。他們都說是一個陌生人幹的。你爲什麼不從彼德斯那兒寫下你的故事？我不要聽你的。把你的故事告訴蘇滋先生去。」威理希拉他到發行人辦公室。「蘇滋先生，看看這故事吧。這孩子可能下得好棋，但是他根本不是一個記者。你一定要我用他。現在，瞧吧！」

蘇滋先生謹慎地讀約瑟夫所寫的文章。「這是怎麼回事？約。」他安詳地問。

約瑟夫試着解釋。害怕使他渾身無力。這是他第一次嘗試寫一則新聞報導，這也是他踏入新聞界的第一課。一個不正確的故事可能使一張報紙陷入嚴重的麻煩。

「可是我們的故事是眞實的。是艾格士搶的書店。」普利多利博士的聲音使大家平靜下來。「我在街上遇見羅斯蘭。他告訴我艾格士昨晚被抓了。他已拿回他的錢。威理希，明天西部郵報可以報導我們的記者如何幫着抓到一個強盜！郵報是聖路易所有報紙裏唯一對這案子有正確報導的一家。」

那編輯啞口無言。他轉身離開發行人室，叫約瑟夫隨着他。但蘇滋說，「等一等，約，我要和你談談。你第一天幹的就很出色。假使你能一樣出色的探訪大的搶刦案，我將訓練你成爲一個政治記者。做一個記者最重要的是要追尋事實。經常去找出在表面現象之後正發生些什麼。去探查眞實的故事。」

約瑟夫懂的。這是他新聞寫作的第二課。只有當一切是事實時他才動手寫。蘇滋把他的手按在這年輕人的肩上。「約，你必須知道什麼是新聞，什麼是幽默。我們決不供給讀者一則不能證實的故事。我們從不列出一種猜測。告訴我，約，你想辦一張報紙的目的是什麼？」

約瑟夫不假思索的回答道：「喏，我將說，那是爲了供給人們新聞。」

「什麼樣的新聞？」蘇滋問。「我們的報夠小了，我們必須小心地選擇我們要刊登的故事。我們有一個目標。我們是共和黨的報。我們有責任幫助共和黨。不要忘了這個！我們用西部郵報告訴人們這個黨，關於它的政策及工作。郵報試着告訴人們怎樣弄好政」

約瑟夫不能把這接受爲報紙的目標。如果這是第三課，他不喜歡其中所包含的觀念。約瑟夫認爲人們須要唸到許多政治以外的事情。難道報紙的讀者沒有權利知道一切，甚至包括幽默？

那晚約瑟夫攤開所有聖路易的報紙。他讀着有關書店刦案的不同報導。一頁頁地，約瑟夫研究着每一細節。然後他憶起他對蘇滋的回答：「一張報紙應該供給人們新聞。」西部郵報是一張共和黨的報，它所記載的是傑佛遜城——米蘇里的首府——及首都華盛頓的政治行情。在所有這些報紙裏，約瑟夫找不出他認爲是新聞故事的東西。每天所發生的那些使人感興趣並佔着一個大城市重要成分的事情，幾乎隻字不提。也許編者們都認爲這些事不宜於用作新聞記載。（十八）

廬山續夢

第九回： 枵腹爭雄　壺漿招餓鬼　苦心糾衆　風雨會羣魔

接着又談到南段。南段的重要未定界在猛卯三角地與南坎租借地。這一帶地區當南碗河與瑞麗江會合處，形成一個三角地帶，南坎就在三角地的尖端。其地形有類於九龍與新界。

這一地區本來屬於中國，一八九七年簽訂「中英續議緬條約」，規定永遠租與英國，租金當時規定是每年一千盧布，以後英國也未照付，中國也就置之不理。但領土畢竟是屬於中國，在英國統治緬甸時，也未曾否認過。

抗戰期間，南坎出現了高度繁榮，因爲該地當中緬泰寮四不管地帶，一些走私、鴉片生意都從此處轉口，市面熱鬧，各色人等麕集，又成爲情報活動的中心。抗戰勝利，南坎一度蕭條，中共據有大陸，雲南省軍民都逃到這裏來，南坎又恢復了繁榮。反共游擊隊秘密人員，又以南坎爲活動中心，緬甸政府也感到鞭長莫及，不易控制。

本來當商議劃界之初，緬甸正是軍政府統治時期，軍政府主席奈温就會表示態度，願意把這一塊地區退還中國。因爲在奈温的想法，中共絕不會放棄這樣一個重要地帶的。

一九五九年底奈温訪問北平，同周恩來、陳毅商討猛卯及南坎永租地的問題。周恩來當時莫名其妙，就問陳毅，陳毅也弄不清楚猛卯同南坎在什麼位置，兩人支支吾吾都說不出辦法。

奈温知道中共大頭目對邊界問題實在不太介意，就增加了談判的勇氣，這次派出的首席代表昂季就是奈温的副參謀長，奈温把所得到的消息告訴他，要他在邊界問題上採取堅定立場。

果然談到南段，昂季堅決要求維持猛卯同南坎的永租權，願意每年付給一千盧比。

姚仲明不敢作主，就拿去見陳毅，報告當日談判經過，姚仲明說道：「國民黨雖然不好，可是，在他們手裏把不平等條約全廢除了，現在到了我們手上，又訂約把領土租借給隣國，傳出去實在不大好。」

陳毅搔搔禿頭，瞪着眼睛說道：「你怎麼這樣胡塗，誰叫你答應租借的。」

姚仲明說道：「緬甸要租借，我們不肯，會議只有決裂了，豈不是違背了黨的國際統戰政策。」

陳毅一拍桌子：「你簡直越說越胡塗，緬甸要租借，我們乾脆奉送，什麼糾葛都沒有了。」

姚仲明恍然大悟，連說：「這實在是上策，租借要留一個喪權的痕跡，割讓則什麼困難都解決了。」

第二天，雙方開會，昂季又提出續租的要求。姚仲明說道：「租借易引起糾紛，會妨礙兩國的邦交，我們現在決定放棄了對猛卯三角地區的領土要求，也廢除永租制度，將該地劃歸緬甸管轄。」

昂季差點高興得跳起來，只是握着姚仲明的手千恩萬謝。因爲緬甸在劃界中佔了這麼大的便宜，所以宇努這次來訪問，竟帶了三百七十多人，存心以盛大的陣容，答謝中共的厚愛。（二一四）

閻錫山與陳納德

吳文蔚

他們繼續這樣做，直等到因降落而損失了幾架飛機，陳納德將軍才下令予以禁止。

民航的重要職員博瑞智說：許多飛行員曾親眼看見無數的民衆，搶拾散到地上的食粮，委實不忍再要閻將軍的錢。有些降落下去的飛行員，想法把他們接運出來。並且以拒絕接受數百元以證明其誠意。但閻將軍和他的部屬們，仍然堅持要他們空投。

受過錢的人，多半與飛機上的同人及投擲兵共同分用。在最危險的四月，博瑞智自己所遭的麻煩，與閻將軍幾乎相等。在太原將淪陷以前，有一天，博瑞智由無線電中接到閻將軍的許多要求，其內容大致相同，差不多每三十分鐘即有一次，都是要求他加緊空運。閻將軍着急的是太原人民已三日無粮，這些事，沒有人能比博瑞智更爲淸楚。

這時一切都不順利，天氣也很壞，民航隊的飛機雖願冒最大危險，但也無法起飛，這足以證明天氣眞是壞得不得了。而且機上無汽油，隊上無現欵，民航的收益，即閻將軍應付的數百萬元，但是他的會計，當時也缺乏現欵。這還不打緊，而青島也快將淪陷，民航隊即將撤退，一切束手無策。而民航隊的工人，又於此時醞釀罷工。在此情況下，眞是一籌莫展。

閻將軍決定他要親自交涉，解除一切的困難，他要與中央政府請求，他對太原的人民說：他一定要向中央交涉，多要些補給品和食粮，並增加空運。

他並且叮嚀，他絕對要回太原。這一點很要緊，因爲他和他的部下有準備下的五百零一瓶毒藥，太原人民也都瞭解這件事。這些毒藥，是由閻將軍的幹部中一位德國化學家所製成，是一種氰化鉀溶液。

這五百零一人的組成，是反對共產黨最激烈的五個主要人物，還有一百來個單位，於太原淪陷前數月即決定的，他們都一致抱定了決心：「寧死不作俘虜，屍體不與共匪相見」！閻將軍亦是其中之一。

這位老將軍，於太原陷落十數日前，奉代總統李宗仁之召，飛赴南京共商國是，並到奉化探望退休的蔣總統。究竟這些會談內容如何？或是中央政府給他什麼委託？閻將軍概未宣佈。

太原的情勢惡化了，共匪已經攻佔了該城的好多飛機場，只剩下一個沒有佔領，但是也在敵人的炮火射程之下。該城的陷落，看來只是一個時間的問題。（十）

談酒

漁翁

酒爲飲料之一，其種類與製法甚多，通常以穀類和麴釀之，因其所含糖質，由化學作用，發酵味變而成，飲之能使精神興奮，故人多嗜之。惟此物具有麻醉性，如飲者過量，能使人神經衰弱，肝質變硬，實有害於衛生。

算自黃帝時杜康發明了酒，迄今已有五千年之歷史。而民間所釀者，有濃淡之分，濃而精者，俗稱「火酒」，淡而甜者，俗名「水酒」。相傳龐統宰耒陽，醉臥而不理政事，劉備令張飛査辦，張至，而龐猶酣醉未醒，經詰之，乃將百日之案，在一日內，逐一批判不遺，張歎曰：「龐士元，眞非百里才也。」張亦好酒，日入酒肆中，龐以耒陽所產者多火酒，過量有傷身體，乃密令各酒坊，以三份之二水滲入，使之淸淡可口，雖多飲亦無害，即今日之所稱水酒。以水酒由於張飛而產，故又名之曰「張飛酒」。

湘省之南，有邑曰「藍山」，居五嶺下，爲避免瘴氣計，居民所釀之酒，用牛屎糊於缸外，隔年啓之，淸涼郁香，俗稱「牛屎壺」，以牛食百草，故又以「百草壺」名之。筆者曾視察該邑，得兩壺歸，友人爭飲之，認爲勝於葡萄美酒多矣。

我國之酒，以紹興爲最著稱。按紹興屬浙江，原治山陰會稽，今併爲紹興縣。居民善製酒，有名於世。據曉讀書齋雜錄載：今世盛行紹興酒，或以爲不知起於何時？攷梁元帝金縷子云：銀甌貯山陰甜酒，時復進之。則紹興酒，梁時已有名。顏氏家訓困學篇亦引之。是則紹興酒之流行，已非一日。其品種大別爲「紹酒」與「紹燒」兩類，紹酒，普通稱爲「黃酒」，「紹燒」，即「五加皮」也。

國外有所謂「香賓酒」者，產於法國之香賓者爲最著，故名。以葡萄爲原料釀成，用壓入無水炭酸，故淸涼可口，宜於夏季之飲料。韓國所產之「高麗人參酒」，以高麗參浸入酒中，味甘，有滋補性，可提神養氣，亦爲人間所樂飲。

在我國人心理中，認爲飲酒足以敗事，相率戒免，如水滸傳中李逵，每次下山，宋江再三叮囑戒酒，以免惹禍。但是，有因杯酒而釋兵權，有因酣酒而賭性命，皆賴酒力以安天下，而免禍害也。

宋太祖得天下後，鑒於唐代藩鎭之禍，對握有軍權者，具有戒心，一日，與石守信等暢飲之餘，乃曰：「我非爾曹不及此。然吾爲天子，不若爲節度使之樂。吾終夕未嘗安枕而臥」。守信聞之大驚！應曰：「今天下已定，誰復敢有異心？陛下何出此言耶？」太祖又曰：「人孰不欲富貴？一旦有以黃袍加汝之身，汝雖不爲，其可得乎？」守信等知太祖用意，席散後，即乞解兵柄。所謂「杯酒釋兵權」者，蓋指此。

據庾穆之湘州記載：漢時君山島上有美酒，飲之可長生不死，成爲活神仙。漢武帝聞之，派欒巴爲特使，往君山取酒，果將酒取回長安宮中，適東方朔在旁，不候帝到，竟先開罎窃飲一碗，武帝怒，欲殺之。東方朔奏道：「若酒有靈驗，陛下縱殺臣，臣不會死；若臣能被殺死，此酒何用？」武帝聽後，不禁大笑，不究而了之。

又據晉書阮籍傳：阮籍在魏爲大司馬從事中郎，有濟世才，爲司馬氏所忌，日惟飲酒酣醉，不問世事。司馬[illegible]，派鍾會向其請教國事，求其開口，即加之以罪，但每去均在酣醉中，無法開口。竟以此而獲免。

古有狄希，中山人，能造千日酒，飲之千日醉，見「搜神記」。劉玄石於中山酒家沽酒，酒家與千日酒，忘言其節度，至家大醉，家人以爲死，權葬之。酒家計千日滿，乃憶玄石，往視之，云亡三年已葬，於是開棺，醉始醒。俗云：玄石飲酒，一醉千日，見「博物志」。宋詩人王積弱詠千戈，末云：「安得山中千日酒，酩然直到太平時」！王生於宋末，世局紊亂，而有此作。吾人今日避亂於海隅，所望者，有岳武穆其人，直抵黃龍府，而得高唱杜工部：「白日放歌須縱酒，青春作伴好還鄉」之詩句也。

次長叛國與將軍殉國

丘也山

因爲這一來龍去脈，我們又而吳石之死爲不足以徹其辜！溯自政府播遷台灣以後，共匪宣稱「解放台灣無須乎用兵！」當時就是政府中人，都不知其所謂原因。直到吳石案發，纔使人意識到共匪的誇口並非無因。

據聞，有一天晚上深夜，國防部參謀次長吳石辦公室的燈火燎亮，門房值勤工人覺得有點異樣，急上樓探視，推門撞進，即見吳次長和幾個不認識的人正圍觀一秘密文件，乃急欲退出，爲室內人所阻而不得。翌晨，不見昨夜值勤工人，而發現死於總統府側之花園空地上，而此一地點正對着樓上吳次長辦公室的一個窗口，密遣人前往察看，室內並無異象，惟在正對花園之窗底邊緣上發現一滴血跡，以是認定此一血跡與值勤工人之死不無關係。再經若干日，又勤務人員的回憶，昨夜次長室之深夜燈光！便值得懷疑了。經多方調查，仍不得要領，嗣用無綫電偵察的結果，[illegible]，然亦莫明究竟。但既判定這電波確從吳公館發出，便不能不作進一步的密查工夫，乃一面報告最高當局，一面即派出幹練人員到吳公館佯作訪問。初，吳氏故作鎭定，神氣十足，來人請係拜訪性質，不要誤會，請他坐下細談。大家坐落，[illegible]椅上，其中一人便覺椅底有異，吳氏做賊心虛，觀顏察色，就表示有些不自在。偵查人員覷破這一點，又故意顯露坐立不安，而吳氏則更形不安。此時，偵查者已明確認定秘密在此，一切關鍵也就在此，遂把椅翻倒，揭開椅底封布，而精巧小型的無綫電發報機便赫然在其中。吳氏處此，雖臉色大變，而仍故示鎭靜。至此，偵查人員即携同所獲無綫電機，請吳次長同車而去。事發，女共諜台人謝雪紅即携帶在台共黨工作人員名冊及密電碼本，搭乘民航機飛逃香港，機場人員以其形跡可疑，立即報告有關部門。政府據報，迅即電令該機折回金門降落，加以逮捕，當從謝氏身上搜獲上述各種秘密要件。

開訊之日，吳氏初以平日深得層峯信賴，猶圖狡辯，雖多方盤詰，亦不肯一吐實情，有所承認。既已無法取得吳氏口供，審問者乃出示從謝匪身上所搜獲的秘密文件，氏見而始面色驟變，俯首無詞，只表示有負蔣總統的栽培了。政府於是按圖索驥，搜捕餘孽，共匪陰謀，遂歸粉碎。若任由吳石輩潛滋暗長，聽其陰謀醞釀成熟爆發，則其後果寧堪設想！

追憶丘將軍生前的疑問密告，當局始恍然大悟，證以匪方所謂「解放台灣無須乎用兵」的誇言，更令人不寒而慄。這與諸葛文侯先生之另一姊妹篇『國軍敗於共諜』文中所述，又可互相印證哩。（下）

南宋偏安有人才

李仲侯

岳飛

初九日，飛身披重鎧，先諸軍躍馬以濟，衆皆駭視。須與以次畢渡，觀者以爲神。乃潛出進軍之右。飛首突賊陣，所部從之，賊大敗，降其卒五萬。飛追之至廿五里，及河渡土橋。纔數十騎而橋壞，後騎莫能進；進軍五千回攻飛，飛以一矢斃其先鋒將，麾騎突進，進軍望風披靡，又大敗。俊呼築寨吏治橋，後騎亦至，進遂走筠州。飛以軍屯城東。十一日賊復引兵出城布列，橫亘十五里，飛以紅羅爲幟，刺白岳字於上，平明領所轄馬軍二百人，連騎鼓而前，賊易其少，搏之，伏發大敗走。飛使人呼曰：「不從賊者坐，棄衣甲，當不汝殺」！賊應坐者八萬人，死者無數。擇所獲鎗刀衣甲器仗之堅全者，令降卒負載從軍，其敝者盡納筠之州庫，分隸降軍，三日乃畢。

進以餘卒奔李成所，成時在南康之建昌；飛貪夜引兵銜枚至朱家山，偃兵伏幟於茂林待之，進至，伏兵一鼓出林，賊衆大敗，殺獲步兵五千人，斬其將趙萬等，進引十餘騎先走，僅以身免。成自引兵十餘萬來，飛遇之於樓子莊，引軍會戰，大破成軍，降其卒二萬餘人，獲馬二千匹。由武寧軍至江州道中，殺及降凡三萬餘人。成自獨木渡趨　州，飛以馬軍追之，渡步軍於張家渡以夾擊之，殺馬進、孫建及酋領甚衆，成軍晝夜駭走，不得休息，飢困死者十四五。至　州又降其卒萬五千人，馬二千餘匹，所棄器仗衣甲金帛無數，成走降僞齊。

相州人張用，勇力絕羣，號張莽蕩，其妻之勇尤在用右，帶甲上馬，敵千人，自號一丈青，以兵五萬寇江西。俊召飛語曰：「非公無可遣者」！問：「用兵幾何」？飛曰：「以某自行，此賊可徒手擒」！俊固以步兵三千益之。飛至金牛頓兵，遣一卒持書諭之曰：「吾與汝同里人，忠以告汝，南薰門外鐵路步之戰，皆汝所悉也。今吾自將在此，汝欲戰則戰，不欲戰則降。降則國家錄用，各受榮寵。不降則身隕鋒鏑，或係累歸朝廷。雖悔不可及矣」！用與其妻得書，拜使者曰：「果吾父也，敢不降」！遂俱解甲。飛受之以歸。俊謂諸僚曰：「岳觀察之勇略，吾與汝曹俱不及也」！繼又招降馬進餘黨之潰者數萬，飛汰其老弱，得精兵萬餘人以歸俊。江淮已平，俊奏飛功第一。

飛在勦匪期中曾題驛馬岡詩曰：

「立馬林岡豁戰眸，陣雲開處一溪流；機春水沚猶傳晉，黍秀宮庭孰憫周。南服只今殲小醜，北轅何日返神州？誓將七尺酬明聖，怒指天涯淚不收」！

（六一）

六月雪本事

周燕謀

平劇「六月雪」，又名「竇娥冤」，此爲關漢卿所作之元代雜劇，雜劇演出者，其名又有「金鎖記」及「羊腸湯」等名。此劇故事始於漢代，至元代則故事始增益情節。其事略爲：

長安有飽學之士名竇天章者，以時運不濟，流落楚州。妻早亡，僅七齡弱女端英，相伴度日。以欠債無力清償，乃以端英許蔡婆爲養媳。天章償債之餘，又得銀十兩，乃赴京應試，自此久無音訊。復三載，端英後與蔡婆之子成婚，改名竇娥。蔡子病故，竇娥伴婆寡居。

一日，蔡婆赴城中藥商賽盧醫處索債，盧醫貧無以償，心生毒計，誘蔡婆至郊外荒僻處欲勒死之，以了債務。不料爲路人張老及其子驢兒所救。張氏詢知蔡婆家中尚有一媳，遂起不良之念，強與俱還，張老逼蔡婆成婚，驢兒則思佔竇娥，竇娥力拒之，始終凜然不可犯。驢兒遷怒蔡婆，復覬覦財產，乃至賽盧醫處，脅以往事，買得毒藥一包，投之湯中，欲毒死蔡婆。蔡婆接湯欲飲，忽覺頭昏目眩，不思進食，轉授張老。張老食之而死。驢兒反誣竇娥毒死其父！謂能成婚，則可免究。竇娥寧死不允，遂訴之官府。（一）

自由報

內僑警台報字第〇三壹號內銷證

THE FREE NEWS

第三五一期

中華民國僑務委員會頒發
台敎新字第三二三號登記證
中華郵政台字第一二八二號執照
登記爲第一類新聞紙類
（半週刊每星期三、六出版）

每份港幣壹角
台灣零售價新台幣弍元

社長：雷嘯岑
督印人：黃行齋

社址：香港銅鑼灣高士威道二十號四樓
20, CAUSEWAY RD 3RD. FL.
HONG KONG
TEL. 771726 電報掛號：7191
承印者：田風印刷廠
地址：香港灣仔高士打道一二二號

台灣分社
台北市西寧南路一七二號二樓

亞洲『奇局』與中國『悲劇』

·方南·

「大馬來西亞」快要成立了，雖則馬來亞與星加坡、婆羅乃之間尚有爭辯，未即達成協議，但只要這些爭執一旦澄淸，一個新國家的建成將必使東南亞現有局面改觀。

但該受我們特別注意的，還是由印尼與菲律賓糾合馬來亞倡組的『大馬來邦聯』這一事件。因爲，這與東南亞華僑命運有重大關係，而目前海外二千萬華僑中，以這一區域所佔的數字爲特衆。

印尼與菲律賓原都反對馬來亞建立「大馬來西亞」這一計劃，以北婆羅洲領土主權爲藉口，尤以印尼表現最爲激烈，儼然以武力干涉爲威脅，最近卻突然來一個戲劇化的轉變，而造端於印尼總統蘇加諾與馬來總理拉曼在東京的一次會議。「東京會談」被視爲蘇加諾向右轉變的開始，値得注意的是：日本是這次會談的東道主人，雖說這個主人並未介入有關雙方會談的一切，而且並未做過牽綫的工作。但表面說法和實際情形是否符合，仍是我們要注意探討的對象。

蘇加諾以前的一切作爲和姿態，顯明地要把印尼帶向左走，爲什麼會突然來一次大轉變？一般的看法是：他沒法應付印尼瀕臨崩潰的經濟危機，有和美國修好的必要。而且，他已發覺中共的陰謀，對於國內共黨可怕的威脅力量也有了新的警覺，所以要把原來政策作一次及時的修正。

足以支持這一說法的證據是：蘇加諾不只在東京和馬來總理會談，也和美國總統派來的專使會談，談的是石油權益問題，據說業已談攏了，已於六月一日簽署協定，印尼政府將可從美國在印尼的石油公司獲得較多的利益。

蘇加諾是否眞的就此把印尼帶向右走呢？他和美國的「石油蜜月」歡娛得多久呢？這眞是天曉得！但據說，英美對於蘇加諾這回的表演都表示歡迎。

爲了石油利益的暫時保持，爲了印尼帶同菲律賓不再反對「大馬來西亞」的建立，英美應該額手稱慶，尤其馬來總理拉曼要欣然抹去額上一把冷汗，但現在叫急的卻是我們在東南亞近千萬的華僑。

「大馬來西亞」有其必然要建立的理由，這已是由英國手上打出去的一張牌，同樣也已是馬來亞打出的一張牌，信誓旦旦，不容告吹。這是面子問題，也是實際政治權益問題所繫。如今來自印尼與菲律賓的阻力業已消除，怎不該高興一下？

我的看法是：爲了保存在北婆的石油地盤，爲了星加坡這個基地的長期安定，英國要建立「大馬來西亞」是應該的。馬來亞爲了確立自己在這個區域的領導地位，把星加坡「統」了過來，打擊左翼勢力在星加坡的暗長潛滋，要努力促成「大馬來西亞」也是合理的。從另方面看，整個東南亞反共形勢將因「大馬來西亞」的成立而變得更加有利。這也該是我們要表示歡迎的一回事。但如由「大馬來西亞」的成立而牽起一「大馬來邦聯」的另一組織，那又是另一回事了。

關於開始反對「大馬來西亞」，後來又發起籌組「大馬來邦聯」這一運動的兩個夥件，印尼是主，菲律賓是從。印尼總統蘇加諾善玩縱橫捭闔的把戲，利用菲律賓來達成個人的企圖，對於菲人及其當局的心理必已摸透了。菲人對於北婆的領土要求可能出於天眞，沒有虛僞的成份，蘇加諾卻是打着石油利益的算盤，別有他的一套詭計。我們不要忘記，蘇加諾曾經在驅逐荷蘭人走出印尼，而沒收其一切利益，以及侵呑荷屬新幾內亞的表現上，顯出了卓越的頭腦和手段。他把握着美國石油商在印尼的龐大投資，從中賣弄手段，上下其手，已有左右逢源之樂；那麼，他對於近鄰的北婆油田，怎有不垂涎欲滴之理？他要牽同菲律賓反對「大馬來西亞」順利出現，主要着眼在此，卻巧妙地運用菲律賓的「民族主義」，從而套上了一頂「大馬來邦聯」的大帽子，作爲玩弄魔術的新幌子，這一手眞是了不起。

蘇加諾野心很大，把菲律賓和馬來亞的當權人物視爲可弄，更挾英美（包括日本）之私以造成自己的本錢。他要建成一個大印尼帝國作爲「大馬來邦聯」的核心，猶如蘇俄之作爲蘇聯的核心，目前走的只是第一步罷了。所以，我認爲近來印尼排華大暴動的爆發，適與蘇加諾離國大攬其「大馬來邦聯」同時，是値得玩味的。這決不是民間組織的暴動集團攪出來的。蘇加諾很可能借此向菲律賓暗示：你看我這一手吧！

因此，那個接續「東京會談」而來的「馬、菲、印尼」三國外長會議便該受我們特別注視了。値得提出來說的有兩點：一是，他們會議及「中國人問題」；二是，印尼表現出很關心防共問題。這三國都有不少華僑，在他們心眼中的「中國人問題」是什麼樣性質的呢？透露出來的消息當然不多。如果印尼要拿「防共」作爲「排華」的張本，借題發揮，那麼，所謂「關心防共」又不過是另一個幌子罷了。差之毫釐，謬以千里，不容不辨。我們只看馬來當局在這次「馬尼刺會議」結束之後，連續發佈「關論」的聲明，籲請中國商人安心，堅決保證馬來亞原來國策不會變更，便可知東南亞各地華裔反應的迅速，與情的激動了。這是必然如此的。

馬來亞當局此時的心情應爲我們所諒解。事關「大馬來西亞」成立期近，他們只望不致遭受意外挫折，和印尼菲律賓談什麼都可以。馬來亞和星加坡都有大量華裔，如要「排華」，立國原則馬上破碎，我們可以相信馬來當局說的是眞心話，但假如馬來亞被印尼、菲律賓以「大馬來邦聯」的名義「統」了去，情形又當別論了。局勢就是那麼奇妙，「大馬來西亞」所以對反共陣營有利，是因以馬來亞爲中心，把星加坡及其他不大安定的地區「統」了過來。但如演變爲「大馬來邦聯」，則受「統」的卻是反共的馬來亞和菲律賓，而以左翼勢力特盛的印尼爲中心了。「國際統戰」局勢之奇，無過於此。

據此，我們怎能知蘇加諾由左而右的日子有多長，到幾時又會操着「左、右、左」的步伐？美國人認爲他擁有反共的陸軍來支持，但在事實上，能知他的野心有多大？而且能掌握國內局面有多久？美國人常罵眞實反共的南越吳廷琰政府爲腐敗，那麼，私生活著名糜爛的蘇加諾及其素無效率的政府，値得信任與援助麼？

大概可以說，蘇加諾這一轉，是中共始料所不及的，中共派出劉少奇訪問印尼之後不久，立即出現這一變局，實在吃了一記悶棍。可憐中共在海外的宣傳機構，近來常常大罵印度虐待華僑，卻於印尼這回排華風潮不敢置詞。所以我們應該把眼光注視向蘇俄去。試想蘇加諾能利用英美看重石油利益的私心，再利用菲律賓的「民族主義」熱潮，利用日本要擊破華僑在南洋經濟勢力的「遠圖」，更利用馬來亞必要儘速建立「大馬來西亞」的焦急心情，來從而打出「大馬來邦聯」這一張牌，那麼，蘇俄利用其早在印尼建好的關係和基礎，暗中長期運用下去，怎沒有抓着蘇加諾做傀儡的可能？就長遠利益來說，恐怕仍將屬於蘇俄，而最苦的則爲我們在海外的華裔。

從前有人說過，自由中國有三省：一個是台灣省，一個是海外省，一個是大陸省。因爲大陸人心完全傾向自由，故雖暫時失陷，內裡仍有我們可以運用的力量，故不妨視爲一省。只要這三省的力量一齊發揮，必可光復大陸，中興可期。近來又有人說：目前亞洲局勢如此混亂，純是英美在實際上而未是名義上推行「兩個中國」政策所致。這兩說我都同意，而且恐怕「兩個中國」這種荒唐政策再被導演下去，「三省」中的「海外省」也會有分崩離析之變，而東南亞千萬同胞的命運將更加不堪設想了。吁！

還搗什麼新花樣？

這「熱綫」不妨多打結子。

自由談

法治與特權

馬五先生

香港鬧水荒期間，政府嚴令居民不得浪費食水，有電話公司總經理英人某氏住宅，會以食水澆花，被水務局查覺，馬上將該英人住宅的水管切斷，讓他每天跟着市民到大街上的公共水喉旁邊去輪班汲取飲料，以示儆戒。

在殖民地擔任公用事業主持人的職位和身價，幷不亞於咱們政府中的部長階級的一流人物，而其英國籍的身份，尤屬殖民地的「貴族」特權資格。可是，他在法令之前，決無特權可言，這就是法治精神。帶兵的將領，只要與士卒同甘苦，部衆雖死而無悔；臨民的官吏，只要與民衆同休戚，人民雖勞而無怨。這種情理，誰都能知能言，卻不容易身體力行，樹之風聲。

假使台灣亦鬧水荒，政府雖嚴令節約食水，我敢斷言，凡屬遵奉功令者，祇是那些普通老百姓而已。至於一般享有「潛在」特權的官員們，無論怎樣浪費飲料，亦不會受到切斷水喉的制裁的。君不見若干年來政府當局再三提倡節約運動，而一般官吏的日常生活愈趨奢靡的現象乎？法不及顯貴，刑不上大夫，知識份子以能執法犯禁爲榮譽，藉以驕其鄉黨戚友，恬不知羞，這才是民主法治的癌症！

從政的人根本沒有自動守法的精神，卻經常七嘴八舌，高談民主憲政一類的廢話。敎如此這般的人物來創進民主政治，除卻朦上欺下，互相詐騙，消沒法治觀念，貽禍社會國家以外，那有絲毫裨益可覩呢？

號稱爲文明古國的泱泱大邦，而其法治情形遠不及一個殖民地，思之可恥，言之可歎。政治上的特權階級不消滅，咱們再喊一百年的民主憲政口號，還是自我諷刺罷了，唉！

監院糾舉案竟然出岔子

利害關係人徧遮請願書

「何況孫委員所為之糾舉書其中所用之攻擊方法與所用之辭句，與王新民前此所作之內政部再訴願決定書，及其呈行政法院之答辯狀，前後如出一轍乎」？

又糾舉書謂：「此項原始登記冊簿，業經內政部調閱鑑定：本案土地權利關係人申報書之驗證、登記、還證，及擬准登記，審核等空白未塡，權利憑證欄內，僅登記地租領收據五枚筆跡亦多不一致者，公告部份所則無案可稽」云云。惟詢據竹北地政事務所承辦人員稱：「因新竹縣政府曾於三十六年一月二十九日以雨子艷府地籍字第一九四八號令飭該所，每人平均每日應簽蓋土地臺帳及申報審核，結果，至少四百件，為爭取時間起見，所有非關重要各欄，均空白未塡，然均將申請人統驗憑證，經承辦員審核，復由課長處長覆核，蓋章認為無誤，再經公告期滿，無人提出異議時，始予確定登記。本所在同一時期同一程序同樣情形辦理總登記，公私土地計有八五、六三九筆之多，如因前開各欄漏未塡寫，郎應認為登記無效，則上開八萬餘筆之土地總登記，亦將全部無效，其後果之嚴重，豈堪設想。至所謂『公告部份，則無案可稽』一節，尤屬抹煞事實。蓋新竹縣政府三十六年雨丑刪府地籍字第〇三三六八號代電，即為該案公告之根據，案卷俱在，何得謂為無案可稽？』

請願書嚴詞指出：「依土地法所為之登記，有絕對效力。土地法第四十三條定有明文，一經完成登記後，除經法院判決塗銷登記者，即主管行政機關，亦無權逕行為之變更或塗銷，此為一般週知之法律常識。今糾舉書片面認定請願人等土地權屬登記，在法律上有瑕疵。在未經法院判決塗銷登記前，率命省政府仍應依照土地法第五十七條之規定處理，不知在法律上有何依據？妨害人民權益，莫此為甚」！

最後，請願書說：「監察委員之糾舉權，為對人而言之一種監察權；糾正則為對事而言；前者由監察委員三人以上之審查及決定，後者由監察院有關委員會之審查及決議，權責各別，監察法第十九條第二十四條規定甚明。今鈞院孫委員玉琳等所作成之糾舉書，其範圍自應以針對公務人員之行為如何違法失職為限，乃於糾舉範圍之外，竟對事逕命台灣省政府對於請願人等業經完成登記之土地，仍應依照土地法第五十七條之規定（視為無主土地，即為國有土地之登記）處理，無異等於法院確定判決交付執行，試問監察委員是否有此權限？其權限又自根據何項法律而來？誠令人莫測高深！按監察委員來自民聞，代表人民監督政府及其所屬公務人員，維護人民權益，乃孫委員等竟淡忘其本身之職責與立場，反欲於糾舉公務人員之餘，乘機法外剝奪人民合法權益，倒行逆施，殊感遺憾」！（下）

香港與大陸

不再諱言更大飢荒在望　粵共又削減農民配糧

並將所有勞動力投入找肥運動　早造秧苗尚未死者僅十分之一

粵共為了挽救勢將到來的夏季歉收，一方面動員所有的勞動力找尋肥料，使已插下秧苗的水田增產；一方面卻又對農民減糧，要求農民應自行備糧渡荒。

據一位由東莞縣最近得中共當局批准來港的僑眷何師奶說：由於近幾個月來的天氣亢旱，廣東許多地區的水田都無法把秧苗插下，就算有二三成的水田在抗旱期間，勉強把秧苗插下，不久又被曬死了一部份，留下的只是地勢極低的水田的禾苗。可是，近來下了些雨，積水一時無法排泄，結果又把留存下的地勢較低的水田的禾苗，浸死不少。如此接二連三的災禍，使廣東省大部份的地區，現在仍活着禾苗的水田，絕無僅有了。何師奶所屬公社，就祇有百分之十左右的水田所種的禾苗還是生存的，其餘百分之九十的水田，或者改種了蕃薯，或者任其荒廢掉。

何師奶說：家鄉人人知道，未來的糧荒是更可怕的了，因而人心惶惶。中共政權對此亦極為明白，所以最近曾作出兩方面的措施：一方面要求所有的勞動力都投入找肥料的運動中去，要求農民到山上和田頭地尾去割取青草，嚴格規定每個主要勞動力在一星期內，利用業餘時間割取三百斤青草，作為綠肥。又要求小學生們不要「浪費」一堆牛屎。叫小學生們在課餘時間，提着糞箕，走遍村中的草坪拾糞去。學校還經常進行統計，並對「勤力」拾糞的學生進行表揚。

何師奶說：另一方面，中共卻又宣佈減少人民的糧食配額。共幹們也毫不諱言的指出未來糧荒將會比之過去的更為嚴重，所以「要求」農民諒解，硬說「政府」這樣做，是為了大家能平安渡過荒月，不致餓死一個人。所以從六月份起，主要勞動力的農民，原每月可配得廿七斤穀的，現卻減至十九斤穀；其他無勞動力的則更少，有每月祇十二三斤穀者。中學生一般是十八斤，而小學生則是十五斤。

何師奶說：這一來使大家又加深對共產黨的憎恨，不少老太婆實行破口大罵，罵共黨是「衰黨」，說自從共產黨統治大陸，就無一年得到過好收成，不是水災就是旱災，甚至以往華南地區少有蟲災，也經常出現了。說是共產黨帶來的「衰運」。當然也有不少人極明白，幾年來的糧荒，主要的原因是人為的，共產黨攪什麼水庫啦，堵河啦，深耕密植啦……更將大量的糧食和農作物拿去還「抗美援朝」的債，或「無償地支援友人」。

何師奶說：最近廣東不少地區，當地的人民組成了很多反共地下組織，她所屬的公社最近就會發現不少反共的標語。在大批「公安」人員的搜查下，後來發現攪這些的是幾個年老的農民，有一個從前還做過「農會主席」的哩！這批人被抓去不到三天，卻又在公社裡面重行出現反共的標語，使中共當局手忙腳亂，不知如何是好！（徹斯）

鐵面御史　曹德宣旅美點滴

【本報記者台北航訊】素有鐵面御史之譽的監察委員曹德宣，他於今年四月間赴美，主持其子結婚事宜，並藉機考察美國各大都市市政和民主政治制度。

曹委員曾應舊金山市圖書館之請，將其生平所搜集之書畫，展覽一週，宣揚國粹，頗得好評。並經攝成電視，以資宣傳。當地美術館長與愛好藝術者，曾向他要求購買其書畫，曹委員婉拒了。因為他所携帶之作品，件數少，極珍貴，故不願割愛。僅於展覽結束後，以名件一幀，贈送該圖書館長，藉資留念。按曹委員係一書畫收藏家。

曹委員又曾由紐約赴加拿大首都和魁北省會一行，並轉而往訪墨西根州之 Detrait 城。他曾參觀當地「兒童問題中心」，他寫信回來說，該中心設備完備，教養得法，而主持人為華僑楊天剛博士，尤具幹才。曹委員極讚揚楊博士，說是那樣的人才，即在美國亦屬罕見。

曹委員在寫給監察院同仁的信中說：該「兒童問題中心」，係針對未成年之不良少年而設，內有『兒童監獄』，乍看起來，簡直竟無監獄的氣象，而兒童多不覺得有任何痛苦，完全採取自己管理自己的自治、自助原則，出入多隨便，很少有拘押者。除非罪大者而外，餘多自由之身」。就像住在家裏一樣。

在僑胞聯誼會上，曹委員曾就中華民國反攻大陸問題，發表講演，他說：「有人說台灣六十萬軍隊太少了，不能反攻……，因此，他引證中國歷史，並列舉『以少勝多』的故事，來說明我們反攻大陸，是有把握的。同時，也希望美國人士同情支持我們反攻，消滅中共。否則，美國援寮、援泰，援助越南，絕非根本解決的辦法。因為中共蟠據大陸，所有東南亞均將歸其吞併。由寮共之壯大，及印度受攻，即可以證實了」。

他的信又說：旅美僑胞，關切自由祖國是太關切了，却多不肯公開指摘中共，因為他們多係美國公民，加之民主、共和兩黨主張不同，所以每存顧忌心情。他在舊金山華僑會館開歡迎會時，藉華僑「忠孝敦親」之招牌，而發揚總理民族精神，和總統倫理觀念，講演海外華僑團結輔助祖國革命偉大之貢獻時，他們頗表熱烈歡迎云云。

曹委員有子女六人在美。此次他赴美的旅費，便係由其在美之子女所供給。曹委員將考察美國政治制度，約半年後回國。

汲取珠江水　首輪已開出

【本報訊】政府租用前往珠江汲水之第一艘油輪「伊安德」號，於廿四日首途駛往珠江。該輪重一萬八千零一十噸，載水量三百八十萬加侖之水量，等於目前每日平均耗水量之七份一。根據水務局統計，由六月十五至二十一日止之一週內，共用水二億一千萬加侖，每日平均用水量為二千六百萬加侖。

一艘油輪往珠江汲水，往返約需時五十六小時，如果包括香港卸水之時間在內，則最低限度每一油輪需費時三天，始能完畢一次運水任務。以此運水效率計算，則每一艘一萬八千噸級之油輪，如以穿梭方式往返運水，祇能供應目前本港耗水量二十份之一，亦即必需有二十一艘一萬八千噸之油輪担任運水，始能充份應付本港每日耗水需要。

屏東各鄉鎮農會人事糾紛說不完

【本報台灣南部航訊】地方派系紛爭事件，在台灣省各縣市均有之，屏東縣各鄉鎮農會因派系而導致的人事糾紛，尤其可歎觀止。

遠在三年多以前，九如鄉農會因盧派的總幹事盧榮茂，有涉嫌瀆職事件，縣農會派員代理總幹事職務，盧榮茂卻拒絕移交，雖經地方人士的調解，盧亦不加理會，最後經過「協調」，盧榮茂才同意把總幹事職務交由已派的總務股長古認多代理。這場糾紛拖了一年多。盧榮茂瀆職被法院判決罰金後，又值理事會改組，陳派起而掌握理事會，始以絕對多數理事票通過解聘盧榮茂的總幹事職務，改聘陳玉崑（陳派）任總幹事，才算結束這場糾紛。

幾個月以前，高樹鄉農會改聘邱玉清任總幹事，亦會一度引起風波。其主要原因是有的理事認為邱玉清過去會有不法行為，主管官署縣府不應核准邱玉清担任總幹事職務；然縣府則認為邱玉清資歷符合，且又經過該理事會通過報請任用，依法并無不合。至於邱玉清過去是否有不法行為之事實存在，縣府及縣農會并不知情，因為邱玉清的事件既沒有人向司法機關檢舉告發，自也沒有見到法院對邱玉清有什麼判決，所以邱玉清的總幹事職務是依法有據的。

東港鎮農會由於許、林兩派的紛爭，使六年前的人事糾紛再度歷史重演，鬧得不亦樂乎，使農會乏人主持，影響業務之推展。而竹田、萬丹二鄉農會，亦有起而效尤之勢，好戲正是一幕接着一幕。

東港鎮農會糾紛起因，是該農會理事權柄，一直是由許派所掌握，但六年前的理事會改組時，以一票之差，許派飲恨敗北，大權轉入林派翼下。從此糾紛迭起，農會多事矣。

林派既操理事會大權，首先將許派任用的總幹事林劍峯停職，接着起用已派的職員會炳炎代理總幹事職務。依照規定，解聘總幹事必須三分之二以上理事的同意，而當時林派所能控制理事卻不足此數。所以林劍峯拒絕接受理事會的停職，遂鬧出雙包總幹事的笑話。

主管官署的縣府為了平息糾紛，奉農林廳核定，以林劍峯的資格不合為由，予以解聘。林派達到剷許派總幹事目的後，乃遴聘已派陳鎭出任總幹事。許派失敗後，一直不作任何表示，表面上天下太平了。豈料許派係在養精蓄銳，伺機報復，六年於茲，終又一反六比五的理事席次，再度又控制了理事會。之後也就如法泡製，下令將林派的總幹事陳鎭停職停薪，另聘已派的職員洪復興代理總幹事。

許派此舉，旨在報復林派，然主管官署的縣府，對該理事會聘洪復興代理總幹事之事，堅持於法不合，并駁回該會致縣府一切公文，使許派打倒林派總幹事的行動，遭遇困難。這一來，被停職停薪處分的陳鎭，亦就拒不受理事會的停職令，而照常上班。但由於該農會印信在理事長陳永順手裏，使主管官署認為唯一合法的總幹事陳鎭，因無印信，而致「英雄無用武」之地。

按照規定，理事長是不得掌管印信的，縣府乃再次提出警告，迫使其將印信交由總務股保管。但即由於縣府屢施壓力的結果，許派甚表不滿，於最近的一次理事會，乃通過四項決議：（一）貫徹對陳鎭停職停薪的決議；（二）暫時撤銷洪復興的代理總幹事職務，並調總務股負責保管該會印信；（三）洪復興代理總幹事職務任內工作努力，應予記功二次；（四）對陳鎭在總幹事任內不法事實，責由理事長為訴訟代理提出追訴。

理事會此項決議，其目的是在反擊縣府的屢施壓力，非常明顯。如何演進，尚不可知。

前些日子改組的竹田鄉農會，以賴永秀為派首的理事，以八席控制了理事會，遂意圖向東港鎭農會看齊，排除吳耀華派的現任總幹事吳阿順。賴派為求順利達到解聘吳阿順的目的，傳說曾以壹萬元一票，收購吳派的動搖份子二票，乃結果祇取得一票，開會時賴派獲九票，吳派得六票，賴派未達三之二票數，依法不得解聘吳阿順的總幹事。因此賴派聘任的總幹事陳永富，亦就不能得到合法生效的票數。這事情將來如何結局，尚難預卜。

以黃宏基、李端文兩派組合的萬丹鄉農會，對東港、竹田的人事糾紛，正予注視。該會總幹事林一心的寶座，看來亦會發生問題。（袁文德）

推介聖劇——「市場聖誕夜」

仲偉庭

台灣基督教長老會，爲了慶祝在台灣宣教壹百週年紀念，特於去年十一月請美籍戲劇專家高馬烈（MARGARET L.COPLAND）和陳周家寶（CHIA CHI CHEN CHOU）兩位傳教士，將克羅潔（ERIC CROZIER）所編著之世界宗教名劇「市場聖誕夜」（CHRITTMAS IN THE MARKET PLACE）合譯成中文劇本，交台灣神學院同學排演，以示慶祝。「市」劇在美籍教授高瑞士夫人導演下，於六月中旬巡迴台灣中南部公演，招待各界參觀，藉以提倡劇運。

「市」劇月初曾在台灣神學院公演，轟動一時。六月上旬在台北青年會禮堂公演，亦獲好評。爲使讀者瞭解「市」劇劇情起見，特簡介如下，以便觀賞「市」劇的讀者有個深刻的認識。

「市」劇是一個多幕多場的聖劇，也是宗教劇作家克羅潔心血結晶的傑作。「市」劇雖然帶有古式的語調，但內容具有新鮮的思想，可從幽默對白的台詞裏，表現出輕鬆。作者畢竟是大手筆，名下無虛士，動人的故事，栩栩如生的直透紙上，充分的顯出他橫溢的才華。「市場聖誕夜」這史劇，眞是他的精心巨構。

「市」劇原作係希伯來文，一九四三年由英人劇團譯成英文，首次上演是英國首相張伯倫爲了慶祝一九四三年聖誕節，特於同年九月命令馬丁白郎公司排演，在西敏寺大主教CRGPT聖保羅教堂也相繼公演，盛極一時。此後逢聖誕節時，歐美和中東各教堂，都爭相排演「聖劇」「市場聖誕夜」，來祝賀聖誕。英國大主教公署爲了尊崇聖劇起見，曾經過英政府明令禁止「市」劇在公共劇院公演，因爲「市」劇祇是一種宗教性質的聖劇，而不是娛樂活動。由此「市」劇的評價，更提高百倍。

「市」劇內容是敘述一個印度遊民忠厚的吉普賽人老麥克和他的妻子哥倫巴，兒子祖怡，媳婦馬利阿，孫子吉普奴等，在聖誕夜於以色列耶路撒冷城市場發生的故事。背景，以耶穌降生的事蹟爲主體。劇情描寫是老麥克一家在聖誕節前夕全家團圍烘火晚餐時，向其子女抱怨地痛述外邦人蹂躪吉普賽人的情形，後爲了向歧視吉普賽人的以色列人表明他們是忠實的基督徒起見，特演耶穌降生的故事，藉以贏得以色列人的信任，同時以之說明，吉普賽人不是世界最壞的人類。又還帶着假面具來拜野獸，藉以糾正猶太人狂妄迷信不良風俗。

「市」劇劇情由祈禱開始，有吉普賽人苦難的描述，有希伯來人的實質，有吉普賽人觀光的形容，使人人觀光後都有一種具體的「市」劇聖經人名多，宗教氣氛的濃厚，實寓娛樂於教育，這也是此劇本與衆不同的突出之處。

「市」劇的老麥克由林欽娘、蔣博美分飾，哥倫巴由張惠美分飾，祖怡由彭德修、鄭文雄分飾，馬利阿由李麗音、林智良分飾，吉普奴由黃淮雄、林義明分飾。演員們演技純熟，且能把握住劇中人的個性，作了有力的刻劃，且給觀衆留下深刻的印象。

天南風光——沙羅越的歷史——

朱潤明

，而英國的國策，已決定所有殖民地，都要以各種方式，於短期內予以獨立，而變成大英聯邦的一員。然就沙羅越而言，則頗有演變爲華人所控制的傾向。沙羅越在北婆三邦中，土地最大，人口最多，華人之經濟財力，知識水準，以及一位數量，較之土人，均佔第一位。又有一個紅色的大陸中國，遂爲聲援，故與其任之演變於赤禍之邊緣，無寧假手於馬來民族爲之代爲管制，當較爲獲得安全之感。

是以展望前途，馬來西亞之成立，勢在必行。雖然去年十二月八日婆羅乃發動了一次軍事叛變，以反對馬來西亞爲名，而印尼亦隨即打破沉默抓破面具，既公開支持叛變，復正式反對馬來西亞之組合，菲律賓亦對北婆提出領土要求，目前此事仍在談談嚷嚷之中，然無論沙羅越單獨獨立也好，歸併馬來西亞也好，都是華人數量要佔第一位，這一點似乎給予馬來民族以若干的威脅，故非律賓的總統乃提議組織「馬來同盟」或稱爲「馬來邦聯」，即由馬來西亞、印尼，與非律賓三個單位再加聯合而成爲一大組合，那就是馬來人佔絕大多數了，蓋因印尼菲律賓，與馬來亞三邦的本地土人均係馬來民族之故。

這事久久醞釀，也有聯繫可能，但其中又另有威脅存在，即三大單位聯合，天然以印尼爲最大，而印尼目前政治經濟，一片混亂，復有思想問題，夾雜不清，就北婆三邦而言，尤其是就沙羅越而言，豈非是愈求安定，而愈趨複雜，愈想獨立，而愈趨附庸？這恐怕非沙羅越前途之福呵。

目前距八月卅一日，不過兩月有零，沙羅越又將步進另一歷史階段。此後究竟如何演變，有待事實之發展與國際形勢之轉移。筆者的沙羅越歷史敘述，也就從此結束。其中荒疏與錯誤之處，自所難免，尚希識者有以教正爲幸！

（完）

報人普立茲傳

汶津譯

然後約瑟夫提醒自己這是他第一天做一個記者。他還有很多要學的。他眞知道人們喜歡讀什麼嗎？他知道怎樣寫才是一篇好的新聞稿？他太缺少經驗，他應該暫時停止這些想法。

以後幾星期約瑟夫寫了許多新聞稿。他做所有威理希交給他的工作，他還有時間寫那些他認爲有興趣的故事。當他的律師朋友們告訴他市政府所面臨的問題時，他寫市政的事。當他得知鐵路易正在興辦的新工業時，他寫這方面的新聞。他甚至報導水手們在作上打架。因爲他能兼顧這許多工作，在匆忙中。對這個熱情的年輕人，沒有一種責任是太難的，沒有一個小時是太長的。當他寫完他的稿件，他便奔入編輯室，取得新的使命，並再一次跑向街市。

是普利多利博士下令刊用約瑟夫的多彩多姿的故事的。最初，編輯去見普利多利問道：「他要這些撈什子幹什麼？我並沒有叫普立茲寫這些！」博士讀過約瑟夫的東西，而且很喜歡它們。寫這些東西都是胸有成竹的，而且顯示了約瑟夫生動寫作的天才。讀者也喜愛它們，郵報銷路蒸蒸日上。

其他報紙的記者不安地注視着普立茲。最初，他們笑他。笑他特殊的外貌和他決定要找出所有事實的傻勁。他們不懂爲什麼他工作得那麼起勁。他們沒法了解爲什麼他寫出那些大家並不須要知道的故事。郵報總有一朝會因普立茲而惹上麻煩的。

約瑟夫不再是嘲笑的對象，像他在軍中那樣了。他仍很瘦，穿得也不好。這時他戴上眼鏡，他鏡片後的尖利眼睛看到每一件事。約瑟夫在新聞行業中學了不少，可是那是他的天性：去找事實，去探訪消息。他那種對眞相的永不罷休的探尋，幫助他找出他的故事的綫索，姓名和事實。

西部郵報的行情看漲，使得其他報紙的編輯們仔細的研究它的所有篇幅。在許多週之後，他們詢問自己的記者們爲什麼他們錯過了許多郵報刊出的新聞。有些英文報從郵報得到消息予以譯載。年輕的普立茲，他們說，正在新聞寫作圈內打擊着有經驗的記者們。

雖然威理希以約瑟夫的工作爲榮，他却對自己的工作懷疑起來。他知道那孩子不需要他的助力。有了三週的經驗，約瑟夫就在寫郵報一半以上的稿件了。他怎麼會找到所有這些故事而把它們寫出的？假使自此以往，發行人也許會決定根本不需要任何編輯了。威理希把他的疑慮面告蘇滋。

「約只是開始，他還須要學，」這位發行人提醒威理希。「我們有一種想法，我們希望你表示意見，路易士。我們下星期要把約瑟夫派到傑佛遜城去。那時州議會將開會，他可以作爲郵報的一個特派記者。」

「好主意，」威理希很快的同意了。「我們將找到另外一個人庖代他的位子。這樣我會忙些，但我想約瑟夫該去。」

（十九）

美蘇直接通訊　價值微乎其微

「本報訊」此間某國際問題專家，對於美國大吹大擂吹噓美蘇簽訂「直接通訊」的成就，認爲是件笑話。他強調該協議的價值，微乎其微。

「第一，這不但不是十多年來裁軍談判的具體成就，[illegible]裁軍談判其實無法談攏，[illegible]有可以裁軍的希望了。

第二，這種「直接通訊」以防止因「誤解」而引致的核戰爭，[illegible]根本不需要，因「誤解」而來的核戰爭，亦只能防止因「誤解」而來的原核戰爭，非因「誤解」而來的原核戰爭，却不能防止。蘇聯根本無意裁軍，對有監察的裁軍，希望別人裁而它不裁，蘇聯存心要於它自認可勝利之時，便會發動戰爭。

第三，這協議亦絕不會有利於裁軍談判，或者下月要舉行的英美蘇三國禁試談判。赫魯曉夫本月十四日的談話，取消了他從前答應的每年二三次國際監督機構進入蘇境檢查的承諾，已首先註定其必然失敗的命運。禁試談判還未舉行，已首先註定其必然失敗的命運了。

盧君續夢

第九回：枵腹爭雄　壺漿招餓鬼　苦心糾衆　風雨會羣魔

中共接着又同北韓簽訂協定。從一九六一年到一九六四年給予北韓四億二千萬盧布貸款。

北韓共產黨本來是依違中俄共之間，不過，其中大部份高級頭目是在中共區成長，對中共關係自比較深。當中共出兵「抗美援朝」時，北韓共黨對中共深爲感激，以後韓戰停止，中共軍在北韓以佔領軍自居，不但欺凌民衆，甚至侮辱北韓共幹，兩方面時常發生衝突。北韓就向蘇聯訴苦，赫魯曉夫乃慫恿金日成向毛澤東抗議，並準備發動亞洲共黨控訴中共，毛澤東看見形勢不妙，一面派人向金日成解釋，一面找替罪羔羊，將責任歸咎於政治工作失敗，把政治委員李治民，政治部主任甘泗淇撤回來，改派王平同梁必業繼任，其實還是換湯不換藥，北韓自難滿意，加上蘇聯從中有意製造，中韓共之間的摩擦益形嚴重，最後毛澤東不得不下決心，把「援朝志願軍」全部撤回，從此以後北韓對中共感情才漸漸好轉。

不過，蘇聯對北韓也不放鬆，中共對北韓的經濟援助並不比蘇聯多，金日成也就樂得兩面逢源，始終不肯宣佈立場。毛澤東派周恩來去拉攏北越同外蒙時，原把北韓算在自己的一邊，但是，又不能完全放下心，所以才又給予大量援助。

協定簽訂之後，中共又派出一個軍事代表團訪問北韓，代表團長本來打算派林彪去，林彪有病纏綿床第，不能起身，彭德懷又犯了過失正在勞改，陳毅到想到北韓去出下風頭，就自抱奮勇要求，毛澤東也答應了，陳毅回去高興得手舞足蹈，逢人誇耀這趟差使，指出明成祖及袁世凱都曾娶高麗女人爲妃，高麗美人天下馳名，這次可是要試試了。當時又改了一首明人詩，其中有「名震中朝拜元帥，魂斷高麗念美人」的「名句」，到處給人看，欣然自得。不料馬上就被毛澤東知道了，又氣又笑，立時把陳毅找來，劈頭就說：「關於去北朝鮮的軍事代表團，不用你去了，我另外派人。」

陳毅當時好似冷水澆頭，全身都涼了，站在那裏怔了半天，問道：「爲什麼不讓我去，主席是不是不信任我。」

毛澤東噴口烟圈，笑道：「你自己估計呢？」

陳毅陪笑道：「有些同志愛拿我開玩笑，一提到女人就想到我身上，其實我今年也六十二歲了，……」

毛澤東擺手說道：「你這叫做賊心胆虛，其實我不讓你去另外還有原因，我們這次派的是軍事代表團，你是外交部長，怎能帶隊。」

陳毅陪笑道：「這一點沒有問題，我是一名元帥，率領軍事代表團應該是最合適的。」

毛澤東說道：「元帥多的很，犯不上派你這個外交部長去，你安心跳舞去吧！將來去北朝鮮的機會總是有的。」

陳毅不敢再爭，無精打采地的向去，到家把一首詩稿連同擺在書架上的明詩別裁全撕了。

毛澤東轟走了陳毅，一時也想不起派誰作代表團長合適，十名元帥中，朱德、彭德懷、林彪、陳毅除外，其餘的徐向前久已不讓他自由行動，萬一到了北朝鮮跑過三八綫可不是玩的，剩下的劉伯承也放不下心，羅榮桓有病，聶榮臻改了文職，葉劍英新自北越回來，剩下只有一個賀龍可派用場，當時就決定派賀龍去。（二一五）

閻將軍必須回太原去，以實現他與五百同人所發的誓願，他要求陳納德將軍令民航隊派飛機送他回去，但陳納德將軍婉言相勸，勸他重視國家的艱危以便進一步負起更重大的責任。閻將軍仍然是堅決的要回太原，他親到民航隊接洽飛機，民航隊人員依然婉言拒絕。閻將軍最後訪他的好友博瑞智，他再三苦求，博瑞智也同樣的婉言勸止他，請他放棄返回太原的這個念頭。

閻錫山將軍要回太原的意志太堅決了，但民航隊的人員無法應允他的要求，他再走訪中國、中央兩家航空公司，也同樣遭遇拒絕。

陳納德將軍會再三勸慰閻將軍多加珍惜，但閻將軍仍然堅持請他派機。民航隊的重要職員博瑞智說：閻將軍要回太原實踐他與五百同人的諾言的意志，是太堅決了，但民航隊怎能接納他的要求？這原因是他們太愛惜這位老將軍，所以婉言拒絕他的要求，而詎言民航隊不願犧牲一架飛機。

這位老將軍又會向博瑞智提出購買一架飛機的要求，但博瑞智說：民航隊不願因降落而犧牲一個飛行員。閻將軍又要求以降落傘將他送下，說至此，博瑞智真是無言回答了，便用了一個巧妙的辦法，把自己隱藏起來，避不與閻將軍見面。

而在這時候，太原守軍也向閻將軍拍來了戰況的報告，說是飛機場已被敵人悉數摧毀，飛機也無辦法再行降落，勸閻將軍停止返并，請他打消了再回太原的原意。

閻錫山與陳納德

吳文蔚

這個報告來到後，不幾天，便傳出太原五百完人壯烈成仁的消息了！

太原淪陷之後，閻將軍在痛憤之餘，出任了行政院長，組織戰鬥內閣政府，領導中央軍民繼續與共匪作戰。一九四九年閻錫山將軍將中國中央政府遷移台灣，封鎖台灣海峽，建立台灣為反攻復國的基地，直至蔣總統復職，他才交卸了行政院的職務，靜靜地隱居在金山草廬內，從事他的著述工作。

六、兩將軍重晤台北

一九五三年的春天，陳納德將軍與閻錫山將軍重晤於台北市中山北路的閻氏寓邸，這是一次歡洽無比的晤談。閻將軍很感謝陳納德將軍領導的民航隊為太原軍民及對我中央政府的遷移在運輸上協助的大力，陳納德將軍則對閻將軍在太原保衛戰中的英勇事蹟及領導中央政府遷移台灣繼續對匪作戰的賢明措施，極表贊揚。賓主共餐歡叙，談了很多話。（十一）

端陽節

漁翁

我國一年四季之節令，幾無月不有，而以五月五日，八月望日，十二月除夕，為民間所重視，俗稱「五，八，臘」，不僅熱烈於民間，即官府亦以此為相互餽送之令節。

五月五日，曰「端陽」，一名「端午」。周處風土記：「仲夏端五，烹鶩角黍」。故又稱之為「端五」，以時在五月之開端也。端陽之有節，由來已古，至民國，定名為「夏節」。民間於是日，花樣繁多，而以賽龍舟，裹粽子，為其中最重要之節目。

龍舟競渡，起源於戰國時代；楚三閭大夫屈原，號靈均，生於楚之姊歸，即今湖北姊歸縣，乃一特出之政治人物，為了抵禦強暴之秦，力主聯絡友邦，用合從法，以拒侵略，惜不為懷王所採納。襄王立，被放逐於湘沅間，聞秦兵攻下郢都，乃有「哀郢」之作，最後知國事不可為，即抱石投入湖南之汨羅江中，時在公元前二七八年五月五日。當地民衆，四處打撈，發動船隻，泅會於武陵郡（今常德縣）東門外招魂，而演成今日龍舟比賽之舉。

龍舟之名，流傳已久，穆天子傳：「天子乘龍舟，鳥舟，浮於大沼」。注：「舟以龍鳥為形制也。」後因謂天子之舟曰「龍舟」。按傳中所記，為周穆王西行事，小說書之最古者也。注之者為晉郭璞。南北朝時，端午競渡之舟，形式改變，倣照天子之舟，首尾以木刻成，飾為龍形，已有一千三百餘年之歷史。王立之詩：「龍舟衝破浪粼粼」，即為競渡而詠也。

此舉，創於汨羅江畔之民衆，漸漸推行於全國每一角落，即海外，亦於是日，一樣隆重舉行。參加競賽之船，命名黃龍，青龍，……等，每船有二十四至三十槳，合領隊，掌舵，擊鼓，達三十八以上，比賽時，破浪乘風，爭先恐後之情景，足壯大觀。

賽龍舟，以湘鄂兩省為最盛行，因屈生于鄂之姊歸，而死于湘之汨羅，故紀念儀式之隆重，有過於其他地區。今則大陸變色，不知還有此風習存在否？

端午裹粽子，亦紀念屈原之所為。以箬葉裹糯米熟之，形如三角。古用黏黍，故又稱之曰「角黍」。風土記載：「俗以菰葉裹黍米，以淳濃灰汁煮之，令爛熟，於五月五日及夏至啖之。一名粽，一名角黍」。角黍，即粽子之別名也。

相傳屈死後一年，其姊女嬃，以粽子投入江中，意在使魚類吃飽粽子，而不傷害於屈。於是後人倣而效之，成為端午不可少之紀念食品，舉家團聚，解粽而食，頗有一番樂趣，此陸放翁所以有「盤中只解青菰粽」之載詠也。但今日兒童們食粽子，尚記憶二千年前之愛國詩人乎？

屈善詩歌，開我國吟詠之先河。離騷一書，膾炙人口。騷人墨客，仰懷先哲，復定是日為「詩人節」，更見意義之深長。

屈原殉國，已歷二千二百三十七年矣。今日流亡海隅者，值佳節而觀龍舟，竊異域而憶先哲，不禁有今昔之感！爰賦二律，藉抒所懷。

桃源世外話桑麻，五月清風掃落花；幸有芳樽酬令節，愧無雅句詠桑華。他鄉遙望江山遠，往事追思歲月遐；讀罷離騷歸不得，更傷屈子賦懷沙。

萬樹陰濃夏日長，韶華容易又端陽；天涯處處啼痕在，海角年年競渡忙。惟有榴花憐客苦，豈無蒲草避瘋狂？他時得遂還鄉願，一葉輕舟釣綠楊。

海嘯樓談薈

葉挺被俘記

諸葛文侯

對日抗戰時期，毛共藉着全民一致捍禦外患的機會，宣言服從三民主義，停止打家劫舍的共產行動，博得政府同意後，實施三分抗日，七分發展的魔術，依然到處釀亂謀叛，毒害生靈，而以共酋葉挺所率「新四軍」在江蘇北部作惡尤甚。他們將駐防地區的舊有縣市政制，一律摧毀，厲行清算鬥爭，把一般所謂地主官僚封建階級份子以及保甲人員等，草薙禽獮，非法屠殺，慘劇經常演出，形同化外。江蘇屬於第三戰區，該區司令長官顧墨三（祝同）將軍就是蘇北人，地方父老哭訴於轅門者，絡繹不絕。初時本於聯合抗敵的民族大義，祇好對新四軍軍長葉挺加以告誡，飭其制止共黨暴行，維護地方秩序，然共方置若罔聞也。

第三戰區副司令長官兼集團軍總司令上官紀青（雲相），與葉挺有同學之誼，而新四軍當時係歸上官指揮的，顧長官曾囑上官氏以私誼向葉酋懇商一切。葉與上官晤談時，表示彼無權干涉共黨對人民的暴行，上官乃語之曰：「你身為戰地統帥，乃不能享有維護地方安寧秩序的權力，這樣的軍長還能夠担任嗎？你若辭職不幹，我担保政府一定給你以具備應有權力的軍長，或許更升一級，亦非難事。」葉沉吟良久答道：「我想國民黨沒有我的地位呀！」經過這次談判後，即知共黨蓄意叛亂，無可理喻。上官回到上饒向顧長官報告，斷言除採取實力制止手段外，別無他法了。當由戰區司令長官密報中樞軍政部備查，對外絕對保密，受命執行此項任務的，就是上官紀青將軍。此民國卅三年春間事也。

可是，新四軍雖歸上官指揮，而其防地相距在八十華里以外，他平時看不到新四軍的一兵一卒，更不明瞭該軍的防務狀況。上官即以同學關係，先期電告葉挺，謂某日擬赴葉之司令部巡視，隨行者僅有八名衞兵，葉當然表示歡迎，但地點改在離該軍司令部廿華里的村莊上。屆時上官挑選參謀和團長等僚屬八人，扮作衞兵屬從，教他們各人仔細察看地形和共軍佈防態勢，且須私下牢記，不得動筆記錄，免露痕跡。迨到達指定地點，所有村莊居民皆已徙置一空，只見四周盡是共軍哨兵而已。上官很認眞地與葉挺洽商今後抗日的軍事行動計劃，問他需要某些軍備補充，以便及早發給，葉亦深信不疑，具述該軍防務實況綦詳、上官辭別的第二日，乃以迅雷不及掩耳的行動，對新四軍實行圍剿，將其擊潰，葉挺當場被俘，副軍長項英被擊斃，全軍頓告覆沒了。

葉挺被擒獲解到上官將軍的總部時，予以特別優待，上官知道葉氏嗜吸加利克香烟，供應如儀。我問上官將軍：當時會否審訊葉挺？他笑謂：「我跟他道歉之不遑，那能審訊他呢！第二天就把他解往上饒顧長官司令部去了。」當時毛共的「新華日報」在重慶出版，對此事攻訐軍政部何部長暨第三戰區顧司令長官與上官副司令長官三人甚烈，論之為「戰犯」。隨後毛共派遣陳毅赴蘇北糾合潰散的殘卒，重張「新四軍」旗號，假使當時主持蘇省軍民兩政者得人，何致讓共死灰復燃，終成大患耶？大陸淪陷之所由來，雖曰天命，豈非人事哉！

南宋偏安有人才

——岳飛——

李仲侯

又題翠巖寺詩曰：「秋風江上駐王師，暫向雲山躡翠微。忠義必期清塞水，功名直欲鎮邊圻。山林嘯聚何勞取，沙漠群兇定破機。行復三關迎二聖，金酋席捲盡擒歸」。

十月授親衞大夫建州觀察使。時建寇范汝為陷邵武軍，江西安撫大使李回，檄飛分兵三千保建昌軍，二千保撫州，以洪州鄰撫州，建昌鄰邵武也。飛使以岳幟植城門，且榜於境曰：「賊入此者死」！遊騎抄掠者望見，皆相戒以勿犯。村民樵蘇猶故，民不知有盜。十一月汝為餘黨姚達、饒青逼建昌，飛遣王萬徐慶討之，擒青、達於四望山，降其衆萬人。是時飛兵隸李回部，授神武副軍都統制，已乃聞為湖高澤民偽為之請而得之。飛驚愓，即日自陳，乞正澤民罔上之誅，力辭不受。又數見回其事，回乃奏云：「某一軍自從討賊，服勤職事。忠勇之名，聞於江右；紀律之嚴，信於疲氓。留屯洪州，聲勢甚遠，江湖群寇，率皆逃避。近遷神武副都統制，士論皆謂稱職，及得其外甥婿私書，乃知此除曾經樞密院陳乞。某小心惶懼，累與臣言，實非本心所敢僥望」。上即報回曰：「岳某勇於戰鬥，馭衆有方，昨除神武副軍都統制，出自朕意，非因陳乞，可令安職」。又力辭，回再三諭之，乃止。紹興二年正月廿九日樞密院劄：「奉聖旨令岳飛除差出捉殺羣賊軍三千人外，限指揮到日，將帶見統全軍兵馬起發前去，權知潭州，並權荊湖東路安撫都總管，候宣撫使到日，取朝廷指揮。如更合要兵馬，即勾收張中彥、吳全兩軍帶領前去，聽岳飛節制使喚」。是時曹成擁衆卅餘萬，由江西歷湖湘，執安撫使向子諲，據道州賀州，朝廷除詔撫知潭州外，並以韓京、吳錫及廣東西峒丁刀弩手將兵士軍弓手民兵與飛會師以勦成，又付牌以金書並黃旗十招降羣盜，飛到任上狀曰：

「契勘湖東路見今羣盜嘯聚，動以數萬。李宏在岳州，劉忠在湘陰，曹成在道州作過。其餘羣盜不少。除見措置勦殺外，其間若有能改行自新之人，未委合與不合招安？欲望給降金字牌黃旗，如許飛招安，與十副，仍乞差使臣管押付飛交割」。

又申省分撥軍馬狀曰：

「契勘飛近奉聖旨，差飛荊湖東路安撫都總管，及統率馬友並本路李宏、吳錫、韓京諸頭項軍馬，前來措置，掩殺曹成。飛尋依應起發，已到湖東界縣，其韓京原屯兵衡州茶陵，吳錫在郴州，兩項所管官兵，多是老弱及湖東土人在內充數，其實堪出戰人各不滿一千。又緣不經戰鬥，久在州縣屯泊，全無紀律，今來飛已將上件人馬除揀選不堪披帶人給據放散外，實堪披帶人數撥付本軍諸將收管使喚訖。謹具申尚書省（並樞密院），伏乞照會。謹狀」。（六二）

六月雪本事

周燕謀

楚州太守桃杌屈打成招，判竇娥死刑。出斬之日，竇娥以含冤難伸，乃於刑場上向天發三願曰：「若竇娥果係冤枉，一要死時血不沾塵土，盡染於旗鎗上之白練；二要天降大雪，掩妾屍體，毋使暴露；三要楚州大旱三載。」及娥受刑，但見滿腔鮮血，盡飛向白練之上，且天氣驟寒，立降大雪，掩了竇娥屍體。時正六月酷暑，人咸驚訝，乃知竇娥之死必含深冤也！此後三載，楚州果大旱。

竇娥之父天章，時已發跡，官兩淮廉訪使。適因公過楚州，忙於刷卷審囚，無暇訪親。一夜，正閱至竇娥謀殺公公一案，忽見鬼魂。至前曰：「兒即竇娥，小字端英，含冤受戮，賴父伸冤。」天章聞言，悚然而起，了無所見，呼之不應，大為驚詫。翌晨乃傳張驢兒、賽盧醫、蔡婆等，親自審訊，竇娥冤魂上堂作證，驢兒懼，俯首認罪，案情大白。亦天章判驢兒凌遲處死，賽盧醫終身充軍，復痛責庸吏桃杌，蔡婆則得由天章收養。

按此一故事，乃本自漢晉干寶搜神記及長老傳。故漢書卷四十一于定國傳、寶載東海孝婦事云：（二）

自由報
內政部台警報字第〇三一壹號內銷證
THE FREE NEWS
第二五三期
中華民國僑務委員會發行登記證第三二二字
中華郵政台字第一八二二號執照登記爲第一類新聞紙類
（逢星期三、六出版）（每星期刊一次）
每份港幣壹角
台灣零售新台幣伍角
社長：雷嘯岑
督印人：黃行營
社址：香港銅鑼灣高士威道二十二號四樓
20, CAUSEWAY RD 3RD. FL. HONG KONG
TEL. 771726　電報掛號：7191
承印者：田園印刷廠
地址：香港灣仔高士打道一二一號
台灣分社
台北市南昌街一段一二號
電話：三〇三四六
台北郵政信箱二九一二號

赫毛鬥爭的現階段

·高瞻遠·

六月十八日俄共舉行中委會，討論議程包括有對毛共談判的問題，赫魯曉夫是否有意對毛澤東讓步，不得而知，但既然提交中委會討論，可見俄共對這次談判仍然抱有若干希望。

不意在會議前一天，人民日報突然發表一篇三萬字的長文，題目是「關於國際共產主義運動總路綫的建議」，這篇「建議」是爲了答覆俄共中委會三月三十日的來信而發，提出了有關七月五日談判的二十五項問題，另外還有貶抑史大林的問題，也要提出討論。

毛帮所提出的二十五項「建議」，大體可以分爲五類。第一是核子戰爭問題，赫方認爲不能在核子廢墟上建立新的社會主義國家；毛帮以爲眞正發生核子大戰，首先毀滅的將是帝國主義本身。第二是革命運動，赫方主張通過議會制度取得政權；毛帮則認定必須用武力鬥爭才能將資產主義份子趕出歷史舞台。第三是和平共處問題，赫方主張用和平競賽方式，擊敗自由世界；毛帮則肯定須使用武力，才能統一世界。第四是如何達到社會主義，赫方認爲達到社會主義可以有不同路徑；毛帮却認爲只有一條路。第五是修正主義問題，也就是對南斯拉夫的態度問題，赫方對南斯拉夫主張容忍；毛帮則視爲不共戴天的大敵。

這五點已經是老生常談，赫毛兩帮都發表過千萬文字，闡述各自的立場，本沒有特別新鮮之處，問題是毛帮發表此文恰在俄共中委會前夕，且未經赫方同意逕自將全文發表，其意義已有類乎最後通牒，更附帶要討論貶抑史大林問題。赫魯曉夫假若接受了毛帮這項「建議」，到眞眞是「東風壓倒西風」了。

當俄共中委會收到這封信時，即決定不在報紙發表，暫時保留到會談時解決。毛共仍不甘心，將印成文件交其「大使館」在莫斯科及東歐國家首都自行散發，毛帮在莫斯科讀書的青年幹部，也在各大學散發，事情發展到此，確是赫方不能下台，俄共中委會當場通過決議，訓令以蘇斯洛夫爲首的談判代表團，在下月談判中決不向中共作絲毫讓步，赫魯曉夫及眞理報、消息報都會對中共展開抨擊，尤其是赫魯曉夫的快婿，消息報主編阿祖貝更直斥毛澤東是「憂鬱的理論家，祇有空洞的題目，撰寫又臭又長的論文，對於如何改進人民生活的實際工作，則置之不顧。這種理論家自以爲偉大，只是自命不凡，自我陶醉而已。」阿祖貝雖然未提毛澤東的名字，但任何人都看得出他是在罵誰，老實講，這短短幾句話確實把毛酋的形象刻劃出來，阿祖貝到不失爲毛澤東的知己。

毛幫自然不肯示弱，所有國內外的毛報，報導俄共不肯公佈是項「建議」時，標題均用「誰害怕眞理，誰見不得太陽」，於此，已是大白於天下了。」

從赫毛雙方所採取的立場來看，下月的會談可能會暫時延擱下去，即使會談，也一定是爭吵而散。

目前引起世人興趣的不再會談能否舉行，有無結果，而是毛澤東這種有恃無恐的態度，究竟把握何在。照目前所能看到的，大概有四點：

第一、毛帮對全世界共黨都在盡力拉攏，截到目前爲止，雖然公開予以支持的，僅有韓共，越共，阿共，但亞洲共黨除印度外，大部皆偏袒毛共，印尼共黨態度尤其明顯。至於非洲及拉丁美洲共黨，雖未明白表示態度，但由於毛澤東所主張的「革命方針」在以武力奪取政權，對於急欲取得政權的美非兩洲共黨，自然較具吸引力，可以想像這批共黨在內心裏會站在毛共一邊，在德共會議時，曾有四十四國共產黨譴責毛共，恰爲全世界共黨的半數，其餘四十四國共黨，除去韓、越及阿爾巴尼亞外，都表示中立，最少應有一半同情毛共，經過幾個月來的勾引，相信支持毛共的已漸增加，假若目前再作一次測驗，俄共的支持者一定會減少，最顯著的是東歐羅馬尼亞因不滿俄共的經濟分配政策，強使羅馬尼亞放棄重工業，專門發展石油工業，已表示反抗，此次毛共所提的「建議」，東歐國家只有羅馬尼亞予以摘要登載，此舉更增加了毛澤東的信心，以爲愈是鬥下去，己方的力量就越是壯大。

第二、毛共獲信恰在俄共中委會召開前夕公佈自然有其作用，證以蘇聯最近調動高級軍事人員，柯茲洛夫患病，西方傳出赫魯曉夫不穩消息，推斷俄共內部仍有部份反赫勢力，每在赫魯曉夫對內對外政策失利，反赫勢力即死灰復燃，所謂反黨陰謀也隨之而起。毛共的消息，當然較西方國家更具體，指出大概毛澤東已聽到反赫份子要在此次中委會作倒赫活動，乘機推波助瀾，想以內外夾攻方式，擊倒赫魯曉夫。不期弄巧成拙，反而促成俄共大團結，一致對中共採取強硬政策。

第三、爲談判增加聲勢，無疑地，由於毛共的這篇「建議」，在未來的會議中已取得主動權，無論會議失敗與否，談判範圍必不能出了毛共「建議」的範疇，因爲這二十五項建議本是雙方預定談判的議程，只有貶抑史大林問題是毛共自己附加，當作自己的建議發表出來，使俄共處於尷尬地位，談則中了毛共的圈套，不談又負起破壞談判的責任，毛共將更振振有詞指責俄共不敢見太陽，害怕眞理。

第四，毛共在建議後面特別附加一項要討論貶抑史大林問題，確實擊中赫魯曉夫的要害，史大林在蘇聯當然毫沒有絲毫影響力，即使馬倫可夫等人也未必眞的會懷念史大林，但在附庸國家，尤其在東歐，情形完全不同。東歐諸國除去波蘭是由反史健將戈慕卡統治外，將近十年時間，已將史派餘孽剷清，其餘國家仍然是史大林時代的人物在統治，例如此次刊載毛共「建議」的羅馬尼亞第一書記喬治烏·德治統治羅馬尼亞的時間較毛澤東還長，從二次大戰勝利，蘇俄軍隊開入羅馬尼亞時，就是羅馬尼亞的主人，形勢至今未變，不過以前兼任總理，目前專任第一書記。

又如保加利亞的「小史大林」契爾文科夫，在史大林被鞭屍後逐步貶抑，首先解除總理職務，以後又免去第一書記，接着被逐出政治局，僅担任一名議會議員，從表面上看，權力已被剝奪淨盡，可是到了一九六二年十一月保共大會上，又將契爾文科夫開除黨籍，證實他仍有巨大力量，現任總理齊可夫仍然受他控制，因此被免去職務，受到監視。

其他如捷克的諾沃提尼，匈牙利的加達爾都是在史大林時代崛起的，這批人連同毛澤東，金日成，胡志明在內，均無愛戴於赫魯曉夫，赫魯曉夫突然鞭屍運動，幾乎動搖了他們的統治權，他們自然感到怨恨，不過，自忖力量薄弱，一向隱忍未發，若有人代出頭「伸寃雪恨」，他們自然衷心歡迎。毛澤東也看透了這一點，要爭取東歐國家，只有重新抬高史大林地位。相信毛共此次所提的二十五項建議，其他各項可能受到東歐各國的反對，惟獨討論貶抑史大林問題會得到支持。目前羅馬尼亞的態度已開始轉變，赫魯曉夫若不能善爲提防，捷克，保加利亞步其後塵，也爲意中事。本來毛共同俄共鬥爭，確是以卵擊石，沒有勝算，但由於國際情勢的變遷，蘇聯本身先天的弱點，加之毛共一種苦苦鑽營的精神，已經漸扯成平手，再發展下去，國際共黨眞可能會分爲兩個軸心，這樣對於我們是大爲有利的。俄共在毛共如此進逼之下，何以應付？停開七月五日開始的談判呢，還是在談判中堅持的路線，不惜就此使共黨集團一分爲二，掛起兩個招牌？後者顯見是俄共最要避免的。

漫画天下　南施

互有陰謀

克魯：「這都是重要的東西！」

自由談

新人新政釋義

馮子先生

用新人，行新政，這是現階段海內外人士一致期望於中華民國執政當局的政治措施，誰也不會反對的。可是，所謂新人的涵義究竟如何，似須有明確而妥當的詮釋，方不致徒託空言，毋裨實際。新人的第一義，應係其人的頭腦清新，思想進步，而不是時代落伍者；次則他的才能足以勝任政府所課予的職責，決非一些未曾在政治上有所歷練，學識經驗皆告缺乏的毛頭小夥子，讓他一步登天，躐居高位，便算是用新人了。新人固然跟那些久已紆青拖紫，而毫無政績表現的老官僚有別，亦非所語於僅憑所謂「人事關係」而蜚黃騰達的低能兒，唯一條件就是要適才適任，使賢者在位，能者在職。像目前的情形，有如晉朝南渡以後的政治現象：「國無隨才任官之制，俗無難進易退之恥，位一高，雖無功而不見下，已負敗而復見用，故因前而升，則處士之路塞矣」（見庾峻傳）。因此之故，如是乎「秉鈞當軸之士，身兼官以十數，大極其尊，小錄其要，機事之失，十恒八九」（見干寶晉紀總論）。似此政風，如不實行用新人、行新政的改革計畫，仍教一般長時間蹲在茅廁上不出恭的「黨國要人」們，甕塞要津，鬼混下去，國事尚堪問乎？

談到新政，雖不能違背憲法而隨意爲之，然舊有那種維持現狀，苟且偷安，以開會爲服務之本，請示爲負責之本，貪污爲謀生之本的惡習，却非剷除不可。否則縱有才高八斗，學富五車的新人執政，然在這種腐舊的政治環境中，亦將一籌莫展，倒不如率由舊章，得過且過，一切聽天由命之爲愈也。

[illegible]眞正適才適任的新人[illegible]居高位[illegible]，在位者有無打破現狀，選賢與能的決心和魄力耳。

一言以蔽之曰經營不善

台灣農林公司這盤帳

先天不足後天失調憑借債拖命

公營已蝕民營更虧善後成問題

【本報記者台北航訊】台灣農林公司拖欠台灣銀行鉅款迄未歸還一案，業經監察院查得一清二楚，至如何處理，將由監察院經濟委員會決定。

農林公司係政府實施耕者有其田政策，開放民營的四大公司之一。該公司現在業務，仍繼承公營時期之茶葉公司業務，自四十四年三月間移轉民營後，因參加董事會之董事監事，僅有少數股權，任意分營分售，未能注意整個公司利益，因而元氣大傷；復以主持人更動頻繁，經營不善，致負債累累。該公司原有股本四千五百五十一萬元，結至四十七年五月三十一日止，實際虧損達五千四百十六萬餘元，已超過其資本及資本公債；政府為使耕者有其田政策之成果不致受潰起見，乃於四十七年五月底派員實施監理。

農林公司積欠台灣銀行鉅款，由來久矣。在四十四年正式轉移民營的時候，便承受公營時期之分攤虧損貸款六百十九萬二千元，搭配負債貸款七百零六萬九千四十六元，應償還美援麵粉貸款六百四十萬元，和緊急週轉金一千萬元外，加上結欠各貸款利息五百六十四萬九千九百九十九元多（至四十七年五月底止），本息共計新台幣三千五百三十一萬一千零四十五元六角。其中本金約三千萬元，以該公司台北市房地產及高雄冷凍廠作價抵償；至於結欠利息之五百多萬元，改作台銀對農林公司之投資。

農林公司從四十四年四月底正式轉移民營，到四十七年五月為止，因虧損達五千四百十餘萬元，而無法經營，乃由政府派員監理。在監理的十六個月中，財務仍未見好轉，復向台灣銀行申請週轉金貸款一千六百萬元。迨四十八年九月政府結束監理，新董事會成立後，以製茶需款週轉，又向台灣銀行貸款二千萬元。這兩筆貸款共三千六百萬元，利率為九厘九，以茶園土地為担保。四十九年七月一日，台灣省政府復通知台灣銀行，准以放租茶園作抵押，由台銀專案無息貸與新台幣四千萬元，為期四年。（台銀早已貸款三千六百萬元，因此再撥款四百萬元，以湊足四千萬元之數）。但農林公司放租之茶園，因格於耕者有其田條例，出佃對象，限於承租茶農；而茶農亦無承購之能力，故必須依「扶植自耕農購地放款辦法」，由政府另撥專款，購買該土地，以便歸還四千萬元的貸款。

至台灣銀行貸放農林公司之美金二百五十萬元，係按照外銷貸款利息六厘二毫五（年息七厘五）計算；並以茶園土地及茶葉為担保，作為收購茶菁製茶之週轉金。

農林公司在四十四年四月正式移轉民營時，資本額為新台幣一億五千萬元，民股佔百分之六六．〇七，官股佔百分之三三．九三。其所屬較有經營價值之鳳梨公司，畜產公司，整體或分割出售，由持有公司股票之各股東以股票抵繳價款承購。其未能售出者，計有原茶葉公司及水產公司所屬之高雄冷凍廠由股票不能集中之零星股東及少數公法團股沿用農林公司名義繼續經營，此即現在之農林公司。其餘不能售出之單位，則劃歸公營之農工企業公司經營。

四十八年九月，政府結束監理，農林公司遵照經濟部監理委員會所擬方案增資改組，計資本額為新台幣八千三百二十五萬六千零七十元，其中民股佔百分之五一點八三，官股佔百分之四八點一七。該公司在本省光復接收時，未能投資整理，故年有虧損，僅賴林木盈餘以資挹注，此為其先天不足；民營後又負債累累，瀕於倒閉，此為其後天失調。該公司得能一而再，再而三的向台銀貸款，且是低利貸款，足示政府的格外照顧，却依然無所振作，這盤帳算起來是很有些說不過去的。（六月廿一日）

屏東推廣種植椰子事業

特別歡迎華僑投資經營

【本報台灣南部航訊】屏東縣正致力於推廣種植椰子事業，并被列為該縣最迫切的任務，特別歡迎華僑投資經營。

屏東縣位於東經一百二十至一百二十一度，北緯廿二至二十三度，在台灣之最南端，依山臨海，面積凡二、七七五、六〇〇平方公里，佔全省總面積百分之七點七二。境內平原、林野、漁場均甚廣濶，海岸綫綿長達一百三十餘公里，人口六十八萬一千，百分之七十以上以耕種為業，其餘大部份均以捕漁為生，僅少數從事工商業。

屏東縣可謂是得天甚厚，物產豐饒的了。惟因農產品運銷多屬免稅，漁獲物又多不在本地銷售，縣民本身固屬獲利倍蓰，縣政收卻因而不多，財政短絀為難。

台灣遠在荷蘭人侵據時代，即開始有椰子樹的種植，到日據時代尤多。現散植屏東的椰子，計一萬二千餘株，佔全省所有椰子樹百分之九十以上，且成長情形極為良好。主持屏東縣府建設業務的康玉湖有鑒於此，三年前便潛心研究，並呈請農復會，台灣大學，林務局等機關當局派員勘察，根據農復會、台灣大學、林務局等機構的學者專家多人之調查與研究結果，僉認屏東地理環境，氣候，土壤，均適宜植椰子。迨縣長李世昌就職，乃擬訂「推廣椰子造林四年計劃」，呈請省府核准，並獲農復會之同意，列入該縣重要施政之一。

屏東縣為推廣椰子事業，組有「椰子事業推廣委員會」，由縣長李世昌兼主任委員，而由副主任委員康玉湖負實際責任。

康玉湖為屏東椰子事業推廣，曾先後三度隨林務局、農復會及地方人士之考察組，赴東南亞各國（菲律賓、越南、泰國、星加坡、馬來亞、沙羅越），考察椰子栽培、用途以及選購種子等。根據考察，對菲律賓工業上運用椰子及椰子栽培等印象深刻，惟菲國椰子近年來發生嚴重病害情形，所以放棄在該國選種。今年來所引進的種子，以馬來亞、泰國、沙羅越為主，其中尤以馬來亞為最優，數量亦最多。

屏東預定在四年內，利用邊際土地及一般荒地，種植二百萬株椰子，半數由公共造產，半數鼓勵私人投資（對華僑投資，尤表歡迎）。

產椰乾三〇萬八千公斤。用以榨油，可得椰油一萬八千公噸，價值新台幣三億六千萬元，椰殼、椰皮等全部收益在四億元以上。除減少政府每年價值三十萬美元的椰油一千公噸進口外，尚可爭取外銷，賺取更多的外滙收益。

據康玉湖對記者說：屏東發展經濟建設事業，其最有效的途徑，目前惟有推廣椰子造林，因為椰子用途甚廣，且為經濟價值極高。例如（一）椰子含油量百分之五〇——八〇，其油可供食用外，且為人造奶油、肥皂、甘油等之主要原料。（二）椰乾可製椰餅椰米，及作一般（三）椰水不僅可供食用，亦為製造冰淇淋、汽水、牙膏等之主要原料。（四）椰皮、莖、幹，所產纖維，可製各種繩索、地毯、窗帘等。（五）椰葉可供蓋屋及燃料。（六）椰殼可製木炭、容器、樂器及各種手工藝品。（七）椰渣可供養猪及其他家畜飼料，肥料之用。此外，如設廠加工，既可繁榮地方，增加縣民就業機會，且增產飼料，發展畜產事業，其利尤多。

康玉湖說：屏東椰子造林，第一期計劃之二百萬株，除半數由公共造產，幼苗由縣府與造產單位簽約後無償供給，俟八年後果實收成時起，縣府收取百分之二十，以充地方財政，裨資擴大建設之用。另半數鼓勵投資，尤其竭誠歡迎華僑投資，從事椰子栽植及設廠。所需土地，均由縣府依照荒地開墾辦法，給予八年免租（上項土地必須以種植椰子為限），由承租人自行負責開發，及自費培育種子椰苗，椰子八年後如未達成功階段，得申請繼續免租，以五年為限；成功後其產品與縣府三、七勻分（即縣府三成，投資人七成）。以上縣府所收取產品，以十年為限，到期一切產權均歸種植人所有。這確是一種既利己又富國的生產事業。

屏東縣府在省府及農復會的撥款補助下，按照原定計劃進行，幼苗培育已具規模，地方上有遠識人士，業已紛紛具文辦理申請，請求撥苗種植。

農復會為此，曾於五月廿七日至五月卅一日止，一連五天，聘請「聯合國糧農組織椰子專家——皮禮斯博士」來屏東，主講「椰子栽培技術」，一時聽講者甚衆，證明大家對此已深感興趣。（袁文德）

香港與大陸

毛共役使學生新花樣 到農村調查村史家史

中共在今年的暑假，對於若干學生，又有新的役使花樣，這便是教他（她）們去到農村負起「雙重的任務」——參加公社的體力勞動和進行「村史家史調查」的工作。

一位在脊賓灣任商店會計的黃君，最近接到他在廣州市就讀「華南師範學院」的胞弟來信，對中共此項措施，叙述綦詳。

黃君的胞弟是讀歷史系的。最近該系接獲學校行政當局的命令，要他（她）們作好思想準備，俟考試完畢後，即行分別開赴鄰近若干縣份，去幫助農民們編撰「村史」、「家史」。

來信說：為了要更好地瞭解每一個農村的「村史」以及每一個家庭的「家史」，學校行政當局要求每一個下鄉的同學，都得與農民同食、同住、同工作，首先與農民搞好關係，以便得到較為「眞實具體」的材料。所以，每一個同學實際上是要負起「雙重的任務」。

來信說：暑期中他們下鄉進行「村史」、「家史」的調查工作時，調查的中心內容是（一）在國民黨統治時期中，「官僚」、「地主」、「封建頭子」、「惡霸」、「富農」，甚而「反動會道門」（指基督教會、天主教會、和尚尼姑寺廟等）他們的不勞而又過着極其奢侈的生活情況；（二）上列諸階級驕橫和壓迫貧僱農的方式和手段；（三）農村過去的落後貧窮的情況；（四）農民受「反動階級」（指上述各階層的人）的悲慘生活情況；（五）「解放」後農村的「新面貌」；（六）「解放」後農民們的「思想覺悟」的「提高」和物質生活水平的「提高」情況……等。

來信說：他們的工作方法規定是「訪苦」、「聽苦」，所以到農村時便得結合當地農村公社黨支部，發起農民進行「訴苦大會」，並有計劃地組織老貧僱農「憶苦」。

來信說：華南師範學院行政當局曾强調此項工作的政治意義，要求每一個同學都得參加，說是這對同學本身來說是一方面同學們可以「學以致用」，作為促使理論與實踐相結合的極好機會；另一方面，在此工作過程中，可得到一次「活的階級教育」，認識「舊社會」的可憎可惡，也認識「新社會」之可愛可親。更重要的是對於廣大的農民，使他（她）們在「訴苦」、「憶苦」、「聽苦」、「問苦」的過程中，也提高「階級覺悟」，以打擊彼等在近若干年來滋生的「資產階級思想」、「忘本思想」。

來信又說：這些調查的「村史」、「家史」資料，將會在短期內編撰成單行本甚或教科書，使每一個青年農民以及中小學生都能讀到這些書，並且可以將之一代一代地傳下去，使每一個人都曉得在中國的歷史上是有着兩個絕對不同的新舊社會。

來信還說：由於有了這項任務被交代，看情形，今年暑假是無法申請來港了，因為他們每一位同學都得在動員大會上「保證」參加此項工作的考驗。（敬斯）

望天打卦無把握

運水雖已開始 供水決不放寬

【本報訊】香港雖已開始派船汲用珠江之水，惟因對於今後獲雨量全無把握，不能不作最壞的打算，目前四日一供水辦法，可能繼續施行甚久，除非有超過一般水平之雨量收獲，居民始可望放寬供水。以上為香港工務司鄔勵德宣佈。

水務局長莫而德謂：現在政府租用之運水船共有九艘，每艘次可以平均運水三百萬加侖，重量一萬八千噸，各輪租賃，每月計算租值共二千二百萬元。目前政府尚有意多租三艘，以加入運水行列。

莫而德在答覆記者詢問有關水費問題時稱：現在政府雖付出高代價租用油輪往珠江運水，但政府不會因此而增加水費。又謂：現在有兩處地點可容油輪停泊卸水：一處為荃灣，另一處為深井。

又謂：短期內本港將繼續施行四日供水一次辦法。

關於未來雨量，無法可知。鄔勵德說：可能性有三：完全不能獲得雨水，一也；或者雨量平均降下，二也；又或者由現時起今後四個月有異常大雨，三也。此四個月之平均雨量為五十五英吋，在紀錄上最低者為二十五英吋。吾人今年可能打破此一長久以來未有之最低紀錄。吾人必須依最壞之假設作準備。

鄔勵德說：假如在該四個月內，得不到十英寸以上之雨量，而吾人每日耗水二千六百萬加侖，則一到九月底，每滴水都必要靠船運至。假如到時又無雨，至十月一日以後，吾人冬季之水量，即為十三億五千萬加侖之餘水，以供食水用。如此，在短期內，固無可能希望放寬供應也。

建設突飛孟晉

越南中部達樂省新貌

西貢通訊

外國的遊客固不消說，就是越南人，知道「達樂」這名字的，現還是不多；迄今大家仍均相沿成習的稱它爲「邦美蜀」。

其實「達樂」一名詞由來已久，其意思是指該省的所有山區地帶，尤其是有一個盆地，每逢雨季時則水量積聚成潭，致令盆地變成一個浩濶的湖，土民稱謂「達」，即是水之意思。也有人叫做「樂」湖。後來他們把兩字合併，稱爲「達樂」。

至於「邦美蜀」的名稱，是用以指示一個郡的範圍，它是達樂省的一個重要市鎮——省垣。根據土民的傳說，「邦美蜀」三個字有三種意義：「邦」意思即是鄉。「美」意思是族長（父親也是這樣稱呼）或是一個部落中的酋長。「蜀」則是「也帝」部落的一位著名英雄的名字——這位英雄會領導此一部落民衆，抗拒東埔寨和寮國的侵略。

是以，地方上的人從前常稱爲「酋長蜀之鄉村」。後來因習慣而讀成「邦美蜀」。

達樂省面積共有一二、八零八方公里，東接慶和省，西沿東埔寨邊境，南與廣德、隔隆兩省交界，北接百里居，富安兩省。

達樂省山脈頗多，例如：居楊聲山，居楊樂山，南查布山，其中有一座高達拔海二、四零五公尺。河流有兩條，來源是在各長山山脈流出，至九龍江爲止。其名稱爲：也客寮河，與史利傳河。這河分有兩條支流：格隆亞那與格隆格魯。

交通方面主要的道路有：十四號國道，是由邦美蜀到西貢，長三五三公里。邦美蜀至百里居，長一八五公里。廿一號國道，由邦美蜀到寧和，長一五八公里。現刻此國道已修葺竣工，有如西貢邊和公路一般，路面平坦而廣濶，使邦美蜀與中部各沿海省份的交通，更感到便利而迅速。

附屬交通道路則有：廿一號夾道，由邦美蜀到樂善五十公里，到那東途長五十公里。

航空線方面，在距邦美蜀六公里處，有一座機場，定名爲「鳳翼」，具有二、五零零公尺之跑道，可昇降重型飛機。此外，尚有一座小型機場，設在邦美蜀郊外之十四號國道側，專予各軍事飛機應用，其跑道長一、三九零公尺。

行政署組織方面，法屬時期由一位法國公使執政，並有一名越籍助手。後來併入皇朝疆土時，由一位法國省長主理，直至吳廷琰總統執政後，始改爲南部高原的地帶。一九五七年初，吳總統簽署敕令，將邦美蜀併入中區領土，稱爲中區高原，而省名則改稱「達樂」。

達樂省包括有五郡。但自一九五九年時，將麥特得郡交富安省管轄，和得相郡移給廣德省後，只剩下下列三郡：（一）邦美蜀郡，有二十九個社。（二）樂善郡，共有十八個社。（三）邦荷郡，共有十七個社。

近年來，邦美蜀的發展一日千里，市面已出現多座別墅，商業區高樓大厦林立，蔚然壯觀，莊嚴宏偉，可與南部省份比美。華裔商店，計有百家之多，經營雜貨，洋貨，布料，金舖，食物館等。娛樂方面：有樂都及祥協兩戲院，業主爲舊任幫長之海南籍葉保春先生。

市內商業繁榮，各種貨物，琳瑯滿目，行人熙來攘往，熱鬧異常。尤其是在晚間燈火輝煌，尤見繁榮。市內統一大道，共和廣塲，公園等佈滿遊客。市內燈管裝置，五光十色。

邦美蜀近年來積極擴展，可由人口劇增現象加以證明，市面繁榮，與一九五九年時相較，不可同日而語。現在的邦美蜀，不但是一個熱鬧的城市，交通方便，而且具有無窮的天然資源，將來發展，未可限量。

達樂省的農產品值得一提者是橡膠，咖啡，基納蔴，茶葉，橙子，卑蔴，花生。林產有各種珍貴木材，例如柏，紅木，香需木等。其餘如蜜糖，象牙，獸皮，鹿茸等產量亦多。周圍的高山叢林，是越南第一個打獵勝地，野獸有象，虎，山豬，山羊，鹿……等。

達樂省的經濟，向以農業爲基礎，現已設立的營田區數接近三十個之多，其中兩個有山胞聚居，此即「廣居」及「福澤」。全省營田區面積已有五、九三三公畝已開耕。

耕地面積中有二千公畝爲種稻田，一、二零零公畝種其他農作物（如玉蜀黍，蔬菜，豆類等等），一、零零零公畝種橡膠，一、零零零公畝種苧蔴及基納蔴，約五百公畝種茶葉，草棉……等。（一）

天南風光

雜記犬嗥雞鳴

朱潤明

南洋的天時地理，以及民習物情，多與大陸性的中國有所不同，初至其地者，不免有所詫異，及至居久，習而不察，遂亦安之若素。茲以沙羅越爲例，略述數事，以供談助：

（一）沙羅越的狗，除少數由西洋人携來的洋種狗以外，其他也多與中國狗無異，但日間吠聲，雖所習聞，而一到夜間，則常發長嗥，其聲淒厲悠長，有若狼叫。每至夜半，只要有一個狗先嗥一兩聲，附近的狗必隨之而嗥，同樣的發出悠長淒厲的叫聲，於是由近及遠，嗥聲愈聚愈多，而音浪亦愈趨愈遠。最後竟不知有幾千幾百犬之聲音混在一起！有若巫峽猿啼，空山梟鳴。但猿啼不過三數聲，梟鳴亦只一二個，唯有長嗥的狗聲，數量旣不知其所極，而時間亦大可綿延幾個鐘，使初到之旅客聞之，誠不免驚詫而至失眠。

國內有些鄉僻之區，有種迷信，說是狗若長嗥，即是狗看見了鬼的表示，尤其是夜間。因爲狗若見了生人，必然連吠不絕，且一面吠叫，一面跳動，露着要撲人而噬的樣子。但夜間長嗥之時則不然，牠只低沉嗚嗚，身子並不跳動，所以人多惡見其態。遇着迷信是狗見了鬼的人，必然以棍杖將狗打一頓，或趕之遠走，認爲如此，才可祓除不祥。但國內狗嗥卻是極少的事，而沙羅越之狗嗥，則打不勝打，趕不勝趕。

筆者初至古晉，住於一橡膠林內之新房子中，附近人家不少，然爲膠林所隔，鄰居很難望見，而狗卻往來無間。同居者養一黃狗，第一晚的夜半，月光半明，牠首先嗥起來了，於是一唱百和，乃至千和、萬和，使我們大吃一驚！同人中有一胖子，竟被這嗥聲吵得不耐煩了，遂赤身而起，覓到一隻手杖，把那黃狗大打一頓，並將之驅逐入林，不見影踪，方才罷休。然遠處之嗥聲，依然持續很久，等我們慢慢睡着，也不知是何時方才停止。（一）

報人普立茲傳

汶津譯

約瑟夫在首府是一個奇特的人物。但當人們正要嘲笑他時，忽然發現他是一個觀察員。在這政治圈裏他發光了。他打破採訪政治消息的成規，他不接受政客們準備好的故事，包括共和黨在內。在他到首府的第一個月中，他直入議會的暴風中心。突然他做了一件前所未聞的事。

許多年來共和黨報紙的記者被允許採訪所有在首府召開的共和黨的會議。但他們從不會採訪過民主黨的會議。州議會中的民主黨活動不是共和黨報紙的報導對象。可是，這些會議是很重要的。因爲所有的草案都在這些會議中討論。黨內份子將決定州議會表決法案時整個集團所採取的行動。

當約瑟夫開門步入房間的時候，所有的民主黨人都端坐着，不發一語。他自行去和民主黨的記者們坐在一張桌旁。民主黨人盛氣地叫道。

「你不能到這裏來！」

「爲什麼不？你們在做一些不願讓大衆知道的事嗎？你們怕？嗯，我已經在這房間裏了，而且我要留下。」他眞這麼辦。結果是，西部郵報成爲米蘇里唯一刊登民主黨會議消息的共和黨報。

經由一個朋友的幫助，約瑟夫加入一個議員們的團體研究米蘇里的銀行工作。這不是一件重要工作，但他可以去到一些別的記者無法進入的場合。當他和這個團體在一起工作的期間，他懂得更多關於政治，以及議會的工作情形。

約瑟夫每星期在傑佛遜城和聖路易之間來回跑。大部份稿件都是郵寄到郵報去的。他每到聖路易就和蘇滋及普利多利大談編輯方針。他不再費時間去接受威理希的命令了。現在他跟發行人直接打交道了。

約瑟夫該感謝這兩個人使人窺見一個新的觀念世界。最初，大維生教授爲他指點歷史、文學、音樂的偉大作業。然後蘇滋引導他進入政治觀念的領域。從蘇滋，約瑟夫寫出他對工人、農人、小商人的權利的意見。終其一生他堅持平民的權利是和富人的一樣重要。像蘇滋，約瑟夫對政黨及政府的腐化貪賄作戰。當他是一個孩子時，他就爲了反對畜奴而在聯邦軍隊中參戰。當他長大後，更宣稱黑人也該有平等的政治權，並有選擇職業的自由。

卡爾．蘇滋的最大希望就是這年輕的約瑟夫．普立茲有一天也會像自己一樣變成一個政治家。

「我們的伙伴，艾米兒，我們找到他多難得！我總有一天要把他送到華盛頓去當一名參議員。」蘇滋向他的朋友微笑着。

「我不能担保那個，卡爾，」普利博士搖搖頭。「約對政治有興趣，但不像我們。你知道他是什麼？一個新聞界彗星。一份報要讓人們好像我們一樣知道事實眞相，讓他們爲好的政府、好法律做事。但是對約呢，一張報紙是一個告訴天下所有事實和故事的聲音。他說——一張報紙不應該只是爲了教育，它應該讓人民知道他們城市中所發生的一切。他是天才，卡爾。」（二〇）

瘟君續夢

第九回：枵腹爭雄　壺漿招餓鬼　苦心糾衆　風雨會羣魔

賀龍自從去了東德一次，久已未曾出國，在北平閑了就去同朱德躺在烟榻上聊天，回憶過去一把菜刀「起義」的「英雄事蹟」，談起來仍然津津有味。遇到不開心時，就跑到體育運動委員會找人出氣。體育運動委員會由賀龍兼主任，副主任有蔡廷鍇同盧漢，都是貳臣降將，賀龍那會把他們放在眼裏，一言不合就拍桌痛罵；以前還有一個副主任張軫，原任河南省主席，第五綏署司令官，共軍到了豫南，他也搶着「起義」。可是，軍師長以下軍官深明大義，當時拉走了大部，張軫受共軍改編時只剩下幾千人，編爲一個軍長，中共已經嫌他是個飯桶，不久，把軍長也取消了，就安置在體育運動委員會作副主任，當賀龍的副手。偏偏過去剿共時，賀龍在湘西被國軍打的到處亂竄，政委夏曦也墮水淹死，追剿部隊就有張軫在內，這次落在賀龍手上，就想乘機報仇。

當時中共籌備召開一個全國運動會，第一次開籌備會議時，賀龍要張軫當場擬一個計劃。張軫那裏懂得體育，體育有多少項目他也不知道，遲疑一下，說道：「報告主任，我對體育實在外行，這個計劃我擬不出，請派別人吧！」

賀龍一拍桌子：「你是外行爲什麼跑來當副主任委員。」

張軫一肚子怨氣不敢說出，心裏在想你個王八蛋跟我一樣外行，怎麼也來當主任委員。

賀龍仍然不放鬆，又追問道：「你辦體育外行，幹什麼內行，你說。」

張軫實在忍不住了，輕聲說道：「我過去半世帶兵，從未搞過體育，所以外行。」

賀龍聽了這句話更是怒從心上起，一拍桌子說道：「你半世帶兵，打仗應該內行喲，怎麼投降到我們這邊來。」

張軫不敢再開口，恐怕牽扯到政治問題上去。蔡廷鍇同盧漢坐在那裏，也是侷促不安。

賀龍恨恨說道：「你這樣一個飯桶，那裏配當副主任委員，從今天起降一級。」

在場的人都不敢開口。

賀龍回頭看看另一個共產黨員的副主任委員榮高棠問道：「下面一級是什麼？」

榮高棠說道：「副主任委員下面一級是司長，司長下面是科長。科長下面是科員。」

賀龍說道：「這個飯桶當司長也不配，乾脆連降三級當科員好了。」

就這樣張軫由副主任委員變成了科員。本來按照規定，副主任委員也是「政務院」會議通過任命的，可是，賀龍說降就降，誰也不敢多事。

因爲賀龍作風胡來，脾氣暴燥，整個體育運動委員會無人不怕他，尤其是一些黨外人士更畏之如虎。好在賀龍並不按日到會辦公，只是偶然來一趟，進門找一名晦氣鬼罵上一塲，有時敲了兩馬棒，回頭就走。

毛澤東對賀龍情形，當然十分了解，不過，仍然喜歡他的忠實、胡塗、永世不會有野心，所以遇到什麼好事，不問有名或是有利，都要帶上賀龍一份。（二一六）

閻錫山與陳納德

吳文蔚

陳納德將軍說：共產主義集團瘋狂的侵略，終必自食其果。

閻錫山將軍說：共產主義集團是乘着民主國家的空隙而製造暴亂。民主國家的領導人看應如何彌補這個空隙而遏止共產主義集團暴亂。

陳納德將軍說：美國的企業家，現在都已自動的取消了剝削式的利潤，而合理的謀求發展勞資雙方的利益。

閻將軍說：這是太好了。

陳納德將軍說：美國朝野人士都希望和平。你看共產主義集團亦能停止侵略行爲否？若然，世界和平便可立即實現。

閻錫山將軍說：共產主義集團侵略行爲，是它的政策，它永遠不會放棄或停止。

陳納德將軍說：這就是說它不可救藥了！那末，你看蘇聯會不會發動第三次大戰？

閻將軍說：不會的。它永遠不會發動大戰；但也永遠不會停止侵略。

陳納德將軍說：何以？

閻將軍說：蘇聯領導的共產主義集團，侵略是它的政策，它的辦法是滲透與腐蝕，它永遠躲在後面而令民主國家內部自相鬥爭，藉暴亂而擴張它的侵略行爲。美國甚願蘇聯發動大戰而作一次武力拚鬥，但蘇聯却永不如此。蘇聯的造亂手段，是進兩步退一步的，它既不發動大戰，它亦不停止侵略。

兩位老將軍都談鋒甚健，從正午談到黃昏，一直沒有間斷。

民航隊的重要職員博瑞智，與閻將軍接觸的機會更多。中山北絡閻將軍的寓邸，金山的草廬內，都有博瑞智的足跡。博瑞智仰慕閻將軍的爲人，所以他自願認閻將軍爲義父，他做閻將軍的乾兒子。

閻將軍終日穩坐室內，從事著作，以及接待來自世界各地爲傾慕而拜訪他的貴賓。他開口閉口不離反共，認爲這是人類當前最大事業，要和平，要幸福，非此不可。他一舉一動，穩重和藹，大智若愚。

陳納德將軍體健豪壯，面容紅潤，英姿颯颯。他雖是一個美國人，但他在中國多年，故亦熱愛中國。

現在，這兩位將軍都已過世，但他們反共意志的堅強及決心與在反共戰爭中所表現的英勇的輝煌事跡，以及其維護自由世界的人類和平與幸福的努力，却永留人間，常縈懷想。

（十二・完）

戰國四豪

漁翁

賈誼文：「齊有孟嘗，趙有平原，楚有春申，魏有信陵；此四君者，皆明智而忠信，寬厚而愛人，尊賢而重士。」時人以其忠厚博愛而名之曰「四君」。同時，以其皆爭相下士，招致賓客，有匡世救人之俠義風，故又以「戰國四豪」讚美之。

孟嘗君，姓田名文，爲齊之公族，封於薛，孟嘗君即其稱號也。相齊，招納賢士，食客達數千人。就中有馮煖者，爲之市義於薛，後孟嘗君就國其地，民皆扶老携幼，迎君於道中。復獻狡兎三窟之計，始得高枕而臥治之，是則孟嘗君養士數千，未必無明達睿智之士。

入秦，昭王欲殺之，以客有能爲雞鳴狗盜者，因得脫險而出函谷關，後人傳爲美談。而王安石讀孟嘗君傳，有曰：「孟嘗君特雞鳴狗盜之雄耳，豈足以言得士？」又云：「雞鳴狗盜之出其門，此士之所以不至也。」殊不知孟嘗之養士，不論貴賤，有一技之長，即列爲門下客，卒賴此而免其禍，復其位，以收匡救之效。安石所評，過於刻薄，此蘇明允所謂不近人情也。

平原君，名勝，趙武靈王之子，封於平原，今山東濟南，故因封地而號爲平原君。相趙，好賓客，至者數千人，如孟嘗君然。秦圍邯鄲急，食客中有毛遂者，自薦請從君求救於楚，當平原君與楚言合從，日中未決，遂按劍封楚王，定從約歸。又求救於魏信陵君，遂復存趙。平原君曰：「毛先生以三寸之舌，雄於百萬之師。」乃以爲上客。今人有毛遂自薦語，本此。

春申君，爲楚相黃歇之封號，相楚二十餘年，食客三千餘人，其上客皆躡珠履。娶李園妹，知其有娠，獻之考烈王，生幽王。後李園用事，忌春申君，伏甲刺殺之。楚在春秋戰國時，奄有兩湖兩江及河南南部之地，今統稱湖南湖北爲楚。春申君死後，葬於湘之武陵郡，（今常德縣）城中，僅豎一碑，上書：「楚春申君之墓」，無墓誌，荒草亂木，供後人憑弔而已。

信陵君，魏昭王之少子，名無忌，信陵君其封號也。門下食客三千人，諸侯以其賢，不敢加兵。時秦兵攻趙，求援，食客中有侯嬴者，魏之隱士，爲夷門監，薦朱亥於信陵君，以四十斤鐵椎擊殺晉鄙，奪其兵却秦而存趙。又率五國之師，大破秦兵，威振天下。可是，唐順之論信陵君竊符救趙，認爲信陵與平原君有婚姻關係，出之於私，可爲人臣植黨之戒。而不知趙魏有唇亡齒寒之關，魏王爲秦所脅，畏之如虎，信陵君知其不獲邀允，弗得已而出此舉。過商侯曰：「竊符固不足罪，而其心亦可顯白其無他」。所評誠然。後魏王偏聽讒言，不用信陵君，信陵君乃與賓客飲醇酒，近女色，沉醉於花叢，月中，竟以酒色而殞命，惜哉！按信陵，爲戰國魏地，今河南寧陵縣，有寧陵故城，即魏公子無忌之食邑所在。

四君者，當戰國擾攘時代，人各養士數千，均賴士以保國，復因客以成名，千載而下，膾炙人口。今者，八方風雨，其紊亂有甚於戰國，在國際上，紛紛運用科學與外交，一面恐嚇，一面交道，既無誠意之表現，何有共榮之可言？我自由祖國，濟濟多士，不乏馮煖、毛遂、侯嬴之輩，尤其在外交方面，應如何運用國際間有利手法，聯絡以平等待我之民族，共同努力，以樹立自力自強之精神，而達成復國建國之使命耶？企予望之也！

海嘯雲談薈

高雄市觀光記

諸葛文侯

十年來我到台灣旅行多次，足迹僅止於台北和台中，而未曾到南部的高雄市，小住數日，得一償宿願，觀感所及，不妨記述一二，以資紀念。

某夕十時半，由台北乘火車到高雄，承市府秘書雷屬在站迎接，匆匆下榻於[illegible]旅社中，[illegible]侍應小姐叩門曼聲詢我：「我需要異性的美人兒陪伴否？」我笑謂今日旅途勞頓，[illegible]朋友介紹，[illegible]港務局招待所，[illegible]勝據點，[illegible]日本派遣軍的陸海空最高級將領曾駐節於此。光復以後，不愧爲名勝之地了。

高雄市區大過台北，而馬路宏敞整潔，市容壯麗，亦非台北所可企及，日治時代擬闢爲國際港口，及一切建設計劃，皆從國際標準着手，先天重工業規模迥異台北，而高雄港口可容五萬噸以上的船舶進出，將來必然成爲東方最優良的國際商港無疑也。

高雄市的人口，逐年增加，現時已逾卅萬以上，仍在繼續激增着。教育頗爲發達，全市設有六十餘所國民學校，四十餘所中學，市民兒童受教育之人數爲百分之九十五點三。市府歲出預算中的教育費數字，佔了總預算百分之四十三—超過了憲法的規定額，這是亞洲[illegible]地光復初期，高雄市的市容亦很凌亂，污穢，市府實施土地重劃政策，第一期重劃完畢中心區的池沼，已變爲一條碧波漾漾的「愛河」，兩岸宅第鱗次，馬路縱橫，入夜電炬明燈，紅綠霓虹，美景瑰麗，成奇觀，[illegible]第二期土地重劃工作，[illegible]貫市區的鐵路纔移赴市外，高雄即尤稱爲「東方之珠」，而無愧。目前高雄市的唯一缺點，就是警政不健全，我在市街上，偶爾看到交通擁塞情狀，而站在十字路口指揮交通的警察，看不見一個巡邏警察。據說[illegible]秩序，[illegible]這對社會治安[illegible]里弄中，[illegible]路旁堆着木材或磚塊與油桶之類，影響市容，妨礙交通，相當重要。[illegible]他們說，警察不干涉，別人奈之何哉！

大貝湖是風景區，湖水清瑩，蓄水充裕，而沿湖四周花木扶疏，景物幽美極了。主持水廠的張文鈐先生是一位大代表，很有才幹，他以一點一滴的建設工夫，把荒蕪的大貝湖地區，弄成現代化的名勝風光，凡是來自世界各國的外賓，到達台灣後，必然赴大貝湖游覽一番，可謂「引人入勝」了。我承市府黃主任秘書借其座車，偕同老同學潘廷幹暨台省黨部主席林傳鉞（他住家高雄，亦是日本早稻田大學出身的意友）兩兄，前往大貝湖暢游半日，殊爲快慰。

在高雄市小住五天，得晤老友上官紀青（雲相）將軍，他年已七十，但精神矍鑠，望之如五十歲人。某日他到港務局招待所訪我，暢談後，我倆一道出來，我坐上市府雷秘書派來的吉甫車之際，紀青兄從車後一躍而跨入後座，矯捷如青年壯士，我笑謂其強健的行動，可與馬援晚年據鞍馳騁的壯舉相媲美也。此行使我感覺極不舒服的事，就是回台北坐的特快臥車，臥鋪分上中下三層，人在鋪位上不能坐，蠖屈上下，曲身如爬蟲，痛苦實甚，爲甚末不改爲兩層，跟大陸的京滬路臥車一樣呢？這樣的臥車鋪位，若是西洋客，根本就容不下，焉能吸引游客呢？

南宋偏安有人才

李仲侯

飛自三月十七日發洪州。成聞飛來，謂其人曰：「岳家軍來矣」！乃預令其軍分途逃去。十九日成引兵趨全永犯廣西，獨留其中軍，乘飛未至，縱兵肆掠。卅日飛至茶陵，先遣兵趨郴及桂陽，伺成動息。飛至茶陵後，上令察其受招與否，爲之進退。飛數以上意諭之，成不聽，遂奏乞進兵剳曰：

岳飛

「臣竊維內寇不除，何以攘外？近郊多壘，何以服遠？比年羣盜競作，朝廷務廣德意，多命招安，故盜亦玩威不畏，力強則肆暴，力屈則就招。苟不畧加剿除，蜂起之衆，未可遽殄。臣昨者被奉招安曹成之命，深以陛下好生之意如此，爲臣子者思不能推廣而行之，故先宣告上恩，以期改行。閱日雖久，扞格是聞。臣嘗累遣探報，知其賊馬已離道州，進趨廣西，此寇所爲，未肯遽屈，意欲侵犯二廣，肆毒生靈，俟其力盡勢殫，然後徐爲服降之計。臣今進發，自郴州桂陽監以往，即行措置用兵掩殺，務速除蕩。取進止」。

飛拜剳後即揮兵西上，一路追剿至閏四月入賀州境。成置寨太平場，飛未至，賊屯數十里，按兵立柵。會得成諜，縛而坐之帳下省問，飛出帳召軍吏調兵食，吏請曰：「糧且罄矣，奈何」？飛曰：「促之耳！不然姑返茶陵以就餉」。已而顧見成諜，捽耳頓足而入，乃逸之。諜至成軍，盡以告成，成大喜，期明日追飛軍。是夜，飛命士卒寢食，夜半悉甲趨繞嶺，初五日未明，已破太平場寨，殲其守隘之兵而焚燬之。成大驚，明日進兵距賀城廿里，成募願戰賊兵三萬，夜半據山之險，迎抗官軍。飛揮兵掩擊，賊衆大潰，追至城東江岸。成奔桂嶺路，飛進兵趨桂嶺，其地有北藏嶺，上梧關，蓬嶺，號爲三隘，成先引兵據北藏嶺，上梧關以待飛。成自喜以爲得地利，後來者莫能奪。

飛至，成以都統領王淵迎戰，飛麾兵疾馳，不陣而鼓，淵軍大潰，復殲其守隘之卒，奪三隘而據之，成急遁去。十三日成復選銳將自北藏嶺夾擊官軍，飛以兵迎之，成敗，斬一萬五千餘級，獲其弓箭刀鎗等無數。成又自桂嶺置寨至北藏嶺，綿亘六十餘里，所據皆山險河澗，道路狹隘，人馬不得並行，成自守蓬嶺，嚴備特甚。

（六三）

六月雪本事

周燕謀

『東海有孝婦，少寡亡子，養媳甚謹，姑欲嫁之，終不肯。姑謂鄰人曰：「孝婦事我勤苦，哀其亡子守寡；我老，久累丁壯，奈何？」其後，姑自縊死。姑女告吏：「婦殺我母！」吏捕孝婦，孝婦辭不殺姑；吏驗治，孝婦自誣服。具獄上府。于公（于定國父）時爲獄吏，以爲此婦養姑十餘年，以孝聞，必不殺也。太守不聽，于公爭之弗能得，乃抱具獄哭於府上，因辭疾去。太守竟論殺孝婦。郡中枯旱三載。後太守至，卜筮其故，于公曰：「孝婦不當死，前太守強斷之，咎儻在是乎？」於是殺牛自祭孝婦家，因表其墓，天立大雨，歲熟。』

干寶搜神記卷十一亦載有東海孝婦事云：『漢時，東海孝婦養姑甚謹。姑曰：「婦養我勤苦，我已老，何惜餘年，久累年少」。遂自縊死。其女告官云：「婦殺吾母」。官收繫之，拷掠毒治；孝婦不堪苦楚，自誣服之。時于公曰：「此婦養姑十餘年，以孝聞，徹必不殺也。」太守不聽。于公爭不得理，抱其獄詞，哭於府而去。自後郡中枯旱，三年不雨。後太守至，于公曰：「孝婦不當死，前太守枉殺之，咎當在此」。太守即時身祭孝婦家，因表其墓，天立雨，歲大熟。』

（三）

內政部警台報字第○三壹號內銷證

自由報

THE FREE NEWS

第三五三期

中華民國僑務委員會登記證僑報字第三三一號
台灣省政府新聞處登記證台字第一二八號
中華郵政台字第一二八二號執照登記為第一類新聞紙類
（三日刊　逢星期三、六出版）
每份港幣壹角
台灣售價新台幣壹元
社長：雷嘯岑
督印人：黃行濤
社址：香港灣仔高士威道二十號四樓
20 CAUSEWAY RD 3RD FL. HONG KONG
TEL. 771726　電報掛號：7191
承印者：四盛印刷廠
地址：香港灣仔高士打道一二一號
台灣分社
台北市南京東路
電話：三○三○六
台北郵政信箱二二九八

金門巡禮，敢信中華民族必復興

·吳本中·

中華民族必興！這是我們六億人的信念。亦是現世人類最大的志願。難道說，我們中國人竟該過這種恥辱的生活不成！我們在若干地方責備政府，那是愛之深，責之切，「恨鐵不成針」，但並不氣餒；我們痛社會衰頹，戰鬥氣氛不夠濃厚，有待整飭，但並不志短。有五千年文化的民族，我們相信絕不會在此世界進入宇宙時代而病而老而死。

中華民族必興之基本堅強不撓的鐵證，可於（一）鄉間之善良勤苦同胞，及（二）前線作戰之英勇弟兄們，見之。請先言後者。

抗日軍興，筆者自歐遄歸重慶外交部，值暴日狂炸我陪都，晝夜疲憊未已，旋以日軍圖東南亞，法越邊境緊張，我第四戰區設前綫指揮所於廣西南疆猺玀散居之靖西山野。余奉軍事委員會及外交部合派，主持該戰區外交事宜，於珍珠港事變前急驅前綫，駐戍該指揮所，距敵人僅三十公里，翌年始返柳州司令長官部。士兵之苦，邊區之窮與夫戰禍之酷，其所得印象之深，使余一生不忘，至今猶於夢寐中驚見之。吾親覩士兵僵死溝中，羣狗裂食人屍，非徒慘絕人寰，亦疑置身魔鬼地獄。至於邊民窮到以食鹽為珍品，頸瘤叢發，人獸同居，乃司空見慣，不以為異。若夫區區個人窘境，龍王破廟托身，兩木為牀，漏雨便移，猶為幸事。煖水瓶為勤務兵打破，冬無熱水可飲亦且安之。食不飽，魂不定，強敵在前，又何遑顧及？惟念大難能共，此心可與全民族之心一齊跳；國魂猶在，中國人的良心未泯，靈魂深處，能一樣震動；斯乃為無上之自慰耳。

國魂猶在，中國人的良心能一齊震動

戰區親歷，固使吾深識中國軍人能捱世界文明人類最低，最苦，最慘，最不適作戰的前綫生活；而昔留學時所遍讀霞飛、福煦元帥等史籍，更憧憬我祖國來日軍事強大無比之盛世。按法國人口與第一次世界大戰可出動兵力之比例，我國即以當時號稱四萬萬人口作基本計數，則很容易動員兩千五百萬大軍！在世界上能日用兵而民不知兵者，唯中國能之！這使歐西強國人士聽來，驚駭咋舌，然確係鐵的事實。論及中國前途，在一九三四年十月二十六日，瑞士日內瓦國際聯盟日報（Journal Des Nations Dossier Chinois），列有拙稿，鄭重警告世界勿使中國走離『不偏不倚』『中庸之道』。若偏左走蘇聯共產之路，或偏右循德、日軍國之途，均不祥之兆，人類全體將脫離軸心而失去平衡。今不幸而言中。至少希望吾言未全中。蓋中國大陸雖變色，並非言我族全赤化，地球尚未到『脫離軸心』時。大家好自為之，狂瀾猶可挽也。

憧憬祖國來日之強大無比

泰西文明，象徵法治公理之神曰：（Themis），她一手固高舉一天秤，表示公平；然另一手卻按寶劍一柄，需要時要強力制裁。一個偉大民族是要有力量的。一到治亂復傾，『繼絕世，起廢國』，維持世界公理與和平；平時，必須『我武維揚』，毫不吝氣，予世界邪惡勢力以打擊。『一怒而安天下』，這將是我中華民族的責任！豈僅用以復興而已哉。

職是之故，吾一到台灣，即欲看看金門前綫，而且不願隨人『觀光』或團體作宣傳巡行，所以務其實而求其真也。此願大體得償，感謝行政院行文及國防部長晤談。俞大維先生且能暢談歐西漢學家之著作，此使吾想不到者也。金門當時是隔日被炮轟，余去訪問之日，時間及交通工具，均事先不知，須臨時決定。某日晨五鐘半許，余尚擁衾熟睡，為國防部武冠軍科長沉重敲門聲所震醒，告以軍車外候，即須趕赴機場，飛往金門。余初睜矇矓睡眼，緊張情形，幾疑又置身戰區指揮所矣。前後已二十年之久，忽忽一少年，今雖馬齒徒增，自信精神未老，一躍起牀，以最快時間穿衣整容，又入征途。經竟日奔波，全島一切情形均曾看過，並蒙鄧定遠將軍備餐，以金門魚，金門酒相饗，歉告以：『大兵煮飯』。然『大兵』作廚，其味無窮也。辭行時，將軍以軍禮致敬，出『金馬誌念』章一枚，如總統授勳然，扣於余衣領上。告以此乃最高敬意，外國使節來儀，始有此光榮焉。余愧悚感激者，因此代表前綫將士諸弟兄們之恩物，意義非同小可。有朝一日，若能出而代表我民族，必扣帶此金馬章於外交大禮服上。昔法『勝利之父』克里孟棱巡視戰壕時，一兵士賜以乾花一束。克氏感動，後遺囑立碑棺中，並執此花。余最佩服這位千古硬漢。此或亦『夢見周公』之意乎？

金門精神是復興之曙光

駐守金門國軍之英勇與堅苦卓絕精神，人均知之，無待多言。筆者個人觀察所得，其觀感或亦可簡要為國人報導之：

（一）蜘蛛織網，外來破壞力量不足以使其稍懈。西歐歷史上故事告訴我們，有一國王師之，而卒能復國。觀金門守軍與居民，孜孜不息，受世界戰史上炮火集中最密之轟炸而地上地下建設日新月異；島中央大路之修整，兩傍松柏雙列栽植蒼蒼欲滴，直與泰西最文明國之新闢住宅區美化大馬路相媲美；是則並不必師蜘蛛，乃我民族之本性，如黑鴉鴉成羣無數的工蟻不停的在那裏動，山可移，海可填，中華民國可興矣。日用兵而民不知兵，就是這個道理。金門老百姓，並不知逃到美國作寓公，他們還是日出而作，日入而息，悠靜的在田間工作，子弟背着書包去學校，絃歌不輟。

（二）法國福煦元帥治軍，有人進言應以苦磨練軍隊者。福煦不全接受此意見，而盡可能使兵士享受現代化物質便利，以培其體魄而怡其精神，好移其精力以對敵。並自言先曾逐日苦練騎馬以備戰時馳驅疆場，豈知後來大戰期間從無機會騎馬，科學之進步，飛機吉甫車等轉運神速，已視戰馬為笑話矣。故吾人雖誇獎弟兄們能吃苦，但絕不應稍缺可能供給他們的一切現代化享受。筆者很留心於此，親身看看金門守軍在大炮側吃飯，見他們的菜飯比較我們抗日前綫指揮所時好多了！我們的將校官所吃尚遠不如也。這是我所高興之一。再看他們的『娛樂中心』，亦頗具規模，弟兄們苦幹工畢後可盡情享樂。鄧將軍與筆者走進他們戲場，他們聚精會神在娛樂，並不知有副司令官來臨。將軍所着制服與士卒同，並無階級之顯示也；余更不欲打擾他們，乃急走開。

（三）金門島古為牧馬之荒嶼，今以我族英雄事蹟名聞世界。光復後，還應為旅遊勝地。裏應有高山，『毋忘在莒』，應千古永垂；有清泉，可釀金門名酒；有細沙灘，可作游泳勝地；依山面海，可築一兩所大旅館，招攬遠洋觀光旅客。全島有肥田，有首邑，有樓閣，更是一炮戰軍事博物院。將來我們建造一錦繡中華，自南、北兩京起飛，可轉瞬而抵金門勝地。朝起滑雪長城外，晚來海浴金島灘。這是多麼寫意的事！寄語金門將士及全體武裝同志，六萬萬同胞的希望，十二億隻眼睛集中注射在你們身上。幹啊！看金門，知中華必興，建國必成。

（一九六三年六月卅日曬晚憶草）

漫畫天下

看誰掉下深坑去

流氓的玩意

自由談

進當舖與進銀行

馮玉先生

同樣是拿着自己的什物去抵押金錢，人們對於進當舖與進銀行的心情却迥然不同。

進當舖好像是行竊，胆怯心虛，出入「押店」門口之際，左顧右盼，唯恐遇着熟人，怪難為情。進銀行呢，大搖大擺地昂首趨馳，滿不在乎，給熟人瞧見了，也無慚怍的感覺。實則二者都是抵押行為，並無分別，只係心理上的下意識作祟而已。因為進當舖不外是典當或曖取什物，總是表現窮乏的生活狀態，富翁的足跡決不會在「押店」發現的。進銀行的心理却有別，可以裝作取款，也可以說是來開保險箱，檢點所藏的金銀寶貝——實際乃是拿着物業契約來押款的，但熟人看見了，他不但不認為你窮，反而羨慕你家資富裕。所以，這兩種行為的本質儘管毫無異致，然一般社會人士的觀感多是取笑前者，而稱羨後者，一言以蔽之曰：社會大衆都是瞧不起窮人！

窮人為着生活的熬煎，用自己的衣物向當舖抵押金錢，行為正大光明，這比一般奸商市儈製造假貨以詐欺取財，一般流氓地痞販運毒品以牟致暴利，一般貪官污吏利用職權以獲得儻來之物的情形，就個人說，高尚多了，就社會說，十分純正。可是由於一般社會大衆具有『笑貧不笑娼』的惡劣觀念，每每輕視窮人，而政府對於一些從男盜女娼生活中『充』起來的偽紳士和名人，亦特別器重。因而使佔着社會上絕大多數地位的貧乏勞苦大衆，自慚形穢，構成了一種『諱貧』的不可告人的意識，把進當舖亦視為下流醜事了。

社會上許多罪惡，都是由笑貧的觀念促成的。要想改革社會風氣，必須從禁止奢侈生活着手，而其基本策略則在節制資本，平均地權，使貧富懸殊的畸形怪狀，不復蔓延發展，政治設施，處處為貧乏勞苦大衆的利益着想，庶幾有豸！

香港與大陸

大陸青年學生，絕大部份都有濃厚的「資產階級思想」，他們任事揀輕棄重，追求物質享受，不願做一個「苦行主義」者。為此中共最近又進行一次對「貪圖安逸」、「追求名利」等思想型態的批判運動。不少申請來港或下放後倒流回城市的學生和社會青年，都受到荼毒。

據不久前曾回廣州探親甫返抵港的何碧×小姐透露：中共多年來的「洗腦」工作完全失敗，好像大陸青年學生，絕大部份沒有接受「共產主義教育」，他（她）們的處身行事，絕非以「黨」和「社會主義祖國」的利益為考慮前提，他們遇事揀輕棄重，而且非常嚮往「資本主義」國家人民的生活。

何碧×小姐稱：大陸一般青年學生都反對被美名為革命精神的「苦行主義」。青年學生們都認為人總是人，人都應該有思想，有感情，有欲望。他們要求思想開放，行動自由，也反對人與人之間祇充滿仇恨懷疑欺騙，一如共黨的行為；更要求個人生活上應有一定的物質享受。

大陸青年充滿自由思想

共毛又在攪批判運動 證明洗腦工作全失敗

反映青年學生這種思想的行動，是喜歡打聽自由世界的真實情況，和想盡千方百計的申請出國。或者以「成名成家」為幌子，進行獵取個人的名利。

在各中、大學校和機關中，為此，中共最近又進行一次對「貪圖安逸」、「追求名利」等思想的批判。中共指出：「貪圖安逸」思想是「資產階級」的個人主義在作祟，具有此種思想的人，是對今天的「幸福」體會不深，祗是看到「自己鼻尖下的一片小天地」，要求的是個人生活上的享受。這樣思想的人在革命鬥爭中，必然成為一個懦夫，甚而背叛「祖國」。又指出，好些青年學生，看中了「黨」給予「專家」的地位和待遇，因而藉口成名成家是國家所需的幌子，獵取個人的名利。

何碧×小姐說：這次運動，又有許多人被作典型報告，受到批判。特別是一些屢次申請來港的學生，和一些下放後倒流回廣州的青年，更受荼毒，不少被「判」了徒刑。她有一位親戚，原在廣州市一間「民辦中學」任教的，後來被下放至清遠農場，在一次調查戶口時被抓到了，指為「貪圖安逸」，[illegible]，把頭髮和眉毛都剃光了，還判了三年的管制勞動。

何碧×小姐又說：在此同時，廣州市若干地方舉行了「香港好還是祖國好」的圖片展覽，包括香港輪水龍照片，木屋區，警察抓小販等，目的是「醜化」香港，把自由世界說成地獄，而中共統治下的大陸才是天堂。（敬斯）

香港水荒期中鬧霍亂 當局促居民趕速打針

並告誡一切食水須煑沸始能食用

【本報訊】水荒期中，香港於六月廿八日正式發現了今年第一宗霍亂，第二天（廿九日）又繼續發現一個霍亂病例。也是廿九日，香港已正式宣佈為疫埠。這是三百餘萬居民值得重視和警惕的消息。

香港發生的今年第一宗霍亂症，患者是住在堅尼地城厚和街一名三十八歲的婦人，已被送入西營盤醫院；和患者同樓居住的住客大小十二人已被送往九龍漆咸道檢疫所隔離。

當局現已採取一切必需的防範措施，同時進行詳細的細菌化驗。

港府醫務衛生總監麥敬時醫生再度強調：一切供飲用之水必須煑沸，並促居民極力注意個人衛生，特別是如廁之後。未接受預防霍亂注射的居民，更宜立即前往接受注射。各港府診療所、衛生局及母嬰健康院均設有防疫注射處，防疫注射隊週末不停工作。

麥敬時醫生說：「本港供水系統之水現正加入最高份量之氯，同時所有已知之所在之公共水井，亦予以同樣處理；但由於居民目前所用之水，來源甚多，所以各人務宜將來自可疑來源之水及經過儲藏之水加以煑沸；食物均宜煑熟；可以生食之蔬果，如有切開或損壞者均不宜進食。」麥敬時最後勸告居民不必憂慮，但應小心及謹慎個人衛生。

在香港發生霍亂症之同時，澳門亦採取了進一步的預防霍亂措施。澳門衛生局局長賈伯樂六月廿八日宣佈：澳門衛生分所所長馬丁已經來港，和港方衛生當局共商兩地防止霍亂蔓延的問題。據悉：澳門從當天三時起，僅七小時內，一共發生了九宗痾嘔症。

本港今年第一名霍亂患者，為三十八歲婦人陳秀珍，東莞籍，住堅尼地城厚和街四十六號二樓。上址住客一十二人（七大五小），疑與患者已有接觸，於當天下午五時半，被衛生當局派專車送往九龍漆咸道檢疫所。現場經消毒後，由警察駐守，不許任何人進入。計上址尚有約十人外出未返；如返家時，當亦將援例送入漆咸道檢疫所。

厚和街現場一共住了三伙人，包租婦人為黃氏。患者陳秀珍與丈夫及五子女同住一房，其夫是個搬運工人。陳氏本人在新生桃源茶樓門口做報販。據說，他於廿七日午在附近大牌檔吃麵，食後感不適，下午二時起痾嘔大作，繼而抽筋，面青唇白，入夜後更為狼狽，其夫知事態嚴重，急召十字車將病者送往瑪麗醫院。院方以病者患霍亂嫌疑極重，拒絕收容，結果，原車轉往西營盤醫院（按港方西營盤醫院被指定專收霍亂患者，其他醫院不收此類病症）。

發生首宗霍亂症的厚和街，是西環街市，街上果菜小販雲集，環境衛生欠佳，蒼蠅至為猖獗。由於水荒影響，街道疏於清洗，在防疫時期也值得注意。

又據悉，漆咸道集中營廿七日似已知先兆，有關方面將全體人犯遷移，至廿八日上午，全部改裝完竣作檢疫所，原址改，當晚有十二名接觸者進入該所。亦可謂巧合了。

民主中國雜誌雙胞案 原告余仁美撤銷告訴

傳張君勱辭民社黨主席與此有關

【本報記者台北航訊】關於民主中國雜誌雙胞案，其經過詳情已載本報三二〇期。至該雜誌「法定代理人」的社長余仁美曾于三月二十三日向台北地方法院民庭提起：「確認被告楊毓滋對于民社黨黨辦之民主中國，自五十二年一月十七日起，其發行人資格及權利不存在」之訴訟案，經台北地院開過二次調查庭，結果，原告余仁美於六月十五日開第三次調查庭時，突然無條件撤銷告訴，使該案暫時告一結束。而余仁美發行之「民主中國」雜誌，自今年三月一日出版至五月一日止，共為五期，後即未再見到。

原告余仁美控告原民主中國雜誌發行人楊毓滋之資格不存在的理由是：依據民社黨自去年五月十一日，由六召集人蔣勻田、王世憲、李緞、向構父、郭虞裳、孫亞夫等所簽訂之「團結方案」，暨今年一月十六日召集人會議決議：「一、民主中國發行人暫緩變更登記；二、在發行人未變更登記時回復舊制，並委託余仁美為社長；三、將來變更登記以余仁美為發行人；四、規定社長職權如下：（一）審定文稿，（二）掌管經費，（三）進退事務人員，（四）管理業務」。而依「民事訴訟法第二四七條所規定（確認法律關係成立或不成立之訴，非原告有即受確認判決之法律上利益者，不得提起之。確認證書真偽之訴，亦同。）」提起訴訟。

被告楊毓滋辯稱：「發行雜誌須依出版法之規定。原告余仁美並未依法取得民主中國雜誌發行人之地位，又無民主中國雜誌為公司組織或合夥經營之契約根據，遽以『民主中國社法定代理人』提起本件訴訟，其當事人能力，顯然不備」。至於「被告楊毓滋之發行人資格及權利已不存在」云云，「民主中國雜誌之發行人楊毓滋，既未變更登記，又未依法註銷，其發行權合法存在，毫無可疑。民主中國雜誌係民社黨『共同經營』之刊物，然無任何契約，內部縱欲有所規定，亦須民社黨之合法負責人（張君勱）始得為之。依黨章規定，在未經張君勱先生之指示或同意，他人對於民主中國雜誌所作之決定，均無變更被告楊毓滋發行人之權利，被告亦無遵守之義務。至團結方案所稱之召集人，其職責只在籌備全國代表大會，亦即全國代表大會籌備會之召集人而已，在團結方案內，均已聲明」「彼等對於民主中國雜誌所為之協議，猶如協議之法律尚未公佈以前，焉能即令人民遵守」？

該案分別於今年三月[illegible]和五月一日開了兩次開庭，第三次是六月十五日開庭，但因原告余仁美撤銷告訴，所以未開庭，即告結束。

據消息靈通人士透露：民主中國雜誌雙胞案，民社黨主席張君勱此次在香港「聯合評論」刊登啓事，堅辭主席職務，[illegible]深造，因而函請行政院陳院長協助（按：楊毓滋係行政院參事）。此事迄今已逾月，尚未有結果，致使張君勱「憤火」一氣之下，堅辭主席云。

食水消毒法 當局有指示

【本報訊】關於水的清潔問題，醫務衛生署發言人本年五月十三日在電台廣播時，曾着重指出：井水和泉水都可能是不潔的，尤其是淺水井的水，可能被附近溝渠淌出來的污水所弄污，同時一下雨，則雨水可能將山邊的污穢之物沖到井或泉去。不潔的水，[illegible]的病菌，如果未經消毒[illegible]飲用，便會引起這些傳染病。居民應[illegible]之水，[illegible]煑沸二至五分鐘，才可作飲食或漱口之用。如將井水或雨水作洗滌廚房及家庭用具之用，亦應首先加漂白粉消毒。

關於水的消毒方法，據港府化驗師提出最簡單的消毒劑為：將一茶匙漂白粉與一品脫水放在一玻璃瓶（或瓦瓶）內混和，將該器皿塞妥，然後在兩小時內不時搖勻，待其液體澄清，一茶匙此種溶液可消毒一加侖水，約半小時後始可行使用。將含有漂白粉之溶液加以封好，並使兒童不能與之接觸，如貯過兩星期，則勿再加以使用。

屏東攤販續陳情

為拆遷事怕當皮球踢

【本報台灣南部航訊】屏東市郵政局舊址十三家攤販業者，為被限令拆遷事一再陳情，現雖得縣府批交市公所辦理，該十三家攤販業者，為恐被踢皮球，稽延時日，繼續奔走請求，希望縣府能及早秉公合理解決，以安生計。

該十三家攤販之陳情書稱：「交通部屏東郵局，為配合積極整頓市容計劃，及郵政業務需要，頃奉准以新台幣三百二十五萬元發包，在郵局職員宿舍舊址（民生路光華戲院的旁邊），興建二樓郵政大廈。然陳情人等早於民國三十五年開起，即在郵局職員宿舍圍墻外（民權路）設攤營業，維持百餘人之生活，為時頃已十六載之久，歷年均按規定繳納房捐稅、營業稅款等，有關縣政府，稅捐稽征處，警察局，及市公所等機關，對此均會默認此為事實，且也合法，因此一直安安無事。惟近因郵局在上址興建大廈，限令陳情人等於五月卅一日以前拆除遷地，實于理不合。況陳情人等所佔之地面，係走廊通道，權屬市產公有，而與郵局牛馬不相關，該郵局竟限令拆除，又依法無據。再說陳情人等[illegible]時，依法申請，[illegible]新台幣壹千元，要求遷入公有市場繼續營業，[illegible]市場無法收容，原繳保證金退還（屏市建字第三四九一號函）通知，陳情人等失去遷入公有市場繼續營業之機會後，又[illegible]，令予拆除，遑陳情人等無地自容，無家可歸，流離失所，勢必形成嚴重社會問題。為求生存，理應提出陳情，懇求有關當局予以合情合理解決。」

陳情書要求，體恤陳情人等一家多口，嗷嗷待哺之艱苦貧困情況，復於五月廿七日以「屏市攤協字第一六三號呈」縣政府，其呈以：「陳情人等十三家設攤營業經過情形，及該等計生狀況，作對切說明，並在既安置陳情人等十三家繼續設攤營業，且又順利完成郵局建築工程的兩全其美原則，肯定「仁愛」酒廠邊水溝面加蓋，繼續設攤營業，呈請縣政府採納，速即飭令市公所遵辦。」屏東縣政府於六月十二日以「屏府財丁字第三二一九號」批交市公所辦理。同時縣議會也在六月十八日的五屆十次臨時大會討論通過，本案交市代表會處理。

據攤販協會秘書說：「根據攤販管理規則第二條規定，縣政府應主動負責處理攤販位置問題，不應該把合理請求，一腳踢到市公所去推卸責任。」

又據陳情的代表對記者說：（一）郵局為公眾福利，興建大廈，擴大為縣民服務，我們絕無阻撓建造之意思存在。（二）有關縣市當局，應體恤貧民，本合情合理原則，替我們攤販設法安排地點，讓大家繼續營業，維持生活，能達此目的，我們的願望足矣！（三）我們是忠實國民，絕對守法。因此我們希望政府能赶快解決。（寰文德）

澳門亦發現霍亂

病例四宗其一已死亡

【本報訊】繼香港於六月廿八日發現第一宗霍亂症後，廿九日，澳門亦發現四宗霍亂，其中一宗且已告死亡，情形顯見較香港為嚴重。

澳門係於廿八日發現九宗痾嘔症，當時已發覺情形可慮，並聞悉香港發現霍亂，因此派衛生局長馬丁到港協商防疫事宜。廿九日經化驗，證實其中四宗病症確係霍亂，因而繼港之後宣佈澳門為疫埠。澳門四病例為三歲與五歲小童及廿三歲與六十三歲男子，此亡者即三歲之小童。

建設突飛孟晉

越南中部達樂省新貌

西貢通訊

至於各營田區立業者，約二萬六千人，政府以專車運載茅草等建築材料，協助移民興建房屋，總計已有六千間屋已完工，每間屋完成後，則獲政府補助一千五百元。移民立業最初六個月，每家庭得到政府撥款購買食糧，每成年人每月得十五公斤食米，六歲以下小童則得七公斤半，現欵則不分老幼，每一口一百八十元。刻下，上列之補助金，有些地區獲延期三個月，甚或補助到能自立爲止。此外每家庭領到兩張蚊帳，一對草蓆，兩副毡被。

開墾荒地和耕種方面，則由營田的農機司供給機械，負責開拓工作。同時分發樹苗和種子，由技術署担任指導，並且先將種子等，在離邦美蜀四公里的「高原農產實驗中心」試驗播種及育苗工作，然後送予民衆耕種。

目前有多個營田區已獲得自足的生活，生產則以穀，花生，綠豆，基納蔴爲大宗。目前，在各營田區內，每家庭平均有三個成年人，五個小童，每家分配土地面積有六、零零零方公尺，其中二、零零零公尺是供居住之用。依照營田總署之規定，每家庭最少需有一公畝地用來種主要的農作物，及工業用之樹木。此外，他們還可以繼續增加開拓的面積，用以種工業樹，以實現美麗而富裕的遠景。

在每個營田區均設立各社會機構，目的是爲着服務定居立業的民衆，如區長辦公廳，醫護站，產育院，新聞所，學校，民衛局等等。在各營田區之民衆，以辛勤及忍耐之德性，配合高原的肥沃土地，且得到政府在各方面的積極扶助，其前途是燦爛的。各營田區的收穫，不但已拯救萬千之移民同胞獲得安定的生活，並且已使達樂省的經濟基礎獲得鞏固與繁榮。

達樂省內尚有一部份地方是由北越南撤難胞的居所，人口總共一四、五零零人，分成十一個定居區域。其中有北越之山族民衆，如萊洲人，芒衛人，和平人等。這些定居區域是由一九五六年開始設立，至一九五七年才併入達樂省之郡社管轄。有五個定居區域，分成四社，計爲：富德，壽祥（即周山），陳興道，和平，中和（全屬邦美蜀郡管轄）。郊外之六個定居區域，分爲四社，由下列郡府管轄：枝陵，壽成，歸邦美蜀郡，金珠發屬樂善郡，何蘭爲邦荷郡。上述定居區域之開墾面積，總共二、〇〇〇公畝，耕種各農作物，如蔬菜、豆類、玉蜀黍、番薯、烟草、咖啡，稻……等。

此外，達樂省還有約一百個大小莊園，面積有五、六〇〇公畝。最著名的莊園有「高原種植公司」，及「中區農業公司」。此兩個公司全是法僑所有，每年產量甚鉅，以種植橡膠及咖啡爲主要，其中面積佔六十公畝種食菓樹，如橙子，橘子，番茄……等等。

牧畜方面，則在畜牧司之積極協助下，已供給民衆多類良好之家畜，鼓勵共飼養，農信司支局撥欵貸予民衆應用，使農民增加其飼養家畜，以增加進息。截至目前止，農信司支局貸達樂省合作社，已將一五、五一〇、二三六元現欵貸予民衆。

依照畜牧司之統計，省內之畜物有：象—八三七隻。馬—二九〇隻。水牛—一〇、四一五隻。黃牛—一〇、〇五〇隻。羊—三、四〇〇隻。綿羊—一二〇〇隻。鷄—五九、〇〇〇隻。鴨—二、九〇〇隻。豬—二三、八六〇隻。

由於飼養業之擴張，故現在的達樂省與兩年前相比，其情況已大不相同了。

達樂省雖然未有大技藝廠，但下列之重要工廠，也可說是達樂省的工藝方面，已達到了平均的發展。

在邦美蜀郡屬下之「達里」社，設立了一座小工藝中心所，此所可致導學員，亦可出產以竹或藤做成之用品，構造極爲精巧。它的設備包括有下列：一座橡膠濾淸機，兩座碾咖啡機，一座製雪條機廠，五座機鋸木廠，一座造石灰石之窰，十九個燃炭爐，兩座造磚窰，一座製造米酒廠及六座修理機器廠。（二）

天南風光

——雜記犬嗥雞鳴——

朱淵明

實則狗的祖先就是狼。不知是幾千幾萬年前的人類，把小狼捉來加以畜養，使牠們慢慢化除野性，變爲馴良，遂至成爲家畜之一種，除了供食料以外，還可爲人類看家，守夜，乃至於助獵追踪，今日人類已認爲它是比較最具靈性的動物之一，故各國多有保護禁殺之令。但有若干地方的狗，也許進化較遲，狼性猶有少許殘存，遇有機會，仍不免一加流露，如沙羅越的狗，就是一例。

因爲狼羣是常常於月夜長嗥的，假若是在深山大漠之中，如遇成羣的餓狼長嗥，那的確會令人驚心動魄，非遠走高飛以避之不可。據有在沙漠地帶居留過的朋友談起，說是狼羣最喜嗥月，在沙漠一帶的狼，羣聚尤衆，因爲數量太多，獲食不易，是以常在饑餓之中，若遇月夜，一嗥萬和，聲震原野。那實是非常可怕的局面，無論人，馬，駝，牛，一遇狼羣，絕難倖免。就是狼羣本身，假定一狼受傷倒地，只要見到血光，其他的狼，即撲而撕之，頃刻之間，即爭食殆盡，誠可謂殘酷之至！

但沙羅越的狗，顯然已是正常的家畜，只是在夜間長嗥時（有時即非月夜也會嗥的），不免露出還有一點點狼性的殘留痕迹罷了。

（二）沙羅越華人所養的雞，也同中國雞一樣，除了少數專門作爲戰鬥的公雞以外，但一般的公雞，卻有一個特點，就是夜間的鳴叫，非常之早。我國的雞鳴時間，最早總在午夜後三點鐘左右，所謂「雞鳴丑時」是也。三點則正是丑時。詩經上齊風第一篇，即以「雞鳴」爲題，詠賢婦促夫早起以往早朝，故云：「雞既鳴矣，朝既盈矣！」意思說：「雞已叫了，上朝的人，恐怕早已齊了，你也應該即刻起來去上朝了！」可知雞鳴以後，就是表示離天亮業已不遠。（二）

報人普立茲傳

汶津譯

「我但願你是錯了，艾米兒。一個天才會引起麻煩。他可能會成爲我們的一個問題。」「如果我們失去那個天才我們才會發生問題。」普利多利深思地說。

報紙發行人們或許會心煩慮亂，如果他們知道了約瑟夫在質疑他們報紙的政策。他對他的朋友自在地解釋他的觀點。「爲什麼政治黨派要控制報紙？爲什麼新聞版不拿來報導純粹的新聞？如果他願意，讓一個編者爲一個黨派說話，但只限於編者欄。一張報紙對它的讀者應該公允。告訴大衆所有的事實，然後讓他們自己選擇。我說報紙應該爲民衆服務，而且它要對他們負責——不是對一個政黨！」這種大膽的意見在共和黨裏並沒有知音。

西部郵報是以報導翔實，不畏強權著稱的。不久約瑟夫也以同樣的品格見知於人。如果有人出錢要他噤口，他會擲回那錢同時把那故事源源本本的列出，包括當事人的大名和他們的所作所爲。郵報的篇幅上時時滿載着某些有力集團以大筆的錢來指使州議會通過某些法令。

約瑟夫是一個報人的新典型。他渴望知道任何有助於他工作的任何事。他不只是一個支薪的記者。他自覺他對郵報上所刊載的，和威理希、發行人一樣地有一份責任。此際，普立茲之名已和蘇滋、普利多利同樣響亮了。這是可預期的，約瑟夫將會有一些害怕他的敵人。

在那些怕他的人和笑他的人之間，有一種默契，那就是要把他趕出郵報和聖路易。一八六九那年，機會來了。約瑟夫二十二歲。他已爲郵報做了一年的記者。州議會閉幕了，約瑟夫回聖路易工作。聖路易分配有一名代表出席州議會。共民主黨人傳統地獲得此職。共和黨人也要派出一個候選人競逐一番，雖然希望甚渺，民主黨勝券在握。

共和黨人擠在會議廳裏。一天又一天他們開會討論。他們仍無法決定一個代表人選。突然，一個念頭擊中了其中一人。

「聽我說，同志們，」這人在嘈雜聲中高呼。「我們知道我們沒有適當的候選人。我們明知選舉人不會投一個共和黨人的票。所以現在我們最好大家輕鬆一下。讓我們推選約瑟夫．普立茲！」

頓時全場鴉雀無聲。然後寧靜的屋子裏充溢了叫聲和笑聲。很快地大家接納了這個建議。於是約瑟夫便被請上發言席。他被驚住了，當發言人對大家大聲說：「共和黨同志們，我提出本黨最好的候選人，一位大無畏的報人，爭取大衆權利的偉大奮鬥者，下屆聖路易的州代表——西部郵報的約瑟夫．普立茲先生！」

羣衆屏息凝神，要聽約瑟夫說些什麼。全場沒有一個人預期他會接受。有幾分鐘的光景，約瑟夫站着不動一動。由於傷害和憤怒，他變得臉色慘白，渾身顫動。這和他在軍中的痛苦經驗是同出一轍的。然後他挺直他瘦削的肩背。

「我想我了解你們的選用意。我不會感謝你們的。但是我相信仍有一個共和黨人在這場競選中有得勝的機會。候選人必須誠懇而努力去做。他必須直接向選民表達他的抱負。我接受作你們的共和黨候選人。」約瑟夫迅速地走下發言台，立即離開會場。（廿一）

瘟君續夢

第九回：枵腹爭雄　壺漿招餓鬼
苦心糾衆　風雨會羣魔

賀龍接到毛澤東通知，要他率領一個軍事代表團去北韓，頓時高興得手舞足蹈，連夜趕縫了兩套「元帥」制服，準備到北韓去出下風頭。

毛澤東當然也曉得賀龍的那塊材料，又派羅瑞卿爲副團長，臨行時特地把兩人召到西山「官邸」，面囑賀龍出國以後，要聽羅瑞卿安排，假若鬧了笑話，回來就要重重處分。

賀龍說道：「主席放心吧！我也六十多歲的人了，比不上早幾年沒有經驗，我上次去柏林就未曾鬧笑話。」

毛澤東點頭道：「這樣就好，只要你作事中規中矩，我以後就常常派你出國。」

賀羅代表團一行共十三人，浩浩蕩蕩開去平壤，北韓各界舉行一個盛大歡迎會，驅使十幾萬民衆參加，金日成親自出席，作了一個簡短介紹之後，就請賀龍致詞。

羅瑞卿最担心的就是這一關，但因爲他是團長，不能不讓他講話，同時又不能擬一份講稿交他唸，事實上他認不了這麼多字，只好盲人瞎馬由他去亂撞了。

賀龍今天精神特別好，穿上一套簇新的元帥制服，站在台上瞪着一對老鼠眼，不時摸下小鬍子，洋洋得意。忽然聽到要他致詞，就邁着方步走到麥克風前，說道：「中朝兩國是兄弟之邦，朝鮮受到欺負，中國自然拔刀相助，才顯出弟兄的義氣，所以這次美帝國主義侵略朝鮮，中國馬上就發動抗美援朝，雖然死傷了百多萬人，連毛主席的大兒子都犧牲了，我們也不在乎。」

大家聽到這裏一齊鼓掌，羅瑞卿也暗暗點頭，賀龍更是福至心靈了。

賀龍又接着說：「毛主席說美帝是紙老虎，一點也不假，人人都知道美帝有原子彈，但是他不用還不是同沒有一樣。別人都把原子彈說的怎麼不得了，姓賀的就是不信，大約有兩丈遠他就炸不死人，怕什麼！美帝要是再來侵略，我一定率領志願軍來同美帝幹上一場，要他曉得賀老大的厲害。」

台上台下已經發出笑聲，羅瑞卿黯黯着急，不知他下面還講什麼，恐怕越扯離題越遠。

賀龍又說道：「不瞞各位，我初革命時就靠了一把菜刀，鑽進張敬堯的兵營，砍死一個排長，裹走一排士兵，就仗着這一排人獅子滾繡球，越滾越大，不到一年時間就滾成一個軍，你們說我賀老大行不行。」

台下這時忍不住了，鼓掌聲與笑聲混在一起。

金日成也担心他繼續說下去會鬧出更大笑話，也許說滑了嘴把中宣佈散會，也不理賀龍的話有沒有說完。第二日的日程是到三八綫參觀，羅瑞卿知道賀龍的脾氣，恐怕他到那裏搗亂，假若他一高興拿起守衛步槍向對方打上一槍，就是一個不小的麻煩。當時就偷偷告訴金日成，晚間歡宴時大家一齊同賀龍碰杯，使他灌得酩酊大醉，早晨酣睡不醒，羅瑞卿帶隊飛去開城，在三八綫兜了一個圈子，及至賀龍睡醒，一行人已從開城回來，訪問朝鮮的任務，也就算圓滿完成。（二一七）

記儒夫衛立煌

吳文蔚

民國三十七年元月，衛立煌就任東北剿匪總部總司令。當時全國成立了三個剿匪總部，這三個剿匪總部均係由行轅改編：武漢行轅改爲華中剿匪總部，北平行轅改爲華北剿匪總部，東北行轅改爲東北剿匪總部。東北剿匪總部成立之初，正是塞外零下三十二度的大寒天氣，瀋陽街頭，白雪皚皚，朔風侵人，堅冰盈尺，足履其上，錚錚有聲。戰事一片膠着，瀋陽、錦州、吉林、長春四個大城，被共匪圍得水泄不通，高粱米一斤漲到流通券四億元，一億元也只能買到由上海空運來的一包黃金牌香烟。東北人各個都在喊着活不下去了！要活下去，大家都指望着衛老總能把共匪打下去。

衛立煌就任了總司令後，緘默持重，一聲不響，過了月餘，他發表了他的剿匪決策是：「準備勝於作戰；三分作戰，七分準備」。此後，他便一聲不響了。

他在一聲不響中，撤退了吉林的守軍，爲的是兵力集中。此後，東北的大城，瀋陽、長春、錦州，鼎足而立。表面上這三大城，統屬剿總指揮，實際上是各自爲政，各顯各的神通罷了。而衛立煌的「剿總」，力之所及，也就是瀋陽週圍的幾個縣而已。

共匪對於衛立煌第一個威脅是在遼南的蠢動。陰曆的大年三十夜裏，一股土八路竟竄進了皇姑屯車站，瀋陽危在旦夕；大年初一，就是決定瀋陽命運的一天。瀋陽城裏的老百姓，儘管萬分害怕，然而瀋陽是不會丟的，只要是稍有點軍事常識的人，都會有這個見解。這不是說把三國時的空城計拿來重行扮演，而是一則共匪根本沒有攻取瀋陽的意念：第一，它認爲攻瀋陽必須集其全力作孤注一擲，沒有幾十萬人不敢輕易來一嘗試；第二，瀋陽是在東北的國軍司令台，攻取瀋陽亦須放在最後；第三，瀋陽的防守力在共匪的想像中，一定是堅強無比的，四平街都有幾十天的支持力，拿瀋陽來比四平街，其實力何止千萬倍？何況，守瀋陽的不是別人，而正是守大同的名將楚溪春？俗話說：「打狗還看主人」呢！有這麼一個威鎮四方的將軍鎖守瀋陽，怎不仔細思量思量，就輕舉妄動呢？有此數點，共匪是無意攻瀋陽必矣！現在瀋陽城邊竄來的一股土八路，也不過是騷擾騷擾而已。

其實，這一次是把共匪騙了，共匪之無意取瀋陽是真的，而瀋陽城裏是個「空城計」，也是真的。

大年初一過後，瀋陽的確轉危爲安，共匪一下退了百多里，國軍乘勝追擊，有如逐兎，很快的戰事趨於平靜，瀋陽城裏的居民，祗每個人出一身冷汗而已。（上）

談芬蘭浴

水平

曾經一度繁華甲天下的揚州，形容一般人每日生活的情調，有「早上皮包水，晚上水包皮」之諺，指的是早晨在茶樓上灌水，晚上在澡堂子裏泡水。我們中國式的道地澡堂子，有擦背、捏腳，是一種特殊的享受；日本的「溫泉水滑洗凝脂」的男女共浴，以及土耳其的有舒服的按摩的蒸汽浴，也都馳名於世界。

然而，芬蘭也有蒸汽浴。

芬蘭蒸汽浴，非但在方式上和情調上，都不同於土耳其的，並且成爲芬蘭人生活上不可或缺的一部份。芬蘭有兩句古諺，大意說：『禮拜堂和浴室同爲聖地。』『凡是浴室和白蘭地不能治好的病，一定是絕症。』可以推想他們對於該地那種沐浴的十分重視和普遍愛好了。

蒸汽浴之在芬蘭，除了潔身外，還是一種健身的活動，甚至可以說健身的意味重於潔身。他們在鄰接主屋的旁邊，每一家都有一間獨立而講究的木造房子，正方形，長濶都在十英呎以至十五英呎之間，房子裏面鋪着光潔平整的地板，房子的一角，是一隻大火爐，爐邊堆了一大堆鵝卵石，靠牆有一個大約四英呎高的平台，像一隻高架床，有木扶梯可以上下，這就是蒸汽浴室了。講究一點的，在這房子旁邊，還緊接有一間更衣室的設備。

芬蘭人進浴之前，先要化費四五個小時的時間，將石子放在火爐中燒灼，使得浴室中燥熱得好像夏天烈日照射下的沙漠，然後脫去衣服，走進去，並隨帶一大桶冷水和一束樺樹枝。這時候，平台上的板子已經是暖烘烘的了，摸上去會燙手；人就爬上平台躺下來。這樣連蒸帶烤，不由人不汗出如注。然後，將桶中的冷水澆在燒得灼熱的石子上，立刻發出吱吱的尖嘯聲，好像十幾個美國女士同時看見了老鼠般齊聲尖叫者然；同時，鬱鬱蒼蒼的白霧，早經瀰漫了整個屋子，眞有伸手不見五指之概；人的皮膚，本來已被石子的輻射熱灼得辣辣的了，陡地再被蒸汽一潤，這般舒服勁兒，眞是難以言宣！

但還不止於此呢！入浴之前，不是帶有一束樺樹枝嗎？這時應用上了。這是用來敲擊全身的。或者由自己動手，或者由侍者伏伺；軀體的各部份，輕重疾徐，恰到好處，在生理官能的享受上，是別有一番滋味的！我國理髮時的捶背，拳筋，和這正相彷彿。而我國澡堂子裏的捏脚，其情調亦庶幾近之。樹枝敲擊時間的長短，看各人癮大癮小而異。完畢以後，就在平台上用肥皂細細擦洗。擦好了，將桶中剩餘的冷水兜頭一沖，這才算完畢了沐浴的節目。

出了浴室以後，如果當時是冬天，就立刻可以馳逐在雪地上；如果當時是夏天，就當然可以浮沉於湖水之中，悠哉游哉！總之都是以活力旺盛的戶外活動爲其後繼。這和我國澡堂子裏，洗完了澡以後，靜靜地躺着喝茶，談天，上下古今，天南地北，確是大異其趣了。

芬蘭人稱這種蒸汽浴叫「蘇拏」。不論是冬是夏，每星期的星期六，都屬於「蘇拏夜」，親友造訪，非以蒸汽浴招待不足[illegible]生活的藝術了。

海嘯雲談薈

陳公博的著述

諸葛文侯

最近從朋友處看到近人陳公博所寫的「寒風集」，內容分甲乙兩篇，紀述他一生的生活過程和思想變遷情節，而以「軍中瑣記」暨「我與共產黨」兩章寫得最詳盡，且係民國廿五年以前寫的，其餘都是他在參加「汪政權」時代的隨感錄。他自己的評語，說是「文如其人」，「平淡可讀，技巧不足」，我亦云然。

我與陳氏只有一面之雅，那是民國十六年春初在南昌的時候，那時他青年翩翩，滿身充盈着革命志士的氣質，談話朗爽而明快，雖身任江西政務委員會主任委員，對人却無半點官僚習氣。記得他跟我閒談政治理論問題之際，會說道：「我最怕回到家中時，老婆也要談政治問題。我們一天到晚，在外面搞政治，回得家來，若不談風月，又要談，那種賣狗皮膏藥式的政治事項，豈不大煞風景？況且跟老婆談政治慣了，最容易招致她干政的行爲，牝雞司晨，那還得了？」因此，我對他的印象甚佳，認爲他是個能見眞性情的人物，值得贊許的。往後爲着黨內的政治歧見，我在報上寫文章，發通電，迭次斥罵過汪精衛，却從不指摘陳氏，即源於此。

「軍中瑣記」述的是他參預民國十五到十六年國民革命軍北伐之役的經過事實；「我與共產黨」是說明他當初何以參加共黨組織，後來爲何脫離的原因。這兩大紀述的內容，一般人或許認爲是有些聞所未聞的珍貴史料，然在我看來，十分之九皆係熟悉的事情，殊不足奇，而且不無錯誤或歪曲之處。因爲我亦是身歷其境，目擊其情的。例如他說民國十六年春間，革命軍佔領江西後，國民政府即任命朱培德爲江西省主席，這就是錯誤。當年國民政府首次任命的贛省主席實係李協和（烈鈞），我跟李先生作機要秘書，記憶很清楚。當時推舉李先生担任主席職位最力的，就是譚組安先生，他知道那時駐在江西的第三軍朱培德部，自軍長以迄師旅長，盡係雲南講武堂出身的，即爲李協和的學生，而朱培德與李氏的關係更深，李先生又是江西人，教他作省主席，尤稱切適。朱培德是在寧漢政府正式對立之後，武漢方面密派徐謙到九江向朱游說（朱軍部駐在九江，表示不過問江西省政，尊重李老師的意態。），勸朱莫歸附寧方，即任命他爲江西省主席，因爲李協和已復書譚組安先生表示反共態度，原函是我起草繕寫的。朱氏於接任省主席職務之前，某夕親到南昌與李老師晤面，我在鄰室聽到李協和先生以激越的詞氣，對朱大加教訓，原因是南昌市內共黨橫行無忌，拘捕了教育廳長程天放，南昌警備司令王鈞故意放縱不管，讓公安局長朱德唆使共黨嘍囉們，繼續搜捕省黨部委員段錫朋，周利生等人，市面上且貼出「驅逐軍閥李烈鈞」的標語，李氏乃厲聲語朱培德道：「你要做主席，我當然贊成，但可好好的交接，不能把我的家鄉陷於糜亂，使我對不起桑梓！」這些事情，陳公博自不知道，然李協和先生受任省府主席時，陳氏還在南昌，何以亦記錯了呢？據我判斷，李陳二人之間，由於在國民黨的地位關係，平日或許已有嫌隙，因而陳氏乃不願提及李氏這段事吧？我這項揣測是有根據的。民國十九年北平「擴大會議」開場時，閻錫山派員到上海敦勸李協和北上，我問李先生去不去？他答道：「教我到北平去跟陳公博一流人同席會議，辯論黨政問題的長短，豈不是太無聊嗎？」李終於拒絕北上，即此可見他對陳公博的感情爲何如了。（上）

南宋偏安有人才

——岳飛——

李仲侯

時賊衆十餘萬，皆河北河東陝右之散卒，驍勇健鬥；飛所部纔八千人，而騎兵尤少，視成軍十不及一。十五日飛進兵蓬嶺，分布嶺下，日及未，一鼓敗之！成軍四潰，所殺及擠擁入河者不知其數，成自投嶺下，得騎馬而遁。飛舉其寨盡有之，凡金鼓鎗刀旗幟無遺者。奪其被擄人民數萬人，歸之田里。擒其將張全。成竄連州，飛召張憲、王貴、徐慶謂之曰：「曹成敗走，餘黨盡散，追而殺之，則良民脅從，深可憫痛。然縱其所往，則大兵旣旋，復聚爲盜。吾今遣若等三路招降，若復抗拒，誅其酋而撫其衆，譴毋妄殺，以累主上保民之仁」！於是憲自賀連，慶自郴道，貴自郴桂陽招之，降者二萬，與飛會於連州。飛用其首領而給其食，降民大喜，乃益進兵追成。成懼甚，走宜撫使降。有郝政者，率衆走沅州，首被白布，自稱爲成報仇，謂之白頭巾。已而爲張憲所擒。其將楊再興走躍入澗中，憲欲殺之，再興曰：「願執我見岳公」！就受縛。飛見再興奇其貌，命解其縛曰：「吾不殺汝，汝當以忠義報國」！再興拜謝。後卒死國事，爲名將。嶺表悉平。時以盛夏行烟瘴之地，登山涉險，衝冒炎暑，賊兵以疾死者相繼，而官軍無一人罹疫癘者，雖死敵之兵亦纔一二人，說者咸以爲飛忠義所致。

自蓬頭嶺捷聞，有詔撫慰將士，詔曰：「比緣逋寇，未即天誅。旣跋蹶於湘南，又覬覦於嶺表。顧作民父母，豈朕志之敢寧？而爲國爪牙，緊汝曹之可仗？爰整貔貅之旅，往夷蜂蠆之羣。一心爭先，再戰皆克。緬維忠功，深用歎咨。屬此暑時，方當東討。重念征行之遠，能無暴露之勤。勉服顏行，亟平氛祲。更趨後効，毋替前功！併需飲至之期，優議策勳之典。宜令岳飛一一記錄將士勞績，俟賊平日參酌功効高下，開具聞奏，當議優與推恩，想宜知悉」。

[illegible]

六月雪本事

周燕謀

又長老傳云：『孝婦名周青。……青將死，車載十丈竹竿，以懸五旛，立誓於衆曰：『青若有罪，願殺，血當順下；青若枉死，血當逆流。』旣行刑已，其血青黃，緣竹而上標，又緣旛而下。』

今劇則本此三則演繹而來，但以周青爲竇端雲，而並增益張老父子事，益顯竇娥之貞烈，亦描繪蔡婆以高利貸之故，幾死於賽盧醫之手，並寓因果報應之意也。

至六月降雪之說，御覽十四引淮南子（今本淮南子無此文）云：『鄒衍事燕惠王，盡忠。左右譖之王，王繫之獄。仰天哭，夏五月，天爲之下雪。』

明人葉憲祖有「金鎖記傳奇」，清人袁令昭有「竇娥冤傳奇」，皆演此事。蓋此故事在元代爲大悲劇，葉所撰金鎖記，將結局改作團圓；後人因之，而悲劇氣氛則不復存在矣。要之，此故事[illegible]所寄，非傳本事。故不論劇中人結局如何，皆足爲聽訟者戒也。

（四·完）

內備警台報字第〇三壹號內銷證

自由報

THE FREE NEWS

第三五四期

中華民國僑務委員會頒發
台教新字第三二三號登記證
中華郵政台字第一二八二號執照
登記為第一類新聞紙類
（本週刊每星期三、六出版）
每份港幣壹角
台灣零售價新台幣貳元
社長：雷嘯岑
督印人：黃行齋
社址：香港銅鑼灣高士威道二十號四樓
20. CAUSEWAY RD 3RD FL. HONG KONG
TEL. 771726　電報掛號：7191
承印者：田風印刷廠
地址：香港灣仔高士打道一二一號
台灣分社
台北市西寧南路壹壹零號二樓
電話：三〇三四六
台郵劃撥儲金戶九二五二

兩面作戰的毛澤東

・方南・

毛澤東在兩面作戰中。這是在政治上、經濟上、軍事上三綫同時兩面作戰。透澈看毛澤東處境的危困處，我們應該有所喜悅，也應該有所警惕。

先說該喜的一面。

毛澤東最近和赫魯曉夫吵得很兇，而且正式使用拆台的手段。這已是事實上的鬥爭。談到鬥爭，共產黨一貫的作風是拼個死活才止。所以毛澤東的確是在兩面作戰中。

爲要反赫　必亦反美

毛澤東本不願出此，但終不能不出此一着。這不是突如其來的，走了第一步便自然要走第二步，積漸而成，內外交迫，唯其如此，毛澤東才註定必然傾覆滅亡。

毛澤東「反赫」的藉口之一，是指赫魯曉夫提倡與美國「和平共存」，走「修正主義」的路，所以他在反赫的同時，必要激昂地宣揚「反美」。這便是政治上的「兩面作戰」，一面是美國，一面是共黨內部的「修正主義者」。

正因必須「反美」之故，毛澤東不可能使中共在經濟上獲取西方國家的支援，希求南斯拉夫所曾獲得的滋潤。而堅決「反赫」，則必然在工業方面受到蘇俄、捷克、東德的聯合杯葛，再難望有建設上的進展。這便是經濟上的兩面作戰。

政經軍事　一無憑藉

中共去年經濟接近崩潰的創傷從未平復，今年是工業採守勢，把重點放在農業。今年夏收不佳，已成定局，農業生產再受打擊，經濟創傷難望補救，偏是毛澤東要選定這個期推行「反赫」運動，向那些同樣窮得可憐的「戰友」施展拉攏手段，當然不免花上一筆額外開支的「交際費」，變得窮上加窮了。

說到軍事方面，毛澤東還在開闢西藏戰場，進拊印度肩背之時，早已爲中共造成一個兩面作戰之局：一面是高原地帶，一面是東南海岸。目前他要把兵力分作兩面使用，一面用在閩浙粵沿海地區，防範國軍反攻，一面用在西藏至印度的一綫，仍須分撥一部策應寮緬之戰。兵雖多而備多，最新式的戰備也談不到怎樣源源補充和加強。誰替毛澤東打打算盤，也會覺得他在佈局上犯了大錯。

打仗第一是錢，第二是錢，第三也是錢。中共一窮至此，仍要靠「兵威」來支撐面子，內要防民，外要黷武，在在都要花錢，當然捉襟見肘。何況西藏遠離中原，維持一條運輸綫是很吃力的一回事，而且很難就地取給，以戰養戰。這種苦頭怎能長吃下去？

意亂心慌　歇斯的里

據此以論，中共三綫兩面作戰的愚妄荒唐，可說史無前例。毛澤東敢於在這時候拆赫魯曉夫的台，正如一部份日本評論家所指：這只是「發窮惡」而已。他雖有可藉以煽動一羣窮苦「戰友」的口實，但赫魯曉夫形勢比他強，只讓他在經濟方面多負上幾個爛包袱，已使他吃不消了。他除了能使史大林的幽靈在克姆林宮復活，「鬥力」是鬥不過赫魯曉夫的。試想想，由當年的「一面倒」乃至「以俄爲父」，變到今天「以俄爲仇」，毛澤東這一大錯憑什麼來辯護？誰還會信他眞有「扭轉乾坤」的力量？而且，驅使中共參加韓戰的元兇是史大林，並不是赫魯曉夫。中共受騙與受凌於蘇俄的事實，是不該只由赫魯曉夫一人負起全責的呢。毛澤東今天要做「正統的共產主義者」，拿「貧窮就是力量」做信條，不恤自陷於兩面作戰的絕境，內心必然摻雜狂妄與惶恐，矛盾得很。看他一面痛罵美國，一面警告美國勿助國軍反攻，一面又放出幼稚的宣傳，要反共義士放棄反攻之想，勿以美國爲可恃，便可見他意亂心慌，儼如害上歇斯的里病，變得語無倫次了。

再說該警惕的一面。

國人應該　警惕之點

今天世界的禍根是蘇俄。但由於西方國家看到蘇俄受着中共的困擾，赫魯曉夫又在高喊「和平共存」，便以爲這是與蘇俄謀和的好機會，更以爲「蘇俄要與西方合作以對付中共」這一預言，快可實現。

另外還會有人以爲這是實現「兩個中國」的預定策畧，藉以打消「黃禍」的良好時機，乘機運用外交手段，一方分化共產世界，一方達成分裂中國的宿願，合乎「一舉兩得」這句老話。

這種國際形勢會使中華民族受到更長與更不堪設想的苦難，不可不防。

就整個形勢來說，共產集團內部如此分崩離析，當然是自由世界之福。但自由世界的領導力量會不會認眞利用這個轉變，卻也難說。他們的「短見」與「自私」，會使很好的機會平白溜走。

毛的心理　赫的方案

其實，共產主義是失敗了，但俄國的赤色暴徒卻利用他們的殘暴、兇狠、狡猾、以及諸種機會來建成一個新興的工業國。這個工業國的基柱是用中國人的、韓國人的、捷克人的、波蘭人的、匈牙利人的、德國人的血肉合鑄而成。所有赤色附庸國，都因供獻這個「工業主子」而受到太多的壓迫與犧牲，這個「工業主子」，卻從來不管這些赤奴的死活。所以毛澤東要在共產世界內部發動「貧鬥富」，「無鬥有」，是有「羣衆基礎」的。做過漢奸的才知道漢奸的滋味與心理。這是毛澤東胆敢向東歐共產陣綫爭取羅馬尼亞這一類「戰友」的唯一原因。但「貧窮」並不就是「力量」，在眞正拿「實力」來鬥的重要關頭，蘇俄這個「主子」把握着較爲雄厚的經濟力量，畢竟還有從中抑揚擒縱的便利處。中共上他的當太多，知中共的亦莫如蘇俄，赫魯曉夫必已看透了毛澤東在三條戰綫上兩面作戰的危險光景，自然會有一套「整」毛澤東的方案。

將來演變　不外三途

將來的演變可能有三：

一、毛澤東「反赫」不成，結果被中共內部某一股力量推翻，導使中共再投靠蘇俄，永不翻身。

二、大陸反毛與反俄的潛伏力量爆發起來，配合國軍反攻。

三、毛澤東在高喊「反赫」與「反美」中，走西方國家的另一路綫，找一個中間折衝者。

這幾天，國軍游擊隊陸續由沿海進入內陸的消息，是值得注意的。香港一些報紙也看重了中共企圖對英國修好的蛛絲馬跡。這當然與上述三點中的兩點有關。毛澤東如走最後一路，大概會成爲另一種「修正主義者」。他將敗於赫魯曉夫之手呢？敗於西方國家之手呢？抑將敗於中國人民之手呢？我相信，三者必居一於此；而大勢所趨，他應該受到中國人的裁判。

日暮途窮　不亡何待

歷史上從來沒有一個似毛澤東那樣愚昧而狡猾，固執而反覆，自卑而自大的怪物。他目前眞要把北平當作「新延安」，從頭再打天下。卻不想想，當年延安的靠山是莫斯科，這時「新延安」的靠山在那裡？

依據常理與常識，一個人只做一宗錯事，便要毀滅一生的幸福。那麼，毛澤東領導的中共政權做了數不清的嚴重錯誤，怎能免於毀滅？日暮途遠的毛澤東怎能創造神蹟？

毛共多行不義，垮台固屬絕難倖免。我們卻不能坐以待它的自斃。而要發揮我們自己的力量，把它早些收拾掉。亦唯有我們自已起而推翻毛共政權，才是最可靠的我們國家的出路。

漫画天下　南施

看他們這一衝吧！

寮國

玩些什麼把戲？

自由談

治亂用重之道

馮五先生

古人說，治亂世，用重典。亂世人心陷溺，風俗澆薄，社會上呈現着麻木不仁的狀態，非尋常的法制政令所能濟事的。昔諸葛亮初入巴蜀，即採取嚴峻的治術，而輔之以開誠心，佈公道，終能拔除劉璋闇柔的政風，使人心爲之丕變，教化因而大行。所以，法正慨言「威之以法，法行則知恩，限之以爵，爵加則知榮」的義理，良有以也。

目前我們的社會現象，與漢末不相上下，而人心之險詐偷惰，作惡技倆之進步發達，尤有過之。然大家狃於故習，安於常態，對一些危害社會的事情，未能實施「治亂用重」的非常手段，動則拘泥於承平之世的常理，常法，卻又侈談革新政治，不亦傎乎！譬如一個罪證確鑿的貪官汚吏，事發狡展不肯供認，且故意製造案外的糾紛，嗾使親屬到處呼冤，企圖淆惑觀聽，減免刑責；一個怙惡不悛，犯禁多端的太保式小流氓，被警察在執行職務時誤傷致死了，而其家屬告狀不歇，訟言是非；這便是亂世的乖戾之氣，政府應該基於「治亂用重」的策畧，斷然作懲一儆百的非常處置，庶足以挽救頹風，滌盪末俗，振起社會大衆的羞惡、是非之心。

莊子謂：「哀莫大於心死」，現在一般人廉恥道喪，是非泪沒的心情，已趨於麻痺死寂狀態，求治之道，尤宜濟之以猛劑，纔可望起死回生，蔚成革新、戰鬥的氣氛。如其依然唯粉飾太平是務，諱疾忌醫，虛矯自娛，則歷史上的亡國悲劇，勢必重演無疑。

或許有人說，果如子言，豈非違悖民主憲政乎？應之曰：「講民主，必須人人有明法知恥的民德纔行，對貪官汚吏與流氓地痞而談民主憲政，何異跟盜賊侈言仁義，對娼妓闡述貞節哉？何況政府曾經援用軍法以制裁一個文化界人士，獨使貪官流氓沐寬大之恩，寧非輕重倒置嗎？

台北的重要新聞

王鎮貪污案的趨勢　交通部吃了一次癟

陳兼院長爲何表示倦勤

【本報台北航訊】近月來，台北政界連續發生了幾項新聞學上所謂「聳動聽聞」(Sensational)的事情，成爲社會人士街談巷議的閒話資料，理合將內幕情節，向讀者們作綜合的報導，聊盡記者職責焉。

曾經爲著「刑求」問題，而在立監兩院和司法界鬧得滿天神佛的台北地方法院檢察官王鎮貪污案，仍由法院正式審訊了若干次，然王鎮不特矢口否認有參預賄案的行爲，而且對其各級長官如司法行政部長鄭彥棻，高等檢察長夏惟上，地檢處檢察官楊鳴鐸(即主辦假退稅案的人)等，提起控告，指他們違法瀆職，聲勢洶洶。在高檢處審訊時，原已供認行賄受賄不諱的被告七名，有四人中途翻供，但事證確鑿有據，據說，當日行賄人用皮箱裝載現鈔一百四十萬元送交王鎮家中的原有箱子，已經查獲，鈔票雖不見了，而每張鈔票的號碼亦已查明在案，一經向外行使，立即發覺，因爲百餘萬元的現鈔，盡係百元和五十元一張的新紙幣，號碼次序井然，容易核對的。王鎮儘管狡賴，高檢處根據各個共犯的供述和所獲證據，認定王鎮確有罪嫌，業已依瀆職罪正式起訴。可是，按照瀆職罪的法意解釋，當事人須有利用職權作非法行爲的事實，才可構成，王鎮幷非審理假退稅案的法官，他只是接受爲人賄託，運動主辦本案的同寅予以解脫刑責而已。這樣，他所犯的乃是詐欺罪，法律上的詐欺取財罪刑，最高亦不過兩年徒刑，而坐滿一年之後，可以保釋出獄，以一百四十萬元的代價，丟掉一名吃不飽、餓不死的地方檢察官，坐一年牢即一生衣食優裕無虞，實爲計之得者。王鎮心裏有數，所以搞出許多花樣來，藉以淆惑視聽。因此人們認爲對貪官污吏而援用普通法律，殊非廉頑立懦之道，應該將本案移付軍法審判，從重處斷，庶可望發生懲一儆百的效用。

關於「刑求」問題，經記者多方調查，當初治安機關受高檢處之委託，偵訊王鎮時，幷未有拷打行爲，祗因王鎮對法律手續固然熟悉，對治安機關獲致犯罪口供的一切新方法，亦很瞭解。他一面指斥治安機關的法官沒有資格偵訊他，同時拒絕治安機關給他的飲食，最後則以狂暴手段對偵訊他的法官動武，這纔引起互相毆打成傷的「刑求」糾紛，而他的太太即據以向立法院陳情請願，向地方法院按鈴鳴冤，造出政海中的高潮，轟動一時了。

交通部本着革新航運輪船的政策，最近決定將招商局所屬的四艘舊輪船，以議價方式，標售給兩家民營航業公司，業已訂期議價交割了。忽有署名「忠貞員工」的招商局人員，向監察院告密，指交通部不依照公開投標的原定辦法辦理，改爲私下議價，而其標價的數額又與市價懸殊，顯係官商勾結舞弊。監察院立即作「緊急處分」，致函交通部停止議價交易。據說，那兩家承購舊輪的公司，背景都不是尋常的工商業者，以致有此特殊現象發生，交通部在輿論指摘之下，祗好命令中央信託局停止議價出售舊輪了。一般人認爲交長沈怡素有廉幹的聲譽，這次竟有此失，殊堪惋惜。蓋以「除舊佈新」的改革航輪目的而言，這些舊輪就應該售給拆船公司，一律拆毀爲廢鐵纔對，若由官家售給民間仍作航運工具，即與革新「船齡」的宗旨不合，那又何必多此一舉呢？若謂政府是要出售舊輪，以便製造新輪，那就應該採用投標方式，取得高價收入爲是，乃改爲私相授受的議價辦法，自難免令人懷疑其中有弊了。這問題，現由監察院積極調查中，是是非非，將來定有分曉，或許釀成一股政治風波，亦未可知啊！

行政院陳兼院長，自六月初旬起，忽然堅決表示倦勤之意，他在政院會議中，在執政黨中常會中，在最近陽明山例行的軍事會議中，皆曾經公開聲明要辭去兼院長職務，理由是年屆六十又七，應該退休了。實際是立法院最近提出增加公務人員待遇問題，認爲下年度政府的財政收入頗有增加，如台糖的國際價格已升漲了一倍，而台灣金鑛的含金量亦較過去增加倍蓰，公務人員的待遇可以調整了。但行政院按照實際情形而計算的收入，却與立法委員所想見者逈異，報紙上旣將立院這項主張披露宣傳，博得一般公務人員的歡心了，政院若說不行，勢必引起大家的怨懟，若表示同意，實際又沒有這筆鉅額的金錢可資支出。如是，陳副座祗好告辭兼職，以祛煩惱了。他這次倦勤決非鬧情緒，去志甚堅，然尋總統只許給假一個月休息，原因是後繼難得其人，政府某大老曾告訴記者，除非憲法修改了，總統可以兼任行政院長，否則在目前情況之下，行政院長一職，即非陳副座莫屬其難，不可！然陳院長又對人說：「如果今日的行政院長，大家認爲非我不可，那我們國家前途，未免太可惜了吧？」邇來道路傳言，萬一陳副座實要辭去兼職，繼任人選，最上選是王雲五先生，其次國防會議秘書長黃少谷三先生亦堪入選，再次則現任財政部長嚴家淦也可能，理由是他沒有個性，很隨和，論適應現時的環境，他是獨一無二的「良臣」，當然可以「一國而爲「良臣」」也。（凌。六月廿七）

香港與大陸

幾個月防旱運動剛收場

粵共又趕攬防洪運動

勒令人民出力之外還得出錢

如火如荼的抗旱運動剛告結束，粵共又在吶喊要人民立即投入「預防洪患」的工作中了。粵共「要求」人民（一）有錢的出錢，用以購買士敏土，杉椿等建築材料；（二）有力的出力，動員百姓進行疏通河床，開掘排水圳等工作。

據上月初曾回大陸探親市返抵港的余先生透露：粵東一帶，最近一個月來，都下了幾場豪雨，算是使嚴重的旱災剛剛得到解除，可是，中共立刻手忙脚亂的要把大家投入防汛防洪的工作中。此項說起來倒確實需要的措施，正係由於幾個月來粵共所攪的「抗旱運動」所造成。

余先生說：公社共黨負責人的說法，往年的五六月時，各地的河床和排水圳，大概已經疏通妥當的了，河堤也必重行加高或加濶了，可相當防止豪雨到來時引起河水或原身水的氾濫。而今年，不單此等工作仍未完成，而且在幾月來的抗旱中，因爲引河水堵水源，把河床和排水圳都堵塞了，雨稍爲大一點，便很容易引起氾濫。

余先生的家鄉是韓江流域，在抗旱期間，共幹就會「發動」了全縣的人民，把韓江的一條主要支流攔腰截住，讓河水全部從河兩邊的水圳流去，用以春耕。花了無數的人力財力（犧牲了不少生命）算是把那些河水利用了若干，可是，卻又帶來了極大的隱患。原來最近下了不少雨，水源驟漲，不單有大量的河水從河兩岸的水圳流去，並下游的「原身水」上漲，引起氾濫，而且也把人工築成的攔腰堵堤冲毀，此石使該處河床成爲一個坡形，水流受阻，兼之各排水圳皆失修，因此，這等地方縱令是僅下了不很大的雨，也會因爲原身水無法排除而形成水災。

中共現在雖又立刻發動人民投入防洪工作，唯因目前缺乏士敏土、杉木椿及鋤頭等材料工具，無法順利進行工作，因此又「要求」大家必須在最近幾天內，繳交「水利穀」，並要「幹部」家屬和華僑家屬，向「信用合作社」儲蓄，以支援「政府」；另一方面卻「組織」一批「青壯勞動力」，落河疏通河床，把該波形之兇石挖去，婦女和老弱者則留在原鄉修理排水圳及修補河堤。

余先生說：這次的預防洪患工作是在夜以繼日的進行着的，此因粵東地區，照例每年有雨量約二千多毫米，前一段時間雨下得少，在後一段時間雨量可能會多一點的，現在正是後一段時間了，所以要加緊進行防洪工作，否則山洪暴漲時，不單無法進行疏通工作，還使原身水無法排除，那就會造成大災害。

余先生慨歎地說：先前他也曾聽人說大陸的災害多是人爲的，還有些莫明其妙，這次回去親眼看見，才弄清楚了。他說：共黨亂搞一輪，苦就苦了百姓。（散斯）

最受人注意的選舉官司

李秋遠被訴當選無效

已開過一次偵查庭和辯論庭

【本報記者吳越台北航訊】省議員選舉官司，李秋遠的案件是最受人注目的，一方面原告是台灣省縣市選舉罷免監察委員會，來頭很大；一方面是李秋遠的當選票，是全省第二最高票，聲勢也不小。而最引人關切者，尚有候選人的資格與當選的資格，是否相同，這是法規的問題，關係今後地方選舉甚大。

李秋遠的選訟，已經由高院開過一次偵查庭和辯論庭，司法機關對此亦表示非常重視，所以正搜集雙方說詞證據，研究其適法而合乎情理之判決。

社會對一般情形都甚瞭解，但李秋遠方面之辯論理由，仍有欠明之處。本報記者曾走訪李秋遠之辯護律師李公權、朱念慈探詢原委，茲據他們對本案的看法及理由，紀述如後。

據李公權和朱念慈兩律師指出：「台灣省選監會所訴李秋遠的被選資格不適部份，理由牽强，不符法規精神。」

他們列舉有關法條，作三點辯稱：

一、按台灣省議會議員選舉罷免規程第三十八條第一項第三款規定：「犯……罪經判處有期徒刑以上之刑，在執行中者」，不得爲省議會議員候選人。李秋遠依此規定申請登記爲台灣省第三屆議員候選人，由台北縣選舉事務所呈報台灣省政府會同選舉監督審核合格，交由原事務所公告，均有案卷可查，足見李秋遠之候選人資格，毫無不適。

二、次按同規程第三十八條第二項規定：「候選人當選後，如有前項第一款至第三款情事之一，其判決確定時間，在當選名單公告前者，應由台灣省縣市公職人員選舉罷免監察委員會以當選人候選資格不實，依第五十條之規定辦理」。此所謂「判決確定時間在候選人當選名單公告前」，同時須在「候選人當選後」，方有本項之適用。如在候選人當選前，亦有本項之適用，則將使人可以候選，而不可以當選，不僅爲情理所不通，亦絕非立法時之本旨。民事解釋意思表示，尚應探求當事人之眞意，不得拘泥於所用之詞句。立法尤應探求其本旨，更不待言。故判決確定在候選人公告之前，當然亦在當選公告之前。旣經選舉監督核定李秋遠候選人資格，並經選舉事務所予以公告，依上述理由，自應排除該規程第三十八條第二項前段之適用。更就該條第二項文字解釋言之，其條件須一、「候選人當選後」，二、「當選名單公告前」，三、須在此期間中判決確定，四、須在此期間中執行；缺一於此，即無該條項之適用。李秋遠之服刑雖在當選名單公告前，但李秋遠之判決確定時間，早在候選登記以前，而非在當選後，有案可稽，即缺乏「在此期間中判決確定」之條件，即其不能適用該條項之規定，彰彰明甚。乃選監會貿然據此訴請李秋遠當選無效，顯屬不明該條項立法之精神，而又昧於文字解釋之條件。

三、查同規程第三十八條第二項稱：「以當選人候選資格不實，依第五十條之規定辦理」。而第五十條第一款即稱：「當選人被選資格不實」。此一「候」一「被」，含義是否相同？不僅被告莫明究竟，恐審判上亦難適從。究竟被告之行爲係候選資格不適乎？抑被選資格不適乎？選監會未申述，亦顯未合。

其次，李公權、朱念慈兩律師，就李秋遠被控違反競選規則部份，亦有所辯解。他們指稱：「李秋遠生性耿直，愛國愛鄉，辱蒙父老兄弟諸姑姊妹愛護，出而競選，在競選演詞中，責勉殷切，自所難免，但絕未詆譭政府，及任意誹謗其他候選人。選監會僅以斷章取義，片段曲解，剪接拼湊，模糊不清之錄音，作爲攻擊之唯一證據，欲李秋遠受違反競選規則之處分。李秋遠如有所指摘之事實，則早已爲選民所唾棄，何來七萬二千多張之選票，居全省當選票數之第二位。況本屆省議員選舉，候選人守法情形，深獲政府贊揚，國際稱譽，各報迭有登載，選監會徒託空言，毫無可採。」

最後，兩律師指選監會之訴，毫無理由，請司法機關作適切之判決。

本月初連日豪雨

港水塘存量增加

【本報訊】月初連日豪雨，爲時雖不長，香港水塘之存水已獲得大量補充，截至三日晨九時，各水塘存水共十九億八千萬加侖，清水池一億零八百萬加侖，此外，尚未向深圳購用者一億七千七百萬加侖，合共存水廿二億六千五百萬加侖。此一數字，比較六月一日開始實施四日一次供水辦法之存量，尚超出四億四千五百萬加侖。當時各水塘之存水總量僅十五億七千七百萬加侖，未向深圳方面取用者二億六千四百萬加侖，合共十八億四千一百萬加侖而已。至三日上午九時止之過去廿四小時，各水塘即獲水五億九千二百萬加侖。

續談領導人物

李宗黃

香港自由報六月十二日，在海嘯樓談薈欄，載有諸葛文侯先生「談領導人物」一文。對我所著領導學第六章「領導人物」所列舉的一、模範皇帝，二、模範政治家，三、模範軍人，四、模範外國人四項領導人物，計爲九人，即中國皇帝秦始皇、漢高祖、漢武帝、漢光武、唐太宗、明太祖等六人，外國領袖華盛頓、林肯、艾森豪等三人，分別予以月旦，全文分析詳明，見解正確，對吾所列舉者，有所指正補充，令人欣感無旣。其首段原文如下：「近承滇省李宗黃先生，以其所著「領導學」見贈，拜受而讀之，對他所揭櫫的政治領導人物必備的才識智能，吾無間言。只覺得他列舉中外九位模範領導人物中，大多數都不夠格，且沒有孫中山先生在內，尤不無千慮一失之感。」在此段之中，我們要明瞭創作此書之原委及此章之本意，謹將領導人物綜論中有關模範皇帝及外國領導人者，摘載如下，作爲對照。

「領導人物之有無多寡，關係國家之盛衰，與民族之興替，故不憚煩的特加專章，精選論列，以喚起全民族世世代代子孫之注意，尤其欲爲模範的領導者，更應特別警惕，特別猛醒，具備各種條件，使吾中華民國，永遠爲世界上一等強國，中華民族，永遠爲世界上一等強國，以進於世界大同，爲全人類謀新興渾沌之開闢。吾國『人心惟危，道心惟微，惟精惟一，允執厥中』的道統，自堯舜禹湯文武周公一脈相傳，至孔子，國父而集其大成，我們應以此八大聖，爲惟一正宗。但因僻處台灣，參考書籍無多，不免孤陋寡聞，一時不易撰成，乃先就明君賢相或大政治家大軍事家，憧憬稍次一等的模範人物，以爲全民族之楷模。皇帝方面以秦始皇，漢高祖，漢武帝，漢光武，唐太宗，明太祖爲不世出，而以漢宣帝，漢光武，唐太宗最有作爲，最能容人，最爲出衆……最後並暫選與吾有傳統友誼之美國模範人物華盛頓，林肯，艾森豪三人，供我攻錯之資。合於三原則，六綱領，八條目者褒之，反是者貶之。簡單分論如下」：

看上面這兩段對照後，我們來談這個問題，就易收到事半功倍之效。諸葛文侯先生對於領導三原則，六綱領，三方式，並無間言，當然無庸再談。茲先就他「只覺得他列舉中外九位模範人物中，大多數都不夠格」一段來談談。

天南風光

——雜記犬嗥雞鳴——

朱潤明

但是沙羅越的雞，却常於天黑後十點鐘左右，就大鳴而特叫。那時還在戌亥之間，質言之，就是今天一天猶未過完，而雞公竟然急急忙忙作迎晨的表示，使人初初聞之，眞不知如何是好。因爲我國有許多地方，對雞也有一種迷信，假定公雞是在午夜之前鳴叫，就認爲是它看見了火光，那末，必然有遭祝融之災的危險，於是養雞之家，或其附近人家，必然要提一桶水前往向雞籠一潑，以資化解，甚至有老實不客氣的查出是那一隻先叫的雞，就予以宰食了事。

然而，這在沙羅越是行不通的。因爲像古晉詩巫這些地方的雞，經常是午夜前一二小時就要鳴叫的。如要化解，就不勝其潑水；如要懲罰，就不勝其宰殺。不過話說回來，儘管雞是早鳴，翌日也並無失火之事，如果偶爾發生火災，顯然與雞鳴無涉；或許有人會怪到保險公司頭上，而從無人賴到雞嘴上。

那末，沙羅越的雞，如果繁殖於中國，則中國的歷史故事及古老成語，都非修正不可。例如上面引的詩經雞鳴篇，就根本不能成立。假定勤勞的人要與雞同時鳴而起的話，則晚間十點鐘左右，那似乎絕大多數之人根本上可以不上床。於是，也不必管若要搶先提出他所養的雞。濫朋友，去假學雞鳴；而西南一帶，所有小旅店的「未晚先投宿，雞鳴早看天」之類，竟完全不合，非改不可。至於若干公雞們所常常傲然自以爲天是由牠們叫亮了的觀念，則更需要立刻變更，或者就改爲天是由牠們或他們叫黑了的也好。否則，即請牠們或他們到沙羅越去領略領略罷！（完）

鄭成功的奮鬥精神

駱子杰

鄭成功在歷史上是一個失敗英雄。但他之失敗，是天奪其年，並非由於他本身的錯誤。假如他的生命長幾年，其抗清復國的事業必獲最後成功，這是可以斷言的。至於鄭成功百折不回的奮鬥精神，與其一生磊落光明的言行，都值得作爲我們的典型。

鄭成功出身於一個環境很複雜的家庭。他父親鄭芝龍初爲海盜，亡命海外，後來歸順朝廷，做起了大官，雄踞一方。一心只想升官發財，却不知國家民族仁義道德爲何物的。他母親又是一個日本女子。在這樣家庭出身的鄭成功，他却眞是出污泥而不染。他年少好學，力求上進，要爲國家民族做一番大事業。

成功十五歲參加地方考試，入學做了一名秀才，十九歲上京師進太學肄業，刻苦用功。廿一歲遭逢國變；李自成攻陷京師，崇禎皇帝自縊殉國。吳三桂引清兵入關，清人趕走了李自成後，竟盤踞北京，做起了中國的皇帝。成功痛國家淪亡，間關南下。又看見南京的福王小朝廷，重用一群小人，爭權奪利，沒有恢復的希望。於是他想說服自己的父親，憑藉他父親的力量，作爲維持大明江山的基礎。

順治二年，清兵攻陷南京，福王破滅。唐王聿鍵即位於福州。成功認爲這正是自己努力爲國家效力的最好時機。唐王對他也另眼相看。這時他廿二歲。次年，清兵入閩。鄭芝龍竟不聽成功之諫，向清人投降。唐王也被清人所俘，成功的母親亦爲亂兵所殺。成功此時國難家仇，痛澈五內。他於是走到聖廟裏，向孔聖先師告別，焚儒服，立誓要爲國家犧牲，殺敵復國。

從此之後，他第一步便是散發家財，招集隊伍，再進而與各方採取聯絡，厚結力量。他先後出師收復福州、漳、泉以及粵東等地。又與浙江之張煌言等，互相呼應，聯師北向。惜十餘年屢進屢退，未能大展。直至他三十六歲時，才大舉進兵長江，攻克南京，清廷爲之震動。惜因各方通訊連絡欠迅速，安徽方面的援兵不能及時到達策應。以致功敗垂成，兵力也損折了大半。

經過南京之役敗退回來，成功認爲非有一個良好根據地不可，而臺灣恰好是一個最佳的目標。但其時臺灣在荷蘭佔據之下。他於是率領大軍，進攻臺灣，把強大的荷蘭人驅走，收復了國家故土。

臺灣收復之後，成功勵精圖治，不出兩年，已經大有成效。但不幸的，當他厲兵秣馬，正要渡海反攻大陸的時候，他便得了重病而死。這時他才卅九歲！這眞是太不幸了。假如他不是這麼短命死了，他的事業成就，實在是不可限量的。撇開成敗不說，像鄭成功這樣的爲人，眞正是萬世不朽的典型，我們應當奉爲範式。

越南中部達樂省新貌（上）

——西貢通訊——

文化教育方面，目前在達樂省的學校有：師範學校一間，公立中學學校一間，私塾中學學校兩間，公立小學學校九間，私營小學學校五間，華裔育英學校一間，初級學校一〇四間，平民教育一〇三班，（其中有五十班是教山胞學習越文。五班將山胞語教給越人）。此外，尚有四間小學商舍，與初級學校宿舍十間，並有一間山胞職業訓練學校。最近，位於邦美蜀雄王街尾段之一座公職修業中心學校，於本年五月廿三日落成。報章方面，每日西貢寄來之越文報有鐘聲，時報，新西貢報，新報，言論，朝報，首都時報，生理報等。華文報則有遠東日報，亞洲日報，成功日報，大厦日報，每日論壇等。由此間育英學校及邦華體育會爲代理，每日多在下午二時至四時間，由西貢寄至，華越民衆有百份之九十均閱讀報紙。

各公共醫院暨社會機構計有：一座平民醫院，設在距邦美蜀一公里處，一座公立診療醫院與一座私立醫院，一間公立助產院，四間私立助產院，救傷站五十九間，郡的傷兵療養院一間，職業訓練班及孤兒院各一座。現在加設一所婦女半軍訓，暨社會飯館，已在去年九月間落成。

最後，特將達樂省的著名名勝古跡簡介如左：

（一）位於邦美蜀潘佩珠街尾段之「啓端」寺，是佛學會會址。

（二）特利塢瀑布，離邦美蜀十八公里，設有一座水力發電廠。

（三）特利地隆瀑布，離邦美蜀三公里。

（四）特利拾瀑布，離邦美蜀三十五公里。

（五）特利亞魯瀑布，離邦美蜀三十八公里。

（六）楊白龍古婆塔，離邦美蜀八十公里。

（七）樂善湖，離邦美蜀五十公里，湖口周圍面積濶八平方公里。

（八）巴寮川盆地，在樂善湖方面約三十公里，此盆地有一大島嶼，四周則是格隆格魯河圍繞着。（三·完）

盧月續夢

第九回：楊腹爭雄　壺漿招餓鬼　苦心糾衆　風雨會羣魔

就當賈龍赴北韓同時，古巴的貿易部長圭華拉也到了北平。這個圭華拉原是阿根廷人，是一名老共產黨員。當卡斯特羅仍在山區打游擊時，圭華拉就奉到莫斯科指示，由阿根廷運軍火彈藥予以接濟，從此就同卡斯特羅發生了關係。卡斯特羅這個集團只是一羣青年人組成，對政治已經外行，經濟更沒有人懂，圭華拉一到，就掌握經濟實權；卡斯特羅革命成功後，圭華拉就担任古巴國家銀行總裁，對外貿易部長，權力之大，僅次於卡斯特羅兄弟。這次因爲要向中共大量借款，所以圭華拉親自到北平來一趟，當面交涉。

中共正在傾全力拉攏古巴，對這樣一位貴賓，自然不肯放過。圭華拉到北平時，李先念、葉季壯都到飛機場歡迎。接着展開一連串的酬酢，周恩來和圭華拉作了一次長談，毛澤東也和圭華拉見面，談到古巴的經濟情況，表示十分關切。

圭華拉說道：「我們革命以後，沒收了約計九億美元的美帝財產，目前已經用盡了，以美國爲首的帝國主義，又聯合一起對付我們，不賣東西給我們，又不買我們的糖，所以我們的經濟情況就越來越惡化了。」

毛澤東說道：「這個很容易，你們買不到的東西找我們要，賣不出去的糖，全部賣給我們，就完事了。」

圭華拉連忙起身致謝，說道：「主席實在慷慨！我們同蘇聯談判貿易及技術援助協定，談了許多日子都未談得攏，主席只是輕輕一句話就把問題解決了。」

毛澤東笑道：「我們中國有句俗語，救人要救死，救人要救活。半吊子事情我們是不幹的。今天古巴的經濟困難，應該由全體兄弟國家聯合起來解決才是。所謂貿易，不過是個煙幕彈，要是眞的當成貿易來談，還想從中賺點錢，那就不對了。」

圭華拉連連點頭：「主席的見解實在高明，可惜有許多人還沒有這麼大的眼光，所以才發生許多意外的困難。」

毛澤東「哼」了一聲：「若依照我的辦法，十年來世界上最少也要增加五個社會主義國家，就你們中南美起碼要增加三個，古巴今天也不會陷於孤立，被美帝及其僕從國所包圍了。」

圭華拉越聽越高興，連說：「主席旣然看得這樣清楚，爲什麼不按計劃進行呢？」

毛澤東冷笑道：「領導世界革命的主動權並不在我手上，別人不肯聽我的話，有什麼辦法。」

圭華拉同毛澤東作了一次會談之後，思想大爲轉變，覺得毛澤東的見解確實高過赫魯曉夫，世界革命若由毛澤東領導，將可以早一天成功。圭華拉這種思想，以後也影響了卡斯特羅兄弟。

圭華拉同李先念作了一次會談，簽訂援助及貿易協定，規定中共替古巴建設二十四座工廠，第一批先運五千五百噸大豆救急。古巴所需要的東西，在蘇聯求不到的，全由中共包下來。這次談判十分圓滿，公報發表後，圭華拉又到各大城市去參觀，到處受到空前的歡迎。（二一八）

記懦夫衞立煌

吳文蔚

這一次，衞立煌的表現眞夠味，一聲不響，滿不在乎。共匪摸不着深淺，軍民也難知底細。如此這般，大家總認爲衞老總還有一手呢！

第二個威脅是長春棄守。自從吉林的守軍撤至長春之後，表面上是兵力集中，而實際上對長春的防守力也毫無幫助。

長春的情形，有如一個被蛇纏腰的羊子，團團的包圍着，共匪對於包圍圈的縮小，可以說是與日俱增。同時長春與瀋陽之間，共匪又構造了一段眞空地帶。不但瀋陽無法援救，而且連一般普通民衆也無法通過；長春處於如此劣勢的情況下，實無異於患了一個重癌症的病人，其生命只是時間問題而已。

日子不久，共匪果然發動了攻擊長春的戰事，長春守軍力戰不支，終於陷入匪手。當長春被圍攻得正猛烈之際，衞立煌眼睜睜的看着長春在挨打而束手無策。防守長春的幾個軍，就這樣白白的給犧牲了，言之不勝痛心！

這以後，東北的局面，沉靜了幾個月。這幾個月也就是衞立煌的「三分作戰，七分準備」的最有利時期。是一個五月的天氣，麥子快要成熟了，衞立煌發動了一次搶割攻擊，一舉收復了遼陽重鎭。這一次勝利，給東北軍民帶來了不少的歡欣與鼓舞；但從此衞立煌便無所作爲了。

民國三十七年的七月，東北的國軍，應該是一個轉捩的時期，依各方面的徵候，共匪都在蠢蠢欲動，其最顯著的事實，莫過於通遼至錦州間的遼西走廊。這時候，共匪正忙於地下輸送，看樣子，錦州就要不太平了。

這時，東北匪我的實力尙屬平衡，勝負之數，不是決定於雙方的兵力，而是決定於主將的胆識與智慧。衞立煌如果此時能來一下總反攻，不特可以揚威東北，而且尙可有助安定華北（當時東北每次緊急，多賴華北派兵援救），甚至扭轉了整個局勢。然而衞立煌卻全無作爲。他也許正在作其「七分準備」的甜蜜之夢，實事上卻一聲不響的在等着死神的來臨！

筆者那時正血氣方剛，雖人微言輕，但身負協助指揮作戰的職責，實不忍東北的錦繡河山就這樣的坐失於匪手，乃效法興登堡當年故事，將東北戰場作了一個詳細的考察，繪成態勢圖，擬就計劃，上書衞立煌，請其立刻發動攻勢，以作最後的決定。書中有謂云：

（中）

黃大仙

漁翁

九龍城東兩里許，有廟堂皇，額懸「黃石公」，又曰「赤松子」，地方人稱之爲「黃大仙」。於是黃大仙三字，膾炙人口矣。

按黃石公，即圯上老人，江蘇邳縣南有「圯橋」，漢張良遇黃石公於橋上，授以太公兵法書一編，曰：「讀此可爲王者師。後十三年，見穀城山下黃石，即我矣。」故後之人稱曰「黃石公」。至「赤松子」，古仙人名，史記張良傳：「願棄人間事，從赤松子遊耳。」是則赤松子、黃石公，以仙稱，故廟以大仙名之。

此地離城頗遠，茂林修竹，有園名「嗇色」，雖屬釋道潛修之所，但其中有祀奉孔子之「麟閣」，冶儒釋道三教於一爐，迎合中國人信仰宗教之心理，與其他寺院專奉佛道二教者有別。

園門題「第一洞天」，據說是赤松乩筆。入內，爲「赤松黃仙祠」，亦傳爲純陽仙子所降筆。祠前一聯：「靈爽式憑，鸞鳥翔空，俯視一切；玄徽宜覺，鳳麟聚藏，普救羣生。」是民國十五年梁愷生所書。

殿內供奉黃大仙像，道貌岸然，令人肅然起敬！兩旁懸一聯云：「鳳翼方伸，總期愼始愼終，一簣功成，進吾往也；龍頭誰舞，咸望實心實力，百端待理，闡斯行之。」

祠東有「雨化堂」，「經堂」，「意密堂」，「麟閣」；左有「孟香亭」，後有「玉液池」，各自獨立，佈置得體。雨化堂有一聯：「大哉仙乎！與聖賢之道同道；尊矣神也！以天地之心爲心」。麟閣門外一聯云：「道若山河，隨地盡成洙泗；聖如日月，普天猶是春秋。」此聯語氣豪爽，凛凛然有儒家風味。

孟香亭多名人墨蹟，朱汝珍太史聯：「眼前瀛海成三島；壺裏乾坤自一亭。」賴際熙太史聯：「石訪穀城知我在；藥尋橘井治人多。」岑光樾太史聯：「方便門開施法雨；如來座近接慈雲。」吳道鎔太史聯：「入座有如沾化雨；依山還是戴慈雲。」以上所題，寫作俱佳，均在民國二十二年所刻。

亭旁豎一石碑，署云：「孟香亭之設也，乃秉仙師訓示，用以供奉聖佛，闡揚佛法，以成三教同源之本旨。」亭後，鑿地爲池，顏曰「玉液池」，內植蓮花，四週繞以花木，頗饒畫意。遊人至此，往往低徊流連不忍去。

每逢春秋朔望，善男信女朝拜者，途爲之塞。祠內有靈籤多種，不得解時，廟外有一條長街，專爲解答籤義者，有署名王陽明，呂純陽，藏眞道人……等，約百數十家，着道服，留長鬚，形形色色，煞有神氣。

十二年前，筆者得訊，聞悉繼室在大陸以無罪入獄，焦灼中，往大仙廟求一籤，籤內有「喜見天日」語，[illegible]

海嘯室談薈

陳公博的著述

諸葛文侯

陳氏在他所寫「我與共產黨」的記述中，提到民國十五年四月，國民黨的俄國顧問鮑羅庭由莫斯科回到廣州時，國民政府主席汪精衞爲着是年三月十九日的「中山艦事變」出國去了。鮑羅庭曾向陳氏建議，主張以張靜江作國民黨的「實際領袖」，旋張氏被推爲中央常務委員會主席，陳氏乃認爲「黨畢竟分裂而有寧漢分立之變，而且就以張靜江作主席爲分裂的藉口」，「因爲國民黨的分裂，即是共產黨的大利」云云。他似乎認定鮑羅庭是有計劃的捧出張靜江來，使國民黨發生內訌而讓共黨乘機坐大，這是不切實際之談。事實上是汪精衞於孫總理逝世後，要想竊取領導地位，然資望與勞績皆不夠，乃利用共產黨作嘍囉爪牙，而以國民黨的左派人物自居，先把在黨內資格比他老，聲望比他高的同志如胡漢民、許崇智等人，藉着廖仲愷被刺案，加以排除。共產黨就利用汪精衞的領袖慾，故意恭維推崇他，以製造國民黨內部的糾紛，使本身居於有利地位，乘機發展，還有如孫悟空鑽入牛魔王肚內，大舞其金箍棒，受害的只是國民黨而已。汪精衞於中山艦事變發生後，以爲當時廣州的局面很動盪，非他維持不可，而俄國顧問團亦必支持他，乃佯稱辭職——國府主席職位——隱居私宅，避不見人，他料定今總統蔣公對於中山艦事變的善後問題，必感棘手，等候俄顧問鮑羅庭回來，即可合謀對付，將不利於蔣公也。詎料鮑羅庭密承史大林意旨，初則希望跟當時在莫斯科考察的胡漢民合作（鮑與胡氏是由海參威同船回粵的，同行者尙有邵力子陳友仁），在旅途中迭次會商，終以胡氏所提條件不易妥協而無成議。鮑羅庭回到廣州，查看情形，見蔣公措置裕如，黃埔學生的革命精神與能力，亦堪重視，卽決計不再支持汪精衞，如是，汪氏之辭職竟弄假成眞，進退失據，只好悄然去國了。這就是張靜江先生被推任爲國民黨中央常務委員會主席的所以然，因爲張氏在國民黨的資歷和勞績，都高於汪精衞，不亞於胡漢民，論他和孫總理的交情，更較汪胡爲厚，而他素來未曾涉身黨政界，對各方面皆沒有恩怨，請他來主持中常會，應該是具有安定力的適當人物。陳公博說：「當日開中央政治會議時，我簡直開不得口，譚延闓先生蔣介石先生都贊成了（指推舉張靜江爲中常會主席案），我還有何話說。」這是當然的，凡屬國民黨的人，沒有不贊成之理。

可是，汪精衞卻不甘寂寞，念念不忘情於復職一事，時俄共和中共嘍囉以爲蔣公[illegible]資利用玩弄，故對於張靜江頗示推崇，不與汪派沆瀣一氣。[illegible]知蔣公并不受共黨支配擺佈，乃由共黨份子提出「請汪主席復職」「打倒昏庸老朽」[illegible]大口號，汪派人士更從而附和叫囂，在武漢自行設立「黨政聯席會議」，僭行國民黨中樞職權，設立國民政府，促汪精衞由法國回來復任主席，而置在南昌的原有中央黨部和國民政府於不顧，所謂「寧漢分裂」，卽肇端於此。假使汪派人士不因爭權奪利而甘受共黨利用，始終忠於本黨，決不同室操戈，則鮑羅庭和其爪牙中共份子，雖然「以張靜江作主席爲分裂的藉口」，亦奈之何哉？[illegible]

[illegible]的論斷，內心上仍是爲汪精衞解脫責任，也就是替後來所謂[illegible]國的罪惡有所洗刷（中）

南宋偏安有人才

李仲侯

七月飛出永州，題祁陽大樓營驛：

「權湖南帥岳飛，被旨討賊曹成，自桂嶺平蕩巢穴，二廣湖湘，悉皆安安。痛念二聖遠狩沙漠，天下騷擾。誓竭忠孝，賴社稷威靈，君相賢聖，他日掃蕩胡虜，復歸故國，迎兩宮還朝，寬天子宵旰之憂，此所志也！顧蜂蟻之羣，豈足爲功？過此因留於壁。紹興二年七月初七日。」

軍行入江西界，准本路安撫大使李回牒，令招殺馬友下郝通賊馬，飛遂至筠州降之，除揀放外，得精兵一萬八千人。因奏所得兵可以防江，共韓京、吳錫軍更不須起發。乃以京、錫撥隸荊湖廣南宣撫司。時馬友復犯筠州，城西防隘之兵，望風潰散，守臣已徒步出境。及聞飛軍來，友遂逃去。軍至江州，劉忠之餘黨四千餘人，寇之廣濟縣；又李通已受招安，在司公山不肯出，令飛掩捕，悉平之。於是李回奏乞以舒、光黃接連漢陽武昌一帶盜賊，並委飛招捕。是年冬，飛駐節江州，題滿江紅本意詞曰：

「怒髮衝冠，凭欄處瀟瀟雨歇。抬望眼（一作眼望），仰天長嘯，壯懷激烈。三十功名塵與土，八千里路雲和月；莫等閑白了少年頭，空悲切。

靖康恥，猶未雪；臣子恨，何時滅？駕長車踏破賀蘭山缺！壯志饑餐胡虜肉，笑談渴飲匈奴血；待從頭收拾舊山河，朝天闕。」

紹興三年三月，虔州吉州境內，盜賊蠭起。吉州則彭友、李洞天爲之魁，虔州則陳顒、羅閑十等各自爲首，連兵數十萬，置寨五百餘所，表裏相援，捍拒官軍，分路侵寇循梅廣惠英韶南雄南安建昌汀潮邵武諸郡，縱橫往來，兇鋒方熾。於是李回奏吉寇彭友等爲亂，乞專委岳飛。廣東宣諭明橐亦奏虔賊爲二廣患，探之南方物論，皆言岳某所部，最爲整肅，所過不擾，若朝廷矜憫遠人，特遣岳某軍來，則不惟可除羣盜，而既招復叛如劉忠輩，亦可遣之隊伍，繩以紀律，使之爲用。又知梧州文彥明奏虔州寇入廣州封川，乞委飛招討。劉大中亦奏以飛爲請。上始專以虔吉寇付飛招捕。

夏四月，飛至虔州，聞彭友等立柵於固石洞，諸酋甚富，飛遣吏伺其實，乃已離固石洞，悉其兵至雩都侯官軍，且宣言曰：「人言岳承宣智勇爲天下第一，我今破之。岳承宣且敗，他人若我何！」吏回報，飛大笑，遣辯士二人造之，開諭禍福，說之以降。賊曰：「爲我語岳承宣，吾寧敗不肯降，毋以虛聲恐我也。」遂與戰。友等方躍馬陣突，示其驍勇，飛揮軍擊，擒友等於馬上，餘酋散走。賊衆潰滿山谷，獲衣甲器械無數。奪其被擄男女二萬餘人，縱歸田里。

（六五）

龍門

匡謬

[illegible]

內僑警台報字第〇三壹號內銷證

自由報

THE FREE NEWS

第三五五期

中華民國僑務委員會頒發
台僑新字第三二三號登記證
中華郵政台字第一二八二號執照
登記為第一類新聞紙類
（半週刊每星期三、六出版）
每份港幣壹角
台灣零售價新台幣貳元
社長：雷嘯岑
督印人：黃行憲
社址：香港銅鑼灣高士威道二十號四樓
20 CAUSEWAY RD 3RD FL.
HONG KONG
TEL. 771726　電報掛號：7191
承印者：田風印刷廠
地址：香港灣仔高士打道二二一號
台灣分社
台北市西寧南路壹壹零號二樓
電話：三〇三四六
台郵撥儲金戶九二五二

中俄共談判前途的預測

高瞻遠

中共赴莫斯科談判代表團，終於在七月五日上午由北平起飛，送行的行列中，除去毛澤東之外，也只少了問題人物陳雲，久病不痊的林彪及犯了錯誤的彭德懷、黃克誠、滕代遠等人。甚至鄧小平，彭眞，楊尙崑等的「愛人」也到了，而新華社更有意的把全體送行人員的官銜都列進去，用意自在壯大聲勢，但在局外人看來，總有一種易水送荊軻的感覺，悲是夠悲的了，至於壯不壯則要待不久方知。

最近一個月來中俄共關係的急劇惡化，確實使人眼花繚亂，比起一九四八年的南蘇分裂還要顯得突兀。

導致中俄共關係急劇惡化的原因，是由於中共六月十四日發表的致蘇共的那篇「關於國際共產主義運動總路綫的建議」的覆信。毛澤東之所以要發表那篇建議，用意要在未來談判中取得主動權，蘇共已決定將此項「建議」擱置不予發表，中共當時若適可而止，事情還不致過於惡化。可是，毛澤東總以為已操必勝之券，竟然命令中共駐在莫斯科及東歐附庸國首都的幹部，自動在火車上，馬路旁，公園裏到處散發，務期把這項寶貴「建議」讓蘇俄及東歐人民知道，這以來赫魯曉夫感到是可忍，孰不可忍，除命令蘇斯洛夫代表團在談判中決不作絲毫讓步外，並採取了一系列的反擊措施。

第一、驅逐中共五名幹部出境，其中有三名外交人員，一名學生，一名研究生。理由是在蘇俄散發傳單，干涉了蘇俄內政。

第二、四名蘇俄人搗毀了中共大使館的陳列櫥窗，蘇俄說是醉貓所為，中共指為有意挑釁，無論如何，此項行動實在史無前例，蘇俄對南斯拉夫及阿爾巴尼亞交惡時，也未曾發生過。而事後竟然毫無歉意，連一句遺憾都未談過。

第三、在莫斯科召開的婦女大會上，中共代表又受到有計劃的侮辱，甚至連發言權也被剝奪。

第四、中共代表團一批先遣人員，七月四日抵達莫斯科時，竟在機場被留難九十分鐘，而一般旅客只檢查二十分鐘。

第五、鄧小平一行抵達莫斯科時，在機場上竟然有人高呼『無恥』。

第六、中共代表團抵達莫斯科之前，赫魯曉夫卻去了基輔，米高揚，布列日涅夫等人雖未離開莫斯科，卻也未見露面。

第七、莫斯科電台突然停止轉播北京之聲的俄語廣播，事前也未經過任何宣佈。

第八、就當此時，印度又派出一個規模龐大的代表團，前赴莫斯科求取援助，蘇俄準備予以盛大歡迎。

以上幾項是已經共方報紙自行公佈的，暗中還予多少嚴重打擊，尚不知道。

處在這一連串打擊之下，中共除去提出例行抗議之外，並未採取任何報復行動。鄧小平代表團仍然按期出發，中共且宣告願以「最大的耐心盡最大的努力」，求取與蘇共的「團結」。語氣意外的溫和，可以看出毛澤東在赫魯曉夫一頓大棒子揮舞之下，已經軟下來。

研究中蘇共這一次的鬥爭，可以看出毛澤東最初是「氣壯如牛」，總以為可以嚇倒赫魯曉夫，不料赫魯曉夫比他更兇，已經不顧一切，甚至再演出對阿爾巴尼亞的一幕，也在所不惜，到了最後關頭，毛澤東不能不軟下來，變成了「胆小如鼠」。

從現在看中俄共談判的結果，大體不外三條路，第一、大吵一頓，不歡而散。第二、取得一致協議，暫時放棄爭論。第三、毫無結果，仍保持未談以前形勢。

先說第一條路。依照目前情况來看，全面決裂的可能性很大，甚至就在會談期間，雙方報紙通訊社罵陣仍然未息，雙方似乎都不願低頭妥協。但若進一步研究，中共與蘇聯之間公開決裂的可能性也是微乎其微，因為中共在許多地方仍然離不開蘇俄的支持，例如單是汽油一項，雖在爭吵期間蘇俄也從未間斷供給，如若眞的因此次談判決裂，導致斷絕邦交，中共所需求於蘇俄的物資，一時未必能自西方國家獲得，到時其困難是不堪設想的。

其次，中共與南斯拉夫、阿爾巴尼亞不同，中國與蘇俄東西接壤，一萬多里，一旦斷絕了邦交，蘇俄可以在任何地方滋事，尤其新疆少數民族本來已經不穩，若有蘇俄從中煽動，一夜之間，就非中共所有。毛澤東正在設法顛覆寮國同南越，當然也怕蘇俄在顛覆自己。

在蘇俄方面來看，也沒有和中共全面決裂的必要，不必說每年自中國大陸巧取豪奪獲得的利潤，而且在東西方鬥爭中，中共總是一個巨大籌碼，共產集團經常自詡擁有十億人口，假若同中共鬧翻，十億人口就減了六億，蘇俄的地位也會隨之降低，赫魯曉夫自不願看到這種情况出現。

再說第二條路。中共與蘇俄取得一致協議的可能性也是沒有的，這因為雙方面基本情况不同，影響了彼此的觀點，例如毛澤東口口聲聲罵美國是紙老虎，自詡不怕原子彈。在赫魯曉夫看來，毛澤東到不是無知，硬是另有陰謀，因為美蘇戰爭一旦發生，美國原子彈自不會投向中國大陸，首當其衝的當然是蘇俄，美蘇同歸於盡，便宜就被毛澤東撿了去。至於世界革命問題，雙方也因本身情况不同，也各有觀點，而且都無法退讓，談判之必無結果，可以說未談判之前，就被舉世人士所公認了。

兩條道路都走不通，剩下的只有第三條路，就是談判之後，發表一項含糊其辭的聲明，表示歧見並未化除，但是也未惡化，其中重要問題，留待下次會議再行討論，這樣就可以結束了這次會談。

不過，會談之後如沒有結果，到不如不談還要好些。赫魯曉夫所以屢次予中共以難堪，其意即在阻止中共代表團到莫斯科來，以免使形勢更加惡化，而中共卻硬着頭皮到莫斯科去，若非中共眞有求和的誠意，就是毛澤東別有陰謀，想把會議桌當作宣傳戰場，使中共的理論為蘇俄人民知道，埋下推翻赫魯曉夫的種子。而蘇俄方面始終不讓消息外洩，也就是避免為中共代表團所利用。

經過這次會談之後，中俄共之間是否還有機會再開一次類似的會談，短期恐怕是不可能了，除非赫毛兩人有一個垮台，這兩個世界大共黨大概要在不公開決裂前提下，永遠鬥爭下去。

赫毛之間的鬥爭，對於自由世界究竟有無好處，從目前情況來看，當然是有的，起碼是對自由世界壓力減輕了。蘇俄對柏林問題始終強硬不起來，就是受了中共的牽制，而中共對東南亞不敢明目張胆的侵略，必因為缺乏蘇俄的支持。不過，這種有利形勢只是暫時的，一旦他們獲得了休戰，一定又會加倍製造麻煩。自由世界要想把握機會永遠解除後患，只有支持中國政府反攻，只要中國大陸光復，不僅亞洲永保平安，就是蘇俄也會逐漸轉變，可能在不流血的情況下，將政權和平轉移到蘇俄人民手裏。按說這實在是千載一時的機會，希望不要讓它溜掉。

但可憾世無大政治家，居於自由集團領袖地位的美國當道，儼然智不及此。美國當前想做的，就日來所逐漸洩露出，僅是在於如何爭取赫魯曉夫以鬥毛澤東，而其爭取之道，更居然是如何滿足赫的要求以示赫的「理論」正確，毛的「理論」錯誤，使赫得立於不敗之地。這簡直是亂打主意！結果無非是與虎謀皮，培養癌症。那就應了赫魯曉夫的狂言，而使自由世界被蘇俄所「埋葬」。

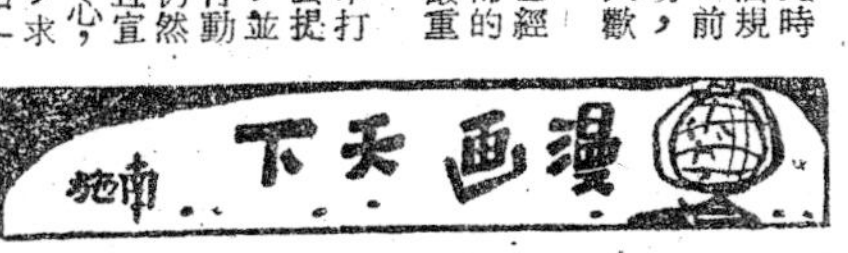

活劇開演

自取滅亡

自由談

冷眼看世局

馬五先生

美總統甘迺迪最近訪問西德，在波恩對着德人說，「誰要進攻西德，即等於攻擊美國」，堅決保證美國絕對應援；到西柏林又對着德人說，「西柏林是我的故鄉」。一片討好的詞色，做到了「脅肩諂笑」的程度，令人不無肉麻之感。

日本人過去曾經公然拒絕美總統艾森豪訪問，最近又拒絕美國的原子潛艇進入日本領海區域，然美國當道者對日本還是恭維備至，援助如儀，表現着「以大事小」的決決風度。想起美助理國務長官哈里曼，去年在寮國聲稱美國決不援助不聽話的國家那種咄咄逼人的言論，令人不無驚詫之感。

美國當道之對西德獻媚，為的是做給法國看，同時亦在拊循德國人，因為法總統戴高樂素來不滿意美國獨佔原子武器使用權的作風，硬要單獨發展原子武器保持獨立國家的地位，近又跟西德政府簽訂友好合作條約，萬一西德與法國沆瀣一氣，形成歐洲的第三勢力，如何是好呢？至於對日本之溺愛遷就，為的是要利用日本作為美國在亞洲國際政局中的一枚「過河卒子」。

德日曾是美國的敵人，如今已化敵為友了，而東西方若干曾在二次大戰中，跟美國併肩作戰，或在戰後，始終與美國站在一邊的友邦，現時雖不能說是已化友為敵，然至少亦變成貌合神離的泛泛之交，隨時要看看美國的顏色了。這證明國際間無所謂道義，亦無所謂敵友。太上是自身有獨立生存的力量，其次是有能力敢於搗亂，最下就是遇事仰強國的鼻息，卑以自牧，依人作嫁。咱們中華民國如其不能表現一點「敗事有餘」的本能，示人以不可輕侮的話，前途即未可樂觀，謀國者豈可忽乎哉！

北市興建南機場國宅 辦法偏差造成怪現象

希望來的不來。該准來的不准 申請者不足額。勢難如期完成

【本報記者吳越台北航訊】台北市為安置水源雙園兩堤外拆遷居民而計劃興建的南機場國民住宅，由於台北市府辦法偏差，以致現在發生一種怪現象，那就是政府希望他來申請參加整建的人不願來參加，依法有權申請參加整建的人想參加，政府又不准，以致申請整建人不足定額，發生工程延遲動工情事，原定今年底落成的計劃，將成為畫餅。

為實施台北區防洪計劃，水源雙園兩堤防外的居民，都要一律拆遷，由政府在南機場興建五樓公寓式房屋多棟，容納被拆遷的堤外居民，並按興建國民住宅的方式，給予優待，堤外居民只須繳納百分之二十的造價，其餘的百分之八十，由政府貸款，年息五厘，分十年按月攤還本息，相當於付房租的價值，十年後就可獲得為私產，這本是解決違章建築的最好方法。

可是，在執行上，卻有一套不合情理的規定，嚴格說來，甚至可以說是違法的規定，那就是只許房屋所有人申請，拒絕現住人的申請權利。

其實房屋所有人的房東，在將房屋出租後，已經獲有利得，拆除房屋又有補償，還有申請國宅的優厚待遇，站在造福國民的立場，政府這樣做，可以說是十分應該的。可是，拒絕現住人的申請，就不但有悖人情，而且也是違法了。

堤外房東，有的是另有居所，無須參加整建，有的則為圖省錢，另外覓地違建，有的確是因為環境關係，五層樓的公寓，無法運藏謀生工具，才不得不放棄。有了以上這些原因的房東，大都不參加整建，以致政府預定要興建的房屋便有了餘額。

堤外現住人要求參加整建，不但合於情理，而且有法的根據。現行之「違章建築處理辦法」，係四十六年十一月十一日經行政院核定，同年十二月七日內政部公佈的，其第廿九條第三款說：「分期拆遷之舊有違章建築，得按現住人職業，及其家庭經濟狀況等條件，依左列方式處理之：

甲、予現住人以優先登記，承購或承租平民住宅或攤販市場之權利。

乙、指撥公地劃分軍眷區、平民區、工人區、漁民區、及其他區別，限期遷移。

丙、介紹銀行低利貸放遷建費。」

可見整建舊有違章建築，應以現住人為優先，法有明文規定，立法精神，至為合乎情理。不幸此次台北市對於堤外居民之整建，卻違法剝奪現住人參加之權利。如果說是因為經費有限，須分房東房客緩急先後，依次參加，還勉強說得過去。事實上又是有多餘的房屋要待人申請，而又不准合法的現住人申請，理由何在？使人難以索解。

六月廿日報載中央社中興新村十九日電，省府已決定將省籌的四千萬元資金，撥給台北市興建平民住宅一千二百三十戶，凡是因實施防洪計劃拆遷的堤外違章建築住戶，都可於七月份起提出申請云。

從上面的消息看來，很明顯地只要是「堤外違章建築住戶」都可提出。申請如此一來，既能符合法令，又能湊足興建戶數，早日開工，合情合理，一舉數得。記者當即以此消息向市府主任秘書潘敦義，要求證實，潘主任秘書卻答以對此事並無所聞。

堤外現住人表示：省府黃主席一再指示各級政府，對於違章建築的處理，應該採用「先建後拆」的原則，以便安定人民生活。而今天台北市，對堤外居民房屋的拆除，不但沒有做到「先建後拆」，而且拆了還不肯替人建，與黃主席的指示，完全是背道而馳。

堤外現住人，同樣是台北市民，對台北市應盡的義務，應該出的貢獻，他們沒有少過一分一毫，何以對於應享的權利，卻又是這樣的不公平？

他們說，整建的目的是為了消除違章建築，安頓市民生活，現住人既同是台北市民，他們的生活為什麼就不該獲得安頓？他們有家可住，豈不就是間接消除違章建築？如果照市府現在這樣的做法，等於鼓勵大家去蓋違章建築，等政府來拆遷了，便可參加整建；永遠奉公守法的人，永遠不得參加整建，守法的人吃虧了。

據說，台北市的國宅興建，也有特權保障，和人情的勾結。比如說：五十一年度自備建築基地申請國宅的貸款，市府主任秘書敦義就向記者透露，說有幾十幢是保留給台北市各報社的，這是各報社透過中央和省府提出的要求，這些要求都已獲准。

黃瑞啟在市長任上的時候，興建南京東路國民住宅，某一家黃色雜誌就弄到數幢之多，錢還沒有付清，就轉售圖利，也未見市府加以追究。像這種事情，無異就是鼓勵人去設法鑽營，破壞法治，互相勾結。

「違章建築處理辦法」，是由政府核定公佈，政府就必須遵行，縱然有什麼不合之處，在未經合法修正或廢止之前，都不可以違背，否則即屬違法。政府不守法，又如何去要求人民守法？因而對現住人要求參加整建，絕不可以諸置不理。（六・廿九）

台灣金融動態

本報記者台北航訊

台灣省各地辦理各銀行票據交換之票據交換所，計有二十一單位；其中台北市由中央銀行直接辦理，外縣市則由台灣銀行代理。在票據交換之張數及金額兩方面，台北市所佔之比重均達半數以上。

五十一年度票據交換之金額、張數及退票等情形如次：

（一）票據交換之金額：全年票據交換之金額共計一千五百十九億八千多萬元，較上年全年增加二百七十億元。

（二）票據交換之張數：全年票據交換之張數，共計一千四百四十九萬多張，較上年全年增加八十八萬三千餘張。

（三）退票情形：全年因存款不足之退票張數為十二萬六千三百二十八張，較上年之十萬零三千三百八十一張，計增加二萬二千九百四十七張。因存款不足之退票金額為六億六千四百五十餘萬元，較上年之五億九千一百七十四萬餘元，計增加七千二百七十五萬餘元。

此外，台北市等七縣市尚設有信用合作社票據交換所，委託省合作金庫代理，辦理各合作社間之票據交換。五十一年全年票據交換金額為一百零二億餘元，較上年增加二十億餘元。交換張數為三百二十一萬餘張，較上年增加十六萬六千餘張。全年存款不足之退票金額為一億二千零八十餘萬元，退票張數為三萬一千七百餘張。

×　×　×

最近，台灣糖業公司出售優先股的成績，距離預期效果相差甚遠。

有關單位為改善民間投資環境，誘導游資納入工業生產，計劃將台灣糖業公司三百萬股優先股（按：台糖現有股票，均為普通股）出售為民股，第一批標售三十萬股，於今年四月八日，在台灣證券交易所標售，底價為七十九元八角二分，但以八十一元最高標價，僅賣出二十萬零數千股；第二批於同月二十一日標售，底價為七十九元八角三分，最高標價為八十一元五角，但僅賣出三萬一千股，其中台灣銀行和土地各標得五千股，而實際上，真正為民間標購者，僅二萬一千股。成績之差，殊出有關單位意料之外。

據熟悉市場情形的人士談：台糖股票標售之成績很差的原因，係因底價過高，台糖股票每股票面額為台幣五十元，市價在八十元左右，如果底價在七十元以內，則部份游資，定當踴躍吸購；因底價與市價相當，致使部份游資望而卻步。其次是標售辦法須改進，台糖股票標售辦法，規定「以最高標價得標」，因而造成台糖股票標售之滯銷，蓋最高標價所吸購之數量有限，故應改為以最高標價吸購數字以外，則應由超過底價者均可承購，當可售出較多之數額。同時宣傳方面尚嫌不夠。因為台糖公司未將公司業務狀況，如生產數字，預計盈餘，作詳盡的分析，僅講公司前途甚佳，其詞極為含混籠統。（七月一日）

香港與大陸

反共活動如火如荼 廣東沿海爆炸案多

毛共責令農民夜間巡邏放哨

廣東沿海各縣人民的反共活動，最近時常發生，不少軍營、公社辦事處、倉庫被爆炸。為此，中共派遣大批的「公安人員」，深入農村基層，組織農民進行「防反」工作，同時對「五類份子」加以苛刻的管制。

一位原籍為海豐縣的某中學教員蔡君，日前接獲留居家鄉的親人來信透露：近兩個月來，海陸豐各地反共事件頻頻發生，反共傳單和標語已是司空見慣了，不少地方還被爆炸，致使各地共幹陷於風聲鶴唳的狀態。

來信說：在其所屬的「赤×公社」，上月初曾有爆炸事件產生。那是在一個晚上，公社裏正召開「生產大隊長」以上的幹部會議，忽然「黨支書」在其「辦公」枱上發現了一顆計時炸彈，嚇得他面無人色，連忙跑出屋外，在場的共幹亦無有敢再入室內去把炸彈移開的；後來還是那位「黨支書」有「高見」，教民兵找來一位「五類份子」，由民兵監視着，要那「五類份子」前往將之移開，該「五類份子」只好硬着頭皮進入室內，卻就在那時，炸彈爆炸了，整個辦公室被炸毀，那位可憐的「五類份子」也受了重傷。事後，「黨支書」告誡所有在場者，不得將此事件洩露出來。

來信又說：此等爆炸事件，非僅在共家鄉發生，就其所知，海豐縣有一處「解放軍」的營地，還有一個倉庫，都曾發生過爆炸，死傷了幾個人，損失了不少糧食。

來信說：海陸豐最近傳說有國民黨的武裝突擊隊登陸活動，兼之「破壞」事件確實頻頻發生，中共乃派遣大批「公安人員」駐守在農村公社，共主要任務是：（一）組織農民進行「防反」運動。把所有農民分成若干小組，每夜巡邏放哨，並要分區負責，如果那一區在那一個時候出現「反共」活動，便得由那一區那時候放哨的農民去「負責」；（二）管訓「五類份子」。一方面命令「五類份子」自已進行「坦白」，有無「反人民」的思想和行動，另一方面卻要「五類份子」每天到公社兩次，報告生活內容，（有等地區則把所有的「五類份子」，集中一起，開工放工均由武裝民兵押送），以防他（她）們有「越軌行為」。

來信說：儘管中共如此嚴密防範，反共的事件卻仍然不斷發生，更奇怪的是常在「黨支書」和其他共幹經常出現的地方發生。因而大家懷疑，共幹的陣容中，早已埋下反共地下人員了。

來信還隱隱約約的說：對於反共事件的發生，絕大部份的農民是興奮的，少數人卻誠惶誠恐，就心末日快來了。而幾乎所有的人，卻亦因此增加了麻煩，被命令驅迫於勞動疲乏之餘，還得去「放哨」，負起豈有此理的責任，就驚受怕，幹他們不願幹的事情。（敬斯）

新任省議會議長

謝東閔行權被糾正

【本報記者台北航訊】省議員李源棧、梁許春菊，六月廿七日在省議會大會中，向議長謝東閔提出詢問，認為議會先將五十三年省總預算通過，再審議省公賣局的預算是不智之舉，且貽笑大方。

李源棧說：省總預算係於廿六日由議長召開大會宣佈通過，但總預算中歲入部份公賣局所估數額達三十億餘元，議會何以於通過省總預算後之次日再審查公賣局預算？何不俟公賣局預算通過後再宣佈省總預算通過？他認為這是有欠考慮的不當措施，希望議長加以糾正。

謝東閔對李源棧、梁許春菊等議員所提此一建議，表示接受。

不過，據熟悉本次議事情形人士透露，謝東閔受此糾正，有「有苦難言」的苦衷。因為，在先審查公賣局預算時，議員認為公賣局預算編列不實，要先飭公賣局補送資料並調查後，始加以審議。但調查又非一二日可以完事，而總預算又非得在六月份內通過不可，如待公賣局之調查竣事，并把該局預算通過後再通過總預算，則總預算六月份便無法出議會大門。為求不致影響預算完成的法定日期，謝議長乃設法先將總預算通過送出，然後再審議公賣局預算。這完全是一種權宜做法，於程序上當然未合。不過，如此一來，公賣局預算之審議，便成虛應故事了，否則事後通過之公賣局預算數萬一有所更動，前一日通過之總預算又如何說法？所以謝東閔這種冒險做法，如非因為他是屬於執政黨的黨員，省議會中又以執政黨員佔絕大多數議席的話，別人是不可能也不敢這樣做的。（吳越）

續談領導人物

李宗黃

所謂不夠格的在中國有秦始皇嬴政，漢高祖劉邦，漢武帝劉徹，明太祖朱元璋，外人中為艾森豪威爾。諸葛文侯先生對於上面幾個人俱指出眞憑實據，加以詳論，說他們才德既不能兼備，又不能創造王道事業，福利全民。也就是說這幾個皇帝領袖，祗有事功，而無德行，不足為後人模範之意。持論公平，令人心悅。就是我對這幾個人，在結論中也曾說過，是「次一等人物」，是「暫選」，最後斷定他們生平，也多貶詞。

如對嬴政則有：「但偶語棄市，焚書坑儒，以人民為奴隸，一切政治，完全建築在暴力之上，在彼以為子孫帝王萬世之業，豈料不二世而即滅亡」。

對劉邦則有：「然好漫罵，嗜殺戮，多大言，少成功，所封皆故人所愛，所誅皆平生仇怨，至下蕭何於獄，夷韓信三族等等，仍不脫無賴流氓氣習」。

對劉徹則有：「惜乎晚年屢受方士求藥求仙，以及巫蠱之惑，並寵信小人直指繡衣使者江充之流，性情躁急殘忍，竟將當年所渴求之賢才如嚴助，朱買臣，吾丘壽王等，無故予以誅戮，甚至宮闈喋血，寃及皇后太子，深有老而昏暴，為善不終之感」。

對於朱元璋則有：「而猜忌殘殺，不公不誠，又兼有禽獸，盜賊，無賴諸般惡行之竟躊成歷史上無比之大錯，而為不可磨滅的罪惡，論者謂由於其氣質太差，學識不足所致，其信然歟！」

均與諸葛文侯先生所見，大畧相同。但不應列入模範皇帝之內，則為不可掩之事實。

至模範外國人之三的艾森豪威爾，換之「古之君子，其責己也重且周，其責人也輕且約」之意，從寬「暫選」列入，亦無不可；但天下眞理，祗有一個，講道論學的人，對於是非曲直，不可有半點模稜，以後修正此書時，理應將渠等署去，以正名實。依此而論，則不夠格的顯為五人。

至夠格的，就諸葛文侯先生所談，則為漢光武劉秀，唐太宗李世民，華盛頓，林肯四人。觀點與我完全相同。但落了文治武功，非常輝煌，表現漢朝德威，堪為唐太宗前導之漢宣帝劉詢，（載一六七，一八〇，兩頁）則夠格的仍為五人，可為各佔其半。

夠格與不夠格，交代清楚後，我們應再談談諸葛文侯先生所說：「且沒有孫中山先生在內，尤不無千慮一失之感」兩語。本人追隨國父，歷有年所，對於國父偉大理想，崇高道德，豐富學術，蓋世豐功，畧有所知，似與諸葛文侯先生所讚佩，所推崇者，原無二致。故在三原則，六綱領中，引用國父之嘉言懿行，指不勝屈。且在領導人物章，有「以國父事實為例」作一專節等等可資助證。而且國父是「出類拔萃」「前無古人」「允屬世界之冠」的完人，未可與其他領導人物，相提併論，故應列入我國堯舜禹湯文武周公孔子八大聖人之內。一俟今年有暇，當照原定計劃，各篇撰記，冠於章首，定名為模範聖人。並將宋太祖趙匡胤，加入模範皇帝之林。以為我全民族世世代代子孫楷模，不僅表彰國父一人，即為滿足。但國父是「出類拔萃」，「前無古人」，「允屬世界之冠」的完人，仍為不朽之定論。

總之，領導人物之有無與多寡，關係國家之盛衰興亡與民族之興替，實為不易之眞理。即「反攻大陸重建中華」之前途如何，亦全係有無或多寡完美的領導人物以為斷。故爾創作此書，以喚起全民族之覺醒，走上自力更生，自強不息的大道上。尤希望後一代聞風興起，聖人復生，賢才輩出，俾國基於盤石之安，拯人民於衽席之上，使我國富為天下第一，強為天下第一，進世界於大同，勿負我歷代祖先及國父創業之艱難，此乃區區之微意，願與我同德同心者共同勉旃。至此書於四十三年十月出版後，已再版六次，銷行之廣，非始料所及。前後評論者，已達十餘人，而以諸葛文侯先生此次指正補充，最為具體超脫，堪為此書修正時極有力之參考，特答數語，並告讀者。（下。完）

東事見解正謬

丘也山

清光緒二十二年，梁任公先生序廣東鍋板之黃遵憲著「日本國志」，其中有最足警惕國人之句，謂假定甲午戰前，中國士大夫曾研究日本國情，知彼知己，必不招致後來割地賠欵之辱。序文又自謂：甲午戰前，旅居燕京，曾謁駐華日使矢野文雄（號龍溪，著有「經國美談」，并有漢譯本。），引黃著「日本國志」，以問日本近狀。矢野氏答曰：『日本近來進步甚速，有一日千里之勢，黃著成於光緒十四年，以黃著而探究日本國情，是猶執明史以證目前之中國也。』余受此序文之啓示甚大，至今不忘。不圖時光荏苒，甲午之戰，至今逾六十年，而國人對於東事之認識，似仍墜於五里雲霧中，不甚了了。

前數年，某書局出版之高中國文教本某課，本文涉及大隈重信之名，而其附註則謂大隈氏曾留學英國。殊不知大隈氏一生未出三島一步，亦不諳外文。大隈氏為向我國提出二十一條件之日首相，我國之教科書，竟誤叙其人之履歷，豈僅誤我學子，抑且貽笑他人。吾想編者以為日本維新人物，多曾留學外國，而有此誤會；或亦為伊藤博文之誤歟？

最近，筆者曾整理台北某大報副刊，發見某氏撰文，其涉及日本『黑龍會』一節，詞句之間竟讚揚其首領頭山滿氏，使筆者大為驚異！蓋『黑龍會』之前身為『玄洋社』，由頭山滿、內田良平等領導浪人勾結軍部，鼓吹實行『大陸政策』，而以侵略我國為目標之民間團體。而『玄洋』即『玄海灘，』位於隔離日韓間之對馬海峽。其取名之用意，係鑒於當時日本『北進政策』之目的地，只徘徊於日韓間之海上而止。迨日本併吞韓國以後，日本之『北進政策』，再向前擴展一步，深入中國東北，而終極目標之所指，則在於『飲馬黑龍江』！故將『玄洋社』改名為『黑龍會』。如在日本侵畧分子之立場言之，其採用此名，原無可厚非。若在被侵畧之炎黃子孫言之，則『黑龍會』實為中國深惡痛絕之對象。理論如此，而事實尚不止此，證以二十一條件之出現，即為該會的傑作，則其陰謀益使人髮指！然而某氏不察，撰文反譽及頭山滿，誠令人興『不知所云』之感！

報人普立茲傳

汶津譯

約瑟夫決定為他的競選努力。他跟達維生說並問他首先該做些什麼。答案是：「為自己買些好衣服，」他照辦了，並且為自己外表上的大改變感到欣慰。

約瑟夫稍不遲疑的走向人們。他訪問各個家庭。他和家庭主婦以及她們的鄰居，店主，工人，街角上大大小小的羣衆講話。他用德文和英文說。他很驚訝地發現有這麼多的人已經知道他的名字。「你是西部郵報的普立茲嗎？你寫關於傑佛遜城的腐敗政治家們的報導？你是告訴我們市政府竊案內情的人嗎？」他很興奮地發覺人們對他感到興趣。他們相信他，當他答應向惡勢力及腐敗份子作戰，只要一經他發現。這次競選可眞是不同的，選民們互相說。

約瑟夫‧普立茲被選上了州議員。這是破天荒的，使米蘇里全州都為之震驚。

米蘇里像所有的西部一樣，也改變了。若干移民正搬到該州開墾。另外的移民們離開去找更西部的不毀的土地。與城市的成長同其時，政府的腐敗也與日俱增。也有一些誠實君子在公家機關裏，但是他們沒有足夠的力量控制那些做壞事的人。現在普立茲選入議會了。他是一個可畏的人，因為他有很大的力量對付一切壓力。

甚至普立茲也知道他無法改變一切錯誤的事。但他將試着去改善一二。那時聖路易有一個不尋常的政府。實在說那是兩個政府。有不少民選的市政府的官員。此外還有一個法院，而由少數有力人士選擇法院的人員。法院控制了大額的稅欵，可是從來沒有紀錄顯示大衆那些錢是如何花去的。約瑟夫確認那些錢是被法院中人所中飽，決心證實此一事實。

約瑟夫‧普立茲第一次在州議會中演說時便提出一法案，庶幾結束此一形式的市政府。約瑟夫演說甫畢，其他議員們互相大叫起來。一些大政客開始隱憂起來。這普立茲是必須注意並予以摧毀的人——如果他們能夠。

約瑟夫的友人們担心他的安全問題。「人們將會殺你，當他們想到他們會丟去很多錢。這些人有很大勢力。他們傷害你是輕而易舉的。小心，約瑟夫！」

但約瑟夫並不為這些話所勸止。他立刻面對西部郵報的讀者挑起這次的戰鬥。短時間內，他使法院做了一些開支紀錄。人人可察知法院濫用公欵。在有力的筆鋒下，約瑟夫控告一位奧古斯汀上尉和法院人員盜竊大量公欵。

一八七〇年一月，約瑟夫在傑佛遜城。他努力工作，演說，寫作，力促他的提案能在議會通過。一晚他和一個朋友正在晚餐，一個高大而滿面怒容的人走到約瑟夫的桌邊。那是奧古斯汀。

「你叫我做賊！」奧古斯汀大叫道。人們驚訝地注視這場面。「哼，我叫你說謊者，普立茲！」

在當時，這類話往往導致一場決鬥。約瑟夫知道別無選擇。

「等在此地，」他堅定地向奧斯汀說，隨即離去。

一會兒約瑟夫回來了，持槍在手。（廿二）

廬月續夢

第九回：枵腹爭雄　壺漿招餓鬼
苦心糾衆　風雨會羣魔

圭華拉一行共停留了兩個禮拜，啓程回國，本來打算再去蘇聯的，臨時也改變了。

圭華拉剛走，另一個貴賓史諾也要離開北平，特地來向毛澤東辭行。

說起這個史諾，到是中共的唯一美國朋友，也曾經幫過中共的大忙。這件事情應該從頭說起。史諾是美國密蘇里州堪薩斯城的人，一九二八年畢業於密蘇里大學新聞學院，這是舉世知名的一間新聞學校，全世界許多名記者都出自密蘇里新聞學院。但是，史諾畢業時正值美國經濟恐慌時期，當時竟然找不到工作，後經該院院長威廉斯博士寫了一封信，介紹他到上海美商密勒士評論報工作，並担任「芝加哥論壇報」的駐上海記者，經常報導中國消息，從此史諾在美國人眼中就成了中國通。

史諾因工作關係認識了宋慶齡，再由宋慶齡的關係認識了左派人物，其中大部份都是共黨潛伏份子。再經這批人拉綫，史諾又到了北平，入燕京大學任教，並兼任美國幾間大報的駐北平記者，這時中共教育方面地工負責人，就是現任統戰部副部長邢西萍，當時他的名字叫做徐冰。

由於徐冰的安排，一九三六年史諾到了延安，史諾先由北平到了西安，這時西安城的共產黨已取得半合法地位，可以自由活動，中共中央政治保衞局長，後來和葉挺，王若飛，秦邦憲等人同時墜機斃命的鄧發，就住在張學良的公館裏，史諾就在鄧發陪同下到了延安。

中共竄到陝北後，第一次見到外國記者，自毛澤東以下自然是倒屣以迎，儘量給與採訪的方便。毛澤東了解洋鬼子也是人，人的嗜好都是一樣，在這一段期間，毛澤東用盡了一切手法，算是把史諾收買下來。

史諾回到北平，寫了本「西行漫記」，記載中共軍逃竄的故事。因為這是所有報導中共消息的第一本書，引起廣泛的注意，銷路很好，史諾本人固然名利雙收，而中共的一些宣傳材料，也藉此傳遍了世界。

史諾回到北平後，中共就派出鄧穎超專門與史諾聯絡，住在史諾家中，為史諾煮飯，料理其私人生活，外面不知道的都以為史諾找到一名上坑的老媽子，那裏知道其中還有這麼多的曲折。

七七事變，史諾與鄧穎超雙雙逃出北平，以後史諾雖然作過各式各樣的職業，但是，暗中却始終為中共工作，三十年如一日，至於中共建立政權後，對於史諾有過什麼報酬，就非外人所知了。

史諾這次重到中國，對他來說到頗有衣錦榮歸之感，不過，也有無限感觸，首先是中共大頭目也不似當年在延安時對他那樣客氣，毛澤東始終騰不出時間同他見面，周恩來雖然見了面，神情也落寞的很，鄧穎超熱情仍不減當年，可是，四目相視，彼此都已滿頭白髮，也覺得興緻索然。

不過，已經來了，自不能馬上就走，仍要搜集材料再寫一部書，所以在北平一直呆了四個月，作為「總理夫人」的嘉賓。（二一九）

記懦夫衛立煌

吳文蔚

「匪我相持日久，我準備，匪亦準備。依全局態勢而論，匪以陸續攻我衛星據點，集其全力擺瀋陽於最後，故表面和緩，實則暗中積極，故作外弛，使我不注意及此。其發動時間，企圖在延於秋後。吾人應洞悉其奸，立衛重圖，打開局面，與之決戰；以扭轉此態勢。故宜發動攻勢於秋前。」

「匪雖人多，而畏我之火強；匪雖狡詐，而畏我之堅定；匪雖毒狠，而畏我之剛猛。孟子曰：『雖有時機，不如乘勢』。今匪遼南軍孱弱渙散，不堪一擊，宜輕兵監督。遼北匪軍素為患，請重兵出鐵嶺，與之伴戰，側應遼西。目前唯一捷徑，在打通遼西走廊，以與錦州守軍取連繫，急命精銳部隊，主力攻取彰武，收復大虎山，然後擴張戰果，開闢此一弧形之正面，使我立於不敗之地。遼西既得，則進退可以裕如。匪取錦州之夢一破，必惱羞成怒，傾全力而南下，我軍可[illegible]決戰於開原、[illegible]一舉就殲，遼[illegible]如此，整個局[illegible]

[illegible]強調說：「今[illegible]制先。誰能制[illegible]誰屬。區區忠[illegible]」。

[illegible]，衛立煌仍然[illegible]家都說：人家[illegible]有過人之識，[illegible]出辦法的。乃[illegible]報到國防部，請[illegible]個有力的考驗[illegible]月，筆者奉召[illegible]平，即聞錦州[illegible]，而錦州已告[illegible]後，衛立煌下[illegible]命瀋陽守軍全[illegible]彰武，所行路[illegible]遲了一步，彰[illegible]迫瀋陽。而我[illegible]瀋陽之危，不[illegible]空虛危急，衛[illegible]蘆島，再一下[illegible]司令的衛立煌[illegible]

[illegible]不甘寂寞，又[illegible]數年前，曾以[illegible]指說他的骨頭[illegible]出報，雷嘯岑[illegible]夫」。雷先生已經逝世，語[illegible]，不能戰當守[illegible]在溝壑，勇士[illegible]，尚不失為一[illegible]剿匪總司令，[illegible]可以幹得了，[illegible]子，也一樣的[illegible]醜劇。縱觀衛[illegible]種作為，非屬[illegible]（下）

宋儒五子

漁翁

子者，男子之美稱；有道德文學，如孔子，孟子……等。宋代大儒周敦頤，程顥，程頤，張載，朱熹，為道學之正宗，世稱「五子」。

宋尚理學，即性理之學。漢人治經，多詁其義；宋人乃疏其理，故有理學之稱。在五子中，以周敦頤為理學之開祖，而以朱熹集其大成。

周敦頤，字茂叔，湖南道州人，知南康軍，因家廬山蓮花峯下。胸懷灑落，如光風霽月。著太極圖說；以孔子贊易，始言易有太極，是生兩儀，兩儀生四象，四象生八卦；因推道體之本原曰無極而太極。如吾心寂然無思，萬善未發，是無極也，然此心未發，自有昭然不昧之本體，是太極也。

周生平致力於理學，故對文辭不多見，在古文上僅有短篇「愛蓮說」，以蓮「出淤泥而不染，濯清漣而不妖」。不染者，貧賤不移；不妖者，富貴不淫。又謂「蓮，花之君子者也」。程顥、程頤，皆為其門下士。後之人稱為「濂溪夫子」者，以其所居名濂溪也。

程顥，字伯淳，洛陽人，舉進士。神宗時，為監察御史，旋乞歸，與其弟頤從周敦頤學。嘗泛濫諸家，出入老釋，返求諸六經而後得之。所著定性書，與乃師周敦頤之太極圖說相表裏，開聖學之秘訣，重行學於當世。及卒，文彥博題其墓曰：「明道先生之墓」。故後之學者皆稱「明道先生」。

程頤，字正叔，顥之弟。亦喜理學。哲宗初，擢崇政殿說書。在經筵與蘇軾不合，遂出管勾西京國子監。紹聖中，以元祐諸臣被貶。頤學行不在乃兄下。生平以誠為本，以窮理為主。晚年，著易傳及春秋傳等書。築廬於嵩縣西北耙耬山麓，即今之河南嵩縣及伊陽，統稱「伊川」，故號「伊川先生」。

張載，字子厚，陝西郿縣人。神宗時，為崇文校書。未幾，辭官去，屏居南下，教授諸生，作百年樹人之大計。其大旨尚禮，以易為宗，以中庸為體。所著「正蒙」一書，朱熹為之注釋，義取訂正蒙昧，故名。又有東銘西銘之作，教人以知禮成性，變化氣質為主。學古力行，為北宋橫渠學派之正宗。世號「橫渠先生」。

朱熹，字元晦，後改字仲晦。婺源人。其父松為政和縣尉，因僑寓建州。紹興中，舉建州鄉貢，登進士，歷高孝光寧四朝，累官轉運副使，煥章閣待制，秘閣修撰。其論治以正君恤民為主，其為學以居敬窮理為主。宋之理學，至朱而集大成焉。

朱在官居家，處處提倡節約。當其知福建漳州時，與隱士陳淳過從甚密，朱往陳家，陳以薑、飴為菜，朱甘之如飴。朱有婿，家清寒，嘗訪之，適婿外出，其女以蔥湯麥飯待之，深感不安，朱不以為然，口占一絕云：「蔥湯麥飯兩相宜，蔥補丹田麥療饑；莫謂此中風味薄，前村還有未炊時」。

朱始居崇安，榜廳事曰「紫陽書堂」，故稱「紫陽」。又搆草堂於建陽之雲谷，榜曰「晦庵」，自稱「雲谷老人」，亦曰「晦翁」。晚卜築於建陽之考亭，作滄洲精舍，自稱「滄洲病叟」，又更號「遯翁」。卒諡「文」。紹定時，追封徽國公。淳祐時，從祀孔廟。清康熙中，升位於十哲之次，而以「朱子」稱之。

南宋偏安有人才

李仲侯

餘酋復退保固石洞，洞之山特高，四環皆水，登山僅止一徑，勢甚險阻。飛頓兵瑞金縣，領千餘騎至固石洞，復遣辯士說之曰：「汝誠衆且險，能保不敗耶？敗而復降，吾不汝貰矣！降則速降，毋自速辜」。賊衆不聽曰：「苟能破山寨而降，吾黨雖死尚何恨！」飛乃列馬軍於山下，皆重鎧持滿；黎明，遣死士三百，疾馳登山，賊衆大亂，山下鳴鼓呼噪，賊莫測多寡，棄山而下，皆為列騎所圍，於是疾呼丐命！倉卒投墜而死者甚衆。飛乃令軍中毋殺一人，賊衆悉下山投降。或曰：「說之不聽，何以貸為？請盡戮之」！飛蹙然良久曰：「此輩雖兇頑，然本愚民耳，殺之何益？且主上既赦其人矣，不然，何以成主上之美」？命籍其金帛之藏，盡入備邊激賞庫，擇降民之勇銳者隸諸軍，餘悉縱之田里，下令使各安業耕種，逃民盡還。遣徐慶等將兵，授以方略，捕諸郡賊，以次敗降。是役也，擒賊大小首領五百餘人，一無遺類。

飛行軍雩都過華嚴寺，曾題句云：

「手持竹杖訪黃龍，舊穴空遺虎子蹤；雲鎖斷巖無覓處，半山松竹撼秋風」。

又於洪州往虔吉二州平盜時，過新淦題伏魔寺壁詩曰：

「膽氣堂堂貫斗牛，誓將直節報君仇；斬除元惡還車駕，不問登壇萬戶侯」。

初，廟堂以隆祐震驚之故，有密旨令屠虔城。飛既平諸寇，乃駐軍卅里外，上疏請誅首惡，而赦脅從；不許。連請不已，上乃為之曲宥，就詔飛自裁決。六月，飛始入城論囚，即諸酋罪之尤者數人，各置之法，餘悉稱詔貰之。市不易肆，虔人驩聲如雷！至今父老家家繪而事之，遇諱日則哀金飯僧梵舍以為常，雖更檜臣之禍亦不變。

其時劉忠之將高聚犯袁州，飛遣王貴擊之，擒高聚及其徒二百餘人，降其衆三千，殺其偽統制方某。張成亦已三萬人犯袁州，陷萍鄉，復遣王貴擊之，成敗走，王貴奪其寨焚之，殺死甚衆，俘五百餘人。明日就禽成，降其衆。七月，賜御札命赴行在，札曰：

「具奏省卿殄滅羣寇，安靖一方，應無遺類，為異日之患也。朕甚嘉之！已詔卿赴行在，可即日就道，勿憚暑行。紀律嚴明，秋毫不犯，卿之所能也，朕不多及。七月十二日敕岳飛」。

九月，飛至行在所（時高宗駐臨安），上使人諭飛，令繫金帶上殿。十三日入覲，撫勞再三，賜衣甲馬鎧弓箭各一副，金線戰袍金帶手刀銀纏鎗戰馬海皮鞍各一，賜御札，題曰「精忠岳飛」！令行師必建之。又賜飛子雲弓箭戰袍銀纏鎗各一，犒勞甚厚。十五日詔落官階，授鎮南軍承宣使，充江南西路沿江制置使，依前神武副軍都統制，戍江州。（六六）

海嶠譽談會

陳公博的著述

諸葛文侯

陳氏又說：「當日在武漢的時候，自命國民黨左派的人們實在不少，後來連所謂右派的更比共產黨左傾。他們有兩種思想：第一種思想以為共產黨太兇，國民黨就要被消滅，要壓倒共產黨，非比共黨更左不行；第二種思想以為國民黨已經衰老，要想超死回生，須得打一點興奮劑，惟其更左纔能生存，惟其更左纔可以使國民黨前進……但甚末是左？而左又左到那裏才是邊際？那他們就從不去想，而且也不假去想。」這種怪現象是事實，但所述「左」的原因卻係自我解嘲的遁辭。實際乃是國民黨上層人物為着爭奪權力，排斥資深望重的老同志，不擇手段的妄事利用共產黨人作打手，表演這場醜劇。共黨即利用國民黨這種弱點，造出所謂「左派」「右派」「新右派」這類帽子，胡亂飛戴於國民黨中上層人物的頭上，使他們利慾薰心，自相殘殺，藉以坐收漁人之利。所以，汪精衛一到武漢，復，傾大呼「革命的一向左來，不革命的滾開去」，而當時位居中常委，榮任交通部長，身為孫總理哲嗣的孫科先生，亦在武漢的羣衆大會中，聲言國民黨可以解散，由鮑顧問來領導（這是我在場聞的），而所謂「打倒昏庸老朽」──指中常會主席張靜江──之說，更是甚囂塵上，咄咄逼人。試問民國十六年北伐勝利之際，軍事力量完全掌握在國民黨人的手中，社會人心對共黨那套殺人放火的暴動行為深惡痛絕，而共黨本身的勢力，微乎其微，非託庇於國民黨旗幟下，即無生存活動之餘地，又怎能說是「共產黨太兇，國民黨就要被消滅」？果若是，後來武漢偽政府一聲清共，何以共黨即如鳥獸散，只能在南昌暴動一下，就四散逃竄了呢？

最可怪，也最可悲的情形，就是寧漢雙方皆實行清共反共了，然對於反共最早而且最堅決的西山會議派人士，仍歧視不與合作。這些人多是國民黨的老黨員，素為孫總理所信任的，資望才識皆在汪精衛等人之上，憑何理由不能合作呢？唯一原因就是私人權力之爭，把黨的利益置諸腦後了！後來寧漢滬三方幸告統一合作，協議組織特別委員會，進行黨的正式改組工作，而汪精衛因未能佔得黨政高位，又倡言反對「特別委員會」，四出鼓動軍人，實行叛亂，而國民黨即從此分崩析離，元氣大傷，內戰亦連綿不已，使共產黨乘機坐大，終至竊據大陸，構成了今日國破家亡的奇禍。陳公博所謂「惟共更左纔能生存，惟其更左纔可以使國民黨前進」云云，那有絲毫的妥當性呢？

陳氏說當年自命為國民黨左派人物，并不知道甚末是左，也不明白左的邊際如何，這是確評。記得對日抗戰期間，國民黨在重慶召開的六全大會中，通過了土地改革法案，當時共黨頭子周恩來看到，曾以驚詫的表情說道：「這比我們還左！」但國民黨人說了就算數，依然是民國十六年北伐時，如汪精衛一般人表示「左」形「左」狀，譁衆取寵的故智，既不實行──也無意要見諸實施，大家爭着說好聽的話，作前進姿態，實際是後退腐化日甚。賈誼「過秦論」指說「亡六國者，非秦也，乃六國也」，我認為當年使國民黨陷於分崩析離之境者，并非共產黨，而是國民黨人自己不爭氣，太愚蠢的結果，汪精衛一派人實係罪魁禍首，百口莫辯，而陳公博的責任亦很重大，後世歷史家決不會惑於陳氏的詭說，予以饒恕的。（下）

減肥談

謬匡

今日身體肥碩之人，恒苦其損美不雅，尤以所謂名伶名星之輩，常憂其腰圍過大，想盡方法，以減肥為務。甚而有數日不進飲食而寧願挨餓者。

考減肥之事，吾國古代已有之，不獨今日也。梁昭明太子蕭統，為丁貴嬪所出，丁貴嬪卒，太子水漿不入口。武帝使人責之曰：「毀不滅性，況我在耶？」乃進粥數合。太子體素肥大，腰大十圍，至是減削過半。

梁散騎常侍賀琛，啓陳四事，武帝閱奏，大怒，召主書於前，口授敕書以責琛，曰：「朕三更出治事，事少午前得竟，事多日仄方食。日常一食，若晝若夜。昔腰過於十圍，今之瘦削，才二尺餘。舊帶猶存，非為妄說。為誰為之，救物故也。」

上二事，皆出於梁武帝父子，一腰皆十圍，肥碩罕有其匹。一以居喪節食，一以政繁減食，皆減肥過半，不腹腫，其效立驗。今世人欲減其肥者，比比皆是，儻亦取法乎蕭氏父子歟？今日科學雖然昌明，尚無特效藥問世，減肥？無方焉。故挽救之道，仍是釜底抽薪之一法，即行節食一也，多操作二也。

自由報
內僑警台報字第〇三壹號內銷證
THE FREE NEWS
第三五六期
中華民國僑務委員會登記證
台教新字第三三三號登記證
中華郵政台字第一二八二號執照登記為第一類新聞紙類
（每逢星期三、六出版）
每份港幣壹角
社長：雷嘯岑
社址：香港銅鑼灣高士威道二十號四樓
20 CAUSEWAY RD 3RD FL. HONG KONG
TEL. 771726
台灣分社

毛澤東的個性與中蘇共鬥爭

吳本中

所謂中蘇共鬥爭，其實乃是毛澤東與赫魯曉夫兩個人的鬥法。這將不是短期可結束的，而是太極拳式的，極其陰鷙的，有如鬼谷子陰謀家焉。看誰最奸詐？看誰活得長？看誰能久於其位？誰便能獲最終勝利；或者是鷸蚌相爭，漁人得利乎？

『與天鬥爭，其樂無窮！與地鬥爭，其樂無窮！與人鬥爭，其樂無窮！』這是毛澤東少年時代自己寫的『格言』。他在家，先把他的老爸鬥倒。到後來，偏偏要『再出一個太陽』，給蔣某人看看！說他的湖南土話『不信邪』！現在還要『出個太陽』給老赫及克姆林宮共酋們看看嗎？好傢伙！『數風流人物還看今朝』。不過凱撒不被刀刺胸膛，野心不會死；拿破崙不被拘留荒島，雄風不會停；舉古例今，雖不中不遠矣。

『從小看大，三歲知老』這句北方俗諺，不無道理。中國又有成語：『文以述志，詩以言情』。研究檢討一下毛澤東的青、少年時代情形；再閱讀他的寫作，尤其他的詩詞，吾人亦可洞悉他是一位如何乖戾絕倫，桀敖不馴的人物，而他能利用人類弱點，組織起來以償個人之野心與大慾，其性格亦確非簡單魯莽者可比。以此認識而臆度現在轟動世界之中蘇共分裂與交惡，自易於瞭解而並不覺其有可奇怪之處矣。

毛澤東生於一八九三年，即前清光緒十九年，陰曆癸巳年十一月十九日。他今年再過六個月就滿七十歲。正是『夕陽無限好，只是近黃昏』。他在長沙第一師範學校時，雖然三次幾被開除，可是他絕不稍改他的怪性格。他要鬥爭，他蹲在嘈雜的城門口讀書，以資『鍛鍊』；他跑到長沙對河岳麓山上『練嗓子』，對風大喊；他要冷浴，日浴，風浴，雨浴，登上城牆『天一閣』，自謂：『與天鬥爭，其樂無窮！與地鬥爭，其樂無窮！與人鬥爭，其樂無窮！』

『與人鬥爭其樂無窮！』毛澤東『與人鬥爭，其樂無窮。』而且鬥爭的對象，又不必問是何人。即是他自己的親生父，亦可鬥而爭之！的確，他的爸爸毛順生以勤儉起家，在湖南湘潭縣，清溪鄉，韶山沖，治有田宅，成為中農人家，良非易易。他以幼稚之年即不受老父約束。九歲逃學山中三日不返。十歲時，因父責以『好吃懶做』，他竟乖戾到以自殺威脅其父。後又聲言離家，且真的往外跑。嚇得慈母惶恐追出；父盛怒亦出，驅而欲撻之，小毛直奔到水塘邊，轉首向其父威脅，如再追趕，即跳水自盡。衆人來勸和。氣得老父臥牀不起。其後毛澤東以這樣小小年紀，黃口孺子，竟策動聯合其母及兩弟（澤民及澤覃）羣起而抗父！當然咧，今日的蘇聯『老大哥』，又算什麽？那能不與之鬥爭呢？豈『其樂無窮』也。

香港大學前年金禧誌慶，請世界學者開學術大會，有一位美國大學講師專門研究中共主腦人物，尤其對於由留法勤工儉學而發蹟之中共要人更有興趣，會與筆者數度研討。所令人驚異者：當時留法勤工儉學生組織赴法者以湖南青年為最多。毛澤東在長沙第一師範卒業後，同一批準備留法勤工儉學生組織一齊去北京。楊懷中（即他的第一夫人楊開慧之父）任教北京大學，介紹毛去該校圖書館作助理員，月薪八元，館長就是以後於一九二七年被絞死之李大釗。三四百位毛澤東的湖南同鄉青年均分批先後赴法而毛卻不想去。認為在國內鬥爭比較重要。毛澤東三次與准留法勤工儉學生有親密的接觸，然他終於不肯放洋留學。他離開北京同一批准留法學生去上海，借十元作路費，他過濟南要遊聖地，登泰山，所以一到滬濱，袋裏僅剩下兩個銅子。一雙布鞋且被偷，狼狽萬狀。幸准留法學生於登舟前募捐，助其返。一九二〇年夏，毛澤東二次到上海，且親身到碼頭送別，看人家渡海鍍金，而自己仍要留下。其亦在國內，與中國人鬥爭，其樂無窮乎？抑亦在自己國內盤根錯節，將來的潛勢力遠勝於浮萍海外之洋博士乎？現時青年之赴美成潮者或亦可三思之矣。

『何日縛得蒼龍』。但北極熊可以縛得着嗎？

毛澤東的詩與詞，多為人所熟悉，或不如以上所舉事實之鮮為人知。吾人可以不必贅言。然吾人所駭異者；明明白白是大敗北，他卻詠為『長征』：『天高雲淡，望斷南歸雁。屈指行程二萬里，不到長城非好漢。六盤山上高峯，紅旗漫捲西風；今日長纓在手，何時縛住蒼龍？』『蒼龍』何所指，人人當心裏明白。他這樣顛沛流離，筋疲力竭，稍近陝北洞巢，就念念不忘『縛住蒼龍』。則今日對克姆林宮主人，是否亦有意縛一縛？似有問題。『一代天驕』，『引無數英雄競折腰』，還看毛澤東如何了！問題是那位北極熊是否可縛得着？『核子牙』是否可以不管耳。

對於毛澤東，無鬥爭就是無生命。他是要拼老命到底的。他不會忘記與老赫鬥法到底的。不過，他亦知道能伸能屈的。他遇危險，龜頭亦易縮回。他鬥爭他爸爸，在衆親友十目所視十手所指之下，亦就屈膝跪一跪，算事。然後，休養生息，再聯母與弟而鬥爭之。抗戰勝利之日，在重慶軍事委員會大禮堂，慶賀所謂抗日勝利與『全國統一』，他與周恩來等着藍色人民服來參加盛會，恭敬與蔣委員長握手，且高呼過『萬歲』。當時美國生活雜誌封面刊出此照片。筆者以監察委員資格立於于右任院長及一位法國海軍上將之間以助談話，曾親眼看見此情此景，且亦與毛澤東握手為禮。凡為中國人焉能不歡喜自己國家勝利與統一！孰知，不轉瞬間，毛返延安，又炮火連天，終致大陸變色焉。

毛赫鬥法不會停止。但可能『打打談談』，糾纏不已。對民主陣線根本立場，他們不會因此而改變。

我們總結，是無論是從毛澤東說起，或自赫魯曉夫說起，他們兩人鬥法，不會化干戈為玉帛的。除非世界有大變動，使他們不能不『外禦其侮』；因為他們的大問題，大利害，與根本立場是一致的；他們共同所要埋葬的對象是同一的。倘民主陣綫有雄才大略之政治家焉，應念及卞莊子刺虎及鷸蚌相爭故事。一日縱敵，百日之患！這個世界不是退守的世界而是進攻的世界。守就是敗，而攻始能勝，始能安。『保持現狀』耶？『圍堵政策』耶？待『極權之自變』耶？種種實在均係退而待敗之策，更曷有於人類幸福哉！嘗竊思之，擒賊擒王，射人射馬。當此毛赫詬誶交惡之秋，正我國軍反攻大陸的最佳機會，稍縱即逝，此時尚不大舉，更待何時耶？美國的當政者，無論昔之艾森豪與今之甘廼廸，對於國軍反攻之事，均因有所恐懼而橫加阻撓，為識人皆知之事實。美國當政者所懼者何？一言以蔽之，怕蘇俄干涉參戰，以至美國被拖下水而已。然則，往昔尚可引此為言者，今也時移勢異，不必有此顧慮了！我意以為，為免除美國之疑慮，美國政府不妨聲明：今後不再阻撓國事行動，但反攻或敗，均須中國政府自行負責。如此，國軍反攻，蘇俄自不能引為干涉之藉口。大陸底定，世界大局改觀矣，豈不快哉！台北與華盛頓，尚何遲疑之為耶？

漫畫天下　南施

學網中

毒網

自由談

人才與個性

馬五先生

古今中外的英雄豪傑，無論是文武人士，凡屬創造出事業來的，必有其不能磨滅的個性，否則一生庸庸碌碌，事業云乎哉？曠觀史乘，我國文武人才最多的時代，莫過於三國鼎立之秋了。此乃由於亂世需要人才，所謂時勢造英雄是也。才智之士處亂世而欲及時自見，創造事業，有所成就，唯一條件在能夠取得上峯的信任，充分發展個性，擇善固執，而置個人的利害得失，乃至生死禍福於度外，唯力是視，求心所安。非如此，即不必空談撥亂反正的廢話，也不必妄作網羅天下英才的幻想。

遇事唯唯諾諾，沒有個性的，是奴才，不是人才；隨遇而安，但求飽食煖衣的，是蠢材，不是賢材；患得患失，日唯邀寵固位是務的，是狗才，不是英才。今日咱們國家運厄陽九，艱危特甚，政治上需要的人才，是要具有個性，敢作敢為，勇於負責，發揮特長的英雄豪傑之輩。對於這類人才的驅策方法，必須待之以誠信，假之以事權，課之以績效，讓他施展抱負，有所表現，再輔以算總帳、不查零帳的監督方針。果若是，政治上必然產生波瀾壯濶，朝氣勃勃的新氣象，人才即隨之輩出，當局者雖不倡導革新運動，而政事亦自然日新月異，化腐朽為神奇了。

可是，多如牛毛，不合時宜，不切實際的法令規章，若不予以剔抉簡化，適所以阻遏人才，敗壞國事。軍事術語有「掃清射界」之說，政治上亦復云然，一些惡法劣制如「人事凍結令」「官吏保障法」之類，先須加以掃除，使政壇不生荊棘，政海不藏垢物，人才庶有用武之地。總之：求非常之治而循平常之法，毫無是處，但見奴才蠢才風雲際會，蜚黃騰達，賢豪之士寂寞然去矣！

放棄權利愚不可及

若干新樓住戶私允業主加租

【本報訊】「一九六三年加租（住宅樓宇）管制法例」業於本月起生效，不少業主援引該法例之規定，依照正式手續填寫加租表格向差餉物業估價署申請批准加租；但亦有若干業主不依正式手續而私下向住客要求加租者。所有新樓住客，現時無不為加租問題而大傷腦筋。

有等住客為避免被業主迫遷威脅，明知業主未取得差餉物業估價署之批准加租係不合手續者，但亦私下答允業主加租。因此，法例雖然規定業主要在通知加租後三個月始能收取新租值（即需十月份起始能實行加租），但有不少住客甘願由本月起即行加租，而且所加租值往往超過法例所規定的百份之十以上。

據法律界人士指出：加租不論係由差餉物業估價署批准，抑或係業主與住客私下協議，一樣可以獲得兩年內不再加租及不被迫遷之威脅。不過依照法例規定，新樓住客未滿兩年，或業主加租迄今未滿兩年者，住客均無需再加租予業主。

業主與住客私下協議加租而不通知差餉物業估價署，其後果將是無保障的，如果將來住客不同意增加的租金，業主將不能依法追討。

業主雖然可以根據「一九六二年租約（終止通知）法例」而收回樓宇，但必須於六個月以前發出通知書。

業主可以在住客租約獲有保障期內，以自己或父母兒女等居住為理由，收回樓宇，但必須向地方法院申請，並提出充份證據，始有獲批准之機會。同時業主亦可以拆毀重建為理由，而向住客收回屋宇，但亦須向法院申請，並提出充份證明。此項收回屋宇之請求，業主所提證據或證明，必須十分充份而能令到法官滿意，否則不易獲得批准。同時法官所批准取回樓宇日期，通常不致較業主所提出者為早。

是以，所有新樓住客，最好勿與業主私相協議加租，致招損失。「一九六三年加租（住宅樓宇）管制法案」，係為保障住客利益而訂，住客應儘量利用，而無需乎害怕業主的威脅。

香港與大陸

兩眼緊釘住僑胞口袋

毛共想方設法羅掘外滙 黑市出國機構恢復營業

中共為了挖掘外滙源頭，最近又勒令各地僑務機關，分別釐訂若干「優待」僑滙以及售賣珠寶金銀外幣等的「優待」辦法。並對各僑務機關強行分配「任務」，要彼等在今年下半年內使外滙額比上半年的多出一倍。

上月初曾回梅縣探親，甫返抵港的一位不願露名的人士透露：由於近年來中共向外國購買大量的糧食，各地僑胞對大陸的「投資」又已大減，特減接近於無，使中共入不敷出，外滙恐荒特甚，朝不保夕，大大影響其所謂「經濟建設」，逼不獲已，亂打主意，其目標卻仍然是華僑。中共認為今年上半年的所得外滙額實在太少了，決心要在下半年中，使所得外滙額達到上半年度的兩倍，更多就當然更好。

該不願露名人士說：中共為此，首先勒令各地的僑務機關，貢獻良方，釐訂出來「優待」辦法，爭取擴大外滙的源頭，然後相當硬性的分配任務，須期算盤如意，財源滾滾。其「優待」辦法主要如下：

（一）華僑每「投資」五千元「人民幣」者，便有權介紹兩名親友到所「投資」的機構任職，並且可免受「下放」。

（二）華僑家屬如果每月有外滙廿元「人民幣」之外滙繳交「公社」時，便可不必參加任何勞動，而可獲得一個人的糧、油、布、工業品等的供應。

（三）華僑在大陸任何地方購買房屋者，可獲「優待」遷移全家入的戶口，且亦可以不必參加任何勞動，并得招請家庭傭人。

（四）凡華僑所存放在大陸銀行的錢，其本金在滙入時，一律發給「僑滙購物證」，其利息也得同樣享受外滙戶特別配購的權利。

（五）舉凡存有黃金、白銀、外幣的人，均可算不違法，（在此以前是屬違法者）但必須在限定的時期內，向當地的銀行按官價出售；所售得錢，可不必登記姓名，隨意全部取用。

（六）凡有各項珠寶、古董等貴重東西，「政府」願意高價收購，物主亦可將所得的人民幣隨意取用。而此等人民幣若存放銀行時，亦可與僑滙同等享受特別配購物品的權利。

該不願露名人士又說：中共於決定此等「優待」辦法之後，各華僑機關、銀行和「信用合作社」等單位，紛紛派遣大批的「幹部」，分別到僑屬和僑眷的家裏，進行「訪問」，竭力拉攏示好，要他們支持「政府」，向海外親人索取鉅欵。

該不願露名人士又說：中共的「公營」黑市出國「機構」，亦因此重新「營業」了。此種機構係創辦於一九五九年，由中共高級官員秘密主持，每一人黑市來港者的取價，均在三千元港幣以上。據說其全部收入係撥入「國庫」的。前幾年不少人經此路綫離開大陸的，但多於離大陸後成為堅決反共份子，對中共甚為不利，乃加以停辦。現在為了要爭取外滙，乃又重行營業，但其對象據說主要是老幼之輩，青壯要出大陸很困難。（歡斯）

迭獲陣雨之賜

港存水量有增

【本報訊】水荒中的香港，近日迭得陣雨，水塘收益有增加，截至七月九日上午九時止之過去廿四小時內，各水塘區之獲雨量紀錄如下：大欖涌一點〇四吋，九龍各水塘〇點一吋，城門〇點〇三吋，大潭各水塘〇點〇七吋，香港仔各水塘〇點〇二吋，黃泥涌〇點一六吋，薄扶林〇點二六吋。七月九日晨本港總存水量為二十三億一千萬加侖。石壁水塘存水二億五千二百萬加侖；尚需六千五百萬加侖，始達到抽水點。

招商局舊輪出售事件 立法院首次質詢沈怡

立委林兢忠侃侃談「黑幕」

【本報記者台北航訊】招商局可說流年不利。原定於六月底以議價方式將四艘自由輪售於泰利、濟遠兩家輪船公司的，由於該局「忠貞員工」的一封檢舉信，遠近鼎沸，先是監察委員的調查，使議價售船一事暫予擱置，繼之立法委員的質詢，輿情譁然。但其中內幕，可能尚有未被揭穿者在。

立法院交通委員會於七月一日舉行會議時，曾邀交通部長沈怡列席報告議價出售招商局四艘自由輪的經過。沈部長當時的報告和解釋，立委們不盡認為滿意。福建南安籍的立法委員林兢忠首先「揭露黑幕」。

林委員說：「泰利船公司老闆，原是我的鄰居。在三十八年福建淪陷前夕，泰利公司老闆王鼎揚因為保護我而不幸被匪擊斃。另一主要的老闆王振相，是馬來亞僑領，現已去世。前年，王振相返台時，曾和我談起這件事，我曾勸他，不宜在這個時候要求政府賠償」。林委員又說：「泰利過去的確對政府有貢獻，政府賠償是應該的，但應賠償給泰利船公司的真正老闆。然而現在，該船公司並無老闆在台，祗有一個小職員在此。該職員竟勾結一位與泰利船公司無關的前交通部某科長，欲以『掛羊頭賣狗肉』的技倆，坐獲暴利。這個『黑幕』，我必須戳穿，否則，我沒有顏面回故鄉同父老交代。同時，我也曾與僑委會副委員長黃天爵談過，黃氏同意我的意見，並允有關要求賠償的公文將不代轉」。

林委員又向沈部長說：「泰利公司係一個家族化的企業，其組織經過，如果沈部長要的話，我可以提供」。

寧夏籍的立委張明經指出：「由大陸來台的公司和個人的財產，都損失光了。由誰賠償？為什麼政府獨對泰利、濟遠這兩家船公司賠償呢？其他對政府有貢獻而損失的船公司，是不是同樣獲得賠償？何況這兩家船公司的老闆，都不在此，所以不合乎情理」。

「就道理而言」，張委員繼續說：「沈部長剛才報告說，外貿會為了替國家節省外滙，建議把招商局的舊船賣給這兩家輪船公司，有所謂運用此財產之說，請問交通部：為什麼非教外貿會賣給這兩家船公司不可呢？交通部有權處理，何以要放棄自己的職權？」他又說：「過去，行政院通令全國，所有私人大陸財產的損失，等到打回大陸後再賠償。而沈部長說，這件事是由行政院核准的；那末，何以會出爾反爾，行政院的政策是這樣的反嗎？果如此，豈不是自己打自己的嘴巴嗎？我認為是於法無據」。

廣東籍的立法委員潘衍興質詢說：「泰利公司現在的負責人有資格嗎？這不是張冠李戴的大騙局嗎？」據調查，這兩家公司請求賠償而進行議價的條件是：每艘輪船的售價是十二萬美元，先付百分之三十的船價，為一年後的遠期票，其餘百分之七十的船價，分為五年至十年內付清。同時，招商局的船在美國西海岸交與這兩家公司；現在，由美國西海岸運廢鐵至日本，運費是八萬美元。這樣一來，不費吹灰之力，可以賺幾萬美元」。為什麼要把這四隻船賣給特權份子呢？據潘委員說：「外界盛傳：有關處理這件事者，可以獲得五百萬元新台幣的佣金」。

沈部長當時並未答復，說要等下次會議立委質詢完畢後，才作綜合答復。

港霍亂蔓延 已增至十宗

【本報訊】七月九十兩日又有四個未有接受預防霍亂注射之居民染上霍亂症，四病者現均留在荔枝角醫院接受治療。

兩天之內發現四宗患者，顯示香港霍亂在蔓延中，值得全體居民的警惕。

到七月十日為止，留醫之臨床霍亂症數目已增至十宗。七月九日，在漆咸道檢疫所之接觸者中再發現兩名霍亂帶菌者，使在接受治療中之帶菌者增至七名。

前後有關霍亂症之情形如下：臨床霍亂症（離院之十宗霍亂一人出院）九宗，已接受治療及一〇三疑症患者一名；經檢驗後證明並非霍亂一宗；留居漆咸道檢疫所之接觸者一名；在檢驗中之帶菌者七名。

寶島之窗

本報記者吳越航訊

有錢可以脫罪

本年五月十五日夜間在台北西站企圖非禮少婦的七個不良少年，日前由法院檢察官予以不起訴處分，據說是由於七個不良少年家長向被害人賠償了二萬一千元，獲被害人諒解，經和解後撤回告訴。

形成不良少年猖獗的原因，有人歸咎於家長的溺愛，社會的寬容，司法的姑息。以此案為證，這種說法不能說完全不對。比如說，這些不良少年的家長不替他們出錢，事情當不會這樣輕易和解；法官為顧及他們前途，網開一面，勵其自新，如不幸被這些不良少年誤解為「只要老子有錢，無論怎樣亂來，法律可以免罰」，豈不越更增加其仗財欺人的氣焰，與法官的慈心相反。至於輿論的正義表示，是否會成為被非禮少婦談和解費的力量，更是始料未及了。

整頓警風云云

中壢派出所警員莊世昌，為慶祝到職週年，邀約女友拉人請客，宴後偕女旅社闢室幽會，強迫同居被拒，藉酒醉撕破女友衣裙，毆打旅社主人成傷。但經人調解，傷害官司不究，莊世昌調職了事，不了了之。

警務當局一再表示，要嚴肅警紀，可是就照本案看來，不能使人無疑。莊世昌不過一派出所警員，到職週年竟要大事慶祝，跡近招搖；拉人請客，是藉職務圖利；借酒逞姦，動手毆人，更是仗勢欺人。在在構成違紀事件！而主管機關祗以調職了事，豈非由他去貽害另一地方？莊案如此處理，而說警務當局真有整飭警紀之心，有誰相信！

議員當衆脫褲

桃園縣議員楊石城，為阻止農會女職員拍攝觀音鄉農會會員代表大會照片，當衆脫褲侮辱女職員案，經新竹地院刑庭依妨害自由罪判處罰金六十元，妨害風化部份無罪，妨害名譽部份公訴不受理。

據新聞報導，案發當時的情形是楊議員當衆脫褲，暴露「下體」，侮辱徐女士，故被控告「妨害風化」。而判決結果，妨害風化部份竟然無罪。法官如此判斷，自有其法律的依據，我們未便多所置評。但欲引為隱憂的，是如此一來，紳士們不再重視風度，注重禮節，隨便在女士面前脫褲，只要不動手毆打，便可免於刑責，社會還像甚麼社會？

南市糊塗公文

台南市政府在六月十九日發出的公文中，發生了一個笑話。市府將中區里民大會的紀錄一份，分函台南高分檢處，台南地檢處參考，不料市府竟以「令」文「下」達，台南高地兩檢察處收閱之後，啼笑皆非。

台灣省實行自治後的民選縣市長，雖是來自民間，未必盡諳公文程式，但其幕僚長，無一不是官場老手，有其輔弼，像這種例行公事，應該不會有笑話可鬧。何況台南市長辛文炳，不是新近才登寶座，市長任期都已幹得快要滿了，就是沒有學過公文程式，看也應該看會了，為甚麼還會鬧出這種普通常識以外的笑話？無以名之，說兩人「糊塗」應該不會差得太遠吧！

新文化的搖籃—輔仁大學

仲偉庭

失掉自由的人，才知道自由的可貴；荒廢了學業的人，才知道讀書的重要。于斌總主教為了培育維護真理投奔自由堅決反共的失學青年，為了政府重建大陸需材孔亟，乃將在大陸歷史悠久極負盛譽的輔仁大學在台復校，作為發展新文化的里程碑。

文化是國家民族發展的基礎，而文化基礎則在於培育及充實人才，纔能壯大。特別在這共匪加緊推行喪心病狂的奴役教育，摧殘我國固有文化，積極進行其賣國勾當的時候，培育愛國青年在文武戰綫上共同與匪展開鬥爭，是知識份子當前首要的任務。所以于斌總主教在四年前準備將具有歷史的輔仁大學在台復校時，即先成立文學院哲學研究所，一方面是作為儲備倫理哲學教育的師資而準備，一方面是作為發展新文化的學術而努力。

「以文會友，以友輔仁。」這是輔仁大學在民國十三年於北平創校之目標。該校在北平是一所國際著名的學府，不僅校舍雄偉，設備完善，同時教授陣營堅強，讀書風氣嚴肅也見稱於世，尤以文學院之國文、西語、歷史諸系，理學院的物理、化學諸系，在當時最聞名。但過去的輔大，除平時在學術上負起溝通中西文化交流的使命外，尤其在抗日反共的國難時期，更有臨危受命，殺身成仁的一段史實。于總主教緬懷輔仁已往對學術、對國家的貢獻，尤鑒於大陸重建時的人材的需要而準備，乃將此意呈報教廷，請准將輔大在台復校。當時故教宗若望二十三世甚為感動，即任命于斌為校長，以教廷駐華公使、台灣各教區主教、及教內學人成立董事會，由田耕莘樞機主教任董事長。教宗並撥鉅欵以示提倡。于總主教乃邀請前在北平輔仁大學的聖言會會士，在天津主辦津沽大學，在上海主辦震旦大學的耶穌會會士，和中國教士們協力同心，積極復校；秉承以往的歷史和精神，擬對古今中外的學術，再進一步的去短取長，蘊精微、致廣大，以開創更新的局面，和更光輝的未來。

現在輔仁大學於台北縣新莊鎮的福宮，已動工建築文學院大樓，法學院大樓，理學院大樓，學生宿舍大樓，外語中心大樓，不久即可落成。校舍佔地三十餘甲，交通便利，風景優美幽靜，是一個讀書的好地方。該校今年開辦的學系計有國文系，外文系（包括英德文兩組），歷史系，哲學系，法律系，經濟系，工商管理系，數學系，家政營養系；每系招收新生四十名，全校共招收一年級新生四百五十名。另於前年開辦的哲學研究所，今年續招新生六名。

輔仁決定招收大學部新生時，決定招收家政營養學系者，係于斌總主教認為係為了針對共匪否定「家」的存在，破壞倫理道德，因此要扶危濟傾，便要重建家庭教育的價值。于斌總主教認為辦家政營養教育並非是專事烹飪，縫紉的修習，而是要以整個家庭生活為範圍，以健全家庭為中心，推而至於鞏固社會與國家，用意深長。

至於教學方面，外語系全採用新式教學法，利用電子器材，來促進學生對會話、發音的準確；並承西德政府捐贈了很多套的教學器材，裝設在外語教室內以備應用。該教室有控制室，閉路電視室，及一百二十個個別隔間，附有完整的耳機及送話器，另設有錄音室，備有錄音機三十架，供學生實習之用。家政系除了設有實習家庭外，更有臨床教室，縫紉室，衣物裁製室，洗衣間，以及化學實驗室，實習廚房等。凡有所需，無不妥為備置。師資方面，除了盡量聘請國內第一流教授外，並在歐美各國物色專家學者至該校任教，以增進教學效率。另訓導方面，男生各院均有專人主持，女生則由聖神會修女統一管理。學雜費均照教育部規定收取；校董會並決定在第一年設置總錄取新生數百分之十的獎學金，以資獎勵。其中百分之五為全額獎學金，凡參加聯合招考錄取成績列在該系前五名以內者，均可獲全額獎學金；餘半額獎學金給其他錄取成績較優者。

該校哲學研究所第一屆畢業生獲有碩士學位者，孫智燊、董耀華、張振東、黎重榮、劉甚良、龔乃昌、范孝宋等七人，品學兼優，甚獲社會人士的讚許，因此各界都對該校寄以無限的期望。我想該校在于斌校長領導之下，前途一定是燦爛的，同時也給輔仁大學以前的校友增加了無比的光輝。

談臺灣人的台灣

林權敏

本屆省議員選舉中，曾有少數候選人發表政見時，以「台灣是台灣人的台灣」為號召。這句話，在一部分本省同胞聽來，似乎很動聽，認為這位候選人敢講話，愛護地方，為本省人發言。

但事實上說這種話的人，却忽略了他本身是個中國人。稍有常識的人都知道，台灣是中華民國的領土，台灣人就是中國人。為何他偏說：「台灣是台灣人的台灣」，而不說：「台灣是中國人的台灣」呢？這種人的思想大有問題，究竟其用意何在？值得研討。

以好的方面言，若單為爭取選票所採的手段者，是屬於部落主義，尚可糾正。以壞的方面言，若假借選舉機會為敵人作有利的宣傳，藉以分化反共力量，挑撥煽動本省人與外省人的情感，製造糾紛，破壞團結者，則是民族罪人，其罪不可憫。

六十八年前甲午之役，因清廷無能，將台灣割讓與日本，使台灣省人蒙羞半世紀的殖民。卅四年八月十五日抗戰勝利，日本投降，台灣重返祖國懷抱，這誰敢說：台灣不是中華民國領土的一部分呢？台灣人的祖先，十之八九是三百年前，由大陸追隨民族英雄鄭成功遷來落戶的，誰又敢說台灣人不是中國人呢？奇怪的今天竟有人說：「台灣是台灣人的臺灣」。這簡直是荒唐已極！這種怪論邪說，莫非是醉翁之意，用心叵測。記得在日據時期，雖有人說過這種話，但那時一般本省人都認為那是抗日革命份子的口號，未深加注意；殊不知這句話就是臺共份子的術語。迨臺灣發生二二八事件，匪幹謝雪紅在臺中組織之二八部隊所喊的口號，就是這句話！臺獨份子廖文毅，在日本向本省人所喊的口號，亦是這句話！總而言之，臺共、臺獨是一而二、二而一的，其背景均是共匪在操縱。

臺灣是一塊乾淨土，是反攻復國的基地，我們絕不容許有這種邪說怪論的存在。況且共匪是無孔不入的，我們要提高警覺，保衛臺澎金馬，在偉大蔣總統領導下，精誠合作，團結一致，為反攻復國而努力，為建設民主自由臺灣模範省而奮鬥。而這也是我們一千萬軍民，以及海外三千萬僑胞共同努力的目標。

報人普立茲傳

汶津譯

「我叫你說謊者，奧古斯汀，」他叫了出來，並向他開火。奧古斯汀被打中了，但未受傷。這場決鬥引來大批觀衆，有人把冒烟的槍從約瑟夫手裏奪走。當奧古斯汀看到他空手了，立即撲向他，並用自己的槍打他。

二人相鬥的故事使人們比對約瑟夫的任何報導都要譁然。最後，他們弄清楚法院人員的真面目了。他們知道只有失去大筆錢財的恐慌才會使奧古斯汀演出如此瘋狂的一幕。經由約瑟夫的努力，普立茲提案終成法律，而那腐敗法院的法規作廢了。

當約瑟夫離開議會時，聲譽蒸蒸日上。密蘇里州政府任命他為聖路易城的三大首長之一。他才二十三歲。在短時期內他會住在聖路易，他已成為一個有名的人物。他是一個政壇上的重要人物，又是郵報的主筆。此際，蘇滋和普利多利給了約瑟夫更大的職權，一如他們作為一個發行人一樣地。他們深知約瑟夫的傑出工作已使郵報日形重要，不止是銷路猛昇而已。

一八七二年舉行新總統選舉。格蘭特，共和黨籍總統，仍想出馬。郵報不支持他，因為格蘭特並非一位好總統。郵報告訴人們他們將支持荷雷斯•格利萊為共和黨總統候選人。當格蘭特又獲捷報時，郵報失去了不少讀者及它的全州共和黨首要報紙的地位。二位發行人幾乎懷疑報紙是否還能繼續刊行。

「大勢已去，」蘇滋對約瑟夫和普利多利說。「我們向人們推薦錯了人。讀者都願選舉格蘭特而不願讀一份支持任何其他共和黨候選人的報！」

普利多利沒精打采地。「我們在賠損更多以前該賣了這份報紙。」他說。

約瑟夫獨持異議。「一切都會改變的，」他說。「等待吧。人們易於忘記競選演說和整個的選舉。西部郵報又有很好的歷史。如果我們列出其他聖路易報紙不刊的新聞，人們又會買它了。」

蘇滋和普利多利眼睜睜相望。他們想到這個「年輕棋手」來到以前的一次經驗。或許他是對的。他們要再碰一次機會。威理希打破室內的靜寂。「約是對的，」他說。「我們該繼續辦郵報。但是，我想約瑟夫才是適當人選。他該成為總編輯。不是我。我將為他而工作。要不然我就離開郵報。我們該照約瑟夫的意思辦。現在他是唯一能拯救這報紙的人！」

約瑟夫深深的為老編輯的簡單、誠懇的話語所感動。第一次約瑟夫了解像威理希這樣的人可能愛一張報紙更勝於愛自己。

蘇滋把手按在威理希肩上。「這是很好的提議，路易士，」他柔和地說，「但這是不必要的。普利多利和我都知道約瑟夫是主辦郵報的最好人選。但是他能成為一個好發行人，而非編輯。更進一步，他可以成為老闆之一。你我都老了。約瑟夫却年輕而有新理想。」蘇滋暢然微笑，「約能為我們担起一切重担！」（廿三）

瘟君續夢

第九回：枵腹爭雄　壺漿招餓鬼　苦心糾衆　風雨會羣魔

毛澤東聽說史諾要走，當即約史諾吃晚飯，由周恩來、鄧穎超作陪。席間就談起美國的情形。

史諾說道：「美國人對新中國本來是抱有希望的，打算同新中國保持密切關係，可惜朝鮮一仗把這個希望打消了。」

毛澤東笑道：「朝鮮戰爭已經結束了將近十年，這些舊賬還記它作什麼？」

史諾說道：「主席不明白美國情形，美國在朝鮮戰場上死傷了十四萬多人，除去兩次大戰，要以這次的損失為最大，所以全國上下總是耿耿難忘。」

毛澤東聽了大不開心，怫然說道：「我們在朝鮮損失了一百多萬，我的大兒子都賠上了，我並沒有介意。事情過去也就算了，美國應該和中國恢復友好關係才是。」

史諾當時不知道怎麼說才好，只有微笑。

周恩來說道：「人民的感情當然不是馬上就能改變的，必須慢慢地潛移默化，希望史諾先生回到美國，在宣傳方面多用點工夫。」

史諾說道：「我回到美國打算寫一本書，專門描寫新中國事物的，書名就訂為『在海那邊』，希望能對美國人民發生影響。」

史諾說時，毛澤東用手敲着桌子在聽，面上漸漸堆起笑容。

史諾說道：「不過有些問題我還是不明白，要向主席和總理請教。」

毛澤東連忙說：「閣下請問，只要可以公佈的，我一定據實奉告。」

史諾說道：「我這次參觀了幾間人民公社，有在城市，有在鄉村，每一間公社附近都存在着一羣煉鋼爐的遺跡，又堆滿了許多蜂巢似的廢鐵，當初為什麼要這樣去煉鋼，這無量數的廢鐵，將來又作什麼用途。」

周恩來不料史諾兜心打了這一拳，當時不敢多嘴，靜聽毛澤東怎麼答覆。

毛澤東沉吟一下，說道：「這個問題我可以告訴你，希望你不要寫在書上，我們中國古代有一個秦始皇帝，統一中國之後，恐怕老百姓造反，把天下兵器都收起來，在咸陽鑄了十二個大鐵人。我的本意是在收繳國內的鐵，不讓人民私造武器，煉鋼只是個烟幕彈，成敗無關大局，讓它煉成廢鐵，也比留在人民手上還好些。」

史諾笑道：「主席高見，有些實在使人猜不透。例如中國向美國提了一百五十多次嚴重警告，在美國人看來也莫名其妙。本來警告是不能超過三次的，中國竟然提了一百多次，究竟提了多少次才會動手呢？」

毛澤東笑道：「我們提的嚴重警告，只是向全世界宣佈美國侵略中國的次數，並不是預備同美國打仗。真打仗就不會提什麼警告了。試看中國志願軍參加抗美援朝戰爭，說打就打，幾時提過警告。」

史諾不由得笑起來。

周恩來笑着說道：「史諾同志，主席今晚講的就是知己話，未把你當作外人，希望回到美國可不要發表。」

（二二〇）

侯王廟

漁翁

香江兩岸，廟宇繁多，而以九龍城寨之「侯王廟」，為最著稱。廟位於城寨之西北角，即白鶴山西南脚下。廟址用石壁砌成，為三幢形式，高二丈餘，寬三丈許，左為正殿，奉祀侯王。

據此間居民言，是廟當初只是一茅寮，後來方用磚瓦木石建成。但建自何年？已無從稽考，祗有清道光二年，光緒五年，民國九年的重修碑，與陳伯陶所寫侯王古廟聖史碑記尚畧可尋摩。

在重修碑上面，鐫「楊侯王」三字，可知侯王姓楊，但名字及來歷，初無所載。迨清遺老陳伯陶，根據「楊」字，向南宋史實考究，始證明姓楊名亮節，是益王生母楊淑妃之胞弟，即南宋國舅，生時封侯，死後封王，所以名之曰「侯王」。

當元兵入臨安之後，帝昰及帝昺，倉皇出走，楊亮節隨侍左右，朝夕不離。迨帝昰即位於福州，冊封楊淑妃，亮節因居中秉政，勞苦弗辭，為當時護國重臣。元兵破福州，亮節護宋帝再度流亡，走到官富場，即今之九龍城，不幸喪身於此地。當地居民，為紀念亮節愛國之忠誠，乃建廟塑像以祀焉。

在侯王廟東邊，有大石二，一為「鵝」字石，一為「鶴」字石。鵝字石，是一筆寫成，頗壯大觀，但在日本軍佔領時期，已被破壞，今惟「鶴」字石尚緊貼廟之屋背耳。

「鶴」字石所鐫之鶴字，有數尺大，署名為「鳳山」所寫，半行草，筆尚遒勁。兩旁一聯：「道古仙巖歸鶴嶺；侯王顯赫鎮龍疆」。因廟在「白鶴山」脚，所謂「鶴嶺」與「仙巖」者，即指「白鶴嶺」與「遊仙巖」而言也。

日本軍攻陷香港後，為要擴展啓德機場，除「宋王台」外，侯王廟亦被劃入擴建範圍之內；當日宋王台失去一部眞蹟，而侯王廟克保無恙者，據傳有一「神蹟」之故事在。

當日軍開始動工時，管理機場之工作主事，亦日人也，突患重病，手足癱瘓不起，一夕，得一怪夢，夢見一位蓄長髯，穿袍甲之中國古代大臣，向他痛斥，謂毀壞宋王古遺蹟，實屬犯上，故罰爾手足癱瘓，若再拆毀侯王廟，當必絕爾性命。該日人醒後，即往侯王廟，見正殿所坐侯王神像，與夢中所見者，為之愕然，乃肅然起敬意！亦因此，機場原定藍圖得以改變，是廟得以保留。此故事眞僞莫辨，當地頗有人言之鑿鑿，然則其果楊亮節之英靈未泯，而夢寒敵胆歟？

原來建廟塑像，為紀念忠臣，後來居民，誤為釋教所設之菩薩，所有善男信女，求財、求子、與患病者，絡繹不絕，焚香頂禮，知其然而不知其所以然。好在「禮多神不怪」，楊亮節地下有知，未識亦首肯吾言否耶？

日軍投降，香港重光後，地方人士以此廟「鵝」字石，被日軍摧毀，「鶴」字石又半遮廟之牆後，地被汚壞，不如前日之靈驗，香火多轉移於黃大仙廟去，是廟漸呈寥落狀態，亦所謂有幸有不幸矣。

談妓

吉庭

妓，女樂也。古有家妓官妓之分：家妓，私家所蓄之歌妓也，此風在春秋時已流行；官妓，一名「官婢」，又曰「官奴」，供奉內廷及公署之倡妓也。漢武帝置營妓，以待軍士無妻室者，是為官妓之始。

據十六國春秋載：「石虎鄭后，名櫻桃，晉僕射鄭世達之家妓也。」齊策云：「孟嘗君之舍人，與夫人相愛。君曰：『覩貌而相愛者，人之情也。』」此夫人蓋家妓之美稱。又南唐韓熙載：「縱家妓與賓客生旦雜處，則家妓不能檢也。」唐後，此俗漸革，鮮有所聞。

官妓之風，始於漢，而盛於唐宋。開元天寶遺事：「長安平康坊，為妓女所居之地，京都俠少，萃集於此。每年新進士，以紅箋名紙，書謁其中，時人呼此坊為風流藪澤。」宋太宗以官妓賜將校，並見正史。至明尚有教坊之設，清初始廢。

入民國，有一時期，許妓領照，而抽花捐者。有某妓以氣運欠佳，不但無力繳納，且生活亦不能支持，乃有登報脫離花籍而從良之事焉。

南宋偏安有人才

李仲侯

高宗幷除飛子雲為保義郎。制曰：「全師懋賞，必首正中權之功。謀帥授方，爰控制上流之重。若時名將，為國虎臣。屢列上於戰多，式觀圖於臨遣。併頒命渥，增軍戎韜。中衛大夫武安軍承宣使神聖副軍都統制岳飛，秉誼忠純，賦資沉毅。自奮庸於行陣，久宣力於方維。料敵出奇，洞識韜鈐之要。摧鋒決勝，身先矢石之危。厲率偏師，往平巨孽。屬江西之窃發，連嶺表之繹騷。命以專征，迄茲底定。殲滅兇渠之惡，蕩平狡窟之奸。千里師行，見秋毫之無犯。百城安堵，聞犬吠之不驚。嘉爾凱還，趣其入覲。念夙殫於忠節，倘辰告於壯猷。宜疏進律之恩，俾正承流之任。天設之險，擇形勢於九江。師克在和，隱兵威於萬旅。以作藩於屏翰，以式遏於寇攘。益申紀律之嚴，用謹守攻之備。往服朕命，無忘爾成。可特授鎮南軍承宣使，依前神武副軍都統，充江南西路沿江制置使」。

十八日有旨諭飛三事：一、令飛於江州與國南康一帶住劄，江西諸屯軍馬，許過緩急抽差。一、江上有軍期，急速與制置使會議；不及，許一面隨宜措置。一、舒蘄兩州增隸飛節制。飛三上章辭免鎮南軍承宣使，詔曰：

「具悉。朕以九江之會，襟帶武昌，控引秋浦，上下千里，占江表形勢勝地，宿師遣戍，而以屬卿，增壯軍容，併加使號。蓋圖乃績，顧匪朕私。惟卿殄寇之功，馭軍之畧，表見於時，為後來名將。江湖之間，尤所欣賴。兒童識其姓氏，草木聞其威聲。則夫進秩授任，就臨一道，豈特為卿褒寵，亦以慰彼民之望。其尚何辭？所辭宜不允」！

始諸將擁重兵，而無分定路分，故無所責任。至是始議分遣諸帥，各據要害，某帥當某路，一定不復易。時飛月費錢十二萬二千餘，米四千五百餘斛，詔漕臣曾紆津致錢糧為軍中五月之費，由趙鼎督促之。時江北屢有警報，知黃州鮑貽遜徙治樊口，權知漢陽軍呼延虎渡江走鄂州，知興國軍徐璋亦以捍寇為辭，棄城而去，至是乃命吳全、吳錫受飛節制，而全已死矣。於是虎璋皆坐貶。

初李橫在襄陽也，飛遣統領官張憲招之不從，及橫自黃州渡江，飛聞之，疾馳往洪州，後橫一日至，橫已參趙鼎矣。飛責橫不相從之意，橫引罪而已。是時翟琮、李道、牛皐皆在江州，飛皆用為統制，就將其軍，惟橫等留南昌如故。（六七）

海嶠雲談薈

個性與節操問題

諸葛文侯

卅年前，今總統蔣公對全國黨政軍各界人士，曾經發出「明禮義，知廉恥，負責任，守紀律」的號召，我認為這是十分正確、而且亦是十分必要的生活軌範，應該身體而力行之。所以，過去在大陸上從事行政工作時，每在自己的公廨中，必將這十六個字寫在辦公室的墻壁間，朝夕警惕，同時要求同僚們在公私生活上，不要違悖這十六字的義理。其他的任何標語口號，皆視同狗皮膏藥，漠然置之，無所容心，更不願當着稠人廣衆之前，說些「遵守偉大領袖的訓示」這類空話，故作忠貞之態。孔子說，「人不知而不慍」，雖不能至，心嚮往之，這是我的個性使然，江山易改，本性難移。

自從脫離學校生活以後，直到今天，我未曾受過官府的任何訓練，如過去大陸上的廬山訓練團，峨嵋山訓練團，復興關訓練團，現在台灣的各種訓練班，都沒有我的名兒可稽。對日抗戰期間，我受命担任重慶市教育局長伊始，教育部長陳立夫先生要我參加復興關訓練團第廿七期受訓（教育長是王東原先生），當時我表示：「部長如果認為教育局長非受訓不可，那我馬上就辭職。」他又說：「不教你作普通的受訓人員，名義上叫作訓育幹事，好不好？」答曰：「這是一種特殊待遇，我自信沒有要求特殊待遇的資格，不敢僭越。」他只好苦笑，再不勉強我了。可是，數十年來，我經歷了若干內亂和外患的局面，既無背叛黨國的行為，亦未因黨紀問題而受到過黨部的任何處分。昔人謂「有所不為」，區區於束髮受書時，即私淑斯義，漸漸地養成了一種個性，沒法變更了，對不對，我不管！

反觀當年若干紅極一時的文武顯要人物，不特是經常把領袖的一切語錄遍寫在私宅和公廨內外牆壁間，以及自己寫字枱的玻板下，而且隨時掛在嘴上，對衆嘵嘵背誦不休；同時又參加了若干次普通與特別的訓練，眞不愧為雙料的忠貞份子。然而，一旦大難來臨，陣前起義的，臨危變節的，怕死降敵的，替敵人策反的，多見其為上述那般雙料忠貞人士的傑作。至於像區區這類平日被視為不可靠的「游離份子」——我自己號稱為「門神黨員」——卻有所不為，依然抱殘守缺，我行我素。民國卅九年大陸淪陷之際，我的妻室兒女尚在巴蜀未逃出，區區每天在香港時報寫反共文字，知己的朋友提醒我注意家屬的安全，我就答道：「這時候連我自己的安全亦無從顧及了，遑問其他？共產黨要殺我的全家，唯有聽之，自古皆有死，國且不國，何以家為，我拚了！」

今日叙述這些故事的用意，決無自炫自誇的卑鄙心理，旨在證明兩點道理：一是表面上經常裝作雙料忠貞狀態者，多半都是些「五色瓶子」般——搖一下就變色——的人物，可與共安樂，不足以共患難。二是官府辦理訓練事宜，只是對技術問題可以發生功用，若是夫人格的修養，品德的培育，那就談何容易！陳果夫先生晚年曾慨說「官吏不能訓練人」，實為見道之言。因此，我有一種偏見的想法，凡是千方百計向官家要求受訓的，都是基於莊生所謂「有蓬之心」，這類人物就不可靠，有所為而然，請看王耀武李默庵之流的行為，能不殷鑒不遠？我并不反對官府的訓練工作，但認為對一般思想已經成熟，年齡已屆壯老，世故人情十分精通透澈的人，只能訓練他們的政治技術，如法令的講習，行政效率如何可以改進加強等等，實有必要。至於人格品性的陶冶，那是學校教育之責，「作之君，作之師」的時代過去了。

台灣王城之今昔

周燕謀

台灣「王城」，為台南十二勝景之一，題曰「王城朝暉」。然今遊人所睹之「王城朝暉」而可憑弔者，僅該城的外城——即西方砲台部份之南邊城壁而已。其遺址全貌，則早已湮沒無存。

近見報載台南通訊，有台南文獻委員會黃典權、賴建銘二氏於去年底發現王城之湮沒遺址，刻正進行研究探測中。據稱此一發現，對於歷年的鄭成功登陸地點之爭議，可獲致一決定性之解決。

考「王城」之興建，為荷蘭人拓展東亞貿易基地時所築，據 Clmbault Heart 所著「台灣島之歷史與地誌」紀載，始建於一六三〇年，竣於一六三三年，為時三年。（黃典權氏所考亦同，惟「台灣文獻」十二卷二期「台灣王城建置考」盧嘉興氏所述為「西元一六三零起工，內城成於一六三二年，外城於一六四〇年竣工。」）名為「熱蘭遮城」（Zeelandia），其規模宏壯，外貌美觀，為西歐古式的城堡建築。該城築造為兩層，城壁高約三十尺，四隅有稜堡。雉堞附於上下兩層。稜堡的角有瞭望塔，基層城壁，四方有圓形突出部份。

續修台灣縣紀云：「城基方廣二百七十六丈六尺，高凡三丈有奇，為兩層，各立雉堞，釘以鐵釘，瞭望星佈，凌空縹緲。上層縮入丈許，設三門。北門額鏤灰字莫能識，大約記創築歲月者。東畔嵌空數處，為曲洞，為幽宮。城上四壁箕張，現存千斤大砲十五位。複道重樓，傾北已盡，基址可辦。下層四面加圓凸。南北規井，下入於海，上出於城，以防火攻。現存大砲四位。城西基內一井，半露半隱，水極清冽，可於城上引。西北隅續築為外城，抵於海。屋址高低，佶曲迷離其間。政府第宅，輝榭歌亭，化為瓦礫。倚城舊樓一座，檯棟堅巨機部一軸，可挽重以登城。大砲凡數位。內城之北，基下闢小門，傴僂而入，磴道曲犖，已崩壞。地下有磚洞，高廣丈餘，長數尺，曲轉旁出。……」

觀此城之構築，實為西人在中國築城之創舉，亦可謂洋洋大觀矣。除城郭堡塞外，城內尚建有政廳及第宅、兵舍等建物。此為荷蘭人企圖據為制霸東南亞貿易的根據地，扼守台江內海出入口之要塞，並以之為在島上施政之中心。（上）

內備警台報字第〇三壹號內銷證

自由報

THE FREE NEWS

第三五七期

每份港幣壹角

社長：雷嘯岑

督印人：黃行蒼

社址：香港銅鑼灣高士威道二十號四樓
20 CAUSEWAY RD 3RD FL. HONG KONG
TEL. 771726　電報掛號：7191

台灣分社

是我們開創新局面的時候

方南

中共和蘇俄在分裂中。這可能帶給中華民族以復興的契機，也可能貽中華民族以更爲深長的禍患。目前我們既須深思熟慮，亦須乘時提起勇氣，把握時機，製造新局，若徒作空泛的樂觀論調而無所作爲，這便是可悲而又可恥的現象。

毛澤東這次走的是絕險之着，明知絕路也要走，希望能從絕處逢生。他除了想碰碰運氣，當然還想利用我們的疲惰，不振作。在他預算中的有利因素，也包括了我們的疲惰，不振作在內。

中國不容長期分裂

我們必須防慮未來不利的演變有兩種。

第一、共產集團因此而分裂了，但中華民族亦因此而長期被分裂，恰恰被西方國家順勢製造「兩個中國」，達成一矢雙鵰的願望。

假如中共在既反美又反赫魯曉夫的夾縫中，找尋經濟方面的外來支援，很可能向英國找尋中間路綫。這必須在事實上承認「兩個中國」的存在。中共在失去俄援之後，當然不敢正視台灣，如在這一點被西方國家軟化了，而國軍又打不開反攻大陸的種種障碍，便會是中華民族長期被割裂的開端。這一割裂不只使大陸數億同胞失去迅速翻身的希望，也使海外二千萬僑胞陷入比前越更悲慘的境界中。即以最近由印尼首倡的大馬來邦聯一事爲例，便可瞭然。

此時我們應該注意英國的政治行情。英國的保守黨政府近來和中共頗肯拉攏，有不少事實可以列舉，但最壞的却是：保守黨政府因受一個「應召女郎」的「醜聞官司」所牽累，被工黨乘機佔取了有利地位，很可能重握政權。被視爲「未來首相」的工黨領袖威爾遜，前天便已透露出他的意向，認爲這是向中共拉手的時候了。以前的英國工黨政府曾經率先承認中共政權，如在這時候捲土重來，拉毛澤東一把，說不定倫敦的淫媒賤娼也和毛澤東的苟延殘喘存有微妙的關係呢！

大好時機　應有作爲

中華民族自由鬥士如不能利用中共與蘇俄漸趨分裂的大好時機，打倒毛澤東，消滅中共政權，結果便會使整個民族長期分裂。這時我們必須特別提高警惕的主因在此。

第二、毛澤東鬥倒赫魯曉夫的希望是萬二分渺茫的。鬥不倒，敵人便會被敵人鬥倒，他會不會在鬥爭當中被內部親俄派突然推倒呢？很多觀察家認爲無此可能，因爲俄人已爲大陸人人所痛恨，中共內部此時沒有親俄派。

若從另一方面看，我們應該回憶到當年毛澤東被剝奪了政治上的「主席」地位，只拿黨的主席銜頭以自娛，確會受到蘇俄的壓力。如沒有由外而來的壓力，他是不肯下台的。那時毛的遮羞論調，是說要專心研究「黨的理論」。如今他真的要憑「理論」向赫魯曉夫反攻了。這一鬥的眞正起因，仍是個人權力之爭，而各有其可憑藉的羣衆心理基礎。其實，毛澤東內心的恐慌，可由北平大小嘍囉盛排儀典歡送鄧小平、彭眞率領談判代表團赴莫斯科一事見之。這種鋪排是空前的，送行者名單全部發表，凡數千人，我們在香港的赤色報紙也可看到。這等於毛澤東向赫魯曉夫表示他掌握了「內部團結」的優勢，不怕被「整」。說這是「色厲內荏」，並不爲過。

西方國家偷惰自私

毛澤東既有被迫「棄政主黨」的先例，這次雖是「有備而戰」，但因處境太壞，在幾條戰綫兩面作戰，如到了苦鬥垂敗的階段，由內部某一派力量起而打圓場，獲得赫魯曉夫在經濟及其他方面的若干讓步，而以毛的退休爲條件，這是誰也不敢說沒有可能的。這一派只以避免「樹倒猢猻散」爲原則，既非親俄，亦非存心倒毛，在必要時也可犧牲毛一人以救中共於危亡的。

假如這一局面眞有出現的一天，中共仍然宰制大陸，在經濟方面來一個「左右逢源」，而事實上仍然倚靠蘇俄，做它的馬前走卒，驅策大批同胞爲着赤化世界而出力賣命。這種演變將是自由中國的重大不利，亦屬顯而易見。

西方國家目前的急切打算，是與蘇俄講和，希冀利用共產集團的分裂而迫使同意停止核子試驗，訂立協定。此外最感興趣的事情就是製造「兩個中國」，試圖軟化中共了。他們認爲分裂以後的中共與蘇俄，都不可能單獨引起戰爭，容易造成就範。這就可以讓他們維持現狀，安享繁榮，却不想到中共與蘇俄分裂是一回事，繼續分別作孽造亂又是一回事，而且到了可以再合時，還會從新聯合起來的。

打起精神　應變促變

在這個變局裏面，英美的最大希望和最高策略是什麼呢？這時我們總可看出一個大概。那麼，我們自己應怎該樣去應變和促變才是？

蘇俄是世界禍亂之源，但因它業已有了力量，西方國家目前所能做和願做的，只是阻截或者遷就這種力量。就目前形勢看，蘇俄處境似乎有些困難，但它只要維持東歐一條防綫於不變，仍然不愁什麼，便似秦人閉關以延敵，也有其可以自恃與自信之處。它畢竟已是「有」的國家，再不是「無」的國家了。毛澤東以史大林的繼承者自命，擺出好戰的姿態，希望史大林派在蘇俄內部復活，却不知此時赫魯曉夫所以反史，是順應內部人心的自然要求。因此，赫之罵毛爲史派與嗜戰者，自有他的「羣衆心理基礎」，猶如毛之罵赫挾大國沙文主義以凌剝附庸，也有其「羣衆心理基礎」一樣。這樣吵嚷下去，毛是要拚命苦鬥，赫仍掌握有擒縱自如的便利，退兩步還可進一步。所以此時只有毛是眞正着急，眞的是世上最瘋狂的一個大賭徒。

毛共唯懼　國軍動手

有人推測毛澤東可能似狗急跳牆一般，被迫在此時發動戰爭。我看這不會成爲事實。到了這時候，毛澤東倒眞有畏戰的心理。他非常害怕國軍反攻大陸，這可從中共宣傳材料看到。近期中共的「紅旗」雜誌，公然承認大陸的工業水準，要待十年至二十年後才可趕上第一流，再不是高喊「幹勁冲天」時那樣的氣概了。那麼，他怎敢在此時發動戰爭？看透了他最如意的打算，也不外如下幾點：一、仍可壓制大陸數億人民，聽從宰割，而且依舊勒實肚皮，迫作農奴與工奴；二、美國仍必限制國軍反攻大陸；三、除了工業技術指導和軍火供應兩方面，蘇俄對它再沒有制裁的力量。只要在經濟方面另打出路，不怕和蘇俄長吵下去；四、國際仍有姑息主義者可供欺騙與利用，透過某些國家的外交影響，可以間接把美國在亞洲可用的力量「凍結」。

毛澤東的政畧與戰畧就是如此。他倒不怕美國或蘇俄眞的對他動手，只怕大陸人民作反與國軍反攻大陸。因此，他目前最憂慮的是經濟問題，怕這方面再出亂子時，人民起義配合國軍反攻，他就完了。

看準了毛澤東眞正怕的是什麼，我們怎能無所作爲？

漫画天下　南施

人民：「我不懂，我只要吃飯！」

除此以外，別無他法。

自由談

議員的言論問題

馮正先生

民意代表在議會發言，對外不負責任，這是民主憲政制的道例，未可厚非。但議員的言論亦須遵循着理性和邊際，不能隨意胡說八道，肆無忌憚的。否則神聖的議會乃如市井間的鬧子館，亂哄哄的瞎話三千，甚且攻訐別人與公務無關的陰私，聊以快意，而妄藉「對外不負責任」之說以作護符，這還成甚末體統？有甚末代表民意的價值呢？

最近臺北市議會的一個議員，因在議會發言隨便對他人作人身攻擊，被控以誹謗罪，涉訟法庭，而法院判決爲無罪，予以不起訴處分，理由便是基於「對外不負責任」之說，且認爲該議員的言論亦并非與公務毫不相干者。我覺得這種裁定很有問題。假如我是個民意代表，在議會跟行政官吏辯論某項公務時，罔知自愛，濫逞淫威，指着該官吏的鼻子大罵道：「你是個混帳東西，幹的都是些男盜女娼的事，實爲狗彘之不如！」這亦不能說是與公務無關的言論，因爲我是在辯論某項公務中纔說出這類話，依照上項判例，當然對外不負責任。果若是，我這個民意代表即係市井無賴之徒，這樣的議會亦就太可恥了！

另有一個中樞的民意代表，正式提案糾彈別人侵佔土地的罪行，振振有詞，嗣被當事人列舉事證，指出該御史的糾彈案完全是顚倒是非，羌無故實，這項答辯書會在報上披露，令人閱之不勝驚詫，然該御史噤若寒蟬，無話可說。這反證他的糾舉案係無的放矢，大錯特錯，使民意代表繩愆糾謬的信譽掃地以盡。若論民主憲政制，當然亦屬於「對外不負責任」之列，但對神聖議會的職責，損害甚大，流弊亦不可勝言也。

據說，各個議會中皆有所謂「紀律委員會」之組織，誠不知對於上述這些怪象，是否有自行整肅檢點之必要呢？

麻醉魔術曾騙倒不少的人 馬來西亞「紅燈」高懸

共產集團設計蘇加諾印尼賣命 東南亞烏雲蓋天禍事隨時可來

【本報星加坡通訊】成立馬來西亞聯邦的協定九日在倫敦簽字後僅兩天，昨日（七月十一日）印尼「終身總統」蘇加諾便發出「反對」的言論，一下子便使得東南亞滿佈陰霾，給這個新聯邦的能否如期于八月三十一日成立，裝上「紅燈」，發出危險的訊號。

蘇加諾十一日的「反對」馬來西亞聯邦言論，共有兩次之多。先一次是在印尼天主教黨的紀念會上的演講，他抨擊馬來西亞總理東姑•阿都拉曼破壞諾言。據他說：上月初旬在馬尼拉舉行的菲律賓、馬來亞、印尼三國外長會議上，曾同意在未取得有關馬來西亞領土、主權及民意的確定之前，不成立馬來西亞聯邦。現在拉曼竟簽訂了馬來西亞聯邦協定，分明是拉曼不遵守諾言之證。因此，蘇加諾說：定期於本月三十日舉行的三國高峯會議「變成有疑問了」。後一次是他在印尼參謀大學的演講，口氣更加强硬，居然宣稱印尼要對馬來西亞聯邦採取反對的「對抗」政策。蘇加諾在演講中，要印尼「武裝部隊，特別是陸軍，必須加緊紀律訓練組織，去對付馬來西亞的問題。」又說：馬來西亞本身對印尼便是一項「對抗」，「馬來西亞反對我們的理想，反對我們的革命，反對我們的國家」，印尼自然不能不與之「對抗」。

倫敦方面稱蘇加諾此種「反對」之聲係「突然而來」的，表示「很感意外」；馬來亞雖表示「困惑」，但不「驚訝」；菲律賓則暫無正面的評論，而只希望三國高峯會議仍能如期舉行，藉以解決問題。

英國為什麼「很感意外」？據英國外交部發言人說：「倘若蘇加諾眞說了這些話，我們很感意外，莫明所以，因為這與我們所了解的馬尼拉（三國外長會議）所達成的協議，頗有矛盾」。剛自英國歸來的馬來亞副總理拉薩，則強調馬來西亞從未答應過馬來西亞聯邦計劃「壓後推行」。拉薩說：「在東京與馬尼拉的會議，我們均讓大家知道，我們埋頭進行組織馬來西亞聯邦；印尼亦知道我們與英國接觸，要在倫敦簽訂馬來西亞聯邦協定的事」。

其實，蘇加諾要「對抗」馬西來亞聯邦的宣告，絕不是什麼「突然而來」之事。蘇加諾五月底邀拉曼到東京作雙邊高峯會談，固然是他心血來潮的戲劇性表演，更其滑稽的是那次會談，由於蘇加諾發覺開罪了非總統馬卡柏高，乃臨時勸住馬頭，僅與拉曼互打一陣「哈哈」完事，根本不曾認眞接觸到什麼問題。至於六月初旬的馬尼拉三國外長會議，表面上討論了許多東西，亦協議了許多東西，實際却全是些泛泛敷衍之詞，一點不切實際；印尼當時所說過的「不再反對馬來西亞」，其所根據，亦就是那些泛泛的敷衍之詞，其本身當然亦是不切實際的「油嘴滑舌」。當時國際間有許多人都因之如釋重負，高興非常，實在便是一種錯誤。印尼在共產集團支使之下，它早就在以實際行動「對抗」馬來西亞了，婆羅乃叛亂首領阿塞哈里如今不還在印尼？沙羅越近幾月來三番五次的發生的襲擊事件，那一次不是蘇加諾的手筆？馬尼拉三國外長會議之後，國際上充滿虛偽的樂觀空氣，認為蘇加諾「轉性」了，印尼政策從親共變為「親西方」了，實際僅是「想當然耳」的自作多情而已。

此間一般的看法，這整個故事祗是蘇加諾玩魔術，目的僅在於麻醉對方，不加提防、自為樂觀。此間人士并認為，蘇加諾的魔術，極其可能，還是共產集團所設計與導演——從西方世界誤認印尼改變了政策以迄今日，共產集團並無一詞攻擊蘇加諾；蘇加諾眞的「變」了，能有此輕鬆的現象嗎？由於蘇加諾現在這一「翻臉」，的確，馬來西亞「紅燈」出現了，前途是有着認眞的危險的。在共產集團的指使與蘇加諾的賣命之下，今後的東南亞，眞的什麼事情都會發生。北婆三邦尤其可能有「大新聞」出現，自由集團必需嚴密的戒備與防範才好。

女御史台南查案認眞

畢竟如何發落佇待揭曉

【本報記者朱鍾台南航訊】台南市所發生的興建國民住宅比價案，鬧得一波未平一波又起，現經「女御史」調查過了，儼然頗有所得，如何處置？台南萬千民衆正翹足延頸的等待下文。

最初，台南市國民住宅興建委員會，於五月中旬將價值一千三百餘萬元的二百零六棟國民住宅興建工程，不採取公開招標，竟以比價方式發包給有特殊關係的大成（議會副議長林全興胞兄林全主持），嘉華泰（議員李錦主持），嘉林等三家營造廠承建；五月二日即有市民邱天佑等向台南地檢處控告國宅會執行秘書葉仲行違法瀆職，涉嫌與包商勾結圖利，這是國宅比價案開始揭幕的第一聲。

接着，五月廿三日，台南市議會七次臨時大會上，若干議員因質詢國宅案，得不到滿意的答覆，鬧到僵持不下的地步，而導致十四名議員辭職之事發生。在這段期間中，一般人士都集中注視議員集體辭職事件，國宅比價案反而被冲淡下來。台省政府當局為此派員到台南地方團結，為息事寧人計，乃不惜削足就履，將議員聯名辭職案予以駁回了事。而這也是國宅比價案的最高潮，祇是被另起之潮掩蓋了而已。

再來，台南市的電器承裝業，水管業兩公會，以國宅會不遵照政府規定，擅將興建國宅中的電器、自來水設備，包給營造廠，也向政府及監察院陳情，說明他們的立場，他們可謂第三階段。

至於國宅會執行秘書葉仲行被控案，台南地檢處固然已予不起訴處分，刑事部份算是結束了；但在行政措施上，國宅會行事是否不當？當然是要查的。也因之女監察委員劉巨全及監察院調查專員蕭仲泉在六月廿日到達台南市，負責調查國宅比價案，如此又使此案激起高潮。

劉巨全這位「女御史」，對於調查該案儼然有充分的準備，其調查對象也確實鉅細無遺，她除歡談訪問國宅案的兩位主角葉仲行、徐鋒（台南市府社會局長）外，被問過的人，尚有市長辛文炳，市府主 [illegible] 行及徐鋒，據說曾被問得無言對答。[illegible] 應約談話的人均被「請」到台南市招待所，在談話進行之時，[illegible] 不少的市民，曾圍集在窗外欲圖一睹這位「女御史」的威儀。再者，正值南部盛暑之秋，她身體不適，有時雖未進飲食，但對調查工作不但繼續進行，而且非常之嚴肅認眞，確實贏得台南市民非常欽讚。

據說：「女御史」在台南市前後辦理調查工作五天，於六月廿四日下午轉往嘉義返台北去了。

大家都說：「女御史」在來台南調查之先，既已握有大堆資料，再加上來到的詳細的廣泛而認眞的調查，不阬不求，對國宅案已經十分的明瞭了，究竟如何處置呢？台南市民正殷切地在「等清睬」。

香港與大陸

毛共攪「教育農民運動」

咒罵昔日貧僱農「忘本」整得最兇 「自留地」耕種好亦成罪狀被鬥爭

由于「人民公社」政策的失敗，以及歷年來由中共暴政造成的人禍天災，使大陸農業連年減產，經濟頹勢乃一蹶不振，但中共却說這些現象是農民「思想搞不通」所造成。

任教於九龍某官立學校的鄧×奎君向記者說：他最近接獲其留居家鄉河源縣的胞弟來信，要求他今後務必按月寄回糧包或欵項，藉以不致捱饑抵餓外，對粵東一帶地區農業歷年大減產之事，叙述甚詳。來信說，農業減產的主要原因，有下列兩點：

（一）人為的天災。來信說：多年來，共幹都在「攪風攪雨」，什麼建築水庫啦，山塘啦，又什麼深耕密植啦，不單係徒勞無功的，而且往往適得其反，造成災害。因建築水庫、山塘，而帶來連年的大水災；因「改進」耕作方法，採取「深耕密植」，而大大浪費人力財力，并使秧苗無法生長吐穗。

（二）中共倒行逆施的實行所謂「人民公社」制，將農民的一切財產都變為「公有」，農民雖欲保留一口鍋子，亦不可能。因此，農民均在「不吃眼前虧」的原則下，進行消極反抗，即長期進行怠工，這又使農業減產。

來信說：乃中共竟將歷年來農業之減產，歸罪於廣大農民「思想搞不通」，最近并在農村中展開大規模的「教育農民運動」，據稱目標是要「使農民在思想上樹立走社會主義道路的決心，不論遇到甚麼風浪，也不動搖」云云。來信還說，中共的「教育農民運動」，主要對象是下列三種農民：

一、是「忘本」農民。中共說，這等農民大部份是過去的「貧僱農」，曾受共黨之「恩惠」者，但因為「人民公社」制度，使他（她）們變為更慘的「新貧僱農」，而他（她）們常倚仗自己「歷史清白」、「階級出身好」，對於共黨的各項措施，反對最為露骨，對中共在農村推行的各項政策，打擊特大。中共乃決定對這些「忘本」農民，進行一系列的「訴苦」運動，進行「忘本思想」之批判，以及對典型「忘本」農民進行大力鬥爭。

二、是剝削階級思想濃厚的農民。中共說，在農村中不少農民是眼光短小，貪圖近利，因而投機倒把，做黑市生意，大大的危害「國家」的利益。中共正對這等農民，視其情節之輕重，給予判處罰欵或徒刑等。

三、是自私自利的農民。中共說，農村中由於近年分派回一小塊土地給農民，稱之為「自留地」，農民對「自留地」的耕種則倍加努力，打理得非常妥當，而對「公社」的田地則敷衍了事，祗圖塞責而已。因之，共黨對自留地生產好的農民均加以罪名曰：「只顧自己，不顧大衆」的自私自利者，對他們展開嚴厲批判并勒令其自我批評。（敬斯）

香港霍亂症勢欲蔓延

當局催促居民趕快打針

【本報訊】香港的霍亂症，截十四日止，已發現十三宗，大有蔓延之勢，醫務總署已發出呼籲，特向廣大居民敬告：一、假如在最近六個月內，未接受預防霍亂注射者，請即注射。第二、如患吐瀉者，請即看醫生或往醫局、醫院。第三、一定要注意個人及環境（尤其是廚房內）之衞生。

香港麥敬時又強調：「如你們大家合作，可再消除霍亂，那麼最重要的，就是那一百五十萬還未打針者，立刻來打針。」

麥敬時說：在第一宗霍亂發現前五個星期，經已特別準備為大家打針，但是直至現在 [illegible]

[illegible]

凡一歲以上，是絕無危險的，沒有打針及早治療，霍亂症是可以救命的，不論如何嚴重，如在數小時內即進行治療，也可以救，請醫生因此，去當局醫院治療，腸胃病者接觸過之人，不要 [illegible]

[illegible]

請大家合作，最重要的，就是那些還未打針者，立刻前往接受注射。

準備簞食壺漿以迎王師

李仲侯

一

七月二日，台北英文中國日報報導，根據中華民國主管軍事情報的一位首長報告：我方一個配備現代武器的游擊單位，於六月廿七日黎明前，在浙江沿海的平陽縣登陸，獲得當地人民熱烈而沉默的支持；在登陸後廿四小時，這個游擊單位，即穿過浙江省與福建省的山區邊境，迂迴前往江西仙霞嶺的主要游擊基地。又說：我游擊隊自六月十七日至六月廿六日之間，曾經有七批在浙、閩、粵海岸分別登陸成功，只有一批於遭遇中犧牲了十一人後，撤至安全地帶。六月廿七日在平陽登陸的，則爲另一批游擊隊。同時中共也在廣播中承認，在六月二十日至廿八日之間，曾有六批反共游擊隊，在浙、閩、粵沿海登陸。此外中共也經由廣播承認，六月廿七日在浙江平陽登陸的一批，已經達成任務。

二

根據上面的報導，這確是一個值得令人興奮的消息，正如莊子所說：聞人足音，跫然而喜矣！自政府遷台，快十四個年頭，過去祇聞有派飛機向大陸散發宣傳品和空投救濟物資的消息，從未聞有[illegible]接連有好幾批游擊健兒突擊登上海岸的英勇壯舉。尤其是中共匪廣播證實在六月一週內，即有國軍游擊隊六批登陸的事實，更屬絕無而僅有。現在大陸六億人民，延頸企踵，盼待王師返旆，望眼欲穿，而吾輩棲遲海外，少者已壯，壯者將老，久而久之，自難抑流亡無家之隱痛。昔蘇洵論兵，謂：「古者非用兵決勝之難，而養兵不用之可畏。今夫水，激之山，放之海，決之爲溝塍，壅之爲沼沚，是天下之人能之。委江河，注淮泗，滙爲洪波，瀦爲太湖，萬世而不溢者，自禹之後，未之見也！夫兵者，聚天下不義之徒，授之不仁之器，而敎之以殺人之事。夫惟天下之未安，盜賊之未殄，然後有以施其不義之心，用其不仁之器，而行其殺人之事。當是之時，勇者無餘力，智者無餘謀，巧者無餘技，故其不義之心，變而爲忠；不仁之器，加之於不仁；而殺人之事，施之於當殺」！現今共匪暴虐日恣，民不聊生，天災水旱，交相煎迫，加以蘇毛交惡，歧見日深，匪幫幹部、離心離德，此誠天亡虜之時也！我政府播遷台海，臥薪嘗胆，整軍經武十餘年，三軍健兒，蓄銳待時，莫不磨厲以須。今日驗諸人事，證諸天道，正是殺人之事施之於當殺，以至仁討伐不仁之時矣！大陸人民，都準備簞食壺漿以迎王師之歸，[illegible]不圖，噬臍莫及！如再曠日持久，當機不斷，蘇洵之以兵方水，渟潴既久，易虞橫決，恐非有大禹之神功，難收長治久安之績效。

三

爲今之策，似不妨以現有臺灣號稱六十萬之正規軍，以一半改編爲游擊隊，以無定之兵攻有定之寇，沿浙、閩、粵三省袤延千餘里之海岸線，均劃作爲我游擊隊活動區域，乘間抵隙，出沒無常，攻取之道，從易者始，從少備處先攻之，備東則攻西，備西則攻東，彼必奔走以救其攻，奔走之間，可以知彼之虛實。國軍每登岸一處，多聯絡當地同胞，知彼情狀者則雇爲嚮導，熟悉地形者則用爲先導，加強敵後宣傳工作，激發大陸抗暴革命，所謂此民與彼民之心同，是與天意同；與天意同，則無不成之功。初勿大舉者，但以配備現代新式武器之游擊隊輕裝登陸爲之，共匪怯懦，知我[illegible]必大發以來禦，我則多方以誤之，肆力[illegible]之；數大發，則彼必疲於奔命，窮於應付矣。我只要在沿海各地任何一處登陸成功，則臺灣後備之正規軍，即可迅速馳赴支援，穩佔據點，擴大反攻，用彼之民，揚我之兵，破竹之勢既成，則萬方響應，必若秋風之掃落葉矣。中興復國，庶其有豸！

七月四日發於基隆

康有為的應試

丘　峻

每厄於人，抑降名次；而幸運則僅。衡文得失，歎同兒戲！

康氏天資穎悟，精力超人，兩歲能識字，五歲能背誦唐詩數百首，六歲能屬對，出『柳成絮』，對『魚化龍』，爲氏一生應試之始；十歲能屬文；十二歲能作詩歌。年十三，長輩命習科舉文，而氏最厭惡『八股文』題，謂其爲愚民之具，危國之原，不願爲之，雖勉强應命，亦不就繩墨。年十五，再命作『八股文』，但拒命不作『八股文』。十六歲[illegible]學課文，氏一日成六藝；文共百餘篇，取十五名，氏六文皆魁之，詩亦冠軍。新正開課復居第一。十八歲後，絕不好『八股文』，且誓必廢之。迨十九歲，詣九江朱次琦（字子襄，號稚圭，世稱九江先生）禮山草堂受學。

氏初入學舍，次琦試以五代史史裁論。氏考究群書，仿史通體暢言之。次琦獎稱，博雅賅洽，合著書體，不當但以文論。從遊六載，備聞我國數千年學術之源流，治敎之正變，九流之得失，古人群書之指歸，經說之折衷，乃毅然以天道自任，以天下事爲可爲，以群書三十歲必可盡讀。次琦卒，年七十五，氏已二十五歲矣。氏雖早抱用世救國之志，而絕無科舉功名之心，乃謝科學，絕仕進，專心致力於經世致用之學，以研求拯民救國之道。革新思想遂由此而孕育，維新運動便因之而建基，與大家生同源，萬物一體，而進於大同之理想 亦漸臻於成熟焉。

氏固博學能文，而無意科學，絕不以科舉爲仕進之門，尤不願由科舉而進入仕途，而且誓必廢之，以解除應試文章之『八股』的束縛。惟氏諸父及其母勞太夫人，則屬望至殷，屢強爲之。母謂氏曰：『你父早逝，家無恆產，不應試，將何以爲養？』應之曰：『吾將粥字奉養！』蓋氏自恃書法之佳，融合諸家而自成一體，人稱之爲『康體』，[illegible]謂除沈曾植外，並世無所讓。

又士子赴考，必携一藤心所製，高約尺餘之圓形，方形，或長方形之提籃，名曰：『考試籃』，或簡稱『考籃』者，盛載所需各物與俱，以供入闈後數日之用。氏則目之爲『乞兒籃』——叫化籃。且謂：『我康某必不作一[illegible]此籃之乞兒！』是故康氏每應試，特自製木板一方，下置四輪，籃縛其上，拽之入場，以示實踐其不提此籃之言，不亦怪哉！（上）

報人普立茲傳

汶津譯

有一陣子約瑟夫找不到他自己的聲音說話。世上沒有人能知道這對他有什麼意義。沒有一種他會得過的榮譽給予他如此的狂喜。

他緩緩地回答道：「很好。我接受。但是如果我擔起那職責，我也必須有權做我認爲最好的。我也必須用所有的計劃和決心來幫助這報紙。」

普利多利博士樂了。「永遠是一位棋友！嗨約！」他大笑。「你想的總在我們前頭。但是要小心，約瑟夫。我們不能輸去這一盤！」

第五章

約瑟夫做郵報的股東和發行人只有幾個月。但這幾月間，郵報又羅致了許多選舉時失去的讀者。短期間內，這報紙的境遇已比以前好多了。

約瑟夫在第一版上刊出政治新聞及人情味的故事。一個新記者到差，專寫約瑟夫指示他寫的東西。每一件新聞都要寫得簡潔，關於發生了些什麼，在那裏，以及人名、地點、時間。轉瞬之間，報紙又虎虎有生氣了。

讀者們歡迎這種轉變。但蘇滋和普利多利覺得約瑟夫變得太厲害。當他們發現約瑟夫意圖同樣地刊出民主黨及共和黨的政治消息時，他們決定立即有所行動。他們提出三萬元作爲他的贏利，而約瑟夫接受了。他可能努力爭取保持他在郵報的股份、如果健康情形良好的話。但長年的勞苦已損害了他的健康。一位醫生告訴他他必須休養否則將日趨羸弱。約瑟夫幾乎不理醫生那一套，雖則他也爲自己劇烈的頭痛担憂。他的眼睛已被無休無已的工作所損害。他決定放棄他在郵報的股份並離開美國，回匈牙利去。

二十五歲時，約瑟夫已是一個富人。眞令人難以置信，他的短短的生命中已發生了如許多的事情。那些錢對他毫無意義。休息和清閒的生活只是空話。他的一生都在忙碌中。許多時候他會挨餓而沒有錢買東西吃。他也常被人們的言辭或行動傷害。他會努力試着敎育他自己、並找他自己想做的工作。現在他要離開聖路易了，沒有一個處所再可以讓他忙碌，也沒有理由再要忙碌了。他將舒緩地旅行一遭，並試着恢復他的健康。

在布達佩斯的老家他受到熱淚和愛的待遇。路易莎．普立茲．包勞見到了愛子大喜過望。而約瑟夫發現他母親仍如同記憶中那樣笑，那樣可愛。可是他也看到許多其他的轉變。一切事物都不像九年前離家時那樣了。馬克斯．包勞，他的後父，是一個好而窮的商人。由於他的不得意，他懷疑約瑟夫的故事。「一個重要的政府官員！一家報紙的老闆！你的兒子約瑟夫並沒說實話。他想讓我們相信他在美國是一個大人物。」包勞對妻子說。

當他匈牙利之行結束，約瑟夫又在歐洲作了一次長途旅行。此際他想到很多事情。他自問自爲什麼他在美國有如在自己家裏，可是在布達佩斯反像是一個陌生人。

他完全變成一個美國人了。對美國的愛深植他的心田。但是爲什麼美國和其他的國家是如此的不同？他知道美國也有壞的一面。有些人不誠實，有些人只愛錢，有些人權勢過於炙人。（廿四）

廬山續夢

第九回：枵腹爭雄　壺漿招餓鬼　苦心糾衆　風雨會羣魔

史諾笑道：「主席談的話讓我發表，我也沒有這個胆量，美國人看了一定罵我信口胡柴，他們決不會相信主席會講出這種話。」

毛澤東輕敲桌子笑道：「沒人相信才是新聞，大家都聽得到，猜得出的東西，還有什麼價值呢？」

史諾問道：「美國人感到關切的還有中國糧食問題，到底新中國去年糧食產量是多少？」

周恩來笑道：「這是國家秘密，無法奉告的。」

史諾聽了皺起眉頭，鄧穎超瞪起大眼看着周恩來，滿臉怒氣。周恩來也覺得說的太過份，又改口說道：「本年度的糧食生產，比起一九五九年高些，但是比起一九五八年約低百分之二十。」

史諾當時掏出鋼筆記下來，若有所悟地點了幾次頭。

毛澤東問道：「史諾先生，你對新中國其他方面還有什麼意見。」

史諾說道：「我參觀了上海，天津，武漢，廣州四個大都市，發現工廠有一半停了工，未停工的也不能開全工，有些每天只開兩三小時，和停工差不多，這一點不知是什麼原因。對於主席提倡的十五年趕上英國，不知道有沒有妨礙。」

毛澤東笑道：「史諾先生，你是一個名記者，有許多問題也瞞不過你，我們工廠所以停工，可以說是半由人事半由天意。」

史諾連問：「這段話怎麼解釋，我是眞不明白，請主席說清楚些。」

毛澤東說道：「先說天道，我們這三年來遭受了各式各樣的災害。不但最重而且種類也特別多，水，旱，風，虫之外，還有冰災，草災，霧災，有些甚至古書上未曾記載過的災情，都出來了。災荒成了全國性的，糧食整個減產，工廠缺乏原料，當然要受大的影響。」

史諾點頭道：「這些情形總理夫人已經同我談的很詳細，我也按照她的記載下來。不過，主席剛才講的人事，究竟是指的什麼？」

毛澤東兩個指頭輕敲着桌子，沉思一時說道：「人事的災害是來自蘇聯，我們被赫魯曉夫整苦了。」

史諾大吃了一驚，差點從沙發上站起來，再看大家的臉色都有點緊張。

毛澤東說道：「這些年來，我們同蘇聯的經濟已結成一體，各種工業都和蘇聯訂有貿賣合同，可是，從去年以來，蘇聯藉口我們不能按期交貨，陸續把合同撤銷了。」

史諾搖頭道：「這到眞是一件想不到的事情，若非主席自己說出來，我還以爲反動份子造謠，挑撥中蘇關係呢？」

毛澤東憤憤說道：「假若只撕毀少數合同，到還沒有問題，他一連串撕毀了幾百個合同，你想我們如何受得了？所以我說我們的經濟是赫魯曉夫整垮的，不算冤枉吧！」

史諾問道：「蘇聯爲什麼要這樣作？目的又何在？主席應該明白了。」

（二十一）

台灣王城之今昔

周燕謀

荷人治理台灣之官吏——長官公署，並在該城東設有市鎮，名「熱蘭遮街」。時漢人在該城建有台灣社，故又名台灣城。永曆十五年鄭成功克台灣，改名爲「安平鎮」，赤嵌爲承天府，總名東都。故又名「安平鎮」，亦名「安平城」。復又因該城築自紅彝，又名「紅毛城」。且因漢人稱外洋人爲番仔，故又名「番仔城」。至乾隆中葉之後，又稱赤嵌城，復將原名「赤嵌城」的荷蘭所築於赤嵌地方的「普魯民遮城」改名「赤嵌樓」。因此赤嵌城的名稱便有新舊之分，以致後人對赤嵌城之名，也就常常混淆而不可分辨了。

熱蘭遮城自延平王鄭成功驅逐荷蘭駐台長官揆一回國後，即移居其城，發號司令，策劃復明大業，直至逝世爲止。其後世子經，裔孫克塽襲爵，亦居該城。所以該城俗稱王城。此因延平王及其子孫襲爵，歷居所在京都，台省人以之尊鄭王以名其城也。連雅堂著「台灣通史」云：「永曆十五年，延平王克台灣，就荷蘭城以居。改建內府，台人謂之王城」是也。

王城築成之後三十一年，不幸在一六五六年七月，遭受一次巨大颶風所襲擊，損失慘重。滿清攻破台灣後，欲塞北門關南門，而因刀斧不能入而止。但又惡台灣之名，將之改爲「安平」，門曰「關」，以春秋時鄭國有關之門也。

王城之不幸，復歷經滄桑，一八七四年，沈葆楨決定在離安平約一公里半之地，興建要塞，爲一法國人 Berthault 設計，類似法國巴黎四周的要塞形式，因缺乏磚瓦，便將該城舊城拆毀。光緒二十三年，安平海關建築官舍，又將赤嵌城城址一部撤毀填平。又於一八六八年，復遭英軍砲毀，沈葆楨所築之砲壘，悉被摧毀。

甲午戰後，日本掠據台灣，日人將王城的遺址殘破尚存的城內部份，在其外邊用磚砌繞成爲梯段型之磚壁後，將其上部城壁拆毀填平爲高台，於其上建築海關官舍，即現今安平古堡休息所之後，至此王城就已名存而實亡了。後人除能在圖片上觀其外貌外，已無法再在該城瞻仰其原來雄姿了。但尚可使人憑弔者，惟王城之外城——即西方砲台部份的南邊城壁，尚完整保存。現今安平區區公所北側的城壁，東西長七二公尺許；今王城西之西龍殿廟後殘存之一部，即王城外城西南稜堡西邊之一部，南北長一一公尺許；因該城之內城壁較外城壁爲厚故也。

王城遺址，而今固已面目全非，而憑弔遊人，多誤以現梯段磚牆圍繞的高台爲王城，其實現存所有遺跡，已不及十分之一矣。（下）

開門七件事

漁翁

衣食住行，爲人生四大需要，而以食爲最重要者，蓋一日不食則饑，饑則殍，此古人所以有「國以民爲本，民以食爲天」之說也。

據宋吳自牧夢粱錄載：「人家每日不可缺者，柴米油鹽酒醬醋茶」。今則去酒一事，謂之開門七件。元人玉壺春庭柳翠百花亭等劇，俱有「早晨起來七件事，柴米油鹽醬醋茶」句。

凡枯乾樹枝木片，可供煮飲食者，皆曰「柴」。今用以引火之具者，又名之爲「火柴」。禮注：「收秩薪柴，大者可析曰薪，小者合束爲柴」。古之人頗注重於柴：所以「斧斤以時入山林，柴木不可勝用也。」

米，穀之去皮者也。周禮疏：「黍稷稻粱瓜大豆六者，皆有米；麻與小豆小麥三者無米。故云九穀六米」。今謂稻之實爲米，餘以小米黃米等稱之。我國以農立國，如無水旱虫傷，則收穫甚大，堯有九年之水，湯有七年之旱，而民無饑色者，備蓄多也。今大陸人民，饔朝饔夕，從事於田疇，而不得一飽者，共黨大暴政之所致也。

油者，脂肪之液體也。大抵取於動物之皮肉骨臟腑及植物之種子，尋常用以供烹飪之用，或工業之資。尤其氣油、火水，在工業中用途爲最廣，無待贅述。

鹽爲食品中鹹味之原料，因其產地，分爲海鹽、池鹽，與井鹽三種，皆是立方或八面體之結晶，色白而味鹹，不但爲調和食物之所不可缺，工業上用途亦大。且人民如缺乏食鹽，淡食過久，必然面黃骨瘦而無氣力。

醬，用以調和食品者，以麥麵米豆，淹黃加鹽，曝之而成者也。論語：「不得其醬不食」。凡食物搗爛如泥者，皆曰醬。即如醬油，在調味上，實不可一日無此君。

醋，有酸味之液體，以酒發酵而釀成者也。其氣刺鼻，觸之傷膚，供醫藥染色及貯藏食物之用，爲工業上重要之物。俗稱嫉妒者，爲含有醋意。世以妒婦比獅子，續文獻通考：獅子日食醋酪各一瓶，吃醋之說殆本此。醋爲五味之一。所謂寒酸者，謂貧士也。范成大詩，「洗盡書生氣味酸」。

茶爲常綠灌木，其葉可烹爲飲料，古謂苦茶，唐代始以此而充飲。按茶字古作荼，至陸羽著茶經，乃減一劃而作茶。茶經中所言茶之源，茶之法，茶之具，至爲詳盡，爲茶史第一人，故後人祀之爲茶神焉。我國名貴茶葉，以產於武彝山，安溪，祁門等處者，爲最可口。自李唐迄今，已有一千三百餘年之歷史。

開門七件事，爲人生所必需，必不得已而去，於斯七者何先？曰：去「茶」，因茶雖明目提精而解渴，但以滾水代之，亦足以潤燥而淸熱。若又不得已而去，於斯六者何先？曰：去「醋」，因醋雖屬五味而富有刺激性，不用亦無碍於身體。若再不得已而去，於斯五者何先？曰：去「醬」，因醬雖有調味之功，但不滲入，亦足以果腹。其餘油鹽柴米四件，缺一不可。周德淸以七件皆無，乃作折桂令紀之，見「葉兒樂府」。

南宋偏安有人才

李仲侯

李橫等既失守襄陽，僞齊於每郡俱置僞將。又有湖寇與僞齊勾結，欲分軍船五十艘，攻岳鄂漢陽蘄黃，順流而下。李成以兵三萬益楊么舟師，自提十七萬由江西陸行趨兩浙與楊么會合；朝廷患之，始命於江南北岸水陸戰備處，常爲待敵計；又命於興國大冶通洪州之路，措置提備，多遣間探，日具事宜以聞；又命防拓鄂黃等州及漢陽軍；又於「游鄂岳備賊營之潛渡爲寇者。一日，飛與幕中人語，論及三寇，或問將何先？飛曰：「先襄陽。襄陽既復，李成喪師而遁，楊么失援矣。第申嚴下流之兵以備之；然後鼓行而西。」

紹興四年二月，統制吳錫南行，飛作吳將軍寶刀歌贈之，詩曰：

「我有一寶刀，深藏未出鞘。今朝持贈南征使，紫蜺萬丈干青霄。指海海沸騰，指山山動搖。鮫鱷潛形百怪伏，虎豹戰服萬鬼號。時作龍吟似懷恨，未得盡剿諸天驕。蠢爾蠻蜒弄竿挺，倏聚倏散如鼉猱。使君拜命仗此往，紅爐熾炭投氄毛。奏凱歸來報天子，雲台樓閣高嶕嶢。噫嘻！平蠻易，自治勞。卒犯市肆，馬踐禾苗；將耽驕侈，士狃貪饕；虛張囚馘，妄邀金貂。使君一一試此刀！能令四海風塵消，萬姓鼓舞歌唐堯。紹興四年二月十日書贈吳將軍南行。飛」。

未幾，即奏請收復襄陽六郡以圖中原劄曰：

「臣竊惟善觀敵者，當逆知其所始。善制敵者，當先去其所恃。今外有北虜之寇攘，內有楊么之竊發，俱爲大患，上軫宸衷。然以臣觀之，楊么雖近爲腹心之憂，其實外假李成以爲唇齒之援。今日之計，正當進兵襄陽，先取六郡。李成不就縶縛，則亦喪師遠逃。於是加兵湖湘，以殄羣盜，要不爲難！而況襄陽六郡，地爲險要；恢復中原，此爲基本。臣今已厲兵飭士，惟俟報可，指期北向。庶伏乞睿斷，速賜施行。上流早見平定，中興之功，次第而見，不勝天下之幸！取進止。」

嗣得旨曰：

「翊卿忠義之心，通於神明；故兵不犯令，民不厭兵，可無愧於古人矣。今朝廷從卿所請，已降畫一，令卿收復襄陽數郡。惟是服者舍之，拒者伐之，追奔之際，愼無出李橫所守舊界，却致引惹，有誤大計，雖立奇功，必加爾罰，務在遵稟號令而已收復之後，安輯百姓，隨宜措畫，使可守禦；不致班師之後，復有疏虞，始可回軍，依舊屯駐。朕當重寘賞典，以旌爾功。故茲筆諭，無慢我言。十四日」。

（六八）

聽戲雜談

諸葛文侯

五年前，我在台北新生社介壽堂初次看到趙原演唱皮黃劇「法門寺」時，不知道他究竟是票友抑是職業藝人？但認爲他的造詣很有根底，第二天跟老友黃少谷兄談及，黃兄笑道：「你聽旦角戲確係有根兒了。趙原是西安夏聲戲劇學校出身的藝員，現在空軍的大鵬劇團任教職」。洎後我就未曾再聽過他的戲了。

本月六日夕，台灣復興戲劇學校師生在兒童戲院聯合演出，趙原主演「拾玉鐲」與「審頭刺湯」雙齣舊劇，我特往欣賞，入場時拾玉鐲已開始演出了，趙原去孫玉嬌，做工細膩，表情亦充分顯出青春少女那種嬌憨天眞的意態。據說，這曲戲藝乃是朱琴心給他說教的，雖不及小翠花之淋漓盡緻的典型，但已屬難能可貴了。扮劉媒婆的周金福亦不賴。

繼而「審頭刺湯」上場，周正榮去陸炳，出場唸「眼前皆赤子，頭上有青天」兩句引子，淸脆有致，嗣在法堂上護斥湯勤的語言動作，却有些欠待考究之處。例如陸炳說到「湯老爺你亦知道朝廷的王法麼？」這句話時，幷不須抱拳作致敬狀，應該對着湯勤投以鄙視的眼光就行了。再說及「我陸炳乃是二甲進士出身，做的是嘉靖皇上的官」，在說「嘉靖皇上」時抱拳表示尊敬之意，纔合情理。我看過余叔岩馬連良演此戲的動態，都是如此的。是夕周正榮迭次抱拳表示致敬，似乎欠考究。他在怒斥湯勤「你來在錦衣衞大堂之上，擺來擺去，可是我又不肖你的字畫啊！」這幾句語言中，又將「擺來擺去」一句漏掉了，以致詞意不相連貫，實爲一大缺點。趙原去雪艷，還是正工青衣戲，他的台步和表情，處處表現着呆板之象，不像演拾玉鐲那種活潑程度了。如還擇人頭時，唱到「他……他……他：爲何人死面皮黃」之際，面部沒有表情，距荀慧生的淒絕情態遠矣。在尋到自己丈夫莫懷古的首領時，一聲「哎呀我的夫呀！」的唱工和聲調，距程硯秋的哀感動人的音容更遠矣。這齣戲的精采處，就在一大段二簧慢板的唱工，趙原的嗓子很圓亮，走的是梅派路子，出場來，唱迴龍「覬却素衣又換新，老爺呀！」頗有韻味，我不禁爲之喝采。但往後唱到末了，不特平淡無奇，身上亦很僵硬，尤其是唱「今夜晚，殺賊子，我要報仇雪恨」時，腔調既缺乏頓挫抑揚的氣氛，臉上亦還是一派正經的模樣，未能掀動觀衆的心情而引起同情共鳴之感。因此，我認定趙原的技藝是擅長花旦戲，青衣戲就差一皮了（差一皮是粵語）。周金福去湯勤，饒俗中缺乏一些文雅的氣習，殊不理想。普通小花臉扮演此戲，都是一樣的。現代所有的藝員和票友中，只有袁寒雲公子演湯勤恰到好處，民國十年我在上海看過他跟馬連良合演「審頭刺湯」以後，再亦未見有像袁寒雲這種技藝的角色了。

復興戲劇學校的學生，最近演出過兩場「失空斬」，我看過一次，去孔明的是一位女生（名字忘記了）。這戲重在做工和表情，童年人殊不足以語此，惟去馬謖的黑頭很不錯。「斬謖」一場尤其更待仔細研習觀摹纔行，該校教師應該特別注意，演出一次之後，必須詳加檢討指正，以求進步。該校的學生有不少可造之材，希望好好的培養，使皮黃劇不致日趨消沉，毋任企幸！

辜鴻銘二三事

匡謬

淸末三大翻譯家，林紓、嚴復、辜鴻銘是也。辜鴻銘字湯生，生平詼諧事迹甚多，畧述其二三：

辜自號「東西南北人」。辜云：「東娶於日本，南生於福建，西學於蘇格蘭愛丁堡，北居於北京。」

辜好竹戰。某局適當莊起青一色大牌，正想和出，忽然發現自己手中牌祗有十二張，成了小相公，致被別人和去，他歎息不已。乃待別人和後，他却在口中找出一張牌來。蓋辜嗜好呂松烟，竟將牌當烟含在中而不自知也。

辜感歎時事曾云：中國之亡，不亡於實業外交，而亡於中國督撫之好吹牛皮也！

某次，辜參與友人邀宴，座中僅辜爲中國人，衆推之首席。坐定，有問辜曰：孔子之道如何？辜曰：適纔諸君推讓不肯首座，此即孔子之道也。如果行西洋「物競天擇」之教，以「優勝劣敗」爲主旨，今日之酒席，勢必要與諸君競爭一番，優劣決定後才能吃了。

日人伊藤博文遊中國，到武昌，辜將其所譯論語英文本贈伊藤，伊藤謂辜曰：辜君精中西學術，何不知孔子之教能行於數千年前，而不能行於今日乎？辜曰：孔子教人之法，如加減乘除，數千年前三三得九，今日二十世紀仍是三三得九，而不會三三得八的！

自由報
THE FREE NEWS
第三五八期
每份港幣壹角
社長：雷嘯岑
20 CAUSEWAY RD 3RD FL.
HONG KONG
TEL. 771728
台灣分社

由兩位聞人自戕看越南危局

宋文明

越南內部政局，最近發生一連串的動蕩。繼六月十一日佛教高僧廣達法師在西貢引火自焚，抗議越南政府對佛教徒的不公平政策之後，本月初旬越政府又開始審訊一九六零年政變涉嫌份子，并公開表示這一政變與美國中央情報局有關的兩名美國公民發生牽連。就在這種佛教徒被虐待事件與政變陰謀的互相關聯之下，越南最有名的作家、詩人、自由智識份子領袖與一度曾任外長的阮通譚，便於本月七日夜晚飲毒藥自殺，藉以抗議越南政府對他個人生命及名譽的威脅，并對佛教徒及自由派的反政府鬥爭表示同情。

阮通譚在其遺書中曾這樣的說：「我的一生奮鬥自有歷史作公正裁判，我不允許任何人審判我。我認爲政府逮捕并審訊一些愛國的反對派爲一種罪行，這種罪行將使整個國家淪落於共黨之手。我反對這種罪行，我敬佩廣達法師引火自焚的那種崇高精神，所以我也決心自殺，以警告那些蹂躪自由的人」。由這一遺書可以看出，促成阮通譚這一自殺的，除了他對佛教徒的同情及被牽入一九六零年政變陰謀感到不悅外，主要是由於越南軍事法庭要他出庭應訊的一張傳票。假若越南政府不發這一傳票，不對他採取這種最後手段，阮通譚當也不致實行這種劇烈方式，以結束他自己的生命。

越南一九六零年十一月政變事件，迄今已經過了兩年有半的時間。在這兩年半多的時間以內，越南各方情勢已發生了重大變化。在軍事方面，共黨游擊隊勢力已越來越大，越南本身實力頗有難以繼續應付之感。在政治方面，人民不滿情緒日益加深，在野者要求改革聲浪，日益高漲。此時此際，越南政府所亟應竭力以赴者，就在實行廣泛改革，振奮人心，以期促成全面團結，共同應付國內游擊戰局面；絕不應該採取任何不適當行動，以致自造分裂，損害政府聲望，爲共黨製造機會。可是事實上，越南政府最近這幾個月來的種種作法，恰恰不是人們希望越南所應作的事情，而正是希望它不應作的事情。所以結果，一個事件緊跟另一事件，一個風潮緊隨另一風潮，使越南現政府在國內外的地位，幾已瀕臨山窮水盡，走投無路的地步。尤其它開始公然與美國發生齟齬，製造機會多方爲難美國，更使它的處境增加了困難。

越南政府何以要採取這些作法，頗出乎一般人正常想像之外。因自去年底以來，美國國會議員及部份輿論，雖已開始激烈批評越南政府，而美國政府對越南的政策，却在諾丁大使的一再建議之下，始終維持着堅定的支持。縱使最近佛教徒事件發生之後，美國政府在私下一再表示對此問題的關切，要求越南政府予以設法補救，而在表面上，美國政府亦始終未作公開的不滿。所以除非在美與越南關係上已發生了外人所不能知的重大變化，或美國在私下對越南施用了使人無法忍受的壓力，否則，像越南政府這種種作法，實無異於自尋絕路。但縱使具有這樣一種特別原因與背景，越南政府的態度也應知所選擇，留一餘地，絕不能把整個國家前途作賭注。

我們知道，今日的越南政府，從最初成立的一刻起，即完全由美國一手所培植，亦完全依賴美國而存在。在一九五六年以前，這一政府的實際統治範圍，從未超越西貢以外，甚至當時有位美國記者嘲笑說，從未超出西貢的總統府以外。在這種危險與艱困情況下，假若不是美國的全心全力支持，這一政府的存在絕不會超過一個星期。及至後來，就在美國的這種全面支持下，這一政府始逐漸克服了各種反對派的反對，始逐漸趨於穩定，美國對它的希望，亦由此獲得更進一步的加强。一九五九年以後，這一政府的若干作法雖不為美國所讚許，但它仍為美對越南的唯一希望所在。這種情形，直至今日仍未有何重要改變。以越南現政府與美國之間這樣一種原始親密關係，以美對越南這一政府的投資之大，犧牲之重，要說時至今日美國會突然決定放棄這一政府而轉為支持他人，那是沒有人可以相信的。既然現在美國不想作這一改變，而說在兩年半之前美國會企圖推翻這一政府，那也是同樣不可思議的。所以現在越南政府的對外宣稱美國與過去的政變陰謀具有關係，并不是在事實上確有這種牽連，而是在設法以此挫敗或恐嚇其他反對政府份子，要使它們知道就是獲有美國支持的政變，也不一定會有成功的機會。正由於越南政府的真正想法如此，所以這種行動也便反映出：今日越南政府不僅沒有決心實行一如其他人所要求的廣泛改革，重新團結人心，而且更要變本加厲，繼續堅持現時這種作法。

越南政府所以採取這一態度，不惜公開與美國為難，很可能是受了最近一件人事更動的影響。這就是上月二十八日，當甘廼廸還在訪問愛爾蘭期間，他突然發表批准美國現任駐越南大使諾丁辭職，而改由共和黨聞人洛奇繼任其缺。由於諾丁大使以排除外界批評，堅持美國支持越南現政府而著名，并由於甘廼廸的任命洛奇出使越南，係經由一種特別眼光的安排，所以這一任命發表之後，便不免引起各種揣測。尤其在這一任命即將發表的前夕，華府與西貢之間正盛傳美國將改變對越南政策之說，遂致這一任命便成了越南猜疑的對象。其實，共和黨人洛奇的接替諾丁而出任駐越大使，其意并不是在削弱美國現時的這一對越政策，而是在加強這一政策。因甘廼廸政府今日在國際間所面對的唯一發生射擊戰的地區，便是越南，美國要想在這一地區實現其既定政策，獲得成功的解脫，首先便要作更進一步的涉入。可是這種長期涉入越南戰爭的作法，對於明年的美國大選是一個重要課題，假若甘廼廸不預先在這一問題上有所設法，這一戰爭便有可能為他帶來很大困擾。現在他既決定任命共和黨要角洛奇出任這一職務，便表示越南戰爭從此已成了一個超黨派問題，兩黨共同問題，而不是民主黨政府的問題。如此，不僅可以阻塞今後共和黨人在這一問題上對甘廼廸政府的攻擊，而且也使這一責任由兩黨共同負担。由這種安排，也便看出甘廼廸政府對今後越南戰爭，也正在作着一種更積極更有力的打算，否則，像這種重大的人事更張，也便沒有什麼意義了。

不過，不論美國在越南問題上採何行動，在眼見的將來，整個越南局勢一定是愈來愈壞，而不是愈來愈好。這種原因，主要就在於一項重大的矛盾。即在目前情勢之下，美國除了繼續支持越南現政府之外，沒有第二條道路可資選擇；可是繼續支持越南現政府的結果，正如上述若干事實所表現，并不一定是在改善越南的局勢，而是在敗壞這一局勢。至於如何才能解除這一矛盾，而使美國對越南的政策發生正面的積極效果，就要看着洛奇這一着棋能否產生預期的作用。我們可以想像，未來洛奇的出使西貢，一面將帶有更大的支持更大的力量，另一面亦將迫使越南現政府作更多的改革更多的讓步。只有在這種雙管齊下，軟硬兼施情形之下，才能期望統一越南問題上的這種矛盾，而使越南出現一個全面團結的陣營。

總之，由於廣達法師及自由智識份子領袖阮通譚的相繼以身殉國，對越南政府發出屍諫，越南局勢已面臨一種更大動亂的關頭。假若越南政府不能體察這兩人自戕的重大背景，而知所警惕與改革，則越局危險正可謂方與未艾。

漫画天下

各適其適

報應

自由談

市儈性的教育家

香港有一所開辦不久的中文大專學院，學生逾千名，學系自然不少。據聞：學校當局決計要停辦幾個修業人數不多的學系，教這些學生們或改入他系，或轉學他校，理由是學費收入數額，不符各該系教師薪金之支出（設備完全沒有），乃賠本的玩藝，非是生意經！

香港原係以「學店」著稱於世的，政府法令規定各級學校每年要繳納「牌照費」，跟一般「士多」「酒吧」一「平等待遇」，表現着教育商業化的極致，而因一些創立學校的所謂紳士名流也者，即投機辦學，而以斂財爲目的，却不知教育爲何事？更不問自己對社會人羣將造下何等深重的罪孽，勢必禍延國家民族！除卻少數由官府負担經費，或由洋人津貼費用的學校外，察看它們的內部設備和教師素質，連最起碼的條件亦不夠，非封閉不可的。可是，彈丸的小島上，住居着四百萬人，需要有相應的教育機構來容納適齡學生，如是乎「學店」之風大作矣！所以，某大專學院以生意眼來搞教育事業，殊不足怪。

不過，教那些修業了二三年的大學生，忽又轉入其他的科系或別校，違背教育原則尚在其次，貽誤青年前途，阻礙他們的意志，殘害他們的身心，實爲不可饒恕的罪惡！香港的學校既多屬「學店」性質，如其內容比較該大專學院優良的，即不容易轉學；不如該校的固然來者不拒，但結果是使青年逾趨下流；半途改入本校其他的學系，則前功盡棄，必須另外來過，適所以貽誤他們的前程，而增加無謂的家庭負担，在目前更感嚴重問題啊！

因此，該大專學院如果是在中華民國政府立了案的，爲着救救那些被市儈性的僞教育家遺棄殘害的青年們，教育部應該設法干預，否則撤消其立案，不予承認。應知道：該校學生衆多的原因，就是藉祖國立案這種號召之力而然的！

馮五先生

大陸學生暑假欲來香港 必需連續闖過五大難關

申請者衆獲准者少正坐此故

香港與大陸

近月來，大陸無數青年學生，皆在千方百計的「創造條件」，希圖在港府不限制學生入境的暑假期間，能夠申請來港。但中共政權則以種種限制，加以阻擋，一般申請者，至少要經五個「關」，方可領取到來港之通行證。

據一位甫自廣州市申請歷盡種種阻撓而幸運獲得批准來港的十三中學生李錦×君透露：近月來廣州市之青年學生，凡是有親友留居香港者，均寫信要求代其辦理「入境證」，各種信件，和證件，希圖在暑假期間得以申請來港。近一個月來，申請人數之衆已達空前程度，有些班級申請人數竟達百分之五十以上。

李錦×君稱：本年暑假期間，雖申請者極衆，但可獲批准者，則寥寥無幾了。此乃中共政權諸多限制之故。據他說：一般申請者必須通過下述五「關」，方可取得通行證。

一、班主任「關」。學生申請來港，必須先將申請證件交由班主任審查，並詳述申請理由。此一關如果是沒有香港移民局派發的「入境證」，概被拒絕申請；雖有了香港「入境證」，如果班主任認為「不合條件」者，你亦就來不到香港。

二、班團支部「關」。凡申請來港學生，皆須經過「團支部」討論，由各團員對申請者「提意見」。假定團員中有認為申請者有各種「反社會主義思想」或「欺騙」行為的，他或她便可提出反對申請意見。只要有人如此一提，你便休想有機會到香港。

三、為申請出國學生特設的「思想課」「關」。此一「關」，是今年才第一次有的。凡申請來港者，每天都得參加學校和「政府」所設立的「思想課」，在那裏聽報告，以及分組討論，主題是「香港好還是祖國好」？而且，每經一個時期，便要學生們表示態度，凡表示願意自動放棄申請的，被認為好；不作表示的，則須一直繼續參加此「思想課」，直到思想「弄通」為止。這一「關」是最多人慘被阻留之「關」，許多人都受不了那種思想折磨，而及早「自願」放棄提出申請了事。

四、學校行政「關」。申請者如果幸運通過上列三「關」者，則可領取一張申請表，並填寫詳細之個人履歷、社會關係、香港親友之政治背景、思想情況及經濟來源等，經學校行政當局認可了，便根據所分配得的名額，削脚適履，批准若干個。不獲批准的，當然到不得香港。

五、當地公安局「關」。這是申請者最後的一「關」，公安局批准與否的根據，最重要者是經濟條件，一般在大陸有「投資」，或新近購買有屋的，則較易得到批准，否則難難難。

李錦×君說：雖有這五大「關」，但廣州市還算比較「文明」的了，至於其他的地方就更糟，不單不給予批准而且對申請來港的人如同罪犯，往往還要發動其他的人對你進行思想批判，認為你是具有「反動思想」的份子，狠狠的整你個夠。（徹斯）

粵境毛共民兵總數卅五萬名

【本報訊】據最近逃亡抵港的粵境中共民兵某君稱：粵共民兵分普通民兵與基幹民兵兩種，自去年一月一日起，一律不稱民兵隊（按：過去分大隊、中隊、小隊），改為與正規部隊同樣的三三編制，分團、營、連、排、班，每班基本人數為十五人。聽說：這是由於前年春間，北平「民兵代表會議」後始作此改變。廣東全省普通「民兵」總數三十五萬人。

普通民兵年齡照規定係十八歲至二十五歲，實際三十五歲至四十五歲之間的亦有不少；均無制服，僅有一個紅色臂章，有「民兵」二字（黃字），裏面有番號、姓名、年齡、籍貫。幹部則是在鄉退役軍人，以及長成的過去小鬼隊隊員。普通民兵均有武器，惟均屬七九步槍，或三八式步槍，每槍僅配發子彈五顆，訓練或值勤後必須繳存庫房。民兵一律無薪餉及津貼，且須參加勞動生產。

至於基幹民兵，係由普通民兵挑選出來的「優秀份子」組成，年齡照規定是十八歲至三十歲，實際也有三十歲至三十五歲之間的。幹部則除在鄉軍人及過去小鬼隊隊員外，有「下放」幹部。連級以上主管幹部，係由軍區司令部派來的，由下級升任的佔少數。基幹民兵是脫產的，但在農忙時期，或水旱災嚴重發動運動抵抗天災時，亦時時被派出動協助農民。各民兵亦無制服及薪餉津貼發給，同樣是一個紅底黃字的「民兵」臂章。不過武器較普通民兵為優，每一個班（十五人）有一挺輕機槍，二枝卡賓或湯姆生，其餘為「七九」「三八」步槍。班長以上幹部，均佩有自來德快慢機駁殼槍，或左輪，白朗林手槍。

民兵平常訓練，除注意射擊與作戰技術外，主要課目為防諜、防空、防暴、保護交通、保護生產、傳遞情報，以及配合「解放軍」維護地方治安等。基幹民兵也如正規軍一樣，作不定期的調防。一九六一年二月時，廣東全省有基幹民兵十二個團，當時粵東的潮汕梅縣區尚無基幹民兵團，後來陸續增加，現在全省已有三十團。某君所屬為第六團，陽春陽江區，團長是廣東增城人，名馬正康。關於基幹民兵團整編為十個師，過去時有傳說，但迄今尚未實現。

省議會的三個隱憂（上）

——本報台中記者熊徵宇——

台灣省議會第三屆的首次大會，從六月三日開始，到現在已經四十多天了。這期間，議員們聽取過各廳處的工作報告，分組綜合審議過地方總預算和省單行法規。刻下正在進行的分組質詢，已經過了民政、財政與建設三個單位。

在這一連串的議事日程裏，最足以反映七十四位新選出的省議員們精神與意志的，當然是在綜合審議預決算。

那是本屆省議會的一個重要階段，也是省政府最重視的一關。省議員們的集體意志，的確發揮了一些議會應有的權力與態度，但是也令人在廣泛與深入的觀點上，感覺到在各種的角度上，呈現了一些不協調的問題。

那些問題，來自省政府與議會之間，議長與副議長之間，乃至於議員與正副議長之間。

意識上的疙瘩

在這三個主要的交叉點上，形成了三種隱憂。相互地反映出改組後七個多月的台灣省政府，與剛成立一個多月的台灣省議會之間，有一種很不好的開始，有一種不晴朗的陰霾存在。

而省議會的本身，也有一種很顯著的「不和諧」。

省府與省議會，表面上看不出有什麼衝突存在，但卻在觀念與意識上有很大的疙瘩。

我這樣說，不是想在新聞報導上標新立異。府會之間的疙瘩，似乎是肇始於「公賣局事業預算」的一度擱置，與對「衛生處預算案」的不滿，以及要頓整「大雪山林業公司」的業務，和「交通部門預算案」的會經擱淺，還有「公共事務管理處」預算的「維難」。

這幾項預算，以公賣局的波折最多，主要認為該局透支十億萬元繳庫與公營事業的精神不符，認為該局營運方針「過於偏差」，內銷價格太高，以致菸酒滯銷，而在財務管理與成本會計，以及擴充資金設備方面都有問題。所以擱置了好幾天。

但是該局五十三年度的收入，預算接近四十七億元，除去成本，佔省府歲入總額的百分之五四點五六。省府施政的經費，大半要靠公賣局收入來支持。所以當時擱淺，省政府不愉快是必然的。

但在省議會方面，認為既然內銷停滯，而外銷又無法拓展，成本計算不能不注意，管理費用不能不減少。於是要公賣局把透支十億元的細賬送到省議會審查一番。黃杰主席也親自在公賣局聽取局長吳道艮的報告。經過好幾天各方面的週旋協調，才算是删除了二百多萬元，附帶了五點督導性的決議，把案子通過了。

難道開始杯葛？

這案擱置了六天，省府夠傷腦筋。接着又由於衞生處、公管處、大雪山，交通部門的預算都不順利，而都帶着附帶決議，於是就使省政府的不愉快形成激惱，覺得是受了「官腔」，失了「面子」。因為那些預算，都是經過省政府審議以後才提送省議會的。近乎故意刁難。

於是省政府就傳出：省府機關和所屬事業單位的組織規程，是否需送省議會審議的問題。認為省議會的組織規程中，並沒有明文規定有此權限。認為可以不送審議。而引起一種法令與事實的爭執。

我無意多討論這個問題。只是覺得這種爭執是不必發生的。就事而論，近乎意氣。發生在人與人之間，足以僨事；發生在府會之間，並非應有的態度，不是一種方法，說不上的手段，更不是權能劃分的基本精神！

寶島之窗

本報記者吳越航訊

△台北縣政府的檔案室，自民國四十六年開始，對各單位的歸檔文卷，就沒有好好地整理過，不分文卷日期先後及案由、性質，約堆積了百餘件，使用一根麻繩把它綑在一起，塞到硬紙卷裏去，其凌亂無章的程度，祇能用「一塌糊塗」四個字來形容。因此，若干單位時常發生文卷調不到檔案室，各單位歸檔之後，便再自行保管。有好幾個單位公文因調不到原案，祇好派專人到各有關方面去抄錄原案來處理，實在是個笑話。但檔案室的缺點還不止此，據檢查工作完成率報告，高達百分之三十的紀錄，引起業務檢查室的疑竇，經檢查後，終於揭開了檔案室的糊塗賬。又依照編制，該室有人員六人，每年並編列有文件抄錄費預算四萬餘元，但經常上班的祇有一、二人。

△中國小姐劉秀嫚本學期在台北商職畢業，日前具文台北市政府轉呈教育部，請求免試升入大專學校讀書，理由是：她曾為國增光。教育部高教司負責人說，劉秀嫚的要求，法令上找不到根據，同時以前也沒有這種例子。如果她提出請求的話，他將不簽意見，讓處理。

△台北市公共汽車車掌謝黃季梅，將一女乘客月票多剪了一個洞，乘客反與其怒，兩人發生衝突，司機陳某將同車乘客強將乘客扣押車上，中山堂站負責人也表示要將這名女乘客「帶到處理處去處理」，引起旁觀路人不平，雙方才到市警局處理。經警方訊明眞相，原來錯在公共汽車方面。

△台南市長辛文炳，以私人名義，向三家合作社借了一百萬元，借款單上竟是蓋公家印信，並且由社會科長及國宅會執行秘書為担保人，市府合作股長為介紹人。市議員莊金濤在議會中提出質詢，問辛市長借的這筆鉅款，究竟是公用還是私人週轉？公私不分，實在使人生疑；萬一借款發生風險，豈非要使市府關門？這種作法，非常危險。

△苗林鄉民代表會因鬧秘書「雙包」糾紛，半年以來，無法開會，致五十二年度該鄉總預算案，一直未曾審議。本（七）月一日，原任秘書同意他調後，代表會才把預算案搬出來審議。由於鄉公所在這一年內，等不及預算通過，便已經按照預算開支了。七月一代表會也只好照案通過。七月一日，就是五十二年度會計年度的終了，就是五十三年度預算的開始；所以，五十二年度的預算，算是被整整拖了一年，預算成了決算。

△台北市為拆遷水源雙園堤外居民而興建的南機場五層樓國宅，已經過了預定開工的時間，還不見一點動靜，看起來，年底落成的話又將成為畫餅。而且南機場偌大一塊地方，房子究竟建在那裏，沒有人能說得出一個確切地點，到同時幾千人關心的大建築，今天還未公佈一個圖樣出來，使參加整建的居民，多感心懷惴惴，不知道是否適用；這也可能是使居民觀望不前，以致發生參加整建戶不足額的原因之一。

港幣在澳漲風凌厲 創十年來最高紀錄

【本報訊】港幣在澳門漲風凌厲，勢如離弦之箭，十七日下午收盤時，竟達一〇五一，為一九五二年關閘邊境事件以來的十一年間之最高紀錄。

十六日下午澳門金融市場收盤時，港幣已振上一〇三八，即每千元港幣換葡幣加水卅八元，十七日早市即以一〇四〇開出頭盤，之後扶搖直上，成一〇四一、四二，四三五收市；下午以一〇五〇開市，續成一〇五一，收市亦係此價，定價為一〇四二。

港幣兌葡幣直線上升純係需求關係，因葡國政府實行澳門對葡屬貿易，採取大姑底結滙，而滙單又要在澳門賣葡幣，不以大姑底在國際市場賣出，因此形成市面葡幣流通額多。反之，商人需用港幣買貨，因此需求關係，港幣身價乃吃香。如西洋銀行能拋出港幣，緩和市場，則港幣兌葡幣價可望平抑（按以往當港幣標升時，西洋銀行是拋出港幣，緩和市場的）。

由於港幣漲價，使澳門不少物價，因而提高，因為澳門不少貨物，均由港幣買入，一旦港幣加水增高，成本增，售價亦增，影響所及，無形中加重市民生活負担。

閻錫山將軍的反共意見

吳文蔚

在共匪叛亂中以堅守太原聞名於世的閻錫山將軍，對共黨問題有湛深的研究與認識，他不但是「反共的實行家」，同時還是「反共的理論家」，更難得的，他的理論都是從他多年與共匪作實際的鬥爭中得來，他多年與共匪所作的實際鬥爭，再加上他的深思熟慮，融會貫通，而更豐富他的「共匪必需打倒亦必能打倒」的理論。閻將軍的反共意見，固不見得人人會同意，但他的意見卻是完整的，自成一格的，很有他的獨到之處的，值得全世界關心人類當前第一大事業（反共）者的研究與參考。閻將軍這些意見，都是他生前對筆者親口所談，特爲錄出如次：

一、關於今後對共產集團作戰的方針

閻將軍說：反共軍事的基礎，是建立在經濟條件上；經濟上沒有好辦法，軍事上難有好結果。曾有人問我：我們在大陸對共產黨作戰失敗的原因，我對他說：有人指責中國政府貪污無能，那不是問題的根本所在。

我們是農業國家，因爲沒解決了土地問題，所以給共產黨一個造亂的空隙，因而招致失敗。如果工業國家，若不解決了工廠問題，便將也是對共產黨失敗的因素。反共國家，若不解決了經濟問題，讓共產黨以水覆舟的方式，去向世界各弱小國家滲透，顛覆，煽惑，擴大了共產的力量，縮小了反共的力量，這個戰爭如何能打？我以爲反共國家今後對共黨作戰方針，其唯一辦法，就是先解決了經濟的問題。

關於這個問題，我有與費吾生夫婦的談話紀錄，可供參閱。

（附錄閻將軍與美國援助中國知識人士協會台灣分會主任費吾生先生及其夫人之談話紀錄）——民國四十二年元月二十六日於台北武昌新村十四號。

費吾生：今天有機會與閻先生會面，並蒙設宴招待，至感榮幸。

閻將軍：先生及夫人經東京時曾來過一函，今天我很歡喜與先生夫婦見面。

費夫人：閻先生的著作，我們看到的很多，並且我們在美國，很早就聽到過閻先生的政績，知道閻先生是中國的一位偉人，甚爲欽佩！

閻將軍：費夫人的著作我也看到了，說到中國大陸淪陷，給共產黨增加了五百萬兵的話很對，甚佩卓見！

費吾生：閻先生是一位堅決反共者，對共產黨的情形，知道的很多，可否見教？

閻將軍：我與共產黨奮鬥的時間很長，也可以說吃他的虧很多，近日有人從大陸來，說到些有關共產黨動員人民的消息，我願跟你談一談。

費夫人：我們很歡喜聽聽。

閻將軍：共產黨在大陸上，將十八至四十五歲的男丁，十八至三十五歲的婦女，統統要組織起來受軍事訓練。他的正規軍多是十八歲至二十五歲的青年，其餘的男丁，一律編爲民兵。民兵的任務有二：一爲遞補正規軍，一爲保衛地方。這樣動員起來，他的十八歲至四十五歲的男丁，約佔四萬萬人口的四分之一以上，即中國大陸上，四萬萬人口中有一萬萬以上的男丁；十八歲至三十五歲的婦女，有條件的受武裝訓練，在其條件下，可能參訓的女子，佔總人口的八分之一，即中國大陸上，四萬萬人口中，有五千萬女子動員起來。可以說中國大陸上，共產黨可能拿出一萬萬五千萬的勞動男女參加戰時工作。

費夫人：中國婦女結婚年齡較早，是否能全體參加？

閻將軍：除患病懷孕者外，在共產黨的嚴密控制下，都須參加，並且沒有敢不參加的。（一）

康有為的應試

丘峻

每厄於人，抑降名次；而幸運則僅。衡文得失，歎同兒戲！

光緒八年壬午之春，氏二十五歲，張延秋頻招遊京師，至五月，遂決行。奉伯祖國熹命以『祖貽』之名，赴順天鄉試，不第。南人晉京應此試者，粵人稱之爲『北走』。按清制，應順天鄉試者，必爲監生或貢生，即屬各府縣學庠生，亦須再捐監生或附貢生方可。康氏以其祖父殉職連州，賜廕生應試，是名『廕監生』。其赴試名『祖貽』者，殆取義於此，蓋紀念乃祖也。

光緒戊子十四年，氏年三十一，再入京應鄉試，原已獲選爲第三名；惟因其經策偉瓌，場中人多能識之，侍郎孫詒經（子授）曰，『此卷當是康某』！時守舊大臣大學士徐桐（蔭軒）任正主考，思想頑固，認爲『如此狂生，不可中』，抑置副榜。房官王學士錫蕃爭之，徐益怒，再抑置謄錄第一。康氏聞而口占一絕：『諸葛惟逢先主知，馬周僅遇太宗期；古人會合原來少，我輩沉淪豈足悲！』詩以寄意，不勝慨歎！

迨光緒十九年，歲次癸巳，氏年登卅六，決心絕意試事；惟諸父強之，母望尤切，乃與母言，倘於是科不第，則終身廢矣。母許之。始往應廣東鄉試，中式第八名舉人。先是，主考官通政司正使顧璜（漁溪），翰林院編修吳郁生（蔚若），奉命出京時，侍郎李文田（若農）即以氏所著『新學僞經考』贈送，謂『到粵衡文，萬不可中此人！』及填榜，氏名列第二；吳欲擯之，經顧力爭，始抑置第八。

次年甲午，入都會試，不報。越年乙未，氏偕徒梁啓超再入京會試，鑑於前之被抑，爲文時愼重。然正主考仍由徐桐充任，因素惡康氏非聖變法，又謀使之下第。終以氏次篇『優優大哉，禮儀三百，威儀三千』題文，分天地人鬼四比，惡其太奇，降中式第五名進士。

繼應殿試，朝考，氏皆直言時事，不知忌諱，讀卷大臣李文田又因與其從祖康國器（字交修，號友之）中丞有宿嫌，且以氏不認座主，力加排斥。殿試，侍郎徐樹銘（壽蘅）本置氏第一，各閱卷大臣皆圈矣，惟李文田不圈，並加黃簽，降至二甲四十八名。朝考，卷又在李文田處，乃於閱鍊等字加黃簽，雖經力爭，又降在二等。徐徵園，翁同龢，將實情告氏，詢與李之嫌，故得而知之。昔日科場衡文得失之不可理解，豈非類同兒戲？（中）

新書評介

「佛蘭克卜克曼的秘訣」

仲偉庭

正中書局出版。雷華德著。羅時實譯

讀了正中書局出版羅時實教授翻譯的英國政論家雷華德著的「佛蘭克卜克曼的秘訣」後，很受感動。相信青年朋友若果把本書閱讀一遍，對於正推行中的自覺運動，必有幫助。

本書說明人類最大的價值，就是犧牲自己去服務他人；人類最大的安慰，莫過於他自己的工作和犧牲對於別人是有意義和有貢獻。同時也說明，讓一個人要走上成功之路，先要讓自己成爲大家歡迎的人；先要從實際生活中去鍛鍊完美的人格，高尚的品德，從處世接物中去學習謙虛，寬容，克制，合羣的修養。這些有關個人的風度，禮貌，談吐，判斷，愛心，信心等等，本非一朝一夕所可獲致的好東西，在你讀過本書之後，會對你有莫大的助益。

本書所述的人物，各形各式的都有，可以說全世界各民族都包羅在內。這些人都是世界道德重整運動創始人卜克曼的朋友，而且全被「卜克曼的秘訣」所吸引，獲得一種力量，同着改造世界的道路前進。這種力量，就是驅使卜克曼畢生以熱誠和堅忍的心情所追求的目標。

作者雷華德僅用平鋪直敘的筆觸，將發生在卜克曼身上的種種遭遇，沒有隱瞞，毫無誇張地勾勒出來，說明平凡的人所做的不平凡的事蹟。他不僅把卜克曼的人格刻畫在紙上，同時他也把面臨今日人類的基本抉擇問題擺在眼前，並且更把何謂思想形態的衝突，很清晰的敘述出來，使讀者有所感悟，有所借鏡，不知不覺的由平凡變得不平凡。

卜克曼是一位宗教家，對於人和永生上帝的大能，他都有實在的認識，他對於人的時候是以眞實問題爲依據。他能夠探索人生最深奧之處，一旦暴露在基督的改造能力之前，便可立即使人突變，與前大不相同。卜克曼終身日日所作的工作都是所有基督徒明白的，但很少基督徒眞能施行。那就是：基督徒的使命是爭取他人，使人改變。而卜克曼卻把這項眞理更推進一步。從來沒有人像他那樣的注重個人、信賴個人。他是走在時代前面的人。他先明白了人性改變與思想形態鬥爭有密切的關係，他認爲人不但需要改變，並可影響環境，影響社會，影響國家；以便成爲世界人類一種思想形態，給予全世界人類一種正思想，否則便要有被正要奴役世界的唯物主義所控制的危險，而使世界再進入黑暗時代。

作者雷華德在本書中用有聲有色的筆觸描述卜克曼如何對人類工作，以及改變的人對國家，對人類的工作，世界，洲際，整個時代的影響。卜克曼是要護人類的，他以終身的時間用在人身上，而且永遠相信人。人如果肯拋棄自己原有的作風而開始按照上帝的作風去改變，他的奇蹟以及人類無限的能力，便可發生。（上）

（「蔡人普立茲得」續稿未到。編者）

瘟君續夢

第九回：枵腹爭雄　壺漿招餓鬼　苦心糾衆　風雨會羣魔

毛澤東道：「說來又會使你嚇一跳，我以爲赫魯曉夫若非帝國主義特務，也是修正主義份子。」

史諾只是搖頭微笑，無言可答。

這一餐飯歷時三個鐘頭，第二天，史諾就動身回國，中共大頭目推稱「體制不合」，沒有人到飛機場歡送，只有總理「夫人」，由於私人關係，親自送上飛機。

史諾回到美國之後，雖然未把毛澤東的話在報紙上發表，但在私人談話中也透露了一部份。美國遍地都是蘇聯特工人員，很快地就把「史諾消息」報到克里姆林宮去。

赫魯曉夫聽說毛澤東竟敢說他是美帝的特務，氣得暴跳如雷，當卽召集主席團及書記處幾名親信，商量怎樣對付毛澤東。

大家到齊之後，赫魯曉夫把華盛頓寄來的報告交給大家傳閱，一批人看了有的憤怒，有的嘆息，只有米高揚摸着小鬍子沉吟不語。

赫魯曉夫冷笑一聲，說道：「毛澤東簡直變成了瘋子，我看應該把他送進精神病院住幾年，實在說，他比瘋子還要瘋，就是瘋子也不會說我是美帝特務，我要是美帝特務，這個世界還有什麼問題，就憑他毛澤東有本領去和美國對抗嗎？」

柯茲洛夫繼續發言道：「我早就感覺到我們對毛澤東的政策太過軟弱，他這種人根本未受過黨的基本訓練，祇是一個土匪頭子出身，一旦掌握了這麼大的力量，更以爲自己是天下第一，無論何人都不在他眼內，假若不能予以沉重打擊，他是不會悔改的。」

布列日涅夫說道：「中共目前在經濟與軍事方面都離不開我們，毛澤東尚敢如此猖獗，假若有一天他被美帝國主義勾引了去，將會變得比狄托更壞。」

赫魯曉夫縐眉說道：「毛澤東反美似乎十分堅決，投靠美帝大概不會。」

伊里契夫笑道：「根據我們掌握的毛澤東人事紀錄，他這個人眞是無事作不出，根本談不到什麼原則，一九四五年日本剛投降時，他在延安發表通電，把國民黨當局抨擊得一塌胡塗，可是，轉眼他又去重慶對蔣高呼蔣主席萬歲，當時我們以爲他眞的會同國民黨合作了，那知他回到延安又下令攻擊國民黨的部隊。根據他過去的資料，我們管理人事的同志有一個深入分析，大概毛澤東罵什麼人最厲害，他心裏正打主意想同這個人和解，反過來說，他要拚命恭維誰，那就可要小心，說不定他回頭就會咬你一口的。」

伊里契夫說過，大家一齊點頭稱是。赫魯曉夫說道：「你的分析十分精闢，可是我們現在也很難把毛澤東幹掉，上次擠掉他的政權主席，已經費了絕大力量，現在想免除他的職務實在並不容易，萬一把事情鬧大了，祇有更加速使他投靠美帝。」

蘇斯洛夫說道：「投靠美帝短期不會發生的，不是毛澤東不肯，而是美國不會收納，因爲美國人對中共的惡感，到今天並未解除。」

（二二一）

羊城雜憶

謝康

一、初到貴境

廣州舊名五羊城，又名穗城，向為南方大港，粵人習慣，稱之為省城，亦簡稱「省」。甚至廣西潯梧人士赴廣州，亦曰「落省城」。航行穗梧間之輪船，稱為「省梧輪渡」。因交通方便，廣州話流行珠江流域，廣西全省，到處有廣東商人，各縣都有「粵東會館」，真是：「南北天同極，東西粵一家。」兩粵關係之密切，較諸兩湖，兩江，雲貴，陝甘這些兄弟省，似有過之無不及也。

我生長柳城，中學時代讀書柳州。柳州粵商甚多，粵東會館頗宏偉、壯觀，在柳侯公園旁與省立柳州中學隔城垣相望，課餘之暇，曾數度游觀，門首及四壁，滿掛楹聯，頗富有文學意味。我因此，對於廣東頗為嚮往。

民五、六年時，柳州陳炳焜（舜琴）任廣東督軍，陳氏子姪有與予同學者，偶由廣州回柳，為予述粵中之富庶及物質文明進步，教育發達情況，彷彿海客談瀛洲，令人健羨。讀李文田詩：

「逍遙游向穗城隈，選艷應尋古蹟來。春水桃花劉氏塢，夕陽芳草越王台。影園柳渡乘風去，夢破珠江帶月回。偶自雙門花市過，紅樓一路繡簾開。」

此詩雖寫蝴蝶及其本人游踪，實已烘託出羊城佳景，每朗誦長吟，輒引起赴粵觀光之願。

民九，暑假我由上海到廣州，投考廣東高師學校，初到「貴境」，人地生疏，乃下榻雙門底一普通旅舍，旅舍主人問余「盛邑」，竟瞠目不知所對，改用筆談，始能達意。外江佬至是，頓感言語不通之苦。

從投考至畢業離校，予留穗整整四年，（高師於民十二年秋，改國立廣東大學。）膳宿學習，俱在文明路小東門舊貢院校舍。感謝母校為我奠定一個師範生型的做人的基礎。

旅粵不及半年，對廣州社會環境，已逐漸熟識，並稍能聽粵語演講，然只得七八成，筆記仍感困難，出街購物有時尚不免鬧笑話。某日，見一鞋店貼大張標語云：「本店皮鞋夠派」！余不明所以，以為係該店所贈送之皮鞋，足夠分派之意；欲入店取鞋，經同行之友人解釋，始知誤會。

（一）

勤與惰

漁翁

勤者，勞苦也，盡心竭力，不稍厭怠曰勤。反之則為惰，不思進取，自甘暴棄也。孟子有言：「生於憂患，死於安樂」。憂患，即勤之表現；安樂，乃惰之養成。凡百事業，精於勤而毀於惰，古人言之詳矣。

呂新吾治家循環圖：「因困窮，而悔悟；由悔悟，而勤奮；因勤奮，而富足。富足之後，即奢侈淫佚，而仍趨於困窮。」申言之，人在貧乏困苦中，嘗撫躬自思，何以一貧如洗，蓋由自暴自棄之結果，於是悔改，覺悟，而發奮為雄，靡朝靡夕，日昃不遑，以求自足，進而至於富裕。富裕後，難免不由飽暖而思淫佚，恣驕奢，由於驕奢、淫佚，未有不歸於困窮者。呂深明治家之道，所標榜循環圖，至理名言，是大有功於世道人心的。

家之興廢，不外於勤與惰。而國之存亡，亦不離此兩字。蓄多難可以興邦，安樂足以亡國。在八方風雨，危急存亡之際，要有自力更生之勇氣，自強不息之精神，若祖士雅之聞雞起舞，宗元幹之破浪乘風，劉越石之枕戈待旦，陶士行之運甓習勤，方能挽狂瀾於既倒。否則，「暖風熏得遊人醉，直把杭州作汴州」，南宋偏安於臨安，宜其終無復興之望矣。

可見，如何為家？如何興邦？還在每一國民是否振作，是否奮起為前提。聚人而成家，積家而成國，「國之興亡，匹夫有責」，所謂聞雞起舞，破浪乘風，枕戈待旦，運甓習勤，非為個人計，其大目的在乎興邦復國也。

人不振作，不奮起，必萎靡，頹唐，謂之「惰民」，俗稱「丐戶」，元人名為「怯憐戶」。相傳為宋罪俘之遺，分置蘇浙等省，自云係宋將焦光瓚部落，以叛宋投金被斥，明太祖定戶籍，扁其門曰「丐戶」。祝允明猥談：「奉化有丐戶，俗謂之惰民」。古以惰為丐，所謂「告化三年懶做官」，信然。

今人以蟻與蟬，為勤惰之所由分，載在教科書中，使人知所警惕，知所振奮，大則齊家興邦，小則立身處世，雖一物之微，亦足以感動人心，茲將故事寫在下面：

蟻與蟬，皆虫名。蟻本作螘，聚羣而居；主營巢取食者，謂之「工蟻」，主戰鬥者，謂之「兵蟻」，在夏季最炎熱時，成羣結隊，四處覓食物，藏之穴中，以備隆冬之儲。而蟬則不然，善鳴，生於夏秋；不事生產，日夜以胸腹間，有發聲器，收縮振動，以發高聲，歌唱為樂，及至秋末冬初，朔風凜冽，萬物凋零，不能再棲枝上，而墮入蟻穴之旁，向其乞食，蟻說：「當炎夏，我們冒暑覓食，朝夕不遑，而爾高歌枝頭，只知眼前之快活，而不作日後打算，致有今日之困厄。我們所儲有限，愛莫能助。」蟬在饑寒交迫下，欲歌而無聲，遂餓死於蟻穴，而卒為蟻所食。即此一勤一惰，足以判物之存亡，以物喻人，又何獨不然！今者，萬方多難，大陸沉淪，有志之士，懷國思家，自力自強，以圖復興者固多，而「商女不知亡國恨，隔江猶唱後庭花」，詩為杜牧泊秦淮而感作，[illegible]之作，鑑古傷今，足以提高人之警惕，[illegible]努力以赴，不僅[illegible]個人之生計，抑且[illegible]國家之復興[illegible]哉！

南宋偏安有人才

李仲侯

時劉光世亦請措置荊襄，詔不許，第令整兵，以為飛援。復賜御扎曰：「具省出師奏，以卿智勇，必遂克敵，更在竭力致身，早見平定。近劉光世乞行措置荊襄，朕已命卿，豈易前制？但令光世嚴整步騎，以為卿援，緩急勤息，可行關報也。亦當令卿將佐等知，庶可益壯軍心，鼓勇士氣，所向無前，孰能禦哉。廿一日。」

五月飛提兵至郢州，偽將京超驍勇武悍，號萬人敵，雜蕃漢萬餘人，軍勢大張。飛渡江至中流，顧幕屬曰：「飛不擒賊帥，復舊境，不涉此江」！初五日抵城下，飛躍馬環城，以鞭指東北敵樓，顧謂衆曰：「可賀我也」！超乘城拒敵，飛使張憲就問之曰：「爾曹本受聖朝厚恩，何得叛從劉豫」？超謀主劉楫出應之曰：「今日各事其主，毋多言也」。飛怒甚。時軍正告糧乏，飛問糧所餘幾何？曰：「可再飯」。飛曰：「可矣！吾以翌日巳時破賊」。黎明鼓衆傅城，一鼓並進，衆皆累肩而升。超迫於亂兵，投崖而死，殺虜卒七千人，積屍與天王樓俱高。劉楫就縛至前，飛責以大義，南轡斬之，遂復郢州。

飛遣張憲、徐慶復隨州，偽將王嵩聞憲、慶至，不戰而遁，退保隨城未下。飛遣牛皐裹三日糧往，糧未盡而城已拔，執嵩斬之，得士卒五千人，遂復隨州。

飛領軍趨襄陽。李成聞飛至，引軍出城四十里迎戰，左臨襄江。王貴、牛皐等欲即赴賊，飛笑謂貴等曰：「止。此賊屢敗吾手，吾意其更事頗多，必差練習，今其疏暗如故。夫步卒之利在阻險，騎兵之利在平曠，成乃左列騎兵於江岸，右列步卒於平地，雖言有衆十萬，何能為」！於是舉鞭指貴曰：「爾以長槍步卒由成之右擊騎兵」，指皐曰：「爾以騎兵由成之左擊步兵」。合戰，馬應槍而斃，後騎皆不能支，擁入江，人馬俱墜，激水高丈餘，步卒之僨死者無數。成軍夜遁，復襄陽府，駐軍城中。捷聞，朝廷猶患其難守，賜御扎問方畧曰：「朕具聞卿已到襄陽，李成望風而退，朕雖有慰於心，而深恐難善其後。此賊不戰而歸，其理有二：一以卿紀律素嚴，士皆效死，故軍聲遠振，其鋒不可當；一乃包藏禍心，俟卿班師，彼稍就緒，復來擾劫，前功盡廢。卿當用心籌畫至善之策來上。若多留將兵，唯候朝廷千里饋糧，徒成自困，終莫能守，適足以為朕憂。不知李成在彼如何措置糧食，修治壁壘？萬無劉豫肯為運糧之理。今既渡江，屯泊何處，及金國偽齊事勢強弱，卿可以厚金幣密遣間探，的確具聞。蓋國計之所在也。故茲筆諭，深宜體悉。」

（六九）

旅台觀感錄

諸葛文侯

自從中央政府遷移到台灣以來，十餘年間，我旅游台北若干次，每次居留時間不多，而足迹只在台北和新北投地區，前年游覽了一次橫貫公路，但其見聞所及，除深山大澤的奇特景物之外，就是高山族同胞們的生活形態而已。最近我來台北客居已有兩個多月，曾赴中南部旅行，有機會觀察台灣一般人民的生活情形，亦與各地中下層社會人士有所接觸，對台省各界事象與人們心情的瞭解，雖不敢說深刻，自信已有相當的認識，大可談談個人的觀感了。

凡是在海外——尤其是在香港——住久了的中國人，一到台灣來，首先就感覺此間人情味之豐富，得未曾有，其中以內陸各省人士首屈一指，縱然係初識的朋友，亦親切異乎尋常。此無他，同是天涯淪落人，彼此皆抱着一「舉目有河山之嘆」的隱痛，因而惺惺相惜倍相親了。我每次旅游台灣時，過從甚密的即為新聞界和立監兩院的朋友，他們有的是舊識，有的是新交，都對我另眼看待，特別招呼，言談之間，很自然地明心見性，沒有絲毫虛偽矯飾的氣習，這是使我最感欣慰的事。我原係國大代表之一，但國大代表同寅中，除却三五位貧賤之交的老友外，却少所往還，原因是國大代表六年纔集會一次，而人數甚衆，相見每多不相識，無形之中，乃構成了一種如台灣公共汽車後身上寫着的兩句標語——「保持距離，以策安全」的狀態，殊堪發噱。

語言是表達意思和溝通感情的必要工具，台省同胞雖有他們的特種語言，但一般四十歲以下的男女們，個個能講流暢的國語，這證明十餘年來咱們政府在台省實施國民教育的成效卓著，而且遍為普及，我在橫貫公路間的高山族村落中，遇見一般小學生都會說很純正的國語。不過，台灣社會上隱隱約約還殘存着一些日治時代的遺風舊習，譬如你到商店買東西時，若用日本話談交易，店員即格外表示禮貌，價錢亦一定公道不欺。某次夜間，我在台北市雇乘三輪車赴羅斯福路某巷某弄訪友，由於羅斯福路特別長，巷弄繁多，我又不熟悉路徑，車伕年齡相當大了，聽他着車子走了若干冤枉路，知道他是本省人，我怕付車資的時候，可能發生問題，乃用日語向他聲明，決不會少給車錢的。迨抵達目的地，我問需要多少錢？他很客氣用日語答謂：「請隨便給罷！」使我大感意外。因此，我認為台省各市縣大街上的日文招牌和報紙上的日文廣告，似應予以取締，非譯成漢字不可。

去秋我在距台北不遠的桃園縣城外一個小市鎮上憩息時，藉着買香烟的機會，跟商店老闆談談，從他的談吐，認定他是個知識份子，與一般傖有別，我乃大胆向他提出一項質詢曰：「我是在日本讀大學的，當年眼見日本的憲兵警察，對於國內人民那種兇惡的作風，心裏也不以為然，我想日本的官吏和軍警，[illegible]殖民地人民，[illegible]現在台[illegible]下，一切都比較日治時代的生活平等自由，[illegible]似乎[illegible]祖國政府[illegible]是甚末緣故呢？」那位店主微笑着問我是幹甚末活路的？我告訴[illegible]者，志在[illegible]香港[illegible]乎[illegible]的不錯[illegible]言難盡[illegible]形來說罷[illegible]時，但[illegible]一定有[illegible]案。

（上）

野雞大王

周燕謀

遜清光緒末年，凡住上海稍久者，莫不知有「野雞大王」其人。野雞大王，廣東香山人氏，上海蘇報[illegible]嘗手撰野雞花榜揭載小報，時人遂以野雞大王稱之。

大王專以出售革命書報為業，是時各種革命書報雖受社會歡迎，但[illegible]心，不敢公開出售，有[illegible]大王嘗挈其女公子寶姒出入福州路青蓮閣茶館，叫賣各著名犯禁之書報，如「革命軍」、「黃帝魂」、「駁康有為政見書」、「孫逸仙」、「沈藎」、「自由血」、[illegible]潮」、「猛回頭」、「警世鐘」、「揚州十日記」、「蘇報案記事」、「三十三年落花夢」、[illegible]等書，不下數十種，讀者趨之若鶩，至為暢銷。又每於星期日假「味蓴園」演說革命，聽者如堵，上海耳目為之震駭。

（上）

自由報
THE FREE NEWS
第三五九期
內政部台報字第○三壹號內銷證
中華民國僑務委員會頒發 台教新字第三三三號登記證
中華郵政台字第一二八二號執照登記爲第一類新聞紙類（逢三、六出版）
每份港幣壹角 台灣零售價新台幣弍元
社長：雷嘯岑
督印人：黃行雷
社址：香港銅鑼灣高士威道二十二號四樓
20, CAUSEWAY RD 3RD FL. HONG KONG
TEL. 771726 電報掛號：7191
承印者：[illegible]印刷廠
地址：香港灣仔高士打道一二二號
台灣分社
台北市西寧南路壹壹壹號二樓
電話：三○三四六
台郵撥儲金戶九二五二

革新政治的唯一要着

——修改現行憲法——

現階段中華民國的政治，如果眞要革新的話，唯一的有效方法只有修憲之一途。因爲現行憲法不修改，中樞各個最高民意代表即無法改選，變成了終身職，政治上不特發生不了新陳代謝的作用，而且使政黨政治的機能亦陷於僵化狀態了。同時憲法又規定立監委員不能兼任政府官吏，更使一般具有相當才幹，經過了議會政治陶冶訓練，堪以担任政務官的高級智識份子，投閒置散，化有用爲無用，阻遏人才，莫此爲甚。職是之故，整個行政體系，有如一部陳舊而龐大的機器，表面上雖然照常動着，但性能殘缺，生產能力極其微弱，明知毛病叢生，亦僅能擦擦些機油，換換螺絲釘，裨益甚少，政治的資產負債乃日積月累，毫無補償之可能，跟今日台灣各種公私營企業的虧累情況，如出一轍。然企業發生了困難或危機，有國家銀行予以支持，祇要營運得宜，尙可起死回生，增殖財富，至少亦不會停頓倒閉。唯有行政機構因受着憲法的制約而不能發揮效用了，則任何消極的改良方法，皆係徒勞而已。

明乎此，即知各級行政機構對於蔣總統最近訓示的「革新、動員、戰鬥」工作，表面上熱烈遵循，實際說得天花亂墜，只是在總統日常經過的街道上寫些「革新、動員、戰鬥」的大字標語，讓他瞧到，就算是恪盡了「革新」之能事的所以然了！可是，這亦不能完全歸咎於行政人員之陽奉陰違，罔知振作。人事上既沒有新陳代謝的活力，陳陳相因，政海有若一池死水然，連「吹縐」的動態亦無從產生，「中朝大官老於事」，知感激徒婀娜」，大家在憲法和政府依憲法而頒訂的法令庇護之下，競以維持現狀，不必多事的宗旨，勢所必至，理有固然，革新云乎哉？

現行憲法 弊端孔多

世界各國的憲法，沒有不是經過若干修改補充的。咱們的現行憲法，由於當年制憲時，在野各黨派人士但求尅制必然繼續執政之國民黨籍的行政元首權力，乃搞成現有這部既非三權制、亦非五權制的不倫不類的憲法，實施了十餘年的結果，弊端孔多，無補實際，卽令在承平時代，這種憲法亦非修改不可，行之於國步艱難的危急存亡之秋，可謂一無是處，[illegible]，但受其害，難道還不應該修改嗎？何況事實上我們已有兩次非正式的枝節修憲行爲，如第二次國民代表大會決議修正憲法上臨時條款關於總統連任限制，如大法官解釋國民代表大會的出席人數問題，都是變更了憲法的明文規定。但除此兩點以外，現行憲法不切實際或不合時宜的條文還不少，如立法院既爲政府五院組織之一環，立法院長對於總統發佈的重要命令必須副署，而立法委員又是民選的衆議員，不受政府支配；行政院長要對立法院負責，立法院可以使行政院長因政策不予通過而去職，行政院却沒有呈請總統解散立法院之權，[illegible]

雷嘯岑

年，恐怕開不成會了，試想那時政府將何[illegible]

易消滅暴虐的共黨政權，即使跟一般政黨從事於民主憲政的競賽運動，亦要失敗的。祇以依現行憲法而產生的行政體系，年深月久，未能革新，早已呈現着老態龍鍾，疲癃殘疾之象，若不從病根着想，先把憲法修訂，則一切政治革新的號召，都是徒託空言，聊以解嘲，非不爲也，是不能也！

修憲無礙軍事反攻

若謂修憲是件大事，政府目前的急務是軍事反攻，無暇及此，那就是認爲軍事[illegible]與政治無關，憑[illegible]在這種政治機能[illegible]可以勝任[illegible]登陸」的職責[illegible]可制勝敵人了，[illegible]乎？我敢大胆[illegible]，像現時我們這[illegible]治機能，不特不[illegible]配合軍事反攻行[illegible]且將妨害軍事機[illegible]。修憲問題[illegible]之間可以蔵事的，然決不妨碍軍事行動，那怕國軍明天即實行渡海反攻大陸了，今日亦不妨進行修憲工作，毫無影響。老實說，今日集中若干才智之士，研討憲法的利弊得失所在，作全盤的修訂工夫，這比較閉門造車，僅憑個人想像力以擬訂光復大陸的政治建設方案，有益多了。大家如果承認現行憲法確有修訂之必要，則未雨綢繆，先將草案擬好、於適當時期通過國民大會，以便政府一旦還都中原，即可迅赴事機，依法實施新憲政，不亦宜乎！所以，我認爲政府此刻應該邀集海內外各黨派暨各職業界具有代表性的人士，舉行一次政治會議（陽明山會談方式還不夠份量），而以修憲爲主要議題，詢謀僉同，設置修憲委員會，遴聘各方面學有專長的人，担負修憲任務，期以一年完成草案，而於民國五十四年國大代表正式會議時，予以審核通過，明令實施。這時候，不論國軍是否渡海反攻，政府皆可以進行政治革新的根本計劃，不像現在顧慮多端，牽掛重重，只呼口號而無實效的情形了，凡事預則立，此之謂也。

漫畫天下　南施

最氣不過！

不怕死的英雄？

自由談

所謂「中國游說」

最近美國的政治人物，又在瞎鬧所謂：「中國游說」（China Robbay）問題的是非，可謂脫却褲子放屁——多餘的事。

這原係他們已經鬧了二十多年的舊聞，并不新鮮，在二次大戰末期，暨戰後美國當局聲言「一筆鈎消中華民國」的時候，這問題即成爲民主共和兩黨人士從事政爭的題材。凡有在國會發言對中華民國表示同情支援的，即被對方指爲「中國游說」份子，好像是犯下了大逆不道的叛亂罪行，甚至外國駐美使節對美國記者說幾句同情中華民國政府的話，亦被加以「來自台灣的大使」這類惡名，前任非律賓駐美大使羅慕洛，就是例證。去夏我在菲國旅行中，會叩謁羅氏表示敬意，笑問他對「來自台灣的大使」這個稱呼作何感想？他啞然道：「這是美國大少爺的不良習慣，見怪不怪，其怪自敗」。

實則美國政府的法令固允許外國人士向法院登記爲國際友邦的外交「代理人」，即使眞有某國游說份子存在，也是政府許可專利的，何足責乎？可是，一般政客官僚爲着在國內爭權奪利之故，動則藉「中國游說」的口實作武器，大吵大鬧，眞是無聊透頂，可恥可笑。談到外邦在美國的游說情形，英國所投擲的人力財力，不知超過中華民國幾百倍，美國的政客官僚們，從來沒有人說過「英國游說」的話，不亦怪哉！

美國民主共和兩黨的黨棍們，平時爲着私人利益關係，爭吵「中國游說」問題，每到總統大選之際，則以中國大陸淪陷問題作競選資料，大家裝出關心中國問題的模樣，實際是欺騙國民，借題發揮。若有人認爲某對中國比較有好感，那就是昧然無知的笨伯。因此，我們對於美國政客們瞎鬧「中國游說」事件，認爲是無可容忍的侮辱，非嚴詞申斥他們不可！

馮王先生

去腐生新 力爭上游

記得政府初由大陸移至台灣，蔣總統宣告復出視事之際，筆者在海外報紙上著文，主張暫時停止憲法實施，改設軍政府，簡化行政機構，以適應非常時期的需要。當時有中樞大員函告我，說是我這主張頗中肯繁，但政府顧慮到將因此而發生國際間的承認問題，懍重爲佳。荏苒十餘年的時間，經過許多事實考驗，現有這部憲法的功用，已證明爲利少而弊多了，再不修改，倘待何時呢？易言「窮則變，變則通」，目前的行政機能不但是構成了窮困景象，而且病入膏肓，無可救藥了，除却修憲以外，別無化腐朽爲神奇的特效劑，所謂：「以不變應萬變」的說法，只是一種虛矯的阿Q精神，期期以爲不可！修憲是內政事項，決不發生國際上的承認問題，夫何愛何懼哉？大家如其認爲今日之事，軍事至上，反攻第一，[illegible]

軍公教待遇問題 將先從福利着手

【本報記者台北航訊】最近，立法院財政預算委員會，分別討論下列幾個案子：（一）獨佔及專賣收入；（二）國營事業營業盈餘及事業收入；（三）反共抗俄宣傳費；（四）調整軍公教人員待遇暨公教人員婚喪生育及子女教育補助；（五）中央社及中國廣播公司之業務制度與政策等問題。

在這些問題中，以調整軍公教人員待遇的問題，最爲各方面所關切。據權威方面透露：關於軍公教人員待遇，政府向來極爲重視，無時無刻不在設法予以改善，唯因財政實在有困難，以致力不從心。現在，有關方面正協調中，並希望立法委員們體念時艱，不要堅持；同時關政府擬將先從軍公教人員福利方面着手，諸如子女教育補助費之數額提高，幷放寬名額；如宿舍等問題，先予改善，調整拉平，並將再加發一個月的獎金，連同前次王副院長在立法院所宣佈加發一月之獎金，共計兩個月。但是，此一安排，與若干立委的意見，是有相當距離的。能否解決，就未可知了。

香港與大陸

為時已達三個月之久 粵境各地竟大鬧蔬菜荒

廣州買不到新鮮蔬菜多以鹽作餸 原因為蔬菜北運與菜農負擔過重

近幾個月來，廣東省各地蔬菜奇缺，城市居民連續幾天買不到一根青菜的事，已爲司空見慣。就是農民亦因爲要「上繳任務」，而吃不到新鮮的蔬菜。

據就讀於廣州市「暨南大學」生物系肄獲批准來港的崔×姝小姐透露：廣州市最近兩三個月來，市民無法買到新鮮的蔬菜，就算極野生的「通菜」（又稱蕹菜）都是如此。每個市民，雖都有一份「購菜證」，但走到市場時，却一根青菜都沒有，幸運者祇能定量購得一些乾菜，如欖角，乾茄，蘿蔔菜乾等，大多數的人在多數的日子裏却祇能以鹽爲「餸」了。

崔小姐說：「暨南大學」的膳食，算比其他大專學校好得多的，（因爲該「大學」大部份是僑生，中共當局經常宣傳是要特加「照顧」的）但出於校園蔬菜歉收，曾與之訂合同負責供應蔬菜的「公社」，亦無法履行合約，校方因爲不能買到蔬菜，所以學生在「開飯」時，枱上經常僅有寥寥一撮菜，甚而僅有一小碗白鹽。當做「餸」吃。

崔小姐說：造成此種嚴重蔬菜荒的原因，固然是因爲廣東地區今年遭受中共所說「六十年來罕見的奇旱」，無水栽種。其實，最主要原因還有下列兩點：

（一）蔬菜多用以「支援」北方各省去了。崔小姐有一表兄，任職於廣州市火車站，據其表兄告訴她，廣州市之黃沙火車站，每天均有一千担以上的蔬菜被運往北方，其種類亦應有盡有，諸如豆角，芥菜，韮菜，各種瓜類等。在四、五、六這三個月來，平均每月均有五萬多担蔬菜運往北方「支援」。

（二）菜農的怠工和紛紛轉行。崔小姐在其學校附近，曾與一位較稔熟的菜農閒談，得知「公社」共幹對菜農限制極嚴，凡一個主要勞動力的菜農，每月均須「上繳公社」四十二元「人民幣」，方可領取「糧食配給證」。這數額過大，普通的菜農都無法付繳，所以紛紛要求轉行。就是一些專門種菜的農場之菜農，因爲嚴重旱災，共幹卻迫着他（她）們夜以繼日地挑水淋菜，比之平日勞動強度大得多了，遂引起菜農反感，怠工之事比比皆然，這亦影响了蔬菜產量。

另據一位由梅縣抵港的中學生何君謂：梅縣城鎮，蔬菜亦奇缺。在梅縣農村，共幹曾大聲疾呼，要求農民「支援」大城市，規定每一分潤（零點一畝）的「自留地」，每月最少要售賣廿斤蔬菜給「政府」，繳不出這數額是不行的。因此農民唯恐受罰，眼巴巴的把自己種的蔬菜，拿去「支援」；使大部份的農民都因此而常常無法嘗到新鮮的蔬菜。（敬斯）

省議會的三個隱憂（中）

——本報台中記者熊徵宇——

果有其言？

聽說有一位省府的高級官員，會對各廳處負責在省議會搞公共關係的人員們說：「你們只注意各單位的業務問題就行。有些事不必管。依照省議會的組織規程第一條：『台灣省在省縣自治通則及省自治法未公佈前，暫依本規程規定設省議會』。有很多事，省議會無權過問。」

這傳說如果是真的，將來府會的空間，可能越來越大。在中心意識和政治觀點上，是一種極不正常的現象。我覺得，固然不必強調「府會一家」，但也不能把實施了或者是試行了十幾年的地方自治向後拖。既然有議會，就該遵循民主政治的常軌。不尊重法治的精神，還能談什麼民主政治？

而如果不能獲得省議會的支持，省政府的政策怎樣推行？我們現在的政治目標，乃在追求使台灣成爲三民主義的模範省，這目標，是具有崇高理想的，是任何人不能放棄，省政府更不能，責任之大是不容多說的。所以說，目前的這種現象，實在是個隱憂。

副座凌人？

再說到議長與副議長之間，在六月三日省議會舉行成立典禮時，就有一件很不什麼的事件發生。那是省議會秘書處把典禮程序寫好了的當兒，副議長當時就囑咐，要在「議長致答詞」的後面，加上一條「副議長致答詞」。但是秘書處的職員們覺得不合程序，不可以加，因對外，一向是以議長爲主。這是一般的禮儀，凡是有正副兩席的機構，都是以正席具代表性的。若果副議長硬要獨當一面的「致答」一番的話，那當然是個不太小的笑話，不但不能增加副議長的「聲威」，反而使人覺得他不守「本份」。

比較接近副議長的人，向他申述這番大義以後，算是沒有加上那條「副議長致答詞」。

我們從這一事件的心理觀念上來看，乃至於，在處理議場的各種場面上看，似乎副議長的言行態度，處處有一種可以說是「超越」或者「僭越」的流露與表現。

我不想多談副議長對於議會本身的人事有怎樣的打算，只覺得議長謝東閔這人，畢竟是厚道，也許就是因爲他本質敦厚，而導致兩長之間的不能「和諧」。雙方相對固是「協調」的障碍，而一方太弱也足以導致不諧。如果彼此在氣度與本質有相對的不同的話，就很容易失之職位上所負的責任上的「平衡」，對於推行議會政治，當然的很難獲得「稱職」的表現。而要求有所建樹的話，就更戛戛乎難了！

以今天台灣省議會任務的艱巨，在此反攻備戰的階段，如何溝通政情，做人民與政府之間的橋樑，使力量與意志集中，開拓民主政治與地方自治的前途，省議會多一份努力，就多一份收穫，否則只有使那些任務越走越遠，使本省人民和愛國之士，對於自治的前途就難免具有憂心，而對堂堂皇皇的省議會，就難免認爲是在地方自治通則與省自治法規沒有公佈以前，聊備一格的機構了。不可能認爲它是本省最高的民主殿堂！

這是省議會的第二大隱憂！

明年四月接任港督 戴麟趾爵士 係香港熟人

【本報訊】新被公佈將於明年四月起接任香港總督的戴麟趾爵士（Sir David Clive Crosble Trench），現任英屬西太平洋高級專員。戴氏以往曾在香港服務先後約達十年之久，能講粵語，香港居民對之幷不陌生。

至現任港督柏立基爵士，係於一九五八年奉委，任期原係於今年一月屆滿，茲決定延長任期至明年三月底，始告退休，計柏立基爵士任港督凡六年之久。

明年四月起繼任港督之戴麟趾爵士，生於一九一五年六月二日，係英國湯布烈治中學及劍橋大學耶穌學院畢業，獲有碩士銜。

戴氏一九三八年爲英屬所羅門羣島保護地官學生，一九四一年任西太平洋副高級專員，一九六一年升任英屬西太平洋高級專員。

戴氏曾參加上次大戰，先後獲十字軍事獎章及美國軍團優異勳章。一九四二年至一九四六年，任英屬所羅門羣島防衛軍中校。一九四七年任英屬所羅門羣島政府秘書。一九四九年入英國三軍參謀學院受訓。

戴氏一九五〇年來港，出任香港防衛軍秘書，一九五六年調任副財政司，一九五七年任勞工及礦務司，一九五八年再入英國帝國國防學院受訓。一九五九年重返香港，任港府副輔政司。其後奉委爲西太平洋副高級專員，接替於一九六一年退休之吉治爵士遺缺。西太平洋專員公署設在所羅門羣島首府維多利亞。

戴氏於一九六〇年獲頒授C.M.G勳章，一九六二年獲K.C.M.G勳章。戴氏之嗜好爲攝影。

中信局業務問題多

審計部將處理情形呈報監院

【本報記者台北航訊】關於中央信託局呆帳繁多及其內部因制度而發生的諸多問題，審計部將處理情形，具報監察院後，監察院第七七九次院會則議決交財政委員會處理。

中信局在信用貸款方面，逾期無法收回而發生訴訟事件者，計有：

（一）揚子木材公司結欠前與台灣銀行及中農供銷公司聯合聲請執行該公司之財產涉訟，久無結果，近經呈報財政部請准拍賣其押品提存，以保持價值，現正進行中。

（二）台灣農林公司結欠，自利息轉作投資後，本金九百萬元，前與各行局共同取得該公司台北之房地產，已由該公司自行洽得買主，以售價償還，總計二千九百八十五萬三千七百五十元，分二十期付款（三十個月），中信局佔百之三十點五六，已收回定金及第一期款，計一百六十萬六千一百五十九元，全數可望收回。

（三）經緯絲織廠，截止四十六年底，結欠本息一百二十一萬七千九百六十九元，拖延多年，近經承受其押品，售得價款九十五萬元，餘欠款復向法院申請查封其機器零件，及生財等一批，以求全數清償中。

（四）美昌印染廠，截止四十六年底，結欠本息一百萬二千六百十九元，抵押品機器設備，曾由法院拍賣一次，因無人承購，拖延頗久，近以其全部機器抵押於數銀行，分別拍賣，均無結果，復與其他貸款銀行，聯合具狀法院，定期拍賣中。

（五）至於東亞熱水瓶廠，結欠各款，自該廠主持人去世後，追償情形，迄無進展。

關於辦理紡織原料貸款方面，計有（一）中國紡織貿易公司七案，尚結欠美金三十七萬九千八百三十一元，及港幣七十四萬七千五百九十一元，仍在催收階段。（二）中華紡織公司結欠港幣二十四萬五千二百九十二元，經依法追訴。（三）福隆及和平兩紡織公司結欠美金三十九萬七千多元，現由中信局接管監理中。至伸鐵公司結欠各案，短少存放該公司之廢鋼部份，民事追償已勝訴，經查明其保證人之財產，惟尚有糾紛，仍在研究如何採取進一步行動中。

關於歷年處理押品，而發生監守自盜事，故對於質物存放借款廠商自有倉庫場所者，現在研擬處理辦法，使收押品管理及進出倉等程序，既有嚴密之規定，幷採用隨時派員稽查制度。

關於辦理中信局內部制度問題：在約者，及委託合約，現除特殊原因外，已改於事前送交會計核會，又已往會計紀錄實況脫節，採購方面，亦在逐步改善中。會計方面，原來自始至終由一人經手之缺點，已增加事前會計會核，並正研究如何將結滙開發信用狀部份，另由一科單獨辦理，以收制衡作用。在辦理信託方面，對證券之收發保管，由乙丙兩級人員會同辦理，已改由甲乙兩級人員會同，以防止弊端。

港霍亂增至十五宗

未打防疫針者應速注射

【本報訊】香港霍亂症仍傳染未已，前港島灣仔地區復發現病例一宗，病者爲一個年僅十八個月之女嬰。至此，香港霍亂症已增至十五宗。因此宗女嬰霍亂症之發現而連帶被送漆咸道檢疫營之接觸者，達四十四人之衆，幷使目前留營察看人數，增至一百二十四名。

當局續呼籲尚未打防疫針的人（爲香港人口三分之一光景），速往打針，藉免誤己而害人。

閻錫山將軍的反共意見

吳文蔚

費吾生：這樣龐大數字的民兵，他的武器由何而來？

閻將軍：按，共黨以前行過的，他是搜集民間的武器，另外他還以手工自造一部分武器，現在他可能有搜集下日軍繳下的武器，和奪自我們的軍隊的一部分武器，他又可能由蘇聯及其附庸國獲得一部分武器（名義上是購買，實際上是配撥給他），並且他更可能以大量的機器製造，尤其是能大批的製造手榴彈，現在他的武器，雖不能說夠他全數的民兵使用，但我想兩千萬靠近的民兵的武器，好的壞的合起來可能夠用。因爲他的民兵，不是打正規軍，是專打行政人員與運輸人員及騾馬的，雖是不好的武器，也能達成他的任務。

費吾生：這些民兵是否忠實於共產黨？當中國國軍反攻大陸時，他們是否會反正過來？

閻將軍：這是個政治問題。共產黨拿上土地改革，買哄了人心，中國古諺說：「撫我則厚，虐我則仇」，就是說，人民無他，誰對人民好，人民就傾向誰。我與共產黨在山西奮鬥了十五年，說到自由，平等，仁愛，公道，人民都傾向我；一說到土地問題，人民就傾向共產黨了。我以爲只要我們拿出一個辦法來，使人民感到我們比共產黨好，人民一定會反對共產黨，歡迎我們，而反正過來的。

費夫人：共產黨在土地改革後，向人民勒取苛捐雜稅，人民就對他不好了。近來河南省有七萬農人反對他，結果共產黨將這些人消滅了。最近又有友人由上海來，談到大陸上有百分之九十的人民反對他。

閻將軍：共產黨實行土地改革，在山西執行的比較殘酷，每十戶中，要清算三家，拿此三戶的財產，買其他七戶的好。其他各省比較輕些，每十戶中可能清算兩戶，買好八戶。以中國一萬萬戶計，就是以二千萬戶的產財，買好八千萬戶支持他。他們的做法雖殘酷，但也很厲害，所以他過去在大陸上，有大速度的發展。

費夫人：北平最近也有出來的美國人，他說，大陸上有百分之八十五的人反對共產黨，希望閻先生對共產黨不必估的過高。

閻將軍：我並不估的太高。我以爲同敵人做鬥爭，不可將敵人估的太高，也不可將敵人力量估的太低。若對敵人力量估的太高，則自已易於吃虧；若將敵人力量估的太低，則易招致失敗。我們的失敗，就是將敵人的力量估的太低才失敗的。今後反共國家想勝過敵人，寧可將他估的高點，不可估的低了。我們中國古諺上有說：「東家小兒不識虎，執牛取虎如取牛」。有一個人，本這句話，教他的兒子說：「虎和羊一樣，並不可怕。羊可以用繩子捆回來，虎也可以用繩子捆回來」。另有一個人教他的兒子說：「虎比羊厲害得多，必須拿上槍，才能把虎捕回來；並且一個人不保險，必須兩個人甚至許多人，許多槍，才能保險把虎捕回來」。前者的兒子徒手單身去捕虎，結果虎把他的兒子兩腿兩臂都咬掉了，有人把他救回去，他向他父親說：「我成了無臂無腿的人，是受你的欺騙害了的」。另一個人的兒子，相隨很多人拿了很多槍捕回來一隻虎，他向他父親說：「這是你教育我的成果」。

我以爲今日資本主義國家，與共產主義集團，既是勢不兩立，資本主義國家，就應當將共產主義集團的力量估計高些，勝他才有把握。因爲他沒有要使大多數人不滿意而自招失敗的理由，他並且有爭取大多數人滿意，是他助他成功的智慧；只有他主義上的敵人，是他不相容的。（二）

新書評介

「佛蘭克卜克曼的秘訣」

仲偉庭

正中書局出版。霍華德著。羅時實譯

不論是煤礦工人或是政府閣員，升降機工人或是總統，卜克曼把他們都一視同仁。卜克曼認爲人人都有可貴的靈體，對於挽救形將崩潰的世界，人人都有份，都被上帝召請去領受具有夢想不到的能力的人生。在霍華德著的「卜克曼的秘訣」這本書裏，這些人排成代表各色人等的行列：有總統、酋長，有國務總理和汽車司機，有無神論者而被改變的共產黨員，有工業家及工人領袖，有大學教授及公爵，有青年學生和影劇人員，這些男女都學得卜克曼的秘訣，並且都已經應用在實際生活之內。他們一旦應用了這個秘訣，一切頑固不化的國家大事和國際問題，莫不迎刃而解。紐西蘭國務總理評論卜克曼說：「卜克曼在我們這個時代所成就的，可以說比『任何人都偉大』，因爲他打破了膚色、階級、和信仰的界域，使世界的人都團結起來了」。

在「卜克曼的秘訣」這本書裏，作者霍華德詳述卜克曼歷年遍歷各大洲之事蹟，對於世界思想形態有無比的認識。卜克曼在民國六年於廣州遇見孫中山先生時，他就看到共產黨在中國坐大，威脅着國父孫中山先生的革命工作。蘇俄國際共產黨常常攻擊他是資本主義的代言人，他並不生氣。他認爲要消滅共黨不如改變共黨。卜克曼改造人類的方法沒有什麼神秘，一切都是聽從上帝的啟示。這個秘訣就是如何創造有意志的新人及改造世界的方法。這秘訣詳列在本書裏，是爲每個人和他的國家所準備的。

本書作者以平凡人用生花之筆找到了一個新的動向和偉大的目的，來敘述一個不平凡的人的經歷，告訴人們如何去獲得和平，享受和平，使人走上樂觀奮鬥的光明大道。本書不是頌讚某個人的偉大，而是要說明眞理，使人恢復無比信心，增加萬倍勇氣，迎接晨曦的到臨。

「卜克曼的秘訣」現有十二國文字的翻譯本，一九六二年銷售五百萬本，成爲英美兩國傳記書籍中最暢銷的一種書，日本和紐西蘭兩國教育部會明令此書列爲各級學校學生課外補充讀物，由此可見該書之價值。中譯本係羅時實教授迻譯，譯筆亦極爲出色，故事既眞實動人，簡潔有力，字字珠玉，人情味最濃厚，字斟句酌，忠實流暢，風格突出，信達兼備，殊屬難能可貴，誠爲青年進德修身勵志不可多得之優良讀物。

一個人的偉大不一定是由於他地位的顯貴或特殊而永遠活在人的心靈裏。相反的，卻是一些生活在我們周圍極平凡的人物，因他的本身卻具有一種非常高貴而完美的人格，在他的言行中流露出他不平凡的風度和品質，令人追懷不忘，使人瞭解人生眞諦，加強信心，走上成功之路。「卜克曼的秘訣」一書中的每一個細節和每一件事情，都與人類的生命息息相關，含義深遠，發人深省，讀來會令人感到人性的光輝和偉大。此書確實是給混混沌沌茫茫然終日的青年一個正確的答案。（下）

康有爲的應試

每厄於人，抑降名次；而幸運則僅。衡文得失，歎同兒戲！

丘峻

公車上書之翌日，氏名捷南宮，成進士，定四月十一日引見，授工部虞衡司主事。氏自分非吏才，不能供奔走，而迫於母命，屈節就試，原無心於科舉，況作官乎？他不能爲五斗米折腰，故不到任。氏生平講學著書，欲以布衣終老也。

康氏生不逢辰，命途多舛，每應試，非不第，不報，即受扼於人，抑降名次，不使出人頭地，固不僅使身受者不平已也！然其故安在？試一分析言之。

李文田與氏從祖康國器有宿嫌；但宿嫌爲何，則不得而知。此其一。李文田與許應騤（筠菴），亦粵人也，皆位侍郎，怪氏抵京不往投謁，李且謂其不認座主。而氏則曰：『彼若以吾爲賢也，則彼可來見我。我布衣也；到京師不拜客者多矣，何獨怪我！』卒不往謁，致見恨甚至，故交攻之。今遇機會，且落在自己手中，豈有放過之理？此其二。以上二因，人多知之者也。此外，尚有爲人所不知者，則爲李文田擅書法，自視甚高；而康氏又以書法自恃，人且盛稱康氏，而有抑李之勢，文田至感不快，且由憤生恨，更何可讓康出其右者？每遇事，輒抑之，又何待言？『同行是冤家』，商家雖怪其然，獨於士林，則不知其可也！爲國家惜才計，又是豈止康氏本身之不幸耶！

天下事多不能有例外，物極必反，康氏雖迭受抑於徐李許輩，而亦有其幸運在焉。公車上書不得達，越日而會試榜發，中式第五名進士。是次，梁啟超同應試，副考官李文田極賞其卷，已議取中矣。惟正考官徐桐，以其文字有背法度，疑爲康卷，遂擯棄之。殊不知是科康之文體大異於前，一洗謹嚴，恰中繩墨，使徐桐讀之，誤引爲衛道同志，氏竟以此而擢高魁焉。天下事，有幸，有不幸，有不幸中之幸，亦有幸中之不幸，其與梁師生之謂乎？俗謂：考試除自已本事外，還要靠一命，二運，三風水；其信然歟？

光緒十九年癸巳，氏應廣東鄉試，與其門人曹泰同科；曹每日司廚奉師，直至終考出場屋爲止。會有陳子褒者，同科中式高於康氏之第五名，爲五經魁之一。榜發後，同年大會，子褒與康氏晤，一見傾倒，即執贄爲弟子。蓋子褒與梁啟超爲友，啟超先從氏遊，時述師訓，子褒心儀已久，而認爲『上下三千年，縱橫九萬里』也。此與梁啟超因陳千秋修弟子禮而事康氏者，殆相近似。是固試場巧遇，奇遇，而至幸遇，抑亦士林千秋佳話也！（下）

瘟君續夢

第九回：枵腹爭雄　壺漿招餓鬼　苦心糾衆　風雨會羣魔

大家爭先恐後發言，祗有米高揚坐在那裏不動，捋着小鬍子若有所思。

赫魯曉夫問道：「阿美尼亞商人，有沒有好的主意。」

米高揚搖頭說道：「我的意思同你們不一樣，我覺得此時同毛澤東鬧翻了，必然是兩敗俱傷。中共固然不得了，我們也沒有好處。」

赫魯曉夫瞪着大眼說道：「你的看法大家都看得到，毛澤東所以敢不聽話，而且還經常指着狄托罵我，也就是仗的這一點。我眞打算同他拚上了，任何犧牲在所不惜，相信他就會軟下來。」

米高揚拈着小鬍子說道：「摔跤我摔不贏你，論到頭腦精細，我自信並不低於你。你目前領導全世界共產黨，一舉一動關係整個大局，不能隨便的。一九四八年史大林漏走狄托，使整個團體受到無比損失，到今天還未恢復，假若現在又把毛澤東逼走了，將怎麼結局。」

赫魯曉夫搔搔光頭，一句話說不出。

米高揚繼續說道：「剛才伊里契夫同志講的很清楚，毛澤東這個人，任何壞事都作得出，除非我們同美國的關係搞得特別好，斷絕了他的後路，否則就不能逼狗跳牆。」

赫魯曉夫恍然大悟，走過來拍下米高揚肩膀說道：「還是你們亞美尼亞商人算盤打得精，這一點到是不可不防的。偏偏自從高峰會議決裂，我同美國關係就陷於低潮，此時整毛澤東實在有點不太相宜。」

米高揚摸一摸小鬍子，得意洋洋說道：「我的意思應該給毛澤東一個最後機會，可以在最近期間召開一次全世界共黨會議，擬定一個鬥爭策畧，大家都要遵守，假如毛澤東仍不遵守，再動手整他也還不遲。」

蘇斯洛夫問道：「召開世界性共黨會議，也有相當危險性，萬一大多數贊成中共的教條主義，又怎麼辦！」

米高揚笑道：「那會如此，你這種想法未免充滿了失敗主義的情緒，毛澤東的影響力絕對不會有這麼大，我可以負責。」

全體都沒有異議，一致通過了米高揚的建議。

突然柯茲洛夫問道：「假若毛澤東不來，怎麼辦呢？」

大家相顧愕然。

赫魯曉夫摸着光頭說道：「這到是一個新問題。喂！米高揚，你估計毛澤東來不來。」

米高揚笑道：「我是一個黨棍出身，現在又轉行作了商人，並不是預言家，所以我不能斷定他來不來，你還是另請高明吧！」

大家笑了一陣，赫魯曉夫回頭看看伊里契夫說道：「你對毛澤東有深切了解，我想聽聽你的意見。」

伊里契夫說道：「據我估計，毛澤東十之八九不會來。」

赫魯曉夫瞪起大眼問道：「你的判斷根據什麼？」

伊里契夫說道：「我是根據毛澤東的個性下的判斷，他這個人多疑而膽小，他此時來莫斯科，將會想到喬巴山，貝魯特等人的下場，怎麼敢來。」

赫魯曉夫搖頭說道：「那些事都不是我幹的」。（一二三）

「骨子」，謂力夫爲「咕喱」，謂懶惰爲「蛇王」，謂結束生意爲「執笠」，謂妓女爲「車貨」，謂冰爲「雪」，謂河爲「海」，過河即是「過海」，小船稱爲「艇仔」，豬肝即是「豬潤」，月光會稱「月光贏」，通書稱「通勝」，驟然聽聞，語音既異，字義又殊，諸如此類，不勝枚舉。無怪初到貴境之「外江佬」感覺不便。

廣州人謂漂亮美觀爲「靚」，謂精緻爲

二、男女同學

文明路接小東門，貢院鐘樓聳白雲；
一自高師開女禁，廊招展石榴裙。

蔥蘭一朵出東江，移植羊城姓字香；
吩咐東皇花有主，莫教浪蝶入芸牎。

瀟湘一館隔紅牆，明遠樓高護晚妝；
裙布風姿能守樸，不隨洋校門芬芳。

筆者右絕句三首，係民國十一、二年之間，在國立廣東高師校肄業時，寫詠男女同學之作，此詩現已收入拙著瀛海集，題名「廣東高師竹枝詞」。

羊城雜憶

謝康

當五四新潮澎湃之際，北京大學開放女禁，得風氣之先。廣州爲南方人文薈萃之區，況是革命策源地，自不甘落後，乃於民國九年十月底招收一年級女生，我班於是有兩位女同學，一名李勵莊，年事較長，即陳公博太太；另一人爲林朶蘭小姐，東江客家人，年約十八九，曾就讀香港，爲陳炯明粵軍總部副官劉某之未婚妻。當時高師尚未行選科制，同班學生多同在一教室上課，余之座位原在前列第一行，朶蘭適與余爲隣座，因入學較遲，有關課業問題，多向余質疑詢問，余亦不憚煩，爲伊一一解答。朶蘭似以余爲忠誠可靠，乃邀至其家，介紹其未婚夫劉某與余相見；劉某再三懇托，囑在校中對朶蘭多加照顧；並表示不勝感激之意。未幾，同學中有知余與朶蘭有往還者，請介紹偕同往訪其家，朶蘭丰姿綽約，落落大方，一視同仁，但劉某則心滋不悅，然余猶未及察覺也。同班林煜，福建人，因與朶蘭同宗，自視爲兄妹之誼，亦有往還；惟博物系彭某，仗其名，亟欲追求朶蘭，屢屢表示愛慕之忱，余曾告以朶蘭已赤繩繫足，雲英待嫁，姑無論追求是否成功，但在未解除婚約之前，朶蘭學費又靠劉某維持，彼必不容第三者介入攘奪其未婚妻也。

此時陳炯明由漳州回粵，部下軍人，氣燄甚盛，似以小心謹慎爲佳。彭某不聽，最後，因求愛之函，爲劉某所獲，劉乃持函來校求見校長（金湘帆先生），身懷手槍，着軍服，聲勢洶洶，必欲尋彭某拚命。學校當局力勸其息事寧人，並允許開除彭某，劉乃悻悻然去。朶蘭亦從茲退學，杳無蹤影矣。錄此，以見當時風氣之一斑云。（中）

溜冰在中國

匡謬

年前美國白雪溜冰團來台獻技，在台大顯身手，轟動一時，國人亦得大飽眼福。然考「溜冰」之戲，並非舶來品，在吾國宋代已有之。宋史「禮樂志」云：「故事，齋戒宿幸後苑，作冰戲。」冰戲亦作冰嬉，是此習宋時已然，惜乎溜冰之詳情語焉不著。朱彝尊「日下舊聞考」云：「西華門之西爲西苑，榜曰『西苑門』。入門爲太液池。太液池多月陳冰戲，習勞行儀，以修國俗。」等語。而清高宗更有「太液池冰戲詩」二首，如：「爆竹如雷殷、池冰若砥平。」及「堅冰太液鏡中邊，翠輦行時竹爆喧」。蓋當時溜冰尚須放爆竹以助興也。

今北平北海的遊瀾堂，即爲舊日高宗及晚清慈禧太后觀賞冰戲之處。在藝術作品中，有張維邦與姚文翰合繪的「冰嬉圖」；故宮博物院亦藏有「冰嬉留賦圖」一軸，沈源繪，已見該院所印之「故宮書畫集」第三十二冊。該圖繪數百人於冰上相嬉，上有清高宗御筆行書題「冰嬉圖賦」四字。

蓋溜冰爲北方冬季之遊戲，着冰鞢於冰上競走，或有手柱杖以代篙者，在冰面滑而進，可有各種的花式，俗謂「跑冰鞢」。「鞢」即溜冰鞋，以一鐵直條嵌於鞋底中，與今之溜冰鞋相差無幾。清代宮中盛行此嬉。而且溜冰尙有在冰上玩球之戲，「金鼇退食記」所述頗詳。據云：「西苑冰上擲球之戲，實不止擲毬一事。歲十二月，西苑三海，層冰堅沍，乃擇令辰，帝亦臨冰床觀賞。二三里外，樹大纛，兩廂列士卒。駕臨冰床（亦曰拕床），鳴砲一響，樹纛處亦鳴砲一響以應之。於是衆兵馳至御前，謂之『搶等』。搶等者則馳近御座，則牽而止之。至有賞按等第。繼而『搶毬』，兵分左右隊，左衣紅，右衣黃，既成列，乃御前侍衛以一毬猛踢之，至中隊，衆兵爭搶，得毬者復擲。復擲則復搶焉。有此已得毬，而彼復奪之者，或墜冰上，復躍起數丈，又遙接之。又繼以轉射。走隊時，按八旗之色，以一人執小旗前導，二人執弓矢隨於後。凡執旗者一二百人，執弓矢者倍之。盤旋曲折行冰上，遠望之，蜿蜒如龍。將近御座處，設旌門，上懸一毬，曰：『天毬』，下懸一毬，曰『地毬』，轉龍之隊疾趨至，一射天毬，一射地毬，中者路復曲折而出，由原路盤曲而歸其隊。其至者爲一幼童，似龍尾也。」清宣宗御製冰嬉應制詩云：『彩毬運命中，羽箭鳥翔鳴。』又云：『龍旗色初分隊，魚貫鶴鑾每應弦。』（，即嚆矢）。按冰戲節目中，有毬拋起時，用鶻箭射之也。清人八旗兵中，皆演此冰鞢，分日閱看，按等行賞。此乃清兵習武行賞，寓娛樂於戰鬥者也。道光初，惟命內務府三旗預備，後則三旗亦停止，僅給半賞之半而已。

另一種冰戲，名曰「打滑撻」。禁中每至冬月，汲水澆成山，高三四丈，瑩滑無比，使勇者著帶毛豬皮履，其滑更甚，從冰山頂上直下，立而不仆者爲勝，名曰「打滑撻」。此冰戲之又一種也。

海嶠譚薈

如今祖國的警察却兩樣了，譬如你家裏發生了竊盜案，必須口頭向他們報告，手續還算正式報案，若無其他的關係，還可能一年半載亦毫無下文，然他們對民衆的態度，又比日本人有過之而無不及也。」我認爲這是老實心聲，值得大家反省的。台灣人民頗好訟，如果法院的法官們亦不能本諸公正廉明的精神訊理案件，則警察與法官這兩種限民衆生活具有密切關係的官吏，經常招致人民的反感憎惡，又怎能怪人民對一般公務員潛滋輕蔑乃至於怨忿的心情呢？

台省光復不到五年，祖國政府即給人民行使充分的自治權，這視日治時代台灣人連讀書的自由亦沒有的情形，不啻天淵之別，而內陸各省人民雖經過廿年的訓政生活，也未能享有這種權力哩！若就政理與

旅台觀感錄

諸葛文侯

事實而論，台灣實行地方自治的條件還不夠，最大原因即未曾經過訓政時期，一般民衆對政治的興趣不濃厚，而一般知識份子亦缺乏行政經驗和技術，驟然實行民主政治，焉得而不捉襟見肘呢？兩年前有一位台省青年詩人黃君，曾對我說：「我們台灣人民并不亟亟要求自治，政府祇要任命好的縣市長，不貪污，不作惡，人民沒有不愛戴的。如今教我們自治，隨時搞選舉，弄得各地方派系叢生，彼此爲攘奪政治權力，鬥爭不已，既勞民傷財，又平添社會上無限的紛擾，眞是得不償失！」這話很客觀而正確，試看台省各級地方行政機構用人之多，耗費之大，而行政效率可說是等於零的現實狀況，即可領悟了。

政府在台灣實施土地改革，頒訂「耕者有其田」法案之後，中樞與省府各個主管和所謂有關機關，紛紛製定關於土地問題的法令規章，既非正式法律，即不須經過立法院通過，大家自由擬訂，不相謀。據調查統計，這類法令規章已有四百餘種之多！因此，台省的土地糾紛乃屢見迭出，處理這類案件的行政和司法機關，無論怎樣裁定，皆不難覓得法令根據，決無非法之虞，不肖員司利用這種法令滋彰的毛病，大可上下其手，從中作怪，而老百姓苦矣！至於都市土地，迄今未聞有所改革，所謂建設三民主義模範省者，固如是耶？我早在報紙上著文指出：現行憲法頒佈後，政府在過去訓政時期所頒訂的法律和法令，即應該合盤托出，交由立法機關審核，分別予以廢止或修正，藉符民主憲政生活的眞諦。然而言者諄諄，聽者藐藐，諸如舊有戡亂時期和對日抗戰時期製定的一切法令，目前在台灣照樣可以援用，政府固便利，其於不成體統何？老聃謂「法令滋彰，盜賊多有」，現在許多貪官污吏之產生，即源於此。行政院早就設有「法制整理委員會」，究竟整理到何年何月纔有結論？立法委員職責所在，何以對此等大事乃漠然無所容心呢？這都是令人百思不得其解的問題啊！

前年文教新聞界人士在陽明山會談時，有人指摘台灣的報紙濫用自由權，會引起台省報界代表的憤怒抗議。我當時認爲這種說法殊不正確，實則台灣報紙對政治新聞太不自由，而對社會新聞太過自由，這兩種情形又是互爲因果的。政治新聞既不能自由刊佈，報紙爲着爭取銷路，祇好向社會新聞方面下工夫，否則與政府公報相去幾何呢？社會人士在看報時發生不了政治興趣，祇好從社會新聞中找刺激，如是乎奸盜淫殺之類的消息，每天滿載於報紙上，繪影繪聲，但期聳動聽聞，他非所顧了。若要避免這種偏差，責任還須由政府擔負之，一國的文化教育功用，沒有合理的政策，那是無從發揚的，而所謂「民德歸厚」之說，更談不到了。（中）

南宋偏安有人才

李仲侯

李成自襄陽敗後，僞齊復益兵援成，屯襄江北新野市，號卅萬，復欲求戰。飛遣王萬提兵駐清水河以餌之，飛繼往。六月五日，賊悉其衆，衝突官軍，萬與飛兵夾擊敗之；六日復戰，又敗之，使萬追擊，橫屍卅餘里。新野捷聞，再賜御札問方暑，札曰：

「具省卿奏，李成益兵而來，我師大獲勝捷，乃卿無輕敵之心，有勇戰之氣之所致也。因以見賊志之不小耳，朕甚慰焉！此月九日，嘗降親筆，令卿條畫守禦至善之策，若少留將兵，恐復爲賊有，若師徒衆多，則饋餉疲勞，乃自圖之道也。卿必有以處焉。及密遣間諜，知金虜僞齊事勢強弱，要點集次第，想已必達。卿宜籌畫良策上來，庶幾不廢前功也。將來議定，卿若班師，將令留人馬，亦權暫少留作守城之夫，計其餘設伏，而卿亦少留近境，再當致彼賊師再來，併力掩擊剿除而後，雖眞實少留人馬，彼亦不敢有所侵犯也。卿更籌之，朕不遙制。」

飛奉前後兩札，復奏畫守襄陽等郡及措置營田事宜劄曰：

「臣六月廿三日酉時准御前金字牌，優蒙聖慈，特降親札處分，令臣條具襄陽隨郢利害。臣竊觀金人、劉豫，皆有可取之理。金人累年之間，貪婪橫逆，無所不至，今所愛惟金帛子女，志已驕墮。劉豫僭臣賊子，雖以儉約結民，而民心終不忘宋德，攻討之謀，正不宜緩；苟歲月遷延，使得修治城壁，添兵聚糧，而後取之，必倍費力。陛下淵謀遠略，非臣所知；以臣自料，如及此時，以精兵廿萬直擣中原，恢復故疆，民心效順，誠易爲力。在陛下睿斷耳！若姑以目前論之，襄陽隨郢，地皆膏腴，民力不支，苟行營田之法，其利必厚。然即今將已七月，未能耕墾；來年入春，即可措畫。陛下欲駐大兵於鄂州，則襄陽隨郢，量留軍馬，又於安復漢陽，亦量駐兵馬，使兵勢相連，漕運相繼，荊門荊南聲援亦已相接。六州之屯，且以可僉安。江淮荊湖皆以正兵六萬爲固守之計，就撥江西湖南糧斛，朝廷支降券錢，爲一年支遣，候營田就緒，軍儲既成，則朝廷無饋餉之憂，進退攻守，皆兼利也。惟是葺治之初，未免艱難，必仰朝廷微有以資之。基本既立，後之利源無窮。又此地夏秋則江水漲隔，外可以禦寇，內足以運糧；至冬後春初，江水淺澀，吾資糧已備，可以坐待矣。於今所先，在於速備粮食，斟量屯守之兵，可善其後。臣識闇不學，輒具管見，仰報聖問，詳拙事直，伏乞聖慈裁決！干冒天威，臣不勝屏營戰慄之至。取進此。」（七〇）

野雞大王

周燕謀

其女公子亦議論風生，批評時政，淋漓痛快，爲大王之得力助手也。章太炎嘗戲以水滸傳人物作上海志士梁山泊點將錄，號敬吾爲鼓上騷時遷。南洋公學退學生之組織愛國公學，敬吾父女均爲之奔走甚力，人多稱之。

蘇報案發生後，敬吾依然到處演說，志不稍懈。事爲清吏密探所聞，乃設法誘至南京，欲藉以羅織黨獄。有某吏謂其人名不雅馴，必非眞正革命黨，遂責其立功自贖，縱之回滬。諸志士聞之，頗懷戒心，敬吾自是亦韜光養晦，不復如前此之狂熱，然亦不屑爲清吏所用。其後莫知所終。（下）

近人詩選

次友人生朝感懷韻賦祝

逖叟

惟精惟一道心微，獨立蒼茫與世違。
會友以文君至樂，亡家於寇我安歸。
祝年同醉長春閣，復國高搴上將旂。
來歲金陵攜杖去，龍蟠虎踞認依稀。

內備警台報字第〇三壹號內銷證

自由報

THE FREE NEWS

第三六〇期

中華民國僑務委員會頒發 台僑新字第三二三號登記證
中華郵政台字第一二八二號執照 登記為第一類新聞紙類
（每星期三、六出版）（半週刊）
每份港幣壹角
台灣零售價新台幣弍元
社長：雷嘯岑
督印人：黃行宮
社址：香港銅鑼灣高士威道二十號四樓
20. CAUSEWAY RD 3RD FL.
HONG KONG
TEL. 771726 電報掛號：7181
承印者：田風印刷廠
地址：香港灣仔高士打道一二二號
台灣分社
台北市西寧南路金家巷二號二樓
電話：三〇三四六
台郵撥儲金戶九二五二

中蘇共為什麼反目的？

焦毅夫

中蘇共代表團，在莫斯科舉行為時半個月的會談已經告一段落，中共代表團長鄧小平一行已於日前鎩羽而歸。從會談時雙方仍不斷發表攻訐言論，和會後發表的簡短公報看，肯定這次會談不但毫無結果，而且是後會無期。

中共不是喊過蘇聯「爺爺」、「老大哥」嗎？毛澤東在史達林在生之日，固然曾信誓旦旦向蘇聯「一面倒」，赫魯曉夫得勢之後，他亦曾經阿諛逢迎的說過：「社會主義陣營必須有一個頭，這個頭就是蘇聯。各國共產黨和工人黨也必須有一個頭，這個頭就是蘇聯共產黨。」然而曾幾何時，居然作一百八十度的大轉彎，好似從前的蘇聯是上帝，有百是而無一非，現在的蘇聯是魔鬼，有百非而無一是。究竟所為何來呢？

首先的一個原因

我個人的看法，首先一個原因，是赫魯曉夫清算史達林，毛澤東不但不熱烈，且相當冷淡，致[illegible]的地位，已開始要給[illegible]，以赫魯曉夫轉擊敗他的政敵，攫得蘇聯黨魁及政府總理地位，因欲打倒史達林在人民心中的威信而樹立自己的威信，於是實行鞭史之屍。赫在鞭史屍時，不少共黨政權附和赫魯曉夫清除國內的史達林派，至低限度亦登載赫魯曉夫清算史達林的文章，以表示擁護赫魯曉夫領導國際共黨的方向，惟有毛澤東遲遲不表意見，連有關清算史達林的消息也不發表。這在赫魯曉夫看來，認為有着輕視他的意味，雖然中共以後為怕激怒赫魯曉夫，影響它存在的基礎，發表若干有關赫魯曉夫鞭史的文字，但迄未誠意表示擁護赫主張，更未列舉赫魯曉夫指責史達林罪過，如「個人崇拜」等等。這在赫魯曉夫眼中，仍然不夠味道是毫無疑問的。

但在毛澤東來說，他實有不便反史之苦。中共之有今天，得力於史達林的扶掖，固不必說，而毛澤東正在大陸培植死黨，要人民向他崇拜，如他追隨赫魯曉夫反史的「個人崇拜」，豈不等於自毀前程？同時，曩日奉史達林為「爺爺」，「太陽」，和「偉大的鋼」，今日倒轉來說他如何如何的壞，實在無法向其幹部交代。祇求赫魯曉夫之視毛澤東，有若「君」之視「臣」，他那會從毛的苦衷上去諒解？他不但認定毛澤東在自為苟全，更認毛的做法，有害於他的共產帝國第三任沙皇的地位了，豈肯放過？所以當赫魯曉夫渡過了國內的政治風暴，便開始打擊毛澤東了。

想挽救已來不及

赫魯曉夫要打擊毛澤東，毛顯然亦察覺到了，因之，一九五七年底毛澤東赴蘇出席「蘇聯十月革命四十週年紀念」大會時，毛澤東亟圖討好，在慶祝會上，大賣其諂媚醜態：「中國社會主義建設得到了蘇聯的多方面兄弟般援助。在慶祝十月社會主義革命四十週年的時候，請讓我們對於給予中國這種友好援助的蘇聯共產黨、蘇聯政府和蘇聯人民」致以衷心的感激。」之後，毛澤東又在中共留學生歡迎會上，大捧赫魯曉夫為社會主義和共產黨的頭。毛澤東如此做法，當然係向赫魯曉夫效忠的表示，希望赫魯曉夫仍認之為忠實的奴才，勿予打擊。結果却已挽救不及。奴才對於主子，一點得罪不得，侍候得稍不周到，亦不行；觀此可以鑒諸！

所以，儘管毛澤東那次在莫斯科逗留很長時間，做了許多諂媚逢迎的工夫，也簽署了「社會主義國家共產黨和工人黨代表會議」宣言，但他返回北平之後，情況就開始變化，亦即是赫的打擊已經開始了。最後便是赫魯曉夫撕毀蘇聯和中共政權簽訂的數百個經濟協定！這一着，確把毛澤東整慘了。到這時，毛已瀕臨絕境，但他「不信邪」，更亂攪起來，於是而有大躍進，總路綫，人民公社所謂三面紅旗的出現。結果呢，大家都知道的，整得整個大陸飢荒遍地，天愁地暗，餓死了許許多多的老百姓。

第二個原因所在

我個人的看法，中蘇共鬧翻的第二個原因，正就是毛澤東被赫魯曉夫整得慘極之後，他尚不屈服，不但不屈服，毛簡直橫了，要與赫魯曉夫拚個你死我活了。而毛這一來，赫當然更不放鬆，想把毛整垮，另外培植一個更可靠的奴才。彭德懷事件，應即是其證據之一。

毛澤東的因赫魯曉夫整他，而反轉來要想整垮赫魯曉夫，主要還是為自救。他以為，赫如垮了，另換一人出來，他又可以以當日事史達林者事之，取得「兒皇帝」的地位，也就算了。其次則是毛自認他資格也老，又有廣土衆民可資利用，史達林如整他，他心服口服，赫魯曉夫大整他，他就有些不服了。為什麼呢？為的是毛澤東之有今日，得力於史達林扶育栽培，毛又實在是中共的史達林，在情感上甚至機心的高矮上，毛都應該向史臣服；而赫魯曉夫，「什麼東西」！在毛澤東眼裏，史赫基本上就有極度的差別。大有「你怎能整我」的想法。如此一來，雙方愈趨愈遠，勢所必然。赫毛兩個「什麼東西」，攪到今天的積不相能，自不足怪了。

漫畫天下　南施

一隻破靴子

適得其反

大國沙文主義者

中共在攻擊蘇聯時，會罵蘇聯「大國沙文主義」。其實這還是故意輕描淡寫，揭穿來說，是帝國主義！是自己為王為帝，而以附庸視其他共產政權，以殖民地視其他共產政權。[illegible]不好意思說，[illegible]這種情形實在如此太明[illegible]可憐見矣。

蘇聯的「大國沙文主義」，在中蘇共雙方文件中表現之處甚多，而以去年十二月十二日赫魯曉夫在最高蘇維埃會議上的報告，和這次中共婦女代表團長楊蘊玉關於參加莫斯科世界婦女大會情況的報告，表現得較為突出。

赫魯曉夫在報告中，用譏諷的口吻罵中共，尤其罵毛澤東說：「我是出身礦工，記得那些好說下流話的人常常這樣幹：教剛會說話的孩子，他最令人討厭的罵人話，告訴他，去，到窗戶前面去，對他們說這些話。有時候他們更壞，到你媽媽那裏去；去對她說這些話，給你三個戈比，回頭就給你再給五個戈比。於是，這個孩子[illegible]」[illegible]

有一段楊蘊玉的報告記載：[illegible]

說好人好事

馮玉先生

台灣報紙上，常刊載政府褒揚好人好事的消息，這是激勵人心，滌蕩澆俗的善舉，應該贊美的。

不過，好人好事不僅是普通社會大衆有之，即一般公務人員亦未嘗沒有。據說，最近立法院審核政府上年度的追加預算案時，發現各機關首長列報住宅與汽車修理費者，比比皆然，為數相當可觀，祇有蒙藏委員會主持人李永新名下，却無這項報銷。蒙藏委員會原係冷淡的衙門，首長所用的汽車，決不比其他各個大員的座車更新更好，官邸亦不會超羣出衆，美奐美輪，每年照例報銷一筆修理費，誰說不宜！但他有所不為，節約克己，這似乎亦不失其為好人好事吧？然而，不特未聞予以嘉獎，而且李某已經去職了！在貪墨成風的當前環境中，若褒揚一個廉介的官吏，影響所及，遠比褒揚一個拾金不昧的普通市民特別重大，義理淺明，毋待贅述。

政治上如其沒有嚴明的賞罰，專講「人事關係」，功過模糊顛倒，是非混淆不清，及其弊也，便產生如市場上劣幣驅逐良幣的效用，真正的廉潔之士，一定站不住脚，非被排擠傾軋不可。衆人皆濁你獨清，好小子，有了你，大家還能混嗎？你給我滾開去！我不認識李某，亦不知道他在主持蒙藏委員會時期中的成績如何。但憑他這種不浪費公帑的廉正作風，亦就值得傳令嘉獎，即不宜教他投閒置散，給世人以廉吏決不可爲的惡劣印象。社會上的好人好事，固然應予褒揚，政界中的好官好事，難道就沒有獎勵的價值與必要麼？

前次台灣鐵路局長陳某去職後，我在「自由談」中說了幾句良心話，[illegible]

中華民國五十二年七月二十七日　自由報　星期六　第二版

香港與大陸

早造不及去年三分之一
粵農民配糧又被削減
最多的每月纔配穀二十六斤 五類份子有低至十五斤穀的

粵省各地夏收減產，情況嚴重，共幹又要人民勒緊肚皮，糧食配給重新「調整」，主要勞動配額最多者，每月也祇有廿六斤穀，有少到月配五斤穀的。糧荒嚴重情況，比之前幾年，有過之而無不及。

據一位最近以學生身份，由梅縣來到香港的中學生王奕×君透露：梅縣地區今年的夏收減產情況極令人悸怵。其總產量最多祇為去年的三分之一，有些地區的公社總產量僅及去年的五分之一。

王奕×君說：梅縣地區大部份的耕地，皆因為今年春耕時的空前旱災而失種，有一部份土地算是「搶插」下去了，卻因為肥料不足以及再次水旱，使那些稻田也生長不好，一般都是多秭草、多冇穗。因此最高的畝產量亦僅為三百多斤，比之共黨以前的平均畝產「五百斤」以及最高畝產「數萬斤」，相去太遠了。在以前這樣「高產」的時期，人民已經要挨餓了，今年的糧荒，當然將是不堪設想的囉。

王奕×君說：共產黨解決糧荒的辦法無他，就是勒緊人民大衆的肚皮。最近的兩星期，梅縣地區的共幹已分別「重新調整」人民的糧食配額，下列為一般的數字，有的倘低於此數字：

（一）一歲以內的嬰兒，每月配穀五斤；

（二）一歲——三歲的兒童每月配穀八斤；

（三）三歲——八歲的兒童每月配穀十三斤；

（四）小學生每月配穀十八斤；

（五）中學生每月配穀廿二斤；

（六）五類分子每月配穀十五斤（有低至十一斤者）；

（七）半勞動力者每月配穀廿斤；

（八）主要勞動者（每月的勞動工分超過三十以上的）每月配穀廿六斤。

王奕×君說：上列數字是中共幹部用文字在每一個公社內公佈，當然不能希望再有增加。而這個數字是否可以保證供應呢？卻還是一個大的疑問。從前有的時間，共幹會把幾個月的配額一起秤給農民，卻到後來仍還要大家賣「餘糧」給「政府」，且隨時又都強行減少配額。現在一開始共幹便不是把數個月的配額一齊秤給農民，而是只得一個月，即將月月配給。這就更加不能保證後幾個月的配額，亦能達此數字了。

王奕×君說：大陸人民饑餓的情況，香港及自由世界的人是根本難以想像得到的。至於大陸人民對於肉的味道，因為一年祇能嘗到二三次，的確生疏了。特別是十歲以下的小孩，他們實在是無法分辨猪肉、牛肉……等的不同滋味。以王奕×君自己來說，他來到香港所吃的東西，他就實在不能分辨味道的好壞，祇是吃甚麼東西都覺得滋味奇香奇佳而已，因為好多東西都是他以前從未吃過的。（敬斯）

行道樹應砍應留
居然勞煩蔣總統

【本報記者吳越台北航訊】省道公路兩旁的行道樹，應否砍除，農林廳說是要保養，公路局說是要砍掉，到底應砍應留？縣市地方機關無所適從，終於要煩勞日理萬機的最高當局做最後決定，亦算怪事。

行道樹之種植，是政府最近幾年來積極推行的一種政策，也因此使得寶島更加綠化。可是，最近公路局計劃以機器保養公路，兩旁行道樹防碍機器作業，認為不宜再有行道樹，而通函各縣市政府應逐次砍掉。農林廳卻認為，公路局這項決定「於法無據」，而通函各縣市政府，應該加以保護，不得砍伐。至於地方民衆意見，則多主張保留行道樹，因為台灣地處亞熱帶，氣候炎熱，驕陽灼人，有行道樹可為車輛行人遮蔭；一也。且當颶風來襲，洪流氾濫時，大地一片汪洋，田疇道路無法分辨，行道樹便成了行車安全的指標，車輛循兩列行道樹中開去，自然便在公路中；二也。

省級機構的砍與不砍的兩種不同通函，成了兩極端，使得地方政府無所適從。後來經交通處以「行車安全」為求得實現砍掉行道樹的意見，向屏峯陳述時，卻碰了一鼻子灰。蔣總統在最近批駁了交通處的一件代電中說：公路局為修建公路，應在邊溝外預留地帶，而要先在邊溝外重新種植行道樹，待其長成時，再將現有行道樹砍伐為宜，不能將現已長成之行道樹先行砍伐後，再在邊外種植。

總統在代電中又說：十年樹木，在培植不易，倘行道樹位置不適當或在彎曲路段、確屬影響行車安全，或其他危險地段者，可少數予以砍伐外，其餘行道樹均應通飭保護，不可任意砍伐。省府已將蔣總統的指示，令各縣市政府遵照，並刻飭各縣市政府將應砍伐的行道樹地段及情形報省府，以便處理。

過去三日間
霍亂無新症

【本報訊】在過去三日內，香港並無霍亂新症及疑症，九名霍亂症接觸者，已由漆咸道檢疫所返家。現該檢疫所內，尚有接觸者一百零三人接受觀察。目前有關霍亂症之情形如下：醫院內臨床霍亂，十宗；已接受治療及離院之霍亂患者四名；曾患霍亂而死於其他病症者，一名；在檢驗中之疑症，無；經檢驗後證明並非霍亂之疑症，一宗；在檢疫所內之帶菌者，七名；已痊愈及離所之帶菌者廿二名；檢疫所內之接觸者，一〇三名；已離所之接觸者二三五名；最近來港而被送往檢疫者，無；最近來港被送往檢疫後離所者，三名。

【本報訊】香港居民離港，不論赴任何地方，都必要經防疫注射，並花五元領取一張本港醫務處所簽的注射證明書，以資證明已接受預防霍亂注射。可是，香港的這一種證明書，中共竟然視為無效，因而引起麻煩。

最近不少從香港返大陸的人，都為了注射證明書的問題，遭遇到困難，不但在港花五元打針成了多餘，且還要接受中共多打一次針的痛苦。

據一位最近曾返大陸探親的某君稱：港客不論會否注射，再打針已經成為必然的一關，否則便會遭遇其他麻煩，或者指為嫌疑帶菌，被帶回「衛生廳」去驗糞。由於這個關係，所以一般人忍痛只得由中共再打一針了事。

省議會的三個隱憂（下）

——本報台中記者熊徵宇——

不大對勁

議員們與正副議長的不協調，大部份是一些連任的老議員。新議員們在這一個多月裏，似乎還沒有什麼形態，可能是各方面還沒有摸熟。而老議員們對正副兩長的不滿，具有兩種比較上的態勢，一部份人，自恃老大，和前任議長黃朝琴相處十七年，成了習慣，覺得現任的議長，不大對勁，有些微輕視的成份；另外一部份議員，覺得副議長在本省的政壇上資歷不夠，學歷太差，而且，還有一些私人交道上的味口問題，不接他的場。而副議長本身，在議場上，有些時候，似乎也缺乏含蓄，不夠謙虛，難免不自覺地有些「[illegible]」之處，所以就有人抓「漏洞」來「扔」他，還有一些不顧意破除情面的人，卻在背後逢人數落。

我們不必舉具體實例，只要是對本屆省議會稍微熟悉的人，可能都很清楚。這是本屆省議會的第三個大隱憂。

必需尋求途徑

我談這三個問題，目的不在「暴露」；不在其位，更非「數落」，而是基於在省議會記者席上坐了七年的那份感情，對議會政治的一份情愫。覺得那三個主要的交叉點，所形成的三個隱憂，必需要尋求一種有效的途徑。

若果省政府對省議會有不尊重的心理，那是法治問題上的一個重大考驗；若果正議長副議長之間有所陰影的話，那不但是議會本身的責任不能達成，也必然在許多不能一致協調的情況上，造成許多偏差，把本省的立法精神搞得搖擺不定，而同時，也容易使人減少尊重，而使議會本身增加困擾，添些是非。

同樣的，議員與議長之間，若有瘡疥存在，為害亦如前述。若果政府與人民對省議會都不具敬意的話，當然就不可能有所信賴。

自治的阻力

經過了臨時省參議會、參議會而省議會三階段的民意機構，如果越來越長不大，那末朝野十八年的心血，豈不白費？而自治通則與自治法規的公佈，豈不是還要「考慮考慮」？這對台灣省地方自治的前途，與建設台灣為三民主義模範省的目標，都是一種阻力。

我希望輔導議會政治的各級有關單位，澈底的重視這三大隱憂，尋求解決的途徑；因循怠慢，誤事誤國！

而議會的諸位議員，都是地方的碩彥，來自各個階層，似乎應該把選民的利益和國家的付托，放在個人利益與個人意見的前面。尤其是台灣的政治人物們，光復以來在個人的家業和子弟的培養上，都有了豐裕的收穫和很高級的成就，諸如人民與國家待他們很厚，似乎不應該再存在「一埔打天下」「橫衝闖」的觀念。

珍重殿堂

過去默默無聞的人們，如今天天上報，日據時代的「入鱗阜民」，如今也走進了祖國廟堂；從前的挖工小販乃至工友，如今也都在絲絨地甦上代表一方，這可以說明這是民主政治的可敬可愛，可以說明政治地位與經濟地位平等的政策可敬可愛。國家的寬容大度，應該是可以使政治人物們有所感謝的。

政治的傳統不一定全靠手段，築批的手段足以殺身；在台灣，這種例子不是沒有。民主政治的最高原則，乃在對選民盡其信托，在對國家盡到責任，如果老是以個人為中心，那不是「情操」問題，而是一種「道德」與「良心」上的問題。

風雨如晦，雞鳴不已！我寫這篇稿的感情是沉重的。

永和建堤受益費糾紛
監察院調查北縣緊張

【本報記者昌文台北航訊】台北縣政府為防範永和鎮洪水淹浸而興築的永和堤防，對於堤內住戶受益費的征收，已引起堤內住戶的異義，說往年不淹水地區，築堤後因堤尾迴水乃積水難洩的原因反而淹水了。於是到處請願，使受益費的征收，成績相差懸殊。而台北縣府為築堤而負的債務，卻又被逼得喘不過氣來，台北縣府被搞得上下為難。最近監察院為永和建堤受益費事進行的調查，更使縣府高級官員忙於應付。

縣府連日召開「高階層」會議，會議內容十分秘密。據探悉是就監察院派員調查永和建堤受益費案而準備資料。據說監察院對永和築堤案的調查重點，在於縣府開支堤外堤綫遷移補償費有無浪費或不當之處？征收受益費是否合法、公允？有無不當的攤派？縣府高級官員對這幾點，在「高階層」會議中詳加檢討，妥作準備。有關單位亦為監察院所要的一般築堤資料，顯得十分忙碌。他們把堤築前後的簡報和檔案都檢出來，重新整理一番，寫出一篇完整的報告書。有幾位低級職員說：過去築堤時，有關單位忙得一塌糊塗，經常漏夜加班，現在堤築完了，還要忙着這些築堤資料，實在出人意外。

縣政府建設、地政、財政、稅務等單位，對永和築堤前後公文處理的分工合作，顯得很不協調。過去且不說，自受益費開征後，永和許多鎮民對付縣府也採取「公文來公文去」的辦法，個個都寫了受益費異議書，併同稅單退同縣府，他們提異議的理由達十餘種，退同稅單達八百餘件。為了答覆這批異議書，縣府有關單位起先也彼此推來推去，到以後經過一番協調，組織了聯合小組，才告解決。但此時有的公文已失了時效（因征收受益費限期一個月）。接着，永和潭墘一帶，說是潭墘過去並未浸水，有五戶鎮民向省府訴願，說不該繳納受益費。省府公文及訴願書副本送達縣府後，幾個單位都說不是他辦的，結果又向省方請示，省方批覆後，才算指定由建設局答辯。可是，建設局是專管工程設計之類的事，對此種有關法律上的答辯，辦起來不免很吃力。

在省府指定處理訴願答辯案件的單位後，建設局覺得對永和築堤案件，它相了不少的責任，也吃了不少的「虧」，原因在堤防工程雖早已告竣，未了的事和責任卻相當的多，如受益費，訴願，監察院調查等等。上月間，建設局乃主動的擬就一種「永和築堤工作分配表」，詳列某些工作應歸某單位主辦，某單位協辦。這一道公文直接送縣長判行後，報省核備。不料，省府批復：此項工作分配，由縣自行辦理。迄本月九日，建設局又將「工作分配表」送給地、財、稅等各單位，卻引起各單位聯攻，地政財政單位認為建設局「居心」有問題，未徵他們同意而「擅自」「分配工作，並且偷偷地報省；並認為有的工作「分配」不當，紛紛不表同意。

縣府過去於築堤期間，由於堤外堤內居民意見不一致，經常喊着協調，因之「協調」一詞成為築堤的口頭禪；看樣子，現在縣府內部也須要隨時「協調」，繼續的「協調」。

去年國民經濟成長率概況

本報資料室

五十一年度國內經濟成長率增加之速度，略見減退，並沒有「起飛」。

國民所得，平均每人均較五十年度之增加率減退。

關於貿易收支方面，逆差一億零九百六十萬美元。勞務逆差，計虧絀三百餘萬美元。因而國際收支逆差，兩共達一億一千二百九十六萬美元。

財政方面，中央、省、縣市、鄉鎮之歲入歲出，均繼續增加。該年度各級政府財政收支淨額，計虧絀新台幣三億五千一百萬元。同時，民間消費下降，政府消費略增。

金融存款方面，該年度全體金融機構之存款總額及儲蓄性存款餘額增加之幅度，雖不爲小，但若與五十年度增加者相較，則五十一年增加之情形，相對減退。其中儲蓄性存款之大量增加，部份係由於原存工商業資金之移存，現時此項資金來源似已減少。

關於貨幣供給方面，五十年國外交易及財政活動均爲擴充性之因素，五十一年轉爲收縮性之因素。

物價方面，五十一年物價仍維持相當平穩之局面。雖有公賣品加價，征收國防臨時特捐，修正貨物稅條例增加稅目，調整稅率等影響物價之措施，而全年躉售物價指數較五十年僅上升百分三‧二，零售物價指數上升百分二‧四。

經建

國民生產及所得增加率均已減少

五十一年爲進入第三期經濟建設四年計劃之第二年。就國民生產毛額而言，據行政院主計處發表之初步估計數字，五十一年國民生產毛額按固定幣值計算，較五十年增加百分六‧五一，但較預訂計劃之平均每年增加率百分八，降低達百分一‧四九。若與過去三年之增加率：五十年爲百分八‧〇二，四十九年爲百分七‧七八，四十八年爲百分七‧四四，均稍見降低。根據此項初步統計資料觀察，五十一年經濟成長之速度，已有輕度的減低。

該年國民所得之初步估計數額，約達新台幣五百八十七億三千一百萬元，較五十年數額五百三十五億三千一百萬元，增加五十二億元，加率增爲百分九‧七；較五十年增加率百分一一‧五，增加率降低百分一‧八。若剔除物價變動因素，其年實質國民所得初步估計數額約合四十一年幣值新台幣四百六十一億三千二百萬元，較五十年數額四百四十四億七千萬元，增加十六億六千二百萬元，增加率爲百分六‧八，較五十年之增加率百分八，增加率降低百分一‧二。但較計劃目標爲平均每年增加率爲百分八，亦稍見降低。

至於平均每人所得之初步估計數額爲四千八百六十四元，較五十年之四千五百八十元，增加二百八十四元，增加率爲百分六‧二，較五十年增加率爲百分八‧一，增加率減少百分一‧九。如剔除物價變動因素，五十一年平均每人實質所得初步估計數額約合四十一年幣值新台幣二千一百六十四元，較五十年數額之二千零九十四元，增加七十元，增加率爲百分三‧三，較五十年之增加率百分四‧七，增加率減少百分一‧四。而計劃中之增加率則爲百分四‧八，亦頗有下降。

就業

農民佔百分五五‧三
工商佔百分二〇‧五

從國民就業情形言，據台灣省政府民政廳發表，五十一年之就業人口，估計爲三百五十萬四千人，佔人口總數之一千一百五十一萬二千人，爲百分三〇‧四，較五十年增加七萬五千人，而五十年較四十九年增加八萬五千人，然與預訂目標（三百五十四萬人）相差極爲有限。其中從事農業人口仍佔就業人口總數之一半以上，達一百九十三萬六千人，比率爲百分五五‧三。（一）

李太白逸話

漁翁

四川位中國西部，跨長江上游，有岷，瀘，雒，巴四大川，故名。雖偏處西陲，而巉岩疊嶂，爲歷代帝王進攻退守之地。劉先主入蜀，三分鼎立，唐玄宗避安祿山之亂而幸蜀，即二十年前抗戰時，亦以此地爲陪都。四川山水鍾靈，代產文豪，如唐之李白，宋之三蘇，有足錄焉。

李生於四川昌明縣之青蓮鄉，據傳乃母夢「太白星」入懷，因此命名爲「白」，而別字太白。幼年在昌明縣西三十里之匡山讀書，據當地人言：白感交通不便，自製竹馬一匹，每日騎往匡山去，於是後人盛傳「李白少年騎竹馬」之故事。今日匡山上，尚有「李白讀書台」之遺跡。讀杜甫懷李白詩，有曰：「匡山讀書處，頭白好歸來」，足見匡山爲李白讀書發軔之處。

白十歲，即精通書史，開口成章，時人以爲神仙所降，遂以「李謫仙」呼之。而白又以青蓮居士自號焉。少時因讀書甚多，常有精闢見解，司馬相如，爲漢代一大文豪，所作「子虛賦」，傳誦一時，而白評之曰：「子虛所言，何齷齪之甚也！」其傲氣不下人有如是者。

白曾做過本縣小吏，一日，隨縣令視察河岸，見一女子投水自盡，縣令賦詩云：「二八誰家女？飄來倚岸蘆；鳥窺眉上翠，魚弄口旁朱。」白以其爲父母官，見自殺者而不救，且有風雅之作，感慨之下，亦應聲曰：「綠鬟隨波散，紅顏逐浪無。何當逢伍相？應是怨秋胡！」其意哀死者之不幸，爲縣令所不滿，遂不辭而去，從此洞悉宦海汚濁，誓不再涉足政治場合。

弱冠後，即漫遊山水，寫一篇：「噫吁戲！危乎高哉，蜀道之難難於上青天」之「蜀道難」。然後沿江東下，直出三峽，足跡遍四方，到過襄陽，金陵，山東，姑蘇，太原，九江等地。尤其客湖北安陸縣者，凡十年，所賦：「舉頭望明月，低頭思故鄉」之「靜夜思」，即在此地寫成。

白生平喜杯中物，聞湖州有烏程美酒，不遠千里而往，在酒家暢飲時，適逢迦葉司馬經過，聞狂歌聲，命僕問之，白口占一絕云：「青蓮居士謫仙人，酒肆逃名三十春；湖州司馬何須問，金粟如來是後身。」司馬聞之，留飲旬日，並厚有所贈，遂促入京應試，白遂作長安之行。

一入長安，受翰林學士賀知章所賞識，言於玄宗，賜以翰林，名噪一時。相傳番使賚國書至，爲文武百官所不識，因白能解胡語，故有草嚇蠻之一幕。醉中揮吐，御手調羹，高力士脫靴，楊國忠捧硯，種種風流故事，經編爲劇本，爲婦孺所咸知，千百年下，傳爲佳話。（一）

閻錫山將軍的反共意見

吳文蔚

主義上的敵人以外的人，不只是一點不得罪，並且還要以自卑的、虛偽的、欺騙的方式，爭取其同情。他又以這種爭取同情的手法，作爲他們唯一的成功條件。根據我和他奮鬥了十五年的經驗來說，我是如此的認識共產黨。說到這裏，我願談談杜勒斯先生在其「戰爭或和平」一書中說過的幾段話：

第一段說：「英國、美國、加拿大等高級人員做蘇聯的間諜，如果是金錢的收買，一定要遭到這些人斷然的拒絕；這些人實在是接受了共產黨的宣傳，認爲縱然不忠於本國，或可達到人類福利較高的目標」。

第二段說：「史達林不是專展獨斷如希特勒一樣的暴君，蘇聯是黨的路綫的獨裁，不是個人的獨裁，任何人如違犯了黨的路綫，必被處死，雖史達林亦不能例外」。

第三段說：「列寧說：如果資本主義者能自動的改革，則我們共產黨的行爲，未免成爲狂顛」。

我認爲杜勒斯先生對共產主義，認識的很夠清楚。

費夫人：美國人一般的對共產主義認識都模糊，所以這一次即要換新總統出來。

閻將軍：馬歇爾將軍到過太原一次；那時，他爲調處國共合作問題，我與他談了三小時。

費夫人：我們希望知道閻先生與他談了些甚麼。

閻將軍：馬歇爾將軍開始問我說：「你是一位有經驗的老將軍，而且對共產黨認識的很清楚，你對我們的調處，作如何看法」？我當時說：「我希望你成功。但不敢說必能成功」。他說：「我們給他的好處，比蘇聯對他還要好。我想可以成功」。我說：「你這是商品交易的辦法，只要你賣的貨賤，不怕他不買。我以爲他志在買貨，你要賤賣，你一定能成功。他如果志在要你的工廠，你無論怎樣賤賣你的貨，他也不會接受。」他說：「你看中共是要工廠，還是要賤買貨物」？我說：「我不是中國共產黨，我不能肯定的答覆你。但我曉得他不只要奪取中國的政權，而且還要奪取世界的政權。他絕不願接受上些東西，就把他侵略世界的政治企圖罷休了」。他又問我說：「你如此說，有甚麼根據」？我說：「我駐在山西靠黃河東岸的克難坡，距延安很近，我知道毛澤東經常對他的幹部，施行一種前途教育，有一次他問他的幹部說：「你們看克難坡在做甚麼」？他的幹部說了些我們的不好」，他就說：「優勝劣敗，第二戰區一定是我們的」。他第二句話又問：「你們看重慶在做甚麼」？他的幹部也說了些重慶的不好，他又說：「優勝劣敗，中國一定是我們的」。他同樣的又問：「柏林、倫敦、華盛頓都在做甚麼」？他的幹部說「統統都不好」，他最後結論說：「優勝劣敗，世界也是我們的。不過世界不會自然來到我們的手裏，必須努力夫奪取；只要我們努力，我們共產黨解放世界，能夠成功」。所以我知道共產黨不只要奪取中國的政權，而且還要奪取世界的政權」。（三）

瘟君續夢

第九回：枵腹爭雄　壺漿招餓鬼　苦心糾衆　風雨會羣魔

伊里契夫說道：「毛澤東不會研究是誰幹的，總之他一定不敢來就是了。」

赫魯曉夫又皺起眉頭。

蘇斯洛夫說道：「我覺得這個問題要先弄清楚一點，我們是同中共開會，還是同毛澤東開會。」

赫魯曉夫笑道：「你講這句話，自己就沒有弄清楚。毛澤東同中共是分不開的，由於他長期的控制，正如我黨在史大林統治下是一樣，他個人同黨已成爲一體，大家祇能唯唯諾諾聽他的話，誰敢略提異議，馬上就完了，高崗、饒漱石，彭德懷都是這樣垮的。」

蘇斯洛夫說道：「這些情況我當然明白，不過，我們召開會議，毛澤東即使不敢來，祇要他派出一個代表團來，也就成了。」

伊里契夫說道：「我還有一個想法，開會時毛澤東不來，也許還方便些，他手下的人，聲望不夠，在會場上要比較聽話，不能遇事作梗。」

赫魯曉夫連連點頭：「到底你年紀輕的人，頭腦靈活些，我們就決定這樣辦。書記處起草一份邀請書，先寄給中共，徵求他們的意見，如若中共不肯參加，也就算了。」

中共中央書記處收到蘇共建議召開共產國家會議，商談有關問題時，就召集一次政治局會議，把有關人員也找來列席，共同商量對策。

有關人員到齊後，傳閱蘇共的邀請書，其中特別提到希望毛澤東能親率代表團出席，並且說明東歐各國都是由黨中央第一書記參加。

大家傳閱一遍，毛澤東問道：「你們以爲我參加不參加這次會議。」

停了幾分鐘沒有人開口，李富春忍不住了，說道：「我希望主席去一趟，當面和赫老商量一下，解決兩黨之間的誤會。自從七月間蘇聯撤走一千三百多名專家，撕毀了幾百個合同，我們的經濟整個癱瘓了。我想祇要主席到莫斯科同赫老見面說幾句客氣話，一切困難都可迎刃而解。」

聶榮臻看見毛澤東臉色平靜如常，大着胆說道：「主席真能到莫斯科去一趟，到是可以解決不少困難。這幾年來，我們在蘇聯援助下發展原子能，已經有點成就，原打算在一九六〇年可以爆炸一枚原子彈的，不料蘇聯專家突然撤走，幾年來的努力都作廢了。」

李先念說道：「蘇聯突然撕毀幾百個合同，對我們經濟所造成的災害太大了。現在我們工廠大部不能開工，因爲有些工廠需要蘇聯的原料，有些製成品又必須賣給蘇聯，這些問題都非短期所能解決，除非蘇聯改變主意。」

羅瑞卿說道：「我們的彈藥補給，最近也成了問題，因爲有些重武器是從蘇聯運來的，有些雖然是自己製造，也是在蘇聯工程師指導下製成，現在全部感到缺乏，飛機壞了都是用舊飛機拚湊，這樣下去，怎麼得了。」

毛澤東冷笑道：「你們說的都有道理。可是，究竟這些困難重要，還是我的安全重要？假若我被人害死了，你們就整個完了，知不知道？」（二二四）

羊城雜憶

·謝康·

三、木屐

廣州人着木屐之風，不知始於何年。每當夕陽西下，暑氣未消，街頭巷尾，木屐之聲相聞，誠粵俗之一特徵也。按東方朔語，稱木屐始於介之推，確否不可考。粵人於此，既相習成風，學校士子，自亦不免貪其涼爽便利而多用之。民國十二年秋鄒海濱先生出長國立廣東大學，曾鄭重佈告禁止着屐，其文曰：

布告一

為布告事：本校為南方最高學府，凡有舉動，萬流具瞻。自當砥礪洗濯，相與日新，樹之風聲，垂為民矩。今當開學伊始，敢舉一革新至易至要之事，開宗明義，為諸生敬告焉。本校宿舍，向有著屐之風，橐橐之聲，常日不絕。至其尤甚，則聲震屋瓦，響徹通衢，閭巷傳為笑談，來賓聞而錯愕，既擾秩序，尤礙觀瞻。校風如此，未見其可。其為學生切膚之痛，又有四焉：上課前後，乃藏修游息之時，屐聲震耳，精神為之不寧，一也。學問奧秘，恆在精思，嘈雜喧鬨，何從致力，二也。朋儕討論，意興方濃，為此怪物，敗乃公事，三也。校外交通，常用電話，接談方始，障礙忽來，斷續無期，廢時失事，四也。自餘毛病，未可具陳，諸生親受，當能詳悉。查此風開始，其端甚微，不過三數人着赴浴室，貪圖便利，久而久之，仿效漸多，日恆穿此，習為常服，遂使本校屐化釀成。其間非無賢達學子，思矯此風，衆寡懸殊，涓埃無補，遂亦頹然與之同化。語有之，習俗移人，賢者不免，每誦斯言，為之太息。本校長對於此事，夙所痛心，博訪周咨，得其竅要。須知諸生之著屐，不過為赴浴一時之便利，此自有拖鞋可代，何乃樂用此擾秩序，礙觀瞻，妨己妨人，百弊叢生之怪物？況拖鞋其價甚賤，其用亦能耐久，為經濟計，亦無絲毫之困難。今與諸生約，自十月十日起一律禁止著屐。諸生在此修學，方務其遠者大者，為種種利己利人之儲備，及實行，況此區區，易如反掌，當能從事，煥然一新。本校長有厚望焉。此佈。

校長鄒魯

此文頗整飭冠冕，為當日廣東大學重要文獻之一。聞係校長親筆所擬，可見其如何重視此事。但文告雖諄諄勸諭，而風氣實難轉移，收效蓋亦僅矣。至今事過境遷，廣大久已易名中大。更不幸者，近十年來，中大已變形變質，無復當年景象，今日讀此舊文，恍如隔世，更不勝滄桑荊棘之感矣！（下）

鄭成功夫人

匡謬

鄭延平原配董夫人，泉州進士禮部侍郎董颺先姪女也。夫人生於天啓三年癸亥九月二十四日，自幼方正端雅，勤儉恭謹，有稱於當時。崇禎十五年適成功，延平引為知己同志。鄭氏夫人之助力不可忽視。

成功豎反清復明之旗幟時，董夫人即開始過顛沛流離之堅苦生活。自是夫人除內治其龐大之家室外，且復外參軍國，贊襄軍備，安撫軍眷，鼓舞士氣。成功軍次仙霞嶺，兵凍餒，糧秣亟需，夫人立將金銀飾物，悉充軍備。據「海紀輯要」云：「芝龍聞師將至，……密遣親吏……投書於成功，令引兵還。親吏至仙霞，成功曰：『歸語太師（芝龍），速發餉濟師！吾妻妾簪珥皆脫，以供軍需。』因引見入臥內，見夫人等布裙竹釵」。觀此，董夫人不僅明乎大義，而且日率姬妾婢媼紡績及製甲冑諸物，以充軍備。延平引為知己同志，良非偶然也。

董氏夫人膽識過人，鬚眉丈夫亦有愧色，永曆四年（一六五○年）十月，成功經略粵東時，夫人與世子監守中左（廈門）。繹史稱中左，即廈門，亦名鷺門。成功族叔芝莞行中左事。次年成功率官南下勤王，清福建巡撫張學聖命泉鎮馬得功乘虛偷襲廈門，守將芝莞不戰而遁，何德不敵，此時董夫人應變非常，據楊英「從征實錄」云：「永曆五年三月十四日，虜（清）過中左，……夫人同世審（經）棄其輜重，只攜祖宗木主登舟。」「台灣外紀」亦云：「島中鼎沸，成功妻董氏懷木主出，步行海濱，見船仔招之曰『我董夫人也！』舵工轉泊岸，背夫人落船。夫人曰『芝莞船何在？』『指載重者是也』。夫人令泊其船。芝莞見夫人忙請曰：『此船係芝莞積蓄，不便居。請夫人到家眷船中，有人扶伺』。夫人知船係芝莞積藏，識破機關，乃曰：『媳婦喜乘此船。今戰征時候，非此不可。』芝莞再強，夫人」。可見董夫人之有膽卓識，識破機關之際，反清復明戰爭中之一巾幗英雄也。只攜木主以行，其木主即成功生母翁夫人也。成功次廈門，得設壇請禮祭太夫人，此則董夫人之力也。

夫人知出征將士心繫家室，家屬惦掛征夫，故時勞撫軍眷，成功出征在外，她常招妾征屬，分級賜賞，安撫軍眷，使前方將士免於反顧，征屬感激涕零，士氣自然振奮。

成功行軍紀律嚴明，亦受夫人之影響。鄭亦鄒「鄭成功傳」云：「凡海上所至，焚掠止殺，實亦有功焉。」永曆十五年，成功收復台灣，夫人與世子鄭經監守二島，夫人之責任日益重矣。凡金、廈二島之決策行事，咸經她首肯。永曆十八年，夫人退遷台灣安平之王城。陳永華之創業造產，鄭克𡒉之英偉監國，多賴其隱護資助。

嘗深戒子孫，當「撫恤百姓，厚待將士」。鄭經西征無功，曾當面責之曰：「七府連敗，兩島亦喪，皆由汝無權果斷，不能任人，致左右竊權，各樹其黨耳！」夫人之卓識於此可以想見矣。

鄭經死後，東寧政局慘變非常，克𡒉被弒，夫人因而悲痛哀極，遂積鬱於懷，於永曆三十一年六月十六日，不幸薨於安平王城，（台南）享年五十有九歲。惜乎此一巾幗英雄，為成功英名所掩，晦而不彰，殊可憾也。

南宋偏安有人才

李仲侯

七月飛進兵鄧州，聞李成與金賊劉合孛堇、陝西番偽賊兵會聚於州西北，置寨卅餘所，以拒官軍。飛遣王貴等由光化路，張憲等由橫林路，會合掩擊。憲至鄧城外卅里，遇賊兵數萬迎戰，王萬、董先各以兵出奇突擊，賊衆大潰，降執番官楊德勝二百餘人，得兵仗馬甲以萬計。劉合孛堇僅以身免。賊將高仲以餘卒走，退保鄧城，閉門堅守。十七日飛引兵攻城，將士皆不顧矢石，蟻附而上，一鼓拔之，生擒高仲，遂復鄧州。時知江州陳子卿報飛已復鄧州，上聞之喜，謂胡松年曰：「朕雖素聞岳飛行軍極有紀律，未知能破敵如此」。松年對曰：「惟其有紀律，所以能破賊」。至捷奏至後殿進呈，上曰：「岳飛措畫，頗如人意」。令學士院降詔獎諭，仍遣中使傳宣撫問，賜銀合茶藥，并勞問將佐，犒勞有差。飛克鄧州後，隨於廿三日收復唐州。尋又復信陽軍，擒偽知通凡五十人。襄陽六郡復平，川陝貢賦綱馬道路至此始通行無阻。八月襄漢既平，飛請辭制置使，乞遣重臣經畫荊襄，奉詔曰：

「具悉。朕惟荊楚之郊，自昔用武之地，以卿有憂國濟時之志，故命以專制西南一面之重。比提王旅，深入盜區，折馘執俘，所向必克，與圖所復，幅員千里。朕方圖汝之功，以觀厥成，遽覽奏章，亟辭銜職，殆非朕之所期於卿者也。勉服至意，無復有陳，所辭宜不允。」

趙鼎奏，湖北岳鄂，最為沿江上游控扼要害之所，乞令岳飛赴鄂岳州屯駐，不惟江西藉其聲援，可保無虞，而湖南二廣江州亦獲安妥。上乃以襄陽、隨、郢、唐、鄧、信陽，並作襄陽府路以隸飛，命飛移屯鄂州。飛於軍務之餘，曾登臨黃鶴樓，調滿江紅詞云：

「遙望中原，荒烟外許多城郭。想當年花遮柳護，鳳樓龍閣；萬壽山前珠翠繞，蓬壺殿裏笙歌作。到而今，鐵騎滿郊畿，風塵惡。兵安在？膏鋒鍔！民安在？填溝壑！歎江山如故，千村寥落！何日請纓提勁旅，一鞭直指清河洛！卻歸來，再續漢陽遊，騎黃鶴。」

又賦小重山詞曰：「昨夜寒蛩不住鳴，驚回千里夢，已三更，起來獨自繞階行。人悄悄，簾外月朧明。白首為功名，舊山松竹老，阻歸程。欲將心事付瑤琴，知音少，絃斷有誰聽。」（七一）

海嶠叢談

[illegible]

旅台觀感錄

諸葛文侯

胸襟狹隘，眼光短淺，對人對事，總以一些朝氣也看不出。大家認為台灣是安全地區，[illegible]……亦有永久居住之意，求財求生活，有生活基礎，拼命追求財富，講究享受，此間樂，不思蜀，國家事，是「管它娘哩」！

台灣是中華民國復興根據地，亦是目前在政府統治之下的唯一完整省份，政府原有依憲法而組織的龐大行政機構，以及為運用美援而設置的中美合作機構，過去管理五六億衆人之事，以體制洋洋大觀。以過去管理在此，如今只作一千萬人民的機構和人員，恰與蜀漢阿斗的丞相諸葛亮「食少事繁」的……

政治生活情況，形成反比例，大家感覺事少人多，閒得無聊，總須想方設法，排遣歲月，日須在表面上使社會人士相信各位公僕鞅掌國事，極為勤勞。職是之故，大家乃想出了一種妙用無窮的計策來一致力行不懈，那就是「開會主義」！事無鉅細，一是皆以開會為本，芝麻綠豆般的事項，搖一次電話即可解決的，亦必邀集所謂「有關單位」舉行會議大半天。因為開會乃是表現民主政治，既博得集思廣益的美名，又可以推卸責任，免招過失，更可以藉琳瑯滿目的會議紀錄，作為將來向領袖具報成績，升官的有效證據。所以任何大小機關，每天從早到晚，常在開會之中，忙得不亦樂乎。

無論在任何時間，想找一位科長級以上的人員商洽事情，所得到的答復，如果說「在開會」，自然屬未可厚非，然實際能解決大小問題，此推諉延宕，光說廢話，大事相顧諉批評一番，請示上級處理，再請示總統核定，做壞了，是主管機關的責任，做好了，是主管機關的成績，[illegible]犧牲？今日在台灣的政治風氣，可以用兩句話來概括說明：「責之所在，公務人員負責」，通則是；還有一部分人員可加上一句：「貪污是[illegible]之本」，[illegible]相信嗎？

以上是我去年來旅台省的觀感所及，見解固未必盡當，事實確實無虛，知我罪我，非所計也。（下）

張大千鬍子

周燕謀

名畫家張大千，滿口鬍子，僅次於監察院長于右老。據云民國三十四年大千北平，文化界設宴為之洗塵，席間多以鬍子為取笑資料，長鬍子短，鬍子硬者怎樣，鬍子軟的如何……大千知其諷己，笑謂衆人曰：諸君對於鬍子甚有研究，兄弟在此講一個鬍子的笑話如何？衆皆曰善。大千曰：昔日劉備在世關張之後，興兵為之報仇，關興張苞爭先鋒，相持不下，於是劉備道：汝二人可各述爾父戰功，誰述得多，誰充先鋒。張苞先講，便首先歷數張飛當年：喝斷長板，夜戰馬超，智取瓦口，義釋嚴顏等偉蹟，滔滔不絕，有聲有色。到了關興，因其口吃，不能作倫次叙述，囁嚅良久，方始大聲急呼：「我父鬚長數尺，獻帝當面稱為美髯公。先鋒一職，當歸我！」此時關公英靈在雲端諦聽，氣得鬚眉倒豎，鳳眼圓睜，大罵曰：「不肖小子！專門滅老子之威風。老子當年斬顏良、誅文醜，過五關，斬六將，水淹七軍，單刀赴會。這許多光榮偉蹟，汝全不記得，為何只講你老子的鬍子？

近人詩選

壬寅元夜

夏日晴

五夜追歡盛景闌，炎邦燈市鬧中看；
待燃生佛萬家火，不負投荒一寸丹。
梅護金鈴風馬及，心馳玉塞斗牛寒；
當空璧月能雙照，一例銷魂去住難。

自由報

THE FREE NEWS

第三六一期

社長：雷嘯岑

督印人：黃行富

20, CAUSEWAY RD. 3RD. FL. HONG KONG

TEL. 771726

台灣分社

從蘇俄「和平共存」政策看美國「和平戰略」

郭甄泰

最近蘇俄一再高唱「和平共存」，儼然以世界和平使者自命，六月二十日，蘇俄共黨中委會告知中國共產黨說：『總理赫魯雪夫之「和平共存」政策……將繼續執行，不管北京之反對』。六月二十四日赫魯雪夫於致世界婦女大會之賀函中，重申蘇俄外交政策之基本原則，爲與社會制度不同各國「和平共存」，強調蘇俄將續採「和平共存」政策，結尾並要求『各洲，各國與各種族之婦女，加強合作，以導致永久和平與社會進步』。七月三日赫魯雪夫在東德萊比錫大會演說宣稱：『祗有瘋子纔會想到設法以戰爭推翻資本主義。我們贊成階級鬥爭，但我們將永不干涉外國內政，因爲那意指戰爭，而我們反對戰爭』。幷對於與西方「和平共存」的觀念，備極稱讚。七月五日開始之俄毛會談，爲蘇俄「和平共存」政策與中共「以戰爭進行世界革命」主張之搏鬥，亦爲盡人皆知之事實。蘇俄現階段之外交政策，以及世界戰略，均爲「和平共存」，殆屬無可置疑。

返觀美國方面，甘廼廸總統則一再高談「和平戰略」，對於蘇俄之「和平共存」政策，其應如響。六月上旬甘廼廸發表關於結束冷戰之演說，認赫魯雪夫爲一個「比較開明的態度」的人物，可以成爲「二十年和平計劃的合作者」，而且美、蘇兩國又有「共同特點，共同利益」，因而成爲世界和平的「共同鎖鑰」。七月五日甘廼廸對赫魯雪夫復電稱：『對於俄國和平解決東西雙方間問題的意願有同感』，並謂『世界早已越過武裝衝突能以作爲國際問題的解決的時代』。其以對蘇俄談判爲外交的骨幹，藉以推銷其「和平戰略」，足與赫魯雪夫之「和平共存」政策媲美，亦屬甚爲明顯。現在世界之前途，爲美蘇兩國所操縱，世局將來演變如何？「和平戰略」內容應如何？「和平政治競賽」能否實現？如能實現，其方略應如何策劃？均爲重要之問題，亟應予以推敲，以爲自由世界各國政治，外交，軍事政策釐定之參考。

一、「和平共存」有無誠意

共黨策略翻雲覆雨，向以狡滑險毒著稱，從前慣用核子恫嚇戰術，有人統計赫魯雪夫在古巴退却前，今日曰毀滅某某國，明日曰埋葬某某國，共計說了一百五十次之多，氣燄薰天，不可一世。及至古巴退却，棄甲曳兵後，方始改唱「和平共存」，既係中途豹變，難免言不由衷。蓋赫魔之所謂「和平共存」，殆即爲列寧的所謂「迂迴的道路」，史達林的所謂「必要的暫息時間」，「結集仍爲『社會主義』，在思想上與資本主義「和平共存」，現在不可能，將來也不可能』。世界大戰遲早必不能免。甘廼廸總統的幻想，終久必將落空，此爲現在一般人對於「和平共存」之看法。實則赫魯雪夫之謂「和平共存」，以余觀之，確屬具有誠意，毋庸鰓鰓過慮。至將來有無問題，即「和平共存」究能維持多久？最後勝利屬於共產集團，抑屬於自由世界？此則言人人殊，胥視美國之「和平戰略」內容如何及有效與否以爲斷；其權操之在美國而非蘇俄。何以言之？請申其說：

現在核子氫彈之威力，至爲鉅大，美國現已有可達蘇俄之巨型飛彈五百餘枚，大者如擊天神，太陽神，均帶有五百萬噸烈性炸藥之彈頭，每枚均可使百萬以上人口之大都市，瞬息間，變爲一片瓦礫。蘇俄則有億噸級氫彈，大於美國威力最強的彈頭數倍，威力更強。有人估計：『世界上如有五六十顆氫原子彈同時爆炸，整個地球的氣壓，即將不適於人類的生存，全人類即將陷於危殆的狀態』。如果美蘇兩國核子戰爭發生，兩國所有的氫原子彈，必將一二日內悉數同時投擲爆炸，美蘇兩國固將成爲火海，燎成一片火爐，大氣中佈滿了數十萬噸變零單位的輻射塵，預計三十年內，美蘇兩國領域均將草木不生，飛鳥絕跡，成爲黑枯死寂的世界，同時在這個淒清的北半球上，亦將彌漫原子塵。其他各國亦至少將有十億以上之人口，不能倖免。五千年人類的歷史文明，與將近二十億之優秀人種，均將毀滅。艾森豪說：『原子戰爭將使整個世界化爲烏有』。愛因斯坦說：『氫原子彈如造成，在技術的可能範圍內，可減地球上一切生命，這是由於大氣亦將因之具有放射性的毒素，足致生命於死的緣故』。麥帥說：『全球性之戰爭，已成爲一種毀滅雙方之作法自斃之怪物，此種戰爭，已不復成爲一種冒險之武器，奪取國際霸權之捷徑，戰敗則亡國滅種，戰勝亦備能蒙受損失，還是失敗。』日本某軍事觀察家說：『……在這一場全球性的原子戰爭中，其結果足使全球人類減少三分之二，世界上最繁華和文化最發達的地區，勢將全部慘遭毀滅。』均力言核子戰爭之可怕，希望避免此種事態之發生。實屬千眞萬確，至理名言。蘇俄爲擁有核子武器國家，赫魯雪夫對於此種情形當然頗爲明瞭，現在翻然改圖，主張「和平共存」，堅決反對戰爭，如謂毫無誠意，並非持平之論。況就美國之報復力量言，據梅爾曼教授說：『美國在儲存核子武器方面，已經達到損失百分之三十的攻擊力量，而仍能毀滅蘇俄一千二百五十次的程度。』蘇俄如果發動戰爭，祗有與美國同歸於盡之一途。赫魯雪夫說：『祗有瘋子才會想到設法以戰爭推翻資本主義：……有人持異見，但歷史將教導我們，凡事不能一蹴即成』。足見赫魯雪夫對於核子戰爭，認識極清。

又據美國戰略空軍司令鮑華將軍五十一年四月宣稱：『由於美國之阻嚇力量，核子戰爭可以無限期予以抑制……』鮑華將軍司令部「屬下之一千五百架噴射轟炸機，及日益擴張之飛彈部隊，足以向蘇俄證明發動大戰之徒勞無功。蘇俄今日實無法發動突襲，以摧毀戰略空軍司令部，而又能避免其本身在報復性打擊之下歸於毀滅。蒙大拿區之一枝義勇兵飛彈部隊，將於一九六三年以前，於數秒鐘內同時發射火箭一百五十枚，各放射器均保持相當距離，俾使蘇俄一枚飛彈無法擊毀一個以上之目標，而且必須爲直接命中。同樣丹弗爾附近之太陽神飛彈地下基地亦廣泛予以分散，俾使一枚飛彈之命中，無法擊毀三個以上之目標。空軍飛彈部隊軍火庫，今年（一九六二年）可增加三倍，並將於明年（一九六三年）再度增加三倍。』對於美國飛彈力量之強大，第二打擊力量之不可毀滅性具有信心。現在美國已有接近四萬枚數目之飛彈，空軍方面，洲際飛彈，據美國國防部七月二日正式宣佈，已擁有三百零九枚，並即將取由人駕駛之轟炸機而代之；海軍則無論水面上之艦船或潛水艇，亦均使用飛彈；陸軍方面，其戰地大砲即將爲飛彈所代替，特如潘興飛彈，射程在五百哩以上，百發百中，威力更屬驚人。現在美國能夠抵達蘇俄的巨型飛彈已有五百枚之多，一百二十六枚擊天神飛彈，每枚均帶有五百

（下轉第二版）

漫画天下

南地

無可奈何

一齊倒下去！

及時而動

馮正先生

據毛共方面最近宣稱：俄共於一九五六年即已不履行其對毛共政權所簽訂的各項軍經援助協定，並撤退原在大陸工作的蘇俄顧問與技工人員云云，可見俄毛暗中交惡已歷有年所，到現在纔表面化了的。

毛共既以美國爲死敵，而視英國爲幫兇，同時又跟俄帝翻臉，他究竟何所恃而無恐呢？我認爲他所恃的就是美英的姑息自私主義。只要美國大少爺沒有遠慮，罔知死活，拚命的阻撓中華民國政府對大陸採取軍事反攻行動，英國始終迷戀着過去對中國實施的分化政策，而夥同美國玩弄「兩個中國」的陰謀，毛共即不感覺有甚末外來的威脅，乃敢與俄共分庭抗禮，藉着世界革命理論問題，掀起是非爭辯，對俄酋赫魯歇夫洩憤報怨。他固不怕俄帝有武力討伐的行爲，且可以利用中國人民普遍憎惡俄帝的歷史因素，作爲秧歌政權統治失敗的口實，推卸其禍國殃民的罪惡，眞正倒霉受害的，僅是中國一般老百姓而已。

可是，在共產黨的思惟中，大陸上的人民如果由於天災人禍之頻臨而死亡一半，正是他們所希望的一大佳事，求之不得的。所以，西方那些姑息自私主義者，若因毛共之失政而幻想中國大陸人民起來革命抗暴，推倒共黨政權，然後讓英美商人戴着「慈善」「友好」的面具，又來貿易漁利，那便是白晝見鬼的噩夢。中國人經過最近廿年間所嘗受的慘痛教訓，對西方姑息自私主義者的觀感，已與對俄帝的心情相同，大家再不肯受騙上當了！

因此，中華民國政府必須及時有所作爲，在外交和軍事上表現主動的措施，以期挽救大陸人民的浩劫。再要瞻顧徘徊，守株待兎，結果除却被犧牲出賣以外，不會產生奇蹟的。

香港某觀察家認爲
禁試協定不值半文錢
蘇俄必將選擇時機繼續試爆
美國屆時勢必跟進與之競賽

【本報訊】此間某國際問題觀察家認爲：廿五日在莫斯科由英美蘇三國代表草簽的部份禁試協定，有若無，價值甚低，甚至毫無價值。他指出這協定五項條款中的第四項條款說，如果有任何第四個國家有不尊重這個協定的行爲，則簽約的三國，便有權退出這個協定，亦即是可以繼續在大氣層在外太空以及在水裏試爆原核武器。他說：就是這項條款，使得這個幾經周折，但被宣傳得天花亂墜的這個部份禁試協定，其價值等於零。有這個協定與沒有這個協定，可說全無不同之處。

他說：法國便已經在這個協定草簽的同一天，由其外交部長繆維爾出面，宣佈法國並不受這個協定的約束了。這便等於說：英美蘇三國代表在草簽這個協定的同時，便已經無異發表了聲明，把這個協定「埋葬」了。他強調的說這個協定表面存在，而其實不存在，根本便不發生其價值大小的問題。這個協定中所規定的各國政府批准，宣告生效云云，便亦成了故示鄭重的官樣文章，徒然的浪費筆墨。

英國代表團長海爾森說「這是一連串美好事情的開始」，美國代表團長哈里曼說他們已完成「一項十分重要的工作」，以及蘇聯代表團長葛羅米柯所說：「讓我們認爲這是作爲今後的步伐的一個基礎」，他說他們實際都是不知所云。像「做戲咁做」，却連在戲台上唸的台詞亦比之不上。他說：演戲可以給人娛樂；英美蘇合演的這一台政治把戲，却唯有使普天之下的看戲之人，啼笑皆非，興頭頓欲嘔而已。

他說：有理由可以確信英美是眞心誠意的希望得到部份禁試協定，而且希望得到全部的禁試協定。但蘇聯則絕對並非如此。他說：他相信使得這個協定有若無的第四項條欵，必然出之於蘇聯的手筆。蘇[illegible]，正就是要[illegible]項條欵，使得這個協定根本不發生效用，如其沒有這項條欵，可以肯定，蘇聯絕對不會在這個協定上簽字。理由便是蘇聯根本就不要禁試。他說：蘇聯無意禁試，蘇聯故意在這個協定中加入這項使得這個協定不發生效用的條欵，沒有什麼値得奇怪之處。問題倒是英美爲什麼居然接受蘇聯這種擺佈？難道英美當局竟不知道這樣一個協定不値半文錢？所以他對英美把這協定說得天花亂墜，神乎其神，認之爲「一項十分重要的工作」，「是一連串好事情的開始」云云，認爲莫名其妙。他說英美當局以之自欺則可，難道竟爾以爲可以欺得到天下人嗎？

說到宣傳，他說：如果英美代表於草簽這個不値半文的協定之時，一面簽字，却一面表示「遺憾」，那是夠力量宣傳的。他說：那樣一來，大家便會明瞭，儘管英美巳經盡了最大的努力，想使原核武器的競爭「到此止步」，却因爲蘇聯的作梗，而辦之不到。英美便會得到所有的人的同情了。如今的做法、却是蘇聯要欺天下之人，英美亦幫着它欺天下之人。他說：英美畢竟何所樂而要做這等事？須知，蘇聯欺天下之人是它一貫的作風，天下之人早經了解的；英美爲什麼亦要學壞樣，幫着蘇聯去欺天下之人？這豈不是太豈有此理了！

他說：也許有人會說：假定沒有第四個國家（好像法國）不尊重這個協定，這協定不仍然是有效的？甚而進一步的，把罪過加到法國身上去。實際，蘇聯正是因爲明知法國不會接受這個協定的約束，它才假扮「和平使者」，簽字於這個實際不值半文的協定的。他說設使它沒有把握知道法國必然不加理會，雖如此一個協定，雖簽了等於不簽的。蘇聯仍然不會簽字。他強調，到了某一個時期，蘇聯就會藉故廢棄這個協定，還是要爆其原核武器的，絕對可以肯定。他說：現在因爲法國不願也參加「演戲」，說了眞話，蘇聯的這個「假手腳」，亦無須乎做出來了。蘇聯眞見得其所哉！

他說：亦因爲這樣，便更加顯示出莫斯科三國禁試協定的戲劇性來。這是澈頭澈尾的政治把戲，而且演得極其幼稚與粗糙，誰花錢買票去看這齣戲，都會認爲上了當，不値得。他說：儘管英美蘇三國今後還會裝模做樣的繼續宣傳這個協定，但却無得於其不値半文錢。愈宣傳便愈覺其臭而不可聞也。這位觀察家的結論說：禁試根本沒有這回事，蘇聯必然會選擇對它最有利的時間，霹靂一聲，繼續試爆；美國因蘇聯試爆，亦勢必跟進，原核武器的競賽實際方興未艾。

從蘇俄「和平共存」政策
看美國「和平戰畧」

（自第一版轉來）

萬噸烈性炸藥的彈頭，射程達九千哩以上，已經準備妥當。另有太陽神一號二號飛彈六十二枚，亦係如此。另有五十四枚太陽神三號飛彈正在製造中，彈頭威力，係以二千五百萬噸爲目標。九艘北極星潛艇，每艘裝有飛彈十六枚，射程由一千二百哩至二千八百哩不等，經常擔任巡邏任務。六十枚義勇兵飛彈，亦已準備妥當，並計劃於未來四年內生產九百五十枚。在海外各地尚有射程一千二百哩之權杖飛彈三中隊駐於西德，一中隊駐於沖繩島，擁有飛彈數十枚。蘇俄間諜網遍於世界各地，赫魯雪夫對於美國此種強大之飛彈力量及其不可毀滅之程度，當然如數家珍，瞭若指掌。在此種情況之下，如謂赫魯雪夫之「和平共存」，並無誠意，顯屬不明以下之事實：

一、美國第二打擊力量——報復力量之強大。

二、核子戰爭結果甚爲慘烈，一旦大戰爆發，世界將面臨末日，蘇俄不能倖免。

三、赫魯雪夫在世界各國萬目睽睽之下，靦然以最大之勇氣，實行古巴退却。

四、最近美蘇兩國元首直接通訊「熱線」協議之成立。

五、蘇俄主張「和平共存」，在政策上冒與中共決裂之危險。

惟赫魯雪夫之所謂「和平共存」，究將維持至何時爲止，和平政治競賽能否實現？最後勝利究將屬於何方？此則胥視美國之「和平戰畧」，內容如何，有效與否以爲斷。借箸籌之，當如下述。

二、美國應有之「和平戰畧」

美國之和平戰畧係以第二打擊力量爲後盾，談判爲手段，和平政治競賽爲目的。其內容應如下：

一、完成報復力量。一九六三年二月美國國防部報告書提出一項新的五年飛彈發展計劃，預計於一九六八年有九百五十枚義勇兵飛彈；四十一艘北極星潛艇，共載有六五六枚飛彈；及一〇八枚洲際飛彈。義勇兵及北極星潛艇均係藏於地下及水面下之飛彈，藉以加強報復力量之主力。儘管蘇俄核子武力增加二至三倍，亦無法予以消滅。美國此種報復力量，亟應予以完成，以爲和平戰畧之後盾。其他洲際飛彈，則不妨予以停造，藉以表示「和平戰畧」之誠意。

二、注意太空競賽。太空科學最近極爲進步，今後核子武器的主要發射器，將爲太空，而非彈道火箭，這是一種無法防禦的絕對武器。如何發射至太空的由人操縱的衞星，作軍事上之用途，使成爲一個無可抵抗的核子毀滅性攻擊武力，實爲將來之重大威脅。蘇俄如先發明此種絕對武器，即將在太空方面佔有優勢，蘇俄如在太空方面佔有優勢，美蘇兩國之軍事的均勢，即將轉變。屆時蘇俄或即將改變其「和平共存」政策，威脅美國，使之屈服，藉以達到其「埋葬資本主義」之目的。因此，美國今後，仍應對於太空科學盡力研究，以免蘇俄有機可乘，先發制人。

三、成立核子禁試條約。英國麥美倫首相說：『就軍事力量言，世界力能自毀，即東西雙方均能毀滅對方。希望永不出現此種事態。』美國甘迺迪總統公開承認，一九七〇年可能有十個擁有核子武器的國家；在一九七五年，則將增加至十五至二十個之間。由此可知核子武器之威力現已達到飽和點，將來大量增加，仍在意中。當前禁試之主要基礎，在於美蘇兩國之核子均勢，現在美蘇之核子武力已能使世界文明與人類自毀，如有許多國家擁有核子武器，將來大戰爆發機會必將增加，世界文明、人類大部隨時均有全滅之危險，此實爲人類一大悲劇。因此之故，禁試條約應即排除萬難，迅使成立，莫斯科核子禁試會談應能達成協議，對於違反者，予以嚴厲制裁，以爲「和平戰畧」之目的鋪路。

四、和平政治競賽。政治之目的爲最大多數人之最大幸福，共產集團現所寶行之政治形式爲無產階級專政，實即爲一黨專政；方法爲階級鬥爭，實即爲世界革命；手段爲奴役，迫害，屠殺，糧食普遍不足，人民相率逃亡，大多數人民並無幸福可言。自由集團如美國，西德，日本，法國，中華民國以及其他許多國家、經濟上均發生奇蹟，欣欣向榮，人民生活水準亦普遍提高；但奢侈，浪費，獨裁，腐化等種種弱點，仍待改善。將來自由世界各國應如何團結，改進以謀經濟上人民生活之改善，政治上人民不滿情緒之消滅，例如領土上地廣人稀區域之開放，思想上民主制度之確立，人種上有色者地位之平等，教育上文盲之消滅，道德之提高，美援上效用之加強，落後地域之開發政策上，以一切方式打擊竊兵黷武好戰成性之共產政權，均有待於美國「和平戰畧」政治競賽方面之領導與輔助，其計劃與輪廓現正在逐漸形成之中，容再爲文論之。

香港與大陸

毛共加強控制農民
抗暴事件層出不窮

來自粵境不同地區的兩位中學生透露：中共當局最近又已加強對農村生產資料和生活資料的控制，有如一九五八年初辦「人民公社」時的情況。農民對之反感極大，抗暴事件更層出不窮。

據來自興寧縣立一中的學生李錦×君對本報記者說：中共興梅地區，本年春會推行「社會主義教育運動」（按：是項政治運動乃屬全國性的），對各種「反社會主義事業」的思想和行爲，大張旗鼓的進行「整改」，諸如「五類份子」的「造謠惑衆」、「變天思想」、「走資本主義道路」……等，皆在「整改」之列。而這一運動便是它現在重新强化公社制的準備工作。

李錦×君說：從一九六二年初起，是中共政權最大危難的一個時期，工農業的破產，人民的抗暴，以及國軍可能的反攻威脅……都已到達最高潮。中共爲了在廣大的農村中減少反抗力，乃不得不放寬一些生產資料和生活資料的管制，例如在農村中每個農民都給予十分之一畝以下的「自留地」，作爲自己生產副業；又在城鄉紛設「自由市場」，容許農民將自己的副食品公開售賣。但在本年夏收前後，中共又將此等「自由市場」之買賣宣佈爲非法，給予嚴格的取締，而且還將此等「流弊」，認爲是「自留地」政策所使然。因此，在不少地區，中共已重將農民的「自留地」收回公社所有，農具等亦須由公社重行保管。糧食方面，不但削減配給量，且過去一年，中共在收數以後，配給農民的糧食是把數個月的額份一起秤給農民的，現在已經改爲按月配購了。且中共已有公佈，說不久將恢復「大鍋飯」的辦法，即要所有農民均在「公社食堂」開膳。

另一位剛由海豐縣來的中學生曹君亦對記者說：海豐縣的各農村公社，亦有類似之措施，共勢有如初辦「人民公社」者然。加以海豐因係屬於中共防止國軍反攻的「第一道防綫」，「軍事化」的農村組織又再次强化施行，公社共幹已時有類似「演習」的措施，弄得人民坐臥不安。

這兩位中學生異口同聲的告訴記者說：中共的這些措施，已引起廣大農民的反感與反抗。在興寧地區的一個叫「坭坡公社」的，當公社共幹宣佈此等措施時，有的農民當場鬨起來，表示他們都不願將自己僅有的一小塊「自留地」再交出，亦不願將幾件簡單的農具充公。有幾個老農說：我們寧願餓死，都不願再到公社吃「大鍋飯」。

那位興寧縣的中學生李錦×君說：大陸各地都盛傳有國軍的游擊隊出現，有不少農民（他所知道名字的有三位）竟然提起簡單的行李，到附近的一坐大山（聽說那裏有游擊隊）去找游擊隊，參加打游擊了。（敬斯）

北市第五合作社
侵占背信案原委

【本報記者台北航訊】台北市第五信用合作社監事主席陳萬得，向台北地檢處告發理事主席蔡煜財涉嫌僞造文書、侵佔背信案，由於陳萬得不懂訴訟程序，所以該案未獲提起公訴。因爲該案屬於告訴範圍，即須受害當事人提起告訴，第三者無權告發，在不告不問的原則下可以不理。同時，凡是告發案件，除檢察官而外，原檢舉人依法亦不得聲請高檢處再議。

茲將原檢舉人陳萬得所檢舉涉嫌人蔡煜財之事實誌後：

原檢舉書指出：第五信用合作社司庫陳錫楷侵佔九萬五千元，於四十九年六月二十六日，被該社經理李世昌查覺，而被告蔡煜財竟違背省財政廳開革司庫陳錫楷之命令，予以包庇留用。該司庫觸犯刑法第三三六條第二項之「對於業務上所持有之物」而侵佔之罪嫌。同時，蔡煜財不但未依法處分，而且竟虛報陳錫楷在職三十年，核給其退職金三萬八千八百五十元；查該司庫陳錫楷係於民國二十一年四月十一日到職，至五十年三月三日止，任職僅二十八年十個月又二十天而已。案經台灣省財政廳股長蘇綠洲與社會處合作事業管理處王哲明詳查屬實。因此，檢舉人陳萬得以僞造文書（即刑法第二一五條）罪嫌告發。

（上）

去年國民經濟成長率概況

本報資料室

從事工業者有四十萬四千，佔就業人口總數之百分一一．五，較五十年增加一萬七千人。

個人服務者有三十二萬四千人，佔百分九．三；從事商業者為三十一萬人，佔百分八．八，從事其他如運輸業、自由職業者有五十三萬人。從就業變動情形觀察，大致上各種行業之從業人口均見增加，其中增加幅度較大者，為自由職業增加百分六．六，政府機關人員增加百分五．五，運輸業增加百分五．〇，工業增加百分四．四，農業僅增加百分一．三。此足見我們當前發展經濟的方向了。

生產

農業仍居第一位
工業次之列亞軍

就近年來國民所得之來源變動趨勢觀察，按要素成本計算之國民生產淨額——即國民所得中，農業生產值所佔之比率，已逐漸降低。五十一年按要素成本計算之國民生產淨額，為新台幣五百三十七億二千六百萬元，依產業別分配，其中農業佔百分三〇．七，仍居首位，較五十年之百分三一．七，續見減退。其次為工業，佔百分二七．九，較五十年之百分二六．六，稍為上升百分一．三。再次為批發及零售商業，佔百分一四．九，比率畧高。此外，公共行政及國防，佔百分一二．一，比率稍低。其他各業如運輸交通、銀行保險及房地產業，與其他服務，若減除國外要素所得淨額百分〇．一，佔百分一四．四。

農業在台灣經濟結構中，素佔重要之地位，其產值每年恒佔生產總額三分之一左右。歷年來，政府為加速經濟發展，極力推行工業建設，經過四十二年至四十五年之第一期、及四十六年至四十九年之第二期四年經濟建設計劃，至五十一年已進入第三期四年計劃之第二年，各類工業產值在國民生產淨額所佔之比率，雖稍提高，而農業產值所佔之比率，亦相對降低，但變動之幅度不大，整個經濟結構尚未呈現顯著之變化。由此可見，儘管有人高唱工業經濟「起飛」，然事實上，目前尚未完全脫離農業經濟之型態。欲使本省進入工業經濟之新境界，尚須全國上下一致進一步的努力。

消費

民間支出下降
政府消費略升

關於五十一年國民生產之支用情形，目前尚無官方統計數字可憑。就五十年之情形而言，在五百六十七億三千九百萬元之國民消費額中，民間消費佔四百四十七億六千三百萬元，達百分七八．八九；較四十九年之百分七八．九四，比率已稍見減低百分〇．〇五。政府消費佔一百十九億七千六百萬元，僅達百分二一．一一，但較四十九年之百分二一．〇六，比率稍高百分〇．〇五。民間消費支出中，都是屬於生活必需之飲食、衣着，居住等費用，佔全部費用之百分六五．二八，保健、家庭設備及娛樂等費，則佔百分一六．三一，其他佔百分一八．四一。據中央銀行年報指出：綜觀歷年資料，雖食品類物價上漲較多，生活必需費用所佔全部費用之比率，仍逐漸減低。其他費用所佔之比率，則相對提高。

資本

毛額達一四六億
儲蓄僅四九億多

五十年國內資本形成毛額達一百四十六億零八百萬元，佔當年國民生產毛額六百四十三億三千四百萬元之百分二二．〇二，較四十九年之一百二十九億八千九百萬元，增加百分一二．四六。在資本形成毛額中，固定資本形成毛額為一百十七億四千八百萬元，佔總額百分八〇．四二；存貨增加為二十八億六千萬元，佔百分一九．五八。

就資本財之型態言，該年增加最多者為運輸工具，在固定資本形成毛額所佔之比率，由四十九年之百分九．五〇升至百分一二．〇六；減少最多者為住宅，自四十九年之百分一三．三三，降為百分一〇．八四。其他變動甚微。

就財源分析，本省資本形成之財源，為資本折舊準備，國民儲蓄，以及國外借款三方面。五十年資本形成之財源為一百四十六億零八百萬元，其中固定資本折舊準備者為四十六億一千六百萬元，國民儲蓄為八十七億二千二百萬元，國外借入淨額為十二億七千萬元（包括統計誤差六千一百萬元）。

不過，在國民儲蓄額中，包括以美援為主之國際經常移轉收入淨額三十七億四千三百萬元，若剔除此數，則實際由國民生產發生之儲蓄者僅四十九億七千九百萬元，佔資本形成毛額總額財源之百分三四．〇八，佔固定資本折舊準備及移轉收入，則分別佔百分三一．六〇及百分三四．三二。觀此，美援對我國資本形成之財源是如何重要，不言可知了。（二）

李太白逸話

漁翁

白之才華，為玄宗與貴妃所器重，隨時召進宮中，有時諸國政，有時草詔書，並為玄宗寫過不少詩。有一次玄宗與貴妃賞牡丹，以宮中歌詞過舊，命李龜年宣召白撰新調，龜年訪至酒肆，聞白歌云：「三杯通大道，一斗合自然，但得酒中趣，勿為醒者傳」。龜年候至酒醒，始促命謁至沉香亭，為帝作清平調三章。

第一章首句：「雲想衣裳花想容」，言見雲而想妃子之衣裳，見花而想妃子之容貌。第二章首句：「一枝穠艷露凝香」，此以花比妃子，而明皇戀其色，猶露之凝花香而不散也。第三章首句：「名花傾國兩相歡」，名花為木芍藥，傾國即佳人，合名花佳人於一處，兩不相負，以盡君歡。句句描寫妃子之秀色，以迎合明皇之心理，成為千古風流旖旎之絕妙好詞。

可是，詞雖絕妙，並非白之本色，乃出於一時之脅迫，因受到人間之刺諷，乃有「雪讒詩告友人」之作：「嗟余沉迷，猖獗已久；五十知非，古人常有；立言補過，庶存不朽。」又曰：「洪焰爍山，發自纖烟；滄波蕩日，起於微涓。交亂四國，播於八埏；拾塵掇蜂，疑聖猜賢。哀哉悲夫，誰察余之貞堅！」即此見白之撰清平調，實有不得已之苦衷。

時李林甫為相，陰險擅權，對白之被寵幸，十分不滿，遂向玄宗進讒言而離間之。白深知「青蠅易相點，白雪難同調」，但又不能遽爾離開，以開罪於皇上，於是放蕩疏狂，與賀知章，李適之，汝陽王璡，崔宗之，蘇晉，張旭，焦遂等，結為酒友，時人稱為酒中八仙。杜甫作「飲中八仙歌」，對白極其推崇，所云：「李白斗酒詩百篇，長安市上酒家眠，天子呼來不上船，自稱臣是酒中仙」。所謂斗酒百篇，言白之興豪而才敏，當時沉香亭之召，正眠酒家，白蓮池之召，扶以登舟，故時人以「酒仙」稱之也。

白心懷山水，屢請歸休，得玄宗之許可，並詢有無所需？白曰：「但得杖頭有錢，日估酒一醉足矣。」乃以金牌賜之，牌上御書：「調肆飲酒，逢庫支錢」，從此以賦詩飲酒為樂，所寫詩歌千百首中，直接間接，都離不開一「酒」字。（二）

閻錫山將軍的反共意見

吳文蔚

費夫人：那麼，馬歇爾將軍如何答覆呢？

閻將軍：他說：「如果我調處不成功，我就要撤出美國在中國的一切援外人員」。他並且說：「到那時你們恐怕守不住東三省」。我說：「豈只東三省守不住，即華北也守不住」。

費夫人：閻先生何以知道如此清楚？

閻將軍：在抗日時期，共產黨的軍隊歸我指揮，實際上他的黨、政、軍、人員，全都到了山西，在我的指揮下，做反我的工作，我吃他們的虧太多，所以我瞭解他們也較多。

費吾生：我於一九四〇年，也到過延安一次。

閻將軍：我想費先生知道他們也很多。但他們很會做假的。我前些時接到美國友人一封信，告給我一段話，美國紐約時報董事長沙慈比格由台灣回到美國，杜魯門總統請他吃飯，杜魯門問他說：「你從東方來，共產黨究竟是怎樣的」？他說：「聽說周恩來到莫斯科時，史達林請他吃飯，並邀馬倫可夫作陪，當時來了一隻貓，史達林說：『如何能使這貓子將胡椒粉吃了』？周恩來很快的答覆說：『這很容易』，他將貓嘴撥開，揑了些胡椒粉，放在貓嘴裏。史氏說：『這是強制，強制如何能領導起世界』？馬氏說：『我有辦法』，當即拿了一塊牛肉片，將胡椒粉包在肉片內去餵貓，貓遂將肉及胡椒粉都吃下去了」。史氏說：『這是欺騙。欺騙的方法，如何能領導起世界』？周、馬同聲說：『你有甚麼方法』？史達林便將貓子尾巴提起來，將胡椒粉抹在貓子的尾巴上，貓子即將胡椒粉舐的吃了。史氏說：『這是自動的吃了。領導世界，必須使世界上的人主動的服從，才能領導起來』。我不知道這段話是不是眞實的。費夫人若回到美國，見了杜魯門總統，或是紐約時報董事長沙慈比格先生，可問一問就知道了。

費夫人：這段話很有意思。我也願說一段笑話：有一次，俄國的農人見了史達林說：「亞當夏娃，都是我們俄國人」。史達林說：「怎麼能說他們是俄國人呢」？農人說：「他們無吃的，無穿的，無住所，他們還以為是在天堂上很快樂，和我們俄國的勞苦人民一樣。他們還不是俄國人嗎」？

費吾生：中國的人民，受滿清的壓迫而起革命，建立民國之後，正在一日一日的建設之際，又遭到日本帝國主義的侵入；抗戰勝利未幾，又不幸遭到共產黨的破壞，以武力強佔了大陸。閻先生在這幾十年的演變中，一直是忙於從政，我對閻先生這種精神，非常欽佩，並且我看自由中國，必可得到勝利。

閻將軍：我也相信共產黨必失敗。但他失敗時，不是綿羊式的失敗，而是虎豹式的失敗。他的失敗，必定連帶的死傷許多人民。（四）

瘟君續夢

第九回：枵腹爭雄　壺漿招餓鬼
苦心糾衆　風雨會羣魔

李富春說道：「那裏會有這樣的事，主席也太多慮了。」

毛澤東一拍桌子：「你懂得什麼，有多少人到莫斯科都是活着去，死了回的，你知不知道。」

大家看到毛澤東談到生死問題，就沒有人敢再勸他，突然賀龍插嘴說道：「主席不用怕，我陪你到莫斯科去一趟，包沒問題。」許多人都在掩口笑。

毛澤東却未笑，彈下烟灰說道：「你有什麼好辦法，說出來我考慮一下。」

賀龍說道：「我找一把殺猪刀放在長筒皮靴裏，到地方赫老如有一點對主席不利的企圖，我就掏出快刀對付他，要他親身把我們送上飛機，再放他回去。」

賀龍說到得意處，回手抓住坐在傍邊的陳毅，掄起碗大的拳頭，向陳毅臉上幌了一幌。

陳毅連連拱手說道：「賀大爺饒命，我不是赫魯曉夫。」

大家再也忍不住了，登時鬨堂。

毛澤東敲着桌子，歪着頭問道：「賀龍同志你怎麼還有這一手，是誰教你的。」

賀龍見毛澤東贊他，更是得意，坐在沙發裏前仰後合的說道：「我是在看戲時學來的。」

說到看戲，毛澤東恍然大悟，回頭向陳毅說道：「恐怕是從藺相如澠池會學來的」

陳毅點頭笑道：「大概是的。」

毛澤東說道：「你的一股氣是很壯，可是，你不明白現在不是兩千年前了，你以為赫魯曉夫會在莫斯科把我綁出去砍頭嗎？明的他是不敢，祇能暗算，譬如在茶飯裏面放點毒藥，房間裏開放毒氣，從史大林時代起，蘇聯格別烏就存有幾十種謀害人的毒物，這幾年隨着科學的進化，更加多了，祇要他想害你，簡直防不勝防，唯一辦法就是不去，我坐在北京他就無奈何了。」

劉少奇看出毛澤東是決計不去了。問道：「主席既然不去，世界共黨大會還開不開呢？蘇聯要等我們答覆的。」

毛澤東笑道：「當然要開，祇要赫魯曉夫肯開會，我們就有辦法對付他，會開的越多，他受的打擊越大。國民黨就是同我們開會垮的，赫魯曉夫又走上這條路，他的好日子恐怕也不多了。」

劉少奇同鄧小平互相看了一眼，都不明白毛澤東講的是什麼話，又不敢問。

停了半晌，還是鄧小平問道：「我們目前怎麼答覆蘇聯，主席不去，派誰去呢？」

毛澤東說道：「你現在給蘇聯回信，不必說出我黨派誰參加，祇是聲明贊成開世界共黨大會，及至蘇共發出通知之後，到時候我不出席，他們想縮頭也就縮不掉了。」

大家都不曉得毛澤東葫蘆裏賣什麼藥，可是也沒人敢再問，散會後，書記處就擬了一封回信，送給毛澤東審閱，毛澤東又在上面加了許多歌頌蘇聯的字眼，果然信到了莫斯科，赫魯曉夫被他騙了。（二二五）

蛙蟹與鳥音

吉庭

蛙，為水陸兩棲之脊椎動物，種類繁多，有金綫蛙，蟾蜍，蝦蟆，山蛤等，皆捕食害虫，有益於農事，為人間所重視。善跳躍，其鳴作呷呷聲，俗稱之曰「蛙鼓」。春夏之交，蛙聲聒噪不已，唐曹豳詩：「林鶯啼到無聲處，青草池塘獨聽蛙。」宋司馬光詩：「黃梅時節家家雨，青草池塘處處蛙。」皆以蛙之善鳴為可聽也。南史孔珪傳：「門庭之內，草萊不剪，中有蛙鳴。或問之曰：『欲為陳蕃乎？』珪笑答曰：『我以此當兩部鼓吹，何必效蕃？』王晏嘗鳴鼓吹候之，聞羣蛙鳴，曰：『此殊聒人耳。』珪曰：『我聽鼓吹，殆不及此。』」又郝天挺云：江南以木柝警夜，曰「蝦蟆更」焉。

蟹，亦稱螃蟹，淡水鹹水皆產之。背有甲，甚堅硬。足五對；第一對變形為[illegible]。旁行甚速，張子普並謂青衣賦：「蟹行索妃，旁行求偶」。近稱泰西文字為「蟹行書」，以其由左至右而橫寫也。元人曲：「常將冷眼觀螃蟹，看你橫行到幾時？」今之橫衝直闖，欲以霸道臨人者，咸嗤之為「螃蟹」。同時，蟹行田中，為禾稼之害。平江記事：「大德丁未，吳中蟹厄如蝗，平田皆滿，稻穀蕩盡」。故蟹為農家所厭惡。

鳥之能言者多，以鳲鳩，鷓鴣，鴝鵒，鸚鵡等為最著稱。鳲鳩，即布穀，亦稱鳴鳩，其聲如呼「割麥插禾」。蘇東坡詩：「布穀何勞也勸耕」。世人謂為催耕之鳥。鷓鴣，多對啼，俗謂其鳴曰：「行不得也哥哥」。丘濬禽言詩，有「行不得也哥哥，巳哥十八灘頭，亂石多」之句。鴝鵒，俗名八哥，亦作鸜，剪其舌端令圓，能效人言。且善鬥，人以家禽視之。鸚鵡，一名鸚哥，能為人言。

鳥效人言，人亦能解鳥語。周官夷隸，掌與鳥言，注鄭司農云：「夷狄之人或曉鳥獸之言。」疏云：左傳介葛盧來朝注云：「伯益明是術，堯舜使掌朕虞」。列子湯問云：「今東方介氏之國，數數解六畜之語」。蓋「在山識鳥音」，習與鳥近，故能知之，亦半由於偏智之所得也。

論語載：公冶長辨鳥語，一日，聞鳥言，往南山下食人肉。值村嫗失其子，長告之，嫗謂長所殺，告村司，繫獄。長又謂鳥言，城[illegible]有覆粟，驗之，果然。乃信長能解鳥語，[illegible]，以無罪釋。

此外，北齊張子信，知鵲語。漢安世高，知燕語。唐闕史，咸通中，渤海僧薩多羅能解鳥鵲燕雀語。元時，麗江人麥宗，通禽鳥語。均見諸典籍中。隋經籍志，有「鳥情雜占」，王喬有「解鳥語書」，其時廣傳其術。

正名（上）

謝康

名詞大概是一件事物，一個概念，或一種思想的符號。如果名詞的意義混淆，使用這名詞時，概念弄不清楚，思想也就跟着糊塗起來，變成人與人相互了解的障碍。譬如到菜市場買瓜，瓜有多種而名稱有時不免混淆多少，因為方言不同關係。桂林人要買的黃瓜，廣州人叫青瓜，你說要買黃瓜，賣菜小販就不明白你的意思。又如東瓜、西瓜、南瓜、北瓜（或白瓜），茄瓜，絲瓜，節瓜，金瓜，蜜瓜，甜瓜，苦瓜，香瓜……各省人的稱呼都不大一致。甚至一省之中，也有好幾種方言名稱的不同。又如「姑娘」二字，香港人用來稱修女，柳州人用來稱媳婦，許多地方用來作妓女的別名。又如「相公」一詞，也有幾個用法：專制時代宰相被稱為相公，北京的男娼，亦稱相公；仕宦人家的僕人稱其主人亦曰相公，小主人叫小相公，文伶人亦稱相公（見北夢瑣言）。許氏說文：「狗有懸蹄曰犬」。爾雅釋畜：「犬未成豪曰狗」。辯者因此可說：「殺狗，並非殺犬」。（見墨經）吾，我，予三字同義，莊子齊物論稱：「今者，吾喪我。」山木篇則云：「吾無糧，我無食矣。」在今人必以為重複。又如「文章」與「文學」，界義不分；「詩」與「歌」似有別而實無別；因此古樂府與古詩，亦頗難分辨（見王灼碧雞漫志及王士禎唐人萬首絕句選序言）。諸如此類，同名異物，或同物異名，不勝枚舉。古今中外字典，詞典及百科全書的解釋，都和正名有相當關係。

孔子說得好：「必也正名乎！名不正則言不順；言不順則事不成；事不成則禮樂不興；禮樂不興則刑罰不中；刑罰不中，則民無所措手足。」（論語）孔子的正名主義，是儒家思想的一個中心，認為是「為政」的一服特效藥。可以醫治亂臣賊子所犯的毛病。他對齊景公問政，也提出同樣的主張，他編春秋時所用的褒貶，正是正名主義的實行。但是除卻五倫之名而外，有些地方，孔子也沒有給當時人下一個明確的界說。例如「仁」字，「性」字，「道」字，「孝」字之類，都可能有許多不同的解釋。特別是格物致知，涵義很是模糊。有人以為中國科學不發達，實因不明白「格物」的緣故。最近二十餘年來，教育部鑒於名詞編譯審訂的重要性，由國立編譯館對若干種科學名詞加以編訂，經審查後公佈週知，對學術研究，是很有幫助的。法蘭西文學會，每隔若干年即編纂法文字典和文法，這種工作，對法文本身的明確性，曾經有很大的貢獻。近代各國際條約，都有聲明：解釋不相同時，則以法文本的語意為標準。法文所以能夠取得這個地位，和法蘭西文學會的「正名」工作是有很大關係的。

× ×

近數十年來，我們從西方輸入許多種科學，以及哲學文學之類，學習醫學和工程的人，常常感覺中文的名詞不夠用，或中文譯名不夠明瞭。其實，學習文史哲以及社會科學的人，又何嘗沒有這種感覺？譬如說文學上底「古典的」，「浪漫的」，「風格」，「幽默」，「崇高感覺」和「優美感覺」等名詞；哲學上的「自由」，「上帝」，「人格」，「個人主義」，「眞理」，「先驗」等術語，都是。又如心理學上的「心」，和生理學上的「心」，在中文是同名的，在西文並不一樣。又如「文化」和「文明」兩名詞的定義，也時常糾纏不清。有時應該說文化（Culture），却說作文明（Civilization），有時應該說文明，而誤作文化。又如「人民」這個名詞，法文為Peuple，也就是英文的People，最初僅指那些作工的民衆而言，其後漸推廣它的意義，包含了全國的人民。

南宋偏安有人才

李仲侯

八月廿五日，除飛清遠節度使，湖北路荊湘潭州制置使，依前神聖後軍統制，特封武昌縣開國子，食邑五百戶，實封二百戶，賜金束帶。制曰：「師直為壯，正天討有罪之刑。戰功日多，得仁人無敵之勇。羽奏屢騰於戎捷，與圖亟復於圻封。肆酬進律之庸，寵告治朝之聽。」鎮南軍承宣使神武後軍統制充江南西路舒蘄州兼荊南鄂岳黃復州漢陽軍德安府制置使岳飛，精忠許國，沉毅冠軍。身先百戰之鋒，氣蓋萬夫之敵。機權果達，謀成而動則有功。威信著明，師行而耕者不變。久宜勞於邊國，實捍難於邦家。有公孫謙退不伐之風，有叔子懷柔初附之略。屬兇渠之嘯亂，乘襄漢之弛兵。竊據一隅，萃厥逋逃之藪。旁連六郡，胸為盜賊之區。命以徂征，迄茲戡定。振王旅如飛之怒，月三捷以奏功。牽甯人有指之麾，日百里而闢土。慰我后雲霓之望，拯斯民塗炭之中。嘉乃成功，懋茲信賞。建旄融水，以率分閫之專。授鉞齋壇，以示元戎之重。全付西南之寄，外當屏翰之雄。開茅社於新封，錫圭腴於眞食。併加徽數，式對異恩。於戲！我伐用彰，既收無競維人之烈。惟辟作福，敢褒有功見知之圖。尚肩衛社之忠，益勵幹方之績。欽予時訓，其永有辭。可特授清遠軍節制使，湖北路荊襄潭州制置使，依前神武後軍統制；特封武昌縣開國子，食邑五百戶，食實封二百戶。主者施行。」

同時其子雲，數立奇功，飛輒隱之。每戰以手握兩錐，重八十斤，先諸軍登城。攻隨州，又攻破鄧州，襄漢平，功在第一，飛不言。逾年銓曹辨之，始遷武翼郎。九月飛一再上章辭建節，詔曰：「具悉。朕惟明主不吝賞，所以求社稷之臣；良將不言功，所以恤國家之難。上下相與，古今一途。卿禀勁雄之姿，蘊深湛之慮。識通機變，忠貫神明。鼓勇前驅，服勞先於士卒。執謙不伐，行事合於詩書。比總偏師，克平叛寇，坐復六州之故地，用蘇千里之疲氓。嘉爾施勞，出於談笑。既策勳之甚茂，宜領爵之特優。建大將之旗鼓，授元戎之斧鉞，往臨三路。奚為遜避之陳，猶避寵章之渥？亟膺明命，益勵遠圖。庶見方隅綏靖之期，乃稱朝廷崇獎之意。所請宜不允。」（七二）

海嶠閒談會

談道德觀念

諸葛文侯

曾因謀刊了一部名叫「心鎖」的小說，而被「中國文藝協會」指為黃色作品，宣告開除她的會籍，而被治安機關禁止該「心鎖」在市面發售，即因此而名揚國內外的女作家郭良蕙女士，她是孔夫子的同鄉人，住在台北市郊一座小樓上，先生是一位飛將軍，伉儷之情甚篤。我原來不認識她，就因為她最近成了文化界的風雲人物，經朋友介紹晤面，自然談到「心鎖」這部著作的內容是否違悖道德的問題。時值炎夏盛暑，她穿着短褲背心，在客廳裏跟我們說說笑笑，即以她自己的裝束為例，發抒其道德觀感。

她說：「若在二三十年前，我以這樣的裝束對着客人談天，一定被指為有傷風化之極不道德的行為，國人皆曰可殺，但在今日却司空見慣，誰也不以為意，等到二三十年後，人們或許又視我現在這種打扮為老頑固了。道德與風化的觀念相表裏，沒有固定的標準，它是隨着時代的變遷而轉移的，這便是所謂存在決定思惟吧？」她的言談輕鬆而幽默，對於外來的指摘攻訐，幷沒有要向法院提出「誹謗罪」控訴狀的意念。我很贊許她的風度，如是亦以幽默語調對她說道：「你的見解很正確，三十餘年前我在北京看到的社會現象，即是一種很好的例證。至於你被文藝協會開除會籍這回事，若在共產社會裏，那是很嚴重的情形，因為脫離了職業團體的組織關係，馬上就要陷入失業的苦境中，致你『向隅而泣』，但在自由天地之間，幷不是甚末不得了的問題，毋庸介懷也。」

在民國十三年以前，我國首善之區的北京各個戲園，絕對禁止男女同座的，男的坐樓下，女的坐樓上，鴻溝劃定，誰也不能踰越。詎民國十二年馬連良在「華樂園」出演時，某夕來了四位穿着短旗袍和半節襪子的時髦婦女，昂然走進樓下前排的包廂內，旁若無人的併坐觀劇，一般男性觀衆，已經大感詫異，為之竊竊私議了。繼而那四位公然衝破禮教防綫的英雌們，在相互笑談中，竟翹起粉腿，旗袍再往上收縮着，如是乎，小腿與大腿的原形畢露了。觀衆見狀大譁，噓聲四起，有的高呼「不要臉」，有的就去報告警察，為的是那四位娘兒們的行為有傷風化，激起了觀衆的公憤，非干涉不可。官府為維護善良風俗，自不漠視，警察當場將四位「累得死」（Ladies）移到樓上的座位去，申儆男女之大防，幷予「華樂園」以停演兩日的嚴重處分，社會大衆皆認為理所應爾，毫無閒言。民國十四年我到北京中山公園遊覽，進門即瞧見一張「取締奇裝異服」的警察廳牌告，意在揭示着一件所謂奇裝異服的原貌，說是從一個女性遊客身上取來示衆的。我細看之下，原係一件織有紅綠花色的短旗袍，別無奇形怪狀之處，不禁啞然失笑。

以上這兩項事情，在當時一般人士的道德觀念中，都視為有傷風化，無可饒恕的行為，但在三十餘年後的今人看來，却成了瞎扯胡鬧的笑料，啊！所以，郭良蕙女士的說法，我認為頗有道理，同時她的聲名亦因「心鎖」案而鵲起了，「禍兮福所倚」，老聃這句話是不錯的！

避暑山莊

謬匡

清乾隆帝晚年，好縱游，在熱河建一別墅，曰「避暑山莊」，圍地數十里，廣築樓閣，博採花草植其中，分置亭榭。游其地者，忽而青枝蒼翠，忽而籬茅竹舍，鑿池引水，傑閣高憑，實天下一大觀也。

紀曉嵐扈隨多年，其在「灤陽歌唱」集中，尤多諷頌。乾隆遊莊時，至蒼石，四顧茂林修竹，綠草如茵，清風習習，幾不知盛暑之將至矣。不覺樂而顧之，笑謂從侍之一武臣曰：「此地氣候，大勝京師，誠無媿避暑山莊也。」某武臣對曰：「誠是，此陛下就宮內言耳。若外間城市極狹，房屋一低小，人民半多蝸處其中，彙之戶灶銜接，炎暾之盛，十倍京師，故民間多有諺曰：『皇帝之莊眞避暑，百姓仍是熱河也。』」乾隆憫然，揮之使出，且為之三日不悅。傳云該武臣係滿族近臣，故未遭禍；若漢人言之，未可得而知矣。

又乾隆辛巳，造蘇州街，為孝聖憲皇后七秩大壽。因后喜江南風景，乃於萬壽寺旁造屋，仿江南市廛，坊巷畢具，長至數里，可通鑾輿往來遊行，名曰「蘇州街」。又在啓祥南，建「如意館」；乾隆於萬幾之暇，嘗幸館作繪。可見清代諸帝之好玩，乾隆實開其端，迨晚清尤甚而已。

自由報
內儒警台報字第〇三壹號內銷證
THE FREE NEWS
第二六三期
中華民國僑務委員會頒發
台數新字第三二三號登記證
中華郵政台字第一二八二號執照
登記為第一類新聞紙類
（本週刊每星期三、六出版）
每份港幣壹角
台灣零售價新台幣弍元
社長：雷嘯岑
督印人：黃行蜜
社址：香港銅鑼灣高士威道二十號四樓
20. CAUSEWAY RD 3RD FL. HONG KONG
TEL. 771726　電報掛號：7191
承印者：田風印刷廠
地址：香港灣仔高士打道二二一號
台灣分社
台北市西寧南路壹壹零號二樓
電話：三〇三四六
台郵撥儲金戶九二五二

從「時間因素」看蘇俄今天之變

方南

看這一週間北平與莫斯科的宣傳文件，可以證實赫魯曉夫現已發動對毛澤東的清算與圍剿，毛澤東亦已竭盡全力去抵抗。當前局面可能有迅速而重大的變化，但變化的式樣是難料的。

中共竊據大陸以後，在蘇俄支配之下，做了十五年奴才，到今天終於變了。時間使整個局面由漸變而發為突變。我們必須注意時間因素。

「退一步進兩步」

英國有些論客早就鼓吹「黃禍」之說，判斷蘇俄終會有一天和中共決裂。這是把握着時間因素，放長眼線看未來。我們也不妨就時間因素看蘇俄擴展的過程，透察它目前所採決策的真因，推斷它未來的全盤戰署。

赫魯曉夫正在向西方大力推動「笑臉外交」，除了由蘇俄和英美簽署禁核協定初草，還要提倡訂立互不侵犯協定，使華沙公約集團與北大西洋公約集團消除敵對，和平共處。為什麼他要轉變得如此急劇呢？是一時要弄手段還是根據長遠方案而進行？說他是權宜之計，可能由於下述幾點原因：一、安定歐洲，以解決在亞洲的困難，全力打擊毛澤東；二、再次用力拉緊東歐附庸國與蘇俄的關係；三、繼續弛渙美國朝野的戰鬥意志；四、加強離間法國與美國以至北大西洋公約集團的密切聯繫；五、赫魯曉夫確已認識核子大戰的可怕，開始來一次明顯轉變，博取國內國外同情，提高個人的政治聲望；六、蘇俄業已有了截擊飛彈的設備，藉此欺騙美國停止核試；七、蘇俄競造飛彈的能力已落在美國之後，在變方經濟潛力的比較上，蘇俄寧以暫時停止核試為得計。

爭取「消化時間」

上述幾點都是顯而易見的。但從深遠隱晦的地方仔細看去，我們不妨說：這是因為赫魯曉夫有了一個很精密的打算，認定此時蘇俄要再施「退一步，進兩步」的故智。他鑑於前失，必須為蘇俄爭取一個較長期的「消化時間」。他要從「時間因素」着眼，再來痛下工夫。這正是我們必須用心體會的一點。未來世界重大禍患的主要根苗，可能隱伏於此。

蘇俄迅速向外擴展，是開始於第二次世界大戰以後，一面結束在東歐的擴展，另一面擴展在中國大陸。因為擴展太快，而且吞噬太兇，所以未能好好消化。他的胃納雖強，確會賴以建立起一個工業強國，但因消化不良而發生的毛病也不少。由東歐附庸國的不斷反側，以至中共這次公然反抗，都屬於消化不良的症狀。

在區區十五至二十年間，要把擴展和消化兩種程序一齊完成，那當然不是一件易事。而且由史達林以至赫魯曉夫都會有過得意忘形，錯走一着的教訓。一着之錯也要很費時間去修補的。大概赫魯曉夫業已看透這一點吧！目前他用功修補，爭取「消化時間」，不可忽視。

史赫慣愛行險使詐

共黨頭子都愛走險着。史達林一生行險使詐，最得意的一着是和納粹德國訂約修好，嗾使希特勒侵波，結果被德軍乘勢而東，幾乎把蘇俄一下毀掉。但他死裏逃生，終於翻本，奄有東歐，這又使他胆大妄為，卒在錯誤計算之下發動韓戰。由這一錯着遺下的禍根，便是今天韓共與中共聯合「反赫」的來由了。

不只史達林急中有錯，赫魯曉夫也會寫下同樣的紀錄。赫魯曉夫「賭性」之強，決不下於史魔。這由蘇俄派軍越洲進入古巴，建立飛彈基地一事見之。他下注之兇，胆子之大，比史魔當年策動韓共南侵，尤有過之。但結果也險遭大敗了。

當年史魔發覺韓戰的形勢不對，立即牽使中共加入，悍然以中國人的血肉替俄國建造邊防的長城。這是一種狡猾狠辣的手法。赫魯曉夫在古巴也有他的一套。當美國不恤以發動核戰為恫嚇，迫他撤退蘇俄在古巴的火箭時，他照辦了，卒能厚顏而詞甘，以撤退火箭為名，保住卡斯特羅在古巴的赤色政權，作為他日赤化整個拉丁美洲的根據地。隨而對毛澤東展開爭奪，也終於獲勝了的。接着，還演出一連串的迷人節目，令到西方國家把他看作和平天使，而把中共看作是無可原恕的挑戰者。凡此種種，實集兇狡之大成。但如不尋根究底，從頭觀察，是很容易被他的「偽裝」瞞過的。

精打細算 兇狡異常

所以，我們必須看得清楚明白：赫魯曉夫目前確在安撫東歐，調整主奴間的經濟關係，方面認真用工夫「消化」。消化是需要時間的。無論如何，蘇俄已成為「亞歐腹地」的唯一「陸權」強國，東歐一帶工業之血可以繼續滋養他的經濟生機，在亞洲中俄接壤的廣漠地帶還有許多待發掘的地下資源可以供他利用。假以時間，他的工業還會突飛猛進。他對西方伴和，回頭解決麻煩，初當用韓戰遺下的種種可用的力量，把毛澤東幹掉，而且不只計算得精細，還要運用得靈活，毛澤東捧着史達林的死牌，作為抗衡的藉口，實是笨得可鄙！

目前毛澤東似乎對印度和韓國都要動手，務期每事必與赫魯曉夫作對，比較值得注意是韓國方面。因為韓共和中共拉攏得特別緊密，合兵百萬，接近俄邊，不敢向南韓方面美軍惹火。這便是他們共同上了蘇俄大當的洩憤表現。但中共正在「一窮二白」，毛澤東「發窮惡」的力量究竟有限，以赫魯曉夫性格的陰鷙狡狠，怎有容易「被拖下水」之理？毛愈動愈亂，愈亂愈動，只有促使本身敗亡得更快而已。

盡量爭取

這是他的本錢

自由談

一半兒的革新

馮子先生

最近內政部通令：各機關團體開會時，將「長官致詞」這項官樣文章予以取消。台灣輿論界齊聲稱讚，認為「功德無量」。有此氣魄作風，確屬難能可貴了！

所謂「長官致詞」這種玩藝，當初并非政府法令規定的，而是一些好事人，湖南話叫作「捧卵泡」的人們所肉麻當有趣地搞出來的，戾氣所鍾，人們為之頭痛作嘔者久矣。今日乃煩勞職掌風化與衛生事業的內政部明令取締，可見官僚主義在這號稱為民主憲政生活的社會中，是何等的流毒深沉啊。

[illegible]有的「長官致詞」是可以取消的嗎？至於一般「長」字號的達官顯宦，在開會之中致詞的格式，經年累月創進的結果，亦已有一定的軌範，總是說：「我[illegible]在英明的領袖蔣總統領導之下，反共必勝，復國必成[illegible]」[illegible]

不過，內政部還[illegible]，何必多所操心！這種風氣如果認[illegible]，我希望內政部再進一步，向行政院建議[illegible]，由政府公開[illegible]

毛愈發急 赫愈獰笑

自從「毛赫翻臉」以來，西方觀察家對於中共的工業潛力都估計得很低[illegible]

赤禍是真 何來殘局

[illegible]以利一黨之私，蘇俄又擒得一重大勝利，此後中國大陸被「消化」[illegible]北極熊的巨大胃口中，怕連骨頭也要磨為粉碎，萬劫不復了。[illegible]

寶島之窗

本報記者 台北航訊

△上級人員強迫推銷書刊，下級主管窮於應付，民意機構不同意，害得下級主管痛哭流涕。

花蓮縣議員張阿古在縣議會縣政總質詢發言時，建議柯丁選縣長應切實糾正縣府人員向各級附屬機關推銷書刊。他指出鳳林鎮鎮長林阿谷，因應付縣府人員推銷書刊，每年達三萬七千餘元，日前該鎮代表會大會審查預算時，將此項預算刪除，林鎮長說明此項預算必需開支，要求代表會同情其難於應付上級的苦衷時，當場痛哭流涕。

△錢還沒有到手，先就上稅，現行所得稅法內所訂「預估預繳」辦法不無流弊，民意代表要求設法補救。

澎湖縣議員藍丁貴、陳伊鋒、陳明廷等在議會八次大會財稅質詢時指出：現行所得稅法內有「預估預繳」辦法，該條例規定納稅人應在年度開始時預估自己全年度收入，然後照稅率預繳所得稅，如果預估收入到年終結算少了三分之一，就要受百分之五罰金，說這辦法定得不合情理。藍議員說，納稅人在年度開始時對於自己全年的收益，根本無法預估，縱使勉強預估了，難免有或多或少的出入；而今所得稅法對預估少過三分之一金額時，就需要處以百分之五罰金。如果這條法律不訂補充辦法予以補救，納稅人動輒皆要受罰，成何話說。

△空頭支票滿天飛，台北市政府所開出的公庫支票，竟亦也發生退票情事。

台北市政府興建議會大樓，標購鋼筋一批，開給商人一紙新台幣九十一萬六千四百五十七元七角二分的公庫支票，七月廿日支票到期，卻遭退票，現該公司決提出給付票款之訴。

政府開出的公庫支票，居然也有空頭，未免不可思議，有關機關最好趕快查一查，不要等到台北市變成嘉義市第二就遲了。按：嘉義市長蘇玉衡連續開出空頭公庫支票，而被查出挪用公款，上級強索回扣等案，結果嘉義市長判刑，嘉義縣長停職。

△台南市省立各中學此次辦理聯合招生的入學考試，命題也鬧了笑話。男生社會學科填充題中有兩個不該有的錯誤，其中一題為「我國監察院長的產生，規定由總統提名，經過（？）同意後任命」。

憲法規定監察院長由監察委員互選產生，這是起碼的常識問題，命題先生居然不知。雖然聯招會已經決定：凡該二題的答案，不論有無解答或如何解答的，都一律給分，算是很「大方」，也不失「公平」的彌補措施，總是太見不得人之事。（昌文）

配合轉瞬來臨的連串選舉

台灣省地方自治法規即將作全盤必要修訂

【本報記者吳越台北航訊】為配合轉瞬便來的一連串縣市長、鄉鎮長、縣市議員選舉，有關地方自治的一些法規，政府最近將作必要的修正。

這將是台灣省實行地方自治以來，地方自治法規第四度的全般性修改。將於本屆省議會本次會議中審議通過，並於今年秋冬一連串地方選舉中付諸實施。

去冬修改 程序不合

台灣自實行縣市地方自治以來，每經一次選舉，法規都要修改一次。民四十九年舉辦第二屆省議會議員暨第四屆縣市長選舉以後，台灣省政府曾於民國五十年設置地方自治法規修改委員會，統盤研擬地方自治法規包括選舉法規的修正案，經過一年的修訂，草案早已完成，原應於第二屆省議會任期以內完成立法程序，但因省政府的一再整理，費時過多，直到去年冬季，為了準備第三屆省議會議員選舉，才將「台灣省縣市公職人員選舉罷免監察委員會組織規程」，和「台灣省妨害選舉取締辦法」兩種法規，提送省議會審議。又因前者係依據「台灣省縣市地方自治實施綱要」制訂，省議會認為母法未送審而先議子法，程序上不合規定，打了回票；後者因內政部臨時改變計劃，另擬省議會議員候選人競選規則，由省政府向省議會撤回。所以四十九年適用的自治法規選舉法規，直到現在還是原封未動。可是過去已經發現了許多窒礙難行之處，所以設會修改。經過這次省議會議員選舉以後，又增加了若干新問題。今年年末，明年年初，全省各縣市鄉鎮行政首長與民意代表都要任滿改選，第三屆省議會七月二日成立以後，主要任務除了審議下年度的省收支預算外，就要算修改選舉法規了。

選舉法規應該如何修改呢？這裏有程序問題和實質問題。

程序問題 先修母法

據說，關於程序問題，省府鑒於「縣市公職人員選舉罷免委員會組織規程」曾經被省議會打回票，在修改選舉法規以前，必須先將母法「縣市地方自治實施綱要」送審，這是實施地方自治的法的依據，就台灣目前的政治實情言，等於憲法所規定的鎮市自治法，比選舉法規更具重要性，審議應該特別慎重。

其中有關自治事項與自治財政的規定，為地方自治綱要的重心所在，前任省政府主席周至柔就任之初，即會特設「行政效率促進委員會」加以研擬，一年以後召集全省行政會議，重加商討，所獲結論，報請行政院核定。四五年來，公文旅行不知多少次，自治事項與委辦事項的劃分，中央地方財政收支的劃分，始終停留在研究階段。現在新任省政府主席黃杰接任已逾半年，七月八日也召開了全省行政會議，這一重心問題，也提出來交換過意見，因此省政府方面所擬訂的地方自治綱要修正草案必須要待全省行政會議結束以後才能核定，如果行政會議也和以前一樣「議而不決，決而不能行」，則何時定案還不敢預期。

然而公職人員選舉迫在眉睫，法規又不能不於選舉前修改。今年三月，「台灣省議會議員候選人競選規則」，在各縣市選舉事務所成立以後，候選人申請登記前夕，才奉行政院核定公布，選舉機關與候選人都會煩言嘖嘖，這次為要不致再蹈覆轍，所以才未雨綢繆，提前修改，完成法定手續。

本屆議會 完成立法

第三屆省議會第一次會議八月初即將閉幕，看樣子為了審議地方自治法規選舉法規的修正案，在第一次會議以後，必須另行召開一次臨時會。為了集思廣益，有人建議台灣省政府立即將地方自治法規修改委員會所研擬的全部修正草案公布，並令各縣市政府召集縣市議會臨時會交換意見，提供省府研討，就原草案再加整理修訂，則提交省議會審議時進行可以比較順利。

至於有關自治事項自治財政等核心問題，好在地方行政首長與民意代表們積累有多少年實際經驗，也會有不少人到國外考察觀光過，他們的意見，都很有價值。比如台北縣議會議長蘇清波先生本年春間赴日本考察，適值日本各級地方政府的選舉季節，歸來以後，五月十四日在台北縣地方建設座談會中所作報告就是。

內容修正 牽涉較多

至於修改選舉法規的實質問題，近年來朝野各方，所特別關切的，大致有下列各項：一、候選人登記提名問題；二、公辦與私辦政見宣傳問題；三、競選辦事處與助選員的設置問題；四、選舉區問題；五、選舉事務的指導問題；六、選舉監察問題；七、公教人員助選問題；八、候選人及其助選員之宣傳內容與活動方式問題；九、不法選舉的取締問題。十、公職候選人資格限制問題；十一、軍人投票問題；十二、選舉法規的解釋問題。朝野之間，由於立場不同，看法不同，意見往往不能一致，如何綜合調協，這才是修改工作上最艱難也是最重要的一環。

關係法規 連帶修正

此外，地方選舉法規，除省議會議員選舉者外，經過幾次整理歸併以後，還有「台灣省各縣市公職人員選舉罷免規程」，「台灣省各縣市公職人員選舉罷免事務所組織規程」，「台灣省各縣市公職人員選舉罷免監察委員會組織規程」和「台灣省妨害選舉取締辦法」等四種，在「台灣省縣市地方自治實施綱要」作必要的修訂後，當然也隨着要作一番適應性的檢討修正。

香港與大陸

毛共在大陸大中學掀起反俄政治學習

指俄政治黑暗民生窮困

中共加強反蘇俄，最近已在大陸各大中學校動員師生「學習」中俄共思想分歧的文件，並揭露蘇俄政治的黑暗與人民生活的窘困，要求彼等認識「毛澤東思想」的「正確性」。

據甫自廣州市申請批准來港的中山大學歷史系學生劉偉×君透露：最近二星期來，中共迫令大陸各大中學校師生，進一步「以毛澤東思想武裝頭腦」，「學習」的內容是最近在「人民日報」發表的若干篇關於中俄共鬥爭的文件及社論，并聽取關於蘇俄現階段政治的黑暗（指出蘇共獨裁和特務統治）和人民生活的窘困（指出蘇俄輕工業的落後與農業產品的缺乏）及其原因。

這位讀歷史的劉偉×君說：他們學校的師生，對中共此項「以毛澤東思想武裝頭腦」的「學習」運動，大部份採取敷衍塞責的態度，而對中共之攻擊蘇俄更只感到好笑。他說：大家都知道，在過去毛澤東的著作和談話中，都曾強調向蘇聯「一面倒」，「以俄為師」，指出「蘇俄是社會主義陣營的頭」，而現在，「毛澤東思想」卻一變為指斥蘇俄「修正主義」的武器，這種變化無常和前後矛盾的「思想」，如何能教大家不暗中發出鄙夷的笑聲呢，雖然大家恨蘇俄倒是人同此心，心同此理。至於揭露的蘇俄的政治上和經濟上的腐敗落後情形，大家是早已心知肚明的。大學裏的師生，他們憑十多年來的親身體會，早知道這種政治上的獨裁和人民生活的貧困，乃是共產政權無可避免的孿生兄弟。

劉偉×君說：在這次「學習」運動中，不少師生趁機對共產主義和中共政權給予有力的諷刺。在一次他們全班同學的討論會中，由該班的一位黨員主持，他首先盲目瞎吹「毛澤東思想」是如何的正確偉大，俄共之「修正主義」又如何的向美帝國主義屈服低頭，如何違反「馬克思列寧主義」……等，後來有一位同學站起來，態度非常謙虛地向他說：「主席，我實在有點不明白，俄共和它的領導人，既然是修正主義者，這當然不是偶然變化的，必然有其一定時期的演變，但是，在「毛主席」的著作和談話中，為什麼卻常提到『以俄為師』，俄共是社會主義和共產黨的頭，……這是怎麼一回事呢？」他這問題，使那位主持會義的黨員學生，尷尬異常，幾乎無詞可對。在聽取共幹揭露蘇俄常有暗殺事件，以及人民生活的窘困，經濟的混亂（如貪污、走私、黑市交易的盛行）的報告時，會場中充滿了「蘇俄革命了四十多年，仍然是如此一團糟！」一類罵俄共實在亦罵了中共的誚皮話。（敬斯）

北市第五合作社侵占背信案原委

其次是蔡煜財於四十八年六月二十三日，以公款買舊機車一輛，係向隆德木器行買的，未及一年即廢之不用。乃蔡煜財竟於五十年一月十七日起，至同年三月三十一日止，支付汽油五十加侖，合計一千一百元，但無石油公司的發票，而以證明書載明汽油係向攤販買入云云，此顯係虛偽不實，因而，應依非常時期農礦工商管理條例第三二條論處。

第五信用合作社債務人呂牽治將價值二十五萬元之華陰街六十九號房屋，押於第二建築信用合作社，借了二十萬元，而蔡煜財竟意圖第三人——呂牽治不法之利益，而貸予九萬元，後又貸予八萬元及貼現一萬元。呂牽治貸款到期，不能償還債務，第二建築合作社乃申請台北地院拍賣，底價二十五萬元，而蔡煜財恐成呆帳，以四十四萬元之高價向法院標購，使該第五信用合作社損失十九萬元。按照合作社法第三十八條規定，凡是經營放款業務之合作社，借款人如不能清償債務時，理事應負連帶償還之責。蔡煜財如此做法，顯然是背信。

自四十九年九月三日，到同月二十四日之二十二天內，該第五信用合作社收入部份，與合作金庫大稻埕支庫之帳記貸出部份（按：即該支庫貸與第五信用合作社之帳戶），相差達四十四萬五千元之鉅，案經監事會查覺，並提出追究責任。然蔡理事主[illegible]陳萬得向台北地院告發[illegible]王鎮承辦，最後一次偵查是去年六月二十二日，即擱置達一年多。旋因王鎮涉嫌假口案中之瀆職案發生，改由檢察官方正承辦，方檢察官以該案為告訴案件，而非告發，故予以不起訴處分。（下）

去年國民經濟成長率概況

本報資料室

農業

稻米豐收糖減產　林產率顯著下降

五十一年稻米生產達二百十一萬三千公噸，實績最爲顯著。農作物中減產量較多而又影響生產指數較大者，爲糖蔗，僅生產七十一萬一千公噸，較五十年之九十二萬四千公噸，減少達二十一萬三千公噸，估百分二五。其次爲林業僅產八十七萬立方公尺，較五十年減少百分二三．一二，而薪炭產量爲十七萬立方公尺，較五十年減少百分五．一三。漁業方面產量仍能維持五十年水準者，僅有沿岸漁業，而遠洋及近海作業，因受漁場及市場影響，其增產率僅及五十年之一半。至養殖漁業，減產爲四萬九千公噸，較五十年減少百分一五．二。

按稻米雖增產，食米輸出只有七百餘萬美元，若扣除輸入食米一百餘萬美元，及輸入之麥、豆類、麵粉、雜糧等三千二百餘萬美元，尚有二千六百多萬美元之淨輸入；換言之，糧食增產已趕不上人口增殖之需要了。

其他特用作物，產量較五十年增加者，計有茶、洋菇、香茅油、瓊蔴、亞蔴、薄荷等，其中洋菇由五十年之三千公噸增加到一萬三千公噸，增達百分三六二．五。

至於農業生產減少的原因，據官方公佈說：林業生產基於歷年來針、闊葉樹砍伐過多，爲保持生產砍伐之均衡發展，而將預訂生產目標降低，僅估原第三期經建計劃之百分六四，同時外銷建成計劃外銷額（四萬立方公尺）之百分六〇。漁業方面因遠洋漁業受中途加油及交貨之條件限制，故甚少遠航。而該年春夏之際，副霍亂流行，魚類消費市場需要遞減，因而生產趨低。

工業

棉紗鋼鐵造紙等業　時聞困難請求救濟

五十一年工業生產較五十年增加百分一一．七，係由於重要之工礦產品產量皆有顯著之增加所致。

工業增產之因素：由於國內市場新興需要之增加，如國內一般消費水準逐漸提高，因而市場對若干耐久消費物品如汽車、電氣冰箱、電視機等需要之增加，刺激產量。至鋼筋水泥房屋、電力、自來水、煤、味精及塑膠製品等產量，亦因市場需要而繼續增加。由於外銷繼續增加而增產者，計有三夾板、水泥、造紙業等。紡織品未因美國限制而減少，相反的，外銷仍增加。餘如若干化學工業品，更因原料的關係而呈供不應求之趨勢。

有關國際市場價格變動而影響生產者，如食糖由於出口價格低落，致產量遞減。有因美援物資進口原料減少以致影響產量者，計有花生油、麵粉、豆餅等。有因捐稅之增加而使國內市場需要減少以致減產者，如各類烟酒受公賣加價影響，其產量自五十一年五月以後，即顯著減少，使收入未能達到預算數。由於過去發展過速，市場有限，因而維持較低產量者，以各項鋼品最爲顯著。此外，企業利潤之多寡，及獲得銀行信用條件之難易，亦在在影響生產。

關於營運狀況，據經濟部工礦組之統計，大體言之，凡是存貨減少，產量增加，及存貨之增加率小，產量之增加率大者，其營運狀況，大致較五十年良好，諸如煤、汽油、氰氮化鈣、尿素、硝酸錏鈣、燒鹼、生鐵、日光燈管、纖維板、洋菇罐頭、棉紗、過磷酸鈣、塑膠等十三類是。

至於存量增加率大，產量增加率小，存量增加，產量減少，以及存量與產量同告減少者，計有鹽、人造棉、煤油、柴油、燃料油、紙張、純鹼、水泥、平板玻璃、鋁錠、鋁片、鳳梨罐頭、電表及汽車等。

因爲，若干重要工業，如棉紗、鋼鐵、造紙等業，確陷困境，且時聞企業經營者向政府申請救濟聲，這是值得注意的。但若能從革新技術、改良經營管理，降低成本，提高品質，當可在國際市場一顯身手，否則是無法打開國外市場的。（三）

李太白逸話

漁翁

所詠「笑歌行」：「君愛身後名，我愛眼前酒，飲酒眼前樂，虛名復何有？」「行路難」：「且樂生前一杯酒，何須身後千載名。」又「將進酒」：「古來聖賢皆寂寞，惟有飲者留其名。」末云：「五花馬，千金裘，呼兒將出換美酒，與爾同消萬古愁。」還有首贈內詩：「三百六十日，日日醉如泥，李白雖有婦，何異太常妻。」按太常，指後漢周澤官，周一年三百六十日，每日皆飲酒，可見白酒癮之大。同時，在酒與中寫詩歌，飄飄然有出天地外，思出鬼神表，故後人又稱之爲「詩仙」。爲了除了嗜酒以外，還喜愛明月，認爲明月皎潔，象徵詩人之胸懷。所賦「關山月」：「明月出天山，蒼茫雲海間」。「下終南山」：「暮從碧山下，山月隨人歸」。又「月下獨酌」：「花間一壺酒，獨酌無相親，舉杯邀明月，對影成三人」。簡直把月亮當作朋友，非月不快，非酒不樂，蓋藉此以澆愁悶而開心境也。

白與郭子儀有一段以恩報德之生死因緣，郭曾因事被罪，已綁赴刑場，得白一言而止，後郭帶罪立功，官至大元帥。時安祿山叛亂，明皇幸蜀，白避亂於廬山，被永王璘強迫下山，留於幕府，後肅宗即位於靈武，有告永王璘謀反，命子儀討之。白逃至潯陽江而被俘，子儀見之，親解其縛，置之上位，並言肅宗，徵爲左拾遺，以報當年救助之恩。而白辭不就，仍泛舟於金陵㕩陽，優游歲月，以終天年。

白晚年景況蕭瑟，不能自給，依當塗令李陽冰。往來於宣城歷陽間，飽嘗青山，敬亭山，采石磯一帶之風景，所云：「相看兩不厭，只有敬亭山。」描寫獨坐之景，非深知山水趣者不能道也。

六十三歲，死於當塗，王定保摭言：說白入水捉月而死。據傳白在采石磯，值午夜月明，醉後太呼捉月，躍入江中，水流湍急，救者無從。是夜居民皆聞天風鼓樂之聲，有見李白騎鯨而去，羽葆甚盛。以上所云，散見唐人筆記中，故建祠、修墓、築亭，以資紀念。

有樓名「謫仙」，有亭曰「捉月」，皆建采石磯上，楹聯滿目，率無佳句，有某名士醉後書一絕於上曰：「采石磯邊一坯土，太白詩名震千古；來者去者寫兩行，魯班門前弄大斧。」自後過者見之，不敢再捉筆矣。

致白之祖籍在隴西，唐初，移入四川昌明之青蓮鄉，所居尚有「隴西院」，「粉竹樓」，「衣冠塚」之遺跡，而院以隴西名者，乃不忘祖籍故也。

抗戰時，余過蜀之昌明，訪李白故居，門前石壁上鐫一聯云：「大華直接青蓮宅；天寶爭看粉竹樓」。按粉竹樓爲白妹李月圓梳妝處。白之衣冠塚，亦在其旁。惟門第冷落，園鞠茂草，低徊流連，不禁有今昔之感！（三、完）

閻錫山將軍的反共意見

吳文蔚

費吾生：任何政權，若脫離人民，即不能存在。何以說共產黨失敗，必定連帶的死傷許多人民呢？

閻將軍：因爲共產黨對抗我們，不只是靠前綫，還要靠他控制下的多數民衆。我以爲美國以原子武器，擊敗共產黨前綫的軍隊，是毫無問題；以原子彈、氫氣彈，癱瘓蘇聯的軍事工業，也毫無問題；所成問題的，是共產黨拿上反資本主義的招牌，號召農工大衆。因農工大衆，恐懼資本主義的政權，要恢復剝削他們的痛苦，所以他們一定要與共產黨的政權結合在一起，對我們登陸的軍隊，盡說假話，對共產黨的軍隊，盡說眞話，使我們進入他們轄境內的軍隊，成了一個沒有眼的瞎子，和沒有耳的聾子，使我們沒法子和他作戰，這是一個很大的困難。

我這話不是一個玄想，是我的一個經驗。我再舉一個實例說：抗戰時，山西的日軍，進到風陵渡，再不敢向潼關前進。北平日軍的華北指揮官，命令佔領山西的日軍進攻西安，山西的日軍司令答覆說：『我們現在的兵力，不只可攻取西安，即蘭州，成都，也可攻下；但山西的游擊隊和民軍，滿地都是，我們的補給綫無法維持，如何能攻？』遂作罷。共產黨今日對抗我們，比我們對抗日軍的力量要大好多倍；也就是我們進攻共產黨，要比日軍進攻我們，困難若干倍。這是可以預料的。

費夫人：自由國家，若像共產國家那樣的努力，自由世界，早就得到和平了。

閻將軍：你這話很對。努力與不努力，固是一個問題，努力的合乎時代需要與不合乎時代需要，更是一個問題。

費夫人：是這樣的！閻先生今日談話很多，我們受益非淺，並蒙酒餐招待，我們甚爲感謝。

費吾生：蒙閻先生送我們這些書，我一定要分送給朋友們閱讀。並謹致謝。

閻將軍：祝二位健康，並祝費夫人旅途快樂。

二、目前國際情勢及與我們的利害問題

閻將軍說：今日的事，是全面的事，無所謂與我們的利害。說到對國際情勢，不能從表面的言詞上看，應該從他們的內心上去推斷。內心上即是一個單純的趨利避害，各謀求自己的勝利。現在共產國際的領導人與全世界共產黨人的腦筋中，均縈迴的一件事，就是如何能夠避免原子彈和氫氣彈，轟炸蘇俄的軍事工業與軍事資源。按他們這個心理，是要避免了受轟炸，而又可達成赤化世界的目的。（五）

瘟君續夢

第九回：枵腹爭雄　壺漿招餓鬼　苦心糾衆　風雨會羣魔

赫魯曉夫看見中共覆信如此迅速，以爲毛澤東不會再生二心，就發出邀請書，預定在一九六〇年十一月七日假十月革命四十三周年紀念日，舉行全世界共黨大會。並且指定要各國共黨第一書記率代表團出席。

到了十一月初，各國共黨代表團已紛紛抵達，果然都是頭號首領。祇有中共方面沒有絲毫動靜，好似沒有這回事，全世界眼光都注視着北平，看毛澤東究竟出不出席，赫魯曉夫當然也看出情形不妙，就把主席團委員及書記處書記找來開會。

赫魯曉夫說道：「我看這次恐怕要上了毛澤東的當，我們當初是以爲他會來的，向全世界共黨發的通知也是指定第一書記出席，毛澤東現在一縮頭，我怎麼向全世界的兄弟黨交代，無形中把自己威信貶了三尺，沒想到終年捉蛇，結果還是被蛇咬了手。」

柯茲洛夫問道：「毛澤東眞會到底怎樣，應該叫契爾沃年科去探詢一下，他要是一定不來，我們再作打算。」

赫魯曉夫擺手說道：「我已經派契爾沃年科去過幾趟，早就找不到正頭，中共政治局委員全部離開北京，不知去了什麼地方，打聽外交部官員，他們那裏會知道。」

伊里契夫說道：「毛澤東不敢來，早在我意料中，但是，他也不敢杯葛這次大會，大概不派劉少奇，也要派周恩來，我們可以先作個準備。」

米高揚摸着小鬍子說道：「無論中共代表團團長是誰，我們都要把他當作毛澤東看待，這樣到不是爲了給毛澤東留面子，而是給我們自己下台，表示無論誰來都是一樣，原不稀罕毛澤東。」

蘇斯洛夫點頭道：「我也同意米高揚同志的意見，事到如今也祇有這個辦法。」

赫魯曉夫長嘆一口氣：「這次我算栽到毛澤東手裏，不過，這是僅有的一次，以後再想騙我是作不到了。」

赫魯曉夫在莫斯科開會同時，毛澤東也在北平西山召開一次政治局擴大會議，商量派誰率代表團出席莫斯科會議。

大家到齊之後，鄧小平先報告蘇聯邀請書的內容，其中特別規定希望由各國共產黨最高負責人代表出席。

毛澤東冷笑道：「赫魯曉夫實在蠢得很，邀請各國共產黨去莫斯科開會，祇要大家去出席就完了，何必硬性規定要最高負責人出席。」

劉少奇說道：「赫老的意思大概以爲各國共產黨主席或第一書記率團出席，便於解決問題，若是一些次要人員，必然要時刻打電報回來請示，對於會議進度就阻延了。」

毛澤東哼了一聲：「這些理由都是表面的，他眞正的目的在於把我騙到莫斯科去，再想辦法害死我。我就是不上這個當。」

劉少奇不敢再勸他去，祇好續開話題問道：「主席不去，將派誰去呢？」

毛澤東似笑非笑說道：「我不去，祇有你去了。別人去蘇聯更開心。」（一二六）

憶紅豆四十壽

朱滌秋

紅豆館主溥侗，字厚齋，一號西園，爲清室末代帝王的近支，如果乃兄溥倫入嗣大統，未必有溥儀地位，亦即使沒有了宣統。或者有云，北平內城東西兩門，爲宣文宣武，注定了明清兩代的末朝。并云此出自淳意伯劉伯溫的手筆。厚齋性格，與洪憲開劇二皇子袁克文抱存，大同而小異，皆嗜喜劇曲，當然紅豆之精湛，非抱存所能及。除戲劇而言，其他書畫琴棋，後者亦不逮前者。惟紅豆不好古玩而事貨殖耳。紅豆在玩戲界的地位頗崇，即老一輩的譚孫，見之亦稱五爺，後來人簡稱爲侗五。

昨讀諸葛文侯之雜談，爲看了趙原周金福周正榮的審頭刺湯，褒貶之處，頗佩法眼。因憶及兩月前訪企園（即上海名票花衫羅綺綠先生），談到紅豆四十壽時，有一台妙戲，皆是票友，大軸亦是審頭刺湯，當然今非昔比，相距有如雲泥。茲約畧摘記如次：

開場爲甫出茅廬的蔣君稼兄，與張寶昆合唱孝感天。君稼學戲是紮根底學起，所以後來精力很深，不是現在聽了錄先生的摹仿而已。次爲林鈞甫的戲鳳，配正德似爲陳遠亭。鈞甫扮相極豔，唱腔亦純，尤其醉酒娘子軍等戲，功夫未必遜伶工。三是包丹亭的探莊。丹亭能武工，而探莊一齣，外間伶工絕少能演，幾成獨步。他演戲多見演全，故此戲兼帶射燈，余在宣外江西會館曾兩見之，身上的乾淨，交代的清楚，令人歎服。觀雲甫以唱老旦成名，主要的條件，是扮富家命婦，或窮巷貧婆，皆能酷似。生成一副老婆子面孔，無人可及。在票友中有兩位，一是松介眉，祗可唱窮婆；一爲臥雲居士玉敬臣，祗好唱富家婦。兩人把他分開了。介眉未正式下海，臥雲却下去了未大紅。是晚他唱斷太后，唱腔固甚好，但無多表情，不見勝於丹亭，聽聽而已。

大軸審頭刺湯，由羅太爺曲園演陸炳，三爺羅綺綠演雪艷。此戲綺綠根本前未唱過，瑞卿說不要緊，鑽鍋。費了十五六天的時間，排練純熟了；唱腔自不成問題，祗要點清段落，即便登場。果然名下無虛，非常精采。而刺湯的身段，更是巧妙，畢竟通天教主是能導脚色。最精警者要數哀寒雲的湯勤，那副好諂獻媚，極盡其能。他好在腹中塊壘，富有書卷，所以在諂媚中有雅，非伶工所能及。如蕭長華雖精而不夠雅也。寒雲擅演小生與小丑，小生是本色，小丑我僅見崑曲回營的伯嚭，及另一鮮于詰，羣英會蔣幹與湯勤，皆屬方巾丑，而各有其態焉。

正名（下）

謝康

到社會主義，共產主義抬頭，又似乎把它的範圍縮小，幾乎僅以無產階級爲限；於是中共便將「人民」和「國民」劃分，他們所謂「人民民主專政」，就是無產階級專政的意思。因此十九世紀德所倡的「人道教」，就和法國共產黨的「人道報」，雖同用「人道」兩字而意義不同了。準此理由，共產黨所謂「和平」、「民主」、「帝國主義」、「資本主義」、「封建思想」、「社會學」、「解放」、「侵略」、「裁軍」、「革命」、「眞理」等，都有它們的辯證法底獨特意義，和自由世界一般通用的涵義，很多是不相同的。因此，我們可以說：鐵幕裏頭另有一套語言文字，是鐵幕以外的人不容易瞭解的。二次大戰後這個世界所以分成兩大陣營，和雙方對於這道名詞涵義的分歧（有時正相反對），有很大關係。今後聯合國要建立人類世界的眞正和平，我以爲要先注意正名的工作。特別對於經過共產黨「洗腦」以後的，我因此也曾想到，將來我們重新回到大陸時，我們「正名」和再教育，對青年們該是何等迫切的需要！

語言是維持人間關係的一種手段，是有整的思想形式，也是符號世界裏面很重要的一環。但語言及文字符號有多種，有常識的也有科學的，有哲學家的也有詩人的，有宗教家的，也有巫術師的，有道德家的也有法律家，政治家或外交家的。形形色色，不一而足。作爲一個學習這門知識的讀書人，應該仔細研究與它有關的各種名詞及詞語的概念，以求澈底了解明白纔好。這是分辨了解的工夫，可能形成一個專門的學問。[illegible]

胡適之先生因此作了一篇「差不多先生傳」，選入中學國文教材裏面，頗爲一般中學生所愛讀。但讀了之後，「差不多」的毛病，還是一個未知數。要醫治愚蠢，或驅除籠統模糊的毛病，我想還得由國家最高學術研究機關和教育部，來從事領導「正名」的工作。同時，希望寫作的人在寫作的時候，隨時注意自己所用的名詞底正確意義。

大約五十多年前，章太炎先生作檢論，其中第五篇，爲「正名雜義」，對這個問題，已有所論列。不過，他所注意的，是偏於舊名詞方面。又，民國十七年胡適之作「名教」篇，另有一種觀點，認爲是崇拜名詞的宗教。我們今天應該「繼踵前修」，對現代通用的名詞，包含學術用的詞語在內，分頭努力，隨時注意「正名」的工作，然後「名正言順」，言語和思想也可以清楚明白，這原是文明民族應該有的責任。

大埔桃源洞

吉庭

桃源，在古武陵郡，宋置縣。清屬湖南常德府，今爲桃源縣。相傳晉時，有漁人王道眞者，沿溪捕魚，見夾岸桃花，遂水而來，因溯流而上，得一洞，由口入，聞雞犬聲，不知何境，問之，則曰：吾先世避秦亂，來此居住，不知幾何歲月？亦不知今年何年？[illegible]至此？」道眞出洞，異之，辭歸以告太守，太守命人往訪，竟迷失其處，此後無復問津者。

我國大詩人陶淵明，名潛，字元亮，尋陽人，爲征西大將軍陶侃之孫，生於社會動盪末期，政治黑暗，[illegible]。一度爲彭澤令，郡遣督郵至縣，吏白應束帶見之，潛歎曰：「吾不能爲五斗米折腰」，因棄官去。好游山水，徜徉自適。[illegible]「桃花源記」，意者其爲淵明之「理想國」乎？

淵明筆下之桃花源，位桃源縣東南，距城三十里許，因地多桃樹而得名。[illegible]後人遂稱可以避亂之地曰「世外桃源」焉。後來唐代詩人王維作「桃源行」，有曰：「居人共住武陵源，還從物外起田園；月明松下房櫳靜，日出雲中雞犬喧。」[illegible]末云：「當時只記入山深，青溪幾度到雲林；春來遍是桃花水，不辨仙源何處尋？」此爲迷失其路，無復問津，用古歌而翻一版焉。宋代詩人謝枋得「慶全庵桃花」：「尋得桃源好避秦，桃紅又是一年春；花飛莫遣隨流水，怕有漁郎來問津」。又成爲歌詠桃源之名句。

據桃源縣志載，桃源洞之殿宇，建自唐代，歷元明，至宋一再修葺，亦加整飾，致規模大備。洞口有石牌坊，上鐫：「古桃花源」四字，旁一聯云：「紅樹青山，斜陽古道；桃花流水，福地洞天」。入其坊，即見山，蒼松翠柏，風景絕勝。沿溪上，有「八角亭」，曰「過仙橋」，「古桃花潭」旁，再前行，則石洞在焉，旁有古碑，大書：「秦人古洞」。而「桃花觀」在山峰上，古今名人所題詠聯，琳瑯滿目，不可勝記。入其地，心曠神怡，恒令人低徊流連不忍去。

遠客勿論，即香港亦有所謂桃源洞者，在新界大埔，有一天然湖池，爲夏季游泳處，有洞門有一聯：「韶桃李以接淵源開，花放皆隨流水去；纖梧桐而開峽洞，[illegible]」[illegible]此桃源洞，雖未得名文豪大家陶淵明之所記，以點綴，不能與武陵桃源相比擬，但地因時代而有變遷，今日之桃花源已非舊，到今日之香港之桃源洞，欣賞綠水，給避秦人十游泳的，雖日不謂之宜。日：「世外桃源」，筆者所領略，欣賞借古人言，亦爲桃花源之風景，久集句爲二首，以抒懷：

「尋得桃源好避秦（謝枋得），野花啼鳥一般春（陳搏）；孤帆遠影碧空盡（李白），欲向漁舟便問津（蘇軾）」。

「尋得桃源好避秦（謝枋得），水心雲影閒相照（程顥），數家煙火自爲鄰（朱濟）；空裏浮花夢裏身（蘇軾）」。

南宋偏安有人才

李仲侯

飛三上章辭建節，仍不允。詔曰：「具悉。卿忠義出於天資，忱恂著於臣節，志徇國家之急，身先行陣之勞。誓將推功名而不居，豈復以私富貴爲意？然賞國之典，輕重係功；師不踰時，役不再籍；遠克六城之衆，復還千里之疆；振凱奏聲，策勳可後；謙以自牧，卿必欲三命之恭；賞或失勞，朕將何以爲勸？所辭宜不允」。

維時諸大將貪多，飛每被賞，[illegible]

乃謝使者曰：「代某辭丞相，兵士可以義責，不可以利驅。襄陽之役，君事也！使既事不授節，將坐視不爲乎？拔一城而予一假者，所以待衆人，非我所以待國士也」！乃是建節力辭，不得已乃受。

十月令兀朮勾結劉豫大舉入寇，詔飛曰：

「兀朮、劉豫稱兵七十餘萬，聚糧入寇，諜報警急。廿一日令備馬舟船，於衝要控扼之地，分布防托，時具諜報動息，及備禦次第聞奏。廿五日令照應荊襄，控扼武昌一帶，仍措置楊么。二十七日令體探的實，嚴切提備。廿九日凡控扼處，分遣官兵，賊衝把截。如有警急，則鼓率將士，極力捍禦掩殺，毋令透漏。冬十月五日令疾速措置，更遣諜探，日一具奏」。

金人侵淮，圍廬州，賜御札促飛提兵東下，札曰：

「近來淮上探報警急，朕甚憂之。已降指揮，督卿全軍東下。卿夙有憂國愛軍之心，可即日引道，兼程前來。朕非卿到，終不安心，卿宜悉之。付岳飛。」

飛奉詔出師池州，先遣牛皐渡江。十二月自提兵趨合肥與皐會。時僞齊已驅甲騎五千被城，皐以所從騎諭虜衆曰：「牛皐在此，汝輩何爲見犯？」虜衆已愕然相視。及展字旗，與精忠旗示之，虜衆不戰而潰。飛謂皐曰：「必追之！去而復來，無益也」。皐追擊卅餘里，虜衆相踐及殺死者相半，殺其都統之副及僞千戶長五百戶長數十人。擒番僞兵八十餘人，得馬八十餘匹，旗鼓兵仗無數。軍聲大振，廬州遂平。上遣李廷幹賜飛香藥一合，並賜札撫問，札曰：

「卿義勇之氣，震怒無前。長驅濟江，威聲遠暢。宜奮揚於我武，務深得於敵情。既見可乘之機，即爲攄盧之計。眷茲忠略，豈俟訓言。深念勤勞，往加撫問。付岳飛」。

（七三）

解頤篇

周燕謀

三國時，劉備在蜀，嚴禁釀酒，凡有釀具者，皆罰之。一日，簡雍與備登樓，見一少年與一少年同行，雍白備曰：「彼將行好，何不執之？」備曰：「何以知之？」雍曰：「彼有淫具，何故不知？」先主悟其趣旨，大笑，乃緩禁酒之令。

東晉時火犯少微，其時處士戴逵自謂當之，遂有憂色。久之，隱者謝敷卒。時人譏之曰：「戴處士所謂求死不得死也。」

七殺碑

謬匡

殺人魔王張獻忠，爲蜀人最痛恨之殘賊，婦孺皆知之。俗謂「張獻忠『洗』四川」是也。洗者，血洗也。獻忠爲延安人，縱寇入川，於成都立一碑曰「七殺碑」，自題文曰：「天生七德以養人，人無一德以報天；殺！殺！殺！殺！殺！殺！殺！」

獻賊在蜀中大肆屠戮，川人無辜被難者，不可勝計。寧及婦女之三寸金蓮，佳者悉斫，而堆置之，名曰「小脚山」。據傳：張被酒，悒悒寡歡，其愛妾小脚之翹楚也，侍寵問故，張曰：「因無小脚山峯，以是悒悒耳！」妾翹其小脚戲示張曰：「妾脚如何？」張遽曰：「此合用」！揮刀斬足，妾應手而落，妾遂死。其兇殘有如是者。

俗傳：文昌帝君爲蜀梓潼人，亦姓張，張因囑文士爲祭文以祀之，皆無有合其意者。張賊自援筆書曰：「你姓張、咱也姓張，咱們兩個聯了宗罷」。張獻忠後僭稱大西國王，改元大順，清肅親王豪格入川剿之，張一敗，甚至自出馬。明降將指謂肅王曰：「黃袍金甲者張獻忠也」。肅王引弓射之，張中箭落馬，軍敗匿林中，爲清軍搜出，肅命磔之於市。一世殺人王，其結果亦被人殺，宜矣！

近人詩選

讀[illegible]情詩

夏日晴

誰遣蕭聞禹跡東？滿江待譜岳王紅；
非關至性貧而賤，不覺終宵雨亦風。
斗室疎籬鏘金石，寸心長鑱伴絲桐；
鉛華洗盡崇平淡，句警味腴主孝忠。

自由報
THE FREE NEWS
第三六三期
社址：香港銅鑼灣高士威道二十號三樓
20 CAUSEWAY RD 3RD FL.
HONG KONG

注視美對外蒙的新態度

宋文明

很早以來，美國的亞洲問題專家，不論是服務於美國政府機構的，或在政府之外作學術研究的，都非常注意外蒙這一地區。尤其在政府之外作學術研究的一批專家智識份子，更不時發出建議，要求美國及早承認外蒙，與這一地區建立一種較密切關係。美國的所以如此重視外蒙，并在很早以前即已存有一種要求作外交承認的暗流者，其原因就在於：

（一）在地理上，外蒙地處亞洲大陸的核心地帶，與蘇俄的西北利亞相接壤。因此美國若承認外蒙，在烏蘭巴特（庫倫）設立一個收聽站，對於美國設法瞭解蘇俄西北利亞的工作將會產生一種極大的幫助。尤其把測量核子試爆的儀器安放在駐庫倫使館之內，對於偵察蘇俄在西北利亞境內的地下核試，自將提供一種無比的價值與便利。而這種便利與機會，在別的地方是無法找到的。

（二）在政治上，外蒙處於蘇俄與中共兩大之間，國際環境非常微妙，因此美國若承認外蒙，在庫倫建立一個外交據點，不但可由此容易測知蘇俄與中共在外蒙地區的相互活動及其所反映出的其他鬥爭情況，而且也可以此作爲一個冷戰場合，企圖通過外蒙，利用外蒙，而在這一爭執中謀取若干利益。

（三）在外交上，美國若一旦承認外蒙，與之建立正式外交關係，則隨着這種關係的開展，美國與外蒙之間的文化、經濟、及一般人民的往還，亦將不斷增加。如此，美國不僅可對這一地區作一種廣泛與深入的瞭解，而且由於這一切往還都要經過蘇俄的西北利亞，所以無形中也對蘇俄的這一地區連帶作一番新的接觸。

以上這些原因，雖使美國對外蒙問題多年以來即非常注意，但在艾森豪政府時代，由於共和黨的傳統持重性格，以及顧慮到與外蒙進行外交接觸，均將對當時杜勒斯的對華政策多少具有不利的影響，所以終艾森豪政府八年長的時間，美國對外蒙問題始終沒有採取任何行動。但美國民主黨甘迺廸政府一上台，對這一問題的態度便立刻有了變化。第一，甘迺廸政府對整個共產集團的政策，比較傾向於尋求主動的努力，所以對於像外蒙這樣一個在外交上具有重大意義的地區，也開始予以格外的重視，以期有所利用。第二，美國甘迺廸政府比較不顧慮外蒙問題對美國對華政策所發生的影響，所以寧肯冒在對華政策上的若干損失，以爭取外蒙外交上的收穫。第三，自一九六零年以後，中共與蘇俄爭執開始逐漸趨於擴大與明朗，使美國覺得在外蒙建立一個外交據點的需要，已比過去更爲迫切。於是就在甘迺廸與赫魯雪夫首次會晤於維也納的前夕，美國便正式向外蒙發出了外交試探的觸角。

根據一九六一年六月八日美國務院對此所發表的首次聲明，當時美駐蘇代辦弗里爾，於六月二日與外蒙駐蘇大使魯布山舉行會晤，正式提出與外蒙舉行建交談判的建議。至六月二十日，外蒙對美這一表示已提出滿意的答覆，同意雙方立即舉行建交談判。六月二十七日，美國務卿魯斯克在芝加哥招待記者，已公開表示美國可能承認外蒙。六月二十九日美國務院再度發表聲明，仍表示將繼續進行與外蒙間的建交談判。由此足見當時這一談判不僅進行得相當順利，而且已頗接近成功的邊緣。可是就在這一談判快要宣告成功的當口，美國與蘇俄間對柏林問題的冷戰，却逐漸趨於白熱化，一時整個國際關係陷於極度緊張。於是美國務院便於同年八月十一日發表聲明，表示因鑒於當前國際情勢，美決暫時中止承認外蒙計劃。這就看出一九六一年美國所以中途放棄與外蒙建交打算，并不是由於受了別的壓力，或修改了原來的看法，而是由於柏林問題的緊張，和美蘇關係的一度惡化。假若當時赫魯雪夫不在柏林問題上提出一個年底前須締結和約的重大威脅，製造出這番緊張空氣，說不定美與外蒙老早已經正式建立外交關係了。

可見世界經過這最近兩年的演變，特別是古巴事件以後這半年的演變、整個局面又已發生了新的變化。這些變化無往而不指出：美國嘗試與外蒙重新進行建交談判的時際，又愈來愈近了。在這些變化中，尤其蘇俄與中共關係的惡化，以及蘇俄與美國和解的加深，對於這一問題更有一種重大的影響。先從中共與蘇俄內爭來說，由於這一爭執的趨於全面公開與嚴重，居於這兩大之間的外蒙的地位，已較過去更爲重要。假若說過去美國會感到有把外蒙加以利用的必要，則目前就已有了這種機會，足使美國在此方面有所作爲。再從蘇俄與美國的和解努力來說，由於柏林局勢的日趨穩定，兩國首腦間直接打字電報綫的建立，以及局部禁試協定的成立，使它們間的關係正日漸和好。假若說兩年前在柏林危機聲中美國不適宜於與外蒙進行建交談判，而現在已經沒有這一障碍。假若說當時與外蒙實行建交的結果，可能要引起國會與共和黨的激烈反對，而現在亦已不再存這種顧慮。尤其值得注意的，外蒙在地緣上雖與中共更爲接近，但在政治與外交方面，卻完全遵從莫斯科路綫，并爲東歐經濟互助組織的正式一員。因此，在美蘇兩國關係大見改善，并互唱和平高調情況下，美國現在若恢復進行與外蒙的締交談判，嘗試承認外蒙，便可發生一種一石兩鳥的作用。即一面可給蘇俄以額外報償，藉此擴大美蘇兩國之間的和解空氣，另一面亦可由此挑撥中共對蘇俄，及對外蒙的關係，進而加深它們間的裂痕。

美國現在作這種想法，外蒙同樣亦在作這種想法。本年五月二十日，當外蒙總理澤登巴在庫倫接見一英國記者時，就會公開對美國發出呼籲，要求美國採取主動步驟，與外蒙建立外交關係。這一談話發表後未過好久，來自庫倫的另一消息，又指出一名美國遊客在外蒙政府的莫須有的罪名下被驅逐出境。從這些報導我們可以看出：今日外蒙爲了要爭取美國的承認，不僅發出要求，向美國頻送秋波，而且亦在擺出姿態，對美國施用壓力。就在這種軟硬兼施，雙管齊下之下，外蒙希望美國能再度和它談判，及早尋求建立雙方外交關係。

美國現在所以嘗試要和外蒙建交，另外也有一種外交現實上的考慮。即自一九六一年秋聯合國允許外蒙入會後，外蒙今日不但已獲得許多非共國家的承認，而且亦已經在紐約聯合國總部設立了一個代表團。這個代表團便可利用聯合國會員國的特權及方便，在美國作某些活動。換言之，自外蒙加入聯合國之後，外蒙已利用種種機會作到了瞭解美國，和向美國人民作宣傳的目的，而美國却不能對外蒙作相對的行動。就在這一點上，美國已經感到不承認外蒙，不在庫倫建立一個美國的外交機構，對美國實在是一種損失。尤其外蒙已經獲得加入聯合國，多少已消除了美國在這一問題所感到的道德困擾，所以今日再來進行建交談判，美國所遭遇的責難也絕不會有兩年前的嚴厲。

總之，由於中共與蘇爭執的更進一步公開，及蘇俄與美國間一再進行和解努力，整個世界局勢已逐漸進入了一新階段。在此重要時機，美國爲了要强化自已的外交地位，并設法運用中共與蘇俄間的矛盾，於是自然而然就把目光開始轉向外蒙這一地區。因此可預料，在不久的將來，美國將會重新提議與外蒙進行建交談判，而且將不顧各方的反對，務使有所協議。對此一事，遠東有關國家，自應予以密切的注視及警覺。

漫畫天下

卡斯特羅：「我的船快沉了！」

孤注一擲

自由談

談新名詞

馬五先生

我常在報紙上寫政治問題的評論文字，不過自鳴天籟，就教於社會大衆，決不敢自以爲是。誠如梁任公所說的：「吾儕少數搖筆弄舌之人，自抒己見，殊不足以冒輿論之名」。因此，每聞別人錫以「政論家」的醜惡名稱，心裏即很不自在，若再說甚末「名政論家」某某，那就比當面臭罵我一頓更感覺難過啊！

所謂「政論家」這種新名詞，不知是那位惡作劇的人士製造出來的？在別的國家，只有某某問題專家或專欄作家之類的稱呼，如美國紐約時報的李普曼，鮑爾溫二人，是政治、軍事的專欄作家，肯南是蘇俄問題專家，他們的文字都限於專題研究，決非普通泛論之詞，從未聞有甚末「政論家」存在着。因爲「政論」的性質很廣泛，天上、地下、人間的事情皆可評論，大至國家大計，小至螞蟻搬家和老鼠過河，都是評論的題材，這決不能成「家」，更不配稱爲老子天下第一的「名政論家」。若竟以這種謔而虐的惡謚自娛，引爲榮譽，那便是肉麻當有趣，反證其人俗不堪耐，不足道也。

人間每有許多積非勝是的名詞發生，大家習焉不察，隨聲附和，馴致釀成禍亂，貽害無窮。例如當年國民黨採取容共政策時，共產黨爲要分化國民黨，乃造出「左派」「右派」「新右派」這些名詞，分別加諸於國民黨人士，而受之者不求甚解，自相驚喜，凡被諡爲左派的，洋洋自得，不可一世，被指爲「右派」的，即自慚形穢，避之若浼，而思有以洗刷。實則「左」「右」派這兩種名稱，只是指議員在議會裏的政治立場——在野黨座位居於議場的左邊，在朝黨居於右邊——并不代表個人的政治思想。若就中國文字的義理而言，「右」是最高尚的地位，所謂「無有出其右者」，即言其思想主張之高明正確也。

新名詞所在多有，有好的，也有壞的，如「政論家」「左派」「右派」之類，便屬於壞名詞之列，不可不愼思而明辨之，「必也正名乎」，孔老夫子這句垂訓，是不錯的！

一紙通告激起軒然大波
台雜誌界力爭地位
通過設置記者辦法

內政部將發聲明澄清事態

【本報記者吳越台北航訊】台灣省近千家的雜誌社，七月三十一日在一次緊急會議中通過一項雜誌記者設置原則，交五人小組草擬具體辦法，然後送請政府核備。這是台灣省雜誌事業協會針對內政部所發「雜誌不得設有記者」的通告，而採取的對策。

事件的起因與反響

七月二十日報載中央社中興新村十九日電：內政部發出通告：「雜誌包括週刊，不得設有記者。如有不依規定而設記者，應依執行法規定以書面限定期間預為告誡，如仍不撤銷其所設記者時，依同法予以處罰」。即引起雜誌界一片抗議，首先是「十字論壇」以「向殘害新聞雜誌事業者宣戰」為題，提出嚴斥，其中最有力的幾點，理由是：常見報載蔣總統接見外國雜誌記者的報導，外國雜誌採訪人員被稱為記者，何以本國雜誌採訪人員不得稱為記者，「是不是因為外國雜誌新聞有言論採訪自由，中國雜誌則否，所以才產生這種歧視待遇」？其次，如因有人冒充雜誌記者，或因一二少數雜誌界不良份子的不法行為而致「禍延」整個雜誌界的邏輯說得通的話，「則司法界出了兩個高嵩、王鎮，那麼司法界就不得設有法官了」，「有一個冒充報紙的記者，就所有報都不得設記者」，如此豈不是要整個社會癱瘓或解體？「十字論壇」認為「個人行為應該個人負責，不當禍延整個的雜誌界。這種『誅九族』的作風，除了在帝王專制時代發生過以外，難道我們真又退回到專制獨裁的時代了嗎」？

香港出版的「新聞天地」以「向內政部抗議」為題，要求「內政部收回成命，撤消這一通告，不然，我們將發動海內外期刊雜誌，聯合向行政院、立法院、監察院提出訴願，向聯合國提出控訴，我們不能接受內政部所加予我們的這一非法無理的枷梏」。

美國「新聞週刊」駐港特派員也向該社發出專電說：台灣雜誌業一千多名記者將因此一通告而失業，美國雜誌記者今後進入台灣，也將受此一通告之影響。

內政部熊處長之言

訪新聞與搜集資料而影響雜誌事業之發展。

台灣省雜誌協會於七月二十九日下午，推常務理事魏希文、王玉清及總幹事章昌平同赴內政部訪晤出版事業管理處熊處長與張幫辦，申述雜誌應設記者之理由，請內政部澄清報載「雜誌不得設記者」之消息，以免貽笑國際（因國際人士誤認我政府歧視雜誌事業，妨害新聞自由也）。據熊處長答覆略稱：（一）內政部近日發出之台內版字一一七八七七號代電係對中國村里週刊遍設記者，每村里設置一人，且多有不法行為一事而發，並非一般性之通案，不幸被中央社記者斷章取義，發出專電，引起一般誤解，實屬遺憾。該項公文載在五十二年七月十九日之台灣省政府秋字十七期公報，係台灣省政府新聞處答覆高雄縣政府者，不難覆按。（二）惟近日代電仍係依據四十一年七月四日內社字第一六七九九號代電內所稱「雜誌社不得有記者」一語演繹而來，該代電係內政部社會司對有關記者公會會員資格問題「參照新聞記者法」「新聞記者公會暫行組織要點」而為之解釋，實際上，新聞記者法迄未實施，而雜誌之有記者，則為不可否認之事實，出版法第二十六條明定：「新聞紙或雜誌採訪新聞或搜集資料，政府機關應予以便利，」況以登載時事為主要內容之雜誌，而派記者出國採訪，內政部早即訂有辦法，頒布實行（卅九年八月廿四日台三內字第四五〇六號代電公布）。倘斷然認定，「雜誌不得設有記者」，亦確有不妥之處。惟為防止濫設，對於設置記者之雜誌，其標準如何？記者人數應否加以限制？記者資格如何嚴加審核，以免不肖份子假借招搖，影響整個雜誌界之清譽？則希望雜誌事業協會提出具體建議，俾供參考。並希望各雜誌均納入協會，協會對雜誌界能負起自清自律責任，嚴加約束。

（三）內政部對於雜誌設置記者問題正在研究中，近日即可發表一項書面說明，加以澄清。

雜誌協會擬訂原則

雜誌事業協會為求力爭雜誌記者地位合法化，並提高雜誌記者水準及防止冒濫起見，特於七月三十一日召集第二十一次理監事聯席會議，通過「雜誌設置記者辦法」的原則，並推胡志忠、劉干雲、盧舜、丁若萍、章昌平五人為小組委員，根據通過之原則起草具體辦法，經理監事會通過後，建議政府採擇施行。

經理監事會議通過的「雜誌設置記者辦法」的原則是：（一）雜誌之發行人、編輯人，自當然記者。（二）凡以報導或評論時事為主要內容之雜誌，得視實際需要設置採訪記者若干人（最高每社以五人為限）。（三）各雜誌社記者之資格（學經歷）應比照出版法施行細則第十三條各款或第十四條第一、二、三款之規定辦理。（四）各雜誌之記者如有觸犯法紀者，自應與其他不法的報紙記者，通訊社記者同樣依法嚴辦，以維護法律尊嚴與雜誌界之聲譽；該雜誌並係本會會員，本會應對本該會會員雜誌之發行及社長予以制裁處分，而杜濫聘」。又因內政部熊處長希望該會負起雜誌界自律責任，並對各雜誌記者負責審查監督，故再加擬一項：「各雜誌設置記者，應由台灣省雜誌事業協會（以下簡稱協會）證明其[illegible]合於規定標準，[illegible]記者學經歷證件送由協會[illegible]轉報政府主管機關核備，[illegible]始得開始活動。如各雜誌記者有行為不檢或影響會譽情事，協會應開除該雜誌社代表人之會籍，並報請政府對該記者依法嚴懲。」

雜誌協會並通過對主持正義，支持雜誌界爭取記者地位之中外報刊，致電感謝。

豐原鎮建高爾夫場
累得員工薪津無着

【本報記者昌文台北航訊】台中縣豐原鎮公所因興建高爾夫球場，將公款用罄，幾乎拖垮了鎮公所，以致員工薪津實物不能按月發給，經人向監察院訴願後，函交台中縣政府查報該公所何以罄其所有興建球場。

以招徠觀光為名，倂高階層人士享樂其實的豐原高爾夫球場，當「有春格」人士的小轎車馳騁於新闢的登山道路時候，留連忘返於青山綠水之間的時候，恐怕誰也不會想到，這一片「樂園」拖垮了豐原鎮公所的財政，使全公所所有員工遲遲發了兩個月薪津和實物。這個問題，直到最近為領不到薪水的人向監察院提出訴願，再由監察院函交台中縣政府澈查，才為人發覺。

豐原鎮公所的財政情形，雖然一向就不大高明，但歷年來，僅見道路橋樑缺修，却還沒有聽說過欠發員工薪水實物；去年間，為了響應銀行界聞人張聘三等發起興建公老坪高爾夫球場，以發展觀光事業，廖忠雄鎮長的確賣了一陣力，不但奔走游說，而且捐地出錢，結果，把個本來不大健全的公庫，弄得一無所有，於是，由於公庫空空如也，發不出薪水，這一筆濫賬也才為人向監察院公開。

監院是在五月底收到該項訴願的，於六月十六日以監台院調字一五三九號函交台中縣政府查報，縣府對本案的處理，由於興建公老坪球場係由縣府作主動，如今鎮公所花了錢，出了力，却吃上官司，有點說不過去，於是，[illegible]案執行調查時，也只派了四位低級職員，向鎮公所作公開查詢，其結果却把該案給的數字公開出來了。

據四位調查課員在[illegible]：拖垮豐原鎮公所的濫[illegible]如下數筆：（一）豐原[illegible]墊至今年六月底止，計欠二十萬七千零七十四元[illegible]支不當，其中尚有部份[illegible]予轉賬，借員工借支部[illegible]按月扣回。（二）鎮公[illegible]興建費，所得財源計有[illegible]會土地一百十八萬六千[illegible]十元，邱外科一百零五[illegible]四百十三元，未蓋房屋已賣出[illegible]

[illegible]

香港與大陸

穗漢早已發生霍亂症
同時還有流行性傷寒肝炎等
毛共諱莫如深情況益趨嚴重

據來自廣州與漢口的兩位青年學生透露：大陸不少縣份發生霍亂和其他流行性的疾病，死者不計其數，但中共極力封鎖此項消息，不使外洩，據說為的是恐怕影響「國家的名譽」及對外貿易的饑餓輸出。

一位由廣州市來港的中山大學生何京×小姐稱：廣州市近數個月來，流行不少可怕的疫病，其中最普遍而最嚴重的，為：流行性肝炎、流行性感冒、流行性傷寒、腸炎、霍亂及副霍亂等。

何京×小姐告訴記者稱：她有一位姊姊在「廣東省人民醫院」任醫師，最近幾個月來，她姊姊已忙得不可開交，因為最近向醫院求診者特別多，而患者又多為嚴重的流行性上列病症。據何京×小姐的姊姊向她說：患此等嚴重流行性病者雖極多，但得到有效治療者却甚少，其原因，一來醫藥缺乏，二來醫院的病床有限，且還多用於「照顧幹部」，所以一般患者多無法取得有效的藥物，充其量是給你打一支防疫針或數粒止痛片而已。亦因此，死者極衆，在候診室裏就常有「暴斃」的事件發生，且那些死者往往是來求診過幾次的，却因為未獲有效醫療，而終至於死。

何京×小姐的姊姊還對她說：近幾個月來，該「人民醫院」就會發現過十多宗霍亂病症，後來却大部份均告死亡。又說其他各醫院的情況亦大致如此。據說：當醫生們向院領導報告發現霍亂時，院領導則要他（她）們保持秘密，理由是「祖國人民生活水平不斷提高，環境衛生亦搞得好，一切疾病理應減少，現在如果宣佈有霍亂症，就丟臉了；而且，還將會嚴重影響到國家之對外貿易……」至於那些霍亂病的接觸者，更當然從來不聞不問，任其自生自滅，情況自然愈加趨向嚴重。

另一位來自漢口市的武漢大學生楊×松君向記者透露：漢口市早就發生霍亂病症了，在他的同一宿舍，便會發生過，患者是一名數學系二年級姓劉的學生。該姓劉的學生在上月初，忽然不停地吐瀉，同學們即時向「校醫室」報告，經過大半天時間，才派來一位護士，這位護士「診斷」後認為是吃錯東西而引起的腸胃病，祇給了一些「濟衆水」之類的藥物便走開了。那位姓劉的學生當然仍在不停地吐瀉。第二天下午，同學們再次通知「校醫室」時，該姓劉學生已奄奄一息了，「校醫」們這才講出是霍亂病，但已經遲了，救治不及。楊×松君又說：至於漢口其他的病症，更為普遍，楊×松君那班有四十七人，有一天竟然有三十多位同學同時請病假，大部份都為流行性感冒和流行性傷寒。但慘的是病了得不到藥醫，僥倖不死的，亦因為病後沒有補品，許多人都越來越虛弱了。（敬斯）

香港霍亂症
又有新病例
本年迄今十八宗

【本報訊】香港霍亂疫症的情況仍屬可慮，大意不得。本月二三兩日，便續發現兩宗新的病例，患者一住深水埗區，一住灣仔區，經查明兩人病前均未經接受防疫注射者。該二人被送往醫院救治後，據稱情況已獲好轉。

本月二日並曾發現兩宗霍亂疑症，卒經檢驗結果，證明并非霍亂症。

至此，本港今年以來所發現的霍亂，已共達十八宗，刻尚在留醫者為七名。又自本港發現霍亂以來，曾被送往漆咸道檢疫所的接觸者，先後共計三百九十九人，其中有三百八十四人已離開檢疫所，仍在所中接受檢驗察視者為十五人。

市政局為防止霍亂蔓延，已宣佈絕對禁止將生菓切開售賣，犯者將予懲罰。並列舉購食切開生菓各種致病的危險情狀，呼籲全體居民，與政府密切合作，以期早日完全阻遏霍亂症，消滅霍亂症。

去年國民經濟成長率概況

本報資料室

交通 公路鐵路營運量客運貨運都減少

五十一年各項交通事業實績，大致與五十年相埒，惟若干項目運輸量略見減少。

環島海運方面，五十一年運輸目標爲五百四十二萬八千公噸，結果，營運實績超過目標十二萬三千公噸，達百分之一百零二點三。

內陸客運方面，鐵路與公路運輸量皆較五十年減少。鐵路客運只有九千七百二十五萬人，與當年營運目標（即預訂計劃）相差一千三百二十五萬人。該年營運實績僅達五十年之營運實績的百分九一．四。公路客運只有一億三千二百七十五萬人，與當年營運目標相差一千六百八十五萬人之多，該年度營運實績僅達五十年之營運實績的百分九六．二。客運減少的原因，據「交通資料中心」統計，由於五十年十月間台鐵客運票價加價，稅捐加重等因素之影響。

貨運方面，鐵路運輸運亦較五十年減少。該年營運實績爲一千二百二十一萬公噸，與營運目標相差一百五十三萬公噸，僅佔五十年營運實績之百分九九．三。揆其原因，係由於五十一年到埠之全部進口貨值（包括美援進口）較五十年減少百分五．九，且進口貨物內容改變，對鐵路貨運影響甚大。如美援之大豆進口減少，致當年運輸量較五十年減少五萬四千餘公噸。其次是農工產品如鹽、糖、米、香蕉等之出口減少甚多，貨運量減少達十五萬公噸。同時，由於運價的關係，部份鐵路貨運改用民營汽車運輸，是故五十一年公路貨運之增加率較高。

貿易 進出口外滙逆差九三三三萬美元

據外貿會統計，五十一年出口結滙總值爲二億三千八百六十萬九千美元；進口外滙總值（包括美援在內）爲三億三千一百九十三萬五千美元，計入超九千三百三十三萬美元。

當年度出口商品，農業加工品爲九千七百零三萬美元，儘管較五十年減少四十六萬一千美元，但仍佔輸出商品額第一位，其次爲工業品，計八千九百十四萬九千美元，較五十年增加二千一百八十萬六千美元，佔第二位；農產品輸出爲三千八百二十四萬一千美元，較五十年增加一百零四萬三千美元，名列第三。

在農業加工品輸出減少者有砂糖、鳳梨罐頭、茶及乾製水菓。而砂糖一項，輸出減少達一千一百餘萬美元。較五十年輸出增加者爲洋菇罐頭、木材及其製品與樟腦。其中洋菇罐頭、木材及其製品各增六百餘萬元。但因砂糖輸出銳減，故整個農業加工品輸出仍較五十年減少。按砂糖輸出之總值，僅達四千九百餘萬美元，爲歷年來輸出最少之一年，致對整個出口貿易之增長，影響均大。

至於工業品輸出之增加，係因各種工業品輸出普遍增加所致。其中紡織品不因美國限制而受影響，仍能輸出三千八百多萬美元，較五十年增加千餘萬美元。餘如化學品輸出二千萬美元，水泥及建築材料輸出爲一千一百多萬美元，均較五十年增加。而農產品出口不多的原因，係因香蕉及食米輸出各減少二百多萬美元。香蕉出口減少，係因去年夏季副霍亂流行而一度停止輸日。食米則係因國內需要量增加而減少輸出。該年食米出口只有七百多萬美元，但除去食米進口一百多萬美元，淨輸出僅六百萬美元，若扣除麥、黃豆、雜糧等輸入之三千二百多萬美元，尚有很大的逆差呢。因此，在人口增殖之壓力下，食米已不復爲重要之外銷物資了。（四）

談康有爲

丘峻

「安危出處關中國，日月光明貫白虹」！　康詩

「誰識書生能報國？中華人物數康梁」！　康詩

有爲生性不羈，情懷豪邁，自視極高，目無餘子，與其謂之爲「狂放」，毋寧說他是「自負」，較爲恰當。編修張延秋所謂：「來西樵，但見一土山，惟見一異人」，即指康氏也。

康氏生有異稟，賦性穎悟，六歲屬對，即能以「魚化龍」對「柳成絮」，口氣不小。年十二，作詩歌，隨祖父登連州城北「畫不如樓」，能詠：「萬松亂石若仙居，絕好青山畫不如。我愛登樓最高處，日看雲氣夜看書。」這類詩句，吐屬不凡，可以想見。端午觀競渡，嘗賦詩二十韻，長官諸生，驚爲神童。

翌年，習科舉文，而最惡「八股文」題。十五歲，再學爲文，而抗師命不作「八股文」。十八歲後，不特不好「八股文」，且誓必廢之。

方十九齡，初聞道於朱九江先生，而與同門簡朝亮（竹居）相期以不朽之業，繼則以大道自任，以天下事爲可爲，並自詡以三十歲必可盡讀羣書。

二十一歲冬，捐書閉戶，徬徨無依，泫然慟哭，同舍驚以爲狂。繼潛修佛典，恍然大悟，領會衆生同源，萬物一體，狂喜儛蹈，以爲證道矣。編修張延秋與朝士四五人來游樵山，見之，相與講論，不合則大聲呵詆，拂袖而去；然張盛稱之，目爲異人，且訂交焉。

逮及二十七歲，中國四庫全書，與新出之書，皆瀏覽畢；復綜合諸家之疑古疑經精神而集思之；進而發明今文經說，爲欲顯眞理，必須去僞書，乃以史記爲主，徧考漢書而辯之；以今文爲主，徧考古文而辯之；徧考周秦西漢羣書，知無不合者，縱偶遇竄亂，亦祇儒家以外雜史有之。氏以懷疑之精神，辨正的眼光，鑽研古籍，及見閻若璩（百詩）、劉逢祿（申受）、魏源（默深）、廖平（季平）等之疑古疑經著作，而喜於公羊微言大義，乃發明原六經皆孔子所作，而謂後之五經多僞作，似爲漢人故弄玄虛，尤其是漢代政治家劉歆（子駿）以僞書參入，用孔子語氣，託孔子見解，冀使一種新政治制度，獲得人民的擁護。遂作『新學僞經考』，『孔子改制考』，明孔子爲改制之教主，空文之素王，揭穿劉歆捏造所自出，以破劉氏二千年僞亂之學說。二書出版，尤其『新學僞經考』一書，對於當時政治與學術思想，影響甚大，梁啓超形容爲『思想界之一大颶風』，俞樾（曲園）則謂『論孔門，不在禹下』，可謂推許極矣。（一）

閻錫山將軍的反共意見

吳文蔚

反共國家方面，有的是殖民地，因受帝國主義的壓榨，自己的痛苦在身上，企圖依靠共產主義集團解除其痛苦，故不願對共產主義集團作戰；有的是剛擺脫了殖民地而獨立的國家，腦筋中還縈廻着帝國主義的壓榨，不願靠近資本主義的國家，也不願對共產主義集團作戰；有的是與共產主義集團毗鄰的弱小國家，及國防脆弱的一些國家，顧慮到一旦對共產主義集團作戰，無論整體是勝是敗，本身就先遭到毀滅，也不願對共產主義集團作戰；有的是離共產主義集團遠的國家，目前還感不到共產主義集團的危害，也不願對共產主義集團作戰；有的是國內共產黨已有相當勢力，與共產主義集團作戰，國內就要先行動亂，更不願對共產主義集團作戰。還有別具企圖者，欲趁第三次世界大戰中成爲第三勢力，建立社會主義的世界政權。美國縱欲以有效的行動，對付蘇聯，但盟國牽扯太多，國內人民也不願犧牲，這是美國當局的困難。蘇俄如發動珍珠港一類的事件，美國當局則可爲所欲爲，但蘇俄絕不肯如此。

總之，今日極端矛盾的有兩大集團，都是日日準備戰爭，日日發明狠毒的武器，如箭在弦上。雙方雖然都說希望和平，但和平不能空言獲致，必須有力有理，力理兼重。

今日美蘇兩國，都有足夠安和世界的力，但缺乏足夠安和世界的理。誰家講理，誰家就可以安和世界。力憑理壯，理憑力伸。無理之力必折，無力之理不伸。今欲安和世界，必須培力講理。培力可以制壓強暴，講理可以折服世人。在解決現世界問題上講理，必須一眼睜住全世界百分之八十以上被奴役，被剝削，被控制，被榨取，被侵略與被欺凌的痛苦人民，提出一個解決他們痛苦的主張來，仗義執言，號召爲他們解除痛苦，一定能夠喚起他們的同情，得到他們的擁護，形成鐵幗壓鷄蛋的力，與秋風掃落葉的勢；由選舉的途徑，解決人與人，國與國的矛盾，去除了鬥爭戰爭的因素，一定能不經戰爭而安和了世界。

若是不走這條路，那麼資本主義國家內部的矛盾，與國與國間的矛盾，就無法解決。無法解決，蘇俄以進兩步退一步的攻勢，勢必迫成大戰。大戰發生，一定是全世界各角落，都展開了全面的戰爭，用狠毒的武器，毀滅人類，爭取勝利。

如此看來，在失敗的方面，固然要人亡物盡；就是勝利的方面，恐怕也是倖存無幾，可以斷言。

今日世界的人民，沒有一個不是害怕毀滅人類的戰爭來臨，飢者易爲食，渴者易爲飲，美國的領導者，如果能擺開現實種種問題的困擾，與人類謀安和世界的辦法，提出一個安和人類的主張來，一定能得到世界上大多數的人，像風起水湧的擁護，和意想不到的收穫，安和了世界，解救了人類，使天下太平，人人安寧，這便是今日世界上最需要的一件事情。（六）

寫君續夢

第九回：

枵腹爭雄　嘉獎招餓鬼
苦心糾衆　風雨會羣魔

劉少奇明知道這步棋必然如此，到也不感驚奇，祇是皺眉頭道：「我去能解決什麼問題呢？」

毛澤東說道：「我們現在同赫魯曉夫的分歧就是對修正主義問題，帝國主義和平問題，核子武器問題，你到莫斯科去根據這些原則同他們爭就是了。」

劉少奇說道：「這樣任務十分艱巨，希望代表團能有一個最佳陣容，到莫斯科才容易出力量。」

毛澤東笑道：「你代表團長，由小平同志任副團長，其餘再挑選幾位精明強幹的人去，不會吃虧的。」

鄧小平說道：「我對於理論修養很差，這次開會是要駁馬列主義原則的，萬一擂不好，損失太大，我看還是派別人去吧！」

毛澤東說道：「這點你放心，我們在這裏挑好幾個重大原則，蘇聯不同意我們就同它鬥爭，將來的聯合聲明若不能容納我們的意見，我們就不在上面簽字。雖然全世界有八十幾個共產黨，但是少了我們一個黨簽字，相信他們宣言就發不出。」

大家聽了一陣點頭，覺得毛澤東鬥爭技術實在比別人高一個碼子。

毛澤東又冷笑道：「赫魯曉夫這次召開全世界共黨大會，用心要是想到莫斯科來整我，也算他有心機，假若真是爲了解決問題而開會，他就上了當了。這種大會能連開三次，我就把他整垮了。」說着仰面哈哈大笑起來。

劉少奇和鄧小平互相看了一眼，都有點驚懾。

李富春插嘴說道：「少奇同志這次去開會，最好能同赫老坦白交換意見，把調回的一千三百多名專家派回來，取銷的合同恢復，讓我們經濟方面能站住。」

毛澤東一瞪眼：「你懂得什麼，少奇同志是去莫斯科開會，不是去作叫化子，我們怎能向蘇聯請求恢復援助，要等他自己送上門來，我還要擺起架子不肯收呢？」

李富春苦着臉說道：「主席還是少擺一次架子吧！你不肯收我就不能活了。」

幾個人不由得掩口而笑。

毛澤東也笑了，輕敲着桌子問道：「怎麼樣，你怕餓死是吧！」

李富春說道：「我怕急死是真的，那裏會餓死我。」

毛澤東笑道：「放心吧！赫魯曉夫自動會要求恢復援助的。」

中共決定派劉少奇率代表團出席莫斯科會議之後，即正式通知蘇聯。赫魯曉夫雖然早在意料中，也氣得暴跳如雷，但是通知已經發出，也不能收回了，祇好將錯就錯，去電歡迎。

除義共首領陶里亞蒂未能出席，由書記處書記隆哥率領代表團出席。其他各國共產黨全是第一書記出馬。北越的胡志明也率團長征，黎筍，春水出席；經過北平時，毛澤東迎於機場，把這次鬥爭的原則告訴胡志明，希望他在重要關頭出來斡旋，不要使中共代表團吃了虧。

胡志明捋着山羊鬍子，連聲說：「沒有問題，你放心吧！」

（一二七）

國父行醫鱗爪

周謀燕

國父早歲會於香港雅麗士醫學校畢業，在校五年，各科考試均滿百分之數，以第一人畢業，其證書經校長及教員十三人、試官八人、及牧師督記署名，並由香港總督羅便臣於一八九二年七月二十三日發給。

畢業後，國父遂在澳門創設中西藥局，懸壺濟世，貧困概不取值，人皆德之。當地有鏡湖醫院，為華人公立，向以中醫中藥施治貧病，國父請其兼用西醫西學，以濟中醫所不及，並願不受薪金，該院破例從之。由是中外人士就國父診治，莫不著手成春，聲名更著。

國父濟世於鏡湖醫院時，有患砂淋者，剖之，大如鷄卵，重一兩七錢有奇，時人詫為罕見。國父醫道獲盛譽後，為葡國醫生所忌，澳門例：非在葡政府取得行醫執照，不得在當地操業。國父受葡醫所排，乃設東西藥房於廣州冼基。一本濟世熱腸，贈藥施醫，并添聘尹文楷助理診務。由是交遊日廣，奔走革命益力。茲附當時廣州中西日報所載鳴謝國父廣告及國父醫例廣告各一則錄次，雖一鱗半爪，亦可以概見國父醫術醫德之一斑。

其一：「孫逸仙先生學宗孔孟，業紹岐黃，合盧扁而擅專門，內治與外施並美；統中西而探奧旨，鍼砭並刀割兼長。其平生醫術精純，業經大紳諸公合詞稱頌，登諸嶺南諸報矣。余也不敏，質樸無文，偶罹牙齒之災，竟徹晨宵之痛。疾年不伸之指，秦楚尋醫。患同如擣之心，星霜屢易。諸醫罔效，累月經時，幸遇先生略施小技，刀圭調合，著手成春。數月病源，一朝頓失。復荷先生濟世為懷，輕財重義，藥金不受，禮物仍辭。耿耿私心，無以圖報。謹將顛末，爰錄報端，用誌不忘。聊攄微悃，不特見先生醫學之良，抑以表先生人品之雅云爾。武泌謹啓。」

其二：「春益仙城。敬啓者：本局敦請大醫生孫君逸仙來省濟世，舊歲底因事返澳度年，今已由澳回省，謹擇月之初十日開辦。所有贈醫出輪規矩，一律如前。每日十點鐘至十二點鐘在局贈診，不受分文，以惠貧乏。求醫者，須在十點鐘以前來局掛號。午后出外診症，西關收轎金一元，城內南關西門河南等處轎金加倍。謝步隨意致送。凡延診者，預早到局掛號。先生素以濟人利物為心，若有意外與夫難產服毒等症，報明危急，無論貧富，俱可立時邀致，設法施救。幸勿觀望，以免貽誤。此佈。冼基東西藥局謹啓。」

金霸王

匡謬

以演霸王著名的金少山，人皆以「金霸王」呼之。金少山之生年不可考，見周志輔「京戲百年瑣記」，載光緒二十八年，廊花胡同繼侍郎宅堂會單，有金少山黑風帕，計其年紀當與郝壽臣略同。郝生於光緒十三年。當時以金秀山唱「白郎關」，父子會為一絕唱；秀山死後，金霸王十分潦倒，沒沒無聞了。

但是一個人時來運轉，門也關不住的。民國十五六年，上海熱門戲為「狸貓換太子」，該齣戲為麒麟童所編，金少山倒了半生霉運，而却在上海沈少安戲院上演「狸貓換太子」，連演五本，場場客滿，而且向隅者衆。而且奇怪的是，該齣戲台柱角色並未唱紅，而單唱紅了一個配角，那就是金少山的郭槐。郭槐是一個倒楣受審判拷打的囚犯，其身份正如大登殿中的魏虎而已，孰知一開口，一聲「在金殿打得我，三魂魄散。」簡直是聲若洪鐘，比清官冊御審潘洪更為叫座。麒麟童是聰明絕頂的人，靈機一動，當晚便替他加上一大段垛板唱工，第二天再唱，竟是一腔一個滿堂采。後來一直排演到十本，這個囚犯尚未定讞，死不了；這齣「狸貓換太子」的配角，後來竟成了此戲的主角了。這位倒了十八年楣的底包角色，從此紅得發紫。

金霸王之成為「金霸王」，却並不是在上海，而乃是在杭州得名的。其時值九一八事變，上海伶人羣赴杭州義演，梅蘭芳預計演十天。演到七天，杭州周市長忽然心血來潮，決定要梅蘭芳演三天「霸王別姬」，而且以提高票價為條件。但梅蘭芳却不敢答應，他說該齣戲乃楊小樓所編，是為捧倚綺霞而作的。共演四天而完，並不十分叫座。梅蘭芳此時也不敢動楊小樓的腦筋，沒霸王如何敢接受。但却因此而激惱了猛張飛張嘯林，老子到上海把金少山接到杭州來，再看「霸王別得了姬別不了姬」。果然金少山被搬到杭州，這一下「霸王不別姬也得別姬」！誰知金少山却也不敢演唱此戲，也以為這是楊宗師的絕戲，我豈有胆動他的。但猛張飛張嘯林更惱火了，大聲道：「叫你唱你就唱，出了皮漏咱老張負責！」

金少山在此無可奈何之下應命了。誰知一出台門，便是一個滿堂采，觀衆看見台上的霸王，恰似一座高峨的活鐵塔，二個半小時一氣唱完，直把倒楣的霸王唱活了。從此便奠下了「金霸王」之基業。從此以後，梅蘭芳如演「別姬」，就非得要金霸王不可了。二人相得益彰，上海的票價便由金二八提高到十元。梅金霸王不但如此身價，而且更開出一個新條件，那就是，每唱一餉「霸王別姬」，要另外乾拿五百包銀。

金少山不僅霸王特別拿手，因其碩大聲宏，體格魁偉，如「連環套」的竇爾墩，「二進宮」的徐千歲，「白郎關」的尉遲恭，尤其形容溺水發足，豁拉拉一聲吼起，恰如萬馬千軍奔騰之勢。白郎關父子相見，幾聲「娃娃」，更如泰山壓頂之勢。這天賦本錢却是上天賜予他的。[illegible]

[illegible]

南宋偏安有人才

李仲侯

飛由鄂州東下應援，過江州而遊池州，曾有詩贈廬山東林寺住持慧海，詩曰：

「溢浦廬山幾度秋，長江萬折向東流。男兒立志扶王室，聖主專征滅虜酋。功業要刊燕石上，歸休終伴赤松遊。叮嚀寄語東林老，蓮社從今著力修。」

又復李綱書曰：「軍書旁午，未得時候台安。遠蒙翰教，忠懷義慨，凡在含靈，能無感奮。直薄雲漢而貫金石，況飛素切同仇者耶？比已鼓勵軍士，直抵淮陰，滅此而朝食，以報國恩而答知己，飛之願也。卽不然，亦惟力是視，死生以之，決不狼顧偷存視息於人間耳。使還附此申謝不宣。岳飛頓首觀文相公閣下」。

紹興五年二月飛入覲，上眷禮優渥，申以賜賚貽恩之寵，札曰：

「賜岳飛銀絹二千四兩，承信郎恩澤一，母封國夫人，孺人封號二人，冠帔三道。付岳飛」。

是日授鎮寧崇信軍節度使，依前神武後軍統制，湖北路荊襄潭州制置使，進封武昌郡開國侯，加食邑實封。制曰：

「舉人順天地之勳，師必有名。王者治夷狄之權，兵應者勝。迺睠中堅之略，叶平外侮之虞。肆圖厥功，誕告爾衆。清遠軍節度使湖北路荊襄潭州制置使神武後軍統制武昌縣開國子食邑五百戶食實封二百戶岳飛，才全果毅，資禀沈雄。閱禮樂而厲清廉，德邁有君子之操。援枹鼓而先士卒，忠蹇匪王臣之躬。自奮武以專征，屢摧堅而深入。于疆于理，威行江漢之山川。如飛如翰，名動江淮之草木。屬逆鶵之挺亂，導我羯以窺邊。萬騎鼓行，震天聲於不測。百里轉戰，奮勇氣於方張。力捍孤城，系俘羣醜。逮潛師而襲潰，茲振旅以凱歸。載酬却敵之庸，用錫相攸之祉。齋壇授鉞，節兼兩鎮之雄。太社分茅，爵列元侯之貴。倍敦井賦，衍食畬租。爰示寵光，併昭物采。於戲！觀萬夫之政，爾惟騰蛟於我公。宅九有之師，我其克艱於王業。祗若予訓，永肩乃心。往恢式辟之方，勿替對揚之命。可特授鎮寧崇信軍節度使，依前神武後軍統制，充湖北南路襄陽府路制置使，進封武昌郡開國侯，加食邑五百戶，食實封二百戶。主者施行。」

（七四）

海嶠賸談

法令滋章的弊害

諸葛文侯

懇友前任內政部次長鄧文儀（雪冰）氏，住家台北市內車房一間，日前傾圮了，去年乃鳩工予以修繕。詎料動工伊始，即有該管警察派出所的警員前來干涉，指爲「違章建築」，未經官府核准，非依法蓋不可，其勢洶洶，無可理喻。家人認爲修理舊有車房談不上新建，抗不屈服。雪冰爲人素和易，聞訊囑執事者不必多所爭論，如果對方需要「紅包」，就事者即許給該警員茶資台幣三百元，請他幫忙息事。但對方嫌少，非五百元不能通關。

雪冰據報殊惱怒，覺得這小子太過於胆大妄爲，忍無可忍，乃以電話告語台灣警務處長道：「我是幾卸任不久的內政部次長，現在陽明山國防研究院工作，每天乘坐吉甫車出入，左鄰右舍皆知之。今以車房傾圮而從事修理，決非違法行爲，而該管警員竟公然登門勒索，這還成話嗎？今天他們對我且如此，則平日對於一般老百姓的情形，可以想見了。請教老兄，我應該如何處置呢？」處長聞之當然詫異，馬上查詢眞象，果然不虛，即一面懲戒該警員，一面向雪冰道歉，且說明該警員係台省人士，因機到該派出所服務不久，因幹出這種荒唐的事情來，希望原諒則個！繼而該警員亦到鄧宅謝過，說他因爲兒子生病需要五百元醫藥費，一時無法籌措，迫不獲已而出此下策，初不知找錯了門路，自貽伊戚，後悔莫及也。雪冰此時惻隱之心大作，即語之曰：「你若是早對我說實話，我一定同情你，毫無問題。現在我還是願意濟助你這筆醫藥費，並保證不使你的上司知道。」可是，該警員再也不肯收受這份出於善意的禮品了！

這樁事情說明了兩點道理：一是法令滋章的弊害，令人怵目驚心。爲政之道，總須恤民隱，愼治術，若以繁文苛法爲求治工具，終察爲明，及其結果，以之興利除弊者百不及一，以之病民誤國者十常八九。尤其在亂世，人心每不正常，政府的法令越多，而不肖官吏利用法令以作惡的情形亦愈演愈烈，古今一例，史證昭然。二是公務人員的待遇必須能夠養廉，否則人讓饑餓所謂朝不保夕，於魚肆中，豈有此理？而要他不攫食魚類，秘吏而使用三種職權，與他們迫於生活的窮困，還利用職權，與法令而舞弊作惡，社會大衆沒有不大遭其殃的！因此，最近台灣治安機關突然頒佈禁止牌賭的命令，我認定這亦是害多於利的「玩藝」，比較所謂「取締違章建築」的法令更糟糕！社會上發生聚衆賭博的行爲，可依刑法與違警律已有規定的，儘可依法辦理，何必多此一道禁令呢？如果民間的家庭娛樂，打牌消遣亦被警察隨時干涉查究，不但問題嚴重，而且正受罰的懲罰者，亦只有一般貴族而已，何苦乃爾耶？記得五年以前，黃杰將軍擔任台灣警備總司令時，他在老長官（顧祝同）家中偶……[illegible]……政府竟繼承同時代的虐政，實爲汚點，除之便。」如今治安當局又要彈舊調，是亦不可以已乎？

西山關帝廟

黃葉村人

廣東女子以順德縣大良城生長者爲娟秀。據堪輿家謂係該城之西山，靈秀風水所鍾。事實上，大良城夏屋渠渠，富厚之家，鱗次櫛比，婦女養尊處優，有終年僅三五次出戶者，故膚色潔白如脂，非他縣所及。同時該地山清水秀，所產女子，大都眉眼黑白分明，身段苗條俊逸，有「鳳城淑女」之稱。蓋女人之美，首在眉眼，其身段，大良女子，什九蛾眉鳳眼，已具備先天優越條件也。

西山在大良城之西，其上白遠而近，屛山重疊，嶠嶠如華蓋，邑人於山之盡頭處建廟，供奉「關帝」。相傳塑像之日，未得與師先以羅盤量天尺，勘定龍脈方位，朝關公像，傍置部將周倉塑像。後經與師勘斷，而關公像有偏差，周倉立處，方爲正脈，但欲移置，藉多人之力，而像兀立不動，于日作罷。後該地師留識曰：「他日周倉當應驗，遠勝關公」。聞者信之。嗣後到廟祈神庇助者，多求周倉。

余嘗過鳳城一遊，值「關帝誕」，演戲酬神，……周大將軍，詢之土人，乃知其來有自。廟之正門，有聯云：「秉燭豈避嫌，此日心中惟有漢；華容非報德，當時眼內已無曹」也！[illegible]……其香火之盛，當時無比擬。不過西山形勢，未可確概以鳳城迷信而抹煞關之廟也。

內僑警台報字第〇三壹號內銷證

自由報

THE FREE NEWS

第三六四期

中華民國僑務委員會頒發
台教新字第三二三號登記證
中華郵政台字第一二八二號執照
登記爲第一類新聞紙類
（半週刊每星期三、六出版）
每份港幣壹角
台灣零售價新台幣弍元
社　長：雷嘯岑
督印人：黃行富
社址：香港銅鑼灣高士威道二十號四樓
20 CAUSEWAY RD 3RD FL.
HONG KONG
TEL. 771726　電報掛號：7191
承印者：田風印刷廠
地址：香港灣仔高士打道一二一號
台灣分社
台北市西寧南路壹壹零號二樓
電話：三〇三四六
台郵撥儲金戶九二二五

本報緊要啓事

本報原在台灣高雄市設置之南部管理處，現因業務改進關係，於八月五日結束。舊有高雄市暨南部各縣市之辦事處亦同時撤消。至於當地各訂戶之報紙，仍按期派送不誤，由高雄市苓雅區林森二路一〇六巷廿三號黃冬生先生經理其事。本報原來委聘之南部管理處營業員暨通訊記者等職務，即於八月五日一律解除。特此聲明，統希各界注意爲幸。

有關宣傳方面的幾個問題

岳騫

最近看到台北報紙消息，內政部通令禁用「自由中國」，一律正名爲中華民國。內政部此項禁令，是否受了外界刺激，不得而知。但確實是值得喝采的一件政令，惜乎到今天才宣佈，起碼晚了十年。

我不知道最初擅改中華民國爲「自由中國」的是何人，但可以斷定是來自美國，若非不學無術的外交使領，就是一些假洋鬼子，他們的本意也許不錯，但不知道嚴重的損害了國家的地位。他們的靈感一定來自二次大戰時戴高樂將軍在倫敦組織的「自由法國」（後改戰鬥法國），可是，他們已不記得法國當時的情形，當德軍攻下巴黎，法國政府遷都波爾多，再遷維琪，由總理（後改稱元首）貝當老將軍出面，與德國訂下康邊森林和約，正式屈服，退出同盟國陣營。這時戴高樂只是一名上校，代理國防部次長，毅然不屈，連夜逃去倫敦，在英國人默許下掛起「自由法國」的招牌，號召愛國志士來歸。這一個自由法國，不用說當時的中美蘇三大國未曾承認，就是英國也未曾發表聲明說它是法國的合法政府。事實上維琪政府雖然投降，但它確實是法國的正統政府，即在它投降之後，中美蘇外交使館均繼續留駐，直到全面大戰爆發，三國雖撤回外交人員，亦并未承認自由法國。戴高樂政權被舉世公認，還是當它的地下武裝配合美國第八軍克復巴黎之後，距離全面勝利已不到兩年時間。嚴格地說，二次大戰期間的「自由法國」地位，既趕不上波蘭、捷克在英的流亡政權，也趕不上設在重慶的大韓民國臨時政府。試想拿它來比我們成立已將近四十年（我假定自由中國一名出現於民國三十八九年之交），爲半數以上國家公認且在聯大擁有常任理事席位的合法政府，豈不太荒唐。

假若說中國目前事實上已分爲兩個，但在抗戰時甚至分爲三個，我們也未嘗把自己定名爲「抗戰中國」而稱汪政權爲「和平中國」。「自由中國」名詞出現，顯而易見的弊端就有兩點：第一，爲兩個中國埋下種子。雖然我們朝野從未承認過兩個中國，但在外人看來，既然有「自由中國」，相對的應該還有一個「紅色中國」或者「共產中國」，我們只是怪世界上一些政客合而謀我，推行兩個中國，却不知始作俑者還是我們自己。第二，無形中等於承認南北朝的對峙局面，放棄了我們的法統地位。筆者對「自由中國」四字，可說有深度的憎惡，從來未會用過，甚至連中華民國都少用，只寫中國。事實上中國就是中華民國，這是不必加以解釋的，一註解就成蛇足。

其次，還有一個使人聽來就頭痛的名詞就是「中共侵略台灣」及我們「予以自衛還擊」。這項名詞的來龍去脈大家都很清楚，是由於美國不同意我們進攻，只能自衛，所以我們只好把自己說成一個被侵略者，才能取得自衛的權利，主事人用心良苦，我們也不願多所責備。可是，這一類言論，最少又使人想到兩個中國問題。當三十八九年時，我們爲什麼不說中共侵略南京，侵略廣州，那時只說戡亂，也未會聽誰講過「自衛」。這一類怪名詞，固然是美國人倡導，但何嘗不怪我們自己認識不清。試問一旦反攻大陸時，中共也向世界宣佈台灣侵略，我們會不會感到啼笑皆非。

中共是一個叛亂集團，它正在盡量擴大叛亂範圍，凡是中國地方它都要奪取，說它是稱兵作亂則可，名之爲侵略是斷乎不可的。新舊唐書均未稱「黃巢入寇」，明史也未說過「李自成犯境」，我們這種宣傳方式，最後必然會毒害自己的。

還有一個不爲人注意的小問題，就是共軍「起義」的問題。「起義」並不是壞字眼，但是用時也要斟酌，大抵一個革命集團或流寇份子向合法政府革命或叛亂時，勾引政府人員叛變，名之曰起義是可以的；如國父領導革命時的鎮南關起義，廣州起義，武漢起義，甚至共產黨把程潛、陳明仁之投共也稱爲「起義」，雖然比擬不倫，尚可勉強說得過去，至於一個合法政府對叛亂集團中深明大義份子之來歸，若不稱之爲投誠，也只能說是反正，名之爲起義，就欠通了。其實在抗戰期間，偽軍反正事所在多有，報紙上只稱爲反正，從未有人會加以起義榮銜的。今天所以改反正爲起義，雖是有意「以廣招徠」，但也足見我們內心的一種自卑感，已沒有抗戰時期的飛揚意氣了。

其實這種自卑是多餘的。若非我們退守台灣之後，咬緊牙根，奠立下復國基礎，加之中共偽政權，賣國殘民，人不堪命，我們無論用什麼樣的美麗字眼，劉承司同趙福也不會來歸。所以我們無論處境如何艱苦，國家的體制萬不能失，將來反攻回去時，勢必有千萬偽政權人士來歸，若不能善爲撫御，必使「羣盜輕朝廷」，民國初年割據局面不難再見，甚至其中也許會有一二朱溫，還打算篡唐呢！

以上是關於對外宣傳。至於內部措施，也有可商榷之處。首先在法理上說，我們是中國正統政府，法統從未中斷，政府是根據憲法產生，所統治的地區也依憲法爲依據，我們今天雖然播遷海島，政治力量所及之地也只限於台澎金馬，但在法理上仍管轄中國全部三十五行省及西藏（當中蘇條約正式廢除後，應包括外蒙在內），統治六億以上的人口（其中並包括毛澤東及其以下大小頭目），因爲這樣我們反攻復國才有根據。但是政府一切宣傳，似乎均自外於大陸，最顯著之處如台北書局對於仍生存大陸學者之著作不敢復印，即使勉強印刷也不敢冠以作者之名，而用本局編輯部名義。此種行動徒見其小，使識者爲之嘆息。

回憶抗戰期間，吳佩孚病逝故都，政府曾明令予以褒揚，追贈陸軍上將，陪都開盛大追悼會，蔣委員長致送輓聯，比之爲文文山，宗留守。甚至當民國二十七年曹錕病逝天津，因曹錕臨死猶念抗戰勝利，政府也曾明令褒揚，追贈陸軍上將。（下轉第二版）

漫画天下

南

這孩子是誰的？

尼赫魯如何應付？

自由談

對民主制的迷惘

馬五先生

民主政治的精華就是普選人民代表與公僕，教他們監督、管理衆人之事。可是，問題最多而又不易得到圓滿答案的，即是選舉。就理論來講，選賢與能，人同此心，這是極合理而公平的事兒，按諸實際，却大謬不然，在產業不發達，文化落後，社會組織不健全的國家，固無論矣。即以現代最富庶，國民教育最普及的美國而言，也未見得實現了選賢與能的民主效用。美國人民每次選舉出來的總統、國會議員和州長等，十之八九都不是第一流人才，例如二次大戰後，杜威與杜魯門二人競選總統結果，素以幹才著稱，且有政績可觀的紐約州長杜威，即告失敗，而平庸的杜魯門竟能獲勝，舉一反三，其他可以概見。

我國從民國肇建以來，即實行民選代議士，迄今已歷五十餘年的民主政治創進過程，然其績效縱不說是每況愈下，却亦不能夸稱有甚末長足進步之處。相反地，憑着半民主式的選舉方法，乃比普選所得的人才更可觀，如民國初期依複選制選出來的中樞和省級代議士；多屬一時俊彥，即胡漢民初任立法院長時期，按省區和職業標準，由政府選任的立法委員，亦諸多賢能之士。至於台省現時普選各級代議士和縣市長的效果，是否真的達到了選賢與能的目的？事實俱在，人所共喻，毋庸贅說了。

民主政治實係浪費政治，而以選舉爲尤然，浪費人力之外，財力物力的無謂消耗更足驚人，上次美國總統選舉時，據說甘迺廸先生曾花上了四五千萬美元的選舉費用呢！依此類推，窮人根本就沒有競選資格，而真正才學優越之士，又十九皆屬寒素之家的子弟，這不是一大矛盾嗎？此外如政黨之活動，各種不必要的機關之設立，都是爲適應民主政治而然的，亦即屬於浪費之列。因此，我一面謳歌民主政治生活，同時對它的功用發生了莫大的迷惘，却想不出補救改革的方法，好不教人困擾也麼哥！

在馬來西亞糾紛上
蘇加諾最後栽了大跟斗
既嚇不倒人又無硬碰的本錢　臨到攤牌階段不得不棄甲曳兵

【本報馬尼拉通訊】原定四天，結果開了一個星期之久的馬尼拉菲、馬、印尼三國高峯會議，總算開出了成績：蘇加諾只能眼光光的任由馬來西亞聯邦呱呱墜地，由運動成爲現實。

這毫無疑問是馬來亞的勝利與印尼的失敗。儘管在會議的最後一幕，蘇加諾還在亂喊口號，說什麼「亞洲醒了，非洲亦醒了，非、馬、印尼聯盟誕生了，這就是歷史」！一類狂妄之詞，却掩飾不住他的那種失敗的悲哀之情慄。歷史會清楚的說明，這是蘇加諾中風狂走以來所遭遇到的首次挫折，已使他重重的栽了一次跟斗。

上月廿七日在耶加達一次民衆大集會中，蘇加諾曾經「氣壯如牛」的向印尼人民開出支票，說他絕於答應到馬尼拉出席三國高峯會議，不是爲了要妥協的，而是爲了「對抗」馬來西亞聯邦運動，要把它「整垮」的。現在的結果却不是這麼一回事。蘇加諾向以能言善辯稱，據說他的會議話，在印尼無出其右。但他將怎樣對印尼人民交代呢？能指鹿爲馬，把黑的說成白的？把失敗說成勝利？可以拿那個所謂「非、馬、印尼聯盟」塞住印尼人民的攸攸之口？在蘇加諾「指導民主」下的印尼，固然人民已無言論的自由，印尼輿論將很難得看見敢於指出事實，對蘇加諾「皮裏陽秋」的。但堵得住人民的口，却細不住人民的心，印尼人民會如何想法呢？

馬尼拉三國高峯會，產生了三項文件，三國高峯均會在上面簽了字。（一）爲「聯合聲明」，主要爲籲請聯合國秘書長進行確認沙撈越與北婆羅洲兩邦民意對於加入馬來西亞聯邦的取捨，答案如爲正面，便讓馬來西亞聯邦成立；（二）爲「馬尼拉宣言」，內容是說三國將逐漸的結爲聯盟；（三）爲「馬尼拉協議」，裏面包括三國外長上月初旬的會議報告與建議，其中便有對北婆兩邦民意的確認以及三國聯盟等等。這三國文件中的第三個，許多都已是明日黃花，不過聊備一格。第二個不能說不重要，如其實行得了，還應該承認其十分重要。問題却正在於它是不能實行的！——最低限度在可以眼見的日子裏絕無實行之望，於是而成了鏡花水月，可望而不可及，很好看却不中吃的東西。

眞正的關鍵乃是第一個文件的「聯合聲明」，關於組織馬來西亞聯邦的。蘇加諾栽跟斗，正就是栽在這上面。

馬來西亞聯邦發動至今三年餘。三年餘以來，共產集團固然聲聲反對其事，蘇加諾印尼亦然。即以蘇加諾本人而言，他會經罵這個新聯邦是「帝國主義陰謀的產物」，指其爲「包圍」印尼，「反對」印尼的，還公然指斥馬來亞總理東姑．阿都拉曼是「新殖民主義者」，曾宣稱印尼與馬來西亞聯邦勢不兩立，他一定要「對抗」它，「整垮」它。還恫嚇要以一切手段，包括軍事手段去「對抗」它「破壞」它「整垮」它。言猶在耳，許多人會因此就心蘇加諾會要在北婆放火，釀成東南亞洲的最大禍事的。蘇加諾在印尼國內，確亦曾經諸多作狀，如調動軍隊，如舉行演習，甚至蘇加諾還確曾在南婆羅洲訓練北婆游擊部隊，幾個月來曾經好幾次竄入沙撈越進行突擊。一切均顯示，蘇加諾眞有決心要把馬來西亞聯邦運動推而翻之，雖自己因此惹火上身，粉身碎骨，亦在所不顧的樣子。

馬尼拉三國高峯會議初開，蘇加諾却已經露了原形，開始後退了。他當時只堅持聯合國秘書長在沙撈越與北婆羅洲兩邦首先舉行一次公民投票，便可輕輕放過這個新聯邦。這已經說明，蘇加諾已認識到嚇不倒對方，而欲藉此挽回一些面子算事了。當時，由於有非律賓的幫腔，馬來亞頗有勢孤力單，終被壓服之勢；但英國適時的表明立場，既不允許馬來西亞聯邦緩期成立，亦不答應聯合國跑去該兩邦辦公民投票，使得蘇加諾雖欲挽回面子而不得。蘇加諾目無馬來亞，但却怕英國，他沒有本錢，實在不敢同英國硬碰，於是一退再退，不再堅持公民投票，交換條件是馬來亞不再提八月卅一日。其實；不投票而以「走馬看花」方式去確認兩邦民意，是不需要多久的，馬來亞雖口中不提八月卅一日，事實却儼然這聯邦是可以如期成立的——就算將來果眞因此稍遲幾天，到底還是要成立！把蘇加諾的前言對其後語，無論他怎麼巧辯，都無法把失敗說爲勝利。他這跟斗栽得很重！且看他如何自圓其說，向印尼人民轉過彎來？

香港與大陸
粵境高中大專畢業生
幾悉數下放農村奴役

粵共在近一個月來，強迫大、中學校應屆畢業生，「下放」到農村，甚而荒無人烟的邊區作奴役勞動，美其名爲「勞動鍛鍊」和「建設邊疆」，就連一些歸僑學生和港澳學生，亦不能倖免。而且「下放」久暫不明，頗有「安家立戶」之勢。

一位剛由廣州市申請批准抵港的中山大學生劉奇×君向記者透露：廣東省地區今年有九千多名大專學校畢業生和五萬多名的高中畢業生，但除了一小部份的醫科、師範科畢業生有分配工作外，絕大部份的大、中學校畢業生，均被「下放」農村勞動，而一般世居在城市的，則被集體派往「建設邊疆」。說是要經過「相當時間」的「勞動鍛煉」後，才給他們分配工作，并強調在分配工作之前，絕不容許有「深居閨室」以等待差事的現象。

劉奇×君稱：中山大學歷史系今年秋季有八十多人畢業，但除了六位黨員學生被留校担任助教和檔案工作之外，全部畢業生均被下放農村，一則組織農民勞動及用「歷史事實」以提高農民的「階級感情」和「階級仇恨」；二則以實際行動支援農業建設。其他系別的畢業生亦同樣下放，不過他（她）們的「任務」，却僅是爲了「勞動鍛煉」。

劉奇×君稱：學校曾對這批應屆畢業的大學生舉行「歡送大會」，曾有若干「代表」登台表示決心，強調宣稱願意服從「黨」的分配，到「祖國」最需要的地方去。其他的人眼見這種「表演」，惶惶不安，反感極大，有些認爲「學非所用」，有些要求宣佈「勞動鍛煉」的期限，更有不少聲稱身體有病，不能接受下放。

另有一位甫自梅縣來港的中學生李世英小姐對記者說：梅縣叢有「文化城」及「東南亞國家財政部」譽稱，本期應屆的高中畢業生，在此次「下放」農村運動中也無可倖免。梅縣有十多間「完全中學」，應屆高中畢業生約三千多人，但能考取「大學」者僅爲二百多人，其餘皆被下放農村。如果原籍在城鎮者，更爲不幸，被集體派往東北或西北荒地，參加「建設邊疆」工作。

李世英小姐說：這次的學生「下放」運動，可謂最徹底者，不管你身體有病或是剛由海外回去的僑生，皆「一視同仁」。她有一位表姊，係於一九六〇年秋由印尼耶加達回去的，今年畢業於「梅縣華僑中學」，結果也被勒令「下放」農村；但她的這位表姊在印尼住久了，別說要每天勞動，就是農村那種空氣她已是受不住的了。所以「下放」之後，精神太受打激，整天瘋瘋癲癲。

當記者詢問她們此次來港是雙程抑單程時，他們却異口同聲說：雖然申請時是說雙程的，但既經來到香港了，誰還願意再回大陸去活受罪？說是「當然不再去了」！

有關宣傳方面的幾個問題

（自第一版轉來）

此等舉動，當時對淪陷區民心鼓舞，至爲巨大。北洋系舊人除三數不肖外，均拒絕與敵人合作，未嘗不是受到優待曹吳的感召。

今天在大陸上仍有千萬曹錕、吳佩孚，著名學者如堅持己見不肯低頭，引起毛酋在大會上咆哮的梁漱溟，拒絕改造，不計生死，被僞社會主義學院除名的章乃器，甚至領導學生反暴的人民大學林希翎，「鳴放」時戰指罵共產黨殘殺的黃佩琦、王德周，論其艱苦壯烈，或在曹吳之上，政府對之並無一字嘉勉，或者以爲這批人生死不明，若過早褒揚，反置其於死地。但鳴放時領導擁陽一中學生起而抗暴的王建國敎師，會被毛帮明令處死，至今已經六載，政府從無一字褒揚，又何足以激勵人心，號召忠義？

又如安徽耆宿劉文典，陷共後他始終不屈，至被迫討飯，困頓以死。大陸學者如此公者，爲數不知凡幾，揆之情理，政府亦應當有所悼念，以勵來茲。像這類事情，費力雖小，收效至大，不僅對忠義之士有所激勸，也使全國人士了然政府並未忘記他們，比較派飛機捨死忘生去大陸丟傳單，作用不知要大若干倍。

最後還有幾個有關宣傳的小名詞，也值得提出研究，例如過去在大陸剿共時，政府部隊自稱國軍，涵義原爲國家的軍隊，意義等於政府軍，就當時來說，並無錯誤。不過，此種稱謂隨着國共談判而變質，報紙上經常發表國共兩軍消息，使人誤會國軍爲國民黨的軍隊。此一誤會，已將官軍與賊軍列於同等地位，其失已經不小；不過，我們自己的意識仍以爲是國家的軍隊，而且也沒有適當名詞可以代替，所以相沿下去仍不以爲非。

政府播遷至台後，報紙出現國軍與共軍一類名詞，很少人會想到國軍是中華民國的軍隊，多視之爲國民黨軍隊，已經引起不肖政客兩個中國想法。更要不得的，海外報刊竟稱政府軍艦爲國艦，飛機爲國機，這一種稱呼就坐實了是國民黨的軍艦、飛機了。不知主管宣傳人員，對此有否注意？無論如何這一錯誤是應該予以糾正的。

再如共黨報刊上經常發現毛澤東「接見」某人，台港報刊常予以轉錄，其實這也是一個不小的毛病。接見一詞用之於以上對下，如國家元首接見外賓，長官接見部屬，毛澤東是個什麼東西！他有什麼資格接見別人？除非我們承認了毛劉周朱一羣賊首的地位，否則接見兩字是用不上的。這點雖是小節，其實關乎大義，絲毫也含糊不得。

總之，我們在宣傳上既缺乏機動性，又墨守成規不知改進，更由於在大陸受共諜滲透，創鉅痛深，對陷共人士仍視之如蛇蠍，缺乏民胞物與的襟懷，所以在宣傳上處處陷於進退失據的局面。以上所舉，只是經常見到的東西，實際所失尚不止此，主管宣傳當局，應該作一澈底檢討的。

港人百萬尚未打針

【本報訊】據市政當局指出，本港仍未接受預防霍亂注射者數近百萬人。另據估計，至目前爲止，至少有百分二十五居民未打針。霍亂症仍爲十八宗，在醫院中接受治療之霍亂症患者五名。目前有關霍亂症之情形如下：

醫院內臨床霍亂症五宗。已接受治療霍亂及離院之患者十二名。曾患霍亂而死於其他病症者一名。在檢驗中之疑症無。經檢驗後證明並非霍亂之疑症六宗。在檢疫所內之帶菌者一名。已痊愈及離所之帶菌者三名。漆咸道檢疫所內之接觸者廿五名。已離所之接觸者四〇三名。最近來港而被送往檢疫者無。最近來港被送往檢疫後所離者十一名。

台雜誌業籌設雜誌記者公會

【本報記者吳越台北航訊】台灣近千家雜誌社從業人員，正積極進行籌組「雜誌記者公會」。台灣省雜誌事業協會已正式通知會員雜誌社，限在一個月內將擬設記者名單報請該會審查，以憑發給記者證。

台雜誌業籌設「雜誌記者公會」，係由於「雜誌社不得設有記者」之糾紛所刺激而來（見上期本報報導），該項糾紛刻尚未澈底解決。

依據雜誌協會所通過的「雜誌記者設置辦法」，相當嚴格，該辦法經於八月一日專案報請內政部核備，結果如何，尚未可知。茲誌該辦法大要如次：

雜誌記者必須具備左列資格之一：

一、在教育部認可之國內外大學專科學校畢業得有證書者。

二、在教育部認可之高級中學畢業或與高級中學畢業資格相當，并從事新聞文化界主要工作三年以上而有證明文件者。

三、有專門著作經內政部審定註册者。

四、高考及格或普考及格從事新聞文化界主要工作三年以上而有證明文件者。

五、軍警專科以上學校畢業并曾從事軍中文化工作三年以上而有證明文件者。

六、曾任新聞記者三年以上成績優良而有證明文件者。

凡會員雜誌增設記者須由雜誌發行人將擬聘記者之學經歷證件及戶籍謄本送交該會，并填具申請書及調查表，由該會記者資格審查委員會從嚴審查，必要時得舉行寫作試驗。

雜誌記者資格審查合格後，由該會發給記者證，并分別轉報各級主管官署暨有關機關後，始能執行職務。

該會規定，凡有左列情形之一者，不得爲雜誌記者：

一、平時言論違反國策，經政府勸告不理者。

二、行爲不檢劣蹟昭彰者。

三、曾受有期徒刑以上刑之宣告褫奪公權尚未復權者。

雜誌事業協會組織有雜誌記者自律委員會，以保持雜誌界清譽，其規定雜誌記者如有不法行爲，涉及刑事部份，移送司法機關處理。雜誌記者行爲雖未涉及刑事範圍，但如影響雜誌界聲譽重大者，應依該會會章處分，情節重大者，得開除該不法記者所隸屬之雜誌會籍。雜誌記者有不法不檢行爲時，該會通知全體會員雜誌，作輿論制裁。

去年國民經濟成長率概況

本報資料室

進口　政府外滙比重突增，美援物資輸入遞減

五十一年包括美援等進口在內之進口總值爲三億三千一百多萬美元，較五十年增加七百多萬美元，達百分二·四。但若與五十年較四十九年增加七千一百多萬美元之百分二八·三比較，則五十一年增加之金額及增加率，均較五十年減少甚多。

歷年來進口外匯之來源，以政府外匯及美援爲主，自備外匯爲數不多。然而據外貿會統計，五十一年進口外匯中，以政府外匯爲主，高達二億一千三百五十四萬三千美元，較五十年之一億九千二百三十六萬二千美元，增加三千一百一十八萬一千美元，於此，政府進口外匯比重由五十年之百分五九·三六提高到五十一年之百分六七·三五。

其次爲美援進口外匯，爲八千零十一萬美元，較五十年之一億零八百十七萬六千美元，減少二千八百零六萬六千美元，所以美援進口已由五十年之百分三三·三八，降至五十一年之百分二四·一三，此爲歷年來美援進口比重最低之一年。

進口商品中，以農工原料輸入達一億七千四百八十六萬六千美元，較五十年續增一千七百多萬美元，爲第一位。其次爲資本設備，計八千三百三十八萬一千美元，較五十年減少二百六十一萬六千美元，爲第二位。而消費品輸入爲七千零十萬五千美元，較五十年減少八百九十四萬八千美元。其中食米、麥、麵粉、雜糧、豆類等，佔消費品及資本財則幾達一半。今後經濟愈擴展，對資本設備之進口需要亦愈多。凡此均反映國內經濟對進口貿易依賴之程度。

五十一年出口金額增加多，進口金額增加較少，是故包括美援等進口之入超額，較五十年減少一千六百多萬美元。反之，如不計算美援等進口，則出口之二億三千八百六十萬九千美元與政府外匯進口之二億一千三百五十四萬三千美元抵銷後，仍出超二千五百零六萬六千美元。不計美援等進口之出超減少，係因政府外匯進口之金額增加較多，出口金額增加較少。但此一現象，與當年貿易條件之不利，亦有關聯。而貿易條件之退化，十年來，除四十六年外，可以說由來久矣。至當年出口貨價單價指數與進口貨價單價指數均較五十年下跌，故貿易條件亦由五十年之百分八七·五八退至百分八二·九八。

關於貿易收支情形，據外貿會分類指出：一般工業發展國家中，就五十一年言，除美國，我國輸出金額爲五千八百五十九萬三千美元，輸入金額爲五千七百六十九萬二千美元，貿易收支出超（順差）九十萬一千美元，較五十年入超（逆差）二百四十七萬四千美元爲進步外。餘如日本，我國輸出金額爲五千七百八十九萬五千美元，輸入金額達九千四百七十六萬四千美元，貿易收支入超（逆差）高至三千六百八十六萬九千美元，較五十年入超（逆差）之一千三百九十三萬七千美元，入超增加二千二百九十三萬二千美元。其他另外七國，我國輸出金額爲三百六十一萬六千美元，輸入金額爲八百二十六萬五千美元，貿易收支入超（逆差）四百六十四萬九千美元，較五十年入超（逆差）之一百十六萬二千美元，增加三百四十八萬七千美元。

國際收支概況

據中央銀行初步統計：五十一年輸出入貿易總值共計五億四千六百四十萬美元（但據外貿會統計，進出口貿易總值爲五億七千零五十四萬八千美元），其中輸入總值爲三億二千八百萬美元，輸出總值爲二億一千八百四十萬美元，貿易逆差爲一億零九百六十萬美元，較五十年逆差減少二千四百四十萬美元。如連同當年之勞務收支逆差三百三十萬美元計算，則貨物與勞務收支虧絀總額計爲一億一千二百九十萬美元。（五）

閻錫山將軍的反共意見

吳文蔚

三、對共產主義的批判

閻將軍說：說到共產主義，等於說天堂上如何好，就是上不去。共產黨奉的唯物哲學，低估了人心，現在共產黨人要假共產主義，進行世界革命，返回來變成諂媚人心。你看共產黨人無論對什麼人，什麼事，或對什麼環境，都是拿上諂媚人心的方法，虛僞的收買人心，使人一看就說共產黨好，以麻痺世人。使人爲他效死，爲他打仗，爲他革命。

而這些受了麻痺爲他打仗效死的人，不惟不覺得死爲可怕，反而認爲是對共產黨效忠，是對共產黨應盡的義務，是每個共產黨員應有的光榮。像這次的韓戰，聯軍用了偌大的力氣，才把共黨軍隊趕回三八線。法越軍對鎮邊府，費了偌大的兵力，結果還是不能挽救鎮邊府危亡。可見受了麻痺的共產黨人對共產主義，總認爲是死了值得，犧牲甘心。所以我說反共若不粉碎共產主義，就堵不住他麻痺世人。

共產黨不僅對組織民衆，和訓練士兵，有他一貫的手法，就是對於他的高級幹部，也是有其整個的一套辦法。抗戰期間，共產黨軍隊編入第二戰區的戰鬥序列，由我指揮作戰，共產黨的高級幹部，除毛澤東外，差不多都和我長時間的接觸過。這些共產黨人見我，我問他們共產主義的好處，因爲他們遵從唯物哲理，只有必然，沒有當然，只能說資本主義必崩潰，崩潰後必共產，卻說不出當共產的理由；也說不出共產主義的好處在那裡。若說出當然，不是唯物，即成了共產主義的叛徒。共產主義的好處是可能解決經濟上種種的困難問題，但病在不能實現。所以我說共產主義等於是天堂上有種種的好，無奈上不去，成爲空想。因此從第二戰區回去的共黨幹部，統統要經一番考驗。這考驗的意思，即是鬥爭的一種變名詞。他不僅對高級幹部是如此，就是朱德也不例外。

有一次朱德從我長官部回去，一進門就遇到很多士兵幹部去歡迎，這些士兵幹部分在朱德身上與馬上亂搜，嘴裏又亂叫亂喊說：「總司令，閻長官給你好東西沒有？讓我看一下」其實他們不是搜東西，是在朱德身上搜資料，看總司令有沒有被閻長官同化！

又一次，陳賡對我說：「我們共產黨人是沒有法子不對共產主義效忠的，因爲毛主席領導的正確，使不信共產主義的人，也要忠心誠服共產主義；拿彭德懷來說：彭德懷絕不是個共產主義型的人，但毛澤東就有法子又調制他，把他放出去幾個月，又調回來；回來幾個月，又放出去，這樣一來，彭德懷就是以後不信共產主義，也不可能了，而是一個徹底的共產黨員，是徹底爲共產主義效忠的同志」！（七）

談康有為

丘峻

同年，歲次甲申，康氏潛心致力於改革政制，草擬方案，適法兵震羊石，氏避居其故鄉之澹如樓，廼根據禮運大同之旨，著『大同書』，以爲待之百年。蓋氏之理想，不特已超乎現實，而且已超越時代，處於君主專制時期而有此思想與主張，難怪時人多目之爲『狂論』。而氏亦知大同之治，不能驟行，驟行之，恐適以釀亂，故秘其稿而不以示人。且謂當今『據亂』之世，只能言『小康』，不能言『大同』；言則陷天下於洪水猛獸。其弟子晨初得讀此書者，惟陳千秋與梁啓超二人；讀之大樂，銳意宣傳其一部分，氏雖弗喜，而亦莫能禁。從此，『萬木草堂』諸從遊者遂亦侈言大同之說矣。

光緒戊子十四年十月，氏年三十一，以諸生（廩監生）伏闕上書，文長約五千餘言，痛陳積弊，講修政治，措辭激烈，直言不諱，『用人失宜』，語侵帝王，亦不知有所懼。

越五年，氏三十六歲，舉於鄉。翌年甲午，遇朝鮮東學黨之變，氏草朝鮮策而不見用。又明年乙未，遼東之役敗於日，承認朝鮮獨立，且割地賠款，開日租借地，喪權辱國，羣情洶湧。時適會試之期，各省舉人齊集京師應試，氏乃鼓吹公車舉人上書，拒絕日本要求，奔走結果，廣東舉人簽署，湖南舉人隨即參加，各省舉人亦陸續響應，集十八省舉子一千三百餘人，會議於達智橋明烈士楊繼盛（椒山）故居松筠菴的諫草堂，公推康氏領銜奏請變法。氏竭一晝二夜之力，成一萬四千餘言，文不加竄，以四月八日上書清廷，不提出主張，拒和，請求變法。此一上言事，實開士人近世學生政治運動的先河。時宰相孫毓汶貪庸誤國，力主議和，擬欲毆之，又擬以槍扛其家，且有欲殺之者，孫氏以必於生巨禍，固止之。孫知衆怒難犯，遂於六月五日，稱病奏請開缺，德宗郎可其奏。士氣之盛，逐及宰相，事豈尋常、而可以不引起國人之震驚者乎？

氏第一次個人上書，請及時變法，不能上達；第二次公車舉人上書，復請變法，又不獲接納；而有些守舊大臣怒其狂妄，且欲逐之；友好又勸氏隱於文字，勿再言國事；乃於失意之餘，賦『上書痛哭嘆中原，豈意竊山卻掃門；已拚萬緣隨念盡，由無一法與人言！講堂漫有青紗帳，春信偏無黃葉郵。時事近來都絕口，祇將風月與君論！』一詩，以誌其悲憤。繼徇沈尚書曾植之勸，研究金石，合歷代鐘鼎碑帖一爐而冶之，盡脫窠臼，別創一格，世稱『康體』。其跋沈曾植所書楷條幅云：『此沈乙菴布政書也。乙老最深於書，初學安吳，晚變化自成一家，蒼深雄古，其行書冠冕海內。吾于書，無所讓，並世人惟乙老耳。乙老學行才志，無不過絕時流，書其餘事耳。然不肯爲人書。乙卯十一月三日，過其齋索之。』於以知其于書自視之高也如此！其書體，雄渾遒勁別致，此天聰之作，士林推崇。所寫其母勞太夫人墓碑，尤爲有名，梓行之日，紙貴洛陽，統計先後奉旨毀版數次，翻版一十九次，不數年間，行銷中外，已達數十萬冊，夫豈偶然？（二）

瘟君續夢

第九回：　枵腹爭雄壺漿招餓鬼　苦心糾衆風雨會羣魔

中共代表團除去劉少奇、鄧小平之外，又加派彭眞、李井泉、康生、胡喬木、廖承志、陸定一、劉寧一、楊尙昆，外加一個「駐蘇大使」劉曉。算是把中共搞國際運動的人馬全部派出去了。

代表團動身前，毛澤東又召集全體團員開了一次會，周恩來、陳毅也出席參加。

毛澤東說道：「關於這次去莫斯科開會事，希望大家認清一個事實，蘇聯尤其是赫魯曉夫斷斷少不掉我們。赫魯曉夫對我們能用的殺手鐧全部用光了，我們目前有求於蘇聯者並不多，可是，這次莫斯科會議若沒有我們簽字，聯合聲明就發表不出來，所以我們這次不達目的是決不干休的。你們祇管硬挺下去，千萬不要作絲毫妥協之想。」

劉少奇說道：「主席訂下的原則我們一定遵守，不過在技術方面，例如發言的秩序，也要事先作個準備。最好能預先排演一遍，免得臨時慌亂。」

毛澤東想想，點頭說道：「這個話到也有理，你們應該先作一個安排，誰講什麼話，都要記熟。」

陳毅笑道：「我們聽京戲，有花臉，有黑頭，有好白臉，因爲有的角色作好人，有的角色作歹人，這場戲才唱得熱鬧。我想代表團也不妨這樣分配一下。」

毛澤東一拍大腿，說道：「你這個主意到是眞要得！目前我們不妨計劃一下，開會期間，眞正有機會發言的也就是正副團長，假若有第三人發言就推彭眞同志，以下是李開泉同志，康生同志，大概再多是不用了。假使會議開得一團和氣，完全按照我們的意思去作，也就無所謂了；如若赫魯曉夫仍然販賣修正主義的膏藥，你們要狠狠鬥他，才能幫助他進步。」

毛澤東講到這裏頓了一頓，說道：「我考慮了兩天，少奇同志去過幾次莫斯科，和赫魯曉夫有點私人交情，恐怕不便於太翻臉；再說他又是代表團長，也不能不留一點餘地，所以由他發言攻擊赫魯曉夫，多少是有點困難的。」

毛澤東一面說，劉少奇一面唸阿彌陀佛，等到毛澤東一旦住口，馬上接着說道：「主席的意見永遠正確，事實也確是如此。」

毛澤東又說道：「因此，我想由小平同志來衝鋒陷陣，赫魯曉夫假若不按照我們的意思去安排會議，你祇管出頭鬥他，無論你鬧多大禍，由我一個人負全責就是了。」

鄧小平說道：「我到不怕作惡人，祇是我的理論水平不高，萬一在會議上發生爭執，我恐怕不是赫魯曉夫的對手。」

毛澤東擺手道：「這一點你可以特別放心，赫魯曉夫的理論水平決不會高過你，他鬼混這麼多年，你看見他自己寫過一部闡揚馬列主義學說的書沒有？在他平時的演講及私人談話中，又聽他提到過馬克思、列寧主義沒有？所以他不掉書袋就算了，眞掉書袋絕不是你的對手，你不用害怕。」

鄧小平聽了祇是苦笑。

毛澤東繼續說道：「其實作爲一個共產黨員，你祇要知道怎麼同別人扣帽子就行了，和馬列主義根本就不相干。」（二二八）

中國古錢

周燕謀

凡不是當世所用之錢，皆稱爲古錢。中國的古錢爲古金之一種，與石刻並稱。錢本爲古代之農具，原非貨幣，其狀如鏟，是用來鏟地除草的，非如後世圓周方孔專用來交易便通有無的所謂「中準」的錢。詩經：「庤乃錢鎛」。庤，釋爲具，錢與鎛皆爲古代農人除草之具。至於錢之所以轉爲後世貨幣之專稱，蓋由上古交易，乃以物易物，而當時人民之所有，則普遍爲錢、鎛等農具，故恆以錢鎛以易物，於是錢鎛自然而然便由純農具，而轉變爲交易之貨幣了。

其後時代日益進化，交易漸趨頻繁，人之所需，既不限於農具，而以物相易，又感笨重煩勞，乃沿其交易之習慣，因象錢鎛之形，而創製爲正式的貨幣，錢之名稱，由此而起。錢之爲字，亦由此脫去農具之本義，而成爲世所寶貴，力能通神，福人禍人之各項貨幣之通稱。至於鎛，雖亦爲農具，且亦爲古代交易之媒介，卻因未變爲貨幣，時至今日，錢之一字，隨處可見；鎛字竟湮沒無聞，成爲「死字」了。

中國歷代錢幣之輪廓如下：

鏟幣：以其形狀如鐵鏟而名，或稱空心幣。其頂端之方孔，約係指明農具之錢，於此穿有木柄，以示象形。鏟出土最晚，元明以前，無人言及。古錢雜咏陳介祺云：「眞詩庤乃錢鎛之錢，以其至利於民，上古取而象之以爲貨。」因考其篆文，鑑其銅質，謂春秋前物，而未確定年代。

安邑錢：幣形古樸，然較鏟錢已較開化，背平而有記地記貨（安邑貨二金）篆文五字。共三品，大者爲安邑貨二金，中者爲貨一金，最小者爲半金。三品之中，以半金最爲少見，故亦最爲人所珍視。舊譜曾以禹都安邑，因而定爲禹幣，迨鏟幣出土，便成疑問矣。惟考其篆文，察其形質，無不古意盎然，超乎戰國時幣之上。

尖足幣：形有大小二種，較鏟幣安邑幣均爲脆弱。大者少見，而小者嬌小嫵媚，如春燕臨風，頗引人入勝。此幣面有篆文武安二字，既屬記地，或當另有他品，惜未之見。

山陽幣：山陽與安陽、長子、毛氏等幣，均爲戰國時物，以安陽爲最多，山陽爲最少，而其大者，尤爲罕見。

刀錢：以其形狀似刀而名，亦記地篆文。刀末作環形，可以穿繫。太公九府圜法中，有「利於刀」一語，齊刀之鑄，或始自太公。以大者流傳爲少，其篆文最多者，尤爲藏泉家所爭寶。今僅記其五字者爲「齊卽墨之刀」，尚有七字、九字、十一字，及最多之十三字者。小刀流傳至夥，而僅一兩字。舊藏有面文邯鄲者一品，較呂刀爲少，銅質亦較精細，以地推之，當非齊鑄可知。（上）

四個後主

漁翁

後主，嗣君也。後漢書：「故必於貽嗣後主以至顚敗者，其數有可言焉。」史家於季世之主，多稱後主，如蜀漢劉後主禪，六朝時，陳後主叔寶，五代末，孟後主昶，南唐，李後主煜，之數君者，皆亡國送終之主也。

三國時，蜀漢之主劉備，字玄德，涿縣人，爲豫州牧。得諸葛亮於襄陽，用其策以取荊州，定巴蜀，即位於成都，國號漢，稱爲「劉先主」，與魏吳成三分鼎足之勢。臨死，召諸葛囑以後事：「你的才能，十倍於曹丕，必能安國。若我子可以輔佐，請輔佐之，若不成材，先生可自爲主，以免誤國」。同時對其子禪，亦有遺言：「爾對國家大事，請示丞相行之；事奉丞相，如事奉我。」蓋劉備已知阿斗凡庸，故託孤於諸葛也。諸葛受先主臨終慇懃之付託，乃有「鞠躬盡瘁，死而後已」之誓言。禪繼位爲後主，俗稱「阿斗太子」，幾其無能爲也。迨諸葛一死，即人亡政息，不久爲司馬昭遣鍾會所滅亡。

南陳後主陳叔寶，字元秀，乳名黃奴，爲武帝陳霸先之姪孫，宣帝陳頊之長子，吳興人。南陳自武帝至宣帝，皆享國日短，爲期二十二年，即五傳而至後主，以承平之後，宴安酖毒，荒於酒色，後宮有張麗華者，美而聰穎，後主嘗抱置膝上，聽百官奏事，與共決之。在宮內大興土木，建臨春，結綺，望仙三樓閣，日與張妃及諸嬪狎客，遊宴其中。時又有尚書孔範之妹，亦明艷多姿，納諸宮中，封爲貴嬪。後主左擁右抱，朝政益荒，隋師至，尚奏伎行樂，隋將韓擒虎入朱雀門，始與張孔二妃，匿於胭脂井中。引之出，張孔二妃，被斬於青溪大柵；後主俘至長安，向隋乞降，封爲長城公。一日，又向隋文帝乞爲僕射，帝曰：「汝亦一朝天子，尚羨丞相也耶？」國亡而不知恥，文帝謂爲無心肝，所斥誠然。

五代時，孟後主昶，爲後蜀主孟知祥第三子，繼位後，改元廣政。好打毬，走馬，及其他娛樂，君臣務爲奢侈，不思振作創造，致國勢日形衰弱。及宋師伐蜀，不能抵抗，即命李昊草表以降。至京師，封爲秦國公，自以得保性命而爲榮。其苟安求活，與陳後主叔寶如出一轍。

南唐，李後主名煜，字重光，爲烈祖先主之孫，元宗中主第六子。性聰穎，好詩書，所爲詞哀感頑艷，爽人心目，與唐代謫仙李白，宋朝詞家李清照，號爲詞家三李。李煜寬厚好古，其亡國也，非在溺於文學，而實佚樂無能，且好浮屠，建塔廟，度僧尼，宮中佛寺達十餘所，退朝後，嘗與昭惠后頂僧伽帽，服袈裟，課誦佛經，所謂一切有爲法，皆作如是觀。因此，凡事聽天由命，國政不理，武備不修，宋師入，倉皇辭朝乞降，被封爲違命侯。而抑鬱哀怨之情，恒見乎詞，觀其所作「虞美人」、「望江南」、「烏夜啼」、「相見歡」、「子夜歌」等詞，皆纏綿悱惻而兼蒼涼悲壯者也。卒以「小樓昨夜又東風，故國不堪回首月明中！」「雕闌玉砌應猶在，只是朱顏改」等句，觸宋太宗之忌，以毒藥酒賜死之，卒年四十一歲。

以上四後主，劉禪之凡庸無能，陳叔寶之荒淫無度，孟昶之驕奢游蕩，李煜之佚樂無能，均因此以亡國，乞降求榮而不知恥，雖靦顏於一時，終遺羞於千古。

海嶠墨談

令人迷惘的問題

諸葛文侯

人類的智慧隨着科學發展而日益增長增高，對於大自然界的神秘事象，亦能利用科學方法，剖析分明，予以適當的區處運用，使其裨益於人生。可是，人類對於本身日常生活中的若干淺明問題，卻始終聚訟紛紜，莫衷一是，大家陷於迷惘的意境，誰也想不出一種「放諸四海而皆準」的解決方法，不亦怪哉！

男女婚姻原係人類共有的基本生活方式，既無例外，亦不神奇，可說是與布帛粟菽同樣平凡的事情。但婚姻制度究竟怎樣釐定，纔算是最妥當合理，使人間沒有怨女曠夫存在，而家庭糾紛和悲劇亦不致發生呢？世界上雖然產生了不少的聖人，對於這問題，至今亦未有適當的指教垂訓，俾世人知所遵循。如是乎人間的婚姻制度乃五花八門，各行其是：有的多妻，有的多夫，有的一夫一妻；有盲婚的，亦有試婚的；有文明結婚的方式，又有野蠻搶婚的習俗。然結果都不見得盡如人意，男女間的家庭糾紛層見迭出，甚至演出許多醜劇和悲劇，也造出許多笑料來。就此而論，人類的智慧實在幷不高明，而居然又能表現戡天縮地的績業，寧非咄咄怪事？

中國舊有的婚姻制度，專憑父母之命，媒妁之言爲依歸，男女本人沒有自主的權能。如果婚姻不美滿，父母和親友們即藉宿命論作解慰之資，說這是前生註定的姻緣，無可避免，亦用不着怨艾，而視離婚爲不名譽的非道德行爲，大家禁彈此調。如斯人云亦云，乃形成了一種輿論，男女本人的心理上，無形之中受着這種輿論的影響，自然而然地亦就認爲命該如此，逐漸消弭不滿的情緒，彼此勉強相安，家庭糾紛即相應減少了。迨海禁大開，西風東漸後，打倒舊禮教的呼聲大作，首先就是實行男女自由戀愛，婚姻自主，不受父母干預，認爲這樣纔是進步的文明生活。然而文明結婚的一般後果，幷不比舊有野蠻式的盲婚生活更幸福，社會上隨時發生離婚事件，固屬司空見慣，不足爲奇，而形形色色的家庭悲劇或慘劇，亦到處演出，洋洋大觀。如最近在台灣轟動聽聞，轟傳海內外的名男人與名女人離婚訴訟案，他們雙方互相指摘宣揚的醜事怪行，即非舊式婚姻制度下的男女們所能想像的情形，更非自由戀愛結婚的理論所能解釋的問題啊！我常常偶發奇思：假使我在世界某一地區作了專制的帝王，全體人民要我頒訂一種自認爲妥當完滿的婚姻法，他們一致遵守，決無異議，我還是束手無策，都謝不敏的。因此，我在良知上乃產生了一種反動思想，認定現代的婚姻制度，還不如舊時那套[illegible]情感而言：[illegible]的男女愛情是由淺而深；現代文明結婚的男女愛情卻是由深而淺。就家庭生活情況而言：舊社會承認妻妾公開併存，各安份際，毫無所謂；新社會，諱言多妻，自詡爲文明體制，但男人暗中金屋藏嬌，安置着黑市夫人和地下情婦者，所在多有，我國的民法上，且明文規定有同居關係的女人，亦享有財產繼承權，只不過把「妾」和「姨太太」的名稱易爲「同居關係」而已。似此戴着假面具，冒充文明生活的現代婚姻制度，究竟有甚末進步的意義呢？若說男人多妻是蹂躪女權，摧殘女子的人格，試問現代社會的「黑市夫人」和「地下情婦」，又與舊時公開正名定分的姨太太，實質上有那點不同嗎？這不能不說是令人迷惘的一大社會問題也。（一）

南宋偏安有人才

李仲侯

飛奏辭免，詔不允。原詔如下：

「具悉。屬者襄漢之擧，旌旗所指，勢若破竹。遂平六郡，役不再籍。是用建爾節旄，授之斧鉞，以臨融水之師。而秉義抗辭，至於再三。今寇我內侮，蹂踐兩淮。獨提虓旅，徑絕大江。鼓行西向，以挫其鋒。折馘執俘，厥功茂焉。朕載披輿圖，惟鎮寧崇信，爲時重鎮。併此兩節，肆以命卿。迺復逡巡懇避，形於奏牘。功成勿居，雍容可觀，士論稱歎。雖謙終可以保吉，然信賞所以示公。朕命不移，往其祇服。所請宜不允」。

飛再三辭免，詔仍不允。詔云：

「具悉。卿凱旋振旅，入覲於廷。舍爵策勳，賞不淹晷。朕非是寵卿也，謂名器天下之至公，而爵祿人主之利勢。有功不賞，朕將何以使能？無言不酬，卿亦思所報上。茍曰無愧，豈必固辭。所請宜不允。仍不得再有陳請」。

楊么者，鼎州鍾相之餘黨。楚人謂幼爲么。自建炎末，相敗死，么率其餘部居湖湘間。其徒有楊欽、劉衡、周倫、黃佐、黃誠、夏誠、高老虎等，數年間聚兵至數萬，立相之子儀，謂之鍾太子，與么俱潛稱王，官屬名號，車服儀衛，並擬王者。居有三衙大軍所，居之室僞曰內，文書行移，不奉正朔，蹂躪鼎澧，窺覦上流。程昌寓、王璞討之，連年不能平。至是命飛。飛所部皆西北人，不習水戰，飛曰：「兵何常，顧用之何如耳」！飛奉詔後，自池州進兵於潭，所過肅然，民不知軍旅之往來。上聞詔獎之，詔曰：

「卿還提貔虎，往戍潭湘。連萬騎之衆而桴鼓不鬧，涉千里之塗而樵蘇無犯。至發行賞之泉貨，用酬迎饋之壺漿。所至獲其歡心，斯以寬予憂顧。嘉治軍之有德，雖觀古以無慚。乃眷忠忱，益加咨嘆。故茲獎諭，想宜知悉」。

時飛駐池州，四月題翠光寺詩曰：

「愛此倚欄杆，誰同寓目閒；輕陰弄晴日，秀色隱空山。島樹蕭疏外，征帆杳靄間；余雖江上老，心羨白雲閑。」

又題翠微亭詩：

「經年塵土滿征衣，特特尋芳上翠微；好水好山看不足，馬蹄催趁月明歸。」

其時楊么巨寇，踞擾湖南洞庭湖，濱湖各縣人民不勝其荼毒。調師征剿，連年未得蕩平。岳飛奉命專征，特賜詔戒諭將士。（七五）

甘露寺

匡謬

甘露寺因平劇龍鳳呈祥而得家喻戶曉。依該劇所示，甘露寺至少在漢末時所建造，考之史實則非也。

鎮江北固山之有寺，乃梁武帝之事，在梁前僅有亭樓榭等物，爲達官貴人宴集眺覽之所。舊說以爲「甘露寺」爲吳大帝所建，殊無文獻可徵。或謂該寺爲孫權建於赤烏年，即使無誤，亦已在孫氏即位之後，而與劉備甘露寺招親無關。又有謂爲孫皓所建者，史冊亦無可稽。按三國志載，孫皓都建業，改元甘露，事在是年四月，因蔣陵甘露降之故。孫皓九月即遷都武昌，次年又改元寶鼎，甘露年號不足一年，其在建業不過半年，即忙於遷都。

甘露寺之見於記載最早者，爲時乃在唐代。李德裕三鎮浙西，據魚山志載稱，「敬宗寶曆二年，三月乙亥甘露降北固山。」而李德裕適在北固山建寺，因以爲名。大概此寺爲梁武帝時所建，至唐乃擴修或者改建，規模乃宏。此寺有李衛公鐵塔，而今尚存。山上舊有三賢祠，祀米芾、李德裕、蘇軾三人。唐宋以後，甘露寺之名始著。可見平劇甘露寺劉備招親，以及吳國太甘露寺相壻故事，實乃小說家之言，戲劇家之附會敷衍耳。

內備警台報字第〇三壹號內銷證

自由報

THE FREE NEWS

第三六五期

中華民國僑務委員會頒發
台教新字第三二三號登記證
中華郵政台字第一二八二號執照
登記為第一類新聞紙類
（半週刊每星期三、六出版）
每份港幣壹角
台灣零售價新台幣弍元
社　長：雷嘯岑
督印人：黃行蠶
社址：香港銅鑼灣高士威道二十號四樓
20. CAUSEWAY RD 3RD FL. HONG KONG
TEL. 771726　電報掛號：7191
承印者：田風印刷廠
地址：香港灣仔高士打道二一二號
台灣分社
台北市西寧南路壹壹零號二樓
電話：三〇三四六
台郵撥儲金户九二五二

本報緊要啓事

本報原在台灣高雄市設置之南部管理處，現因業務改進關係，於八月五日結束。舊有高雄市暨南部各縣市之辦事處亦同時撤消。至於當地各訂戶之報紙，仍按期派送不誤，由高雄市苓雅區林森二路一〇六巷廿三號黃多生先生經理其事。本報原來委聘之南部管理處營業員暨通訊記者等職務，即於八月五日一律解除。特此聲明，統希各界注意爲幸。

由中國的大學教育說到政治問題

薩孟武

前年大學與專科聯合舉行入學試，去年改爲分別考試，今年又恢復爲聯合考試。忽而分考，忽而聯考，聯考爲是，去年不應該改爲分考，分考爲是，今年又何必恢復聯考。「法莫一而固」，政治家要改造一種制度，事先必須詳細考慮，一經決定，就不宜隨便更改。對於自己的事，無妨嘗試，嘗試失敗，不過自己受到災禍。對於別人的事，不宜慷他人之慨，隨便嘗試。何況嘗試的對象不是一二人，而是成千成萬的學生。

聯考與分考不是最近一二年內才有的，其中利弊如何，教育當局不能毫不知道。凡事有利者亦必有弊，利多弊少，宜仍舊貫，利少弊多，自應改絃更張。我對於分考與合考，沒有成見，忽而合，忽而分，分合不定，這是我們期期不以爲可的。

大學太多　專科太少

大學與專科，性質本來不同，大學是研究學理的，專科是學習技術的。研究學理的人不必多，也不能多，學習技術的人，無妨多，也應該多。前者太多，將降低學生的程度，而不能達到研究學理的目的。後者太少，將令各方面感覺人才缺乏，而不能運用各種新發明的技術。

吾國中學畢業生個個都喜歡進大學，由是大學就有人滿之患，推其原因約有兩種。一是學制，不問大學，也不問專科，都須高中畢業生才得應考，兩者年限只差一年，然而大學畢業生有學位，專科畢業的不能稱爲學士。學歷相差無幾，當然青年們都喜歡入大學。二是銓敘，吾國考試制度已有問題，即學術考試與專能甄別沒有區別。每年高考所出題目都是屬於學術考試，縱令能夠得到滿分，令其從政，效果如何，實有問題。而銓敘一項更令青年不能不進大學。專科畢業生釋褐入仕，可做那一級官，學士可做那一級官，碩士可做那一級官，博士可做那一級官，不但初次不同，以後昇官亦不同。沒有大學畢業的人，縱以事能見知於人，而銓敘亦不合格。在這種制度之下，何怪青年均欲進大學，更欲出國留學。

數量增加　程度低落

大學增加了，大學畢業生也年年增加了。程度如何呢？一年不如一年。製造人才與製造商品不同，製造商品還要看看材料之品質如何，製造人才何能不注意品質。質劣者，不管如何製造，均難成材。那一種木頭可以雕刻佛像，那一種木頭，只配造馬桶，這是先天鑄定的。不問品質如何，將大學改變爲普通教育，當然一代不如一代，其結果，將如三國時代一樣，「博士率皆麤疏，無以教弟子。弟子本亦避役，竟無能習學」。歷來最奇怪的現象就是每年大專入學考試，不是有多少好學生，收多少，而是先決定招多少學生，而後將總數分配於各學校。這種及第辦法，縱是古代考試也是沒有的，可以說是今人的新發明。大學教育的良窳，在質不在量，量多，有時還要把質拉下。許多人都說，大學考試太難，其實，大陸時代大學考試更難。全國人口多少，全國高中學生多少，全國公私大學多少，每個公私大學所招學生多少，應考學生多少，此數者若與今日台灣比較，我認爲台灣各大學入學考試及第太容易了。中學生程度高麼？天曉得。「弟子避役」，令家長不能不強迫教育當局多招學生麼？這只有請大衆判斷。學問上無淘汰作用，學術平均水準何能提高。

上位乏人　下僚白首

我們以爲大學愈少愈好，專科學校愈多愈好，研究學理的人愈少愈好，學習技術的人愈多愈好。但是畢業之後，學技術的須有他的出路，而且報酬不能比研究學理的少。利之所在，人爭趨之，這是人情。至於政界人物，除了政務官之外，事務官應依考績昇遷，不能因爲他不是大學畢業生，不是外國留學生，而限定他的資格；而昇遷之時，更不宜級級高昇，須得越級而遷。否則上位將苦於乏人，下僚又嗟於白首。董仲舒說：「小材雖累日，不離於小官。賢才雖未久，不害爲輔佐」。魏相不過郡之卒吏而已，一遷而爲茂陵令，再遷而爲河南太守，三遷而爲大司農，四遷而爲御史大夫，五遷而爲丞相。即由百石之吏而至萬石之相，其間所歷不過五遷而已。今人所謂考績實即年勞，即後魏崔亮所創之「停年格」，唐代裴光庭所創之「循資格」。馬端臨說：「考課是以日月驗其職業之修廢，年勞是以日月計其資格之深淺。後世之所謂考課者，皆年勞之法耳。故賢者當陟，或反以資淺而抑之；不肖者當黜，或反以年深而升之。故考課之法行，則庸愚畏之；年勞之法行，則庸愚便之」。五代時，周世宗「好拔英俊，有自布衣及下位上書言事者，多不次進用」。他「命魏仁浦爲相，議者以其不由科第（即未經普攷及高攷及第），世宗曰古人爲宰相者豈盡由科第耶？遂決意用之」。故在位區區五年，能夠改革軍政，刷新政治，復興經濟。伐蜀，取秦鳳階成四州，伐唐，淮南十四州悉入於周，親征契丹，取瀛莫二州，關南悉平，造成了宋代統一的基礎。由是可知國家在困難時代，尤須破格用人。

教育政治　兩俱失敗

我是研究公法學的人，向來認爲國家之治亂繫於人心者少，繫於制度者多。（下轉第二版）

漫画天下

南施

看不到他的眞貌

赫魯曉夫像

請視其背

自由談

由傭工起談

馮五先生

我家僱用的一個女工人，服務已及十年了。每天開門七件事都由她經管料理，我和太太祇是指示她如何區處日常飲食起居事項的原則而已。

可是，這女工頗有個性，凡是她認爲不相宜的事情，即向主人抒述她的見解，侃侃而談，有時且不惜直言極諫。例如我好吃辣椒，她就說香港的氣候和水土很不適宜這種食品，少吃爲佳。我偶爾穿着西裝倒在床上午睡，她又說未免太蹧蹋物力了。諸如此類的事，不一而足。有時我約客人來家吃飯，吩咐她多添些菜，她總是少買些。初時我覺得她有不聽話的毛病，對主人太不忠貞，因而懷疑她殊不可靠，很想予以解僱處分。繼而發現她對於經手採購一切食物與用品的銀錢，絲毫不苟，絕無揩油中飽之弊，對於她自己的工資亦從不爭多論少，而日常看守門戶，整理內務，以及接待客人等工作，皆能恪盡職責，勤愼毋失，尤其是每逢主人發生疾病之際，即不辭勞瘁，格外努力服役。這證明她行己廉介自持，有所不爲，對主人愛護備至，可稱極其誠篤，實係十分忠貞可靠的傭工，未可多得，終於主僕之間相處有如自己一家人，在任何情況之下，彼此皆相依不忍離開了！

即小可以喻大，政治上的僚屬幹部，亦猶之乎家庭中的傭工。居於統治高位的人，對幹部如其不能讓他發揮個性，而專以唯唯諾諾、伈伈俔俔的表情爲聽話服從，以烟視媚行、面諛腹非的動作爲忠貞可靠，却不問其平日立身行己是否具備着做人的起碼條件？奉職治事是否表現着奮勉的精神和績效？則其所信任的幹部，只是一般奴才，決難得到人才的。因爲眞正的人才一定有個性，憑着有所不爲的個性，纔可以造成事業，福國利民。古往今來，幾曾見有對人對事毫無意見表示的賢才志士呢？

昔人謂：「王者與師處，霸者與友處，亡國者與役處」，所謂「役」，就是政治上的奴才式人物，這類人雖在民家作傭僕亦不夠料的，教他担當治國平天下的大任，國事焉有不敗壞之理？

香港與大陸

飢寒磨折廉恥道喪
大陸偷竊行為成風

中共血腥統治下的大陸同胞，長時期的飢寒磨折，使大家已不再視偷竊行爲是一種可恥的勾當，而認爲係一種謀求生存的方法，不管是工人、農民、學生、教員，祇要有偷竊的機會，他們便會毫不猶疑地去幹的，而尤以偷竊糧食爲然。

一位來自廣州市的華南師範學院的學生張玉×小姐稱：偷竊行爲對大陸同胞而言，如今已是平凡不過的事情，大家根本就不覺得那是一種可恥行爲。在她就學的那間所謂「培養人類靈魂工程師」的華南師範學院，偷竊行爲便實在的司空見慣，同學們的東西都是必需上鎖的，雖離開宿舍（儘管是片刻）亦得把房門鎖好，不然，許多東西馬上就會不翼而飛。宿舍外面更不敢涼晒衣物，除非你能在那裏守着，否則不被偷去者幾希。

張玉×小姐說：被偷竊的東西五花八門，樣樣都是，但以糧食爲最多。僑生由海外寄回的東西當然是最被人注意的，就算廚房中的「飯鉢」凡盛有米的，也是偷竊者的對象。每天都會有不少同學的飯鉢被偷走而挨餓。她說：最近她們學校裏「偷飯鉢」之風氣更盛了，大家都極感頭痛，後來經嚴密的調查，才揭發是由幾位女同學組成的偷竊集團所爲。她們都是十八歲至廿多歲的大學生，平日喜歡運動，食量較大，校方供應量不夠，又無「外水」支援，乃出此下策。更使人慨嘆的，當學校當局宣佈把她們記大過時，她們全無愧色，有一位甚至若無其事地說：這是「生存競爭」嘛！

另據一位由惠陽縣來港的青年學生稱：大陸的偷竊事件實在太多了，不管是無知的體力勞動者或受過高深教育的腦力勞動者，皆有這種行爲。在他們的村子裏，有一家賣「水貨」的合作社，有一天晚上被偷「大批」的水貨，後來該村發動大批民兵，搜索調查，結果發現偷竊者是一名惠陽中學的教師。還有在農村中「偷」，許多農民們在除穀的時候，往往身懷布袋，每當在場監視的共幹沒有留意時，便用帶去的布袋去盛取稻穀。

該青年學生說：共幹對這等事情當然知道的，但却防不勝防。共幹對被揭發「偷竊」的處罰，亦極爲嚴厲，最近「公社」裏要求農民將存放公社的穀物，搬到縣倉庫去，有幾個農民在轉彎的地方，避過共幹的監視，企圖挑着穀物飛跑回家，被查出了，都被判「十年的勞改徒刑」。該青年學生又說：人們雖明知被發覺偷竊後，會受到嚴厲的刑罰，但每當有機會可偷竊時，大家就不顧一切的去偷竊，根本不當一回事。他說：大家吃不飽，那還講什麼廉恥經！在這青年學生還承認：他在池塘邊偷捉了一隻公社裏養的鴨子，煮來吃了。他說：除共幹在防範什麼人偷外，而且，大家都是誰在偷東西，共幹雖然在防範百姓偷東西，它們暗中却亦在偷東西。（徵斯）

嚴家淦在立法院指出

我應切實加速經濟發展

認為在今後五年至十年之內

仍需要美援或其他方式外資

【本報記者台北航訊】美國經濟援華，始於民國三十七年之協定。依照該協定規定，運用美援旨在改善我國經濟建設，故必須：一、採取必要措施，以保證有效利用經濟資源。二、促進農工生產之發展。三、採取安定及發展經濟所需之財政、幣制、預算及行政上措施。四、增進國際間合作與貿易。

最近，外界對美援問題，有種種揣測之詞，因此，立法委員潘士浩等二十七人在立法院第三十七次院會中提出臨時動議：邀請行政院美援會副主任委員嚴家淦列席立法院報告美援運用情形，並備質詢。

嚴家淦於本月二日列席立法院三十八次院會報告美援運用的情形時說：自從上述協定簽訂後，美國在一九四八年度援外款額中，核撥援華經援計二億七千五百萬元；旋因大陸陷匪，是項援款實際上僅支用一億七千萬元，餘數由美方移用於東南亞地區。

自三十九年起，至五十二年止，美援共計十三億一千五百萬美元，平均每年約一億美元。由美元所孳生之新台幣則爲二百十七億餘元。今後適用於我國之美援，將爲「一九六一年國際開發法」案下之開發貸款，與開發贈與及技術合作兩項，以及「發展農業貿易及援助法」案（即四八〇公法）下之剩餘農產品。

美援爲我國經濟建設主要資金來源之一。例如（一）電力建設，在同期間所獲美援爲一億七千餘萬美元，利用美援台幣亦達二十五億零五百萬元。（二）肥料工業，美援投資佔總投資額之百分六十，其中美金部份爲二千七百餘萬元，台幣爲二億八千五百萬元。（三）石門水庫，全部建築費用爲二千九百四十萬美元，均由美援貸給，所需新台幣資金中約有三億元係由美援貸給。（四）小型工業貸款，自四十三年迄今包括開發貸款基金，已貸出九百萬美元以上，而美援台幣基金達一億六千九百萬元。（五）其他工礦事業，美金部份達五千餘萬元，台幣則爲五億三千餘萬元（六）交通事業美援約五千三百餘萬美元，台幣共合爲十五億三千萬元（七）農業及天然資源之美援計美金一千四百餘萬元，台幣爲三十八億元。

前述各項，已用於及已決定用於經濟建設方面之美援，合計美金約三億五千五百萬元，台幣約九十一億三千餘萬元。

嚴家淦說：我們「由於經濟建設之需要，人口之不斷增加以及軍事上之負擔，國際收支未能平衡，爲可以想見之事。雖有華僑及外人投資，然爲數不多，彌補差額之主要來源，發生重大作用，惟一爲美援。自四十年至五十一年，全部經常帳國際收支出爲二十二億二千萬美元，由美援支應者爲十億另六千萬美元，佔百分之八二·二。

美援政策在改變中，這是盡人皆知的事，但究竟如何改變？據嚴家淦分析，其趨勢不外：（一）以政府對政府爲基礎之贈與性援款，逐漸減少。（二）遞變爲循國際投資之正常方式，以個別投資計劃爲對象，給與長期貸款，但條件遠較民間投資爲寬。（三）由政府提供種種便利，鼓勵美國民間對外投資。（四）敦促自由世界其他進步國家，共同肩負國際開發任務」。「此項政策上之轉變，當政以後，自甘迺迪總統，更見明顯，因而有『一九六一年國際開發法』之通過。……但依照國際開發法，則今後美援將以貸款方式爲主，並必須以美金償還」。

嚴家淦承認「我國經濟對美援依賴之深。美援一方面解決部份長期建設資金短缺問題，另一方面又彌補國際收支逆差。如無美援支持，則不但國內若干經濟建設無法進行，即台幣內外幣值亦無法穩定。展望台灣未來經濟，在最近五年至十年之內，除非採取極嚴厲之國內節約措施，並全力促進經濟發展，否則，仍需大量之美援或其他方式之外資。照目前趨勢，台灣經濟於五年至十年之內，自輸入外資（包括美援）轉變爲大量償還外資本息及進一步輸出資金之可能性不大。故在今後十年之內，美援仍將成爲我國經濟發展及經濟穩定之主要支柱」。

「美援無論其爲贈與式或貸款式，其對目前台灣經濟之影響相同」。嚴氏說：「吾人對美援方式之改變，不必有所憂慮。」因爲「作爲一獨立之國家，對於以正常之借貸代替贈與，勿寧表示歡迎」。於是，他希望國人應努力「建立一健全之經濟設計機構，擬訂一比較合於國際水準並有實施可能之長期經濟發展計劃，及監督其執行」。以及「加速經濟發展，迅速提高累積資金及出口能力，使我國經濟早日脫離仰賴外資之階段」。

保稅授信利多弊少
審部認應積極推行

——本報記者台北航訊——

自從假出口眞退稅案發生後，審計部就外銷品退還稅捐制度加以調查並檢討，認爲行政院所公布的保稅授信機構設立保稅倉庫及保稅工廠實施辦法，對原料之輸入輸出，更能發揮監督之效，而減少若干弊端，似有積極推行之必要。至於加工外銷品出口外滙價款之收入，應予限制，以防止虛報出口，矇混退稅，並冒取外銷實績之弊病。

加強改進退稅有關辦法之實施：依照保稅授信機構設立保稅倉庫及保稅工廠實施辦法，凡供應或融通工業營運資金，及辦理國外銷貨或進口業務之金融機構，或輔導外銷產品工業之機構，均得申請財政部核准爲保稅授信機構。其業務範圍：設置及監督保稅倉庫；監督保稅工廠及監督其保稅物資加工進度；接受委託或經政府核准採購，儲備及貸售加工外銷原料；接受外銷廠商寄存加工外銷原料半成品及製成品；向稅捐機關分別辦理應繳各種稅捐之擔保、記帳及完稅，退稅等手續。此項辦法，雖經行政院公布，但迄未實施。緣保稅授信記帳辦法，即由廠商向其所具保稅機構，經委託授信機構，向稅捐稽征機關擔保記帳，已予廠商甚大之便利，此辦法公布後，其便利更多，如：（一）進口原料可直接運入保稅倉庫，不必經過碼頭倉庫，可節省時間及費用；（二）廠商可用存保稅倉庫原料扭押品，作爲繳納稅之擔保品，無須另提保稅擔保品，只須以相當於每次提用數量原料稅捐之本票背書擔保，手續簡便；（三）授信機構，儲存外銷加工原料，供廠商貸借，減輕廠商購買原料之財務負擔；（四）一切有關稅款之記帳、轉帳、退稅、沖銷及完稅等手續，均由保稅倉庫及授信機構代理，退稅時間更爲縮短，節省時間金錢。由此點而言，在政府方面，如統籌外銷品原料之購儲，可將外滙頭寸，作最有效之運用，授信機構，核定記帳外銷調轉數量，可減少流入內銷之弊；及廠商對原料半成品之加工運轉、存儲、銷售，必須經授信機構之監督管理，所以弊端易於防杜。

政府公布該項辦法而未實施的原因何在？據審計部調查報告說：「因有反對是項辦法的言論。有些人說，設立保稅倉庫，原料半成品出倉一次，須有一次保證，廠商不勝其繁，且增加商人負擔。又授信機構監督廠商使用原料半成品，勢須干預廠商行政；授信機構方面，以統籌購入原料，貸放廠商，風險甚大，易使資金呆滯等。」審計部認爲：這些說法，驟視之，似有理由，但予以分析，則就不能爲理由了。因此該辦法既規定合理訂定手續費，工商界付出之費用，較現在之保稅制度，似不致增加甚多。又授信機構祇監督原料及生產，注意其保證，當不致造成干預廠商行政情事。至授信機構統購原料，如調度不適當，確可能發生資金呆滯擔冒風險情事，但如能對市場及廠商生產能量，作詳盡調查，加強徵信工作，政府對授信機構，予以輔導，此種困難，似不難克服。對於未經授信機構保稅之廠商，其出口外滙價款之收取方式，似應予限定，以杜弊病。

由中國的大學教育
談到政治問題

（自第一版轉來）

今日大學教育的失敗完全在於制度有問題，因之青年爭入大學；錄取有問題，青年更非進入大學不可，非出國留學不可。留學成爲一代的風氣，於是中國教育就變成殖民地的教育。

而有法國的復興。人家知道……數人之外，大部是教學欠佳……前清末年，學生都學鐵路、工業，是今日各部會的主管官大多數是由事務官出身，而且大多數是學習自然科學。而在英國，事務官與政務官有明顯的區別，事務官不能升任政務官。……所以歐洲……而派遣的留學生大多數是學習……自然科學之人，而又久任事務官，一旦昇爲政務官，則其決定政策之時，忘及全體，……

殖民地的教育以自然科學爲本。因爲殖民地人民不能參加政治。……普法戰爭之後，法國有一位法學者（他的姓名忘記了，但是J. Barthélemy）曾說：「我們不是敗給德國軍隊，是敗給柏林大學法學院。」由是設立政治學院，……優秀青年……而入文法兩院的，除了少數……[illegible]……育失敗的結果。

去年國民經濟成長率概況

本報資料室

前述虧絀數額之抵補，分別由（一）移轉淨收入者爲五千四百八十萬美元；（二）資本淨流入及誤差與遺漏者爲三千八百九十萬美元；（三）黃金外匯準備項目之減少者爲一千九百三十萬美元。如與過去諸年相較，五十一年國際收支，有下述幾點特別情形：

一、贈與性美援由五十年之八千八百四十萬美元，至五十一年下降爲四千六百六十萬美元，減少四千一百八十萬美元。

二、私人短期資本，五十年淨流入者爲一千四百四十萬美元，而五十年卻出現小量淨流出者爲五十萬美元。

三、黃金外匯準備抵補部份國際收支逆差，過去，除四十三年及四十八年外，由於移轉性淨收入（主要係美國贈與性援助）與資本淨流入之合併數字，皆大於貨物與勞務收支逆差數字，故黃金外匯準備不但未動用而且年有增加，五十一年逆差數字雖少，但因美援減少，所以祇好動用黃金外匯準備等抵補逆差數字。

美援

去年與五十年比較少四五八零萬美元

美國援助，分爲贈與性和貨款性的援助，在國際收支中，貨款性援助屬於資本項目，贈與性援助屬於移轉收入項目。五十一年贈與性援助爲四千六百六十萬美元，貨款性援助爲三千零七十萬美元，總計爲七千七百三十萬美元。較五十年之一億二千三百十萬美元，減少四千五百八十萬美元。

五十一年內美國政府在贈與性的物資援助中，減少最多。由五十年之八千一百五十萬美元，減至二千七百九十萬美元，（初步數字），減少數額達五千三百六十萬美元。勞務和技術援助數字變動雖不大，但較五十年之六百九十萬美元增加一千一百八十萬美元。其他贈與，係指剩餘農產品售價收入戶中撥贈我國政府運用之款項，五十一年爲一千六百萬美元，較五十年之四百萬美元增加一千二百萬美元。

美國政府貸款性援助可分兩部份：（一）美國開發貸款（一九六二會計年度以前稱爲美國開發貸款基金），其主要對象爲我國公民營事業，五十一年該項貸款等之撥借數爲一千九百七十萬元，扣除償還數爲三百五十萬美元，淨撥借數爲一千六百二十萬美元，較五十年之二千五百四十萬美元扣除償還數一百七十萬美元，淨撥借數爲二千三百七十萬美元，減少撥借數爲七百五十萬美元。

（二）四八〇公法案剩餘農產品售價收入戶，即美國政府存放我國銀行之存款。五十一年此項收入戶，存入四千二百九十萬美元，支出二千八百四十萬美元，淨存入一千四百五十萬美元，較五十年存入二千一百六十萬美元，支出一千零六十萬美元，淨存入一千一百萬美元增加三百五十萬美元。五十一年全部美國政府貸款性援助淨額爲三千零七十萬美元，較五十年之三千四百七十萬美元，減少四百萬美元。

財政

各級政府收支差虧三億五千一百萬元

五十一會計年度中央、省、縣市及鄉鎮縣轄市之收入淨額，共計一百四十六億四千二百萬元，較五十年度增十三億二千一百萬元。支出淨額爲一百四十九億九千三百萬元，較五十年度增十六億四千八百萬元。收支相抵，計差虧三億五千一百萬元，較五十年度之細支數稍有增加。

在財政收入方面，五十一年度之稅課收入、公賣利益收入、稅課外收入、差額抵補收入均繼續增加，但其中美援收入及雜項收入則頗有減少。稅課收入在收入總淨額中之比重略降，公賣利益收入之比重，則爲歷年來最高之一年。

在財政支出方面，除經濟建設及交通支出減少外，其他支出均有增加；其中以教育、科學、文化、及事業基金支出增加較多，債務支出之比重亦較過去增高。

據財政部統計，在各級政府收入淨額中，中央政府收入佔百分六三．五，計九十二億九千五百萬元；省佔百分二〇．五，計三十億元；縣市佔百分一二．七，計十八億六千九百萬元；鄉鎮佔百分三．三，計四億七千八百萬元（縣市鄉鎮爲預算數）。與五十年度比較，除省政府減少四千二百萬元外，中央及地方均增加。（六）

康有爲的自負

丘峻

民國六年，張勳復辟失敗，氏因美公使芮恩施之保護，得以逃亡。繼而重撰共和平議，凡四卷，共五十篇，都九萬言，而自序其卷首曰：『吾二十七歲，著大同書。吾兩年居美、墨、加，七遊法；吾居瑞士，一遊衛，八遊英，頻遊意、比、丹、挪；久居瑞典。十六年於外，無所事事，攷政治，乃吾專業也。於世所謂共和，於共和宜否，思之爛熟矣！其得失關乎中國存亡至重也！不揣愚昧，以爲邦人君子，百爾所思，不如我所知，以所聞見，草成共和平議，四卷，數十篇。昔呂氏淮南之成，縣之國門，有能易一字者，予以千金。吾今亦懸此論於國門，甚望國人補我不逮，加以詰難，有能證據堅確，破吾文一篇者，酬以千圓！』此議發佈，終無應者。可見其自信之堅也又如此。

戊戌變政失敗，康氏脫險至香港，以後歲月，凡十有六年，曾數度出國遊歷，遊蹤所至，遍及歐美，將見聞所得，分列爲宗教，政治，法治，自由，婦女獨立，衣服，膳食，酗酒，宮室，浴房，凡十事，率予輕視而以爲莫吾中國若也。故每語人云：『未遊歐洲者，想其地皆瓊樓玉宇，視其人若皆神仙才賢；豈知其放僻邪侈，詐盜遍野。故謂百聞不如一見也！』又嘗憤而言曰：『吾國人不可以不讀中國書，不可不遊外國地，以互辯而兩較之，當不至爲人所恐嚇而自退處於野蠻也！日本著書多震驚歐美者，此在日本之小島國則然；豈吾五六千年地球第一文明古國，而若此之淺見寡聞乎？』氏遊歷歐美，身爲逋客，氣概不減當年！其觀感收穫之豐，眼光確有過人之處。茲再節錄其歐洲十一國遊記序文如下：

『將盡大地萬國之山川、國土、政教、藝俗、文物，而盡擷掬之，采別之，擷吸之，豈非人之同願哉！於大地之中，其尤文明之國土十數，凡其政教、藝俗、文物之都麗郁美，盡擷掬而采別擷吸之；又淘其粗惡而薦其英華焉，豈非人之大所同願耶！

『當道路未通，舟機未出之世，山海阻深，歲月滯漫，以大地之無涯，而人力之微薄也；雖哥侖布、墨志領、岢頓曲之遠志毅力而足跡所探游者，亦有限矣！然則徒攀擲也，孰從而擷掬之？故夫人之生也，詛其遇也。芸芸衆生，閱億萬年，遇野蠻種族部落交爭之世，居僻鄉窮山之地，足跡不出百數十里者，蓋皆是矣！進而生萬里文明之大國，而舟車不通，亦亡由覩大九洲而游瀛海；吾華諸先哲，皆齎恨於是！則雖聰明卓絕，亦爲區域所限！（三）

閻錫山將軍的反共意見

吳文蔚

共產黨人對於新進來的黨員，是好到無微不至，簡直比你父母對你還好。等你覺着共產黨確實不錯時，可是，再過幾天，方法就會多了，不惟使你吃很大的苦，而且使你哭笑皆非，加給你一種坐臥不安的精神恐怖。這樣你對共產黨就有點兒灰心。等到你感覺對共產主義失望時，他又派一批幹部，輪流給你說服，並給你一種鼓勵和激刺說：

「你這還配當共產黨員！一受挫折，就心灰意懶。我們共產黨員，是把意志生命都交給黨，由黨執行總裁判，否則那裏還能禁得起革命？你要知道，我們共產主義是要解除全世界人類的痛苦，打倒資本主義的剝削制度，如果意志不堅決，在革命中途，受資本主義軟化，那我們就永遠不能拯救人類造福自己。你要曉得，你現在受黨的洗滌，是暫時的痛苦，你要放下革命，受資本主義的剝削，那才是永遠的痛苦呢！」

這樣，經過共幹這一鼓吹，有的人就覺着這話是對的，若閉目再一想，還是覺着效忠共產黨爲好。共產黨用這樣的方法訓練黨員，就和鍊鋼廠裏用廢鐵加入火爐裏鍊鋼精一樣，一次不行兩次，兩次不行三次，甚至經過無數次的鍛鍊，結果硬要你變作鋼精，爲共產主義效忠。

我認爲共產主義的確是有無窮的好處，但其好處，只能作爲人類的理想，就是不能實現。我分析共產黨的錯處，是與共產主義有關聯的，錯在不罪制度而罪人；不求循理改進事，而用恐怖武斷事。改進事是人類共同進化之因，武斷事是人類互相殘殺之果。共產主義是人的唯物哲學，是物主心奴主義，消失了心的作用，將人當作物，將人事當作物事處理，先物而後心，把事理本末倒置，遺人類禍害於無窮之境地。共產黨人藉拯救人類痛苦進行革命，以殘殺鬥爭手段奪取政權，這是走上了事的偶然，違犯了理的當然。共產主義的含義，是共同勞動，共同享受，証之歷史，原始社會就不是按需分配。因爲他根據上有了錯，而在行爲上又製造錯，共產黨拿着錯來迷惑人，這是使人類下到無底的深淵飲水，結果祗有淹死，不能止渴。共產黨行爲的錯，是強制人性，使合他的理想；他的理想是共產主義，所以讓一切人都要奉行共產主義。他的主義是超乎人性，背乎人情，但他不改正他這主義的錯，使適合人性，反而強迫人性，使合乎他的主義，不谷者即成了他殺戮的對象！

共產主義的理想，有如一個家庭生活的方式，家庭是有能勞動的人，有不能勞動的人，以能勞動的人勞動，養不能勞動的人。共產主義，就是將家庭的生活方式擴大，使全體的人共同勞動，共同生活，並且是以能勞動的人，共同勞動的，養不能勞動的人。這就是共產主義的意義。（八）

宦君續夢

第九回：枵腹爭雄　壺漿招餓鬼　苦心糾衆　風雨會羣魔

鄧小平問道：「主席以爲那些地方我們決不能讓步，一定要同蘇聯爭到底呢？」

毛澤東說道：「關於修正主義問題，我們一定不能遷就。這一點不僅關乎馬列主義，也關乎我們自己的生存，如若全世界共產黨都實行修正主義，我們就完了。」

鄧小平點點頭。

毛澤東又繼續說道：「還有世界革命的戰爭問題，赫魯曉夫主張放棄武裝鬥爭，要經過議會制度完成世界革命，這實在是自欺欺人的說法。假若任憑老百姓進行自由選舉，可以說百分之九十的共產黨都無法取得政權，即使有一兩個例外，取得政權也不會太久，又在選舉中被推翻，印度的凱拉果省就是一個現成例子。」

彭眞插嘴說道：「主席的意見正確極了，我們要推行武裝革命，相信未取得政權的共產黨都會站在我們一邊。」

毛澤東笑笑，又說道：「還有就是核子彈的問題，蘇聯現在藉口世界上出現了原子彈，三次大戰事實上就無法打起來，這一點我們要堅決反對。這個道理我以前也說過許多次，相信你們都明白，中國就是不怕原子彈，不經過三次大戰，我們不能出頭，永遠作一個二等國家。」

鄧小平問道：「假若蘇聯堅持他們的觀點，又怎麼辦呢？」

毛澤東說道：「那就祗有兩條路，一條路是乾脆破裂，你們不必簽名在宣言上，一條路是雙方面的意見都加進去。」

劉少奇愕然道：「一個文件中有兩個極端不同的意見，將會造成一項重大矛盾，這個文件還有什麼價值。」

毛澤東冷笑道：「雙方意見既然不能統一，也祗好任它矛盾發展，到最後還是會統一的。」

劉少奇不好再說什麼，宴會也就隨之結束。

第二天，代表團登機出發，中共大頭目除去毛澤東外全體出送，鄧小平看見劉伯承，悄悄問道：「瞎子哥，老歪派我到莫斯科去同赫老吵架，你看我能不能作。」

獨眼龍冷笑一聲：「怕什麼？他不怕死，你還怕埋嗎？寃有頭、債有主，橫豎無論鬧多大的事，賬都是記在老歪頭上，干我們什麼事。」

鄧小平還不放心，又問道：「赫老要把我當成老歪死黨，我就要連帶遭殃哩！」

獨眼龍搖頭幌腦笑道：「你放心吧！我們什麼也瞞不了蘇聯，到處都是人家的人，老歪還作夢哩！」

鄧小平不再說話，一笑登機。

飛機到了莫斯科，赫魯曉夫帶着柯茲洛夫，米高揚，布列日涅夫等高級幹部到飛機場歡迎，雙方熱烈握手。劉少奇在飛機場發表一篇簡短談話，強調雙方團結，赫魯曉夫也摸不清楚中共代表團此來的眞意如何，當時也跟着大鼓其掌。

本來世界上有八十八國共產黨，除去南斯拉夫之外，祗有六個小國共黨缺席，加上蘇聯在內，共到了八十一國，算是共產集團有史以來的盛會。赫魯曉夫也十分得意，以爲這一次會議要奠定他的共產世界領袖地位，那知會議一開始就出了毛病。（二二九）

僧尼婚合判詞

漁翁

凡皈依佛教者，男稱僧，梵語．僧伽邪之略，其義爲衆比丘；女稱尼，釋典名比丘尼，俗謂之尼姑。一入空門，必超乎色相意識之界，如仍未「消盡平生穢賾心」，則必爲人間所剌諷，所舉發，甚至控諸官府而懲處之。遠者勿論，卽有淸一代，鄭板橋與袁子才所判僧尼合婚與尼姑還俗，事涉淫穢，語出詼諧，至今猶傳爲笑談。

板橋名燮，興化人，乾隆時，舉進士。生平恃才傲物，獨立特行，不與世俗浮沉。曾一度出宰山東范縣，邑屬某寺，有僧尼私通，地方人以其有傷風化，卽縛之入官署，請求嚴處。鄭以僧爲曠夫，尼乃怨女，空卽色，色卽空，旣不願甘棄紅塵，不如任其還俗，使有情人成爲眷屬，乃賦詩以代判云：「一半葫蘆一半瓢，合來一處好成挑；從今入定風波寂，此後敲門月影遙。鳥性悅時空卽色，蓮花落處靜偏嬌；是誰勾却風流案，記取當年鄭板橋。」僧尼拜謝而去，地方人爲之愕然，而以狂士目之。

子才名枚，錢塘人，亦乾隆時進士。宰沐陽時，有某菴老尼以女尼不守淸規，屢犯淫戒，並其奸夫獲縛而至，經訊：女尼祝髮二三年，近在菴後破屋中，有奸夫蹤跡入，屬相奸處，老尼以汚穢佛地，玷辱空門，請求懲治。問奸夫，直認不諱。問女尼，俯首無一詞。正按律懲處間，忽老嫗投案，稱奸夫是其子，女尼乃其媳，始知奸夫與尼爲夫婦，老婦與尼，卽姑媳也。姑聽小姑之讒，而出其媳，媳無宗，披緇爲尼，菴其夫憐之，時往探望，彼此不能無情，乃作幽會。久之，爲老尼所覺，而舉發以鳴官焉。

袁憫其情，乃爲之判曰：「此婦情殊可苦，性自堅貞。祗以囊收覆水之故，借荒刹以棲身。其爲尼也，毀容耳，非受戒也。其在菴也，借棲耳，非歸禪也。僧俗之界雖分，夫婦之恩未斷。理殊失節，人本同衾。若必律以女尼犯淫，未嫌私奔，僅擬杖刑，猶容納贖。茲之遺禮，且視彼爲輕也。其先婦之俯首無詞，夫之直認不諱，皆以有家庭難言之隱，不直供之，而反翻護之，則又不失其爲孝！至老嫗之自爲投案，又母子天性使然，而悍虐之意，將自此轉矣。完人家室，理固宜然。」於是夫婦團聚，而姑亦一改前非，變爲慈善，咸稱袁判合之德也。

鄭板橋以詩判僧尼還俗，袁子才以文判合尼姑，一莊一諧，合法而湛理，由理而言情，體人入微，可謂少數之絕妙判詞。

中國古錢（下）

周燕謀

秦錢：秦採錢圜函方之制，鑄半兩錢，質旣堅固，復利於携帶，實爲古代中國錢幣史上之一大改革。以其二世而亡，所鑄旣少，流傳又希，偶得其小者一品，已實可貴，至其大半兩錢，則尤爲藏泉家視同希世之珍（該錢直徑約兩漢寸，新譜已列爲無定價）。

漢錢：以高后半兩較大，重八銖，今亦較少。至於漢代小半兩，以其出土之多，遂不見重。惟其重文之半半，兩兩二品，則爲人所爭收。三銖錢至少。五銖之多，如半兩同，亦以重文者爲貴。

莽錢：莽喜復古，其幣制亦襲取古錢，兼採九府圜法中「利於刀，流於泉，布於帛之」語，而鑄刀、泉、布之屬。

刀：有金錯刀、契刀之品，皆爲一圓周方孔錢下連一刀形直垂。錢文契刀者，刀字有直五百三字。錢一刀者，「一刀」二字錯爲陰文，中實黃金，故稱「金錯刀」。刀，文有「一刀直五千」三字，卽一錢貨泉五百、五千之意。宋時已極珍貴。

泉：泉有貨泉、壯泉、小泉、大泉，直有一，泉布四十，大泉五十等品。以壯泉至泉珍貴。貨泉最多，至泉已少。布泉又稱「男錢」，俗傳婦人佩宜男，故名。舊藏有貨泉合璧者一枚。布泉通體碧銹如翠，字文隨銹凸出者一品，最爲人珍視。

布：有貨布，大布黃千，壯布，小布等品。以小布以上至壯布爲最珍貴。

三國錢：先主鑄直百五銖，大小二品，以背後穿上有「爲」字者，及其小者爲珍貴。吳大帝鑄大泉當千，魏不見鑄錢。六朝錢亦鑄五銖，銅質金黃，篆文秀麗。六朝時相攻伐，人因厭於戰亂，因有壓勝錢之私鑄，用以祈福，如斛圍、圖𨍭等。宇文作北魏之楷書及壓勝錢，之開後世書體錢之先河。

隋錢：隋亦僅鑄五銖錢，惟字近郭處有一直畫。

唐錢：唐自開國卽鑄開元錢。自肅宗始有以年號鑄錢者。而以代宗之大歷，德宗之建中，爲世所寶。

五代錢：五代十國錢，流傳甚少，均爲藏泉家所珍視。馬殷之天策府寶，石晉之開運錢，尤爲名貴。

宋錢：以徽宗之小品崇寧，當五大觀，楷書之小宣和等爲貴。而欽宗之靖康錢，尤爲希世之珍。南宋則以理宗之端平及各帝之鐵錢爲名貴。

遼錢：遼錢流傳甚少，率爲人珍視，而以天顯，天慶及千秋萬歲之壓勝錢尤然。

金錢：以金章宗之楷書泰和爲最貴，書法亦至秀麗。

元錢：元錢所記者至少，不妄述。惟元末徐壽輝之天定，明玉珍之天統，張士誠之天祐，均無定價矣。

明錢：明錢亦極少，以建文錢爲最貴，太祖之小品大中（爲吳王時鑄）及洪武之背後有鑄地字者均少。

淸錢：以鎭庫錢爲最貴，康熙錢已譜列爲無定價。台字者，爲台省所鑄，內地流傳甚少。咸豐之珍寶當十錢，亦爲收藏家所珍視（寶字中間，書作珍字，故稱珍寶）。

南宋偏安有人才

李仲侯

其詔曰：「眷彼南服，遠於朝廷，稍乘虛而肆暴，因恃險以逋誅。吏情弗虔，民資爲盜狡猾。言念甌寧，良善多出於脅從，誘致流亡，或惡，招徠餘黨，按誅其首主將，非人帥行失律，帥守無一方之任，罔思協力以濟功。漕臣分兩路之權，乃欲便文而專制，爭恢一時之忿，陰壞最首之端，原其本心，實阻軍事，坐廢歲月，未撤師屯，環視湖湘，久纏兵革，殘剽之禍，旣延及於平民，饋餉之煩，復重勞於編戶。宵旰在念，塗炭興嗟。比者易帥於潭州，濟師底伐，必期平定，以靖方隅。凡茲牧守郡縣之官，爰暨金穀轉輸之任。並（原闕三字），惟乃一心。如敢玩寇逸功，倘私挾貳，或應援之有愆，或饋餉之失有乏軍興；大則誅殛以正典刑，小則家流以懲驕脆。法茲無赦，朕不敢私。戴念遺黎，屢經調度。財力爲之凋瘵，耕織至於失時，祗候賊平，優加恩恤。如有出奇計劃，奮戰推鋒，共懷敵愾之心，助成破賊之勢，高爵重祿，當報爾功。朕言不渝，衆聽毋忽。故茲戒諭，想宜知悉」。

飛將至潭州，先遣使持節至賊中招之。先是鼎州太守劉昌遺劉醇，荊南北宣撫使孟庾遺宋實，湖廣宣撫使李綱遺朱詢，荊南鎮撫使解潛遣史安，湖南及諸軍遣親遇十七人，邵州太守劉愷亦累遣人招安，皆爲賊所殺。至是，所遣之使伏地曰：「節使遣某，猶以肉餒飢虎也。事受節制劍，不忍受逆賊辱。」飛斥之起曰：「吾遣汝，汝決不死！」使者起，受命以行。至其境，望見賊巢，卽厲聲呼曰：「岳節使遣我來。」賊衆開門延之。使者以檄投賊，賊捧檄欽誦，或問岳節使安否？雖叛服之志未齊，然皆不敢萌異意。於是么之部將黃佐謂其屬曰：「吾聞岳節使號令如山，不可玩也。若與之敵，我曹萬無生全理。不若速往就降，岳節使誠人也，必善遇我。」遂率其所部詣潭城降，皆再拜。飛釋其罪，慰勞之，卽日聞於朝，擢佐武義大夫閤門宣贊舍人，賞予特厚。佐出，復單騎按其部，撫問甚至。明日召佐使坐，命具酒與飲，酒酣，撫佐背謂曰：「子眞丈夫，知禍福順逆者無如子，子姿力雄鷙，不在時輩下，果能爲朝廷立功名，一封侯豈足道哉！吾欲遣子至湖中，視有便利可乘者擒之，可以言語勸者招之，子能卒任吾事否？」佐感激至泣，再拜謝曰：「佐惟節使厚恩，雖以死報！」乃遣歸湖中。佐不辭受使命。又有戰士三百餘人來降，飛皆委曲慰勞，三命其首領以官，優給銀絹，縱之聽其往，有復入湖者亦不問。居數日，又有二千餘人來降，飛待之如初。參政時張浚以督都軍事至潭州，參政席益與浚備語飛所爲，謂浚曰：「岳侯得無有他意，何故玩寇？益欲預以奏聞，如何？」浚笑曰：「岳侯忠孝人也，胡足下何獨不知？用兵有深機，可易測！」益慚而止。（七六）

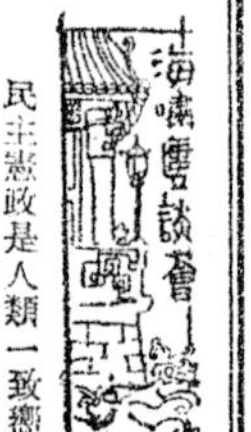

令人迷惘的問題

諸葛文侯

民主憲政是人類一致嚮往祈求的政治生活方式，爲着這事，人類不知流過多少血汗，犧牲了多少的生命財產，纔達成現時所謂「民主世紀」的結果。可是，民主政治在實際上，對人類眞是一種福音嗎？我看很成問題。

民主政治的核心功用，就是選舉。一切國計民生的大事，皆須取得人民選舉出來的代議士同意，纔可見諸實施；一切行政官員，上自總統，下及縣市鄉鎭長，皆由民選產生。選舉之關係大矣哉！然而在普選制度中，幷不能實現「選賢與能」的目的，相反地且有「黃鐘毀棄，瓦缶雷鳴」的毛病，史事歷歷可證。

就中華民國的選政史迹而言：民國初期的國會與省會議員選舉，是採用複選制——又名爲「委任選舉」，卽由民衆選出加倍的候選人，再由這些候選人互相選選法定的代議士名額，作爲最後決定的當選人。所謂初選工作，實際上亦是操諸各地方一般士大夫——地方紳衿——之手，人民大衆是少所過問的，因而最後選出來的議員，盡係高級知識份子，決不像後來實行普選的成績，無知無識的流氓地痞，甚至於以老鴇起家，以販毒爲業的人渣，憑藉惡勢力或金錢關係，亦可一躍而被選爲民意代表，置身於神聖的議會中，干預國家大政。就是官派的人民代表，如民國十七年以後的立監委員，對日抗戰時期的國民參政員，雖然都是由政府遴派的，而其所網羅的人才，多屬一時俊彥之士，論地區與職業的分配，亦相當平允，其功用似視民選制較勝一籌。此其一也。

搞選舉一定要花錢的，普選制花錢更多。中國產業不發達，尙停滯在農業經濟社會階段中，而一般讀書人十九是貧寒出身的，學識越豐裕的知識界人士，更屬「一窮二白」的窶人之子，又沒有工商企業家作後台老闆，予以財力支持，教他們赤手空拳從事競選，卽令在極端民主的美國，亦很少有獲勝之可能呢！美國現任總統甘迺迪在競選中消耗的財力，我只列舉幾項出來，卽教咱們中國人瞠目結舌，驚詫不已」。他爲着到全國各地作競選演說，曾以四百萬美金購置了一架專用飛機；他的競選總部設置了兩年，所用職員有一千四百名之多；他在華盛頓租賃了九輛火車列車，以便隨時載着助選人員分赴各地區工作，歷時九個月；此外還對工會和慈善團體捐助了爲數不小的款項。試想想這筆消耗的金錢數字，何等驚人啊！所以，咱們中國的士大夫可說是百分之百的無法搞競選套玩藝，除非利用惡勢力，採取非法手段，就休想吃選舉飯。但凡具有學問與才幹的人，卽有廉恥觀念，凡事有所不爲，結果便如市場上劣幣驅逐良幣的情形，民選的代表距離「選賢與能」的境界遠矣！此其二也。

希臘哲人柏拉圖，寫過一部政治理想的書，名叫「共和國」。他晚年歷盡滄桑之後，知道人間的實際政治生活，萬難按照「共和國」的理想藍圖建構完成，乃慨然說道：「除非人類的國王都由哲人充任，或者一切國王都是哲學家，我的『共和國』卽永無實現之日了！」區區對於現代民主憲政生活，亦作如是觀。因此，我於迷惘之餘，又潛滋着一種反動思想，覺得千百年前聖主明君統治下的政治生活，彼善於此，眞係才智之士，決不愁沒有出路，老百姓亦少受近代普選制的騷擾剝削，不亦宜乎！

（二）

望夫石呼妻石

吉庭

夫婦居五倫之一，夫唱婦隨，鹿車共挽，相敬如賓，足有互愛互助之故，精神不散；不幸而有離散，則精神悵惘，書者於是不能不言之，發爲語言形容。故試一述「望夫石」與「呼妻石」之故事。

據幽明錄載：「武昌北山上有望夫石，狀若人立。古傳云：昔有貞婦，其夫從役，遠赴國難，婦携弱子餞送此山，立望夫而化爲石。」又太平寰宇記云：「望夫山在當塗縣西北四十里。昔人往楚，累歲不還，其妻登此山望夫，乃化爲石。」四川數里之外，有石高千丈，遠望之像婦人負子，云乃化石，久多年於此，故名「望夫石」。

至「呼妻石」者，在粵屬花縣之坪崗。據云：淸初，有捕魚童鄭成和，幼失父怙，日出捕魚以供母。一日，於蛇穴中見鄭施氏，以捕魚爲業，相憐，因而訪施，爲妻。妻始殉於水，鄭入水中捕之，其屍體不見，自此鄭日以呼妻，每不分風雨，乃化爲石。當地人以此石爲鄭之精靈所化，故名爲「呼妻石」，且能出聲，亦足以矯薄俗，勵節烈，有功於世道人心也。

內僑警台報字第〇三壹號內銷證
自由報
THE FREE NEWS
第三六六期
中華民國僑務委員會頒發
台教新字第三三二號登記證
中華郵政台字第一二八二號執照
登記爲第一類新聞紙類
（本週刊每星期三、六出版）
每份港幣壹角
台灣零售價新台幣貳元
社長：雷嘯岑
督印人：黃行憲
社址：香港銅鑼灣高士威道二十號四樓
20. CAUSEWAY RD 3RD FL. HONG KONG
TEL. 771726　電報掛號：7191
承印者：南風印刷廠
地址：香港灣仔高士打道二二一號
台灣分社
台北市西寧南路壹壹零號二樓
電話：三〇三四六
台郵劃撥儲金戶九二五二

中國學者的偉大與痛苦

吳本中

『貧賤不能移，威武不能屈。』此之謂大丈夫；亦當是今日中國學者的偉大處。蓋『苦其心志，勞其筋骨，餓其體膚，空乏其身，行拂亂其所爲。』亦即天將降大任於是人之首先條件乎。

法國大文豪亦大外交家沙多白里安先生，八載難民，落魄倫敦，常悄悄然出入英富豪貴族廚房後門，調和五味，以謀生存。然終有一日，榮任駐英國大使，再昇而爲外交大臣。而其文章史洋洋大觀如長江大河萬古永流！我們挺得起精神之悽慘，肉體的困憊，環境之沉悶，就正是我們的偉大處；現時之中國學者，亦可以興矣。

必也正名乎！此文命題之由來與意義。

昔千古硬漢，法『勝利之父』克里孟梭，栽培福煦元帥，自師長之微而至聯軍總司令之極位，從英首相喬治路易及美總統威爾遜手中硬把聯合國及同盟國大軍統帥職權要求交給福煦將軍。當『老虎』克氏以總理兼國防部長之尊召見福煦，欲加重用，福氏以爲『老虎』整肅軍隊，已把近百高級軍官免職，現即雷霆暴烈加諸己身矣。一入克氏之偉大辦公室即挺身立正，以待『老虎』之赫然咆哮。豈知克氏即爽快告以馬上就要委以極重要使命。福煦竟爲之忐忑不安，囁嚅而答：『我胞兄乃總理閣下之政敵！』克氏慨然聲明：『我不在乎！』如此這般，大公無私，惟才是用，故能完成戰勝暴德之偉業，置法國於世界第一陸軍強國之地位。但福煦並不因私人之恩惠而事事阿附老虎總理。後寫回憶錄攻擊克氏，生前守秘不發表，遺囑死後始刊行。福煦雖比克里孟梭年青，却死於克氏之前。克氏以耄耋之年雖不參加盛大國葬典禮，却必欲首先親抵元帥府祭弔，俯首默禱者久之，並不計較元帥之平日詆譭也。豈意福煦回憶錄一經發表，因罵老虎特別厲害，使克氏忍無可忍，乃憤然曰：『這位軍人死而不欲安息，亦教我老而不得安心！那麼，我必須答他！』遂亦著一回憶錄，名曰：『一個勝利的偉大與悲哀』（法文原名：Grandeur et Misere d'une Victoire）Misere一字英人亦用之，僅最末一字母之改變。此字於此確比較難譯成爲妥確的中文。本可譯爲窮苦，悽慘，患難，悲哀，藐小，可憐，等等意義。筆者此文命題，是基於克里孟梭之義，而用以表現我國學者現時所受之精神痛苦與志趣隱堅絕偉大者。至於不曰：『知識分子』而曰：『學者』，斯乃（一）欲與共黨所稱之知識分子或高級知識分子相別；（二）欲與西文Intelligentsia相符。因爲譬如諸葛亮他的智慧與學問當然高於補鞋匠百倍，可是論修理破鞋的知識則一竅不通，遠不如破鞋匠矣。吾雖善駕汽車，然對於車中機械之知識毫無，車一停火，即束手無策，反不如汽車行之學徒對此知識之豐富矣。

窮愁潦倒，是偉大之源。

孟子所說的『天將降大任於是人耶，必先苦其心志，勞其筋肉，餓其體膚，空乏其身，行拂亂其所爲，所以動心忍性，增益其所不能……』等話固屬讜論名言，然孟老夫子在二千餘年前，時代不同，乃專爲士大夫階級而言。處今日民主時代，人人有責，事事普遍，凡一國或一民族有大難，乃全體羣衆之事，在中國尤其是具有智慧，從事學問者之應有職責。而無須什麼降『大任』或『大人物』之『大話』也。所以我們這一羣以百萬計的無論是逃難四海者，困守台灣者或淪陷大陸者，都應當深悉與瞭解我們愈窮苦亦就是我們將要愈偉大！中華民族愈受折磨亦就是將來愈光耀於世界！問題是，我們是否能挺得起，挺得過，不因境遇慘苦而倒下不起耳。尤有進者，偉大之意義，並非成功與否，或從政與官大位高之義，祗要性格高超，經得起大時代考驗，其所志，所爲，有利人羣，就是偉大。反之則雖身據極品亦小丈夫耳，吾人對之祗有蔑視。歐洲在十六世紀有一位名瓷匠，亦是法國的學者與作家，他的名字叫百里士（Bernard Palissy），以其所造美麗花瓶揚名天下。爲燒製陶瓷器之成功，甚至毀家蕩產；最末一爐，缺少燃料，不惜斧破傢俱及地板，投入爐中！賢妻跪地痛哭失聲。這樣一位堅毅學者在政治上遭遇可謂悽慘窮苦之至，於一五八九年被補拘巴士地（Bastille）王家大監獄中，大概在一兩年後枉死獄中！然其精神萬古不朽，在法國中小學教科書內必有圖文並茂之百里士故事焉，其所佔篇幅並不減於赫赫帝王之歷史。試問我們奴顏婢膝，善於作官，習於『學而優則仕』，且巧於『明哲保身』的中國學者，讀此史故，能不赧顏！以世界第一人口最多之大民族，誇稱有五千文明之大國，渡此翻天覆地之大時代，中國的學者乃如此無生氣，無血性，似嵌一針而不見血者！是眞乃中國學者的悲哀矣，痛苦矣，慘相矣！說一句傳神的英文：That's really miserable！

知恥近勇，衆志成城。

我們自可恥的雅片戰爭（道光二十年，即西曆一八四〇年）迄今已一百二十餘年，到現在還不建立成一個像樣的國家，能稱爲『偉大』者，僅僅是人民塗炭之偉大，恥辱生活之偉大而已。政府避居台灣，受人家艦隊之保護，十四載之久不但反攻大陸未成事實，甚至一島一嶼亦未奪回。中興氣象何在？人才之棄置可悲！然而可哀可痛者，尙不在乎一個政權之衰腐，本來『所有政權都是要腐化的』（Power corrupts），所可眞令人驚異而憤恨者乃是成千萬的中國學者尙未到『知恥近勇』地步，奮臂而起，拔劍而舞，怒髮衝冠，由悲憤而變成力量，團結一致，衆志成城，奮起謀國耳。

法自一七八九年大革命，流血，『恐慌』時代，民氣飛揚，不可一世。當時偉大革命家之一，唐東先生（DANTON）組織國防，戰勝侵略，膽大包天，其所喊口號：『大膽，大膽，還要大膽！』成歷史名言。我們中國亦有『大無畏精神』之說。然則我們學者的膽何在乎？唐東於一七九四年被政敵陷害上斷頭台以前，友人密告應早逃難國外。唐東答曰：『跑去外國，是否能把祖國帶在鞋底而去？』祖國既不能帶走，唐東即甘願等待斷頭！這種豪氣冲天，眞是一個民族的偉大氣概。筆者在巴黎常瞻仰其銅像，而不禁唏噓感慨者久之。

淚洒胡塵，志在中原。

我們不得已而淪落爲海外難民，自亦不當樂不思蜀，而應時時以法大儒兼外交家沙多白里安在英倫作八年難民之事蹟以自勵。沙多白里安氏（Chateau briand）生於一七六八年，死於一八四八年，先旅居美洲，自一七九二年移民英國，一八〇〇年始能返居祖國。蓋氏爲貴族階級，値法大革命時期，自無容於大陸法國也。與拿破崙政權，始尙能合作，終生齟齬，拿皇倒台後法政府曾派氏出任駐英大使，旋掌握法國外交兩年（一八二二年—一八二四年）享壽八十歲。然氏成不朽之人，非外交上的地位使然，乃因其人格與文章之偉大也。筆者留學歐陸時，除詩，喜讀雨果作品外，文章則傾心於沙多白里安。其爲文豪放瑰麗，一瀉千里，有如我國司馬，二蘇然。（下轉第二版）

漫畫天下

橫衝直撞

玩火的傢伙

自由談

鷄口與牛後

馬五先生

．美英俄三國商訂的局部禁止核子試爆協約，已有五十五個國家參加簽字了。咱們中華民國應否參預其列，朝野人士見仁見智，其說不一，固未可執一說以爲是，而否定天下人之言其非。可是，無論贊成也罷，反對也罷，我們已失去寧爲鷄口的時機，屈居「牛後」的地位了！這却是無可否認的事實。

我們如果認爲這種由蘇俄鼓動簽訂的國際條約，其實際價值尙不及繕寫條約的那張紙價，自可根據過去若干彰明較著的史事，以及該條約明白規定如有第三國不受禁試的約束時，原約即歸無效的義理，堂堂正正發佈聲明，拒絕參加；否則基於維護世界和平的觀念，爲拯救本國大陸上五六億人民被共黨好戰主義所脅持，終將陷於毀滅的悲慘命運起見，毅然率先表示贊許支持；皆不失其爲獨立自主、有爲有守的泱泱大邦風度。最壞就是遲徊審愼，無所可否，等到大多數國家決定策畧，表明態度之後，再來採取行動，不管贊成或反對，皆變成多餘的事了。

若謂法國亦始終緘默無表示，我們大可向它看齊。殊不知法國的國策早已決定自行發展原核子武器，不受別國的干涉或制約，我們沒有資格效法。若耽心美國藉此禁試核爆協約成立，可能進一步與俄帝妥協，且有出賣我們之虞，必須探明美國眞意，取得某種保證後，才好作最後的決策，這亦是不切實際的想法，於事無濟的。美國當局早就公開聲明在案，他們援助自由國家的唯一作用，即須符合美國的利益。一時的保證或承諾，決不可靠的！

一個國家的生存發展，主要條件是自己有辦法、有作爲，專靠別人保證支持以立國，俯仰由人，寧有倖理？

香港蒸餾海水問題

港府證實兩電進經討論　顯示官方對此亦有興趣

【本報訊】港府發言人證實，香港兩電公司，對於以電力蒸溜海水的計劃，經已在相互進行討論。港府對此項大規模蒸溜海水計劃，亦感興趣。工務局工程師，已研究有關的技術及工程問題。

但港府發言人僅證實中華電力公司與香港電力公司，正積極研究蒸溜海水爲淡水的可能性問題，謂兩公司已舉行多次討論，並將繼續交換資料。此外不肯進一步說明，港府是否已原則上接受此以電力蒸溜海水的計劃。

兩電公司的計劃，是以巨型的鍋爐發電機，利用發電廠的蒸溜，來蒸溜海水產生淡水。中華電力公司與香港電力公司，已各訂購了兩部巨型鍋爐，預計一九六六年可安裝啟用。也即是說，本港大規模蒸溜海水，需待三年後才可實現。據悉，目前港府所要慎重考慮的，是此項計劃的龐大資本。

按港府助理工務司覺斯，於今年六月一日接受香港電台訪問時曾經表示，港府當局已密切注視蒸溜海水計劃所需的龐大研究經費。他指出，目前蒸溜海水，牽涉有關高溫度的問題，要保養設備的良好使用，是有許多困難。他希望，在短期內，技術方面的問題能有改善。以原子能發電蒸溜海水，成本會較低。他認爲船灣淡水湖計劃和蒸溜海水計劃比較，前者在收回成本方面，比較有把握。但又說，如果船灣淡水湖完成後，不敷香港作用水需求，那就應要考慮蒸溜海水的方式了。

毛共在農村大攪運動

為彌補夏季歉收挽救饑荒　圖做好秋種準備工作

香港與大陸

中共爲挽救農業失敗，及彌補夏季歉收的危機，正採取種種措施，藉圖把秋種攪好。中共的措施，包括加强基層「黨」組織的力量，及加强「社會主義」教育運動等。

據甫自梅縣來港的中學生何玉犇君向記者透露：由於今年夏季收成極壞，就梅縣地區而言，共幹所說的總收成量亦僅及常年之三分一強（此數字其實斷不可靠），糧荒前驅嚴重，對中共政權形成威脅性危機。因此中共已開始了種種措施，希望做好秋種工作。何玉犇君說：中共的手段大概是兩方面的：其一是在農村中加强「黨」的基層活動，要求每一個黨員，都必須結合自己所屬「生產大隊」，與「生產大隊」的幹部共同釐訂「生產計劃」，一起說服農民「出工」，並隨時隨地對某些怠工的農民進行批評鬥爭，甚之者黨員可有權直接將之拘留，送到「公社」「民兵部」或縣「公安局」，加予「勞改」。同時又要黨員及下鄉幹部在農民中找尋對象，爭取他（她）們成爲「黨」的有力助手。其二，縣「文化部」、「共青團縣委會」、「文藝聯合會」……等單位，聯合組成一個龐大的「農村文化工作隊」，分組開往各「公社」活動。此「工作隊」的任務是：「擴大農村社會主義的思想陣地」，並以各種圖書、演話劇、電影、展覽、家庭訪問……等形式，以達到麻醉農民思想的目的。

何玉犇君說：除此之外，中共并在農村普遍展開所謂「五好社員運動」，要每一位社員都做「熱愛公社，熱愛集體生產」及「學五好社員，爭當五好社員」的運動。

但何玉犇君說：中共這些舉措，却恰好暴露出了大陸目前農業生產的各項具體的問題，如（一）缺乏肥料；（二）缺乏畜力；（三）缺乏資金；（四）勞動管理制度鬆弛；（五）公社財務混亂；（六）幹部畏難的情緒；（七）社員們的「自私」；（八）社員的反共情緒……等。中共能夠把這些問題都切實解決得了嗎？

何玉犇君說：大陸農民現在已不像以前一二年那樣，幻想從生產的提高生產量，以期從而多獲糧食的配給了，他（她）們已清楚知道，在共黨統治下，就算產量增得如何高，對農民們本身來說，全沒有裨益。生產儘管增多，農民却享受不了，而祇是更多的糧食被運走，或者是被拿去支援「災區」與「國際友人」而已。既然如此，何必賣命的幹？

記者曾詢問何玉犇君仍想回去大陸嗎？他理直氣壯地強調：他是千方百計才得出來的，怎還想到回去？他說：「那就等於葬送我一生的生活！就算用槍押着我，也不願回去的。」（徹斯）

民社黨團結出現新轉機

張君勱打銷辭意允暫任主席如故　並限期該黨兩月內召開三全大會

【本報記者台北航訊】中國民主社會黨主席張君勱，已打銷辭意，允暫仍爲該黨主席如故。張君勱之所以改變原意，據說主要係因爲依照該黨規定，主席一職，係由全國代表所選舉；目前，在第三次全國代表大會未召開之前，實在沒有人有權准其辭職。所以，經該黨監察院委員毛以亨、劉行之，國大代表彭慶修，立委廖競存等百餘人的懇切慰留後，答應在沒有人接替其主席職之前，暫時仍担任該黨主席。這是張君勱最近致函蔣勻田所表示的。

不過，張君勱在信中，限期該黨在台同仁，必須在兩個月內，完成在兩年多前就應該舉行的第三次全國代表大會，改選該黨中央職員及主席；至於去年（五十一年）由該黨元老戢翼翹、金侯城所奔走而宣佈的團結方案，及設置的六召集人臨時辦法，張君勱亦明白函告其黨內同仁，宣佈加以撤銷，而指定並委託金侯城等十七位民意代表同仁，爲該黨第三屆代表大會籌備會委員，並以金侯城、解子清、劉行之、李緞、余仁美等兼召集人，另聘戢翼翹、向構父、毛以亨、陳九如、關伯屏等爲召集人；廖競存爲秘書長，孔君畏、洪文彬、劉子夫爲副秘書長。同時，爲增加籌備工作效能起見，又成立督導委員會，由楊毓滋、謝漢儒、羅英才、鄒天代、胡浦清等多人爲督導委員。至於原有六召集人中之蔣勻田、王世憲、郭虞裳、孫亞夫等四人，因渠等在過去沒有盡到責任，應共同負責，均未得參與籌備工作。

據蔣勻田告本報記者稱：去年之團結，係基於尊重張主席呼籲全黨團結之精誠，並順應全國人民反共復國之需求，全黨同仁，自五十一年五月十一日起，捐棄成見，共同籌開全國代表大會，重振黨務，所以才有團結方案之辦法，與六召集人之產生；然而，一年多來，六召集人不但未能完成召開三次代表大會，達到團結的任務，且孫亞夫同仁，竟以輪值召集人的名義，向行政院領得黨方早已拒領之反共抗俄宣傳費八十萬元，並發行「民主中國」，被張主席指爲僞刊，而使得糾紛愈多。

蔣勻田說：就團結方案辦法而言，黨內事務必須由六召集人共同處理，其辦法是暫由六召集人會議，以協商方式處理，此爲該方案第七條明文所定。至所謂「輪值召集人」之名詞，根本就沒有。又說因爲那筆錢係由國庫撥付，而非某一團體或私人所給，所以，不但本黨同仁有權過問，任何納稅人都有權過問。

蔣勻田說：「本來，張主席原定於今年五月間可以回台一行的，就由於前述及其他突發的問題，促成他打銷赴港講學及回台一行的原意，進而發生在香港「聯合評論」正式刊登啟事，聲明辭去主席職務之事了」。蔣勻田言下，頗爲感慨。他又說：「假如外界環境許可，不再發生類似上述的情事，則第三次全國代表大會，在預定兩月期間內，是會舉行的」。

蔣氏說到這裡，走進書房拿了一封由王志强等五十人連署給六召集人的信，指着對記者說：「同仁們指責我們，『高踞寶座，遠離群衆，當務措施，祇閉門而獨造，經費收付，無預算以經衛，等情，甚而無所從。另有先生等如此舉措，縱或另有苦衷，亦不能不令人懷疑別具用心也』。所以，同仁們要我們『將一年來處理黨務及經費收支情形，先行公佈，以釋羣疑』！試問，對得起黨嗎？對得起張主席和同仁嗎？對得起國家嗎」？

另據該黨另一人透露：此次該黨全國代表大會名額，早已在去年三月間就產生了，儘管該次代表大會未能如期召開，但大體上已差不多。又說：代表大會的任務，是修改黨章，及選舉中央黨部職員云云。

即由於民社黨第三次全代表大會將要舉行，該黨若干人士的活動，又趨於頻繁熱鬧了。

屏東縣內埔鄉農會

異軍突起派系糾紛

【本報屏東航訊】屏東縣各鄉鎮農會糾紛甚多，前經報導，現又有異軍突起的新糾紛出現，相當值得重視。新糾紛是該縣內埔鄉農會監事賴蕭雜等五人，於七月廿五日，具文向台灣省合作金庫暨糧食局，檢舉該農會總幹事李禮郎。檢舉書略稱：「本農會總幹事李禮郎，涉嫌利用前任理事長蔡琪瑞印信，向合作金庫屏東支庫貸款二十萬，侵占化用。同時虧欠公糧十六萬餘公斤，經高雄糧食事務所四月廿五日派員查倉，發覺虧短情事；於今時隔三月，未聞屏東糧食事務所作何處置，顯有明知食糧，而不予查究之嫌。彼等是否有串通之嫌，難以論斷。爲徹治不法之徒，理應提出檢舉，請求徹查究辦，以杜弊端等」云云。

本案提出之後，台灣省合作金庫及糧食局，因深表重視，但該鄉若干人士，卻在爲李禮郎講好話，據說準備聯合一致，陳情有關當局，爲李禮郎辯護。這些人認爲：（一）李禮郎原任內埔鄉長，對地方貢獻良多，於九年前接長鄉農會總幹事職。當時角逐斯職者，有六人之多，而李本人並未參予角逐行列，然理事會對六角逐者一律不予聘任，而獨借重李禮郎出任。（二）李禮郎服務三年（理監事一屆）後，然因理事長蔡琪瑞連任三屆，對李的處理，深感滿意，因一直不准李辭職。迨五十二年元月鄉農會改組，選理事長，李表示倦勤，然縣府、縣黨部、糧食局、合作金庫、縣農會事務所、合作金庫方面，一致勸慰，希他能繼續服務一年，理事會亦通過延聘，李遂繼續留任。（三）李禮郎本人並非政黨黨員，而在政黨方面能支持他，足見李對地方確有貢獻。（四）四十三年元月李禮郎接長農會總幹事時，農會時已面臨倒閉之勢，存款不足十萬元，負債且有三十餘萬，經他苦心策劃，裁減冗員，挽回該農會倒閉的命運。（五）李禮郎在任九年如一日，始終不懈不怠，爲改善農民生活而努力，經他鼓勵農民貸款，完成改良的土地有二百餘甲，對國家，對農民均屬一項貢獻。（六）李禮郎不但忠勤職守，爲人亦好，有口皆碑。（七）公糧短少問題，李禮郎除請求糧食事務所依法處理外（現正在屏東地方法院審理中），并積極追查承辦人員，據說已有部份賠償，不久可望全部水落石出。（八）合作金庫貸款，係根據理事長沈丕命接任，印信向金庫交割後，總幹事李禮郎並未利用蔡琪瑞印信向金庫貸款，外傳種種，無中生有，惡意中傷。

主管官署的縣府農會輔導課負責人說：該農會的糾紛，但當然須依法令規定，經理事會通過，并合乎資格云云。一般意見，謂糾紛是派系觀念作祟所致。將來如何發展，尚不得而知。（袁文德）

港府公務員　要求加薪水

【本報訊】香港華人公務員協會、西人公務員協會，與高級華籍公務員協會，已分別向港府提出要求加薪百分之九至百分之十六不等，據悉，標引起社會人士注意。

中國學者的偉大與痛苦

（自第一版轉來）

在此吾人試有興趣者，不可不知沙氏之在英聯邦生活。他的姓名，人人可常常在西餐館的菜單上發現：『沙多白里安』這一盤餅嗎？在香港最名貴的西餐館可能須港幣四五十元以上，至少在上等酒店亦需二三十圓。而不曾配合這特別生炸牛排的法大文豪流浪倫敦時，無以爲生，英國王公將相高官前輩大貴族席時，用人出廚，沙氏乃從服碟（Salade）。英國貴族動輒吃得非常得味，每餐非得這位沙氏調味不可！雖出重金亦不斷，謂：『爾曹身與名俱滅，不廢江河萬古流』矣。現在中國有數不盡的中國學者落魄海外，也亦將流落如沙多百里安者乎？然之，沙氏雖會汗洒英人廚房，侍從倫敦，淚或沾襟，然中年後歸來京，則代表一大民族，昂首爲英皇之貴賓矣。今日之痛苦，來日之偉大。有志者其勗與乎哉！

去年國民經濟成長率概況

本報資料室

五十一年度財政收入，均較五十年度增加：一、稅課收入爲七十億五千四百萬元，增四億八千九百萬元；二、公賣利益收入爲二十億四千七百萬元，增四億零三百萬元；三、課稅外收入爲二十五億八千六百萬元，增二億四千七百萬元；四、差額抵補收入爲二十一億五千六百萬元，增一億八千三百萬元。

按：所謂稅課外收入中，包括：營業盈餘及事業收入者爲十四億五千六百萬元，財產孳息收入者爲一億五千五百八十五萬元，規費收入三億三千二百十六萬二千元，罰款及賠償收入，九千六百九十五萬一千元，捐獻及贈與收入，四千六百三十七萬八千元，雜項收入四億九千八百四十六萬八千元。其以營業盈餘及事業收入較五十年度增加最多，達四億一千一百六十八萬元。而規費及雜項收入較五十年度減少二億三千六百七十九萬五千元。

在差額抵補收入中，美援收入爲十億五千二百萬元，較五十年度減少二億三千八百萬元；財產售價收入及公債收入則均較前增加，財產售價收入爲七億零四百萬元，增四億九千七百萬元，公債收入爲五億元，增一億元。

收入

直接稅念二億七千八
間接稅七九億七千七

就五十一年度各類收入在各級政府收入淨額中之比重言，計稅課收入佔百分四八．二，公賣利益收入佔百分一八．七，稅課外收入佔百分一七．七，差額抵補收入佔百分一五．四。據財政部統計，五十一年度各項稅捐之實征數共計七十五億一千五百萬元，較五十年度增加六千九百萬元。其中較五十年度增加者，計有關稅增一億四千零七十八萬五千元；鹽稅增一百四十三萬七千元；所得稅增二千七百零七萬一千元；綜合所得稅增三千三百三十五萬五千元；田賦增七千三百八十四萬三千元；營業稅增四千六百六十一萬七千元；港工捐增二千零八十一萬六千元；契稅增八百零八萬一千元；房捐增二千八百三十七萬一千元；屠宰稅四千九百十二萬二千元；使用牌照稅增二千零十萬零八千元；筵席娛樂稅增四千七百八十八萬五千元；戶稅增四千六百二十五萬六千元。

而較五十年度減少稅收者，爲營利事業所得稅減六百二十三萬四千元；遺產稅減一百十七萬七千元；印花稅減一千八百三十七萬二千元；貨物稅減一億三千二百八十一萬四千元；礦區稅減八十六萬二千元；地價稅減六百六十七萬二千元；土地增值稅減三千四百八十七萬二千元；防衛捐減二億五千六百三十三萬一千元。

公賣利益則較五十年度增四億五千三百八十二萬二千元。在前述稅捐實征數中，據財政部之分類統計，屬於直接稅者爲二十二億七千八百萬元，佔稅收實征額百分二二．二；屬於間接稅者爲七十九億七千七百萬元，佔百分七七．八。均不包括國防特捐在內。若與五十年度比較，直接稅減少八千九百萬元；間接稅增加六億一千三百萬元。間接稅之比重，較五十年度爲高。倘若包括國防特捐，則比重更大。

稅收與國民所得比較：據行政院主計處初步估計，五十一年國民所得約達新台幣五百八十七億三千一百萬元，較五十年之五百三十五億三千一百萬元，增五十二億，佔百分九．七。若以之與五十一年全年稅收（包括稅捐及公賣利益收入）實征數一百十二億三千三百萬元相比，則稅收佔國民所得百分一九．一，較五十年之比率增百分一．〇。（七）

閻錫山將軍的反共意見

吳文蔚

共產主義如果真能實現，那麼經濟上的一切困難問題，如生產資本的問題；勞動機會的問題；勞動者負担人口多少的問題；不能勞動的人生活救濟的問題；生產力加大的好處，歸少數資本家享有未惠與全人類的問題；生產力加大的過程中，拋死從事手工業者力農業者人口的問題；生產力加大造成大量的剝削，使勞動者生活越加困苦，心理更爲不平的問題；無購買力的產物不能銷售，形成爭奪市場，擴展殖民地，甚至引起大戰的問題；都可解決。那眞是人間天堂！所以能有很大的誘惑力。因此，一般青年及學術人士，趨之若鶩。爲何我要說他不能實現呢？因爲人的生產勞動是痛苦的一件事，忍受痛苦，爲的是生產供給生活；共產主義，將勞享分離，在根本上就消失了勞動的勁力，消失了勞動的勁力，就是消失了人的生活。所以說他是絕對不能實現的！

再就人類的現實來看，今日世界上的人類，維持父母家庭尚且不易，因而由幾世團聚的大家庭，變成了夫婦二人謀生的小家庭，而共產主義，反過來要使千家萬家合起來，再組成一個無限的家庭，共同生活，如何可能呢？這就是「張公義以一忍字，維持九世同居，已不足爲後世法」，現在共產黨，要以一個殺字，維持共產主義的生活方式，別說他不可能，就是可能，也是超乎人性，背乎人情，在人生幸福上，得不償失，怎麼能實行呢！所以我說：共產主義是絕不能實行的！

四、對資本主義的利弊及去除其病根的方法

閻將軍說：資本主義，是有利有弊的。因爲資本主義，是利用私人的資本經營事業，許可剝削勞動者的勞動代價，自由競爭發達生產，他的利處，是利用人的慾望，加大了發展生產的速度；他的害處，是剝削了勞動者的代價，造成了勞動者心理上的不平，因而發生了無止境的鬧工潮，形成了剝削者與被剝削者的階級鬥爭。又因爲資本家剝削下勞動者的勞動代價的成品無銷路，所以爭奪市場，爭奪殖民地，每每造成國際戰爭，使資本主義的好處未普，害處增加，在國內起了鬥爭，在國外起了戰爭。這種鬥爭戰爭的演進，愈來愈尖銳，愈來愈激烈。如此看來，資本主義的利處實不足以抵償他的害處。還有資本主義，若不改革，去不了他鬥爭戰爭的因素，則世界人類，就有遭受毀滅的危險。有一次，陳納德來見我，他說：「美國現在不是資本主義，是一種企業主義，不獨佔資本，不剝削勞工，使生產增大，使勞享平等。」

當時我說：「果能不剝削勞工，就不是資本主義，即不枷鎖生產，亦無國內的鬥爭，國外的戰爭。如此漸進，即可走上改革資本主義的途徑。」

（九）

康有爲的自負

丘峻

『英帝印度之歲，南海康有爲以生，在意王統一之前三年，德法戰之前十二年也。所遇何時哉？汽船也、汽車也、電線也，之三者，縮大地促交通之神具；汽船成於我生之前五十年；汽車成於我生之前三十年；電線成於我生之前十年；而萬物變化之祖，爲瓦特之機器，亦不過先我八十年。凡歐美之新文明具，皆發於我生百年之內外耳！率大地百年之英靈，竭哲巧萬億之心精，奔走薈萃，發揚蛩鳴，旁魄浩瀚，積極光晶，滙百千萬億泉流，而成江河湖海，以注於康有爲之生也！大陳設以供養之，俾康有爲肆其雄心，縱其足跡，窮其目力，供其廣長之舌，大饕餮而吸飲焉！自四十年前，既攬擷華夏數千年之所有，七年以來，汗漫四海，東自日本、美洲，南自安南、暹羅、柔佛、吉德、霹靂、吉冷、爪哇、緬甸、哲孟雄、印度、錫蘭，西自阿剌伯、埃及、意大利、瑞士、奧地利、匈加利、丹墨、瑞典、荷蘭、比利時、德意志、法蘭西、英吉利，環周而復至美。嗟呼！康有爲雖愛博好奇，探頤研精，而何能窮極大地之奇珍絕勝，置之眼底足下，攬之懷抱若此哉！縮地之神具，不自我先，不自我後，特製竭作以效勞貢媚於我。我乖不貴不賤，亡所不入，亡所不覩；俾我之耳目聞見，有以遠軼於古之聖哲人，天之厚我乎！何其至也！夫中國之圓首方足，以五萬萬計，才哲如林，而閉處內地，不能窮天地之大觀，若我之遊蹤者殆未有焉！而獨生康有爲於不先不後之時，不貴不賤之地，巧縱其足跡目力心思，使徧大地，豈有所私而得天幸哉！天其或哀中國之病，而思有以藥而壽之耶！其將令其攬萬國之華實，考其性質色味，別其良楛，察其宜否，製以爲方，采以爲藥，使中國服之而不誤於醫耶！則必擇一能若不死之神農，使之徧嘗百草，而后神方大藥可成，而沉痾乃可起耶！則是天縱之遊遊者，乃天責之大任！則又既皇既恐，以憂以懼；慮其弱而不勝也！雖然，天既強使之爲先覺以任斯民矣！雖不能勝，亦既二十年來晝夜負而戴之矣！萬木森森，百果具繁，左捋右擷，大嚼橫吞，其安能不別良楛，察宜否，審方製藥以饋於我四萬萬同胞哉！方病之殷，當羣醫雜沓之時，我國民分甘同味焉！其可以起死回生，補精益氣以延年增壽乎？吾謂之然，人其不然耶？

『今歐洲十一國遊既畢，不敢自私，先疏記其略以請同胞分嘗一臠焉。吾爲厨人，而同胞坐食之；吾爲畫工，而同胞遊覽也，其亦不棄諸！』

康氏漫遊各國之懷抱也有如此！其自任以天下之重也又如此！彼一生自負爲先知先覺，譽己不容置喙，薄後進而以爲不如我所知。對世界，論政治，則極各國之美而無以逾於中國者。斯亦本國文化本位之主見歟？抑亦中國文化本位之世界觀歟？然則，康氏之自負又豈徒着眼於其個人立場而已哉？

（四）

魔君續夢

第九回：

枵腹爭雄　壺漿招餓鬼

苦心糾衆　風雨會羣魔

會議開始，先由赫魯曉夫致詞，他的一篇演詞，竟了一個上午都未講完，下午又讀了半天，讀完後就散會休息。第二天臨到劉少奇致詞，只是輕描淡寫說些團結的話，也未接觸到實際問題，幾個重要共黨頭目致詞之後，開始討論到正題，第一個議程就是與南斯拉夫的關係。

本來赫魯曉夫想藉這次會議，決定同南斯拉夫恢復關係，南斯拉夫重回社會主義陣營。這個議案剛提出來，就遭到中共代表團的堅決反對。鄧小平說道：「我們中國過去處決一個犯人，出佈告時要寫明驗明正身，表示這個匪徒不是假的。現在南斯拉夫也被驗明正身，是道地的修正主義者，除非我們也甘心作一個修正主義者，無論如何也不能與南斯拉夫爲伍。」

赫魯曉夫看見鄧小平出言頂撞，大不開心，說道：「本來通到社會主義的道路原有許多條，從那條路都可通到共產主義的。」

鄧小平說道：「我們的看法不同。我們覺得祗有一個，任何欲通過其他途徑以達到共產主義的，都是修正主義者的遁詞，事實上完全不是這麼回事。」

赫魯曉夫不好再同鄧小平吵下去，自覺得有失身份。傍邊却惱了義共代表團團長隆哥。義共這時正鼓吹他的結構改革制度，雖然和狄托的路線不同，但也和中共所嚷的馬列主義不同，在鄧小平口中也變成了修正主義者。

隆哥脾氣本來就暴燥，再看到鄧小平那種趾高氣揚的態度，更不開心。當時站起來說道：「馬列主義雖然是永恒的眞理，但在運用方式上也並非一成不變，凡是眞正精研過馬克思、列寧著作的人都知道，列寧所施行的政策已和馬克思不同。假若列寧死抱着馬克思學說而不知與現實環境相結合，十月革命也許就不能成功，因爲馬克思並未叫共產黨人組織軍隊，用武力奪取政權。」

隆哥說到這裏，赫魯曉夫帶頭鼓起掌來，頓時掌聲如雷，祗有中共代表呆坐在那裏不動。

隆哥繼續說道：「中國共產黨同志，口口聲聲以正統馬列主義自居，但是，他們所推行的內政外交，與馬列主義全不相干。因此，我們可以斷定講這種話的人根本就未讀通馬列主義，也許連看也未會看過，却到處去大言欺人。」

隆哥說過，全場又來個鬨堂大笑。

鄧小平忍不住了，起身指着隆哥說道：「那位意共同志竟然說我未讀過馬列主義的經典。現在我願意同他當場考試，看看誰不懂馬列主義。」

隆哥說道：「那裏用得着考試，這個道理我一說大家同志就明白了，馬列主義經典不是德文，就是俄文，請問這位同志是懂得德文呢？還是懂得俄文？」

鄧小平抓住隆哥這一點，說道：「依照隆哥同志的說法，一個人若不懂得德文或俄文，就不可能成爲眞正的馬列主義者，今天到場開會的同志都知道，全世界的共產黨員，起碼有百分之八十都不懂德俄文字，依照那位同志的說法，這麼大的一批人都不是馬列主義者了。」

（二三〇）

養生有道

吉庭

凡養生之事物皆曰生，如生活，生計，生存，生命。生活者，反於死而言之，孟子云：「民非水火不生活」。生計者，謂生活之事，白居易詩：「約俸為生計」。今俗以謀生之事為生計。生存者，保全其性命也。適者生存，不適者滅亡，謂之生存競爭。生命者，即生存之謂。北史：「人之所寶，莫寶於生命」。苟無命，一切都消失矣。

養生是重要的，而養生首在養性。孟子曰：「存其心，養其性，所以事天也」。漢書云：「梅福居家，常以讀書養性為事」。淮南子亦以靜漠恬淡為養性之法。

其次養氣，與養性相表裏。氣為天地所賦，人得之以成形，而充乎全體者也。形體之動作，配義與道，而無所愧怍，則其氣盛大流行，此即孟子所謂「我善養吾浩然之氣」。道家亦有養氣說，其義與鍊氣同，謂屏除一切不正常思慾，而涵養其素性也。

又其次養志，言高尚其志也。莊子云：「養志者忘形，養形者忘利」。晉書何琦傳：「養志衡門，不交人事」。古以曾子能承順父母之意，可稱養志。嚴子陵不事王侯，日垂釣於富春山下，陶然自得，亦可謂善養其志者矣。

以上養性、養氣、養志，統稱之曰「養和」。晉書：「道遙養和，恬然自足。」謂恬情適性，以自然養其生也。劉勰新論：「子將攻情欲，先斂五關；曰目，曰耳，曰口，曰鼻，曰體，所以養生，亦以傷生也。」嵇康作「養生論」，言之甚詳。而莊子有「養生主」，謂生以養存，而養必有道，是之為主。逍遙曠達，不為物欲所囿，一切皆以達觀處之。

孟子曰：「苟得其養，無物不長，苟失其養，無物不消」。蓋人類精力，雖因天賦不同而有異，惟究屬血肉之軀，精神體力，原有一定之負荷，逾此限度，過份損伐，勢難持久；尤以憂患中年，歷經磨折，求能始終如一，自無可能！

漢書：「神大用則竭，形大用則敝。」歐陽修：「百憂感心，萬事勞形，有動乎中，必搖其精」。李笠翁：「善行百里者，休於九十；善登浮屠者，六級即下；此養生之道也」。曾國藩亦云：「寡言養氣，寡事養神，寡思養精，寡忿養性。」皆養生格言，尤以曾氏所言為透澈。蓋以人之所賴以生者，惟精，氣，神，謂之「內三寶」。少說話，可以養氣；少慾障，可以養精；少思慮，可以養神；少忿怒，可以養性。所謂養生之道，庶乎近焉。

四庫薈要滄桑

周燕謀

四庫薈要原為故宮博物院中之一部文物——四庫薈要，近因保管疏忽，遭受損壞事，社會人士頗為關切，尤其文化界更表遺憾。考四庫薈要，乃四庫全書中之精華，是檢四庫全書中重要的古籍，選出四百七十三種，鈔成一萬一千一百七十八冊，分成二千零一函。共兩部，一部存於圓明園之摛藻堂，一部存於御花園中之味腴書屋。這是備皇帝隨時取閱者，每函木匣要比四庫全書更為講究，繕寫亦比四庫全書工整美觀。圓明園中之一部，燬於英法聯軍之役。現在台中的是原來故宮博物院所存在御花園中摛藻堂的一部。

這部國寶可以說是歷盡滄桑了。

故宮博物院自民國十三年十一月五日，溥儀出宮，由辦理清室善後委員會起，經故宮博物院之成立，維持時期，故宮博物院保管委員會時期、故宮博物院維持會、故宮博物院管理委員會等，這段時間一直是存於故宮博物院摛藻堂中。直到民二十年九一八事變，平津震動，這部四庫薈要始由北而南，遷到上海，貯在貨棧中。至二十五年十一月，又由滬運往南京朝天宮。朝天宮是貯藏國寶的好地方，面積有一百三十八畝二分九厘，地址高廣，原有的建築，因山作勢，崇弘壯麗，幾里之外，即可見殿宇參差之勢。據江甯府志的記載：「朝天宮，即古之冶城，吳時鼓鑄之所。楊吳時建紫極宮，宋改天慶觀，元改玄妙觀，又升為永壽宮。明洪武十七年重建，改名朝天宮。殿後有萬壽亭。凡大朝賀，於此習儀。晉卞壼墓，郭文舉臺皆在側。又有飛霞、飛雲、景陽三閣，臨眺踞一城之勝。清同治四年，李鴻章權兩江總督，於此改建府學，僅成櫺門、戟門、大成殿兩廡。曾國藩再督江南，始建崇殿、敬一亭、宮牆、泮池、牌坊、府學頭門照壁、明倫堂、尊經閣、教授訓導二署，及名宦鄉賢忠義孝弟等祠，皆附於此，為南京重要古蹟。」四庫薈要隨着故宮古物貯存於此，可謂適得其所哉。

但是，接踵而來的，又是七七事變和八一三事變。故宮文物復不能長貯久安下去。於是分三路向大後方疏遷：一路經湖南而貴州，一路經漢口而重慶，一路經陝西而四川。分別在四川、貴州等地成立辦事處。貴州貯藏地是華嚴洞，是當地的名勝；在此所藏為八十箱珍品。四川貯藏地是在樂山縣的安谷鄉。第三路文物，是貯藏於四川峨眉縣大佛寺及武廟兩處。總共由南京運出到四川貴州之文物為一萬六千六百五十箱，其餘二千七百箱，便陷落在南京了。

至三十四年抗戰勝利，文物還都。三十五年一月起，開始分別將文物集中重慶，至三十六年六月始告還都完竣。還都文物，重回南京朝天宮。接收原來陷落之古物存列所的一批文物，共有三千五百四十箱之多。民三十七年冬，大陸局勢逆轉，乃決定將中央故宮兩院存京文物運台，貯藏台中。這一部四庫薈要，是故宮博物院四庫全書屬於文淵閣藏於摛藻堂之一部。今日安定中尚有此失，令人惜焉。但希望今後負責保管者，善自珍重，我們還要重來一次文物還都呢！

南宋偏安有人才

李仲侯

四月，黃佐襲周倫寨擊之，倫大敗走，殺死及掩入湖者甚衆，擒偽統制陳貴等九人，奪衣甲器仗無數，寨柵糧船，焚燬無遺者。佐遣人馳報飛，飛即上佐功，轉經武大夫。仍撫勞所遣將士，第功以聞。時飛奉詔平寇，至長沙得御札曰：「近得奏，知卿已至潭州。時方盛暑，將士良勞！朕以湖湘之寇，連誅累年，故特委卿為且招且捕之計，欲使恩威並濟，綏靖一方。聞卿到彼，措畫得宜，朕甚嘉之！然今去防秋不遠，若此寇既平，則可以專意捍敵。更宜多算，決致成功，此朕所望於卿者。其他曲折，張浚既至軍前，可就議也。二十三日付岳飛」。

統制任士安慢王𤫊令不戰，飛鞭士安一百使餌賊，曰：「三日不平賊，斬之」！士安乃揚言，岳太尉兵廿萬至矣！及所見止士安等軍耳，賊乃併兵永安寨攻之；飛遣設伏，士安等戰殊困，伏兵乃起，四合擊之。賊衆敗走，獲戰馬器甲無算。又追襲過布陂山，所殺獲不可勝計。士安復移軍與牛皐屯龍陽舊縣之南，逼近賊巢。賊出攻之，官軍迎擊，賊又敗走。

五月有旨召張浚還。浚得詔謂飛曰：「浚將還矣，節使經營湖寇，雖有定畫否」？飛袖中出小圖以示浚曰：「有定畫矣」。浚按圖熟視移時，謂飛曰：「浚視此寇，阻險窮絕，殆未有可投之隙。朝廷方召浚歸議防秋，盍且罷兵，規畫上流，俟來歲徐議之」。飛曰：「何待來年！督都但能為飛少留，不八日可破賊。督都還朝在旬日後耳」！浚正色曰：「君何言之易耶？王四廂兩年尚不能成功，乃欲以八日破，君何言之易耶！」飛曰：「王四廂以王師攻水寇則難，飛以水寇攻水寇則易。」浚曰：「何謂以水寇攻水寇」？飛曰：「湖寇之巢，艱險莫測，舟師水戰，我短彼長，入其巢而無嚮導，以所短而犯所長，此成功所以難也。若因敵人之將，用敵人之兵，奪其手足之助，離其腹心之援，使桀黠孤立，而後以王師乘之，覆亡猶反手耳。飛請除來往三程，以八日之內，俘諸囚於督都之庭」！浚亦未信，乃奏曰：「臣只候六月上旬，若見得水師未下，即召飛前來潭州，分屯潭鼎人馬，規畫上流軍事訖，赴行在」。飛遂如鼎州。六月二日，楊欽受黃佐之招，率三千餘人，乘船四百艘詣飛降。飛喜，私謂左右曰：「黃佐可任也！楊欽驍悍之尤者，欽今降，賊之腹心潰矣」！欽乃縛至帳庭，飛命解其縛，以所金束帶戰袍予之，即日間奏授武義大夫。又命具酒，使王貴有差。欽感激，不自勝，所部皆喜躍恨降晚。飛乃復遣欽歸湖中，諸將皆力諫，飛不答。越兩日，欽盡說全琮、劉銑等降，未降者尚數萬；飛詭罵曰：「賊不盡降，何來也！」杖之，復令入湖。是夜，以舟師掩其營，併俘欽等，其餘黨殺獲略盡。（七七）

令人迷惘的問題

諸葛文侯

實施民主政治的唯一原則，就是遵循民意行事，「民之所好好之，民之所惡惡之」，這道理很充足而正大，誰也不能否定的。可是，按諸事實，「民意」之為物，固未必盡屬妥當，這可從兩方面來觀察：

在教育普及，民智大開的社會中，人民雖然大多數具有政治興趣，對於管理衆人之事的重要問題，隨時表示意見，有所主張。但這類意見總是基於眼前的個人利害觀點而發抒，缺之深謀遠慮，很少顧及國家的利害關係。如其政府當局真的以民意為圭臬，無所假藉，結果一定糟糕，我們看看美國的若干史事，即恍然大悟了。第一次世界大戰發生之際，美國人民羣聲反對參戰，意志極其普遍而堅決。當時威爾遜先生即以保證不參戰為競選總統的政見宣傳資料，而得告勝利的。等到他進入白宮不久，乃藉口德國無限制的潛艇襲擊政策，說是「危害海上自由航行的安全」，實行對德宣戰了。第二次世界大戰伊始，美國人民大衆還是反對參戰，羅斯福總統亦以中立政策為競選連任的題材，一旦獲勝之後，即以「防疫論」的理由，不特實行參戰，且以「民主國家的兵工廠」自任，美國一變「成為世界大戰的主帥了。這是違背民意的行為，却對國家有益。次大戰結束後，政聲卓著、才幹優越，素受民衆贊許的紐約州長杜威，與杜魯門競選總統時，全國民意測驗的統計報告，肯定杜威必以壓倒的多數票當選無疑，然結果杜威失敗了。事後詳查原因，乃由於美國一般婦女們，瞧見杜威那種神采奕奕，蓄着兩撇短鬚，言談虎虎有生氣的容貌，跟那老太婆姿態，語不驚人的杜魯門對照之下，認為杜威如果當選，美國對外，必採取強硬的外交政策，難免引起戰爭，要她們的丈夫和兒子又去入伍作戰，因而一致投了杜魯門的票，使杜威功敗垂成了。這是聽從民意的結果。杜威於八年前訪問東亞，由台灣經過香港時，在旅港美僑歡迎會中，有位女人問他：「你是否再競選總統？」他笑謂：「你們都不投我的票，我何必多此一舉呢！」這些都是世界上最民主的美國民意表現啊！

在產業窮乏，教育不普及，民智簡陋的社會中，人民對政治十九皆沒有興趣，大家只希望官府除了徵糧課稅之外，少給他們的煩擾壓搾，至於政治方式和問題，他們是漠不關心的。咱們中國的情形，也就是屬於這一類型的國家，但我們已搞了五十餘年的民主政治，實際上，所謂民意也者，祗是少數以搞政治為謀生之道的知識份子的私見而已。知識份子的意見如果真可代表大多數民衆而然，那亦不失為民主範疇，事實却大謬不然。政治權利有我一份，就是民主憲政，沒有我的份兒，便係專制獨裁」；在野時為着爭取「民主生活」，高談理論，辨析作風，說來天花亂墜，頭頭是道，一旦讓他當政，其行為之專擅自私，對人對事之毫無民主氣質，日常生活方式以及意識形態之官僚腐化，真是洋洋大觀，令人望而作嘔。截至現在為止，咱們中國的民主政治內容，就是如此這般。至於其他標榜民主主義的若干新興國家，如印度、埃及……等等，其內容之糟，更勝過咱們中國若干倍。

因此，我對於所謂民主政治問題深感迷惘，即如美國和英國這些號稱為天下第一的民主憲政生活，我也認為離題尚遠，不足為訓，但又想不出一套如假包換，具有理想而有效力的民主政治方案來。迷惘之餘，乃發生一種反動思想，覺得老莊提倡的無為而順乎自然的社會生活，殊堪嚮往呢！（三·完）

臥龍崗

謬匡

臥龍崗與隆中，皆屬大別山脈，地勢並不甚高，而蜿蜒如長龍偃臥，故以為名。山南為臥龍崗，山北為隆中；山南屬南陽，山北屬襄陽。隆中山勢較高，林木深邃，宜於隱居。臥龍崗有武侯祠，祠內有岳武穆所書前後出師表名碑兩座，字跡龍蛇飛舞，往者多購其榻本，以瞻忠臣名將也。武侯祠有一聯曰：「一心在先帝後帝；何必問襄陽南陽」意氣超脫。武侯祠內，有漢代銅鼓一，無底，擊之鼕鼕有聲，旁有考據者註曰：「武侯征南蠻時用之，在水上擊之，聲悠遠。」隆中近路旁有杜預之「墮淚碑」，字大尺許，遒勁厚腴，誠可寶之古跡也。

考晉書羊祜傳：「祜樂山水，每造峴山，嘗歎曰：自有宇宙便有此山。由來登望如我者多矣，皆湮沒無聞，使人悲傷。」祜後，襄陽百姓於峴山立碑；望其碑者，莫不流涕，杜預因書之，名曰「墮淚碑」。

羊為晉代名將，而峴山即隆中山相連之一峯。而隆中地勢傾坦，宜於耕種，諒即當時武侯隱居之地歟！「三國演義」中，述及諸葛武侯隱居隆中臥龍崗，而三國志則鮮及此。所謂古跡，往往而有出於後人增益之者，此未可為考據之典要也。

內僑警台報字第〇三壹號內銷證

自由報

THE FREE NEWS

第三六七期

中華民國僑務委員會登記證
台教新字第三三號登記證
中華郵政台字第一二八八號執照
登記爲第一類新聞紙類
（本週刊星期三、六出版）
每份港幣壹角
台灣零售價新台幣弍元
社長：雷嘯岑
督印人：黃行寬
社址：香港銅鑼灣高士威道二十號四樓
20. CAUSEWAY RD 3RD FL.
HONG KONG
TEL. 771726
台灣分社

有關宣傳的諍言

方南

讀了本報八月十日刊岳騫君著「有關宣傳方面的幾個問題」，深感目前宣傳這一環的弱點確有迅速補救，並且予以大力開展的必要。

岳騫君提及的幾個問題，以「正名」及糾正心理病態爲主，具有一針見血之妙。當我們正在要對共黨進行「心理作戰」之時，如我們自己心理先有了毛病，理本直而不見其氣壯，言可順而失之於名不正，每事失機，缺乏主動，實在可惜可歎！

這裏且就個人歷來所聞的一般批評，畧爲敘述，並以發抒所感，藉見此事不容繼續漠視。

一、有些人會說，國民黨似乎忘了宣傳這一門業務，尤其忘記了報紙在宣傳方面的重要作用。國父當年提倡革命，到處創辦報紙，稍爲檢閱一下黨史，便可省悟，如今國民黨卻令人有了一種錯覺：共產黨重視宣傳的程度十倍於國民黨，共產黨辦宣傳比國民黨高明得多。（說者是有事實舉證的：十五年來，共黨在香港辦的報紙增加了好幾種，現在合計他們日晚報的銷額總達十萬份以上，最高時超過十萬份，而在此前最低的一個時期卻只有二萬份左右。）

二、有些人也說，國民黨花在聯絡電影界方面的精神和金錢，超過對新聞界方面不知幾倍。由大陸逃到香港的新聞從業人員，熱心反共的總有不少，在收容和救濟兩方面所得到的安慰，比較香港被日軍攻陷時逃入內地的文人所獲致的相差太遠了。幸者猶可，不幸者自然淪滅。

三、有些人更說，每值局勢突變，有了重大事件發生，國民黨在宣傳上的反應總是遲鈍的；在運用有利時機進行有利宣傳的一切因應上，總不見發揮積極的機動性。（最近這裏便有兩家報紙的社論，就「毛、赫鬥爭」這個問題提出質問。一家是這樣說，看國民黨宣傳的論調，好像是「傍觀者」在看他們兩個吵鬥。）

像以上這些批評，可說是經常流行在此間新聞同業口裏的。這是新聞界對這個問題的「輿論」，或許悠悠之口，未免責之過苛，或許未盡明瞭事實眞相，及有關各方的內部困難，所以，這不能算是完全公允之論。

就我個人的感覺來說，共產黨那一套宣傳方式並不適宜於我們。但在我們這邊確有很多毛病，主要欠缺一點勁。宣傳是花錢的事，便是紙彈吧！薄薄的一張紙也需要錢。今天的錢當然有困難，但少有少用，多有多用，主要在乎提得起精神，用得其當。以我個人的回憶，在國民革命軍北伐時期和抗日時期的宣傳聲勢，今天竟似不能比擬，而今天國家民族所受的苦，卻是史無前例，慘絕人寰的呢！

我曾這樣想，此時我是在香港，不比以前在國內，所以在氣氛的感覺上應該有分別。但以去年「五月逃亡潮」這一宗事情來說，它就發生在香港這個地方，回憶當時這件驚天動地的大事驟然發生以後，國民黨整個宣傳機構對於抓緊這一事件所作的努力，究竟有什麼足以舉道之處呢？又如，最近毛澤東和赫魯曉夫吵得這樣兇，當然是令海外人心發生很大的轉變，而且湧起了新的希望。這不消說，爲了適應這一變化的宣傳指針，國民黨有關方面如能迅速確定立即對準敵人的主要弱點實施總攻，當然會增加敵人崩潰的速度，使這塊懸崖垂墜的頑石加快轉動。但是，我在這裏聽到的「輿論」是：別說馬上實行軍事反攻吧！這宣傳攻勢也提不起勁吧！

事實果眞一類至此嗎？是什麼原因會招致這種批評呢？照我們所知，發爲這種批評的人原非出自惡意的啊！

宣傳之道多端，當然不限於報紙。對大陸，對海外，對國際，對台灣本省，在在都要發揮宣傳的功用。如果執一偏以概其全，只就這裡所見所感，便說國民黨不注重宣傳或者不懂宣傳，那當然是不公平的。但無論如何，仍有許多急待開展或糾正的地方，那也是事實。舉一個例，像我們在香港看到的美國影片，拿東德義士逃亡到西柏林的事實做題材的也有好幾部，都很令人受感動，也很能賣座。若以大陸難胞這十年來逃到香港澳門的多過柏林方面的何止十倍，爲什麼沒有人在電影方面動腦筋，拿這些眞實題材通過電影藝術映現在世人眼前呢？

我懷疑，問題可能涉及組織和作風兩方面。宣傳應該屬於「心理作戰」的範疇，但許多人都知道國民黨的分組工作中，有一組是專管宣傳的，有一組是兼管「心理作戰」和聯絡各方的。「心理作戰」和宣傳的工作如何清楚劃分，當然是一宗很困難的事，這裏面，怕有重複衝突之處，怕就不免發生毛病了。還有，宣傳工作如何向海外進行，那又牽涉到職管海外的一組了。這三者之間如非經常圓滑溝通，若單以海外宣傳而言，怕更不免有「一國三公」，或者是「大家都管，大家都不管」的弊病了。

據「由有關各方開會共同決定」這種作風，極爲流行於台灣黨政機構之中，恐怕宣傳事宜也要經過這種方式才可決定，那便會令到任何一方都不肯認眞担當繁難，或者雖肯担當而有「費時失事」之慣，結果便談不到主動，機動，因時制宜，靈活應變了。「需者，事之賊也！」宣傳方面的「賊」大概在這裏。希望反共運致勝利，我才會注意到這一問題，期望國民黨對這方面有所檢討與改進。因爲，上述種種並不能[illegible]政府新聞局，而國民黨在心理作戰與宣傳兩種業務所設的機構，如能增進工作效率，自是反共前途之福。

至於如何救弊與革新，那當然是國民黨內部的事。如就以上所舉的弊病，作一粗淺的觀察，例如各組職掌的從新劃分，心理作戰與宣傳的合併運用等等，當然都要在從頭檢討之列，但最要仍在乎「大家都管，大家都不管」的那種老毛病要徹底掃除，痛加改革呢！

由於讀了岳騫君論及宣傳問題的文章，引起我寫這篇東西的動機，當然不敢自以爲說得比較深入透徹一些，其實，這也不過是「骨鯁在喉，不吐不快」而已。至於宣傳術語的研究，如何才可達到「正名」的目的，如何才可因時，因地，因人而作適當與機靈的決定，必然由技術涉及藝術，絕不簡單。例如一些過氣的口號必須屏棄，一些適應時機的新口號必須靈活創造，如沒有一個認眞推動宣傳工作的機構，具有合適的人才負責研究與設計，怎會有良好的效果呢？一句口號可以製造天大風波，一首歌可以沸騰全國人的熱血，那是無足奇的事，史績具在，斑斑可考。我們如不能恢復宣傳的熱力，連那樣的歌和口號也無從繼續產生，那麼「無形的損失」眞是大得太可怕啊！

漫画天下　南施

都是不中看的東西

火拼的結果

自由談

大家有飯吃

馮五先生

素以闇弱著稱，而歷國家行政元首職位的近人黎元洪，他當年對於政治問題，說過一句時髦話：「有飯大家吃」。此言很博得一般輿論上的贊許，認爲合乎民主政治眞諦。實則這句話祇替少數熱中仕途的智識份子張目助勢，與社會大衆不相干。黎氏的意思是指政權不宜任讓少數人包攬把持，應該使一般熱心仕進的官僚政客機會均等，利益均沾，實，距民主政治的境界還遙遠，不足爲訓的。

他這句話如果顛倒一下，說成「大家有飯吃」，那便是具有安當性的名言了。政治是管理衆人之事，目的在爲大多數人民謀幸福，光是利用國家名器以安撫那些「爲貧而仕」的士大夫，而置大多數人民的生存與生計於度外，這能說是眞正的民主政治嗎？

創進「大家有飯吃」的積業，亦非多設駢枝機關，冗員充斥，濫訂行政計劃和標語口號所能濟事的，主要是經濟建設是否合理？而其要訣即爲「藏富於民」，人民富庶了，政府還愁國庫空虛嗎？如其藉經濟建設之名，不分清紅皂白地把經濟事業統統搞成「國營」，那是與民爭利，終將弄成大家無飯吃的結果。例如咱們現有的若干國家銀行，除卻中央銀行的職責分明，義所應爾而外，其他的各個國家銀行，跟民營商業銀行的業務和方法，究有那點不同之處，實在想不出來。若說這些銀行每年可以替政府賺取數千萬元的利潤，不無裨益。那末，將政府對各個銀行所投斥那筆以億爲單位的資金，敎三二十個人專司放息的任務，每年所得盈餘，至少亦不會低於現有各銀行繳交國庫的數字，又何貴乎特設若干銀行，僱用數以千計的職員，浪費孔多，而又冒着與民爭利的大不韙之名呢？即此一端，可見我們的經濟建設計劃頗有問題，要想達到「大家有飯吃」的目的，難矣哉！

德明停辦五個系 教育當局表重視

【本報訊】因學校停辦學系而痛感前程被毀走投無路的德明書院學生數十人，於十四日下午招待記者敘述經過請求新聞界加以公道支援，十五日上午，復有代表十餘人前往教育司署申述遭遇，由助理教育司羅宗淦接見其中代表兩人。

事後據學生代表稱：他們報告了他們深感惶惑的遭遇之後，羅助理教育司表示當局對此事已予重視，但由於德明書院是私立性質，當局未便直接干預其學校行政。對於該學生等的遭遇，羅助理教育司答允盡可能給予協助。

據學生代表說：德明校方在給他們的答覆信中，聲明由新學年起停辦新聞，家政，藝術，音樂及海洋五系，而該校副校長鄭潤才十四日所稱：「如各系學生不轉系，校方會繼續辦理至各該系學生完全畢業為止」，與前項聲明，實為矛盾。

另據德明校方稱：該校是決定不再招收上列五系一年級學生，但將繼續招收各該系二、三年級轉學生云。

當選有效無效尚待判決 李秋遠省議會首次發言 質詢四事倒亦冠冕堂皇

【本報記者熊徵宇台中航訊】被台灣省縣市選舉罷免監察委員會控告當選無效的省議員李秋遠，八月八日，在省政總質詢時，首度的行使了他在省議會的發言權。因為這選舉官司還只過了一堂，到底當選有效還沒有確定，所以他的省政總質詢，最是受人注目。這質詢，台灣的報紙，很少也可以說是全都沒有全部刊載，而我以全文報導的目的，乃在使本報讀者從這份質詢裏，看看這個人的思想，對於本屆省議員選舉後的唯一的選舉官司，也許多些看法。

李秋遠的總質詢共有四點，他說：

一、中華民國與中華民族的自尊心——我國自清代光緒年間甲午之戰敗於日本，馬關條約割讓台灣，日人以台灣為殖民地，以高壓仇視剝削自尊心為其治術，但是台灣人，多是身服心不服，生死不降，台灣人還是台灣人，中華民族仍然是中華民族。但是也有些人，靦顏事敵，做民族的漢奸為虎作倀。這些人，在光復台灣以後，政府不但不予以應得的懲戒，反而寬容重用，甚至官居要津，名利雙收，實在叫大多數愛國之士和誓死不降的本省同胞們心傷意冷！

李秋遠認為為了民族的尊嚴，政府應當肅清這些「有奶就是娘」的份子，用以振奮人心。

二、中美防衛條約有否違反我們國家的基本國策？如果有，可否請主席建議中央將不合理的條款廢除？

三、美軍在台的地位問題。美軍在台的地位，至今仍無明確的規定，據說政府曾考慮和美國政府訂立一項美軍在華軍事協定，但是該項關于美軍地位的協定還未見簽定，遺樣難免時常引起一些糾紛，因為我們既不能給予美軍以國際法上所給予外交人員的待遇，又不能把這些軍事人員視同一般外國人民。正爲其如此，沒有條約依據，常使我們對美軍的肇事、車禍或各種糾紛的解決沒有一定標準。假如遺確是問題的話，可否請主席向中央建議早日和美國政府研究解決，以條約方式或行政協定方式規定都好，這樣中美雙方都有依據。

四、大專學生的就業問題。年來本省各大專畢業學生越來越多，社會上各行各業一時無法容納這些成千成萬學子就業，因而造成普遍失業的現象。有許多大學畢業生甚或欲覓一中學教員的席位而不能得，欲任公務員更難。但目前各機關的公務員數固甚龐大，而屆齡應退休而不退休或是冗員亦非常之多，是否請主席正視這個問題，澄清吏治，切實執行新陳代謝，讓年邁的人退休，而吸收大專畢業生從事公務行政，使機關得獲新血，加速其功能；失業問題亦可略為減輕？

【本報記者熊徵宇台中航訊】據政治圈內權威人士透露：省議員李秋遠的選舉官司，不致於「當選無效」。因為若果處以當選無效，則李秋遠決定競選台北縣的下屆縣長，殆為定局，若如此，則下屆台北縣市長之選局，在安排上都不大好搞。當然，李秋遠的選舉官司，是法律問題，而非政治問題。

所以政府傷腦筋的，并不是李秋遠的當選有效，不有效，而是顧慮：他當選以後，是不是還要競選台北縣長？因為有不少人說：只要他出馬，當選的成份就高，甚至於說，一定當選云云。

香港與大陸

粵農民不堪思想磨折 有逃往山區打游擊者

日前自粵境不同地區抵港的二位中學生透露：大陸農民在夜以繼日的辛勞工作的奴役之後，中共又在思想上加以磨折，弄得農民痛苦不堪，有自殺的，亦有實行逃走打游擊去的。

原就讀梅縣東山中學的學生游×英小姐稱：梅縣地區今年夏季是大大的歉收，總產量尚不及常年的三分之一，未來的糧荒，勢必不堪設想。然而共幹不單沒有自我檢查修正其一貫錯誤的倒行逆施所造成的人禍天災，居然還把一切失敗的責任推在農民的「思想覺悟不高」上去，它們在農村的又來一次大規模的「思想運動」，便是為此。據中共說，思想運動是挽救「農業戰綫」的一顯再職的唯一良方。

游×英小姐說：中共此行的「思想運動」是分為二方面進行的：其一是採取強硬的鬥爭手段，要「公社」的各級共幹「協助」農民制訂「學習計劃」和「保證書」。它們所訂的學習計劃，以農民們的文化程度而不同：不識字者，要每天聽取「讀報小組」的讀報，並「討論」國際形勢以及「先進生產」者的「先進事蹟」；識字者，則要每天閱報章和中共其他的宣傳品，要「研究」毛澤東的著作，作為一天都少不得的「精神食糧」。至於「保證書」，則規定要每一個社員做到：「愛社如家，模範地貫徹和執行黨的方針政策，遵守政府法令，對工作不揀肥挑瘦，亦不好逸惡勞，把個人的一切置於度外，為公社集體和國家的利益，願意貢獻一切；甚而赴湯蹈火流血犧牲。」其二是要每一個農民「比先進，學先進，趕先進。」要全體農民進行評比，選出「先進份子」，並要求每一個社員都以「先進事跡」作一次自我量度，檢查自己那一方面沒有達到「先進」及原因，力求「學先進」和「趕先進」。如火如荼的進行，使農民整天緊張。

另據由興寧縣來港的中學生何錦平君稱：興寧縣農村，亦正在攪「思想運動」，并舉行過一「批判鬥爭大會」。他所屬之坭坡公社，最近舉行的一次批判鬥爭大會的對象，是一位被取消投考大學資格而下放農村的高中畢業生。該高中畢業生據說在下放二個多月來，屢次缺工，他本屬「主要勞動力」，但所作之工分却還少於附帶勞動力，又說他曾向若干農民表示不滿情緒，有歧視勞動的思想，故而批判鬥爭他。該高中畢業原已受到被下放的打擊，加上這次再被批判鬥爭，精神上痛苦極了，竟在一夜靜悄悄的吊頸自殺了。

但何錦君稱：中共雖在農村大攪「思想運動」，却非但無有甚末效果，反而起着反作用。許多農民，自己以為是「有問題」的，紛紛逃走，有些更被迫集體組織起來，逃到附近的大山，打游擊去，藉資死裏求生。（敬斯）

披荊斬棘話台糖（上）

——本報台中記者熊徵宇

說起台灣的糖業，在海島經濟的對外貿易上，佔有很重要的地位，主持這個事業的台灣糖業公司，現在擁有新式製糖工廠二十七所。從業的員工與蔗農，有一百五十多萬人。在春秋兩季的製糖季節裏，每天還可以容納以萬計的散工。在經濟活動的人口上，是個很龐大的數字。

台灣光復以來，砂糖行銷世界各地，因為品質好，有信用，到處都受歡迎。所以也就從來沒有發生過滯銷現象，而惟恐製糖的原料不夠。

這種積多數人的智慧與勞動的努力，經過長時間的奮鬥所獲得的結果，可以說不是任何產品在短期內做得到的。今年因為國際糖價好，賺了二十億新台幣，實在是對外貿易的主力軍。

人為的障礙

近十年來，國際糖協分配給我國的砂糖配額，每年是七十五萬噸，若果實際輸出達不到這個數字，配額就將降低，而台糖自有配額以來，每年都能如數輸出。而省內的消費，每年也要十二萬噸以上，所以每年生產八十五萬噸是最低的限度。

但是台糖公司目前正遭受一種人為的障礙，有萎縮與沒落的趨勢；原因發生在原料甘蔗供應的問題上。據台糖公司的估計，在未來的十年內，客觀的環境必然使「契約種蔗」的面積，減少到一萬公頃，換算糖量約為十五萬噸。就整個的砂糖產量上說，是個很大的數字，就台糖的業務上來說，是個很大的危機。

因為稻作與雜糧以及菸葉等作物的不斷擴展，種甘蔗的面積於是相對減少。這種趨勢，並不是政府不重視製糖的原料，而是每年增加的人口需要更多的食糧。

開發邊際土地

這種「甘蔗讓田」的趨勢，並沒有使台糖氣餒，他們提出了「糖米並存」，「化荒山為沃壤」，以及新式的「經濟栽培」法，與「菸草甘蔗間作」的諸種方法，爭取甘蔗的增產。那些目標和作法，都是具有創造性的，充份的發揮了技術的精神與企業的觀念。對土地的利用，可以說到了極致。

為了解這個龐大機構的諸種作法，採訪省政的記者們，前幾天組團，由台糖公司的協理楊博淸，主任秘書楊乃藩兩位先生，和張在山秘書，董立課長的陪同，在中南部的糖場和農場訪問四天。在四天的訪問裏，使人感到業務人員們的壁劃，與斬荊披棘的精神，的確使人非常感動。他們以拓荒的毅力與研究的智慧，達成了普遍開發邊際土地的目的。較之那些「紙上談兵」，今天這計劃，明天那方案，而結果攪不出明堂來的做法，完全是兩回事。

荒山開墾的農場

把荒山墾為農場似乎是不可能的，但是善化糖廠卻做到了。該廠自營的那拔林農場，全部都在丘陵起伏的山坡上。那一片山，在沒有開墾以前，小灌木叢生，坡度較小的地方，農民種植一些低價的作物，收成完全靠天；土地未盡利用，以致土壤冲刷日趨嚴重，於是善化糖廠，就把那五十五公頃造林放租地收回，闢為自營農場。

從四十九年九月開始造墾，到五十年八月完成，做成「內斜式的平台階段」，一眼望去，層次井然，條形的耕地上面，佈滿了葱翠的幼蔗，給人一種遼遠的展望！那形勢，像四川的「七十二彎」，蜿蜒迤邐，直入峯巒！

據善化廠的孟廠長說，那農場的邊際土地，都已做好水土保持，開墾後的淨耕地，面積共有六百五十公頃，尚待浮覆的地，約有二公頃。估計每公頃的產蔗量，可達五〇、六六六公斤，實收砂糖可達一百七十三噸。

孟廠長說：「那農場儘量開發，可達一千餘公頃，將來的產糖量，可以達到六百萬噸」。糖廠的增產數字，當是指日可待。

他們把一片毫無生產的死地，變成良好的梯田，亦如沙漠之變為綠州。

糖米共存共榮

虎尾糖廠的廠長周厚樞老先生，是位非常風趣的人，他在對記者團介紹情況的時候說：「自從雲林開發地下水以來，在地上打了一些洞，於是就把虎尾糖廠搞亂了！」

原因是地下水有助於增產糧食，但是卻影響甘蔗的生產。每年要減產四萬八千噸糖，照今年的糖價算，要少四億台幣；照普通的糖價算，每年要減產兩億台幣的糖。照這個減產的數字來說，要關掉一個大廠，或者是兩個小廠。

身為總公司協理，出身美國麻省工學院的周廠長說：

「近年來，雲林區開發地下水之後，原來三年一作的水稻輪作制度，改為三年二作，水田增加，旱田相對減少。所以台糖公司虎尾區各糖廠的蔗作推廣，就召致了困難，他們各廠為了達成政府分配的砂糖生產計劃，在『蔗稻共存共榮』的原則下，配合新輪作制度，創出種種克服困難的新辦法。」

第一個辦法，是在一、二期水稻田中間種甘蔗；冬季利用第二期水稻收穫後的跡地種蔗，春植夏植利用雜作區種蔗，這種甘蔗，稱之為「糊仔甘蔗」，最能適應稻作田區。

近年來，這種作法，已推廣了三千三百公頃的蔗作面積。將來的前途大有發展，可以彌補秋植減產的面積。

第二個方法，是創行「秋植雙聯式二次間作法」，先種蔗後，間種水稻，改良「糊仔栽培法」與施肥灌溉的間作方法。使稻米雜作兼顧，獲得均等增產。

第三個方法，是推行「密植苗圃」，節省用地，提高蔗苗的產量。

第四是晚植蔗苗利用深井灌溉，這些主要的方法，和新的措施，給各廠帶來了新的希望，達到「糖米共存共榮」的目的。而目前，正在做一期水稻再生稻早期雙聯式的糊仔甘蔗，與晚植不同品種的比較試驗。

影迷心目中的偶像—凌波

毛向新

編者按：毛向新女士是已故前任保密局長毛人鳳先生的夫人，她對國語片電影明星凌波扮演「梁山伯與祝英台」的演技，欣賞入迷，嘆為得未曾有。但她寫這篇文字的心情，據其自述表面捧「梁兄哥」，其實際是懷念她那位去世的毛先生。本報嘉其志趣，特破例樂為刊佈，以饗讀者。

梁祝轟動了台灣，凌波風靡了觀衆，不獨造成國片最高票房紀錄，抑且引起名教授和非劇評家的評論。於是，聰明的商人不斷放映梁祝片，馬上陸續推出凌波主演的廈語片；果然，素來不願到二輪戲院去看粗製濫造廈語片的人也去看了，而且又是一看再看三看。於是，目前才上演的紅樓夢，廣告上大字刊登凌波的芳名，加註清代賈寶玉幕後演唱的小字，藉以招徠主顧，果使粗心大意，誤認為凌波主演的影迷們，趨之若鶩，而嚮往凌波歌喉的觀衆亦去看了，不，聽衆去聽了，影院門前大擺長龍，電影黃牛乘機活躍，其熱烈情況，并不亞於梁祝片上演之時。觀衆為什麼對凌波如是瘋狂；究竟凌波憑藉什麼贏得影迷們如是崇拜呢？這不是偶然的，自有其成功的各種因素。

凌波有天賦的好嗓子，端秀清麗的面貌，苗條而健康的身材；更重要的是智慧高、品德優。報載凌波不受匪共引誘，有好學奮發的上進心，克苦勤勞的好習慣；加上百折不撓的堅忍毅力，失意時不消沉；懂得珍惜羽毛，得意時不傲慢，待人和藹謙虛。綜合地形成生命的光輝，光芒四射，絢爛奪目，激發觀衆心理到達最高峯，反射出無限地欽慕之忱，和一片濃郁的同情心。（上）

康有為的自負

丘峻

我國為五千餘年的文明古國，固有哲學之精深博大，其微言大義之所昭示於世人者，無論社會，政治，人倫等何方面，不論做人，做事，齊家，治國等種種義理，都可放諸四海而皆準，傳之百千萬世而無所不適，確非自夸之談。我再看康氏大門徒梁啟超氏在其『歐遊心影錄』中之『中國人對於世界文明之大責任』一節裏又如何說法：『人生最大的目的，是要向人類全體有所貢獻。為什麼呢？因為人類全體纔是「自我」的極量，我要發展「自我」，就須向這條路努力前進。』『一個人不是把自己的國家弄到富強便了，却是要叫自己國家有功於人類全體；不然，那國家便算白設了。明白這道理，自然知道我們的國家，有個絕大的責任橫在前途。什麼責任呢？是拿西洋的文明來擴充我的文明，又拿我的文明去補助西洋的文明，叫他化合起來成一種新文明。我在巴黎曾會着大哲學家蒲陀羅Boutrou（柏格森之師），他告訴我說：「一個國家，最要緊的是把本國文化，發揮光大，就好像子孫襲了祖父遺產，就要保住他，而且叫他發生功用。就算很淺薄的文明，發揮出來，都是好的。因為他總有他的特質，把他的特質和別人的特質化合，自然會產出第三種更好的特質來。你們中國，着實可愛可敬！我們祖宗裹塊鹿皮拿把石刀在野林裏打獵的時候，你們已經不知出了幾多哲人了！我近來讀些譯本的中國哲學書，總覺得他精深博大。可惜老了，不能學中國文！我望中國人總不要失掉這分家當纔好！」我聽着他這番話，覺得登時有幾百斤重的擔子加在我的肩上。又有一回，我和幾位社會黨名士閒談，我說起孔子「四海之內皆兄弟」，「不患寡而患不均」，跟着又講到井田制度，又講些墨子的「兼愛」、「寢兵」。他們都跳起來道：「你們家裏有這些寶貝，却藏起來不分點給我們，眞是對不起人啊！」我想我們還設不上說對不起外人，先自對不起祖宗罷了！』『近來西洋學者，許多都想輸入些東方文明，令他們些調劑。我仔細想來，我們實在有這個資格。何以故呢？從前西洋文明，總不免將理想實際分為兩橛，唯心唯物，各走極端。宗教家偏重來世，唯心派哲學高譚玄妙，離人生問題，都是很遠。科學一個反動，唯物派席捲天下，把高尚的理想又丟掉了。所以我從前說道：「一個人最高目的，不過搶麵包吃」，這算得社會主義的歟？所以最近提倡的實用哲學、創化哲學，都是要把理想納到實際裏頭，圖個心物調和。』（五）

閻錫山將軍的反共意見

吳文蔚

今日世界，能領導人類走到共享安和的路上的國家，惟有美國。今日美國，能執行這個安和的鎖鑰，不使全人類走上毀滅的途上的，亦惟有希望於美國政府。

共產主義的崛起，是乘着資本主義的矛盾。如果資本主義能去除了它本身的矛盾，使增大的生產，造福人類，沒有因剝削而形成鬥爭戰爭的因素，這種主義，當然是很好的了！

我以為去除資本主義的病根，也應同時去除共產主義的病根。資本主義的病根在資私有產私有，病在剝削。共產主義的病根在資公有產公有，病在控制。去除了資私有產私有，及資公有產公有的制度，實現了資公有產私有的制度，既無剝削，又無控制，生產上即無桎梏，可以去除了社會的不平，取消了鬥爭戰爭的因素，世界便可得到安和。

好逸惡勞，人之常情。考原始社會，也不是按需分配，而是按勞分配。我們現在要去除資本主義的病根，不使共產黨有可乘的機會，就要施行「資公有」，「產私有」的制度。資公有，可以去除了獨佔剝削之病；產私有，可以奬勵生產，各盡其能之益。所以說：資公有，產私有，不僅可以去除了資本主義獨佔財富，剝削工人的病根，而且還可以救平了共產主義的按需分配，懈怠生產的禍患。這樣，社會上便沒有了矛盾，沒有了不平，共產黨再想乘機，也沒有機會給它乘了。

五、關於共產黨的鬥爭及其失敗的因素

閻將軍說：鬥爭兩字，成為共黨慣用的名詞。就它的意義說，對人民鬥爭，與對幹部鬥爭不同：對人民鬥爭，是毀滅性的；對幹部鬥爭，是成全性的。所以人民是不怕懲處怕鬥爭，幹部是不怕鬥爭怕懲處。

鬥爭人民，是以主義上要爭取的人，鬥爭主義上要消滅的人；如佃雇農鬥爭地主，工人鬥爭廠主，店夥鬥爭店東，債務人鬥爭債權人。共產黨並不直接鬥爭。因直接鬥爭，把地主的地，廠主的廠，店東的店，債權人的錢，鬥爭的給了佃雇農，工人，店夥，債務人，他們可能向地主，廠主，店東，債權人等賣好的說：「這不是我要你們的，是共產黨要叫你們給我的」。這樣的鬥爭，鬥爭者與被鬥爭者，形不成對立。故共產黨一定要使佃雇農，工人，店夥，債務人，直接向地主，廠主，店東，債權人鬥爭，使之形成對立。共黨再對鬥爭的人說：「資本主義的政權來了，不僅向你們要回鬥爭到的土地，工廠，商店和錢，並且要你們的命」！使這些人，對共產黨政權，認成不只是他們財產的賦與者，而且還是他們的生命的保證者。

共產黨對幹部鬥爭，是為成全他的幹部而實行鬥爭；對幹部懲處，是已決定不成全的幹部實行懲處。對幹部的鬥爭，非常殘酷，這是唯物學者一貫的觀點，它們認為愈殘酷，成全性愈大！如何殘酷法？如七日夜坐在小板凳上不准打盹，一日給吃一頓吃不飽的飯，到數日後，給飽吃一頓很鹹的肉，使他渴的不行，然後拿上調羹給他喝一口水，問他一句說：「你對不起黨的行為是什麼」？被鬥爭的幹部答：「你說我有什麼就有什麼。快點把我殺了」！（十）

去年國民經濟成長率概況

本報資料室

支出　各級政府歲出數一百八十三億餘

據財政部統計，五十一年度中央及省（決算數）、縣市與鄉鎮（預算數）之歲出數，為一百八十三億七千九百萬元，較五十年度增加十七億七千一百萬元。如將其中重複之部份剔除後，則五十一年度各級政府之歲出淨額，計一百四十九億九千三百萬元，較五十年度增加十六億四千八百萬元。如以民國三十九年幣值計算，五十一年度之支出淨額，約合三十五億九千八百萬元，較三十九年度增加百分之八十三點七。據行政院主計處初步估計，民國五十一年國內生產毛額為新台幣七百二十五億八千五百萬元，而五十一會計年度各級政府之支出淨額，計佔當年度國民生產毛額百分二〇・六。

五十一年度政府收入增加較少，係由於獎勵投資條例中重要稅捐之減免，以及所得稅、戶稅、使用牌照稅、娛樂稅與轉口煤油稅，自五十一年一月免征防衞捐，木材自五十一年六月起免征貨物稅，這些都影響稅收之增加率。此外，差額抵補項下美援收入減少二億三千八百多萬元，影響歲入減少。

五十一年度財政方面之重大措施，為菸酒加價，增加公賣收入，為充實國防，開征國防臨時特捐；為修訂使用牌照稅及貨物稅條例。這些措施，旨在籌劃財源，加強戰備。（完）

瘟君續夢

第九回：枵腹爭雄　壺漿招餓鬼　苦心糾衆　風雨會羣魔

隆哥當然不服，又想起來聲辯，担任執行主席的柯茲洛夫看見儘吵下去不是辦法，當時提議把南斯拉夫問題交小組會議討論，經大家一致通過，並指定蘇共，中共，意共，波共，越共為小組委員，也經大會同意。在柯茲洛夫的看法，這個小組起碼三對二票，通過邀請南斯拉夫回來應該沒有問題。那知道以後的發展與他的估計完全不同。

接着討論管制核子武器的問題。蘇聯方面由蘇斯洛夫發言，敍述核子彈危害人類甚重，必須加以管制，並且強調萬不能希望從核子戰爭的途徑達到世界革命，因為那樣我們將面對一個人類無法生存的廢墟。

蘇斯洛夫講過，中共方面由彭眞發言，彭眞開口就針對蘇斯洛夫的論點提出反駁道：「核子戰爭自然不可鼓勵，但是，也不必完全否定其可能性。要說核子彈廢墟上就不能再住人類，長崎與廣島應該成為鬼域了。事實却並非如此。今天出席會議的日共同志就有從廣島、長崎來的，各國代表到過兩地的也不少，長崎與廣島是個什麼形狀，大家都知道。所以我們的看法，核子廢墟上依然可以建立高度的文明，祇要能完成社會主義，任何犧牲都不必顧忌的。」

彭眞坦率說出中共為了完成世界革命，不惜發動核子戰爭的願望。全場都為之愕然。

赫魯曉夫忍不住了，站起來說道：「今天的核子彈與當年炸廣島、長崎的完全不同，核子戰爭一旦爆發，毀滅的不會是一兩個城市，而是大半個世界。我們怕核子彈，因為我們本身有核子彈，所以才眞知道核子彈的厲害。」

鄧小平聽到這裏忍不住了，站起來說道：「核子彈的威力強大，人所共知。核子彈握在帝國主義手裏，就會發動戰爭，祇有社會主義國家存有大量核子彈，才足以保衞和平。這一點想必與會同志也不會否認。按說擁有核子彈的社會主義國家越多，帝國主義就越不敢發動戰爭。可惜直到今天，社會主義國家還是祇有蘇聯一國有核子彈。其他各國也不是不想造，更不是沒有錢，而是缺乏必備的知識和設備。就以中國來說，在一九五七年十月十五日與蘇聯簽訂關於國防新技術的協定，蘇聯曾答應供應中國原子彈樣品，和生產原子彈的技術資料；可是蘇聯始終未履行協定任務，把應用東西交給中國，到了一九五九年六月二十日，赫魯曉夫同志赴美國和艾森豪威爾在大衞營會談前，首先把這個協定撕毀了，作為同艾森豪威爾的見面禮。因此，我們到今天還未製成原子彈，實在是很可惋惜的事。相信受損的不是我們一國而是整個社會主義國家。」

赫魯曉夫眼見中共代表團專向他一個人開砲，到也有點着忙，深悔這次會議不應該召開，結果全場變成了中共代表的宣傳場所。

波共首領戈慕卡看見鄧小平、彭眞指名攻擊赫魯曉夫，也覺得太過份了，當時起來幫腔道：「蘇聯過去也答應幫助波蘭製造核子彈，後來我們自審國力不足，並未繼續發展。其實原子彈製法，到今天已並非秘密，祇要有錢，自己也可以摸索出來的。」

（一二一）

雷峰塔史事

周燕謀

西湖十景之一的「雷峰夕照」，是遐邇咸知的名勝。然而，「雷峰塔」之能受廣大羣衆所熟知樂道者，應當歸因於雷峰下有一個使人神往的故事——人妖之戀；否則，「雷峰夕照」絕不會如此其名大噪。

按雷峯塔，爲吳越王錢俶妃黃氏所建，俶自撰碑記云：「諸宮監尊禮佛螺髻髮，猶佛生存，不敢私秘宮禁中，恭創窣堵波於西湖之滸，以奉安之。始以十三層爲率，爰以事力未充，姑從七級，鎸華嚴諸經圍繞八面，塔曰『黃妃』」。

觀此可知雷峯塔本名「黃妃塔」。後之又以雷峰名者，以南屏山下之舊有雷姓居於塔旁，世俗因呼爲雷峯塔。塔建於南屏山上，每當夕陽西下時，塔影波光，相映成趣，許爲西湖十景之首。

雷峯塔於民十三年全塔傾圮，塔中所藏經卷遂出。經本悉爲木刻，字極精工，當時轟動一時，好古者，爭相收藏，因皆五代刻本，猶早於宋版書故也。竹谿沈氏爲題詩有云：「於今影共斜陽散，經卷留看有所思。」至今人錢經宇先生詩所謂「佛力降魔事渺茫」者，其所指的，就是這一段甚爲羅斯曼的神話故事。

按「湖壖雜記」云：「雷峯塔，五代時所建。塔下舊有雷峯寺，廢久矣。嘉靖時，東倭入寇，疑塔中有伏，縱火焚塔，故其簷級皆去，赤立童然，反成異致。俗傳湖中青魚白色之妖，建塔相鎮，大士嘱之曰：『塔倒湖乾，方許出世。』崇禎辛巳，旱魃久虐，水澤皆枯，湖底泥龜裂，塔頂烟燄薰天，居民驚相告曰：『白蛇出矣』！互相驚懼，遂有假怪以惑人者。後得雨，湖水重波，烟燄頓息，人心始定。」

徐君吉之「清波小志」引「小聰日記」云：「宋時法師鉢貯白蛇，覆於雷峯塔下」。可見小說所云「白娘子永鎮雷峯塔」的傳說，已經是很久了。於是盲人據以彈詞，尤爲家庭婦女所歡迎。文人復據以編作「白蛇傳」，亦即所謂「雷峯塔」者是也。其版本甚多，唯故事尚大致大同小異而已。除小說外，筆記傳述之作，亦頗有可觀者。故事謂：

峨嵋山中有一白蛇，窃食了西王母蟠桃，修鍊若干年後，成爲白雲仙姑。乃以塵念未斷，欲結姻緣於人間，因自稱白娘子。借修鍊千年之青蛇，同化人身，游戲人間，白蛇爲閨秀，青蛇爲侍女。某清明節，於西湖上鍾情於少年名許宣者，因作法爲風雨，共載許宣之小船以避雨。舟中兩心相許，期後會而別。翌日許宣訪白娘子，約爲婚姻。（上）

淺寫八大家

漁翁

明代茅坤，歸安人，字順甫，號鹿門，善古文，所選唐宋八大家文鈔行於世。八大家者，即唐韓愈，柳宗元，宋歐陽修，蘇洵，蘇軾，蘇轍，王安石，曾鞏也。唐僅其二，而宋居其六，尤以蘇家父子兄弟，八佔其三，爲難能而可貴也。

韓愈，字退之，鄧州南陽人。性明銳，操行堅正。由進士累官吏部侍郎，在朝鯁直無所忌。德宗時，上疏極論宮市。憲宗時，諫迎佛骨，乃坐貶爲潮州刺史，即自詠曰：「一封朝奏九重天，夕貶陽潮路八千」。治潮有惠政，民咸德之。愈於六經百家，靡不貫通，其文深探本原，閎深與衍。故其卒也，諡之曰「文」。蘇東坡撰韓文公廟碑，有「文起八代之衰，道濟天下之溺」等句。其先世居昌黎；宋熙寧中，因追封爲昌黎伯，故世咸以韓昌黎稱之。

柳宗元，字子厚，河東人。少精敏絕倫，文章卓偉。由進士累官監察御史，坐王叔文黨，貶永州司馬。按永州爲古零陵郡，居湘省南陲，昔稱山蠻之地。柳藉山水而發爲文章，以澆胸中之牢愁。並卜居灌水之陽，而以愚名其溪，作八愚詩，記於溪石上，使天下莫能與之爭。其他「捕蛇者說」諸作，以規諷當世立論。宗元後由永州徙廣西柳州，卒於任所。韓愈謂其文雄深雅健，似司馬子長。其推重如此。

歐陽修，字永叔，廬陵人。幼年喪父，家貧不能入學，母鄭氏親誨之，畫荻作字，教之讀書，舉進士甲科，成爲有宋一代大文學家。仁宗時爲諫官，論事切直。徙青州。後拜參知政事，與王安石不合，以太子少師致仕。平生手不釋卷，博極羣書，得韓昌黎遺稿，苦心探索，遂以文章冠天下。晚年守滁州，作「醉翁亭記」，而以醉翁自號焉。六十四歲，自爲傳曰：「吾集古錄一千卷，藏書一萬卷，有琴一張，棊一局，而常置酒一壺，以吾一翁老於其間，是爲六一」。故又更號爲「六一居士」。卒以「文忠」謚之。

蘇洵，號明允，眉山人。年二十七，始發憤爲學。嘉祐間，與子軾、轍至京師，歐陽修上其所著書，除校書郎，名噪一時。所爲文奇峭雄拔，有先秦之風。但性傲岸，不阿權貴，時王安石居要津，欲屈與洵交，而洵以安石面垢忘洗，衣垢忘浣，不近人情，作「辨姦論」以諷之。

蘇軾，字子瞻，洵之長子。工文章，縱橫奔放，雄視百世。詩畫亦有名於時。嘉祐進士。英宗時直史館，神宗時與王安石議論不合，貶黃州，築室東坡，號「東坡居士」。旋謫惠州，最後貶到瓊州，即今之海南島。縱觀一生坎坷，而得莊周養生之道，及時行樂，隨遇而安，寄情於山水風月間，所至有詠。在黃州有「坡仙亭」，惠州有「白鶴故居」，瓊州有「海口讀書樓」，固到處留勝跡也。（上）

竹林逸話

諸葛文侯

民國十八年春間某夕，邵力子、周佛海和我，在南京龔家橋陳雪暄（調元）將軍的公館內聊天，談到政局安危問題，邵氏說道：「若要安定中國的社會秩序，最好的辦法是由政府特製上等麻將牌一萬萬副，發給全國人民，允許他們隨時玩樂，百無禁忌，担保天下太平無事。全國四萬萬人有暇即坐上桌子玩麻將，耽樂成癖，誰亦沒有閒工夫胡思亂想，再幹其他的反側勾當了。尤其是一般搗亂成性的知識份子，祇要他們樂此不疲，而在生活上亦勉强過得去，所謂『秀才造反』之說，根本可以消弭於無形啊！」其言雖戲謔，亦不無道理。聽說近年來大陸上的共幹們，忽然奉命勸一般在大專學校教書的先生們打麻將，說這是正當的家庭娛樂，與賭博行爲有別，決不爲罪。我想共黨可能是怵於連年來所受天災人禍的威脅滋大，無法消解，害怕人心思亂，乃運用上述邵力子的政治心理學說，對知識份子試行安撫魔術吧？

香港市街上，設有許多「麻雀館」——粵人說玩麻將牌爲「打麻雀」。裏面佈置着若干牌局單位，任何人皆可以進去參加雀戰，量力行事，你願意鏖戰數十回合，固然歡迎，你聲明只玩一手以博勝負，亦無不可，但一律須先以現金購買籌碼，纔能入局。麻雀館內僱有選手若干人，專司巡視監察職責，局中人如果發生了爭執，他們即秉公評判是非，守正不阿，倘有施展念秧術——粵語叫作『老千』——的情事，決逃不過這些職業選手的視綫，馬上予以嚴厲處分，不稍寬假。有時雀局三缺一，職業選手遇缺即補，亦隨時退避賢路，以讓來賓。這些麻雀館皆向主管機關備過案，當官而行，無所顧忌，只是過了午夜十二時，即非收檔不可。前年香港議政局的議員們建議政府查禁麻雀館，指其妨害善良風俗，政府即加採納，並且提出了禁制方案，然麻雀館的老闆們羣聲異議，說他們這項職業，直接間接養活了數以萬計的貧苦市民，一旦封閉了，全市即將增加十萬人以上的失業羣衆，對於社會治安前途，威脅甚大，隱憂堪虞，希望當局詳加考慮，不宜過於操切。結果禁令終於留中不發了。香港市民最感缺乏的就是娛樂，最普遍化的即爲「打麻雀」，每當夕陽西下時，市民利用街旁空地暨街燈，陳設矮桌小櫈，集合四位選手，打牌行樂，逍遙自在，陶陶然，融融然，不知人間何世，這是全世界罕有的現象，文明歟？野蠻歟？所不敢知也。

民國二十年我在內政部担任參事職務，一日接得江西民政廳長王尹西寄來呈文，請示人民在家裏玩紙牌，是否認爲賭博行爲，而依刑律究處？我向部長劉尚清（海泉）先生叩問如何答復王廳長的呈文，他笑道：「我每天即非八圈不樂，如果認定是賭博行爲，那我每天皆在犯法之中，豈非作法自斃乎？咱們祇好轉請司法院解釋罷！」旋奉司法院指示：凡不在公共場所，聚集多衆，以賭博爲目的者，不爲罪。這意思就是說：在家庭中玩牌不犯法，應予免究。可是，香港的麻雀館實係公共場所，且聚集多衆而以賭博爲目的的，這就很不容易解釋了。

人類生活，有許多地方是自相矛盾的，明知其爲無益之事，大家却習焉不察，競相嗜好，如玩牌、飲酒、吸烟……等等，即其著者。然人類生活如果一律道貌岸然，實行孔老夫子所謂非禮勿視、勿聽、勿言、勿動的訓示，也就休想有進化到今日原核子世紀之可能吧？這些道理，凡是察察爲明，好以虛矯求治的政治人物，似應該多加思考，把頭腦清醒些，庶幾有豸！

南宋偏安有人才

李仲侯

楊幺倚負固不服，方浮游湖上，夸望神速，其舟有所謂望三州、戰五樓、九樓、大德山、小德山，大海鰍頭，小海鰍頭，以數百計。舟以輪激水，疾駛如飛。左右前後俱置撞竿，官舟犯之輒破。又官舟淺小，而賊舟高大，賊矢石自上而下，而官軍仰面攻之，見其舟而不見其人。飛取君山之木，多爲巨筏，塞湖中諸港；又以腐爛草木自上流浮而下，擇視水淺之地，遣口伐者二千人挑之，且行且詈。賊聞詈不勝憤爭，揮瓦石追而投之。俄而草木坌積舟輪下，膠滯不行。飛急遣軍攻之，賊奔港中，爲筏所拒，官軍乘筏張牛革以拒矢石，羣舉巨木撞賊舟，舟爲之碎。楊幺舉鍾儀投於水，繼乃自仆，牛臯投水擒幺至飛前，斬首函送督都行府。僞統制陳滔等亦劫鍾儀之舟，獲金交牀，金鞍、龍鳳簟以獻，率所部降。飛急領黃佐、楊欽等軍入賊營，餘酋大驚曰：「是何神也」！夏誠、劉衡俱就擒。黃誠大懼，不知所爲，亟與首領周倫等三百人俱降。牛臯請曰：「此寇逋誅，罪不容數，勞民動衆，亦且累年。若不畧行勦殺，何以示軍威」？飛曰：「彼皆田里匹夫耳，先惑於鍾相妖巫之術，故相聚以爲姦。其後乃阻程吏部盡誅雪恥之意，故恐懼而不降。日往月來，養成元惡，其實但欲求全性命而已。今楊幺已被顯誅，鍾儀且死，其餘皆國家赤子，苟徒殺之，非主上好生之意也」。連聲呼官軍曰：「勿殺！勿殺！」牛臯敬服其言而退。飛親行諸寨撫之，命少壯强有力者籍爲軍，老弱不堪役者各給米粮令歸田。有自請歸業者二萬七千餘戶，飛皆給據而遣之。又命悉賊寨之物，盡散之諸軍，而縱火焚寨，凡焚卅餘所。揭榜於青草洞庭湖上。不數日，行旅之往來，居民之耕種，頓若無事之時。至此湖湘悉平，獲賊舟凡千餘，鄂渚水軍之盛，遂爲沿江之冠。自其與浚言賊平，果八日，浚歎曰：「岳侯殆神算也」。即日上之朝。上遣內侍一員至飛軍前傳宣問及慰勞將士，賜詔褒諭。詔曰：

「湖湘阻深，姦宄嘯聚，敦命往伐，用非其人，遂令孽寇，久稽天誅。卿勇略冠軍，忠義絕俗，肅將王命，躬臨長沙。威靈所加，已聞壁壘。恩信既著，宜傳檄而盡降。消除內侮之虞，宜予不殺之武。盜匪肅清，南服安定。載念殊勛，想宜嘉歎。故茲獎諭，想宜知悉。」詔令兼領黃州制置使。飛以目疾辭軍事，乞除一在外宮觀。三上章求，均不許。乃强起視事。是年詔張浚視師江上，飛遂以詩曰：

號令風霆迅，天聲動北陬。長驅渡河洛，直擣向燕幽。馬蹀閼氏血，旗梟可汗頭。歸來報明主，恢復舊神州。（七八）

貪墨之尤

謬匡

揚善固爲吾之所喜，發惡亦即所以勸善也。茲舉歷代貪官汚吏之尤著者二三人，方之今日，未知强弱也。

北魏有名之「飢鷹侍中」與「餓虎將軍」，一文一武，人欲爲官，非「紅色」莫辦。如做太守，則須絹縑二千匹，小郡折半。如保特別肥缺，逐鹿者衆，則採如今之拍賣方式，賄多者入選。此無法無天之貪官，「飢鷹侍中」爲盧昶，「餓虎將軍」則爲衞元輝也。

明代汚吏冠前代，其著者有劉瑾，魏賢，王振，嚴嵩等，蒙貪墨之魁首也。尤以嚴嵩老賊每逢官吏外遷遷補，兵部吏部侍郎即持「登記簿」見嚴嵩，報告行情，專司其牽綫之事者，竟有百餘人之多。嚴嵩老賊被抄家後，僅以白銀而論，竟多過國家收入之一倍，相當於老賊一萬年之年俸焉。

清代貪污之風亦熾，要以和坤爲個中魁首。有白銀兩億以上，實物無價者不計其數，尚有八十三種未列入清單。除珠寶田產外，有貂皮八百張，雞皮五萬張，皮衣數千件，金銀唾壺數百個，制錢千餘串。經抄家之後，白銀市場亦爲之下瀉。

自由報
THE FREE NEWS
第八六三期
每份港幣壹角
社長：雷嘯岑
20 CAUSEWAY RD 3RD FL.
HONG KONG
TEL. 771726
台北分社

從核子禁試條約成立看世局

郭甄泰

美，英，蘇三國核子禁試條約業於八月五日在莫斯科正式簽字，東西兩大集團十八年來之冷戰將於此有一個新的轉捩點，美蘇兩國「一種少見的新的友善氣氛」將從此展開。此項有限度禁試條約的評價，誠如甘迺廸所說的：『這是一個重要的初步步驟——一個邁向理性的步驟——一個遠離戰爭的步驟。』『它是人類的一項勝利』，『一個時代的結束，和另一個時代開始的象徵，且可能成為探索和平的一項歷史性的步驟』。因為此項條約成立後，至少可以發生兩種影響：

一、天空放射塵威脅減輕。自美蘇兩國試爆以來天空放射塵不僅增加而且大量的增加——已經增加了預期的三倍之多，而且這樣大量的放射塵，目前正在繼續不斷的向地球襲擊，詳細情形，美國U二偵察機已有報告。地球上每一個人的生命，現在在不知不覺中已受到了空前的威脅。至於蘇俄於一九六一年九月試爆所產生之輻射毒素總九十遍佈天空，今後數年內，至少將使四萬人患骨癌症，同時並將產生四萬名以上不健全的嬰兒，亦為盡人皆知之事實。此項核子禁試條約成立後，大氣層，太空和水下核子試爆將被禁止，其因此試爆所引起放射塵之重大恐慌，業已消失，地球上每一個人的生命，可以因此條約之成立，不致受輻射塵較現在更嚴重之襲擊。

二、緩和國際局勢。現在國際局勢緊張，美國戰略空軍司令部「隨時起飛」的核子轟炸機為該部總實力的三分之一至一半，即隨時於十五分鐘內升空的轟炸機約有八百架「B四七」型及「B五二」型機。「終日升空警戒」的核子轟炸機則有十二架，以防備蘇俄之突襲，甘迺廸第一次之國防預算復準備以戰略空軍二百架飛機終日升空警戒。在重要時期每日並出動巨機百架在蘇俄邊界穿梭飛行，以備不虞。至於蘇俄亦在各戰略國家發動政治神經戰，經常以核子恫嚇戰術威脅西方國家，今日曰以核子若干枚消滅某某國，明日曰以核子埋葬資本主義世界。大戰瀕臨危險邊緣，有隨時爆發虞，每一個地球人類均戰戰競競，大有朝不保夕之勢。現在核子禁試條約成立，表示蘇俄之態度已有一百八十度之轉變，世界局勢緊張之氣氛，可以因以和緩，核子武器之傳佈，可以因之開始終止，武器競賽可以因之予以限制，其他各種趨向和平之協定，可以因之開始協商，世界局勢必將有一種新的開展，新的轉變。

至於今後國際局勢，究將有如何轉變？言人人殊，莫衷一是，推斷所及，概如下述：

一、國際和平條約陸續成立。魯斯克說：『我們今天所簽的條約，將是走向安全與和平世界之第一步』。麥米倫說：『三國禁止核子試驗協定，將僅是邁向一般裁軍的初步步驟』。宇丹在參加三國禁試條約儀式時說：『今日簽定的條約將不能消滅戰爭的威脅，祗有帶有國際監察的普遍與徹底的裁軍能夠完成此事』。可知三國核子禁試條約僅為第一步，次一步則為裁軍。蘇俄於十二日日內瓦裁軍會議復會時提出其工作計劃包括：一、北大西洋公約組織與華沙公約組織締結互不侵略協定；二、非核子地區；三、禁止在外國境內設立飛彈基地；四、建立管制站以防止突襲。美國所提議的僅有一項，即禁止在外國設立飛彈基地未列入，其他均與蘇俄所提議者大致相同。由此可知三國核子禁試條約簽定後，國際和平條約，即將陸續談判，美蘇間的外交攻勢將取軍事攻勢而代之陸續展開。赫魯雪夫之『和平共存』政策與甘廼廸之『和平戰畧』勢必將大走鴻運，好戲連台。回溯甘廼廸於其就職時說：『讓我們不要因怕懼而談商，但讓我們永遠不要怕懼商談』。『要是在猜疑的叢莽中能闢出一塊合作的灘頭陣地，那末讓雙方再攜手作一次工作——建立一個法治的新世界』。由此可知，甘廼廸總統的思想向為「以談判方式解決問題」。而三國核子禁試條約之成立，又為其在猜疑叢莽中所闢出之一塊「合作的灘頭陣地」，殆無容疑。此後美蘇間種種談判，種種協定，勢將陸續出籠，藉以促成甘廼廸所謂「法治的新世界」之建立與赫魯雪夫「和平共存」政策之實現。

二、遠東中共匪幫不敢動。「中共在參加韓戰之時，其陸軍必須依賴俄國，武器，配備，運輸，通訊以及各種戰鬥支持方面的協助」，現莫斯科與北平業已分裂，並已達至水火不相容之程度，「就軍事上說，它的力量較諸韓戰當年更弱」。現在遠東之危險地帶為韓國，印度，東南亞及台灣海峽，據美國國防部消息靈通人士估計：「如果共匪在東南亞作全面攻擊，它可能在一項長期戰爭中，支持相當於十個至十五個美國師兵力」。美國在遠東駐有第七艦隊，兵力雄厚，並配有核子武器，中共不敢進攻，冒然發動大戰，至屬甚為明顯。加以美國在七八月之交，會經由外交途徑向中共明白表示：（1）如果韓戰再度爆發，美國將不承認鴨綠江以北或其他任何地方有何不可攻擊之聖地；中國大陸的心臟將受到攻擊，中國所受不超損害的一切地方將會受到打擊。」2、如果美國介入寮國的話，則在軍隊的使用方面，將是一種大規模戰爭的性質，作為共產北越首都且為共黨在寮國及越南游擊活動的中央總部的河內，將受到有力的攻擊。3、如有必要，將使用核子武器。中共在韓戰時，創痛鉅深，驚弓之鳥，談虎色變，經此警告後，在東南亞及韓國自必躊躇，不敢妄動，毋待蓍龜。其最近在韓國停戰線以北及沿喜馬拉雅山邊界一帶，所作挑釁姿態，純係虛張聲勢，故造緊張，根本不足重視。至於台海方面，中共軍隊採取守勢，戰戰競競，惟恐國軍反攻，所謂「解放台灣」云云，近來已如空谷足音，久不復聞矣，平靜無事，亦在意中。因此之故，遠東局勢此後暫時可以保持小康局面，所謂中共在軍事上將如何進攻云云，純屬宣傳臆測之詞，現在不可能，在預見之將來亦不會有，毋庸予以置信。

三、共產主義退潮。共產集團以蘇俄為馬首，當民國二十八年時，蘇俄的土地不過八百萬方哩，人口不過一億七千萬，經過二十二年後，蘇俄共產帝國已有土地一千六百萬方哩，為從前之一倍，人口達九億七千萬，為從前之約六倍，其擴張之速度，如疾風之掃秋葉，除成吉斯汗之蒙古帝國差可與之相比外，實為有史以來所未有。但最近數年來，蘇俄之赤色領域，雖得了古巴，但喪失阿爾巴尼亞，現在中共與北越北韓，又已脫離羈絆，分崩離析，其他各附庸國家如東德為防止人民逃亡，築成五百哩長之圍牆，東歐各共產附庸國，往昔均為糧食輸出國，現在已一變而為純輸入國，捷克方面，其農業困難，已達至「危機」程度，在東歐附庸八個國家中，約有人口一億六百萬人口，蘇俄除了以鐵幕予以封鎖之外，還需要軍隊鎮壓，以防止其人民之暴動。至於蘇俄本身，共黨在蘇俄當政已達四十五之久。（下轉二版）

漫畫天下

養犬為患！

赫魯：「需要幫助嗎？」

自由談

嚴重的社會問題

馮三先生

報載：中華郵政總局最近在台北招考「郵務佐」——這名詞完全日本化，荒謬之至——規定取錄名額不及百人，而應試資格為高初中畢業生，報名投考者八千多名，其中有許多是大學畢業生。我認為這是一種很嚴重的社會問題，不可忽視。

社會上人浮於事，就業維艱，任何國家皆所難免的。政府只要有嚴正的人事制度，毫無假借，給失業羣衆以公平競賽的機會，同時致力於有計劃的生產建設，擴展就業境界，縱有失業問題發生，亦無大礙。如其政治上沒有健全的人事制度，而以「人事關係」為進身之階，及其弊也，必然產生「所識窮乏者得我」的不良後果。社會上許多有用的人才皆無出路可尋，生計窘困，煩悶憂傷，心情已不正常，再加之以不合理的人事進退情況的刺激，民怨乃油然興起，而集矢於政府身上。事理很淺明，知識青年投考大學落第，或者選修學位不及格，決不會埋怨政府，因為大學入學考試以及銓衡博士碩士論文的制度，是公平競賽的，大家憑着本領以爭取勝負，失敗了唯有自怨自艾而已。像「郵務佐」這種中學畢業程度即可勝任的微末職位，迫使許多大學出身的人亦趨之若鶩，而又多數宣告向隅，他們滿懷抑鬱不平之氣，難以排遣，曠觀政治上的人事進退情形，又沒有讓他們從事公平競賽之餘地，很自然地激發不平之鳴，而對現實政治絕無好感，終致構成社會上的一種戾氣，人心動盪不安，社會問題即層見迭出了！

看了這次「郵務佐」的招考情形，即知道大多數知識青年就業問題十分嚴重，再想到各個大專學校每年又有大批就業人才出籠的事實，我若是政府當局，必然憂心忡忡，寢饋難安，不禁鐘鳴鼎食的袞袞諸公，作何感想呢？

披荊斬棘話台糖（下）

——本報台中記者熊徵宇

荒山變爲沃土

旗山糖廠目前所做的，也是開墾山地荒丘爲自營農場，建立半台階段的耕地種蔗。

該廠可以開墾的荒山，有一千三百公頃，已經擬定計劃，預定分期完成。作平台，塡挖土方，建築道路橋樑的工程，上經部全部完成了。

全部開拓完成以後，每公頃可以生產甘蔗五萬五千公斤，每年可以增產砂糖五千餘公噸。化荒山爲沃土，爲國家爭取鉅額外滙，在遠東各國，可謂創舉。

菸葉中長甘蔗

台糖屏東總廠，爲了完成爭取外滙振興糖業的雙重任務，在甘蔗推廣面積日漸減少的情況下，採行了土地高度利用的「間作栽培制度」，在菸葉田裏動起腦筋來了。因爲菸葉在屏東區的栽培面積，年有增加，去年，五十一年，已經達到三千五百公頃左右，所以糖業試驗所的蔗作改良場，就從四十八年開始，着手進行菸草與甘蔗間作的可能性，和間作的收益與對抗作物收益的比較；經過四年試驗的結果，一致認爲菸草與甘蔗的間作，並不影響雙方的產量。

公賣局，不會因爲菸草甘蔗的間作，影響其菸草品質與計劃生產的數量，而菸農也不會因間作而減少經濟收益。並且還有一種優異的成績，不但縮短了田間的生長時間，而且可以使每公頃的經濟收益，超過對抗作物七千元左右。於是在屏東區，大量的推行起來了。

我們訪問過很多農民，他們對於那種菸草與甘蔗間作的興趣很高，原因乃在收益多。

財政廳爲何懷疑

但是省府財政廳，仍然對一種間作栽培制度感到懷疑，是令人不能的。假如不是完全佔在「本位主義」上，惟恐甘蔗的間作，影響到菸葉的生產，或者還存在一種各自爲政的「劃分」觀念上的，實在是沒有可以懷疑的。

若果站在土地的高度利用，與農民豐裕的收益，以及整個國家經濟的價值上說，省財政廳應有的態度，該是極力支持鼓勵，不能懷疑。假如說再沒有別的原因存在的話。

國家的經濟是一體的，但願沒有陳舊的想法。發展經濟需要鍥而不捨的精神與大公無私的觀念。而全面的經濟發展，是來自每個生產部門的。我希望財政廳重視台糖公司數年來的研究和存在的「利益」事實。

値得讚揚

省政記者團參觀過的生產事業單位不能算少，但總覺得別的很多單位，都只是着重於數字的表報，使人缺乏眞實感覺。那不是說對生產數字與升降的表報有所懷疑，而是覺得那些企業機構的「衙門味」太重，不能使人領悟到一種貼切的生產喜悅的感染，不能給人一種成長與收穫的意義。

但是台糖的各個單位，都給我們各種不同的興奮，那些主持業務的碩士博士學者專家們，滿身都是泥土味，樸實堅毅；在這塊地上抓把土；在那片地裏說研究，聽入深處，如同上課！

丘陵變平原，荒山成沃土；叢生的野樹讓位，甘蔗從田裏上山。這些都不能說不是「奇跡」。尤算是在每遺方案那規章，議而不決，決而再議的「開會政治」的對比之下，台糖公司的獲到讚揚是不過份的。

他們實實在在地，化理論爲實踐，克服萬難替國家賺錢。

F一五二

台糖公司，一方在爲甘蔗面積減少找地盤，一方面在做改良品種的工作。

現在有一種新品種，正在全省各處推廣。據屏東總廠的廠長程達雲，副廠長簡實對記者所說：

自從下莖「POJ二八八三」蔗種淘汰以來，在台灣各地的蔗區裏，很少見到莖枝粗壯的甘蔗。目前採種的「NCO 三一〇」，雖然是豐產的蔗種，但只能以莖枝衆多取勝，而不是每一枝甘蔗都很粗大。

「F一五二」，是糖業試驗所屏東育苗場，在民國四十二年冬季育苗所得。每枝甘蔗的平均重量，爲二、八三九公斤。有的高達八公斤。具有耐肥喜濕的特性，枯死莖少，易於脫葉，不常開裂。露菌病的抵抗力也强。

推行以來，發育很好，每公頃的產量，可以達十二萬公斤。與其他對抗作物，立於不敗的地。

記者團實地看過，確是莖粗葉肥，其色濃綠，節間也長，在日光下，呈淡紅色，鮮明可愛。將來的普遍推廣，可以又進入一個新的階段。

認識與感染

台灣的糖業在地理環境上具有發揮的先天條件，乃在適合於輪作與間作。而本省的灌溉用水相當缺乏，但甘蔗的用水量少，與其他作物有調節的功效。而原料的困難也是可以克服的，像台糖現在的那些做法，不愁沒有原料。

若果以糖業爲基礎，可以引伸的工業很多，潛在的機會正在創造，糖業的新紀元也正在開始，拿今年來說，賺了二十億台幣，佔總出口額的三分之一。

檢討台糖的問題，應該像楊博清協理所說：「如果帶有感情因素，從本位主義立論，固非所宜，但如果由直覺的判斷，貿然推論，也會走入歧途」。

我同意這個立論。我所報導的，基於我的認識與感染。或者有助於關心糖業問題的讀者們參攷。

香港與大陸

拘罰到底敵不過求生本能
盲流份子不斷湧入廣州
共幹疲於奔命抓不勝抓

廣州市最近又出現大批「盲流份子」，嚴重地影響着社會治安，中共當局對付的辦法，還就是經常出動大批的「公安」人員，對那些沒有戶籍的「黑戶」進行搜捕，然後按其「情節輕重」，分別給予處罰。

據甫自廣州市抵港的原在暨南大學中文系讀書的曾××君向記者透露：廣州市最近若干個月來，市場上的貨物比較以前多些了，雖然價錢實在貴得可怕，但畢竟有錢是可以買到一些東西了。然而其他的中小城市，卻仍和以前一樣，空空如也，即使你有錢也買不到什麼東西。至於廣大的農村，更慘，不單糧食配額祗夠半飽，勞動強度卻還要增大，中共且正普遍展開如火如荼的「社會主義教育運動」。因此，造成了中小城市及農村人民大衆的大批流入廣州的現象。

曾××君說：廣州市街上、公園裏，隨時都可以見到大批的「盲流份子」在徘徊，他（她）們在街上走來走去，是希望偶然碰上有些食物（接近腐爛的或已經腐爛的），不需要證件也可以購買的，他（她）們便迅速前去「搶購」。當他（她）們疲勞時，休息的地方許多都就祗有公園好去了。

曾××君說：由於「盲流」而致鬧蕩的人多了，所以盜竊、打劫，甚而暴動事件，便頻頻發生，大大影響了社會秩序。大半個月前，在廣州市永漢南路有一家「百貨商店」，曾經出售一批不用購物證亦可購買的糕餅，大批人羣擁去搶購；該「百貨商店」工作人員宣佈因秩序不好，暫時停賣，大大的引起羣衆之不滿，先是「譁然」，繼之發現有「投擲石頭」，終於有不少人擁入店裡搶東西，一時秩序大亂，直到大批「公安」人員聞報前來包圍時，羣衆才迅速避退。

曾××君說：中共當局對這種現象，它們唯一的對付辦法，還是大規模的加予搜捕。「公安」人員不單隨時對住戶進行突擊檢查，看有無藏匿「盲流」者，有之，立即便加以逮捕，而且它們還經常在街上那些購物的人龍中，以及公園的出口處，進行查捕，凡查出無廣州市正式「居民證」的人，一律先拘捕起來送往集中營。

據曾××君說：中共對那些被捕者，都按其「情節輕重」，分別給予處罰。但所謂「情節輕重」云云者，實際乃是看你的經濟能力如何。一般來說，對那些有錢的僑屬是比較寬待的，其理由是，他（她）們有僑滙證，無論如何總應供應他們一些糧食，所以還客氣，所謂處罰，也祗是勸他們返回原籍而已；但，如果你的僑滙并不甚充裕的話，處罰方式則較爲嚴格了，而且回去之後還要嘗受着制度上的滋味，最慘的則是那些根本沒有僑滙的人，即是全志在逃避饑餓之變者，這些人被抓之後，總被判勞改的處罰，許多人都至少是三年以上的徒刑，被送到邊疆之區去替中共服勞役。但是一面是中共大批的拘罰，另一面是大批的「盲流」者不斷的湧來，使共幹疲於奔命，有抓不勝抓之苦。

曾××君係香港出世，他這次是利用暑假申請回家省親的，說明還要返回廣州去。但當記者問他何時返去時，他說他不會再去了。他還說他這次爲了來香港，曾被共幹盤問過多少次，一切侮辱，他都逆來順受，目的所在，便是脫離苦海。現在好不容易而得來香港，怎麼還會再去？

（敬斯）

從核子禁試條約成立看世局

（上接第一版）

但糧食生產仍不敷人民之需要。現在共產主義在世界各地，已形成「滯銷」狀態，沒有一個國家的人民會自願選擇一個共產主義的政府。共產集團，內部整個糧食不足，人民普遍窮乏飢餓，相率逃亡，總計投奔自由國家之人口，已達一千萬以上。時間對於共產集團已日形不利。共產主義現在不能取勝，將來自必將永遠不能取勝；勢將日漸退潮，黯然無色。赫魯雪夫繼續堅持「和平共存」政策，以冀獲得喘息，力求自保，將爲其唯一之途徑。

四、毛戴勢力萎縮。現在蘇俄之反動派爲中共之毛澤東，美國之反對者爲法國之戴高樂，均係不自量力，夜郎自大。先就毛共言，俄共對外貿易，俄共集團佔百分之六十以上，其中輸入部份以石油爲最重要，俄共現在如利用東歐「經濟互助委員會」對中共實行經濟制裁，足可制中共之死命。其次「中蘇友好互助同盟條約」，爲美國投鼠忌器，限制中國反攻大陸行動之主因，近據七月二十日合衆國際社消息，「蘇俄將取消其與中共所訂三十年防禦及互助條約」；克姆林宮已明告中共：「在中共反對赫魯雪夫和平共存政策之後，蘇俄本身已不受雙方所訂協約內所規定蘇俄自動協助中共條文之約束」。而毛共方面，北平電台亦廣播中共代表在廣島反原子彈及氫彈世界大會上之演說，否認中蘇軍事同盟，對中共有任何幫助，此不啻聲明中共亦願意廢除該訂立已十三年之久之盟約。由此可知赫毛兩人，勢已不能兩立，今後毛澤東雖將竭力掙扎，如放寬人民公社限制，拉攏西方國家，加强統戰工作等等，以圖苟延殘喘，但在蘇俄大力壓迫之下，必將變起蕭牆，發生內訌，互相消滅，可以斷言。

至於法國，戴高樂之兩大主張爲拒絕英國加入共同市場與核子獨立試爆。查六國共同市場允許英國加入，形成歐洲聯盟，在經濟上確爲窒息蘇俄，制裁共產集團之重要武器及政策，戴高樂囿於自大之一念，堅決拒絕英國加入，實屬違反世界自由集團之世界戰略，不特德意及其他歐洲各國不予贊成，美國反應尤甚劇烈。現在歐洲之防禦，如無美國，蘇俄拉枯摧朽，不出旬日，即將予以席捲。法國對於美國之意願，自不能不有所顧慮，長此僵持。次就核子試爆言，法國如强行試爆，屆時如蘇俄嚴重聲明：『因此試爆所發生之後果，法國應負全責』，大有變以巨彈之勢，余不信戴高樂竟敢直情逕行，甘冒此天下之大不韙。

綜上所述，可知毛共之黷武主義，戴高樂之英雄主義，均係自掘墳墓，必將自食其果。現在中共匪幫外無外援，內有經濟上，軍事上，政治上之急劇衰退，險象環生，日落西山，四面楚歌。戴高樂强自掙扎，逆水行舟，萎縮讓步，指日可待，此亦爲今後世局新發展之一項目。

中國現在之國策爲反共復國，如何反攻始能復國，必須明確認識今後國際局勢，配合美國「和平戰略」。對於中共以甘迺廸所說的：「我認爲那個組合，如果在一九七幾年仍然存在的話——周圍的弱小國家，七億人民，一個內部的史達林政權，核子力量，及一個決心以戰爭爲實現其最後成功的手段的政權——其潛在的危險性，較之第二次世界大戰結束以來我們所面臨者更大」爲基礎，確立對策，不待九十幾年危險時期之來臨，即行以各種方法與行動反攻大陸，一日消滅中共政權，存亡所繫；一日縱敵，姑息氣氛，瀰漫東西，美國安撫政策，對我亦頗爲不利；萬勿自我幻想，盲目閉視之爲幸。

霍亂喜無新症發現

情況如良好可望逐漸成過去
當局警惕居民仍然大意不得

【本報訊】截至八月廿三日爲止，香港本年所發現的霍亂症患者，仍爲十九宗；現仍留院治療者僅餘二人，尚在檢疫所內觀察之帶菌者爲三十四人。情況如其良好，香港霍亂症可望逐漸成爲過去。但醫務當局近又警告居民，切勿稍爲粗心大意，并呼籲一直猶未打防疫針的近百萬居民，爲己爲人，還是以接受注射爲佳。截至八月廿三日之霍亂症情形如次：

醫院內臨床霍亂症，兩宗。

經治療痊癒并經離院之霍亂患者，十六名。

曾患霍亂經已治癒而死於其他病症者，一名。

在檢驗中之疑症，無。

經檢驗證明并非霍亂之疑症，六宗。

在檢疫所內觀察中之帶菌者，卅四名。

在檢疫所內之接觸者，無。

已離檢疫所之接觸者，四三五名。

最近來港而被送往檢疫者，無。

最近來港被送往檢疫後離所者，十三名。

閻錫山將軍的反共意見

吳文蔚

被鬥爭的幹部，若見有人看他，他就對人說：「請你幫助我快點死了！我實在痛苦不過了」！看他的人這時就對他說：「黨不會叫你這樣死的！你快將你對不起黨的事全說了，黨一定可以饒恕你。否則會使你更痛苦！」管理鬥爭的是個雇農工人出身的，不用有文化水準的人。鬥爭完後，共黨又告訴被鬥爭的幹部說：「你將你對不起黨的事已全說了，不只有的你說了，沒有的你也承認了，以後你安心睡覺吧。半夜有人叫門，不要膽心驚，以為你對不起黨的事情露了。今後無論你留外有甚麼行動，你都不要驚慌。你已經知道有對不起黨的行為，就要受這樣的痛苦，今後你可不敢再有對不起黨的行為了。」

經過了鬥爭的幹部，雖然覺着很是殘酷，但是恨共黨的心少，感共黨的心多，因為他可能認為共產黨是成全了他。所以怕懲處的幹部，有奔向我們的；受過鬥爭的，被我們俘虜以後，如遇機會，他仍要逃往共方。

「至於說共產黨的鬥爭，是不是他失敗的因素？我以為共產政權的失敗，不外行為的殘暴，和政策的乖謬。他的失敗，不在他行為的殘暴，是在他政策的乖謬！他們主義是以爭取人心，奪取政權為觀念，除對他主義上的敵人殘暴外，對一般人民，是用欺騙的手段買好人心。惟他的政策，必須要根據他的主義，主義是共產，政策就不能不逐漸向共產的路上走，向共產路上走的政策，就要得罪全部人民！如他總制食糧，管制使用存款，都是走向共產主義的初步，按這樣的初步人民就對他怨恨很深，所以說共產主義，是不能實現的主義！強為實現，就是他失敗的因素了！

六、去除鬥爭戰爭的因素，奠定世界的永久和平

閻將軍說：現在國際情勢如去不了現世界的種種矛盾形成的鬥爭戰爭的因素，野心者仍要利用矛盾發動戰爭。必須提出一個安和世界幸福人類的主義來，號召起全世界的人民，在行動一致，共同反對戰爭的，方能根除戰爭的行為。今日領導世界者苟能促其實現，人類即可免受核子武器的毀滅，得到永久和平。（十一）

報人普立茲傳

汶津譯

他愛美國是因為它的偉大允諾——任何人可以自由存在。此邦曾二度為這一允諾奮戰——獨立戰爭及內戰。那允諾說此土不容許有主有奴。一個人可以堅持自己的主張，不論是對是錯。

在美國的這些年裏，他曾聽到許多人的意見，他們都以為憑此可以使美國大大改善。可是他對這些沒什麼興趣。普立茲是一位創建者，而非改革家。可是他尊重任何人的意見到美國來，自由自在，並說他們愛說的話。如果有一朝他們不能自由說話了，他就馬上不會再愛美國了。

當約瑟夫回到美國，他直返聖路易。在此他恬然自娛，而不再努力工作。他住華屋，穿好衣服。他購置最好的馬，常要人們並騎出入。在歐期間、他的容貌、風姿都已有所改變。聖路易人突然察知約瑟夫普立茲已經變成一個標緻而有趣的人物了。

當他的老朋友達維生對他說他的新生活露出驚訝之色時，約瑟夫告訴他：「我認清了我還有新的事物要學。我必須學會如何自我享受。自從孩童時期以來，我就沒玩過。我日夜工作。現在我必須發現生命中的一些好東西。」好幾星期內，約瑟夫享用着聖路易所有的聲色狗馬之樂。發現他自己被邀參加各種晚宴和舞會是既意外又有興趣的。

此際，他也費了一些時間做生意人賺錢。一張老德文報紙——「國家——時代」正要倒閉。約瑟夫知道這報紙擁有出版公會的選舉權，城裏的少數幾家報紙有權使用出版公會搜集的新消息。但因為他們不是出版公會的會員，所以不能獲得選舉權及其他權利。約瑟夫買下「國家——時代」報時，人人都以為他在糟塌鈔票。次日他就把選舉權出讓給地球晨報，賣了兩萬元。聖路易的人們再度承認普立茲是一個好生意人。或許他對做生意[illegible]。可是沒有工作約瑟夫總不快活。突然他透露給友人們，他要去華盛頓工作了。他說到首都去作紐約太陽報的特約記者。

約瑟夫有很好的理由決定在華府住下。當他旅歐歸來，曾赴華府一行，在那兒遇到了一位他所愛的女子。湯瑪士．達維生發現了她的名字。他還告訴他這件事的底細。

「你的蒂凱——你說她很美？」達維生端詳着約的臉並期待，「她愛你嗎，約瑟夫？」

叫約瑟夫談一個他所親暱的人是很難的。「是的，我想她愛我，」他緩緩地回答，「我很驚訝她會看上了我。她太美了，又很懂事，華府一半的人都想娶她。」約瑟夫望着他的朋友。「我要去華盛頓，因為我不能看出她是否真愛我，當我們一東一西的時候。」（廿二）

康有為的自負

丘峻

「我想我們先秦學術，正是從這條路上發展出來。孔老墨三位大聖，雖然學派各殊，「求理想與實用一致」，却是他們共同的歸着點。如孔子的「盡性贊化」，「自強不息」，老子的「各歸其根」，墨子的「上同於天」，都是看出有個「大的自我」，「靈的自我」，和這「小的自我」，「肉的自我」同體。想要因小通天，推肉合靈，我們若是跟着三聖所走的路，求「現代的理想與實用一致」，我想不知有多少境界可以闢得出來哩。

又佛教雖創自印度，而實成於中國。現在大乘各派，五印全絕；正法一派，全在支那。歐人研究佛學，日盛一日，梵文所[illegible]典，差不多都翻出來；但向梵文裏頭求大乘，能得多少？我們自創的宗派，更不必論了。像我們的禪宗，真可以算得應用的佛教。世間的佛教，的確要印度以外纔能發生，的確是表現中國人特質，叫出世法和現世法並行不悖。現在柏格森、倭鏗等輩，就是想走這條路還沒走通。我常想，他們若能讀唯識宗的書，他們的成就一定不止這樣；他們若能理解禪宗，成就更不止這樣。你想，先秦諸哲，隋唐諸師，豈不都是我們仁慈聖善的祖宗積得好幾大宗遺產給我們嗎？我們不肖，不會享用，如今倒要鬧學問饑荒了！就是文學美術各方面，我們又何嘗讓人？國中那些老輩，故步自封，說什麼西學都是中國所固有，誠屬可笑！那沉醉西風的，把中國什麼東西，都說得一錢不值，好像我們幾千年來，就像土蠻部落，一無所有，豈不更可笑嗎？須知凡一種思想，總是拿他的時代來做背景，我們要學的，是學那思想的根本精神，不是學他派生的條件，因為一落到條件，就沒有不受時代支配的。

『却還[illegible]要的一件事，要發揮我們的文化，非借他們的文化做塗徑不可。因為他們研究的方法，實在精密，所謂「工欲善其事，必先利其器」；不然，從前的中國人，那一個不讀孔夫子，那一個不讀李太白，為甚麼沒有人看着他們的好處呢？所以我希望我們可愛的青年：第一步，要人人存一個尊重愛護本國文化的誠意；第二步，要用那西洋人研究學問的方法去研究他，得他的真相；第三步，把自己的文化綜合起來，還拿別人的補助他，叫他起一種化合作用，成了一個新文化系統；第四步，把這系統往外擴充，叫人類全體都得着他好處。（六）

影迷心目中的偶像—凌波

毛向新

凌波身世飄零，經過了苦難中的環境磨練，荊棘旅程上的砥礪，勤學苦習，在第八藝術的領域裏，已至爐火純青的化境。梁祝反串小生，雍容儒雅。完全是世人想像中的古老時代士大夫的典型——真實的梁兄哥，忠厚中不失其活潑，體貼中不流於庸俗。她扮演玉鯉緣的小姐和劉海遇仙的秀英。前者是楚楚可憐，哀婉動人，雖鐵石心腸的人，亦不能不灑下同情之淚；後者是嫵媚端妍，艷光明照，多情而含蓄，奔放而矜持。她無論反串小生也好，扮演小姐仙女也好，總是表情細膩深刻，活潑了劇中人，那種瀟洒俊逸和婀娜秀麗的神韻與氣質，使人[illegible]純潔清新之感。至於歌喉，則甜脆嘹喨中帶有韌性，哀樂分明，如今台灣都市間的大街小巷，日夜播送梁祝插曲，男女老幼皆哼着黃梅調，舊歌曲黯然失色，新唱片不受歡迎，凌波成了影迷心目中的偶像了！

凌波浮沉人海，脫穎而出，絕不是以幸運博得虛名，乃是智能操縱了她自己的命運，是青年男女的一面鏡子，也是一課意義深長、具有啓發性的敎育課程。有一分耕耘，才有一分收穫，引證愛因斯坦的一句至理名言：「沒有僥倖這回事。看似最偶的意外，都是事有必至的」。

預祝凌波在第七屆國際影展，為國爭光，享譽歸來。深信凌波主演的花木蘭，一經上演，觀衆又將轟動一時的。一朵影壇上的奇葩，將永遠被影迷們愛護不衰，更盼望凌波珍惜已有的成就，精益求精，而使藝術生活化·生活藝術化，不要辜負社會大衆的期許罷！（八月十二日於台北）

盧月續夢

第九回：

枵腹爭雄　壺漿招餓鬼

苦心糾衆　風雨會羣魔

鄧小平冷笑道：「也不見得吧！製造原子彈眞的沒有困難，何必想辦法去偷別人的原子秘密呢？」

赫魯曉夫再也忍不下去了，一拍桌子問道：「誰在偷別人的原子秘密，中國同志的消息是不是美帝國主義供給的，請你們解釋清楚。」

鄧小平說道：「美帝國主義以盜竊原子秘密殺害羅森堡夫婦時，蘇聯曾經發動全世界和平人士營救。所以我的消息是根據蘇聯報紙來的，至於羅森堡夫婦把原子秘密洩漏給那個國家，我並不知道。」

赫魯曉夫眼都氣紅了，回頭向柯茲洛夫說道：「你去告訴大會主席，這個會不開了，暫時休會一個時間，等到一切問題解決了再開。」

柯茲洛夫跑上台向担任執行主席的庫西寧說了幾句話，庫西寧當場宣佈休會，定期再繼續召開。八十國代表都懷着十分沉重的心情離開會場，祇有中共代表團尤其是彭眞同鄧小平却興高采烈，高視濶步走出去。

赫魯曉夫回到休息室越想越氣，可是，又覺得無法可施。停了半晌，着人打電話請胡志明同艾地到克里姆林宮晚餐。

白天鬧過事之後，胡志明也就估計到赫魯曉夫會找他出頭圓場，接到電話馬上就驅車趕來，不大時間艾地也到了，客人方面就是他兩人，主人除去赫魯曉夫外，還有米高楊同柯茲洛夫。

赫魯曉夫舉杯說道：「中國同志在會場的態度，已經造成嚴重地分裂形勢，若不設法挽救，整個社會主義集團就要分裂，將破壞了世界革命的有利前途。因此，我特請你們兩位來談談，到底中國同志為什麼採取分裂態度，我到現在還不明白。」

胡志明同艾地互望一眼，都不敢輕易開口。

赫魯曉夫又說道：「我知道你們二位平時和中國同志來往較多，對他們的情形可能會知道得多些，請你們坦白告訴我，到底中國同志對蘇共中央及我本人，誤會在什麼地方。」

胡志明看看賴不掉了，摸着山羊鬍子微笑向艾地說道：「艾地同志，請你先談談。」

艾地笑道：「我知道的並不多，還是請胡伯伯先談，我隨時加以補充就是了。」

胡志明不再推辭，拈着鬍子說道：「蘇中兩黨之間的齟齬，我在河內也聽到不少，這次經過北京，毛澤東同志到機場來接我，我當時就問他為什麼不參加莫斯科會議，對蘇聯有什麼誤會，我願意從中疏解。」

赫魯曉夫放下酒杯，急急問道：「毛澤東怎麼說，我到底有什麼地方對不住他。」

胡志明笑道：「他最大的誤會有兩點，一是蘇聯在一九五七年答應供給他們製造原子彈的原料和技術，到一九五九年却取銷了。一是今年六月間，突然撤走了一千三百多名專家，撕毀幾百個合同，使他們經濟情形陷於崩潰境地，他認為是蘇聯有心壟害。」

（一三二）

雷峰塔故事

周燕謀

白娘子且賄以白銀百兩。適官庫失竊銀四十錠，許之姊婿以見其所得之銀兩錠，即庫所失者，甚表驚異。遂令許宣遁至蘇州知友處，以避其鋒。姊婿告之官，因往白娘子家搜索，果得官銀，而白娘子與青兒忽隱而不見。旋白娘子至蘇州訪許宣，仍爲夫婦。一日許宣赴神仙廟，廟主見許宣身染妖氣，給以符籙，被去之。白娘子破其法，許宣乃不疑焉。後值端午節，許宣強白娘子飲雄黃酒，白娘子醉臥現原形，許宣見而驚絕。白娘子乃登嵩山，向南極仙翁求仙草，許宣得死而復活。值秋，虎丘桂花盛開，許宣出游，白娘子囑冠八寶明珠巾，巾爲蕭太師失竊之物，許宣因而被捕。經審訊之下，知爲妖怪作祟，許宣因而得免罪，逃往鎮江，寓何員外家。白娘子追蹤而至，許宣不納；員外見其端秀，強勸許宣與之同居。鎮江金山寺之法海禪師，爲奉佛旨除白蛇之害，掛錫於此，時白娘子以狂風封取湖北商人之檀香，事爲法海所知，因留許宣，欲除白娘子。白娘子以法海法力無邊，因與青兒指揮水族，發大水湧攻金山寺，欲奪回許宣。法海告許宣云：汝孽緣未滿，可暫歸杭州，在姊夫家與之同居。繼而白娘子來西湖，已懷身孕，且臨月，至斷橋時，腹痛不能前進，青兒扶之，憩亭中。許宣竟偕法海至，斷橋相遇白娘子，白娘子責以負情，意極淒婉。遂相偕至姊夫家，時姊新生一女，白娘子與之約，如腹中所孕者爲一男，則訂爲夫妻，既而果舉一男。此時法海卓錫淨慈寺，許宣往謁，法海約以明日前來收白娘子。次晨法海果至，當白娘子梳粧之際，將寶鉢罩白娘子頭上，白娘子頓時化爲小白蛇盤居於鉢中。同時法海並命揭諦神捉青兒以去。於是法海乃囚白蛇於雷峰塔下，告之曰：『白蛇聽者：雷峰塔倒，西湖水乾，許汝出世。』

以上是乾隆年間方成培之本「雷峰塔」故事大概。據日本青木正兒氏云：「此本爲四卷三十四齣，校以「綴白裘」及「六也曲譜」，曲白均頗有變易，結構却無大差異。

白娘子痴情與許宣負義，一善一惡，黑白分明。如「綴白裘」中之「合鉢」所述，白娘子既經分娩，欣然語青兒道：「奴家自覓許郎之後，雖則一載有餘，幸喜生下甯馨兒，以傳許門之後嗣，也不枉受許多磨折也。」如說：「俺昔日覓有緣，遇了這潘郎面，俺須是打叠起蜂迷轉，纔能彀美滿姻緣。只道是飄飄院誤入天台院，全不想幾番受顛連；到今朝腮邊艷。只見俺俏盈盈也麼哥、兀的不喜盈盈也麼哥！」然而許宣呢，他却私道：「此時不下手，更待何時？」、既罩了下去之後，又說：「孽畜，你也有今日」！（下）

七月七日

吉庭

陰曆七月七日，爲牛郎織女一年一度相會之夕，名曰「七夕」。曹植詠七夕云：「自牽牛兮挑織女，交有際兮會有期。」又張文潛七夕歌曰：「帝憐獨居無歡娛，河西嫁與牽牛夫。」遂開後世歌詠牛郎織女之先聲。

天啓宮詞注：「七月七日午間，曝盆水於日中生膜，投針有成雲龍花草形者爲得巧，若如椎如軸者爲拙徵。」又西京雜記：「漢綵女常以七月七日穿針於開襟樓，是乞巧之事。」故又謂是日曰「乞巧節」。

楊朴詩：「年年乞與人間巧，不道人間巧幾多？」自漢晉流傳到現在，有約二千年。而乞巧而得巧者不僅見於人間，其惟中興唐室之郭子儀乎！據神仙感遇集載：子儀初從軍沙塞間，因入京催軍糧，回至銀州，日暮，行李不得隨，宿於屋中，忽見右有赤光，仰視空中，輒軿繡幄，中坐美人，自天而降；子儀以爲逢七夕，度爲織女臨凡，乃趨前叩問終身休咎，女笑曰：「大富貴，壽考」。後子儀位極人臣，享年八十五，七子八婿十三孫，眞眞富貴壽考，萃於一身，如織女所言。

白居易長恨歌云：「七月七日長生殿，夜半無人私語時；在天願作比翼鳥，在地願爲連理枝。天長地久有時盡，此恨綿綿無絕期」。此唐明皇與楊貴妃風流艷事，明皇於七夕與楊貴妃到「華清宮」乞巧，設瓜果酒饌，向牛女乞巧，並密相誓心，願世世爲夫婦。那綿綿之情，不可以言語形容。可是，樂極悲生到了「六軍不發無奈何，宛轉娥眉馬前死！」漁陽之變，倉卒西逃，遂造成馬嵬坡之慘劇。而使晚唐詩人李商隱亦有：「此日六軍駐同馬，當年七夕笑牽牛」之戰詠，同爲千古名句。

七夕，既爲牛女相會之佳期，但一居河東，一居河西，茫茫雲漢，何以渡之？據傳經由鵲架之橋。鵲爲留鳥，終年居留於大平原地帶，人聞其聲，認爲大喜臨門，靈活可愛，惟入秋頭禿，而乃有造鵲橋之神話。

周處風土記：「織女七夕渡河，使鵲爲橋。」爾雅亦云：「七月七日，鵲無故皆禿，相傳以爲是日河鼓與織女合於漢東，役鵲爲梁以渡，故毛皆脫去。」尤以袁伯文遇神女事，爲絲有神趣，事略云：伯文過高塘，遇雨，宿於山家，夜夢女子甚都，自稱神女。伯文欲留之，神女曰：「明日當爲織女造橋，乞恕違命。」伯文驚覺，天色已白，啓窗視之，羣鵲東飛，有一稍小者從窗中飛去。因此，名鵲爲「神女」。

七月七日，不僅是牛女相會之良宵，有王子晉於是日乘白鶴在緱氏山巔（今河南偃師縣南），舉手謝時人而去。又王母亦於是日下降。故求仙多以七日見於世。

七七時値夏末秋初，天氣炕燥，却爲曬衣物及書籍之最好季節。四民月令云：「七月七日，曝經書及裳，不蠹。」又世說載：七月七日，人皆曝衣，郝隆於庭中向日仰臥，人問其故，答曰：「我曝腹中書。」「腹有詩書氣自華」，文人樂道不憂貧，行雖怪異，志却可取。

黃晦聞有「粵俗乞巧以六夕」句，此蓋因爲一年之時間過長，而一夕則太短，所以粵人於七月六日夜過七夕，似乎等不下去而提早一天，郎舉行「迎仙」，「拜仙」乎？

今之流亡海隅者，年年七夕，不但無巧可乞，且有家莫得歸，十餘年不得夫婦之一面，値此令節，望銀河而億故鄉，何不感慨萬千！爰賦一律如下：

「相傳七夕笑牽牛，贏得雙星天上浮。三鼓三更[illegible]夜，一年一度話從頭。休嫌短聚時間速，猶勝長離夢裡求！寂寞今宵終不寐，再看明月到中秋。」

昇中考試記

朱穎成

昨天晚上媽媽叫我早點睡，她說明天就要考試了，再讀一個晚上也沒有甚麼用，還是早點睡覺，明天才會有精神去考試。但天氣很熱，隔壁張家的收音機又吵，我起初輾轉反側也睡不着。後來爸爸回來了，我還聽見他和媽媽說的話。

『要是考不上初中就糟了。並且，要是考不上好初中，就進不了好高中，考不上好大學，那只有去當大頭兵，做太保了。』媽媽說。

『現在唸書眞太難了，只苦了孩子們。』爸爸好像嘆了口氣說。我不知道他是不是眞嘆了口氣，因爲我到底很累，大概很快便睡着了。

今天媽媽六點鐘還不到就叫醒我。她給我削好了三枝鉛筆，把墨水筆灌滿了墨水，把准考證再再叮嚀地放在我的書包裏。出門的時候，爸爸要我鎭定的去考。我考上了的話，他就買一部自由牌的跑車給我。我眞希望自己能考上，我一直都希望自己有一輛單車，上學下學騎着多麼的威風啊！

媽媽坐三輪車送我到學校，還沒有到七點鐘，教室門前已經站了許多人，都是去考試的同學和他們的家長。陳老師正和一個人說話，看見我來，便向媽媽問好，問我睡好了沒有。陳老師今天穿了西裝，看上去漂亮些了。

七點半同學們都到齊了，大家按體育課時那樣排了隊。陳老師向我們說：

『各位同學：今天是很重要的日子，我希望大家都要鎭靜一點去考試，不要慌張，題目是不會難的，但是你們一定要做快一點，並且，要是碰上了不會做的便空下來，先去做會的，然後再回來做不會的。懂得嗎？』

我們都說懂得。

『馬如川，』老師說：『你的字時常寫得太粗太大，動不動便出格子，今天考國文時一定要小心，把字寫小一點。』

『劉焜，你做算數時老愛漏掉等號，今天可不要再犯老毛病了。』

我們都很仔細的聽，然後陳老師又說：

『最後要注意一點，就是答完了題目後還有時間的話，應該小心的把自己的考卷看一遍。每一個人匆忙中總免不了會犯些小錯誤，要是爲了點小數點而被扣了整題的分數，那就太不值得了！……好，立正！向右轉！起步走。祝各位同學考取！』

因爲昨天上午陳老師已經帶我們去看過考場和每一個人的座位，所以我們很順利的坐在自己的位子上。大家都很緊張，後來考的時候，爲了忙着答題目，倒不覺得太緊張了。我們考的時候，陳老師一直都在外面等，足足等了一整天，問每一個同學考得怎樣。陳老師已經教了我兩年，今天雖然穿得漂亮些，我却突然覺得他特別憔悴，是不是爲我們躭心過甚所致呢？

我不願意說我考得怎樣，恐怕考得不大好。我累得要死，媽媽要帶我去吃冰看電影，我却在電影院裏睡着了。

南宋偏安有人才

李仲侯

九月加檢校少保，進封開國公加實邑實封，餘並如故。還軍鄂州，四上章辭檢校少保，詔俱不允。又三上章辭招討使，亦不許。

紹興六年，飛年卅四歲，二月以督都行府議事至平江，飛陳已去行在所不遠，願一見天顏。九日得旨引見，從駕游內苑，賦應制詩曰：

「救報游西內，春光靄上林。花圍千朶錦，柳撚萬株金。燕繞龍旂舞，鶯隨鳳輦吟。君王多雨露，化育一人心。」

十九日飛乃陛辭，賜酒器金二百兩，士卒犒賞有差。都督張浚至江上會諸大帥，浚於坐中獨稱飛可倚以大事，乃命韓世忠屯承楚以圖淮陽，劉光世屯廬州以招北軍，張俊屯盱眙，楊沂中爲俊後翼；特命飛屯襄陽以窺中原，謂飛曰：「此事君之素志也，惟君勉之！」飛奉命遂移屯京西。三月上，改授飛爲武勝定國兩鎭節度使，充湖北京西路宣撫副使加食邑實封，置司襄陽。制曰：

「朕還顧宛洛之郊，旁連江漢之紀。人謀誤國，致赤子之淪胥。祖武造邦，本皇天之至付。思拯民於水火，用申誓於山川。即命元戎，往分寄纛。寶茲有衆，咸聽朕言。檢校少保鎭寧崇信軍節度使、神武後軍都統制、充荊湖南北襄陽府路蘄黃州制置使、武昌郡開國公、食邑二千戶，實封八百戶岳飛，沉毅而閎中，誠純而特立。縱橫奇正，謀足以應料敵之幾。險阻艱難，器足以任扶危之重。志徇國家之急，身居矢石之先。剪亂夷兇，所當者破。陳師鞠旅，其衆無譁。乃眷西南，久勤經畧。將規恢於還馭，宜增重於使權。草木知名，諒威聲之震聾。旌旗改色，亦士勇之百前。剗茲殘孽之餘，積有雲霓之望。洛都甫邇，王氣猶在於伊瀍。陵寢具存，廟貌未移鐘虡。其共乃服，以究爾庸。易兩鎭之旄旂，就顓節制。衍多田之幹食，益修輿封。斷自予衷，疊茲異數。蓋示寵光之渥，式昭閫寄之隆。於戲！整六師以修我戎，朕既得惟人之競。辟四方而徹土，爾其恢綏遠之猷。惟一德以定功，茲萬邦而爲憲。往欽無斁，其永有辭。可特授武勝定國軍節度使，依前檢校少保，充湖北京西路宣撫副使兼營田使，襄陽府置司，加食邑五百戶，食實封二百戶，封於故。主者施行」。（七九）

智慧語錄三則

匡謬

梁元帝眇一目，於爲湘東王時，嘗登其宮以望，其侍臣曰：「今日所謂：『帝子降於北渚』。」帝疑其戲之，答曰：「卿道：『目眇眇兮愁予』耶？」

晉劉伶好酒，人或喻以釀具先朽，明酒非保生之具。答曰：「君不見肉得酒而更久耶？」

南唐魏明好吟詩，動輒數百言下。嘗袖以謁韓熙載，熙載佯辭以目暗，置几上。明曰：「然則某自誦之可乎？」曰：「適耳忽聾。」明慚而去。

淺寫八大家

漁翁

蘇轍，字子由，與兄軾同舉進士。累官翰林學士，門下侍郎。徽宗時致仕。築室於許，今河南許昌縣，城西南曰潁陽，故號「潁濱遺老」。文章高雅，平正中有奇氣，與兄軾齊名，合乃父稱「三蘇」焉。

王安石，字介甫，號半山，臨川人。博覽強記，文章拗折峭深，人以大家目之。讀其上仁宗書，滾滾萬言，論者有「千古第一奇傑文字」之譽。自中進士後，開始政治生涯，一帆風順，而位至宰相，即大刀闊斧，興農田，水利，均輸，保甲，免役，市易，保馬，方田諸新法，欲矯世俗而正紀綱，因操之過急，不獲時人諒解，竟以孤高而失敗，求補外而卒，惜哉！

曾鞏，字子固，南豐人。嘉佑進士，擢中書舍人。深於經術，工文章。所著「元豐類稿」，以古文爲最多，詩及四六文並附載之，凡五十卷。論文不在王安石下，惟政事不及王與歐陽也。（下）

內備警台報字第〇三壹號內銷證

自由報
THE FREE NEWS
第三六九期
中華民國僑務委員會頒發
台報都字第三二三號登記證
中華郵政台字第一二八二號執照
登記為第一類新聞紙類
（逢星期三、六出版）
每份港幣壹角
台灣零售價台幣壹元
社長：雷嘯岑
督印人：黃行齋
社址：香港銅鑼灣高士威道二十號四樓
20 CAUSEWAY RD 3RD FL. HONG KONG
TEL. 771726 電報掛號：7191
承印者：田園印刷廠
地址：香港灣仔高士打道二二一號
台灣分社
台北市西寧南路一二〇號二樓
電話：三〇三四六
台郵撥儲金戶九二五二

現代中國之學術問題

吳本中

有人謂台灣在學術上是一片沙漠地，是眞空，是一個零！這或是過甚其辭，或是激憤話。無疑的，那裏是不無閒花野草的。然而，隨着政治的中興氣象毫無，即中國文藝復興之曦微亦不得稍覩！非但無我們自己歷史上二千餘年前的諸子百家爭鳴齊放，即連學一點人家近世紀『文藝復興』後的科學與藝術，亦尚未能作好入門弟子！距畢業期尚遠！可嘆哉！可恥哉！

然則今後應當如何呢？(一)政府應當絕對尊重學術之神聖與自由，使其超然政治而獨立，偵騎特務不及學者之身，預算案中立定合理之百分比，其欵任何人不能移用。(二)學府組成爲『自治法團』(Corporation)變成爲眞正清高，純潔，正直，邁進人士之集團。(三)學者自己亦應大事改面革心，視學術爲自己之無上興趣與志願所在，生於斯，死於斯；意識中絕無『書中自有黃金屋，書內自有顏如玉』之極卑陋的中國士大夫傳統思想也。

術上三項基本條件不具備，或漸有改善，則『自由中國』雖不致變爲學術上滄海，然祗有雜花亂草實不足以自我陶醉。海外漂泊學者，豈無生畏？即有赤心眞膽，熱誠愛國者不計己身利害欲返國貢獻，必鬱鬱而退，甚或被擠被誣，如鑽石墮入糞坑，弄得一身臭氣，人且均不識其爲晶潔之寶矣。專政道揚，振興之衣錦且不肯還鄉一視，對台北不理不睬；良有以也。殊可悲矣。

求知欲是人類本能，勸學好問是人在社會上的一種自然現象，沉湎於一種科學奧妙之中，這是一種享受，亦可以說是一種嗜好。甚至可以說是一種『癖』與『迷』。法國人謂之Manie；英文稱之曰：Hobby；意殆近之。最眼前之實例，譬如以日本天皇之尊，因喜研究海洋生物學，以他的年歲，竟亦足涉海奔走岩石泥沙中，樂而不倦，窮畢生之精力，著成書籍，故頗可觀。至於，例如我們在本報已經談過的巴斯德偉人發明治瘋狗病及各類病菌，及百里士因欲燒陶器之成功雖傾家破產亦爲之者，其如癲如痴，夜以繼日，幾如不要命者，亦足證學術之發展與繁榮乃(一)基於人性之自然擴展；(二)乃源於純潔之求知慾本能。若一有『今之學者爲人』，或『學干祿』，『學而優則仕』等等情緒在內，恐難成一代之大業，爲『文藝復興』之偉觀也。

沉潛於科學奧妙之中

我們現代的學者本身毛病多矣。即以小小報章雜誌或小叢等寫作而言，台灣本身有地位的人已大呼『台灣文壇有三潮流』：逆流，斜流與下流是也。嗚呼！文而至於有『下流』，夫復何言哉！其實在台灣學界，即比較高級學府界，尚有一種『亂流』，即亂流是也。亂流者，乃自以爲『有著作』，要儼然以『教授』，『學者』，『高級知識份子』，甚至以『專家』或『權威』自居，乃出一列書籍，以宣耀於世，或至少於履歷表添上幾本著作，以爲進身敲門之磚；或抬高身價之方。至於他的『大著』是否價值勝過印刷紙墨，與人工之值？大可不問；有多少讀衆？亦不必深求；更不堪追問其是否終年屢月的苦研與心得。若夫倡學，立說，或於科學上有新發現，則更勵向他們苛求而似不近人情矣。這種亂流而來的書籍比較好一點的往往是東譯西湊，南偷北拐，把人家的東西，據爲己有，給可憐的莘莘學子作講義或課本，這已經是不錯了。其餘的以不知爲知，以不懂爲懂，錯誤百出，痞痍滿目，濫竽文化界貽誤後進者，更不忍想象矣。筆者自恨學薄才淺，除刊法文書幾本外，多年來祇可藏拙，未出一中文書。兩三次主講外交學，前在震旦大學四年，最近在一國立大學兩年，香港大學無法學院，無外交系，然首次學後將設校外外交課，邀余主講，余不却；蓋此乃心所喜與志所在者，本擬整理所積中、法、英文講稿，博考群籍，出二種書，不同於泰西之同類者：(一)爲普通人皆應知之外交知識；(二)爲比較高深研究的外交學，外交實務及外交法。卒因幾種世界外交巨著，各種資料未能蒐集手中，未備(譬如中，英，法文三種外交國書樣本照片，英聘華第一大使所獲乾隆覆英王敕書存於大英博物館中之原件複照等）至今不敢輕率動手成書。因以深深體會古人之著述，終身孜孜，始能不息，藏之名山，如何謹愼之，傳之後世，希比諸區區之作，是余所寫的一種學科之分矣。故又有天淵之別，甚至寧可少出，亂出不如不出。須知，社會的物力有限，耗紙墨，費讀衆的時期，勞工時期，空白梓工，不應當的事，是不誠實的，更非正直學者之事。嚴謹的學者出版多種書籍，積壓不出，幾年後卒以堆積封存，賣給收買破紙者亦甚難脫手，又何苦來哉。

亂流胡刊非學界之福

眞正的學問，有價值的著作，是窮年累月，經千百次的思考，揣摩，與探求，不勝講偵，千萬探訪，又用極簡明，最通順，有條理的科學文筆（法文所稱Style de Science）而著成者。我們現在世最高學府所發行的書籍，即屬是筆者留學時所會經主要研習者，欲加拜讀，往往不但引不起興趣，且感覺其文筆滯澀，說理不通，內容百孔千瘡，令人難懂。粗濫製造之弊，難免，賣情弄姿之風可恥。其急於要出『著作』，以自欺而欺人，胡刊亂印，以『登龍』而『爲人師』之陋情，實躍然紙上而不自知也。近來台北發行一『外交學』，寫此書者毫無外交經驗，留學亦未會專研外交學，不過因私情人事關係，却是皇然主任一學府外交系多年。國際公法與外交學乃兩種有關係，而絕對不同的科學，即使他是精於國際公法亦可能對外交一竅不通(在國際上，台北研究國際公法有成績者乃雷崧生及彭明敏二教授，均諳法文，有博士學位，而該系主任不與焉)且環不懂法文，法文本爲外交語言，即在我國知名之Satow著Diplomatic Practice一書而論，其首章第一頁，四行引英文外，餘均滿篇用法文原句，不加英譯。蓋英外交人員大都懂法文，固不必由法譯英，且有時亦不能譯。這位『主任教授』也當以不懂爲懂，以不知爲知之也，其錯誤難免，貽誤學子，殊可嘆惜。其輕率倉皇出書，自居專家者，固欲保其位置進而混入外交界，其情有可諒，然學府選賢，政府任能，學子前途，學術風氣，均被關甚鉅，不能任此類災梨禍棗，以假亂眞，欺天下人以無知，而繼續下去矣。我們不是不痛不癢的『社會』，不是過於容忍的『馬馬虎虎』的學術。然學術是不二的。是，一是一，二是二，是要斬釘截鐵的。孔老夫子都要疾惡如仇，『小子鳴鼓而攻之』。我們何人哉？又焉可連一句老實話都不說！

（下轉第二版）

漫画天下

狼狽爲奸

何去何從？

自由談

外行人語

台灣的菸酒是由政府統制專賣的，一年前，烟酒公賣局隨便把售價提高，同時又製出幾種新商標的香烟發售，如「長壽牌」「總統牌」「雙喜牌」「寶島牌」等等，貨色跟舊有的不相上下，但價錢高多了。去年政府徵收「國防捐」，對於非日常生活必需品的奢侈物資如烟酒之類，課稅特重。因此，烟酒公賣的收入，比過去大爲銳減，國庫得不償失，最近公賣局將售價自動降低，公告宣傳，可謂明智之舉也。

自民國肇建以來，一般掌國家財政金融事業的達官貴人，盡是些孔子所謂「聚斂之臣」，專以搭克搜刮爲能事，藉着「國營事業」的口實，汲汲於與民爭利，如國家銀行的業務，除却中央銀行之外，跟一般民營的商業銀行究有甚末區別呢？這些財經大家，只知道「殺雞取卵」的方法，而昧然於「養鷄生蛋」的義理，古人所謂的「藏富於民」之義，職是之故，政府經常鬧窮，人民更感稅賦的重任不堪負荷，而官民交困矣！

這次烟酒公賣局能夠自動減低售價，確屬令人興奮的珍聞。但鄙人還要向當局者提示一點意見，即今後切莫胡亂製造新招牌的烟酒，以爲新鮮玩藝能夠任社會人士接受，大可增加財源，除非效法西方國家的作風，新貨問世之後，舊有的同樣產品即停止生產，否則民衆的眼鏡馬上會被識穿，喉舌聽覺最相率結果是枉耗成本，於事無補。此外，亦應以節省浪費爲主，精打細算，儉約第一，浪費最甚，機構龐大，冗員充斥的烟酒公賣局，何不例外。新任局長王君，我認定他是一位能幹的人才，所以誠意希望如此，外行之言，或許亦有點參考的價值吧？

馬五先生

中華民國五十二年八月廿八日　自由報　星期三　第二版

與周百鍊談台北市政（上）

……本報駐台記者……

台灣省府委員周百鍊先生，自從五十年八月二十八日兼代台北市長以來，到今年八月二十八日，整個兩年了。他在兩年中，到底做了多少福國利民的事？市政工作是進步呢，還是退步？這些都是大家關心的問題。

因此，記者在平時，固已對此極爲注意，最近又曾與各方面交談過，聽聽人家的意見，所獲得的反應與結論，大致可歸納爲：

一、有意競選下屆市長的執政黨人士，指摘這位代市長「同志」光說不做，批評他搞「人事問題」。這可以從台北市黨部所召集的「台北市政檢討大會」，及參加的「民意代表同志」之踴躍發言，即可證明。

二、有意逐鹿市長的在野黨人士，如在市議會代表高玉樹一派的若干議員，對周百鍊也有嚴厲的指責，但其中也有若干議員如李賜卿等，就會私下對本報記者作過這樣的評語：「平心而論，周百鍊是想把市政搞好的，不過，行政經驗差些。」而「行政經驗，不是與生俱來的，乃係累積而成的」。

三、一般市民認爲：周百鍊必須在「人和」方面下功夫。而處事以公，待人以誠，及容忍異己的雅量，又爲「人和」的基本要素。易言之，公誠與容忍，爲其希望成功所必不可少的要素。

愛的教育

爲了聽聽周百鍊自己的基本觀念和基本態度，以及他對當前市政的認識，記者和他談了一陣。那是一個氣溫高達攝氏三十六度的燠熱天氣的中午，記者在台北南下的「觀光號」火車上，遇到了這位代市長，乃把握了此一機會，和他談談。下面就是我們談話的內容。

記者問：「周市長那兒去？」

周答：「去台中，出席省黨部的會議。」

他在回答記者時，坐到我旁邊的空座位上來。於是，我接着問：「周市長這次赴美時，曾便道考察美、日的市政，除了你對記者發表的感想外，有沒有特別『心得』可談？」

「美國和日本，都是工業最發達的國家」，他答說：「我在由美國到日本的飛機上，看了一份很有份量的日文雜誌，其中有一篇檢討日本教育問題的文章，認爲日本教育已面臨嚴重危險的階段」他說到這裏，燃了一支烟，猛吸一口，說：「日本社會問題，相當嚴重，東京都常常有綁架學童的案件，因此，學童的家長們，告訴小孩子們有關這方面的常識，可是這些學童們在一起時，常這樣的說：如果我被綁架，我的爸爸媽媽會不會拿出一筆鉅額的錢，把我從匪幫們手中贖回來？」他說：「日本小學生對父母愛護子女的動機，竟表示懷疑，這不是教育失敗嗎」？

「那末，你對我國的基本國民教育有什麼看法」？記者接着問。

「教育是國家百年大計，此乃盡人皆知的道理，毋庸多說。目前，我們因爲就學兒童率的增加，致發生國校教室荒，但此非最嚴重的問題。因爲，過去歷代偉人，在唸書的時候，不是因有富麗堂皇的教室所致，主要的是愛的教育內容，尤其德育方面，都很充實。而教育設備，等於闊老住的高樓大廈，住高樓大廈的闊老，不一定對國家社會有貢獻，更不一定是成功的偉人」。所以他說，「教育是不是成功，并非取決於有無教室。同時，政府的施政，也不能偏重於某一方面的發展，必須平衡的發展。因之，與其重視教室的問題，不如重視教育經費所佔總預算的比例問題，更不如重視教育實質的問題，比較更恰當」。

日本所見

他停了一刻，談到家庭婦女對兒童教育的重要性，尤其對兒童心理上的影響時，周百鍊說：「我有一個日本醫生朋友，他在二次大戰時，被徵調到軍中服役，戰爭結束後，他回到東京，重操舊業，在短短的十多年內，他現在已有兩家大醫院，病床即達幾百個。這次，我在東京，他請我吃飯，不是上館子，而是在他自己的家裏；當時，我把女主人錯認爲是下女了」！

定額每戶最低十元人民幣　毛共勒令節約儲蓄　勢必整死更多的人

香港與大陸

中共又在大陸推行一種運動，要求人民進行「節約儲蓄」。共幹爲了積極完成上級規定的此種大規模的搜括「任務」，公然扣除僑滙，并強迫農民將生活費用都存入銀行，致使大家更苦，餓着肚子而眼巴巴地把「節約」的錢送去「儲蓄」──其實是交給中共。

一位甫自潮州來港的韓山師範學生李敬×君透露：這些年來，中共亂攪首先使得農業失敗，連帶的亦使得工業失敗，因而餓死的人不計其數。但中共當局最近卻在大陸各地掀起「節約儲蓄」的政治運動，還聲言將作爲長時期的一項措施。

李敬×君稱：潮州一帶地區，最近各「公社」都經常召集會議，每一次會議，都是要人民「訂出計劃」，進行「節約儲蓄」，以支援「國家」建設。李君說：這次的儲蓄運動，比過去的來得「深入」和「普遍」。過去，主要對象是僑屬僑眷，而且祇是「動員」的方式，現在，主要的對象雖仍然是僑屬僑眷，但比之從前「深入」多了，目前每一個公社的幹部，都在做「訪問員」，每天都分頭對僑屬僑眷訪問。他們以「瞭解關懷」僑屬僑眷的生活情況爲名，對他們進行「算細帳」。有一位僑屬，全家七人（主要勞動力一人，次要勞動力一人，小生五人），因爲每月可接到外滙港幣二百元，本來已捉襟見肘了，但經過共幹的「訪問」，每月勒令他們向當地銀行儲三十元人民幣了，辦法是每當外滙寄到時，銀行便實行扣除三十元，作爲「儲蓄」。

李敬×君稱：這次運動和以前最不同的，是那些沒有一點私有財產的「公社」社員，也要勒令「節約儲蓄」。共幹規定每一個社員戶都要進行副業的生產，增加收入，并就在此項收入中，要大家實行「節約」，把「節約」的錢拿去「儲蓄」。不少地區的共幹，曾在會議中，要「社員」互相進行「挑戰」，普通規定社員戶每月應該儲蓄的定額。此項定額，有高至每月要社員儲入三十元人民幣的，而最低者也得十元人民幣。

李敬×君稱：這項儲蓄運動的定額，眞正是豈有此理的高，「社員」絕無辦法完成。因爲所有的社員，他（她）們的現金收入，祇有從副業中得來，但比如潮州一帶地區的副業，祇有養鷄養鴨養豬等，但搞這等副業必須有豐富的飼料，這些飼料從何而來？現在共幹規定每社員戶每月要交十元至卅元，等於要他（她）們每月交一隻至三隻大肥鷄，（在潮州每斤鷄可黑市賣三元多，若三斤重的鷄便可賣得十元）這些社員怎能完成呢？但中共說到就要做到，人民死活它卻根本不理會，換言之，這是「任務」！是一定要完成的。那麼大家除了把已經不夠吃的糧食分出來去攪副業，以便換取現金交去「儲蓄」之外，絕無辦法。所以在這一運動之下，必然的結果是整死更多的人。（敬斯）

台省雜誌記者九一開聯誼會　記者公會大會亦是那天

【本報記者昌文台北航訊】台灣省雜誌記者定於「九・一」記者節在台北市舉行首次聯誼會，同時，另一由報社通訊社記者組成的記者公會，也定在「九・一」記者節舉行會員大會，這兩個性質相同而彼此獨立的新聞團體，將作歷史性的首次對台戲。

雜誌協會定九月一日記者節的上午十至十二時，在台北市中正路一七〇〇號舉行首次雜誌記者聯誼會，舉行盛大酒會招待外界六百多位雜誌社的發行人與編輯人，都是這一盛會的主人；且將討論他們本身的、許多有關問題。雜誌記者聯誼會的成立，是直接得自前中央社記者所發「一月內政部通告雜誌不得設置記者」的消息激發而來，由於該一消息引起雜誌界的抗議，經積極探詢下，始知並無其事。雜誌界爲維護新聞自由採訪權利，乃積極籌設雜誌記者聯誼會。據雜誌協會透露：此次舉行聯誼會，將柬請包括主管新聞的內政部等政府官員參加，可能該會"將探測政府對雜誌的態度。

台灣省雜誌事業協會理監事聯席會議於二十日決定雜誌協會記者設置辦法。該協會設置原來通過的記者設置辦法規定各雜誌社的發行人編輯人爲當然記者，另外凡以報導或評論時事爲主要內容之雜誌，得視實際需要設置探訪記者五人，雜誌記者資格由該協會審查並發給記者證。前會通知各會員雜誌申報，從嚴雜誌協會爲選用雜誌記者，提高雜誌記者素質，二十日理監事會中決定，暫先發各雜誌社發行人、編輯人爲記者證，另外的五名記者，暫不接受申請。

一般認爲，正式的雜誌記者，而報社、通訊社記者，出版法所稱的記者，一件事，好能合併公會，既可[illegible]，又可收[illegible]量之效，政府及有關[illegible]此一問題考慮。

政府，學府及學者，三方面均應努力

（接第一版）

復興中華，學術尤重於政治；立國今世，未有學術不競而眞能富國強兵，從[illegible]者。政治可能有一時的腐衰現象，然學術則有關百世者。所以中國的學者責任非常重大。中國前途在乎今日中國學者之毅然奮新，再不能「馬馬虎虎」，不生不死，沉沉悶悶，若有若無；甚至朋朋比比，黨黨派派，伈伈俔俔，昏昏迷迷也。學者本身是學術問題的基本所在。已欲立，誰能叫我們起來！已欲醒，誰能致我們睡下去！吾堅信中國學術界仍多數爲有血性有志氣之人；環境獨令他們痿痺於神，憔悴於身，此吾所深深了解過者。然今後可以興矣。高堅復興中華學術大纛，此其時矣。政府固屬責無旁貸，學府職有攸關，兩均應努力。且如果學[illegible]幹，亦不能不努力。然此則所欲言[illegible]非短篇所罄。海內賢達曷興乎來。

地方財政劃分刻不容緩　省縣鄉預算編來編去一筆錢　縣鄉層仰上級鼻息如何施展

【本報記者吳越台北航訊】同樣一筆預算，經省政府、縣政府及鄉鎮公所重床疊架三次編列，表面上看起來政府歲入歲出地方總預算數字龐大，實際上就祇有那末一點錢。說穿了無異「自欺欺人」。但目前省縣及鄉鎮公所，每年歲入歲出總預算皆如此編列一番，至於與「預算法」原則相符與否？與地方財政劃分有無關係？如何消除此項「虛有其表」的預算死角？亟待專家學者檢討研究改進。

如衆所周知，本省財政環境像橄欖形，中間大兩頭尖，中央須省府財政支援，縣市等待省府補助，而鄉鎮更需縣府的補助。這種情形除台北市稅源充裕外，全省廿一縣市財政情形，莫不如此。倘若無省府的補助款，縣市政府的地方總預算，就無法編列。而且情勢越來越嚴重。就以苗栗縣五三年度歲入歲出地方總預算爲例，行將送縣議會審查的歲入總數，爲新台幣一億三千五百五十二萬七千三百九十五元一角，靠省府補助收入竟達新台幣八千零九十一萬四千一百四十四元，佔歲入預算總數百分之五十九・七〇。而全年稅課收入祇有新台幣四千〇廿六萬三千二百五十元，僅佔預算總額百分之廿九・七〇。由上列預算數字可以說明：縣市的歲入並非靠稅課收入，而是依賴省府補助，稅課收入僅佔總預算百分之卅弱的比例，在某種角度來看是不正常的。有些人把這責任歸於地方財政劃分不當，稅課收入給予縣庫的收入太少，致形成今日偏枯的現象，惟省政當局未必承認其事。

、目前各縣市普遍發生預算難產現象，每當新年度來臨時，財政單位爲編列歲入歲出總預算絞盡腦汁，均無法於省訂舊年度終了的六月份編好。而且，縣庫的情勢愈來愈急迫，這是值得財政當局値重注意的。縣市的財源拮据如此，鄉鎮靠戶稅收入爲大宗的財政，更不堪聞問，因此形成縣府靠省府補助，鄉鎮依賴縣府補助的三級聯鎖。像栗縣五三年度歲入，雖獲得省府補助款八千多萬元，而縣府歲出預算也編列鄉鎮補助款；平地鄉鎮補助專款一千一百四十五萬六千二百元，山地鄉補助專款二百零四萬二千二百廿一元。這些鄉鎮都是省府補助款撥付的。其實縣府財政如「泥菩薩過江自身難保」，何有餘力撥款鄉鎮。但鄉鎮如無爲數頗鉅的補助款，則鄉鎮的歲入歲出預算亦隨之無法編成。

因此當前財政環境，縣市靠省補助，鄉鎮依賴縣補助，省府補編列縣市補助款。表面上看起來省府、縣府、鄉鎮的歲入歲出預算[illegible]小，其實鄉鎮預算大部份已編在縣的預算內，縣的預算又部份編列在省府預算中，一筆錢在省府、縣府及鄉鎮均列入預算。一筆錢經三級政府列入預算，是否符合預算法？是否與一般所指摘的地方財政劃分偏枯有關，在皆有賴專家學者研討，亟待有所改進。否則表面上看起來數字龐大，用到錢時三個錢變成一個錢。關鍵在要研究出消除重床疊架的預算編列，使各級政府預算一個錢用在一個地方，消除現行一個錢三級政府均編列預算的現象。

閻錫山將軍的反共意見

吳文蔚

如領導世界者不領導實現和平，勢必要迫成大戰。若蘇聯的原子彈，氫氣彈，擊癱瘓了美國，一定還是要圖謀以共產主義領導世界。如美國的原子彈，氫氣彈，擊癱瘓了蘇俄，共產黨赤化世界已不可能，反共的部隊進不了共產區域，雙方相持不下，領導世界者，便感到非有一個人類共同幸福的主張，無法結束戰事時，則實現大同成為自然的趨勢。這就和暗夜找光明不易，白晝找黑暗也困難。所以我認為這是個世界趨勢的問題。今日的世界形勢，如夏天的風雲，變幻莫測，我敢肯定的說：如欲變人類的毀滅為安和，必須走向世界一家，人類一人的大同；以裁判代戰爭，以是非定曲直才行。

我對代表美國人民的美國總統，很具此希望，我並對任何人均抱此希望。人事結果出的路只有三條：一條是成功是成功，失敗是失敗；一條是失敗是失敗，成功亦是失敗；一條是成功亦是成功，失敗亦是成功。今日美蘇兩國均走的是失敗是失敗，成功亦是失敗的路子。因他們均瞅的是自己的既得權益，美國勝了，資本主義亦不能見容於勞動的人民；蘇聯勝了，共產主義仍與世人為敵。所以我說，今日美蘇兩國均是走的失敗是失敗，成功亦是失敗的路子。

無論何人，一眼瞅住全世界百分之八十以上受痛苦的人，提出解救他們痛苦的主張，為救世而奮鬥，成功固是成功，失敗亦是成功。

為救世的奮鬥，成功固是世人之福，失敗為世人留下極大的懷念。失敗的成功，較成功的成功，對世人心上的留痕，更為久遠！

耶穌為救世被釘在十字架上，是失敗的成功，他的功德同世紀而永恆發展。

今日美蘇兩國，均具有足夠安和世界的力，以此力一眼瞅住全世界百分之八十以上的人的痛苦，向救人救世上領導人類，孰敢不從！

如此領導，不戰而可以安和世界，若需一戰，亦可如鐵碾壓雞卵，秋風掃落葉，那樣的輕鬆獲得勝利！否則，無論誰勝誰敗，這個戰事仍是白打！

我以為現在反共的角度，應作一百八十度的大轉變，轉武力反共為眞理反共，轉政府反共為人民反共，這才是救世救人，安和世界的保證。

領導世界者必須培力講理，以眞理為先鋒，以武力為後盾，以全世界人民的利益為依歸，以政府為領導。

達到世界眞正安和之路，聯合國機構必須加強，建立世界議會，而此議會須具有安和世界的決權力，要適應現在全世界人民痛苦困難重重急迫求去的渴望，對於世界廿四億人每十萬人派一個徵詢民意的代表，懇切的徵詢人民有什麼痛苦？有什麼困難？有什麼希求？並向人民說明核子武器不只是要毀滅戰場上的人，而且要毀滅全世界的人和全世界的生物。經此詢問掀起世界人民祈求幸福的熱潮，根據民意消除世界人民痛苦的辦法，解除世界人民的困難，然後召集人民，建立世界議會，成立世界憲法，產生有理有力的世界組織，負起安和世界的責任。

向來人常說：「時勢造英雄」，今日可以說是：「時代造聖人」。現在這個時代，將必須聖人出來挽救，否則人類毀滅，將不堪設想。

夠作時代聖人的人，我認為只有兩個人：一個是美國艾森豪總統（當時美國總統為艾森豪），一個是羅馬教皇。如能兩人合起來挽救世界的毀滅，當然更好。否則一人單獨負起這個責任亦可，不過美總統的環境困難多，教皇的環境上拘束小。（十三）

康有為的自負

丘　峻

『我們人數居全世界人口四分之一，我們對於人類全體的幸福，該負四分之一的責任，不盡這責任，就是對不起祖宗，對不起同時的人類，其實是對不起自己！我們可愛的青年啊！立正，開步走！大海對岸那邊有好幾萬萬人，愁着物質文明破產，哀哀欲絕的喊救命，等着你來超拔他們哩！我們在天的祖宗三大聖和許多前輩，眼巴巴盼望你完成他的事業，正在拿他的精神來加佑你哩！』

從梁氏這幾段話看來，其推崇本國文化之崇高與偉大，一如其師康氏之有感而發，動人心魄，感人至深！康梁師徒，素懷大志，夙具宏願，語重心長，期望至殷，往者已矣！今而後，國人共有聞風興起，自覺，自信，竟以天下事自任，以發展全人類文化為己任者乎？

話至於此，我們要來引述兩個外國人的預言：

早在十八世紀末葉，美國國務卿艾理遜就會大意這樣說過：「十九世紀是海權國家的英國世紀。二十世紀是陸權國家的美國世紀。五百年後勢將成為中國世紀。」到兩年以前，前香港總督葛量洪，在美國公開演講，對許多美國聽衆更強調說：「十九世紀是英國世紀。二十世紀是美國世紀。二十一世紀將是中國的世紀。」

也許有人要懷疑和康梁一樣為中國瞎吹，儘可暫擱開一邊，且先放眼來觀察一下世界大勢。

中國文化之逐漸受到各國人士的重視，是無可否認的事實。從亞洲各國，尤其日、韓、越、土及南洋諸邦，固無論矣。遠如歐美各邦，尤其美墨及中南美諸國，都漸漸對中國文化普遍的提倡與研究。還有不少國家建立了許多獨立機構，對中國文化作循序漸進之高深的鑽研。大勢所趨，若干年後，中國文化之將成為世界思潮的主流，殆已顯定向的推移了。

國人乎！世人既如此推崇我國文化，如此期許我國文化，而我們自問亦確具有此種資格，自又豈容妄自菲薄，推卸責任，不知振作，以自暴自棄，無以饜之，以慰其飢渴之望乎？

康氏詩云：「南州講學開新派，萬木森森一草堂。」「書生能報國？中華人物數康梁！」梁氏有言：「生此國，為此民，享此學術思想之恩澤，則歌之，舞之，發揮之，光大之，繼長而增高之，吾輩之責也！」噫！康梁已逝，後起者其誰歟？（七・完）

報人普立茲傳

汝津譯

「她的家人會同意你做她的丈夫嗎？」達維生要知道這一點。

有一會兒約瑟夫的雙唇壓成一線。然後他笑了。「她父親出身於戰時南方總統傑佛遜大衛那一家。她家裏其他的人也都赫赫有名。有些追逐者非常富有，相對之下，我簡直是一個窮人。但是湯瑪士，我想她很愛我。我不知道自己怎麼會有這樣的好運氣！」

二星期後約瑟夫已在華府。他到凱蒂家赴夜宴。當他走進屋子時，他看到凱蒂並且對她的愛一無懷疑了。她可愛的臉容告訴他的比她的話語更多。「我不知道你那麼快會來華盛頓，普立茲先生，」她說，但她的眼睛說，「為什麼你離開我那麼久呢？」

這件驚人的事是眞實的。凱蒂愛他，可是對她的家人這是難以接受的。他們喜歡他，但作為一個丈夫，覺得他並非女兒的適當人選。他只有很少的錢。他在美國沒有家。最重要的是——他沒有工作。報紙工作不是終生職業，他們說。

約瑟夫是高傲的。他決定向凱蒂的家庭證明他是配得上那女孩的。他拚命的去找工作。他決定在新聞界開闢新天地。一定會有一件可以導向成功的工作的。他到紐約，波士頓，費城，聖路易去找適當的工作。

這一切感動了那個家庭，但卻使凱蒂憂慮。她不願意他跑到老遠去。凱蒂告訴家人約瑟夫不需要一個好工作以贏得她的愛和信賴。

一八七八年他們在華府結婚，他們立即赴歐度蜜月，旅途愉快。約瑟夫發覺他妻子是一個和其他女人迥然不同的伴侶。他所認識的人都是有學問的，像達維生。他發現這女子有着高貴的靈魂，而且快樂而堅定，是一種新奇興奮的體驗。她有惹他發笑的天才，而且經常願意聽他的。凱蒂對他有着完全的了解。

當他們回到聖路易時，約瑟夫沒有工作，只剩下很少的錢。但是凱蒂很快樂。「也許你會找到另一個出版公會選舉權好出售。」她提醒他。凱蒂常為他賣選舉權給地球報而發笑。

約瑟夫再一次的「物色」對象。不久他發現一家老報，聖路易快報，正待價出售。那已不是一家成功的報紙，可是它有一座好建築物，以及出版公會選舉權。約瑟夫和他以用二千五百元買下快報。假使他能出賣選舉權給一家報，又出賣那幢建築物給另一家，他準可賺錢。

他買下快報後，親自去看辦公處和設備。外貌上看來，快報社很好。但內部的情景使他頭痛。辦公室不乾淨，設備也沒有好好維持。這種糟糕的景象使他急忙跑回凱蒂身邊。

「把一家報紙弄得這樣糟，眞是豈有此理。報紙一家報紙是一件有生命的東西——那老闆怎麼竟把快報搞得這個樣子？像一個人，一家報紙會生病甚至死去。但是它不該因為沒人管而死去。在那兒的一些工作人員也和我有同感。報紙萎靡不振使他們黯然心傷。但是，就是這些職員和編輯也可以把報館和設備弄得乾乾淨淨啊。」（廿三）

瘟君續夢

第九回：

枵腹爭雄　壺漿招餓鬼

苦心糾衆　風雨會羣魔

赫魯曉夫長長噓了一口氣，說道：「世間就有這麼的冤枉事，其實毛病都出在中國本身，卻反過頭來咬一口，把責任推在我們身上。

先說製造原子彈的問題，胡大哥，一切情形你都明白，中國憑什麼造原子彈？我們即使派去全部科學家，帶去所有模型，請問原料從那裏來？他們全國電力擺在一起，夠不夠製一枚原子彈的？即算能製成一顆地底爆炸的核子裝置又有什麼用？想嚇敵人嗎？根本嚇不倒。誰都知道他們沒有能載原子彈的飛機。請問製了這樣一枚原子裝置，起碼要餓死幾百萬人，究竟有什麼好處？為毛澤東同志計，應當好好地搞好國內經濟，過了若干年以後，國力眞正充實了，再着手製原子彈也不遲。目前在蘇聯的核子傘保護下，又不怕美國原子彈的襲擊，偏要搞這種出力不討好的事情作什麼呢？」

胡志明同艾地聽了都連連點頭。

赫魯曉夫繼續說道：「至於撤回專家這件事，中國同志特別不諒解，他們根本不會作一個自我檢討。我國專家初到中國時，所提的計劃還能得到他們同意，按照計劃執行，也取得一定成績。到了大躍進之後，他們出了許多土專家，一切工業皆不按規定，任意胡來。我舉一個例子你們二位聽：在武漢鋼鐵廠有一部高度起重機，在蘇聯也是最好的機械，運到中國祇有兩部，一部就放在武鋼，一向操作無異。到了大躍進時期，他們不但驅使成億人民日夜不息的去工作，甚至連機器也必須躍進。這部起重機祇能起重兩千磅，黨委書記硬要加到四千磅，我們的專家反對無效，一定要這樣作，結果把機器活生生折斷了。像這類事情，在全國範圍內不知道發生了多少宗，後來反而嫌我們的專家礙手礙腳，處處採取敵視態度，在這種情形下，我不撤回來又怎麼辦？還等他們驅逐嗎？」

胡志明同艾地曉得赫魯曉夫說的都是實情，一齊點頭。

赫魯曉夫繼續說道：「至於說我們撕毀合同事，更是片面之詞。根據所有貿易協定及易貨合同，雙方是對等的，結果我們物品運去了，中國物品卻交不出，即使勉強運來一點也貨不對辦，我們還要花運費送回去。你們兩位都了解，社會主義國家是實行計劃經濟，生產都有一定數字，既不能多，也不能少。由於同中國訂了幾百個合同，我們許多食品都靠中國運來，結果他們交不出貨，害得我們無法供應，不得不提高肉類售價。我們無法可施，祇有也不再運貨到中國去。他們卻抓住這個理由說我們撕毀幾百個合同。你們平良心說，到底怪誰？」

胡志明摸着山羊鬍子說道：「這些情況，你即使不講我也明白。不過蘇聯是社會主義領導國家，為了團結，必須採取忍讓態度。萬一公開決裂了，祇有替帝國主義造機會。」

赫魯曉夫搔搔光頭說道：「這些情形我當然了解，所以雖然鄧小平指着鼻子罵我，我還是忍下來。現在請你們二位來，主要是想摸摸行情，到底中國同志打的什麼主意？他們有什麼誤會？不妨一齊說出來，我們作一徹底解釋，免得造成更大誤會。」

（一三三）

人的況味

葉飄

我每調一個新的環境，總要默察一下周遭的人物，希望找到一個可以談談的朋友。然而，往往是失敗的。人與人之間在外型上如是其相像，在個性上卻不易尋求共同的嗜好，共同原諒的相知。有時我難「降格」相求，但委曲了自己，也委曲了人家，還不如自個兒來得自在些。最近調來此地，自然我又要尋求一番。第二天便有一個熟悉的影子映入我的眼簾。這是我六年前的老同事，過去我們是很可以談談的朋友，老同讀同玩，有共同的理想。這次我總以為稍許可以怯除一些寂寞了。其實不然，他已經結婚了，每天要用太多的精神寄託在家庭裏，生活圈自是很狹小。於是，我還是跑我的「單幫」了。這是我第二次遇上了結過婚的老朋友所施與的淡薄。我私忖，有幸一天也能結婚的話，不要像他們一樣，將老朋友們拋諸腦後才好。是不是能夠如此，我真是缺乏很深的信心。就等於我目前因為職卑位低的時候，痛恨貪官污吏奸商惡賈一樣，假使自己位高職重了，有了貪污的機會，是否能把持得住，實是一個未知數。但願上天能夠幫助我，不要使我墮落才好。

處在寂寞的境地裏，桑梓有一個月的假期，於是我邀他來我這裡，啊！即使我不在寂寞裏，也會邀他來的，因為桑梓是我不拘任何形迹的朋友，我倆深信彼此間的友誼，禁得起風霜雨露各種各式的考驗。我為他租了一個小屋，在我服務的單位附近，渡着我們的「蜜月」，淨化一下我們的生活。

桑梓到達的當天晚上，我們一同上小街買了些滷菜，皮蛋，花生米作為下酒的菜，再買了一瓶特級清酒，一瓶高粱，一瓶汽水，我倆將這三種飲料混合着喝，居然很有一點洋酒的韻味。

有酒有菜，有烟捲，更有知友以及一間不受拘束的小房子，我們可以縱談歡笑，我們也可以默默靜坐，最低限度，這小房子，我們有一個月的主權。僅僅祇是這一些些，我們便感到上天待我們不薄，也覺得人間是美好如斯。不久以前，我還和同事抬過槓，是他說我們處在無錢無勢的生活之中，不會有什麼真正的樂趣。我說這要看從那一方面來解釋生活的樂趣了，好像：夕陽西下，涼風習習的情景之下散散步，舒散你一天來為公為私積下的鬱悶；一封朋友充滿了情趣的來信；一支烟捲在握；與一個朋友抬抬槓，抬得面紅耳赤的，忽然一個朋友的一句幽默話語，逗得你發笑；幾塊錢看一場久已嚮往的電影……這些都使我覺得生活充滿了趣味。我的言論，使他們折服了，也感到很有樂趣，這又是我的趣味了。（一一）

寒士之詩

漁翁

寒士者，謂寒微讀書人也。杜甫詩：「安得廣厦千萬間，大庇天下寒士俱歡顏。」老杜一生坎坷，在窮困中而猶關懷「天下寒士」，爲廣大斯文着想，足見胸襟之不凡。讀書人在未騰達以前，往往因貧困而有所詠，詩為心聲，藉以表達其抑鬱窮愁之慨，窮而詩工，此類詩歌，多為世人所傳誦。茲擧數則，以為茶餘消暑談助。

北宋時，有呂蒙正者，字聖功，河南人。家境清貧，每不能擧火，而勤學不輟。擧秀才後，猶一貧如洗，家徒壁立。一日，以缺乏早膳，賒借無門，不得已將秀才之青衫，質之典肆，其妻頗有難色。蒙正為詩以慰之曰：「典卻青衫供早廚，老妻何必費躊躇！瓶中有醋堪澆菜，甕底無錢莫買魚。不敢妄為些仔事，只因曾讀數行書。寒霜烈日皆經過，次第春風到草廬。」人雖窮酸，而氣志浩然，尤以末句，足見其志意與信心。自後果一擧成名，中進士，自淳化至咸平，凡三入相，封許國公。

續耳史載：沈文卿家貧，有盜入其室，沈吟曰：「風寒月黑夜迢迢，辜負勞心走一遭；祇有破書三五冊，也堪將去教兒曹。」盜聞之，抱頭而去。又一寒士，家境蕭條，有盜由樑上入，見無一物，欲行，寒士口占一首以送之曰：「夜靜更殘月色昏，有勞帶劍入寒門；詩書腹內餘千卷，珠玉床頭沒半分。低語已驚黃犬吠，輕行不損綠苔痕。多情知我懷涼事，不及披衣起送君」。盜聞之，亦含笑而去。此二士，雖貧之，而瀟洒自若，足見「腹有詩書氣自華」也。

有秀才某，赴秋闈，因貧無錢交船費，坐於梢尾，適夜雨淋漓，滿身皆濕，而逸興勃發，偶成一律云：「搭船誰敢道辛酸，梢尾中間一斗寬；縮頸睡時如鳳宿，屈身坐處似龍蟠。九天雨下渾身濕，午夜風生透體寒；最是有錢真個好，官艙裏面樂盤桓。」此詩「鳳宿龍蟠」兩句，有器宇非凡，豈似久處窮困者？船上水手，具有一副勢利眼，瞧不起此一窮秀才，且時加侮辱譏笑。其後船行抵埠時，水手囑其上岸，而故將船一篙撐開，使其落於水中，以博一笑。可是此君不即不離，從水裏躍出，又口占一絕云：「一到江邊船便開，天公為我洗塵埃；時人莫笑衣衫濕，乍向龍門跳出來。」此詩第二句與第四句，語氣豪爽，有入詞林之先聲。果不久擧於鄉，旋又會試而為進士，恰簽發當年受辱處之縣令。到任後，傳水手，不得；押其母，凡十日，亦不到。復拘其妻，次日即投案。乃判之曰：「押母十日，拘妻一宵，依門之怨何疏！結髮之情何厚！罷辱儒生，今違孝道，杖爾三百，以示薄懲。」失於睚眥必報矣。

筆者同鄉有蔣貫達，入邑庠後，家貧，棄擧子業，以教書營生。詩學白香山，以語體爲之，老嫗與小孩，均能誦讀。歲癸未春初，赴道州投績，途中遇雨，口占一律云：「癸未新春上道州，跋涉水路難遍；大風吹帽[illegible]帽，細雨落濕了式頭[illegible]

> 滄嘯樓談薈

政風的今昔觀

諸葛文侯

最近我在台北旅次，曾晉謁老長官現任總統府秘書長的張岳軍先生致敬，談到現階段的政治風氣問題，我冒昧地發揮狂愚之言曰：「我看現在的一般政風，比較國民政府在大陸時期，固然腐敗多了，有些地方且視北洋軍閥政府時代，亦大有遜色呢！」岳公聽罷，即以和悅的詞色答道：「你可以試述一些具體事實作證明嗎？」當時我顧慮到談話的時間有限，未能暢所欲言。如今特藉文字來縷陳我的觀感，如能引起有關人士的警覺，也就算是恪盡了新聞記者的天職，何幸如之！

政治作用不外「用人行政」兩點，而國家治亂興亡即基於是也。就用人問題來說：義理上是用人唯才，進賢退不肖；方法上是要有嚴正而允當的人事制度和考績標準。舊時代的官僚政府，一切政治行為，雖多可議之處，但對於人事制度乃燦然確立，少有逾越的。譬如考試制度，自唐宋以迄滿清末葉，始終確切施行，信用昭著。即入民國後，袁世凱當政時，舉行的縣長考試，錄取者一律分發各省任用，實行第三人降及北洋軍閥政府時，各省軍人割據稱雄之際，亦嘗令其舉行考試，置散；國民政府建立，初期，各省曾經次第考試縣長，我奉命典試數省，但其實際效用已逐於前了。繼而各種短期訓練之制突興，中央與地方競相效尤，而考試院又頒訂「普考」與「高考」制，隨時舉行。然政治上的人事進退，路徑滋多，方便之門大開，考試及第者，已無保障可言，若無「人事關係」──如裙帶關係，小派系關係，同學關係等等，即難免有如蒲留仙在「聊齋志異」中所說的：「抱刺於懷，三年滅字，側身以望，四海無家」之嘆。縱使僥倖獲得政府任用的，而升遷調補，亦全憑所謂「人事關係」，與「資歷」和能力漸不相干，制度無用。

適大陸淪陷，中央政府播遷台以來，人事制度或許是由於一過反所聞觀念吧？乃矯枉過正，竟有所謂「人事凍結令」的怪象產生，所有撤退來到台灣的各級行政機關的官吏，除卻政務官而外，一律成為終身職，若非本人死亡，或有罪嫌疑，政治上即永遠不發生新陳代謝的積極作用，政海有如死水一池，微波不興，以致蚊蚋蛆蟲，孳生於其間，這已經是古今中外所未有的政治創擧了。然猶以為未足也，又頒訂若干關於文官保障之類的法規，作縱深的防護配備。曾有一位部長級的朋友告訴我：他發覺所屬掌管器材單位的主管人員有舞弊情事，為避免事態繼續惡化起見，只將該員調部服務，并不降級減薪。但該員

[illegible]……（一一）

南宋偏安有人才

李仲侯

飛上章力辭宣撫使，以為宣撫重名，非廊廟重臣及勳伐高世者，不可委授。詔不允。詔曰：

「具悉；漢高帝一日得韓信，齋戒築壇，拜為大將，授數萬之衆，雖擧軍盡驚，而高帝不以為過。與待絳灌樊酈輩計級受賞者蓋有間矣。豈非用人傑之才，固自有體耶？卿智勇兼資，忠義尤篤，計無遺策，動必有成，勳伐之盛，焜耀一時，豈與淮陰侯初遇高祖為比哉！朕之報功者，褒顯已厚，爵位已崇。今復修大使名，用增重於閫寄，所以示優異之寵，不為越。而卿辭之，何也？往祗茂恩，毋復有請。所辭宜不允。」

四月二十六日飛母姚太夫人薨，贈周國夫人，賜葬德化縣白鶴鄉廬山之株嶺山，敕本司官屬將佐、本路監司守臣，躬詣親為，賻贈常典外，加賜銀絹千匹兩，襄奉之事，鄂守主之。五月廿八日飛扶櫬至廬山，連表懇辭，乞守終喪之志。上悉封還，親扎慰諭。又累詔促起。乃勉奉命，復屯襄漢。

八月飛遣王貴郝政董先攻虢州寄治盧氏縣，下之，殲其守兵，獲糧十五萬石，降其衆數萬。上聞之以語張浚等，浚曰：「浚措畫甚大，今已至伊洛，則太行一帶山寨，必有通謀者。自梁興之來，飛意甚堅」。十三日遣楊再興進兵至西京長水縣之業陽，偽順州安撫張宣贊（失其名）命孫都統（失其名）及其後軍統制滿在，以兵數千拒官軍，再興出戰，斬孫都統，擒滿在，殺五百餘人，俘將吏百餘人，餘黨奔潰。明日再戰於孫洪澗，破其衆二千，復長水縣，得糧二萬餘石，以給百姓官兵。於是西京險要之地盡復，又得僞齊所留馬萬匹，芻粟數十萬。中原響應，飛遣將至蔡州，焚賊秣糧。捷聞，賜詔撫問，詔曰：

「叛臣逆命，厖冠邊陲。卿長策待時，始行天討。義不避敵，智能察微。密布銳兵，指蹤裨將。陳師鞠旅，進貔虎以憑陵。斬馘執俘，戮鯨鯢於頃刻。遂復商於之地，盡收虢洛之城。夫瑕叔盈厲，豈孤以登，勇聞舊許。公子偃蒙皐比而犯，功止乘邱。猶能著在遺編，名垂後世。有如卿者，抑又過之。長驅將入於三川，震讋旁驚於五路。握兵之要，坐圖累捷之功。奪人之心，已懾鴉梟凶之氣。精忠若此，嘉歎不忘。故茲撫問，想宜知悉」。

十月，劉光世欲舍廬州，張俊欲棄盱眙，同奏乞召飛以兵東下，欲令飛獨擋其鋒，而已得退保。中外大震。都督張浚聞之，以書戒俊曰：「賊豫之兵，以逆犯順。若不勦除，何以立國？平日亦安用養兵為？今日之事，有進擊，無退保」。遂言於上曰：「岳飛一動，則襄漢有警，復何所制」！力阻其議。（八〇）

大胸脯崇拜史

謬匡

對於女性大胸脯的崇拜，今日舉世若狂，更有人把描寫胸脯的作品稱做「胸脯文學」。實則崇拜大胸脯是古已有之，非自今日始，祗是從前又曾經有過緊束胸脯的階段，唯恐被人知其胸也大而已。

今天許多人都以某也胸圍若干吋為號召，佐了電影女演員，更非有三十幾吋則難以躍目。倘得胸圍三十六以上，則縱然演技平平，不患無人羅致。所以擴胸術成了得天獨厚者胸圍之學。裝容院更以此為號召。尤其在美國，簡直將女性的焦點集中在胸脯。瑞典、意大利「入寇」的幾個女人，也就挾有這副本錢；箇中秘訣之發紅發紫，部份原因，何嘗不是她的尺寸幾乎超過瑪麗蓮夢露與珍羅素呢？

美國著名心理學家亞爾伯特·愛利斯說：「看來美國的讀物與舞台和銀幕，男人的眼光都注視女性……學，博士兩種學位的戈德威爾，他閒情逸緻的研究歷史，發覺胸脯崇拜，古已有之，未必今日尤甚。他……（一）

內僑警台報字第○三壹號內銷證

自由報
THE FREE NEWS
第三七〇期

中華民國僑務委員會頒發
台敎新字第三二三號登記證
中華郵政台字第一二八二號執照
登記爲第一類新聞紙類
（本週刊每星期三、六出版）
每份港幣壹角
台灣零售價新台幣弍元
社　長：雷嘯岑
督印人：黃行密
社址：香港銅鑼灣高士威道二十號四樓
20 CAUSEWAY RD 3RD FL.
HONG KONG
TEL. 771726　電報掛號：7191
承印者：四風印刷廠
地址：香港灣仔高士打道一二二號
台灣分社
台北市西寧南路壹壹零號二樓
電話：三〇三四六
台郵撥儲金戶九二五二

迎接抗暴新高潮

方南

近來很少人論及中共內部的困難，大都把眼光集中向毛澤東對外耍弄的手法。在我個人的看法是：毛澤東對外擺弄的花樣愈多，內部困難必愈嚴重。他要轉移大家的視綫，拿對外的宣傳來掩飾內部日益增高的困難。目前，他的最大憂患仍然出自內部，逐漸達到無法招格的地步。

如果廣東缺糧的情形繼續惡化下去，一個抗暴的新高潮亦可能突然發生。這只是我個人的預測。但是，我很希望大家及早注意這個問題。

香港天天日報最近連續發表兩篇澳門通訊，報道廣東各縣全面減配人民口糧的確實消息。兩篇通訊都說及飢民逃澳的數量正在劇增，原因是：配糧的數量已低過去年「五月逃亡潮」發生以前，削減的數額大概低到百分之四十。粵共在早造收成以後一次過發給五個月配糧；這只能供給兩個月多一些的食用，所餘兩個半月的口糧簡直毫無着落，預料過了八月中秋，一直到冬季的三個月時光，將是大飢饉死亡的恐怖時光。

我認爲這兩篇通訊內容可靠。它詳細列出各縣每口配糧的數額，並且說出了新來一批飢民冒死逃亡的原因。拿我個人所搜集的由「家書」透露出來的材料做佐證，可信這不會離事實眞相太遠。

我一向有搜讀友人們的「大陸家書」癖好。因爲我的見解是：「由家書」的老實話可以得到大陸民生實況的翔確資料。這決比任何「情報消息」爲可信。在去年「五月逃亡潮」爆發之前，正是這裏朋友們「十接家書九怕開」的嚴重階段。我曾經拿這種「家書」作爲「氣候表」來看待，經過了一年多，由這種「家書」表露出來的低氣壓又預示着暴風雨快要來了。中共決不能靠虛僞的宣傳將它密密掩蓋的。

香港近曾苦旱了大半年，旱災同時襲擊廣東、廣西、和福建、江西一部份地區。中共曾屢次宣傳廣東「旱季豐收」的「奇蹟」。這是不足置信的。最近它雖已開始改變口風，但仍不願吐露缺糧的嚴重性。

據此，我們應該就這次廣東全面削減人民口糧這一事實，透看中共整個內部的危機。

一、經過「五月逃亡潮」的重大教訓，毛澤東才開始發覺它的統治基礎確已搖動。事後由大陸傳出來的各種消息，都可證明他曾有過一個手忙脚亂的應變部署。照理說，他至少會認識到廣東的特殊地理形勢和廣東人的特殊性格。在這一個容易發生革命，而且容易因一隅的革命而震驚世界的省份，縱然因這次旱災而再患荒歉，毛澤東爲了防止突發另一次「五月逃亡潮」，怎也該維持人民最低的口糧配額，才是辦法。他竟連這一點也辦不到，突來一次全面減糧的斷然措施。這便包含有「力不從心」，勉強冒險的因素。

二、這決不只是一省的問題，可能和全盤經濟困難有關。毛澤東如認爲某一方面危機特別嚴重，是有權力調動糧食的籌碼，挹此注彼，權宜應變的。這不是爲與不爲的問題，而是能與不能的問題。

我一直認定，中共爲了鎮定人心，不能不作豐收的宣傳。像廣東這大半年的奇旱，和最近河北的暴雨及水災，都有事實擺在眼前，它才沒法不勉強承認。它的全部支消都靠農業收成來供應，農業收成如再有大麻煩發生，他就非垮不可，即使三五個省份有了農業上的麻煩，它也免不了傷透腦筋，在統盤籌劃上打不響算盤。這是它在現階段的嚴重苦惱，而這次廣東全面削減口糧配額，便是這種苦惱的露骨表現。它甚至不敢想像由此而產生的後果。

三、我們在兩個月前說過，毛澤東陷入反赫必須同時反美的困境，只可向英國和日本這一類國家找尋經濟出路，由最近若干消息可以證實：中共在向英國商購一些可用在輕工業生產建設的機器。它已不能向重工業方面唱高調，只望在輕工業出產有所改進，向外擴展輸出的市場，減輕目前完全「靠天吃飯」的苦惱。但英國和日本出賣這些機器給中共，也決不會不打「現實」的算盤。中共在未買到可供生產的機器以前，要已花了一筆本錢去買英國的子爵式航空客機。將來由購置機器以至進行生產、推銷貨品時間，還會有一段悠長的遭遇到外銷市場上要遭手競爭，而由現在開始要付出的購置資金，數量總不會太少。據說它和加拿大的小麥買賣談判也已鬧得不歡，起因即在不能依期依約付出對方以前貨售的貨款。像這樣捉襟見肘的事實，中共也是掩飾不來的。它非有一個「休養生息」的時間不能度過難關，而它在政略上要走的反赫反美路綫，硬要誇稱「領導全世界革命」到底，費時花錢的，不可能與民休息的。毛澤東腦子裏根本沒有「休養生息」的觀念，他欲用輕工業建設以緩和急切危迫的經濟危機，勢將緩不濟急，終必有「時兮時兮」、「天不與我」之歎。這自是屆臨人民口糧減到無可再減時的話。

四、今天蘇俄和中共都要重視「時間」的因素。但所需於時間的作用迥然不同。蘇俄患的是消化不良症，正在採取詭變的策略，緩和西方的壓力，爭取消化時間，好等它把東歐附庸各國的經濟力量融和起來，在胃裏好好消化，產生優良的營養，達成建立強大工業帝國的目標，同時也利用這段時間去從頭收拾中共，煽動及指導東歐、非、美的共產黨徒內部進行顚覆運動。蘇俄所需於時間者如此，所決定的政略是陰柔的，而又是高明的。反之，中共患的是極沉重的貧血和營養不良。而毛澤東堅要保持不變的政略，却束它「虛不受補」，而且再沒有人肯爲它輸血和打一針。縱使它希望度過一個危急時期，便可得到較好的培養機會，這希望當然是萬二分渺茫的了。我們不妨說，蘇俄有的是工業本錢和豐富資源，時間對它有利；中共業已窮到什麼都沒有，雖也希望獲得苟延殘喘的時間，但時間決然對它不利。

依上所述，我們必須重視中共這次在廣東減配口糧的一宗事實，估計大陸可能突發新的抗暴高潮，作着種種準備。

當然，中共再不會像去年「五月逃亡潮」時那樣疏於防範，以致幾乎不能作出及時的鎮壓。它必已密切提防提心吊胆。但是，由於近半年在大陸沿海除各省的廣泛活躍的「反共游擊」，且大規模的「民變」一聚合部份「一兵變」在沿海各地起來，一整個形勢亦必迥異於去年五月，那也是可以斷言的。

五年來經過毛澤東兩個瘋狂階段，第一階段是建立「人民公社」，「大躍進」和「土法鍊鋼」。第二階段是對外狂叫反美，對內狂叫反赫，向國際間挑起兩個不同的敵對，引起大陸人民仍能容忍他的瘋狂？我們應該加緊準備迎接大陸抗暴新高潮。

漫画天下

南施

無人光顧

不遺餘力

自由談

一孔之見

馮玉先生

近代文藝界因提倡語體文，而有所謂「死文學」與「活文學」的名詞出現；前者指舊有的文言文，後者當然是語體文的尊稱了！

我認爲文字只有新舊之分，却無死活之別。文章的作用必須大衆化，使當時的讀者一目了然，澈底瞭解其中意義，這是對的。咱們今日感覺很深不通俗的古文，在當時亦就是大家容易通曉的文字，此例不勝枚舉。今人武斷地判決文言文爲是「死文學」，那便如同莊子與惠子辯論「魚游」的說法，一謂子非魚，焉知魚之樂？一謂子非我，焉知我不知魚之樂？徒作纏夾二的爭議而已。

寫文章祗要清順通俗，不濫用僻典僻字，莫教讀者一面看文章、一面又要翻辭源和字典就得了，實無所謂「死活」問題，一定說文言文的詞句都是死的，一點也沾染不得，似未免太過偏激之談。例如「二桃殺三士」、「三人行，必有我師焉」這類文言，今日已成爲通俗的語文了，硬要寫成「兩個桃子殺死了三個讀書人」，「三個人走在一道，其中準有一位可作我的老師」，這纔算是活文學，我却不敢恭維學習，因爲太累贅而不必要，像王媽媽的裹脚布也。反之，如「佛首老咬嘴」——言佛像的頭部被老鼠咬破了嘴——這類號稱爲簡練古奧的文言詩句，雖孔夫子亦就不敢領教。所以，文字但須通順而能適應時代需要，便是上乘之作，幷無死與活之可言。若說這是指寫作技術，也不盡然。

無論文言文也罷，語體文也罷，作者的學力和智慧的關係很大，而與形式不相干。讀書不多，天份不高的人，寫文言文固然不行，寫語體文亦未必就好。宋人謝直是所謂「死文學」時代的作家，他跟自己素所親暱的一個風塵女人在江邊訣別時，寫了一首詞贈給她：「雙槳浪花頻，夾岸青山鎖，你自歸家我自歸，說着如何過？我自不思量，你莫思量我，將你從前對我心，付與他人可！」像這樣令人讀之感動萬分，而又通俗不費解的「死文學」，今之活文學家寫得出嗎？我尙未見到過。盲目地好古以非今，或尊今而薄古，都是一孔之見，不足爲訓的。

說來駭人，卻是事實
一車年耗逾十萬元
請問應不應省可不可省

（本報記者台北航訊）據官方統計：現在各機關的汽車折舊修理輪胎及油料消耗，以及稅捐，人事費用，平均每車每年約耗十萬多元。假如有合理限制，則每年可節省的費用，當不在少。

據統計：所有政府機關的首長所使用的小汽車和吉普車，去年八月間止，計二千二百七十一輛，年需三億多元。這雖然包括司機的薪水和汽油等。因之有關方面認爲：耗費既多，弊端亦鉅，更因車輛調派不當，專車使用，交通車彼此路綫重複，虛增行駛里程及汽油消耗，如能發揮「克難精神」，大量裁減，並予集中管理，調配修理，則當可大量節約。

當此國難非常時期，政府呼籲大衆節約的聲音不絕於耳，老百姓禁不住要請問：這種耗費應不應該節省？可不可以節省？能不能夠節省？

沈文章內傷致死命案
當局有必要查明真相
高雄看守所長亦似有虧職守

（本報記者高雄通信）最近在高雄法院看守所釋放後內傷致死的沈文章命案，司法當局已飭高雄地檢處及市警二分局全力調查，以明眞相。

據熟習內情人員透露，沈文章臨終時對他的父母說：在看守所被發毛氈的人毆打成傷，被毆原因係因發毛氈的人向他索取香烟未遂，乃毆打洩憤。其家屬並指該發毛氈的人是看守所管理員。市警二分局刑事組曾派員至看守所，向與沈文章同羈於廿四號四房的犯人查詢，但均不肯證實同房囚犯曾有毆打沈文章之事。惟在廿四號四房管理毛氈的羈押犯人廖鐵（監房龍頭）涉嫌重大，但廖只承認與沈文章感情不睦，否認曾毆打沈文章。警方仍在繼續求證中。看守所對廖鐵已採取「隔離監禁」，以防串供。

據看守所代所長王攀元說：「沈文章在入所前已被毆傷，其家屬曾送中藥到所給沈文章治療」。據同房囚犯說：沈在拘留期間，常叫腰酸胸痛，精神不振，飲食不良；并曾對同房犯人說，他曾被流氓毆打。

警方根據看守所提供的資料展開調查，據說沈文章於六月廿二日被其隣居綽號「阿土」的青年向他勒索不遂，騙至路竹向其情侶家長交涉時，曾在途中將其毆傷。經查「阿土」即係陳瑞麟，已告逃匿，現由警方查緝中。

在我們看了抄自七月廿九日的聯合報之後，我們的感想是：在現代廿世紀六十年代的今天，「黑獄亡魂」竟有重演的一天。

我們且先拋開「法」不論，單就事實來講：高雄看守所的鳥烟瘴氣，已到令人髮指的境地。監房龍頭那已是幾十年前的陳迹，想不到重現寶島台灣。姑且不論「龍頭」資格取得的置「龍頭」，已是大不應該。當然，這位龍頭廖鐵，絕對不會拿到銓敘機關的人事命令，更沒有合法的「明」，但是在觀念上，在實際的權力上，廖鐵則享受了「龍頭」的「權威」了。譬如：受刑人在看守所裏，那是絕對不能抽香烟的，可是却發生了「要香烟」的事。本來睜隻眼閉隻眼，抽隻香烟，或吸幾口，也是人之常情，但是因沒孝敬「龍頭」的「香」而遭「修理」，則就有點那個了。

固然，「龍頭」堅不承認「修理」，但是他倒承認「感情不睦」！請教一下，看守所的未決人犯，能住幾天？而被修理幾天？恍然不知「官司」之結果，那來的閒心去搞什麼「感情不睦」？所以說「道在其中」矣！

我們再翻回來着「法」的根據：監獄行刑法第十一條明白規定，受刑人入監時，應行健康檢查，其有左列情形之一者，應拒絕入監：

一、心神喪失或現罹疾病，因執行而有喪生之虞者。

二、……

三、……

看守所依法與監所之地位相同，自不能因係看守所而免除監獄行刑法第十一條之適用，故此看守所之疏忽職務，而因「修理」致死，均難辭其咎。退一萬步來講，就算高雄看守所所長發表的：「被告於入監前即爲人毆打致傷……」的話，信而無疑，則根據監獄行刑法第十一條之適用，可類推爲一、「高雄看守所無健康檢查」，二、「高雄看守所之健康檢查馬虎了事」。如果健康檢查根本未實行，則我們國家的法治大有問題了；假若是「醫生馬虎了事」，那則看守所的醫師應受適當的法律制裁，很明顯的責職難逃其咎。再退一步來講；即使醫師並未馬虎了事，而未與適當之治療，「法」的責任又該由誰來負？這在在都是「法治」的考驗。

筆者個人倒不是同情罪犯，只是在於伸張「民權」。違犯國法，自有國法之制裁，而「私罰」則是最要不得的事。就算他闖下滔天大禍，但是他還有不受「私罰」的權利。

談到權利，當然不是沒有法子掩飾的，在受了「私罰」之後，關上幾日，病癒早平，你那裏去找尋創痕踪跡，以爲起訴的根據呢？所以沈文章之死，死在官吏的顢頇，死在法治的不能伸張，是大有可能的。當局是應該澈查以明究竟，才交代得了的。（張欉）

與周百鍊談台北市政（下）

……本報駐台記者……

他幽幽地說：「如果在我們這裏，像這樣有錢的朋友，一定會請我上館子，他家中也一定有傭人，甚至不止一個。從這裏，對於瞭解日本在戰後爲什麼會如此迅速復興，就不難找到答案了」。他又說：「日本婦女，充分發揮了婦德——相夫教子。」

生活美化

談到這裏，記者單刀直入地問他：「當初，你爲什麼會接受代市長這個職位？目的是什麼？升官？發財」？

「不」！他堅決地回答。接着說：「省府委員是簡任一級，而台北市長是簡任五級，就官階言，反而小了。至於如果說想發財，做官的薪水收入沒有做醫生的收入多，許多做醫生的不都是發了財嗎？當然，我在這短短將近兩年的任期中，發財的機會也不少啊！可是你聽到有人說我刮地皮？或者拿回扣？現在或許有人會誤解我的話，我相信，時間和事實，將來都是最有力的證人」。又說：「我難道連流芳百世的道理都不懂？果如此，這才是傻瓜呢！有人說，人生以服務爲本。但我目前不說這些動人的話語，而且說也無用，因爲市民的眼睛是雪亮的，我只知道用事實用行動來說明一切。服務桑梓，建設地方，培養地方人才，發展地方經濟，來幫助政府早日完成反攻大陸的任務，乃是我從事地方工作的旨趣。因爲本省青年的前途和事業，必須待反攻大陸後，才有機會發展」。

「美國和日本的家庭，還有與我國不同的地方嗎」？記者問。

「有的。比如日本家庭主婦，都是儘量美化家庭，使生活藝術化，使自己的丈夫和孩子們，獲得溫暖。這是我們應該有所瞭解和認識的」。

從何說起

「有人說，你天天在搞人事問題，對嗎」？記者再問他。

「這話從何說起」。他微笑着說：「我搞的不是人事吧！舉例來說，現在公車處物料科長江維敦，乃係市黨部所推薦，過去在張讓長所主持的市商會，如果說我任用私人，倒不如說我遵從我隸屬政黨的命令，做得切實。江是黨員，乃是彭主委介紹，且和張讓長有深厚的友誼，況係擅長物料購買業務的人，請問，這又有什麼不對」？

「你對台北市環境衛生計劃，有什麼感想？有何改善的」

政治應酬

「欲改善環境衛生，必須從解決市民住的問題着手，使住違章建築物的人，一個都沒有，這樣，環境衛生自然不改而善了」。他說：「現在，我正着手整頓國民住宅委員會。因爲市政府原擬在大龍峒興建國宅，解決住在垃圾堆上面的貧民住的問題，而經費也由六百萬元增加到九百萬元；可是，在此一工程正在計劃進行時，有人竟要求市政府免費住，市民居住，因而此項工程乃斷續進行」。因而他解釋說：「政府的財政，已經相當困難，我不能把納稅人的錢，作爲政治應酬。我寧可在必要時，正式宣佈……」。

「像這樣無理的要求」，尤其若干特權階級，你有掃除的決心嗎」？

「當然，我是朝着這個方向邁進。所以，有些人是怨恨的，但也沒奈何！因爲興建市民住宅的計劃，遭遇阻力，而影響環境衛生的改善。不過，這只是暫時的現象，只要有決心和毅力，終有克服的一天」。

克服困難

「下屆市長改選，距今不遠了，你有意競選嗎」？

這個問題，他沒有正面答覆記者，他反問我：「台北市需要怎樣的人選？」記者「先生，我可以告訴我吧」！

我們談了約兩個小時的話，諸如地價稅動用二千多萬元的事，又如水廠公車處等等，因其中有的屬於私人的閒聊，又有的是超越市政範圍的，這裏暫不報導了。

香港與大陸

芝麻綠豆般大的共幹
亦沾染官僚主義作風

大陸各地縣級以下共幹，都有嚴重的官僚主義和文牘主義的作風，他們不願和「社員」們一起參加勞動，整天皆消磨於會議和「報表」中，造成農村共幹和公社社員嚴重的脫節和對立。

據自興寧縣來港的該地縣立一中學生黃知×君透露：興寧縣級以下的「人民公社」「生產大隊」、「生產小隊」的共幹，他們都不願和「社員」們在一起勞動，他們一方面以「腦力勞動」者自居，認爲他們的工作只是如何鼓勵社員的積極性，如何「合理計劃」社員的勞動時間，認爲這等工作已夠他們受苦了，再要他們進行體力勞動，則將會大大影響其「份內」工作。更有一些共幹，則認爲當「幹部」是做官了，當然要有官的架子，所以是與社員有所分別的，如果與社員們一起勞動，則有損「尊嚴」了。

黃知×君說：在共所屬的「公社」，最近曾進行了所謂「反官僚主義」，「反文牘主義」，可見農村幹部腐敗之一斑。據公社之公佈，公社以下的農村共幹，有百分之八十以上，是不願意與社員一起參加勞動，他們有大部份時間打發在會議中，據估計每月所召開的「黨委會議」、「大隊幹部黨支書聯席會議」、「社員大會」、「三級幹部會議」……等各種形式的會議，次數要超過三十次的，而大部份的共幹則要參加這等會議的每一次會，即使不在會議時，這些共幹也會藉口「瞭解生產情況」或者「彙報情況」而脫離生產，有的則是躱在家裏睡大覺。

黃知×君說：農村共幹的陣容是極龐大的，每一個公社，起碼包括三級幹部和黨員一百五十多人（脫產的也有一百多人）。這些人除了許多時間用於開會，而且也有一大部份人的時間用於「報表」中。黃知×說，他所屬公社中，光負責此項工作的人便有十餘個，諸如：春季作物定案表，蔬菜每月生產指標表，生產進度七日報表，戶籍半年調查統計表，牲畜統計表，追肥數量品種統計表……等。此等報表的項目極多，而每項數字繁雜之至，而且都要計算百分比，因而負責會計、統計的共幹便要極衆了。

黃知×君說：由於共幹的人數極衆，且都係脫產的，因此那些共幹份內的糧食配額皆由農民勞動額而補塡。故一方面使農村共幹與社員脫節，社員在田地裏怠工或亂攪也無人過問；而另一方面，也使社員與共幹更形對立，農民都認爲共幹是「新興的剝削階級」。共幹的「革命」，貫澈，都受到了農民的阻撓，表現出「農業戰綫」的嚴重危機。

黃知×君最後告訴記者：農村的生活和一二年前一樣，並沒有改善，糧食配給平均每月每人十多斤穀，油類極罕，肉類半年多沒有吃過……眞是想起來未免鼻酸。（敬斯）

香港貪污案有增加
上半年判罪十四宗

（本報訊）本年上半年，有關貪污之指控凡一百五十五起，已經由政府詳細調查。此一報告顯示有各種貪污行爲，比去年同期所接到者更有增加。計去年同期所接到者有一百五十一宗。

在接到之報告中，有八十六起爲匿名者，有十一起由市民提出，有三十一起則由經過簽名之信件提出。

上述數字係在七月九日公佈者，此爲政府在今年上半年間，對於涉及貪污事件所採取之刑事訴訟與懲戒行動之統計數字之一部。因貪污而被法庭判罪者十四宗，其中七人爲公務員，另外七人爲市民。在去年上半年，爲同樣懲戒性調查後，經證明有罪者則爲九人。

所有涉及刑事貪污行爲，或因涉及貪污而受懲戒性調查之公務員，經判罪或證明屬實後，已予解職。

台省民營出版業真相

搖搖欲墜。亟待扶持

夏日晴

孔子云：三人行，必有我師焉。筆者最近在友人的喜慶盛會上，遇見幾位年高德劭為人師表的朋友，傾聽他們的談話，頗多啓發，歸來筆之於後：

甲（大學教授）說：

「我的朋友是某某雜誌社發行人，他連便條也寫不通，不用說寫文章了。我看到他家中有電視機、電冰箱、電唱機、大小立體各種電扇，關於電氣設備應有盡有，超居豪奢，超過中人之家。翻閱他的雜誌，內容空洞，膚淺無味，普通讀者誰要看它？台灣地區狹小，一般人皆迫於生計奔走衣食，學術性及專門性的書籍，很難推銷。何況各級機關學校都有上峯「禁止推銷書刊」的公令，對付不相識者，就拿出來做擋箭的盾牌。目前台灣的文化鬥士，唯有在半餓半飽狀態下，鞠躬盡瘁死而後已；宗旨純正無所依傍的出版社，更如鑽進了死角。難怪對於出版富有經驗抱負的王岫老，也祇能改行從政了！」

乙（現任省立中學校長）說：

「台灣出版并非絕對不行。目下情形是官營至上，有官股的也不錯。第一，經濟來源不生問題；第二，書的銷路不用憂慮，祇要上層頒發一紙通令，財源自然滾滾而來。蓋非「我求童蒙」而為「童蒙求我」也。還有表面是民營，骨裏有官廳權力人士撐腰，更操勝算！如某某等書局，專印古書定價奇昂，每逢學期開始分寄各學校，價款則在經費發放時代扣，資金迅即回籠，花紅垂手而得，痛快之至！可是台灣一般的現象，則為有錢的人不買書，愛書的沒有錢。台北市上秉營出版的書店，如：北大、第一、台北、國際、新陸、拔提、明華、文海、啓明、友信書房等十數家，紛紛倒閉了。有以翻印通俗小說起家的某某圖書公司，幸虧老作家馮玉奇化名金杏枝，為他寫了幾部言情長篇，才勉強撐持下去。」

丙（台灣某詩社的社友）說：

「我本來有讀書的癖好，兒孫們都去日本，我更清閒，惟有拿書消遣時光。光復以前我都在台灣買書，現在在台灣買不到我需的書。台灣有三家書局專印古書，可是他們印的是大部頭的書，目的在賺機關的錢，老百姓誰能買得起？此外出版的新書，全是些金玉其面敗絮其中的小說。還有封面素淨的黃色小說，在書攤上偷偷摸摸的賣，青年人趨之若鶩，流毒無窮！我讀的書都從日本買回來，印刷內容精美充實。日本的作家稿費收入，超過他們首相的官俸數倍，出版業當然也是蓬蓬勃勃的蒸蒸日上了。而我們台灣省呢？即以出版業而論，是進步呢？還是退步？」（上）

報人普立茲傳

汶津譯

凱蒂奇怪為什麼他會這樣煩心。「這只是一幢建築物，約。你知道你買下的是一家老報。那就是你很便宜把它買下的原因。」看到約瑟夫不快樂的臉，她開始了解他的感覺了。「或許那對你不止是一座建築物？」

「那對我簡直什麼也不能算！明天我要去看約翰．狄倫。他擁有聖路易郵報，他要買我的出版公會選舉權。我要告訴他可以把選舉權和報館一起買下，只要他願意！」

第六章

當約翰．狄倫聽到普立茲買下了快報，他便到約瑟夫的家裏去找他。兩個人談了一個小時。凱蒂聽到他們的聲音昇高又降低，當他們在討價還價的時候。然後，聲音稍稍平靜下來。凱蒂想他們一定正在籌商些什麼。

狄倫開心地笑着向約瑟夫和凱蒂說「晚安」。她關上大門以後，不禁向丈夫叩問道：「你們談些什麼，約瑟夫？你和狄倫先生看來有些自得其樂！你們到底決定了些什麼？」

「我不賣快報了，凱蒂！我改變主意了。你喜不喜歡這個？聖路易郵快報！狄倫和我決定把兩家報紙合併起來。他的郵報銷路很廣。我呢，有着很好的建築物和設備。」當約瑟夫補充說明時，一種深思的光芒閃現在他的眼裏，「我們已經同意了我可以控制所有的報紙。這是第一次，我可以自兒作主的做我所想到的最好的事。」

凱蒂很快的想。辦一個報所需要的那筆錢那兒來呢！他們只有兩千七百塊存在銀行裏。他們用那些錢能支持一份報紙多久？但是她看着約瑟夫並且看到他熱切、快樂的面容。她知道他丈夫最重要的是一個報人，末了才是一個生意人。

「很好，普立茲編輯，如果你要明天好好的印一份報，今晚先得好好的睡一覺！」

「凱蒂，」他同意地，「這下我要辦出一份聖路易前所未見的報紙來。」

新的郵快報刊出它的宗旨在首頁上：

郵快報將不為任何政黨服務，而只為人民。它將不是共和黨的發言人。它只報導真實的一切。它不追隨任何主義。它將不會支持總統或國會，而只公平謹慎的批判它們。它將向劣行和腐化勢力挑戰。郵快報所執持的信念，正是我們政府所奠基的。也就是我們美國的偉大成長——和非凡力量之所托。它們即是一個真正民主政體的信念——真正全民自治的希望……

約瑟夫在十二月十二日那天一清早就進郵報社。他在苦思力索。報紙的宗旨已經刊出了。使報紙循此而進入是另外一樁事。人們將觀察和等待，看他們做出些什麼來。最初的良好表現將導致帶來很多讀者。很大的成功。

（廿七）

岳武穆軼事輯要

十八爺

岳武穆飛為有宋一代名將，自結髮從戎，凡歷數百戰，內平劇盜，外抗強敵。其用兵也，能出奇制勝，尤善於以寡勝眾。其從杜充也，以八百人破群盜五十萬眾於南薰門外；其破曹成也，以八千人破其十萬眾於桂嶺；其戰兀朮也，於穎昌則以背嵬八百，於朱仙鎮則以背嵬五百，皆破其眾十餘萬。敵人畏服，不敢以名稱，至以父呼之。明代戚繼光亦善用兵，紀律極嚴，以臨陣回顧，立斬其長子。嘉靖時以浙江兵平倭寇，號戚家軍。其練兵行軍，曾著有練兵實紀，紀效新書，故後之軍事家得以覽焉。惟治武穆一生行軍所有禦敵制勝之略，以少擊眾之法，僅留有「用兵之妙存乎一心」八字傳世。其他關於兵事方面，無著述貽後，論者惜焉。茲輯諸家所紀武穆軼事，雖屬斷簡零縑，然亦略可覘其行師御眾之梗概也。

「武穆天性至孝，自北境紛擾，母命以從戎報國，輒不忍。屢促之，不得已乃留妻養母，獨從高宗皇帝渡河。河北陷，淪為盜區，音問隔絕，武穆日夕求訪，數年不獲，俄有自母所來者，謂之曰：『而母寄余言：為我語五郎，勉事聖天子，無以老嫗為念也。』乃竊遣人迎之，阻於寇攘，往返者十有八，然後歸。武穆欣拜且泣，謝不孝。母素有痼疾，武穆雖身服王事，軍旅應酬無虛刻，嘗以昏暮竊暇，至親所嘗藥進餌，衣服器用，視燥濕寒煖之節，語欬行履，未嘗有聲。遇出師，必嚴飭家人謹侍養，微有不至，詈罰自妻始。及母薨，水漿不入口三日，每痛如初，毀瘠幾滅性。自與男雲跣足扶櫬蕤，不避塗潦蒸暑，諸將佐有願代其役者，武穆謝之，路人無不感泣。既葬，於廬墓，朝夕號慟。又刻木為像，行溫凊定省之禮如生時。連表哀訴，願終三年喪。上三詔不起。敕監司守臣請之，又不起。責其官屬以重憲，使之以死請，乃勉強奉詔，終制不忍棄衰經」。（岳珂行實編年）

「自二聖北狩，夷狄猾夏，武穆每懷誓不與虜俱生之志，刺繡為袍：『誓作中興臣，必殄金賊主』之文。其後援筆為歌詩，經行紀歲月，無不以取中原，滅逆虜為念」。（行實編年）

「武穆小心事上，畏威咫尺。聞大駕所幸，未嘗背其方向而坐。視國事猶其家，常以國步多艱，主上春秋鼎盛，而皇嗣未育，聖統未續，對家人私泣，聞者或相與竊迂笑之。十年北征，首抗建儲之議，援古今，陳利害，雖犯權臣之忌而不顧，天下聞而壯之」。（行實編年）

「武穆少時，飲酒至數斗不亂，上嘗面戒曰：『卿異時到河朔方可飲酒』。自此絕口不復飲；諸將佐有欲勸者，輒怒之」。（行實編年）

「武穆素無一介之助，致位通顯，皆上所親擢。上嘗褒其功，謂左右曰：用將須擇孤寒忠勇，久經艱難，親冒矢石者」。（行實編年）（一）

閻錫山將軍的反共意見

吳文蔚

人類遭遇危機，就是天主負責任的機會，挽救此危機，亦與天主教教義相合。（筆者按：教皇廿三世若望臨終遺言中亦有主張大公會議之語）。如此作，可以對得起人類，亦可以對起天主。

教皇負起挽救人世毀滅的責任，號召分佈於全世界的四億七千多萬教徒，都團結起來，用投票的方式，實現人類的安和，我想一定是一個很大的力量。

力憑理壯，理憑力伸，如有力有理，合了世界人民希求，其收效之速，有不可思議者。

君子之德風，若本上教義，配合上現象，普遍發起挽救人類危機的高潮，則世界人類沒有不起同情的。如此人類的安和可定於一，一定永定，乃可奠定世界永久和平。（十四．完）

寫眉續夢

第九回：

梠腹爭雄　壺漿招餓鬼

苦心糾衆　風雨會羣魔

艾地說道：「據我知道還有一點，去年中國同印度發生邊界衝突時，中國以為蘇聯不應採取中立態度，毛澤東同志的錯誤可就犯大了。你們都知道印度的尼赫魯多少年來都搖搖擺擺，在不結盟國家確實已爬到領袖地位。把他得罪了，就等於開罪了全體中立國家，這個賬中國同志怎麼不會算一算，何必為了那些不毛之地得罪尼赫魯。」

艾地說道：「據我所知實在是印度開始挑釁，又拒絕和周恩來同志會晤，因此激成事件。」

赫魯曉夫笑道：「艾地同志，你知道的只是後半段，開始情形你還不明白。當中國與印度友好時，周恩來同志每次到新德里總要和尼赫魯擁抱，貼面，比舞台上的夫妻還要親熱。尼赫魯曾提出邊界問題，尤其是為國民黨政府所堅決拒絕的麥馬洪線。周恩來同志不知道麥馬洪線是怎麼一回事，竟然同意了，到北京、翻開地圖一查，覺得吃虧太大，又沒有任何代價，就想反悔，尼赫魯認為周恩來說話不算數，以後堅決不肯同他見面。今年四月周恩來同志到印度去了一趟，還是我強迫尼赫魯接受的，中國同志怎能說我不幫他們的忙呢？」

艾地連連點頭說：「經赫魯曉夫這一番解釋，全盤情形我才明白。」

赫魯曉夫又繼續說道：「中國同志怪我守中立，更是一個大笑話。他們又不是同國民黨作戰，打印度還用得着我幫忙嗎？為什麼不讓我作個順水人情，何必把事情做絕了，硬將尼赫魯逼到西方陣營去。」

胡志明摸着山羊鬍子說道：「其實這些問題，都是誤會，假若能當面解釋一下，就霧散天晴了。」

赫魯曉夫嘆口氣：「我何嘗不是這樣想？可是，我請毛澤東同志到蘇聯來休養，就預備和他作一次長談，他不肯來。這次開會，你始而答應參加，到了開會時，他忽然派劉少奇同志作代表團長，你們想一想，是他不肯和解，還是我不肯和解。」

胡志明勸道：「現在不是研究是非曲直的時候，至緊要的是如何維持團結，不要讓帝國主義份子知道了我們內部發生裂痕，而加以利用。」

赫魯曉夫笑道：「我就是這樣看法，才請二位來吃飯，希望你們回去同劉少奇、鄧小平談談，到底他們是作何打算，還有什麼委屈，全部倒出來，我是準備讓步的。」

胡，艾兩人諾諾連聲，吃過飯就驅車去中共代表團，和劉少奇會談。

經過白天一場大吵，中共代表回到住處之後也感到不安，恐怕赫魯曉夫逼急了會用史大林對付季米洛夫、[illegible]的辦法來對付他們。

彭真就怪鄧小平不該把話說僵，沒有轉圜餘地。

鄧小平說道：「我說的話是代表團通過的，我不過作個傳聲筒，怎麼能怪到我的頭上。」

大家正在檢討得失，互推責任時，醫術員進來報告，胡志明同艾地兩人來了。

（二三四）

人的況味

葉飄

我在幾個朋友之中是比較會喝一點酒的，但總未放量過（醉倒），喝得最多的一次大概是兩瓶清酒。其感覺也似乎同喝了半瓶差不多的味道；神智很清楚，走起路來輕飄飄的。所以我究不知有好大酒量。我往往和朋友吹牛，自比於古代的淳于髡，在齊威王面前借酒諷諫爲政爲人的故事；看要在一種什麼樣的情況之下，可以喝多少，可惜我沒有淳于髡的殊遇，或者也沒有他那縱橫一時的才情。桑梓呢，一般說來是一個不會喝酒的人，但他有一份豪情，與好友在一道也能喝上半瓶的。於是，我們兩人有這些酒很可以助長我們的談興了。我們吃吃，喝喝，抽抽，談談，笑笑，其樂何如？

我躺在籐沙發上，脚翹在另一只矮桌上，端起杯子，喝了一口「三味酒」，由杯子的邊緣看見桑梓的臉紅紅的，也許有幾成了。於是，我幽幽地與我的好友吐露心曲了，——我說：

「我喝酒臉不會紅，人家都說喝酒不上臉的人較難纏，脾氣也很古怪，或者再說得難聽一點，這類的人很陰險，所以有時在大庭廣衆之中，由於不得已的情形之下，須要喝一點酒，我總要揀一些富於刺激性的東西吃吃，讓臉上發燒，表示我也是一個很坦然的人，這種淺薄的行爲，只乎有些不相信是自己了。」

桑梓含笑凝視我，彷彿說：我這朋友如此坦然，或者是：不用說我早已對你有很深的了解。可是，他仍要畫蛇添足的說：「你不是能對外界的毀譽置之不顧的嗎？你說過：人家對我好，稱贊我，不會增加我的光榮，說我不好，那是你不懂得我，因爲我比你們都要高尚。你何必要改變你的人生哲學呢？」

「當我說這些的時候，是沒有人家說我好的時候。」我笑笑，赧赧的。然而一時興起，便把最近重翻紅樓夢的一個新的觀念提出來談談：

「我們讀紅樓夢，對於林黛玉，祗是打自衷心的喜歡她，愛她，以及同情她。其實她是一個最具人味的人。她有一個卓然獨立的人，討厭她所討厭的，喜歡她所喜歡的，不會掩飾自己的個性而曲意奉承，所以上自賈母，下至丫環，都以爲她尖刻自負，沒有寶姑娘的宅心忠厚，溫柔，和藹。她本身對於自己的『缺點』并不是不知道；依照自己的個性去發展，不容易得到人家的瞭解，但是又覺得抹煞自己的個性去僞裝一個『非我』，而又有愧於人格。（二）

孟蘭中元談普度

燕謀

一年容易又秋風，中國人慎終追遠的「中元」節日又已到臨。中元節與清明節、冬至節，爲民間三大鬼節。中元節又名「普度節」，亦有名「孟蘭節」者，其起源一般多知爲佛教中之目蓮救母故事。其實中元節始於中國之道家，據「五雜俎」載：「道經以正月十五日爲上元，七月十五日爲中元，十月十五日爲下元。」尚有「道經」載：「七月十五日爲中元日，地官校閱，搜選人間，分別善惡，諸天聖衆普詣宮中簡定劫數，人鬼簿錄，餓鬼囚徒，一時俱集。以其日作玄都大齋，獻於玉泉山，採諸花果異物，幢幡寶蓋，精膳飲食，獻普聖衆。道士於是日夜，講誦老子經，十方大聖高詠靈篇，囚徒餓鬼一切飽滿，免於衆苦，悉還人中。若非如斯，難可拔贖。」還有「眞武經」正一旨要，修行記，道藏經等，亦均提及「中元」節日，可知中元節實始於道家。

其說本於佛家者，以佛教中有「目蓮救母」故事爲依據，據「孟蘭盤經」載：「目蓮僧母，不信僧道，墮入餓鬼道中，食物入口即化爲烈火，目蓮僧求於佛，佛因說『孟蘭盤經』，教於七月十五日，虔作孟蘭盤法會，藉十方僧衆威神力量，以救其母。」所以「中元」節又稱「孟蘭」節或「孟蘭會」。

按道家中元節的意旨，在普度衆鬼魂，所以名「普度」節。佛家孟蘭會目的在於報親恩。二者兼而有之。亦有因地而異。台灣的中元節，十分隆重，因台民濃於迷信，拜拜行於四季，中元亦爲大拜拜之一也。台灣史風俗志：「七月十五日，謂之中元。台人以清明爲春祭，中元爲秋季，冬至爲冬祭，各祀其祖，必誠必腆，不是者，幾不足爲人子孫！」

據東京夢華錄載：「自北宋以來，民間每遇中元節，例須設醮普祭，以超度無主幽魂；又於路旁多焚冥楮，以求廣結冥緣。」至於台省舊俗中「放水燈」，「搶好兄弟仔」等習慣之由來，大概均自內地傳播而來。據台省父老言，有所謂「慶贊中元」者，十餘年來，每逢中元祀典，照例在各大寺廟舉行，祀典之主辦者，稱爲「爐主」，由當地大姓逐年輪值，在正月即開始募款籌備，至六月三十日，廟前即樹立一枝三丈餘之「燈篙」，懸掛圓形燈籠，大書「慶贊中元」四字，以招來一應幽魂。舊俗相傳，六月三十日，陰間打開鬼門關，所以陽間要在前夕早掛明燈，使鬼魂有所適從。燈篙掛得愈高，照耀遠及數里，則前來[illegible]祀之幽魂亦愈多。燈篙建立，以後即請高僧法師，往地藏王廟作佛事，敦請地藏王菩薩打開鬼門關，放出一羣幽魂。從七月初一日起，一年一度之中元祀典，便正式風行了。六月三十黃昏，寺廟附近各民戶即開始接待幽魂，家家戶戶懸掛圓形燈籠，一面大書「陰光普照」，一面大書「一路燈行」字樣，另有小字「弟子某某敬點」。此燈爲照引路所用，直至七月底，夜夜不斷，途每夜備辦雞鴨魚肉於門前，等佳節，供歡待「好兄弟」，此即是請諸孤魂野鬼」而已。筆者來台十三年餘，見中元拜拜如此，尚有所謂大拜拜者，此視各地習慣而異，有每二十年爲一大拜拜者，屆此大拜拜，則肉林酒池，演戲酬神，鼓吹喧天，萬人空巷，遠近畢集[illegible]妄祈求。」

南宋偏安有人才

李仲侯

光世竟舍廬州，退保采石。上憂之，乃以親札付浚曰：「不用命者，以軍法從事」！俊世光始聽命還戰。上猶慮其不足用，復召飛。飛自收曹成至平揚么，凡六年，皆以盛夏行師，爲炎瘴所侵，遂成目疾，重以母喪哭泣太過，及是疾逾甚，所居用重幕蔽明，不勝楚痛，然聞詔即日啓行。上聞之，遣醫官皇甫知常及僧中印以驛騎相繼至軍療治，並賜札曰：

「近張浚奏，知卿病目，已差醫官爲卿醫治。然戎務至繁，邊報甚急，累降詔旨，促卿提兵東下，卿宜體朕至懷，善自調攝，其他細務，委之僚佐。軍中大計，須卿決之。如兵之在遠者，自當日下抽還，赴此期會，想卿不以微疾遂忘國事。朕將親臨濟矣。付岳飛」。

未幾，淮西寇遁，復賜御札止飛軍，且問目疾。札曰：「比屢詔卿提兵東下，今淮西賊遁，未有他警，已諭張浚從長措置，卿之大軍，未須遽發也。聞卿果以目疾爲苦，不致妨軍務否？近差醫者疾馳往卿所看視，卿宜省思慮，愼藥餌，安靜調養。至於求閑之請，非朕所知，雖累請無益也。故茲親筆，以示眷懷。付岳飛」。至九江，奏至，玉音宣諭輔臣，以飛有尊朝廷之義，復賜御札嘉獎，且命爲乘機進取之計。札曰：

「聞卿目疾小愈，即提兵東下，委身徇國，竭節事君，於卿見之，良用嘉歎！今淮西既定，別無他警，卿更不須進發。其或湘鄧陳蔡有機可乘，即依張浚已行事理，從長措置，亦卿平日之志也。故茲親詔，卿宜知悉。付岳飛」。

時僞齊於唐州何家寨置鎭汝軍，屯兵聚積，爲窺唐計。飛遣王貴、董先等攻毀之，有僞五大王劉復擁兵出城迎敵，初十日貴等遇之於大標木，依山而陣，衆幾十倍，一戰俱北，橫屍蔽野，直抵鎭汝軍，焚其營而有其糧。僞都統薛亨以衆十萬，掠唐鄧來援，貴先嚴兵待之，既戰陽北，命馮賽以奇兵繞出其後，亨果來追，先回兵夾擊，賊大敗，生擒薛亨及僞河南府中軍統制郭德凡等七人，殺獲萬餘，俘獻行在，五大王以匹馬逃。飛即奏云：「已至蔡境，欲遂圖蔡，以規取中原」。上恐僞齊有重兵繼援，未可輕戰，不許。然貴等已至蔡城，閉拒未下，飛等使人返之。王貴等回至白塔，李成率劉復、李序、商元、孔彥舟、王爪角、王大節、賈關等，併兵來邀貴歸路，以馬軍迎擊，賊兵潰敗，追殺五里餘。還至牛蹄，賊復益兵追及之，有數千騎方渡澗，爲董先所擊，盡擁入澗中，積屍填谷，得馬二千餘匹，乃衣甲器仗等，降騎兵三千餘人。賊兵之在蔡者，見官軍皆引遁。（八一）

每到秋嘗欲斷魂

漁翁

陰曆七月十五日，曰「中元節」，源出道家：以正月望日爲上元，七月望日爲中元，十月望日爲下元。術數家則以六十甲子配九宮，必一百八十年後度盡，故以第一甲子爲上元，第二甲子爲中元，第三甲子爲下元。但世人拘從道家言。

據修行記云：「七月中元日，地官降下，定人間善惡。道士於是日夜誦經，餓鬼囚徒，亦得解脫。」另，佛家亦於是日舉行孟蘭盤法會。按孟蘭，梵語作烏藍，含有翻救倒懸之意，事出孟蘭盤經，全一卷，即西晉竺法護譯，此經起緣於目連入地獄救母，故中元節又稱之曰「孟蘭節」。

目連，亦作目犍連，佛之大弟子。因其母墮入餓鬼道中，目連以砵盛飯，往餉其母，但入口即化爲烈火，目連求救於佛。佛言：「汝母罪重，非汝一人，奈何！當須十方衆僧威神之力。至七月十五日，當爲七代父母厄難中者，具百味五果以著盆中，供養十方大德。」目連如佛言，其母得脫餓鬼之苦。

目連又白佛：「未來世界，凡佛弟子行孝順者，亦應奉孟蘭盤供養。」佛言：「大善！」即後人每逢中元日，設壇建醮，超幽度亡之「孟蘭勝會」所由來。

孟蘭會，最盛行南北朝時代，據顏之推家訓終制云：「有時齋供及七月半，孟蘭盤望於汝。」又荊楚歲時記：「七月十五日，僧尼道俗，悉營盤供諸佛。」當梁武帝捨身同泰寺，上行下效，成爲一年一度之熱烈季節。雖屬迷信，而祀秋嘗，愼終追遠，亦未可厚非也。

相傳地府在七月大開鬼門關，准鬼魂可以自由出入，陽間人紛紛設壇建醮，由高僧誦念經文施法，以拯救亡人亡靈。同時民間又有燒衣之舉，在這一月內，據說到處是鬼，故又名之爲「鬼節」。

燒衣，起自明代，傳言明末，東西有某宦戶，亡母鶉衣百結，泣道：「我衣穿久已破，不能參與孟蘭勝會，爾當施衣給母，俾赴盛會。」該宦戶醒後，不勝悲傷，即於七月初，用火焚化絲製五顏六色新衣。迨孟蘭會結束後，又夢母曰：「我披上新衣赴會，同羣羨煞，座上生光，希望年年照辦毋間斷。」因該宦戶以燒衣[illegible]

大胸脯崇拜史

匡謬

這種心理，稱爲（Bosom Obsession）後者爲「念念不忘」或「痛」之意，直譯之：「念念不忘是胸脯」。

人人皆知今日女性之得天獨厚者，以泡膠或其他物質爲「義乳」以補其缺憾，孰知這種做法，居然也是古已有之。十八世紀的歐洲最爲盛行。那時沒有泡膠，[illegible]

從另一觀點說，古人崇拜胸脯甚於今人。歷史上袒胸示美的大膽作風亦甚於今日。（紀元前三千年）里特島（Grete）的史前文化——即Minoan時代——雕刻繪畫，顯示女性半裸，胸衣裏暴露之胸脯美，他們所刻的蛇神像，胸前全裸，而其他部份却遮蔽，該像現存大英博物館。古昔許多國家，在象徵女性胸脯的丘形崗上設立祭壇建築教堂。金字塔與墳岡，皆屬聞名世界的。[illegible]後，歌唱祈禱。西里伯島，紀念陣亡將士的廟堂中有象徵女性乳房及性器官的標貼。古代文藝作品，尤其是詩，讚美女性胸部之詞，比今代作品史自由，更大膽。（二）

內警台報字第〇三壹號內銷證

自由報

THE FREE NEWS

第一七三期

中華民國僑務委員會登記證僑報字第三二三號
台灣郵政管理局登記爲第一類新聞紙類
中華郵政台字第一八二一號執照
（逢六出版 每星期一期）

每份港幣壹角

社長：雷嘯岑
督印人：

社址：香港銅鑼灣高士威道廿號四樓
20 CAUSEWAY RD 3RD FL. HONG KONG
TEL. 771726

台灣分社

樹立一個我國獨有的農業技術外交風範

吳本中

我們中華民族以農立國，五千年於茲；是世界最古最大的「農國」。百分之九十以上的同胞都是農民。他們老老實實，又勤又儉的美德是中華民族不亡，永垂千古的象徵。我們要把這個民族基本優點與精神，在世界上發揚而光大之，就天下太平了！又豈僅農業技術外交風範之樹立而已。

我們政府應即令外交部選派「農業技術專員」，以公使，參事等職銜，常駐於若干友好國家大使館；用以創立，確定我國的「農技外交」制度。

遠古羅馬將相貴族，初獲我國絲織品，成爲驚天動地之事，穿在身上，如獲至寶，這個巧奪天工，又柔又滑，又光亮，又堅韌，錦繡眩目之物，胡爲乎來哉？又怎能造成乎？是天地間何種人類可發明乎？他們於是乎猜想這必定是『天邊人』（法文曰：Habitants aux Coufins du Monde）的仙技，方能製成！所稱『天邊人』者，無他，就是咱們中國人的老祖先；就是我們農業遠代先進的技術家而已。絲由歐來，蠶桑育盛，非農而何？拉丁文，絲是Sera；法、英文所由演譯而來。亦就可以說是遠洲太古代表中華民族第一位遣往羅馬的偉大『使節』。

春風不渡玉門關，絲綢早到古羅馬。

能在交通爲難的那個古代，中國的農業技術產品，絲，懷戀的而傳至泰西最文明的古城，以揚威四海。而且在歐西歷史著名之『一絲道』，起自玉門關，直通西域，縱世界屋脊，經過在耶穌降生前250年至西元224年，雄據裏海及印度河以西，幼發拉底河以東的巴爾斯（PARTHES）民族所建之帝國，終達羅馬；這是何等偉大！我們這個農產品豈非溝通東西兩大文明的最古媒介物，非外交使命功勳之昭明，這歟盛哉！此是證明我們中華民族在世界上最有資格樹立一個獨有的「農業技術外交」。又譬如茶，亦是我們中國人的農業創品，現在英國人飲茶，計喝早茶（Morning Tea），下午茶（After-noon tea）及飯後茶，一日三、四次，爲人人不能改變之習慣。我們必需有一位『茶博士』始能唱出其品類之繁多：新門耶，鐵觀音耶，龍井耶，雨前耶等等，不勝其數。我們外交人員若在外國開一個『國茶展覽會』，盛以名瓷，擺上貴漆，配置織，錦繡緞，紅木玉器；其有，不令外人嘖嘖稱羨，增長我民族之聲價者，吾不信也。

朋友在台北圓山大飯店花園，俯瞰淡水河晚遠景，山影村廓，極其大觀。而引我外賓注意者乃落霞日，稻田泥水中工作之農夫及河邊千萬成群之鴨。兩者均準備『日入而息』矣。余以此指點美國朋友，渠因而嘆曰：『在美國有在泥水中工作者，鴨子亦遠無人呢！』而樣必定失落；能一大一群技術家嗎？此言亦足證我們的農業確實有獨到處而爲他族所不及者。

真使東南亞、及非洲新國與我國友好者，乃農技外交之功。

自一九五九・三月，留法同學台糖公司協理於升峯先生率領糖業技術合作團援助越南，開始中華民國的國際技術合作，迄今已五年之久，日盛一日，又擴及非洲。在越南我國技術人員，共始不過十一人，至今年三月已高達一百五十九人，激起越南朝野興趣，獲得滿意的成績。計派有農作物改良技術團，農田水利技術團，以及蔗作物改良團，紡織技術，造紙技術等等人員。本年九、十月預定在西貢召開的第三次中越經濟技術合作委員會，如時局許可照預定計劃開成，將更加強兩國農業與工礦技術合作，因而愈見中越兩國友誼之密切矣。

近年非洲新興國家部長級人員常率團來台訪問我國，大都目的在觀光我國農業建設，並進而謀有所借重於我們的農業技術人員。我們派到賴比瑞亞（一九六一年十一月）的一農耕示範隊，協助該國農民試種水稻，成績甚佳。繼之，如利比亞，達荷美，象牙海岸，加彭，喀麥隆，尼日，盧安達等等國家已經派往，或即將派往者將達十數國之多。他們亦派遣青年來華就學，中非技術合作委員會主辦的非洲農業技術講習班，亦於八月十五日在台北舉行第三期開學儀式，『預料將有來自二十個非洲友好國家的五十位農業人員參加講習』。（台北八月三日中央社電）

我們當然對於即將誕生的馬來西亞等，早已注意，拉丁美洲亦不放鬆。我們應當勿驕勿懈，鍥而不捨，作爲一種百年外交大計，本我古賢『濟弱扶傾』，『繼絕世』，『興滅國』的無上國際美德，『厚往而薄來』，以幫助他們，樹立我泱泱大國的風度與中華民族獨有的農業技術外交範楷。將來且可向英，法，美等民主先進國『農業技術進軍』，切勿妄自菲薄也。

農技外交應即制度化

最末，我們不計愚拙，建議把農業技術外交制度化，具體的辦法是派任常川駐守專門人員在大使館內，司理此事；亦猶文化專員之司文化，新聞專員之司新聞焉。他們的名銜與待遇可視派駐在國有關事務之輕，重，繁，簡而有別。如隨員（Attache），專員（Expert），參事（Cuncellor），公使（Minister），等名位均可酌用。他們的職責是統籌一切有關兩國農業技術合作事宜，並指導、協助，監督已經派往駐在國工作之本國人員。不過，按外交常則，凡有關重要決定及報告均應經過大使，稟與外交大策。蓋大使（或爲館主之公使）乃代表本國負責在駐在國一切事務者。總責任，大策是問，而派遣任何人員到該大使館駐在國，均應納入他的策略範圍內。此乃現世文明國外交之常軌而不應稍越者。人選須特別注意；然一經派出，就需有『將在外，君命有所不受』之職權，非此不足以展佈有爲，有才，有學的外交家而謀一國外交之勝利也。

至於「農技專員」之委派，自亦應特別公正嚴選。由有關部門及公私農產企業及農科大學教授等組織一遴選委員會，公開選舉，候補者兩三位，經行政院外交部選擇一，任命，付以所有正式外交人員之權利與優待。如此庶不至受國內政治派系，人事關係及其他不可告人之影響，而爲一般拚命鑽營外放者所乘，以賺取外匯，作海外寓公而官發台糖公教人員，藉旅行，離開台灣之跳板？逃之夭夭，甚且永不思返也（一九六三年八月卅一日脫稿）。

漫畫天下

倒過來

狄托的誘惑

自由談

不大不小的問題

馬五先生

他不是國粹主義者，認爲本國一切的固有文物皆須一仍舊貫，不可變革的。但有幾點不大不小的問題，值得提出來談談。

咱們中國人寫字，過去盡是使用毛筆，如今大家改用西化的鋼筆和自來水筆，比較便利多了。可是，這其間有兩項事情不能不注意：一爲筆與紙墨的關係很密切，寫鋼筆的紙張必須結實而光滑，墨水亦係特製的，我們的紙墨工業雖然差可適應這項要求了，然製造自來水筆的技藝，尚不及西方人遠甚，君不見現時國人使用的自來水筆，十九是舶來品乎？這在國民經濟上是一種奢侈的消費，即係國家經濟上的一大暗傷。二爲用毛筆蘸着濃墨寫在紙上的字迹，年深月久，亦不磨滅，而用藍、紅墨水寫的字，最多不到十年就模糊不清，再要久些，連字迹亦湮沒不現，化學作用使然，無可如何（用油墨打字的文件亦然）。這對於政府案卷和民間契約之類的保存上，頗成問題，自然而然地就產生法律上所謂「湮滅證據」的後果，許多人似乎并未關懷及此呢！過去學生們用毛筆寫字時，在各種考試的文卷中，必須寫正楷字——我這一輩人在學生時代，對父母和老師寫信，亦非正楷不可的。如今大家改用鋼筆和自來水筆，爲着節省時間的一『科學化』關係，一律自由寫行書乃至於草書了。及其弊也，有些在報館担任主筆的作家，他寫出來的文稿，除抑別字連篇而外，凡屬筆劃稍爲多一點的中國字亦就寫不成，以致核稿、排印、校對的人員，大傷其腦經，要浪費許多時間來加以揣測補正，這種經驗我多得很。此事固然與其平日讀書識字的工夫，互爲因果，但與鋼筆和自來水筆的使用關係亦不淺，因以鋼筆和自來水筆寫正楷字，比用毛筆困難些，這又間接影響到本國文字的修養問題。我很懷疑：中國字將來如不遭到「拉丁化」或「簡體化」之厄運，而下一代的智識份子是否能夠寫出通順且又教人認識的文字來？思之可憂亦復可憐也！

香港經濟地位有改觀的蹟象

更加邁向國際性口岸 激烈貿易戰開始出現

（本報訊）香港的經濟地位，有逐漸改觀的相當明顯的跡象出現，是即更加邁向國際性工商業口岸。東西集團國家在香港的商業活動，諸如大規模的出品展覽會之舉行，如外國人到港投資營商申請居留人士，年初以來，數以千計，即如蘇俄工業產品，以往幾乎從未有在香港推銷，現亦開始揷脚進來。此其結果，激烈的貿易競爭益形白熱化，戰後江河日下的轉口貿易，可望產生實際的增進；惟如結算總帳，對香港本身經濟，畢竟是利多於弊，還是弊多於利，甚堪疑問。

此種逐漸改觀的香港經濟地位，依據工商業人士的分析，不外下列三項因素所使然：其一，國際局勢改變，香港地位似比以往更趨安定，使外國工商人士更放胆進軍香港，不惜大量投資，從事工商業的經營活動。

其二，亦因為國際局勢改變，東西集團國家均更注意增進工商業活動，認為香港是一個優良的國際商品展覽場與轉口站，利之所在，紛紛湧入。而由於中共與蘇俄關係轉惡，中共對西方國家貿易，勢必漸次增加，若然香港實具橋樑地位，但此種貿易，對香港本身，未必有何實益，甚至如倉租，保險等收益亦不可得。

其三為香港工商業人士努力擴展香港產品外銷市場的結果，一方面外國商人更認識香港產品的價廉物美，另方面亦使其對在香港經營工商的便利有所認識，認為大有可為，於是從四面八方，滙集香港，且此種趨勢，可能尚方興未艾。

這樣的一項趨勢，對香港有利亦有弊，利即在於轉口貿易可望增進，弊則在於香港資本的產品，受到更多外來貨與外國人資本產品的競爭，甚至打擊，就絕非香港人之福了。

高雄市教育科代科長 王清波新官上任三把火

帶來慘重災情深遠影響

（本報記者趙家驊高雄航訊）高雄市政府教育科代科長王清波，上任後放出「三把火」所帶來的災情，相當的慘重，影響的深遠，當不亞於胡適之先生所說「一口撲」的弊害。茲就高雄市這次所舉辦的國校教員「新課程標準考試」，與「育科明令推銷書籍」兩節，依據記者採訪所得，作如下四點分析報導，顯示當局實無徹底查究，以明真相。

（甲）關於高市國校應屆畢業生每班保送五名，所引起的問題，足以影響社會治安；一，市區校長及家長，均表反對。反對的理由，（一）是各校長與家長以為各校每班保送五名進最好的市中及市女中，則兩校不招考而告滿額。成績在第六七名者，本來他們極可能考進該兩校，但因此種辦法之實行，只得由家長領導回家。例二，市區之大同，鹽埕，忠存等國校，為反對此項辦法，會公開對各報記者發表意見，他們說此一辦法之實行，嚴重的破壞了公平競爭的考試制度。隨後校長們到教育科，向代科長王清波提出抗議，乃王清波竟而加以恫嚇：你們現在反對，將來你們到郊區去！使各校長聞之，有如五雷轟頂，噤若寒蟬矣。

（乙）國校教師研讀新課程標準考試一節，教育科於本學期中（四月份）發了一項命令到各校，內容為本學期末本市各國校將舉行一項新課程標準考試。緊隨命令之後，「新民書局」的大量推銷員接踵而至，由各校長敦導向老師推薦。老師們因書價過昂，立表反對，推銷員們見勢不妙，亦立即逝去。越數日，教育科第二道命令下達：內容為該書由學校辦公費項下，按人數規定每人一冊，一次付出全部書欵。各校長亦為之大皺眉頭，不勝慨嘆。

（丙）考試預算問題，記者已由側面探明，共為五萬元，包括二萬元教師進修費，三萬元為市立中學新生考試費。此次辦理所謂「考試」，監考人員每天廿元，閱卷人員每人三十元，作為報償。而教育科方面有領一千兩千者，小部份已經瓜分與王清波及承辦人員，宗山語記者：「所有用費不過九千元」之事實，大有出入。據一般教師稱，此種考試費用連紙張在內，尤其最三千元足矣。此項預算總數字的，事實預算既為五萬元，何以考試僅用九千元，其餘的錢是仍繳市庫？抑是另闢途經開銷？前者與他們的原始動機大相違背，後者則應查得個一清二楚。

（丁）教育科長王清波與「新民書局」是：有私人串通勾結」情事，外界頗多揣測。「新民書局」出售大量的「新課程標準」一書，售價分文不少」。一按照台灣印刷事業，至省任何書局，若訂購三至五百本以上者，即謂「大量」，以對折優待，無人不知。但王清波與書局議價時，究竟議為幾折，局外人不得而知，這需要治安機詢問，不則真相不易大白。

香港與大陸

粵反共活動大批出現

傳單到處飛舞破壞事件頻仍 中山大學使有反共組織存在

據日前由廣州市申請批准抵港的中山大學生劉奇×君透露：粵境各地如廣州的反共組織，近來有如雨後春筍地不斷發現，不少地區均有滿天飛舞的反共傳單和源源不絕的反共破壞活動，使中共公安人員誠惶誠恐，有草木皆兵之概。

劉奇×君稱：廣州市近半年來，反共組織層出不窮，就如在中山大學內，便曾經有「青年救亡軍」，「反共衛國軍」……等署名的反共傳單和標語發現。劉奇×君說：這些反共組織，往往也配合了中共的各種政治運動而提出「政治任務」，例如在中共的「新三反」運動時，這些反共組織便也提出「反共」、「反毛」、「反劉」的「新三反運動」；又例如中共在大張旗鼓的宣傳「擁軍優屬」的工作時，這些反共組織便列舉高級共軍將領的驕奢淫佚的生活，同時也詳述共軍低級官兵的痛苦生活，又還指出共軍低級官兵的妻兒在鄉間的悲慘生活的種種，號召共軍起義，實行反共救國並亦自救。

劉奇×君說：有的反共組織，儼然就存在於中山大學，好比名為「救亡軍」的反共組織，儼然還擁有不在其少的成員。在中山大學一次畢業典禮時，有不少高級共幹會前來與會，對畢業學生提出「勉勵」，要他（她）們聽「黨」和「毛主席」的話，到最艱苦的建設崗位去……。但第二天，中山大學各處便都發現了以「青年救亡軍」署名傳單和標語，及致畢業同學書，內容却是針對畢前一天各高級共幹對畢業生的「訓詞」而逐項加予批駁的。如非存在於學校之內，那能如是其快？

劉奇×君說：反共組織在廣州市內確實很多，除反共的傳單時常發現之外，反共的破壞活動，亦時常發生。半個月前，廣州市火車站，各大小公園，還有戲院，都發現大批的反共傳單，內容都是相同的，署名是「反共救國軍廣州縱隊」。兩個月前廣州市郊粵漢鐵路五仙橋附近的電纜和軍用電台，也被嚴重破壞。在大沙頭的貨運火車站，也發現計時炸彈。中共「公安局」聽到這等事件後，手忙腳亂，除了派遣大量的武裝人員趕往現場捕去大批涉嫌的居民外，它們別無辦法，表現的一種疲於奔命，惶誠恐的情態，頗有鶴唳風聲，草木皆兵之勢。

另據一位由五華來港的青年學生李×君稱：五華縣最近半年來亦發現反共的武裝組織的活動。他說：五華縣的人民素來性格剽悍，不易向暴力屈服，許多人都能造「土鑄左輪槍」，因此他們有不少的五華青年，都在附近的山區製槍，對中共打游擊，實行反共。最近五華縣的共幹，接到一封警告信，說中共的幹部，如不洗心革面，便予制裁，一些共幹去辭職，少數共幹支書記大事叫囂，但五華縣份子公社的幹部，共便份子，使共幹們更感到恐怖，自覺朝夕不保。

立法院第卅一會期做了些什麼（上）

——本報記者台北航訊——

立法院第三十一會期自今年二月一日起至五月三十一日止，為法定會期時間，乃憲法明文規定，惟因許多法案亟待完成立法，而應行政院之請求，並經立法院會決議，乃延長會期八十五天，至八月廿四日屆滿。計舉行公開會議四十四次，秘密會八次，通過的法案二十件，沒有通過的法案尚餘二十多件。茲為本會期簡單的算一個總帳如次：

立法院本會期所通過的法案，計有：

一、外交部組織法。二、修正立法院各委員會組織法第四條條文。三、外國法院委託事件協助法。四、內政部組織法修正第四、十、十五、廿四條條文。五、保安處分執行法條文。六、中華民國五十三年度中央政府總預算及其施行條例。七、戡亂時期貪污治罪條例。八、中華民國五十三年度公債發行條例。九、中華民國五十二年度中央政府追加預算及第二預備金動支數額表。十、修正駐外使領館組織條例第二、三、九條條文。十一、修正駐外外交領事人員任用條例第二、三、七、九條條文。十二、修正中華民國常駐聯合國代表團組織條例第二條條文。十三、會計師法。十四、中華民國與比瑞亞共和國間文化專約。十五、石門水庫工程經費追加預算，及其五十二年度建設經費預算案。十六、保險法。十七、動產担保交易法。十八、中國石油股份有限公司與美國海灣公司建廠合作契約。十九、台灣省菸酒公賣局五十三年度事業預算案。二十、財政部國有財產局各地區辦事處五十三年度預算案。

立法院本會期未通過的或不了而了之的法案，計有：

（一）修正立法院嚴肅紀律辦法案。

（二）立委延國符等三十人提議修正立法院嚴肅紀律辦法增列一條：「為保守國家機密，凡本院委員職員之配偶，為外國人尚未取得我國國籍者，應不得參加外交、國防、預算三委員會，並不得出席或列席各種秘密會議及領取有關資料」案。

（三）委員吳延環等三十四人為擬定公務人員婚喪喜事節約條例。

（四）委員劉振東等一百八十人對本會期第十二次院會決議電影事業管理處改隸教育部提請復議案。按此項法案會掀起一場風波，因委員楊寶琳等則堅持仍應隸屬行政院新聞局，最後，由於行政院以「須另加研訂」理由而「先予撤回」，此一風波，始告平息。

（五）行政院函請審議戡亂時期在台公司陷區股東股權行使暫行條例草案。

（六）行政院函請審議經濟部水資源統一規劃委員會組織條例草案。

（七）行政院函請審議少年觀護所條例草案。

（八）考試院函送重擬聘用人員管理條例草案暨派用人員派用條例草案審議案。

（九）考試院函送對醫師法修正案。

（十）中華民國與巴西合衆國貿易協定案。

（十一）行政院函請審議都市計劃法修正草案。

（十二）考試院函送分類職位公務人員考試任用法、俸給法、考績法等草案審議案。

（十三）監察院函請提前審議審計部組織法；審計處室組織條例，及審計法修正章案。

衆所矚目的選舉官司

李秋遠勝訴當選有效

（本報記者台北航訊）省議員李秋遠被控當選無效案，業已獲得勝訴——高等法院民庭推事蔣達權已駁回原告台灣省縣市公職人員選舉罷免監察委員會的控訴，其判決主文：「原告之訴駁回。訴訟費由原告負担」。

案是八月二十八日上午九時宣判的。

原告於今年五月二十五日正式向法院提起李秋遠當選無效之訴後，高院前後開庭五次，其中三次調查庭，即六月七日、十五日、二十九日，七月九日為調查鑑定錄音庭，八月二十三日為辯論庭，迄八月廿八日宣判，為時近一百天。

八月二十三日之辯論庭中，被告律師李公權曾將本報第三六十期（八月廿一日出版）所登載之「台中航訊」一文，呈庭上參考。按該航訊，係本報記者熊徵宇所撰，大意是預測該案不致於被判「當選無效」。

該案原由林頌和律師代表李秋遠的，後來，因李之家屬的意見不一致，而改委李公權律師。

台省民營出版業真相

搖搖欲墜・亟待扶持

夏日晴

丁（民意代表）說：「我有兩個芳鄰皆營出版，東鄰某君現任某報駐某地的特派員，去年起他在私宅創設某某資料供應社，業務是將當天報上有關各該訂戶的消息剪貼寄去，訂戶據云有八十戶，都是機關團體，每月收費二百元，年總計二十萬元；至於開支，每月不會超過一千三百元，年計一萬五千元。他的本錢不過是一塊招牌！西鄰則為正正經經的出版商，已有八年的歷史，專門編印中國文學要籍，精校審印，定價低廉，歷年以來投下資金十餘萬元，猶如泥牛渡海，無影無踪！我就問他為何不『東施效顰』？他說得好：人誰不知投機取巧，但是投機取巧也要有他的條件，條件者何？人事背景是也。假如沒有人事背景，誰肯拿花花綠綠的人見人愛的鈔票，買取剪碎的報紙？他們自己難道沒有訂報？沒有負責剪報的員工？總而言之，無論辦理何等事業，必須首先攬通人事關係，這是古今中外顛撲不破的定律！」

戊（中學老教師）說：「我知道台北市衡陽街有一家名叫『台北』書局，老闆姓王，曾經花了幾十萬元競選市議員未能當選，後因經營股票虧折，將書局倒閉，藏匿資金到台南市另，他人名義設立『大東』書局，業務頗為發達，這是文化事業別開生面的經營方法。前天我寄香港友人幾本破書，花去郵資四十餘元，書的價值，我記得當時不超過一百元，郵費幾佔百分之五十，似乎是不大合理的現象。政府當局如想到推廣文化事業而不局限於台灣一隅，似應令飭郵政當局重新規定書籍郵寄標準，（包括國內國外）以輕出版業的擔負；我相信這一點點的減削，不會影響它的發展的。」

綜合以上五位先生的談話，我們知道台灣民營出版業已在「劣幣驅逐良幣」的公例下，搖搖欲墜，亟待加以扶助。扶助之道為何？諸位先生雖未明白提出，筆者不敏，爰為補充如下：

一、銀行貸予週轉流通資金，分若干年攤還本息。

二、配給平價印刷紙張，實行分期付款。

三、減低書籍郵寄費，比照新聞紙寄費同樣優待。

四、取消「禁止推銷書刊」的禁令。

五、分別獎懲出版業者，以資激勸。

（下）

報人普立茲傳

汶津譯

但是如果他不能立即吸引住讀者的注意力，那將要費好幾個月的時間才能期望成功的果實。二千七百元的銀行存款可不能支持那麼久。

但是約瑟夫毫無所懼，他是快樂而無所顧慮的。他終於擁有了自己的報紙！狄倫將永不掣他的肘；他們將合作無間。

當他進到郵快報的辦公室，他看到人們業已開始工作。他叫來一個記者，並告訴他當天他要採訪的故事的要點。

「到市政府去採訪這些數字。我須要我們城裏稅捐的記錄。我要知道富人和大企業所交的稅，以及工人和小商人所交的稅。」他對那記者堅定的說。「沒有得到這些數字前可不要回來！」

一個小時內他已經得到他所要列出的大部份消息。他知道報紙每一版要弄成個什麼樣子。他在西部郵報的經驗教給他什麼才是讀者所要讀的。

狄倫和一個記者來到約瑟夫工作的桌邊。「我們要給我們讀者所有的新聞——那些新聞是別的報紙所找不到的，」他告訴他們。「讀者不只需要政治新聞。我們要給他們多彩多姿的情調，戲劇性和插圖。我們要用很多小故事和許多名字。現在，這兒是一個我要你寫的故事——」約瑟夫轉向那記者。「我要你寫好這個故事。一個女孩子說她在城北的鄉村路上遇見了鬼。另一家聖路易的報紙登出這個故事。但是那家報沒有說清楚全部的故事。當然，她沒有遇見什麼鬼——只是她這樣想像而已。這是一個奇怪的故事。它會使人們驚訝。也會讓他們啞然失笑。我要你去找她。和她說話。弄清所有的事實。把她的感覺寫下來！記住，我要她的話語，不是你的。」約瑟夫交給那記者當天工作的要點。

那記者驚奇的看着約瑟夫。以此約瑟夫為編輯的報紙將會搞出些什麼名堂來！

那天遲些時候，約瑟夫去看一位畫家，阿瑟•考卜勒。他有一種想法。報紙都不登圖畫。但是他要考卜勒畫出一次白宮舞會的景象。有一條新聞是說有一宗重要人物在那次舞會中遇見總統的。當約瑟夫看到那幅畫，覺得那是如此的逼真，於是他抽出一些新聞報導，而刊用了那幅畫。

那記者和遇鬼的女孩談過了話回來了。約瑟夫先審視那記者的工作，然後坐下來重寫了一遍。

「普立茲先生！你所用的語言——」那記者抗議道。「那不是好新聞稿。那樣的故事沒有好的風格。它太刺激了！」

約瑟夫逼視他。「你是對的，」他同意道。「那就是郵快報所要的了。刺激！生活！」他指着桌上的故事。「這才是我叫做好故事的東西。女孩子遇鬼。漆黑的路。烏雲密佈的天空。她看到一個龐大的黑影——」

「它是一個愚人的故事，」那記者說。

「如果你不喜歡這樣的故事或我寫作的方式，請去別家報紙做事吧。聖路易郵快報將娛怡它的讀者，那和報導消息一樣重要。」

門打開了，另一個記者衝進約瑟夫的辦公室，汗熱而筋疲力竭地。

「你得到那些稅捐數字了嗎？」約瑟夫問。

「我得到了，」那記者把他的文稿給約瑟夫。「你真要把它們列出嗎，普立茲先生？當民衆讀到是誰在付聖路易的稅款，一定會出亂子！」（廿八）

岳武穆軼事輯要

十八爺

「武穆嘗謂黃機密曰：某被主上拔擢至此，儻有纖毫非是，被儒生寫在史書上，萬世揩改不得。某苟有過，機密必以見告。機密謂武穆之英武，古人不能過。至於仁心愛物，雖古名將有所不逮。若夫盛德懿行，夙夜小心，不以一物累其心，雖今之老師宿儒勉強而力行者，武穆則優為之。」（黃元振紀事編）

「武穆奉身儉薄，不二韝。居家惟御布素；服食器用，取足而已，不求華巧。」（行實編年）

「武穆自奉菲薄。偶食素，屯駐將都最以酸餡為供。武穆顧左右留其餘為晚食。庖人供鷄，武穆曰，何為多殺物命？對曰：州中所送食也，武穆命後不復供」（紀事編）

「武穆一日以沉香分縻官，各得一塊，而黃機密所得最小，以為不均，復以一裹分之。而機密所得復小，武穆憮然。機密曰：某以一身從軍，雖得香無所用之。武穆曰：某舊日亦愛燒香，瓦爐中燒柏香耳，後來亦屏之。大丈夫欲立功業，豈可有所好耶。衆有愧色。」（紀事編）

「武穆見夫人御繒帛，則曰：吾聞后宮嬪妃在北方尚多窶乏，汝既與吾同憂樂，則不宜衣此。命易以布素。家人有搗練者，聞武穆歸，即遽止」。（行實編年）

「武穆旁無姬妾，蜀帥吳玠素服武穆善用兵，欲以子女交驩，嘗得名姝有國色，飾以金珠寶玉，資奩鉅萬，遣使遺武穆。次漢陽，使者先以書至武穆。武穆讀之甚不樂，即日報書，厚遺使者，而歸其女。諸將或請曰：相公方圖關陝，何不留此以結好？武穆曰：吳少帥於我厚矣，然國恥未雪，聖上宵旰不寧。豈大將宴安取樂時耶？左右莫敢言。玠見女歸，益敬服，以為不可及」。（行實編年）

「武穆遇諸子尤嚴，平居不得近酒，為學之暇，使持畚鍤治農圃，曰：稼穡艱難，不可不知也。」（行實編年）

「武穆重節誼，謹施報，死猶不忘。張所以謗謫，行至長沙，賊酋劉忠者誘其附，已以叛，所罵忠不從，竟遇害。其子宗本尚幼，武穆訪求鞠養，教以儒業，飲食起居，使處諸子右。紹興七年，遇明堂恩，捨其子而補宗本」。（行實編年）

「武穆樂施疏財，不殖資產，不計生事有無，所得錫賚，率以激犒將士。兵食不給，則資糧於私廩。九江有宅一區，聚家族之北來者，有田數頃，盡以贍守冢者」。（行實編年）

「武穆自從戎至專征，平劇賊，破強虜，大小凡一百廿餘戰，類以少擊衆，未嘗一敗。其躬履行陣而勝者六十有八，其分遣諸將而勝者五十有八，所擒殺降附可以名數計者，賊首領一千二百二十二人，虜酋七百四十七人，其不知名氏，渤海漢兒等不可勝數。（劉光祖襄陽石刻事迹）（二二）

英對南越貿易縮減

主因生意被美搶去

【西貢通訊】正如一般人很容易的預料到，英國的汽車在越南銷售問題，在一九六二年中再見到減削。當在一九六〇年中，英國汽車運來越南價值共二百萬另六百英鎊，可是到了一九六一年，就減為一百六十萬英鎊，過了一九六二年再減縮至一，二〇〇，〇〇〇英鎊。

這種情勢是由於購買美國貨物政策所導致的。這在各項援助越南款額增加當中，由越南政府自外有滙輸入計劃，却削減至六千二百萬美元，而一九六一年則有一億〇一百萬美元。

瘟君續夢

第九回：楞腹爭雄 壺漿招餓鬼 苦心糾衆 風雨會羣魔

劉少奇看見胡，艾二人進來，曉得局勢有了轉圜，就向大家低聲說道：「我們要堅持立場，不能讓步。」

胡、艾二人坐下之後，胡志明先開口說道：「少奇同志，我們兩人是剛從克里姆林宮出來，受了赫老之託，想同各位同志談談，其中有些誤會，可以解釋開的，趁此時機提出解決，眞是暫時不能解決的，也留待以後再說，不要妨害了整個社會主義團結。」

鄧小平笑道：「胡大哥，蘇聯任何對不住我們的地方，我們都能諒解，祇有一點，我們實在丟不下，就是當今年六月蘇聯撤退一千三百多名專家時，把我們各地工廠，礦山的藍圖都帶走了，害得我們大小工程全部停工，這件事情到底屈在那方面，請你們評評道理。」

胡志明捋着山羊鬍子笑道：「小平同志，過去的恩恩怨怨都不必再提了。我們應當想辦法促進團結，希望以後不要再發生同類事情。」

鄧小平說道：「我剛才已經講過，別的事情我們一槪不究，祇有這件事，一方面關係到我們國家的生存，另一方面在道理上也太講不通。這一千多名專家是我們僱用的，拿我們的薪水，替我們作事，帶藍圖是他們的責任，我們出了很高的薪水，所得的也就是這幾張藍圖，他們竟然擅自帶走，這種行為叫做盜竊國家財產，我們怎能不追究。」

艾地笑道：「小平同志，你們受的委屈，我同胡伯伯已經向赫老談了，祇有帶走藍圖這一點，我們不知道，所以沒有談起，不過據我的看法，目前一定要向蘇聯要回藍圖，在手續上固然困難，即使要回去，恐怕也不一定有用處，到不如留個厚道，暫時放下不提，努力修好邦交，只要彼此誤會冰釋，重新建立起良好友誼，以後赫老還會再派專家去的，到時藍圖自然也就帶回來了，比現在强取總好得多。」

劉少奇說道：「胡大哥，艾地同志，你們的話都十分公正，不過，今天的問題並不是私人意氣之爭，而是牽涉到馬列主義的基本原則，例如南斯拉夫的狄托，明白變成了修正主義，蘇聯一定要把他拉回到社會主義大家庭來，這個問題應該怎麼解決，除非赫老能下定決心同狄托斬斷關係，否則想取得一致意見實在不易。」

胡志明同艾地聽了都沉吟不語。

鄧小平又接着說道：「還有幾個重要問題，如發動世界革命問題，我們以為要通過武裝鬥爭，蘇聯却主張通過議會制度。可是，十幾年來事實證明，中國，越南同古巴的革命成功都是靠武裝鬥爭得來的，其他如阿爾及利亞也是通過武裝鬥爭而取得勝利，反過來看，那一個社會主義國家靠議會制度成功的？從事實可以看出誰的論點正確，要我們放棄自己的看法屈從蘇聯，老實講那是作不到的。」

彭眞也說道：「還有一點，關於世界大戰的問題，我們內心怕不怕是另外一回事，但是，萬不能在口裏說出來，帝國主義知道我們怕世界大戰，怕核子彈，他就更用核子戰爭作為訛詐手段。這一點也是我們同蘇聯的分歧，無法調和的。」

（一三五）

人的况味

葉飄

「相反的，薛寶釵人見人愛，外表忠厚，內心實是奸詐。在大觀園裏那樣的與林妹妹剖心坦腹的，居然使最有人味的林妹妹也給逼死了，但是到最緊要的關頭，明明知道與賈寶玉結合以後，將置林妹妹於死地，她也不是不知道寶玉和黛玉的情感，可是，有關於自己的利益，就奪份表現她的尖刻自私的性格來。依我想，她要是眞正的同情林妹妹，而且是一個眞正的忠厚人，很可以向她母親——薛姨媽，表示願意和林妹妹共事一夫。在那個時代，并不是不可能的。當然，這樣一來，到有些便宜了那個賈寶玉，小說大團圓的結局了，也許紅樓夢便不會成爲名著。」桑梓冷不滴的來上一句，他居然和我談到文學價值了。

「我以爲到不是大團圓不大團圓的問題，而是曹雪芹先生對於人世的抗議，他在宣示人見人愛的，人人都說好的人，并不是眞正的好人，大家都說不好的人，也並不是一個眞正的壞人。太多人都善於浮光掠影的看表面，而不能洞察人的內心，人多是很混沌迷昧的。我們再來看寶玉的兩個丫環吧！襲人與晴雯，晴雯至死也是清白的，得不到王夫人的原諒，驅逐出府；而那個襲人呢？在寶玉十二歲的時候就引誘他，結果還樂得王夫人的寵份，痛愛。寶玉是至情至性的人，覺得黛玉和晴雯都死了，不做和尚有什麼好做哩！」

「你這樣貶抑寶釵，其實我還是喜歡她的，她的個性很溫順，是個很好的妻子，在你忘記換內衣的時候，她會追着你換，下班回來她會泡上一杯濃茶，爲你脫鞋，換上拖鞋，什麼事情都會有照顧，你可以將身體交給她，而用不着自己煩心！」

「是的，你一切都可以交給她，但除了思想和觀念。而且這個在我們都是很重要的。」我看看腕錶，「舉一個譬喻吧！現在已是子夜三時了，寶釵會來催我們就寢，而黛玉呢！也許會來參加一份熱鬧，也許因爲精神不濟，自顧自的去睡，不來管我們的閒帳，你能想像這個境界。再說，我們都喜歡在雨中散步，你想邀寶釵去，她爲了順從你，做一個好的妻子，但在她內心一定是滿心委曲，你也許會因爲愛妻的委曲，意興闌珊的索然而返了。假使是黛玉呢？她便不問了，她也會以爲在雨中散步的情調，是人生最好的享受，而出自內心的喜悅！你想，這兩種情形，該有多大的分野。喏喏，你不要撤咀，我知道你要說什麼？

（三）

巧對拾零

漁翁

對者，答也。禮云：「先生問焉，終則對。」詩曰：「以對於天下。」謂答天下仰望之心也。凡楹帖文之對偶，故亦謂之對。有出上聯，而即以下聯應對自如者，稱曰「巧對」，亦名「巧聯」，以不期然而恰合也。茲舉古人問答聯數則，以爲閒談消暑之一助。

湖南會同潘灝，考列三甲，賜同進士出身，爲生平一大憾事。有同年某，耆長妾，每爲妾服賤役，不避嫌，曾訪之，適某爲妾洗足，曾笑曰：我有一聯，請君對之：「替如夫人洗脚」，某不即不離應之曰：「賜同進士出身」。曾爲之氣結。

清末王闓運，字壬秋，亦湖南人。舉於鄉後，不得志於禮闈，張之洞憐其才，言於朝，得名列翰苑，因引爲知交。一日，與張放步郊野，憩「超然亭」，張以「超然亭」三字屬對，王曰：「張之洞」。張見有人挖溝，臭不可聞，又以「挖臭溝」三字屬對，王曰：「張香濤」。香濤，乃張之別號，張不介意，且一笑置之。

相傳蘇東坡之妹名蘇小妹，亦善文學，配秦少游，洞房之夕，閉門不開，出一聯：「閉門推出窗前月」，待對出始啓門相迎，少游沉思頗久，不得，東坡知爲小妹所難，乃爲之解圍，用石子投入水塘中，少游觸動靈機，遂出「投石沖開水底天」。可謂天衣無縫。此故事可靠性極微，以東坡妹早夭未嫁也，但不失其爲美談。

又傳一少年，娶一婦，婦通翰墨。花燭之夕，出一聯：「點燈登閣各讀書」，屬郎對。少年不能應，不便入洞房，即往附近書房內，倩友代對，友亦不得，乃宿書房而不歸。就中有一友，乘機暗入新婦室，時新婦以郎遲遲不入，悔不該出此舉，忽見其來，不再談聯語事，即爲其友所污。次日，少年歸，言昨宵宿於書房，婦始知失操，遂自縊死。閱數年，少年與友應童子試，考試前夕，主考官坐於花園裏，正在想試聯中，忽見一女子蓬頭掠過，即起身將椅移桐樹下而觀天上之明月，於是想出上聯云：「移椅倚桐同觀月」七字。翌日，少年與友入場，見此聯，甚喜！乃以其婦所出之「點燈登閣各讀書」對之。主考官見有雷同，大異！召詢少年，以洞房新婦所出告，始知婦因友污而死，冤乃大白。按此聯七字，有異形同音者四，較蘇小妹之所出爲更難對。倘亦該女子所神助以求大白歟！

昔有張王二貢生，泛舟遊河，張見河中有一船，滿載石頭，乃出一聯屬王對，聯云：「船載石頭，石重船輕輕載重；」王沉思頗久，不得；忽見岸上有人用尺量地，即觸動靈機而應聲曰：「尺量土地，地長尺短短量長。」恰合題分，可謂巧妙之至！

滿清末，筆者同鄉，有一眇者與一跛者，均獲選而爲秀才，眇者姓陳，跛者姓蔣，在鄉人爲之洗塵時，咸笑陳一目過小，蔣一足偏廢，而陳曰：「一眼觀天下」，蔣即接着應聲曰：「獨腳跳龍門」。不期然而成聯焉。

七姊妹的故事

吉庭

人類生活離不開一「性」字，古聖賢也曾說過：「食色性也」，又說「未見好德如好色者」。把色與德來比擬，可見色爲人類生活的自然需要。不過古之人，對於性愛，往往守口如瓶，諱言之甚至羞言之，而深閉固拒的蘊藏在方寸中，彼此心照不宣。男女間婚姻大事，在昔亦爲父母所包辦。

父母包辦婚姻，在中國已有五千年之歷史，積重難返，女子在未嫁以前，局促於閨閫內，在「非禮勿視，非禮勿言，非禮勿動」的控制下，自我束縛，任憑父母作主，往往更任憑月下老人左右之。

於是中國以往的女性，有不滿現實者，便三五成羣去秘密交換意見，與其嫁門而不滿心意，或生下兒女而受種種痛苦，不如抱獨身主義，倒落得清閒自在。香港有七姊妹之自殺，便是如此這般演出來的。

七姊妹此刻是地名，位於香港銅鑼灣與鰂魚涌間，在地圖上亦稱爲「北角」，係香港郊區游樂處所。好久以前，有一家「名園」，是個規模相當大的游樂場。故至今七姊妹還有人叫作「名園」者。後來又設立十家以上的游泳場，一連串排列在海濱，遊客絡繹不絕，尤以暑天爲多。現在，「名園」已成陳迹，游泳場亦未完全規復，僅僅一二游泳池，與小型游樂場所，因臨海濱，尚能吸引人來。

此地爲海灘，灘上有礁石七，潮水退後，便可見到。據傳從前有紅家女七人，來往甚密，感情極深，甚而盟山誓海，咸抱獨身主義，願以處女終其身。後來其中一女，被父母許字於人，出閣有日。這女兒一面鑒於親命不可違，一面又不肯背姊妹間的盟約，經與六姊妹從詳計商，卒無法解決此一難題，不得已乃投水自盡，以表明一片丹心。其餘六姊妹亦情不自禁，殉死踏海，以期生相聚，死相會。及後化爲石，遂有「七姊妹」之稱。

又聞當地居民云：「每於夕陽西下時，明月東升，少女七人，徘徊海濱，相牽嬉戲，歡愉自若。」如所云然，這生死與共之七女子，亦可奇人而結束了各人之生命，其事雖未必至辱，亦就難能可貴了。特別在這風俗澆薄，道德墮落時代，她們所表現的鍾情守信，應足以矯薄俗而挽頹風。筆者見浮雕有感，寫七律一首，以結吾文。

「一看城郊浩蕩春，花開姊妹樂天眞；同心誓海同心志，連袂投江了夙因。已化浮礁成古跡，猶留海上現原身；匆匆歸到神仙府，未許漁郎來問津。」

南宋偏安有人才

李仲侯

上聞捷大悅，賜札獎諭曰：

「卿舉深籌略，動中事機。加兵宛葉之間，奪險松柏之塞。仍俘甲馬，就食糗糧。發聞三捷之功，實冠萬夫之勇。朕方申嚴漕挽，責計臣。俾遠赴於師期，庶無有飢色。卿其勝敵益戒，用心益剛。毋少狃於前勞，用克當於大敵。但使先聲後實，我武旣揚。將見左枝右梧，敵人自病。朕所望者，卿其勝旃！付岳飛。」

飛奉詔出師襄漢，賜御札曰：

「覽奏知卿出師漢上。規模素定，必不徒行。方多遠涉，將士良苦。卿更勤加撫勞，用副朕意」。

時十二月大雪苦寒，復賜扎撫問，札曰：

「卿志存憂國，義兼報君。式總兵戎，再臨襄漢。顧霜露之冒犯，想徒御之勤勞。深副簡知，自宜紳相。朕當食而歎，中夜以思。非我忠臣，莫雪大恥。所祈勉力，用竟遠圖。卿目疾邇來更好安否？故茲親諭，想宜悉之。付岳飛」。

初六日樞密院奏劉光世之將馬欽，飛將冠成等，捕獲各五百人，並斬訖，賜詔戒諭，詔曰：

「國家以叛逆不道，狂狡亂常。遂至行師，本非得已。並用威懷之略，不專誅伐之圖。蓋念中原之民，皆吾赤子。迫於暴虐之政，來犯王師。自非交鋒，何忍輕戮？庶幾廣列聖好生之德，開皇天悔禍之衷。卿其明體朕懷，深戒將士。務恢遠馭，不必專威。如有俘擒，悉加存撫。將使戴商之舊，益堅思漢之心。蚤致中興，是爲偉績。毋或貪殺，失朕訓言。故茲宜諭，想宜知悉」。

行軍襄漢，正當雪寒，下詔撫諭將士，詔曰：

「叛臣不道，竊據中原。賴七廟之威靈，尚存遺澤。致四方之忠信，皆有奮心。惟爾一軍，備經百戰。遙聞征殺，頗犯雪寒。以予露蓋之勞，知爾執戈之苦。眷言體國，良極歎嘉。重念忘身，又興惻怛。所恨阻修之道路，不能親撫於師徒。惟深體於眷懷，務亟成於偉績。故茲撫諭，想宜知悉」。

紹興七年，帝在平江，飛赴行在。二月初八日入覲，詔上從容與談用兵之要，因問飛曰：「卿在軍中，得良馬否」？飛曰：「臣有二馬，故常奇之，日噉粗豆至數斗，飲泉一斛，然非精潔則寧餓死不受。介胄而馳，其初若不甚疾，比行百餘里，始振鬣長鳴，奮迅示駿，自午至酉，猶可二百里。褫鞍甲而不息不汗，若無事然。此其爲馬，受大而不苟取，力裕而不求逞，致遠之材也。不幸相繼以死。今所乘者不然。日所受不過數升，而秣不擇粟，飲不擇泉，攬轡不安，踴躍疾驅，甫百里，力竭汗喘，殆欲斃然。此其爲馬，寡取易盈，好逞易窮，駑鈍之材也」。上稱善久之曰：「卿今議論極進」。（八二）

大胸脯崇拜史

匡謬

英國都鐸爾（Tudor）時代，處女標幟便是露胸。除非她已結婚，否則，遮蔽胸部是不當的事。這風氣使當時女王伊利沙白一世在老年仍須着極低胸的衣裳。

十七世紀的歐洲，愛情魔力的重點，仍在胸部。女性兩乳或完全的袒露，或幾乎全袒的。英國『王政復古』時期（一六六〇年查理二世歸英復王位時）戲劇台詞，常常提及胸脯，特別博得贊美。到了十八世紀初年，方才禁忌。

在胸脯解放時代，女士肖像，雙峯全裸或幾乎裸露，這些畫像至今博物館或收藏家猶存，研究古代藝術的書刊也常影載。但到十八世紀，畫家奉命重繪，將裸露部分遮蔽了。

十七世紀初年，畫家彼得．保羅．魯賓斯所繪女人像時裝，便是讓胸脯全裸。法王路易十三在某次宴會，受不起女性美乳引誘，以帽遮眼，使自己不看見一位貴婦的暴露酥胸；但到了宴畢，却冒極無禮貌的舉動，把美酒倒在這位貴婦所暴露的乳房上。就因女人裸露太甚，教皇清白六世不得不簽發「女性胸、肩、臂須用不透明衣料遮蔽」的命令。

史上最著名的皇家胸脯，莫如法國瑪利安黛尼王后。至今，脫里阿農及「朗部耶」兩地的瑪利安黛尼牛奶農場，尚保留象徵雙峯之美的瓷質胸碗。據說那是這位驕傲不遜的王后親手用石膏在自己胸前塑成的。

英國雖十八世紀初年開始，胸脯禁裸，可是到了十九世紀，又復時興，以束腰墊裙（用「腰墊」張開裙口）來襯托大胸之美，義乳至此，十分流行。

一八一六年，女人盛行一種胸衣叫（Divorce Corset）——直譯「離婚裕」，其實不是「離婚」。依當時含義，是使一個女人的胸脯與別人相隔（To Separate one Breast from an other）也許是「以免亂碰」之意。（三）

內備警台報字第〇三壹號內銷證
THE FREE NEWS
第三七二期
中華民國僑務委員會頒發
台教新字第三二三號登記證
中華郵政台字第一二八二號執照
登記為第一類新聞紙類
（半週刊每星期三、六出版）
每份港幣壹角
台灣零售價新台幣弍元
社長：雷嘯岑
督印人：黃行齋
社址：香港銅鑼灣高士威道二十號四樓
20 CAUSEWAY RD 3RD FL. HONG KONG
TEL. 771726　電報掛號：7191
承印者：田風印刷廠
地址：香港灣仔高士打道二二一號
台灣分社
台北市西寧南路壹壹零號二樓
電話：三〇三四六
台郵撥儲金戶九二五二

本報緊要啟事

本報為澮進業務計，自本月起，聘任段宏俊君為經理兼駐台灣特派員。嗣後本報在台省各市縣之業務單位及工作，概由段君就近督導考核，特此通告。

觀念政治與官僚政治的作風

薩孟武

人類是生存在現實社會，不是生存在觀念世界。政治是現實問題。行政當局應解決現實問題，不宜利用觀念粉飾現實，更不宜利用觀念以歪曲現實。

四五年來有經濟「起飛」之言。台灣經濟充其量不過稍有進步，並未起飛，而且不可能起飛。就輕工業言，輕工業以紡織工業為中心，其原料則為棉花，台灣沒有棉花，也沒有殖民地供給棉花，棉花的來源依靠美援，原料的缺乏已經限制輕工業的起飛，何況市場狹隘，而外銷又有許多强大的敵人，其無法起飛是稍有常識的人都會知道的。

就重工業言，重工業就是鋼鐵工業，臺灣沒有鋼鐵工業的基礎——缺乏鐵砂原料，我們所知道的，是最大鋼鐵工業的唐榮公司已經破產，國家為救濟這種破產的公司不知花了多少錢，而股台公司又復失敗，這都可以證明重工業不但未曾起飛，而且沒落。近來雖然報紙宣傳，中國能夠自製汽車和電冰箱，而據我所知道，汽車也好，電冰箱也好，不過買了外國零件，運回臺灣，加以裝配而已。由裝置變為自製，更變為起飛，宣傳成功麼？失敗而已。然而我們須知有些裝置且獲得專利之權，這是吾人所認為奇怪的事。

公司瀕於破產，而行政當局不惜以巨額的金錢，予以救濟，慷慨是慷慨了，可惜金錢乃取自國庫，這未免是慷國家之慨！在經濟政策健全的國家，只有資助成功的企業，絕不救濟失敗的企業。失敗的企業既有國庫救濟，於是許多公司都援例要求了。有求必應，於是銀行的資金不是用以發展經濟，而是用以遲延破產，於是就發生了銀行「呆帳」之事。明明是破產的遲延而竟說成是工業起飛，我對於經濟當局實難了解。

何以有此現象，一言以蔽之，出於敷衍。敷衍乃官僚政治的特質，而表現出來的現象則有兩種。

一是「擱」。凡事之不易決定者均把它擱一下，擱不是「否決」，而是「未作決定」。否決之責任大，未作決定之責任小。前者需要魄力，後者可以推卸責任。「擱」之既久，人心漸次冷淡，遂由「未作決定」而變為「束之高閣」。過去有一位老先生對我說：「你不要反對擱，擱可將重大的事件變為輕微，這是政治最巧妙之處」。我因為他年齡長老，不便反駁，只說我的看法不同，不但當年不能同意，就是今日自己年齡已大了，亦不贊成。

二是「推」。推是把公事推到別人，自上而下者層層交辦，最後交到基層機構去。抗戰之時，各省均有保甲組織，凡百公事最後均歸到甲長身上。我在大陸時曾遇到一位甲長，問他忙否，他說：「公文太多，而我又不識字，只有將重要的公文，請人唸給我聽，不重要的，丟在字紙簍裡，作生火之用」。我問他：「你既不認識字，何以知公文的內容重要不重要？」他說：「先生，我是有經驗的，任何公文不必用眼看，只要用鼻聞，就可知道重要與否。」我聽了，非常奇怪，問他理由。他說：「凡有洋油味的，就是印刷品（當時油印，均用洋油與黑墨，準油味甚濃），印刷品是發給大家的，即可以置之不理；沒有洋油味的，是繕寫的公文，多生是給我個人，我就要請人代閱。」這確能表示一個標準的官僚政治的特質。自下而上者，層層請示，最後請示到最高當局。成功了，是我之功，失敗了，是最高當局的責任。漢文帝時，陳平為丞相，不知每歲決獄多少，錢穀多少，因為關於決獄，責在廷尉，關於錢穀，責在大司農，「各有主者」，丞相可以不管。漢宣帝時，丙吉為丞相，長安市內死傷橫道，丞相置之不理，因為京兆尹應該負責。必須分層負責，然後上級機關的職事可以減輕，而能致力於更重要的工作；下級機關的責任可以加重，不能有所推諉或延擱。這是政治上的正軌。

由於兩種現象，又表現為三種格式：

一是「塡表」。任何計劃均沒有具體的辦法，最多不過做了表格，令人塡寫。塡寫了之後，就認為大功告成，而束之高閣。既沒有能力依「表」求問題之所在，更沒有誠意依「表」求問題之解決。浪費紙張，猶其次也，浪費一般人的精力，積小成多，可以說是勞動力的浪費。

二是「開會」。凡事不易辦而又無法推開者，為減輕自己責任。即實行開會討論。開會之時，任誰都不作積極的主張，既不反對，亦不贊成，模稜兩可，廢話連篇。一次開會不能解決，再來一次，數次不決，則開小組會議。名為研究，實則拖延時間，歷時既久，就達到「擱」的目的，可以「束之高閣」了。

三是「報告」。每個機關無不腐心致力於工作報告書之草擬，把字典上盡美盡善的字彙編成文書，用最好的紙張印刷。觀其所言，可以說是功高天下，察其內容，則一事無成，報告是一回事，實際又是一回事。用報告書上文字堆成的「觀念」，以文飾實際情況的現實，假如事業徼幸成功，固有勞績，如其失敗，有時是環境使然，未必就有罪過。若用觀念以改變現實，致令眞相不明，妄報已功，其害尚小，倘因此而令全國人民乃至高當局不明實際情況，其害而大。才堪駭異者，任何報告書均蓋有「機密」二字，甚至國營公司的業務報告也是機密。究竟機密的原因何在，令人莫名其妙！

此種作風實出於不肯負責，凡事只求消極的無過，不求積極的有功。但求無過，可以長保富貴，若求有功，太過危險，稍有挫折，[illegible]有失[illegible]丟官之可能，深於世故的官僚，當然不肯幹。

——上述各點乃官僚政治共通的作風，目前充滿着台灣的各級行政機構，且比過去五十年來的政風更惡劣倍蓰，如不切加肅革，就休想有打倒共匪暴政，光復中原之一日，可憂亦復可[illegible]也！

漫畫天下

布慮

交易而退

兩座火山

讀自由

美國的急躁相

美國當道對於動亂的越南政治局勢，已表現着焦躁難安的心情，一方面[illegible]干涉友邦內政，且不惜採取[illegible]變的行為，也就[illegible]其心雖[illegible]情却難以諒恕！[illegible]新興的所謂落後國[illegible]剛從殖民地[illegible]起來的新邦，政治[illegible]施之不健全，[illegible]官吏之貪污無能，[illegible]不足奇。[illegible]以自己的尺度來衡量[illegible]別人馬上向美國看齊，是決不可能的奢望。[illegible]

[illegible]漸輔導督促，略迹可情，遺大投艱，這纔是美國應有的作法，亦是有效的援外策略，否則必卜前功盡棄，徒貽敵人以攻訐嘲笑的口實，何苦乃爾呢？

八年前，越共圍攻奠邊府時，美國若採納雷德福上將的援越計劃，只要派遣一二艘航空母艦進入安南領域，即可把越共胡志明的暴力消滅掉。當年姑息從事，今天動員了若干倍的力量來援越，却弄得焦頭爛額，甚至要以策動政變的手段來達成剿共的軍事成果，思之思之，不亦僨乎？

代郵

台北讀友劉穗九先生：頃由台灣歸來，拜讀六月十五日大函，至深感悚。一字之師，敬聞命矣！特覆申謝。

——馬五先生——

馬五先生

報紙少刊犯罪新聞為宜

讀者眼睛。果然雪亮

（本報記者吳戈台北航訊）根據民意調查，讀者對於報載犯罪新聞及黃色新聞，多數希望少加報導，並不贊同大登特登。這份資料很珍貴，很值得大家重視，尤其值得致力新聞事業的人鄭重參考。

「民衆對於報紙刊載犯罪新聞之意見反映調查報告」，是中國社會調查學會依照台灣省人口與報業發行比例，以「一定比任意選樣」方式，選定台北市、台北縣、台中市、彰化縣、高雄市、台南縣、花蓮縣七地區報紙讀者辦理完成的。

在這份報告中，計有答案如下：

一、對於怎樣讀犯罪新聞問題——對報紙上的犯罪新聞「詳細閱讀者」佔百分之三八・一；「大致看看者」佔百分之四八・三；「僅看標題者」佔百分之一二・三；「根本並不看者」佔百分之一・三。這說明讀者不是絕對對犯罪新聞有「非詳細閱讀不可」的偏好。

二、對於報紙上犯罪新聞報導的相信程度問題——「完全相信者」佔百分之一八・〇；「相信一部分者」佔百分之八〇・三；「不相信者」佔百分之一・七。這說明讀者對於那些誇大渲染的犯罪新聞，多數人持有的是不盡相信的態度。

三、對於犯罪新聞所發生的社會影響問題——認為多登此類新聞對社會「有不良影響者」佔百分之八二・八；認為「好影響者」佔百分之一一・一；認為「無影響者」佔百分之六・一。這說明了絕大多數讀者的看法：多刊犯罪新聞必產生不良影響。

四、對於報紙應否刊登分屍案一類照片問題——認為「應該多登者」佔百分之七；「可以適量刊登者」佔百分之六四；「不可刊登者」佔百分之二九。這說明讀者並不贊同大登特登。

五、對於讀者是否希望自己子女閱讀犯罪新聞問題——「希望子女多看者」佔百分之一一；「不要常看者」佔百分之三八；「不要看者」佔百分之五一。其中女性反對子女多看犯罪新聞者佔百分之八九・五。這充分說明了家長們深恐子女受到犯罪新聞不良影響的態度。

六、對於好人好事的報導問題——認為「還應多登一點者」佔百分之八三；「已經夠了」者佔百分之一四；「可以少登一點」者佔百分之三。可見讀者對於社會光明面的報導的渴望。

七、對於「不看犯罪新聞運動」的問題——認為假如有提倡「不看犯罪新聞運動」者，「表示贊同者」佔百分之四三；「不贊同者」佔百分之二二，「無意見者」佔百分之三五。這說明了果真有人倡導此一運動，贊成者比不贊成者人數為多。

台灣的味精工業近況

同業之間明爭暗鬥　政府指導管理失宜　「味新」公司後來居上

（本報台北專訊）味精工業在二次大戰以前，是由日本獨霸稱雄於亞洲地區，「味之素」到處氾濫，壟斷着國際市場。中日戰爭發生後，我國雖有「天廚」味精工業出現，但因設備簡陋，生產成本過高，在戰時勉強維持，到戰後即奄奄無生氣了。

我國味精工業之蓬勃發展，台灣算是策源地。自從台省光復以來，經過十餘年間的慘淡經營，到目前已有五家味精公司存在，即「中國發酵工業公司」，「味全食品公司」，「津津味素公司」，「天鵝食品公司」，「味新食品公司」是也。這五家工廠，以「中國」和「味全」的資格較老，資本亦頗雄厚，但設備陳舊，產品與產量均不能跟日本的同樣工業相抗衡——日本有十一家味精工廠，年產味素四萬三千多噸，外銷額一萬三千噸——而台灣的生產原料和勞力，卻遠勝於日本，亦較美國更優越，然台灣味精銷量，到去年只有一千四百多噸而已。這證明台灣的味精工業前途，大有開拓之餘地，祇要有嶄新的現代化設備，產品精良，即不愁沒有出路，因為日本的生產條件不及台灣優裕，在國際市場上無法獨佔，且可能被台灣產品壓倒，美國由於工資高昂，根本就沒有味精外銷的。

因此之故，台灣「味新食品公司」乃應運而起，由廖木水、劉發卿等集資金新台幣伍千萬元，於去年初在台北郊區開始興建工廠，並由經濟部核准公司登記，擬購置最新的機器，採取科學新方法——即應用微生物以發酵法製味精，成本大可降低，原料亦多節省——從事生產之際，原有的四家同業，向經濟部和外貿會申請組織聯營公司，名曰「中國味精貿易公司」，以綜持各同業產銷情形為理由，呈准立案後，要求政府下令停止「味新」工廠的建築工程，勒令改業，或由同業設法收買該工廠。當時主持外貿事業的尹仲容氏，頗有採納上項要求的意思，旋經「味新公司」創辦人據理力爭，陳述詳情，又經外貿會派員實地查勘該公司建廠工程，已完成百分之八十，終改變初衷，並通知各有關單位，准將「味新公司」參加外銷聯營組織，公平競賽，一視同仁。該新興味精工業幸未遭遇到摧殘夭折的厄運，且以最新的設備和科學方法，製造精良產品，在國外市場上甚受歡迎，如琉球，沖繩一帶，原係日本「味之素」的天下，自「味新」產品推銷後，「味之素」銷路即減少百分之五十了。他如東南亞一帶，除印尼，印度緬甸，由於政治的關係，「味新」食品尚未進入當地市場外，其餘各地區均有「味新」產品暢銷。

許，該公司確表現了後來居上的成效，對國家經濟大有裨益。俗言同行相忌，又謂只怕貨比貨，台灣各個味精工廠雖在政府指導之下，組織了一個聯營機構，大家也簽訂了「外銷公約」，但聯營機構為由一二家同業操縱把持，對於新設的「味新」公司的貨品外銷能力，以其貨色特優，業務蒸蒸日上，嫉妒殊甚，利用聯營機構，掌有「核配原料」，進口原料，外銷貨款等項職權，橫加留難，恣意不予核配，以不給以便利，且藉作無理的打擊，例如將「味新」公司所用上市樣品，亦視同銷貨」，竟按照「外銷公約」所謂違約金之規定，要處罰公司鉅額罰金，即其明證。所以「味新」公司名義上，雖然參加了聯營組織，實際被視為化外之民，處處受到歧視和差別待遇，致令在業務上發生若千不應有的困苦，政府主管當局自不宜熟視無睹，必須加以整飭。

整飭之法，即須將核配原料，鑑定外銷貨款等事宜，由政府直接處理，不再讓該聯營公司過問，以杜操縱把持，凌駕政府之弊。[illegible]合作社性質，專為同業[illegible]，如丹麥[illegible]的聯營業務，係為外銷便利途徑和方法，決不宜干預政府的行政權力，致有串同舞弊私營之處。對於新興工業的生產品，凡合乎國際標準，具有向外發展能力如「味新」公司者，政府唯有盡力扶持指導，使它精益求精，爭取更多的外銷額，像目前的情形，非切實改革不可！（九月一日凌霄於台北）

立法院第卅一會期做了些什麼（下）

——本報記者台北航訊——

（十四）行政院函送獎勵投資條例修正草案。

（十五）立法委員溫士源等三十餘人提議：函請行政院檢送檢察官與司法警察執行職務聯繫辦法，及辦理刑事案件聯繫實施要點案。

（十六）行政院函請審議國軍退除役官兵輔導條例草案。

（十七）考試院函請審議公務人員升等考試條例草案。

（十八）行政院函請審議實施都市平均地權條例修正草案。

（十九）大甲溪綜合開發促進委員會請願書，經濟委員會認為應成為議案。

（二十）水利法修正草案。

（廿一）現役軍人及其家屬承租公有基地房屋優待辦法草案。

（廿二）行政院函請審議技術合作條例草案。

至於其他如調整軍公教人員待遇專案，如代征制度、代征費標準問題專案，台糖公司因國際糖價上漲，盈餘超收及出售股票問題，與金礦公司收入亦應撥加問題專案，中央社與中廣公司之制度、業務及有關宣傳政策等問題專案，迄未見下文。而國有財產局五十三年度各區辦事處預算案，則保留至九月一日，即下會期再討論。

關於立法委員的公費，一般人只知道大概而不知「底細」。據查：立法委員每人每月的公費，大約分為三種，一是在平時不開會的時候，月支二千三百元；假使在開會的時候，則每月另發出席費一千八百元；如果延長開會時間，每日則增發「加班費」一百元，每月可得三千元到三千一百元。

所以在法定會期內每月僅得四千一百元，如延長開會，則月得七千一百元。因此，按照規定，立法院會期，每年兩次，第一次會期自二月初至五月底，第二次會期自九月初至十二月底，依此，則每年兩次會期集會的日期，僅八個月。但必要時得延長之；於是，延長會期已成為不成文的慣例。故時譽常有「立法院經年開會」，立委們「太辛苦了」！之言。

外間對立法院亦有抨擊不？答覆應該是肯定的。姑舉眼前一例如下：台灣省議員許新枝在此次省政總質詢中，說：「我國地方政治制度，依照憲法之規定，係採取均權制度，省議會係一立法機關，應依照『省縣自治通則』及『省自治法』行使職權。……惟迄今憲法頒布施行已十六年，而「省縣自治通則」草案，仍在立法院[illegible]議十多年還未能完成法定程序，以致省議會成立[illegible]，而仍[illegible]『[illegible]未明」，職權[illegible]缺不全，無法完成所負之任務」。他又說：「一種法案審議十多年，倘無一點結果，還是什麼道理？我們非常慚愧、當[illegible]時候，選舉立法委員，我還是小孩子，沒有投一票的權利。現在頭髮快要白了，而還沒有再投一票選舉他們的機會。今天雖然當選省議員，但是依照憲法第一一三條規定，應由省議會審議的法規，我們還沒有去過問，還勞駕第一屆的立委代勞，[illegible]是太不好意思了」。（下畧）

此外，許議員會指出：「本省有一家汽車公司成立以後，使這家公司賺錢，當時特別修改牌照稅法。牌照稅由一年八千多元降為二千多元。據，這個事實在中央某一機關審議的時候發生問題，後來一部份委員一個送了五萬元，才獲得通過」云云。

香港與大陸

毛共組文藝輕騎隊深入鄉村麻醉農民

（中共最近又在大陸各地勵員文化、藝術及教育界人員，組織「文藝輕騎隊」，要他們「把文藝帶給農民」；此等隊員除了要演戲歌舞外，還要作政治說教活動。農民對此等「文藝」全無興趣，對政治說教尤為反感。

利用暑假期間申請來港的華南師範學院學生沈冰×君透露，廣州「文化藝術界」，最近又受命組成「文藝輕騎隊」，被派往農村去「把文藝帶給農民」。沈冰×君的一位哥哥，原來過去已幾度下放到農村，現在又被派參加這種「文藝輕騎隊」。

沈冰×君說：他哥哥接到這種通知時，極感怨恨，心情甚為悲觀，他哥哥告訴他說：他知道這次參加「文藝輕騎隊」是要長時期的跋涉在農村和山區的，在出發之前，他們每一個隊員除了要排演一些劇目和練習歌舞之外，還要加强學習所謂「黨的政策」和「國際形勢」，要他（她）們在與農民生活一起時向農民進行政治說教。

沈冰×君的哥哥又告訴他說：最痛苦的事情莫過於要他作宣傳演講，他哥哥原在「劇團」中，是一位頗出色的男演員，所以這次演「雷鋒」這個劇時，便[illegible]了他飾雷鋒，而這是一個再苦不過的差事，因為他相信不會有這樣的一個人，就算有，也不過是一個愚不可及的可憐虫，祇能給予無情的諷刺，而現在，卻要他飾雷鋒時，盡量表現熱愛「黨」，熱愛「國家」，熱愛「毛主席」的「偉大情操」。至於在演講「黨」的方針政策或國際形勢時，演講者雖然被迫得走上台去照字唸經，而聽的農民則覺得是聽慣了的謊言，這邊聽來那邊出，更多的羣衆在台下卻是採取「你講你的，我講我的」。總之，在每一次的宣傳活動時，實在都無法得到正面的效果，可憐的是他們那些被迫為中共宣傳的人，受不盡的冤屈，一方面要受「上級」批評和嚴厲的「組織紀律」約束，而另一方面，卻又不能得到宣傳對像的諒解，經常被「無聊」罵，指他（她）們是政治騙子，違背良心的人，更有指他（她）們是狗腿的。

另據一位由梅縣來港的中學生李清泉君說：梅縣地區所有的師範學校，在暑假期間，除了全體師生都下放農村參加農事外，還特別抽調了一批師生，組成了「文藝演出隊」，到山區去「把文藝帶給農民」，他們除了演[illegible]反映農民走資本主義的落後思想的歌劇[illegible]之外，還要在演唱之前，講解「黨」的政策；解釋國際形勢；講「革命故事」；以及教唱[illegible]等等。他們因為都是「知識份子」，對中共那一套政治騙術甚清楚，心情上的痛苦亦最深重。（散斯）

台省尚待掃除日本風

浮生

台灣省雖然已光復了十八年之久，但是日本統治台灣的殖民地政策的影響力，仍未與其奴化教育的毒素，完全清除；還有些受過日本教育的中年人，根本不了解祖國的歷史文化，他們早已「數典忘祖」，由於自幼深受日本奴化教育的浸淫，不僅「先入爲主」，而且有「積重難返」之勢了。只有在七十歲以上的老年人，和受過祖國文化洗禮的青年人身上，纔能顯出中國人的味道。而可慮的，是今天社會上握有實權的人，他們便要把「東洋料理」，傳給下一代，使我們的「民族精神教育」，爲之黯然無光。這不是筆者危言聳聽，請看事實爲證：

（一）日本歌曲流行：在台灣每一個都市或鄉村，都彌漫着日本歌曲的靡靡之音。粗製濫造的日本歌曲唱片，可以不經審查，而風行各地。中廣電台也特闢「明治歌曲」節目，大力推行「日本精神」。還有些「私人幼稚園」，拿日本兒童歌曲，作爲教材的。最荒唐的是，把日據時代，歌頌「皇軍」偉大的曲子，譜成閩南語的唱片，在街頭巷尾播放。

（二）日語會話流行：機關、學校的公務員，用日語交談的，司空見慣。近年來日語會話補習班，風起雲湧，甚且有「東風壓倒西風」，不讓英語專美於前之趨勢。至於日文書刊的流行，更是不在話下。尤以日文婦女雜誌、家庭生活等刊物，銷路最大。

（三）日本電影充斥市場；在台灣省無論都市鄉村，日本電影，最受台灣省人的歡迎。經銷日片，利潤也最大。電檢處要實行標售日片辦法，居然引起日本電影商的抗議。下令禁止日片運銷台灣，可是台北、台南、高雄各大都市的電影院，還是照樣放映日片，多是利用「舊客貝」，一放再放，觀衆也一看再看不厭。至於走私進口的日片，和化整爲零的放映，更是防不勝防。今天台灣不良少年的打鬥，和脫衣舞風行一時，多少是受日本電影的「啓發」。

（四）日本廣播，反客爲主：臺灣省幾乎家家都有收音機，加上電晶體收音機的流行，廣播電化教育的力量，深入民間，山陬海隅，無遠不屆。而近數年來，收聽日本廣播的風氣，甚囂塵上，有許多商店，用播音器把日本電台的廣播節目，作招徠顧客的武器。連代表執政黨的中央日報也替日本東京電台，大登其廣告，且免費贈送日語會話教本。中廣公司也夾雜日語播送日本商品的廣告，更盛讚日本三菱公司工業技術，八十年來對世界文明的貢獻。

（五）「日蓮教」的猖獗：「日蓮教」是由日本傳到臺灣省來的「邪教」，用日語傳道，借佛教爲名，潛伏地下作非法的活動，秘密組織遍及台北、台中、高雄各地，參加的多是會講日本話的中年人。他們的主要的幾個聚會所，已經破獲，表面上是宣佈解散了，是否會死灰復燃呢？這也是日本佔據臺灣五十年，奴化教育的遺毒，才會產生這不倫不類的「日蓮敎」。

（六）媽祖婆變成了日本佬：雲林縣斗六鎭，上月舉行媽祖遊行的大拜拜，迎神賽會的信徒，都穿上了大紅大綠的日本和服，腰跨武士刀，脚登牛蹄靴，滿口日本話，高呼口號，招搖過市。他們早已忘記了自己是中國人，把媽祖婆也變成了「日本佬」了。（上）

報人普立茲傳

汶津譯

約瑟夫需要那些使人們思想和談論的文章。還有關稅捐的問題無疑會使人們開始思想和談論了。他列出富人和大企業所繳的稅額，以及工人和小商人所繳的稅額。讀者們一目了然，誰才是眞正維持市政收支的人。富人付很少的稅，工人們反而繳很多的稅。

那天下午郵快報首次發行。不到幾小時，報紙被搶購一空。傍晚時人們擁集報館門口，要求發行再版。普立茲把最後一份報張貼在羣衆能讀到的櫥窗裏。他自己站在不爲人注目的地方，傾聽人們的議論。

在一八七八年，普立茲的報紙確實是大大的與衆不同。它有眞正的新聞！沒有別一家報紙會刊出稅收的實情。沒有任何其他的編者敢寫這樣的文章。普立茲的報紙上的語言和寫法也是迥然不同的。那是平易近人的，句子簡短而意思明顯。

普立茲看到讀者對他第一天出版的報紙如此歡迎，很感欣慰。稅收的報導使人們多用些腦筋。高卜勒的白宮舞會漫畫也很成功。約瑟夫那篇關於女孩遇鬼的故事更是掀風作浪。次晨信件蜂湧而來，使約瑟夫知道讀者們對此故事的感想。他刊出那些信件，但沒有回答。是這個故事以及隨之而來的那些信件，使人們覺得郵快報不止是屬於它的發行人，更屬於全體讀者。

約瑟夫開始藉社論來促進市政的革新。他呼籲清理都市及翻修街道。這些文章促成了聖路易公園計劃的推展。

由於他在西部郵報時作爲一個政治新聞記者的經驗，約瑟夫很懂得政治。他刊印不少有關政治問題的文字，幫助讀者了解政治。他給他們一些足以培養他們自己的政治意識的報導。只有在他寫的社論裏他才說出自己的意見。

還在他的二千七百元積蓄花完之前，郵快報已經賺錢了。銷路週週上升，約翰．狄倫對他們黑馬式的成功大感驚訝。但是普立茲知道這正是一分耕耘一分收穫。有時候他睡在報館。他老是工作着，忘了自己的健康，也忽略了自己的需要。常常，爲了趕完一件工作，他廢寢忘食。他工作過度，以致他的記者和工人們都爲他担心。有些日子他幾乎一手包辦整張報紙的文章。要想找和訓練一些用字造句能合乎他的要求的記者，實在是太難了。很少記者能寫簡短，有力而且繪聲繪色的句子，像約瑟夫所要求的那樣。那一年，以及以後的好幾年，約瑟夫只有日以繼夜的工作、工作，往往沒有休息的時間。

那年年底，狄倫把他的股份讓給了約瑟夫。跟普立茲合夥做事所付出的精力實在太鉅大了，所以狄倫甘心樂意的把報紙的所有責任交給約瑟夫。現在，約瑟夫是發行人兼主編了。這對一個人是太大的負担。他開始物色一個担任主編的適當人選。他找到了約翰．A．柯克力。在許多方面柯克力都像約瑟夫。他是一個強悍而熱狂的人，而且也是一個有經驗的記者。（廿九）

岳武穆軼事輯要

十八爺

「武穆卽戎，皆能以至寡敵至衆，如南薰門外王善之戰，以八百人破五十萬，桂嶺曹成之戰，以八千人破十萬，不可殫擧。而最後以背嵬騎五百大破兀朮十萬之衆，兀朮號善用兵，亦大懼，亟奔京師。其兵之精蓋如此。」（行實編年）

「武穆臨戎誓衆，言及國家之禍，仰天橫泗，氣塞莫能語，士卒感愴，皆唏歔而聽命，奮不顧身。臨敵必先士卒，摧精擊銳，不破不止。或人問天下何時太平？武穆曰：「文官不愛錢，武官不惜命，則天下太平矣！與將校語，必勉忠孝節義，士皆願効死力。」（行實編年）

「武穆御軍之術，其大端有六：曰重蒐選。貴精不貴多；背嵬所向，一皆當百。上初以韓京、吳錫二軍付武穆，皆不習戰鬥，且多老弱，武穆擇其可用者，不滿千人，餘皆罷歸，數月遂爲精卒。二曰謹訓習。止兵休舍，輒課其藝，暇日尤詳，至過門不入，視無事時如有事時。如注坡跳濠等藝，皆被重鎧，精熟安習，人望之以爲神。三曰公賞罰。待千萬人如待一人。張憲之部卒郭進有功於莫邪關，頓解金束帶及取用銀器賞之，又補秉義郎。男雲嘗以重鎧習注坡，馬蹪而踣，武穆以其不素習，怒曰：前臨大敵，亦如此耶？遽命斬之！諸將叩頭祈免，猶杖之百乃釋之。餘如傳慶以夸功誅，辛太以違命免，任士安以慢令受杖，過無大小，必懲必戒。張俊嘗請問用兵之術，答曰：仁，信，智，勇，嚴，五者不可闕一。請問嚴，曰有功者重賞，無功者峻罰。[illegible]勉君子以忠報。其有死者，哭之盡哀，輟食數日，育其孤，或以身親造撫視，問所欲，至手爲調藥。」（行實編年）

「武穆重犯法，部衆數十萬，本四方亡命樂縱嗜殺之徒，皆奉命承教，無敢違戾。夜宿民戶外，民開門納之，莫敢先入。晨起去，草葦無亂者。所過民不知有兵，市井販賣如平時。湖口人項氏家，驟斷自給，有卒市薪，項受其不撈，欲自損其值二錢以售之，曰：吾可以二錢易吾首領耶？竟不敢從，盡償其值而去。雖甚飢寒不變節。每相與自詫曰：凍殺不拆屋，餓死不打虜。是我軍中人也。民見他將兵，遁亡滅影，聞爲岳家軍過，則相牽共觀，舉手加額，感慕至泣。」（行實編年）

（三）

寫君續夢

第九回：枵腹爭雄　壺漿招餓鬼　苦心糾衆　風雨會羣魔

胡志明同艾地一齊說道：「這些問題，我們再同赫老研究，總希望能找出一個雙方可以接受的方案。」

劉少奇說道：「胡大哥，艾地同志，我們都是自己人，打開天窗說亮話，我們的政策是黨內決定的，代表團本身無權修改，假若聯合聲明不能接納我方的意見，我們祇有不簽字。」

胡志明同艾地連聲答應一定想出一個折中辦法。兩人辭出中共代表團，艾地苦笑道：「胡伯伯，這個問題怎麼下手。」

胡志明笑道：「不要急，再到我寓處談談。」兩人到了越共代表團寓所，胡志明把代表團重要首領長征，黎爭，春水都找來，討論中蘇共爭執的問題。

艾地先說道：「我看事情很難解決，因爲雙方的意見完全不同，誰也不肯讓步，中間人有什麼辦法。」

胡志明笑道：「萬事都有辦法解決，祇要你有耐心去處理，不要急躁。現在我們先把重要困難分析一下。在政策方面，中蘇共之間大體有四點衝突：第一是和平共處問題；第二是怎樣完成世界革命問題；第三是核子戰爭問題；第四是修正主義問題。這四項衝突前三項若不能取得一致同意，不妨在聲明中共存，把雙方意見都容納進去，祇要文字寫得技巧，也就可以遮掩過去了。祇有修正主義一條最難；中國同志一定要在聲明中譴責狄托，赫老此時則不肯得罪狄托，所以陷入眞正的僵局。希望大家能在這方面想出一條出路。」

黎爭插嘴說道：「這一點勢難共存，必須有一方讓步才成。我們現在應該先確定那一方應該讓步，然後再向那方面用壓力，才是解決之道。」

艾地笑道：「要讓我說句公道話，應該蘇聯讓步，因爲狄托既不派人參加此次會議，顯然退出社會主義陣營，不是修正主義是什麼呢？在聲明上譴責幾句，也不算冒犯它。」

春水說道：「艾地同志說的是道理。我們再分析一下形勢，今天中國同志根本不怕會議破裂，他們可以在聲明上不簽字，而蘇共眞怕會議破裂，因爲這樣就根本影響了蘇共在世界共黨中的威信，領導地位也將隨之動搖。所以說赫老應該讓步。」

胡志明連連點頭道：「你的話很有道理，不過，假若赫老不肯讓步又怎麼辦呢？」

長征笑道：「主席祇要告訴赫老，他不答應譴責狄托，中共代表卽將啓程返國，他就必然會軟下來。」

胡志明笑道：「好吧！就這樣試試。不過今天太晚了。艾地同志，我們明天再去克里姆林宮同赫老談談。」

話猶未了，電話鈴響了，警衛人員報告赫魯曉夫請胡主席接電話。

胡志明向大家笑道：「今夜也許不能睡了。」說過拿起電話機，果然是赫魯曉夫打來的，邀他同艾地到克里姆林宮去喝咖啡。

艾地搖頭道：「這個人就是性情太急，許多毛病都出在這個上面。」

（一三六）

人的況味

葉飄

「是不是要說，像玉那種纖弱的身體，還要在雨中散步，那回去以後，又要準備在床上睡三天了。是不是？假使真是這樣的話，我可以告訴你，一個人憑着自己的意志做事，我做自己喜歡做的，即使病一場，又有什麼關係。」

「在一個看來能被暖風吹得融解的嬌妻相伴，還要在雨中散步幹什麼？」桑梓面帶一些諷笑的意味，這是他一貫「耍寶」的脾味，意在於逗我再發一些「宏論」，而我呢？也明知他有此意圖，只是裝着不自覺的一吐爲快。我事後想想，究竟是他耍了我，還是我耍了他？好在我們都是無所謂的。

「在我的家鄉，有一個笑話：一個兒子成年了，埋怨父親沒有爲他成家，於是便和外人說，我要是娶了老婆，可以三天不吃飯。此話被他老子聽見了，便爲他成了親，而且也要他實行諾言。到第二天過去了，肚子餓得實在難受，他的老婆便在廚房裏偷了一鍋巴給他，他吃過以後，對人說：老婆還是沒有鍋巴的味道。你現在所以這樣說，是因爲沒有一個像薛寶釵的妻子，眞有了，你的情趣，都將失去了，像那個鄉下的兒子失去了飯一樣。這個故事足以說明你現在的心情。」

「不過你還要注意一點，林黛玉會爲你得罪很多朋友的。」他避重就輕的提出了一個新的問題。

「她不會開罪我的眞正朋友，譬如：像詩榕，語云，和你，」我深情地說：「你們瞭解我，自然也會瞭解她，她知道我，自然也會知道你們。她可以大嫂的身份罵你們一頓，你們便會樂不可支了，以小妹的身份調侃你們一下，便會情趣橫生了。但對於點點頭，或者握握手的朋友，得罪了也沒有什麼？因爲那樣的朋友走進了我們的家庭，是我精神上最大的負担，她能給我們解脫，感謝還來不及呢？」

「怪不得你到現在還不結婚，原來是在尋找林黛玉的影子，或者說得具體一點，是在尋找你自己的影子。」

「你知，我是一個自私的人，也是一個不能容忍的人，所以我希望能夠找到一個眞正的趣味相投的伴侶。沒有呢？我寧可不要，絕不願意委曲求全。嘿！你也沒有結婚呀！在找誰呢？」

「我在找晴雯！」引得我哈哈大笑，端在手中待喝的酒也潑了出來。

「你不找寶釵？」

「爲了我們的友誼！來！乾杯！」我們兩個自命風雅的人物，也來這個乾杯的「俗套」。

「喂！你這裏是不准睡覺的呀！」他打了一個呵欠，兩手往後一張，伸伸懶腰。「我是要一個聽者，並不是担任要招待旅客的。」我們站起來了，踱出了小屋子。東方已呈顯着一片朦朧的曙光。（完）

記里鼓車

周燕謀

「記里鼓車」者，能自報告驅行遠近之車也。車中裝設機械，因車行之里數而使鼓鳴，故名。「記里鼓車」又名「大章車」。其見於史籍者，始自晉書輿服志。唐杜佑通典稱東晉安帝義熙十三年，劉裕滅後秦獲此車，而謂未詳其由來。宋書所載與此同。晉書輿服志云：「記里鼓車，制如指南（車）。上有鼓；車行一里，木人擊鼓一槌。」此車自晉以來，僅爲天子儀仗所用；乃鹵簿中驅車之一。其形式，據南齊書所載：「上施華蓋，子襟衣，漆畫鼓；機皆在內。」隋開皇九年（五八九）平陳，此車亦爲當時戰利品之一。其後唐因得而用馬。憲宗元和（八〇六—八二〇）中，典作官金公立嘗重修其製法上之。宋書隋書記此車之制，均與晉書輿服志無異；惟通典附晉崔豹古今注云：「大章車，所以識道也；起自西京，亦曰記里車。車上下爲二層，皆有木人。行一里，下層擊鼓；行十里，上層木人擊鐲」。記里鼓車至宋代則更有明確之記載，其制爲二層，赤質，四面繪花鳥，重台、勾欄，雕拱、一轅、鳳首。駕士舊十八人，太宗雍熙四年（九八七）增爲三十人。仁宗天聖五年（一〇二七）內侍盧道隆上其造法。徽宗大觀元年（一一〇七）內侍吳德仁復修改盧法上之。又宋江少虞皇朝類苑記宋代有蘇弼者亦嘗重修此車。

宋史記盧道隆之造法云：

獨轅、雙輪。箱上爲兩重，各刻木人，執木槌。足輪各徑六尺。圍一丈八尺。足輪一週而行地三步。以古法六尺爲步，三百步爲里，用較今法，五尺爲步，三百六十步爲里。立輪一，附於左足，徑一尺三寸八分，圍四尺一寸四分，出齒十八，齒間相去二寸三分。下平輪一，其徑四尺一寸四分，圍一丈二尺四寸二分，齒間相去附立輪同。立貫心軸一，其上設銅旋風輪一，出齒三，齒間相去一寸二分。中立平輪一，其徑四尺，圍一丈二尺，出齒百，齒間相去與旋風輪等。次安小平輪一，其徑三寸少半寸，圍一尺，出齒十，齒間去一寸半。上平輪一，其徑三尺少半尺，圍一丈，出齒百，齒間相去與小平輪同。其中平輪轉一周，車行一里，下一層木人擊鼓；上平輪轉一周，車行十里，上一層木人擊鐲。凡用大小輪八，合二百八十五齒，互相鉤鎍，犬牙相制，周而復始。

由上記里鼓車各輪之裝置，據宋史本文尚無不可解之處。然而，其何以使下層木人擊鼓，上層木人擊鐲乎？宋史記吳德仁之造法云：

車箱上下爲兩層。上安木人二身，各手執槌。輪軸共四。內左壁車脚立輪一，安在車箱內，徑二尺二寸五分，圍六尺七寸五分，二十齒，齒間相去三寸三分五厘。又平輪一，徑四尺六寸五分，圍一丈三尺九寸五分，出齒六十，齒間相去二寸四分。上大平輪一，通軸貫上，徑三尺八寸，圍一丈一尺，出齒一百，齒間相去二寸二分。立軸一，徑二寸二分，圍六寸六分，出齒三，齒間相去二寸二分。外大平輪，軸上有鐵撥子二。又木橫軸上關捩撥子各一。其車脚轉一百遭，通輪軸轉周，木人各一擊鉦鼓。

吳德仁之「記里鼓車」，乃就盧製改良而來，輪齒稍異，原理相同。又據此而製造「指南車」[illegible]（一一〇七）吳德仁又獻指南車[illegible]記里鼓車[illegible]原理則一也。

南宋偏安有人才

李仲侯

二十五日拜太尉加食邑實封；翌日陞河北京西宣撫使兼營田大使。制曰：

「天生五材，莫大乎用兵之利。戰有百勝，孰踰於得算之多。專若信臣，妙持軍律。援桴擐甲，屢收既克之功。飲至策勛，更勵方來之效。咨爾在位，明聽朕言。起復檢校少保武勝定國軍節度使，充湖北京西路宣撫副使兼營田使武昌郡開國公，食邑二千五百戶，食實封一千戶岳飛，沈毅而有謀，疏通而善斷。威加敵人，而其志方厲。名著甲令，而其心愈剛。有慮而後會之機，有誓不俱生之勇。曩者分遣將士，深入賊巢。薦聞斬馘之奇，盡據山川之險。至於牛皋之役，尤嘉虎門之強。積獲齊山，俘纍載道。令行塞外，已觀奮擊之無前。響震關中，將使殞亡之不暇。是用躋榮掌武，加重元戎。玉佩絳裳，備殊勛之典禮。雕戈金節，增上將之威稜。仍衍爰田，倍敦眞食。以厚褒揚之寵，以明待遇之隆。於戲！朕不愛爵祿而用才，庶幾無負。汝宜竭股肱而報上，思稱所蒙。往圖竹帛之光，勉徇國家之急。則朕克濟垂成之業，而汝亦有無窮之聞。可特起復太尉，依前武勝定國軍節度使湖北京西路宣撫使兼營田大使，加食邑五百戶，實食封二百戶。主者施行。」

飛一再上章辭太尉，詔不允，詔曰：

「具悉。朕以戎狄作難，姦僞乘時。命南征北伐之師，得戰勝攻取之將。冀攘擊醜，以底丕平。卿爲國爪牙，董茲貔虎。功收江漢之表，聲震河洛之郊。大破逆徒，詎臨要地。秋毫無害，既昭布於上恩。壺漿以迎，遂撫寧於舊俗。佇戡大憝，亟靖中原。屬茲振旅而還，式示告廷之寵。惟將軍專制閫之命，能辟闢以宣威。而太尉乃掌武之官，用策而勵懋賞。斯爲甚稱，其勿固辭。所請不允！」

飛三上章辭太尉，詔仍不許。未幾飛扈蹕至建康，召至寢閣，玉音宣諭曰：「中興之事，朕一以委卿」。飛頓首奉詔。時劉光世罷兵，未知所付，帝意付飛。議既定，賜御札付王德等，札曰：

「朕惟兵家之事，勢合則雄。卿等久各宣勞，朕所依眷。今委岳飛盡護卿等，蓋將雪國家之恥，拯海內之窮。天意昭然，時不可失。所宜同心協力，勉赴事功。行賞答勵，當從優厚。聽飛號令，如朕親行。倘違斯言，邦有常憲。付王德等。」（八三）

海嘯樓談薈

談師道

諸葛文侯

咱們中國的固有文化思想，最講究尊師重道之義。我在童年時，見着先生對於自己的老師——尤其是科場中的「房師」——那種尊敬的言行，以及老師對門人的親切情誼，印象深刻，至今不忘。等到我啓蒙入學之秋，已是廢科舉，興學堂的時代，歐風東漸，但父母對於我的塾師，那種禮遇崇敬的情形，依然不減往昔。再看一般政府官員對於學校「教師」的態度，清末湘人張百熙以「學部大臣」兼「京師大學堂監督」時，即爲着聘請桐城名儒吳摯甫作總教習，親到吳宅下跪敦請。[illegible]國家人才而然。又湘陰陶澍在兩江總督任內，乞假還鄉，路過醴陵縣，時左宗棠以舉人主講該縣淥江書院，陶氏遣价持名片邀往，[illegible]之禮[illegible]亦肇於此也。歐美各國的社會各階層人士，對於一個大學教授（professor），亦復另眼看待，表示尊敬。就是在日本的社會中，一般大學教授亦擁有崇高地位，區區當年留學東京時，曾目擊其情。

降及近代，咱們中國人舊有那種賓禮師儒的善良習俗，在「打倒禮教」的口號之下，掃蕩淨盡了，政府的達官顯宦們，更視教書先生爲無足輕重的寒酸人物，「冀見致貴矜身手，翻笑先生好讀書」，學問既不能當作槍砲用，又不能作向外國借款的抵押品，誰也瞧不起的。現在大陸的文人田漢，過去曾有「殺人無力求人懶，千古傷心文化人」的憤激詩句，良有以也。學校視教授如同商品，按鐘點計酬金，學者想到學校教書，亦如官場求差使然，非鑽門路，講人情不可，像上述張百熙對吳摯甫的優禮風格，恍若隔世了！職是之故，學生對教師亦毫無尊師重道的情誼可言，教師是擺販，學生是顧主，師生之間，走出了課室即如陌路之人，相逢道左，掉頭若不相識，這跟咱們先一輩人的師生相處情況，恰是兩極化。但亦有一點例外，即教師如果一面教書，同時又在政府作官，或者跟政府顯貴有特殊關係，境況却不相同，這是我的經驗之談。

民國十七——十九年間，我任職內政部參事，又在中央大學兼課，平時很少有受業學生來寓所晤談，就是在街上偶遇着他們，亦不爲禮——我雖然不完全認識他們，他們個個認識我的。迨十九年中秋節，我由外面回到家中，忽見客廳內放置着火腿、香烟、洋酒等物若干，檢視幾張留下來的名片，原來都是中大本期畢業的學生。我揣想他們忽然對我表示尊師行爲的用意，莫非是希望我對於他們今後職業問題有所幫助，因爲我在政府有點地位而已。我雖[illegible]，認爲自己依然被青年學生看作利用的工具，沒有眞誠的師生情誼存在着，登時寫信給法學院政治系主任劉師舜（學五）兄，決計不再繼續教書了。

這兩年在香港被邀作過大學教師，一般學生却與過去在大陸上遇到的迥不相侔，都對我很親切敬愛，但香港的學校又多半是些學店，市儈氣息重人難耐，學校當局對教師，亦與工廠老闆對勞工的情形差不了多少，而大陸上共黨更鄙視高級知識份子，中國的文化前途，可悲得很啊！

附啓

「政風的今昔觀」續稿，我於上月廿四日在台北寫好兩期，用航空郵寄來港，迄今未見遞到，或許遺失了。在香港且再候一二日，如果寄然，我將重寫（因無底稿），敬希讀者諒察爲幸。

大胸脯崇拜史

匡謬

一八四〇年，許多廣告，提及「隆胸物」。舉例如下：「正式註冊的隆胸物——純棉毛製造」。

十九世紀最後年代的頭幾年（距今六十餘年），伸縮性的賽璐珞義乳，大登廣告。一種得以隨意增減的義乳，可厚可薄。今日博物館裏，便有此項東西。據一位採用的女人說，當她赴舞會時，要用什麼尺寸，視乎偕同赴會的舞伴是誰，要隆就隆，要小便小。

一九二〇年以後一個時期，女人束胸，「[illegible]一片」，成爲時尚。事情確屬變態，惟史家冷靜觀之，認爲這種做法，有其社會因素。原來那時女性竭力爭取男女平權，要選舉，又要參政。她們振振有詞，說女人無異男性，因此，連上帝賜與女性特徵——美好酥胸，都索性緊縛起來，以示「我獨男人」。這是大胸脯崇拜的反革命。（四）

自由報
THE FREE NEWS
第三七三期
登記爲第一類新聞紙類
（半週刊每星期三、六出版）
每份港幣壹角
台灣零售價新台幣弍元
社長：雷嘯岑
督印人：黃行審
社址：香港銅鑼灣高士威道二十號四樓
20. CAUSEWAY RD 3RD FL. HONG KONG
TEL. 771726 電報掛號：7191
承印者：田風印刷廠
地址：香港灣仔高士打道一二一號
台灣分社
台北市西寧南路壹壹零號二樓
電話：三〇三四六
台郵儲金戶九二五二

現階段的國際形勢與我們的前途

陳侃

就當前的國際形勢來觀察我們反共復國的前途，可說是暗淡的階段。

戰後以美英爲主體的西方自由國家，依然基於資本帝國主義的舊觀念與作風，并不希望地廣物博、人力龐大的中國有眞正統一、富強之日，以免失去這塊廣袤的消費市場，且有使西方勢力被排斥於亞洲地區的危險，西方人士在百餘年前虛構的「黃禍論」思想，至今猶存於內心深處，秘而不宣。因此之故，他們一方面爲着維護本身的生存利益而號召自由國家，一致反抗共產極權侵略主義，亦不惜以物力財力應援中國的反共運動。但其目的是要我們永遠處於西方勢力的支配之下，專爲西方國家的利益而努力服務，形同「保護國」而已。所謂「兩個中國」之說，自從中國大陸淪陷以來，即流行於西方社會中，公開宣傳不諱。實則他們不僅是主張造成「兩個中國」，還希望把我國的東北九省，以及新疆、西藏等地區，亦分別造成幾個獨立國，隸屬於美英俄的帡幪之下，藉以消弭「黃禍」的潛力，而實現利益均沾，機會均等的願望，才算功德圓滿。這決非神經過敏之談，試看在毛共對印度用兵時，美國政府人員曾聲稱「麥馬洪綫」係國際承認的「法定」境界云云，而俄帝對新疆的經營侵襲行爲，乃舉世周知的事實，這些都是中國人絕對不能同意的言行呵！至於蘇俄共產政權的本質，原係一種披着糖衣的新帝國主義，世人共見習聞，毋待贅述。最近大陸毛共宣稱：俄共頭子赫魯歇夫於一九五六年訪問美國之後，即勸告毛共接受「兩個中國」的主張，這當然可信，否則俄帝必勃然怒斥其爲無恥的謊言，決不致忽以向美國提出照會，抗議中華民國簽署核子禁試條約爲遮羞解嘲之計了。

美國當政人士對其援外政策，經常強調着「必須符合美國利益」的完義，所謂美國利益的眞諦，并不是以解放鐵幕內被奴役的人類爲前提，是以維護美國經濟在國際市場上的出路——鐵幕市場在內——爲主要目的。因此之故，美國一面以軍經援助給與自由世界的友邦，同時亦照樣援助鐵幕地區的敵國，如南斯拉夫和波蘭即其明證，美援所到之處，花旗的貨品自然跟進，不成問題。美國援助共產國家的理由，說是要改善提高當地人民的生活水準，使他們有能力起而推翻暴虐的共產政權，獲得自由生存的權益。可是他們當匈牙利全國人民奮起反抗共產暴政，渴望美國加以應援之際，白宮的主政者卻視若無睹，不發一言，讓俄帝的大砲坦克，橫掃全匈，殺人盈野，流血成渠哩！再看美國對中國問題的政策，一面援助中華民國政府從事反共抗俄，同時又與毛共政權勾勾搭搭，在華沙進行秘密談判，要求「和平共存」，彼此貿易通商。因而每逢大陸人民不堪暴政奴役的痛苦，到處騷動，渴望反共的中華民國政府乘機揮軍渡海，拯救同胞時，美國即堅決表示反對，甚至於對中華民國政府斥資向美國商人訂購的登陸艇裝備器材，亦如十三年前，杜魯門政府禁止反共的中國政府在美國所購軍需品運輸出口的情形一樣，不憚間接對毛共政權大力援助，爲的是要實現「兩個中國」，與俄帝「和平共存」，平分國際市場的經濟壟斷利益，反共云乎哉？自由云乎哉？所以，最近俄毛共之間發生了激劇的爭論，大有反目決裂之勢，而美國的商人即派遣代表來到香港，與毛共接洽貿易問題，美國當道則宣稱這是商民的自由意志，未便干涉，顧何以對於美商與中華民國政府進行的軍需品交易行爲，國務院又公然壓迫美商毀約呢？恬不爲怪，狐埋狐搰，這樣便是符合了美國的利益——讓美國永遠過着安全、繁榮的生活，經濟勢力蒸蒸日上，而又高據着自由世界的盟主寶座，隨時跟俄帝妥協要好，共享世界霸權，如是而已！

俄帝爲着響應美國這種「自由運動」，宅希望毛共接受「兩個中國」的主張，不行，即繼之以停止軍經援助，這就是俄毛共之間最近公開反目的所以然。但是，俄帝之所謂「和平」，涵義與美國人士所想像的大不相同，前者是「以和平爲名的戰爭」（The War Called Peace）——這是一個美國人撰寫的書名——目的在埋葬資本主義社會，後者是以和平苟安爲目的的惰性心理，旨在蘄求俄帝迴心轉意，大發慈悲，莫把越洲飛彈急劇射入美國來，以待美國研究反飛彈工作完成，再作進一步的妥協勾當！不過俄共集團有一種共同信守的世界革命理論，作爲他們對自由世界進行鬥爭的最高指導原則，萬變不渝其宗的。現在俄毛共之間儘管反目爭吵，張脈奮興，表現着互不相下的決裂狀態，將來只要俄酋在表面上給毛共一點面子，實際上恢復軍經援助，他們馬上又是同生死患難的兄弟之邦了。因爲俄帝決不表示它領導共產國家的用心所在，必須符合俄國的利益啊！反觀美國領導自由世界的行爲，除卻要符合美國利益而外，有甚麼共同的理論基礎呢？沒有共信的最高指導原則，即無精誠團結的因素，各人皆以本身的小我利益爲行動標準，自難怪俄帝可以跟美國簽訂禁止核子試爆協約，而北大西洋公約軍事總部所在地的法國即拒不參預；他如美國對中華民國，南韓，越南，以及中東與北非各國實行援助，而英法隨時從中掣肘扯腿，不相爲謀；同時凡是接受美援的自由國家，除英國而外，對美國皆具有惡感多於好感的心情。綜觀這些情況，美國要與俄帝和平競賽而立於不敗之地，談何容易呢？美國一旦失敗，整個自由世界也就會宣告完蛋！

以美國爲首的西方國家，自信他們國內的共產黨沒有武力，不容易打倒資產階級，奪取政權，祗要對俄帝設法妥協，不發生核子大戰，於願已足了。至於別國人民在共產暴政之下，呻吟顛頓，那是別人的事，美國不能爲着別人的生存利害關係，而冒戰爭的危險，這是不符合美國利益的愚昧之見！因此，我們如果擬望着美國總有一天會贊助我們光復故國，解放大陸人民，實係一廂情願的樸素幼稚病，十九是要失望的。然則我們將何以自處，是否亦學習美國的作風，與共黨「和平共存」呢？絕對不可以！共產主義絕滅人性，要人類回復到原始的野蠻生活，我們身受其禍害，認識最清楚，體驗極充分，跟西方人士那種對共產主義和其政權，僅是一知半解的心境迥異，共黨之不容許我們自由生存，勢所必至，理有固然，決無疑問之處。

共黨所恃以煽惑、詐騙民衆的力量，並不是它那種有形的武裝部隊，更不是所謂「人民民主專政」的宣傳號召之力，唯一原因乃是我們政府過去在大陸上廿餘年間的統治情形太糟糕了，人心思變，纔給共黨以裹脅煽惑的大好機會。（轉入第四版）

漫画天下　南地

中蘇共貿易

這一下跌得慘啦！

愈吵愈糟

自由談

醜陋的美國人

蔣經國先生在訪美的旅途中發表談話，聲明中華民國政治生活是民主的，將來亦復如此。據美聯社指出，他這番談話是針對着美參議員摩士最近抨擊台灣是「軍事獨裁政府」的言論而然。如果美聯社的觀察不錯，我覺得蔣氏的話未免太禮貌了。咱們對於一般善良而正直的美國朋友們，應該相交以禮，相處以義，相見以誠，但對於某些「醜陋的美國人」公然侮辱友邦的惡聲，卻不客氣，應予嚴加申斥。否則他們隨時擺出「沙文主義」的醜惡面目，忘乎其形的胡言妄語，自鳴得意。尤其對於摩士這類所謂民意代表，沒有客氣之必要，他是「醜陋的美國人」之中的特殊傢伙，其人其事，言之醜也！

他原是靠共和黨起家的人，在艾森豪威爾第二屆總統任內，因爲競選參議員得不到黨的熱烈支持，臨時實行投靠於民主黨，總僥倖當選的，從此即以「前進」姿態，招搖於政壇間，隨時對接受美援的自由國家，發出一些侮慢的論調，恬不知恥。他拾人牙慧，指摘最近越南政府專制獨裁，不值得美國援助，卻忘記了他自己國內黑白人種正在從事流血的鬥爭，若干州長日以軍警來壓迫黑人子弟，不許他們跟白種人同一學校。假使這種醜陋事件是發生在接受美援的自由國家，摩士之流一定大聲疾呼，指爲不民主，要求政府除停止美援之外，還要提交聯合國的「人權委員會」加以譴責纔行哪！

我無意爲越南政府辯護，也不認爲我們現在就是十全十美的民主生活，無懈可擊。但討厭「醜陋的美國人」如摩士之徒者，憑着暴發戶的嘴臉，對友邦常作無禮的攻訐，以爲大爺有的是美金，盛氣凌人，滿不在乎。對這類狂妄的政棍，如其一味謙抑忍讓，不特損害中美邦交，且將貽自由世界以無窮的隱患。君不見美國以大量的物力財力，推行援外計劃，而其所得到的代價，只是洋洋盈耳的不滿意美國之聲嗎？主要原因就是摩士這般傢伙，不負責任地胡說八道有以致之也。

馬五先生

台北市屠宰公會 八年來黑幕驚人

市議會設專案小組調查

（本報記者吳越台北航訊）台北市政府家畜市場管理處，自上（八）月一日起實施市場毛猪供銷業務改進計劃後，把持屠宰市場多年的北市屠宰公會，每年千餘萬的佣金收入將被取消，其餘的非法帶征各費也將被剝脫，操縱市場的壟斷機會將完全失去，以致引起屠商公會的懷恨，實行杯葛家畜市場，冒借零售商名義攻擊家畜市場，並聞以鉅額金錢，四處活動，圖打消家畜市場的改進計劃，繼續取得不法利得，有關各方面，對此已在進行澈底調查中。

本市毛猪供銷市場，前因屠商之請，施行「毛猪自由交易」後，屠商即常藉故拒銷市場配銷毛猪，壓低交易牌價，於場外交易，致使供應失常，操縱市場。該批商人，不獨兼營商紀，自隣轉賣，抽取場外佣金千分之二十，（按市場管理費僅千分之八），對本市零售商，從事毛猪販買及猪肉批發，坐取非法利得。五十一年度統計，全部進場毛猪爲三九〇．六七二頭，每頭抽佣金以七十元計算，其坐取非份暴利，即爲一七．三四〇．四〇〇元，至堪驚人。

台北市議員李賜卿研究透露：屠宰公會自民國四十四年至五十一年的八年之間，屠宰的猪隻不下二百二十萬頭，營業額多達二十七億多元，佣金是一筆相當可觀的數字，多達五千四百多萬元。該公會且公然派員在場違法「駐征」各項帶征費用，也是相當可觀。至於場外屠宰，台北在稅收上的損失，更是無可計數。

據「十字論壇」雜誌尚未刊出的資料表示：屠宰公會在市場「駐征」的各項附帶費，計有勞軍費（猪每頭三元五角，牛每頭六元五角，羊每頭一元），公會費（每頭二元），公會建築基金（每頭二元），納稅儲備金（每頭五元），合計每頭猪被征一二元五角。

自民國四十四年至五十一年八年間，以共計屠猪二．二二〇．五六七頭計算，則計征得勞軍費七百七十七萬餘元，公會費四百四十萬餘元，公會建築費金四百四十萬餘元，納稅儲備金一千一百一十餘萬元，共計二千八百七十餘萬元。除了勞軍費要繳出勞軍，公會費已列入該會歲入預算外，其餘四百多萬的公會建築基金如何處理了，歷年預決算中均無交代；且建築一所公會，是否需要四百多萬？爲何還不開始建築？都是大堪疑問的事，政府實有查究的必要。因爲上述各項代征費用，除公會費爲公會與會員之權利義務可由該公會自行洽商辦理，勞軍費是爲勞軍，還說得過去外，其餘的完全是於法無據的違法征收。但即使是公會費的征收，亦已超過政府規定，成爲漫無限制的濫收。省府一再嚴令糾正，地方政府何以不加干涉，不免使人嘖嘖稱怪了。

屠宰公會在佣金上的暴利，從本報記者所獲資料中，可以明顯地比較出來，以五十年度來說，場外交易猪二六六．七六九頭，交易金額四二五．三五〇．二九九．八〇元，市場管理費抽千分之八，只需三．四〇二．八〇二．四〇元，屠宰公會場外交易則抽佣金千分之二十爲八．五〇七．〇〇五．九九元，比較之下，該公會比市場要多得五．一〇四．二〇三．五九元的暴利。這五百多萬元，自然轉嫁到消費市民身上，肥了少數屠商，市民吃了貴肉。

該公會除了帶征各雜費外，每頭猪還有二元猪鬃收入，一元五角的猪龍骨髓收入，八年二百多萬頭猪，又是七百七十萬的收入，但在該公會的預算中，却看不到這筆錢，又是用到那裏去了？

台北市有百萬人口，每日必需一．二〇〇頭猪的供應，可是，從記者獲得的資料統計中看來，每日平均在場屠宰的猪隻都不夠這個數量：四十四年爲五三〇頭，四十五年爲六三五頭，四十六年爲五七〇頭，四十七年爲七七二頭，四十八年爲七五九頭，四十九年爲七九三頭，五十年爲九二三頭，五十一年爲一．〇九四頭。屠得最多的五十一年，還每日差一〇六頭，次多的五十年每日差了二七七頭。但零售市場仍有足額的供應，未見發生供應不繼的現象，可見這些未在市場屠足額的猪，是在市場以外的地方屠宰而來供應，那便是私宰，或自鄰近縣市市場屠了運入台北。私宰的豬，當然是漏稅；外縣屠猪，台北市也損失一大筆稅收。以五十一年在場外漏宰一．二七二頭，五十年在場外漏宰三．三二四頭計算，年次越往上推，漏稅的豬隻越是一個驚人的大數字，將來應該如何加緊查緝，嚴懲不法屠商，以杜漏稅，而裕稅源，是政府該好好研究的問題。

上（八）月廿四日市議會已決定對家畜市場問題組織專案小組調查研討，將調查結果提下次大會報告。專案小組由議員李賜卿等三人爲召集人，已着手進行調查。李議員對北市家畜情形了解甚深，故一般相信，只要調查小組能公正深入地加以調查，屠宰公會的重重黑幕，諸種弊端，一定無所遁形。改善了這個壟斷肉食市場的「托辣斯」，就能使本市肉食市場供應得宜，肉價不受操縱，消費市民可以減輕負担。同時，還有人希望專案小組，能對傳說屠商公會以巨額活動費遊說，且牽涉到議會部份人士的傳聞，也能公正無私地加以調查。

香港與大陸

毛共自承教育失敗

強調必需攪通思想

中共粵省教育當局，最近在各地召開了「中小學教師座談會」，承認它們十多年來推行毒化教育政策的失敗，但指其原因爲教師們並未首先攪通「馬列主義」和「毛澤東思想」所致，強調在新的學年開始時，必須重新更有計劃地向學生注射「無產階級思想」。

據市自興寧縣來港的縣立一中學生向記者透露：中共最近在興東區召開了「中小學教師聯席座談會」，被指定與會者共有一百餘人，彼等多數是學校中的「行政人員」，少數爲「模範教師」。在該次座談會中，他們一致承認中共多年來有計劃的毒化教育政策，基本上是失敗的，今後不能再如此繼續的失敗下去。

該中學生說：在那次「座談會」中，共幹們會指出：使中共毒化教育政策失敗的原因，是由於十多年來，不論學生，教師和家長方面，都存在極嚴重的問題。學生方面，他（她）們以爲讀了書亦不見得有好的出路，何必讀書？又認爲讀了書亦不免爲工爲農，又何必一定要辛辛苦苦地讀書？故學生們每當在學習上有困難時，便無法加以克服這種想法，甚而以爲在中共統治下，不讀書是比讀書好。同時，雖然學生們一方面被灌注「無產階級思想」，而另一方面他們却也自發地大量吸收「資產階級思想」，且認爲學生們這種思想是從那些僑屬僑眷以及歸國僑生那裏得來的，使他們認爲共產主義一無是處，而「盲目」地嚮往資本主義社會的物質享受。

教師方面，大部份的教師根本就沒有把「馬列主義」攪通，或者不願意攪通，所以不少教師在對學生進行思想教育時，往往分不清楚何者是「無產階級思想」？何者是「資本主義思想」？就算有一部份教師的政治智識水平高的，他們也無有興趣去傳授給學生，更不知結合實際，祇敎條地敷衍塞責而已，那能有好結果？

至於學生的家長，許多都是父母同時在外工作的「雙職工」，他（她）們整天忙於「工作」，却把非常重要的「家庭教育」忽略了，他們都成爲「甩手父母」，使孩子們從小就養成了說謊、打人、罵人、自私自利、佔小便宜……的壞習慣。有些父母，甚而連自己的孩子有嚴重的犯罪行爲亦至無所悉。

該中學生說：鑑於中共毒化教育政策的澈底失敗，那些中共的文化幹部在座談會中，遂要求每一個與會者在回到學校時，都得組織老師展開一次大規模的學習「馬列主義」和「毛澤東思想」的運動，還要求每一個教師都應以「教育者必先要受教育」，「教育工作者必須有高度的革命精神和責任感」，作爲這次「學習運動」的口號。另外還要求學校當局今後要與學生家長取得聯絡，向家長們提出「合作教育」的計劃，尤其要每一個家長對自己的子女提供思想、愛好……等的資料。

認爲如此才可以希望中共的毒化教育不致於繼續失敗。（敬斯）

閻振興爲什麼辭職（上）

——本報台中記者熊徵宇——

去年十二月一日，台灣省政府改組，接任教育廳的閻振興，就職以來，還不到九個月，突然辭職，而且很快的就由行政院通過吳紹棠來接任。這是一件極不平常的事，尤其是在這學年度剛開始的當兒。

九個月不到換一個廳級的主管，是以往少有也可以說是沒有的事。所以就引起人們的特別注意，政治圈子裏和社會上的人們，都覺得有點蹊蹺，而在閻振興本人，似乎也是想不到的。眞是政壇上的一大新聞。

新居甫定

我何以說連他本人也想不到這快就離開教育廳呢？乃是基於他的搬家。

閻振興沒有因爲出任教育廳長辭去他原任成功大學校長的職務，所以住在台南十幾年的家也就沒有動。而不久以前，由教育廳化二十萬，在台中市模範西巷押了一棟很高級的房子；兩個禮拜前，閻把家搬來了。

若果不是有長遠的打算，他的家是不會搬的。這一事實，可以說明他本人在目前並無去意。

爲何掛冠

何以如是？說起來也不是沒有原因的。

閻振興的去職，可以說是有三種原因：第一個原因，是他本人對教育行政外行，不能固定政策，對人對事，有些矛盾；而且所宣佈的措施，都缺乏成熟的考慮。第二個原因，可以說是人事上的壓力太重，他不夠「圓滑」，不夠靈活。第三個原因，似乎是在高層政治圈子裏沒搞好。

在這三個因素之下，他只有走路，沒有辦法可以挽回，也沒有人替他挽回。雖然他的志趣是在成功大學，所以一直沒有放手，但在這種情況之下離開教育廳，當非出自本意。

認識不夠

第一個因素的形成，乃在對於本身的業務和自己所處的環境缺乏深刻的認識。

就任之初，很沉默，對內對外，都不大發言，使大家覺得有點悶。但在三個月前，宣佈就多了。對內調整人事，換教員檢定委員會總幹事，換第二與第五兩科的科長。而且，在發表與紹棠接掌教育廳的前幾天，還撤換了全省教職員福利委員會的總幹事。在政策方面，他在近三個月來，宣佈了六項主張：一、取銷師範生公費制度。二、取銷免費供應國民學校教科書。三、增加省級學校的雜費。四、改職業學校爲專科。五、廢除國民學校校長與教員應具備師範畢業的資格限制。六、改一年兩個學期的制度，爲一年三個學期。

主張失措

這些主張，有的是在省府委員會中提出，有的見諸行政會議，而有些是在省議會答覆議員們的質詢時提出來的。都是透過新聞，見過報的。但是這些主張，有的是前任的廳長們嘗試過而做不通的；有的不能爲省議會所接受；更有些涉及教育制度的方案，根本就不是地方教育機構所能決定的。

比如取銷師範生公費制度的問題，年前就有人提過，這件案子，在省議會當時，省議會認爲，既然國家需要培養師資，就不能取銷師範生的公費。因爲歷來唸師範的學生，家境都比較清寒，若果取銷公費，對於唸師資的人可能越是減少，對培養師資是一種很大的障礙。所以師範學校與軍事學校一樣，應當是永久性的由國家供應。所以在劉眞的六年任內，乃堅持不談這個問題，鼓勵師資的培養。

屏東二三事

△屏東市中正路「仁和外科醫院」，於四十天內發生三件禍事，此眞禍不單行歟？

仁和外科醫院長范永拱，出身于日本帝大，於台灣光復後，即在上址懸壺，素以精湛醫術，妙手回春，博得顧客信任，然不幸於月前，竟連續兩次因手術不愼而致患者休克，造成案件。

而即在此時，他的兒子范信明（就讀於省立屏中初二）又因竊盜同學自行車，被刑警破獲。

前兩案爲告訴乃論，祇要有錢或可賠償了事；後者則係公訴罪，雖有百萬家產，祇要罪證確實，即難逃法網。爲此范永拱深感難安，即再三央求議員李俞合奔走，最後終又以范信明未滿法定十四歲，交家長領回管教爲由，而得脫刑責，亦云幸矣。

△屏東第十三屆縣運，已如例行公事的交了差，算是「功德圓滿」了。

這次縣運，爲期四日，參加單位計有三十二鄉鎮市，及二十四所中上學校。選手及大會職員多達二四五三人，創空前未有之紀錄。成績方面，這次有二零項破了縣運紀錄。

然據地方人士檢討，認爲缺點有（一）耗資達七〇萬元左右，所得成績未見有一項能破省運紀錄者，預料在未來省運時，難見寸功。（二）除主管單位社教股以外，甚少見到首長及主管官員到場。運動會秩序亦欠佳。（三）徑賽冠軍得主居然發生錯誤。（袁文德）

學位授予應納入考試制度

陳健夫

今日的教育，尤其是高等教育，無形中成了一種學位主義。學校以授予學位，成爲主宰學生前途的最大權威，而在學的學生入學目的，也只在以求得一紙學位爲榮，絕少有任何崇高理想與求學目的。將來即以此學位，投身社會，混世度日而已。如此的教育，如何能培養「先天下之憂而憂，後天下之樂而樂」的人才呢！又如何能成爲復國的新教育呢！

學位的授予，原有其必要。我們中國學者應有中國的學位，這個用心也是很好的。最可嘆息的是我們學習西方的文明，未免成了形式主義，只在皮毛上、形式上學習西方，而不求甚解。因此完全喪失了學位的眞精神。我們應知西方的學位制度與他們學術自由研究的環境及民主社會的運用都有密切關聯，相互配合。學生亦非僅以學位爲榮，而是以實學及發明爲尚。這是爲求學問而得到學位，幷非爲學位而學位。像今天我們的高等教育，學生們可說只是爲了學位而讀書，而學校亦以出賣學位爲能事，（近年來各高等學府每次發生的糾紛，均與此有關），學生修滿大學課程就取得學位，這未免太濫了，喪失學位的意義了。這樣的教育風氣及其傾向，如不及時糾正，是將足以危害民族元氣的。

筆者認爲改變這樣爲學位而讀書的壞風氣，根絕學校出賣學位的弊端，最根本的辦法，是將教育與學位劃分爲二，各自獨立。學校以辦教育爲職，以培養學生的知能及道德爲事，學校幷不授予學位；學生只是求學，修業期滿成績及格就畢業，但不能立即取得學位。學位的授予則由考試院去主持。必如此，學校才可以掃除一切因學位而發生的惡劣風氣，而集中精力開創復國的新教育。

本來國父孫先生倡導五權憲法，增設攷試權的用心，便是不肯盲從西方，取其皮毛，而要將中國古時攷試制度的精神保留在考試權內。這個考試權，是包含了爲國家發掘人才的積極作用，幷非消極的只是一種官吏考試而已，還應有學位考試，爲國家培養學術人才。孫先生訂定這種考試權，實在有他的苦心，可惜不爲後來的人所體會。這樣的考試制度，決不同於英美的文官考試。而有其積極的目的。今天我們實行五權憲法，應體察國父當初主張考試權獨立的用心，將有關學位的授予，歸入考試制度，由國家獨立的考試院來授予學位，既可使學位的含義隆重，而又能配合國家的考試制度，考試機關幷非只是爲了培養官僚而設，而應積極的培養學術人才，這才合乎單獨設立考試權的宗旨。這才符合五權憲法的眞精神。（上）

報人普立茲傳

汝津譯

約瑟夫賞識柯克力的工作，一如賞識其人。這位新編輯可眞是寫作簡潔新聞的能手，猶如普立茲寫社論文字那樣在行。終於，約瑟夫發現他找到一個可以信賴的人來分擔他的工作了。

凱蒂愈來愈担心約瑟夫和他的健康了。一晚她對來家晚餐的老友達維生傾訴。那時約瑟夫又回到報館去工作了。

「湯瑪士，我們怎樣才能使約瑟夫多注意他的健康呢？他簡直是精疲力竭了，可是他仍舊那麼振奮着，從不肯停止一下工作休息！」

「他一向就是這樣的，」達維生告訴她。「不過他現在工作得比以前更勤了。我們一定得讓他好好的休息一陣。你們該去旅行一趟。我已經注意到他的視力愈來愈差了。報紙的工作最傷一個人的眼了，而約瑟夫的眼睛又一直不太好。」

凱蒂飽含着淚水的眼睛悵然而望。「他那種神經質的情緒使我最担心了，」她繼續說。「他一聽到響聲就跳起來。他睡得很少。他的頭痛永無寧日，他用雙手壓着腦袋，好像那樣就可以把痛楚趕跑了。那眞使我心疼。我知道他的身體多虧損，可是仍不願停止工作了。更重要的是，凱蒂，他也是一個被人們普遍敬畏的人！」

達維生的意思是說：「快報現在已經執聖路易報紙的牛耳了。其他報紙的編輯也逐漸開始依樣葫蘆了。有幾家報紙也刊出約瑟夫常用的那種聳動性的新聞了。」

「也許柯克力先生可以主持一段時期報紙的業務，那麼我們就可以出去旅行一趟了。」

凱蒂的容光忽然煥發起來。「快報很成功，是嗎？湯瑪士。」

「出乎意表的成功，凱蒂。我不禁又想起我初遇約瑟夫的光景！簡直不能置信他今天已經是聖路易一家報紙的老闆。」

約瑟夫和凱蒂要實現他們所期望的旅行，還得耐性的等上兩年。現在他們有三個孩子了，拉芙三歲，璐西．依兒瑪兩歲，凱薩琳．愛賽只有幾個月大。約瑟夫覺得快報眞已大有可觀，在柯克力的編輯下，它更將日新又新。它已賺進了大筆的錢。去年一年便淨賺八萬五千元。

可是約瑟夫知道如果他弄壞了自己的健康，那些錢將是毫無意義的。一八八二年秋天約瑟夫全家準備到加利福尼亞去過冬。然而，正當他們要首途出發時，麻煩事來了。

十月五號那天，一個名叫阿龍索．W．史萊貝克的律師被柯克力槍殺了。那是發生在快報館中柯克力的辦公室裏的。那律師被一篇對他不利的文章所激惱。他跑來想打柯克力，而那位編輯爲了自衛反把他殺死了。

約瑟夫想起幾年前他自己和奧古斯汀上尉的決鬥。他答應柯克力他將盡力的支持他。可是這案件幾乎毀了普立茲和他的報紙。發行人和快報的敵人們乘機鼓動公憤，以致有一晚大批狂叫亂喊的羣衆竟圍住了快報館，並且企圖放火燒燬它。

（三十）

岳武穆軼事輯要

十八爺

「武穆謂黃機密曰：戰陣既交，手執得槍住，口有唾得嚥，則已是勇矣。機密儒生，未嘗歷戰陣，到中原見大戰，則心動矣。先隨某入小陣以觀戰，某令機密立馬處必無害也。若欲便溺，切勿離馬尺，蓋數十萬之軍，其目盡在某一旗上，機密欲往來不定，則軍人一箭射殺之矣，蓋恐我亂其目也。蓋大陣皆動，然後可隨衆勤抽。蓋武穆神勇，每戰皆自爲纛頭，身先士卒，機密力諫曰：猾虜識之，聚強弩以射我，奈何？雖公忠義，神明相之，自不能傷，然非大將之事也。武穆曰：昔杜充留守京師，某有兵二千，來受充節制，始至，適城外有土寇數萬，充即命某往戰，某不敢以兵寡不敵爲詞，即往說賊約降來稟充，充曰：我何嘗令汝受降，須爲我擒之。某復往責賊降，與而綏來，今不受降矣，顧與汝挑戰。賊魁出門，某馳騎獨往，奮大刀斫之，自頂至腰，分爲兩，數萬衆不戰而潰。人力不至於此，眞若有神助之者石刻事迹）

「武穆用兵無奇正，臨敵制勝，嘗自謂爲將無謀，不足以搏匹夫，故主於用謀。如紹興二年逸謀以破曹成，六年爲曹以擒劉豫之類，不可概舉。」（行實編年）

「武穆征羣盜過廬陵，託宿市廨，賀明爲主人汛掃門宇，洗滌盆盎而去。過洪都，郡守供張，餞別於郊，師行將絕，謂未得通，問大將軍何在？殿者曰：已雜偏裨去矣！其嚴肅如此。眞可謂中興諸將第一！」（周密齊東野語）

「紹興六帥，皆果毅忠勇，視古名將，岳公某獨後出，而一時名聲幾冠諸公。身死之日，武昌之屯至十萬九千人，皆一可以當百。余嘗訪其士卒，以爲勤惰必分，功過有別，故能得人心。異時嘗見其提兵征贛之固石洞，軍行之地，秋毫無擾，至今父老語其事，輒泣焉。蓋其每駐軍，必自從十數騎周遭巡，惟恐有一不如紀律者。時裨將楊貴怒一卒擅離隊伍，遂[illegible]，某見之，問其故，以爲不應死，顧左右求其生，不可則絕之，而解衣以贖焉。召貴詰曰：擅離隊伍，汝當以死償之。貴惶懼不敢對，諸將羅拜祈免乃已，猶以豫章境上有逃逋者，責使招降焉，不然復治其罪，貴後能致其人，始獲免。」（曾敏行獨醒雜志）

（四）

台省日本風尚待掃除

浮生

（七）中國貨要用日本商標：臺灣市面上，許多人造纖維紡織品，都打了中日技術合作的招牌，用日文大做其廣告。臺灣省出產的工藝品、化妝品、藥品等，都愛用日本的商標。明明是中國人開的工廠，中國人製的貨物，都要冒充「大日本東京××株式會社」的出品。連街上賣糯米糊子的，也打出了「日本東京特產」的幌子。好像咱們中國不是有着吃的最高藝術的國家。

（八）日商來臺灣設廠享盡專利：一度鬧得滿城風雨的日本「味之素」商標專利權，與發酵素味精專利案，差一點把台灣的味全味精工廠，弄關了門。今年日本田邊製藥株式會社，在台中建立了規模最大的田邊製藥工廠，引起了台灣省製藥業激烈反對。還有日本森永公司，違約把規定外銷的牛奶糖，大量在本省傾銷，相當嚴重的威脅了台省糖業成品銷場。

例子太多了！眞是不勝枚舉。但僅從上面所列舉的事實來看，誠不知台灣省光復十八年來，民族精神教育，實施效果在那裏？

（下）

廬山續夢

第九回： 枵腹爭雄　壺漿招餓鬼　苦心糾衆　風雨會羣魔

胡志明笑道：「本來他們夜生活也過慣了，史大林生前最喜歡夜裏辦公。」兩人雖然不願熬夜，可是也不敢拒絕，一道驅車趕去克里姆林宮。

赫魯曉夫笑着問道：「怎麼樣」？

胡志明看看艾地，兩人交換一下眼色，都覺得難以啓齒。

赫魯曉夫說道：「沒有問題，無論他們有什麼條件，祗管提出來，我總考慮就是了。」

胡志明說道：「籠統說來，可說一項都未談妥，無論在核武器方面，世界革命的戰界方面，和平共存方面，中國同志都堅持己見，不肯讓步。不過，這些問題都還容易解決，我相在發表共同聲明時，文字上加點技巧，也可以把雙方的理論全部容納進去。最困難的倒是關於修正主義問題，中國同志堅持要加譴責狄托一段，這一點就難以調和了。」

赫魯曉夫抱着一顆肥頭，沉思了半晌，說道：「光是這一個問題，我看不如取決於大會，祗要中國同志不節外生枝，則這一項可以提交大會討論。」

胡志明同艾地互看一眼，兩人知道赫魯曉夫想以多數取勝，如若在大會上提付表決的話，起碼有六十個共產黨會站在蘇共一邊，剩下的也都會棄權，眞正支持中共的最多不過三票。兩人雖然心裏明白，也都不願說出來開罪赫魯曉夫。

艾地當時說道「我們回去就把赫老的意思轉告中國同志，他們如有什麼意見，可以再提出來。」

胡，艾兩人喝了一杯咖啡，出門各嘆一口氣。

艾地說道：「這件事恐怕要發生大麻煩，中國同志何等精明，怎肯上這個當。」

胡志明苦笑道：「現在祗能盡人事了，他們眞不肯，再想其他辦法。」

兩人趕到中共代表團住處，劉少奇等人還沒有睡。

胡志明笑道：「你們大概是在等候我們回信。」

劉少奇笑道：「並非如此，我們在北京也經常過夜生活，因爲毛主席也是不到天光不睡，重要會議都在夜間開，所以養成遲睡的習慣。」

鄧小平笑着問道：「胡大哥，艾地同志，你們去同赫老會談的情形怎樣？」

胡志明說道：「我的意見凡是中蘇共兩黨之間發生的歧見，不妨採取兩存的辦法，在聲明上全部載進去，現在比較困難的是有關修正主義問題，你們堅持要在聲明中譴責狄托，蘇共却又不能同意這一點，所以變成難題。」

劉少奇說道：「赫老的意見怎樣呢？他應該拿出來個辦法。」

艾地笑道：「他到說出來個辦法。不過，我同胡伯伯恐怕你們不會答應。他原則上採納理論共存辦法，在聲明中將雙方觀點都放進去。祗有譴責狄托一點，他主張交由大會公決。」

鄧小平冷笑一聲，剛想開口，劉少奇却搶着說道：「這一點沒問題，請二位回復赫老，中共代表團完全同意。」（二三七）

越南與中國

周燕謀

越南（Vietnam）在二次世界大戰之後，由南中國海兩個昔日法國保護國和一個昔日法國殖民地結合而成。那兩個法國保護國，就是北部的東京和中部的安南，而那個殖民地，就是南部的交趾。越南伸展於東南半島的東海岸，佔據着全部的海洋綫，它是法國聯邦在東南亞的三個國家中之最大者，另外兩個是寮國和高棉，是越南西部的鄰國。這三個國家所佔據的地區，在地理上稱爲印度支那。

越南古稱交趾、越裳、駱越。紀元前二八〇年，趙佗始在越南（又稱安南）建立王朝，自漢至明各代，大部或一部隸屬中國版圖。清代尚爲我國藩屬。因爲中國文化在紀元前二世紀就到了越南，所以越南文化，大部份爲中國文化類型。

越南爲世界上兩個民族有中國的姓名之一，（另一爲韓國）。越南雖曾做過法國近百年的殖民地，廢用漢字亦已四十年，但越南人的姓名依然是中國式的。不過是改用拉丁化的音寫而已，（以前完全是中文）但每一個越南人的姓名仍有漢字根據。越南人姓阮的和姓吳的很多，黎姓也不少。越南人姓名第二個字即中間一字，男人大多數用「文」字，例如陳文友，阮文心，范文同；女人多用「氏」字，如阮氏和，陳氏珠，吳氏鳳。大多數越南人的名字都是用三個字，而現代女子却以用四個字爲時髦。例如黃氏玉蘭，武氏翠雲等是。

越南未開化民族中，有「落降頭」之迷信，從北越各省市到蠻區經商的越南人或華僑，若與蠻女結婚而又遺棄時，就有被「落降頭」的危險。據說，與蠻族結婚的男人，如果要離蠻區遠去時，他的蠻族太太便與他限定歸期，到期如不歸來，便會發生奇病暴斃。這就是被「落降頭」的結果。蠻女如何「落降頭」？從來無人知道，那是她們的秘密，但大多數被落降頭者死時，多是腹部忽然脹大，爆裂而死。而引起爆炸的東西，有時是一隻狗或許多蛇，有時是一個鍋或其他器皿。這些東西，據說就是蠻女落在男人胸中的「降頭」，其效力等於定時炸彈。如被「落」者準時歸來，蠻女就給他們解除「降頭」，毫無危險。（上）

燕瘦環肥

漁翁

我國歷代帝王，迷於聲色而致破國亡國者，如夏桀之於妹喜，商紂之妲己，周幽之於褒姒；千百年下，又有漢成帝，唐明皇，陳後主等，一死於牡丹花下，一逃於西蜀中，一匿於胭脂井內，均無良好結局。稽史至此，未嘗不廢書三歎也！

古代美人之著名者，可分爲「燕瘦」與「環肥」，前者乃柳腰纖細，柔若無骨，臨風欲飛，可作掌上舞，以趙飛燕爲代表；後者，係曲眉廣頰，濃艷豐肌，露滴牡丹，嬌映桃李，以楊玉環爲典型。一肥一瘦，並爲美人，雖體態不同，而各極其妙。故有「環肥燕瘦」之稱。

飛燕爲樂師馮萬金之孿生女，幼隨父習歌舞，色藝俱優。有妹名合德，亦豐肌香體，確屬一對姊妹花。父死，遷長安而居焉。漢成帝乃一風流之君，幾至拜倒石榴裙下。據稗史載：飛燕善體上意，爲帝所寵愛，侍寢之夕，有宮女以是否處女問，帝笑曰：「豐肌有餘，柔骨若無，非爾輩可得藐其項背也。」竟廢許后，而以飛燕代之。並引其妹合德入宮爲昭儀，左擁右抱，神魂顛倒矣。昭儀精房中術，以帝年老力衰，囑方士献丹藥，日服一粒，有起衰振疲之功。一夕，帝醉於大殿，昭儀進丹十粒，一時精神煥發，在高潮興奮下，忽昏迷不起，下遺如泉，剎那而死於牡丹花下，而作風流鬼，史以「暴崩」兩字諱之。

楊貴妃，小名玉環，係楊國忠之從妹，號太真妃。唐明皇寵之，封爲貴妃。七月七日，明皇與貴妃在華清宮，並肩向牛郎織女乞巧，並密誓心，願世世爲夫婦。又八月十五日，偕遊月宮，作霓裳羽衣曲，悱惻纏綿之情，不可以言語形容。貴妃之風姿，已在李白清平調三章中：「雲想衣裳花想容」，「一枝穠艷露凝香」，「名花傾國兩相歡」等句，描寫盡致。

明皇好色，日在花柳叢中，不問朝政，故白居易長恨歌有：「春宵苦短日高起，從此君王不早朝」句。淫佚荒嬉，致召安祿山之亂，明皇倉皇奔蜀，至馬嵬坡，一名馬嵬驛，在陝西興平縣西二十五里，六軍不發，帝使高力士賜貴妃死。一代美人已！如此下場，原亦可哀也！而此明皇一代英明之主，不能保一女人，焉其卒也。

六朝中宋齊梁陳之君，縱情聲色，宏獎風流，使虎踞之鍾山石城，化爲紙醉金迷之金粉江山。以陳後主叔寶，繁華荒淫，沉醉酒色，後宮張麗華，美而慧，且通文聲音律，凡變舊曲作新聲，[illegible]，唐人詩讚云：「[illegible]」。後主寵愛張麗華，竟至抱置膝上，聽百官奏事，每有所詢，麗華能[illegible]

政風的今昔觀

諸葛文侯

海嶠叢談

行政作用的良窳，關鍵就在效率問題。世界上首先創進官僚制度的國家，乃是舊有的德意志帝國，而以鐵血宰相俾斯麥當政時代爲極致。但德國的政教文物，日見進步，雖然經過了兩次世界大戰的挫敗，到今日它的國力依然爲舉世所重視。因爲眞正的官僚制度，體系嚴然，職責分明，凡百有司，各司其事，決無政出多門之象，功過獎懲，進退黜陟，皆有一定的軌則，切實遵行，即可獲致「人盡其才」的效果，亦表現着人生以服務爲目的的「能」的精神。吾儕曾經目擊過去北洋政府的行政狀況，那雖不折不扣的官僚制度的政治，但由於具備着官僚制度的本質，在某些地方亦表現了它的作用，例如司法獨立而言，它的進步視今日的情形爲優。當年北洋政府的京師檢察廳（曹錕當政的時候），曾因「金佛郎案」而將在任的外交總長羅文幹拘捕訊，內閣總理王寵惠亦無法援救。迨國民政府成立，舊制度已被革除，新制度尚未一立，然以文武百官當時皆賦有一種革命精神，唾棄官僚作風，大家自動的有所不爲，勇於負責，在行政上亦有「迅速實簡」的效能可觀。這說明政治制度與行政效率的關係甚大，有制度固然好，沒有制度，或行政人員若缺乏服務的朝氣，政令紛歧，莫之適從，縱有制度亦係廢物！

官僚政治之誤國病民，不是由於無制度，而是制度虛有其表，並不遵循，及其弊也，政出多門，職責混淆，有權大家爭，有責無人負，形成爲本報最近刊載薩孟武教授所寫「觀念政治與官僚政治的作風」一篇文章所述情形。所以，行政上可怕的並非官僚制度，而是官僚作風。制度是對事不對人，官僚作風即恰恰相反，一切講人事關係，憑私人好惡，上下其手，任意胡爲。例如我過去在海外的政府機關報刊上，每日撰寫近代人物的掌故文字，內容十九都是記述一般叛亂份子的史事。該報內銷台灣，或所寫的筆記在十萬字以上，從未聞到政府或黨部有何異議之處。等我把這項筆記一字不改的彙印成册，申請內銷時，而主管宣傳事業的最高權力機關，竟毫無理由的予以禁止處分了！另有一位僑商（是我的朋友），三年前爲響應政府優待華僑歸國投資發展工商業的號召，報到台灣辦理設廠的手續，據他說：在台北住了半年，奔走於六道有關官署之間，填了近百張漢文字併註的表格，還是不得要領，只好廢然而返了。這便是近四五年來，東南亞各新興之邦，大力排斥華僑，然大量僑資皆集結到香港，使香港市面日趨繁榮，而不能把這項游資流入祖國的所以然。以此政出多門，不講究制度的官僚作風，那有行政效率之可言呢？

大概今之文武百官，內心上亦感覺官僚作風盛行了，又將招致「偉大的友邦」美國人對咱們發出「腐敗低能」之譏吧？於是乎竭力表示民主精神與進步作風，而以開會的形式來儘量發揚之。從早到晚，任何大小機關總是不斷的開會，所謂「工作會報」，「小組會議」，「聯席會議」，「檢討會議」……等等，此外尚有名正言順的法定會議，這些若干名目繁多，不及備載的臨時會議，更僕難數。有位政務官對我訴苦，說他每週必須親自參加十七次的大小會議，弄得精疲力竭，再也沒有工夫來考慮擬定本身主管的工作計劃了。開會的結果，表面緊張忙碌，實際偷惰，任何事項都有人管，也不知道究竟是誰的責任？這樣「迅速實簡」的處理方法，若說可以推行政效率，密切配合，打倒共黨暴政，誰敢相信嗎？（二）

南宋偏安有人才

李仲侯

飛既受詔兼統劉光世之兵，因手疏陳恢復大計，上意感動，批紙尾飛，乃寓委屈褒獎之意。飛奏曰：「臣伏自國家變故以來，起於白屋，實懷捐軀報國，雪復仇恥之心。幸憑社稷威靈，前後粗立薄效。而陛下錄臣微勞，擢自布衣，曾未十年，官至太尉，品秩比三公，恩數視二府。又增重使名，宣撫諸路。臣一介賤微，寵榮超躐，有踰涯分。今者又蒙益軍馬，使濟恢圖，臣實何人，誤辱神聖之知如此，敢不晝度夜思，以圖報稱？臣揣敵情所以立劉豫於河南，而付之齊秦之地，蓋欲荼毒中原生靈，以中國而攻中國，粘罕因得休兵養馬，觀釁乘隙，包藏不淺。臣不及此時稟陛下睿算妙略，以伐其謀，使劉豫父子隔絕，五路叛將歸還，兩河故地漸復，則金賊詭計日生，它時浸益難圖。然臣愚欲陛下假臣日月，勿復拘臣淹速，使敵莫測臣舉措。萬一得便可入，則提兵直趨京洛，據河陽陝府潼關，以號召五路叛將，則劉豫必捨汴都而走河北，京畿陝右，可以盡復。至於京東諸郡，陛下付之韓世忠，張俊，亦可便下。臣然後分兵濬滑，經略兩河，劉豫父子，斷可成擒。如此則大遼有可立之形，金賊有破滅之理，四夷可以平定，爲陛下社稷長久無窮之計，實在此舉。使令汝潁陳蔡，堅壁清野，商於虢略，分屯要害，進或無糧可因，攻或難於饋運，臣須斂兵還保上流；賊定追襲而南，臣俟其來，當率諸將，或銼其銳，或待其疲，賊利速戰，不得所欲，勢必復還，臣當設伏，邀其歸路，小入則小勝，大入則大勝，然後徐謀再舉。設若賊見上流進兵，併力來侵淮上，或分兵攻犯四川，臣即當長驅，擣其巢穴。賊困於奔命，勢窮力殫，縱今年未盡平殄，來歲必得所欲，亦不過三四年間，可以盡復故地。陛下還歸舊京，或進都襄陽關中，唯陛下所擇也。臣聞興師十萬，日費千金，邦內騷動七十萬家，此豈細事？然古者命將出師，民不再役，糧不再籍，蓋慮周而用足也。今臣部曲遠在上流，去朝廷數千里，平時每有糧食不足之憂，是以去秋臣兵深入，而在寨卒伍有饑餓閃走，故臣亟還，不遂前功，致使賊地陷僞，忠義之人，旋被屠殺，皆臣之罪。今日唯賴陛下戒飭有司，廣爲儲備，俾臣得一意靜慮，不爲兵食亂其方寸，則謀定計審，必能濟此大事也。異時迎還太上皇帝寧德皇后梓宮，奉安宗廟，再萬同歡，陛下高枕無北顧憂，臣之志願畢矣。然後乞身還田里，此臣夙昔所自許者。伏惟陛下恕臣狂易，臣無任戰汗！取進止。」（八四）

現階段的國際形勢與我們的前途

（接第一版）

要實現反共收復國土的目的，今後我們要以收拾人心爲第一要義，[illegible]改變觀念，把過去所謂「[illegible]」，[illegible]完全掃除，[illegible]我行我素的陳[illegible]……[illegible]「政治反攻」云云，[illegible]軍事反攻[illegible]。

自由報

內僑警台報字第○三壹號內銷證

THE FREE NEWS

第三七四期

中華民國僑務委員會登記證僑報字第二三號
台灣省政府新聞處登記證
中華郵政台字第一二八二號執照登記為第一類新聞紙類
（半週刊每星期三、六出版）

每份港幣壹角
台灣零售價新台幣弍元

社長：雷嘯岑
督印人：黃行齋

社址：香港銅鑼灣高士威道二十號四樓
20 CAUSEWAY RD 3RD FL. HONG KONG
TEL. 771726　電報掛號：7191
承印者：田風印刷廠
地址：香港灣仔高士打道二二一號

台灣分社
台北市西寧南路壹壹零號二樓
電話：三○三四六
台郵撥儲金戶九二五二

從越南動亂談到美國外交

·凌霄·

（一）

最近越南內部的動亂現象，連緜發生，層見迭出，初以佛教徒抗議政府干涉信教自由的高僧自焚事件為導火綫，繼乃演變為反對吳廷琰總統的「家族政治」問題，青年學生羣起遊行示威，全境騷驛。政府出動軍警，大捕「亂民」，僧侶的領導者託庇於美國使館，抗不屈服，而所謂越南第一夫人的吳總統弟婦陳氏，竟以政府發言人姿態，攻訐佛教，且指摘外國人從中策動越南政潮，企圖推翻吳廷琰總統，改組政府，最後吳總統及其軍政首長，聲言佛教徒和學生們的反抗行動，都是受着共產黨滲透份子的教唆蠱惑，表示非以武力制裁不可。然大力援助越南剿共的美國當道，却認為越南內部動亂的基因，是民衆不滿意吳總統介弟吳廷瑈夫婦二人暗掌政府大權，主張予以整肅，且由駐越南使節向吳總統正式提出這種要求。綜觀這些情況，越南動亂的內容，由單純而漸變為複雜，因內政而牽涉到外交，如果處理不慎，勢必重蹈我國對日抗戰結束後的剿共之役的覆轍，而使全越淪於共黨之手，殊堪憂慮。

越南動亂發生之初，其性質純屬政教衝突，原是很簡單的事，假使政府當局不囿於宗教信仰的成見，秉公處理，事態即不致惡化，此時的佛教徒中，似乎沒有共黨份子滲透釀亂的迹象，否則僧侶們必不會僅以「屍諫」來表示抗議的行動。由於政府處置失當，相激相盪，這纔引起青年學生們的反感，使單純的政教爭執變質而成為政治糾紛，不啻為共黨開創其滲透顛覆運動的方便之門。所以，若越南內部動亂真有共黨從中煽惑，亦是政府自作之孽，於人何尤？如所謂第一夫人陳氏公開攻訐佛教徒的言論，即係揚湯止沸的愚昧之舉，對政府有百害而無一利，吳總統不予糾正，可謂闇於政理，昧於治術，致招來「家族政治」的惡名，何其不智之甚也！至於吳廷瑈夫婦，在政府并無重要職位，乃藉着總統介弟關係，乃享有政治上用人行政的最高權力，這已是喪失民心的事情了，而那位總統弟婦又隨時以政府發言人的身份，對於內政外交問題，多所論列，更足以激起人民的反感，因而使吳總統的信譽大受損害。我們相信吳廷琰先生的愛國情操及其反共精神，毫無疑問，但對於他過份信任家屬干預國事的作風，深感迷惘。再看越南駐美大使陳某——他是吳總統的親戚——為反對政府對佛教徒的政策而宣告辭職，更覺得吳總統為着寵信自己的兄弟，而不惜冒「衆畔親離」的危險，未免太失策了。本來在文化落後，生產力貧乏的農業經濟社會中，政治上任用私人，實為無可避免的必然現象，但若以國家利益為私人殉葬品，有為有守的政治家是絕對不幹的。

越南內部動亂必須及早消弭，否則前途將不堪設想。佛教徒的合理要求，政府似應接納，妥為拊循，一般青年學生驟然示威的動機何在，亟該仔細查明，加以適當的應付，光是憑着武力從事鎮壓，決非上策。我們認為政府對本國人民讓步以解除內部矛盾糾紛，無論怎樣都可以，最壞是剛愎自是，一意孤行，而以有共黨滲透教唆為拒絕讓步的口實，這樣就是「為淵驅魚，為叢驅雀」的行為，祇是把內部的糾紛擴大，動亂加亟，縱能倚靠武力制止於一時，終將釀成全局糜亂的後果。

（二）

當越南佛教徒發動集體示威，對政府抑制佛教政策表示反抗之際，表面上只是為着爭取信教自由的人權問題，如果不是吳總統的弟婦發出斥責佛教徒的言論，我們看不出這其間的主要因素是反對「家族政治」。但美國方面，一開始就說這是越南人民不滿意吳廷瑈夫婦在政府隱握大權的行動，紐約時報即有論主張策動越南軍隊叛變，以推翻「家族政治」的現政府，更由駐越大使向吳總統提出「驅逐」乃弟夫婦二人於政壇之外的建議，因而吳總統感覺美國公然干涉內政，難以忍受，致令亂象日益擴大，影響了剿共的軍事措施。美總統甘廼廸日前對越南問題的談話，表示決不停止或減少對越南的援助，也不要求友邦的政治樣樣要跟美國看齊，然最後仍希望吳總統健全政府的人事組織，隱隱約約的還是不贊成吳廷瑈夫婦獨攬政府大權。吳總統對此作何感想，尚不可知，然我們對於美國朝野人士這種作風，實在不敢恭維。

我們相信美國對於任何接受美援的友邦，都抱有「恨鐵不成鋼」的善良心情，但其外交言行，總不免輕率失態，這可說是坦白，也可說是幼稚。由於坦白，乃不覺發生干涉別國內政的「涉文主義」行為；由於幼稚，即不體察別國的現實情況，強使別人遇事要遵循美國的生活方式。職是之故，自由世界凡屬接受美援的國家，對美國皆沒有心悅誠服的情誼，且有好姻緣變成惡姻緣的趨勢，這是很可惋惜的事。俄共集團常常指摘美援附有政治條件，干涉受援國家的內政，證以美國一般的外交言行，他們更振振有詞了。

實則美國人士的居心，并不要干涉友邦的內政，毛病在以自己的尺度，衡量別人，不問別國的文化傳統如何，社會結構如何，經濟生活是在甚末階段中，一味地要求別國的政治必須跟美國同一類型。譬如美國是由兩黨交互執政，誰也不能久握政權，而以選舉為更易執政人物的唯一方法。這種民主制度，理論上固然無可厚非，但在生產力貧乏，社會結構不健全的地區，照美國的方式實行起來，必然利少害多，無裨實際。尤其是一般剛從殖民地生活中脫出的新興之邦，如東南亞與北非的自由國家，不特民衆大多數沒有政治意識，而且十九盡係文盲，全國的知識份子羣，受過良好的高等教育者，寥寥可數，若實行美式的民主制度，沒有不糟糕的。現在美國人認為越南總統吳廷琰不行，主張更換他，萬一果眞下台了，再要在越南揀出一個比吳氏更優越的政治人才，恐怕很不容易吧？殷鑑不遠，請看南韓自李承晚總統被迫去職後，到現在還是動盪不安，迄無寧日。美國人每每強調政治反共的潛力，認定提高社會大衆的生活水準，才是最堅強的反共力量，這道理亦不錯。可是，提高人民生活水準的基本條件，是要發展生產力，增加國民收入，使生產與消費相適應乃可。光是依靠外來的經援和日用品以增高生活享受，那就是殖民地的生活現象——以十八世紀的生產能力，過着二十世紀的消費生活，這樣的國力，怎能抗拒共產黨的侵襲呢？

我們鑑於中華民國政府喪失大陸，以及大韓民國傾覆不已的事實教訓，希望美國改善其對於接受美援國家的外交作風，主要是不能抹煞現實，只是以觀念或概念來期待別國一例通行美式的政治制度。尤其在外交言行上，必須顧念到友邦的國格和自尊心，動則對於友邦政府加以惡劣的指摘批評，而藉美援來威脅，這徒然是使親者痛、仇者快而已。

漫画天下

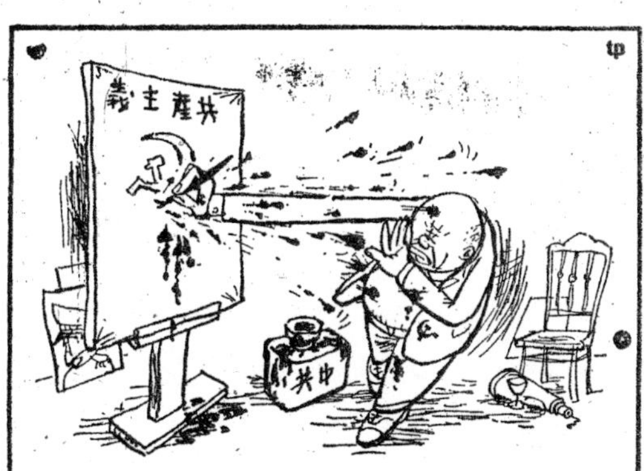

一場糊塗

各有心事！

自由談

我看世界局勢

馬五先生

美俄兩國當道訂立的禁止核試條約，快要見諸實施了。儘管在自由世界裏有個法國不賣帳，在鐵幕地區有個中共唱反調，而美俄必不屑瞻顧，我行我素，滿不在乎。下一步驟，將是所謂「華沙公約」集團與北大西洋公約集團，進行「互不侵犯」協定工作了。這項妥協計劃如果完成，則美俄間的熱戰氣氛暫告消沉，中俄共之間的冷戰更將劇化，而英國對中共的貿易慫恿即為之亢進無疑。

這樣的國際形勢，美俄暫時樂觀厥成，英國衷心歡迎實現，法國無可無不可。因為世界大戰的主要戰場是在西歐，西綫可告無事於一時，美英即樂得藉此以期促進東方中俄共的冷戰日烈，更可藉中共為世界革命理論問題與俄帝反目的影響，間接促使東西各國共黨內部發生分裂，計亦良得也。剩下一個問題，就是西德，中華民國和大韓民國，皆不願意自己的國家，永遠被弄成兩半拉，怎末辦呢？有辦法！美國一面以強權壓制中、韓兩國，不要對中共作武力進攻，一面私提條件向西德從事拊循，少安毋躁，而中共不獲俄帝的軍事支援，也就不敢向外冒險妄動干戈的。

若問這種國際形勢，究能維持多久？答曰至少在一年以上。原因是美國的總統選舉，明年十月就實行了，甘廼廸志在連任，必須以創進美國人民的安全、繁榮生活為競選資本，纔可望如願以償。過去艾森豪總統對英法進軍蘇彝士運河之赫然震怒，對匈牙利人民反共抗俄運動之坐視不理，為的即是要競選連任，所謂昧良心出於無奈也。甘廼廸的聲名威望，遠不及艾森豪，他更要以格外「和平」的手法來証取民衆的擁戴，否則他的連任希望頗渺茫啊！

這是我對當前國際局勢的管見，對不對，且待未來的事實證明罷！

議而決矣。決而未行

電檢處改隸教部擱下來

（本報記者吳越台北航訊）電影檢查處改隸教育部的事，現在被擱置下來。電檢處長屠義方這樣告訴本報記者。

本（九）月一日台灣省雜誌事業協會成立十二週年，上午十至十二時在台北市一七〇〇號大禮堂酒會招待各界來賓，記者在會場遇見行政院新聞局電影檢查處處長屠義方，記者問他：立法院通過將電影檢查處自行政院新聞局改隸教育部的事，現在怎樣了？

屠義方說：這事情現在沒有聽見說起，大概還要擱一下吧！

電檢處在隸屬於新聞局之前，曾隸屬過內政部，也一度隸屬於教育部。改隸問題前在立法院討論時，改隸或不必改隸的兩派意見紛歧，人數也幾乎相等，後來畢竟通過改隸教育部。但即使在立法院通過之後，反對改隸的意見仍時在報上發表，故有人預測改隸之事，或者不致如此容易。據說：執政黨方面，對電檢處改隸之事，還有不同意見，未得最後結論；此或是電檢處遲遲未遵照立法院決議而改隸教育部原因之一。

五十二年度日片配額問題，在台灣引起許多紛擾，日本甚至將此事牽入外交事件中去；台灣片商之間，更是明爭暗奪，在拖過了幾個月之後，好不容易才勉強定出一個辦法。五十三年度日片配額是否仍照五十二年度辦法實施，頗為人關心，記者特就此詢問屠義方，他說：五十三年度的日片配額，一定有改變。記者問他改變大不大？他說：改變很多。五十二年度試行了一年，很多地方都須要改變。

台北市片商公會本來只有二百多家會員，本（九）月四日該公會要舉行會員大會，進行二年一度的理監事改選，其中不少新片商，因獲悉政府將改變日片配額以後，為了想坐分日片配額，才申請設立公司，所以已經報到的片商公會會員共有三百四十家，比去年憑空增加了一百多家。預料五十三年度的日片配額爭奪必較五十二年度為激烈。

談到電檢處的近況，屠義方告訴記者，電檢處因為增加對電視影片的檢查業務，最近始獲行政院核准增加檢查員二人，至於五十三年度預算經費，比五十二年度並無增加。

電檢處因業務增加，原在仁愛路的地址已不敷應用，最近獲准以四十萬元台幣的代價，在中正路一五二一號（新生社隔壁）頂下一幢四層樓的房子為新址，雙十節可以遷入，頂期五年。舊址交國有財產局處理；新址四樓將闢為放映室，二、三樓辦公室檔案室，樓下處理業務。

高市調動教員問題叢出

有稱絕食抗議爭公正者

家長與教員相率大鬧教育科

（本報記者趙家驊高雄航訊）台灣省的教育，在歲出預算上，多能依照憲法規定，不少於總預算的百分之三十五，比之其他各項預算，確屬遙遙領先。以高雄市教育預算而論，在各種建設的比重上，遠超過了憲法規定，高達百分之四十三·八，它的實際數字為七千九百五十七萬七千一百二十元。

高雄市政府教育科，掌握了這一筆龐大教育經費，自宜由一位公正不阿者主其事，在用人行政上，本着大公無私的精神，其他一切舉措，亦按制度實行，方可促使教育的進步與成長，藉為百年樹人的事業奠定堅牢不拔的基礎。

前任教育科長馬誠久，一般即認為他做得不錯，不幸馬氏因病逝世，本年三月即由國教股長王清波代理。王清波的代理未經聽准，陳啓川市長却以市令代理，於是科長雖無名，而大權却獨攬，「三把火」既一無是處，教育科內却建立了一個以王清波為首的小組織，以之為核心，對內驕橫跋扈，排出異己，對外則發號司令，不顧惡果。而王清波佈局既定，鎮日在外活動，盡是在搞人事問題，致教育科內形成一片混亂。

此次國校教員調動之後，問題連續而來，甚而有宜稱絕食抗議者。已發生問題的有如次三宗：第一，苓洲國校教師曾清藝，在苓洲任教已十餘年，且成績甚佳，家長會會長及校長都認為不應調動曾老師，致家長相率大鬧教育科，王清波却詭稱：「我不能作主，只有俟明年再說吧」。家長們憤慨已極，仍繼續的鬧。

第二，三民國校被調往郊區教員有七人，這七人每天均大鬧教育科，但王清波鎮日在外，致全無結果。此七人極稱教育科處理不公平，豈有此理。據教育科內的公正人士稱：教育科之錯誤，是在全市教員調動之後，單獨來處理三民國校調動問題，且欲以「行政命令」調動，不容有伸縮的餘地，致造成今天難於收拾的局面。

第三，有旗津國校教師何瑞芳者，年逾六十，被由旗津國校調往郊區之大汕國校。何憤怒已極，他在其香港衫上大書「活標語」謂：「無罪被調，以絕食抗議來爭取公正」等語。市府着了慌，由兩位秘書將何引至安全室，安全室答應三日內解決此問題。惟三日何又至，安全室又謂：不能收回成命，要他先赴大汕，以後只有候缺優先調回。這是一派官話，大家都知道，何老師年歲已老，行將退休了，他在旗津國校蓋了一間小房屋，大有終老於斯之慨。且據說何的被調原因，是他曾經檢舉過該校合作社理事主席龔福麟營私舞弊，王清波即認為何在學校鬧事，應予調動。而何所檢舉的龔福麟，却調進了市區的鼓岩國校，兩相比較，軒輊可見，難怪何老師要大鬧市府了。

由以上三問題以觀，充分的表現了王清波的霸道作風。調動教員竟手執「行政命令」，安得不引起反感與衆怒？此事如何平息，尚未可知。

另外尚有一宗值得追究的問題：此次保送生，教育科仍照收報名費每人廿五元，一千二百餘人，共收三萬餘元。此款掌握在王清波之手，教育科各主管成立了一個審核委員會，據說是來審核學生的成績的，這其實是巧立名目。審核學生成績係各學校之事，何勞教育科越俎代庖？而這一筆三萬餘元據說就在本市最豪華的飯店筵席上開銷了。王清波會向校長們報告開支用途，表明他自己「清白」，但他真可以此了事嗎？既名曰保送生，却要收取報名費，當然是非法行為。這裏面的文章是如何？陳市長應清查清楚的向市民開出過去的賬單，纔能交代。陳啓川市長這塊「不要錢」的招牌是「值錢」的，建立不易，不可以毀之旦夕，則陳市長幸甚，市民尤其幸甚。

閻振興為什麼辭職（下）

——本報台中記者熊徵宇——

政策觸礁

取銷國民學校教科書的供應，早在四年前，建立「教育基金」制度的時候，前主席周至柔也動過這個腦筋，那是看在每年需要三千萬台幣的那筆數字上，但義務教育，後來覺得國民教育學費是一種「既得利益」的制度，等於是碰一塊「金字招牌」，而且省議會也很難通過。如是就沒有正式提出來。那筆錢，在省方整個教育經費的數字上，佔的比例畢竟不大。

改職業學校為專科的方案宜佈後，省議員們，紛紛提案，奔走說項，都要求把各處的職業學校改為專科學校。在教育理論上，職業學校與專科學校的性質，自是有所分野，而現實的，是增加許多很不易處理的困擾。而一年兩個學期改為三個學期的主張，在省議會大「觸礁」，羣情嘩然，但是閻振興却又說那祗是一種研究，並不是絕對的決定，讓議員們提出，既然是在全省行政會議上提出，當然算得是方案。覺得他的答覆，未免自顯矛盾。

得罪了人

又因為，教育小組審查教廳預算時，頭一天他去過，以後就沒有出席。議員們認為何以只三兩天的時間也不肯去，而在那個時候去檢查身體？覺得他太不尊重議會。於是就有人放炮，指責他，既然當了教育廳長，就該放棄成功大學，廳長兼校長，法理不能容。

好幾個人說過很難聽的話。而台北的輿論也響應省議會的質詢，為文指責嚴厲。

這期間，傳說閻有辭廳長職的消息，可是不久家又搬到台中來了，於是辭職之說，形同過去。而不久，傳說又起，成為事實。

於是，衆人判斷，所以如此，乃在更換第二科長為某高階層人物所不滿。雖然他希望在第五科長的職位上來彌補那個關係，但是沒有達到效果，連帶的形成了我所說的第三個因素，把那高層圈子的關係搞壞了！

於是只有把剛搬到台中來的家，馬上再搬回住了十多年的台南，結束他八個多月的廳長生涯。這不能說不是一件很尷尬的事。

損人誤事

閻振興的去職，是一件很不正常的事，眞個是「三日京兆」，「宦海浮沉」！令人產生多種的感觸！

有人說，閻振興到底是個搞工程的，不懂做官的訣竅。有人說他是「聰明反被聰明誤」。又說是省府當局要在本學期安插更換幾個台北地區的校長，無從着手，因而辭職。

但我還是認定我所說的三個因素，乃是事實的根源。只是覺得行政院對於閻振興的任命與去職，似乎都太倉促。一個省委兼廳長的職務，在台灣說起來不算一件小事，任命之初，該多考慮。不到九個月換一個省委，在人事命令的尊嚴上，與用人持政的尺度上，都是不正常的。最大的損失是九個月來的光陰，如此白白耗費！損人誤事，莫此為甚！

當初看得起閻振興，如今把他「扔」了，這又何苦來呢？

九年前，發表劉先雲當教育廳長時，就傳說吳紹棠要來。而劉白如接任之前，吳紹棠也有這個傳說，如今吳紹棠畢竟來了。他出任教育廳的醞釀，可以說是「遠年花雕」，但願這罈老酒的味是香的，質是純的，為台灣省的教育，拓建一條寬大的路。

香港與大陸

毛共變相削減教育經費

若干中學生被動員就業

中共在廣州市新近又勒令所有中等專業學校普通中學在新的學年，盡量「動員」一批「缺乏學習條件」的學生「就業」，藉以一則減輕教育經費的負担，再則增加生產勞動力。

據暑假期間由廣州市申請獲准來港而不願再回去的僑光中學生黃興華君透露：廣州市各中學校，均已接獲「指示」，要在新的學年中，盡量減少經費開支，其辦法除少招新生外，還要「動員」一批「缺乏學習條件」的學生「就業」。這是中共「一舉兩得」的算盤，既可減少教育經費的負荷，又可因之增加社會生產的勞動力。

黃興華君說：據他從一位老師處瞭解，每一家學校都大體規定了「動員就業」的名額，其名額的多寡，以學校的性質和學生的「質量」而定，一般而言：中等專業學校名額較多，學生素質較差的學校的名額亦多。僑生學校則較少「動員就業」名額。

黃興華君說：所謂「缺乏學習條件」者，一般指下列四種學生：

1、年齡較大者。這包括超過十六歲的高小學生；超過廿歲的初中學生；和超過廿五歲的高中學生。

2、學習成績較低劣的。凡是留級二次的學生立即給予「下放」原籍，留級一次或大部份的學科是三分的（大陸是五級計分制，為一、二、三、四、五分的五等，三分是僅合格而已）皆屬此類。

3、經濟條件較差的。過去在大陸讀書，一般皆可領取助學金，并不需繳交學費，近幾年則不然了，每一個學生都得繳交學費，（黃君所讀之僑光中學，學費高過其他學校數倍，因其是僑校）一些經濟能力較差無法交付學費的學生，再不能和以前一樣的可獲得助學金，相反的，成了被「動員就業」的對象了。

4、「家庭成份」不好的學生。這是在每次政治運動中遭殃的學生，成了無可倖免的被「動員就業」者。

黃興華君又說：以上所說的四項條件，其實也不是絕對的，眞正決定動員不動員的是學校的「黨委會」，如果平日稍有得罪某一個「黨員」，這次就難逃劫數了。僑光中學有一位高中二的女同學，平日努力讀書，少說話多做事，絕不符合以上四個條件的任一個的，但，因為她被一名黨員看中了，極力追求她，她却不肯就範，該黨員追求不遂，乃懷恨在心，這次便硬指她在考試中作弊，說是違反校規，於是而「動員」她離開學校；可憐這位弱女子，竟然自覺含寃不白，一時氣極了，感覺前路茫茫，乃憤然跳海自殺死矣。

黃興華君說：據他所知，他們僑光中學有十多人被「動員就業」，這已算是頂少的了。其他學校要多得多。原因是僑光中學是僑生多，學費高，僑生所繳多屬港幣，中共正非常需要外滙也。（敬斯）

毛共嚴查港澳歸僑

（本報訊）澳門消息：由於政府所巳宣佈的加強大陸上的游擊活動，中共邊防當局，對於港澳旅客入境，已再度加強檢查，特別對於青年男女為然。

最近一名由澳門前往廣州探視母病的青年，進入大陸後，在往石岐的旅途上，拱北即受到中共的一番檢查，每次問話達句餘鐘之久，到了廣州之後，更遭公安局扣留了三天，據說這是為了「觀察」。在他扣留時間內，曾遇見同一遭遇的兩男一女。該青年在廣州獲釋後僅一天，即不敢在廣州居留而匆匆返澳。

監察制度的演變與考驗

張健生

御史，官名，始於周時，掌贊書而授法令。戰國之時，則為史官；至秦漢時，則為御史大夫，位列三公，掌圖籍秘書兼司糾察。所居之署謂之御史府，亦謂之憲臺，後又謂之蘭臺寺，以中丞為臺長，始專任彈劾，歷代因之。唐制，御史臺置大夫一人，中丞為之貳，其屬有三院，一曰臺院，侍御史屬之，二曰殿院，殿中侍御史屬之，三曰察院，監察御史屬之。宋制畧同。明改御史臺為都察院，設都御史，副都御史等官。清因之。民國初置肅政院，國民政府置監察院，行憲後因之，皆昔時之御史職也。

史官

國民革命成功，我國父倡導五權憲法，而監察院為五院之一，是別有深意的。他增添監察權的理由很簡單，就是說現在裁判人民的機關已經獨立了，所以裁判官吏的機關也應該獨立，也就是說監察權應該獨立完整行使。就監察權的歷史來看，所謂御史制度，在國家勵精圖治政治清明的時候，監察權不受重視，但在國家動盪不安時，君王對於監察權是很重視的，歷史上的事例甚多，不待枚舉。國父主張監察權應獨立行使，可以從「五權憲法」一章來看其主張。他說：「說到彈劾權，在中國君主時代，有專管彈劾的官，像唐朝諫議大夫，和清朝御史之類，就是遇到了君主有過，也可冒死直諫，這種御史，是梗直得很，風骨凜然，譬如廣州廣雅書局裡頭有一間十先生祠，那就是祭祀清朝諫臣的。有張之洞的題額『抗風軒』三個字，這三個字的意思，就是說諫臣有風骨，能抗君主。可見以前設御史臺諫的官，原來是一種很好的制度。（一）

報人普立茲傳

汶津 譯

約瑟夫畢生難忘那可怖的一晚。看到瘋狂的羣衆打破玻璃、把引火物捧進來，使他痛心疾首。次日的郵快報無法銷出。銷路驟降為零。

「我眞不明白，」約瑟夫向柯克力說。「我知道是那些人鼓動羣衆來毀我的報紙的。可是為什麼人們會轉回頭來攻擊我，在他們已經了解郵快報是屬於全聖路易的之後。」

「因為這些都是誠實、善良的人民。」柯克力提醒他。「殺人是壞事，不管是誰幹的。西部已經變了，約。人們需要法律，而非槍枝，來解決爭端。為了郵快報的前途起見，我必須離開報館。」

約瑟夫知道柯克力是對的。他必須換掉他。他請他的老友約翰・狄倫來主持編政。於是銷路立刻上昇。不久郵快報又成了聖路易第一大報。

當柯克力離開郵快報時，約瑟夫許下諾言：「我們將重新在一起工作，約翰。我想我會再度需要你的。」

「我也希望這樣，約。凱蒂告訴我你們將去紐約再到歐洲。好好休息一下。長時期的把工作忘懷吧！」

「我將不想工作！我甚至不要讀一張報！」約瑟夫忿忿的回答道。

第七章

普立茲全家在一八八三年冬天到達紐約。從二十年前他第一次到此之後，已經有很多改變了。像他自己一樣，這城市也長了。凱蒂從沒來過紐約。她為這大城市的繁華擁擠的街景驚訝得目瞪口呆。從來她就沒有看到過那麼多人，那麼多語言。「這簡直是自成一個世界嘛，」她說。「有不少全世界最富的人住在這兒——也有許多最窮的人！」

凱蒂陪約瑟夫去看紐約最好的醫生。由於她長時期關視着約瑟夫的健康情形，她未卜先知醫生將說些什麼。

一個醫生說：「普立茲太太，你先生必須全面休息。可是他是很神經質的，如果他無所事事，那一定會跟工作過度一樣對他有害的。你應該為他找一些事做做，只要那不會累了他，而能使他用用腦筋的。」

凱蒂知道那醫生是對的。可是這怎麼辦得到呢？一個多禮拜後他們就要去歐洲了。那時約瑟夫就可以休息下來恢復健康了。沒有任何事能改變他們的計劃。

第二天約瑟夫一整天上大街去。凱蒂奇怪他為什麼去那麼久，又是去幹些什麼。天色將黑約瑟夫才回來。凱蒂注意到他的神色有異。

「告訴我怎麼了，約瑟夫！究竟是什麼事使你離開我一整天？」

「凱蒂，對不起我使你等了那麼老半天。」他放下一些報紙在桌上，站在一旁看它們。「我帶來了壞消息。我們旅行不成了。」

「為什麼？」（卅一）

岳武穆軼事輯要

十八爺

「武穆每征討出師，朝聞命夕就道，祁寒大暑，不憚勞苦，雖疾亦不問。桀虜勍敵，衆人所避，武穆獨行，於事尤不避繁瑣。當復襄漢、平楊么之時，諸將碌碌不足恃，朝廷憂顧之責，萃於武穆。州郡之所告急，密諜之所探聞，朝徹宸旒，暮馳幕府，一日之間，即命圖襄陽，又命圖楊么，交至沓集。武穆隨事酬應，未嘗憚煩。所部兵二萬餘人，守禦者半，攻討者半，東西調役，略無乏事。」（行實編年）

「武穆臨事定，猝禦敵不為搖動，敵以為撼山易，撼岳家軍難。攻郢州城，建旗偃蓋而坐，忽一砲石墮其前，左右驚避，武穆獨不移足。野次不設濠塹，路不設伏，而賊自不敢犯。兵雖常勝，無驕色，先計後戰，務出萬全。自結髮從戎，大約經百戰，未嘗敗北以此。」（行實編年）

「武穆成功不居，盡推與同列及其下。始受襄漢之命，朝廷遣劉光世遣馬軍五千人為牽制，六郡盡復，光世之軍始至。及論賞，乃奏乞先賞光世功。李寶結約山東豪傑數千人，屢請以曹州率衆來歸，武穆以黃金五百兩遺之，俾壯士四人偕行，寶果領衆五十趨楚泗以歸，為韓世忠奏留之，寶復髮痛哭，願歸武穆麾下。世忠以書來諭，武穆答曰：是皆為國家報虜，何分彼此？世忠嘆服」。（行實編年）

「諸大將多貪功，武穆每被賞，輒以無功辭。甚至六七辭，不肯妄受。宰臣朱勝非使人諭之以飲至日建節旄，武穆愕然曰：丞相待我何薄耶？乃謝使者曰：為某善辭丞相，岳某可以義責，不可以利驅。襄陽之役，君事也，使訖事不受節，將坐視不為乎？拔一城而予一爵，所以待衆人，而非所以待國士也。及建節力辭，不得已乃受。」（行實編年）

「武穆行軍至一店，見其屋新蓋茅，而有少缺處。武穆呼店主人問之，此必我軍士取汝茅乎？店主曰：宣撫之軍，未嘗擾人，此自偶缺茅耳。武穆曰：豈有汝新蓋店屋，而缺此一束茅，立命刷之。須臾刷到一馬軍，即欲斬之，軍曰：非入取其茅也，下店飲食，繫馬於簷，忽聞宣撫來，急來馬上，不覺誤掣下。店主舉家泣告，實不曾擾，猶杖之百而後行。」（紀事編）

「武穆平居憂國，知無不為。諸大將率以兵為樂，坐糜廩庾，漫不加恤；武穆獨常有憂色，每調軍食，必蹙額謂將士曰：東南民力，耗弊極矣。國家恃民以立國，使爾曹徒耗之，大功未成，何以報國？及京西湖北之地始平，即募民營田，凡流逋失業及歸正百姓，給以耕牛粮種，輟大軍之儲萬石，貸其口食，俾安集田里，一意耕耨，分委官吏，責成農功。又為屯田之法，使戍伍攻戰之暇，俱盡力南畝，無一人遊閑者。其疆理溝洫之制，皆有條緒，行之二三年，流民盡歸，田野日闢，委積充溢。每歲餽運之數，頓省其半，荊湖之民，至今賴其利焉。」（行實編年）（五）

學位授予應納入考試制度

陳健夫

必須如此，考試院這機構才算符合國父創立五權的理想與用心。既維持了攷試權的獨立完整，又端正了教育的崇高目的。使教育不再為造成許多擁有學位而不事生產的紳士官僚，而加重社會的負累，危害國家的生存。為了貫徹國父五權憲法的理想，為了轉移時下的教育風氣，將學位授予納入攷試制度是有其時代意義的。攷試院應於現在的高等考試普通攷試之外，增加「學位考試」，攷試制度，才算完備。像今天這樣的攷試權，并非完整的。

將學位授予納入攷試制度，有下列各種好影響：

一、使學風純正，改變了為學位而讀書的風氣，使學生各循其理想抱負，而從事學問，不必念念在一紙學位的取得。

二、學位授予脫離了教育機關，可以根絕學校出賣學位之學店之風，可以止息

三、學位授予由攷試院辦理，使不獲進入學府的有志青年也一樣可以參加攷試，取得學位。不論學士、博士的學位，必須經過攷試的考試，在學的及不在學的人，都有平等自由發達的機會，為國家發掘一批真才。使貧窮的子弟，也有出頭的機會，如古時考試取士一般。

四、將學位自教育機構分出，可以立即改變今日的升學主義，而形成求實學的好風氣，學位主義的升學風氣，也必隨之改變了。

這種的建議，一旦獲得實現，則教育行政與考試權分立，不但使學位制度不致成為盲從西方的形式主義，喪失國家授予學位的真精神，而且又可發揮考試權的偉大作用，使國父創立五權憲法的精神大放光輝。

筆者於此，願當執政的國民黨當局，對此建議，慎重研究，斟酌施行。為國家開一新風氣，幸甚！幸甚！（下）

瘟君續夢

第九回：枵腹爭雄　澧漿招餓鬼
苦心糾衆　風雨會羣魔

劉少奇這一大讓步，倒是大出胡、艾兩人意料之外，畀坐一下，就起身告辭，出來東方已經發白，胡志明說道：「艾地同志，你回復赫老個信吧！我是眞撐不住了。」

胡、艾走後，劉少奇向伍修權說道：「你到阿爾巴尼亞大使館去拜訪霍查，告訴他我們同蘇共目前的情況，要他出頭來唱一段反調，阻止蘇共拉狄托回來。」

伍修權會意自去安排。赫魯曉夫得到艾地報告，知道中共已經讓步，滿以為會議可以圓滿結束，十分得意。第二天中共代表團入會場時，赫魯曉夫率領柯茲洛夫、布列日涅夫在門首等候，同劉少奇、鄧小平、彭眞六人並排照個相，赫魯曉大右手抓住劉少奇的肩膀，左手攬着鄧小平的脖頸，咧開大嘴傻笑。苦只苦了鄧小平，人本來生得矮小，又拿了一根手杖，夾在赫魯曉夫、柯茲洛夫兩個大塊頭之間，顯得更為矮小，成個人鑽在赫魯曉夫胯下而，只露出一張臉。

影過相之後，一同進入會場，全體人員一齊起來鼓掌，情況十分融洽。接着有幾國共黨代表團長起立致詞之後，輪到阿爾巴尼亞的霍查發言，他一上台就說道：「今天的會議是全世界共產黨工人黨的會議，兄弟黨之間發生的問題，希望能在此間作一交待。」

霍查這幾句話一講出來，大部份共黨代表團都不知所以，祇有中共代表團明白，羅馬尼亞同保加利亞代表團也猜到幾分。赫魯曉夫雖然料到霍查會發幾句牢騷，但總覺得不會太離譜，所以仍然聚精會神在聽。

霍查繼續說道：「去年我們國內遭到大旱，共旱了一百二十天，大部地方，顆粒都未收到。當時我們國內糧食只夠用十五天，馬上全國就要陷入飢饉，我們無計奈何，祗有向蘇聯老大哥求助。可是，這一場談判，足足談判了四十五天才完成。」

霍查說到這裏，會場情況頓時緊張，赫魯曉夫面上笑色沒有了，睜起銅鈴大眼，瞪着霍查。

霍查根本不理會這些，繼續說道：「就我們當時的需要是五萬噸，談了四十五天之後，蘇聯祗答應借給一萬噸。這一萬噸小麥只夠我們全國十五天之用，蘇聯却分為九、十兩個月交貨。各國兄弟黨同志也許都有這種經驗，這就是老大哥的無私援助。」

霍查說到這裏，會場已有人發出冷笑。赫魯曉夫顯得坐立不安，既不能離開會場，又不好當衆把霍查拉下來，只好忍氣坐在那裏挨罵。

霍查又說道：「為了這一點點經濟方面的援助，我們幾乎付出巨大的代價，有人在我們軍隊裏面策劃政變，反對現在的勞動黨中央，幸而發覺得早，被我們撲滅了。我相信有人會感到失望的，這一點我們也覺得頗為遺憾。」

霍查說過，走下台來，赫魯曉夫上去拉住他的手說道：「你今天表演得很好，現在你把一桶糞水澆到我的頭上，你不替我洗淨那是絕對不成的。」

霍查紅着臉擺脫掉赫魯曉夫的糾纏，一溜烟跑回阿爾巴尼亞大使館，本來要討論狄托問題的會議，跟着就擱了淺。（二三八）

越南與中國

周燕謀

謝恩的怪事：越南蠻族男女完全戀愛自由，在她未訂婚之前，可與任何人嬉遊交往。但她一經與某人訂婚之後，便與其他的人斷絕關係。這還不足爲奇，所奇者是，男女在結婚之夜，她並不在洞房與新郎行周公之禮，她卻依照習俗，要到舊情郎那裏去「謝恩」，同渡春宵。如果她在未結婚之前有三四個情郎，她就要連續「謝恩」三四夜。「謝恩」之後，她就與情郎斷絕關係了。

女子伴宿：蠻族十分好客，待客不僅饗以美酒，而且還從鄰家及自家招來女子共飲。女子行動隨便，頻頻勸飲；客若不飲，她們便強行灌酒，使客人大醉而止。客人就寢，她們照例伴宿，任所欲爲。但酒量不洪的人，不勝酒力，一覺呼呼到曉，忘卻美人在旁，次日醒來，她還譏笑你呢？

「節奇」及「節些」：在過去的幾個中國藩屬中，要以越南漢化最深。中國人喜歡過舊年，越南也如此，不過越南人稱舊曆新年爲「節奇」或「節些」。所謂「節奇」，是大節的意思，是一年中最大的節日。所謂「節些」，意即「我們的節日」，以表示和法國人的陽曆新年有別也。

越南過節奇（中國舊曆），與中國相同的，也有「送灶」的習俗，日期是十二月二十四日。三十日接灶。「送灶」和「接灶」時，均唸灶王眞經。越南人過年吃的有「蒸餅」，與中國端午的粽子相同。過年同樣放爆竹。在新年期中，也以聚賭爲樂。

木製獨絃琴：越南民間，普通都有獨絃琴，用木製成，約丁方五吋，長二尺半筒形小方盒；或劏進竹筒爲之，一端豎立一柱，高約一呎，用小盒末端引一絃到柱上，柱可搖動。撫琴的人，拄在地上，用足踏緊小盒，左手搖柱，右手用小木鈎彈、寬緊琴絃，諸音便會變易。不獨七音，就是高音、中音、低音，都可隨手彈出，而且音韻因寬緊之故，除本音之外，並夾着在高半級之中，音像西樂吉他，別饒風趣。每當夕陽西下，明月初升，一絃拍和，令人聽到心花怒放，有飄飄欲仙之感。（下）

太平山

漁翁

山爲陸地上隆起之部分也。據地質變遷之理，地球由汽體凝結時，內部收縮較甚，故外殼皺裂不平，或本爲高原，經風化水蝕，漸致起伏以成山脈焉。其他或以人力，或以地心噴火之作用，令地面隆起，雖面積高度，各相懸殊，凡特起而高出地平者，統稱之曰山。杜甫詩：「只疑淳樸處，別有一山川」。

山有高低，高者有高者之偉大，低者有低者之幽雅，劉禹錫所謂「山不在高，有仙則靈」是也。凡景物幽靜，塵氛不擾之地，稱爲蓬萊仙境，爲仁者所樂，爲騷人墨客所百遊而不厭也。

古之詩人，往往於不愜意時，即杖藜載酒遊山以遣興，如蘇東坡貶黃州，兩遊赤鼻山，而作前後赤壁賦；柳子厚謫零陵，見鈷鉧潭西小丘，及小石城山，而分別有記；諸如此類，不一而足，可見山水風月，爲描寫文章詩歌的好資料。

筆者不僅樂水而遊山，尤以着屐一竿垂釣，爲平生最大興趣。三十年前，曾登東嶽泰山與南嶽衡山，在東嶽「日觀峯」，與南嶽「觀日出處」，看日出之美景，五顏六色，浮沉雲海，至今猶縈迴於方寸中。

及至香港，雖在逃亡中，而登高覽勝之心性，猶未稍衰。以此地「太平山」爲最高峯，亦名「扯旗山」，英人稱爲「域多利亞峰」。經三度登臨，由皇后道中坐登山車，約七分鐘，便到達一千三百尺之域多利山峽，然後步行上山頂；如不乘車，亦可扶杖步行以達山巔，且較乘車領畧風景爲多。

辛卯重陽，黃花匝地，白雁在天。仰桓景遺風，踵孟嘉故事，乘車上山，如爬虫然，而車行頗快，看花不及，途中口占：「好似爬虫來上嶺，快同走馬去看花」。待到最高峯，方知衆山爲小，四海更寬，又得句云：「回頭始覺羣山小，放眼方知四海寬。」仰望雲霞，俯瞰海潮，樂不可支！爰賦四絕，藉抒所懷：

白雲紅葉報秋還，佳節思鄉兩鬢斑；覽勝登高何處是？蒼蒼只有太平山。

人與山兮一樣清，我來山上逐雲行；天風滌得塵氛淨，兩岸蘆花照眼明。

憶昔龍山幾度登，黃花時節在江陵；而今放步層巒上，故國思家感不勝！

踏遍孤峯水上浮，此身今在最高頭，陶然覓得中山酒，事大如天醉亦休。

十年，自辛卯至辛丑，時值三月三日，又登斯山，作踏青之舉。風景依稀，而遊人已老，爲愛名山，又寫踏青二首：

偷得浮生半日閒，踏青又到太平山；蒼蒼此地多風景，避世何須十畝間。

東風助我到峯巔，眼界遙教分外寬；好景一時看不厭，姍姍欲去又盤桓。

此山雖沒有東南兩嶽之高，談不上觀日出處，而到薄暮，那天邊落霞，與孤鶩齊飛，洲上秋水，共長天一色，港九百萬人家，盡在眼底，爲最爽人心目處。尤其山名太平，在離亂時代，不亞世外桃源，顧名思義，望鄉懷國，實可哀也，豈勝慨哉！

昔李白獨坐「敬亭山」，賦詩云：「衆鳥高飛盡，孤雲去獨閒，相看兩不厭，只有敬亭山。」白在澄明時，賭景生情，而有此作，可謂深得山水之趣。今筆者避秦此地，每逢九日，登高避災，捨太平山而莫由。記得去年重九，三遊此山，次李白韻而成五言一絕云：今日逢佳節，吟風獨自閒，避災何處是？只有太平山。

南宋偏安有人才

李仲侯

御批：「覽奏事理明甚。有臣如此，朕復何憂？進止之機，朕不中制。惟敕諸將，廣布德恩，無或輕殺，拂朕至意」。

上既付飛以王德等軍，復賜御札，諭以先發制人之意。札曰：

「前議已決，不久令宰臣浚至淮西視師，因召卿議事。進止之機，委卿自專。先發制人，正在今日，不可失也。所宜深悉。付岳飛」。

飛既奉詔，復奏申述前志，以贊上恢復中原之決心。賜御札以報曰：

「覽卿近奏，毅然以恢復爲請，豈天實啓之，將以輔成朕志，行遂中興耶？嘉歎不忘，至於數四。自餘今相臣浚作書具道。惟卿精忠有素，朕所簡知，謀議之間，要須委曲協濟，疾定禍亂。卿目疾遄來，必安好，故茲親諭，所宜悉之」。

飛方率厲將士，合師大舉，進圖中原，會秦檜主和議，忌其成功，沮之，其議遂寢。乃賜御札曰：

「覽奏備悉。俟卿出師有日，別降處分。淮西合軍，頗有曲折，前所降王德等親筆，須得朝廷指揮，許卿節制淮西之兵，方可給付。仍具知禀奏來。付岳飛」。

帝既下詔招陷僞官吏，乃賜御札，今以德音檄諭。飛既奉詔，乃移檄僞齊曰：

「契勘僞齊僭號，竊據汴京。舊忝台臣，累蒙任使。是宜執節死，圖報國恩。乃敢背棄君父，無天而行。以祖宗涵養之澤，翻爲仇怨。率華夏禮義之俗，甘事腥羶。紫色餘分，擬亂正統。揆其面目，何以臨人！方且妄圖僞漢之行，欲窺以蜀之路。專犯不韙，自速厥辜。我國厄運已銷，中興在即。天時既順，人意悉諧。所在皆賈勇之夫，思共快不平之憤。今王師已盡取淮泗，東過海沂，驛騎交馳，羽檄疊至。故我發卒守南陽，智謀之士，提大河忠孝之人。仗義以行，乘時而動。金洋之兵出其西，荊湖之師繼其後。雖同心一德，足以吞彼國之[illegible]。然三令五申，豈忍殘吾宋之赤子。爾應陷沒州縣官吏兵民等，本非本意，諒皆脅從。屈於賊威，歸逃無所。我今奉辭伐罪，拯溺蘇枯。惟務安集，秋毫無犯。儻能開門納欵，肉袒迎降。或願倒戈以前驅，或列壺漿而在道。自應悉仍舊貫，不改職業。盡除戎索，咸用漢條。或執迷不悟，甘爲叛人。嗾桀犬以吠堯，嚮獼師而哭虎。譴當明行天罰，玉石俱焚。禍並宗親，辱及父祖。掛今日之逆黨，連千載之惡名。順逆兩途，蚤宜擇處。兵戈既迫，雖悔何及。謹連黃榜在前，各宜知悉。」（八五）

清嘯室談薈

政風的今昔觀

諸葛文侯

有政府組織和政治行爲，即有貪官污吏滋生，這是古今中外各國在所難免的事情。尤其是咱們中國的士大夫，平以「不事生產」爲榮譽，而以從政爲謀生捷徑，所謂「爲貧而仕」之說，公開宣揚，恬不爲怪。所以，在工商企業發達的西方國家，官吏如有貪污行爲，贓品一定可觀，然中國的貪官汚吏卻大不相同，十元八元的不義不法之銀錢，亦樂於接取的。

就一般官吏的貪污情形而言，舊時代和新時代的貪官，程度上迥然有別，即前者比較嫺習法律，有「懷刑」之念，對於明知其爲後患堪虞的儻來之物，即不隨便收受，害怕一旦東窗事發，無可自全。後者多半是些不文不武的亂世人物，但貪圖物質享受，錢膽包天，不顧一切，公帑且敢於侵佔竊盜，民財更恣意需索，肆無忌憚，例如台灣司法界近年來發生的法官高蕃，王領等人貪污案，在舊時代的滿清政府和北洋政府中，是少見的。到民國十六年國民革命運動成功，國民政府奠都南京後，由於革命思想深中於人心，新進的行政官吏，皆具有一股革命精神，痛惡貪贓行爲，即一般投機滲入革命陣營中的北洋官僚，亦怵於革命氣氛之濃郁，相率改頭換面，不敢胡來。憶友黃埔軍校一期生曾擴情，於民國十八年間，在南京購置了一小座住宅，客室中陳列着幾樣假古董，和軍校同們爲之大譁，指爲官僚作風，羣起要求校長飭令曾氏立將私宅賣去，還我初服。即此可見當時的政風是何等清明廉，實令人讚歎景慕不置也。

至於辦理黨務的人，當年在一黨訓政，黨權高於一切的體制之下，如要貪圖財貨，機會更多，而且決不容易被發覺。可是，自中央以及省市縣各級黨部工作人員，類皆潔身自好，從未聞有貪污事件發生。陳果夫立夫兄弟，綜持中樞黨務廿餘年，權勢炙手可熱，致有「陳家黨」之綽號，但他們始終廉介自持，總是過着平凡的樸素生活。我在大陸時期，曾充任某省行政督察專員垂三年，轄區八縣，我隨時出巡各縣市，訪察當地黨務人員的工作實況，其中有犯幼稚病的，亦有行事操切，頗遭物議的，卻絕無貪污行爲被人指摘。時至今日，則辦黨的人亦有好貪財之傳說了！我認爲這是最嚴重而極危險的現象，不可忽視啊！

世人多以官吏貪污行爲之所由來，完全歸咎於待遇菲薄，不足以養廉，這話殊不盡然。試看對日抗戰時期，咱們住在大後方——巴蜀——的文武公務人員，待遇比今日至少是不相上下，而食衣住行這四項日常生活，無不簡陋儉約，大家安之若素，毫無所謂。今日咱們國家所遭遇的危難情形，視抗戰時期嚴重倍蓰，但一般公務人員所過的生活，卻奢侈甚於過去在大陸時期的任何階段，而美其名曰「提高生活水準」！殊不知消費力與生產力量是互爲表裏的，光是提高消費，而生產力落後不相適應，國民經濟沒有不窮困的，相激相盪，結果祇有促成官吏貪污行爲之普遍化，而政風即日趨惰落，政治日益腐敗了！像最近台灣某縣府教育科，令調職的女教師，竟公然需索四千元紅包這類怪事，過去咱們在大陸上聽說過嗎？（三）

大胸脯崇拜史

匡謬

雖通常以渾圓飽實的乳房爲美，然因時代地方而有審美觀點之別，有時女性特意使胸脯成爲某種特殊型式，亦居然相習成風。

南非洲某些土著，女子到了七八歲，母親用一種由脂肪及樹根製的油膏，治其胸部，揑之，搓之，揉之，摩之，久之乳頭延長，可用纖維縛紮——算是一種裝飾。

新幾內亞某些地方，把無頭蠅用於發育少女的胸脯。這烈性的毒液，使乳頭腫起，繼之塗以蕁蔴，腫得加劇。有些土人用帶緊箍少女乳房，使成圓錐。有些更妙，要令乳房伸長，以便背負嬰兒時，拉向背後哺乳。這好似齊東野語，烏有子虛，但事實確係千眞萬確的。與此相反者，是十六世紀西班牙女郎，到了青春發育期，用鉛片壓着乳房，結果兩乳扁平，而非隆起。她們認爲乳房越薄越美，彷彿中國束胸時代。（五）

內僑警台報字第〇三壹號內銷證

自由報

THE FREE NEWS

第三七五期

每份港幣壹角

社長：雷嘯岑

督印人：黃行齋

社址：香港銅鑼灣高士威道二十號四樓

20, CAUSEWAY RD 3RD FL. HONG KONG

TEL. 771726

台灣分社

吹響反攻號角之前第一件大事

·方南·

反攻大陸乃是勢在必行的事，所要等待的只有兩點：一是，中共在大陸不斷鑄造各種錯誤，助成我們最適宜於反攻的時機；二是，國際阻碍我反攻的各因素，由逐漸減少以至消除。

在上述兩點中，第一點已不成問題，第二點也在良好的展望中繼續推進。因此，我們應該就反攻的大前提設想一下，研究將來大陸若干個省份迅速光復之後，我們會碰到什麼難題，而且在許多難題之中，最主要的是什麼？我們應該用什麼方法去解決它。答案一經獲得，凡是我們目前便要着手去做的事情，當然應該馬上放手去做。「凡事預則立」，如果在「準備不過」或「毫無準備」的情況下，馬上遇着「勝利追人來」的新局，我們便會再碰到抗戰勝利時期諸般棘手的問題，無所措手了。

我個人的看法是：將來最大的困難出自糧食問題，這也就是說，最大的困難仍將出自農村。好在我們目前在台灣的農業成就業已蜚聲世界，爲美歐亞非各洲人士所共悉。這一套本錢對於將來安定大陸必起很大的作用，但必須事先有了一個妥善的計劃，才會容易奏功。

理由很簡單，人口問題與糧食問題是密切關連的。中國的人口問題已不只爲我們自己所關心，也爲世界各國所關心。歷來中國大部份人口聚集於農村，迄今仍是。所以，將來反攻大陸首先碰到的難題，必然是糧食救濟問題，接着便是如何安定農村，使農人能夠迅速恢復生產以及加強生產的問題。只要這兩個主要問題能夠把握得穩，順利解決，其他的困難便可迎刃而解了。在農村逐漸安定的情況下，把幾個大城市的輕工業生產恢復起來，重建秩序，穩定掌握，照理也不會是太難辦到的事。

我們不妨這樣估計：「光復」一個省份，第一批糧食救濟必須迅速發生安定的作用，第二批肥田料救濟亦須同時向農村展佈開去。如果糧食救濟能在六個月至一年之內獲收預期的效果，到了第二個年度有了農業新的收穫登場，嚴重的危機便可應付過去，如在其他方面的經濟發展能夠同時配合，造成「城鄉交泰」的新鮮氣象，事情當然是更可樂觀了。

據此，我們如不及早預作積貯救濟糧食的打算，或者只着眼在糧食救濟而忘記了肥田料的重要性，也會在部署上發生嚴重漏洞的。

將來我們可能動用於這兩方面的實力，除了台灣本身的貯存，便是友邦的援助，和海外華僑的捐輸。現在我打算專就後者，說幾句話，提出一個意見，希望引起大家注視。

「財」與「才」是重建大陸的兩條支柱，如徒恃台灣目前所貯，迅速擴大負担當然是不夠的。友邦的援助也不會是完全「一無私」的，求人不如求己，求友邦不如求僑胞，這是自然之理。近年僑胞返國遊覽，在台發表談話，每以渴望反攻爲話題，很多表示願意捐助巨欵，只要吹響反攻號角便成。這可見僑胞對於反攻的貢獻必然很大，問題是在乎如何預先聯絡，打好底子，而且按照一個完善計劃，把握着重點。

政府應該在這時着重下述的一個目標：「貯糧救濟大陸同胞」：一、發起一個捐助運動，由年高德碩素著清譽的政治大員，分赴海外，籌組一個貯存基金的機構，聘請在國際享有盛名的華裔學者及賢達人士，參與保管及策劃用途的工作，政府爲了完全尊重僑胞意見，取得僑胞百分之百的信心起見，對於上述工作不必參與，只須經常密切聯絡，供給參考資料，對於將來每一省所需的救濟糧食，及其所須用於恢復農業生產的肥田料，應該妥爲估計，並且對於某一省的土地與耕作習性，也要由專家精細研究，最後才根據全盤研究所得，總結，預計所需各項救濟的數量，對於供應來源和貯存步驟作一次精密打算，以備反攻號角一響，供應源源而來。這項運動如能迅速展開，我相信不只對於解決未來救濟問題與糧食問題會有重大成就，且對於團結華僑以及各國的華裔公民，致力於復興中華民族這一偉大運動也有裨益。當然，茲事體大，也只有由聲譽極高的大老們聯袂出動，才易收效。大老如于右任先生，許世英先生等，如肯勉爲其難，輔以粵籍的馬超俊先生，梁寒操先生及閩籍負有清望的人選，帶給海外僑胞以光明遠景，課以一項最有意義的任務，宣示政府反攻的決心，在這個時期也必會有良好影響的。

我們可以預料得到：將來大陸最先光復的省份，必然是人口較密的地方。中國人口由黃河流向長江，由長江流向珠江，由珠江流向海外，到今天已無再可推展的方向了。中共在大陸最大的罪行是餓死幾千萬人民，而台灣今天最大的成就正是農產豐裕，家給人足，所以到了大陸光復時期，我們必須將人口問題與糧食問題來一次徹底研究，擬定計劃與步驟，按序進行。我們有了民生主義在台實行的成績，有了農業科學技術的超越成就，一概帶回大陸去，針對最主要的難題，迅速用工夫去解決，並作長治久安之計，當然只有樂觀，決不悲觀。但要達到這個目的，第一是錢，第二是錢，第三也是錢，這是我認爲必須專就這一個最大題目，發爲運動，向海外僑胞求財求才的唯一原因。沒有僑胞財才兩種力量的參與，恢復大陸經濟生機的工作將必甚感困難，而這兩種力量的發動，是要從「向心力」去設想與設計，及今不圖，坐失時機，到了號角一響，[illegible]

漫畫天下

南施

克　毛　狄托

可憐的傢伙

狄托　西方　蘇俄

一腳踏兩船

自由談

你們太幼稚了！

報載消息：美國對於越南吳廷琰政府的內政措施，認爲不民主，深感不滿，擬利用現時流亡在法國的反派領袖阮某，在越南進行「地下組織」，從事反政府活動云。我判斷這消息具有相當的正確性，何以見得呢？見之於美國領導自由世界的一貫作風。

美國對於接受美援的反共友邦，除了英國而外，素有一種固定的政治思想與作風，那就是要製造別國的反對派，以增加其內部的政治紛擾，認定這樣纔算是民主生活。越南內部現時發生了動亂，在美國人士看來，這是吳廷琰政府不獲民主支持的結果，應該換換口味，讓反對派來取得政權，適應民意。如果反對派當政之後，一蟹不如一蟹，依然不受人民擁戴，美國又希望其他的反對派人士繼起執政，目前南韓的政局，就是這樣造成的。

像南韓、南越以及過去中華民國政府在大陸時期的情形，因爲內部有共黨作亂，大局杌隉不安，美國固然振振有詞的期待着反對派起來執政，[illegible]。即對於內部平靜無事的友邦，美國亦隨時要搞些製造反對派的把戲，[illegible]對台灣的言行，就是最顯著的例證。台灣原不折不扣的中國領土，台灣人亦沒有不承認自己是黃帝子孫的。但美國的朝野人士，無論是在口頭上或文字上，硬要把大陸和台灣劃成一道鴻溝，而有所謂「中國人」「台灣人」的稱謂；台灣籍的青年學生到了美國留學，[illegible]「台灣學生俱樂部」的組織；同時美國[illegible]「台灣地位尚待國際決定」的論調，還有一個台省的漢奸份子廖文毅，使着外國人在背後支持鼓勵，僑居日本，妄倡「台灣獨立」的叛亂之說，這一切，如係出於俄帝或中共之手，固不足怪，今乃由美國人倡導鼓吹，我不知道他們是何居心？[illegible]當叫好，認爲吾道不孤啊！美國人，你們太幼稚了！

馬五先生

[illegible]

誹謗案宣判文化界關切
彈劾案瀆職案巧合糾纏
北市地院換首席官邸成問題

（本報記者台北航訊）轟動一時的「文星」雜誌誹謗案，業經台北地院刑庭推事張順吉審結，於九月五日宣判：文星雜誌社長蕭孟能、作者李敖，共同連續散布文字誹謗，各處罰金一千元，如易服勞役，均以六元折算一日。

文星雜誌發行人葉明勳無罪，因為他不負實際編輯事務，故諭知無罪。

胡秋原（立法委員）連續散布文字誹謗，處罰金六百元，如易服勞役以六元折算一日。因胡氏曾在立法院內舉行記者招待會，公開散布「為反對誹謗與亂戴紅帽子而奮鬥」，攻訐蕭孟能、李敖。

鄭學稼被訴於五十一年十月十日誹謗部份不受理，其餘部份無罪。

本案發生後，曾經雙方好多次調解未成。台北地院宣判後，此間文化新聞界人士均極關心。按照規定，本案不得上訴最高法院，二審即定讞。

台北地院檢察官熊家會因承辦假出口案暨英僑梅谷案，而被監察院先後兩次提案彈劾。

據說：曾經提案彈劾熊家會的某監委，在五年多前，曾涉嫌瀆職案，最近司法行政部對法院承辦之案件，重申前令，不得積壓，因此，某監委之瀆職（偽造文書）貪污案，乃由地院檢察官熊家會積極偵辦中。此一偵查不公開的消息，竟透露出來後，乃不脛而走，致引起各方的不同反應，「國會議員」們則多抨擊此一司法當局的報復手段，認為此風不可長。但也有人說只是「巧合」而已。姑無論是報復也好，巧合也好，據說司法當局在法律方面，是站不住的。因為偵查案件，有一定的時效，在超過一定的時間，法院即喪失追訴之權。換句話說，法院偵查案件逾五年之久沒有結案，即屬違法失職，監察院同樣可以提案糾彈。按：假出口彈劾案，提案委員為陶百川、于鎮洲、田炯錦；梅谷彈劾案，提案委員為陳訪先、金越光。

英僑梅谷案不起訴的原因，承辦檢察官熊家會有苦說不出。據傳說：梅谷既是英僑商人，又是澳國駐華公使館的商務代表，具有外交官員身份，但當時，警務機關在移送書中沒有說明，可是在法院偵查時，澳國駐港兼駐華公使，由港來台調查，而澳國國會議員訪華時，亦深切關懷這件事，最後，澳外長訪華時，曾拜訪我國司法部長，對該案表示意見，由於這些緣故，我有關當局基於邦交關係，乃不得不加以考慮。因此，熊檢察官於去年六月間以罪證不足，予以不起訴。

此一傳說，經本報記者走訪台北地院人士獲得證實。審判（當然包括偵查）不受干擾是打了折扣的。

台北地院首席檢察官楊鳴鐸辭職後，經於九月二日移交完畢。新任首席檢察官焦沛樹，原任嘉義地院院長，他來台北接任後的第二天，即將「家」由嘉義遷來台北，但首席「官邸」仍由前任首席現任厦門高分院院長楊鳴鐸暫住，據說因為楊一時沒有找到房子，而子女又多，只好暫住官邸。然而新任焦首席卻毫不留情地演「逼宮」要「官邸」，這齣新官場現形記的開場白據說是：

甲：我的家和傢俱放在那裏？

乙：暫時放在客廳裏，等兩天我把房子找妥，馬上搬家。

甲：東西失竊誰負責……。

乙：我負責……

甲：我不……。

吳兆棠走馬省議會（上）
——本報台中記者熊徵宇

新任教育廳長吳兆棠上任的第四天，九月三日的下午，霧峯省議會大廈，開始舉行三屆一次臨時大會。揭幕後的砲口，對準教育廳，與會的議員們，僉以教育廳漠視省議會的建議，表情不滿，同加抨擊，甚至有些議員，主張休會抗議。大家氣沖沖地哄鬧了一陣，才決定由謝東閔議長與省政府切實研商檢討，以謀求改善的途徑。

但是這種決定並沒有使議員們「心平」，所以也不能「氣和」，在財政組和教育組的分別審查追加預算案的會議席上，還是一直對教育廳不滿，於是，提出「留級生」的問題，而擱置教育廳一千多萬的追加預算。

化憤怒為掌聲

從三日下午開始，一直鬧到五日的上午，把列席省議會的幾位科長，窘得滿頭大汗。

而往日，在省議會最吃得開的大省轄副廳長賴順生，和專搞議會關係的督學馮堯春，也弄得打躬無效，招架不靈；後來還是新上任的廳長吳兆棠親自出馬，說了些在政策措施上該說的話，贏得一陣熱烈的掌聲，才算是平息了多日來對教育廳所產生的憤怒與不滿的情緒。

但是吳兆棠所提出的「留級中學生補考」的決定，卻又引起教育界的不滿，認為此一措施，不夠週詳考慮，不僅是破壞了教育制度，而且使得有關的學校「秩序大亂」。到我發稿時，九月八日止，教育界還有很大的騷動。

惡因累積而來

省議會何以對教育廳那樣不滿？而吳兆棠上任後的第一個主措何以在教育界得不到支持？當然都有其原因，可以說是多種的因素累積而來，也可以說明是教育政策的一種失敗！

要明瞭省議會杯葛教育廳的原因，得從議員們的言論中去了解。三日下午，省議會三屆一次臨時大會揭幕時，就對教育廳提出不滿的抗議。張富首先發言說：最近省議會決議的，放寬通學生乘車里程限制與留級生補考升級兩案，都未見政府採取積極措施謀求改善，希望議長與政府會同檢討。

留級生太多了

陳火土說：留級生升級補考問題，不但未見政府設法補救，反而向新聞界發表和議會不同的意見，圖以輿論影響省議會的立場，如此漠視民意，非澈底糾正不可！

李萬居說：全省近四十萬中學生就有三萬零八百二十三人留級，這個可怕的數字，佔用教室多達六百餘間；浪費教育經費四千六百多萬。

葉炳煌說：政府既不尊重省議會的意見，這樣的會再開下去也沒有意思，不如休會抗議。

黃占岸則指責教育廳獨斷獨行，作風惡劣。

於是就影響到四日教育財政兩組，對教育廳追加預算的擱置。尤其是財政組的議員們把教育廳列席的官員，數落得一無是處，要解說也無從解說起；議員們此起彼落的斥東責西，官員根本無法插言說話。所以當天沒有任何結論，直到第二天，新任廳長，走馬議會，偕同各有關科室，列席於教育組的審查委員會，針對省議會的意見，提出了幾個具體決策。吳兆棠當時宣佈：

行新政過大關

教育廳決定對全省各公私立中等學校，初、高中、一、二年級本期仍在原校就讀的留級生，特予補考一次的機會，及格者均准升級。

他說：教育廳已經在今天（五日）發出此一命令，並且限定各學校在本月十四日以前處理完畢。但是由於實際的情況限制，對初三與高三留級生，不予補考。四年制的護理助產職校，僅限於一、二、三年級的留級生，五年制的農校，則限一、二、三、四年級的留級生可補考。而補考的結果，仍應分別依照各該校學生學業成績考查辦法之規定辦理。而且今後不得援以為例。

他又說：關於通學生的乘車旅程限制，自三十公里恢復至五十公里的問題，將由交通處切實洽商，謀求解決。希望在短期裏獲得具體答案。

香港與大陸

毛共躭憂十月難過
港澳歸僑動輒被捕

中共在每年的十月之前約一個月，都動員了大批「公安」人員，「防止潛伏的「國特」在十月一日和雙十節進行破壞活動。現在又已進行風聲鶴唳階段，廣州市中共對港澳回去的僑胞，正嚴加監視，動輒便被逮捕。

據一位曾在暑假期間回廣州探親，前兩天纔返抵港的某大專學生李碧×小姐透露：廣州市內在氣氛更形恐怖，時有大批的「公安」人員和便衣到處捕人，被捕者一律被指為「國特」或「破壞份子」。據說這是因為十月快到了的關係；依共幹們的說法，常「敵人」看到我們高興地慶祝「勝利」時，他們一定會盡可能地進行破壞云云。

李碧×小姐告訴記者：前一個星期，她廣州的家的隔鄰（太平路二百多號四樓），就發生一件恐怖的事。該處有姓李一家住着，最近李有一個四十多歲的堂妹由香港回去，住在姓李的家裏，有一天，廣州市「公安局」不知由何處得到消息，謂該李姓的堂妹係由香港派回去進行破壞活動的女特務，乃有大批全副武裝的「公安」人員，到場圍捕，先由幾個持槍的人員衝入進去，其時李的堂妹正在房裏閉門休息，突然聽到吆喝聲和頻急的撞門聲，她不知究裡，嚇慌了，乃從四樓窗口跳出而跌死了。

李碧×小姐說：以前廣州市「公安」局對回大陸探親的港澳同胞的監視，已夠嚴密了，但近來尤甚。她這次回廣州共住了三個星期，除了辦完那些「正常」的手續，如繳驗通行證，領取糧食，登記履歷等以外，每天總有一兩個她所不認識的人對她進行莫名其妙的「訪問」；那些訪問她的人，且往往是在她離家外出時到來，自稱是她的同學，對她家裏的人探長問短。情形確實令人恐怖，再不敢多住下去。

另據一位曾回梅縣探親的小學教師黃素×小姐透露：梅縣地區，從八月底開始，便經充滿恐怖的空氣，九月初，梅縣地區的公社，紛紛舉行「宣判大會」，逮捕了百數十人，都被指為「破壞份子」。在梅縣的南口公社，九月初便曾舉行過這樣的宣判大會，有幾個倒霉的社員，只因平時說過幾句對共黨不滿意的話，這次都被判了二年以上的勞改的徒刑。其中有一個中學生，祇不過說過一句：「雙十國慶節日又快要來到」，被共幹知道了，便被指為「變天思想」，造謠惑眾，所以也被判了兩年的勞改徒刑。在梅縣的另一地方黃塘城西公社，亦有這樣的宣判大會，數十名宣判者中有一位是香港回去探親的，另外還有若干位僑眷，共幹便指之為「反革命集團」，那些從香港回去探親的人，居然被指為反共的領袖，判處「無期徒刑」（按該香港居民姓李，在九龍一家麵包公司任「師父」職位），其他的數十名僑眷被判九年以上的重刑。（敬斯）

屏東郵局興建大廈
攤販拆遷解決一半

（本報記者屏東航訊）屏東郵局興建大廈，十三家攤販不肯拆遷讓地，且又連續三次到處陳情請願的紛糾，現在已解決一半，還有一半未獲解決，說不定會鬧到公堂相見。

本報三五三期刊載的「為拆遷事怕當皮球踢，屏東攤販續陳情」的報導，曾為屏東各機關首長所重視，一度於動員月會提出討論，企求覓得適當解決途徑。終因攤販不加理會，而告一拖再拖。

屏東郵局為使建築工程順利進行，乃一面於八月廿三日再度通知，限該十三家攤販於九月五日搬遷，俾便拆除圍牆以利工程；另一面由該局副局長親自向攤販等說服勸導。結果有林辛、黃火、[illegible]等六家聯名具結，向郵局提出請求延至九月廿五日自動拆還地[illegible]；亦基於台灣習俗（農曆十月不利搬家）及林辛等之合理請求，接受了他們的請求。另外陳鴻伯等七戶，仍然置之不理。九月五日，郵政局長楊盛明親自到場，並由[illegible]分局長等二十餘人維持秩序，乃得完成拆除圍牆工作。

據有關方面調查證實說：十三家攤販內，除黃維崑、林辛等二戶確屬貧困，拆遷後的生活確難免成問題外，其餘十一戶[illegible]。又說：這些人之所以不願拆遷，其目的不外（一）希望市公所另行指定地點，繼續搭蓋攤棚營業[illegible]；（二）[illegible]；（三）希望郵局能補助其拆遷損失。[illegible]可由郵局向法院提出訴訟好了，因為打官司亦可以稽延時日。

據郵政局長楊盛明語記者：為求建築工程如期完成，該局對陳鴻伯等[illegible]。（袁文德）

澳門跑狗廿八開鑼
港客預訂房間一空

（本報訊）澳門消息：籌備多時的澳門跑狗，經定於九月廿八日晚開鑼，從此港澳居民又多一種合法之賭博[illegible]

監察制度的演變與考驗

張健生

「以前美國有一位學者叫巴直氏，他是很有名望的，著過一本書，叫作自由與政府，說明中國的彈劾是自由與政府中間的一種最良善的調和方法。由此可見，中國從前的考試權與彈劾權，都是很好的制度，憲法裡頭是決不可少的」。

從前名御史的風骨，傳曰：「孔子作春秋，而亂臣賊子懼」，當褒則褒，當貶則貶，雖游夏不能贊一詞。孝經諫諍章曾子曰：「若夫慈愛恭敬，安親揚名，則聞之矣。敢問子從父之令，可謂孝乎？」子曰：「是何言與！是何言與！昔者天子有爭臣七人，雖無道，不失其天下；諸侯有爭臣五人，雖無道，不失其國；大夫有爭臣三人，雖無道，不失其家。士有爭友，則身不離於令名；父有爭子，則身不陷於不義。故當不義，則子不可以不爭於父，臣不可以不爭於君。故當不義則爭之，從父之令又焉得為孝乎」？故服從不服從，要在義不義，如晉申生，因服從而殺身，而文公重耳不服從，反得挽救國家。如扶蘇因服從偽命而死，秦以亡，岳飛因服從假詔而宋以衰敗，此皆歷史上之最好的啓示。所謂董狐之筆，雖死不屈，包公之鐵面無私令人稱道不置，而歷史上的監察御史，甘冒不韙，不畏權勢，擊奸除暴，雖粉身碎骨，甚至禍及三族而不顧者，比比皆是。故有「人生自古誰無死，留取丹心照汗青」之名言。

第一期為史官寓諷諫褒貶之意，漢書藝文志：「左史記言，右史記事，事為春秋，言為尚書」。由周以前迄於戰國時代，側重君主朝臣。

第二期為專事彈劾、糾舉並兼司寇之職權，秦始皇創始，漢代繼承，唐宋大體上自中央下及地方，司寇之職權位同宰相，並宰相而彈劾之，所謂丞相之貳。

第三期則統一擴大監察之行使，明清時代之都察院，即統一監察權的機構，集中監察權的力量，兼領軍旅之事。儘管明清兩代的御史權，由百官效根據隨，訟獄裁判，集中而擴大，然內受宦官之劫持包圍，甚至天子之親信，致下情不能上達，故明清之亡均坐因於宦官內宦之專橫跋扈，致使良法美意之都察御史，動輒遭遇掣肘，實無用武之地。中間雖有一二有聲的御史，上不惜冒犯天顏，遂誅奸人，如明之嚴嵩，亦足以挫奸權之膽，却無補於大局。至於御史制度本身之摩擦，如唐之左右肅政二臺的爭權是也。

制度

按照憲法規定，現行監察權應有六種：一是同意權，二是彈劾權，三是糾舉權，四是審計權，五是糾正權，六是調查權。監察委員在行使這六種職權時，有沒有濫用？有沒有遇到阻撓？現在所要談的是制度上的問題，因為制度不完整，會致監察權行使流於形式。

在抗戰前，國民政府為實施憲政，遂由立法院蒐集各國憲法的精華及國內各方面的意見，經過長時期的審慎研討，制定「五五憲草」，於二十五年五月五日公布。斯時為訓政時期，所有國家一切法令規章，均經由中國國民黨中央政治會議，最後由中常會決定，而「五五憲章」，其中關於監察權方面，在立法院、政治會議、中常會爭得最厲害的，就是監察權裡的懲戒權，有的主張懲戒權應歸於司法院，有的主張懲戒權應歸監察院，現任監察院院長于右任為此會力排衆議，支持後者，所以「五五憲章」第八十七條規定：懲戒權由監察院行使之。但後來的憲法，即現行之中華民國憲法，是政治協商會議的產品，而政治協商會議憲草修改原則係依照國民參政會憲政實施協進會五五憲草研討意見，將監察權中之懲戒權，由監察院移入司法院（現代憲法原理、中外四十二國憲法選輯合編一書第三四四頁），於是後來所制定的憲法，又將懲戒權從監察院中劃出去，使監察權不能完整行使了。（二一）

岳武穆軼事輯要

十八爺

「張平為盜，湖南岳楓使討之，遣李道往平，封期與戰。道始發，岳集諸校置酒而燕，問所以，曰：使道當平，能不憂乎？張憲請行，許之，計授意，臨陣就以道軍戰，平降兵授之而歸。平臨陣求與道語，軍士以張告，平愕然！既見憲，召左右羅，遂降。武穆意李成名出張下，張遲乙平且逃去，臨陣投以所忌則氣奪。識者以為武穆之料平，與李光弼降高陣李日越不異」。（陳慥江湖長翁集）

「武穆御衆得其死力。楊再興歿於虜，獲其屍，得鏃二升，藍不儻不止也。在合肥日，遣騎懸矣，至揚子江風暴禁渡，與者力止之，騎曰：寧為水溺死，不敢違相公令！自駕小舟絕江，望者以為神」。（行實編年）

「武穆御衆嚴，行市萬衆而市不見一卒。惟閱試擇旅，則人始幸觀之。使錙京東，得旨不示衆饑，夜遣兵行，明日裁留疲羸數躍，導馬誓別而去。」（吳拯編鄂王事）

「漢上報敵騎大至，武穆移檄本路，備五萬人軍資，所遣止二百人耳。敵素憚武穆之威名，望風而遁。黃機密言於武穆曰：宣撫威名已振，敵那敢犯我？特大張其勢以動我，實不敢深入。我復以虛聲應之，正得其情矣。」（紀事編）

「武穆出兵以廣上德為先，殲其渠魁而釋其餘黨，不妄戮一人。裨將寇成嘗殺降，即劾其罪。是以信義著，敵人不歸，固結於人心，雖金之簽軍，皆有翕愛願附之意。」（行實編年）

「武穆受節制於諸將，事多牽掣，語其下曰：使某得進退稟命於朝廷，何功不立？一死鳥足道哉！要使後世書冊中，知有岳某之名，與關張輩功烈相彷彿耳。」（家集）

「武穆用人有方，舉劾各得其當。如以馬羽守蔡，蘇堅守淮寧，皆有干城牧衆之功。知興國軍徐璋、漢陽軍呼延[illegible]以不職，即日奏罷之。」（行實編年）

「諸大將多養尊自肆，崇飾禮貌，武穆獨以宣撫司官屬有冗員，蠹國害民，乞行裁減，其體國率如此。」（行實編年）

「提轄官武權士卒，武穆曰：吾訓之，勿加笞辱也。然取人一錢者必斬，故士樂於用命。武穆嘗謂諸將曰：某之士卒眞可用矣！穎昌之戰，人為血人，馬為血馬，無一人肯回顧者。復中原有日矣！」（紀事編）

「武穆三子大中大夫霖轉漕湖北，武昌軍民炷香，具酒牢哭迎。[illegible]相公不復來矣！[illegible]至感人之深也。」（襄陽石刻事迹）（一六）

報人普立茲傳

汶津譯

「我想買下另一家報紙。」

凱蒂坐倒在一張椅子上。她有氣無力的問：「我不懂。為什麼？」

「因為我需要一份紐約的報紙。你知道我並不想賺許多錢。郵快報賺的錢固然夠我們花的了。可是我要一張能遍銷全美國的報紙——不只限於一個城。只有一張紐約的報紙能做到這點。總統大選就要舉行了。我要在決定誰做總統的力量中參加一份。我要分擔這個國家的未來命運。我要把眞理告訴全美國人，並且讓政治家和其他報人們明白：一張報紙能替公衆做很多有益的事。」

「可是約瑟夫，你身體很壞。能不能等我們歐洲回來再買那家報紙？」

「我今天聽說世界報正在出讓。那是一張小型的民主黨報。沒有很多讀者。可是它有很好的設備。標價是三十萬元。價錢很貴，可是我能付得起。」約瑟夫頓了一頓，又接着說。「我必須做這件事，凱蒂！我可能永遠也碰不到同樣的機會。」

「約瑟夫，你的健康是最重要的。你必須留意它。」

「我覺得好些了。所有我需要的是努力工作和一樁有興趣的事業。我要在紐約試試我的理想。紐約會歡迎我那種報紙嗎？沒有一家紐約的報紙是為廣大羣衆而寫作的。這些編者就是碰到了一則好新聞也不知道的。新聞故事應該寫到讓工人、商人、主婦、政客全感興趣才行。我要在這兒試試我的理想，凱蒂！」

「等到明天再決定吧。不要忘了那對你有什麼影響；那將使你永不停息的工作，弄得你的健康糟得不可收拾！」

凱蒂半夜裏突然驚醒。另一個房間裏的燈光亮着。「約瑟夫？」她叫着，很快的走進那房間。

他靜靜的坐着，一隻手遮着雙眼。當他望着她時，他的臉色很煩愁。她從沒有見過他像這樣。

「我一直坐在這裏想我是多麼傻。我相信我能到紐約來和那些全美國最大的報紙競爭。我計劃用我們的錢——這些錢是留待將來用的——來試試我那種報紙在這個城裏是不是吃得開。」

很快的他的妻子告訴他，「那一定會成功的！你也一定行。大選今年就要舉行而——」

「這正是使我覺得自己可笑的地方。這些紐約的編輯們是如此有權勢，他們可以左右總統選舉。他們能造就一個政黨或毀了它。我眞傻，會想到自己能和他們競爭！」

凱蒂大吃一驚。約瑟夫一向總相信他能做任何事。以前他從沒顯示過絲毫的畏怯。（三二）

瘟君續夢

第九回：枵腹爭雄　壺漿招餓鬼　苦心糾衆　風雨會羣魔

赫魯曉夫回到克里姆林宮把米高揚、柯茲洛夫等人找來，大家都憤憤不平。赫魯曉夫苦笑道：「這眞是意想不到的事，一塊小石頭竟然把我絆跌了這麼大的跟斗。」

布列日涅夫說道：「我看這是一套陰謀，沒有人在背後支持，霍查那有這個膽量。」

米高揚撫着小鬍子說道：「我昨天就懷疑中國同志何以會作出重大讓步，原來他們早已留着這一招子來用，看來他們的鬥爭技術，到是不可輕視的。」

赫魯曉夫拍着肥頭，說道：「現在問題不是怎麼對付霍查，而是怎麼結束這場會議，我們這次召開全世界共產黨大會，實在上了中共的當。」

柯茲洛夫說道：「依我看，關於譴責狄托的問題，不必再提大會表決了，祇要開會，中共代表團就有花樣出，弄不好又變成一個笑話，擺在面前祇有兩條路，一是宣佈散會，任何問題都不談。一是根據胡志明的建議，把雙方觀點都寫進去。」

赫魯曉夫歪頭說道：「關於譴責狄托的問題怎麼辦呢？」

柯茲洛夫沉吟一下說道：「我主張寫進去，這裏有兩個原因，第一、可以滿足中共的要求，使他們以後不要再遇事搗亂，以促成社會主義國家的大團結。第二、也給狄托一個警告，他儘是這樣各行其是，自外於革命陣營是不成的。」

赫魯曉夫聽說要公開譴責狄托，不免有點爲難。可是，克里姆林宮一羣少壯份子，因爲懷恨狄托不肯回到共黨集團，一九五七年派了代表團來到莫斯科開會又半途退出，都主張予狄托一個警告。所以赫魯曉夫一人也不好過於違背大衆的意思，想了一時，說道：「好吧！算我對中共同志作一次最大讓步。不過，這是最後一次了，他們再搗亂，我就不客氣了。」

由於赫魯曉夫的巨大讓步，局勢急轉直下，莫斯科會議圓滿結束，由全體八十一國共產黨簽署的莫斯科聲明，也正式公佈，一場鬧劇，總算變成了喜劇。中共代表團喜出望外。會後鄧小平趕快回去北平報喜，劉少奇却率領大批人員留在蘇聯，參觀各處工廠、學校、集體農莊。

十二月一日莫斯科會議公報正式發表，當天晚上赫魯曉夫設宴招待劉少奇、鄧小平、彭眞，蘇聯方面出席的有柯茲洛夫同蘇斯洛夫。

雙方面正談得歡暢時，劉少奇故意提起中共的經濟困難情況，想請老大哥賜予援手。

赫魯曉夫笑道：「少奇同志，你不知道蘇聯情形也十分困難，爲了同美國競爭太空的發展，我們全付本錢都投進去了，所以短期很難再給你們任何援助。」

劉少奇看到赫魯曉夫說得如此決絕，不好再向下談。

鄧小平回去之後，劉少奇又到列寧格勒參觀一轉，十二月七日莫斯科一萬二千人集會歡迎中共代表團，劉少奇發表演說，強調中蘇一體，敵人永遠看不到我們分裂。

十二月十一日北平人民日報社論也說：「就像看不到太陽從西邊出來一樣，永遠看不到我們的分離。無論風裏、雨裏，我們永遠同蘇聯站在一起，我們將像保護自己的眼珠一樣，永遠堅定不移地保護我們的團結。」（一二三九）

窄門

汶津

窗外的小院裏有一些嫩綠的爬藤。不知怎的，一條晾衣服的竹竿壓住了它們。望出去，牆角那幾盆母親心愛的花，一大早已經淋浴過了。

我走出臥室，看看錶，看看牆頭的一枚壁虎。母親從廚房裏轉出來：「唉，又有一株枯死了。」

我望望她。早晨的時光容易讓你看清楚一個親人，一向健朗的母親已逐漸的衰老了。我並不關心那些盆花；生命原是艱苦的。

有人敲門。誰？這麼早會是誰？我施施的走過去，扭動彈簧鎖。門，緩緩的先露出窄窄一綫，然後整個地開啓。一個人站在門口，蒼白而孱弱。

是五年如一日的洗衣婦。滿面風霜。不，有些不對。不，不像印象中的她。平日我很少正眼端詳她，她忙時我也忙着。我退後了兩步。

「媽，看她——」

她已經跨進客廳，向浴室的方向走去，機械而蹣跚地。母親緊跟着她。「你今天怎麼啦？病了？」

我看見她恍惚搖了搖頭。我漾漾的回到臥室，打書架上抽出一本左拉的「酒店」。那是另一個洗衣婦，活在異域。

窗外，那條桀驁的竹竿在朝陽中一閃一閃的。

我隨手翻到女主角和別的女工大打出手的一節。生存的慾望使卑微的生命迸出火花。忽然，客廳裏傳來母親低沉的聲音，夾着一聲歎息，酷似書中女主角的歎息。

我擱下書，遲疑了一瞬，走出去。「你一定要好好休息兩天。這比生下來還要損身體呢。」母親的慈祥如一股波浪，由此岸盪向彼岸。

洗衣婦搖搖頭。「我可以做，——沒有辦法的事。」

「你先生不知道？」

她的身子突然整個下沉似的，神色間一片濃重的灰黯。「他？他知道了也沒有用。」

頓時我感到一股窒息的力量，好像走在漆黑的礦洞裏。

「她怎麼啦？」我俯下身子向母親耳語。

「她昨天才拿掉孩子。」

拿掉孩子！我就從來沒有留意過她的膨脹的肚子！現在，它萎縮着；萎縮着她的臉，萎縮着她的整個生命。

她淒涼地抬起頭來：「我們生來命苦。」

那種宿命的腔調已跨越了不知多少年代。我的眼光在她和母親之間逡巡。（上）

懷瀟湘八景

漁翁

湖南，簡稱湘省，以在洞庭湖之南，故名。湖南有瀟湘二水，瀟水源出湘之寧遠九嶷山，湘水源出桂之興安陽海山，合流於零陵白蘋洲而滙入長江。

據湖南通志：長沙古蹟中，有「八景台」。度支員外郎宋廸，工畫，尤善爲平遠山水，在台上牆壁，繪「瀟湘八景圖」。八景者，即「平沙落雁」，「遠浦歸帆」，「山市晴嵐」，「江天暮雪」，「洞庭秋月」，「瀟湘夜雨」，「烟寺晚鐘」，「漁村夕照」。八景圖爲宋廸得意之作，好事者多傳之。後世每於名勝區域，多分八景，如「燕台八景」等，蓋本此。茲畧記瀟湘八景如次：

平沙落雁：霜清水落，蘆葦蒼蒼；眞鳥鶼鶼，有列其行。或飲或啄，或鳴或翔。匪上林之不美，惜繒繳之是將。雲飛水宿，聊以隨陽。此平沙落雁也。

遠浦歸帆：晴嵐映波，落霞照水；有葉其舟，捷如飛羽。有幸灣洪濤，將以寧處。家人候門，歡笑容與。此遠浦歸帆也。

山市晴嵐：依山爲郭，列肆爲居。魚蝦之會，菱芡之都。來者于于，往者徐徐。林端清氣，若有若無。翠含山氣，紅射朝旰，餘不盈乎一掬，散則滿乎太虛。此山市晴嵐也。

江天暮雪：歲晏江空，風嚴冰結；馮夷剪水，亂灑飄屑。一簑戴月，浩歌者誰？獨酌寒潭，以寄清絕。此江天暮雪也。

洞庭秋月：君山南來，浩浩滄溟。飄風之不起，屑浪之不生。夜氣既清，靜露斯寒；素娥浴水，光涵金精。倒霓裳之清影，來廣樂之天聲。纖雲不翳，上下虛明。此洞庭秋月也。

瀟湘夜雨：苦竹叢翳，鷓鴣哀鳴。江雲黯黯，江水冥冥。翻河倒海，若注若傾。舞珠泣之鮫客，悲鼓瑟之湘靈。孤舟客子，寐也無成；擁衾獨坐，百感塡膺。此瀟湘夜雨也。

烟寺晚鐘：暝入松門，陰生蓮宅；杖錫之僧，將歸林石。蒲牢一聲，猿驚鶴擧。幽谷雲藏，東山月吐。此烟寺晚鐘也。

漁村夕照：翼翼其廬，瀕崖以居；泛泛其艇，依荷與蒲。有魚可膾，有酒可需，收綸捲網，其樂何如！西山之暉，左我桑榆。此漁村夕照也。

筆者湘人，對上面八景風致，多所領畧。其最愛者，爲「洞庭秋月」，乃指「蓮花潭」而言，水光瀲灧，月色鮮妍，爲八景中之特出者，騷人墨客，皆以此爲吟咏之資料，而以李白所題之名句爲最多。李白遊湖時，必先載酒中，飲酣醉，醉而歌，所賦洞庭秋月詩有云：「南湖秋水夜無烟，耐可乘流直上天；且就洞庭賒月色，將船買酒白雲邊。」其愛月縱酒之情，躍然紙上。筆者雖不慣杯中物，且生平喜好垂釣，每於秋高氣爽，月白風清，泛一葉舟，把釣於蓮花潭畔，望水天一色，而樂不可支。今雖投荒南天，此境此情，猶時縈夢懷也！

海嶠雲談薈

政風的今昔觀

諸葛文侯

政風之隆替，與政治環境和官吏的服務精神，大有關係。每個從政的人，皆有創進事業——即所謂政治野心——向上發展的天性，誰也不會居心是要幹壞事的。祇要政治環境有大開大闔的恢宏氣象，使智勇辯力之士，得以公平競賽，發抒抱負，而政府當局對於文武百官的功過賞罰，又嚴正無私，絲毫不苟。則人之好善，誰不如我，大家希望事業成功，力求表現，遇事有所不爲，不致貪汚違法的勾當，引爲深戒，即因循敷衍，唯唯諾諾的官僚作風，亦相率避之若浼，不屑沾染了。所以，曠觀歷史紀錄，凡在亂世，多見人才輩出，媲美爭輝，因爲大家都有時勢造英雄，得當以自顯的機會，不肯妄自菲薄也。

回憶自從民國十六七年國民政府統一全國，以迄對日抗戰末期的政治風氣，一般公務人員無論在公私生活上，總保持着一些革命精神，自動的有所不爲。迨抗戰結束之際，由於政治上派系叢生，功過賞罰失道，當時派赴淪陷區域接收的大官小吏，十九都是靠着「人事關係」而來，因而「接收」變成了「刼收」，紀綱爲之蕩然。後來監察院看不過去，建議政府澈查各省市的敵僞產業接收內容，政府亦派出了調查人員，結果還是不了了之。政風敗壞，殆自此始！等到大陸淪於匪共，政府播遷台灣後，政治上崇尚忠貞，明辨順逆，這是對的。然而，某些從大陸逃到海外的人士，在第七艦隊尚未協防台灣海峽以前，有的逢人即破口譏罵國民黨和共黨領導人，有的否定國民黨再有領導國事的資格，有的暗中替共黨効勞工作，有的本來是以國民黨爲衣食父母的，此時絕口否認他是國民黨人，某一著名的大學校長，請他簽名於雙十節海外文教界人士的反共救國宣言中，亦拒絕不幹。這些都是我親見親聞的事實，可以逐一指出其人的姓名和證據，決不怕他向法院控告我誹謗。詎料曾幾何時，這些人眼明腳快，走到了台灣，大發反共抗俄的讜論，即被視爲「忠貞之士」，或作高官，或做國代，或幹黨政工作，倜倜蛻變爲雙料的忠黨愛國份子了。像區區這種在海外跟共匪從事文化鬥爭，冒險犯難，十幾年如一日的，祇因偶爾談談民主自由的理論，有時批評一下庶政得失，卻有若干特殊人物，被認爲「不可靠」的問題人物，不亦怪哉！這可說是政風敗壞的第二階段。

繼而政府又發明了一項新奇的行政政策，叫作「人事凍結令」，政治上不發生新陳代謝作用，官吏成了終身職，加之以環境移易，生計維艱。於是乎，大家採取了「多做多錯，少做少錯，不做不錯」的服務方針，在辦公室裏，每天畫到，看看報，說說笑，決不肯創進事業，發揮個性。上焉者通達門檻，邀寵固位，其次求田問舍，力圖享受，下焉者設法貪贓，抓錢第一，政風如此，已到達腐朽糜爛的程度了！今之文武公務人員，多半都是昔日參加國民革命運動和對日抗戰之役的過來人，且依然是在國民黨執政領導之下，但其服務精神，前後迥異。我大膽地說句不客氣的話：大家過去在大陸上的成功條件都喪失了，而失敗的條件卻十足的帶到了台灣，像這樣的政風，即可打倒毛共的暴力政權，解救大陸同胞，抱歉得很，我是不敢相信的！（完）

南宋偏安有人才

李仲侯

是夏，飛奉詔詣都督府與張浚議軍事，時王德、酈瓊之兵，猶未有所付，浚意屬呂祉，乃謂飛曰：「王德之爲將，淮西軍之所服也，浚欲以爲都統制，而命呂祉以都督府參謀領之，如何？」飛曰：「淮西一軍，多叛亡盜賊，變亂反掌耳。王德與酈瓊故等夷，素不相下，一旦擢之在上，則必爭；呂尙書雖通才，然書生不習軍事，不足服其衆。飛謂必擇諸大將之可任付之，然後可定。不然，此曹未可測也。」浚曰：「張宣撫如何？」飛曰：「張宣撫宿將，飛之舊帥也。然其爲人，暴而寡謀，且酈瓊之素不服，或未能安反側。」浚曰：「然則楊沂中耳？」飛曰：「沂中視德等耳，豈能御此軍哉！」浚怫然曰：「浚知非太尉不可也。」飛曰：「都督以正問飛，不敢不盡其愚，然豈以得兵爲計耶？」即日上章乞解兵柄，步歸廬山，廬於周國夫人姚氏墓側。浚怒，以兵部侍郎張宗元爲湖北京西宣撫判官監其軍。帝得奏，賜御札慰諭，且封還奏劄，札曰：「奏劄復還卿。國事至重，要當仔細商量，期於有濟。可速起發見張浚，仍具奏來。付岳飛。」飛復上奏懇免，乞持餘服。再賜御札，封還元奏，札曰：「再覽來奏，欲持餘服，良用憫然。卿忠勇冠世，志在國家，朕方倚卿以恢復之事。近者探報，賊計狂狡，將窺我兩淮，正賴日夕措置，有以待之，卿乃欲求閑自便，豈所望哉！張浚已過淮西視師，卿可亟往商議軍事，勿復再有所請。今封還元奏，故茲親筆，宜體至懷。付岳飛。」飛仍懇辭不止。詔遣中使宣諭張浚所議軍事，賜御札，再還元奏。札曰：「比降親筆，喩朕至意。再覽來奏，以渾瑊自期，正朕所望於卿者，良深嘉歎。國家多事之際，卿爲大臣，所當同恤。見遣中使宣卿赴張浚處，詳議軍事，傳旨：將相和，則士豫附，卿其勿事形迹，以濟功助。今再封還來奏，勿復有請。」上時連詔促飛還軍，飛力辭。詔屬吏造廬以死請，不得已乃趨朝。既見，猶請待罪。上知其故，優詔答之，俾復其位而還宗元。宗元復於上曰：「將帥輯和，軍有精銳，上則禀承朝命，人懷忠孝，下則訓習武事，衆和而勇。此皆宣撫岳飛訓養所致。」賜詔獎諭，詔曰：「朕致天之討，仗義而行，乘律成師，誓清平盜賊。驊軍經武，必藉乎虎臣。眷予南服之區，實捍上流之勢。卿肅將齋鉞，洞照玉鈐，甘苦分同，與下同欲。旗甲鮮明，卒乘輯睦；士聞金鼓而樂奮，人懷孝而易從。動如飄風，固可以深入；延之如長刃，何畏乎横行！覽從臣之奏封，知將帥之能事。卿誠如此，朕復何憂！想卿庶幾李齊之賢，未嘗忘者；聞細柳亞夫，故茲獎諭，想宜知悉。」（八六）

近人詩選

感懷二律

伍百年　有序

每懷舊邦，心憂如焚！慨自政府播遷，遺民待牢，地獄久困夫生靈，天誅未及於醜類，引領王師，倒懸未解，俯仰依人，自由受制。茲舉二端，足爲前例：濱城之喑痛哉！黃遵之血跡猶殷，而排界之惡聲轉厲；殷鑑不遠，足以警迷。非自覺無以維新，守不變惟有待斃！儻才當培新血，救國更仗羣黎。苟無文化之正氣，孰肯嚮爲玉碎？不有武鄉侯之賢能，則徒甘於坐待。而欲痛飲黃龍，陳師白下，抑亦難哉！因成二律，以抒所懷。

忍別湖山游外留，故園松菊幾經秋；
衷居縱美非吾土，市隱更難化俗流。
正氣孰賡文信國，奇才誰似武鄉侯？
偏安待飲黃龍酒，南渡君臣已白頭！

天道靡常德是親，如何俛仰竟由人？
當從自覺揚靈力，莫任賓喧誤己身。
不變寧能應萬變，秉鈞得失繫千鈞；
日言匡復何時晚，曲突須先急徙薪。

內僑警台報字第〇三壹號內銷證

自由報
THE FREE NEWS

第三七六期

中華民國僑務委員會登記證
台教新字第三二三號登記證
中華郵政台字第一二八二號執照
登記爲第一類新聞紙類
（每逢星期三、六出版）
每份港幣壹角
台灣零售價新台幣弍元
社長：雷嘯岑
督印人：黃行富
社址：香港銅鑼灣高士威道二十號四樓
20 CAUSEWAY RD 3RD FL. HONG KONG
TEL. 771726　電報掛號：7191
台灣分社

從蘇俄毛共交惡看反攻大陸（上）

郭甄泰

反攻復國，爲我國之基本國策，十五年來全國朝野上下，文武男女，均係爲此唯一目標而努力，而奮鬭。雖有人高唱『反攻無望』論，有人說：『美國已經限制死了國軍反攻大陸，沒有美國的支持，蔣總統部下反攻大陸將等於自殺』。又說：『蔣總統的返回大陸要不是一個神話，就是一個不負責任的夢想』。但我們並不氣餒，凡人不言則已，言必曰反攻；凡事不行則已，行必曰復國；所有全體國民無一刻不談反攻，無一事不談復國，眞所謂造次必於是，顚沛必於是，勢如長江大河東流入海，不達目的不止。現在蘇俄毛共交惡，已達極點，英美輿論亦有轉變，認爲「大陸上百分之九十人民，都將站在中華民國的一邊」；「中共本身的脆弱與作惡多端，正促使它自趨滅亡」。此正爲我政府反攻大陸之最有利時機。俄毛交惡原因爲何？能否和解？美國、蘇俄對我反攻態度如何？毛共內部將有如何變化？均爲重大問題，亟需加以研究，以爲反攻大陸行動之參考。

一、俄毛交惡之原因

蘇俄毛與共匪帮關係，現已瀕於破裂邊緣，兩方互相指摘，漫罵，已至於「你死我活」之程度。毛共發言人說：赫魯雪夫具備「野獸觀念」，秉懷有「奴才哲學」，「採取下流造謠手法」，「已經惰落到靠說謊過日子的地步」，「最後將遭遇到第二次世界大戰期間納粹宣傳鴟子戈培爾的同樣運命－自殺。」「蘇俄頭子說：「大陸匪區人民喝大鍋清水湯，連褲子都沒有穿，怎樣能生產核子武器？」「「眞理報」說：「北平政權所採取之立場多與十三世紀蒙古暴君成吉斯汗時代之精神吻合。」「中共破壞國際間成規，甚於帝國主義者」最。近赫魯雪夫說：「祗有瘋子才會想到以戰爭來推翻資本主義」；「愚昧無知，竟不知核子戰爭危險」；「妄圖在廢墟中建立文明，實係瘋狂之徒，彼等究竟有何權利以人民之名發表談話」？針鋒相對，業已如冰炭之不能相容，其原因爲何？能否再和好如初？實爲世人矚目之焦點。

（1）領土之爭

蘇俄自清初以來，陸續侵佔我國土地甚多，計在尼布楚條約中獲得黑龍江上游地七十萬方里，在恰克圖條約中獲得色楞格河下游地三十餘萬方里，在璦琿條約中獲得黑龍江北岸地二百四十萬零五百七十方里，在北京條約中獲得烏蘇里江東岸地一百三十餘萬方里，在塔城條約中獲得阿爾太泊地、額爾齊斯河地一百三十九萬七千方里，伊犂、塔城間地五萬餘方里，在伊犂條約中獲得伊犂河下游地三萬二千方里，南疆俄邊各地五萬七千餘方里。此外蔥領以西各國，向均服屬中國，其後陸續爲蘇俄吞併或名義上歸其保護者，計有布哈爾地三百零七萬二百方里，浩罕地九十二萬方里，哈薩克地三百二十六萬方里，布魯特地四十萬方里，又與英國分割中國的帕米爾地二十五萬方里，總計在中國所攫奪之土地，共達一千三百餘萬方里。此外，外蒙西北的唐努烏梁海，面積約等於英國，原屬於外蒙，但蘇俄於民國十年侵入外蒙時，便侵入唐努烏梁海，嗣又唆使其與外蒙古分離而獨立，稱「唐努烏梁海」人民共和國」，一切由蘇俄把持，三十三年三月十三日，唐努烏梁海共和國改爲蘇俄「自治區」，完全爲蘇俄所併吞。至於外蒙古則係蘇俄先於民國十年乘進兵外蒙消滅白俄之後，成立傀儡政權——「外蒙人民自治政府」，十四年又將自治政府改爲「蒙古人民共和國」，宣佈獨立，現在已成爲蘇俄的附庸國。合計以上二地面積，亦有七十萬方里。中共匪帮現在對於外蒙之宗主權，尚未放棄。像阿富汗以及上述各種地區，均爲一度隸屬中國，「一旦是中國的，即永遠是中國的」，向爲毛匪之主張，毛共今年三月曾經希望重新檢討訂立的各種條約，包括影響新疆及被俄國吞併的西比利亞地區在內。現在毛共對於這些土地，雖不會突然攫奪，但經過若干年之後，毛共政權如尚存在時，必將提醒世界以及莫斯科說：「這是我們的土地」。毛共屆時如以爲核子國家，而又爲收復國土之方法，則蘇俄必須被迫作戰，殆無容疑。美國參院民主黨領袖曼斯菲德說：『蘇俄之轉向西方，係由於蘇俄恐懼中共可能向其領土擴張。中共過去曾喪失領土給蘇俄，其人口之擴張，大約每年一千五百萬，彼等需要向他處發展，可能向蘇俄之亞洲地區擴展。』『歷史性的領土野心，其比重可能會大於國際共產主義的勢力』。確爲一針見血之論，並非僅爲政治權利之爭，領導權之爭，世界革命方式之爭，而實含有領土之爭，其不能再水乳交融，結一致，殆爲一常識上之判定。因之有人認爲赫毛二人中，一人倒後，蘇俄與毛共匪帮即可恢復正常關係，和好如初，並非正確。

（2）政策衝突

赫魯雪夫現在外交政策之基本原則爲與社會制度不同各國「和平共存」。他說：『如果發生另次世界大戰，將會使數以億計之人喪生，且會使大量文化蕩然無存。』『共產主義不能建立於廢墟之上』。力主以戰爭以外之方法推廣共產主義。蓋蘇俄建立他們的國家，歷四十年之久，他們不希望現在在一次核子戰爭中變得蕩然無存」也。毛共匪帮則不然。毛共係「一無」的國家，經濟倘在原始階段，在核子戰爭中，損失不大，因之主張以戰爭爲手段，實行世界革命，希望蘇俄與美國兩生戰爭，互相毀滅，毛共則坐山觀虎鬭，[illegible]，坐收漁人之利。[illegible]蘇俄與中共的分歧，是『一個有』（富）的國家，和一個無（貧）的國家的基本分歧，蘇俄不想冒險，而毛共仍是很貧窮的國家，準備作很危險的冒險。」從可知蘇俄與毛共匪帮，對於世界革命之方式，一主和平，反對戰爭；一主戰爭，反對和平；根本上不能相容。

其次，中共匪帮竊據中國大陸後，台灣尚爲中國之一省，時欲加以染指；蘇俄則主張和緩戰爭，[illegible]他說：『台灣問題在國際事態局勢中，[illegible]一枚燃燒彈，由於美國支持中華民國，蘇俄支持毛共，結果便使戰爭有迫在眉睫之勢。但是蘇俄所支持的，卻是使國際緊張局勢繼續，而避免戰爭的來到』。因之蘇俄與毛共在對中華民國之觀點上，亦激烈衝突。

漫畫世界

難爲了卡斯特羅

二十年一個變動

自由談

談對日外交

關於日本政府核准工商界以間接方式，向中共偽政權進行經濟援助一事，我政府當局以及海內外各界人士，一致表示憤怒的抗議，認爲日本見利忘義，太不夠朋友！

日本如果僅僅是以一座尼龍製造廠賠給中共，問題還小，它現時派赴北平的所謂貿易代表團，人數衆多，包括政府人員和工商界首腦們，另有國會議員亦參預其役。這是準備繼續作大規模的貿易勾當，日本要趁此機會，跟美國人競爭中國大陸市場。所以，咱們朝野人士儘管激烈抗議，日本當局還是「當伊嘸介事」，我行我素。國際政治原是最現實的，尤其絕無正義公道之可言，我們若以當年日本無條件投降後，[illegible]戰後要求賠償等友好之[illegible]理由，希望日本人莫忘恩負義，那就是犯着橫蠻的幼稚病，非失望不可！日本民族性是偏狹小而又富於模仿性的，它瞧着毛共視「美帝」爲死敵，與俄帝反目成仇，英倫和加拿大即乘機向毛共政權獻媚結交，擴張貿易利益，而美國亦默許熟視，不以爲意，自然見獵心馳，不肯放過伴利的均等機會。

外交之道，太上論實力，其次講利害關係，再次就靠平時彼此間睦隣修好的國民外交作用，後者是慢性的工夫，必須得其人，長期持之以恆，潛移而默化之，庶幾有効。咱們在現階段的實力，不足以使日本顧忌其利害關係，又不平衡，談到國民外交，雖有「中日合作策進會」之組織，亦祇是臨時舉行會議，但我方主持和參預這一項事宜的人，十之八九，都是些不明瞭日本情況，不通曉日本語文的官員，除卻官式酬酢以外，個人在日本社會上沒有絲毫的活動能力和影響力量，策進云乎哉？清可見咱們對日本的外交之道，條件多不具備，未雨不綢繆，臨渴而掘井，何濟於事呢？日本朝野人士對中共的勾結，勢所必至，理有固然，咱們如不急起改變方針，別謀補救之策，光是抗議反對，知己而不知彼，是遺所以自尋煩惱而已！

馮五先生

教育界起騷動

吳兆棠同時宣告：今後各級中等學校，不能因為新課程標準的頒佈，增加授課時間，而向學生增收鐘點費。至於台中市的部份中學向每一學生增收的鐘點費六十元，教育廳已命令各校即予退還。

在當時，教育審查委員會的議員們，對於上任只有五天的教育廳長吳兆棠的果斷決定，報以熱烈的掌聲，因之也就很順利的解決了追加預算的問題。雖然他們對目前的教育問題，提出了很多意見。

但是省議會的「關」是過了，却引起教育界很大的騷動，七日的上午，台北有些報紙，用初號字的五欄標題披露了「留級中學生補考」的反映，台北市若干公私立中等學校負責人，對此尤感困擾。他們認為教育廳的此一措施，似未週詳考慮，其後果不僅破壞教育制度，且將使有關學校「秩序大亂」。

他們指出：中等學校學生成績的評定，係根據教育廳四十五年七月十九日公佈的「修正中等學生學業成績考查辦法」辦理。此一辦法，曾經省議會審議通過。七年以來，全省中學據以實行，於法並無不合。在學理上說，學生因學業成績未達標準，予以留級，而獲得重新學習的機會，對於智力較低的學生是必需的。

如何正本清源

他們認為雖然有少數學校由於升學問題而發生留級生太多的情形，但自從「惡性補習」流行以後，智力較低的國民學校畢業生，在「填鴨式」的教育下，硬「闖」進中學以後，這種現象就普遍存在。在不能「正本清源」以前，實在很難有效解決這個問題。

他們特別強調，現在學年度已經開始，各學校留級生的編班和招收轉學生的工作大都已經完成，如今對留級生一律准予補考，勢將引起一片紊亂，對於學校的行政與教學，以及管理等方面，都會發生影響。

他們說：全省公私立中等學校，現有留級生三萬零八百二十三人，這的確是一個問題。教育廳固然應該尊重省議會的建議，但也應該就法理與實際情形加以慎重考慮，最好能聽聽各學校的意見。

吳兆棠走馬省議會（下）

——本報台中記者熊徵宇

不得已且從權

吳兆棠對於這種反映，當然不能怠慢，馬上透過各報，發表一項說明：中學留級生可以補考一次，是前任嚴廳長的決定。他自己也認為五十一學年度畢業成績較差，不能升級的高初級部一、二年級學生，確實超出了教育常態，乃決定從權處理，特准補考一次，今後不得據以為例。並經以電話徵得教育部與省政府的同意，並向省議會說明。此一權宜措施，於學校開學後公佈，不無困難，但為解決實際問題，有勞教職員先生之處，個人深感歉然。

這則說明，有情有理，是否能得教育界的支持，到我發稿時止還沒有結論，但是有些縣市的中等學校，已經在辦留級生補考的事。

吳兆棠負担重

這段公案的原本，可能如此結束。但我覺得，這些年來，固然是由於人口的相繼增加，教育的擴充與設備在經費負担與各種情況上，不能適應增加升學率的需要，不能配合青年所追求文化水準的需要，而形成教育上的很多問題。但是我們當前的教育政策走了很多錯路是不容否認的。也可以說，因為某些人，存有一種「學閥」思想，在任用各級人事的方面，只重關係，不重人才，所以把有些學校，辦得偏重形式，實質貧弱；許多政策，說理都夠，執行下來，果成惡果！且情況惡化，只有「誤人子弟」！只有「貽害國家」！

而有些學校，如省議員王國秀所言：「由於榮譽心的作祟，怕自己學校畢業生升學率降低影響校譽，因之留級生日漸增多；而藉以收取補習費與製造『收紅包』的機會，也是一種原因。」

這種新的問題，教育廳應該迅速謀求預防的辦法，如何依據教育原理與實際情況，修改教育法令，聘請優良教師，充實教學設備，改進教學方法，來提高學生的成績，發揮教育效能。

新任教育廳長吳兆棠先生，面臨的課題很多，負担非常沉重，但願他的作為，能被大家喝采！

與橫貫公路並立為二的大建設

石門水庫本年底可完成

興建已達八年投資逾三十億元　完成後對台省北部經濟貢獻大

（本報記者台北航訊）興建達八年之久的石門水庫，目前已接近完工階段，全部工程預計將於今年底完竣。

石門水庫，為台灣兩大建設之一，另一為早已完成的橫貫公路。該水庫對北部地區的農村經濟建設是一大貢獻。

興建經過

遠在四十年前，即日據時代之民國十三年桃園大圳完成時，日籍技師八田與一郎，曾構想於石門築壩，可解決桃園、新竹、台北等地灌溉、防洪問題，但因經費無着，未曾見諸行事。台省光復，政府僅接受日人留下數水文紀錄，然八田與一郎此一構想，却終於實現了。

四十二年，北部地區大旱，地方人士乃組織大科崁溪石門水庫建設促進會，建議政府建設此項工程。翌年五月間，成立經濟部石門水庫調查研究會，並從事估計工程成本，提出初步計劃之定案報告。

四十四年七月，成立石門水庫建設籌備會，申請美援，籌措工程費，興建各項附屬工程。第二年的七月，成立建設委員會，依照美援計劃署與美國國際合作總署進行洽商工程技術服務，並與美國紐約提愛姆斯公司簽約，隨即開始工作。

開發目標

一、灌溉增產：該水庫建成後，桃園、新竹及台北等農田，約五萬八千多公頃，因而每年可增產糙米七萬四千二百餘公噸到九萬公噸。

二、增加發電能力：利用巨大水庫能調節，可供所需可靠尖峰發電，估計每年約發電二億一千六百多萬度。

三、防洪：降低淡水河之水位，減少水患損失。

四、公共給水：可供應廿二個鄉鎮地區約卅四萬人口都市居民用水及工業用水。

五、開闢觀光區：因該水庫四週層巒疊嶂，林木蔥秀，風景優美，且交通便利，加以人工佈置，美化環境，極易成為遊覽勝地，大可吸引遊客。

變更設計

石門水庫之壩型，原採用專家學者之意見，採拱壩設計，但正當進行之際，四十八年十二月，法國瑪泊賽拱壩突然潰決，引起重大生命財產損失，舉世震驚。世界銀行對其所投資之四處拱壩，即伊朗之德茲壩，日本之黑川第四壩，墨西哥之采利達壩，及智利之瑞匹爾壩等，重新檢討考慮修改壩型，經中美雙方同意，約請世界著名土石壩專家及知名地質人員，就石門壩型問題慎加檢討，然後決定改依土石壩方案進行，並經合作總署與開發基金貸款之同意。

該水庫建設總經費，據估計折合新台幣三十億七千五百十萬二千元。其中美金二千九百十六萬四千元，經我國立法院審定者為新台幣十四億二千六百七十萬零四千元，後又追加經費新台幣二億四千七百六十一萬三千元。分為：灌溉部份由台灣省政府負担。發電部份，由中央及受益者各半分担。防洪部份，中央負担三分之二，省負担三分之一。給水部份，中央負担四分之一，省負担四分之二，受益地方之政府負担四分之一。

經濟效益

該水庫投資三十億七千五百多萬元。其效益如下：

一、農田灌溉方面：若以增產糙米七萬至九萬公噸而言，則每年除去農業生產後，可獲效益二億二千萬至二億九千八百九十萬。二、發電：平均每年發電能二億一千六百萬度，除去損失，可得效益九千七百多萬元。三、給水：如以第一期公共給水計，（十四萬八千人用水）則效益總值年達二千七百萬元。其因給水而產生之工程費約二千二百多萬元。四、防洪：因減輕災害損失之效益年達一千四百多萬元。災區地價上漲之效益亦年有三百多萬元。此外，大壩附近之土地利用價值之效益年約一千五百多萬元。綜上所述，則平均年獲效益總額，為新台幣四億四千八百多萬元。足以償還貸款本息之一億一千餘萬元。

今年八月十六日，省政府成立石門水庫管理會，正式到石門辦公。九月初，先將石門大圳接管，十月接管電廠，其他工程在明年一月接管完竣。至財產和債權、債務等，可望於明年五月移管，而石門水庫建設委員會至此結束。所建之辦公房屋，將創設一水利工程學校，培育水利人才，明秋正式成立招生。

永和堤征收受益費　鎮民怠繳縣府催收

（本報記者吳越台北航訊）永和堤防工程受益費首期征收自本年四月九日開征，迄今已逾四個月，目前為止，征收還不到百分之三的成績。據說，縣府雖然明知首期的征收率極低，但由十月九日起征的第二期受益費決依法如期開征。

征收堤防受益費，站在政府的立場，當然有其充份的法令根據，但是永和鎮約五分之三的住戶之所以「抗繳」受益費，也自有他們自以為是的「理由」。這些理由歸納起來，說有如下幾點：一、不公平：別的地方，建堤未開征受益費，而永和築堤，縣府却伸手要錢，顯然不是厚彼薄此嗎？這是指台北市、雙園堤防等的完成而言，因為對岸的水源地、政府沒有要受益戶負担經費。

二、不合理：受益費的總額四千餘萬元，這裏面包括補償費和工程費，分開列，民眾認為補償費應由政府負担，而工程費應加諸鎮民身上，而且其中六百萬元的新生地改良費，也應由政府負担，不該列在受益費中要他們負擔，因為新生地的土地屬於政府，受益的是政府，與新生地外的鎮民無關。

三、未受益：有兩種情形，一為建堤前也不見得淹水，另一為築堤後淹水如故；前者認為建堤與否與他們並無直接的關係，後者就不願納受益費，係以為建堤前後，水位的高度並無甚變化，比如說去年堤防一建好却功敗垂成，留了一截未築，於是愛美、歐珀颱風先後肆虐時，洪水由堤尾迴旋倒灌入永和鎮內，結果造成空前的災患，至今鎮民認為不築堤有好的後果，反而由於堤內積水無法迅速排洩，防阻的堤是造成水患空前的主因。去年如此，縣府征收受益費的局面，成了「對峙」的局面，最近已引起中央注意，監察院已派員查閱有關堤防受益費的資料，必要時予「方便」，但縣府「困難」是依然存在的。

香港與大陸

華僑投資的大陸工業　均亂成一團年年虧本

大陸各地工廠企業，除了大部份早已關門大吉以外，所存寥寥無幾的單位，亦莫不鬧成一團糟，結果是年年月月皆虧本。好像那些華僑投資的工廠企業，便是這種樣子。

據一位暑假期間曾回廣東梅縣探親而返抵港的中學教師鄭小姐對記者說：梅縣地區中共所攫的工業和農業都同樣大大失敗。鄭小姐的父親是一個頗有錢的華僑，曾在幾年前受中共御用的「僑領」的欺騙，投資了數萬元去「參加祖國的工業建設」，所以她這次回去，主要目的雖是探望年老的祖母，却亦有機會瞭解中共的「工業建設」的情況。

據鄭小姐稱：梅縣原有幾家較大型的工廠，諸如梅縣機械廠，梅縣造紙廠，梅縣鋼鐵廠……等。現在則僅存兩間——梅縣機械廠和梅縣造紙廠了，其他均已倒閉或被合併。她的父親原投資華僑造紙廠，一年前也被合併到梅縣造紙廠了。

鄭小姐說：合併的原因是由於該廠虧蝕到無法維持。而虧蝕的原因，則是由於管理工作不善，經濟核算馬虎：在生產管理上，只顧產量，忽視成本；財務管理方面，則賬目不清；勞動管理方面則職責不明；而且在供銷採購方面，祇知道單純的任務觀點，因而造成了浪費大，效率低，成本高的長期現象。

鄭小姐說：就她父親投資的那間梅縣造紙廠而言，現在便確實亂得一團糟，其在財務管理方面有如下之情況：一、賬賬不符，賬表不符；二、只記賬而不管賬；三、計賬不準，不細，不合標準；四、憑證不足，審核不夠；五、不按照科目記賬；六、會計手續不嚴，管理制度不健全……以上的情況造成了下列的混亂現象：一、固定資產核算亂；二、原料材料核算亂；三、低值易耗品核算亂；四、成本計算亂；五、產品核算亂。六、債權債務亂。……

鄭小姐說：不祇梅縣的情形如此，大陸的工廠大部份是早經關門了，留下的也一團糟，它們根本就沒有一點「企業」或「公司」的管理組織形式存在，祇由幾名不學無術的共幹胡搞，還經常强迫工人參加各種政治活動，如學習毛澤東著作，學習「雷鋒」，平時則多被派往「支援農村」等。雖名為工廠工人，實則沒有為工廠做過任何工作。所有大陸工業，即如華僑投資的工廠企業，這一來，便祇能是年年虧本，月月虧本了。

鄭小姐還說：投資到大陸去參加「祖國工業建議」，實際是把錢幫給中共亂攪而已，因為它們是計定要虧本的。而且，中共對工業和企業控制極嚴，而中共愈控制，情形便愈糟。因為虧是投資人的錢，而賺錢時或可大發展時，中共却又將之納入為「國營」，投資者一無利益之可言，中共「號召」華僑投資顯明是一種欺騙技倆。（敬斯）

監察制度的演變與考驗

張健生

因此,有人根據過去的事實來檢討這個問題。原因爲懲戒處分,係監察院行使彈劾權的最後一個程序,但不是彈劾權的最後的決定者。按常理言,懲戒權應該配合監察權;否則,彈劾案到懲戒機關,懲戒機關是否懲戒,監察機關即無權過問,甚至以「不予懲戒處分」來推翻彈劾案了。

行憲前,監察院委員或認爲懲戒機關不能把彈劾案推翻,懲戒機關所決定應不予懲戒處分,依法無據。但經過長時間討論後,遂認爲過去多年來,已形成這樣一個事實,成爲習慣法,還是暫行擱置。所以這個問題,一直到現在仍繼續存在。

在訓政時期,配合監察院行使彈劾權的懲戒機構很多,計:地方有公務員懲戒委員會,中央有公務員懲戒委員會,政務官懲戒委員會,軍人懲戒委員會。抗戰時期,軍事委員長、國民政府主席、國民黨總裁均擁有大權,所以軍人懲戒委員會地位與政務官懲戒委員會相仿。此外,關於選任官及立監委員之彈劾案件,其懲戒或處分,則隸屬於國民黨監察委員會。

在行憲之後,所有懲戒機構合併爲現在的公務員懲戒委員會。而現在的懲戒會,其職權是否擔負起這個責任?不妨舉例說明。遠在十多年前,監察院對某一將領提出彈劾案,移送公務員懲戒委員會,而該會認爲這個案子不屬於他們的職掌範圍,就把這個案子移送行政院;但行政院職權也不便管轄這類案件,只得把這案子交到國防部;國防部辦理這個案子,於是一拖再拖,至監察委員對這件事不滿意,由監察院院會查詢,結果,國防部遂將本案交到軍法局;軍法局分給軍事檢察官;但最後決定該彈劾案應不受軍法審判。似此類在行憲前應由軍事委員會軍人懲戒委員會裁定的案件,就這樣地決定了。所以憲政時期的懲戒制度,尚不如訓政時期的完整。假定懲戒權由監察院行使,類似前述事例,當迎刃而解了。

考驗

憲政時期的監察權行使,已與往昔不可同日而語了。我們可以從監察院各委員會召集委員丁淑蓉等十六人,於八月十四日在該院舉行第八百次院會所提:「爲行政院於答復本院糾正案時,其依照糾正事項切實改善者固多,但間有將被糾正機關答復文件不加審核,逕予照轉,各委員會亦多據以結案。究竟所糾正之事項,是否已爲適當之改善與處置,則予忽略,殊失糾正效用。經各委員會召集人座談會商討擬訂意見五項,是否有當?提請討論案」。即找到答案。

這五項意見是:「一、糾正案提出後,行政機關逾兩個月尚未將改善與處置之事實答復本院者,應切實依照規定,以書面質問,或通知有關機關主管人員到院質問。二、各委員會接到有關機關答復後,應查核其改善措施是否確實,如有疑義,必要時,推派委員或推請原調查委員調查。三、經調查糾正事項,未爲適當之改善與處置時,得再予糾正。四、如再糾正後,仍不予適當之改善與處置,得提案彈劾。五、糾正案之提出,必要時,應由會議交付審查,再提下次會議討論,以昭愼重」。

顯見,監察權早已面臨考驗的階段。而面臨考驗的主要因素,係來自監院的本身。易言之,破壞監察制度者,乃若干少數人士因私而害公,爲了鞏固一己之權益,甚至竟公然「護航」,而「護航」事件,見諸監察院每年度總檢討會記錄者,俯拾即是。(三)

岳武穆軼事輯要

十八節

「武穆刻意於學,涉獵經史,不爲章句,不事華靡,直欲置之實用。」(岳珂經進家集序)

「武穆居洪州一年,下士好詢,而酬酢輒不苟答。或問武穆天下何日爲太平,武穆抗聲曰:『文官不要錢,武官不怕死,即太平矣。』其簡要多類此。」(吳拯編鄂王事)

「武穆討李時,有茶陵尹彥德家饒裕,勞軍三日。武穆謂之曰:君長者,但富而不文,當以一經教子。因大書一經堂扁貽之。彥德遂築室延師教子,自是科甲不絕。子孫不忘武穆德,前列講堂,後建靈祠,春秋以祭。」(楚江集)

「武穆尊賢禮士,食客所至常滿,一時名人傑士多歸之。武穆每出則戎服弁首,治理軍務;入則褒衣緩帶,討論經史,恂恂若書生。雅歌投壺,均極精致。趙鼎嘗稱其親禮儒生,稟命朝廷,得事上之禮。」

參政席益常貲其幕中得名士。每軍行駐處,士人爭獻詩文,或陳利害,武穆並採納而厚禮之。危難中受其矜金者甚衆。其篤愛善類,培植士流每如此。」(家集)

「楊么未平時,士人獻書者紛集,武穆攷其優劣,而爲禮之厚薄。屯駐將郝最有客侯邦,言事可採,武穆留於帳前。最疑邦洩其陰事,因拘邦家屬,縛邦,然畏武穆威不敢害。責機密以告,武穆怒曰:郝最敢殺士人乎!一人一物有傷者,即行軍法。邦至,武穆厚禮遣歸本州,仍令州申覆,恐最於中途邀殺之也。其愛惜士類如此。」(紀事編)

「劉公欽任吉州別駕,留家永新龍田,其子駙馬公是師,當武穆西征過其地,餉師三日,武穆書黑莊二字而以之。」(張士琦黑莊字跋)

按此事張元麿張氏危言所紀異,茲並錄之:「岳武穆駐軍洞庭湖濱,欲剿巨寇楊么,軍士皆北人,未習水戰,破之無策。乃微服潛行,一路躊躇。至永新縣中,見有一園亭,欣然往游,此前輩劉幾退休處也。時劉在園,見武穆進門,狹隘處必左右四顧,雖未知姓名,已默知爲朝士,蓋戴紗帽有翅,掉頭始不觸礙,遂不覺流露其故態也。武穆見亭上題黑莊二字,自言曰:此處額位置頗佳,但書法未妙耳。適見黑漆棕筆陳几,即另書,飄然竟出。主人敬挹求歟,則有副元帥岳飛名字,因驟問曰:將軍軍務倥偬,何幸到此?武穆云:有心事未決,冀得其策,不自知足之前耳。劉謂武穆曰:將軍戮力王家,與老夫義同一體,不妨明言,敢效一得之愚。因商述其事。劉問將軍自問對陣時,湖中停泊漁船不驅去否?楊么鎧甲衣仗,可識別否?二者如何得兼?曷不令軍士練習,假置漁船于湖內,待楊么親自臨陣時,兩夾裡漁船上撒網擒之?武穆即施此計,于合陣時擒得楊么,羣寇皆伏,蓋不過七日之期耳。蘇郡張天甲爲令永新,遇劉氏子姪述其事。今黑莊二字已臨摹入石,原蹟尚爲劉氏珍藏,銀鈎鐵畫,筆勢壯濶飛騰,余曾見之於日容張太史家。」

「毛國英以詩名,嘗經武穆駐兵之地,時江禁方嚴,國英投以詩,武穆曰:詩人也,委舟渡之。」(趙與覷娛書堂詩話)

「武穆宣撫制楚,注意人才,築虛靈山書院於武昌,今廢爲寺。」(湖廣舊聞)(完)

報人普立茲傳

汶津譯

「只要你想,你儘可以和這些人競爭,」她對他說。「時代已經變了。你常告訴我,內戰後我們國家最大的進步,不是西部的開發,而是人們心智的開擴。人們都學習讀和寫。他們必須學習,以便在新興的工業中工作。將來,任何報紙的編輯或發行人——不止是你約瑟夫‧普立茲,都可以成爲總統的推舉人。那時候美國人民才眞正能決定人選呢。」

「只要他們獲得事實。只要他們獲得眞理。只要他們有一張報紙誠實的告訴他們發生的一切。凱蒂——我必須信賴的不是我自己,而是人民。你是對的。我們要在此地把世界報弄成那樣子的一份報紙。你已幫助我覺悟了。能做這件事!」

「是嗎?」驚訝地,凱蒂突然了解了她是做到了。「但是我要你有一陣休息!約瑟夫。」她叫道。

次日約瑟夫買下那報紙。

一八八三年五月十日的黃昏,普立茲首次到他的世界報館去。

他走過辦公室和工房。到處都潔淨、安靜,並井井有條。還有死寂。這報紙是死氣沉沉的。整個報社一片死寂。

約瑟夫研讀以前出版的世界報。他讀着那天準備刊登的稿件。然後披閱其他的紐約報紙。當他閱讀時,他作着筆記。他做完這以後,便走出他的辦公室大聲叫喚編輯。

五分鐘內世界報社的寧靜便被攪擾了。

「派一個記者去採訪這個新聞,」他指着他的筆記下令道。「告訴每一位記者立刻來見我。」他拿起桌上的一頁紙。「今晚把這封信付郵。」

那編輯遲疑地向新老闆瞥了一眼,然後匆匆離去。他展讀普立茲交給他的信件。那是給聖路易的約翰‧柯克立的。

「立刻來此,」普立茲這樣寫。那表示他要重整門庭,而柯克立正可勝任編輯的職務。

一個個地,記者們匆匆來到約瑟夫的辦公室。「你」,他指着其中之一,「你自以爲是一個記者而寫出這樣的文字來?那裏是你的事實?別家報紙也登出同樣的報導,可是事實一目了然,姓名、地點也都清清楚楚。發生了一次火災?那兒?你曾和任何現場目擊者談過話嗎?」

「這是很不重要的新聞呢,普立茲先生!」那位滿懷不悅的記者無可奈何地回答。(卅三)

瘟君續夢

第十回:集會議圖存　天寒日暮
空言難自救　鬼哭神愁

劉少奇由莫斯科回來時,赫魯曉夫親到機場歡送。飛機到了北平,毛澤東又親自到飛機場迎接,在劉少奇來說,確實有點受寵若驚。

晚上劉少奇率領全體團員到毛澤東「官邸」報告莫斯科之會的經過。

毛澤東笑道:「一切情形我全知道,你們這次作得很好,孤軍應戰,居然取得勝利,眞不容易。」

劉少奇說道:「這完全是主席領導正確,加上胡志明同甘地兩位同志也從中幫忙,更難得的是霍查同志的表現,讓出我們意料之外,不是他出頭放了一砲,狄托問題恐怕還是會有點麻煩的。」

毛澤東說道:「這次莫斯科會議的勝利,對於修正主義將是一個重大打擊,以後赫魯曉夫恐怕不會再販賣修正主義的貨色了。」

劉少奇說道:「我們也希望赫老能回心轉意,放棄狄托,將社會主義國家團結在一起。」

毛澤東冷笑道:「那會這麼簡單,他要眞是存心同我們修好,應該同你商談經濟及技術援助,把那些專家派同來,藍圖帶回來,現在他不肯同你商談經濟援助,可知他的內心並未悔禍。」

劉少奇笑道:「這樣說來,我們更應該自力更生,力求多福,我們不要蘇聯的協助,相信隔一個時間他還會送回來,赫老這種脾氣,有點和美國相似。」

鄧小平說道:「自力更生不僅限於內政方面,就是外交也該加緊活動,自從同印度鬧翻以來,同亞非國家的關係都疏遠了,應該力謀恢復才是。」

劉少奇說道:「我也想到這一點,最近打算邀請柬埔寨的施哈諾來一趟,再過些日子,緬甸的宇努也會來的。」

彭眞說道:「我看施哈諾最近言論完全同社會主義國家配合,思想到是頗爲進步的。」

毛澤東大笑道:「什麼進步,這個小傢伙純粹是個小料亂,平生最愛出風頭,三天報紙上沒有他的新聞,他就吃飯沒有飯味,好似吃屎一樣,所以就千方百計出風頭,無論何等大事,明明與柬埔寨毫不相干,他偏要出頭過問。由於社會主義集團有意捧他,美國又加以縱容,於是這個小傢伙就以世界偉人自居,到處替人排難解紛,近來想同尼赫魯爭生意了。」

大家聽到這裏都笑起來。

毛澤東又說道:「施哈諾目前又在提十四國會議解決寮局,實際上是藉此出風頭。不過,他這樣搞法對我們是有利的,應該敷衍他一下,好在這個小傢伙最愛假面子,幾句好話一說,頭癢就向屁股上搔了。」

大家又笑起來。

劉少奇說道:「關於此次莫斯科會議經過,雖然暫時告一段落,但國內經濟情況仍未好轉,其他部門困難也正多,要不要開一次中全會商討一下。」

毛澤東點頭道:「當然可以,等我同周恩來同志商量一下,我們再開會決定。」(二四〇)

孤獨無援的神情鏤在她的臉上。她，有丈夫，有四個漸次長大的兒女，如今又又打掉了一個。她還是每天洗她的衣，從早到晚，穿過大街小巷，走入一家家的客廳，過道、浴室和煩惱；手上老抹着肥皂泡，厚繭綿延着厚繭，汗水接綴着汗水。水沫的聲音，浸濕的衣衫的聲音，鉛桶和搓板的聲音。而她只是無聲無臭地活下去，活下去。

「今天的衣服我自己洗，」母親說。「可是我並不願意，我根本不想丟掉他……」隔壁的邱媽一遍又一遍的勸我：留下不行啊，養不大啊……我昏昏沉沉的，說：邱媽，帶我去吧，帶我去吧，我不要讓他出來吃苦受罪，我的心肝寶貝，啊，馬上去吧……你靜一靜，安靜下來，這樣不好，邱媽跟我這樣說。好，我靜，我靜，帶我去，你帶我去……帶我去呀——」

她歇斯底里的叫了起來，那尾音淒厲而長，像由遼而近的猿啼。

「不要再去想它了，你在沙發上歇一歇好。」母親的頭髮還蓬蓬鬆鬆的，沒來得及梳

窄門

汶津

「不要想它，不要想……可是我不要拿掉他啊。他是我的，我的血，我的骨頭……我的肉。爲什麼他的哥哥姐姐都好好出來了，他就要拿掉？我不！我不要。那個小屋子裏，黑黑的，悶悶的，我一輩子兩輩子也忘不了。……他們用什麼東西塞，打我，踩我，搗我……好像什麼刑罰都加給我了。好，我受，我都受，只要不把他拿走，他是我的，我的，不能……啊——啊——我已經失去了我的一半……」

淚痕，一條兩條三條長長的蚯蚓，長長的，在她微微龜裂的頰上蠕動。而她仍浮游在另一個世界裏，黑黑的，悶悶的，執刑的人在壓她，打她，踩她……

母親的手撫着她的肩背，喃喃的和她說着些什麼。

我悄悄退出了客廳。進去把「酒店」擱起，放回書架。「眼瞼見雨果的書「Les Miserables」（何憐的人）！」我唸道。

她有着怎樣的一個丈夫？知道了也沒有用，沒有用的……

猶如猛然落在窗上的驟雨，第二次的叩門聲是急促的。

一個十五、六歲的姑娘，在汗漬的烘託中露出了她惶惑的臉。「我姆媽在？」

我做了一個臉色。

「姆媽——」她跨進了兩步，叫着。「爸爸——爸爸又喝醉了，打弟弟，狠狠的打……血，血流得滿臉……我——我找你找得好苦……」（中）

崇洋經

燕謀

二十世紀者，豈洋人之世紀也，洋潮東流，擋不住，於是「崇洋」思想澎湃於古老的中國焉。舉凡萬事萬物，一沾洋氣，則門楣爲之光輝焉。吃香。如交上洋朋友無不身價百倍，到處以某將軍之千金爲例太不行了」焉！此可罵黃帝子孫「中國人嫁了洋人婿，則可鼻樑未變高，眼珠未變藍，下則其洋氣當會嚇死中國人也。子女進了洋學堂，父母引以爲榮焉，有司三令五申禁之，置若罔聞，照讀洋學堂不誤。嗚呼！洋之迷人大矣哉！進了洋機關，則薪水百倍，不可一時焉。着上洋裝，則神氣十足焉。坐上洋車，則旁若無人焉。抽起洋牌煙，則派頭十足焉。喝起洋牌酒，則洋洋自得焉。洋人之言，句句眞理焉，一旦「蹈學」回國，則洋氣洋派逼人焉。洋人放洋屁，馨香無比焉。嗚呼！外國月亮比中國月亮圓，外國屁也香焉。洋洋乎！可謂大觀矣。

有心之人曰：「惟洋洋者，香也。」惟洋惟香，惟洋惟大。君不聞乎；電費之加價，意代表詢問之焉。民反對之，弗顧也。電力公司曰：保持應得之利潤，此洋人之意旨也。嗚呼！洋人旨意，勝過皇帝聖旨矣。洋洋乎，大矣哉！

君不聞乎！某君有着作問世，上上下下無人問津焉。其後洋人欣賞，驚動國會焉。電詢中國作者爲何許人也，於是乎，大員召見焉，立委推薦焉，專家學者捧場焉，報紙雜誌宣揚焉。昔日無人問津的「美國之迷惘」，於是大行其道焉，一版再版，三版四版，譯成數種洋文焉。「美國之迷惘」作者語記者曰：中國人說千句好，不如洋人放個屁。旨哉斯言。洋人一言九鼎，此之謂也。

君不聞乎！有一洋學生，就讀某大學，學成歸國前夕，爲文曰「公德心與人情味」，載諸報紙副刊焉，其內容大意云：中國人人情味非常濃厚，惟缺乏公德心，如自私，不守時，不愛惜公物，不守秩序，不講公共衞生，考試作弊云云。某報大吹大擂，連篇累牘，名之曰「自覺運動」焉。嗚呼！洋大文，美不勝錄。其事實有心人謂爲「不忍卒讀」也。嗚呼！吾國數千年來，聖人之言，載諸典籍，整套之人生哲學，終身讀之不盡，用之不絕，放諸四海而皆準。數千年來，父以教子，師以教弟，長官以教屬僚，將帥以教大兵，婦孺皆知，老生常談之言也。然而吾人棄聖人之言弗聽，舍寶貴之人生哲學而不顧，一味崇洋。一經洋人品題，則恍若一大發明，以爲人生之眞理悉在此文焉。嗚呼！如某學生爲黃帝子孫，保險他的大文一文不值，報屁股也擠不上去矣。君如不信，不妨一試可也。君若絞盡腦汁，寫一篇講仁義說道德之大文，保險編輯先生打回票，否則亦定然投進字紙簍去也。

君不見有某雜誌乎！鬧出雙包案焉。骨牌東西亦竟然敢行銷於世，經發行人訴諸法律，則渺無下文，出版法何以不行焉？有司視若無睹，好在見怪不怪。無已，據聞後經洋人說話焉，如此這般，實在有些那個。之後，該冒牌雜誌始宣告消聲匿跡。嗚呼！洋人之言勝過國法多矣，其效力之大可以想見矣。有心人於是套用四書，編「崇洋經」數條焉，經曰：

「夫洋，天之經也，地之義也，民之行也。五刑之屬三千，罪莫大於不洋。」

「其爲人也崇洋，而尙心中有中國者鮮矣。人人不知有中國，而謂中國之不興者，未之有也。君子務本，本立而道生，崇洋也者，其復興中國之本歟！」

「惟大人能有崇洋之心，一崇洋而國本定矣。」

「大哉洋之爲道也！巍巍乎惟洋爲大，惟洋則之。」

「行之而不著焉，習矣而不察焉，終身崇洋而不知其洋者衆矣。」

「君子之崇洋也……也。不命之坐不敢坐，[illegible]於無形，聽於無……，不命之退不敢退。[illegible]洋門，鞠躬如……」

海嶠漫談

殘破的故事

諸葛文侯

秋炎苦熱，夜不成寐，挑燈撿視篋中庋藏的故紙堆，見有已故中國青年黨領袖人曾慕韓（琦）先生的親筆信一件，是民國卅九年（公元一九五〇年）二月，他在美國首都答復香港若干朋友提倡超黨派的反共人士團結運動而發的。這問題牽涉到當時旅居美國的胡適之蔣廷黻等人，蔣先生曾有一來函表示贊同，並且提出意見委員向政府提出書面質詢，對證，中有一項指摘蔣氏與胡適要搞反對黨組織之說，即甚於此。實則這是一場破滅了的幻夢，而且并甚末「反對黨」的組織活動，我亦是當年參預其役的一份子，而今事過境遷，不妨將此種殘破的故事敘述出來，藉供讀者茶餘酒後的談助云爾。

當民國卅八、九年間，中國大陸淪於共產黨的極權之際，許多不願附逆的高級知識份子，陸續逃來了香港，緬懷國破家亡的慘痛情形，大家不期然而然地對中國前途多所研討計議，座談會風起雲湧，不一而足，咱們一般意志相投的朋友，亦創設了一個「文化座談會」，參加者十餘人，各黨各派暨無黨派人士皆有，如社會賢達王雲老，民社黨元老金侯城，青年黨元老左舜生，以及若干國民黨知名之士都是。大家經過幾次座談，很融洽地交換意見之後，一致認爲要挽救國家厄運，必須以超黨派的識力，切實團結海內外一般崇尙民主自由生活的反共人士，庶幾有多，像過去「人自爲政」的方式，不足爲訓了。怎樣團結呢？在思想溝通方面，創辦「自由人」半週刊，作爲大衆發表言論主張之所；在精神合作方面，設立「自由中國協會」（Free China League），爲團結中心，但不採政團組織體制，入會或出會皆聽憑個人自由，決不勉强。爲適合環境與事實起見，「自由中國協會」總會決定設在台北，香港祇設分會而已。根據我保存的「自由中國協會簡約」中，附記初期的會員——即創立人——名單，計有：王雲五，樓桐蓀，吳俊升，彭昭賢，左舜生，雷嘯岑，徐佛觀，胡秋原，許孝炎，金侯城，戕勁成，王聿修，成舍我，劉百閔，程滄波，吳鑄人，雷震，錢穆，卜少夫，陳石孚，王雲槐，阮毅成，張國興等廿三人。

「自由中國協會」的組織雛型具備後，即一面向台灣方面洽商總會如何籌設之法，同時由創立人聯名致函僑居美國的胡適、曾琦、蔣廷黻、于斌，在印度的張君勱諸位先生，徵詢意見，原函係由左舜生先生起草的，專給胡適之，請他轉達曾蔣于各位，另外照繕一份寄印度的張先生。不久，即接到曾慕韓的長函，蔣先生亦有復信贊成，併附寄了一份旅美人士類似的團體組織章程，以資參攷，胡先生并未正面答復。我們的原函內容是這樣的：（一）

南宋偏安有人才

李仲侯

七月飛還鎭，奏乞以本軍進討劉豫，劄曰：

「逆豫逋誅，尙穴中土。陵寢乏祀，皇圖偏安。陛下六飛時巡，越在海際。天下之愚夫愚婦，莫不疾首痛心，願得伸鋤奮挺，以致死於敵。而陛下審重此舉，累年於茲。雖嘗分命將臣，鼎峙江漢，僅令自守以待敵，不敢遠攻而求勝。是以天下忠憤之氣，日以沮喪，中原來蘇之望，日以衰息。歲月益久，汙染漸深，趨向一背，不復可以轉移。此其利害，誠爲易見。臣待罪閫外，不能宣國威靈，克殄小醜，致神州隔於王化，僭僞穴於宮闕，死有餘罪，敢逃司敗之誅？陛下比者寢閣之命，聖斷已堅，咸謂恢復之功，指日可冀，何至今日尙未決策北向。臣願因此時上稟睿算，不煩濟師，只以本軍進討，庶少塞瘝官之咎，以成陛下寤寐中興之志。順天之道，因民之情，以曲直爲壯老，以順逆爲强弱，萬全之效，茲焉可必。惟陛下力斷而行之，不勝大願。區區臣子下情，昧死干冒天威，無任戰慄恐懼之至。取進止」。

賜御札褒諭，札曰：

「賢卿來奏，備見忠誠，深用嘉嘆。恢復之事，欽未嘗一日敢忘於心，正賴卿等乘機料敵，力圖大功。如卿一軍，士馬精銳，紀律修明，鼓而用之，全保全勝。卿其勉之，副朕注意。付岳飛。」

飛奉詔將行，乃復奏以爲：「錢塘僻在海隅，非用武之地，臣願陛下建都上游，用漢光武故事，親率六軍，往來督戰，庶將士知聖意之所向，人人用命。臣當仗國威靈，鼓行北向」。未報而酈瓊叛。

初，飛既還軍，張浚竟用呂祉爲宣撫判官，王德爲都統制護其軍，瓊果大噪不服，訟德於浚。浚懼，乃更以張俊爲宣撫使，楊沂中爲制置使，呂祉爲安撫使，而召德以本軍還爲都督府統制。瓊益不服，擁兵詣祉，執而斬之，盡其軍七萬走僞齊。報至，中外大震，浚始悔不用飛言。於是上詔報飛，詔曰：

「覽卿來奏，備見愛君忠義之誠。朕懷國家之大恥，竭盡民力，以養兵訓戎，恢復之事，未嘗一日少忘於心。但以近者張浚謀之不臧，淮西兵叛，事既異前，未遑亟舉。而議謂朕常不常厥居，使敵人莫測，建康臨安，以時往來，固不害爲恢復之圖也。唯俟機會，以決大策。地遠不得與卿面言，卿其益勵壯猷，副朕責成之意。付岳飛」。（八七）

近人詞選

清平樂　詠落花

·黃伯遠·

鶯啼春去，花落尋無處。不怕天涯飄泊去，只恐春泥留住。

春無消息誰知，何須問取黃鸝？迴風如肯相就，折磨仍有歸期！

大胸脯崇拜史

匡謬

的。

與今日觀點，是適得其反。據說當時西班牙男子見其妻或情婦之乳薄如紙，則贊美不置，其得意，正像今日歌頌三十六吋或其以上之胸圍焉。此種壓胸的做法，爲歐洲其他國家所效尤，以致許多母親，不能哺嬰，兒童死亡率增高。

這可知拜崇大胸脯，並不是美國人而已，現在即是我們古老的中國，也不例外。美國人狂熱的崇拜大胸起於一九四六年，只要得天獨厚，就可憑大胸脯走上明星寶座，其他如模特兒行業，也可憑大胸脯大賺其錢。隨此大胸脯崇拜風尙，亦給醫生和乳罩製造商帶來福音。在過去，他們都是時裝世界隱於幕後的人，但目今卻脫穎而出。乳罩的售量現已達到以百萬億計的新標準了。（六·完）

自由報
THE FREE NEWS
第三七八期
內僑警台報字第〇三壹號內銷證
中華民國僑務委員會頒發
台僑新字第三二三號登記證
中華郵政台字第一二八二號執照
登記爲第一類新聞紙類
（半週刊每星期三、六出版）
每份港幣壹角
台灣零售價新台幣弍元
社長：雷嘯岑
督印人：黃行寬
社址：香港銅鑼灣高士威道二十號四樓
20. CAUSEWAY RD 3RD FL.
HONG KONG
TEL. 771726 電報掛號：7191
承印者：田風印刷廠
地址：香港灣仔高士打道一二二號
台灣分社
台北市西寧南路壹壹零號二樓
電話：三〇三四六
台郵撥儲金戶九二五二

從蘇俄毛共交惡看反攻大陸（下）

郭甄泰

復次，毛共好大喜功，窮兵黷武，急欲獨力製造原子武器，藉以威脅亞洲國家，並以伺機在西藏的邊緣區基地，向美國放射遠距離飛彈，藉以引發美蘇核子戰爭。緣飛彈如由中國西方邊遠地帶發射，美國以現有之通訊網，尚無法測出其發射地點，美蘇兩國中任何一國若被中共發射之飛彈襲擊，均將誤爲係對方襲擊，必將導致大戰之爆發，至爲可慮。因此蘇俄遂決定撕毀一九五七年十月十五日「關於國防新技術協定」，決定不助毛共生產核子武器。毛共於此項「技術協定」被撕毀後，核夢破滅，虛耗五億美元，當然極爲氣憤，遂宣佈：「縱使一百年造不出原子彈，也不會向蘇俄領導人的指揮棒低頭」。蘇俄與毛共匪帮，因造亂方式上「和平」「戰爭」之不同，遂發生中華民國問題上觀念之歧異，原子彈產生與否之糾紛，延致發生領導權之爭，馬列主義修正主義之爭，實已至爲明顯。

總上所述，第一項領土之爭，爲基本上「有歷史性的衝突」，儘管毛共對其海內外所屬各級偽組織及宣傳機構下達之秘密文件說：『更不能妄談中俄邊境領土主權的事』，但實際上此項問題無法避諱，亦無法避免。第二項係政策現實之爭，北平廣播說：「中共與蘇俄的關係，已發展到破裂的邊緣，國際共產運動的演變，已到歧見空前嚴重的新階段。」可見兩方業已勢成騎虎，無法退讓，亦再無法折衷或和解。

二、反攻大陸之條件

反攻大陸，將在何時發動，不能預測，但「中國政府與人民經常準備好，矢志不移，並將犧牲一切，以達成光復大陸的重大任務」，則是無可置疑的。不過反攻大陸有其條件，條件如未成熟，即不能冒昧從事，國命所繫，祗許成功，不能失敗之舉，固不得不審慎也。

（1）美國物質上之援助。哈里曼說：『中華民國總統蔣介石將不會單獨進攻中國大陸之共黨政權。蔣總統在許多時候說過，渠希望中國大陸將由政治方法而非武力獲得解放，以及渠不會鹵莽從事。人所共知蔣總統乃一良好軍人，以及渠知道不顧一切之軍事行動，將毀滅渠所希望之一切事情。』陳匪毅去年七月三日說：『美國已向中共保證，謂美國不贊同，亦不支持中華民國反攻大陸，這種姿態我們相當賞識，實在不壞』。此項保證由甘迺廸五十一年六月二十七日發表聲明：『美國的目的，是要雙方放棄在台灣地區使用武力。』六月二十三日美國於華沙美毛談判中，向毛共提出：『美國不支持中華民國反攻大陸計劃』，可以爲之證明並非虛謊。本年五月二十二日，甘迺廸在一次記者會中又說：『中華民國反攻大陸，將牽涉美國，根據條約，雙方需要事前諮商。』美助理國務卿希斯曼五月二十三日說：『，余認爲蔣總統將承認渠無法希望以少數人員進攻大陸而加以收復；余意以爲，此處之任何希望，必須來自中國大陸之不滿』。又稱：「渠不以爲蔣總統將採取行動而徒然危害世界之和平。」由此可知美國從前反對我國反攻大陸，現在仍然反對；其主要原因，當然爲毛共與蘇俄訂有互助同盟條約，深恐中國反攻大陸蘇俄或將介入戰爭，保護毛共，至少會聲援毛共，以致有引發核子戰爭之危險。以台海戰爭爲例，照毛共說法，此種危險或不致發生，但無人能保證，說：「決定不會發生」。美國前時曾抑制海外古巴革命人士之進攻古巴，聲言美國之命運，不能爲古巴革命人士所左右。當然亦不願因中國反攻問題，而使美國冒發生核子戰爭之危險。因此之故，美國在蘇俄不介入中國反攻大陸戰爭有確切保證以前，不會贊成中國反攻。美國如不贊成中國反攻，即不會予中國物質上之援助，而此物質上之援助，包括：第一大批船隻，第二大批攻擊武器及其他軍需物資，第三一百個以上打破中共硬殼之戰術核子武器，第四救濟民衆之大批糧食醫藥，第五鞏固後方防務之必要武器。均爲我國反攻大陸成功之必要條件，缺一不可。

（2）蘇俄是否將爲保護毛共而戰。毛俄交惡，現在業已勢成水火。一九五九年六月二十日，蘇俄撕毀了「中蘇國防新技術協定」，拒絕向毛共提供原子彈樣品與生產原子彈的技術資料，公然停止軍援。一九六〇年七月十六日復突然通知毛共，在一個月以內，撤走專家一千三百餘名，撕毀了幾百個協定與合同，停止許多重要設備與物資，於公然停止軍援後，又停經濟援助。本年七月十四日俄共公開信指出：『中共與蘇俄的貿易額，在最近三年中，減少約三分之二』。這又表示，蘇俄於停止經濟援助之後，又進一步給予毛共以經濟上的壓迫，給『中共經濟，國防與科學研究工作，造成了不可估計的困難與損失』。由此可知俄毛交惡，實已極端顯著，將來我國反攻大陸，或將袖手旁觀，甚至可能派兵進入新疆及東北，名爲支援毛共，實爲變相佔領，以促使毛匪之崩潰亦非意外。

回憶毛共在一九五八年八九月間，台灣海峽局勢緊張時，蘇俄於九月七日及十九日，曾作了兩次支持毛共匪幫的表示。但蘇俄此種表示，據毛共說：「係因明瞭台灣海峽局勢雖然緊張，並無引發核子戰爭之可能，不需蘇俄之核子武器來支援中共情況之後，才作出此種表示。」從可知蘇俄對於我國反攻大陸戰爭，不會介入。但此種表示即使確爲一種姿態亦足使美國頭痛，無法應付。最近九月三日莫斯科電台廣播：『中共與蘇俄之同盟協定仍有效』，該電台稱：『蘇俄不明白中共何以需要核子武器，如中共以核子武器作爲防禦之用，則渠等當知該同盟協定仍然有效，而蘇俄會表示，進攻大陸即等於進攻蘇俄』。因此，在蘇俄尚未表明廢棄「中蘇同盟協定」以前，中國反攻大陸，蘇俄縱然不會介入，但無人保證：「蘇俄決不介入」，其態度仍屬不可捉摸。一旦我國反攻，蘇俄是否爲支持毛共匪幫而戰，實爲成敗關鍵，亟應予以注意。

（3）毛共內部之變化。毛共匪幫與蘇俄關係，現已日趨惡化，頻臨決裂邊緣，因此赫魯雪夫「渴望趕走毛澤東」，「使赫魯雪夫高興的，當莫過於毛澤東的被推翻」，其手段又必爲滲透顚覆，使毛共窮於應付，結果大陸方面必將發生三種事件：

其一、新疆獨立。新疆與蘇俄接壤，犬牙相錯，中國幅員遼闊，視爲邊疆區域，鞭長莫及，久爲俄國垂涎之地。

（下轉第二版）

漫畫天下　南施

中共
印尼
菲律濱

冷戰溶解？

壓力重重！

自由談

讀報感言

馬五先生

最近旬日來，揭開台灣香港兩地的報紙，即見有關於吳季玉與李敖法二人種種生活史事的新聞特寫，連篇累牘，大炒其現飯——港報皆鈔錄台報所載，改頭換面，作爲自己的專稿——眞令人感覺噁心。

吳季玉在台北被人殺害，兇手可能是李敖法，治安機關對於本案的處理方法和步驟等項消息，原屬社會新聞，報紙自應紀載。但關於吳李二人過去的私生活，如賭博以及搞女人，開山收徒之類的事情，有甚末特寫的價值呢？吳李祇是社會上的一個普通「浪人」，他們的生死與國計民生何涉，對國家民族又有甚末影響，值得新聞記者大書而特書嗎？尤其李敖法，他不過是上海灘上的一名小癟三，犯案累累，當國家對外抗戰時，且曾在香港替敵寇作偵緝隊長，而新聞記者乃居然有人恭稱之爲「香港的杜月笙」，這簡直是對杜月笙加以莫大的侮辱，深悖社會教育之義，亦有忝新聞記者的職責哩！

香港有些報紙，專門以捕風捉影，誇大或揑造新聞消息爲行銷之計，有一分的事象，即說成十分，乃至於完全嚮壁虛構，以期聳動聽聞，增加銷路。譬如台灣方面偶有軍事反攻大陸的傳說，這些報紙即憑其想像力，替中華民國政府派委若干總司令，指出第一路統帥是某將軍，第二三四五路又是某某大將，再用木刻大字標題，套印紅色作頭條新聞，竟收「紙貴洛陽」的效用，却不顧新聞信用和道德，公然欺騙讀者，恬不爲怪。若說這就叫作「新聞自由」，我便要爲新聞自由前途悲哀不置也！

新聞學上對於犯罪新聞的正確處理方法，闡述綦詳，一是皆以不妨害善良風俗，敦厚人心爲本。可是，今日一般的報紙，競以渲染犯罪新聞的內容爲能事，凡屬奸盜淫殺的非法情節，莫不繪影繪聲，描述得淋漓盡致，唯恐社會大衆不能如法泡製，而由新聞記者予以指導，不亦怪哉！今之報人好爭取新聞自由權，固矣。但本身對自由權應負的責任，却置之度外，無所容心。這才是自由主義的致命傷，吾爲此懼！

石門水庫接受考驗　防洪作用果然不凡

水庫放水與台北縣市水災無關　如無石門水庫此次水災必更慘

（本報記者吳越台北航訊）本月十一日強烈颱風「葛樂禮」遽然掠過台灣北部，爲台灣中北部帶來沉重的災害，鐵公路交通柔腸寸斷，須一個復原時間，農田房舍的流失，生命的死亡都是一個龐大數字。台北縣市一半的受災，台北市的水位高達屋簷，百萬人口有十分之一淹在水中，是一場較「八．七」水災還大的災難。

水災之後，在廣大災民之間，有一個普遍的疑問，就是台北市的雙園，水源堤防，在去年完工了，爲什麼堤防完成之後的今年，台北反而鬧這麼大的水災？水是那裏來的？因此懷疑台北縣市的水災是由石門水庫放水造成。本報記者爲瞭解此一眞相，特於十七日赴石門水庫訪問石門水庫的執行長徐鼐，記者獲得的結論是：石門水庫在這次颱風中非但沒有造成災害，而且減輕了這次洪水災害。

記者將多數民衆心中對石門水庫所存有的懷疑率直地問徐執行長，石門水庫是一項包括灌溉、發電、防洪、給水等多目標的水利工程，這些目標在平時或者可以共存，但在颱風來襲時，目標便可能彼此衝突。比如以灌溉發電給水來說，當然希望積水越多越好，但以防洪來說，最好是在颱風前將存水放乾，俟颱風降雨時再加蓄積，截留洪水，下游就不致泛濫成災。如在這種多目標的情形下，石門水庫以何種目標爲先？

徐鼐執行長說：石門水庫的開發，是以增加農業生產，發展工業建設需要爲目標，所以工程計劃，是以灌溉增產爲第一，增加發電能力爲第二，防洪爲第三，公共給水爲第四，開闢遊覽區爲第五。灌溉是興建石門水庫的首要目標。

徐執行長又說：石門水庫的工程總成本，折合台幣共爲叁拾億柒千伍百壹拾伍萬式千元，用於灌溉效益的工程費用約佔百分之五十五，用於發電效益的工程費用約佔百分之三十，用於防洪效益的工程費用僅佔百分之八，可見防洪並非石門水庫的首要目標。

在對數月後的颱風預測尚未達到完全可靠的程度之時，徐鼐說：石門水庫不敢冒險將蓄水放乾，設若到時颱風不來，台北、新竹、桃園數萬公頃的農田缺水灌溉，這責任誰能負擔？預言家可以不管，我們卻不能逃避責任。

談到這次石門水庫放水對台北縣市的影響時，他說：有人懷疑台北縣市這次發生的災害是由石門水庫放水造成，那是不了解水庫工程操作情形的人，如能親自到水庫上觀察，就容易了解實際情形。

因此，徐執行長約了主任工程師陳豫陪同記者驅車至水庫實地解說。記者站在水庫上俯視庫中蓄水，這時的標高是二三九。陳豫主任工程師指着水庫向記者說：「葛樂禮」颱風未來前，水庫的蓄水只到二〇一標高，約深七十二公尺，僅及總容量的四分之一，水尚未達溢洪道的閘門口，就是開了閘門也放不出去水，更不用說放不乾了。這次聽到颱風要來，我們還正慶幸可以借助颱風帶來的豪雨而注滿。

陳主任工程師繼續向記者說明，水庫蓄水必需漲到二二五標高，才達大量放水的標準，也就是防洪放水標準。水庫閘壩的總標高是二五一，這次攔水最高曾達二四九．五標高，還差一公尺半就要漫壩。土石壩絕不能讓水漫壩，水一漫壩，壩一定垮；壩如垮了，三億一千六百萬立方公尺（一立方公尺爲一公噸）的洪水奔流而下，台灣北部數百萬人的生命，沒有一個人能保全。爲維護水庫安全，所以，不得不放水。

記者問他們原設計的洩洪壩是否可以用不怕沖的混凝土壩？陳主任工程師說，混凝土壩不怕水漫，但石門水庫的地質是堆積層，所以才改變設計爲土石壩。

執行長徐鼐向記者說明放水經過：十一日下午四時後，雨勢很猛，山洪暴發，石門水庫每秒注水量九千五百立方公尺，最高曾達每秒一萬零五百立方公尺，庫中蓄水以每小時三公尺的驚人速度上升，晚上十二點鐘，他用電話通知警務處防颱中心，石門水庫必需放水，請通知沿河戒備。到十一日凌晨五時四十分決定放水前二分鐘，又用電話同警務處防颱中心聯絡，警務處說淡水六時可以退潮，以後淡水河可以不受海潮的倒灌，河水可以外洩。石門水庫放水，約須四個多小時才能到台北，那時海潮已退，庫水放至，不致滙合而升高水位，所以台北市在十一日十時前淹到的水，完全與石門水庫無關。

徐鼐說，石門水庫從十日開始進水，十一日才放水，把洪水截留了三十個小時以上，以一般颱風來說，這樣長的時間應該已經過去了，放水下游應無影響。誰料這次颱風時間長，雨量又比去年「波密拉」颱風多了五倍，是數百年來未有的雨量，已經超過一般水壩的設計容量。同時，進水多，放水少，已減弱了水的流量，設若未建石門水庫，三億多公噸的洪水毫無遮攔的直瀉而下，沿河城鄉幾百萬人都會變爲魚龍。又若石門水庫不延緩洪水到三十小時，使與海潮會合，水勢增高，災情也更要嚴重到幾倍。所以，從這次「萬樂禮」颱風的考驗，證明石門水庫確是具有防洪功效的。（下轉左欄）

石門水庫　溢洪道提早完工　救了幾百萬人命

——上接本版頭條——

徐鼐又告訴記者一段故事：十一日桃園縣長打電話給他說，大溪鄉某村有六百多人被水圍困，要求石門水庫關閉溢洪閘門一小時，以便救出災民。他在電話上告訴桃園縣長不能接受他的要求，如關閉半小時，庫水即可漫堤，更多的幾百萬人生命便會喪失。

按工程進度，溢洪道預定要到明年一月才能完工，爲了，石門水庫特別加工程建現在的溢洪道，員工的新舊年假期都被取銷，溢洪道才提早五個月於本月初完工。一完工便迎接到這個空前的颱風，水閘乃及時發揮了排洪功效。設若新溢洪道未完成，靠舊溢水道排水量僅及現有的一半，勢必積水漫堤，整個水庫崩潰，非但石門水庫前功盡棄，還要造成歷史上最大的災害。至於因趕工溢洪道而付出的加班費用，不過新台幣二百多萬元而已。徐鼐說，現在看來，以兩百萬元的代價，保障了幾百萬人的生命財產，眞是太值得的了。

這次颱風中心較爲接近台北，但距離颱風中心較遠的台中縣和苗栗縣，受洪水淹沒的災害卻遠較台北縣市爲重，農田淹沒，提防崩潰，橋樑多處沖毀，而台北縣市卻沒有這樣嚴重，徐鼐認爲這不能不說是石門水庫所發生的功效。

石門水庫已自八月十二日開放灌溉用水，經由桃園大圳的受益農田達一萬六千多公頃，及時解救了北部農田的旱象。發電廠兩組四萬五千瓩的水輪發電機，已經裝置完成，下（十）月即可開始發電，用水量每秒二百立方公尺，減除輸電損失，計有可靠尖峯電力八萬五千瓩，平均每年電能二億零九百五十萬度。關於公共給水，可由水庫供給計劃地域卅四萬都市人口及工業全部用水。綜合計算，石門水庫完成後的效益總額，每年平均約可達到新台幣肆億叁千萬元或伍億元。

石門水庫全部工程預定可於本年底完成；石門水庫建設委員會已成立移管小組，將對已建竣之工程逐步移交省政府組織之石門水庫管理委員會接管，全部工程約可於明年一月間移管完竣。

記者在回台北途中，突然想起一個忘了向徐鼐執行長請教的問題，就是石門水庫爲什麼不建一個壩下溢洪道？以便必要時可以放乾庫內蓄水？不知道是不是因爲石門水庫的目標在灌溉與發電，沒有放乾蓄水的必要，所以就不必興建壩下溢洪道了。

記者一路上不禁在想，要了解一件純科學的工程措施是多麼不容易啊！

從蘇俄毛共交惡看反攻大陸

（自第一版轉來）

一八六七年沙皇政權曾佔據伊犁，一八八一年，在英國調解下，伊犁始復歸中國。中共竊據大陸前，蘇俄曾鼓勵該區域的獨立運動。一九六〇年，「蘇俄曾企圖在中俄邊界煽動糾紛，並企圖顛覆共產黨官的新疆省政府」。一九六二年四月與五月，「蘇俄利用其在新疆的組織與人員，在伊犁區，從事大規模的顛覆活動，引誘，或威迫數萬中國人逃入蘇俄」，中共曾以此一再提出抗議，但蘇俄却以法律立場與人道主義爲理由拒絕遣返那些中國人。此事迄今尚未解決。現據九月六日美聯社莫斯科電：「最近數週內，難民不斷從中國大陸湧入蘇俄，此中很多中國公民是新疆省的人，因受宗教迫害而逃亡」。又在兩個多月前，「蘇俄撤退新疆疏勒的領事館人員，於撤走時，將在該地的大批蘇俄技術人員及疏勒的中國人全數撤走，移入哈薩克斯坦共和國境內，使疏勒變成眞空地帶」。最近哈薩克斯坦報紙曾報導「蘇俄哈薩克部隊，最近曾參加邊界一帶進行的一次大規模軍事運動」；此項軍事運動雖未說明確實地點，但該報導演習地點爲阿拉木圖，則顯示此項大規模的軍事行動，係在哈薩克共和國境內，殆無疑義。現在新疆省已被毛共宣佈爲自治區，其「主席」賽福鼎爲蘇俄一手所訓練；曾一度擔任蘇俄共產黨的常任委員，現在在新疆自己已有一支軍隊，毛共前曾設法令他的軍隊參加韓戰，結果無效。此外蘇俄又在中國西北部駐集了一支數目龐大的軍隊，並在西安與蘭州建立了兩個主要機場。由現在情形觀之，新疆已爲蘇俄所滲透，蘇俄與毛共交惡不能兩立之後，蘇俄必將促新疆獨立，新疆遲早必將脫離毛共羈絆。

其二、宮廷革命。中共匪幫向分爲兩派，一爲毛澤東派，一爲國際派，國際派中如彭德懷，即親俄派。國際派等，現均已銷聲匿跡，林彪，陳雲，或已被整肅。現在毛匪的最大恐懼，是他所稱的「中層特權階級」內部的顚覆。若干年來，毛澤東對於所謂「現代修正主義者」——目前對赫魯雪夫及他的和平共存政策的黨羽所加上的名稱。正在進行的「處罰」，「執行死刑」，或放逐大陸之毛共。日前並已召集六個政治分局首腦前往北平，商談如何控制軍隊與民衆藉以維持權力。現在蘇俄與毛共公開分裂後，毛共經濟枯竭，外交方面孤立無援，人心浮動，國際派躍躍欲試，自在意中。吾人知道大陸上共黨國際派潛力極強，大部分由農民組成的所謂「人民解放軍」，必將逐漸發生叛變，宮廷革命，遲早必將在最近之將來發生。國際派必以蘇俄爲大後援。

其三，民衆起義。大陸民衆之生活，除共產黨員及軍隊外，大多數均每日一喝大鍋清水湯，連褲子都沒有穿」已如前述，憤怒不滿，達於極點。據美國政府發表文件，曾描述大陸區普遍飢餓，士氣低落及裝備不足，引起民兵叛亂情形。最危急時期爲一九六〇年下半年及一九六一年首三個月。湖南六個縣曾一度發生嚴重事變，民兵領導一種反抗行動，殺死共產黨員，破壞交通，終阻止軍事行動。」其他各地類似此事例，亦已屢見不鮮。毛共政權，內部已不安，現在大陸民衆背後有大批游擊隊，內有國際派，有待王師之援助，揭竿而起迎接之日，必不遠矣。

結論

綜上所述可得結論如下：

A. 蘇俄毛共交惡，無法和解，將來縱有一方倒下，因有領土之爭，亦不能和好如初。

B. 反攻大陸，蘇俄不致介入。但無人能保證其決不介入。

C. 美國在未能確定蘇俄不介入以前，難望援助中國反攻大陸。

D. 毛共政權，最短時間內必將發生變化，形勢對我反攻大陸，極爲有利。

E. 反攻大陸，能否成功，最後關鍵在於蘇俄態度，政策上如何運用，外交上如何以最高智慧決定方針，必須以期促成最佳時機之來臨。

香港與大陸

駐屯海南毛共部隊　時有叛變起義情事

九月十九日從廣州市來港的鄧志×先生對本報記者說：中共由於經濟破產和高壓政策，不僅引致各階層人民過着非人生活，就連中共譽爲「光榮子弟」的「解放軍」，享受亦被一再剝削，致使軍心大變，海南島便時有「解放軍」叛變之事。

鄧志×先生有一表弟王宗×，三年前在一家中學唸高中時，被徵去服兵役，三年來，王宗×都被安頓在海南島東部的中共炮兵部隊，駐地方圓一二十里，都是荒無人烟的山區。所以三年來，他名義上雖說是當「解放軍」炮兵，其實也是被流放的農奴。最初，他們要在這山區架起軍營，修築公路和炮兵陣地，以後更要他們墾荒種田，美其名曰「自供自給」。他們每天都得參加十二小時以上的勞動，另外也還要參加軍事訓練。

鄧志×先生說：他表弟三年來，家書一封又一封，無一而非痛敍他們生活的慘狀。他們不僅工作繁重，而且吃的令人難以支持，多爲高梁糊，粗造而帶澀味，他們吃了難於下嚥，使人且都引起胃病，長期折磨，如何而受得了？

鄧志×先生的表弟來的信上說：像他們那種生活是無法再支持下去的，每一個「同志」於是實行挺而走險，紛紛採取「兩條道路」：一是逃跑，一是攜槍走入山裡打游擊。採取後一路的很多很多。

關於中學國文教材的一點意見

于維杰

筆者過去教過幾年中學國文，痛感現在中學國文課本之不合理，與大專聯合招生國文試題之「無理取鬧」。

分析今日中學生的國文程度低落，應該有兩個原因：（一）今日的中學生年齡比從前小得多了，（事實上程度並不見得真低落。）（二）今日中學生的知識比從前廣博得多，理科的、外國語的、社會科學的，全比從前強，不能只注意國文一科。好幾個今年投考大專的青年寫信給我，都不滿國文教師，認為「非常苦痛」，只因為他們專講文言文，只管一個字一個字的注釋，枯燥無味，而且，大半是學生弄不清楚的，教師也馬虎過去。總之對於國文方面的充滿頑固與守舊或竟是刁難，學生們感到非常不滿。

我查看了部定的課程標準，高中國文，第一學年以文章體製為中心，應該附講文體各論；第二學年以文學史為中心，應該附講中國文學演變大勢；第三學年以學術思想為中心，當然該講思想史；另外還要講文法（初中是語法）、修辭和辯論術。如是，就所學而言，是明白中國過去的文化；以用而言，是能解剖舊文學，能發表意見，或進一步模擬。

誠如一般憂時之士所云，學生程度低落了，從前連我自己也說這樣的話，可是我們得推求一下，有幾個中學的國文教師能夠勝任愉快地照了這個方案去傳授呢？而且有多少學校的授課目的真是為學生獲得知識？基於前面的事實，我們知道，大學也者是怎麼一回事，他們的入學考試，一方面是擺自己的架子，一方面是和學生鬥心。所以今日一般中學生的死拚功課，不是為了功課本身，而是為了金榜題名。這與科舉時代讀八股、作八股本質沒有什麼兩樣。老實說：功課只是敲門磚，向來大學有一句話：入學考就是畢業考，進了大學門，很少因功課差而退學的。那麼中學這一段就成了緊箍咒，非把你全部精力搾乾不可，學生有功夫還是多弄弄大代數、解析幾何，背誦高中英文選呢！本來國文先生就馬馬虎虎，這麼一來更加泄泄沓沓了。

分析學生程度之所以低落，是年齡小，功課多，其實並不低；即使低了，也不該完全由學生負責。像這樣學習法，怎麼也不會有成績的。三十年前的大中學畢業生，看不起現代青年的作品，那是因為他們在入學校之前，根本有點念舊書作舊文章的底子，特別是五四運動時代的大學生，那一個不是舊傳統舊文字裏打過幾次觔斗的？根據他們的標準，當然現在程度差了；可是那個尺度能夠算是適當？我教過許多學生，出題目正正經經作文章都不見得高明，但自己有了意見寫一封信呢，大都能夠暢所欲言，頭頭是道。前清秀才作迷了八股，寫不明白一封信的有的是，為什麼不說他程度壞呢？

我們應該明白，中學生讀了十年書還弄不好一篇作文，乃由於國文課本文字艱深，脫離口語。研究文學史的人，全知道而且確信中國一切文體，其始全是民間的：韻文是民間的歌謠，小曲、戲文、散文是民間的故事。（上）

報人普立茲傳

汶津譯

「沒有一件事是不重要的！你懂嗎，你們各位？假使一件事是可登上世界報，它便是重要的，而且要說出它的每一個細節。你們寫的每一段故事都應該好到足夠登第一頁。假使你們辦不到，請另謀高就！當你們和人們談話，我要你們把那些人的感覺表達出來。我要我們的讀者了解這些感覺。」

「普立茲先生，我們的讀者從來都沒有接受過這一類刺激性的文章，」那編輯惴惴的說。

「這份報紙如果只要你的讀者，早晚要垮台了！」普立茲老實不客氣的說。

四月十一日新的世界報第一次問世時，它給它本身帶來了一些騷動。許多紐約的編輯人翻過那報紙後都大搖其頭。

「這種報紙長久不了的，在紐約行不通！」他們彼此同意着。少數報人意識到普立茲式的新聞將帶來許多讀者。時間會證明這點。下一個星期約瑟夫登了許多的報導和社論。其中一篇社論贏得工人喝采。那是針對紐約的富人和要人而作的攻訐。富人們，約瑟夫寫道，以他們的華服和惡劣風度使他們高人一等。他們自以為是居於統治階級。但是約瑟夫宣稱，美國的真正統治者是建造國家的工人們。

然後約瑟夫印出世界報今後努力的對象：

一、高價的物品，只有富人能購買享用的，要加以重稅。

二、土地、馬匹、金錢，凡由上輩遺傳給孩子的，要抽重稅。

三、鉅額收入要抽稅。

四、大工業抽稅。

五、享有特權的商業團體要抽稅。

六、外國進入美國的貨物一律加稅。

七、改革政府各部門的工作情形。

八、懲戒不誠實的政府公務員。

九、懲罰任何收買選票的人。

十、懲罰那些強迫他們的工人選舉自己擁戴的候選人的人。

這些都是在每個人心目中很重要的問題。這類的報導和社論明顯的是為平民說話的。終於，人們找到了他們自己的代言人。結果是世界報的銷路驟增，以致有供不應求之勢。

其他紐約的編輯們可從來沒見過人們對一張報紙如此的發生興趣。可是答案非常簡單。人們是飢渴於新聞，飢渴於事實的報導。他們需要一種他們能自己讀懂的新聞報導。他們喜愛一份站在他們立場上打擊富人，有權勢者的報紙。當世界報基於它的信條而崛起來時，人們知道他們可以信賴它。

現在世界報已獲得初步成功。而普立茲可以勻出時間來選舉一個好總統了。他心儀格羅佛．克利夫蘭，紐約州長其人。在一篇社論裏，普立茲呼籲民主黨人團結一致。他補充說，民主黨應該找一個像克利夫蘭那樣的人物，來做總統候選人。以這種方式，世界報抬高了那準備競選的人的評價。是普立茲的有力的社論幫助選舉人們決定了克利夫蘭是主持白宮的適當人選。克利夫蘭當選之後，他承認世界報會在競選期間給他最大的支持。自此以後，世界報被公認為全國最有力的政治輿論之一。（卌四）

監察制度的演變與考驗

張健生

往事姑且不談，近事如殷台案，調整軍公教人員待遇案，國營事業調查案，台灣銀行與土地銀行放款呆賬案等等，早就逾越規定期限，而至今未見下文，其故安在？這就涉及監察院的「風憲」問題了。何謂「風憲」？就是監察委員職司風化和法度，發生了問題。

按歷代之政治家，莫不以樹立社會善良政風為己任，而職司風憲者，更要以身作則。所因為自己不正，焉能正人乎？所以一個國家的社會風氣與政治風氣若果善良，則憲典自可昭明。曾文正曾說：「風俗之厚薄奚自乎？自乎一二人之心之所向而已。」況職司風憲之監察委員，在動員公約實踐要目中有所謂：「關於砥礪監察委員風格者」之語，其風格之意，誠如晉書所云：「風格峻整，動由禮節」。也就是要嚴以律己，誠以感人，先求問心無愧己，纔可無負於民意。近數年來，每一位監察委員都做到沒有因人事關係而中途改變意見？沒有遷就情勢而避重就輕嗎？沒有感情用事嗎？沒有敷衍塞責嗎？其次，觀念必須澄清，因為民主國家，首在尊崇法治，所謂法律之前，人人平等，絕無絲毫特殊之差別，也不容特權階級存在，上自政府官吏，下至老百姓，都要有守法的精神，和守法的觀念，此為民主國家，文明人類共同之信條，任何人不例外。然而事實上，特權階級所享受到的特權，此間報章雜誌，已屢見不鮮，而所謂習非成是，指鹿為馬者，比比皆是。否則，老百姓敢公然散發「陳情書」而攻訐御史大人乎！怎不教人痛哭流涕而長太息乎！

自律

為此，監察院會通過「監察院整飭紀律暫行辦法」與「監察院整飭紀律委員會組織簡則」二種法規，就監察委員涉嫌違法失職，以至缺席等項問題，作了具體而扼要的規定。這是監察委員們高度自律精神之表現，尤其涉嫌違法失職委員的處理辦法，規定得經委員之書面檢舉或經人民負責告發，由院長輪派其他委員二人密查，將其結果秘密送由紀律委員會審理，假如是確實的話，並得依情節輕重，提請院會處分：一、注意，二、譴責，三、停止查案，四、送法院偵辦。由此可見，是項辦法之精神所在。因為監察委員職司風憲，位尊而任重，其所以能使貪官汙吏為之震懾，而流芳百世者，不獨在於公正不阿，而尤在於清廉之操守，乃能發揮「威武不能屈，富貴不能淫，貧賤不能移」之大無畏精神。然而，若干年來，儘管外界傳言某也如何如何，某也如何如何，但未見監察院予以澄清，或者繩之以律，這就無法不使人懷疑所謂「加強自律」，完全是一種說過算數的歷史文獻了。（完）

瘟君續考

第十回：集會議圖存　天寒日暮
空言難自救　鬼哭神愁

劉少奇回去發出邀請，過幾天施哈諾果然來了。說到施哈諾這個人，到是二次大戰後政治圈內的特有產物，他本是高棉王的外孫，當時高棉是在法國保護下，高棉王死時本有王子，年已長成，精明幹練，恐怕將來要求獨立，和法國為難。於是就看中了高棉王的外孫施哈諾，覺得這個小傢伙是一個純粹花花公子型的人物，容易駕馭，就立了他為高棉王。

二次大戰後，印度支那三邦獨立，施哈諾就成為高棉的真正統治者。一九五四年日內瓦會議分割越南，施哈諾脅迫寮國組織聯合政府。蘇聯同中共又指證高棉境內也有共黨部隊，要求仿照寮國成例辦理，施哈諾聽到這個消息，大表反對，但由於當時法國新失奠邊府，鬥志全失，西方國家在英國領導下決心與共產黨集團妥協，高棉的反對，本來沒有絲毫力量，不料就當緊急關頭，施哈諾突然棄國出走，逃到曼谷。他這一走，正如演哈孟雷特戲劇少了王子，日內瓦各國找不到談判的對象，共黨集團也恐怕拖下去美國會擺脫英國的控制，斷然加以反對，於是只好對高棉讓步，由施哈諾組織清一色的政府，所謂的高棉共軍也就煙消雲散。

這以來施哈諾在國內固然成了民族英雄，就在國際上美英法各強國也覺得孺子可教，對他不免另眼相看，施哈諾本來器小易盈，經過美英法諸國一捧，儼然以國際上的大人物自居，麻煩事也就多了。

就施哈諾的個性及環境來說，他本來也是反共的，但是他却聰明過度，認定共黨統治東南亞是不可避免的事，與其將來被「解放」，不如迎頭趕上，他當政以後就向左轉了九十度，變成中間偏左人物，作風是罵美國，拿美援，共產集團這時對他的觀感也變了，覺得孺子雖無知，到頗有利用價值，就改打擊為拉攏，施哈諾不久又承認中共，去北平訪問，與中共亦步亦趨，成為鐵幕以外最親共的國家首腦。

施哈諾的個性可說矛盾到極點，他是一個佛教徒，也會作例行出家，但是他却親手割下一個政敵的頭顱，回到金邊慶功。他受的是西方教育，生活習慣完全西化，但是後宮姬妾盈庭，子女衆多，而對外却聲稱未結婚。因為那些女人都是妃子，還沒有皇后。一九五四年從泰國回來時，會有意聯姻泰國，欲娶泰王之妹為皇后，偏偏泰王蒲眉蓬到是實行一夫一妻制的國王，對施哈諾的行為認為荒唐，斷然拒絕了這項婚姻，從此施哈諾就恨透了泰國，遇事生風同泰國為難，終於導致兩國絕交。

施哈諾的一張嘴可以隨便罵人，罵美國當局，罵中國當局，大家都不對，祇有他和赫魯曉夫、周恩來作出來的事情沒有錯。可是，泰國偶然批評他兩句，他就下令與泰國絕交，絕交之後，泰國報紙依然對他提出批評，於是他就向國會辭職。一個國家的當政者，被隣國的報紙罵得辭職，儘管辭職是假做作，也算是開了世界史的新紀元。要說這就是大笑話吧！比這可笑的事還有，最使人忍俊不禁的，就是關於王位禪讓的笑話。（二四一）

閒話「廣白」

黃伯遠

廣白即廣州道地之白話是也。原來廣東話，大別之有廣、潮、惠三種，廣即廣州府屬之「廣白」，潮即潮州府屬之潮州話，惠即惠陽，今之梅縣，所謂客屬也。其次，各縣有各縣土音之不同，非廣東人不能盡分清楚也。因此，廣東人對廣東話，是以廣府屬之「廣白」為正宗，亦如國語之以北平話為標準也。

廣白之為廣白，亦自有其可取之處，且很少有人能夠加以研究與領會耳。諸葛文侯先生，曾在自由報談及廣東方言，希望有人作一有系統的專述。筆者不敏，先談一談廣白中有趣的二三事。至于其他，有暇當再詳述之。

人們常在廣州、香港，見到一些「薦人館」，在薦條上寫着：「某公館僱用『住年妹』一名，每月工銀若干。」又：「某公館要僱年輕白淨企理『一脚踢』一名，每月工銀二十元，鍾意另有打賞」云云。外省人士見之，多不解其意。少時在廣州，即曾以『一脚踢』和『住年妹』此二名詞，詢及較老一輩的伯叔輩，其中一位答得最有趣。

他說：此類薦人館，勃起于太平軍平定以後。當日地方安堵，各省分發候補廣東人員絡繹不絕，有試用縣丞某某，皖人也，其人固寡人有疾之流，且未携眷，乃囑薦人館卜到公館（寓所），請其代物色一年輕僱傭，日間洗衣燒飯，夜則抱衾送枕。如肯應僱者，工資多寡不客。本來粵省僱傭，原有所謂『近身媽』之陋習，但為之者，多屬中年婦人，至于年輕處女或少婦，多不願就也。此候補縣丞，乃監生捐班出身者，胸中頗有點文墨，由於言語鑿枘，薦主說：「老爺，你是想請一個近身婆媽嗎？」他聽了婆媽字眼，心裏不大高興，乃取紙筆書：「稱年女子」四字示之。可憐，那位薦主識字無多，稱字不懂，遑論稱年？但廣東人是硬頸的，他不說不識，而曰：「我知道啦」！談到酬報問題，照例：請「近身媽」，是與其他不同。入門之日，是要先交三個月人工（即薪給）的。其中受僱者要先交個半月與薦主，餘下的才是自己的。如果一見便合意，可免付鞋金。否則，看次數多寡，僱主還得另給鞋金的。

說到受僱者同意不同意問題，這也是有規矩的。如係少婦，大家明白，無條件，要看僱主手段如何？不能一定必可！有條件，則講妥然後就範；這是由僱主與受僱者自己去談判，薦主是不管的。所以，有一部分專以受僱「近身」為業的妙齡媽姐，人們贈給她的渾名是「土鯪魚」，言其多骨，好吃而不易吞下肚也。（上）

圍棋史話

燕謀

圍棋是吾國文化遺產之一，它與陶器、文字、曆法、音樂、印刷術等等並駕齊驅，是我們祖先的智慧結晶，值得我們驕傲。

圍棋究竟何時何人發明的？至今尚未發現確切的文獻，然在古籍中，卻可觀其梗概。據最早的記載說是堯舜所發明。「世本」中載有「堯造圍棋，丹朱善棋」。「博物志」亦云：「堯造圍棋以教子丹朱。」或曰舜以子商均愚，故作圍棋以教之」。博物志是晉人張華所作，他也是晉代的圍棋大國手，他和晉武帝司馬炎下圍棋的故事，會載諸史冊。宋人羅泌所著「路史」，是一部考證鴻博的著作，該書有記圍棋的事甚詳：「帝堯唐氏初娶富宜氏，曰女皇，生朱，驁很媢克、（意即傲慢、暴戾、妒嫉、好勝）兄弟為鬩，嫚遊而朋淫。帝悲之，為制奕棋，以閑其情，使出就丹。」此外，如晉人陶侃云：「圍棋堯舜以教愚子。」又南朝虞願對齊明帝鸞說：「堯以教丹朱，非人主所宜好」。觀以上資料，均謂圍棋乃堯舜時代的產物，是堯舜所發明的。而「路史」更說明了造圍棋的動機和目的。雖未必可靠，卻憾於無其他相反的記載。

無論如何，圍棋到了周代，已是普遍的流行了。春秋時代已經有人用圍棋舉例來比喻政治方面的重大事件。如「左傳」襄公二十五年（公元前五四八年），「衛獻公自夷儀使與寧喜言（要求復國），寧喜許之，太叔文子聞之曰：寧子視君不如奕棋，其何以免乎？奕者舉棋不定，不勝其偶，而況置君而弗定乎？必不免矣！」「舉棋不定，不勝其偶」，確是很有道理的一種經驗。奕棋貴在「謀而後動」，舉棋不定，怎能戰勝對手？太叔文子能觀察到此一點，說明遠在二千五百年以前，我們的圍棋技術，已經發展到相當高明的程度了。

比太叔文子稍晚之孔子，他也對圍棋有客觀的看法，他說：「飽食終日，無所用心，難矣哉！不有博奕者乎？為之猶賢乎已。」（論語陽貨篇）孔子認為下棋比飽食終日無所用心好得多。受老子「道德經」的尹喜，認為學好圍棋，同學習射箭、彈琴一樣，要有一定的過程的，「習射、習御、習琴、習奕，終無一事可以一息得者。」又說：「兩棋相遇則勝負見。」（關尹子一字篇）

到了戰國時代，圍棋更向前發展了，如尹文子已經懂得了圍棋的戰略戰術，他說：「以智力求者，譬如奕棋，進退、取與、攻劫、收放，在我者也。」而在孟子的離婁篇和告子篇中，提到當時人們愛好圍棋和愛好飯酒同樣普遍（博奕好飲酒），而出現了圍棋專家「奕秋」之流。

圍棋藝術自秦代到西漢末的二百多年間，比較沉寂，但是到東漢，又漸漸復興起來了。此後三國、兩晉、南北朝、隋、唐、五代、宋、元、明、清，歷代都很盛行，棋藝亦日進；特別是還將這種圍棋藝術傳播出國外，在日本更是風行，而且普及，名手輩出。現在的圍棋大國手吳清源，他之有今天的成就，多少總得歸功於長住日本，朝斯夕斯的研究、磨練，有以致之。

圍棋現在不僅在我們中國，在日本，在朝鮮等亞洲國家，十分流行，而且已受到英國、法國、德國、奧地利、荷蘭、瑞士和美國等國家的人們，熱烈的愛好。在外國許多著名的大俱樂部中，體育會中，都設有棋室，擁有大量的圍棋員，並有不少中國棋藝方面翻譯本，參考書存在，棋藝的水平也相當的高了。日本對於圍棋，不但是視作專門的藝術，並且專門培養圍棋的人才，精益求精去研究，現在日本的圍棋棋藝，已是後來居上了。

南宋偏安有人才

李仲侯

又賜札命招撫酈瓊，札曰：「近日酈瓊領軍北去，正緣除楊沂中為淮西制置使，眾情疑慮，雖瓊忠義有素，而不能自信，倉卒之間，遂成大變。朕降親筆與瓊，委曲諭之，使知朝廷本意，乃已不及。聞瓊與卿同鄉里，又素服卿之威望，卿宜為朕選一二可委人，持書與瓊，曉以朕意。若能率眾還歸，不特已前罪犯，一切不問，當優授官爵，更加於前。朕已復召劉光世早晚到行在；瓊之田產，布在淮淛諸郡，已降指揮令元伯人看守，以待還歸。卿是國之大將，朕所倚注，凡朕素懷，卿之所悉，可仔細諭瓊，使之洞然無疑，復為忠義，在卿一言也。付岳飛」。

飛素重節誼，重施報，死猶不忘。張所以謗訕，行至長沙，賊酋劉忠者誘其附己以叛，所罵忠不從，竟遇害。其子宗本尚幼，飛訪求鞠養，教以儒業，飲食起居，使處諸子右。紹興七年，遇明堂恩，捨其子而補宗本，狀曰：

「臣竊見張俊例，初除太尉，陳乞奏薦男於文資內安排。臣技能蔑取，勳伐無聞，遭際聖明，承乏將帥。伏念臣昨於建炎初，因上書論事罪廢，偶辛逃死，實出聖造。於時孤子一身，狼狽羈旅，因詣招撫使張所，所一見與臣言兩河利害，適偶契合，臣自白身借補修武郎閤門宣贊舍人，充中軍統領；尋又陞統制。其後張所軍次北京，蒙朝廷貶責南方，卒以節死。臣念靖康以來，奮不顧身，為國捍難者，不為無人；而其間誤國敗事者，固亦不乏。然聖恩寬大，終於一切矜貸。若張所實先意兩河，而身未北渡，已遭横議。今其身名淪喪，後嗣零落，使臣不言，臣則有負；欲望矜憐，將臣今歲奏薦恩例，奏補張所男宗本，依張俊例於文資內安排。」謹錄奏聞，伏候敕旨。」

飛奏乞進屯淮甸，不許。朝廷猶以上流為慮，賜御札令飛飭備，札曰：

「卿盛秋之際，提兵按邊，風霜已寒，征馭良苦。如是別有事宜，可密奏來。朝廷以淮西軍叛之後，每加過慮，長江上流一帶，緩急之際，全賴卿軍照管。可更戒飭所留軍馬，訓練整齊，常若寇至。蘄陽、江州兩處水軍，亦宜遣發，以防意外。如卿體國，豈待多言。付岳飛」。（八八）

海嶠雜談

殘破的故事

諸葛文侯

適之先生：整個大陸的淪陷，已經超過一年了。在這一年多的時間，所有一切愛好自由民主的人士，直接間接，真是受盡了中共無窮的威脅迫害，除掉一部分不及走出的，仍繼續留居內地，過着那種煎熬的生活而外，多數已經走出來的，也還是在種種不同環境之下，情形相當散漫。我們若干住在香港的同人，在最近半年以來，時有運用各種座談，並隨時有接觸的機會，可是沒有產生一個像樣子的組織。我們認定在今天要組織一個較有規模的政黨，條件還沒有具備，然決不可聽其由散漫而趨於消沉，更由消沉而流於自我毀滅。因此，遲之又久，才有一個「自由中國協會」的結合，意在以一種輕鬆的方式，作初步的團結，從情感的交流，謀意見的交換，使之逐漸發展，隱然構成一種民間的民主力量，遇有重大事變，對內對外，均可相機發言，以爭取國際的同情應援。現在香港的組織已略具雛型，台灣正在推進。美國方面等就希望先生與于野聲主教、曾慕韓、蔣廷黻先生概允參加，更希望先生毅然出而領導。附上簡約一份，敬祈修正賜覆為荷！

這封信是民國卅九年十月廿七日寫好投郵的，到次年三月初，接到曾慕韓先生的回信，他表示極端贊成，並附來他在美國華文和英文報紙上發表的幾篇時事論文與講演詞，原函說：

奉讀十月廿七日手書，暨「自由中國協會」簡約，具論兄等熱心於民主自由分子之團結，此為時勢所需要，意義自甚重大。弟與賴景瑚兄（按即賴璉）等，在美亦有「民主自由聯盟」之組織，以超黨派救亡運動為號召，成立已逾一年，聘有美國名流學者為顧問，業經在此立案，迭開大會，尚荷彼邦人士同情。將來「自由中國協會」成立後，自可聯絡內外，呼應而結成廣大堅強之民主自由陣綫，弟當負責溝通，使漫池弄兵之「赤子」淹沒於民主高潮之下，不獨我國民主自由分子應聯成一氣，即全世界民主自由分子亦應有所組織。弟於去秋間曾游法、意、比、西、葡諸國，建議組織「民主國際」以朝野人士多贊同，惟其具體組織方法尚在醞釀中。要之，民主世界與共產世界必須一決雌雄，吾人立於民主陣綫，理所當為，義無反顧，兄等此舉，實獲我心，唯有兩點，尚希公鑒：

（二）

近人詩選

思以

蔡俊光

因物起興，但求心一簡之內，言淵或殊，不細論矣。錄呈嘯雲教授正句。

思以大儒定大亂，豈待文王而後興？
早知豎子難謀事，但仗天討應人情；
假孤鳴乖正道，
看殮走漸壽者，遺賴春陵子弟兵。
恥！

窄門

汶津

洗衣婦巍巍然豎立起來。「你說，你再說！」

「我已經叫阿邱代我在工廠請了假，今天我代你洗。你回去吧，弟弟！」

「怎麼一回事？」小妹妹。」母親走到那女孩的跟前。

「沒有什麼。總是這樣子。」

「他沒有事做。他喝酒。他打孩子。他天翻了也不管。」洗衣婦的聲音冷酷而強，像拒絕融淬的冰雹。

那女孩突然嚎哭起來，「我要小弟弟，我要姆媽肚裏的小弟弟」。「安靜下來，」母親輕輕撫着她的頭，「我陪你媽回去。」「可是我們每個人都要他的！」

她猶自啜泣着。「事情總會過去的。」

「我們走吧。」我說。

「謝謝太太，」洗衣婦木偶般回過頭來，「謝謝上帝。」我走過去，為她們打開那扇窄門。（下）

內僑警台報字第〇三一號內銷證

自由報

THE FREE NEWS
第三七八期
中華民國僑務委員會頒發
台教新字第三二三號登記證
中華郵政台字第一二八二號執照
登記爲第一類新聞紙類
（本週刊每星期三、六出版）
每份港幣壹角
台灣零售價新台幣弍元
社長：雷嘯岑
督印人：黃行富
社址：香港銅鑼灣高士威道二十號四樓
20. CAUSEWAY RD 3RD FL. HONG KONG
TEL. 771726　電報掛號：7191
承印者：田風印刷廠
地址：香港灣仔高士打道一二二號
台灣分社
台北市西寧南路一一六號二樓
電話：三〇三四六
台郵撥儲金戶九二五二

日本政客的愚昧思想與作風

李紹先

現階段的日本政治人物，儘是些政客策士之流，沒有一個像樣的政治家。

所貴乎政治家者，應有遠大的見識，恢閎的氣度，妥當的政略，三者缺一不可。日本自明治維新以來，直到二次世界大戰之際，它的立國精神，完全是走的資本帝國主義路綫，藉着西方列強在國際間爭奪霸權的機會，投機取巧，向外擴張，而以東北亞地區爲擴張的目標，鯨吞朝鮮，侵佔台灣與琉球羣島，蠶食我東三省，因而在外交上一貫的採取「遠交近攻」政策，著著勝利，這亦不能不歸功於舊式的日本產生了幾個像樣的政治家，纔取得了「暴發戶」的國際地位，一時居然與西方列強分庭抗禮，併駕齊驅。假使在二次大戰發作時，日本眞有政治家，憑其遠見卓識，毅然決然地不惜任何犧牲，跟中國媾和修好，結束中日戰役，有如當年日俄戰爭時的內閣執政當局，雖曾受日本民衆因反對屈辱的議和條件，暴起焚燬政府公廨，用炸彈襲擊外務大臣，亦所弗顧，慨然接受樸資茅斯和約，使日本一躍而躋於世界五強之一。那末，日本不特可以避免一九四五年無條件投降的命運，且將在亞洲隱握着舉足輕重的權力，稱雄當世，不成問題。可是，日本由於缺乏政治家，讓一般政客策士主持國家大計，終於召來了亡國慘禍，孽由自作，悔之晚矣！

戰後日本仗着美俄兩大集團在國際間明爭暗鬥的倖運，博得美國眷顧，多方扶植，又從韓戰中獲致了深厚的經濟利益，國力迅速復興，舊金山和約簽訂後，日本乃以獨立新興之邦的資格，成爲自由世界的一員，給世人刮目相看了。這情形，與日本在明治維新所遭逢的國運，不啻是歷史事實的重現。假使日本眞有政治家，以高瞻遠矚的識力，作老謀深算的決策，在亞洲方面積極進行親仁善鄰工作，先對中、韓兩國表現，非復舊式日本的誠意，進而與東南亞各國親善論交，一洗過去那套優越感，使亞洲國家皆深信新生的日本是個道義朋友，無所疑懼，有如戴高樂之與西德友好結盟，以滌蕩世仇心情。再以日本的工業基礎和技術，援助亞洲國家的建設事業，則日本的工商企業出路廣袤，固不需要向共產世界獻媚求情，即在國際上的政治地位亦必然增高無疑。怎奈日本沒有政治家，依然是舊時的一些政客策士把持國鈞，本其投機取巧的故智，因小失大，見利忘義，一面抱着美國的大腿，乞取經濟援助和安全保障，同時又想利用國際間的冷戰矛盾，攘奪中共區域的商業利益，而將日本舊有的醜惡面目顯露出來了。例如日本對韓國的復交談判，而始終藉口賠償問題而不得要領，對東南亞各國的態度，亦不即不離，我慢自大，尤其對於中華民國，更極盡不友好之能事，一派勢利的言行，令人難以容忍。大問題，如隨時向毛共從事勾結，而以所謂「經濟與政治分開」的謬言爲解嘲的商人口實，英美的商人既可向毛共進行貿易勾當，日本何嘗不可呢！卻忘記日本乃是俄帝與中共欲得而甘心的首要對象，且在「中蘇友好同盟條約」上，明白指出日本是他們共同的敵人。日本如不願意淪入鐵幕之內，爲甚末要以經濟力量幫助毛共，培養它的反噬能力呢？若說日本跟美國訂立了安全互助協定，有所恃而無恐，則殷鑑不遠，請看今日美國對於同樣訂有安全互助協定的中華民國，是一種甚末態度與作風，日本的生存發展前途，未必完全符合美國的利益吧？日本眞正可靠的安全保障，只有跟東亞自由國家攜手合作，精誠團結，構成不可輕侮的集體力量，[illegible]不敢孟浪，[illegible]這才是[illegible]上策，然而[illegible]政客策士們的見識所能想像的。[illegible]小問題如對於琉球羣島，日本人常言具有「潛在的主權」，意味着他日還得攫爲己有，[illegible]

[illegible]

聯合國救火員太少了

狄托的好把戲

說謊世界

記得中共偽政權僭立時，毛酋澤東在所謂「全國人民政協」會議中演講外交政策，聲言：「可愛的先生們，我們是一面倒」，表示他們死心眼兒要奉俄共爲太上皇的堅決意志，氣壯如牛。於是乎，文妖郭沫若之流即大叫其「史大林爺爺」與「蘇聯老大哥」，一派兒皇帝的調色，歎觀止矣。當年投共武夫龍雲，在「放鳴」陽謀場合，指摘蘇俄曾封走我東三省的工業設備近二十億美元的器材，又謂中共替蘇俄打韓戰，而蘇俄還要索取軍火價款，太不夠朋友了。於是乎，龍雲即被譏爲大逆不道的「右派」份子，慘遭鬥爭，死而後已。

根據毛共近來宣佈了若干事實，猛烈咒罵俄共的宣言文告，眞教人汗毛淋淋，齒冷不已。將來俄共如果迴心轉意，稍給毛共以顏色，恢復一點經濟援助時，毛共一定又要高呼「蘇聯是社會主義國家的頭」了。因爲他們的魔術，翻雲覆雨，出主入奴，自說自話，恬不知羞，這便是共產黨人的特質。[illegible]整個鐵幕地區原是說謊世界，那一個共黨政權不是以說謊度日的？否則就不成其爲特殊材料造成的共產黨人了。例如毛僞澤東當年信誓旦旦，說要實行「新民主主義」，這是讕話，抑是謊言呢？共黨們宣稱大陸在「社會主義建設」中，一畝土地產稻穀十二萬斤，一顆葡萄有二十兩重云云，是事實嗎？我們若不憚煩，把最近十年來毛共歌頌恭維蘇俄老大哥，以及誇耀自己在大陸上的建設成績如何優異這類宣傳言論，逐一蒐集成帙，題名「古今說謊大全」，尤稱妙品也。

毛共現在大力所賣的俄共，用意是要利用中國人一向恨俄帝的民族思想，先求安定內部的人心，希望一般非共乃至反共的知識份子，對於毛共政權不再抱着潛在的敵愾心理，一致對外，渡過難關。這亦是心勞日拙之舉。一則以民族主義爲反動思想，稍有知識的人都明白這又是共黨玩弄的辯證魔術，決不足信。二則毛共專事說謊以整人的教訓太多了，從前上過當，現在後悔莫及，誰也不肯再受詐騙，自貽伊戚的。馬克斯的論理可以蠱惑一些人，幸而共產黨人的言行一一都是以欺騙爲本，沒人相信，這就是共產黨必亡的定律，謝謝上帝！

馬五先生

[illegible]

損失至今缺乏可靠的估計
葛樂禮颱風災害決不輕
造成原因雖由天命豈非人事

（本報記者台北航訊）強烈颱風「葛樂禮」帶給此間的災害，先還有人說不嚴重，後來大概都承認損失不輕了。

起初，所有報導都失之「輕淡描寫」，尤其廣播電台的報導，除講些軍警搶救的情形外，對災害卻少有提及，有之亦語焉不明不白。民間倒是始終認為災害嚴重。這次的水災，廣達十多縣市，如台北市的商業區，台北近郊之板橋、三重、新莊、士林等鄉鎮，都是工業區，無一倖免，浸水自最低之一、二公尺起，有淹到二樓者。三重的味全工廠，新莊的勤益紡織廠、士林紙廠和大同鐵工廠等數十家的原料與成品，均受到嚴重的損失，其中以藥廠損失最重。

造成此水災，雖曰天時，人事亦未嘗無關。好像氣象預報，便要負若干程度的責任的。在這次「葛樂禮」颱風來臨前夕，本月九日晚間，省氣象所鄭所長接受警察電台的錄音訪問時，曾特別強調「葛樂禮」將於翌日（即十日）帶來狂風豪雨，要聽衆千萬注意預防。但十日卻大概可謂風平浪靜，僅下午偶有毛毛雨而已。然而十日那天的晚上，鄭所長又向警察電台記者發表談話，說「葛樂禮」業已改向，向北進行，本省可以免於受害。當時鄭所長還接受電視訪問，現身說法，很樂觀地安慰聽衆和電視觀衆，說今晚大家可以安心睡覺了。又當晚十時，中華日報記者帶著空軍氣象單位預測的報導資料，去訪問省氣象所時，省氣象所仍堅持他們自己的情報。那知「言猶未了」，風便到來！這次台北區所遭遇到的大水災，正是開始發生於十一日的凌晨之際，那時正是省氣象所考慮解除陸上颱風警報的時候呢，真是開玩笑。對於變幻莫測的氣象，判斷錯誤是在所難免的，但如能虛心地考慮其他方面的情報，當可減少這樣的若干錯誤。氣象預報的錯誤減少，損失自然亦就可以減少。

這次「葛樂禮」颱風帶給本省的災害，據官方已公佈的統計：死亡者二三九人，失蹤者八九人，重傷者九二人。房屋全倒者八千三百六十二棟，半倒者一萬二千零八十五棟。

受災較嚴重的地區，如台北市的中山、大同、延平、建成等四區，所有房屋都進水了；好像中正路的中央日報，康定路的聯合報，南京西路的公論報，長安東路的自立晚報，撫順街的英文中國郵報，酒泉街的大華晚報編輯部和工廠，中山北路的中華日報編輯部、工廠，和武昌街的經理部，西寧南路的中央通訊社，和本報台灣分社的樓下，都是可以陸地行舟的。其中英文中國郵報、大華晚報、公論報，均因此未能按時出報。

再是台北縣的板橋、三重、新莊、五股、蘆洲、樹林等鄉鎮，陽明山之士林鎮，都是屬於工業區，災情頗重。為此，由經合會邀集政府有關單位暨工商界人，舉行座談會，成立協助受災民營工廠復工小組，推經合會秘書長李國鼎為召集人，並決定：稅捐、貸款、外匯、清理排水溝、台北大橋交通管制、台電免收停工期間基本電費，治水策問題等，將按實情從寬辦理。

但中部可能災更重。如農業地區的台中縣之大安溪堤防崩潰，雲林縣之濁水溪堤防崩潰，以及桃園縣之大坑科溪潰決因石門水庫之放水而受嚴重的損害等等。各報記者的實地採訪一致認為災情重大，若干地區並不下於「八・七」水災。

這次嚴重水災，究其根源，仍舊是「八・七」水災時的老問題所使然。儘管天有不測風雲，但平時如能水土保持得宜，森林養育有法，河川治理妥善，氣象測報設備完全，各方面又均能事前注意防範，和計劃週密的話，未嘗不可以人為之努力，大大減輕災害的程度。台北雙園和永和一帶的堤防，這次是發生部份地區的防洪效果的，但因洪水出路問題，又使下游變成澤國。這種治標的方法，好像「頭痛醫頭」的措施，值得重新檢討。有一位七十多歲的老人對記者說：日本竊據台灣五十年之久，在本省水災紀錄上，台北根本就沒有這樣大的水災。原因是：台北近郊的森林，日本人嚴禁砍伐，水土保持得宜，而淡水河、新店溪、大坎嵙溪、基隆河等，又暢流無阻，河床深，容水量多，同時台北市的下水道，不似目前淤塞。現在呢？山，變成和尚山了；河，變成新生地的小島了；而下水道又阻塞不通。這都不是一天造成的，所以非從根本着手不可。然而又非一時之力所能辦到。現在，政府正在全力處理水災善後的問題。眼前台北街景，像中華路西側沿鐵路邊的欄杆，和台北市政府門口，全部曬着遭水浸濕的東西，大街小巷，一堆一堆的黃泥土垃圾，臭氣大溢，行人不得不掩鼻而過。在公營事業中，以鐵路損失最重，火車要到下週，縱橫綫才能暢通，目前正在搶修中。其次為公路。至於經營不善而虧債千萬元的茶業公司，反而因水災得福，所欠貸款可以延期償還了。至於中部的損失，目前雖乏可靠的。計，但鑑於有堤防崩潰，火車寸斷等等，實的不亞於「八・七」水災的話，當然嚴重無疑了。但是否超過北部工業的損失，則有待於進一步的調查。

葛樂禮風災重大
檢討造因有六端

（本報記者吳越台北航訊）此次「葛樂禮」颱風挾帶台灣中北部，雨量之多，幾與「八・七」水災不相上下。「八・七」水災受害最重者為農業，此次受害最重者則為工業。台北水災空前慘重；台北縣市半倒全倒房屋一萬餘間，死傷人數尚無確實統計，全市學校停課三天，不少學校迄今尚無法復課，大小工廠四百多家受到嚴重損害。

檢討此次台北市及近郊水災重大之原因，其說不一，立法委員胡鈍俞，黃煥如等廿日向行政院提出之質詢中，大致都能將各方意見兼容并包。

黃委員檢討此次水災重大之原因有六：

（一）關渡淡水河入海口處，久經淤積，寬度減小，河床提高，致基隆淡水河洪流無法宣洩入海。

（二）基隆淡水兩河流彎曲太多，容易淤積，久未疏導，河床增高，兩旁違建作物，愈積愈多，阻水宣洩。

（三）此次颱風為西北風，海潮起時，海水倒灌；石門水庫適於海潮期間放水，亦增高水位。

（四）台北市區下水道阻塞不通，中山、大同、大安等區，受積水影響，延長淹浸時間，加重災害。

（五）永和雙園堤防完成，宣洩面積縮小，水位增高。

（六）氣象所誤報颱風改向，使人民疏於防範，加重了災害。

台灣省政府主席黃杰，二十日對台灣省訓練團學員講話，對此次風災結果檢討說，生命的損失比財物的損失更可惜。又說今後無論遭遇任何災害，都要竭盡一切人事努力，減少生命的損失。

黃主席以人命為重的態度，是一個施行仁政政府應有的認識。如果這個觀念是正確的，那麼，石門水庫多目標工程的先後次序，是否有重新檢討的必要？尤其是在颱風期間。

據記者接觸到的部份高級民意代表與一般民衆都認為，石門水庫多目標工程設計是正確的，所定灌溉、發電、防洪、給水的先後次序，在平時來說，是沒有問題的；但如在颱風期間，仍然拘泥不變，不知適應情況，就大有問題了。灌溉是為了生計，防洪是為了生命，如果生命不能保全，生計還有什麼必要？

所以，有的人認為，在颱風期間，石門水庫應以防洪為第一，事先放出庫存積水，空庫留待颱風來臨時栽積洪水。如果對颱風長遠的預測成功，事先放乾庫水，不致影響灌溉，縱然颱風而不如期而來，但因為預期保護民命而致缺水灌溉，似乎也是值得的。當然，生命誠然重要，生計也重要，二者如何可以兼顧，就需要專家學者的研究了，沒有人說灌溉不重要的。

按石門水庫現在的設計，水位不到二三五的標高，積水是放不出的。有人說，如要放乾庫水，必須增設壩下溢洪道。說在設計之初，就該有一個壩下溢洪道的。若因灌溉關係，壩下溢洪道可以不必開啟，有要放乾庫水的必要才開啟壩下溢洪道，是一個備而不用的設施，猶如建築物的太平門消防梯一樣。至於此一說法有無幾分道理，就有待專家去下結論了。

香港與大陸

毛共妄想麻醉青年
學習運動徒成笑柄

中共在繼續「向雷鋒同志學習」的政治運動之後，又掀起所謂「學習安業民烈士」的運動，但大陸一般青年並未因此去深入進行世界觀的「思想改造」，反之，認為這些「同志」和「烈士」都是愚不可及的可憐虫。

據一曾回韶關市探親而返抵港的中學教師李×我先生透露：中共為加強毒化青年的思想，於今年三月間，由毛澤東親自發出所謂「向雷鋒同志學習」的「號召」，在大陸各地掀起如火如荼的「學習熱潮」，然而，此一「運動」顯然是失敗的，因為絕大多數的共區青年，對是項運動都決不感興趣，因而採取敷衍了事的態度，使中共所盤算的所謂「邊學習」，「邊檢查自己」，以提高自己的「共產主義世界觀」成了泡影，其結果是「雷鋒」還是「雷鋒」，「學習的人」又「還我本來面目」。

李×我先生說：鑑於此，中共當局最近又在軍隊和青年學生中，展開了所謂「學習安業民烈士的運動」。安業民其人，據說原為福建前綫的砲兵戰士，於一九五八年的金門砲戰期間戰死。共報說：在一次激烈的砲戰中，砲彈藥包被「敵人」的砲彈打中了，他為了保護大砲，堅持在砲火中把炮身轉向隱蔽的位置，因而中彈「犧牲」了。中共在其死後五年，再把他捧成為「光榮烈士」，要求戰士和青年以之為學習榜樣，以提高青年的「政治覺悟」。

李×我先生說：中共這一項運動仍然是無法取得效果的。中共在此項運動中，是要使青年獲得正確的「世界觀」，換言之，是要青年「提高認識」：（一）人生的目的是甚麼？（二）什麼是幸福？（三）怎樣使自己的歷史保持着鮮紅的顏色？這實際是要使青年都成為中共馴服的廳犬，供其利用，為之効死，而還要認之為一種「幸福」。

李×我先生說：中共此一企圖是完全失敗的。許多青年，雖一面在「學習」，一面却不安心於工作，而且在千方百計地追求「生活的享受」，認為「吃好穿好就是人生最大的幸福」；其次，許多青年對此項運動其實甚為反感，共幹們雖妄想要青年如何去「改造」自己的世界觀，如何去阻擋住「資產階級思想」的侵襲和掃除「階級敵人」散佈的一切「污毒」，而共幹們自己呢，却更不能「理論聯系實際」，他們不單有濃厚的「資產階級思想」，而且他們的生活行為使流露着資產階級那種奢侈浪費的現象，這當然不能使青年口服心服了。大部份的青年，甚至對所謂「雷鋒」和「安業民」的「光榮事跡」感到懷疑，認為是出於虛構的故事，根本不足置信的，也當然沒有「學習」的價值。許多青年在聽到報告「事跡」後，往往置之一笑，認為真有這些樣的所謂「烈士」，祇不過是愚不可及的可憐蟲而已。（敬斯）

蔓延已達四個月
香港霍亂症
情勢仍嚴重

（本報訊）最近在港九市中心區所抽取的糞樣，仍有霍亂有機體存在。

醫務衛生處發言人廿四日稱：截至目前為止，證實之霍亂症乃為二十六宗。但霍亂的情勢仍是嚴重的。在醫治中的患者仍有五人，而漆咸營的帶菌者及接觸者則達一百三十三名。

霍亂所經過的時間，今年已經遠比去年的蔓延時間為長。去年八月廿三日發現首宗，至十月八日宣佈解除疫埠名稱，歷時一個半月；今年首宗霍亂於六月廿九發生，至今已近三個月，而仍然熾烈。

今年霍亂蔓延期間長久，水荒是一大原因。

今年霍亂是在實行四日一次供水措施後發生的，發生期比去年提早一個月又廿五日，其與水荒有關，是顯然的。嚴重制水至今已四個月了，假如這期間放寬供水，霍亂症或已被消滅了。

目前有關霍亂症之情形如下：

死於霍亂症者　一名

醫院內臨床霍亂症　五名

已接受治療及離院之霍亂患者　十九名

曾患霍亂而死於其他病症者　一名

在檢驗中之疑症　無

經檢驗後證明並非霍亂之疑症　八宗

在檢疫所內之帶菌者　十一名

已痊癒及離所之帶菌者三六名

漆咸道檢疫所內之接觸者　一式二名

已離所之接觸者　五九五名

最近來港而被送往檢疫者　無

最近來港被送往檢疫，離所者　五十八名

悼「七七」將軍秦德純

吳文蔚

發動盧溝橋第一槍抗日的名將秦德純將軍，於九月七日上午十一時半，以肺癌在台北空軍醫院與世長辭，噩耗傳來，認識與不認識均不禁為之哀悼痛惜！

「七七」這個日子，是永遠活現在每個中華兒女的心目中的。每年此日，國家均有盛會隆重紀念；蓋自鴉片戰爭以來，滿清政府迭次喪權辱國，各帝國主義強我訂立之不平等條約，國家主權利益，受損莫大，迨抗戰勝利，始得悉數廢除。尤其日本對我六十年來之侵略，可以說是自「七七」抗戰纔作了一個總清算。「七七」之永為中國人所紀念，蓋即以此。

「七七」事件初起時，秦德純將軍是二十九軍副軍長兼北平市長，宋哲元軍長因赴故鄉養病，把華北軍政大權，留交秦將軍一身負責。其時環境惡劣，秦德純忠貞堅定，大義不屈，臨危受命，沉着應付。他外柔而內剛，一聲命令，揭開民族禦侮的第一槍，其勇氣，其胆識，及其對國家的忠誠，誠有足多者。

憶筆者在台時，曾以七七抗戰事晉訪秦氏，氏很謙虛而又客氣的說：「我老了，以後是你們的事了」。然後他娓娓的說：

「那個時候，局勢實在太嚴重了。我被日本人層層包圍得簡直喘不過氣來。我是二十九軍的副軍長，實際上沒辦二十九軍的一點事；我是北平市長，實際上也沒辦了北平的一點事；一天到晚，都是應付日本人，今天這個武官，明天那個代表，一會兒用軍事威嚇，一會兒用協商軟困，逼得你團團轉不能解圍，務使仍墮其術中。

「七七事變前兩個月，華北局勢一天一天的嚴重，宋委員長（指二十九軍軍長宋哲元當時兼冀察政務委員會委員長）看着局勢越來越緊張，便把軍政大權留交給我，並指示我兩點：『第一不能開戰，第二不得辱國』。你看，不能開戰，就得辱國；不得辱國，就要開戰。這叫我怎樣處理？當我正要請示機宜時，宋委員長已經走了——回到故鄉養病去了。

「接近七七的那幾天，日本軍閥已瘋狂到不可思議的程度，着着逼人，雖忍無可忍，我總是逆來順受，笑面應付。直到七七前夜，盧溝橋守軍吉星文團長打電話報告我，說日軍以失蹤一士兵為藉口要進宛平搜查；同時他又報告說：他用望遠鏡看見日軍武裝向盧溝橋前進，並準備射擊。當時我一想：宋委員長指示不得辱國，就是開火。這分明是到了最後關頭了！於是我便命令吉星文團長：日軍開槍，馬上還擊，不得讓日軍一兵一卒進入宛平；不得放棄一寸國土」。這便是七七事變盧溝橋抗戰的開始。」

秦德純將軍辯才無礙，確實健談，為人平易和藹，具有儒將之風。他戰功卓著，北伐時曾參加河南之役，民國廿二年參加喜峯口羅文峪抗日戰役，二十六年七月七日打響抗戰第一槍後，奉調中央任軍法總監部副監，三十三年調兵役部政務次長，三十四年任軍令部次長；三十四年抗戰勝利，任山東省主席兼青島市市。來台後任總統府戰略顧問。

秦德純將軍平日生活有則，言行有度，誼友事長，有久敬之風。閻錫山將軍之喪，徐永昌將軍之喪，他都甚感悲痛。尤其對宋哲元將軍夫人，及廿九軍同僚，逢年過節均集會一堂，有如家人。河北省故主席馮治安將軍逝世時，秦將軍對劉汝明將軍與孫連仲將軍哭着說：「弟兄們都去了（指張自忠和馮治安），就剩下咱們幾個了」！而曾幾何時，現在秦將軍又成古人了！值此反攻將屆，光復中原在望之日，秦將軍的溘然逝世，實令人萬分哀痛！

秦將軍一生備著功績，但他向不居功，謙抑自處。漢有馮異，追隨光武，累建大功，別人自伐競功，他輒獨避大樹之下，故有「大樹將軍」之稱。秦將軍有焉！雖稱之為「七七將軍」可也。（下）

報人普立茲傳

汶津譯

日復一日的，世界報暢銷着。普立茲買下報紙後三個月以內，銷路已由二萬二千七百六十一份升到三萬九千份。到了那年年底，它已經印出像紐約最大報紙那樣多的份數。第二年，世界報的銷數躍居全市第一！

在短短的幾年內，世界報已經在美國新聞界獲得其領導地位。其他的紐約編輯人們都注視着世界報所造成的奇蹟。他們並不喜歡普立茲式的新聞作風，但却不得不承認它是驚人的成功。結果是，有些編者乾脆採用世界報的稿件，有些則襲用他們寫作新聞的方式。為了和普立茲競爭，他們甚至減低了售價。可是，世界報仍然蒸蒸日上。

到了這時候，為普立茲工作的人都開始想，這位老闆真是半神半魔的人物了。他們一面担心他的怒火，可是他們也衷心欽佩他的過人的判斷力和對新聞的天賦直覺。他自己不再寫稿件了，但在必要時他仍給予援手。他的天才現在改用來選擇適當的人選來作最稱職的工作。

雖然約瑟夫很少寫東西了，可是他仍很忙碌。幾年之內，他的視力和神經系都大受損害。他從不給他的身體以必要的休息。現在他走路的時候也不止一次的發現自己已日形衰疲了。他感覺的毛病從未中止過。他現在擁有三張報紙，世界晨報，世界晚報，以及世界週報。這三份工作更比以前更勞累，更操心。此外，他自己又被選作國會中的紐約市代表。他到華盛頓去和別的那些州的議員們共事。

凱蒂悶悶不樂。

「你從不回家來和我們好好相處，約瑟夫。孩子們都看不到你。當你在世界報工作時，你不回家吃飯。可是現在，你也不回家！」

約瑟夫把臂圍擁着凱蒂。他們的一個孩子在一月以前夭折了，凱蒂嗒然若失。他也知道他該回家來而不再在華府議會中下去。

「我去搞政治真傻透了。」約瑟夫說。「我真不知道為什麼要去國會。我要立刻辭職。」

凱蒂拿起他的一隻手塞在自己手裏。「我想你也許對另一個女人發生了興趣！」

「好，告訴你實話吧，凱蒂，我是的。」

「約瑟夫！」

「她是一位法國女人，比你更美，親親。」

「她是誰？」

「自由女神，凱蒂。」

那是真的。約瑟夫不能忘懷那女神的塑像。他在國會時知悉法國人出了很大一筆錢造成那尊像，以作為獻給美國的禮物。那神像意欲顯示居住在自由國家的人民是如何的享受着自由和平等。神像已告完成，正待由法國裝船運來美國。可是美國國會年復一年的，都沒有通過撥款找地方安置那尊神像。按照計劃是要把它安置在培德樂島的高處，使每一個進入紐約港的人都能悠然望見。（卅五）

關於中學國文教材的一點意見

于維杰

傳說和一些街談巷議，等到經過文人雅士一加「雅言」，形式就漸漸變了；但因中國地域大，語言多，用「雅言」文字紀錄可以收統一之效，這就使初期的語體，通過了形式的修潤，而變成永遠不改易的文言。這種文言，再加上廟堂上的政治架子，就更加脫離大眾了；而專制政體，根本是以「愚民」為手段的，文字距離大眾愈遠，考取功名的人，三更燈火五更雞，七入棘闈，八上春官，獲得舉人進士一官半職，越難，越使知識份子士大夫階級看得地位寶貴，不肯隨便丟棄犧牲。

從前對於文言是約定俗成，如今我們的「俗」變了，易了解、易使用的工具就是好的，這樣的文字就是我們該學的，該拿來教育青年的。

一定有人可以提出來，學國文是為了明白過去的文化呀，接受文學遺產呀等等。不錯，可是達到了目的嗎？如前面所說，學生們在這種傳授下對舊文學有什麼了解？通過新語言文字研究舊遺產，若專門一些，也該是大學中國文學系學生的事，往具體裏說時，代進步到今日，中學生該當以求得普通的「常識」為最高目的。至少在中學也要把從前所訂的略讀精讀教材反過來，從前精讀重文言，略讀重語體，如今我主張，有文學興趣的人不妨課外研究一點文言，將來進大學更可專門從事於此，否則，只要弄會了發表自己意見的本領，說得明白而有條理，我想語體儘夠了。至於過去的文化現象，文藝思潮，那還是應該作教員的先消化了再說給學生，好像哺給幼兒乳汁一樣，不要把生硬的牛肉或豆芽菜給嬰兒吃，免得患腸胃症。

像現在這樣，每次上國文都只是念一套咒語給學生聽，才正是給古代文化打了一道牆，學生從此對舊文化只有反胃作用，絕不會再歡迎它。如果中學的國文課程有了根本改革，我想至少在大學入學考試上也算解決了一些困難；姑且以語體為中學國文的主要教材，對舊的可以作研究的橋梁，對新的可以作創作的橋梁，實在比過去那麼建設一道高牆，然後再讓一些聰明才智之士從牆上挖洞，偷偷摸摸地去了解古代文化強得多。

盧君續夢

第十回：集會議圖存　天寒日暮　空言難自救　鬼哭神愁

施哈諾本是高棉王，坐了兩年王位又覺得國王有名無實，甘願退位作首相。國王一職，按說應該交還與真正的高棉王子，也就是他的舅父蒙甘尼親王。可是施哈諾又不願肥水流入別人田，竟然禪位與其父，中外古今歷史，父親作皇帝因年老不堪辛勞，禪位與其子的很多，子不願作國王竟然禪位與其父的，無疑是施哈諾空前絕後。

施哈諾作了幾年首相，他的父皇帝又「龍馭上賓」，這以來王位繼承人又成了問題，按說還是該由施哈諾繼承的，可是施哈諾死也不肯再作國王，異想天開由他母親組織一個攝政委員會，他仍然作首相，這已經夠妙的了，不知道妙文還在下面。

可能是經過幾次國際會議，施哈諾又覺得首相在國際上的份量就趕不上元首份量之重。元首本來就是國王，他既然不肯作有名無實的國王，又不肯作有實無名的首相，經過一番苦思焦慮，居然被他想出一個兩全其美的辦法，就是不稱國王而稱元首，可以總攬行政權力，有國王之名，有首相之權，在國內他是負責行政的首相，在國外他又是柬埔寨的元首。這個辦法雖妙，施哈諾還不肯自己提出，他又向袁世凱學了一個請願的手法，指使全國議會，學校，民間團體紛紛組成請願團，到金邊去請願，請施哈諾出任元首，在人民一致擁戴下，施哈諾「勉强」應允出任元首，但是他又不肯把柬埔寨改為共和國。於是柬埔寨這個國家成為一個沒有國王的王國，施哈諾不但是終身元首，還要世襲的元首。死去的希特勒，活着的蘇加諾都祇是終身元首，比起施哈諾來，實在是後生可畏了。

施哈諾不但在王位上鬧笑話，國名也時常更改，最初叫柬埔寨，不久改為高棉，後來又改為柬埔寨，外國行文若寫錯了國名，又得罪他，各國每次向金邊行文，都要查清楚現在叫作什麼國家，以免有錯。

施哈諾不但口頭上學毛澤東，行動上也是一步一趨，他首先把妃子生的女兒，兒子各一名送到北平留學，他自己在金邊時常穿上短褲草鞋，率領學生，公務員去作義務勞動，以求取得中共的信任。這一套荒唐行徑，那能騙得中共？在基本政策上，中共仍然把他當作清算的對象，但在統戰的策略上却把他當成一枚可用的籌碼，所以周恩來經常去金邊訪問，同施哈諾見面擁抱，拍肩膊，稱兄道弟，親熱萬分。中共並且替柬埔寨修一座紡織廠，建一座醫院，論到花的錢不及美國的百分之一，但是施哈諾却對中共感激涕零，反過臉來指着美國罵，什麼下流話都罵得出，好在美國當局生來這種脾氣，越是罵得兇，美援越送得快，還不敢附任何條件。

施哈諾偕同妃子到了北平，劉少奇率領王光美、周恩來、鄧穎超及大小頭目同「夫人」一道去機場歡迎，儀式隆重到極點，當晚在人民大會堂歡宴，所有重要頭目及民主人士全到了。

席間劉少奇先起來致詞，贊美施哈諾是世界和平的象徵，尤其是在寮國問題，越南問題表現得最為突出，希望有一天世界上能實現全面和平，舉行一次全世界的元首會議，到時「中國」一定推舉施哈諾親王殿下任全世界元首會議的主席。

劉少奇一席話恭維得施哈諾抓耳搔腮，坐立不安，這時雖是嚴冬，北平已經滴水成冰，施哈諾的襯衣還是汗透了。

（二四二）

九龍塘小西湖

吉庭

我國風景最美麗者，在山推江西匡廬，在水推浙江西湖。西湖在杭縣城西，周三十里，三面環山，亦名「錢塘湖」，又曰「明聖湖」。湖上有「三潭月」，「斷橋雪」，「南屏鐘」，「孤山梅」，皆足以粧點湖光山色，繪成天然畫圖。

蘇東坡詩：「水光瀲灩晴偏好，山色空濛雨亦奇；若把西湖比西子，淡粧濃抹總相宜。」此咏西湖之美，可比當日之西施，淡粧亦佳，濃抹尤宜。西子亦爲此詩，增添了聲價十倍。

筆者客西湖頗久，曾寫「西湖行」，有云：「孤山梅，斷橋雪，雪遜梅香，梅輸雪白。雪梅恰似爭春色。南屏鐘，三潭月，鐘敲三更月色昏，月昏人靜鐘聲歇。誰把西子比西湖？惟有東坡詩一絕。我來春三二月天，湖光山色更特別。從頭尋古蹟，考人物，天生許漢文，有傳曰「白蛇」。祝英台、梁山伯，女扮男裝，欲成婚姻而不得。人傑原地靈，地靈毓人傑。山外山，樓外樓，何必蓬萊仙境，此處卽是天國！」往事溯回，不覺三十又五年矣。

後來南轅北轍，雖遊遍名山大川，而未得如此名勝區域。不意在香港七姊妹山上，有一泓綠水的「賽西湖」；九龍塘那邊，也有一泓綠水，萬樹古松的「小西湖」。這兩處，皆蓄水池而已，談不上湖。不過這池塘裏，水明如鏡，圍繞雜花野草，成爲港九名勝之一。

尤以小西湖之幽雅，倍於賽西湖，殊引人入勝。從九龍塘是左邊登山，循小路前進，曲曲折折，不數分鐘，卽小西湖在焉。

此地有山有水，有給遊人憩坐傾談的幽谷，還有給遊人流連拍照的小橋；雖爲人工造成一小型貯水池，因其雅致，而以湖名之。每逢星期日，男女學生們，到此地來，可以游泳，可以野餐，唱歌，及各種遊戲，盡情快活一天。甚至採取奇花野草，作課外之標本。而騷人墨客，亦往往藉此作吟哦之資料。謂之小西湖，誰曰不宜？

寫至此，便回想杭州的西湖名勝，歷歷如在目前，又不知何時方可獲得舊地重遊。觀此憶彼，感慨系之矣！

談孝

漁翁

茫茫宇宙，載育萬物。萬物之中，惟人最靈；而其所以異於禽獸者，厥惟倫常。故在孔子以後二千多年間，我國歷代人主，皆標榜「以孝治天下」。過去各衙門，豎立一鐵碑，上書：「萬惡淫爲首，百行孝爲先」，蓋以昭告人民，尊重孝道也。今日世人集會紀念「父親節」，「母親節」，也是含有弘揚孝道的意義。

孝居八德之首，凡善事父母，愼終追遠者，皆稱之爲孝。順事父母曰「孝道」，善事尊長曰「孝敬」，謂孝養之事曰「孝行」，有孝行而義者曰「孝義」。惟其孝也，則爲所感應；如王祥母嘗欲生魚，祥解衣臥冰以求之，冰忽自解，雙鯉躍出。母又思黃雀炙，復有黃雀數十飛入其幙，是雖或偶然巧遇，或亦科學所可講通，然亦卽謂爲精誠所至，亦無礙也。

近代之有「父親節」，「母親節」，「兒童節」，不管是由那一國人所首倡，都不越乎孔子倫常思想範圍。因爲孔子對倫常思想，有一非常完整的理論，便是「老吾老，以及人之老；幼吾幼，以及人之幼」。換言之，就是把孝字發揚而光大之。

孟武伯問孝，孔子說：「做父母惟一担憂的，乃是兒女的害病」。所以爲兒女者，應克體親心，保重身體，不使父母憂慮。

子游問孝，孔子說：「孝順父母，不僅僅在乎養，犬與馬，皆受人所養活。若對父母不尊敬，與犬馬有何不同」！

子夏問孝，孔子說：「要承順父母的意志，表露着歡悅顏色；不僅以酒食奉養，就算盡了孝道。」

孟懿子問孝，孔子說：「不違背禮法。」樊遲請釋其義，孔子答道：「父母在時，要事奉盡禮；死後，又要葬之以禮，祭之以禮。」

孝經一書，乃孔子爲曾子陳孝道而作，凡十八章，以曾參能通孝道，故闡釋無遺。後分爲古文今文之別，皆有改本，惟一爲今日敦倫飭紀的典範。

據上問答，則知孔子論孝，主尊敬而無違，在乎精神，而不在乎物質；在乎內心，而不在乎外表。以孝順爲齊家之本，家齊而後國治，國治而後天下平，治天下以孝，卽孔子一貫之道。

倫常爲我國舊物，千百年下，相傳勿替。卽秦皇之暴，亦不使父子分散，骨肉流離，而破壞固有之家庭。今日毛共統治下之大陸，倫常思想，已被視爲「封建意識」，隨時驅使青年們，以「大義滅親」，把父母作爲清算鬥爭的對象，以冶滅人類倫常思想，摧毀家庭倫常組織，使禮義之邦，而成爲禽獸之域，瞻念前途，曷勝浩歎！

時至今日，欲挽救叔季之人心，惟有把孔子所詳釋的孝義，宣揚於全國甚至世界每一角落，使人人能親其親；長其長，以規復我固有之倫常道德，而達成以孝治天下之本旨。

南宋偏安有人才

李仲侯

先是六年，飛在襄漢，豫兵連衂，其爪牙心腹之將，或擒或叛，屢不自振，然依金人之勢，尙稽顯誅。飛知粘罕主豫，而兀朮常不快於粘罕，可以間而動，是年十月，諜報兀朮欲與豫分兵自淸河來，上令飛激厲將士以備。俄兀朮遣諜者至飛軍，爲邏卒所獲，縛至前，吏請斬之，飛愕視曰：「汝非張斌耶？本吾軍中人也」！引至私室責之曰：「吾嚮者遣汝以蠟書至齊，約誘致四太子而共殺之，汝往不復來。吾繼遣人問齊帝，已許我今年冬以會合寇江爲名，致四太子於淸河矣。然汝所持書竟不至，何背我耶」？諜冀緩死，卽詭服，乃作蠟書與僞齊同謀誅金兀朮事曰：「八月交鋒，我竊力相攀，彼已不疑，江上之約，其遂矣。事濟，宋與齊爲兄弟國」。因謂諜者曰：「汝罪萬死，吾今貸汝，復遣至齊問舉兵期，宜以死報」。刲股納書，厚幣丁寧，戒勿泄。諜唯唯拜辭而去；復召之還，益以幣，重諭之乃遣，至於再三。諜還抵兀朮所，出書示之，兀朮大驚，馳白其主。於是淸河之警不復聞。豫以故得罪，遂見廢奪。劉豫旣失位，飛復上疏謂宜乘廢立之際，擣其不備，長驅以取中原。不報。十二月上又遣江諳至江州，就賜茶藥酒果，及錫燕宣勞，且賜御札嘉獎，札曰：

「比降旨令卿領兵應援淮浙，庶幾王室尊安，中外寧謐。聞卿卽日就道，已屯九江，憫勞跋履之勤，良用嘉歎。今遣江諳賜卿茶藥酒果，及燕犒將士，仍令諭朕委曲之意，卿其悉之。付岳飛」。

紹興八年二月，飛還軍鄂州。飛累請於朝，秦檜難之，令條具曲折。飛歷述利害以聞，不報。乃奏曰：「臣自去冬聞金人廢劉豫，有可乘之機，是以屢貢管見，塵瀆天聽。三月廿六日領樞密院劄子，奉聖旨令臣條具曲折以聞，臣喜而不寐，以爲陛下慨然英斷，將欲興王師，舉大事，以雪積年之恥，故臣輒忘淺陋，周述利害，仰紊睿明，覬或采納。今月初七日臣所差人回，未蒙朝廷處分，伏望早降指揮，俯得兪允。取進止」。

是年四月飛入覲。時金人遣使議和，將歸我河南地，飛入對，上諭之。飛曰：「夷狄不可信，和好不可恃，相臣謀國不臧，恐貽後世譏議」。上默然。宰相秦檜聞而恨之，命諸資善堂見皇太子，退而喜曰：「社稷得人，中興基業，其在此乎」！飛知和不可恃，及還屯，戒備益嚴。已而卒許言和，賜御札報諭，因其戒愼之意，復寓聖訓。札曰：

「朕昨與卿等面議金國和事，今金人已差張通古，蕭哲前來議和，朕以梓宮未還，母兄宗族在遠，夙夜痛心，不免屈意商量。威然皆卿等戮力練兵，國稍振，是致敵人革心，如此。卿等之功，朕豈可忘。若境土未復，自今尤當謹飭邊備，切宜體朕此意，益加訓練兵馬，常作不虞之戒，以圖永久安固。付此親札，想宜知悉。付岳飛」。（八九）

海嶠零談

殘破的故事

諸葛文侯

一、於章程或宣言內，標明反對任何形式之專制，及任何方面之侵略；二、於組織規則或實際辦法上，嚴防共產黨及其同路人之僞裝滲透。此外，對於反攻大陸前，是否應有集中人才，集中力量之總體戰新陣營？對於恢復大陸之善後問題，建設方案應否預定步驟？恢復後之建設方案應否全部擬訂？均有關於今後國家之治亂安危，相兄等素富經綸，必能提供研討。弟原主論事五要：所謂「提得出一結論」，「立得起一方案」，「覓得着關鍵」，「指得出要點」，「握得住核心」。竊願本此以與兄等上下其議論，庶幾賴諸賢之領導，望一的以同尊耳。來函因病稽復，尚希諒察爲荷！弟曾琦再拜

一九五〇，一一，二九。美京

附上弟在美所發表之文字數篇，敬祈諸兄指教。又及。

曾氏此信的意思尚雄壯，但其字迹殊萎頓而散漫，毫無活力表現，可見他此時的病象頗爲深沉。可是，他的言論，對我們很具激勵作用，「自由中國協會」籌備工作，乃更趨積極，只待台灣方面把總會搞妥，卽可正式宣告成立了。詎料事與願違，總會在台灣竟不能設立，原因是遭遇了某種阻力——有人認爲這對執政黨將有不利的影響，深恐本黨許多黨員都參加「自由中國協會」，而對本黨滋離心力，此風決不可長！總會設置的地點既然發生了問題，而大家爲避免世人誤會吾輩要組織新黨，以致諸嘩朋興之故，又不上張把總會設在海外，正在躊躇徬徨的時候，咱們的掛帥人王雲五老，忽然不告而離去香港了。他於臨走的前一天，還邀約全體創立人於次日在餐館宴會，屆時消息傳來，雲老業已匆卒別去，不復重返，大家覺得共中必有不得已的情形，興趣爲之大減；未幾而曾慕韓又以去世聞，其餘諸人亦陸續離開了海隅，剩下少數人，認爲「出師不利」，祇好偃旗息鼓，不彈此調。於是乎，一時熱烈進行的超黨派反共力量團結運動，終歸幻滅了！

毛共在大陸上對所謂「民主人士」的政治組織，故意派遣共黨份子滲透於其間，以期設法控制，夫是之謂「統戰」！咱們的執政黨害怕本黨黨員加入超黨派的反共組織，這除了表示對自己沒有信心外，實在不出正確的理由來解釋。

假使「自由中國協會」當年能成立，總會設在台北，各黨派各界同志，都可隨時局需要，由政府加以指導運用，則今日在海外對政府唱反調的叛亂份子，亦必然減少，殆可斷言。但搞政治是一種高度的藝術，走直線是不行的，執理而不識曲突徙薪之義，焦頭爛額之策，不失策而僨事者，鮮矣！（完）

閒話「廣白」

黃伯遠

可是，土鯪魚已是多骨難吃，而那位官老爺還要吃新鮮的，（指稈仔妹，卽處女）於是，那個蘆主便不得不先此聲明，見面合意，卽須先交人工，以後如何，統不負責。誰知道位佐雜官也很恍爽，他說：「不成事化點錢沒要緊！踢她一腳算了。」那個蘆主也很聰明，歸後，因爲稈字忘記了，提起筆來便把稈作住，在蘆條上大書特書：「某公館老爺僱『住年妹』一名，人要企理夾靚，待遇優厚，合卽交人工三月」。這便是『一腳踢』和『稈年妹』的有本說來。到了後來，他們又把一腳踢訛作包括一切的解釋，於是蘆條上又有「僱用一腳踢」的名詞；那是粗幼都要操作的意思，與近身之原意，相去遠矣。

總之：廣白中，許多造語都是極有意思的。例如上文所述的「人要企理夾靚」，企理二字，人多不甚了解。原來「企理」卽「整齊」。唐太宗說：「以銅爲鑑可以正衣冠」。企理云者，乃是采用此意，說：「要整齊衣服冠履，就將照鏡，要照鏡就得立正而整齊之」。故曰「企」而「理」之也！換句話講，也卽今之所謂「畢挺」也。

又如：「包埋晒」這句術語，也是由蘆人館濫觴而來的。這句話也極鄙鄙獻媚。如所周知，衣服洗後，是要晾乾而晒的；而他却云「包埋晒」，是包在而晒也。這明明暗示乾濕兩可之意。昔在廣州狀元橋，曾見一蘆條，寫來極巧妙，文云：「某公館老爺（姑字乃孤字之寫別）要請一位包埋晒，人工面議，非常之優，年紀三十之下，洗兜肚，裏褲，另行打賞；人要白淨，不落家不要」。讀此可謂詩妙天下矣！故事而出之。（下）

自由報
THE FREE NEWS
第三七九期
社長：雷嘯岑
督印人：黃行常
20, CAUSEWAY RD 3RD FL. HONG KONG
TEL. 771726
每份港幣壹角
台灣分社

評述美國與越南的爭論問題

·雷嘯岑·

號稱爲「越南第一夫人」的吳總統弟媳陳麗春，最近她在歐洲旅行中，陸續發出一些抨擊美國對越南政策的言論，既說美國派有許多文員特工人士在越南興風作浪，好似「江湖客」，又謂駐在越南的美國青年軍官，都是些不負責任的「幸運小兵」。美駐越大使洛奇對於後一說，認爲是莫大的侮辱，已向越南政府提出强烈的抗議。這是自由世界中極其不幸的現象，我們基於不忍使「親者痛，仇者快」的心情，未能默爾而息，要略述一些客觀的見解。

（一）

首先，我們同意洛奇大使的說法，認爲美國的青年軍官在越南與越人併肩作戰，他們冒着生命危險，協助友邦的反共戰爭，不應該蒙受這種近乎殘暴的攻訐。根據咱們中國人長期與美國合作反共的經驗，美國軍人對於反共政策很少過問的。因爲美國的傳統政治制度，軍人必須遵循政略而服務，不能干預政府的政策，自作主張。當年麥克阿瑟將軍在韓戰中鎩羽挫折，使美軍蒙受「紙老虎」的惡名，即源於此。後來繼麥帥而到遠東指揮美軍的高級將領，如克拉克將軍以及其他的中上級軍官們，實際都不贊成華盛頓對於俄共集團的姑息妥協政策，抑鬱寡歡，終於宣告退役了。就是對越南戰役，當年越共進攻奠邊府之際，美國三軍首長雷德福上將亦主張實行武力干涉，嗣以華府當局接受英國的意見，乃搞出了「兩個越南」的日內瓦協定，貽禍至今爲烈。這證明美國軍人一貫具有堅決的反共意志，不致如「越南第一夫人」所指摘的「不負責任」，而有從事於顛覆友邦反共政府的行爲。他們在國外工作時，對於駐在國的政治問題，雖有意見亦不能直接向政府說話的，自難怪洛奇大使指說「越南第一夫人」批評美國軍官的言論爲「殘暴侮辱」了！我們很有理由作出一種假設：如果美國軍人對反共政策可以自作主張，不受國務院約束的話，中、韓兩國的共禍早已消滅無存，東南亞地區更不會弄到今日這樣烽火連天的景況啊！

（二）

其次，我們却同情「越南第一夫人」對美國派在西貢的文員們的評論，認爲幷非無的放矢之談。中國大陸之淪於共黨手中，百分之八十的因素，即是美國一般駐華的文員特工，如外交官及其助手，美軍中的政治顧問、以及一些新聞記者釀成的。試翻閱一下美國務院最近十餘年來發布的「對華外交白皮書」、「中美外交關係」、「美國與遠東外交關係」等新官文書，再看看美參議院關於共諜希斯案的調查報告書，美國最高法院審理「太平洋學會」主持人拉鐵摩爾被控贊助共黨的案卷，即可恍然大悟了。這些駐外的各色文員，憑其幼稚知識與優越感，總是以自已的尺度來衡量別人，樣樣事情要別人做成跟美式生活一模一樣，不能稍異，否則指爲「腐敗低能」，不值得美國援助。却不問別國的文化精神是怎樣的？社會結構如何？經濟生活是在甚麼階段？人民過問政治事項的知識水準又是何等程度？他們最喜歡的政治玩藝，就是教別國多產生反對黨，隨時在政治上鬧黨派鬥爭。又以美共的素質與行爲來看別國的共產黨，要別國組織包括共黨在內的聯合政府，說這樣才是民主生活，不然便係獨裁，即在不配援助之列。二次大戰末期，美國副總統華萊士到中國訪問時，曾質問我政府當局，說是美政府就從來不怕共產黨起而奪取政權，你們爲甚末如此害怕中共呢？華萊士這種觀念，正可以代表美國一般文員特工們的政治知識，當年駐華大使赫爾利將軍之失望失職，魏德邁將軍之不能使華，原因就是受到美國那些駐華文員特工們對中國問題的胡亂見解影響，衆口鑠金，積非勝是，使白宮當局隨着這般人奏出的音樂而跳舞，以致在亞洲演出若干幕的悲劇，現時在越南又有重演之可能呢！陳麗春攻擊美國這些在越南的文員特工，從事於推翻吳廷琰政府的活動，說我們相信并不過問，美國著名報紙——紐約時報——即曾公開提倡用軍事力量以推翻吳廷琰的「家族政府」，假使吳總統不能控制他的軍隊，而駐越的美國軍人亦對政治問題可以隨便干預的話，吳氏早已步着南韓總統李承晚的後塵，黯然被迫去國了。所以，陳麗春這段話，我們相當同情，就是她這次在歐洲發出的全部言論，除却指摘美國駐越南的青年軍官爲「幸運小兵」這一點，不免失態過火而外，覺得她是個頗有才氣的婦女，決非我們平日想像中的人物，殊堪贊佩。看她在國外表現出來的言論知識和風度，雖稱之爲「亞洲第一夫人」，亦無愧色吧？

（三）

今後美國對越南問題的方法，一是撤手不再過問，一是照樣援助到底。甘迺迪總統對前一種已表示不能採用，以免重蹈過去在中國的覆轍，自係明智之舉。美越兩國政府應該携手合作，精誠團結，消除共禍，以保持東南亞方面的和平安全。而現時又發生了此很不愉快的爭論，心理上皆存在着芥蒂，若不先把這種不和諧的氣氛掃除，互相諒解，前途殊難樂觀。中國儒家有句格言：「行有不得，反求諸己」，我們希望美越雙方當局，能檢討一下自身的一切措施是否有失當之處？然後平心靜氣，向着共同目標，而從力以赴。我們就[illegible]方面說，[illegible]

[illegible]自由行動，一開始就[illegible]的悲劇吧？現在不是十七世紀那種以宗教干涉政治的時代了，信教自由成了法定的人權，誰也沒法否定的。越南人和美國人對吳總統的用人行政，會有「家族政權」的批評，我們不甚明瞭越南的政治內幕情形，固不必人云亦云，隨聲附和。但人言可畏，信[illegible]，總希望[illegible]總[illegible]知所[illegible]，而以事實來反證傳說之非。我國儒家所述的「天下爲公」學說，與現代民主政治的義理頗相符合，值得政治家深思明辨而篤行之。

美國希望全世界所有反共的友邦，皆能實行民主政治，這是應該的。可是，民主政治的推進方式，由於各個國家的傳統文化精神與生產力發展程度互異的關係，[illegible]不相侔。例如英、法、西德、瑞士諸國，都是世人所公認的民主國家，但其實施民主政治的方式却與美國不一樣，究竟那種方式爲最好，固未可一概而論，唯一條件是要適合某一國家的實際情況。美國期待一切接受美援的友邦，皆實現美式的民主生活，這就失之偏頗，不[illegible]強人以所難。若因此即批評指摘別國的政府不民主，是腐敗低能的政權，未免太過武斷，而且傷害友邦人民的自尊心，終於引起彼此間的誤會紛爭，影響邦交。這[illegible]是今日一切接受美援的國家，對美國[illegible]常[illegible]示不滿的癥結所在。尤其像越南這種新興之邦，不特文化落後，工業匱乏，嚴格說來，[illegible]現代國家的條件亦尙未具備，要它快馬加鞭地實行美式民主生活，如何可能呢？不可能，即[illegible]言要策動軍事叛變以推翻吳[illegible]政府，無論從任何一方面設想，美國皆難免幼稚浮躁之譏，有損自由世界盟主的光榮身份。美國如不改變這種主觀思想與作風，對越南的反共建國前途，固然不利，即對其他自由國家的領導作用，亦將事半功倍的。

漫畫天下　南施

同人不同命

不堪入耳

自由談

從教師節談起

馬五先生

每年的孔子誕辰，又名「教師節」。是日也，海內外的中國各界人士，照例舉行隆重的紀念儀式，一面稱述孔聖人的嘉言懿行，同時强調尊師重道之義理，洋洋灑灑，說來天花亂墜，娓娓動人，實際是形式主義的玩藝，應酬一堆而已。試看一般教書的先生們，幾曾受到過政府或民間的尊敬呢？尤其是在香港這塊殖民地的社會中，學校多屬以營利爲目的的性質，與賭場酒吧的性質差不多，阿貓阿狗都可以作校長，而一般教師的境況，無論是物質生活也罷，精神生活也罷，不及碼頭上的苦力或工廠裏的勞工遠矣！教書的資格必須政府許冊核許，否則你就是孔夫子復生，亦不能隨便在黌舍講學施教的。學校對待教師的情形，則有如商店老闆對待「打工仔」一樣，隨意頤指氣使，還要加以剝削，取其勞力，根本談不到尊師重道的話，校長聘你教書，乃是他的恩惠啊！

因此之故，我在任何地方皆不願參加所謂教師節的紀念儀式，認爲太無聊了。在海隅瞧着報紙上刊載某些政府官員和社會名流稱贊教師的文告、講演等，更不禁噁心作嘔，而要朗誦兩句「何典」之言曰：「放屁放屁，眞正豈有此理！」

不但是教師節的紀念儀式流於形式主義，殊不足觀，即其他若干特定的節日，亦莫不皆然。如穿着西裝革履，坐在洋樓大廈中的安樂椅上，而大寫其紀念工農節日的文章；安享着「齊人之福」的先生們，走到婦女節的紀念會場中，高呼尊重女權的義理；這都是我們常見的事，并不稀奇。總而言之：一切冠冕堂皇的紀念節，皆成了虛應故事的俗套，對社會人心不發生絲毫作用，年年此日，唱出一段陳腔濫調，跟實際情况背道而馳，豈眞是不作無益之事，難道有涯之生乎？噫嘻！

蘇俄對毛共的又一打擊

（本報特訊）中俄共反目交惡的最主要原因，係俄共拒絕供給毛共以製造原子彈的資料和技術，這是大家都知道的事情。最近由於毛共反對赫魯歇夫的運動愈演愈烈，赫魯亦老羞成怒，對毛共作進一步的報復，終止毛共派在蘇俄學習原子能科學的留學生一律不許回國。毛共曾要求在中俄地區以外的轉幕國家舉行世界共產黨會議，協商共產革命的理論問題，從而使共產一種共同綱領，冀能乘機轉圜，扳回面子。但俄共最初表示無此必要，近日又聲明要在莫斯科舉行這項會議，使毛共處於進退兩難的苦境中，即素來偏和毛共方面的韓、越、阿爾巴尼亞這些共黨，亦有莫適誰從之感。中俄共爭雄鬥法的結果，毛共若不屈服，就只有孤立，消滅之一途了。假使以英國爲首的西方國家與日本，甚於自由世界的共同利害，一致採取反共政策，不與毛共貿易通商，那末，毛共勢將不打而自倒的。

高雄議會調查菓菜市場 查出破綻頗多指責稅處

由外傳義和公司漏稅六千萬引起

（本報記者趙家驊高雄航訊）高雄市議會對外傳義和物產股份有限公司漏稅竟高達六千萬元一案，頗爲驚駭，乃組織了一個菓菜市場調查小組，調查市營菓菜市場的賬目，及營業狀況，發現了許多問題，同時對義和公司漏稅案對稅捐處頗多指責。小組已經過三次會議，調查仍在進行之中。

民營義和公司與市營菓菜市場之糾葛，由來久矣，大私屬於同行是冤家的關係，當然，在市政府方面，是大力支持菓菜市場以打擊義和公司的，諸如令飭警察局取締場外交易，不准義和公司所謂承銷人的設置，市府根據蔬菜批發市場管理規則單行法規取締義和營業等。義和則請示經濟部解釋，獲稱：義和公司專營青菓不受管理規則所限，青菓並非人民生活必需品，義和可以經營等指示，義和據此立定法的腳跟大做買賣，生意日趨興隆；而市屬之菓菜市場，則以拍賣蔬菜爲主，青菓來源逐年減少，今年則根本無人上門。假若市府敢於放胆准義和兼營蔬菜，則菓菜市場不要三天，保證關門大吉。

義和公司此次被檢舉漏稅，可能懷疑係菓菜市場所爲，但菓菜市場却力加否認。雙方對外亦儘量避免談此，意在不使彼此的鈎心鬥角公開表面化。這公營與商營的兩機構是隣居，僅一壁之隔，而兩機構的對面，又設立了一家興亞產物股份有限公司，亦專營青菓，是鼎足三分之勢了。這三家的叫賣聲的高低，決定了高雄市五六十萬市民的經濟生活的高低。不成問題，該三家生意的好壞，可從稽征處稅收知之，但這是就稽征處絕對廉能與公正而言，設若稽征處與三家之一或二沆瀣一氣，上下其手，那情形便兩樣了。且將不僅政府的稅收受到損害，即市民的經濟生活亦將大受影響。市政府方面自應正視此一問題。

據義和公司的經理李永南告記者稱：外傳義和公司漏稅六千多萬元事屬不確，六千萬元是他們四年來的總營業額。他說：事情是以訛傳訛。義和公司目前所繳之稅類有營業稅及印花稅兩種；至營利事業所得稅是否繳納，李經理却未說明。他又說：菓菜市場因係公營事業，他們免繳所得稅，所以菓菜市場是佔了便宜的。他指出：義和公司每天的營業額五六萬元，菓菜市場則幾千元而已。他特別強調民營的義和公司的優點：（一）滙款確實，樹立了信用。（二）人員精幹，以一當十。（三）對貨主服務週到。（四）保管嚴密。（五）領款快速，不致耽誤貨主的時間。（六）代銷貨物以最新的配合技術。（七）用人少，工作密度强等。他說義和公司生意好，就憑了這些優點。

市營菓菜市場方面則表示：自義和公司成立後，該市場即無青菓營業，即或有亦是人家不要的。而特別是今年是完全沒有了。該市場蔬菜每月營業額爲二百四五十萬元；故每年有約近三千萬的總營業額。但市場方面也承認，如准許民營青菓業者兼營蔬菜，菓菜市場必垮無疑。這不啻透出了公民營事業的優劣價值。不過，據市場方面估計：義和公司所經營之青菓如西瓜，進口菓等等，價格高昂於高貴食品，義和公司一年至少有四千萬元的營業額。果如此自義和公司成立至今，四年來的總營業額，應爲一億六千萬元。所以懷疑義和公司有漏稅多少之嫌。另外菓菜市場主任黃英春，還說市場與義和公司之承銷人與收金員之名作用，加以分析：

菓菜市場——承銷人——小販。承銷人向小販收佣金百分之五，每月據此繳納稅金：市場向貨主收管理費百分之五，另外每月底須將承銷人交易金額報稽征處課稅。

義和公司——收金員——小販。義和收金員向貨主收佣金百分之七，其中百分之二給收金員爲獎金。但名義上的收金員的收金，收金員向公司領到百分之一而外，再向小販收佣金百分之五，而不繳稅。

因之，黃英春說：任何拍賣市場沒有承銷人，就無法存在，義和公司不過是以「收金員」代替「承銷人」，事實上收金員就是承銷人的別名而已。所以他對稅捐處表示懷疑，他不明白稅捐處的所謂沒有承銷人就不課稅的道理，究竟何在？因爲事實上收金員就等於承銷人；則有了交易行爲，稅捐處爲不將義和公司之交易資料報處核查呢？同時其他各業如工廠，旅社，館子，稅捐處都派員進駐，爲何獨於義和不派員進駐實地稽查？

但據稅捐處長劉能超告記者：「因爲市政府不給義和承銷人，該處即無法課稅；報到財政廳，廳方說不收，我就不收。」話亦似乎說得有道理，問題是一切是否如此簡單呢？

台省史無前例的舉措
患小兒麻痺症兒童 一面留醫一面受教

（本報記者袁文德屏東航訊）屏東市仁愛國校與基督教會醫院合作，對於在該醫院留醫的二十五名患小兒麻痺症的兒童，設班施教。這在台省史無前例，值得稱道。

該院設在屏東市郊的「基督教會醫院」，專治小兒麻痺病者，多來求診。三年餘經該院治癒出院的已有八十七人。該院目前尚有二十五名患者，預料在短期間難見功效，尚難治癒出院，爲免耽誤他（她）們的求學，乃於八月十八日函請「仁愛國校」協助，請予設班收容施教。仁愛國校當局對此議亦表同情，先曾往見屏東教育科長張進謀陳情，請求增撥經費，俾增班施教。張進謀亦表同情，但以本學年度一切增班及人事，教育經費等，均已奉省府核定，預算亦經編就，臨時增班不可能，幾經研究，准在該校一年級生十班中，每班編入二——三名。及後再經研究，以那二十五名患病兒童目前仍在繼續就醫治療中，一切生活行動，尚須賴護理人員的照顧，如果把他（她）們編列在普通的班級裏，諸多不便，往返磋商之餘，始決定：①由學校負責劃撥二間專用房舍，一間作教室，另一間供作遊戲。②由醫院負責聘請教員一人，負責教課，經費亦由醫院負担。③兒童遊戲器具等物，亦由醫院負責籌購。④在學時間，兒童一切生活行動，仍由醫院派護理人員照顧。⑤所有班級費用，均由醫院負担。⑥教育行政，由學校負責。

這樣的對患小兒麻痺症兒童設班施教之舉，定於十月一日正式開始，學校與醫院當局，固均深感愉快，屏市各界亦樂觀厥成。

汕頭神經病院內幕
名爲病院實爲變相屠殺場
活着進去祇有死掉抬出來

香港與大陸

據最近由汕頭市來港醫病的何老太太向記者透露：大陸陷共以來，由於不停的「政治運動」，許多人都受不了這種精神虐待而致神經失常，中共對那些病者，並不是眞正的給予治療，而是變相的加以毀滅。汕頭市東郊的一家「神經病院」就實際是一間精神病者屠殺場。

何老太太的家是在這所「神經病院」的毗隣，歷年來她親眼看到共幹殘酷地殺害了不計其數的精神病患者，對該病院內幕知道不少。她說：該所「神經病院」方圓五畝左右，是一幢特製的兩層房屋，裏多是些祇能容納一個人的房間。該病院周圍有兩重的鐵絲網，經常由幾個手持木棒的大漢在巡邏着，等閑不得接近那家病院。

何老太太說：汕頭那家「神經病院」可容納五百個病人。病人都是由各地用大卡車運來；每一個病者運來時，都被用麻繩綁縛着，甚而有不少病者口中還被塞滿了碎布，免得在途中反抗或大喊大叫。

病人多係因爲受不了共黨的各種「政治運動」的迫害而成病，這種病要在當他們的病發時便大聲咒罵共產黨和毛澤東可以知之。

何老太太說：那個「精神病院」內有兩個「神經專科醫生」和數十名工作人員，多爲看守人員。「治療」的方法除了注射一些所謂「安靜劑」和給予中醫的「涼藥」外，主要是施用「打到清醒」「餓到清醒」的方法，而美其名曰「治療」。何老太太說：每一個病者在運到該病院時，先從其行爲分爲兩大類：一類屬於「馴良」的，一類屬於「兇暴」的；前者多祇是發發傻笑，動作優痴，後者在病發時則會打人。該病院對付的辦法，前者是注射「安靜劑」，後者却是給予毒打和透餓，因而造成恐怖的氣氛，經常都可聽到哭鬧與慘叫的聲音。

何老太太說：該病院採用此種殘酷「治療」方法，實際是把病者折磨致死而已。今年的三月間，該院運來一批潮州籍的病人，當病者到達該院時，照例是全部工作人員出動，如臨大敵，分別將每一個病者押入小房間內。其時忽然有一個三十餘歲的男病者，掙脫了押縛在手上的麻繩，一面口中大罵共產黨和毛澤東，一面却從地下拾起石塊，不停地向那些「工作人員」擲去，即時搞到秩序大亂，這就觸怒了那些工作人員，竟實行使用粗硬的短木棒向他毒擊，打他倒地之後還繼續的加以毒打，活活的把他打死。

何老太太說：這祇是例子之一，在那病院裏，害死或被打死的病人，實在不計其數。她說，送到那裏的病人，除了變成屍體運出埋葬以外，從未有「病癒出院」的，說它是精神病者的屠殺場，絕不爲過。（敬斯）

義和漏稅甚顯然 稅處則涉嫌包庇

市議會調查小組對義和公司方面，則一致指責義和公司漏稅，並說稅處涉嫌包庇。歸納調查小組質詢稅處的意見計有：（一）菓菜市場每月營業額三百多萬元，義和公司僅一百七十多萬元。菓菜市場以拍賣價格低賤的蔬菜爲主，每月營業額尚有三百多萬元，而義和柔爲拍賣價格高昂的水菓，何以業營額僅一百七十多萬元？顯見義和短報營業額，稅處何以不聞不問？過去稅處發表義和漏稅六十餘萬元，但僅追究其未設帳記簿部份罰金六十元，漏稅却未追究。（二）對義和課稅，係以其佣金收入爲標準，爲何不以營業額爲課稅標準？（三）駐管轄義和之稅務員，五年來未曾調勤；據說該稅務員曾揚言，如予調勤，將攤底牌，因而稅處不敢勤他。究竟怎麼一回事？（四）依法義和不得場外交易，市府十數次令警察局取締，但警局均置之不理。這又是怎麼一回事？

市議會調查小組對菓菜市場方面，則發現問題頗多，其中尤以市場職員冒名承銷，逃漏稅金一項爲最嚴重。小組議員指出：市場爲謀大衆消費者方便，設有現金交易部，凡機關團體、伙食團，或民間喪葬、喜慶宴會，直接向市場採購者，不視爲承銷人，而視爲消費者，均得免繳承銷人應繳的各項稅捐，但有硬性規定，以現金交易爲限，絕不准掛賬。市場職員乃利用職務上的便利，實行冒名承銷，因爲其好處是；（一）免繳承銷人稅捐。（二）拖欠貨款。這一來市稅收便大打折扣矣。據小組查出；市場職員曾濟竹，在本年二月一個月之內，交易五萬元，而貨款却欠至三個月尚未繳清。

記者爲此，曾往訪建設局長黃坤榮，請其就公民營事業的社會價值發表意見：這位留學美國與日本的局長說：（一）在原則上，他認爲官營事業遠不如民營，因爲如果事業開放民營，大家可以競爭，越競爭東西便越便宜，老百姓得到實惠；且由於競爭而不能不進步，社會繁榮在由此而始。（二）公營事業便不然了。黃坤榮並以菓菜市場管理委員的身份對記者說：菓菜市場的主任是有點官僚，場內毛病很多；但他說要改革，亦很困難云云。

本案牽涉廣泛，問題顯見很多，全部水落石出尚有待。但相信祇要認眞查，終歸是可以弄到水落石出的。

國營事業為甚麼會虧損

本報台北記者

據監察院經濟委員會專案調查小組報告說：經濟部所屬十五國營事業單位在五十年度，虧損達五億。這是驚人聽聞的事，值得研究檢討。因此，本文就其中積弊與問題，加以客觀的分析，並提供改革的建議，良以「亡羊補牢，未為晚也」。

現代企業成敗之關鍵在其經營管理是否妥善。比如企業之經營，所擬定之長期計劃是否富於充分的伸縮性以便臨機應變？經營管理者是否動中肯要，明察秋毫？實際業績未能達到預期目標時，是否迅速而嚴密地予以檢討，並且立即採取有效的改善辦法？對經管之業務及方法，是否時常留心於除弊興利？對市場調查工作，是否翔實及徹底？產品之過去、現在及將來之銷售區域有無顯著的變化趨勢，及何以適應其變化？這些都是任何主持企業者不可缺少的條件。

現在就國營事業產銷方面的經營情形予以檢討。監察院調查報告指出：「現代企業經營，無不視產銷計劃為最重要之籌策，而以研究市場，瞭解市場為先務。良以不知市場之需求關係，盲定計劃，盲目生產，則產品必久滯倉庫，營運資金時感短絀，終致整個事業走向失敗。此次調查經濟部所屬國營事業十五單位之經營失當」，諸如「發生產品生產過剩者甚多，如台糖之砂糖，糖蜜；中油之燃料油，噴氣機油，台肥之氰氮化鈣；中煤之淨煤；中紡之棉紗，細布；台鋁之鋁片，鋁錠；台機之各種鑄鋼及其他顯著者」。這就是不瞭解市場消費者的趨勢所致。由此足以證明該等國營事業單位對市場調查工作，並不翔實。但是，「各單位每年開支推銷費用（按：五十一年度為四億餘元），而補於產品之推銷，倘非產銷漫無計劃，即推銷費用為虛糜資金，實應徹底清查」。而因為產銷漫無計劃，所以存貨之鉅，影響資金的營運。

現在，「再以五十年底各單位存貨價值觀之：台糖為三八、九三九、〇八三元，另副產品加工為一六七、九四八、四四七元。台糖減售百分六・三之幅度，約四千四百餘萬元（即淨損失）。中煤為一三、九八三、九五七元。中油一三八、一九〇、七二一元。台鹼七、九八七、〇八四元。台鋁二八、七九五、八九九元。台金電銅為一六二、五八二公噸，硫化鐵為九、九六〇、五二二公噸。台機為一一、五五三、五六八元。台肥各產計五〇、三三三公噸。莫不積壓千百萬乃至數億之資金」。由於生產浪費，耗靡推銷費用，積壓資金，進而使生產成本提高，比如「台糖虎尾等三廠，台電之北部電力，台鋁之鋁片鋁錠，台機之黑鐵皮，台肥三廠之過磷酸硝酸鈣，七廠之硝酸錏鈣，中油之噴氣機油，煤油等，增加幅度較大，產品單位成本之增高，對產銷計劃影響甚鉅」。

財務分析，包括構成企業的信用要素有：管理要素，財務要素，及經濟要素的三種要素。而財務及管理要素，是屬於企業的內部要素，如這三種要素的價值為一百，則財務要素和管理要素的價值，各佔百分四十。所以財務要素在企業經營中，頗為重要。試觀國營事業的財務，都在此標準比率之下而不及格。

據分析：中油公司之各項比率，除應收款項週轉率較標準比率為高外，餘均在標準比率以下，此即顯示該公司財務狀況，不甚良好。其他如台鋁、台鹼、台肥、台糖、台電、中漁、台機、台金等公司的財務狀況，均不健全。依照美國信用專家華爾氏指數法，凡企業所得全部指數在一百分標準以下，或僅差二、三分，其財務狀況，即不得視為良好。（一）

報人普立茲傳

汶津譯

約瑟夫決定籌募一筆錢使這份禮物能帶到美國來。在世界報上他大事報導，並呼籲讀者解囊。集腋成裘，募集十萬元，一八八六年十月廿八日，當自由女神開始在紐約屹立時，普立茲和許多當地的名流和政府官員同在主持的行列中。瞻仰屹立在那兒！美麗的女神，手裏握着自由的火炬。在神像的底座上鐫着希望的詞句：

把你的疲勞，你的貧苦交給我，
也把你同胞對自由的嚮往，
以及你擁擠的涯岸的憂愁和無助，
把那些無家的流浪者交給我，
我在金色的門旁擎起我的光芒。

那神像是法國人設計、建造的。這些文詞是由一位猶太選民愛瑪・拉撒路的手筆；一位匈牙利人，猶太主教的報發行人利用他富有權威性的報紙，呼籲所有不同種族，宗教的美國人分擔這自由神像的費用，當它在那小島上被豎立起來，整個國家的脈搏都為之震顫。它使全人類矚目──自由女神！

當普立茲第一次在聖路易當發行人時，他便下了決心永遠不列任何由於國家、種族和宗教的不同而傷害讀者的文字。世界報也義不容辭的呵斥任何人群團體的倖行。但是其他編者可不像普立茲那樣有心。他們儘可能的利誡些他的畫像，使他看來滑稽可嘆。他們的漫畫家們把普立茲的腦袋畫得比為體大十倍，鼻子又比腦袋大五倍。普立茲是猶太人這件事實，常成為人們攻擊他的口實。他並不在意那些攻擊他個人的文字和漫畫。但這是惟一例外，因為普立茲從沒有在一次挑戰中低頭過。世界報和郵快報的有力言論日漸為人重視；任何做了虧心事的人，都力圖避免讓他們的名字和劣蹟出現在普立茲的報紙上。

第八章

世界報經常和其他紐約報紙戰鬥着。大報的編輯們由於紙然失去輿論界的領導地位，對普立茲懷恨不已。他們仍抱着把世界報逐出報壇的幻想。那些攻擊只不過促成更多普立茲的社論。其中許多次戰鬥都是有關選舉的。

一八八七年普立茲正為紐約市政治的一次重要選舉費力。他日夜不休的演說，寫作，並計劃競選事宜。凱蒂為約瑟夫的缺乏休息而担心。每當她看到她丈夫時，總覺得他身體很糟，而他又神經質得很厲害，聽到一點點消息就會跳起來。

普立茲支持的候選人落選了。世界報的權威依然無恙。但普立茲為此付出太多代價，他犧牲了自己的健康。

一晚柯克力進發行人辦公室。普立茲癱坐着。他高激的頭向下面低垂着。一種微細的叫聲衝出。他把頭向柯克力看，他的老友將永生難忘露在普立茲臉上的痛楚。「我再也不能讀一行了！我什麼也看不見了！」

當天深夜，柯克力到普立茲家，凱蒂和湯瑪士・達維生迎着他。（卅六）

新書介紹

──「邏輯與科學方法」──

段宏俊

邏輯是研究哲學的工具，也是研究一切學問的工具。邏輯Logic的派別非常之多，邏學人之一生，也很難得將它研究得認真的透徹。而且既認為它是一種工具，自然就要求其「實用」的價值。

邏輯又稱方法論，或譯為理則學，論理學等等的其他名詞。但究其實際，邏輯就是邏輯，絕不能因着它譯名的不同，而將內容擴展到圈外去，這是初學邏輯的人首先要把握住的。

邏輯也可說是一門非常枯燥而乏味的學問，再加上邏輯只限於學人間的研討，以及大專學系的必讀，所以它的範圍，可以說是非常的狹窄。

常人在講話或是作事的時候，可能很符合於邏輯的原則，但他並不見得懂邏輯，或是根本沒有讀過邏輯方面的參攷書籍，那是常有的事。

探其原因，不外是，邏輯的中文書籍太少，邏輯書籍的作者，故意把一些令人望而生畏的公式，加上一些似是而非的較人腦汁的「像論」寫在他的書裏，這正是我國邏輯學不發達的主因之一。

宋維青，林如蘭二位教授合著的「邏輯與科學方法」則絕無此弊。學問的評述，貴在深入淺出，不要使人望而生畏，這是宋，林二位教授所著「邏輯與科學方法」一書的成功之處。

宋，林二位教授主講大學有年，並均為留學西班牙之哲學博士，又均係天主教會之大司鐸，因其為教會人士，故而能摒除世人的世俗事物，而專心於學問的探討。這也是本書問世後，厘被採作大專院校必讀課本的原因。就現在已知的，有輔仁大學，靜宜文理學院及世界新聞專科學校等採為教本，足證本書頗適大專院校學生之用。

已故中央研究院院長胡適之博士，在活着的時候，是最注重科學方法的，然而他只提出「拿證據來」的一句名言。假如我們仔細分析一下，那還是不夠的，因為所謂證據，很可能是偽證的，而且詭論的證據，不是三言兩語所能說得明白的，沒有進一步的學術修養，以及方法的訓練，那是難於達到這種目的。

「邏輯與科學方法」一書，都廿一章，詳申方法的意義及其他，書末附百餘種中外參考書目，廿四開本近百頁，可說是已盡邏輯所應探討的一切問題，尤以第十一章的符號邏輯更是言人之所未言，並且因為它是頗為年青的學問，在國內更少有人介紹，就是在一點輪廓，但是不夠的，如上內容的充實，更是本書的新特色。

被目為文化沙漠的今日台灣，我們有幸得目睹本書的出版，的確是學術界的一大喜訊，也是學人的致力報國的唯一最佳途徑。

瘟君續夢

第十回：集會議圖存　天寒日暮　空言難自救　鬼哭神愁

劉少奇講過，施哈諾起身說道：「聽到劉少奇主席的話，感到十分興奮，我在國際上有今天的地位，完全是靠中國朋友的支持，我可以對天發誓，一生跟着毛主席走，眞是有一天由我主持世界元首會議，我一定按照中國的意旨去作，中國朋友有用到我的地方，更是萬死不辭。」

劉少奇聽到此處，先鼓起掌來，整個宴會上响起雷也似的掌聲，歷時幾分鐘不息。

施哈諾又說道：「我常常告訴西方國家的當政人物，他們太不了解中國，他們總以為中國人民不滿意共產黨，其實這是一個大錯，我到各處鄉間訪問，家家都要掛着一張毛主席的像，假若說人民不熱愛毛主席，怎會掛他的像，而且有些還掛在祖宗牌位上面。美國人肯不肯掛甘廼廸的像，英國人肯不肯掛麥米倫的像，兩相比較，就知道誰受人民擁護，誰不受人民擁護了。」筵席上又响起一陣掌聲，劉少奇勾頭看看王光美，她正在抿着嘴笑。

施哈諾頓了一頓，又說道：「西方國家說中國政府獨裁，不民主，簡直是閉着眼造謠，我上次到中國來，經過昆明時，看見人民正在投票選舉，投票率之高，秩序之好，相信讓美國再學一百年都作不到。」

這以來掌聲更加响了，陳毅突然站起來振臂高呼：「東埔寨王國萬歲，施哈諾親王萬歲。」全場一齊隨之高呼。

施哈諾面露微笑，眼含淚水，身子微微有點顫抖，停了半晌，定神又說道：「關於中美之間的衝突，癥結完全在美國強佔了中國的領土，最近美國改選，一旦同中國作對的艾森豪威爾政府已經垮台，民主黨政府即將起而執政，我想不久到華盛頓去一趟，同美國新總統談談，勸美國放棄敵視中國的政策，退出台灣，這樣就可促進世界永久和平，想必中國朋友也歡迎我出作中美之間的調人。」

施哈諾說過，全場又一齊鼓掌，一席宴會就在歡樂中結束。

第二天，毛澤東召見施哈諾，共進午餐。只約了劉少奇、周恩來、鄧小平、陳毅作陪，施哈諾以為毛澤東有重要事情同他商討，所以未帶妃子，單身赴會。

這一餐因為人數很少，菜也只有七八樣，都是北平城內各大館子分別送來的「團結菜」，精緻萬分。

毛澤東看看施哈諾只有一個人，問道：「你的妃子呢？怎麼不一齊來。」

施哈諾說道：「內子被劉主席夫人請去，所以我們就分開了。中國朋友實在好客，每次到北京來，我們都要分開赴宴，不然就應付不來。」

毛澤東笑道：「你為什麼不多帶兩個來呢？」

施哈諾紅着臉只有乾笑。

毛澤東說道：「我們東方的一夫多妻制，實在正確，天地良心說，一個太太眞不夠。」

陳毅說道：「主席的意見永遠正確，本來一把茶壺應該有四把茶杯，才能夠用。」

施哈諾聽了大笑起來。

（二四三）

書盜

黃伯遠

盜賊之為物，為天害理，中外古今，無不有之。而治之之法，有人主嚴，有人主寬，有人認為應該刑禁兼施，亦有人認為非重懲不可。總之，盜賊之所由興，少時家庭教育是第一。古人對于兒女之教養，以「母教」為先，而母教尤注重胎教。今則母教日弛，師道日下，更談不到什麼胎教也。

這裏先說一則故事：清代有積賊某，臨刑日，其母往刑場泣別，某告母曰：兒今永訣矣！願得一親乳，作畢生紀念。母憐之，解襟予之乳，竟合口咬斷乳首！母一痛昏絕。監斬官怒詰某：何故傷母？某曰：兒為小盜時，母若能責之以義，懲之以法（指家法），則我可無今日之結局。惜乎吾母反而鼓勵之，遂罹畢生之恨也！盜既死，其母乃泣述其事云：「初，盜在孩童時，與母立門首，適有賣鱔魚者過，隣舍爭買，賣者應接不暇，盜乘間竊三尾；時天熱，赤膊，僅穿短褲，一時人急計生，乃取一尾，以脊貼于牆壁，餘二尾則分夾兩脅窩下，而垂直其雙手。賣魚者覺單，檢魚，發覺短少，意頗疑之。盜頻吞吐其舌，並裝鬼臉，意示無他。賣者始舍之而去。盜持魚歸，其母詰得盜魚狀，大喜！撫其背曰：『好孩子，勁之！今而後，不愁無米下鍋矣！』嗣後，盜遂以偷竊為業；始而竊，繼而封，終罹法網焉。

據此事，可知人之為盜為賊，其來有漸，而母教之不容忽視，蓋視師道為尤重也！奈何今日之為父母者，其子女也，不是夏楚過嚴，慘無人道，即有溺愛過甚。是皆不可以為訓者。無怪少爺，太保，多如過江之鯽，治安為之不安，社會為之側目，豈無因耶？何況不良電影之海淫海盜，黃色刊物之汗牛充棟，飛仙劍俠小說之誘人入勝，在在皆以流毒肆虐。此一代如是？後一代如何！此門有心人所為長太息者也。

清代江寧有劇盜名魚莞者，少時讀書，輒欺壓同塾生，視同學之有錢者，輒毆打詐索，得錢揮霍，有餘則奉其父母；以故，父母雖知而不能禁也。久之，輟學，從市井無賴遊，學得飛簷走壁術，及所謂少林技擊，遂横行江湖間，渾名「神行少保」，儼然以水滸之「神行太保」戴宗自況也。時江南總督于成龍方涖任，聞魚莞名，大怒，立飭全省提鎮府縣協力捕盜，一夕，于坐簽押室閱案牘，夜已午，役皆倦假寐，忽聞梁間悉悉有聲，于公危坐閱卷，不動；已而，覺有物墜地。（上）

中秋談詩

漁翁

中秋，簡稱為「秋節」，因當三秋之中，故名。周禮載：「中秋，夜迎寒，亦如之」。是中秋之名，已自周朝始。中秋玩月，起於唐代；而以餅賞月，則出於宋朝，盛於明清，而成為一年中最熱鬧的佳節之一。

中秋節的故事繁多，屬於神話者如「嫦娥奔月」，「吳剛伐桂」，「玉兔搗藥」等；屬於幻想者如「唐明皇遊月宮」，「陳後主遊月宮」；取自史實者；即「八月十五殺韃子」之一幕，皆流傳於民間，膾炙於人口。

古之詩人詠中秋者，委實不少，僅此佳節，錄選數首，以作酬節之小品。

韓愈八月十五夜贈張功曹，首云：「纖雲四卷天無河，清風吹空月舒波；沙平水息聲影絕，一杯相屬君當歌」。此寫當夜之情景。末云：「君歌且休聽我歌，我歌今與君殊科。一年明月今宵多，人生由命非由他。有酒不飲奈明何！」際此良宵，誠應縱酒放歌以度佳節也。

杜甫八月十五夜月有云：「轉蓬行地遠，攀桂仰天高」。此乃對月思歸之作。而行地益遠，嚮虛攀桂，望長安而仰天彌高。十六夜玩月：「舊挹金波爽，皆傳玉露秋」。指中秋，言月至中秋而益爽，乃昨宵已抒揭清爽於金波，皆傳此玉露之秋矣。又十七夜對月：「秋月仍圓夜，江邨獨老身」。仍字，照十五夜來，言秋月仍圓，喜其未缺，而江村獨老，不覺淒然矣。中秋賞月，原為八月望夜，而杜老玩月，對月，一連三宵而不厭。

小杜牧之，詠中秋詩：「暮雲收盡溢清寒，銀漢無聲轉玉盤；此生此夜不長好，明年明月何處看？」明月明年何處看？蓋以此生此夜不長好，一年以來，遷轉之地，今年在此，明年在何處看月，又不知在何處見此明月也。好景難逢，良宵祇得隨遇而安，及時行樂而已。王建在十五夜望月，有曰：「今夜月明人盡望，不知秋思落誰家！」同一月也，在天下之悲歡，俗歌所謂：「月兒彎彎照九州，幾家歡樂幾家愁！」不知今夜秋而思者，落在誰家耶？

白居易詩：「三五夜中新月色，二千里外故人心」。季朴詩：「平分秋色一輪滿，長伴雲衢千里明」。皆為中秋而作也。「月到中秋分外明」，因月之有華，出於中秋，以其有團圓象徵，故為人間所重視。

上面各詩家所詠，皆為唐人，是中秋玩月，起於唐而盛於唐也。韓愈當月而放歌，杜甫見月而傷老，季朴，白居易，其他看月而感遷徙，王建望月而惹秋思，其他白居易，季朴，觀月色而心懷千里，由月亮而起情緒者，雖因人不同，而歸納之，不外一「思」字。人生如海上浮萍，飄泊而不得歸宿者，讀古人言，不禁萬感交集！

又據蜀中詩話所載：有高士某中秋對月吟云：「隔籬呼酒來烹芋，又恐隣家索酒錢；不若與妻商榷定，閉門推出月還天」。題為「中秋對月」。因無酒而推月還天，真匪夷所思。世之窮愁者，見月而無所玩，無所賞，不如杜門而不望，免惹愁懷也。

筆者避秦海角，已歷十四寒暑，每逢秋節，見月圓而人不圓，亦有杜門推月還天之想，不有所作，如此良夜何！爰賦二律，藉抒所懷：

火雲過去竹風涼，秋水長天一色蒼；幾度抬頭空望月，低徊搔首暗思鄉。窗前細露殘葉，城上高樓接大荒；海角歡迎佳節屆，我逢佳節倍神傷。

又

平生事業幾成空，又況飄零西復東？縱許容身滄海上，不堪回首故園中！最愛三更月一枕，三秋新凉一扇風；骨肉流離無限恨，鄉心五處古今同！

海嘯樓談薈

診斷日本民族性

諸葛文侯

最近日本首相池田勇人，於核許日本商家以纖維製造廠售給中共偽政權，引起我海內外各界反共人士憤慨抗議之後，又發表侮蔑中華民國的言論。以一個在位的內閣首相，竟對一其具有邦交的隣國，作此極不友好的言行表示，可謂咄咄怪事也已。但若瞭解日本民族性，回顧近百年來他們立國的史事，亦就毫不足奇了。

日本民族性的一般特質，是如我國俗語所謂「窮得富不得，富得窮不得」的先天稟賦，器小而淺薄，毫無泱泱大國民的氣度。在六十餘年前，中日甲午戰役未發生時，日本人不僅視中國為老大哥，其恭維尊崇的程度，且比今日他們對美國的侍奉情形，尤甚倍徙。當時我國派赴日本公幹的使節，多有隨地吐痰的習慣，起坐於日人宅第中潔淨的「塌塌米」之間，痰沫亂濺，失格之至，然日人祇是預遣下女，手持巾布侍立於中國官員身旁，專司抹拭痰沫之役，決不敢表示憎惡的詞色。迨甲午戰役以後，直到盧溝橋「七七事變」發作時，日本既攫得我國鉅額的戰費賠償，又乘第一次世界大戰的機會，大發其戰爭橫財，國力充裕了，首先就瞧不起中國人。例如中國留日學生要想租賃一座「貸間」——日本人把自己住宅分租出去，謂之貸間——即到處見着「支那人免問」的招貼附註，理由是中國人喜歡隨地吐痰，太不衞生了。這是他們對中國人前恭後倨的表現，我在日本讀書的時候，這種氣是受夠了的！

日本在第二次世界大戰失敗，無條件投降的最初幾年間，對咱們中國人表現那種「懦種」的卑怯心情，一時又回復到甲午戰役以前的狀態了。記得民國卅六年冬月，我在上海患牙疾，經朋友介紹，向一個姓菅原的日本牙醫請教時，他對我表現着不勝慚惡的臉色，一語不發，只替我作無痛的拔牙工作，極其細心，手術亦很高明。我當時為安慰他的羞慚心理，會以最親善的口吻，跟他談話，他還是微笑點首而默然無聲，最後問他診金若干，他細聲答道：「隨便」！這時我對日本人的舊有那種厭惡觀念，自動的一掃而空，反而極其同情他們了。降及民國卅九年，中國大陸淪陷，我避地香港，偶遇着日本人，他們還是閃閃躲躲，表示着舊金山和約尚未簽訂的姿態，因為日本在被佔領的亡國生活中啊！和約簽訂後，日本在國際上號稱為「獨立國」了，他們的故態立刻為之復萌，首任駐美大使佐藤榮作，竟聲言國際間處理中國問題，必須尊重日本的意見。我當時會在報紙上肆無忌憚，痛斥其狂妄不自量，教日本人要自愛些。後來佐藤對新聞記者說，他的話被別人誤會了，旨在文過飾非，並無悔悟的意念。（一）

南宋偏安有人才

李仲俠

及朝廷得金人書，歸我河南地，賜御札報諭，歸功於飛，札曰：「今月廿七日，已得大金國書，朕在諒陰中難行吉禮，止是宰執代受。書中無一需索，止是割還河南諸路州，此皆卿等扶危轉顛之效，功有所歸，朕其可忘。尚期飭備，以保全勳。故茲親札，各宜知悉。付岳飛」。飛得詔不樂，謂幕中人曰：「犬羊安得有盟信耶」！紹興九年正月，赦至鄂，飛表謝，仍寓和議未便之意。表曰：「臣岳飛上表言：今月十二日，臣已准奏院遞到赦書一通，臣已即恭率統制統領將佐官屬等望闕宣讀訖。觀時制變，仰聖哲之宏規；善勝不爭，實帝王之妙算。念此艱難之久，姑從和議之宜。睿澤誕敷，輿情胥悅。臣飛誠歡誠忭，頓首頓首。竊以婁敬獻言於漢帝，魏絳發策於晉公，皆盟墨未乾，顧口血猶在。俄駐南牧之馬，旋興北伐之師。蓋夷虜不情，而犬羊無信。莫守金石之約，難充谿壑之求。圖暫安而解倒垂，猶之可也。顧長慮而尊中國，豈其然乎！恭維皇帝陛下，大德有容，神武兼備。體乾之健，行巽之權。務和衆以安民，迺講信而修睦。已漸還於境土，想喜見于威儀。臣幸遇明時，獲觀盛事。身居將閫，功無補於涓埃。口誦詔書，面有慚於軍旅。尚作聰明而過慮，徒懷猶豫而致疑，兼謂無事而請和謀，恐卑辭而益幣者進。臣願定謀於全勝，期收地於兩河。唾手燕雲，終欲復仇而報國。誓心天地，當令稽顙以稱藩。臣無任瞻天望聖，激切屏營之至！謹奉表稱賀以聞。臣誠歡誠忭，頓首頓首。謹言」。同時飛授開府儀同三司，加食邑實封。制曰：「蒐卒乘而繕甲兵，尤謹艱難之日。聽鼓鼙而思將帥，不忘閒暇之時。迺眷爪牙之臣，夙勤驅塲之衛。爰加褒律，丕告治廷。太尉武勝定國軍節度使，充湖北京西路宣撫使兼營田大使，武昌開國公，食邑三千五百戶，食實封一千四百戶岳飛，稟衛有聞，沉勇多算。有岑公之信義，足以威三年。有賈復之威名，足以折千里。臨敵而意氣自若，決策則機智若神。臨陣摧堅，屢致渥征之利。撫劍抵掌，每陳深入之謀。眷彼荊襄，實勳經略。邊鄙不聳，幾鼓而滅烽。流亡還歸，皆投田而占籍。奠茲南紀，隱若長城。屬鄰邦講和之初，念將閫宣勞之久，肆因慶澤，式表高勳。是用進同三事之儀，仍總兩藩之節。衍封多井，增實腴租。以昭名器之崇，以就寵光之渥。於戲！豐報賞，蓋以褒善而勸功。無遠慮深謀，尚思有備而無患。祇若予訓，益壯爾猷。可特授開府儀同三司，依前武勝定國軍節度使，湖北京西路宣撫使兼營田大使，加食邑五百戶，食實封三百戶，主者施行」。（九〇）

金瓶梅的真價值

于維杰

金瓶梅以描寫市井小人見稱，與紅樓夢有同等價值。凡讀過紅樓夢者，不可不一讀金瓶梅。紅樓夢不過了解它；金瓶梅卻非易事，一般淺見者，目之為淫書，實則它正是與寫閨閣相反的一部市井文學。作者對世情，頗極其達；含凡所形容的，或條暢，或幽伏而蓄變幻之情，隨在顯見。清劉廷璣在園雜誌卷二云：「若深切人情世務，無如金瓶梅，真稱奇書。其中家常日用，應酬世務，奸詐貪狡，諸惡皆作，果報照然。而文心細如牛毛繭絲，凡寫一人，始終口吻酷肖到底，掩卷讀之，但道數語，便能默會為何人。結構鋪張，針線縝密，以淫說法，以迷入悟」。可見金瓶梅絕非淫書，並一字不漏，又豈尋常筆墨所可到者哉？吾人不可因其內容涉及猥褻，就目為下流，要知它的真正價值，不寄託在猥褻之上，而且猥褻也只是極小的一部份，當然不能湮沒它整個的價值。

自古至今，描寫社會的小說，無一能及金瓶梅之深刻與廣泛者。自朝廷權奸、貪官、汚吏、土豪、劣紳，以及蕩婦、淫娃、妓女、刁僕、黠婢、幫閒者等，形形色色，大大小小，皆在作者筆下靈活地呈露出來。

金瓶梅自清以來，被列為禁書，以致坊間所印，多割裂刪節，使人不能卒讀。亦可惜已！

THE FREE NEWS
第三八〇期
社長：雷嘯岑
20 CAUSEWAY RD. 3RD FL.
HONG KONG
TEL. 771726
台灣分社

池田這個說客

方南

由於大馬來西亞毅然建立起來，印尼給英國打了一下悶棍，整個東南亞暴露出一個非常複雜的鬥爭新形勢，值得我們用心尋究其中馬跡蛛絲，看清楚各方面的底牌及其半露而未全露的野心。這裡，我要特別着眼在日本首相池田這個角色。

池田對印尼表露出過份的熱心，正在由印尼走到澳洲作說客，表面掛着和平使者的假面具，實際是打着擴展日本經濟勢力的如意算盤，而尤為卑鄙的是，要利用熱心排華的印尼蘇加諾總統去發動馬族邦聯組織，用以排除中國人在東南亞業已根深蒂固的經濟力量，替日本打開「經濟南進」的出路。

當日本在高唱「大東亞共榮圈」時，日本艦隊的侵略箭頭直指澳洲，那時如非美國海空軍在澳洲外圍打了幾次漂亮的勝仗，恐怕太陽旗也會在那一角留下一點點痕跡了。如今是戰後日本首相第一次帶着笑臉去作和平訪問，要做印尼與澳洲的調人，談判那個角落未來的和平大計。那笑臉後面隱藏着什麼？他憑什麼資格挑起這個使命？

池田否認要做印尼與馬來西亞的調人，而事實卻是眞正有意做調人。他自己覺得不好意思去馬來亞，才跑到澳洲去，另由一批議員替他去馬來亞試探空氣。這猶如蘇加諾在東京發動印尼、菲律賓、和馬來亞的三邦聯合運動時一樣，日本當局曾經表示並未在幕後有所活動，同屬「此地無銀三百両」的可笑表現。正因東京曾經是這一運動的聯絡中心，到了馬來西亞毅然建立起來，蘇加諾大失預算，整個印尼的原定計劃受到重大打擊，幾乎下不了台時，池田不出馬是不成了。蘇加諾曾經利用池田，池田也曾經利用蘇加諾，正如狼狽相依，各都有如意算盤，此時蘇加諾四面受困，池田便得硬着頭皮出馬，替蘇加諾說好話，打圓場。但這會有成功的希望麼？

我們不妨這樣說，對於支持大馬來西亞，穩定立國的基礎，對抗印尼的狂暴威脅，英國已重振了當年出兵蘇彝士運河對付埃及納薩的雄風。它假把蘇加諾看作納薩，而事實也是，蘇加諾也在演着納薩的翻版戲。

納薩掛着阿拉伯民族大團結的旗幟，在在都以擴充埃及這個中心力量維持其個人權力，攫取附近幾個阿拉伯國家的油田利益為目標。蘇加諾也是一樣，馬來民族大團結是他苦心想出來的新運動新口號，他的權力慾望還要超過納薩。他吃着印尼油田利益的甜頭，再要垂涎婆羅洲的油田，這個角色的野心和慾望給英國看透了。馬來西亞對英國有三種利益，一可使它較容易掌握原有油田的投資與發展；二可在東南亞出現一個反共的雄厚力量，阻塞共黨南進之路；三可使澳、紐的外圍屏障增加其鞏固性，減少其浮動性。有了這三個大前提做訂立方案的中心，再把印尼的底子盤算清楚，當然有向蘇加諾攤牌的必要了。

英國當年出兵蘇彝士運河的慘敗收場，完全是美國突然抽它後腿所致。現在再不怕有人抽後腿，唯一要考慮的事情就是：當蘇加諾沒法維持面子，萬一被迫垮下去時，印尼會不會被共黨接收，右翼的軍事力量能不能控制局面罷了。這一點，大概英國的決策當局是預先算準了的。印尼正在鬧窮，誰也看得出它內在的嚴重缺點，印尼的軍事武力雖得到蘇俄援濟軍火而具表面的龐大雄壯，但馬來亞是東南亞唯一剿共獲勝的國家，政治與軍事兩方面的作戰經驗遠比印尼為優，輔以英國的支援後，以及澳洲在印尼背後的監視，再加以蘇俄目前不敢在這角落明顯惹事的一個重要因素，英國幹嗎還不放手幹去？

蘇加諾大概是自視太高，給勝利沖昏了頭腦，才會給英國看透了它的弱點，給以不及提防的打擊。那麼，和蘇加諾同謀的池田又如何？他目前是為了和蘇加諾撐台的情機而出馬，有沒有透過英美授意才進行，抑或單獨賣力，收買蘇加諾個人的歡心？撇開美國方面不說，如說他會得到英國同意而有此行，便不該老遠的跑到澳洲去了。難道英國還要勞煩池田遊說澳洲不成！

池田此行的表現是：答應由日本給印尼以經濟及技術援助。他仍不忘情於馬、菲、印尼的高峯會議。他雖未譴責馬來亞，但相當明顯地表示同情印尼。他只訪印尼而不訪馬來亞，同時替印尼向澳洲作和平掮客。他是否竟已發覺英國打向蘇加諾的一棒，事實也已打向他自己頭上來呢？星加坡的排日運動適於此時發生，他會不會認為英國也在幫同給他以麻煩呢？他自以為向大英聯邦之內的澳洲作說客，會對英國有良好的幫助呢？還是給英國以不良刺激呢？我認為這都是值得玩味的事情。

事實上，蘇加諾目前唯一的支持者便是日本。目前大家預料菲律賓將會承認馬來西亞，美國的影響是有決定性的。菲律賓和印尼拆夥以後，池田所能收買的恐怕也只是蘇加諾個人的感情罷了。

日本澈底明瞭了蘇加諾的終極野心麼？日本對於英國與印尼着眼在油田利益的一場糾紛，是不是太早暴露了它的過份熱心？美國對此事的表現是如此持重與遲緩，日本卻願公然插手，是否符合了「度德量力」的原則？

再說下去，日本最近向中共大做生意，以「經濟援助」方式售以整套尼龍工廠，據說是要和英國人競爭，恐怕英國人走先一步。那麼，當它如此熱心於「經濟南進」，不恤支持印尼以阻撓馬來西亞時，難道不怕英國人報復麼？據此，池田跑到澳洲去游說一番，到底為的是什麼？池田這個說客在打什麼主意？

我們應該把日本對中共與對印尼兩宗事情連合一起來看個仔細。池田在向毛澤東與蘇加諾「燒冷灶」。而目前在亞洲呼風喚雨，不停製造戰亂的禍首也正是這兩個人。池田聲稱以經濟及技術援助印尼，同樣的話也可對中共說，只差不敢明目張膽而已。不錯，日本的經濟繁榮是由韓戰當中產生出來的。它要從混亂的局面發財。它正在參加「造亂者」的行列。這種策略與這個眞締正是我們必須牢牢認識的啊！

馬來西亞的建立確是亞洲一件大事，華裔公民在這個新國家佔有很重的份量。中華民國是這個新國家的贊同者，中共是反對者，也是印尼的同情者。日本雖未給馬來西亞以難堪，卻出力替印尼撐腰，其藉口則為維持和平。據說，馬來西亞和中華民國邦交的建立仍有問題，因它仍在把中華民國政府看作「台灣政府」。這裏面包含着一層又一層的矛盾，外交技術的運用以及多邊鬥爭的進行，都在給我們以新的考驗。我們不該徒然罵罵日本便以為盡了本身應有的努力。

漫畫天下

南池

印度　蘇俄

同病相憐

冷戰

一樣冰凍

自由談

名實相乖

馬五先生

一個號稱為「中文大學」的最高學府，學生盡是中國人，教師十分之九以上亦是中國人。但教師講授數理課程，規定須用外國語文，其他的各項學科，除卻中國語文一科或許可用中國的語文傳習而外，大概亦係以洋文為最高標準。試看該校招考一個最低級的事務人員，亦須以「精通英文」為必要條件，即可概見了。

我不反對中國的知識青年學習外國語文，因為這是增進學問知識的工具，卻不能養成現代的中國青年完全寢饋於殖民主義的教育生活中。既名曰「中文大學」，幹嗎一切都要搞成洋化？名者實之賓，似此名實大相逕庭的最高學府，中國人置身於其間，得無自慚形穢之感乎？現代人固然不應該抱着狹隘的國家思想，但民族自尊心必不可拋棄。否則在資本主義社會中，只是個買辦、西崽之流的人物，而在共產主義社會中，即不惜為「無祖國」的英雄好漢，結果是替馬克斯的徒子徒孫作奮鬥，這不是匪夷所思的事嗎？

因此，我對於不願加入「中文大學」的中文書院，頗為讚許。他們的財力雖拮据，設備亦簡陋，但能保持自由講學施教的獨立精神，使一般青年子弟不致數典忘祖，認為月亮亦是外國的好，其功殊不在禹下也。

或許有人以咱們國家且接受外邦的軍經援助，中國人的私立學校為取得外邦的餘財饮濟，而將立場改變一些，又有甚麼不可以呢？我就要敬謹答復道：「閣下這種說法，實係擬於不倫。一個國家接受別國的援助，是基於共同的國策與平等地位，互助合作，共趨一的，并不喪失獨立自主的國格和民族人格。私人辦學，為着貪圖物質生活享受，而不惜抹煞自尊心，率同青年子弟以從事洋化教育，豈可藉口國家接受外援之說，妄自解嘲乎？」

中國舊時的讀書人，昌言「為貧而仕」的道理，表現着一副可憐相，今之學人，亦有此「為貧而教」的作風，甚至於明明是擁護中華民國的自由人，由於「為貧而教」的關係，對雙十節亦不敢表示慶祝的行動，未免太可悲哀了！

貪污之風居然打入學校
高雄市教育烏烟瘴氣
於法無據之代辦費黑幕重重
此風不戢止國家尚有希望乎

（本報記者趙家驊高雄航訊）今日台灣的教育，就量而言，不僅可與美英日諸國并駕，在預算的支出上，且有過之。然就質而論，則遠不如抗戰時期的大後方教育。勿庸諱言，乃是主持教育行政者，受制於行政主管，順我者留，否者去，因此意外的問題隨之發生；雖然「內舉不避親」，可是所舉的泰半不能勝任，例如高市政府教育科長王清波是也。

論教育本來是一件成功不必在我的百年樹人事業，主持人自宜有高遠的理想，清亮的品格，以身示範，如是始可措置裕如而有方。假設主持教育行政者，以教育為手段，以貪墨為目的，則流毒所至，影響的匪淺。高市教育的窳敗於今為甚，古人謂：「上有好者，下必有甚焉」，誠經驗之談也。茲就市立八中與九中為例，八中校長曾建順是由教育督學之名出任；九中校長杜萬才是中教股長外放的，督學之名固非不清高，中教股長掌管全市各中學行政，更屬珍貴；然而彼等却不顧任職教育科，願外放任校長，豈非咄咄怪事？台灣教育界有兩句流言：「小學校長坐十萬，中學校長撈念萬」，不為無因，所謂利之所在，衆皆趨之若鶩也。

代辦費這名堂
僅就皮鞋一項而論
剝削數字亦就可觀

本學期開學後，記者曾深入的採訪成立不久的八中，和新成立的九中，該兩校新生入學所繳學費，雜費，書籍，服裝皮鞋等代辦費，在代辦數量上，以八中的代辦費為多，總計每生應繳一千〇二十七元三角。九中代辦項目較少，但價格奇昂，超過市面價格。

僅就兩校代辦事項中皮鞋一項而論，可以確切了解高市教育界黑暗的一面。市立八中男女新生共廿一班，其中男生十二班，每班五十五人，共六六〇人，男生皮鞋實在的進價，每雙為八十七元，而學校對學生的賣價竟高達一〇五元，換言之每雙皮鞋學校要賺十八元之多。女生九班，每班五十五人，共為四九五人，皮鞋的實在進價為每雙四十八元，而學校對學生的售價為五十八元，每雙皮鞋學校要賺十元。計八中僅代辦皮鞋一項，學校便賺得一萬六千八百三十元。

市立九中男生十五班，每班五十五人，共八二五人，皮鞋每雙實在進價八十七元，學校賣價竟高達一〇八元，每雙皮鞋學校要賺廿一元之多。女生八班，每班為五五人，共四四〇人，皮鞋每雙實在進價四十八元，學校售給學生五十八元，每雙皮鞋亦要賺十元。八中僅代辦皮鞋一項便淨賺二萬一千七百廿五元。

記者將高市初中一年級新生作了一個統計：共六三八〇人。假若皆以八、九中為例，則僅代辦皮鞋一項，學校可獲中飽數字當在十萬元上下。其他各項代辦事項尚不在其列。無怪流言之滿天飛舞也。

鞋廠老板之言
比價合約掩耳盜鈴
秘密價只有你知我

記者訪查得市立八中男女生皮鞋，係在本市建新和新益興兩廠所分做；九中則單獨在新益興定製。據建新廠老闆魯天良告記者稱：「本廠與學校方面的生意不少，若校長親來接洽，最低秘密價格只有校長與我知道。若總務主任來議價，那要看他的意思而定，若他想獨吞好處，把校長丟在一邊，那麼校長方面，我們只送皮鞋一雙。假使無意丟開校長（事實上他恐也不敢），那麼這個最低價格，只有校長、主任和我知道；然後採用比價方式，由我另找兩家估價單，填上不等的價格，那就成了。」魯老闆很激動的說：「老實告訴你，像市立八中、九中其實連假比價都沒有比。」他說：「不過須要兩份合約書，一份是給學校的價格高於秘價的是必要時對外公開用的」。於是他把八中的公開合約書，拿給記者看，男生皮鞋價格為九十二元女生為五十一元。記者要他照樣開了兩張估價單，一張是要校長知道的，價格是男生皮鞋每雙九十元（有裏布），女生皮鞋每雙四十八元，另一張是準備對外公開用的那一張，男生皮鞋九十五元，女生皮鞋每雙五十三元。九中是在新益興定製，皮鞋每雙不會超過八十七元（蓋因其無裏布也），有裏布和無裏布相差三元，女生為四十八元。新益興的老闆楊政達說：「你們的價格與他們不相上下」。楊老闆的母親特別向記者說，八中如何，九中如何，要我相信她的價格與貨色，是童叟無欺的。

學校當局賺錢
學生家長哭泣
政府有責任澈底查辦

現在除本記者外，亦有他人前去採聽內情，該兩校方似已有不安之感，使此二校正在設法向總務和學校合作社推（九中尚未成立合作社）。學校合作社名義上是有理監事人選，其實是校長的御用工具。學校合作社對於教師們根本談不上任何福利。學生繳費單上明明記上繳教職員福利金二元，再搞一個合作社嗎，打着教師福利的招牌，其實中飽的還是校長與總務；合作社的贏利只是在薄本及費上動腦筋，即是非法。

市立中學的學生多屬軍公教子弟，一個學生一次繳學費千餘元，足以使一個家庭破產，他們非標會即借貸，或典當，才能付出。學校雜費年年高漲，軍公教人員可沒有增加，如市府科秘之流的子女，兩個月薪不過一千零，但他要繳學費即籌款，父母子女為繳費而相對哭泣，不知有多少人！然而竟如此其黑幕重重，教育廳應[illegible]（五申）

北市下屆議員暨市長選舉的行情（上）

——本報駐台北記者——

在每屆縣市長改選之前，外界均盛傳：台北市將改為院轄市。台灣省第六屆縣市議員暨縣市長之選舉，將分別於明（五十三）年一月間與四月間舉行，有意逐鹿縣市議員和縣市長者，無論執政黨內黨外人士，早已展開地下活動，執政黨內人士正在全力爭取黨的提名，黨外人士則在民間活動。在全省二十一縣市中，以台北市的各種選舉，最稱激烈，也最為各方所矚目。因此，台北是否改為院轄市，乃為有意問鼎地方議員與市長的人士所最為關心的問題。

事實上，台北市目前並無升格為院轄市的跡象。省主席黃杰曾在行政院新聞局記者招待會上公開的宣佈，說現在省政府並無此打算。但他並未進一步加以解釋。傳說，省政府頗難同意，其理由（一）是台灣省議會於第二屆第四次大會時，曾通過省議員李萬居等提案：「堅決反對台北市升格為院轄市」。（二）從客觀的環境分析，台北市每年度的稅收達二十億左右，也是所有縣市中不需要省政府輔助而且省府還有收益的一個單位，如升格為院轄市，則省方即將失去一筆可觀的財源。基於此，台北將保持現狀，殆無疑問。

台北市不升格為院轄市，亦就是民選市長勢在必行，那麼，有些什麼人出來競選呢？

首先從台北市議會通過五十三年度預算說起。台北市政府的預算，能夠順利通過，有的人說，此乃代市長周百鍊獲得執政黨外議員二十人的全力支持所致。執政黨外議員為什麼支持周百鍊呢？因為他們一致公認：「周百鍊比黃啓瑞有良心」。還有，黃啓瑞任內，執政黨台北市黨部即通知所屬全體黨籍議員，全力支持市政府所編列的預算通過，而黨外議員則總極力從中刪除若干預算。然而市議會在審議今年度的預算時，有關方面的態度，正好恰恰相反。這是很微妙的情勢。

據一位市議員說：前任市長，把市政府總預算編列的「台北市隣里長書報費」項目中二十萬元，作「政治、文化應酬」。像五十一年度，其中有一筆十三萬五千元的預算，就是給某民意代表所辦的「民育以刊」的。但自周百鍊接任以來，類此預算，即用在市政府自己辦的「台北市政」上面，而「台北市政」乃宣傳政令的刊物，免費送給全市隣里長及市議員閱讀的。在議會審查今年度預算時，有關方面發動黨籍議員否決此項預算，但表決的結果，以四十一票對九票通過。因此，有關方面對另一項目「政令宣導」七萬八千元的預算，不得不作幕後妥協，與市府平分。由此可見，執政黨市黨部市議會與市政府之間，所發生的某一些意見不協，蛛絲馬跡，似乎不無來頭。

就因為周百鍊能「同志」議員的力量，已引起有關方面的重視，而提高其在各方面的聲望和地位，也增加其提名為下屆市長的希望和機會。據說正在積極佈置市長選舉了。甚至未來的市議長，據說將由進出口公會理事長現任市議員的林深擔任，而非現任議長。因為現任市議長候祥傳，志在市長而非議長——這可以從他主持的公論報在八月廿八日周百鍊就任兩週年日所發表的一篇長達萬言檢討「周市長」的文字的透露的，可以見之。

大陸青年希望吃飽
毛共居然認做罪行

中共又在大陸掀起「青年應該有什麼樣的幸福觀」的專題討論企圖把物質生活和幸福問題分開，還把那些認為應該吃得較好，穿得較好，住得較好的人，指為濃厚的「資產階級思想」，是一種「罪行」。

據上月初曾回廣州市探親南返抵港的林師奶對記者說：中共在廣州市的許多學校，工廠，企業等單位，又在組織青年進行學習，要求青年明白確認「人生幸福」問題。他們的用意是希望每一個青年不但都要安於大陸的艱苦生活，且還要認為這乃是為「革命事業」而吃的苦，是一種「幸福」。

林師奶說：中共此項政治運動，係鑑於大陸同胞實在太慘了，青年們乃都熱中於追求物質上的享受，青年們嚮往香港和其他自由地區的購買一切食品用品都不需要證明配給，自由自在，相對之下，發覺生活在大陸如同牛馬，祇有奴隸式的勞役，却連維持生命的起碼物質的供應都得不到，因而大家都不滿意，不惜以偷竊、搶劫、「盲流」、偷渡等手段以打破現狀。

林師奶有一位胞弟，任職於廣州市長堤的一間貿易公司，那間公司最近也舉行了是項運動，中共的黨團「領導」要求每一個青年都應該明瞭目前的形勢，宣稱雖然「祖國建設」正突飛猛進，但美帝國主義和國民黨無時不想進攻大陸，同時「修正主義者」正破壞社會主義陣營的團結……所以，目前仍不是「享受」的時候，仍然應該發揚「革命先烈」的艱苦奮鬥精神。又說：大家把物質生活和幸福完全看得不可分，是資產階級享樂主義的「謬論」，而把享樂說成是人的本能，是生理自然現象，則更是「反動論調」云云。因而，有不少的機構還將平日追求吃得較好，穿得較好的青年列為一型，給他們扣上「資產階級」或「反動」的帽子，轉予批判鬥爭。但是，林師奶說：在她胞弟任職的那間貿易公司的青年，對中共指出的那種「幸福觀」，却沒有多少人接受，他們暗中批評說：「[illegible]時期，人們的物質生活水準已大大提高，人民是按照『各盡所能，各取所值』的原則生活着嗎？又有什麼不對？何况我們得不到什麼享受？」又有說：「共產黨人不是常說共產主義要大大地提高嗎？不是要『各盡所能，各取所需』嗎？大家致力於追求物質享受，又算得什麼過份呢？」他們（指共幹）提倡什麼幸福觀；批判享樂主義者，倒不如直截了當地說，我們國家現在正缺乏糧食，缺乏衣服，所以每一個人都不能吃飽穿暖，還要搞白些。」（敬斯）

港私立小學 學生苦不足

【本報訊】香港各私立學校秋季開學已一個多月，[illegible]

國營事業為甚麼會虧損

本報台北記者

誠如監察院所指：「今中油等九單位，除台糖雖達一〇二分强，仍不得視為良好外，（蓋其全部指數中，應收款項週轉率，約佔五分之二强，按理說，糖產以外銷為主，內銷為獨佔經營，應收款項週轉率之高，實所當然。如將此項比率除去，其他幾項比率與標準比率比較，則該公司財務狀況，實大有問題在。）最高者僅七十四分强，最低者竟低至四十分强，其有欠良好至何程度，不言而喻。較好之單位如此，其餘更無論矣。」

所以，國營事業在五十年度虧損達五億元。台糖公司等十五單位當年之「法定預算」為十五億七千五百三十七萬八千七百元，而審定之決算數為十四億五千八百七十四萬六千元，較法定預算數差額為一億一千六百六十三萬二千七百元，即盈餘減少一億多元。

監察院的調查報告，根據政府提供資料，會作了五項不同的分析，來說明各國營事業經營效率低落，致盈餘不達理想。其分析原文如下：

子、假定經濟部所屬十五個公營事業單位改售民營，由民間企業家出資二百二十餘億元購入經營，以現下台灣一般投資報酬率百分一四計算，則至少須有盈餘三十餘億元，方肯投資。

丑、以經濟部所發表之五十年度各單位員工獲利率四八、二三〇元，各單位員工審定總人數五九、四九二人計算應得盈餘為二、八九六、二九九、一六〇元。旋據該部答稱：「油印品原為二萬八千多元，誤為四萬八千多元」。……即令為二萬八千餘元，以五十年度審定員工數計之，其盈餘應為十六億六千餘萬元，該年盈餘十四億五千多萬元，兩數核算，二億餘元不知歸至何處？

寅、若以「尚可」的資本結構而言，百分之五十的淨值，應該為一百十餘億元，（百分之五十的相對基金，亦是世界銀行貸款所要求的標準。）公營事業投資報酬率，因為要提繳公積，所得要比一般投資報酬率為高，約計百分二十，以此計算，其盈餘則應為二十二億餘萬元。

卯、以現在各單位負債過鉅之情況言，其實際淨值為八十七億餘元，若以公營事業投資報酬百分二十計算，其盈餘應為十七億四千萬元。

辰、以五十年度核定之預算盈餘而言，其實際盈餘亦短收一億一千餘萬元。

再就繳庫情形言，在盈餘十四億五千餘萬元中，經核定繳庫者為六億一千萬多元。而國營事業十五單位，其中「反盈為虧，無盈餘繳庫」者，計有：中紡、中煤、聯工、台船五中工等五單位。而台灣金屬礦業公司到五十年底，尚有累積虧損九、八一九、二八七•八〇元，須待以後年度彌補，故無盈餘繳庫。中漁公司審定盈餘數為一、六一九、三六六•七四元，但經核准全部作為彌補以前年度的虧損。

至於繳庫者，計有中油、台鋁、台鹼、台機、標工和台糖，但台糖保留優先股三百萬股股息未繳，帳面尚有應付未付款六十萬元。台電應繳庫之一一九、二二二、二〇〇•七三元，及台肥應繳庫之三四、二七六、〇八九九•七五元，都未繳庫，轉作政府增資。由此可知，各單位應繳庫的盈餘，實際僅為四億五千六百八十四萬多元。

人事問題

用人不當的問題，也是屬於浪費。比如說，辦事的職員，是不是專門才材？員工的待遇，是不是妥當地符合其職務貢獻？每個員工的職權，是不是明確？這些都是重要的問題。

國營事業各單位的員工如何？據調查：審定的職員和工人是五萬九千四百九十二人，而經濟部核定的職工數為五萬四千七百二十六名，但現有職工人數僅五萬二千九百九十二人，其中職員是一萬二千〇四十人，工人為四萬〇九百五十二人，一個職員管理三•四工人。（二）

東西文化論戰可以休矣

金庭西

由胡適之先生一篇「論科學進步帶來社會改革」講演，而引起的轟動社會的東西文化論戰，從開始迄今，已近兩年，初則互以討論問題的態度出之，繼而轉入漫罵形式甚至人身攻擊，終則互控到法院。作戰地盤先是文星雜誌，隨後擴展到其他刊物，參加人物首先祇是胡秋原、鄭學稼、李敖，雜誌負責人蕭孟能、葉明勳等，終於而有更多人士捲入戰團，是其所是而非其所非直至去年十月間，胡秋原、鄭學稼分別向台北地方法院提出控訴，戰況始稍趨緩，而被告文星雜誌蕭孟能，與該刊作者李敖亦相繼提出反訴，因此，雙方便各成為被告，也同時是原告。官司打了十一個月，至九月初地方法院始作判決：雙方有罪，兩敗俱殘，互有誹謗，各處罰錢。除葉明勳，鄭學稼庭諭無罪外，胡秋原，蕭孟能，李敖仍稱將提出上訴，官司尚未了結呢！

胡先生去世後，他的思想非特仍繼續為人們所討論，同時他在南港的墓地，每逢暇日，為仰慕而前往憑弔者絡繹於途，不少還是來至海外甚或外國人士，這現象顯示，胡先生的思想，不僅深深的影響中國社會而已。就胡先生生前所發表的言論言，或是或非，人類有良知良能者自可予判斷，所謂公道自在人心，真理讓時間來攷驗是也。因此，筆者深覺論戰雙方爭執的東西文化問題，無再論戰之必要。世界縮小了，東西文化尤宜互相註釋補充，執一以為是的時代已經過去了。

中國社會近百年來，中西文化的交流，顯示其有自然結合與溶滙性的力量，亦有自然排斥與擇善固執的力量，如有人欲持强迫的方式希圖使之接受或抵制均屬枉費力氣。如此成例甚多，不待枚舉。時代思潮所趨縱英雄豪傑，亦祇能因勢利導，順應其發展而底之於成，逆其勢而期有所得是做不到的事。少數人對於社會某一問題的詮釋可能有益於社會，而對於文化這個籠罩世界的大問題，要固執的認定何者為特別優者、劣者，顯屬多餘之舉。

昔年丁在君與張君勱，互相討論有關中西文化問題，一直未獲致結論。故關於文化的問題，殊難有是非兩分法的意見，但有一值得在此一提之事，即是有關學人對學術討論所應有的態度。因此一問題非特有關個人修養，同時文字語言傳播亦將影響社會之反應（上）

報人普立茲傳

汶津譯

「醫生說他的視力將能恢復，」她告訴柯克力。「他又說約瑟夫曾用一種從沒一個肉身做過的方式來苛待自己。醫生一再叮嚀他必須休息，他必須離開紐約。他再也不能上報館了。」

「我希望他很快好轉，」柯克力說。「我們需要他。一份日報，一份晚報和一份星期報！光靠我們的能力是不夠的。」他停下來，看看凱蒂和達維生的嚴峻的面容。

達維生說話了。「你知道他弄成什麼樣子了嗎？想想看！他來美國的時候只是一個孩子。他不會說英文。在他想要朋友的當兒，卻受盡士兵們的傷害和毆打。他一再的饑餓着，為了食物、友誼和知識。我常想我給他的精神食糧他總要在一天裏面吞食下去。他讀書，他研究。有時為此而廢寢忘食。他的眼睛弄壞了。當他開始做西部郵報的記者，他工作得簡直像一個奴隸。這幾年來他一直如此。人們說他是富翁，他是聰明人。可是很少人知道他的數不清的煩惱和艱苦。那些煩惱足以毀掉許多其他的人。」

「長時期內我都不要他回去工作，約翰。」凱蒂很快的接上去說。

約瑟夫和凱蒂聯袂去到加利福尼亞。可是這次旅行對他無多助益。太强的陽光使他的眼睛痛苦，雖則他的視力已小有恢復。理在，一個新的問題又在困擾他。任何噪音都會使他的神經受不住。對他易於激動的神經系統，一點點聲響就等於强悍的一擊。

他們派回紐約的途中，在聖路易停留了一陣。約瑟夫去看看郵快報。那報紙已經發展得很成功，可是約瑟夫不喜歡聖路易，急於離去。他老是會想起那喧嘩暴奴的人群圍攻他的報社的景象。這是最後一次，約瑟夫拜訪郵快報以及聖路易。

回到紐約，他勉强自己不管世界報。每次去到他的報館，都會使他激動而不舒服。不要說噴雜的聲音，甚至筆尖觸紙的聲息都會使他受不了。

有一陣他希望為世界報造一座新厦。如今，約瑟夫決定買下一片地，開始籌劃建築工事。他選擇的新址是羅公園的老法國旅館那兒。那是好幾年前他當兵時曾去擦皮鞋的地方。他曾在那兒被人攆走，因為他的破舊軍服使出入那兒的旅館的富人們看不順眼。

約瑟夫開始去找一些好醫生，他留下凱蒂和孩子，單身去歐洲。倫敦和巴黎的醫生們給了他相同的回答：他必須離開都市、人群以及可能使他情緒及報紙的地方！那兒去找這樣一個地方？當他回到美國，一個思想在他心中成型。他想，到是否一次海上旅行可以助他一臂？他一向喜歡在平靜的水上渡過，感受那無窮無已的波浪。他記起他在海上旅行時健康情形總勝過往常。他的視力和神經也當會因此而獲得助益吧。

他和凱蒂開始了一次悠緩的旅行，到印度，到中國，到日本在旅途中，他努力使自己忘懷報紙的一切。但那實在很難，報柯克力常寫信到船上來。約瑟夫的秘書為他唸那些海底電報給他聽，並為他回信給世界報。（卅七）

瘟君續夢

第十回：集會議圖存　天寒日暮　空言難自救　鬼哭神愁

毛澤東夾了一塊鴨皮，放在施哈諾面前，說道：「這是全聚德的烤鴨，你到美國是吃不到的。」

施哈諾說道：「我到美國同到北京的心情完全不同，來到北京好似游子回鄉，一草一木都感到親切，去了美國完全是作客，雖然美國總統也很看得起我，每次都留我吃飯。不過，我總覺得隔了一層。」

毛澤東笑道：「你這次到美國見了美國新任總統，告訴他新中國絕對不願與美國為敵。中國人民解放軍更無意進攻美國。所有擴大中美歧見的事，都是現代修正主義份子有意造謠，我真打算同美國開戰，也不會提出嚴重警告兩百次，第三次我就可以動手了。」

施哈諾說道：「主席的善意，美國人自己也知道。」

毛澤東連忙問道：「美國人怎麼說」。

施哈諾說道：「美國人也認為嚴重警告過了四次，就證明這項警告並不嚴重了，也就說明主席實在無意同美國開戰，他們對於警告也就不介意了。」

毛澤東說道：「美國人應該知道感激才是，就不好再到中國沿海騷擾，更應該撤退第七艦隊，把台灣交還中國，這樣遠東全面和平就可以實現了。」

施哈諾說道：「我到美國，一定把主席的意思轉告美國總統。」

毛澤東擺手道：「不必說轉告的話，你到美國就作為我的全權代表，祇要美國人有意同中國和解，任何條件你都可代表中國同他們商談。」

施哈諾頓時又渾身冒汗，無限感激的說道：「主席如此信任，對我實在是一項殊榮，我一定秉承主席的意思去作。絕對對得起主席就是了。」

毛澤東大笑道：「殿下實在痛快，來！乾一杯。」

施哈諾酒醉飯飽之餘，再三道謝辭出。

毛澤東親自送到門首，拉着手說道：「我很希望殿下能每年到中國來一趟，遠東方面的許多問題，應該由你出面主持，中國絕對支持你。」

施哈諾一顆心幾乎跳出腔子來，兩眼角潤濕，一句話也答不出。

隔了一天，劉少奇與施哈諾發表聯合聲明，並簽訂「友好和互不侵犯條約」。還有一連串的經濟、技術援助協定，施哈諾名利雙收，滿懷興奮由陳毅陪同到華南訪問，繞了一個圈子就回國了，臨行時在廣州又贈予陳毅一枚最高大十字勳章，以表謝意。

由於中共與緬甸訂立了邊界條約，緬甸總理宇努邀請周恩來到仰光簽字，因為這是中共政權成立後，第一次同外國制定邊界，緬甸方面更得到了出乎意料之外的好處，對中共代表團預備舉行一次盛大歡迎。周恩來就提出計劃，共組織九個代表團，經毛澤東批准後，代表團正式組成。共計有政府代表團，軍事代表團，文藝代表團，邊界聯合委員會共方代表團，雲南省代表團，佛教代表團，電影代表團，新聞代表團，體育代表團，全部團員共計四百餘人，周恩來之外，陳毅、羅瑞卿、張愛萍均在其中，自一九五七年毛澤東朝俄以來，算是一次最大規模的出動。（二四四）

書盜

黃伯遠

回顧，見一黑衣人立背後；公擱筆，問曰：「汝何爲者」？盜不答，公徐指其頭曰：「取」！盜聞，笑曰：「取公頭，不待公命也！公誠眞心爲國者，焉敢害公？來就死耳！」于曰：「國法有市曹在，請棄而兵器，毋驚衆。」盜曰：「諾！我幾忘知」。遂棄刀就縛。公命酌之酒，畢，親送之轅門照牆下，震礮斬之！曰：「吾不令汝受苦也」！盜一笑就刑。于公命葬其屍，曰：「此盜有膽識，有義氣，惜哉！孰使之至此？父母師友，社會，父母官，都不能辭其責焉」。且，府道縣三司，齊集省轅，公已就縛。魚亮伏法佈告，且高貼轅門矣。余謂：非于公不能致此盜；惜乎，于公能致之，而不能用之也！以視今日之爲盜者，行盜之實，而又不甘坐盜之名，殺人如麻，自視則如瑰寶。盜之爲盜，古與今亦有江河日下之歎矣。

又，某縣有富家，爲子娶婦，婦未娩，已先與一屠者通，婚期將屆，婦懼身已污，恐婦識破被逐，喻之屠者，屠者曰：「第去！我自有策。」而不述所以然。婚日，屠者偽爲新婦之親屬，隨至新郎家，衆不疑；屠者乘間潛入洞房，匿床下。夜闌客散，新郎入房，解衣登床，屠者突出，以刃指其喉，曰：「敢聲，卽殺卻！」言訖，出繩，命婦縛之，然後以絮塞新郎口，縛于床後，偕婦共取樂。天明，以刀穿戶牖鑿孔通飲食便溺；並戒其家人曰：「敢告卽殺新郎！並焚屋同盡。」凡進飲食，屠者皆令新郎先嘗，無他，乃食。家人莫之何也。屠與婦，日夜輪值而睡。官聞，密遣捕役來觀，莫能爲計，如是數日。

縣有猾吏告縣尹曰：「今者，有猾鑽謂能得禽，但須事成後賴其助方肯應命。」縣令允所請，惟猾出，命家人準備傍安，出烈酒佳肴佐饌。是夜，屠者大醉，連番纏綿，他矣！」猾，屠亦疲，隱椿假寐。猾竊曰：「可而先登。」登屋揭瓦入，先奪婦刀，制斷新郎繩索，拔關縱之出。治屠覺，已被不能興；兵擁入，遂雙雙俯首就擒焉。有目覩其人者，謂：婦甚美，新郎亦留秀，而屠者則虬髯麻面，大鼻，不知婦何以愛之，甘以身殉而不惜也！此所謂伯樂相馬，取其肉而舍其外者非耶？然以一縣之官吏士，竟奈何一盜而不得，卒之以盜治盜，計乃出一猾賊下，哀哉！（下）

中秋月

周燕謀

中秋翫始於何時，盞有三說。一以中秋始於周代，所據爲禮記：「天子春朝日，秋夕月；朝日以朝，秋月以夕。」又云：「中春，晝擊土鼓，歡豳雅以逆暑。中秋，夜迎寒，亦如之。」凡國祈年于田祖，歡豳雅，擊土鼓，以樂田畯。」鄭司農曰：「田畯古之先教田者。」照此推藏，在秋收後，祭祀田神，與中秋似而起，一方面又在同日迎寒，一以「晉平公始置中秋」。明人羅頎「物原」云：「晉平公二年，八月十五日夕，會山頂。是夕村人畢集，酒行命食，衆皆欣喜。」一說中秋始於唐代，而亦以唐代以後記載中秋之文獻較多。唐代早期已有中秋賞月之作，如李嶠集有中秋月五絕二首。其次，高宗咸亨元年所作晚秋喜雨詩後，中宗朝侍宴桃園詠桃花源制詩以前（以上均見全唐詩），蓋其時已有中秋之舉。中秋故事，甚爲人們所樂道，如開元天寶遺事云：「蘇頲與李乂對文誥，玄宗顧念之深也，八月十五夜於禁中，直宿諸學士玩月，備文酒之宴。」又云：「玄宗，八月十五夜，與貴妃臨太液池，凭池望月。」其餘如「奇聞說」、「龍城錄」、「漱石閒譚」、「集異記」、「楊太眞外傳」等逸史筆記，載之尤詳。

中秋何以成爲節令？唐人歐陽詹玩月詩序曰：「秋之時，後夏先冬。八月於秋，季始孟終。十五於夜，又月之中。稽於天道則寒暑均，取於月數則蟾兎圓」此所謂「寒暑均」，「蟾兎圓」，甚切合於事理人性。寒暑均者，不冷不熱的天候也；蟾兎圓者，謂月圓是也。

致中秋，爲三秋之中，正是秋高氣爽的季節。古人在此日觀賞月亮，自是份外明亮。按天文學上說，也是不背的道理。但彼時之中秋，似非後代之中秋節，僅爲此日祭祀先農典禮祭神之後，當然應國家歡宴賞月。又祭神難免不流傳出各種神話，此中國如此，中外國亦莫不然。我想中秋在唐代已是有了，但並非後代的中秋節。唐前雖無文獻可徵，而唐代已形成中秋節則無可疑。由於祭祀先農，團圓飲宴，每年習以爲常，久之自然相沿成俗，因此乃逐漸形成中秋節。年代久，則習俗照樣總多。而中於中秋月夕月光份外明亮，月中陰影肉眼可見，於是神話遂由此而生。由於神而化之後，所以各種有關中秋日的故事，便漸漸出籠。如五代時的「拜月」，唐代盛行的夜宴，劉禹錫詩云：「半夜碧雲收，中天素月流；開門邀好客，置酒賞中秋。」宋元明清以迄今的拜月，觀月，賞月，待月，踏月，玩月等種種習俗，神話如「嫦娥奔月」，月中有玉兎蟾蜍，丹桂，桫羅樹等物，唐明皇遊月宮，到過廣寒宮，並參觀過廣寒仙子的「霓裳羽衣舞」之神話，不一而足，膾炙人口。至於中秋月餅，可能是元代以後的事了。茲再分述如下：

浣月：於中秋夜，在月光照射的水中，滌洗汚物，含有祓除邪惡意味。五代畫家繪有「浣月圖」可爲證。

拜月：昔日婦女，尤其名門閨秀，月夕夜設香案，虔誠拜月，祈求月神賜福祇，北京歲華記云：「中秋之夕，人家各置月殿符像，符上兎如人立，陳瓜果於庭，餅中繪月中蟾兎，男女肅拜，且而焚之。」

待月：戲曲中有「西廂記」，便有美人「待月」西廂下，拂牆花影動，疑是玉人來。才子佳人，何等旖旎。

玩月：歐陽詹玩月詩序云：玩月古俗也，謝賦鮑詩，眺之堂前，亮之樓中，皆玩月也。又云：月之爲玩，冬則繁霜大寒，夏則蒸雲大熱，雲蔽月霜侵天，蔽與侵俱害乎玩。又如天寶遺事云：中秋夜，元宗於禁宮直宿諸學士玩月，備文酒之宴。北宋時宴賞中秋，民間爭佔酒樓玩月。

踏月：昔日婦女除於家中賞月之外，餘緒未盡，盛妝出遊，探訪親友，散步，鄂俗名「踏月」，豫俗叫「走月」。吳人曰「走月亮」，無非不忍虛度此佳節良宵也。

嫦娥奔月：此一則古老的神話，搜神記云：「羿請不死之藥於西王母，嫦娥竊之以奔月」。而故事傳說之渲染，更是有聲有色。又云羿因此而射月。

唐明皇遊月宮故事，更使人神往。不過這位風流天子所「看到」的，與今日太空人所見的當然不可同日而語。

海嶠雜談

診斷日本民族性

諸葛文侯

日本人在韓戰期間，發了一筆意外之財——製造軍需品，營大賺美軍在日本的各種消費，經濟生活日漸改善，舊金山和約簽訂後，由被佔領管訓的「俘虜」地位升爲獨立國民的政治生活亦提高了；同時，爲俄共集團攘擾了中國大陸，且以美國爲死敵，美國要利用日本作爲遠東防衛綫的核心堡壘，對日本格外培育揖循。於是乎，日本人趾高氣揚，怕強欺弱的天性又隨時顯露出來了。譬如我在香港見到的日本人，尾，唯恐別人知道他是東洋客；現在呢，他們無論是在茶樓酒館，或在其他的公共場合，大聲說笑，表示善者若無人之概，唯恐別人把他們看成是中國人或朝鮮人了。這情形恰與日本在六十年前藉甲午戰役，勒索了我國鉅額賠款，得以改進經濟生活後，又被英法德各國利用爲防制帝俄的「遠東憲兵」一樣，深合日本人投機取巧，混水摸魚的民族性。他們現時蔑視中華民國和大韓民國，媚視中共政權，實係天性使然，江山易改，本性難移。

然則日本人就是一無可取的民族嗎？那又不然。據我的理解，私人跟他們做朋友，若不涉及國家的利害問題，日本人却能表現一些熱情俠義的氣概，如國父孫公當年從事革命時，即有日本人以生命相助，死而無悔呢！這證明對日人談國民外交，多少還有點效用。日本人的模仿性特別強烈，四十年前，他們還覺自己的人種太矮小，不像個大國民的樣兒，即讓一般婦女們跟中國和西洋籍的高大男子厮混，運用改良馬種的方法以改良人種，任何犧牲，所不惜也。過去日本人對於美國話最不行，口齒混濁，發音難聽，如今由於崇敬美國之故，卅歲以上的日本男女，多數都能說一口流暢的英語了。

日本民族最大的缺點，就是渺小而勢利，如民國十七年國民政府統一全國之際，日本有個梅屋莊吉其人者，帶着自己的女兒來到南京，涕人叙述當年孫中山先生住在他家中的私生活情節，且有他太太一道攝取的照片，又示意要把女兒嫁給顯貴的國民黨人。似此淺薄勢利的言行，別國人是少有的。明乎此，則今天日本人表示瞧不起咱們中華民國的態度，理有固然，夫奚怪哉！今後不談對日外交則已，否則必須教一般懂得日本人情形的人，參預其役，庶幾有珍！（完）

南宋偏安有人才

李仲侯

二月飛奏辭開府，詔不允。詔曰：「具悉，朕永念艱難之日，未酬於戰功。逮茲恢復之時，不忘於武備。爰頒渙寵，用表殊勛。出自朕心，非云濫典。卿疏通而能斷，果毅而有謀。勳載旂常，令行韓漢。眷惟休渥，允洽斯言。何未諒於忱誠，尚或形於謙遜？朕命不易，可無復辭。所辭宜不允。」先是飛辭開府，附有貼黃曰：「臣待罪二府，理有當言，不敢緘默。去虜情姦詐，臣於而對，已嘗奏陳。切惟今日之事，可危而不可安，可憂而不可賀，可以訓兵飭士，謹備不虞，而不可以行賞論功，取笑夷狄。事關國政，不容不陳，初非立異於衆人，實欲盡忠於王室，欲望速行追寢，示四夷以不可測之意。萬一臣冒昧而受，將來虜寇叛盟，則似傷朝廷之體。仍望以此貼黃，留中不出，以全臣節。臣不勝至情，伏乞睿照」。因此四上章辭開府，溫詔獎諭，乃拜。飛益率厲士卒嚴備，以禦旦夕之警，分遣質信材辯者往伺虜情。上方遣齊安郡王士　等謁諸陵，飛自請以輕騎從士　洒掃，其實欲觀敵人之釁，以誅其謀。且上奏言：「北路自靖康以來，以和款我十餘年矣。不悟其姦，受禍至此。今復無事請和，此殆必有肘腋之處，未能攻犯邊境。又劉豫初廢，蕃漢空虛，故詭爲此耳。名以歸我，其實寄之也。臣請量帶輕騎，隨二使祗謁陵寢，因以往觀敵釁。」秦檜知其旨，即奏新復地之初，正須大將撫存軍旅，賜詔褒諭而止。五月士　張燾往西京朝陵，自陳蔡歷汝潁以至京洛，所見父老，宣布天子德意。迨至柏城，披荊棘，斬榛莽，隨宜葺治，展敬成禮而還。

紹興十年，飛跋御書屯田三事。初，飛自紹興四年平襄漢，始興營田之議。六年兼使，七年進大使，至是兵農漸合，耕戰交舉，上慨然有復古之意。賜御書屯田三事，並以詔獎諭之，詔曰：

「朕考觀古昔，斟酌時宜，欲豐軍食之儲，必講屯田之制。故充國經營於金城，而兼得十二便之利。曹操規始於許下，而遂收百萬斛之饒。先積穀以爲耆，乃厲兵而必戰。況今寇戎未靖，征戍方興，將帥之同寅，致士卒之樂附。顧尺所錄之數，日以揜多，而經賦所入之常，歲有定限。固莫不可制，以取給。卿等叶志定謀，欲與田而兵而雜耕，忠體國。率勵衆士，和協一心。勿憚朝夕之勞，共建久長之策。故茲諭示，想宜知悉。」

御書屯田三事：

「曹操嘗苦軍食不足，羽林監穎川棗祗建置屯田，於是以任俊爲典農中郎將，募百姓屯田於許下，得谷百萬斛。郡國例置田官，數年之中，所在積粟，倉廩皆滿。

「諸葛亮與司馬宣王對於渭南，每患糧不繼，分兵屯田爲久駐之基，耕者雜於渭濱居民之間，而百姓安堵，軍無私焉。

「羊祜都督荊州諸軍事，率營兵出鎮南夏，開設庠序，綏懷遠近，甚得江漢之心。吳石城守去襄陽七百餘里，每爲邊害，祜以詭計令吳罷守，於是戍邏減半，分以墾田八百餘頃，大獲其利。祜之始至也，軍無百日之糧，及至季年，有十年之積。」

（九一二）

近人詩選

或執經問『予有亂臣十人』句解，賦此歸之。

·蔡俊光·

誦習精勤亦可兒，問難今得幾經師？幸於異代燔書後，家學猶傳一字碑。

自由報
THE FREE NEWS
第三八一期
港內僑報字第〇三號內銷
中華民國僑務委員會登記
台報新字第三二三號登記
中華郵政台字第一二八二號執照登記為第一類新聞紙類
每週刊每星期三、六出版
每份港幣壹角
台灣零售價新台幣弍元
社長：雷嘯岑
督印人：黃行寬
社址：香港銅鑼灣高士威道二十號四樓
20 CAUSEWAY RD 3RD FL HONG KONG
TEL. 771726　電報掛號：7191
承印者：[illegible]
地址：香港灣仔高士打道一二二號
台灣分社
台北市西寧南路[illegible]號二樓
電話：三〇三四六
台郵劃撥儲金戶九二五二

本報敬啓： 本報為慶祝中華民國五十二年國慶，港澳區隨報附送國旗一面，敬請讀者注意。

歡祝國慶．毋忘國恥

·本報同人·

每一個國家的人民，對於本國的開國紀念日，莫不歡欣鼓舞，熱烈慶祝的，我們亦無例外，恭逢中華民國雙十□這一偉大的建國佳辰，其心情之興奮愉悅，不言而喻，尤其是僑居海外十餘年間，目擊着海外僑胞對雙十節國慶紀念情緒之逐年繼長增高，而使大陸上竊據自娛的偽歡政權所謂「十．一」節的國慶景象，黯然失色，自慚形穢，更□定了我們的愛國心，鼓勵了我們反共救國的戰鬥精神。

（一）

當承平之世，國家民族的生機欣欣向榮，人們在國慶紀念佳節中，相率盡情歡樂，隨興所之，如美國人每逢開國紀念日，雖因及時行樂而致失若干生命，亦所不惜，理固然也。目前我們的國家是處在內憂外患交侵的危難期間，大家應以生於憂患的心境，面對着雙十節，於慶祝之餘，緬懷國難家仇的各種恥辱，知所警惕，深自奮勉，站在自己的崗位上，為國家民族的生存發展前途，明恥教戰，各盡所能，力圖報僻，以期不負先烈締造中華民國的遺志與績業。如果循例歡慶，事過即忘，那便是有忝國民的職責，人生的價值亦蕩然無存了！

我們在雙十佳節中，首先感覺莫大恥辱的事，就是大陸上的共匪□政權於其所謂「國慶」日，竟將中華民國國父孫先生的遺像揭出，且與毛澤東□少奇之流，併列於宣傳刊物上。中共既已把中華民國的國號、國旗和國慶□一律毀棄了，却靦顏，抱着中華民國創造人的遺像，向海內外的中國人招搖□騙，「不知羞」。這對孫先生是公然誣辱，對中國人民是悍然欺侮，是可忍也，孰不可忍？我們如其漠然無動於衷，即可謂「哀莫大於心死」，孫公九原有知，必將□胸頓足，指□我們為不肖的炎□子孫啊！共產黨人素來是以改造、變造□史為玩弄群眾的法術，但對於孫公創造中華民國這項婦孺皆知的史事，亦敢於當面造謠□造，視天下人有如無機動物，而不知人間有羞恥事，我們決不能緘默忽視，且須因此而激增大家維護中華民國的精神和勇氣，才算是有種的國民，才不失慶祝雙十節的崇高意義，更使共產黨人的醜惡面目揭露無餘，與眾共棄。

（二）

中國近百餘年來，不斷地蒙受國際帝國主義者的侵凌殘害，創痛極深，不堪回憶，而以俄國與日本這兩個帝國主義者為害最甚，貽禍至今尤烈。儘管它們由於時代的變遷，國體與政體皆有蛻化更易，然其帝國主義的本質，依然故我，原封保持着。自一九二七年中國國民革命運動底功，統一全國以後，西方列強對中國問題已不若從前的肆行干涉，稍知歛迹了，而俄、日二國危害中國的行為愈演愈烈，漫無止境。

蘇俄繼承沙俄的對華政策，以侵略中國為急務，一面乘中國內亂的機會把共產主義思想輸入中國，暗中培植共產黨，利用外交宣傳與政治魔術，使共產主義在中國發育滋長，從而指揮挾持之；同時又對國際間聲稱「共產主義并非輸出品」，一蘇聯不承認中國有眞正的共產黨，作其侵華政策的煙幕。直至二次大戰結束之際，蘇俄藉着對日宣戰的口實，進軍我東北地區，直接贊助中共構成龐大的武力，在國內到處叛亂，而蘇俄即於中取利，將沙俄時代一度攫得又被日本奪去的我國旅順、大連港，重行掠取到手，且把沙俄時代垂涎經營未獲的外蒙古，亦納入了鐵幕附庸之列。俄羅斯帝國主義的發展狀態，到五十年代中共竊據大陸後，已達到最高峯了。綜觀俄國一貫的對華政策，沙俄與蘇俄一脈相承，並無軒輊，俄國「赤俸」始終是我們的仇敵，只有受恩深重的中共這一小撮無國觀念者，才奉蘇俄為主子，他們現時雖然跟俄帝鬧革命理論之爭，使西方人士眼花撩亂，一心以為鴻溝將至，想中俄共將告分裂成仇，又讓西方國家重溫其□斷中國市場的舊夢，然我們中國人憑其對共產主義本質的深深瞭解，以及跟中俄共長期鬥爭的豐富經驗，認定他們是不能分裂的一□之□，不將他們打倒剷除，中華民國即無和平建設之日。假使英美一般政客要想搞出「兩個中國」，則俄帝很可能再搞出第三第四個中國來，以與英美相抗衡。似此「曹社鬼眾」，唧唧謀「中國」的國際醜惡作劇，不是我們的奇恥大辱嗎？

（三）

談到日本帝國主義者，更令人髮指眦裂，難以容忍。假使它不製造「七．七」事變，掀起中日長期戰爭，摧殘破壞我國的生產力和經濟，又能不在長期戰爭中培育中國共產黨的話，中國的錦繡河山至今安然無恙。日本在二次大戰中失敗了，實行無條件投降，我們對它聲明不採報復主義，且在和約時放棄了賠償我國損失的要求，總算是無負於日本了。然而日本對我們的態度怎樣呢？在我政府未退出大陸時，它尚在被佔領的亡國生活中，即對我國表示着一副陰陽怪氣的面目，并不以友好的戰勝國相待，事證多端，不遑枚舉。迨中共竊據大陸，中華民國政府播遷台灣以後，若不是美國從中斡旋，而中俄共又聯盟以日本為共同敵人，日本根本就不想跟我們簽訂和約的。和約勉強簽立，我們舉守寬大友好的政策，表裏如一，然日本所報答我們的，一面聲言它對「琉球」列島擁有「潛在主權」，一面縱容台灣叛亂分子在東京活動，[illegible]隨時向共匪毛□□□，而進行經濟貿易，[illegible]日本政府是「政治與經濟分開」，又說日本是「防共」不「反共」的國家，[illegible]所謂「承認中共政權并非贊成共產主義」的邪說誣詞，[illegible]

結語

俄國與日本始終是中華民族的大敵人，它們危害中華民國的手法亦無二致，[illegible]

放言無忌，這證明日本帝國主義的本質，并未基於戰敗的教訓而有所變易，也就表示日本人對中國乃是至英美各國的復仇心理很厚，言念及此，我們過去對日本表示着以德報怨的行為，寧不以羞惜填膺嗎？

漫畫天下　南施

偉大的雙十

一觸即發

自由世界的敗徵

馬五先生

美國下屆總統選舉運動，業已開始進行着，英國的國會下議院議員普選事宜，至遲在明年上季時間一定舉辦。兩國的執政黨和在野黨，都要以強調和平，諱言戰爭為爭取選民同情擁護的不二法門，而其要訣即是跟俄帝表示妥協。所以英美一些政客黨棍之流，在從事選舉活動之際，總是設法前往俄國旅行一下，到克里姆林宮謁見赫魯歇夫，談些爾詐我虞、言不由衷的維護世界和平的空話後，回國來即對民眾大言其對人頭，自命為創進和平生活的英雄騎士，旨在以取選票，他非所計也。人類的戰爭行為如果真能永遠消除，則有史以來大小以千數計的各次戰役紀錄，若干關於反戰非攻理論的哲人賢士們的著作，皆沒有一顧的價值了，其誰欺乎？現在英美的政客們，着與俄帝簽訂了局部停止核試條約這回事，沾沾自喜，夸稱為奠定和平基礎的最大成績。實則俄帝聲明如有一國自由進行核子試爆，這條約即歸無效，而美國當局亦宣稱，假使偵知得蘇俄有違約進行試核武器的消息，美國馬上恢復試爆工作。似此情形，能說是消弭戰爭的景象嗎？

俄帝認為用和平鬥爭方式，可以擊滅資本主義社會，這不特在理論上講得通，即在事實上亦具有可能性。因為共產黨視和平與戰爭為一物之兩面，而辯證運用，無所軒輊，而英美人士却視為截然各別的兩回事。共產政權以人類為芻狗，把人民的一切物質生活資料，連同思想活動，統統「國有化」，政府的任何措施，不需顧及民意，要怎樣便怎樣。資本主義國家即不然，人民納稅與服役，皆有一定的限度，超過了便不行，執政者時時刻刻要惦記着爭取選民投票為問題，一是皆以群眾取捨為本。如此這般的和平鬥爭下去，共產社會的人力物力，徹底集中使用，無所牽掛，資本社會却異是，所謂和平競賽的勝敗之數，昭然可見矣。

西方國家的唯一特長，就是憑其優越的工業潛能和科技發展，把戰爭手段，制敵機先，一舉而毀共產社會，勝算是在握的。偏要用其所短，希望在和平鬥爭中獲得勝利，若不謂之幻想，不可得也！

香港與大陸

中共又在廣東沿海不少地區，大規模地進行鎮壓「反革命份子」運動，對象大部份是過去國民黨的軍政人員，投共份子以及地主富農階級，手段極其殘酷。

據前自海豐縣逃抵澳門再轉來香港的黃本×君透露：年餘以來，在海陸豐地區，常出現國軍的游擊隊和地下工作人員的活動，當地大多數人民亦秘密給予支持，有的且參加了此等反共的行列，致共黨政權大受威脅，中共最近乃又在該等地區大規模地進行鎮壓。

黃本×君稱：此次鎮壓的規模頗大，其對象大部份是過去國民黨軍政人員，投共份子和地主富農。黃本×君所屬的公社在一次「鬥爭大會」中，同時被鬥的便有九人，其中五人是過去國民黨軍政人員，一人係曾向共黨「坦白自首」的國民黨特務和三名「地主份子」。

毛共殘酷鎮壓反共份子

怕他們與游擊隊合流

黃君說：這五名前國民黨軍政人員過去也曾被送去「勞改」過的，放回農村後一貫表現「守法」，並沒有做任何反對共產黨的事情，甚至連說一句「壞話」也沒有；那位曾「坦白自首」的特務和三名地主份子，也沒有表現什麼反共的言行，祇不過平日勞動成績較為落後一點。這次共幹卻硬指他們是與國民黨的地下人員有聯絡，要他們「坦白交待」，還使用「土改」期間那些最殘酷的刑罰對付他們，諸如數日數夜的輪流審訊；不停地拷打；不給食物；坐老虎凳；吊「手指公」；跪碎磚……等濫刑。

黃本×君說：其實這些被鬥爭的人，沒有什麼反共的言行的，共黨整鬥他們顯有其不可告人的陰謀：第一是想達到「斬狗腿」的目的。近年多來，廣東沿海地區均曾出現了不少國民黨的游擊隊和地下活動人員，大多數人民暗中給予協助，使中共公安機關的「國防」和「反特」工作加上許多困難。中共於是使用殘酷的手段對付這些「壞份子」，以達到警告人民大眾的目的。第二是「孤立」那些所謂「壞份子」。中共明白，大陸人民幾無一而不反共，但卻無組織，尤其無有領導，所以人民的反共情緒往往祇流於背後「罵話」或消極的怠工而已。留在農村稍為有智識的，正是過去那些國民黨軍政人員和地主份子，中共唯恐廣大的群眾和這些較有智識的「壞份子」結合起來，因而先下手為強，要對那些人作殘酷鬥爭，使群眾不敢接近他們，把他們「孤立」起來。中共認為，如此它的政權便可以無慮被推翻了。（徵斯）

「不要存置林野」引起官司

退役軍人傅伯奎陳情監院

直指台東縣長袒護屬員偽造文書

地院及高分院顛倒是非枉法裁判

（本報記者吳越台北航訊）退役軍人傅伯奎頃向監察院陳情，檢舉台東縣長黃拓榮袒護屬員，偽造文書，以及縣府工商課長楊俊德，依藉權勢，攫奪退役軍人血汗，霸佔國有原野地；台東地方法院，台南高分院，顛倒是非，官官相護，不顧法令，枉法裁判；請求監察院派員徹查，依法糾舉，以正官邪，而維法治。此一陳情書，已為巡察台東花蓮之監察委員丁俊生受理。

據陳情書中所陳述此案的經過原委大致是這樣的：傅伯奎等一批退役軍人，於五十一年十月間，在台東縣卑南鄉利吉村山上，國有的「不要存置林野」地上開墾荒地四甲，期以苦耕，維持生活，事前已曾向鄉公所備文要求過放租土地。詎料土地墾成後，台東縣政府工商課長楊俊德，突出而指稱該地是他所租賃造林，強迫交還。經傅伯奎等查明，楊俊德並無租事實，不甘受愚，拒絕交回。楊俊德遂串通其長官台東縣長黃拓榮，以縣政府名義，偽發楊某申請租地之書面證明，復藉移花接木之法，以他人申請租地之文書移充為楊某申請之文書，法院承辦人員不加深究，一味偏袒，枉法裁判，以致被台東地院判決傅伯奎「為自己不法之利益而竊佔他人之不動產，處有期徒刑二月緩刑二年」，附帶民事判決，土地應交還楊俊德，並賠償新台幣三萬四千六百元。傅伯奎不服，上訴台灣高等法院台南分院，復被改判處有期徒刑六月緩刑二年。傅伯奎不服，正上訴最高法院中。

傅伯奎在呈送監察院之陳情書中說：按公務員不得私人申請租地造林，台灣省森林用地租地造林辦法第四條定有明文，楊俊德為台東縣政府工商課長，自亦不能例外。陳情書指出，「不要存置林野」屬國有財產，由林務局管理，地方政府不過受託代管，租地造林必經林務局核准，依法訂約，始能有效；地方政府並無權核准。楊俊德在台東地院訴訟中，已直承並未與林務局簽訂租地造林契約，僅向台東縣政府有過租地造林之聲請；但台東地院再函向台東縣政府調閱其所謂「會辦簽請租地造林」之聲請書，卻經數月而不得，可知縣府根本無此項文書存卷（楊俊德在台東地院庭訊時曾承認府無此文卷）。台東縣政府為袒護屬員，不惜冒偽造文書之罪，於五十一年一月間通知楊俊德，偽證該府曾於四十五年十月以「四五東府建林字第三四五九號」通知核准楊俊德租用該處造林地二十五公頃，使楊俊德藉此本非事實之通知，矇蔽法院。而在上訴台南高分院時，高分院調閱（四五）東府建林字第三四五九號聲請租造林之文書時，該項聲請者赫然係楊石頭而非楊俊德，顯係假冒矇混，移花接木。

傅伯奎在陳情中認為，楊俊德為公務員，租地造林，依法不許。又省森林用地租地造林之核准與契約之權屬省林務局，台東縣政府無權核准，僅憑楊某之聲請即視為其取得所有權，無論如何是說不通的。何況經調閱卷宗，聲請人是楊石頭而並不是楊俊德，是以楊俊德之訴訟資格即已不合。因此，台東地院台南高分院之判決，均以楊俊德有租賃權，有損害賠償請求權，謂非明辨故，顛倒是非，官官相護，其誰信服！傅伯奎指訴該法院等置法令於不顧，任意枉法裁判，要為民主法治所不許。

北市下屆議員暨市長選舉的行情（下）

——本報駐台北記者——

據說：台灣省政府送請省議會審議的「自治綱要」草案中規定，將原為居民一萬人選出議員一人修改為居民滿兩萬人選出議員一名，其餘數如滿五千人者加選議員一名，改為餘數如滿一萬人者始選一名議員；如果省議會同意如此修改，則台北市議員名額總額，將由現有六十二位市議員，減少六名，即下屆全體市議員應選出者為五十六名。這一修改，對執政黨內而言，將是一大壓力，對黨外人士言，則是一個喜訊。其故安在？

（一）台北市市議員選舉，第一選區（大安、松山、中山三區）是黨內候選人的天下，大部份選民都是外省籍和軍眷，所以執政黨外人士僅佔十分之三的名額；下屆只要保有現有的名額六人，黨外人士即滿足了。

（二）第二選區（雙園、龍山、城中、古亭四區）乃係黨外人士的世界，過去選舉的結果，黨內黨外的當選名額，平分秋色。但明年初的選舉，假如執政黨外人士採取聯合陣線，運用適當，則黨外人士當選者或有領先的希望。

（三）第三選區（大同、延平、建成三區）執政黨雖領先，但當選名額所得選票的總和，和執政黨外當選者所得選票的總和，多不了多少。倘若把選票均分，運用適當的話，極可能打破紀錄。

此外前任市議員李福春，據說將逐鹿下屆市議員，目的是副議長。李福春果真捲土重來，不可忽視其四年來培養精密的潛在力量。

明年市議員的選局，大致如此。

至於市長呢？據說：執政黨當局有意持周百鍊競選的意思，還可以從黃啟瑞涉嫌市民住宅一案，被高院二度宣判無罪後，高檢處檢察官仍提起上訴一案，即知道其幕後的文章，並非那麼單純。不則，周百鍊是無法「代」下去的。周百鍊假如被提名競選下屆市長的話，他對黨外的人士，像郭國基之類的候選人，絕不怕，但據說相當擔心和高玉樹會不會競選。那末，高玉樹會不會競選市長呢？這個問題，在目前是很難推測的，或許他會去持他的朋友競選，或許他會裝模作樣一番，擺個姿態而已。不過，卻有一位「黑馬」，而且也是政治新聞人物存在，他是誰呢？他就是被法院宣判當選有效的省議員李秋遠。李秋遠在八月間，已將戶籍從其原居地——台北縣蘆洲鄉，遷來台北了，據傳，其目的在觀察政治氣候，準備競選下屆台北市長。果真如此，如果執政黨屬的提名周百鍊的話，周百鍊就要碰頭了。因為自從無黨於李秋遠，但是黨外人士與李秋遠有一段政治淵源，將來，如果所有黨外人士力來支持他競選，到那時候，周百鍊要想擊敗他，是得認眞努力才行的。

市議員李賜卿等，曾公開對周百鍊表示：「在道義上，我們是支持你的，在政治的立場言，我們在若干實際行動上，如下屆市長選舉等等，是要考慮的」。由此可知，執政黨外人士，在競選之時，依然會壁壘分明的。當然，周百鍊也有一套他自己的辦法，過去他競選省議員時，就曾得黨外大部份人士的支持，而擊敗對方進入省議會的大門，（按：過去省議員是由縣市議會議員間接選舉的）所以周百鍊常常私下說：「朋友們，我念念不忘的是：萬一屆選民一票的，登高一呼的……」可能是選舉的改觀；市長的政治藝術和做人的態度如何而定了。

以上報導的，是直至現刻為止的政治行情，選舉還有好幾個月，行情會不會變化？如何變化？就不可知了。

我國受日禍害最深

立委主張孤立日本

（本報記者台北航訊）日本以價值二千萬美元的整套人造纖維工廠賣給匪共，池田又發表反對美記者的言論，引起朝野各方深表憤慨。日前立法委員陳顧遠在立法院向行政院提出質詢時，建議抵制日貨，聯合亞洲國家「孤立」日本。

陳顧遠力言中國受日本禍害之深，他說：

（一）帝國主義侵略中國，雖開端於鴉片戰爭，但一八四二年所訂的江寧條約，不過是一個荒島的香港而已，雖損失亦不多，故國際地位，尚未至於動搖。自日本強佔韓國，有意挑起一八九四年的甲午戰爭以後，我們的國勢從此便每況愈下了。馬關條約使我們失去了台灣與澎湖，並賠二萬萬兩。尤其是以後俄德法三國以壓迫日本退還遼東與中國之故，而引起要求報酬，膠州灣，旅大，廣州灣，均變成租借地，全國各省，分成為各國的勢力範圍，內河航權與治外法權，鐵路和航權也通通失去了。至此國遂成了被列強瓜分的形勢。這都是由於甲午中日一戰所引起的。

（二）至於我們年紀較大的人所目擊的，日人無理侵略的惡例，如五三慘案，日人是無理殺害我交涉員蔡公時，炸死我皇姑屯奉總司令，以後以九一八事件，強佔我東北，一二八事件，強佔我上海，成立滿州國，實際即是強佔我東北，以至七七事件，則公開侵略華北，家破人亡，我們受盡離子散之苦，八年抗戰，中國受日本之害的，均係六十年來日本人對我國所造成的……

棄置不用，所為何來

「不要存置林野」應趕快測量劃分

（本報記者吳越台北航訊）本報記者就「不要存置林野」是否可以請領放租一事，向監察院一委員請教，這位委員說：台灣省政府於四十六年曾經規定：「不要存置林野」暫時不得請領放租，須俟測量完畢，劃分出何者為宜林地，宜農地，宜牧地，宜耕地後，始可放租承領。可是這個規定迄今已七年了，雖然民意代表，輿論界決次催促趕快測量劃分，以作適當處理，以免大好土地棄置不用，眞是可惜；但不知何故還是不作測量劃分。因此，不要存置林野到現在還是任何人都不得申請開墾，各級政府也不能核准放租。

這位監察委員又說：不要存置林野經年累月的不測量劃分，而台灣省人口又日漸增加，人民謀生困難，以致迫不得已向山上作無計劃的濫墾，非但國家財產受到無謂損失，且也引起許多官民糾紛。因此，他主張政府應該迅速測劃「不要存置林野」，將能放租的土地儘量放租給人民生產，於國於民，都有好處。

這位監察委員還打一個譬喻，他說：就像都市中的違章建築問題，事先不肯好好實行都市計劃，以致日積月累，等違章建築林立了，才來動手拆除，勞民傷財，造成公私各方的損失。他說：如果因為全省的「不要存置林野」測量劃分工作太大，經費不敷，則不妨一處一處做起，逐漸總會做完的，因為不怕做得少，就怕不做，肯做總比不做好。

日前甫自台東花蓮一帶巡察歸來的監察委員丁俊生告訴記者，退除役官兵在台東花蓮一帶自力墾荒的有六千多人，他們用僅有的一點退役金，在那裏用自己的血汗勞力謀生，艱苦備嘗，這些都是最安份的好國民，最堪人敬佩和同情。丁委員說，這些人開墾的土地還有糾紛，政府應該同情他們，為他們妥當解決，讓他們能安居樂業地生活下去。

國營事業爲甚麼會虧損

本報台北記者

其任用的情形如何？監察院的報告說：「各單位任用的新人，均不經考試機關考試，亦不自行公開考試，經濟部更不加切實監督，任由各單位主管自行任用，或隨意呈報。以會計人員爲例，其主管人員或經濟部主計處，轉行政院主計處核用，其餘人員則均由各單位主管隨意呈報，所謂超然主計，早已多不存在。（中略）至於員工之陞降獎懲，監督考核，亦多未制度化，有能力者反遭淘汰，庸碌之輩，多所倖進，人事制度不健全，實爲國營事業經營不善之最大原因」。

至員工待遇，亦較一般行政機關同級公務員優厚。職員的待遇，最低之助理人員，月支將及一千五百元，最高之工程（管理）師，月支約二千六百元。工人的底薪，自每日三元至十二元，另加生活補助費十三元六角，米代金單身工人月發給三十公斤，有眷屬者月發六十公斤，約四百元。

此外，其一般員工有宿舍配給，供水電費，無宿舍者，有房租津貼。附設小學，子女免費入學，附設醫院或診療所，免費醫療，（眷屬酌收藥費）還有各種獎金，諸如生產獎金，生產超額獎金，全勤獎金，技術津貼。中油及台鋁之快郵獎金，中煤之誤餐獎金，台金之資金生產獎金，入坑費等名目。

各單位的員工福利金，係（一）福利金提取按營業總收入，提撥萬分之十五福利金，不論盈虧而按年照提。其依據則爲各單位：（二）按照慣例所撥之保險醫約等福利金。（三）各單位處理呆料廢料價款下脚之一部。（四）借撥之福利週轉金的利息，在帳面上尚有資產收益贈與撥助等。在十五單位中，除台機、台船、台鋁、標工、中工、台金等六公司，沒有福利週轉金外，其餘九單位的福利週轉金達二二、八〇四、三七二元。而收入福利金中，除中工沒有外，餘十四單位的福利金收入達三千三百十七萬六千九百二十四元。「各單位福利組織之資金，及其收入營運所得，尚未計算在內，其借撥之福利週轉金，在帳面上積壓營運資金，將及三千萬元。且各單位多寡不一，或有或無，亦非平等待遇之道，應即有所改進。至經辦福利人員，各單位均調派若干專人負責，影响正常業務，亦應有所改進」。而員工借支，共計一億三百七十六萬七千九百十三元。其中以台糖最多，員工借支達五千二百十四萬九千九百四十九元，台電次之，計三千〇九十九萬二千四百七十元，中油名列第三，爲一千一百三十三萬五千一百五十六元。

浪費情形

經濟部對國營事業，未能以企業眼光視之，反令担負不必要之負担，影响其經營實績。如「安置將級退除役人員，迄五十年度止，共約一百五十餘人，支出費用約計三百三十餘萬元。國家酬庸勳勞，爲意至善，似應於盈餘項下，另提專款，徵由國庫開支，才爲正着；若由各專業單位負担，不特影响各該事業之績效，且使受者於心難安，亟應改正。清華原子爐試驗研究，爲今日發展科學上必要之措施，政府應對其盡力支持，以期有所成就。……隨價附征之百分三十防衛捐，如仍屬必要，亟應另尋途徑，以免提高各項有關產品成本，影响價格之提高，致碍銷路」。像「石油公司交航商運油，已經按約付出運費，又令其担付停航津貼，實不合理，在石油公司言，實爲一種浪費」。（三）

報人普立茲傳

汶津譯

去印度的途中，船在希臘的一個城市停泊。一個從世界報打來的電報使約瑟夫大驚失色，他陷入狂怒的風暴中。突然他向他的秘書：「怎樣那麼快天黑了？」他的聲音很弱。

「沒有黑啊，」那秘書看着陽光下的海說。

「啊，對我可是了！」

秘書不發一言。他回顧沒有聽到這些字眼。有好一陣普立茲茫然的迷失在一個漆黑的世界裏。一個無光無時空的世界。瞎了！在一剎那之間他還看到過美麗的旅客。他曾看到燦藍色的海，以及岸上亮白的房屋。他跌入一個又黑又可怕又孤單的世界，只有盲人們才了解那種滋味。

「送我回房去，我不要讓人們看到我這樣。」

隨普立茲家人同行的醫生告訴他們他對約瑟夫的眼睛無可奈何。

「普立茲先生必須注意他的神經。他必須不讓自己發怒或悲哀。他必須和任何強烈的活動完全隔絕。」

「我不能在美國生活？」約瑟夫的聲音突然介入。

「趕快去紐約看別的醫生。聽他們的指示。現在我們立刻要回去。」醫生堅持着說。

十月回到紐約。約瑟夫已經四十三歲了。

紐約的醫生們告訴約瑟夫他必須離開他的家人。

「這將使我們怎麼是好呢，約瑟夫。」凱蒂驚惶地說。

他想過了，而且知道他必須面對現實。「那將是你我的長期分手，凱蒂。孩子們需要你。你必須和他們一起住下。他們不能隨我到處跑。他們要上學。——即使我能忍受他們鬧的聲音。我幾乎紊亂了的神經也應該有自己打算。我必須安排適合我的環境，而不再與我自去就環境。我們要修換這屋子的，以免得上傳來的噪音騷擾我。」

凱蒂滿口答應。「這一定要做好的，約瑟夫。」

「我要買一艘遊艇，遠離而去，找一片我需要的清靜地。我會常常回家來的，凱蒂。那時候我們又會在一起了。」

一八九〇年十月十六日，世界報頭版上登出一則啓事：「茲從醫囑，普立茲先生辭去世界報主編之職……」幾天之內，約瑟夫由紐約港啓航，他的新聞界生涯這是他生命中一段特殊旅程的開始。

第九章

普立茲大廈完工了。這建築物的頂尖大部份都鍍了金。這使別的編輯黯然於世界報的成功。報紙的銷路現在已達一天二十五萬份。

當普立茲離開世界報時，他安排能幹的人手像柯克來主持它。普立茲知道怎麼找到最好的編者和作者，可是他不願意他們中的任何一人負起全部報紙的責任。結果是有些人員不能通力合作。同時，他們也沒法確定他們決策是否對世界報最有利的。多少年來他們都在普立茲的指揮下工作；現在他却要他們負責全部報紙的內容。他留下話說，他們儘可能的不要去麻煩他。（卅八）

東西文化論戰可以休矣

金庭西

昔日張君勱與丁在君討論中西文化問題時，僅屬各陳己見，各抒所得，互無詆譭之詞，其風度與作風，深深博得世人讚譽，至今仍爲美談。然而今人之討論問題，動輒磨拳擦掌，面紅耳赤，已經難看了，迨至互相清算歷史，漫罵攻擊，詬及私事，則就與學術也者離題萬丈，徒惹旁人發笑與看不起。

所謂學人，應本個人之誠意，以自己之所見，論衡得失，但謬教青年，貽誤後生。試觀九月六日台灣省各報所刊法院之判決書，所引用文字非但毫無學人氣息，其互相詆譭之程度與出語命詞之刻毒，實不足爲人恭維。如法庭認定李敖之割裂胡秋原之文字，故意歪曲，判決書中有：胡秋原所著「在唐三藏與浮士德之間」一書記述「當時有國際和平運動大會」（即中國之國際反侵略運動），幕後有共產黨鼓動，但不完全是共產黨，王禮錫兄常常和我鼓吹抗日。」但李敖竟割裂其文字，曰：「他又回到英國常常參加幕後有共產黨鼓動的國際和平運動大會」云云。李敖似亦血性男兒也，他筆法鋒厲，向既往歷史裏鑽，清算胡秋原之過去，其見解如何，另作別論，然其割裂他人文字斷章取義之手段，自爲學者所不取。反之，胡秋原欲持個人之年齡、社會地位等等，處處否定青年人之成就，藐視青年人之人格，亦實在太那個了。如判書中：指李敖爲「職業誹謗家，」實屬漫罵之語。寓作投稿爲正當職業，雖文字有誹及胡秋原，儘可循法律途徑以資救濟，但不得以私自報復，尤非其罪責未確定之前所得侮蔑，即令其誹謗罪證至臻明確，且已定讞，亦不得任意渲染辱罵其爲「職業誹謗家」。他如：指李敖爲英文「單字不識」、「職業兇手」、「希旨承風之徒」、「小鷄之伎，無逃衆目」之類，非特文字極不雅馴，在意識上亦就大錯了。胡秋原這等做法即對其本人來說，毋寧是一種損失。

蕭孟能是文星雜誌主持人，辦雜誌刊物，有兩個宗旨：一是銷路，站在商業的立場來說，儘量使雜誌爲社會注目以增加其銷路，當然是生意經；二是傳道，傳自己之道，同時亦傳他人之道，既是園地公開，則大家可以談，除了文字有導致公共安全，或危及國家利益而外，文責自負，即未得到作者許可，不應增刪他人原文，也是編輯人應遵守的法則。是以此次法院之判決，應爲今後辦刊物者建立了一個好例子。

總之，原來是學術文化問題的討論者，到後來已成爲「面子問題，意氣之爭」，發展到此一階段，社會對之，早已索然無味矣。吾人爲愛護雙方，希望彼此從茲偃旗息鼓。（下）

塞外續夢

第十回：集會議圖存　天寒日暮　空言難自救　鬼哭神愁

周恩來一行到了緬甸，宇努政府作了盛大歡迎，緬甸各黨各派即使本來反共的政黨，對周恩來也有好感，因爲他們作夢也想不到劃分邊界竟然討到這麼大的便宜，以維多利亞女王時代的英國，對內憂外患、朝不保夕的滿清政府，尚未能取得的土地，中共却慷慨予以割讓，大出任何緬甸人意料之外，宇努更逢人盛讚周「總理」夠朋友，手頭真大方。

中共與緬甸的劃界條約，就在緬甸總統府簽署，緬甸總統宇溫貌在簽字後，也向周恩來道謝。

宇溫貌說道：「關於滇緬邊界的爭執，已經達到半個世紀，英國人同滿清政府爭執了幾十年沒有結果，再同國民黨政府爭，還是爭不回來，祇有共產黨統治下的中國，才有這種雅量，一舉就解決了幾十年的懸案，我們對周總理的政治家手度，實在欽佩的很。」

周恩來致答詞說道：「我們中國有句古話：遠親不如近鄰。所以我們對於鄰國一向是尊重的，任何一個與我們有領土爭執的國家，祇要誠心願同中國解決邊界問題，舉行會談，中國都打算讓步，一定會使鄰邦感到滿足。」

周恩來說到這裏，特別向印度駐緬大使瞟了一眼。

協定簽署之後，中共各個代表團紛紛展開活動，由副總參謀長張愛萍、昆明軍區司令秦基偉領導的軍事代表團與緬甸陸軍參謀長尼溫，副參謀長昂季舉行會談，中共「副國防部長」兼「總參謀長」羅瑞卿也出席參加，會議上就討論到滇緬未定界游擊隊的問題。

羅瑞卿說道：「在邊界留守的游擊隊，過去倚仗未定界作爲護符，現在已經劃定邊界，可以明確知道游擊隊盤據地區是屬於那一方面，在中國境內的游擊隊，中國自行進剿，在緬甸境內的，如若緬甸政府兵力不敷分配，中國也願意派出部隊協助。」

尼溫說道：「我們對於羅將軍的好意十分感激，不過，以緬甸現有兵力去對付華籍游擊隊尚可應付，不勞中國派兵，祇要中國部隊在邊界上嚴密戒備，不使他們流竄到中國境內就成了。」

張愛萍說道：「現有的游擊隊都是當地人，有了十幾年的戰鬥經驗，實力也不可輕視，我的意思最好雙方配合作戰，設立一個聯合指揮部，至於指揮官人選，應當由緬甸軍長官担任，因爲戰爭將是在緬甸境內進行。」

尼溫這時不好再推辭，雙方議定由昂季准將担任進攻緬北游擊隊的指揮官，秦基偉任副指揮官，由緬北軍區司令山友上校任前敵總指揮，中共也撥出一個師交由山友指揮，向游擊隊基地進攻。游擊隊方面根據地在滇緬交界處的猛帕寮，另外一個重要據點肯裳，這一帶山高林密，蠻荒絕壑，大部地區都是太古以來人跡所不到之地，遍佈毒虫猛獸，不宜人居，游擊健兒斬荊棘，闢草萊，招撫流亡，自成天地，在當地辦有四所中學，十幾所小學，還有一所心理作戰學校，行政組織和國內相同，仍然是鄉保甲，人民不分種族，合成一個社會，儼然是第二台灣。（二四五）

中原父老望旌旗

漁翁

民國紀元前一年十月十日，由武昌起義，得十七省之響應，一鼓而推翻滿清專政，成立了中華民國，一屈指計之，忽忽五十又二年矣。

湖北省會之武昌，居我國中心地區，一旦有事，爲兵家所必爭。革命同人所組織之「共進會」與「文學社」，專爲推翻滿清而設，在辛亥八月三日，即陽曆九月二十四日，經召開聯合會議，決定仿效朱元璋「八月十五殺韃子」之故事，於辛亥中秋之夜，高舉義旗。不料是日下午二時，南湖炮隊因細故暴動，清吏戒嚴，乃臨時延期十天，擇定八月二十五日之「有日」舉行。

迨同月十八日，又因共進會領導人孫武在俄租界寶善里配製炸彈失慎，清吏搜獲大批文告，及黨人名冊，按址搜捕，[illegible]於是夜間搜捕，情勢危急，乃迫不及待，即[illegible]營排長熊秉坤領導第一[illegible]，全營響應，先攻「楚望台」軍械庫，[illegible]張彪，[illegible]推爲[illegible]

[illegible]十節」之所由來也。

[illegible]中秋之夜[illegible]，亦必延至二十五日之「有日」[illegible]

[illegible]主中華，計二百六十八年，歷順治，康熙，雍正，乾隆，嘉慶，道光，咸豐，同治，光緒，宣統，十主，在滿清末而有「十主」之[illegible]，若註定滿清朝僅十主而移者，[illegible]以「雙十」去[illegible]「十」，如破竹，殆亦天運使然！

民國建立之後，始而有世凱之改元洪憲帝制，[illegible]割據擁兵，[illegible]抗戰，又[illegible]五十二年來，人民陷於水深火熱中，[illegible]今日在[illegible]爲[illegible]王師早日[illegible]，而[illegible]以迎，中華民國於[illegible]治之域也。

遙望海角，十四年矣，欣逢國慶，萬感交集，[illegible]如次：

橫五[illegible]家園遠[illegible]悲歌馬，中原父老望旌旗；遺民盡在胡塵裏，悵望登[illegible]早晉！

訴衷情（上）

建人

媽媽：

好久沒跟您通信了，想來您原諒我的。有一件事情，總乎正像您以前預言的那樣，果然發生了。我得向您報告。

記得去年寒假，您曾跟我談過關於青年男女的事情，[illegible]

[illegible]道您不會怪我的。不錯，[illegible]

[illegible]的整整兩小時，[illegible]想着這回事，我[illegible]他們絕交，決定和那[illegible]學絕交。散場出[illegible]，我在電影街蹓[illegible]下，心情倒不[illegible]一點。心想：人[illegible]然同世俗屈服了[illegible]自己應該更堅定[illegible]。於是步履輕快[illegible]回學校。

可是，當我走到[illegible]冷僻的小街時，[illegible]到一聲呼哨，[illegible]那時快，三輪[illegible]迎面而出，並佔[illegible]了不同的角度。[illegible]，三名太保！[illegible]了，站在面前，[illegible]的說：「你還記[illegible]怎麼樣了？」[illegible]知道還句話[illegible]想不到的效力[illegible]

勇氣也大。[illegible]其事，似乎一點也看不出「流氓氣」的樣子。（真不好意思的向他多看一眼——）[illegible]心目中的[illegible]大異，[illegible]寫他的「樣子」——，媽媽您自己去想吧。）於是，情不自禁[illegible]

天[illegible]得那是怎麼回事！——那知道他的眼光也正望着我，那一接觸，唉，媽媽，您可不准笑——也許我說：那是「脈脈含情」的一瞥呢！喃，就算是他自作多情吧，反正是天曉得。不過最重要的是：他不等其他幾位同伴有任何動作的時候，立刻把車往旁邊一讓，放了我一條路。於是，我不假思索的，拔腿就跑。後面沒有人追來，只是隨風傳來一陣激劇的口角聲。

不知道你有沒有[illegible]那種經驗，反正那晚上我是失眠了，那位同學和她的男友，還有那位「太保」：：在我的腦子裏不停的盤旋。結果「他」的影子最佔優勢。唉，這是說也奇怪的事！難道就是所謂的「奇[illegible]」？

南宋偏安有人才

李仲侯

[illegible]曰：「臣聞先正司馬光有言，德勝才謂之君子，才勝德謂之小人。論人者能審於才德之分，則無失人矣。[illegible]諸葛亮[illegible]羊祜[illegible]二子有意於功名，而志弗克伸，惜哉！[illegible]

所不滿焉。[illegible]

[illegible]

[illegible]分兵下諸郡。於是東京留守[illegible]等皆以城降，西京留[illegible]利用棄城走，河南州縣皆降。撒離喝入同州，趙永興軍，權知軍事[illegible]遠開門納之。[illegible]西州郡，所至迎降，遂進據鳳翔。詔諸路大將各竭力以圖大計，詔曰：

「昨者金人許歸河南諸路及還梓宮母兄。朕念爲人子弟，當伸孝悌之事；爲人父母，當興拯救之時；是以不憚屈己，連遣信使，卒表[illegible]，禮意備厚。[illegible]未盡復故疆，已有[illegible]綏至五十萬。所遣信使，有被拘留，有遭拒卻，皆忍恥不問，相繼再遣。不謂設爲[illegible]計，方[illegible]使人，便復興兵。今河南百姓，休息未久，又遭侵擾，[illegible]然[illegible]，何以爲懷。仰諸路大帥，各竭[illegible]力，以圖國家大計，以慰[illegible]不忘本朝之心，以副朕委[illegible]之意」。金人敗盟，報至行在，乃降此詔。（九二）

點盜

諸葛文侯

愚友現任中華民國[illegible]大使[illegible]（君建），於美國哥倫比亞大學畢業後，攜其美國籍夫人同至本國，[illegible]於北京民國大學，任教務長，爲愚與君論交之始，此民國十四年事也。

越歲，國民革命軍自廣州出師北伐，旋奠都金陵。政府中心南移寧滬，[illegible]，亦至上海。此時君殊[illegible]困之，然美籍夫人不慣中國人住亭子間、粗茶淡飯的生活，起居飲食，必[illegible]西化。君卜居[illegible]租界大馬路[illegible]一豪華公寓中，表面[illegible]然高等[illegible]人氣派，實際隨[illegible]典當或借[illegible]度日。我在[illegible]職國民革命[illegible]，嗣入國府[illegible]之後，[illegible]參事，常至滬上漫游，至必訪君，[illegible]暢談就業問題，友誼極親密也。民國十八年秋間某日午後三時，[illegible]在[illegible]所接得外來電話，自[illegible]姓，邁從南京來滬，帶有[illegible]其面交[illegible]的私函一件，詢問今晚何時得暇，俾便趨訪。君以爲必係[illegible]所寄的重要書信，[illegible]於夜間九時來見。

屆時，一衣服整飭的壯年人蒞止，君不相識，即問是否南京來客，對曰然，乃請其入座，[illegible]以茶[illegible]。君之[illegible]人則避入[illegible]室內。[illegible]而君索[illegible]人所帶函件，[illegible]從懷中取出一布包，徐徐展開，作取信狀，[illegible]密者。最後只見[illegible]旁，[illegible]有一柄犀利的電刀，在一手持刀，一手緊執[illegible]，厲色言道：「實來向先生借[illegible]數百元，以[illegible]急，望[illegible]相助而已！否則血流五步，同歸於盡而已！」君知遇盜，[illegible]告以窮乏之生活實況，且[illegible]搜索其全身，除當票一疊外，別無長物，即可證明。又以鎮靜氣色語曰：「請坐下，我們慢慢談，沒有關係」。暴客以刀抵君頸間，兩人併坐交涉，指君住此豪華公寓，決非窮人之子，室中必藏有珠寶首飾。君謂此係[illegible]外國太太的生活習慣，有苦難言，若有首飾，焉用典當西裝大衣爲哉？[illegible]以身藏當票示之。君於時[illegible]色[illegible]，盜[illegible]稍解，不復以[illegible]刃相向，[illegible]上，但[illegible]來之，未肯空手而去。君[illegible]以「[illegible]身上實在不名一錢，[illegible]有無少許現金可[illegible]以[illegible]」起身從門後[illegible]下[illegible]，[illegible]道：「門後地[illegible]下，[illegible]你休想[illegible]它！」君原[illegible]乘機[illegible]當面坐下，[illegible]又被盜[illegible]破，只好和[illegible]坐下，[illegible]「沒有錢，實對不起！」是時保太太在臥室內，頻聞[illegible]人與來客[illegible]錢詞句，殊[illegible]人，即出至[illegible]探，英語[illegible]君：「[illegible]事發，巳經十點多！」盜[illegible]急言「無[illegible]就不必結仇，請你陪我下樓去！」[illegible]該公寓樓梯口即有一[illegible]捕守衛也。君無奈，[illegible]盜[illegible]門出，[illegible]盜與君併肩而行，[illegible]利亦不敢[illegible]，[illegible]過巡捕前，君[illegible]心，倍示親[illegible]，盜則大聲笑語，[illegible]其揚長下樓，巡捕[illegible]漫不經意。事後，[illegible]知吾[illegible]兩人深交，[illegible]不解[illegible]室門後地板上裝有[illegible]，可謂[illegible]盜也矣！

四書諧聯

荔園老農

中國聖經以「四書」[illegible]之而無[illegible]。不僅文以載道，更可資爲[illegible]文中之[illegible]品。如吾[illegible]厚黑學大師李宗吾先生取之以爲[illegible]經十二條，[illegible]諧謔，令人捧腹。以四書中名句爲聯語，[illegible]詞者，更是不勝列舉。茲[illegible]四書句[illegible]聯數則，以博一笑。

[illegible]在[illegible]見[illegible]報[illegible]論[illegible]有人[illegible]一聯云：「彼丈夫也，[illegible]居卑，父不父；有婦人焉，用下[illegible]上，親其親。」可謂[illegible]而又[illegible]也。

明[illegible]牧齋降清後，有人[illegible]一[illegible]杖，牧齋取論語[illegible]作銘曰：「用之則行，舍之則藏，唯我與爾有是乎」？刻之杖上。不料杖不久遺失。爲時約一年，突有人將其所失之杖[illegible]還原主，牧齋大喜，但見其銘已加三句，成一對聯，其文云：「危而不扶，顛而不持，則將焉用彼相矣！」錢[illegible]則爲之不[illegible]者累月。

又如「居簡而行簡；孰柯以伐柯」。「異哉子[illegible]疑；[illegible]矣[illegible]成括」。「望望然而去之；[illegible]焉吾行也」。「是命也，非遠也；[illegible]來之，則安之」。「未有小人而仁者也；然則[illegible]子何聖矣乎？」[illegible]皆[illegible]味[illegible]生。讀者如有興[illegible]，不妨欣賞一下論語，或者有更佳之句亦未可知。

內政部台報字第〇三壹號內銷證

自由報

THE FREE NEWS

第三八二期

社長：雷嘯岑

督印人：黃行富

社址：香港銅鑼灣高士威道二十號四樓

20 CAUSEWAY RD 3RD FL. HONG KONG

TEL. 771726

台灣分社

每份港幣壹角

欣聞「經合會」成立有感

·姚志成·

行政院於八月卅一日頒佈命令將美援運用委員會改組為行政院「國際經濟合作發展委員會」，將原有之行政院「國際開發協會借款償債基金保管委員會」「經濟部工礦計劃聯繫組」「經濟部農業計劃聯繫組」及「交通部運輸計劃聯繫組」各單位，自同日起裁撤併入該會，除了主任委員和副主任委員外，還有十三位委員，將有關各部會首長、金融實業機構主持人、及省行政首長一併列入。簡化機構，實現經濟一元化，而將各有關部門首長網羅於一堂，可謂創舉也矣。第二次大戰後，各國元氣大喪，經濟蕭條，而新興國家多屬生產落後，亟待開發，美國根據馬歇爾計劃，予以經濟支援，其用意至為良善。我政府轉移台灣後，自亦需要友邦援助，惟應本於合作發展經濟之立場，及國父主張借用外資外才以發展中國實業之指示，接受美援，方不失我立場和國際地位。因此，將美援運用委員會改組正名為「國際經濟合作發展委員會」，乃富有積極的意義，允屬明智的措施。

（一）

在該會正式成立之日，行政院院長兼該會主任委員陳辭修先生特以「針對經濟現局展開新的努力」為題，發表談話，對於展開新局面提示六點，我以為其中最基本的是「注重民生經濟，促進自力更生」這兩點。關於前者，他說：「一般以為目前社會風氣不理想，而有亂世用重典的倡議，其實此非治本之道，必須積極從事生產建設，使人人有工做，從而自然轉移風氣。」關於後者，他說：「我們固然希望美援協助我們加速經濟發展，但却不容存長期依賴之心，應迅速謀求自立之道」。

我國以三民主義為建國最高指導原則，而建國之首要在民生，因此我國自然是實行民生主義經濟政策，其理甚明。蔣總統昭示我們：「深信沒有安定的民生，則健全的民主憲政無由實現」。要實行民生主義經濟政策，必須「平均地權」「節制資本」，在「平均地權」方面，已做到「耕者有其田」「三七五減租」，使土地改革有輝煌的成就，至得國際上之讚譽，於「節制資本」方面則尚未做到。蓋節制私人資本，發展國家資本，可是我國因受自由競爭浪潮之侵襲，使一般特權階級和商人都想用自由競爭來發財，營利，甚至互相勾結來營利，以致私人資本漫無限制，肆行投機取巧，而陷經濟於無政府狀態，弊害叢生。此次改組經合會能注重民生經濟，不獨符合國策，且對於人民和社會均有莫大之福利，從而展開新局面。其次談到自力更生問題，此在十三年前已有政府當局人士呼籲過，可是至今仍在呼籲之中，其原因要不是過去依賴外援的心理太濃厚，就是過去經濟機構雖未發生功效，此兩者當以前者佔的成分最多，因為依賴外援就未加緊自力更生，所有經濟機構都想分沾一點，還談什麼發展經濟？現在美國政府贈與性的援助將減少甚至結束，促成了我們的警覺，政府下了最大的決心，將經濟機構改組，希望今後確能適應經濟之發展，在短短數年內能表現自立成長的實績，何勝企幸！

（二）

經濟發展離不了資本與技術兩個要素，過去我們靠美援和外國技術人才，現在走向自力更生之途，就要在這兩方面多想辦法。關於國內投資或利用農村剩餘資金（據報載本年起全省農村大約有新台幣五億至六億元的剩餘資金）外，就是促進國外（包括僑資）投資。過去外人不願到台灣投資，其原因為：（1）法令太多而且朝令夕改；（2）關於建立廠房，請領執照，困難甚多，而且建廠工作需時甚久，負担加重；（3）對於投入的資金及其利潤欲向外滙出，倍感困難。因此我們要促進外來投資，必須針對上述三點加以改進：（1）由經合會明確訂立便利國外投資法，切實執行，不可隨便變更；（2）要簡化建廠領照手續，並由經合會儘速協助不妨碍我國經濟發展之外人設廠工作；（3）對於外人投資外滙，由經合會訂出優惠條欵。至於技術方面，我國的人才並不落後，最近數年來我們對越、泰、菲律賓、及非洲都有技術輸出，例如對越南，起初只有糖業和紡織二項，後來却擴充到數十個項目，目前我國對非洲各國農業技術援助，日益有成，非洲且派人來我國受訓，由此可知我國工業技術在東南亞非各國中，實居先進地位，日本在工業技術上雖強於我，但在農業上還比不上我們。現在我們在工業技術方面的成品如機品零件等，仍大多仰給於日本、西德和美國，今後我們要謀經濟發展，爭取國際市場，必須在工業技術方面加緊努力，以求品質達到國際最高水準，我們要根據經濟建設的需要，有計劃的訓練並儲備技術人才及工商管理人才，並在經合會內設立研究機構，多多延聘專家從事研究。

（三）

因為我國工業技術尚不如高度工業國家，所以引起有些國家要在中國設廠，利用她們高度的工業技術，雄厚的資本，中國廉價的原料與勞工者，利用中國人的錢，或利用專利權向本省傾銷貨品，一度鬧得滿城風雨的日本「味之素」商標專利權，與「味精」素味精專利案，差一點把台灣的味精工廠弄得關門大吉，今年日本田邊製葯株式會社在台中建立了規模最大的田邊製藥工廠，引起了本省製藥業激烈反對，還有日本永森公司，違約把規定外銷的牛奶糖大量在本省傾銷，相當嚴重的威脅了本省糖業成品銷場，最近美國勝家縫衣機公司又以來台設廠聞，本省針車業已提出强烈的反對，一個獨立自主的國家有她的經濟主權，我們固然可依互惠原則發展國際貿易，但如放任外國貨在國內傾銷，甚至設廠製造，阻碍我國經濟發展時，不獨損害我國經濟主權，亦且有失國際經濟合作發展之意義，甚望經合會予以切實注意。

（四）

我國經濟無疑的已有顯著進步，輸出量與去年同一期間比較增加了百分之三十，今年第一季的貿易赤字僅為一百三十萬美元，去年則為二千六百萬美元。輸出的增加，主要在加工業品方面—糖茶及罐頭洋菇等，次為水泥紡織等。據德國農業物價學權威尼豪斯博士在「土地改革座談會」中說：「台灣在農業增產方面，上山下海，改進農業加工，開發橫貫公路，都很努力，」他從有關台灣農業發展的資料中看出，台灣在蔬菜，水菓，畜牧事業，遠洋漁業方面，仍可更進一步的發展，他認為對灌溉工程和肥料多加研究，也是對台灣農業增產有帮助的。又說，在亞洲各國「海」是一項豐富的資源，可以充分利用，魚類可以食用，它的剩餘物可用作肥料，台灣在這一方面應多加努力，最後他強調台灣官方和民間要合作成立一個組織，專門研究國際市場的趨勢，注意產品的價格和需要量，作彈性適應增加台灣產品的出口。他的建議很適合台灣的經濟環境，為達到工業化以前必經的階段，可以作為經合會的參考，而且他最後的建議也值得經合會參辦。我以為除了尼豪斯建議彈性增加農業出口以外，還有一項不可忽視的，就是粮食出口，近年來越南和日本每年都需要粮食進口，而國際間亦召集世界粮食會議，可見粮食在目前國際出口的比重，而台灣近年來糧食增加[illegible]不能和人口增加相配合，且糧食出口逐年減少，我們要發展經濟，增加國外貿易，一定要開[illegible]荒地，重整農田，加強機耕，研究肥料以促進糧食生產，此外應注重精工業的發達，最低限度，使所需要的機器零件不仰給於外國，逐漸走入工業化的途徑。

現在世界可以大別為三個經濟集團，一為美國經濟集團，一為蘇俄經濟集團，一為以法國為首的共同市場，其他如英日等國[illegible]不能形成集團。無論任何集團或國家，採取競爭方式，尋找國際市場或壟斷之。（下轉第二版）

漫画天下

致命傷！

虎視眈眈！

看中俄共鬧劇

中共最近將原來經由蘇俄領空飛航至歐洲的路綫，改從香港航行，這表現赫、毛之間的爭論情形，愈趨惡化，彼此大有非鬧到你死我活的境況不可之勢。這在英美人士看來，一定認為是共產世界將告沒落的信號，竊竊自喜，其樂只且。但我們決不作此樂觀的想法。

目前中俄共雙方嘴距矜張的爭執問題，表面是所謂世界革命總路綫的是非之見，實際却係赫魯歇夫與毛澤東二人鬥氣的行為，跟革命理論不相干。若說修正主義是背叛了馬克斯教條，試問列寧當年在俄國創造的「蘇維埃」政制，是遵循馬克斯主義而然的嗎？史達林的所謂一國社會主義建設，又是實行馬列的遺教嗎？共產黨人捐着「辯證法」符籙，說東說西，論黑講白，無所不為，他們從來不重視思想體系的——但在宣傳上咬住思想體系不放，而以辯證法為解嘲之資，技只此耳。

赫、毛二人這場鬥氣的把戲，祗要有一個控制不住內部的勢力，倒了下去，中俄共馬上就會言歸於好，不成問題。俄共固然不願與資本主義世界真的合作，中共又豈能委身投入資本主義世界的陣營？否則它就失去了生存的機能，不成其為共產黨了！

按諸現實的情勢，毛澤東失敗的成分最大，他若一旦垮台，那就是中共內部思想動搖，而影響到軍心渙散，給中華民國的反共運動以大好機會。現在中共駐英使館秘書和赴日訪問團員之請求蘇俄政治庇護，便是內部思想動搖的象徵。因此，我們應該加緊從事於反攻大陸的各項準備，以迎接未來的復國良機，而以政治反攻為當務之急。關於政治反攻的義理，說來話長，一言以蔽之曰：要用事實來博得海內外人民的向心力。

馮子先生

制度與人事關係均重大
高雄四間公立醫院評價
省立醫院不錯．市立醫院最糟
陸海軍民衆醫院各有優良傳統

（本報記者趙家驊高雄航訊）霍亂的嚴重威脅，[illegible]堪慶幸。這原因，部份是公共衛生更有改善，主要則是預防工作做得認眞徹底，所以，雖然如東南亞若干國家，如韓國，如香港、澳門等地，霍亂曾延燒爲猖獗，台灣由於對進出口的人員及水果食品等當飛機及船舶抵埠之後，即實行檢查消毒，遇有霍亂者，馬上予以隔離、治療，用能至今平安無事。

高雄市公共衛生的改善與預防傳染病工作的緊急措施，論理是應該由市衛生局，市立醫院負責的，但市立醫院對此顯然未有準備，而一切推給市衛生局，而衛生局方面由於私竊嗎啡案轟動全省，案子至今尙未了結，新院長又甫告上任，一切院務尙在摸索之中，故對防疫工作，亦根本談不上有任何計劃；這一來，防疫工作就落在省立醫院頭上了。省立醫院在預防傳染病上，今年確是獨挑大樑，亦做得有聲有色，凡有進港船隻，省院即派員前往消毒檢驗。這份工作確實相當吃力，但省院翁院長說：不管衛生局與市立醫院做不做，我的立場是責無旁貸的。

由季節性的防疫工作的做不做與做得好不好，也就顯示了高雄市四個公立醫院的社會價值。這裏首先將四個醫院的經營狀況，收支狀況，工作人員以及獎助金的開銷作一比較：

省立醫院院長翁嘉器博士，留學美英日三國，攻熱帶醫學，醫院管理，一般內科，衛生等科，他長省院已達十七年之久。該院目前的醫療設備，在南部是屬於最現代化者。前年他由英國考察醫務回來，在院內倡行了一種別開生面的茶會，這種茶會是每天早晚兩次，每次僅十分鐘，計爲早上八時，下午二時舉行，參加的人員爲全部醫師及各科室主任，在茶會中，各醫藥的使用及醫療對各種病例的得失，提出討論研究，使各科意見得以協調改進。該辦法實行兩年來，成效頗爲宏大，成了促進該院各部門改進的原動力。大家都疾首痛心台灣官場「開會主義」的毒害之烈，但高雄省院這種十分鐘茶會，卻是不在其列，它有益而無害。

省院的醫師，院方均不准在外開業，否則便須離職。因此，醫師對醫院都全力貫注，病人均可獲得較佳的治療，醫療糾紛亦比較少。省院門診及住院費每月總收入爲四十萬元，獎金的提成是按總收入除去成本，有盈利之時則分，否則不分。翁院長說：我們的會計制度很健全，一切經費的收支，均按成本會計計算。他指出省院每月可贏利約十萬元，由此數字中提出二至三成作爲醫師及全院工作人員的獎助金。至全體員工待遇，則是由政府發給的。因之省立醫院錢是賺了，但省政府的負担可不可不輕。

市立醫院院長是楊海澄。這位留學日本，得偽滿洲大學醫學博士的市院院長，在日據東北時代，他在遼寧鞍山蓋了一座五層樓的天生醫院，爲日本人御用，故一提起他，東北人大都知道他的。目前在高雄市大同一路的天生醫院，即是當年東北天生醫院的縮影。

市院醫師由於院長楊海澄亦公開在外掛牌營業，所以全院醫師大多唯院長的馬首是瞻，相繼開業；有時該院九時上班，病人等到九點多還不見醫師來，原因便是醫師們在他自己的醫務所看病。因此遲到早退，比比皆然，司空見慣，亦似乎積重難返了。

市立醫院每月門診及住院收入爲三十萬元，付出據說亦是三十萬元，但開支的情形，楊海澄守口如瓶。市立醫院師員工共九八人的薪水，約六萬元，則是按月向市府具領不誤。對市院醫師及其他員工的獎金來源，楊海澄亦拒不說明；但據該院總務主任透露，獎金是由單獨的醫藥中提出，即把藥費價格多加三成，每月可約得一萬七千元，院長分兩千，其餘的則分給醫師及員工。市立醫院以增加藥費來提獎金，因而不管賺錢與蝕本，總有獎金可得，至醫院的總收入贏利部份是否再分獎金，因該院絕不透露，不知究竟。

陸軍二總醫院附設的民衆診療院，成立於四十一年，在高市已有十餘年的歷史。由於該院醫師們的競競業業與力求進步，診斷認眞，處方愼重，確實樹立了廣大的社會信賴，每日該院門首均車水馬龍，絡繹不絕，生意之隆，爲全市各醫院之冠。該院有床位八八個，僅次於省立醫院，而比市立醫院爲多。該院每天門診有二百多人，每月門診及住院費收入總數爲四十多萬元，比省市立醫院還多。該院醫師的獎金，每月最高者可分五千元，但亦嚴格規定醫師不得在外掛牌或兼業。除此以外，該院每月盈餘數字中，尚支援二總醫院二萬元，以充實母院的設備。

海軍附設的民衆醫院，是今年二月成立的，醫師大多是國防醫學院出身，曾赴美深造回國者，他們的醫療技術及設備相當的新，開業以來，生意還不錯。該院每月住院及門診收入約六萬元，除成本外，尚盈餘萬元。該院醫師多屬海總醫院的主任及主治醫師擔任，階級多屬中上校，在軍中吃糧餉，上校級所有收入不過七百元而已。目前該院談不上獎金。尤値得稱道的是，他們具有一種革命的拓荒者的精神在爲市民服務；基此，該院的前途是指日可望的。

從上述四家公立醫院的經營狀況及盈虧數字比較，我們可以了解，公立醫院並非完全蝕本的。當然，公立醫院並非以贏利爲目的；但如以前兩者與後兩者加以比較，則軒輕立見。可以說，若非人謀不臧，架床疊屋，因人設事，冗員充斥，何至於虧損呢？台灣全省廿一縣市醫院若皆以高雄市醫院爲例，則這一個包袱所承担的數字，是相當可觀的。

省院翁院長談改制
主張將閉鎖性公立醫院　改變爲開放性公立醫院

因此，省立醫院院長翁嘉器告訴記者：他主張將目前閉鎖性的公立醫院制度，改爲全面開放性的制度。他說：開放性醫院的優點是多方面的，認爲要挽救公立醫院目前的頹勢，使院務向理想之途發展，非此別無良策可循。他認爲倘開放性醫院政策實行後，不但公私立醫院現狀完全改觀，即國民身心健康的改善，社會道德力量的誘導，都將如立竿見影，迅速發揮良效。翁嘉器說：開放性公立醫院的優點有：（一）開放性的公立醫院，以國家的財力充實現代化設備，可以最新的藥品，最優良的技術爲病人治病。（二）開放性的公立醫院，可以讓私人醫生帶着他的病人，往公立醫院利用其醫藥設備，配合他的優良技術，爲人治病，院方只聘用駐院醫師若干人及事務人員若干人協助，醫院沒有醫師薪水的負担，而外來醫生來院治病，院方可以提其收入的百分之幾給駐院醫師，同時也增加了院方的收入。病人得到完全的治療，無論對醫師，對病人，對醫院，對社會，均有不可估計的益處。（三）病人可以自由選擇醫生，在心理上增加了安全感，有利治療。（四）醫生開業不必苦於自己沒有設備，可以充分利用公立醫院的各種條件。（五）可以統一私立醫院的收費標準，而減輕病人的負担；同時政府對私人醫院的課稅，也有了合理的依據。

翁嘉器說：開放性的公立醫院制度，在美國早已實行，日本最近正急起直追。目前台灣公立醫院對政府是一個沉重的負担，若能仿效此種制度，充實公立醫院的設備，讓私人醫生充分的利用，不僅可以丟掉包袱，且可增加稅收，利弊得失，可以概見矣。

港九同胞熱慶雙十國慶
張燈結綵牌樓處處國旗如海如林
各業各界節目繁多一片熱鬧歡樂

（本報訊）中華民國五十二年雙十國慶日，港九同胞熱烈舉慶，張燈結綵，牌樓處處，國旗如海如林，氣象萬千，極一時之盛。熱烈慶祝雙十國慶的，包括各大社團、學校、商店以及居民，無論通衢大道，橫街小巷，徙置區以及水上漁民薈萃區域，到處有牌樓，有燈綵，居民喜氣洋溢。慶祝方式包括集會、舉祝、歌舞、遊藝、茶會及敘餐會等，每一地方，無不人頭擠擁，氣象歡快。若干學校商店且特別放假一天。居民尤多添酒加菜，闔家團聚，藉申慶賀。

港九文化教育新聞影劇界聯合慶祝大會，上午十時在樂宮樓舉行，會衆逾千人，會後有遊藝會，由影劇明星擔任表演，迄十二時許始散。

百餘自由工團之慶祝會，在英京酒家聯合舉行，由午間十二時直至深夜，節目有慶祝大會，雞尾酒會，聚餐會等，遊藝表演有歌舞，粵曲及幻術等。

在港九各宗親及同鄉會之慶祝，則分在新雅、豪華及狀元樓四家酒樓舉行，參加者四五千人。晚間之聚餐大會，筵開三百餘席，熱鬧有逾尋常。

港九自由影劇界，除參加文化教育新聞影劇界之聯合慶祝大會外，晚間在平安酒樓舉行聚餐同樂晚會，筵開百席，節目最稱豐富，餐後復有遊藝餘興，迄午夜始盡歡而散。是日特別警方取銷一切休假，爲維持治安，全體出動，但以秩序良好，終日除到處一片熱鬧歡樂之外，未嘗發生任何糾紛。

香港與大陸

毛共政治運動名目翻新
又攪「反港澳思想」運動

中共在粵東各縣地區，最近又動員大批黨員幹部下鄉，其目的一則爲了挽救晚造作物嚴重的旱災、虫災；二則是要在農村中廣泛地進行「反反動」、「反港澳思想」的政治運動中起領導作用。

據上月中旬曾回大埔縣探親而返抵港的吳師奶透露：中共粵東各縣，最近都動員大批的黨員共幹下鄉，就其所知，僅大埔一個縣（按：大埔縣現已合併了梅縣）便有五百多名。這些共幹都分住在各公社的辦事處和生產大隊長黨員的家裏。

吳師奶說：自從那些共幹「下放」以來，農村中便如火如荼地進行了兩項政治運動：

（一）除草、除虫、追肥運動。鑒於廣東不少地區的農村共幹皆有嚴重的「鬆勁思想」，不領導，不負責，而廣大的農民則普遍在怠工，有的逃亡，甚而有反共的行動（如破壞農具、毒死耕牛及上山打游擊等），故今年晚造農作物都缺乏管理，都發生嚴重的草荒和虫害，並普遍不施肥料，使禾苗生長不佳。因此這批「下放」的黨員共幹一到農村時，首先便強迫所有的「可以利用」的勞動力，夜以繼日地進行除草，除虫和追肥的工作。規定在一個星期內，要把田裏的草，虫除淨，而且還要施兩次以上的綠肥。

（二）進行「反反動」、「反港澳思想」運動。由於大陸各地（尤於廣東福建沿海地區）反共的游擊隊和地下特工人員異常活躍，嚴重地威脅了中共政權，中共乃重新使用殘酷的鎮壓方法（詳情見本報上期本欄），以達到其孤立「反動份子」的目的。在此同時，中共又進行所謂「反港澳思想」的運動，此乃鑒於農村廣大的農民，無不異常嚮往香港和澳門，認爲香港澳門吃得好，穿得好，而且有自由。凡是有親人在港澳地區的，均頻頻進行申請，甚而幾次三番的實行逃亡，所以中共當局便掀起此運動，全部「五類份子」皆受到管制，並對一些嫌疑與「特務有勾結」的人，作殘酷的鬥爭；至於申請來港澳的，則不單全部不加批准，還要追查申請動機。黃師奶有一同鄉，因爲在港的老母病了，無人照顧，急欲申請來港，曾幾次到「公社」催促，神態甚爲急切，這次他不單沒有批准，還被共幹諸多盤詰、恫嚇，硬說她是因爲自己犯了罪，唯恐受到清算，便藉故急急申請離去，另還召開羣衆大會，公開對她進行鬥爭，其目的乃在警告羣衆，使大家以後不敢進行申請來港澳，安心在農村受其奴役。

吳師奶對記者說：她這次回去，共幹曾一次「訪問」她，並要求其詳述港澳地區的「非人生活」，嚇得她迅速地離開家鄉。（敬斯）

聞「經合會」成立有感（上接第一版）

自六國共同市場成立後，美英及其他非共同市場國家，在歐洲貿易均受到限制，國際市場狹小，競爭更形劇烈，此種競爭，即自由世界所說的「和平競爭」，已超越自由與極權的範圍，已不顧盟國之間的道義，英國在南越貿易逐年縮減，乃受到美國貨物政策之影響，英日與共匪的貿易又何嘗不是見利忘義呢！値此國際市場愈狹小，貿易競爭愈劇烈之際，我們愈要注意國際信譽，務必做到物美價廉，此其一。共同市場給予歐洲六國貿易以繁榮之機，於是有人主張在亞洲也來一個共同市場，終以利害不一，無法實現。今日談國際經濟合作發展，一要自己能站立起來，埋頭苦幹，努力國內建設，在產品方面精益求精，並應與我們的亞非盟邦訂經濟合約或貿易協定，以自己優越的條件，爭取友邦與我們經濟上的合作，此其二。據經合會副主委嚴家淦先生說，經合會是一策劃、綜合、設計機構，以編製長期建設計劃爲主要任務，但以其包括部門之廣而有力，似應除設計外，兼負督導考核之責，使得一面完成國內民生主義經濟建設，一面擴展貿易，達到國際經濟合作自力更生之目的。

國營事業為甚麼會虧損

本報台北記者

由於業務計劃欠妥，形成生產上之浪費，以及生產設備上之浪費。由於營運疏失，使資金浪費，以致成本增高，產銷失調。由於管理不過，致人事管理不善，而財務管理亦形成浪費，如五十年底，各單位應收及墊付款項，總額高達十億四千二百七十多萬元。

由於工程設計錯誤而影響生產者，據監察院調查：「購入機器不佳：台糖公司，高雄人造木板工廠，於四十八年二月二十日與西德包商B.V.H公司訂約預計五十年六月完工，試製出品後，發現製板設備，日產能量僅十五噸，未達規定產量，經德商更換大型機器，其生產能量較合約規定者尚差三分之一。台糖公司向日本採購高速公密機五台，試用結果，並不理想。中國煤礦公司50H捲揚機，由嘉義機械廠訂製，結果性能不佳，現已拆除90H空氣壓縮機，向西德MAW購入，機械損壞，業經賠償待裝中。中紡原棉顏色等級試驗器，向美商購入，現因市面電源電壓不穩定，無法調節，尚未能應用。臺灣機械公司壓平機配件，由本國購入，效果不佳」。

同時，因工程設計錯誤而延期開工者，有「台肥四廠3000 K.V.A.電爐更新工程，原定五十年七月底竣工，延緩至五十一年四月下旬，始全部竣工，致實際支出超出原列預算。中油公司潤滑油摻配設備，延期一年零七個月，設計全部修正。錦水三八號井，預計一二八天完工，實際三五五天完工，因工程計劃變更，超出預算，原預算三百餘萬元，決算七百五十餘萬元。錦水四五號井，預計一三〇天完工，實際一八〇天完工，因道路工程費巨，超出預算，原預算五百四十餘萬元，決算七百九十餘萬元。錦水五四號井，預計一二〇天完工，實際二一二天始完工，因工程計劃變更，一切經費超支，原預算四百五十餘萬元，決算七百七十餘萬元。出礦坑一〇六號井，預算一九二天完工，實際六六〇天始完工，因發生卡鑽，致工期延長，原預算一千四百九十萬餘元，決算二千六百七十餘萬元。台鋁煉鋁更新設備計劃，延緩達十個月之久，廠房及部份器材，早經齊備，未能及時運用，似有短時呆滯之弊。又鋁箔分條機，因日商製造錯誤，更改後，原計購到時間為四十八年九月，實際在五十一年二月始接受。台鋁谷關發電所，原計劃應於五十年六月完工，由於當時設計有欠週密，致該工程延期半年竣工，並增加護岸工程費二千二百萬元。中國煤礦公司延期完工之工程，豐林礦九十馬力之空氣壓縮機，因製造不佳，機軸裂損，經交涉經年始運到新品，延期甚長，損失亦巨。台金開發八坑及尾砂充填計劃，因計劃變更，奉准延長一年完工。」

像汽車消耗，其數相當可觀。在十五單位中，除中漁、台肥未報外，其餘十三單位的小轎車、吉普車及工程工務車等，計九百十七輛，所需之燃料、保養修理費用，計三千六百十二萬九百三十五元。且每輛車僱用司機一名，年費約一萬五千元至兩萬元。

各單位之呆料廢料及逾齡資產尚未處理者，「約計值不下五千萬元。其中因試驗完成，業務計劃改變，加速提盡折舊，以及不切合生產之原料，致退廢之機器設備及物料尚有生產價值，亟應有計劃處理，使其雖退出生產行列，迅即參加民間生產，以達成加速全面經濟發展。如日本三洋公司，即係由退廢機器設備物料，發展成為今日之東亞電器工業之權威。而各單位退廢機器，則不能迅速有計劃的低價轉入民間企業家之手，不是放在倉庫變成破銅爛鐵，就是售給牟利黃牛轉售給鋼鐵公司，以廢鐵處理，言之至為痛心。」（四）

報人普立茲傳

汶津譯

有好幾次編輯們知道他們必須請普立茲協助了。於是他們便簡明的提出問題，並請教世界報將對此採取什麼方針。普立茲的回答經常是要求知悉事實。當他確知已了解所有的情況之後，他才作一決定。

在他的餘生中，普立茲都以這種方式參與他的報紙工作。雖然遠隔汪洋，但依然是這位發行人在作着決策和指導。他會是一位了不起的記者和編輯。現在，盲而多病，遠離了家國，但他終究還是一個出色的發行人。

一直到一八九六年世界報的銷路在紐約都是首屈一指的。從那一年起，另一份報出現了，自此以後，世界報便須努力奮鬥以保有它的讀者了。

威廉．蘭道夫．赫斯特一度曾替世界報工作。他認為那是全美的最佳報紙，並有心另創一報與它競爭。他買下晨報紙，一張小而不露頭角的紐約報紙。然後他高價招引一些為普立茲工作的人手。不久世界報和晨報便成為敵手了。這是一塲空前絕後的戰鬥。兩報爭刊的刺激性新聞逐漸形成了所謂的「黃色新聞」。

普立茲決定世界報將停刊此類新聞。他的報紙將自貶身價，如果這項文字上的戰鬥繼續下去。在這方面簡直無法與赫斯特競爭。沒有人能制止他；他在紐約報界正一帆風順！

其他紐約報紙基於讀者的需要，也有所改變。逐漸地它們建立良好的聲譽，一如良好的銷路。無論如何，世界報仍是一張隨時願為正義奮鬥的報紙。

一九〇八年世界報展開了一次大規模的作戰，也因而樹立了大敵。西奧多．羅斯福，美國大總統，收購了巴拿馬運河的開發權。多年前，法國會想在巴拿馬開鑿運河。一個法人團體買下使用土地及開發的權利。不久他們却停止了工作，於是美國政府以四十萬元收買下法國的權益。

普立茲承認開發運河的計劃是好的。但他覺得羅斯福總統應該解釋他怎麼花了那筆錢。人們知道法國政府只收到十二萬元，那是使用土地的代價。想來是那些曾經開過工的法國商人得了那餘數。

那法國團體的份子都是些什麼人，普立茲須要知道。世界報的記者為此採訪時，他們得到了一些名字，如克倫威，J．P．摩根，塔虎特，甚至一位羅斯福的家族也赫然在內。

三番兩次地，世界報嚴詞查詢：誰得到了這筆錢？

羅斯福總統認為世界報的社論及報導懷疑着他的公正。一九〇九年羅斯福向美國國會提出議案。次年美國政府通過了一條打擊普立茲及世界報的法令。

現在，最重要的問題是：美國總統有權檢查一張報紙嗎？出版自由當作何解釋？

普立茲與美國政府的戰鬥不只為了他自己，也是為了所有報紙自由刊登社論及消息的權利而奮鬥。普立茲勝利了。法官的判決如下：

（卅九）

「雷鳴遠神父傳」讀後記

段宏俊

筆者很少為人寫書評，或是介紹文字得失的文章，皆因環境之變遷，以及主客觀點之有異，都是構成人們不喜與看法不同的主因，再者，自古文人相輕，於今又有「尤烈」之勢，所以，避免之為上。

可是，在筆者對「雷鳴遠神父傳」捧讀之餘，卻有如鯁在喉，一吐為快之感。

多數人的想法，宗教是離世超俗的，或說是追求「未來的世界」，再有人說是為了「勸人為善」。當然，以上三種說法，都有他的道理。「離世超俗」正表示宗教之為宗教，如果「宗教」也與世俗沆瀣一氣，那還成為什麼宗教？超世，也正是宗教的特色。再說追求未來世界，「未來世界」是希望之所寄，也是人們「信仰」之終極目標，每當人們有感於世俗之不滿足，自會去求未來世界之幸福，雖然，那是一片虛空，但它卻正好填補生命之虛空，這是無神論者的說法。當然，宗教不承認這種論調，他們要認為是生命之所寄。且不管未來世界之歸向與其結果，在一般人的心理上都會憧憬那種美妙的境界。再有勸人為善，可說是「宗教」的同一色彩，佛教之禁「殺生」，天主教的「愛人」，孝敬父母，以及戒謊言等等，都是要人「為善」的。或者是創造一些神話，譬如：「地獄」就是其中之一，為善的人，可以昇天堂，惡人只有入地獄的份了。

宗教即是如此，那麼我們也就沒有「反對」或「擁護」的絕對義務。「反對」宗教有時可能造成社會的不安，甚至引起大風暴，而擁護者的盲目自私，更可能是政治風暴的前奏，在西歐歷史上，這種例子真是所在多有。而我們立國五千年的中華民族，卻還少先例，因為我們沒有宗教。也許我們可以這樣說：中華民族是個沒有宗教的，但卻是一個能接受宗教的民族。孔子有言：「未能事人，焉能事鬼」？這句話百分之百的代表了中華民族的作風與想法。

在中國春秋戰國時，百家並起，思想界光芒萬丈。可是他缺少的就是「宗教」思想。民初有些人，曾提議將儒家的學說整理之後，列為中國的國教，那真是一件「匪夷所思」的想法。根據我們剛才提出的三種說法，儒家除了有些勸人為善的說法之外，可說是全部「事人」的，即不能「事神」，更不能事鬼。除掉拜拜祖先，表示「慎終追遠」的高遠情操之外，可說是純粹的「人文主義」，所以他根本不成為宗教。

東西交通大開之後，首先是「佛教」傳入中國，但它也是「混同」了中國的百家學說之後，變為「大乘」佛教。「出家人」出世而不離世，表面看起來有點「獨善其身」的味道，但一個真正的「出家人」往往都是道德文章，名重一時的宿儒呢！（上）

瘟君續夢

第十回：集會議圖存　天寒日暮
空言難自救　鬼哭神愁

共緬聯軍向游擊隊根據地發動進攻時，游擊隊已經得到消息，自動將主力撤出。雖然如此，由於地形過於險要，經過了一個多月時間，共緬聯軍才佔領了猛帕寮同肯萊，結束了滇緬邊區戰役。等到共軍一旦撤走，緬軍也不敢獨留，連夜又撤回東枝、景棟一帶，根據地又入了游擊隊之手。不久，緬甸發生政變，軍人奪取政權，內爭暴起，也就無暇對付游擊隊了。

周恩來這次的訪緬，除去奉送了大片土地之外，又送了許多金錢與禮物，在邊界協定簽字後，周恩來又同宇努簽訂一項經濟援助協定，規定自一九六一年十月起，至一九六七年九月止，七年之間共援助緬甸三千一百萬英鎊，由中共供應緬甸各項成套機器設備及派遣技術人員之所有收入作抵。又當周恩來抵達緬甸時，曾贈送二百四十萬公尺花布，六十萬個瓷盤，宇努真是感激不盡，謝了又謝。

中共除去援助緬甸、柬埔寨之外，援助的觸角竟然伸到西非的幾內亞，一九六〇年兩次援助幾內亞的大米就達到一萬噸，所得的代價就是幾內亞總統杜爾在聯合國大會上和赫魯曉夫頂了一次嘴。至於中共在幾內亞的滲透活動，却被幾內亞政府監視得絲毫也動不得。

一九六〇年中國大陸受災土地達九億畝，佔全部可耕地二分之一以上，人民全部沒有糧食吃，迫得吃野菜、觀音土度日，那有糧食外援呢？祇有用錢向隣近國家去買，第一個被看上的國家是緬甸，先後購買了四十萬噸大米，由於米價付不清，緬甸拒絕再賣，中共又掉頭向澳洲購買，一口氣又買了三十萬噸。

澳洲不是緬甸，和中共有點交情，還可以欠帳，澳洲是非付現款不可，最低限度也要先付百分之五十，其餘開出定期信用狀，中共無奈何祇好把搜刮的黃金、白銀、白金、青銅、古玩、字畫，能變錢的全部運到國際市塲上去賣，一方面壓迫僑眷向國外親人伸手要錢，廖承志又出花招在廣州興建華僑新村，誘騙華僑回到廣州買屋，保證不予沒收。不過，人民領教了中共的保證太多，國內的人們不能不俯首聽宰割，國外的人就不會上當了。

中共本身已經羅掘俱窮，在國際上又背了許多包袱，為了和蘇聯爭奪古巴，祇有大量予以援助，卡斯特羅變成了第二個尼赫魯，所不同的是尼赫魯在東西兩大集團中間敲詐，卡斯特羅則是在中俄共之間左右逢源，所得到的援助雖有大小之別，其手法到是一樣。

中共最大的包袱還是阿爾巴尼亞，自從八十一個共產黨、工人黨莫斯科會議，霍查當面罵了赫魯曉夫之後，阿爾巴尼亞同蘇聯的關係算是徹底破裂了，蘇聯不但斷絕了援助，撤回外交人員，進一步更斷絕邦交，阿爾巴尼亞無路可走，祇有一面倒向中共了。

中共對這個包袱，雖然不算太重，却感到十分累贅，首先是援助阿爾巴尼亞的粮食，物品，就僱不到船務公司代運，迫不得已，中共祇好同阿爾巴尼亞組織一個遠洋輪船公司，專門運載中共援阿物資，增加了一個部門，自然也增加了人事和經費，更使中共當局感到頭疼。

（二四六）

談高傑與許定國

黃伯遠

吳梅村詠董小宛十絕之一云：「亂梳雲髻下妝樓，盡室蒼黃過渡頭；鈿盒金釵渾拋卻，高家兵馬在揚州」！讀此詩，可見兵荒馬亂時之慘狀，而高軍之紀律，以及興平伯高傑之爲人，亦可思過半矣。

按：高傑與廣昌伯劉良佐，東平伯劉澤清，靖南侯黃得功，同稱明末四鎮。得功駐廬、和，傑駐揚、滁，良佐駐鳳、泗，而劉澤清則駐淮、徐。四鎮皆隸史閣部。而黃得功，名最高，資格亦老，且得民心；傑忌之，每欲取代其位，殺之爲快。會傑郟縣、潼關之戰不利，率衆四十萬渡河，大掠晉中，鼓行而南，頓師於邳、泗間。聞得功將至土橋，乃親率精騎三百襲得功。得功甫至，傑伏騎猝起！亟擐甲，飛矢羽集，所乘馬值千金，中矢，奪他馬疾馳。先是，傑臨發，戒騎曰：「必生擒得功！」蓋欲表其名也。傑有梟卒十七騎，追得功且及，得功大喝反鬥，發腰間矢，殪七人。矢盡，揮長刀，復砍三人；幸其軍到，獲免，從騎盡歿。

高傑雖狡黠，然性爽識機議，能敬禮士大夫，而好勝於同輩，故與得功、澤清、良佐，定國等，皆不和。且信佛，事僧德宗尤謹。德宗教以敬事史督師可法。其妻邢氏，亦勸傑傾心奉公。史喜其洒脫肯從善，命王相業監其軍，方以爲國事有可爲，詎料傑與得功之嫌隙甫解，而許定國之難作。

定國太康人，故明總兵，負其功不得封土，且獲罪。釋後，聞高傑總制河南，位出己上，嘗出惡言，詆高爲賊！傑恨之曰：「我見必殺」！定國聞之懼。弘光元年，清順治二年乙酉正月，傑率兵防河，至睢州。定國匿其軍之壯者，率羸卒於數十里外跪馬首迎傑，高扶之起，曰：「許總兵！奈何行此禮？」定國叩首曰：「知公怒，請死！」傑曰：「許總兵奈何累指我爲賊？」許曰：「定國目不知書，此記室爲之，非定國罪也」。高索記室，許曰：「彼知公怒，已先遁去，定國不知也！」高信不疑。遂屯兵城外十里，而身率驍健三百入城。是日，定國張燈設席，厚禮興平伯。命其少弟飲諸將於別所，賓客婦女雜坐，不拘禮法。酒至半酣，許弟動定失常，衆密告高，指定國有謀，高夷然，曰：「豎子何敢！」羣疑亦解。（上）

訴衷情（下）

建人

第三天上午，我接到了一封信。我莫名其妙的拆開了它。讀完後，我臉紅了——竟是「他」來的！我不知道他怎麼會知道我的名字和學校。不過，他的字跡很清秀（可又不同女孩子的筆跡哪！）文字也流利極了。——我不好意思把原文抄給您看；要不然您這位文藝迷可過癮啦！

那眞是一篇極美妙的散文詩。他說他早已見過我，而且……。他還希望我不要把他誤會作一個無聊的太保；他——他曾經是，但至少從今天起將永遠不是了。您說怪不怪，沒相干的說這些話兒！可是更怪的倒是我自己：平常要是發生這種事，我不知要鬧到什麼地步呢，可是這次，我卻沒有；我偷偷的把它再讀了一遍，然後謹愼的鎖進了抽屜。同時我也沒有忘記他的「冒昧的請求」。當晚，我驅逐了睡魔，作着徹夜的考慮。其實那才叫怪呢，理智那玩意兒早已逃之夭夭了。

星期六早起，我下了決心：爲了滿足好奇，去會會這個「改邪歸正」的太保也無所謂；反正他也不能把我怎麼樣。——很冠冕堂皇的理由，可不是嗎？反正我去了。

您想讓我告訴您以後的事嗎？我想不必了，何況我也實在是說不上來。而且，您和舅舅在二十年前，不是也……？哎喲，我眞不害臊！

他是××大學二年級的學生（現在三年了）。他自我介紹時說：「前太保」與××。不過這都沒有什麼重要，他說他做太保只是因爲好奇，沒事幹，如此而已。至於爲什麼突然改邪歸正，聰明的舅媽，請代爲猜猜吧！

兩個星期以後，同房間的同學都拿我做玩笑的對象了，甚至還做了首打油詩，嘲笑我是「××主義的大叛徒」，我氣透了！難道只許她們自己交男——？不過我的脾氣突然比以前好多了，我沒有跟她們鬧。

我和他的友誼正式的建立了，他的一篇文章登在某報的副刊上，並附着一個副題「給一位心中愛慕的女孩子」，眞有點肉麻，不是嗎？可是我倒很欣賞他的文字。——對了，忘記說一聲：他是學文學的。

沒好久，訓導主任把我傳了去，再也想不到他竟板起臉孔說我交了太保型的男朋友，我氣起來，竟當場哭了！後來那主任強盜發善心，把我「交」給導師王老師查辦。可感謝的是，王老師向我垂詢了前後經過後，除了給我衷心的勸導外，並沒有再責甚麼。自從那一次以後，我却更接近「他」了，——當然，我不是那種沒有分寸的人；他也一樣。這也正是他許多可愛的地方之一，您大概也可以相信的。

在我的鼓勵（我現在簡直不羞於用這兩個字了）下，他出版了他的第一部作品——「冬梅」，許多佳評接踵而來，爲了這，一晚他跟我會面時，簡直興奮得說不出話來。我想舅媽您，也許也已經看過吧！那麼我老實地告訴您罷：他說這書的一半是屬於我的呢！

我想說到這兒，已經夠多了。學校的伙食還是一樣壞，師範生靠公費吃飯眞是「望天打卦」，可是我再也不發牢騷了。今年暑假我就要畢業，去當老師了，想起來也覺得好笑。不過無論如何，我總不希望和他遠離，好在他也不過再一年就畢業了。

請您千萬別把這些話告訴舅舅或者別人，到眼前爲止，我對舅媽還是閃爍其詞的呢！您看，舅媽，我是這麼的信任您！

祝您

好！

您的壞甥女 小青敬上

南宋偏安有人才

李仲侯

金人果叛盟犯拱亳諸州，上大感飛前言以爲忠，乃下詔命飛竭忠力，圖大計。頒奇功不次之賞，崇戰士捐軀之典，開諭兩河忠義之人，結約招納。賜御札曰：

「金人過河侵犯東京，復來佔據已割舊疆，卿素蘊忠義，想深憤激。凡對境事宜，可以乘機取勝，結約招納等事，可悉從便措置。若事體稍重，合稟議者，即具奏來。付卿親札，想宜體悉。付岳飛」。

夏五月，金人大舉入寇。飛聞警，即奏乞面陳機宜，會已詔與諸大帥進兵，賜御札不許，趣飛乘機破敵，仍問至計。札曰：

「覽卿來奏，欲赴行在奏事，深所嘉歎。況以戎事之重，極欲與卿相見。但虜酋在近，事機可乘，已委卿發騎兵至陳許光蔡出奇制變，因以應援劉錡，及遣舟師至江州屯泊。倏卿出軍在近，輕騎一來，庶不廢事。卿憂國康時，謀深慮遠，必有投機不可淹緩之策，可親書密封，急置來上，朕無虛佇也。遣此親札，想宜體悉。付岳飛」。

時劉錡據順昌以抗虜，飛奉詔即遣張憲、姚政赴敵。未幾，復賜御札命應援關陝河北，以圖京師，札曰：

「金賊背約，兀朮見據東京。劉錡在順昌，雖屢有捷奏，然孤軍不易支，已委卿發騎兵策應，計已遣行。續報撒離喝犯同州，郭浩會合諸路，其奔衝。卿之一軍與兩處形勢相接，況卿忠義謀略，志慕古人，若出銳師邀擊其中，左可圖復京師，右謀援關陝，與河北相應。此乃中興大計，卿必已有所處，唯是機會不可不乘。付此親札，想宜體悉。付岳飛」。

六月加飛少保兼河南府路陝西河東河北路招討使，加食邑實封。尋改河南北諸路招討使。飛五上章辭少保，詔不許。又上章辭冊命恩數，亦不允。時朝廷以順昌爲憂，復賜御札促已遣之兵，仍令濟師。札曰：

「累降詔旨，令發精銳人馬，應援劉錡。今順昌與賊對壘日久，雖屢殺獲，恐人力疲困不便。卿可促其已發軍馬，或更益其數，不可少緩，星夜前去，協助劉錡，體朕此意，仍具起發到彼月日。六月十二日付岳飛」。

同時劉錡大破金人於順昌，帝以飛屢次請覲，慮敵乘隙進犯，驛遣李若虛前議事，賜御札令飛審處機宜，且諭以委任之意，札曰：

「金人再犯東京，賊方在境，難以召卿遠來面議。今遣李若虛前去就卿商量，卿可一一審當措置，先令人急遞奏來。據事實莫須重兵持守，輕兵擇利，其施設之方，則委任卿，朕不可遙度也。如卿兵機會之間，尤宜審處。遣親札指不多及。付岳飛。」（九三）

海外影談薈

中國大陸上的歌王朝，爲着向海外華僑社會[illegible]之計，最近攝製了一部平劇電影片，名爲「林冲雪夜殲仇記」，運來香港放映，這戲是由袁世海、李少春、杜近芳等主演的。事前，海隅的共黨刊物，一致動力宣傳，大吹大擂，說這部影戲「好處說不盡」，認爲這雖不絕後，亦可空前。實則袁李杜都是大陸淪陷以前即已培育成器，嶄露頭角的人們，共黨刦持他們服役，取他們的勞力，而乃貪天之功，據爲己有，亦可哂也。

我過去在大陸上，曾經分別觀賞過他們演出的戲曲，別來十數載了，究竟他們的技藝造詣如何，這部影片是否眞有說不盡的好處？倒要省覽一下，依據我的觀感所及，缺點殊多。眞是百聞不如一見哩！首先使我吃驚的，就是袁

平劇雜談

諸葛文侯

李杜這三個演員的面龐，在銀幕上表現得大而無當，好像不是在演劇，而是專對着觀衆亮其龐大的相貌（每場皆亮相一次），給觀衆以極不調和的印象，有如人們走進寺裏，瞧着神龕上坐着大菩薩的感想。可見影片中人的唱、做、唸、打四欵，談到劇藝術並不高明。我仔細觀聽之下，認爲李少春飾林冲，除却首次出場來，唱「四月晴和微風煖」那幾句西皮原板，頗似楊小樓的腔調以外，餘皆平凡，尤其是最後一場大唱其[illegible]調反二黃，令我大倒胃口，跟在影劇中聽黃梅調的心情一樣，很不舒服。李少春的武工，原是有相當素養的，他在幾場打鬥之中，都是使用「文打」的方法，但文打的唯一條件，就在表現十足的「先」勁，才算到家，這點他似乎忽略了。末尾格殺仇人陸謙的場面，很可以表演一手武戲，但他還是出以輕鬆的文打，沒有精采之處。他祇有在「白虎節堂」的跌撲，在野猪林中雙手銬着的「搶背」「吊毛」，輕快矯捷，頗見工夫，然普通觀衆是不易辨識的。李少春是卅年前在上海紅極一時的武生「小達子」的兒子，家學淵源，又從楊小樓余叔岩習藝，然在林冲殲仇記的唱、做、唸，三欵中，不免駁雜之嫌。

杜近芳飾張貞娘，首場跟丈夫林冲赴東嶽進香還願時唱出幾句西皮原板，酷似梅蘭芳的音調，韻味頗佳。可是，往後幾度的長短歌唱中，竟摻雜着一些尖銳高亢的張君秋式的「鬼音」邪腔，令人刺耳難耐。她的臉面缺乏表情，長亭送別一場，場面佈置純係電影景色，不像舞台戲劇，杜近芳亦未能表現着夫婿在難中訣別的淒慘心情。她是名伶杜麗雲（蔣伯英氏的側室）的女兒，可謂梨園世家，歌喉的稟賦，極充沛，如能遵循正大路，不流於野狐禪，而在做工方面多加揣摩練習，確屬可造之材。

在這齣戲中，對於唱、做、唸、打都表演不錯的，只有飾魯智深的袁世海。唱做師承郝壽臣，道白咬字很清晰有致，在東嶽廟內舞禪杖，在野猪林中打解差，斬大樹枝的動作，乾淨俐落，並不平庸。只有在東嶽廟內手拔大樹一場，因境物與動作皆假象畢露，實係蛇足，而他在銀幕上的身首碩大無朋，跟環境極不相稱。這是導演與製片人的責任，與演員無關的。

近人詩選

述懷

王開節

駒隙光陰暫下帷，無名身世誤書痴。浮沉剩以官爲隱，紅紫初非春所期；行樂解從多難際，望雲長誤報恩時；心期灰盡情難盡，猶富春蠶未吐絲。

×　×　×

漠漠疏林動遠砧，蕭蕭客館起秋吟。還家奉母知何日，閉戶焚香淨此心；刦外盃盤仍涕淚，夢中欄檻舊頻臨；滄桑影挾東流水，遙遞相哀後視今。

×　×　×

倦眼隨緣看海桑，浮雲何事出山忙？漫從人意戡天意，難遣回腸與斷腸！賴有風雷消寂寞，可能花月與迴翔；靑禽不隔蓬山路，緘札殷勤報玉璫。

×　×　×

山居花事足芳芬，翻爲移家[illegible]失羣。隔歲賞心已陳跡，中年百感託微醺；人間豈少凌雲筆，吾意難忘誓墓文；猶剩餘情灰未死，逢辰物我兩欣欣。

內僑警台報字第〇三壹號內銷證

THE FREE NEWS
第三八三期
中華民國僑務委員會核准
台教新字第三二三號登記證
中華郵政台字第一二八二號執照
登記為第一類新聞紙類
（本週刊每星期三、六出版
每份港幣壹角
台灣零售價新台幣弍元
社長：雷嘯岑
督印人：黃行審
社址：香港銅鑼灣高士威道二十號四樓
20. CAUSEWAY RD 3RD FL.
HONG KONG
TEL. 771726　7191
承印者：
地址：香港灣仔高士打道二二一號
台灣分社
台北市西寧南路壹壹零號二樓
電話：三〇三四六
台郵撥儲金戶九二五二

從南韓選舉看民主政治問題

·雷嘯岑·

從昨天起，南韓全疆正在進行總統選舉事宜，參加競選運動的各個黨派，都是臨時湊合而成的，也就是一般熱中於政治生活的知識份子，爲着選舉關係糾呼朋引類，揭起政黨的旗號以從事「政治賭博」行爲。若就民主政治的眞諦設想，不無離題太遠之嫌，但在南韓的現實情況中，這算是進步的景象了。

美國方面對於南韓政局，已表示憂慮的心情，認爲選舉結果若屬文治派勝利，則軍人可能發生暴動，如其軍人當選，而文治派亦將不甘雌伏，勢必掀起政潮，這就難了！朴正熙的軍政府本來是不願意急遽還政於民的，只因美國方面感覺不滿意，迫使朴正熙將軍不得不作掩耳盜鈴的民治措施。如果將來眞有「暴動」或「政變」的事情發生，美國至少亦負有道義上的責任吧？

民主政治的困惑

民主生活固然是要由一點一滴地循序漸進而來，但其主要條件需要有創進民主政治的安定環境。在四郊多壘，烽火頻驚的動亂社會中，人民「救死不遑，奚暇治禮義哉？」像南韓和南越這些直接膺受共黨暴力侵襲的新興國家，生產力既不發達，人民的知識水準低落，社會結構極不健全，要他們實行「跳高欄」式的民主政治，實在困難。可是，就理論來說，反對共產極權主義的有效武器，即爲民主自由生活，反共而不民主，無異以暴易暴，烏乎可呢！「衣食足而後知榮辱，倉廩實而後知禮義」，在產業貧乏，社會生計艱難的國家，一般知識份子以搞政治爲謀生的唯一途徑，他們很自然地要利用民主這塊盾牌，作爲過問政治的工具，執政者如果缺乏「天下爲公」的開明作風，肆應失當，即隨時可能激起政潮，陷國家於動盪不安之境，唯有乞靈於武力鎮壓手段之一法，這又違背了民主原則，大不可也。要廣闢人民謀生之路，除發展工商企業外，別無他策，然工商企業不是咄嗟之間可以發展的，沒有安定的環境，相當的資本和技術，談何容易？在南韓和南越這類敵寇壓境、戰火瀰漫的地區，根本就談不到。工商企業不易發展，而民主政治又非實施不可，結果就祇有知識份子樂此不疲，與一般民衆不相干，政治權益有我一份便是民主，否則即爲獨裁，即在打倒之列，執政者乃以武力鎮壓爲能事，而民主政治之澤，斬矣！所以，美國開國的初期，政府實行「分贓制度」（Spoil System），所有一切政治權位和利益，皆由政府與各黨派協商分配，各盡所能，各取所需，這何嘗是由人民作主的事兒呢？然美國的民生生活，即係從這種分贓主義演進的！因此，美國人士今日每以自己現有的民主生活方式，衡量一般後進友邦的政治情況，說這樣是腐敗，那樣又是低能，期待別人一律要向美式生活看齊，這是不合實際的思想浪費，不足爲訓。

選舉的實質問題

民主政治的精髓就是選舉制度。由人民選舉代議士，以監督政府的一切措施，選舉官吏以執行國家的政務；代議士和官吏如不稱職，人民有權予以罷免。這些民權且列入國家的大經大法之中，具有不可違犯的尊嚴性。可是，選舉的實質果眞達到「選賢與能」的成效嗎？答案是否定的。人民要發揮「主權在民」的實力，先得具備兩大條件：一是民智很充分，有獨立判斷是非利害、辨別人才賢愚的能力，二是社會生計豐裕，不爲金錢所誘惑。然而，這條件到今日還未見有一個國家具備了的。瑞士號稱爲民權最發達的國家，是世界上實行選舉、罷免、創制、複決四權的唯一地區。由於小國寡民，生計優越，而地理環境又少受內亂外患的干擾，使它可以儘量創進民主生活。但在瑞士實地觀察過的人，即知道所謂行使四權的實際情況，許多地方并不是那末回事！就當前而言，美英是民主憲政先進之邦，他們的選舉作用，都是金錢第一，人才不論。我們看看美國著名作家馬克吐溫所寫的「州長選舉」這部小說內容，敘述美國一個貧寒出身的才智之士從事競選州長，頗得社會大衆贊許擁戴，他的政敵乃利用雄厚的財力，在紐約收買或臨時創辦一些報紙，每天刊着這位寒士過去幹過騙徒、竊盜行爲的造謠中傷消息，使社會大衆對他的信譽發生疑問，而他又缺乏金錢來作同樣的宣傳工作，結果祇好知難而退，讓那聲名狼藉的政敵獲選了。這雖是小說家言，亦係反映當時的社會現象。事實上，美英各國到今天還是靠金錢魔力，纔可望獲得選舉勝利，人才問題殆屬次要，且可說無關宏旨。現任總統甘廼迪先生與尼克遜競選時，若不是財力雄厚，即未見得他能以相差不多的票數勝過對方哩！英國學人流傳的一句格言，說英國人民只在選舉投票的一剎那間，纔算是發了自由意志，可謂鞭辟入裏的確評。

歐美先進民主憲政國家的選舉實況如此，其他東西各國的情形，更可想見了。我們中國實施民主選舉制已逾五十年，今日健在着的中年和老年人，都身經目擊過各種選舉事宜，試問一般民衆是否眞正實行了選賢與能的權能呢？中國的社會生計雖然只有大貧小貧之別，不像歐美那樣拜金主義的選舉玩藝，但眞是窶人之子，如果僅憑學問才幹以競選，而無其他不可告人的方法以濟之，就休想有當選的希望。台灣省的生產力相當發達，國民教育很普及，勝過內陸各省多矣。然近十年來實施民選代議士和地方官吏的情況如何，大家觀察得很清楚，除却勞民傷財之外，究竟實現了選賢與能的績效沒有呢？在中國近五十年間的選舉過程中，凡是採取「間接選舉制」——如由議會選舉，或由政府遴選出來的各種人民代表，多少尚能表現着拔取人才的事實。此無他，金錢的魔力比較少，選舉人亦能本着眞知，鑑別人才的賢愚，有所抉擇也。至於共產國家之所謂民主集中制，那是極權主義者欺人的符咒，根本沒有談論的價值。

創進民主政治的層次

民主生活是人類進化的一大潮流，勢所必至，理有固然，任何力量亦抗拒不了的。不過，實施民主政治必須按着層次，循序促進，既不宜揠苗助長，亦不可因噎廢食。基本條件固然是要發展生產力，普及民衆教育，健全社會結構，使人民饒有組織能力，進而對政治發生興趣，在選舉中能夠表現一些選賢與能的智慧，發揮自由意志。選舉如果辦得不像樣，所謂民主政治就變成了鏡花水月，只是騙局而已。但這些基本條件不是一朝一夕可以造成的，補救的方法唯有開放言路，讓輿論界有批評庶政得失，臧否政治人物的自由權力，藉以激起民衆對政治問題的興趣，增進其衡量人才的知識。如其藉口內憂外患，處處遏制着言論自由，而又要實施民主憲政，即係緣木求魚的愚昧行爲，對國家、對執政者本身，都是有害無益的！

漫畫天下　南施

誰的東西多？

雨季過後

自由談

洋化教育

馬王先生

一所完全供中國青年子弟進修的最高學府，而一切課程皆規定要用英語講授，這當然不合理，社會人士加以指摘，不亦宜乎！詎料主其事者不知接納忠告，還要文過飾非，自以爲是，一則曰世人誤解了「中文大學」的稱謂，再則曰這所大學并不是以教中文爲目的的「中文書院」，三則曰大學生應該通曉外國語文。嘵嘵譊咋，強作解人，眞是莫名其妙的怪聲怪氣，好不笑煞人也麼哥！

誰也知道所謂中文大學，并非研習中文的專科書院，更不否認大學生必須學習一種乃至兩種的外國語文，作爲增進智識的工具。這原是婦孺皆知的常識，唯有鄙陋到不知自己是那國出生的人，纔昧昧然認爲係費解的問題啊！以教育中華兒女們爲職志的最高學府，爲啥要規定各種課程皆得用英語講授？這與香港人所說的「番書館」與「番書仔」的本質，又有甚末區別呢？教師用本國出版的課本，對學生講解外國出版的課本如數理化學之類，豈不是使聽者更能透徹領悟嗎？若謂藉此以訓練學生們的外國語文，那末，法文、德文、俄文、日本文，乃至於拉丁文、希伯來文、梵文等等，無一不是與科學知識有關的文字，都得學習，何以又規定只用英語教授呢？況且學生們并非個個志願作外交官的，光是注重外國語文，亦係大大的失策。

中國自海禁開放後百餘年來，因幾次對外戰爭失敗，淪爲世界列強的次殖民地，一般士大夫充滿着由懼外而媚外的崇洋思想，認爲外國──尤其英美──的月亮亦比中國好，數典忘祖，不知所出，且恨自己的髮膚不能與洋人媲美爭輝，大多數的西洋留學生皆中此毒，因而中國文化思想界乃陷於空虛衰落的狀態，致招來今日神州陸沉，國破家亡的浩劫。推本窮源，買辦西崽式的教育方針，實爲主要因素。

港督柏立基先生最近在某一教育機構演說，希望中國知識青年除學習外國語文之外，應該注重中文。他是外國人，而有此極富妥當性的見解，我不知某些買辦式的中國教育家，對此作何感想？不過，話又說回來，這類人物對我所寫這幾百字的中文，相信他亦是認識不了的，要他理解港督所說的語意，戛戛乎其難哉！

台灣省各縣市義勞競賽 過去兩屆得失利弊參半

不少人認為應改變方式務求盡利

（本報記者袁文德屏東航訊）五二年度台灣省國民義務勞動競賽，有可能暫停舉行。已舉行兩年的義勞競賽，其得失利弊如何，值得檢討。按台省各縣市義勞競賽，最先舉行者為屏東縣，茲先略述其始末：

屏東縣的國民義務勞動，據負責建設部門的康玉湖說：遠在民國四十年，屏東規劃為自治縣時，第一任縣長張山鐘，即有感於縣境幅員遼闊，光復以還，所有縣轄鄉鎮市大小道路，均崎嶇坎坷，傾斜毀損，久失整修，此不特對國防軍事運輸，妨礙很大，且對農村生產交通，亦多影响。基此，乃首創發動縣民，利用農隙之時，以義務勞動方式，整修道路。自此屏東縣即年復一年的舉行，從未間斷。

迨民國四十三年，林石城就任第二屆屏東縣長後，將過去修路競賽辦法，詳加研討改進，並另訂競賽注意事項，及施工要點，呈准省府，編列部份預算支應，確立制度，改稱為「公路整修競賽」，極力克服先天條件之不足，縣鄉公路情况，因而大為改觀。

民四十五年，省政府以「府交工字第三八五七四號令」，飭全省各縣市鄉鎮，比照辦理養路競賽，並於四十六年度，指定屏東縣辦理全省國民義務勞動示範工作，通令各縣市鄉鎮派員觀摩。但省府雖有此通令，而各縣市鄉鎮對此深感千頭萬緒，財政短絀，即使有心克服困難，遵行省令，亦力不從心，徒喚奈何，故雖對省令不敢置之不理，却也只是敷衍塞責而已。及至民國五〇年度，台南縣長胡龍寶，異軍突起，以義務勞動競賽方式，並訂定高額獎金，鼓勵全縣各鄉鎮民衆，進行整修道路，並擴大社會宣傳工作，把這項接近死亡邊緣的義勞運動，再度掀起了高潮。同時並藉重當時省議長黃朝琴的關係，邀請前主席周至柔蒞臨參觀指導。周至柔參觀了台南縣義勞競賽後，深感其價值至為重大，有擴大全省舉行之必要，乃毅然交省社會處擬具計劃，付諸實施。故五一年度，由省府正式舉辦「國民義務勞動競賽」，分「整理道路」、「整理環境衛生」兩大項目。各縣市鄉鎮均編列預算，如火如荼，熱烈展開競賽，但多旨在爭取省獎一百萬元的榮譽。故在整個成果方面，雖可以說業跡昭著，然而在個別縣市而言，確也給不少鄉鎮帶來了財政更[illegible]，更艱困的不良後果。

屏東為台省有數的農業縣份，由於工商業落後，地方財政向感困難，每年預算皆賴省府巨額補助，始何勉強維持，因是凡百建設，莫不困於心餘力絀。所以對省府舉辦的義務勞動競賽，祇是憑民風淳樸，民性勤勞，以及早自民國四〇年起即訂定辦法競賽的經驗，參與競賽，在成績上雖僅獲第三名，却亦未因此在財政上使自縣至鄉鎮受到任何影响。

五二年度省府再度舉辦義勞競賽，屏東縣亦以守為進的態度，全縣支應四十萬的經費，居然贏得了甲組第一名（道路組），丙組第二名（環境衛生組），總成績為第一名。獲省府獎九十二萬元。

據屏東縣潮州鎮長羅唯逢，竹田鄉長林裕濱對記者說：屏東之所以能夠分別在五二年度國民義務勞動競賽，獲得一、二名頭銜榮譽的原因是：①計劃週密，工作人員能協調，合作無間，使整個工作推行順利。②擴大宣傳，使每個參加義務勞動的國民，都能領悟其意義，而全力從事。

義務勞動競賽二年，在整個得失的檢討上，計優點方面，對地方，甚至對每個國民身心健康，都有顯著成效，凡亦確有豐碩的成果可覩，然缺點方面，也值得檢討改進的地方，諸如：①評定成績在實地考核上，過於走馬觀花，草草了事。②在財政上造成了[illegible]的現象。③在義務勞動制度的確立，業務的劃分，有些縣市近於混淆，此因省府沒有明確規定，這項工作究應屬民政，抑屬建設，致使縣市單位無所適從，甚至造成爭功諉過，專權責的劃分，因而賞罰難以公允。④有些工程，非地方財政當局所能負擔予完成，而省政當局亦未能予以適當合理補助，而造成徒耗人力，一無事功。

屏東縣潮州鎮長羅唯逢，竹田鄉長林裕濱，這二位鄉鎮首長，一致懇切地的表示：省府今後不必舉辦國民義務勞動競賽了。他們說：為求實際起見，應由鄉鎮單位提出較大工程，請求補助，省府則先派員作全面實地勘察後擬定緩急建設計劃，分別撥款補助，並派技術人員指導，而仍利用農隙民衆力量，完成之。如是對地方建設事業，固可望收得事半功倍之效，合起來亦便是有利全省的作為了。

至於本年度將暫停舉行全省義勞競賽之說，傳為因為明年初將辦理市議員及縣市長選舉，忙不過來所使然云云。

是何原因造此現象 屏東縣府事務股長 判徒刑仍好官自為

（本報記者屏東航訊）屏東縣政府事務股長因涉嫌貪污、瀆職，被判處徒刑六個月在案，但屏東縣長李世昌竟不予批准其停職，引起地方各界的非議。

屏東縣政府事務股長吳萬順，為辦理苗圃工程招標包商紅包六千，被人密告檢舉，經地檢處偵查確實，提起公訴。依照台省公教人員任用條例，凡因案被法院提起公訴或判刑者，得一律予以停職。屏東縣政府主管人事單位，基於職責所在，當吳萬順被提起公訴後，即依法簽請縣長，予以停職處分。

然事隔四月於茲，吳萬順不但被地檢處提起公訴，且亦早於七月中旬被屏東地院判處徒刑六月在案，而主管人事單位簽請停職處分的簽呈，却仍依然原文未動，壓在縣長李世昌的抽屜裏。也因此，吳萬順個人就仍擺着事務股長的架子，在縣政府各科室大搖大擺，走來走去，顯示着他的顯貴，致引起外間紛紜的議論。

有的人士說：吳萬順這次被判徒刑，完全是替人背了黑名，這種隱衷之痛，實在是有口難言的；所以李世昌縣長對他的遭遇，深表同情，又所以不予批准他的停職。但同時又有人說：事務股長是縣長最親信的人員，他怎肯輕易給他停職，失去自己的左右手呢？又有說李世昌正在忙於蟬聯下屆縣長競選活動佈署，如果値此緊要關頭，批准他的事務股長的停職，是將會影响到他整個競選計劃的啊！

這公案究竟如何發展呢？是大家所關心的。（袁文德）

香港與大陸

廣州沙河勞改礦場 雙十發生抗暴事件

殺死共幹三名並破壞礦場設備

廣州市沙河一間石礦場的勞改犯，在雙十國慶節日，曾發生抗暴異動，殺死三名中共「保衛員」，破壞了礦場的設備，及共軍趕到暴力鎮壓，死傷了不少犯人，有若干則逃之夭夭。

據剛從廣州抵港的事件目擊者周仁×君透露：每年的十月，中共「公安」機關皆加强戒備，特別對勞改場、工廠、礦山和其他公共場所，防範最為嚴密，目的在防反共份子的破壞。但是，中共的所謂「加强戒備」往往是徒勞的，近幾年的十月期間，都發生了反共事件，今年亦然。

周仁×君說：在廣州市沙河梅花園東一間石礦場，那裏約有五百多名的勞改犯，全部都是被判五年以下徒刑的逃亡犯，偷竊犯和阿飛犯。平日，這等犯人都要工作十四小時，另政治學習兩小時。不過這個礦場因為沒有政治犯，而且大部份是一九五七年以後從南洋各地回去的華僑青年，故比起其他正名為監獄的勞改場的管制是較鬆的，勞動時間由正副組長（由共幹指定犯人担任）帶領，犯人得在礦場內自由勞動。

周仁×君的老家，正好是在這個礦場的毗隣，故他這次回家探親時，有機會目睹此一壯烈事件。他說：事件是發生在雙十節日的晨早六時，人們仍在熟睡中，忽然聽到該礦場人聲嘈雜，繼之傳來三兩聲的槍响和轟然爆炸聲，接着就是一大羣人的奔跑聲，附近的村民，意會到發生了事故，乃更緊閉門戶。（周仁×君是由隙中目擊此事件的。）約莫在早上七點鐘左右，趕來了一百名以上的共軍，他們首先包圍了該礦場，另又有部份共軍追捕逃犯，並聞陣陣槍聲，事件一直到上午十時才平靜。

周仁×君說：事件發生的原因，初時大家是不知道的，後來有一位從未被犯人殺死的「保衛員」，被熟悉他的鄉民探詢出來了。原來發起這事件的是一個張姓綽號「阿飛」的青年，他年青力壯，因被共幹選任為場內組長，因而在「彙報情況」或「接受任務」時，多有接近共幹的機會。這次，他是預先和幾個「阿飛」而最好的，（按：「阿飛」，乃係在僑居地受騙返大陸的智識青年）和往常一樣，十月十日的早晨六時，他以組長身份到「指揮部」接受任務，那時祇有四名共幹，且亦無戒備。張濟坤即行近共幹面前，佯作接受任務時，使了個眼色，那三個青年犯人立即撲向這四名共幹，隨後並有大批犯人擁來拳打腳踢，其中三名死亡，一名重傷。其他的「保衛員」，有的在洗面，有的在廁所，更有的仍在熟睡中，張濟坤等得手後，立即大聲呼喊，在破壞礦場設備之後，叫衆人趕快逃走。同張一道逃走的有百多人。但據說其中若干後來被打死打傷了。（斯）

戰略邑認眞發揮威力 南越農村改觀欣欣向榮

（本報西貢通訊）南越農村正在改觀之中，到處均有着欣欣向榮的氣象。這種改觀，與戰略邑的建立起來是分不開的。

在南越全國，自廣治以至安川，有四十個省份以上，自開始研究、組織、策劃及着手實現之日（一九六一年七月十二日）起至一九六二年十二月十五日，經已有四、零七七個戰略邑完成了。在戰略邑範圍中獲得保護的農村人民，有五、五零四、八九四人。此數字不包括住在各大都市如西貢，順化，峴港，大勒等民衆在內。

至一九六二年底，完成的戰略邑約為四、五零零個。每個戰略邑的外面，已有幾層竹尖及刺鐵綫所包圍着，佈有蒺藜之坑，守望站，交通道路，醫療站，守閘，看更等等，內面則有會議廳，學校，接生院，體育場，又還有人民團體組織，各項戰略的防衛聯絡……我們試計算這樣的四、五零零個戰略邑是在一年之中所建成，便大概可以了解建設的力量是怎麼樣的偉大。

一九六二年為建設農村，建設戰略邑，建設一項南越農村新景象的基礎年；如果欠缺了戰略邑，南越農村便無法改觀，欣欣向榮。

一九六三預定要繼續進行已劃定之路綫，將增加實現各個戰略邑，達到預定之總數一萬一千個戰略邑，俾保衛南越的農民的之安寧，及摧毀越共，使之淸斷地暴露在一個戰陣前面，屆時將在清算越共的戰爭中，不再遇到什麼困難的了。

完成了這幾千個戰略邑，果如所料，在近半年來，共黨已在各地連續的失敗下來。每一個地方，南越官軍均擊中目標，每個地方越共均受到重大損失，南越官軍在每個戰場均取主動形勢，往往把越共攻擊至潰不成軍，喪失了精神，它們非但不敢混雜民衆之中，而且，慌忙地恐怕民衆的拘捕及將他們消滅。

從前許多暫時遷至省垣的農民，現時經已返回邑中工作生活，公路繞着戰略邑及貫通邑中，俾能作迅速的聯絡及保衛的事宜，也作為輸運農產品前往各個市場之通道。許多茶樓，食物店，什貨店，縫衣店，單車店，唱片店，理髮店，食品店，經已在兩邊路旁紛紛開設了。許多個戰略邑是有市墟的，熱鬧往來的買賣人，經營着生意。

小孩子活潑地上學，男女青年在愉快的氣氛中工作，沒有什麼憂慮，年老的男女在料理家務，面貌欣悅地，對於過去，像做一場惡夢。誰料到南越今日的農村還能見到這般的景象，青綠的禾田，樹木，一羣羣的牛，羊，雞隻，井然的散處於戰略邑範圍內，用事實顯示南越鄉村已開始回復了昇平之世。

香港霍亂蔓延未已 當局呼籲一體警惕

（本報訊）十四日晨本港中區又發生一宗霍亂症，使今年的患者增至六十三宗。

十四日晨發生的霍亂症，患者是一名五十一歲的婦人，她曾於四個月前打過霍亂預防針。患者現正在西營盤醫院接受治療，據說她的病情屬於極輕微。

同時有四名霍亂疑症被送入院，其中三人住在九龍區，一名住在香港區。

入秋以來，香港霍亂反而大猖獗，殊使人震驚。醫務當局曾發出警告，歸咎於有約百分二十居民，迄未接受防疫注射，因而不但誤己，抑且害人。又稱：如其霍亂繼續蔓延，因防疫針有效時間只得六個月，故凡打針已超過時間者，亦有再次接受注射之必要。另外醫務當局又警告居民，除必打防疫針外，對於飲食起居，亦應小心謹愼，庶能早日撲滅霍亂。

國營事業為甚麼會虧損

本報台北記者

房屋租押費用，「五十年度達一千六百二十九萬四千二百十四元之鉅」。假使各單位所租押之房屋，為員工解決住的問題，本無可厚非，然而事實上，是作人情應酬的。比如「台糖以八十萬元，押入房屋一幢，借與行政院海埔地規劃委員會。台鹼台鋁各以六萬元押入宿舍一幢，借與經濟部職員住用。中紡以十八萬元押入房屋一幢，借與經濟部職員使用。台船以三萬元押入房屋一幢，借與行政院主計處住用。此外，各單位外借房屋甚多，約計三百餘幢，而台糖借出者為最多」，計二百九十五幢。外借房屋之修繕費、水電、稅捐、電話和傭人的費用，仍由原借單位負担。若就企業立場言，不但不合理，且儼然浪費。

責任分析

監察院專案小組報告認為：國營事業經營不善，經濟部應負「監督無方與包庇貪瀆」之責。其事實與理由如下：

「一、經濟部長（楊繼曾）未盡監督考核責任，以致沆瀣成風。例如關於創設新廠，購置設備方面，台肥六廠近在咫尺，而新裝機器，長期無法開工，人所共知，未聞經濟部對此類誤時枉費之事實，有所改正措施。中華機械工程公司，所包台中油管敷設工程，包價一千二百餘萬元，可有盈餘，但因工程估計錯誤，賠償八百餘萬；何以有此錯誤的估計，該部亦未聞有所追究，任令賠償。二、經濟部長包庇貪瀆，不足以資獎勵，各單位經營效能低落顢頇之事，層出不窮。……其貪瀆者，由本院彈劾者，已有三人。一為中華機械工程公司總經理，因舞弊經本院彈劾，送由公務員懲戒委員會決議停止任用二年有案，一屆懲戒期滿，經濟部即令其即日復職。一為中紡公司總經理，侵蝕國家資金達二千餘萬之鉅，經本院彈劾尚未結案，而調經濟部顧問。一為台肥總經理，亦經本院彈劾，尚未結案，而該員在未確定處分期間，竟被派出國外籌劃商展，其包庇貪瀆如此！廉能者自必心灰意冷。」

其次，是經濟部向各單位攤派款項，計有：「一、經濟部遇有特別開支，每以參字、計字、總字令及國營事業司、總務司函，或於集各單位代表開會，面定攤款數字，視各事業單位為外府。其屬於臨時性質者，尚有可原。屬於該部較長期之經費，如聯工各項經費，財物分類，職務分類工作等，亦均攤派，殊有未合。以五十年、五十一年度而言，據各單位報表，共計攤款二十一萬九千一百九十三元。……既為令攤，或開會分攤，何以各單位所報數字，此有彼無，不有出入？其報表顯有不實。二、五十年七月間，公宴陽明山經濟談話會人員，名正言順，何以各單位有列者，有未列者？三、另據聯工報表，五十年度因受颱風波密拉災害，增加修理費七十萬五千元，經濟部發文台（五一）計字〇〇五二四號令，由各事業單位分攤，惟未據各事業單位列報此項數字。四、另據石油公司表報四十九年三月二十五日，（子）奉攤財務分類工作小組經費五千零八十八元。（丑）奉攤編印經濟叢書，台灣石油印刷費一萬五百零八元。（寅）奉攤職位分類六個月經費八千元。（卯）奉攤財務分類審議展期費七千八百元。（辰）奉攤財務分類審議小組展期費一萬二千五百元。共計五筆。五、台鋁公司報表，（子）四九年分攤經濟部財務分類工作小組分攤費五、九三六元。（丑）分攤經濟部財務分類經費七千五百元。（寅）分攤財務分類經費一萬二千五百元。

（五）

報人普立茲傳

汶津譯

一位美國總統會說：刊登新聞和說出事實真相是一張報紙的責任。那是一張大衆報紙的責任，去告訴人們它所能得知的公衆問題的詳情，以及有關公衆利益的事情。這是一張報紙的天職去幫助人們了解一件事實的真正意義……

普立茲為全美報界贏得了輝煌的一仗，庶使他們可以暢所欲言，即使他們批評的對象是美國大總統，他們也將無所忌憚。

第十章

滿佈雲朵的天空是灰色的。在平靜的大西洋上，一葉扁舟前航。那是清早。在船上的一間大房間裏，一個人躺着睡覺。一陣聲息驚醒了他。他夠到身邊的燈，把它撚亮了。

立刻，一陣柔和的光耀亮了全室。另一個人正坐着等候，注視着那盲人的臉。

「早安，普立茲先生。」

「早安，鄧寧漢。一個很怡人的早晨。我感覺很好。這是一個重要的日子，鄧寧漢。」

「我知道，先生。普立茲太太昨晚來了信。她同意了你的所有計劃。」

「親愛的凱蒂。當然她會同意的。我們在家時曾談過這些計劃。」

約瑟夫．普立茲開始穿衣。他已學會怎樣用他的觸覺和聽覺來做很多的事。現在他七十三歲了。這是一九一〇年，他已經使他的世界適切他的要求了。

傑貝茲E．鄧寧漢為普立茲做了多年的事，他為這位發行人做多方面的差事。他可能是普立茲最信賴的友人。

他們開始一天的工作。鄧寧漢唸世界報送來的訊息。報紙有了困擾，正需要普立茲的援助。

「他們難道不能自己担負起責任來，讓我淸靜一點？編輯們知道世界報是怎麼一張報紙！它永遠是誠實，無畏而自由的——」他的聲音因憤怒而高亢。

鄧寧漢顧左右而言他。「新來的秘書，伊利蘭正担心着。他覺得他的工作不太好。要不要我告訴他你對他很滿意？」

普立茲的臉上呈現驚奇之色。「他為什麼這樣想？是啊，告訴他我要他繼續幹下去，可是他必須知道我需要淸晰的思考和真實的事實。我要求每一個秘書了解他所唸的東西，如果他是在和我談論那個主題！」

普立茲越說越激動。「我希望他們能了解——所有的秘書們——不能自己讀而讓別人告訴他每件事是怎樣一種滋味。假使他們作了錯誤的報告，那我就錯定了。但不能錯！我的秘書是我的眼睛。我必須透過他們了解事情。他們等於是我的一部份。」

鄧寧漢對他這種情形已司空見慣。這些傷感的話語沒有一次不使他感動的。老人正像一隻大野鳥，掙扎着想釋放自己。他的靈魂強烈而熱情的在、而且還像年青時代一樣地在苦苦探求。（四〇）

「雷鳴遠神父傳」讀後記

段宏俊

我們可以這樣說：中世紀的歐西文化之逐漸發揚光大，得力於宗教之處甚多，學術孕育在教堂裡，發揚在貴婦人的沙龍裡，本來是兩不相干的兩回事，但他們卻能互為因果的對歐西文化貢獻了特殊的力量！

天主教之傳入中國，也是宗教伴同學術以俱來，明朝為欣賞輿地數理之學，自然也就接受了它。

許我們這樣說：假如不是八國聯軍以後，歐陸殖民主義之盛行，可能天主教徒在中國更要佔着特殊的地位。但是傳教士混同了他自己的會籍與國籍，滲進了政治的作用，於是鬧得烏烟瘴氣，傳教士成了國際性的諜報人員，劃疆域、察民俗，在在的都違背了「天主」的聖意。為什麼把自己的國籍雜在宗教的教務裡，而向外大力推銷，它所得的結果，只是「教案」的迭起，以及「義和團」的傳統勢力之膨脹，加上士大夫階段的特殊反感，也可以這樣說，近代史上的「教案」應由教士負起絕對的責任來。

衆醉獨醒的人，不是沒有的，原為比利時人其後歸化我國的雷鳴遠神父就是其中之一。「雷鳴遠神父傳」在現在的香港發售上還遭到莫大的困擾，為什麼？殖民主義傳教人士的朽腐的思想作祟。就是在中國的境域的台灣土地上的新竹教區，又何嘗不是受着甚大阻力。

雷鳴遠在生時做了什麼對不起「天主」的事嗎？沒有。他可以說是「真聖人」。他為了愛人群，喜愛他的教友，也是罪過嗎？絕不是。假如我們要能仔細的讀「雷傳」之後，才會曉得，他愛中國，愛人類，愛天主。他是一個十足的聖人型的偉人！

雷鳴遠神父在法國讀書的時候，他愛的是「法國」。可是他到了中國之後，他更發現這一個古老的國度裡，須要更多他的愛！因為這一個古老的國度，正遭逢到曠古未有的欺凌與壓迫！

天津老西開事件，是法國人藉教會為幌子，侵佔中國土地為實的行動，受了「天主」大愛的雷鳴遠神父，竟能拋開他的會籍與國籍，而努力為受壓迫的「中國人」挺身而出。後果是他遠離開他喜歡的教長，放逐與禁止接觸教友。他都默默的忍受了。

可是教宗的「夫至大」通牒，支持了他，祝聖團的六位主教，也間接的證明，他做的對。抗戰初期的救護工作之展開，更說明了雷鳴遠神父的偉大之處！共產黨的無理拘捕，以及魂歸天國之日，他都在為中國在工作。

這本傳記是趙雅博教授參考各種外文版本，編輯而成，文字簡練，描繪生動，有光有熱，特其餘事耳。許我們這樣說：它是近世紀傳記文學上的輝煌鉅作，天主教傳教歷程中的珍貴史篇！

盧君續夢

第十回：集會議圖存　天寒日暮　空言難自救　鬼哭神愁

到了一九六〇年底，無論中共上下人員，怎樣打起精神吹牛，也覺得挺不下去了，毛澤東就有意開一次中全會。當時召集政治局委員會議，商量召開九中全會的問題。

大家聽說開會，一致贊成，因為每逢開會，每個人都可發表自己的意見，即使不能通過，或通過不能實行，也比由毛澤東一個人發號施令要好些。

政治局委員到齊之後，毛澤東說開會的目的，就詢問大家對九中全會有什麼意見。

李先念先起身說道：「目前最大困難還是財政，自從蘇聯撕毀了幾百個合同之後，對外貿易已經急劇下降，要賣的賣不出去，要買的又買不進來，影響所及，國內市場也大部停頓了，所以供應問題更形緊張，今天急於要解決的是增加物資供應，再降下去，不但人民沒得吃，就是軍隊與幹部也成問題了。」

毛澤東綳眉說道：「這些困難我早就料到了，不過，你們都不聽我的話，有什麼辦法？」

大家知道毛澤東的脾氣，遇到麻煩總是向下面一推，必要時也許會找一位代罪羔羊，所以大家都不敢開口，以免引火燒身。

停了半晌，還是毛澤東自己說道：「國內連年飢荒，反動份子都歸罪於人民公社，其實人民公社絕對沒有錯，錯在幹部不能按照黨中央的政策執行，怎樣改正此項錯誤，你們可以提出討論，我的原則是不能取銷人民公社，至於執行方面，我並沒有意見。」

毛澤東的話一說出，大家都明白他已經低頭，祗剩下嘴硬，此時再提出改造人民公社問題，絕對不會碰釘子，當時周恩來就使個眼色給李富春，要他先開口。

李富春說道：「據我的了解，人民公社吃虧是太大了，過去實行隊為基礎的三級所有制，許多幹部並未認真執行。實際上，能再小一點更好，能以使每戶每人都覺得非努力不可，否則就要受到處分，才能刺激農業生產。」

毛澤東點點頭：「富春同志的話很有道理。不過，怎麼實行還要大家討論。」

李先念說道：「關於工業方面，我覺得重工業的投資應該要減少了。事實上自從蘇聯撤走一千三百多名專家，重工業發展已經停頓了，留着大批工人，關着廠門開會吃飯，總不是辦法，既然短期沒有好轉的跡象，何不暫時停止，也省了一筆開支。」

李富春接着說道：「商業方面的政策也要改良，今天農村商業交易所以全部停頓，沒有貨物固是原因之一，經營不善也是致命傷，農村的土產賣不出去，農村的日用品又買不到。國營商店、合作社都變成官僚化，阻礙了正當的農業發展。要矯正此項錯誤，應該從發展農村初級市場着手，再組織小商下鄉買賣，使農村的商業能活躍起來，才可以增加城市的物資供應。」

毛澤東說道：「你們兩人講的都有道理。不過，說來說去都是對財政經濟問題，是不是今天的問題全在財政經濟，財經問題解決，一切困難都沒有了呢？」

（二四七）

談高傑與許定國

黃伯遠

三百人皆醉，別所休息。獲興平伯于睡人甲第中。夜半，壯士數十人踰垣入，傑覺，索衛身鐵杖，已失；猶奪刀力鬥，傷暈被執。定國蹀血南面坐曰：「三日來受屈辱，今如何矣？」傑大笑曰：「吾不聽忠告，致爲孺子所算！」□酒，痛飲而死。定國遂以其衆薙髮，渡河北上投清。

史閣部聞高傑之報，有「中原不可復」之痛。定國少年勇猛，手擎前舍，余身懸空，能左右換手，走長□數，顏色不變。曾定河南屬邑，寇至，箭下如雨，定國立敵樓，以刀左右揮，無一矢能傷其身者。有賊持版自護，定國射以鋼箭，貫版穿腦而死。高傑歎其老，既不聽誅，又不爲之備，其見殺，非不幸也。獨惜傑與定國，勇猛驍悍，爲之帥者，若能統馭得法，推心置腹，使之和衷共濟，天下事未可知也。不幸諸將水火，互相鬥殺，刀口不向外，反而向內；同時，定國宿將，以有功不賞，有罪則罰，而又目睹同是總兵，諸人非侯即伯，而己則白髮數奇，而其不生異心者，難矣！故許之殺高，是有計劃者，所謂「殺敵獻功，……謀定而發」也。奈何興高部之子戶」跳高：「定國有諜」！高不聽可也，何致笞之馬前，然後謀許誅之耶？此與項羽爲漢高告密，而致項無傷死，其殘忍無識，更不如矣。無床頭覓□，□已失所在，此非親信之所爲而誰爲耶？

聞嘗論之：史公固書生，乃治世之臣，而非亂世之大將才，使之督軍，已非所宜；況權奸操持于內，諸將驕悍于外，而一坐收倚臂之效，驅敵衞國，難矣！不觀乎，李成棟者，固高傑部十三總兵之一也。傑在，無所表現，傑死後，成棟投清，爲清追奔逐北，勢若破竹。可見紛亂之世，求將難，爲將更不易也。

又，黃得功者，字虎山，每戰身自衝突，勁疾若飛，渾名闖子！土橋之變，得功恨高傑入骨。會得功喪母，傑從萬元吉勸，出千金爲賻，二憾釋。向使史公能知傑與定國有隙，事先調離定國，或早爲彌縫，或戒傑毋大意，當不致一死一降。又或運用得宜，不令許太失望，許亦未必敢妄動。觀于李成棟降後，因受總督佟養甲之箝肘，復又歸明，可見諸將降清，多係迫于事勢，而非甘心者多也。（下）

禁賭述古

燕謀

爾來禁賭之聲大作，有人解釋住戶人家「衞生麻雀」亦在被禁之列。歷代賭風盛衰，乃繫於社會人心之振靡，社會風氣之靡，由賭博盛足以覘之。

然而賭博之爲事，由來久矣。禁賭之科律，亦因時代與人爲而異。漢書張拾傳：「安丘侯張拾，邸侯黃遂，樊侯蔡辟方，坐搏揜，爲城旦。」唐人顏師古釋云：「搏或作博，六博也；揜，意錢之屬也。」意錢即賭錢，亦壓錢之賭戲。張、黃等侯不僅坐賭抽頭，且有騙詐之嫌。唐以後之禁賭用心，亦有文獻可徵者。宋史王景文傳：「爲右將軍，坐與奉朝請毛法，因蒲戲得錢百二十萬，白衣領職。」此爲賭博而革職留任，亦爲公務員犯賭博被罰之一例。

又如劉唐祖傳：「爲員外郎，十年，再坐樗蒲戲免」。即爲因賭博而遭免職之處罰之一例矣。

金史刑志云：「大定八年，制品官犯賭博法，其法杖，聽贖。再犯者，杖之。」則曰：杖者所以罰小人也。既爲官職，當先廉恥；既無廉恥，故以小人之罰罰之。」觀此禁賭之法，不可謂不嚴了。

遼史亦有記載：「穆宗應曆十九年，正月甲午，與羣臣爲葉格戲」。君臣共賭，有誰來禁？此種賭風，可謂是如風行草偃了。宋史太宗紀：「淳化二年，閏二月，己丑，詔犯蒱博者斬。」宋章如愚「山堂考索」云：「宋太宗淳化三年三月丁酉，上封者言：「進士蕭元之，本名瑰，嘗因賭博抵杖刑，今易名赴登第，詔有司召之詰問，引伏，奪其敕，贖銅四十斤，遣之」。宋弛於酒禁，而禁賭却如此之嚴，此則因人因時而異也。

元史世祖紀：「至元十二年，禁民間賭博，犯者流之北地」。因賭博而犯流刑，量刑亦可謂酷矣。至明代萬曆年間，士大夫犯賭禁者尤甚。迨明天啓時，已盛行馬弔之賭矣。

有清一代，賭風可謂後來居上。顧炎武云：「今之朝士，若江南山東，幾於無人不爲此。韋昭云：窮日盡明，繼以脂燭，人事曠而不脩，賓旅闕而不接，而有以不工賭博爲恥者。」賭風之盛，概可想見。民國以還、以北洋軍閥竊據時期，賭博最爲盛行。袁世凱對禁賭用力至勤，然亦虎頭蛇尾，賭風終不能戢。

革命藝人夏月潤

諸葛文侯

五十年前，上海華界九畝地有一座戲院名叫「新舞台」，營業鼎盛，是伶界夏月潤兄弟們創建的。月潤以武生著名，紅極一時，乃兄月恒綜持業務，弟月珊贊襄一切，又斥資設置「救火會」，爲社會大衆服役。實則夏氏昆仲皆秘密獻身於國民革命運動，立功不小，而以民國二年討袁軍興，夏月潤黑夜搭救先烈陳英士（其美）於上海製造局一幕，最爲難能可貴，談革命史事者，不可不知也。

民國二年秋八月，上海革命黨人繼南京宣佈獨立之後，起兵討袁，進攻製造局不下，陳英士先生以駐守該局的軍隊，原係辛亥年他任滬軍都督時的舊部，乃單騎馳入製造局向駐軍關說，勸告他們乘機反正，詎所志未能如願，竟被扣持囚禁於局內，情勢殊危急。斯時夏月潤即以拯救陳都督出險的使命自任，某日深宵率同救火會同志數人，携帶洋油數桶，潛赴製造局圍牆外，初由月潤憑其卓越的武工技能，一躍而騎在牆上，先把救火會同志援引攀登，跳入牆內，再將洋油用繩子輕輕擲交牆內人，急向製造局後院放火，使該局駐軍與員工們倉皇救火，以便乘機行事，蓋夏氏已偵知陳都督被囚在前院大門傍衞兵室內也。

火警既發作，員羣趨後院搶救，僅有院衞兵室門口站立着兩個士兵，卻持槍看守陳英士先生不動。時已三更後，外面民軍的槍聲仍斷續入耳，夏月潤俯伏前行至衞兵室的近距離處，乃使出他的武術絕招，一個箭步飛奔到兩名衞兵對立着的中間，急以右手猛力拳擊一士兵的小腹，教他昏厥在地，同時左手抓住另一士兵的下體睪丸，使勁加以撳捏，登時解決他的命。於是乎，夏氏一身趨入衞兵室，挽着陳英士先生大門揚長而去，那幾個担任放火的同志，亦歡然雇從陳都督凱旋了。

新舞台營業既佳，盈利不少，夏氏弟兄又能因行義，對革命黨人在上海的宣傳事業，如「民立」報等，亦曾慨伙助。迨民國十六年國民革命軍進駐淞滬後，警備司令楊虎與東路軍政治部主任陳羣，又密令夏月潤率領戲班赴青島演出，暗中策動在當地海面的北洋海軍參加革命陣營，亦不辱使命。但夏氏弟兄從不對人誇述其革命勞績，人亦僅以普通伶工視之，眞不愧爲國家民族的無名英雄啊！

諸葛文侯曰：夏月潤之革命精神與行動，視一般冒險犯難，出死入生之志士仁人，固未多讓，然今日能知夏氏行誼者究有幾人耶？黨史不傳，官書不載，愚甚惜焉。竊世人囿於世俗觀念，以爲伶工無預國家興亡事，故濡筆略述其犖犖志行如此。

南宋偏安有人才

李仲侯

飛於是乃命王貴、牛皋、董先、楊再興、孟邦傑、李寶等提兵自陝以東，西京、汝、鄭、潁昌、陳、曹、光、蔡諸郡分布經畧。又遣梁興渡河，會合忠義社，取河東北州縣。調兵之日，命各語其家人，期以河北平乃相見。又遣官軍東援劉錡，西援郭浩，掎金兵之要，應川陝之師，而自以其軍長驅以闞中原。

飛將發，密奏言儲貳事，其略曰：「今欲恢復，必先正國本，以安人心，然後不常厥居，以示不忘復仇之志」。初，八年秋，飛因召見議建儲事，得詣資善堂，見孝宗皇帝英明雄偉，退而嘆喜曰：「中興基本，其在是乎」！家人問其所以喜，飛曰：「獲見聖子，社稷得人矣」。其乞詣行在也，蓋欲面陳大計；及秦若庸來，飛亦以機會不可失，不復敢言覲，疏言之。時儲極虛位，天下寒心，權臣娼忌人言，在廷莫敢倡議，飛獨念聖脊僾淵，不敢愛身，思欲盡言以報。至是虜再叛盟，飛灑涙厲衆，即日北討，將行數請面陳，冀以感動上聽，會詔促進兵不許，乃密爲親書奏上之。奏至帝衷感悟，賜御札獎嘉。會劉錡戰退三路都統韓虎等軍，因諭飛以擣虛斷後之策，扎曰：

「覽卿親書奏，深用歎嘉！非忠讜，則言不及此。卿識慮精深，爲一時智謀之將，非他人比。茲者河南復陷，日夕悕然。比遣兵渡淮，正欲密備變故，果致敗撓。劉錡戰退三路都統韓虎等軍，以挫北顧之念。卿可附近乘此機會，見可而進，或持角擣虛，或斷後取援，攻守之策，不可稽留，兵難遙度，卿可從宜措置，務在取勝，用稱引望。已進卿秩，並有處分，想已達矣。建不世之勳，垂名竹帛，得志之秋，宜決策於此。他處未曾諭旨，今首以詔卿，出自朕意，想宜體悉。十一日付飛。」

飛得順昌府陳規所申，復親提兵進援。奏至，賜御札獎嘉，仍諭以進取之計，扎曰：

「覽卿六月廿二日奏，得順昌府陳規所申，見親提兵前去措置，嘉歎不已。許國之誠，若不乘時措置，虜兵雖退，恐他時愈見費力。已令張俊措置宿州，韓世忠措置淮陽軍，卿可乘機進取陳蔡，就閣六月終，一切了畢。俟措置就緒，卿可輕騎一來相見也。付岳飛」。

飛進軍至蔡州，復賜御札，扎曰：「覽卿奏，提兵已至蔡州，暑行勞苦，益見忠誠許國，嘉歎無已。朕意初欲擣取亳宿，俟幾擊醜自潰，然賊情叵測，兩國生民有□□之期，中，遲速進退，卿當審處所宜。廿八日付飛」。（九四）

德性與才能

陳宗敏

司馬光資治通鑑周紀：智宣子將以瑤爲後，智果曰：「不如宵也。瑤之賢於人者五，其不逮者一也。美鬢長大則賢，射御足力則賢，伎藝畢給則賢，巧文辯惠則賢，彊毅果敢則賢。如是而甚不仁。夫以五賢陵人，而以不仁行之，其誰能待之？若果立瑤也，智宗必滅！」弗聽。後智伯果因驕而侮人，求地於韓、趙、魏三家，卒爲三家所殺，身死國滅。

司馬光論述此段史事，特別辨明才與德的不可不分，他那一段論述才、德的文章，亦極精微，其要旨曰：「智伯之亡也，才勝德也。夫才與德異，而世俗莫之能辨，通謂之賢，此所以失人也。夫聰察彊毅之謂才，正直中和之謂德。」然觀智宣子所言：「美鬢長大」，實在是「貌」，更非所謂「才」，更非所謂「德」。這顯見是古人概念籠統所致。嚴格的說，五者都不能稱之謂「賢」，因其均就才能與體貌而言，非從德性而言者。反倒是稱其「不逮者一也」之「不仁」，方是指德行方面的。而也因其不仁，故爲不德，五賢則徒足長其惡。此正所謂才勝德則爲小人。

「自古昔以來，國之亂臣，家之敗子，才有餘而德不足，以至於顛覆者多矣」旨哉言乎！

渡羅湖

石□

一橋飛虹漾水輕，閒關潛渡托□生；
尚憐秋氣迎人爽，乍覺風光換眼明。
瘦路馬深悲遠道，倦飛鳥苦□□聲；
鄉心天際頻回首，幾度昏鴉歸故城。

姜維與當歸

謬匡

姜維，字伯約，蜀漢大將也。諸葛慧眼識英雄，收維而器重之。後繼孔明之志，亦深得其法。當歸乃中藥名，何以與伯約有緣？據魏志載：「諸葛亮卒後，維代領其衆，數犯中原，魏主求之，使維母寄書召維歸，母因作書與維，恐明言不便，因寄當歸。維得書，知母意，因心既在漢，不欲還魏，遂作答曰：「兒但勤遠志，不寄當歸」。遠志亦藥名，生於山野，常綠草木，高七八寸，夏日開紫色花如□狀，爾雅釋名爲「蔓繞棘菀」，即此物也。維以遠志答當歸，固針鋒相對也。

姜維受諸葛武侯深恩，以師禮事之，孔明亦故伯約九伐中原，不特志復漢室，亦將以報師恩及知己也。雖未能恢復漢室，然亦司馬氏父子以重創，其不成功，勢使然也。

當歸不僅與姜維有關，唐詩中有「侍兒也解憐相思，偷種當歸與合歡。」蓋爲思婦寄征人之作，亦爲藉草木之名，寄□合之望，宜爲閨中之友也。

內僑督台報字第〇三壹號內銷證

自由報

THE FREE NEWS

第三八四期

中華民國僑務委員會頒發
台數新字第三三二號登記證
中華郵政台字第一二八二號執照
登記爲第一類新聞紙類
（本週刊每星期三、六出版）
每份港幣壹角
台灣零售價新台幣貳元
社長：雷嘯岑
督印人：黃行質
社址：香港銅鑼灣高士威道二十號四樓
20, CAUSEWAY RD 3RD FL.
HONG KONG
TEL. 771726
台灣分社
地址：台北市西寧南路
電話：三三〇四六
台郵帳戶金二九五二

論今後的對日外交問題

·文啟泰·

（一）

最近中華民國海內外各界人士，對於日本政府公然違背道義、不顧邦交，而以經濟力量援助中共僞政權一事，表示着無比的憤慨與抗議，主張實行經濟絕交，情勢殊爲嚴重。可是，據近日從東京旅行回來的人說，東京各大小報紙上，對於我方反對日本經援中共的消息，隻字不提，視若無覩，日本工商界且忙於到中共區域舉行工商展覽會，準備擴大對中共的貿易行爲。同時教唆一二政客，到台灣走一趟，說些感謝蔣總統當年聲明對日本不採報復主義的敷衍話，却絕口不談日本經援中共這回事。

日本民族性原是褊狹勢利的。他們基於「防共而不反共」的策略，早就念念不忘其向中共區域貿易通商的利益，只因美國不贊同，有所顧忌，遂不敢明目張胆地進行。現在英美各國皆與俄共集團作貿易勾當，英國人尤其注意於中共區域的貿易問題，要想利用中共堅決反對「美帝」的機會，一舉而壟斷中國大陸市場。日本人當然見獵心馳，自信他們有近水樓台的便利，在生產品的成本和交通運輸方面，都興英國爲優越，更不願坐失良機。他們并非不知道台灣的中華民國政府一定强烈反對，勢將招致外交和經濟上的不良後果。但以其勢利成性、目光短淺的心情，認爲中華民國在未實行軍事反攻大陸之前，外交上只要美國不對日本加以壓力，即無所謂。談到經濟上的利害，台灣每年對日本的貿易率，不過佔有日本對外全部貿易額的百之三而已，縱告損失，也可以取償於對中國大陸上的商業利潤。這就是日本政府悍然蔑視外交原則，不惜與中共積極勾搭的所以然。至於美國當局，現時正迷戀於俄帝的「和平共存」俚曲，又有出售鉅量小麥於蘇俄的商業利益可圖，這對於來年的總統選舉運動，裨助良多，美國工商團體亦提出「改善對中共的貿易政策」要求，且已派遣商業代表團東來，表面說是考查香港的貿易情形，實際係與中共方面打交道。因此，美國對於日本的資共行爲，即令有所不慊，也未便從中梗阻。池田勇人對中華民國反攻大陸問題的胡言妄語就是仰體美國當局的意旨而發的。

（二）

國際間的外交行爲，固無所謂道義，而完全是以本國的利害爲主臬，但亦不能說外交毫無作用，古今中外各國的歷史上，憑着外交關係而轉移、創進國際形勢，因而使本國轉敗爲勝、由弱趨强的前例很多，事在人爲，未可一概而論。西方學者詮釋外交定義，說是「外交係以智慧權謀處理獨立國家間，有時且爲獨立國家政府與附庸國家間的正式往來事務也。」所謂智慧就是「學」，所謂權謀就是「術」，外交行爲必須具備着「學」與「術」這兩項元素，纔可望獲致預期的成果。準此以觀察我們在二次大戰結束後的對日外交情形，「學」與「術」既缺乏，「人」與「事」皆不得當，今日有此結局，我們首先要承認自己人謀不臧，知所警惕改進，纔能夠補救於將來。

在舊金山和約尚未訂立以前日本處於被佔領地位的階段中，正是我們對日本人表現不報復主義的適當機會，因爲日本之必然再興，任何人皆能清楚瞭解的，在患難中結交的朋友，乃是道義性的，具有久要不忘的潛能，縱無可恃，個人如此，國交亦然。尤其像日本人的民族性，更能感受「以大事小」的道義交情。然而，我們在日本被佔領期間，政府駐日本的軍事代表團，等於是戰時派赴美軍總部的聯絡機構，一舉一動，一言一行，皆以盟軍總部爲對象，不特代表團的主持人須以博得美方歡心者爲標準，即一般大小職員，亦以留美學生爲合格，至少亦須擅長英語，爲的是要應付美國人，根本就未想到如何對日本人發生外交作用。這些被派駐日本的代表團人物，又盡是些不學而又無術的老粗，不但對日本人產生不了國民外交的效用——實際亦沒有這種知識，就是對盟軍總部，亦不能發揮四强之一的應有職責，却幹出了若干丟人的事，給日本人暗裏嘲笑，增加其輕蔑的觀感。等到舊金山和約簽訂之後，日本獨立新興了，而我們派駐日本的使節，亦未加審慎選擇，不是能力薄弱，即係資望不夠，「學」固然談不到，「術」亦昧然無所知曉。我們省察十餘年來派駐日本的軍事代表和外交大使，幾曾見他們對日本社會各階層有甚末積極性的活動呢？中日和約簽立後，我們放棄了戰爭損失的賠償要求，履行不報復的諾言，日本派遣了一個對中國關係深切的外交界元老芳澤謙吉作駐華大使，表示着親善結交的意念，而我們未能採取相等的適應方略，隨便對付，派到日本的使節，沒有一個是彼邦人士所崇信重視的人物，自從芳澤去職後，日本亦就實行敷衍的外交策略了。所謂「中日合作策進會」之組織，原以策進國民外交工作爲職志的，但我方參預這項工作的人員，十九都不瞭解日本情形，連日本語文亦莫名其妙，每日舉行一次形式主義的會議，作些官式應酬，就算是盡了「合作策進」之能事。人謀之不臧如此，夫復何言！即就日本這次賠售維綸工廠給共匪這件事而言，日政府和工商界籌謀已非一日，雙方洽次進行談判，我們駐日使節當然聞悉其事，詳細報告政府了，而我們不在日、匪談判之時，策動海內外輿論一致反對，僅由政府表示抗議，亦未免失之遲鈍而軟弱吧？

（三）

國際外交關係，是錯綜複雜，肆應多端的，要在平日遠矚高瞻，知己知彼，這就是「學」，因此學而後纔有適當的「術」來對付。假使我們跟南韓的外交關係很密切，這次日本不理我們的抗議反對，悍然以工業設備資助中共，我國就與南韓聯合聲明，雙方派艦隊截留日本運輸這項工業器材的船舶，亦比「經濟絕交」與「排斥日貨」的效用爲大，使日本人不能不仔細考慮。若僅以經濟絕交作報復，他們認爲充其量把每年對外貿易總額百分之三的利益犧牲掉，亦不在乎，決不會中止其資共行爲的。職是之故，我們不贊成政府對日經濟絕交，而希望政府暫時忍辱負重，改進今後的外交作風。如果我們能及早實行軍事反攻大陸，還我河山，則一切外交困難皆不存在了，日本人且將改頭換面，對我前倨而後恭，不成問題，在未採取軍事行動以前，還是外交爲重。外交之道多端，人才第一，沒有適當的人才，雖强國亦無從獲致外交上的功用，弱國更無論矣。在目前這種妥協姑息氣氛瀰漫全球的態勢中，我們要獨立生存發展，至少至少得表現着「敗事有餘」的能力，使强權主義者有所忌憚，而這還需要外交上有作法纔行。日本今後對亞洲問題，必然不甘居於袖手旁觀地位，它對我們是禍是福，殊屬難言，就看我們在外交上的努力程度如何了。

漫画天下　南施

日　比　意　法

這麼多的壞種

經援　小麥

乞而與之

自由談

皇帝的民主作風

日本天皇昭和，最近表現了兩項新作風：一是皇儲明仁的妃子誕生男孩後，請父皇命名，昭和却不自作主張，他教日本一般漢學家考慮考慮，最後採納某一漢學家的建議，取名「浩然」，說是基於我國孟子所謂「我善養吾浩然之氣」的義理；一是他在皇家的莊田中，挽起衣袖，跟農民一道從事於收割工作。這雖然是私生活行爲，但出之於素來號稱爲「神聖不可侵犯」的日本天皇，意義便不尋常了。前者表示着事無鉅細，一例公諸國人的胸懷，後者是他不以神聖尊嚴的天皇自居的示範行動。這都對日本人民具有啓廸作用，證明他的思想并不頑固，是能夠適應時代潮流的。

皇帝、總統、主席、總理這些政治上的名稱，實際都是些代名詞，無所軒輊。問題祇在權力是否集中，而人們的觀感亦就不同了。如共產國家的最高統治者叫作「主席」，表面看來似乎很民主，事實上却集大權於一身，比一般專制政體的帝王權威更重大，生殺予奪，隨意爲之，史達林就是很顯著的例證。反之，如英國和日本的憲政，一切政事皆委諸於內閣總理，他只是畫諾而已。尤其是英皇，連一篇照例向全民表達某項國事意見的廣播詞，亦是內閣代爲擬定的。像這樣的虛君制，人民既不覺得有甚末不舒服的畏忌心情，而在政治上又可以消弭一般野心人物爭奪領袖地位的醞作劇，對社會發生安定力，殊堪贊美。日本天皇的權威原來勝過英皇，但在二次大戰後，昭和天皇怵於時代潮流的壓力，盡量朝着民主思想的路徑前進，自動地以身作則，除上述行爲外，更打破歷史傳統，讓女兒下嫁於平民。因此，我們相信日本的民主憲政前途，很有希望，而昭和之功不可磨滅。政治人物如果不能順應時代進化律，知所自處，而沉湎於權力中毒的生活中，結果沒有不一敗塗地的，史事昭昭，所在多有，昭和可謂聰明人也！

馬五先生

台北閒話

柯仁

厨師出國 如何交待

△僑務委員會主辦之考選厨師出國，使我中華吃的藝術得更宏揚國外，當初確實鬧得轟轟烈烈，可是：從初選、複選，試菜，調查，一年多來，毫無消息，徒使得一般憑眞本事考取的大師務，望穿秋水，急得跳脚。而消息傳來，要出國賺外匯，談何容易，要是沒有門路，考取了，還得白等，要等到什麽時候纔能成行，祇有天知道。但假如有門路，進備取的便已經出國好幾個月了。這究竟怎麽回事？主其事者，何以向大衆交代？

環境衛生 該打理了

△台北市是軍事、政治、經濟、文化等等的重鎭，中外觀瞻之所繫，可是，高叫幾年的衛生問題，却是無人注意及之。從高空看是一片人造塵霧，從地上看是一片灰塵，生煤照燒，汽車一過，車後是一長條濃黑「毒龍」，老百姓每天不知要吸進多少。這種慢性的故意殺人，是誰主管？爲何不管？難道這種事，也要極峯下條子才急起來，而敷衍一番嗎？

兒童戲院 給誰享受

△造了幾年的兒童戲院，總算是弄好了，可是一開始就是與兒童無關。好不容易，暑假來了又過了，兒童却仍未嘗享受這種設備。天曉得這種掛羊頭賣狗肉的幹法合理不合理。我想：市政府如果爲了生意眼，要賺錢，那又何必一定要掛塊牌子，叫它「兒童戲院」呢？主其事者，不妨拿出當初的計劃看看。怪也是怪，市議員們也不會追根究底的詢問清楚。難道還要麻煩一向關心兒童福利的蔣夫人站出來說幾句公平話才行？

警察作風 是耶非耶

△台北的「三作牌」（附註：警察先生們對老百姓自認爲作之君，作之師，作之親，故目前老百姓流行稱之爲三作牌」人物，好的憑良心說也不少，但是壞的憑良心說也是沒有，大街小巷總能發現「三作牌」對納稅人，吹鬍瞪眼。就拿抓車燈來說吧！爲了交通安全，乙種車輛夜晚必須有燈，誰說不該？可是每在橋下，一見無燈之乙種車輛，從黑暗中一穿而出，身法之快速，眞是，「說是遲，說是快」，一把抓車，好似抓江洋大盜，先是大大的教訓一頓，然後帶過一旁，等抓夠了，再一連串帶到派出所去，有錢的罰錢，無錢扣車叫你明天帶錢來贖，這種態度之惡劣，就像與老百姓有不共戴天之仇似的，這可能祇是少數「三作牌」的作風，然而無論如何要不得，徒然引起窮苦百姓的怨恨。假如被懷疑爲政府教他們這些害羣之馬這樣做的，把帳記在政府頭上，豈不糟糕？

密鑼緊鼓。各顯神通
高市選戰幕後活動劇烈
傳執政黨經內定市長議長人選
現任副議長王玉雲臨扶擇關頭

（本報記者趙家驊高雄航訊）高雄市第六屆市議員競選選戰的序幕，已因執政黨的黨內提名登記完畢而展開，非執政黨籍的人士之有意參加角逐者，亦已在民間劇烈活動。未來的選戰結果，執政黨仍將把握絕對多數，蓋在意中，而歷屆議會黨外人士佔三分之一的慣例，恐亦殊難打破。

目前高雄市民雖然關心議員競選，但最教人矚目的還是正副議長誰屬的問題，一般均認此爲未來高雄市政舉足輕重的關鍵之所寄。

現任議長陳銀櫃在第五屆議長任內，表現殊不佳，尤其（一）肉攤的開放，爲市民的公意，但他却爲報李金川一票之恩，而罔顧市民的利益，阻擋開放；（二）惡性倒債達七百萬元，債主臨門討債者踵相接，他正如泥菩薩過江，那裏還能認眞主持議會？（三）是他把議長小轎車借與私人使用，不幸翻了跟斗，車毀人亡，連修車費也由議會報銷等事，均造成人言嘖嘖的不利形勢，成爲陳銀櫃的致命傷。有傳說他要急流勇退，息影家園了。

現任副議長的黨外人士的王玉雲，在任內表現似乎還不錯，此人頭腦敏銳，頗有組織能力，因而很有副座壓倒正座的態勢。但其人非執政黨籍，近年來很有靠向執政黨之勢，據說其用心無非是取得議長地位，最近因洪地利，陳田錨亦有問鼎議長寶座的打算，王玉雲急得跳脚，傳說經過智囊團的會議，決定：如執政黨允予議長一席，他願意入黨，否則仍保持「社會賢達」的身份云云。

曾經一度担任高雄市議長的陳武璋，日前傳聞突被執政黨中央黨部徵調。陳武璋本來早經向記者表示無意於下屆市長，議長一席當更不在他眼下。陳武璋目前高坐硫酸錏廠董事長寶座，他何苦又出來競選議員進而議長？也許市長地位他也不無興趣吧？但黨的決定，他不敢違抗，委曲幹一任議長很有可能的。至於未來的市長那隻位子，大勢似非李源棧莫屬。李源棧如果眞出山，以他的實力，可說無堅莫摧，排山倒海的大勝殆可預卜。

執政黨的這一佈置，未來形勢大大改觀，原來有意問鼎議長的王玉雲，議長既大概是陳武璋，就不得不退而求其次，在副座上動腦筋。洪地利，陳田錨，和洪與陳早在半年之前即已加入執政黨，既然未來的議會仍將由執政黨以大多數握制在握，則除非王玉雲獲取保證亦入黨，擺在他面前的只有兩條路：一條是退出政壇，不再參加議員選舉，另一條是硬着頭皮繼續「社會賢達」下去，而以參彈攻勢，也許會使自己再做一屆副議長。

屏東農田水利會長
藍家精違法引用妻弟
被省水利局揭穿秘密

（本報屏東航訊）藍家精接掌屏東農田水利會長後，利用職權，違背人事管理規則，任命其妻弟劉漢家爲事務股長。他此舉瞞過了縣府，但却爲省水利局所揭穿，引起會員代表頗多不滿，申言彼如不立作合理處理，勢必引致極不利於他的風波。

按藍家精當選第三屆屏東水利會長後，於今（五二）年四月一日走馬上任，他把帶去的幹部名單報到主管官署的縣政府後，水利課承辦人對劉漢家與藍家精之間的關係，便曾發生了懷疑，惟以缺乏確實根據，乃函令水利會據實查報，俾資報省水利局核備。嗣經水利會再具文申報略稱：「經查劉漢家與藍家精會長之間，並無三親以內血親、姻親之關係存在。」主管單位縱不再有懷疑，乃轉報省水利局。

但藍家精此舉的底牌，却給省水利局調查得一清二楚，於九月二十日以「水人字第三四六七五號令」批復屏東農田水利會：「經查該會長之岳父劉振昌，岳母爲劉張鍛；及劉漢家之父爲劉振昌，母爲劉張鍛；證明劉漢家係藍會長之妻弟，核與台灣省各地農田水利會人事管理規則（四十八年六月五日修正）第五條之規定：『水利會會長及主管不得引用配偶及三親以內之血親、姻親爲同一單位之職員。』應不予備查。」

此一秘密經揭穿後，據水利會某代表憤憤的對記者說：由於我們當會員代表的不瞭解人事管理規則，所以這件事我們是一直被蒙在鼓裏！另一位代表對記者說：藍家精接掌後，對水利會無論就財政之整理，工作之策劃，督導等等，都有顯著的成就，與卓越的表現，確實值得表揚稱道；然而，他竟利用代表們不諳法令規則的空隙，任用其妻弟劉漢家爲事務股長，且意圖矇混上級，這不但欺騙所有會員，且不智之甚。又說：我們希望藍家精能作明智的抉擇，爲避瓜田李下之嫌，速作合理的處置，否則將來風風雨雨，難免會影響到藍家精的信譽。（袁文德）

南越織造業發展好
產量足供國內消費

（本報西貢通訊）南越自獲得獨立後，織造行業即得到順利發展的機會，從一九五五年到一九五七年四月，可謂越南織造業最興盛時期。但從一九五七年五月起至一九五八年四月止，因爲受到全面經濟的影響和受到外國貨的激烈競爭，又使南越織造業處在癱瘓狀態。

爲扶植織造業解決困難，政府乃施行禁止入口本地已能出產的各種織造品，以期減少競爭，獲得發展的機會。由一九五八年五月至一九六〇年九月，織造業的處境已比較改善。

由一九六〇年十月至現在，各織造業企業發展良好，然而在這期間，手工業織造業却一蹶不振，前途堪虞。計一九五五年，全部織造機共有三千三百〇一架，其中有二千一百六十三架是手織機，另一千一百三十八架是電動機。那時候的織機多數是織造絲織品。這類貨物在市場上很受消費者歡迎，而且不受外國貨競爭。而因絲織品被政府視爲奢侈品，所以也逐漸受到限制，部份織造機則改織電光絲。因爲織造品銷路廣大，所以織造機數量增加非常迅速，據統計，到一九五七年一月，全國織造機已增加到一萬二千架，即比一九五五年增加一倍以上。但是，曾幾何時，由一九五七年五月開始，織造業正在百尺竿頭，大力發展的時候，却受到共同經濟困難所影響，人民購買力下降，市場狹窄，外國貨和本地貨出現尖銳競爭現象，逐漸的，各織造商大都失敗了，尤其以手織的家庭式織造機爲然。

禁止入口本地能出產的貨物，確使織造業受益不淺，因爲獲得了復甦機會，在工業化程序中，部份大企業已開始創立，統計織造行業，由一九五八年至現在，投資的款項已達五億六千萬元之鉅。

新投資的織造業，織造機全部自動化，每架機每天產量是一百尺布（三班工人輪一代）。各大企業織造公司的織造機有三千四百架，直至現在全國總共有一萬八千架織造機，分類如下：

（一）工業織機：一千架織造布匹，一千架織造綢緞。

另：（二）手工業織機：一萬五千架織造布匹，另一萬一千架織造綢緞。

上述織造機，每年產量如下：布匹，六千七百五十萬公尺。綢緞和絲織品九千萬公尺。全部總共爲一億五千七百五十萬公尺。此一數字，已可滿足國內消費之需求。

香港與大陸

民心思漢如火如荼
毛共厲行運動鎮壓

據上月中旬會同惠陽縣探母病再返抵港的何師奶對記者透露：共黨最近如火如荼地進行三項政治運動──「反反攻倒算」、「反邊界思想」（又名反港澳思想）、「反南洋思想」，其目的是爲嚇阻人民反共和逃亡的熱潮。

何師奶說：近一年來，在惠陽的城鄉中皆盛傳國軍要反攻大陸了，且因不時有地下反共份子的活動，故一般人皆認爲將會「變天」了，共產黨將滅亡了。因而許多人都對過去的所謂「地主」、「官僚」、一等階級的人特別表示親熱，有一些過去曾被共幹迫去鬥爭這些人的人，還去向那些被稱爲「五類份子」的送禮賠罪，或說明當時係受環境的壓迫，不能不向他們鬥爭。總之，人民已不再敵視和鄙視「五類份子」了。這情形，中共是了然的；它唯恐廣大的羣衆和「反革命份子」相結合，形成一種不可抗拒的力量，乃掀起了所謂「反反攻倒算」的運動，主要對象是上述「五類份子」。其手段極爲酷虐，並將一切「五類份子」，不論有罪無罪，一律重行管制，早晚必須到「公社」報到，離開所屬「公社」的範圍必須請示批准，否則便是違法。對一些「怨話」或態度「驕者」的五類份子，則召集群衆大會給予鬥爭，或逕予逮捕。何師奶家鄉有一個「舊官吏」份子（即前國民政府官員），祇因爲說了一句：「看看你們這些豬狗的下塲」！便被指爲「反攻倒算」思想，認爲希望國民黨反攻回去，結果被判了五年的徒刑。

何師奶說：在「反反攻倒算」運動的同時，中共又在青年中廣泛地進行「反邊界思想」，又利用「華僑聯誼會」組織歸僑，僑眷，進行「反南洋思想」。所謂「邊界思想」又名「港澳思想」，這項運動係針對一般青年極端嚮往港澳，時刻準備逃亡而進行的「運動」的，內容是揭露港澳的「非人生活」，鬥爭「典型」。何師奶家鄉有一名十八歲的女學生，一向與在香港的一位表哥相戀，時有信札來往，這也竟然被指爲「港澳思想」的典型，受到羣衆大會的鬥爭，說她把大陸無數的「又紅又專」的好青年都不要，偏要戀愛那飽受資產階級教育的人。強迫她以後要公開香港來的信件。

所謂「南洋思想」，是包括兩方面的：一方面認爲自己是歸僑、僑眷，賴以生活的物資均由國外寄回，而且「政府」又有照顧華僑的政策，故可以與普通人不同，不需參加一切的思想運動和勞動，過其安閒生活；一方面是鬧情緒要「政府」批准他(她)們回南洋去的僑生，他（她）們認爲「學成」以後，應該回僑居地帮助父兄經營生意，這才是父兄送他們回國升學的目的。中共認爲豈有此理，所以要「反」。（郗斯）

香港有了政黨
其名曰民主自治黨
十七舉行成立典禮

（本報訊）香港破天荒的一個政黨，其名曰民主自治黨者，業獲香港政府批准註册。這個政黨的籌備小組，經定於十七日中午在銅鑼灣香港餐廳舉行成立典禮，並宣佈其政綱。按香港目前祇有革新會及公民協會兩政治性團體，但均未正式使用「黨」的名稱。

國營事業為甚麼會虧損

本報台北記者

（卯）五十年度經濟部圖表室統計圖表款一八、二三六元。（辰）經濟部職位分類委員會房屋修理費五萬元。（巳）總經濟部國營事業管理制度研究費十萬元。（午）五十一年度經濟部成立各事業單位管理制度研究經費八萬元。（未）付經濟部探勘澎湖地區礦區探勘費五萬元。」

經濟部長的費用，監察院也有一份清單。這份清單上的賬是記在台糖公司五十年度開支項目中，計有：「一、私人費用：（台北）和平東路宿舍開支計四筆，共三、一四八．二元。經濟部長室開支計六筆，共一八、四四七．五七元，兩共二萬一千五百九十五元七毫七分。前者在管理費中開支，後者在推銷費廣告開支中報銷，其報銷單據字號均有記載。（按：此係抽查所得，究竟確實數字若干？須澈查。）二、宴客共計五筆，名單中皆有楊部長在內，其報銷亦轉入推銷交際費中」。

次長室的費用，「裝修用款，共計三筆，二、三三四．五〇元，均經轉帳報銷」。

國營事業各單位招待經濟部高級人員的一本流水帳是：「金屬礦業公司，五十年度及五十一年度招待經濟部高級人員（按：即蔣顧問、戚司長、卜司長、李司長、趙司長、馬先生等）」，計「五萬八千九百九十九元」。「台糖公司五十年度招待經濟部高級人員（按：為公務聯繫贈送國營事業司王司長、方糖五箱，宴請朱幫辦、楊幫辦、李參事等）」，計「一萬一千三百三十四元」。均「經轉帳報銷」。監察院專案小組報告認為：「以上三項用費，均在公務員服務法及刑法明文禁止之列，所有各該人員，自應酌情處理。又按各該費用，多經變造單據，以推銷費等科目轉帳報銷」，「其變造單據人員亦應依法處理」。由於此故，國營事業各單位，自三十九年起至五十年間，「經審計部剔除修正款項」，「尚未收回者，計有二百四十七萬八千零九十八元二角九分」。「其未收回之原因為何」？則非局外人所得而知了。

監察院調查意見說：「經濟部所屬十五單位之國營事業，經營失當，確為不辯之事實。即以虧損浪費二項而言，抽查五十年度時所發現者，直接間接內在外在約計不下五億之鉅」。際此「世局如此險惡，公務人員生活如彼清苦！主管部如稍有天良，對如此虛糜國帑之事實，午夜捫心，能不自疚」？「除由監察院會同審計部、行政院主計處組織專案小組負責長期清查外，至主管部各首長以及各單位主管，對經營不善，浪費資金，致誤建國良好機運，各負有應負之責任者，應依法分別提案糾彈，以明責任之歸，並整肅官常。」（六．完）

報人普立茲傳

汝津譯

「我知道我迫使他們日夜不休的讀着書報。他們難道不明白——」

「他們明白，普立茲先生。他們明白你的工作比他們的更艱鉅。你須要承受五個祕書的工作，思索它們，記住它們，還要給它們下判斷。你不能寫下你須要想和記的東西。你必須把它們印在腦子裏。」

普立茲碰碰他的朋友的臂。「我不想讓人聽來我在生氣或不高興。這不是生氣的日子。我們還有重要的事要做！」

他們走進一間大書房。四個祕書正坐在那兒閱讀。這位發行人走進室內，他們緊湊的注視着他的臉。他在微笑。祕書們也相視而笑。這一天將輕鬆多了；普立茲不會很難侍候的。

這天早晨普立茲使他們都大為吃驚。「我們今天不要再閱讀了。我有別的打算。」他由鄧寧漢手裏拿過幾頁紙，坐在他那張大椅子裏。他選了其中一張交給他的朋友。

「各位，」普立茲說，「我要唸給各位聽我的遺囑。」那四個人發出驚異的聲音。這位發行人把聲音平靜下來，說：「我的意思是，鄧寧漢先生為我唸出它。」

鄧寧漢啓齒了：「我，紐約城的約瑟夫．普立茲，在清醒狀況下，寫定此遺囑——」

普立茲止住他。「法律文辭聽來不容易了解。或許我還是告訴各位我死後怎樣分配我的財產吧。我將解釋我為什麼作這些決定。」

「我要把大約十萬元給紐約的音樂團體。另外十萬元給大都會藝術博覽院。我還造一尊湯瑪士．傑佛遜的像，讓紐約市隨它所好的安置在任何地方。兩萬五千元是做這件事的預算。」

「我的朋友不贊成我花這筆錢造傑佛遜的像。但是我覺得，我們始終沒有給這位主持美國民主的人物以應有的榮譽。我服膺傑佛遜的信念——沒有一個人該為了他的思想和信仰而受懲。湯瑪士．傑佛遜一直是我的導師。」

普立茲歇了一歇。當他再說話時，他的聲音充溢着情感。他的面龐發光，他的盲眼好像穿透了屋頂，進入一個可親可愛的夢境。

「我也留給世界報足夠的錢，使它能永遠存在。我從不打算只讓世界報賺錢。我要以善打擊惡，以公正打擊腐敗。我留給它的錢也許不夠它永遠維持下去，但是我們已證實了：一張真基於民主信念並且為民喉舌的報紙總會成功的。我的此生即將終了；世界報却將永垂不朽！」

室內的人都為普立茲臉上的光采所驚住了。他繼續說：「另外一件禮物是使我心快的。我要幫助訓練新聞界人士成為眞正的報人。我要幫助他們了解他們對讀者的職責。他們必須是受過很好訓練、並有足夠修養的人。我已要求哥倫比亞大學接受二十萬元代辦一所新聞學院。」

這些人都為之震驚。一所新聞學院？（四一）

藝術的歷史性

抽象藝術漫談

趙雅博

當代哲學認爲人是一個本質屬於歷史的東西，是一個其形上根子就在歷史性中的東西。是的，人是具有現在，過去和未來三個時間的，這是無可懷疑，也是人人很清楚的事實。過去在其精神或能力上，是寄托於現在；現在呢，在創造着新的可能性，並使它們實現，而此一實現並爲未來開闢生機；未來呢，它承受了現在的遺産，而更要孕育着新的東西。這是歷史的定律，在時間中，它使人逐漸加多可支配的潛在力，這也就是一般所說的進步。但這並不是說未來的人，比現在或過去的人獲得更多的眞實，而只是說他們因爲可支配比前人更多的可能性，而能獲得更多的眞理實在。今天的人雖然不要飛，也不願意飛，但是他卻能夠飛。可是像文藝復興時代的奇人達文西，縱然想飛，也沒有一點辦法。

人是有生死少壯現在與未來的，他的製造無疑的也是具有時間性的，這是說絕不可能不染上歷史性。每一個人，正如同希臘神話中的米達王一樣，具有一種悲劇的能力，凡是他們接近的東西，都要變成毀滅，消失，腐朽與過去的東西。這是人的可悲慘的悲劇，一切人的悲劇。人是缺陷的縛束，在時間性中，不但現在，就是未來，以至永久，都是在時間性裡消磨！

人固然能藉着創造，將自己沒沒無聞的魔爪摧毀，而躋入榮名的座上，而生活在它的作品上。但是卻沒有一個人能脫出時間的暴君。爲此，無論什麼樣人的偉大傑作，縱然人人都說它們是不朽的名作，可是說眞的，他只是時間的東西，在時間內看它們，要把它們安排在時間歷史的情況中，在時間性和歷史性中，它們會完成了意義與變化的。藝術作品，依照他是人的自由作品來說，他一樣也沈浸在歷史性中。

否認藝術的歷史性，否認它的歷史特徵，就等於否認藝術的意義完整。承認這個歷史特徵，正是從其歷史性所湧出的一切固有性。從這種固有性中，我們可以提出兩件重要的特徵：一、藝術是人的活動的結果和產品。就這一點來說，它是在時間性中，是有時間性的，是生於時間，死於時間。就其內在意義來說，它是不能被稱之為永恆的，將它附着於永恆，超過時間，這是不對的。二、藝術的活力，是含蓄在全部歷史的事實中，是與整個停滯不動相反的，更不能使藝術的活力癱瘓。藝術是有生有滅，有亡有存；它的生命的韻律是借同着歷史韻律的。將藝術的歷史影響凍結的一切企圖，都是註定要失敗的！

香港霍亂症仍猖獗 共已發現六十六宗

【本報訊】香港霍亂症猖獗，十六日復發現十一宗，使本年以來香港發現的霍亂患者達七十六宗。其中有三十六宗係十月一日起至十六日止的期間中所發現的，比過去四個月總數還要多。

十六日所發現的霍亂症患者，為一個三十四歲的婦人，住九龍區，經被送入荔枝角隔離病院療治。患者事前未接受預防注射。十五日另有送院之霍亂疑症兩人，經檢驗後證明所患并非霍亂症。

迄至十六日，香港霍亂情形如次：醫院內臨床之霍亂症患者三十三宗。經治愈出院之霍亂症患者三十三名。死於霍亂者一名。曾患霍亂經已治愈而死於其他病症者二名。

檢疫所內之接觸者三百四十一名。經過檢疫已離所之接觸者一千一百五十四名。經檢驗證明并非霍亂之疑症十七宗。在檢疫所之帶菌者十七名。已痊愈并離所之帶菌者八十七名。

瘟君續夢

第十回

集會議圖存　天寒日暮

空言難自救　鬼哭神愁

劉少奇說道：「據我知道，似乎各方面都有問題，應由各方面負責同志分別報告一遍，最好先從軍事、公安方面談起。」

羅瑞卿不是政治局委員，是應邀列席。不過，劉少奇點到他頭上，他也不能裝胡塗，站起身說道：「軍事方面最近問題是很多，基本原因，在於農村失收，物資供應緊張，動搖了軍心，必須要針對這一點注意。」

毛澤東說：「你提起部隊方面不穩，我到想起一件要事，兩個月前我派汪東興同志去檢查警衛團的思想情況，根據他的報告，才叫人洩氣哩！其中有許多戰士的思想都趨向反動，有一個戰士說：『毛主席住在北京，知道不知道農民生活，糧食打那麼多，都到那裏去了』？又有人說，『叫人們吃菜是不是毛主席下的命令，中南海修建工人每月六十斤糧食還沒勁呢？農民光吃菜和白薯，吃不到糧食，不能不管老百姓的死活，人民內部是有矛盾的』！又有一個人說：『現在農村老百姓吃的連狗都不如，過去狗還能吃到糠和糧食。現在人餓的沒勁，小豬餓的站不起來，社員們反映說：毛主席是不是叫我餓死。』」

毛澤東講的這段消息是屬於最機密的，大部份政治局委員都不知道，個個嚇得面青唇白。

陳毅說道：「警衛團是專門警衛中南海辦公處所，實際上就是御林軍，他們的思想都動搖了，如何得了。」

毛澤東說道：「是呀！我每次進出中南海，他們向我敬禮時，我就有點害怕，懷疑他們會不會乘機開槍刺我，你們想這個日子怎麼過。」

羅榮桓說道：「汪東興同志身為公安部副部長、又兼警衛團黨委第一書記，對這些情況，應該有個處理辦法。」

羅瑞卿說道：「東興同志的報告也說得清楚，在這一個團裏面，曾經對一個連作過典型調查，從去年一月到十月，全連共接到家信八百五十三封，電報六封。全連共計一百九十三人，從家中來信得知家鄉受災、親人死亡、得病，生活困難的有一百五十四人，佔全連人數的百分之七十九點八，其中因而引起波動，情緒低落，或流露出不滿情緒的二十八人。這樣情況下，相信無論誰去當黨委第一書記都難下手。」

陳毅問道：「這個事情現在怎麼處理了，難道就由他發展下去嗎？」

羅瑞卿笑道：「靠不住的人，都已經判了勞改或者鎮壓，現在的戰士都是在部隊中挑來的，絕對靠得住，大家放心好了。」

劉伯承問道：「像警衛團這種情形，在部隊中是不是普遍存在，軍委進行過調查沒有？」

羅瑞卿說道：「都調查過，思想錯誤的根源和警衛團一樣。不過警衛團糧食配給的多，雖然家庭的人挨餓，他們本身還吃得飽。普通部隊就差了。由於營養不足，工作緊張，大多數患了水腫病，所以他們的思想就格外反動，以為是黨和主席害了他們。」

（二四八）

揚州明月

漁翁

「天下三分明月夜，二分明月在揚州」，此杜牧之所詠也。

杜字牧之，萬年人，爲唐岐國公杜佑之孫，太和中成進士。在唐有大小杜之稱，大爲杜甫，小即杜牧，並皆才氣縱橫，小杜更風流放蕩。

牛僧孺以宰相出鎮揚州，延牧爲記室，即今之秘書。以牧之年少風流，處花柳叢中，妓女遇之，如見安仁姿儀，皆運手縈繞，而投之以果。牧之尤賞識一雛妓，贈之以詩云：「娉娉嫋嫋十三餘，荳蔻梢頭二月初；春風十里揚州路，捲上珠簾總不如」。該雛妓由是而聲價十倍。

牧之詩文並佳，所撰凡文集二十卷，外集一卷，別集一卷，統稱之曰「樊川文集」。二分明月詩，蓋歌詠揚州之繁華也。後人以一地方之熱鬧，而用「二分明月」以形容者，源出於此。

揚州之名由來已久，禹貢：「淮海惟揚州」，爾雅：「江南曰揚州」。夏禹治水時，制訂九州地理，揚州即列爲九州之一。在周秦時，凡今之江蘇、安徽，江西，浙江，福建各省，皆屬揚州。到東漢，改州治於今之安徽和縣。迨隋文帝統一南北，乃定名爲江都，即今之揚州。煬帝戀其繁華，駕幸揚州，多所流連。唐宋爲州，元改路，明稱府，滿清因之，民國廢，今江都縣其舊治也。

揚州爲運河入江之要道，南北交通必經之處，萬商雲集，淮南鹽商，以此爲中心，昔日長江以南之漕糧，亦以此爲轉運站，故成爲全國最繁榮富庶之區域。牧之以其繁盛，乃有「二分明月」之載詠。牧之歌詠揚州之詩甚多，尤以「落魄江湖載酒行，楚腰纖細掌中輕；十年一覺揚州夢，贏得青樓薄倖名」一絕，傳誦千古。

揚州當日爲江南北第一鬧市，故巫師爲病人驅魔鬼時，有曰：「那裏行？揚州好；日宰猪，夜宰羊。一帆送你揚州去，就把揚州作故鄉」。

隨園老人袁枚，對牧之備極推重，經其墓而題之以詩云：「蕭郎白馬遠從軍，落日樊川弔紫雲；客裏鶯花逢杜曲，唐朝風雅屬司勛。高談潞嘯兵三萬，論定揚州月二分；手折芙蓉來酬酒，有人風骨類夫君。」隨園以風流才子稱，亦以風流才子自賞，其推重牧之，蓋亦惺惺相惜也！

越南文學與中國

周燕謀

越南古稱交趾，越裳，駱越，安南。漢初趙佗在交廣建立王朝，爲越南漢化之始。趙佗歸漢，越南因之亦隸屬中國版圖。自漢迄明約二千年，此種關係可說一直未變，惟中國往往未加直接治理而已。清代，越南爲中國藩屬。中國文化輸入越南的歷史，超過兩千年了。

漢末中原大亂，名士如許靖、許慈、劉巴、袁徽等，都曾逃往交趾避難，也宏揚了中華文化。唐代著名詩人如杜審言、沈全期、劉禹錫、韓渥等，都曾客寓安南。他們的詩文，對安南人都有很大的影響。他如張籍之「送蠻客」，賈島之「送黃知新歸安南」，都曾和安南人相唱和，可知當時越南讀書人多能做中國詩文。

越南傑出文人代有其人，如李進、阮拳、士燮、姜公輔等便是，其中尤以士燮、姜公輔爲最著名。直到如今，越南人猶引以爲榮。越南士人多自命爲儒者，也一直爲社會所尊崇。

在宋代以前，越南的知識份子，向中國討官做的很多。越李太宗（一〇二八－一〇五四）以後，更模仿中國，建立科舉制度。

十三、四世紀時，安南人雖曾以漢字爲基礎，根據中國文字的方法，另製出所謂「字喃」，作爲他們本國特有的文字，但歷代以來，越南學者仍慣用漢文寫作。史家如宋末黎文休的「大越史記」，元時的「安南志略」，明時「越史略」，清代的「欽定越史通鑑綱目」、「西南邊塞錄」、「皇越地輿志」、「國朝史略彙編」（指阮朝）、「大南一統志」等，都是安南仿中國史書體裁用漢文寫的。清光緒三年，安南禮部侍郎裴珠江等入朝，曾和湖北布政使孫衣言筆談：「五經四書通鑑皆有刻本，餘諸書皆購自中國讀之。」至於詩文，據光緒初年徐延旭著「越南輯略」所載：越南書目三十四種，都是中國所未見的。徐氏當時曾奉使越南，對越南文化界的活動很留心，他說：「余遊諸夷……有翻元白而師長吉者，有談古人而鑿鑿者……今越南國有越南文鈔詩鈔各二冊」。這幾冊書，滙錄越南諸名家的作品，徐氏曾選了一部份，刊在他的「越南輯略」中。

十九世紀，越南產生了一部名「金雲翹」的敍事詩，長共三千二百五十三句，取材於中國山東某地的一個民間故事，注入了越南風情，變成了全部越南化的故事。內容大致是敍述一個受命運播弄的孤女的一生，她在茫茫人海中飄泊無依，受盡人世間的折磨、痛苦，但他能對父母盡孝、爲愛人守節，勇敢地活下去。這敍事詩被推崇爲越南文學史上最偉大的作品；它和越南的民族感情結合在一起，是越南民族的心聲，是越南民族生活的寫照。它轟動宮廷，傳誦民間，成了全越南男女老幼最心愛的讀物，也成了越南平民文學的代表作。作者名叫阮游，是越南的一個大官。他如陸雲仙、宮怨吟曲、燕山賦、征婦吟、林生春娘賦等，在越南文學史上，也都有很高的評價。

越南自一八八五年中法戰爭後，淪於法國保護。做了法六十九年的殖民地，廢用漢字已四十年。但越南人仍保有中國文化的遺跡，如今每一個越南人的姓名，仍有漢字根據。不過漢字的越南音法，與中國原音稍有差異耳。

南宋偏安有人才

李仲侯

閏六月十九日，張憲敗金兵於穎昌，復穎昌府。飛親率大軍去蔡向北。賜御札嘉獎，仍諭以委寄之意，札曰：

「覽卿奏，克復穎昌，已離蔡州，向北措置。大帥身先士卒，忠義許國，深所嘉歎。然須過爲計慮。虜懷毒螫，恐至高秋馬肥，不測豕突。當使許蔡遣民，前期保聚。大軍進退之宜，輕重緩急，盡以委卿，朕不從中御也。初三日付岳飛」。

劉錡又戰退兀朮等軍，復賜御札促飛進兵，乘機決勝，札曰：

「劉錡在順昌屢捷，兀朮親統精騎城下，官軍纍擊，狼狽逃去。今張俊提大軍在淮西，韓世忠輕騎取宿，卿可依累降處分，馳騎兵兼程至光蔡陳許間，須七月以前乘機決勝，冀有大功。爲國家長利，若稍後時，虜勁馬肥，非我軍之便。卿天資忠智，志慕古人，不在多訓。十九日三更付岳飛」。

飛復蔡州，因奏賊虜之計，大合上意，賜獎諭詔，曰：

「具悉。比以虜寇猖獗，我師克捷，懼或狃於屢勝，忽被不虞。乃申飭於戎臣，俾各嚴於武備，過爲待敵之計，用收全勝之功。今覽奏陳，大契朕意。有以見卿料事精審，爲國深謀，拊採以還，良多嘉歎。故茲獎諭，想宜知悉」。

張憲進兵陳州，廿四日破其三千餘騎。翟將軍翕兵以來，復敗之，獲其將王太保，復陳州。韓常及鎮國大王邦也孛菫再以六千騎寇穎昌，二十五日董先、姚政敗之。是日王貴之將楊成，破賊帥漫獨化五千餘人於鄭州，復鄭州。廿九劉政復刦之於中牟縣，獲馬三百五十餘匹，驢騾百匹，漫獨化不知存亡。飛舉兵過蔡，所向破竹，軍聲大振，鄭州陳州相繼收復。捷聞，賜御札獎諭，且遣中使宣勞，仍寫聖訓，札曰：

「覽卿奏，知已遣兵下鄭州，自許陳蔡一帶形勢，皆爲我有。又大軍去賊寨止百餘里，想卿忠義許國之心，必期殄滅殘虜，嘉歎無已。然賊計素挾狙詐，雖其姦謀不能出卿所料，更在明斥堠，謹間諜，乘機擇利，必保萬全。兵事難以預度，遲速進退，朕專付之卿也。已差中使勞卿一軍。未至間，卿有所欲，前期奏來。入覲無早晚，但軍事可以委之際，即便就途。遣此親札，想宜體悉。付岳飛」。

秦檜召劉錡還，飛奏乞錡依舊屯順昌，飛隨進兵郾城。賜御札撫問，札曰：

「得卿奏，提兵在道。暑行勞，朕念之不忘。狂虜尚近境，今已入秋，預當嚴備，以防豕突。蔡穎舊隸京西，今專付卿措置。當分兵將屯守防托，並謀絕其粮道，使虜有腹背之顧，在卿方略隨宜處畫。朕久欲與卿相見，事畢輕騎一來爲佳。餘候面議。遣此親札，想宜體悉。付岳飛」。（九五）

名伶軼事

諸葛文侯

海隅雜談

愚述上海藝人夏月潤獻身革命事業後，聯想到幾個與國運攸關的名伶軼事，值得談談。

四大名旦之一的程硯秋，死後乃知其爲共黨人物，而在上海久享盛名的鬚生周信芳（麒麟童）似乎亦與共黨有深切的關係，何以見得呢？程硯秋是在對日抗戰前不久，宣告輟演的，原因是他於天津唱戲完畢溢返北平時，在火車站上爲着檢查行李，跟軍警發生過衝突，迨他的兩大箱行頭運到北平啟視之，被人灑下了許多油墨污漬，他一氣而矢言不再登台奏藝，把行頭賤價出售了。旋於北平城外清華園附近的化龍橋，斥資創設一所私立中學，過着隱居生活。他并非知識份子，要辦學校而選擇郊區偏僻之地作校址，實係別有用意，這學校殆爲共黨「地工」人員的掩護所。所以，共黨竊據大陸後，凡是留在大陸上的男女老少伶工，皆被迫獻藝勞作，連早已退休的耄耋伶人如蕭長華等，亦不能不重行登台賣老命。唯獨程硯秋悠閒自在，隨時到西南各省考察地方戲曲，儼然居於伶界領導地位，勝過其師傳梅蘭芳的聲光，他死後，共黨又給以褒揚，如果他不是共黨同志，豈能獲此優遇異數嗎？他原係滿清的旗籍貴冑，辛亥革命後，淪爲鞠部子弟，受盡折磨痛苦，內心深處對中華民國沒有好感，他之參加反動集團，有由來也。至於周信芳是否早已加入了共黨，殊不敢必，但他於對日抗戰結束後，在上海經常以其所編「明末遺恨」這齣衰敗的新劇作號召，不斷地演出，而向人們大唱其「這就難怪天下大亂了」的台詞，無異於爲共黨釀亂作宣傳。當時我曾在南京報紙上著文建議政府，應予禁止這類亡國之音，以正人心，厚風俗，怎奈主管當局昧昧然熟視不問何？

大陸淪陷初期，名伶馬連良、張君秋、楊寶忠、俞振飛，以及名琴師王瑞芝，名鼓手杭子和等，都逃來了香港，但香港這地方，若靠平劇謀生，是不行的。諸伶偶爾獻演一次，爲着銷票問題，必須到處作揖拜託，形同乞討，因而楊、王、杭等人，相率潛回大陸去了。馬、張以有杜月笙濟佽生活費，並不想重返共區，迨杜氏逝世後，馬連良決意到台灣，張君秋亦擬跟他一道，當時馬氏曾與旅港的國民黨人士某商洽入台手續，某知馬氏有阿芙蓉癖，乃函告台灣顯要，請其轉囑治安機關，馬氏到台灣後，對他的不良嗜好，暫勿究問，一面由醫師替他設法戒除之，以示矜全。詎復書謂政府不能爲着一個戲子的關係，而公然廢弛烟禁云云，於是，馬與張君秋只好接受共黨的引誘，走回大陸去，最後俞振飛亦因生活艱難而踏入魔窟了。

毛澤東窮人唖餘

黃伯遺

「秦失鹿，天下逐。野失羊，牧兒忙。驪山一炬人膏香！五帝三皇無一可，長城萬里空相妻。已收書籍復收兵，何不更收天下火」？

右詠史一首，隆旡譽作也。通首着眼點在一火字。由驪山一炬生出，以下用收書焚之，火也。收兵燬之，亦火也。結句：「何不更收天下火」？以一反問作結，亦火也。

天下之書，可焚。天下之兵，可燬。天下之口可鉗？天下之人，可殺。五帝三皇，可以一腳踢。長城萬里，可以一手抓。惟獨天下之火不能收！於是：篝火狐鳴，燎原勢成，驪山一炬，遂亡嬴氏！此隆旡譽慨乎其言之也。

毛澤東之沁園春詞，完全是脫胎此篇而成。其「人民公社」之創作，也是取材於「何不更收天下火」也。雖然，彼徒知收書，可以掩盡天下人之目；而不知圯橋下仍有書。彼徒知收兵，可以縛盡天下人之手；而不知力士之椎何來？霸王之槍，劉季之之劍，又從何而得？

彼更不知：一旦惡貫滿盈時，一豎子可以制其死命，亡其國家，覆其宗族！何物毛澤東！焚書不足，燬兵不足，殺人、賣國不足，甚至欲收盡天下人之火，從而控制天下人之口？用之，欲其生；不用，欲其死！行見驪山一炬，玩火者，終自焚其身而已！

案：隆旡譽，別署「渠思山人」，湖南寧鄉人。傅鈍庵謂其詩直逼元遺山。不圖詩人之詩，竟爲大憝所竊取，害盡天下多少蒼生！

自由報

THE FRFE NEWS
第三八五期
內僑營台報字第〇三壹號內銷營
每份港幣壹角
社長：雷嘯岑
督印人：黃行寬
社址：香港銅鑼灣高士威道二十號四樓
20 CAUSEWAY RD 3RD FL. HONG KONG
TEL. 771726　電報掛號：7191
承印者：田園印刷廠
地址：香港灣仔高士打道一二一號
台灣分社
[illegible]

論團結反共力量與海外宣傳問題

雷嘯岑

中華民國執政黨管理海外僑務的負責人馬樹禮先生，日前在台北舉行的「僑務會談」中，提示當前對海外工作的四項中心任務：（一）為採取積極而實際的行動，團結海內外一切反共力量，以建立反共的聯合陣線；（二）為健全海外工作幹部，培養僑社領導人才，以適應新的環境要求；（三）為改進海外組織與宣傳；（四）為鼓勵胞僑與當地政府合作，以博取當地政府和人民對中華民國反攻大陸的革命行動之同情支持。這些意見都很正確，問題只在如何實行纔可以獲致預期的效果而已。我們贊許之餘，且就（一）（三）兩項，略抒芻蕘之見。

團結反共力量問題

這問題談論已有十多年了，各方人士亦提出了不少的意見，但結果還是空談，不特聯合陣線始終未能形成，即團結運動之一的「陽明山三次會談」，亦遷延了兩年未見舉行，其他更無論矣。有人說，祇要軍事反攻大陸的號角一響，海內外人士必然萬衆一心，共赴國難，不言團結而自然團結了，我們却不作如是觀。因收復大陸後的政治建設問題，比現在更繁複而艱難，事前毫無準備工作，將來很可能發生混亂狀態，此中情節一言難盡，但可想像及之，當國者應該有此遠慮，預作深謀，方不愧為眼光四射、才氣縱橫的大政治家。

團結反共力量這回事，各界人士皆一致期待其實現，沒有不贊成的，為甚末號召了十年尚無成就呢？關鍵即在「積極而實際的行動」問題上，而其基本條件，必須使朝野人士精神融洽，意志溝通，大家互信互諒，無所猜忌。然後政府在用人方面，表現為國求賢、集中人才的求治方針，行政方面實行異中求同、同中容異的民主作風，毋固毋我，不忮不伐，這樣纔是眞正團結一切反共力量的有效方法。處此空前未有的國難時期，執政者為國事茹苦含辛、任勞任怨的程度，固然迥異尋常，而社會大衆受着國破家亡的刺激，對國事每多激切的見解和批評，對政治人物常有過份的責難與期望，亦係必然的現象。政府當局唯有以負疚的心情，謙抑的態度，虛己以聽，擇善而從，即不難構成內外協調，舉國一致的新興景況。例如政府曾有「政治反攻」的決策，則在對大陸採取軍事反攻行動之前，遴集海內外各黨派各階層的中心人物，舉行一次國是會議，協商反共救國的行動綱領，似屬必要，若預先把會議的問題和目的，跟各方人士交換意見，詢謀僉同，然後正式開會，結果一定成功。張君勱先生最近即對筆者表示，為着協商國家大計，不但他個人隨時可到台灣去，并且邀約一般朋友都去。這便是「積極而實際的行動」，「陽明山會談」的方式，却不足以語此。

要建立反共的聯合陣線，除却政治號召以外，平時為着溝通意志的人事周旋，在所不免，情形亦殊複雜，但有一點必須做到，即大家相見以誠，決不爾詐我虞，潛存着互相玩弄利用的心理。私人如此相處，可以結為患難與共的道義之交，團體如此周旋，可以形成併力奮鬥的堅强陣營。例如青年、民社兩黨，近年來在台灣常常發生內部糾紛，此亦一黨部，彼亦一黨部，各是其所是，而非其所非。無論他們的是非眞象如何，站在執政黨人士的立場，只能採取勸勉調解的態度，盡力使他們復歸於團結，如其稍有偏頗，便容易給人以從中分化的誤會口實，因而影響到團結一切反共力量的大問題，這是不可不注意的有關事項。

團結反共力量的方法，既非希望海外的反共非共人士都到台灣去，亦非這些人士都需要政府予以照顧，大家皆知道這是不可能的事。政府祇要認許他們有過問國事，批評庶政得失，臧否政治人物的言論自由權利，即可以博得大衆的向心力，再根據民意的向背所在，改革一些秕政，引用一些新人才，則反共聯合陣綫之建立，易如反掌，而這些事情都是民主憲政國家的老生常談，并不稀奇的。我認為這與觀念有關。過去二十餘年，國家是過的「訓政」生活，一旦進入憲政時期後，依然由他們國民黨執政，政治人物不知不覺地仍以「訓政」觀念來觀察民主憲政之治，以致多所扞格了。今後只要大家先把觀念改變，自認係受人民委託以管理衆人之事的公僕，接受批評，容忍異己，這原是民主政治的起碼條件，如此則一切政治言行，將更見進步開明，而團結反共力量的工作，亦必有事半功倍之效用，殆可斷言。

改進海外組織與宣傳問題

關於海外僑務工作的組織，情形如何，我不清楚，但有一件事情，使我迷惘不置，現已事隔多年，不妨說說。即第二屆國民代表大會時，我担任會中「海外組」組長，本組的十幾位代表都是散居在東南亞各地區的本黨同志，他們願意回到僑居地方後，就現有的生活崗位，為黨從事義務工作，不要名義和經費，只希望黨部跟他們個別談話一次，瞭解每人的生活狀況，敎我據情報告上去，也曾接奉嘉許的指令，然結果他們在台北恭候了半個月，毫無消息，祇好失望回去。似此情形，可見當年的海外僑務組織已是很健全的，并不需要別的同志從旁幫忙，到今日又說要改進組織，這就奇怪了！可是，馬主任的話并非空泛之詞，有事實可資佐證，如東南亞某地一家具有悠久歷史的本黨報紙—「中興日報」，就是由於僑務組織不健全，纔弄得關門停刊的。所以我們很盼望馬先生對海外僑務加以整飭，而以打破誤國敗政的小派系組織為第一義。

談到宣傳事宜，眞是說來話長，別的地方姑置不論，就香港而言，實不勝感慨系之。教一個不懂宣傳為何事，不知報紙為何物的官僚人物來創辦機關報，歷時十餘年，耗去美金百萬以上，不特沒有發揮宣傳作用，即對反共非共的同業間，亦形格勢禁，故步自封，不發作絲毫影響力。再教他兼任海外一個委員制的文化機構首長，則三年亦不舉行一次會議，而其所持不開會的一大理由，說是怕有人談到蔣總統連任問題，難以應付（見他對台北主管機關的工作[illegible]。似此沒有半[illegible]精神的人，居[illegible]海外宣傳事業[illegible]運動的主持重[illegible]不是笑話嗎？[illegible]般民間的宣傳[illegible]都是採取反共[illegible]度的，他們人[illegible]，各自風格，[illegible]之所在，求其[illegible]安。這些文化[illegible]然不可忽視，[illegible]似乎缺乏團結[illegible]尤其是在宣傳[illegible]，未有聯繫指[illegible]，這是值得考[illegible]

海外的宣[illegible]，必須因地制[illegible]為運用，機關[illegible]例外，如果依[illegible]的宣傳方式，[illegible]力孔多而成效[illegible]關於團結反共[illegible]題的台灣官方[illegible]香港相距咫尺[illegible]敏感。例如過[illegible]外與論界提倡[illegible]反共救國會議[illegible]協商復國大計[illegible]官方人士發表[illegible]談話，指政治[illegible]議是大陸淪陷[illegible]之一，表示不[illegible]的[illegible]惡詞色，[illegible]是對政府當局[illegible]明要舉行救國[illegible]諾言，予以否[illegible]

漫畫天下

南施

大有所獲？

那傢伙又來了！

自由談

名女人頌

所謂「越南第一夫人」陳麗春女士，近在美國旅游中，除受到美方朝野人士的冷淡待遇之外，越南的留美學生再三對她投擲臭雞蛋和番茄，表示憎惡之意，她的親生父陳文璋—即原任越南駐美大使，拒絕跟她見面，她又接得若干恐嚇信，警告她將有不利的遭遇，很可能陷於「科里斯杜」的下場云。一個政治人物，在外國旅次受到這末多的精神打擊，即令是男子漢大丈夫處此境遇，亦將感覺跼蹐難安，不願隨便活動了，何況婦人女子呢！

然而，陳麗春却「當伊嘸介事」，照樣到處發表演說，替她的政府當局大力辯護，而且公開指摘批評美國朋友某些不是之處，睥睨一切，滿不在乎。無論她的言論思想是否妥當合理，但她這種胆量和氣魄，確屬難能可貴，不愧為女中豪傑也。

像陳麗春這樣的巾幗英雄，若是僅在國內搞搞婦女運動，暗中管理着越南的外滙事宜，未免大才小用了！她至少應該做駐美大使，或者正式担任越南的某項政務官，庶足以發揮「人盡其才」的效用。咱們中國最近卅餘年來，政治上亦有若干名女人出現，如宋慶齡、陳碧君、何香凝等都是一時的風雲人物。可是，她們祇能在國內仗着丈夫的政治地位，竊取名號以自娛，吵吵鬧鬧，却發些不知所云的無稽之談，若教她們出國去為政府效力，準是一籌莫展的。

美國人雖然不喜歡陳麗春，說她是「長舌婦人」，却讓她四出活動宣傳，政府經常予以保護，還請她現身於電視台上，放言高論，恭聆她的逆耳之詞，這亦是高度的民主風度，以大事小，可愛可敬。陳女士的才華和美國人的氣度，可謂各有千秋了。

今日吾國熱心參政的女同胞之中，亦有陳麗春其人者乎？為之執鞭，所欣慕焉。

馬五先生

「不要存置林野」
省府決整理放租

（本報記者台北航訊）本報十月九日報導「不要存置林野」，應趕快測量劃分後，台灣省政府表示，已計劃整理後實施放租。

據勞工社台中十四日訊：省府為加強土地利用，開發土地資源，決定將被濫墾的原野土地七萬公頃分期整理放租，俟政院核定「台灣省原野土地整理開發計劃」後即可實施。

原野土地即為以前所稱的「不要存置林野」，估計可開發部份約九萬公頃，其中約七萬公頃已被濫墾。省府現已決定加以整理，劃分宜農、宜牧、宜林的開發等級，實施水土保持，改良耕作環境，然後放租給現墾人耕作。至於其餘未墾土地亦予整理放租。省府預定濫墾地分四年整理完畢，未濫墾地分兩年整理完畢。

本報記者按：台灣省政府於四十六年規定，「不要存置林野」暫時不得請領放租，但迄今七年，雖經民意機關及輿論界之催促，仍未測量劃分，以致大好土地資源，棄而不用。（昌文）

議會專案小組調查初步結束
北市屠宰糾紛接近攤牌
議會勢必支持家畜市場改進計劃
屠宰公會為維既得利益尚掙扎中

（本報記者吳越台北航訊）台北市屠宰業大批發商為維護既得利益，透過台北市屠宰公會向台北市家畜市場管理處發動之攻擊，歷時已數月，仍未嘗稍卹，台北市議會特組織專案小組進行調查，初步調查工作，大體已經結束，俟日內再召開一次小組會議後，小組結論即可提交下（十一）月份召開之市議會討論。

據本報記者獲悉，市議會除部份議員外，多數議員均認為，此次家畜市場實施對於本市毛猪統一供銷，北市毛猪批發商打擊固大，而對北市零售商確屬有益，為襄助政府政令推行，減輕中間剝削，加强公營市場管理制度，市議會應予支持。預料此項意見，將獲得專案小組之同意。

台北市議會第九次臨時大會，討論屠宰公會請願，請咨請台北市府遵照內政部通知改進北市家畜市場毛猪交易業務案，決議組織專案小組調查。該小組原定九月十一日召開會議，因受葛樂禮颱風影響，延至本月八日始舉行小組會議，預定日內將再舉行一次會議，即可將調查報告提報大會。

按內政部通知係於四十九年二月十日以台（四十九）內社字第二七四四一號文發出，係對省農林廳的電覆，對台北家畜市場指示幾項改進意見。五十一年三月又另令飭家畜市場「應即具改進家畜市場業務方案」，家畜市場於今年擬定改進計劃後，於七月份報奉省府（五十一）府農市字第四九〇五八五號令核定施行，這就是家畜市場於八月一日開始實施的「市場毛猪業務改進計劃」的經過。屠商公會也就從此開始不斷攻擊家畜市場，企圖推毀此一計劃。而屠商公會對市議會之請願，仍拿着省農林廳四十九年的改進計劃要求家畜市場遵令改善，實際是故意不理會省府於本年七月份核定的命令。後令重於前令，屠商公會不會不懂，有人認為，這樣做不過是有意混淆罷了。眞正的目的還是想交給他們去經營。

上月下旬某一個星期六的下午三點鐘，省府秘書長郭澄、農林廳長張憲秋會同經濟部、警務處、市警局、台北市政府等有關機構，在台北市政府會議室開會，檢討家畜市場改進計劃實施成效，會中決定繼續實施。此一由幾位廳長級人員在地方主持的會議，次日北市各報都隻字未加報導，反之，屠商公會對家畜市場的攻擊，各報經常報導，因此有人不免稱奇。

屠宰公會反對家畜市場有下列幾點：猪隻應實施自由選購，不應抽籤配購，應使猪販直接承應，毛猪配銷與承銷人後如斃死不應責成承銷人負担一成賠償。

據議會專案小組部份議員的調查及家畜市場的說明，毛猪採用抽籤配銷，是為防止少數惡劣承銷商的霸購估標，保障正當承銷商的權益；市場統一購猪配承銷商，則是與省農會合作維持猪源的正常供應，使市場不致失調；至於賣出之猪斃死時由承購人負担一成損失的事，按照貨物出門不負責任的商場慣例，該市場原可不負責任的，但據家畜市場管理處陳處長告訴本報記者，為體諒商艱，該處正計劃取消由承銷人賠償一成的規定，由該處完全負担。

本報記者訪問屠商公會總幹事黃友義，問他省市政府都支持家畜市場的改進計劃，為何屠商公會要反對？黃總幹事以略帶激動的語氣說，那是他們有勾結。

黃總幹事取出一張油印的「台北市家畜市場毛猪價及市面猪肉價格比較表」，指着向記者說：七月份沒有實行市場改進計劃，上肉每公斤均價為二二元點八，九月份實行市場改進計劃後，上肉每公斤平均價漲為二四元。

記者將此項疑問詢家畜市場，陳處長則解釋為產源價格、運輸等原因，而且零售市場並非如此。但此一解釋被認為不夠圓滿。

屠商公會以前在每一隻猪上，抽取公會費二元，勞軍費四元，納稅儲蓄費五元，公會建築基金二元，其中公會建築基金二元，已停止征收。收了三個區的建築費，只蓋了一處辦公室，其餘的錢，仍在繼續收取。據說，收取的方式是，必須清了公會費，勞軍款，納稅儲備金，纔能向稅捐處取得屠宰稅的納稅證，這也是一種別開生面的絕法，叫人非此不可的絕法，其他公會却未必能享受到稅捐處的這種帮忙。

台北市有一千四百多家屠商，據屠商公會黃總幹事說，參加公會的約有四百家左右。

可是，屠商公會却在每頭猪身上征二元公會費，不管該屠商是否已參加公會為會員。因此發生一個法律上的問題：不是會員的屠商，並沒有繳會費的義務，公會強制徵收，是否違法？雖然屠商都應該加入公會為會員，但這當然是兩回事。

台北市屠宰公會從前（五十）年春天改選後，到今年春天又該依法改選，但現在過了改選期間大半年了，還未召開會員大會進行改選，台北市政府社會局，月前已令飭該公會於上（九）月進行改選，但結果還是沒有進行。要拖到那一天，還很難說。

當屠宰公會向市議會請願的時候，另外一批零售商也向市議會請願，對猪肉批發商冒借零售商名義攻擊家畜市場業務改進計劃，冀圖挽回過去剝削權益的事，請求迅予制止。本月八日，市議會專案小組開會，本擬邀請屠商公會報告，但因另有零售商代表也在座，恐引起糾紛，故邀請公會代表報告的事作罷。

台北市千餘家屠商，參加公會的僅三分之一還弱，這個公會能有多大的代表性，不難想見了。

香港與大陸

假名加強農業技術
工人亦被下放耕田
毛共拖拉機笑話一大篇

中共在廣東地區，以「加強農業技術改革和農民思想革新」為名，又強迫不少機關幹部、工廠工人和工科學生到農村「安家立戶」，而稱他（她）們的任務是為提高農民之「社會主義覺悟」以及「促成農業機械化」，做「先頭部隊」。

此間某某中學教師劉長╳先生，最近連續接到幾封他在家鄉的弟弟的來信，對此記述甚詳。劉長╳先生的家鄉在廣東梅縣，他祗這一個胞弟在家鄉，今年秋才畢業於廣州市華南工學院的機械工程系，却就被召回原籍農村，名義上是去帮助農村「公社」建立一個「修理拖拉機站」。

劉長╳先生的弟弟來信說：最近幾年，中共當局再也不提重工業如何重要，佔整個國民經濟生產總值百分之若干了，而僅是要求每一個人（包括工科學生在內）應以做一個農民為榮；又還以各種不同的藉口，隨時強迫大量的機關幹部、工人等落鄉作農民。目前的所謂「加強農業技術改革和農民思想革新」，就是這麼一回事。其實在農村中，完全不能看到有什麼「改革」或「革新」的措施，祗是增加了不少由城市中回來的農民而已。

劉長╳先生的弟弟在華南工學院畢業時，系黨支書便找他「談話」，交給他一個「光榮的任務」，即要回原籍農村建立「拖拉機修理站」。他內心當然很反對幹這個任務，但明知反對亦屬徒勞，甚至徒然引來禍事，又想到天下烏鴉一般黑，在家鄉起碼不致人地生疏，所以便「欣然」的答應了。

來信說：他最初是被派到梅縣唯一的機械廠實習一個月，「研究」這個廠出產的兩部拖拉機（這廠三年來就祇生產這兩部拖拉機，却還是派不上用場的，一直祇能用牛車載往各地展覽而已）和「新式犁」，插秧機等的性能。之後，便被派他家鄉的公社，身份是「機械員」。在「公社」裏，雖然由機械廠撥來了一部拖拉機，却因為這部拖拉機連路亦不能走，是由卡車來拖來的，根本無拖拉之力。公社的黨支書還經常在催促他早些「修理好」。其實，那能修理呢！有不少重要的機件都是用不合標準的材料雜湊而成的，未用之先已經是廢物了，除非另造一部，根本修理不來。

因之來信說：所謂「拖拉機修理站」，其實祗有個招牌而已，他這個「機械員」，實際也得每天提起褲腳，與農民一塊用萬能的手脚去勞動。所不同的是，有時有什麼「來賓」或「參觀者」來了，是由他敍述這部拖拉機的性能如何如何好之類，不但欺人，而且自欺。

來信又說：與他一起，或較早較遲被趕回鄉的，還有不少機關幹部，以及工人等等，幹什麼「農民思想的改革」全是廢話，大家祇不過是做個農民而已。（秘斯）

基隆旅居記
仲公

楔子

我自四十年二月到基隆的，截至我寫這稿時，剛好在此住滿了十二年又八個月。我生於湖南湘水之濱，七歲喪母，即去上海依靠叔父讀書（那時我叔父在江南製造局主持文案處，後升龍華廠長），由小學而中學，最後轉入英專。民國十八年，我回家住不到一年，即棄筆出遊，浪跡於四方。瀕後還鄉省親或料理私事，先後在家盤桓時間都很短，連童年一起算計，在老家還不到十二年。惟有在四川，我自民國二十四年隨剿匪軍入川，至卅六年三月挈眷返湘，在川整整住過十二年。而且重慶、成都、三台、綿陽、崇慶州，自流井、宜賓等地都住過，不比現在呆在基隆一地等於定居了十二年零八個月。由此說來，湖南是我第一故鄉，四川算第二故鄉，基隆則是不折不扣的第三故鄉了。在十二年多的時間，不算長，也不算短，在六七十歲的人生中，佔了一個相當歲月。在這段旅居期間的生活，雖算不上極端艱苦，但心情一貫是沉重的，因避地海外，等如作逋逃客，悲歡離合，變幻多端，客裏光陰，着實難過。

我的來到基隆是偶然的。在這兒整整住了十二年多，更感覺意外。於今我開始寫這篇旅居記，對於未到基隆以前的一段，不得不略作回顧，藉以說明我到此的由來。

記得民國廿四年八月日本無條件投降的那晚，我正寄寓宜賓東大街一家商店樓上，傍晚時候，在友人處喝了幾杯老酒，正在睡早覺，突然間，被街上的鞭炮聲吵醒，披衣下樓，祗見沿街各戶都在燃放鞭炮，此起彼落，震耳欲聾，連續不斷足足放了一點多鐘。繼而人潮洶湧，歡呼欲狂，賣號外的報童，鑽在人叢中，大呼「日本投降了」！但號外所載過於簡略，僅說是瑞士傳來的消息，大家都還在將信將疑之間；可是這消息一到，再也無法入睡了。我喚起居張君同去電信局問訊，希望得到詳細一點的消息。時已夜闌人靜，月色分外皎潔，祇見滿街滿巷，都堆滿了爆竹紙。行不多久，遙見農民銀行面前，有一個着長衫的老者，搖頭幌腦，站在街心，望着一輪明月，高聲朗誦：「劍外忽傳收薊北，初聞涕淚滿衣裳」！大吟其杜甫所作「聞官軍收河南河北」的那首律詩，他對末尾兩句：「即從巴峽穿巫峽，便下襄陽向洛陽」！更是引吭高歌，唸得特別起勁。張君附着我的耳說，這人一定是個瘋子。待我們走近他跟前，原來是甘省詩人杜若虹！他已喝得酩酊大醉，一面朗誦這首杜詩，一面雙淚長流。我們原在宜賓組織詩社，他是唯一的倡導人，這可以看出抗戰勝利時一般流亡份子的情景。古人所說「喜極而泣」，確有其事。那時我寫過一篇四川旅居記。今天續寫這篇記，應該是去「高歌盡醉，作伴還鄉」為期不的時候了！（一）

港府低級人員易裝
灰色斜紋反領「中山裝」

（本報訊）香港政府機關之低級公務員服裝，大有革新。新裝係採用灰色斜紋布製成之反領「中山裝」樣式。服色與服式，均有異於曩日。

此種香港政府低級公務員所着新式服裝，在市面最多出現者，厥為郵差。實則其他部門人員之制服，亦概同此制。向日黃色制服已未可再得而見矣。

南越勞工政策及其成效

西貢通訊

越南共和國的勞工政策建立在人位學說的基礎之上，以尊重及發揮一個人的全面作爲依據。這裏檢討越南獨立以來在這方面的成就，并展望其將來。

勞資合作方面

遵照越南共和國的政策，越南政府勞工部常常用每一種方式，以提高勞動界之地位。所有之勞動組織，均獲得在三角的基礎上設立，政府代表，資方代表，及工人代表，均共同的平等組織事業，穩定勞作條件及解決各項之爭執。

在訴訟的方面，勞工法庭及裁判委會爲三角的組織，有資方及工人代表，作爲陪審及討論解決勞動的每一項爭執。

在立法的方面，國家勞工諮詢委會，及地方勞工諮詢委會已獲得成立，它的成份爲均勻的工人代表，資方代表及政府代表，各種對於勞工的重要法律文件，皆提與政府批閱或國會表决之前，均獲各該諮詢委會的研究及代表其觀點的。

此外，在國家經濟委會，也有工人代表參加。除了各種基本之法理原則之外，勞工部經常的鼓勵資方及勞方兩者，在穩定各項工作條件中，眞誠的互相合作，使到雙方的權利獲得融和及經濟生產獲得增加。現時，唯一的有效及民主方式，已施行於簽訂共同契約的事情了。

共同契約已有規定了資方與工人之間的工作條件，削平了各項個人契約之間傾向一邊的趨勢，因此，將可避免了資方與勞工之間的爭執。

勞動界有着共同契約的保證，而可能的安心的信任社會生活及本身家庭之安定，不慮各項意外之變故，如失業或被無辜的減薪之類。

資方有着共同契約，使勞資之間在融和空氣之中獲得安心，因而減低了各項繁複的爭執。

廿契約的各項規定，也有助於當局明瞭勞雙方希望更改律例或勞工政策，使符合國家社會經濟及政治環境的願望。

現時，在越南共和國，上述的方式已有可觀的進展，自一九六零年以來，樹膠園的共同契約已獲簽訂，而且已執行了三年。在過去一年中，銀行界勞資的共同契約，也於一九六二年六月十五日在越南五家最大的銀行簽訂了。

此外，其他的各業如水電、魚水、運輸、西製造業也正預定簽訂共同契約。這是各種很具體的明證，也是現在越南國內在資方及勞工之間的精神合作中唯一獨到的一頁。

勞工衛生方面

在勞工領域上的衛生，政府經常關注及給予勞工界保護權利的事情，個別工人及集體工人均有權在他們生活之中，尤其是對於他們及他們家庭的健康，獲得週到的照料。

在各商業企業及工業企業中，勞工稽查經常的檢查並勸告各企業主人成立各衛生機構，俾有效的切實的保護工人的健康，計算至現在，在各種企業中設立的衛生機構，已增至八零八個病舍，一四九個救傷站，三七一個救急藥物箱。

各該衛生機構，均有各衛生專門人員主理，包括有：四十七位醫科博士，九十五位助理醫師，一百六十五位救傷人員。

在各頓田裏，衛生機構也獲增加，可以供應各該地的工人的需求，這些機構包括有：十三間各頓田的共同醫院，八十間病舍，六十一間救濟站，二十六間接生院。（上）

抽象藝術漫談

趙雅博

藝術的人文化

藝術是有歷史性的，這個無人可以懷疑。不過就其程序來說，它更合宜在第二節討論，因爲藝術乃是屬於人的東西，是屬於人的產品，也如同人而來自人，所以它也佔有歷史性的特性；不過就容易瞭解的觀點，我們才在第一節內討論到藝術的歷史性。

現在我們且談一下藝術的人文性。藝術正因爲是屬於人文的東西，由於它是人格的技術，與藝術客積的展開活動的結品，越是在其中顯示着屬於人文的面的要素，便越是屬於人文的。如果這種屬於人的要素，是不平均或過度的增加着，而增加到幾乎取消了外來的因素——即客觀因素，而歸縮成了純藝術家——藝術主體的內在性表現，這時候的藝術作品就浸浸於純主觀中，而變成了純主觀主義了。藝術上的主觀主義，一如哲學上的主觀主義，是將事物減縮成主觀的容積。主體並不受客體的決定，而是客體受主體的決定。爲此，客體才有變形，而被主體將它的個體特徵，剝削淨盡，抓住它的共相的建基的基本形式，而使其他的主體，對於這個客體成爲可認識者。這是說，主體可以對客體作一種抽象工夫，而這種抽象工夫又爲大家所共同，爲此才能爲大家所共同認識。但是如果主觀成份太多，客體的個體特徵保留的太少的話，作品就成了比較難認識的了。

我們知道，最近四五十年來，在藝術中是極度加強着主觀主義的傾向，對客觀要素不但有害，並且還幾乎全部取消。所謂客觀因素，便是事物，風景，風花，雪月，鳥魚，蟲豸，以及其餘的人物。這種進度，是合着歷史事象的韻律，逐漸的跳躍而進行着，使純粹的主觀性顯露出來。這是說，藝術作品的創造，成爲人的純粹內在有的表現，也就是人主觀的在創造，而不根據客觀的事實了。藝術已經不願意成爲自然的模仿了。至此，藝術已是人文化的尖頂。由於純人文的，純主觀的努力，藝術成品，在很多情形下，已經成了如同個人一樣，如同主體一樣的不可指定了。總而言之，是成了不可瞭解的東西了。

這種趨勢，一直到現在，雖然我們不必說它是日益增加，但是其不可瞭解性的人文化，則是一直在延續着。西班牙名哲學家德嘉，雖然在思想並提倡着另種說法，主張藝術應從社會觀點去看，也就是說他不主張藝術的人文化；但是在實際上，他却不能不將他這藝術的非人文化，建築在人文的另種名辭上。他主張自然等於人文。那末，自然與人文就沒有分別了嗎？不，人文在種的意義下與自然相等，可是在類的意義下，就是說在其排中的佔據人文中，它是正相反着自然的。他認爲自然對理智知識是盲目的，對抽象知識也是這樣的。人文的則是敞開於抽象三級；如果自然的是附屬於物理的或生物的命定主義，人文的則在自由的形上學上是敞開的。（未完）

報人普立茲傳

汶津譯

「這學校將用我愛女露西・伊兒瑪的名字。」普立茲微笑道。「我知道你們在怎麼想。人們會稱這種新玩意。人們會嘲笑說報人是天生的，不是製造出來的。我以爲對一個報人最好的學校是經驗。他必須由生命中學習。他更須向他的讀者學習。任何作者都該被教會清晰的寫作。他必須了解怎麼使一個新聞故事出色。但是一間新聞學院的最大目的是在教男女學生們思想。一個人怎麼能寫社論——那是一張報紙的脈搏——如果他不懂歷史、文學、科學和藝術？這些就是我的新聞學校要給他們的。」

一個聲音提出每一個人心裏想着的問題。「是不是只有有錢的人才能入學？是不是將來的編輯和記者都要從一家新聞學校出身才行呢？」

普立茲不假思索的回答：「我並不這樣預想。我要撥給學校當局一筆款子，來獎助貧寒學生入學。」

普立茲停了一停，沉思着他的下一個要點。「爲使傑出的美國作家和報人受到尊重，我將撥款設立獎金。這項普立茲獎金將每年一度頒給最佳的美國小說；最佳社論；最佳新聞報導；以及其他。」

當人們正在想普立茲的話時，他對伊雷蘭說話了。

「伊雷蘭先生，你不是一位報人。我願意聽聽你的意見。」

「我覺得這個遺囑實在精彩！我認爲你爲新聞事業所做的，將如同巴斯德對科學的貢獻，以及莎士比亞對文學的。人們將會尊敬幹新聞的人。而報紙也將被認爲求着的重要力量。」

普立茲大悅，可是他用一種父老的口吻向那年青人說。「我希望你是對的。但是即使你說的只一半對，我的生命和事業也不能算失敗。世界報並不是十全十美的。有時我們也會支持不當的候選人。我們也遭到失敗，因爲我們都是凡人。我們的工作向未完成。我總覺得富人們越來越有權勢了，而窮人老是在喪失他們的權利。我們不能替人民謀眞民主嗎？我們必須繼續努力！我不會久留了，但我要留下一張奮鬥到底的報紙，一所教後一輩的學校，還有一大筆專門幫助人們的錢！」

鄧寧漢碰碰他主人的手臂，普立茲走出房間時已精力不繼，步履蹣跚。伊雷蘭注視着這位偉大的報人離去。他一直奇怪着，爲什麼、所有的書和報人都像奴隸般的爲普立茲工作。並不是因爲他們爲他的瞎眼所感動。也不是爲了他在年青人當中有一種父老的風姿。而是由於普立茲已超乎他個人生命的悲劇之上。他雖眼瞎，但他看到的遠比大多數人爲多。他的身體雖病了，他却總是幫助着窮困者。他是報界巨人，也是他深深愛着的祖國的一位重要人物。

約瑟夫・普立茲是美國的一位偉人！（四二）

瘋肖續

第十回：集會議圖存　天寒日暮　空言難自救　鬼哭神愁

毛澤東苦笑道：「這眞叫做肉吃千口，罪落一人了，有福大家同享，有罪却要我一人承當。」

劉伯承問道：「部隊怎會患水腫病呢？過去並沒有這種現象。」

羅瑞卿說道：「全軍患浮腫病的情形十分嚴重，約略估計去年十二月患浮腫病的官兵及家屬共達三萬二千六百五十人。」

羅瑞卿說出患浮腫病的人數，頓時使全場吃了一驚，毛澤東就道：「怎麼會有這麼多的人患浮腫病，加起來有一個軍的人數，怎麼得了。」

周恩來問道：「人民患浮腫病十分普遍，怎麼部隊也會患這種病，瑞卿同志應該派人仔細研究一下患病的原因。」

羅瑞卿說道：「這些問題都研究過了，基本原因是由於生活管理不好，攝取營養不足，勞逸安排不當，體力消耗過大，體質弱或許有其他慢性病所引起。」

劉伯承斜着單眼說道：「我多年來不問軍隊的事，有些問題却弄得胡塗了。譬如瑞卿同志指出部隊患浮腫病的原因是由於營養不足，體力消耗過大。過去同國民黨軍隊作戰時，部隊沒有後勤部門，走到那裏吃到那裏，有什麼吃什麼，說到營養不良，那時眞夠不良；至於說到勞逸安排不當，體力消耗過度，更是普通的事，在黃泛區作戰時，被邱清泉，黃百韜夾擊，他們以坦克及汽車在追，我們憑着兩條腿跑，一天跑了兩百四十里路，才算跑掉，體力應該消耗過度了吧！也未見人患浮腫病，怎麼這個時候毛病都出來了呢？」

羅瑞卿嘆口氣：「伯承同志，這種事情不能比的，那時老百姓有糧食，部隊走那裏吃到那裏，有什麼吃什麼，但是却不限數量，人人都能吃得飽。作起戰來雖然體力消耗過甚，可是每次戰役沒有連續半月以上的。現在就不同了，糧食按定量分配，數額又逐漸降低，體力勞動是經常的，每個月要勞動二十五天以上。兩相比較，你就知道爲什麼現在會患浮腫病了。」

劉伯承斜眼看看毛澤東，不好再向下說。

董必武說道：「談到這些問題，我想起聖人所說的『民爲邦本，本固邦寧』，實在有道理。古人善理財的都主張藏富於民，可惜我們今天正背其道而行，人民窮透了，國家也沒有辦法。」

毛澤東冷笑一聲：「董老，聖人的辦法雖好，就是不能防人民造反，我的辦法雖不好，可是人民却反不起來。」

董必武知道這句話出了毛病，趕快正襟危坐，不敢開口。

劉少奇問道：「瑞卿同志，浮腫病對於軍心有沒有影響吃？」

羅瑞卿苦笑道：「當然有啊！不說別的，過去幾個最出色的連，現在都變得消沉了，假若眞的再遇上大戰，他們的立場都很難說的。」

毛澤東問道：「你的意思是不是說的四〇三團一營一連的情形。」

羅瑞卿說道：「出問題的當然不止這一連。不過，主席祇知道這一連的情形。」

（二四九）

送程志禪祝髮捨家序

蔡俊光

聞夫人禀五行之秀。佛空四大之觀。人能成佛。佛願度人。輪廻因果。祇緣禍祥。雖云在天。亦召自我。誠以帝機鑒廓。雖推妙有之功。物理彰明。易得槃除之數。是故洛陽才子。固知憂喜粲門。江左名流。莫賞色空造論。此或緣於陶鑄。果亦[illegible]諸本然。

程君志禪。九龍德明書院文學士也。天資篤實。門第清華。夙孕靈於扶桑。乃降瑞於庾嶺。白香山之早懸。美徵之無。黃梅客之宿根。堪傳衣鉢。三餘不輟。功力豈遜於前脩。九品題評。聲價遂超乎多士。執經問故。于曼倩備禮足稱。率性論難。公都子行敬自內。精微略盡。經行梵帝之宮。語默都融。心住須彌之頂。寧云易惑。痴於狗矢之浴燕人。其道已通。定入蓮花之坐釋氏。

今者靈谷卓錫。（寺在沙田靈谷園）獨佔名山。幽鬆蓍鱗。永光洞府。風花三月。青溪競九曲之詩。梅鶴終年。高士延八方之響。春秋麗日。冠蓋相望。且暮疏鐘。騶騑載起。爾乃穿曲徑。越重巖。即能捷足。不往終南。直上前頭。疑居河沛。斯時躬臨祇地。神鶩鴻都。覽其樓閣連雲。盡岡巒以作勢。松楸擁翠。數香舊而追懷。萬木清芬。一門紫氣。中殿坐如來之法相。面面俱圓。兩廡列天竺之寶書。頭頭是道。奇花異種。遙承雁塔之珍。（今歲山門枯荔忽果實纍纍，白蓮花上開花見者驚嘆）法蠡長鳴。瀰及龍宮之界。佇見百神降祐。四衆蒙庥。法雨深覃。香風永被。猗歟盛哉。猗歟盛哉。

不佞生逢末代。衰薄自安。長服逢掖之衣。日甘首嘗之味。丘園有樂。景影無慚。心識詩書。聲若金石。馬季長之絳帳。嘗謂吾道已東。孔德彰之高文。漫言其山移北。蓋王道蕩蕩。如釋無殊。易體乾乾。行藏俱適。何論楊墨分途。賤彼貴我。應知陰陽互道。無爲有成。即物而窮。一指可達。惟冀共享天心。同登壽域云爾。

癸卯中秋越四日
香山蔡俊光撰

美艦首次訪華逸話

黃伯遠

有清一代，美國艦隊東來訪問中國，還是中美艦隊聯歡的第一同合。同時，也是清代自五口通商以還，招待外國艦隊的一個前所未見的偉大場面。可惜當時所收集的資料，經過日閥侵略與毛共亂華兩役，已隻字無存；否則，時過五十多年，撫今追昔，緬懷前度我國招待之盛，與今日美艦之「擱護」台海，眞有今昔不同，變化萬千之感矣。茲篇憶述當日一些瑣聞逸話，聊以發洩思古之幽情云爾。然非六十年代以前之人，已不可得而見斯盛耳！

記得美艦隊東來訪問中國，時在季清宣統元年。訪問之地在廈門。清廷特派貝勒毓朗爲欽差大臣，外務部尚書梁敦彥副之，乘座海軍旗艦海圻號，率同海琛，海籌，海容巡洋艦，先期抵廈歡迎。此外，福建全省大吏如：閩浙總督松壽，布政使司尚其亨，興泉永兵備道劉慶汾，福建水師提督洪永安，廈門海防同知張鼐留等，咸集廈門，爲當然主人，參加招待。

粵省方面，並派熟識洋務外情之分發廣東試用道麥某，及葉昭道協助辦理招待事宜。以葉爲毓朗之門下士，葉之父葉崇祿，又爲菲律賓歸國華僑首富；時菲律賓尚受美國管轄，崇祿與美國駐廈領事較接近也。當日招待場所，設于市區外之「南普陀寺」，寺中陳設，概由葉氏負責辦理。麥道則專責度支。

猶記寺中知客僧，當時懸有兩幅盈丈書畫，一爲明代名畫家張瑞圖所書，一爲明仇十洲畫貴妃醉酒圖。張書係行草，眞跡也。仇畫似爲膺品，然摹仿亦佳。他無可觀者。

商人則在寺門外空地，陳設古董玩具，自由買賣；唯一爲美艦水兵所爭購者，乃花炮及「貓咬老鼠」玩具。是物以厚皮紙製成，貓腹中繫銅綫，風吹之，或以手搖之，則首尾皆動，形態如活，不必上鍊也。是時，美鈔尚未流通，美水兵購物皆用金元，每問價商人輒翹一指，或曰：「溫打那」！則擲金元一枚，笑持而去。崇朝之間，貓咬老鼠，爲之一空焉。其次火箭，萬花筒，亦供不應求。香港及廣州燄火、鞭炮商人，大都一本萬利而歸。以視今日觀光客之遊台情況，斬斬計較者，蓋乎遠矣。回想五十年前，或千百年前，我們早有「火箭」、「燄火」等等發明，只是故步自封，沒有作進一步的深入研究，眼睁睁看着別人利用我們火箭之餘緒，登天宮，遊月府，而自己的發明，只供一年一度，兒童用作新年玩藝之用而已。豈不可歎可惜也！

是役，中國艦隊來廈招待，雖僅有海圻、海籌、海容、海琛四艘，與美艦隊之二十餘艘較，雖不免小巫見大巫，然而艦各七、八千噸，在當日總算差强人意者。

尤其清廷特派僅次于親王之貝勒（清制，次貝子，次鎭國公，皆黃馬褂，黃帶子）爲欽差，代表皇帝招待，顯見隆重其事。而美國來訪之艦隊最高長官，只是海軍提督而已。此事，廈門士紳，曾刻石南普陀寺紀盛，美提督姓氏及各艦譯名，都鐫于石甚詳。聞從毛共「反美援朝」後，此項石刻，已被鑿滅矣。

毓朗貝勒行轅，係假寓廈門葉崇祿在鼓浪嶼之花園大樓。余曾見其人，長身鶴立，文質彬彬。往謁者，除總督外，提督，諭令各行大禮，外跪；布政使司以下，皆拜如儀。相見外人，或則行平等禮，握手，亦于清禮法矣。其人亦能操筆作擘窠大字，曾見其爲居停主人葉氏，書一盈丈聯云：「有子才如不羈馬」；「知君身是後凋松」。字盈尺，亦可觀也。

南宋偏安有人才

李仲侯

七月，張應、韓清復西京，破其衆數千。時大軍在潁昌，諸將分路出戰，飛自以輕騎駐於郾城縣，方日進未已。兀朮大懼，會龍虎大王於東京，議以爲諸帥皆易與，獨飛孤軍深入，將勇而兵精，且有河北忠義響應之援，其鋒不可當，欲誘致其師，併力一戰。朝廷聞之，大以飛一軍爲慮，賜札報飛，俾占穩自固，札曰：

「近據諸處探報及降虜面奏，皆云兀朮與龍虎議定欲誘致王師，相近汴都，併力一戰。卿切須佔穩自固，同爲進止。虜或時遣輕騎，來相誘引，但挫其鋒，勿貪小利，墮其詭計。俟有可乘之隙，約定期日，合力併舉，以保萬全。廿七日付岳飛」。

飛曰：「虜之技窮矣！使誠如諜言，亦不足畏也」。乃日出一軍挑戰且罵之。兀朮怒，其敗，初八日，果合龍虎大王，蓋天大王及偽昭武大將軍韓常之兵逼郾城，飛遣子雲領背嵬游奕馬軍直貫虜陣，謂之曰：「必勝而後返！如不用命，吾先斬汝矣！」鏖戰數十合，賊屍布野，得馬數百匹。楊再興以單騎入其軍，擒兀朮不獲，手殺數百人而還。

初，兀朮有勁軍，皆重鎧貫以韋索，凡三人爲聯，號拐子馬，又號鐵浮圖，堵牆而進，官軍不能當，所至屢勝。是戰也，以萬五千騎來，諸將懼；飛笑曰：「易爾」！乃命步兵以麻扎刀入陣，勿仰視，第斫馬足。拐子馬既相聯合，一馬僨，二馬皆不能行，坐而待斃。官軍奮擊，僵屍如丘。兀朮大慟曰：「自海上起兵，皆以此勝，今已矣」！拐子馬由是遂廢。郾城捷聞，賜御札褒獎，札曰：

「覽卿七月五日及八日兩奏，聞虜併兵東京及賊酋率衆侵犯，已獲勝捷。卿以忠義之氣，獨當强敵，志在殄滅賊衆，朕心深所傾屬。已飭楊沂中悉軍遣發，自宿亳前去牽制。聞劉錡亦已進至項城。卿當審料事機，擇利進退，全軍爲上，不妨圖賊，又不墮彼計也。遣此親札，諒深體悉。付岳飛」。

又賜獎諭，札曰：「覽卿奏八日之戰，虜以精騎衝堅，自謂奇計；卿遣背嵬遊奕迎破賊鋒，戕其首領，實爲偉功。然大敵在近，卿以一軍，獨與決戰，忠義所奮，神明助之，再三嘉歎，不忘於懷。比已遣楊沂中全軍自宿泗前去，韓世忠亦出兵東向。卿料敵素無遺策，進退緩急之間，可隨機審處，仍與劉錡相約同之。屢已諭卿，不從中御。軍前凡有所需，一一奏來。七月廿七日付岳飛」。

兀朮復益兵至郾城北五里店。初十日，背嵬部將王剛，以五十騎出覘虜，遇之，奮身先入，斬其將阿李朶李董，賊大駭。飛時出視戰地，望見黃塵蔽天，衆欲少却，飛曰：「不可！汝等封侯取賞之機，正在此舉，豈可後時」？自以四十騎馳出，都訓練霍堅者扣馬諫曰：「相國爲國重臣，安危所系，奈何輕敵」？飛鞭堅手叱之曰：「非汝所知」！乃突戰賊陣前，左右馳射，士氣增倍，無不一當百，呼聲動地，一鼓敗之。（一六）

海嘯粵談薈

談民意問題

諸葛文侯

數年前我在西德的科隆（Kolon）市游歷時，當地的火車站和戲院，以及一般較大的建築物，都是重新從廢墟中建起來的現代格式，唯有距車站不遠的一座最古老的大教堂（據說是十三世紀創建的），依然無恙地矗立着。這兒是戰時英國軍隊的佔領地區，據旅館老板告訴我：二次大戰時，科隆市被英國空軍轟炸最烈，除那座著名的大教堂外，全市房屋炸毀了一大半，戰後逐漸重新建，如今完全現代化了。他最後微笑着發出一句驕傲性的幽默結論曰：「我們很感謝「約翰牛」的猛烈轟炸！」因此，使我想到咱們對日抗戰時的行都重慶市，以及民初廣州和成都市的往事了。

舊時重慶市的街道很偏仄，像下半城「覺學」一帶——即林森路——上半城的大樑子一帶——即中華路——店舖櫛比鱗次，中間一條鋪着小石塊的道路，黃包車走過時，行人亦須佇足道傍相讓，否則身體一定要跟車輪接觸，弄得汚泥沾衣的。民國廿七年中央政府遷至重慶後，爲預防空襲計，一面申令市民從事疏散，同時嚴飭市政府迅速在市內各街衢間開闢火巷。市長蔣志澄奉命唯謹，迭與商會協商，開導市民將房屋拆讓數尺，以便闢成火巷，結果羣聲反對，誰也不願意犧牲自己的尺寸之地。到次年五月四日敵機數十架狂炸重慶，大火亘一晝夜不熄，市民生命財產損失奇重，輿論指摘市府疏於防範，缺乏計劃，相率猛烈攻擊，蔣志澄百口莫辯，有冤難伸，只好黯然投劾去職，自認晦氣。

洎是敵機不時來襲，重慶市民嘗到了空襲的苦味，有錢人家幾自動向郊區疏散。繼而又有驚震全球的大隧道慘案發生，市民多舉家移往鄉，市內房屋空着無人管理。於是乎，新任市長賀國光即按照原訂開闢馬路的新計劃，隨便拆除民房之一部或全部，再亦沒人反對了。迨抗戰結束時，重慶市容煥然一新，全市道路寬敞，交通暢達，蛻成了現代化的都市，也就是間接受着敵人的轟炸之賜呵！

民國七八年間，桂軍陸榮廷控制兩粵之際，廣東省長楊永泰實行關修廣州市馬路，拆除若干民房，不特市民羣起反對，卽旅居北京之梁士詒亦通電表示異議，楊氏乃商請桂軍出動機關槍以保護築路工程，硬幹到底。四川督理楊森在成都開闢馬路時，當地所謂「五老七賢」的大紳耆人物，聲稱代表市民利益，反對此事，聯袂臥在道路上，以阻止修築工程之進行。楊氏卽謂：「五老七賢的頸項是鋼做的，老子也要把它斫掉！」這般倚老賣老的頑固份子，亦就不敢以身試法了。最後祇好寫出一副聯語以洩憤云：「房屋俱拆光，小民何處逃命！馬路已修好，問督理幾時開車？」「開車」云者，川諺「滾蛋」之意也。

古人謂「民可與樂成，而不足以圖始」，民意固未必盡堪信賴，古今中外，其一也，就看爲政者眼光與魄力如何耳。

漫畫與公仔

香港中文報刊，以往是祗有「公仔」，沒有漫畫的。特別是政治漫畫，簡直就看不到，偶爾有所見，亦係竊自外國報刊的東西。現在卻已經有一二家報上出現所謂政治漫畫了。不能不說是進步。

當然香港報刊上開始出現的政治漫畫，依然「公仔」氣甚重，沒多少漫畫的味兒。這主要原因是缺乏「立意」。我想這不妨先由能「立意」者與有畫的基本技術者合作，慢慢創進，蔚爲風氣，未嘗不能畫出好的漫畫來。

送禮趣譚

匡諤

「笑贊」載某人家有喜慶，其友封銀一錢往賀，書其封云：「銀五分，賒五分」。已而，其友亦有善慶，乃賀禮還其人，書其封云：「銀一錢，除五分，賒五分。」昔漢高祖微時，與人慶賀，空封上書萬金。此亦「出手」却有雲泥之別。

清人畢秋帆，值六旬，屬員送禮，概不受。某縣令齎古磚二十塊，有題識年號，爲秦時物。畢大喜，喚家丁喻之曰：「我壽禮概不收。爾主人之物，甚合我意，故留之。」家丁跪禀曰：主人因大人慶壽，集工匠在署製造，主人親自監工，挑最上者獻轅下。」畢爲之失笑。

某公子完婚，紀曉嵐送「詩韻合璧」一部，人多不明其用意。嗣於席間有人以此爲問，紀曰：此「平上去入」耳。原來新郎官乳名「阿平」，故以之作笑料耳。

民初，朱介人任浙江都督時，舉生二子。屬員劉某封送收條二紙作賀，每紙百元，乃代爲助中華兒童教養院者，上寫明「爲朱都督兩公子祝福」。此亦別開生面之禮法也。然而，如發奇想，此屬員可謂善拍馬屁之徒也。

自由報
THE FREE NEWS
第三八六期
每份港幣壹角
20 CAUSEWAY RD 3RD FL. HONG KONG
TEL. 771726
台灣分社

中國的語言及文字問題

·吳本中·

中國的文化是世界主要文化之一，而巍然屹立五千年從未中斷與消滅過，更爲其特點。

對於這個文化，若欲升堂入室，探其幽而索其隱，不得其門而入固不可也，行不由徑亦不可也；即得其門矣，而不識或不慣於鎖鑰之密訣，弗諳於廊廻路轉之竅要，亦卒難窺中國文化之精華與奧妙也。

是則深悉中國文字尙矣！此乃第一要義。香港中文大學成立典禮時，港督柏立基爵士鄭重宣言：『中國學問有廣大豐富之寶藏，但要進入此堅强之宅室，必有適當配合之方法始可。此即言中文是也。』原句"Three are vast riches stored away in the treasures of Chinese erudition,but to enter the strong room one must have the combination which is the Chinese language."

不過，我們亦不能不承認：我們的文字若用以應付現世需要及接受西方思想學術，尤其科學技術，作爲一種準確的術語與專詞，或用作一個傳眞的媒介工具，亦不無問題。至少，以中文演進之階段爲然，將來演進到一個相當程度，可能困難減少，甚至無困難，此固吾人之至願也。

在親聆港督上述演詞之翌晨，即本月十八日，巧合之至，筆者復收到英友寄來航函一件，勸再赴英，可寓其家，他們的兩個子女，若能學中文，實乃至幸之事云云，原函謂：『西方的音樂與東方的中文，乃人類可想象中之兩種最優秀的成就。』（"Two supreme imaginative accomplishments of the human race"）這位英國作家，戰時曾在中國服務，任英軍戰地記者，懂中文，香港有他的許多朋友，宇宙社是他創立的，他是該社的終身會長，在香港中環該社舊址門外掛牌，刻有Cosmo Club英文名就是他親筆寫的。（現該社原址建築物已拆毀，正造新樓）他的姓名是Charles Fenn。筆者提此小事，不過存其眞實性，正所謂『海外存知己』，對於我們中國文字，並不是自誇，而是深感有此天涯知己耳。猶憶，昔在英，法，與友輩談及中國文字，吾常欲「幽他們一默」，問他們：『你們天天講戀愛，你們眞懂得什麼叫戀愛嗎？』『眞要戀愛，必須以「心」作基礎，以「言」表達出來；心如何眞，言如何甜，尚不足也，還要用堅韌柔潤滑亮如絲者雙雙聯繫起來方可天長日久也。這些哲理都在一個中國字「戀」裏形容出來了！』他們聽過無不皆大歡喜，感覺妙極了。

所以，我們中國人不宜妄自菲薄，應當以最大的自信與自尊，確信我們幾千年傳流不息的中文，眞是可以自豪，亦可以享受無窮的。吾說念中國文與詩等等，是一種精神享受，一點也不錯。正如吾人聽貝多芬（Beethoven）的各「交響曲」（Symphony）心靈如何震動；聞徐培爾（Schubert）的「行軍曲」（Marche militaire）如何奮發；其情其理，毫無二致。

「中國文字與西洋樂曲是人類可想象的最優越成就」

筆者在國內，中學未畢業即入大學，大學未卒業而留學。十幾歲即要出國。遭家庭反對，一則以年太小，不可獨身遠遊；二則國學未深造，恐僅洋化而不諳漢學。余誓許：萬里外每晨必先讀四書五經，家書必寫毛筆字，行囊中帶木板古裝綫書及湖筆徽墨成打，十載後歸國，作文寫字欲與老學究比武。家如不給錢，我甘願一文不要到歐洲『動工儉學』。迨學成返抵南京時，顧大使介紹見外交當局。他問第一句話，即令我深深不高興：『吳先生，你的中文怎麼樣？』我是中國人，這等於侮辱我。少川大使既然親筆推薦，難道說，我還是「不識之無」之徒嗎？我不屑於答覆他，退而即草一文，全用古文筆調，投稿當時外交部津貼之月報。這位大官對於自己出錢支持的刊物，是應當讀的，因此亦就知道我的中文雖然不好，自信至少是可與他比一比。賜名「本中」的取義，即是以中國爲本位的。雖然幼年去國，環遊歐美十餘載，所見聞，所讀閱者，過屠門而大嚼，亦不能謂少。但我仍願享受中文的奧妙。

「社會演進，文明演進，文字亦要演進的」

然而，此非言筆者對我們自己的文字毫無批評，了無問題的。第一，中文用起來欠便利速快，在現世電掣風馳，已進入撒天縮地的時代，吾人是不免有些手脚笨拙之感了。作爲一種傳達消息，交換情意，治事，辦公的工具，是不夠靈活，不如人家的文字快速的。這是要想法改善之。第二，中文尚未能追隨符合現代世界文明及科學技術之形態與需要。對於許多現世學術之詞彙與術語，尚呈現一種混亂「無政府狀態」，沒有詳、全、精、確之規定與典型。這是中國學者一個艱鉅、長遠工作，我們要决心做到的。第三，中國語言與文字尚未能合而爲一，說就是寫，寫就是說，這才是現代的活語文。拉丁是已死的文字，中文是半生不死的語文。固然吾人已有「白話文」了，但還應當特別努力，如何能保存我們中文的精髓，而又言文統一，這亦是我們的大責任。

在原則上，我們處今之世，是不應當反對簡筆字的。簡筆字並不自中共始。前數年，羅家倫氏在報紙上提倡簡筆字，吾適寓倫敦會剪存之。日本在明治維新後，創有字母，以便利讀寫漢文；安南人經法人以拉丁文字母習越文。吾人雖不盡贊成以此類辦法加諸中文，然却應作爲研究參考。至於專詞、術語新名詞等之確譯與審定，應如法蘭西學院院士，法人稱爲『不朽人』之宏儒碩士組成研究所，集思廣益，時聚而檢討於專門委員會席上，編成活葉大詞典，一經審妥之科學單字，名詞或術語，即公認爲權威，而通行全國，不再隨意翻譯或編制矣。春秋責備賢者，吾獨怪胡適之先生以中央研究院院長之尊，何不以倡導此事，以漸漸確定中國文字科學化之形態，這纔是文化上之百年大業也。王雲五先生繼長中研院，吾特賀函以此爲請，相信他必知法蘭西學院大字典對於法文化之功勳。我們譯西方學術名詞，各行其是，往往亂七八糟，欠妥欠確，阻礙學術進步，中研院至少應以此職責自課。殊王氏覆函，滿紙謙抑，謂欲辭職讓賢，區區亦即無話可說了。

至於中國的言、文相合及全國語言統一問題，「國語」普遍之努力，近三十年來頗有進步。重以國內戰亂頻發，人民流動，南移北遷，語言之溶爲一爐，漸爲大勢所趨。將來取長補短，文言與俗語相融，國語同方言互惠。在此地，最簡明之舉例，譬如，廣東人斥現某冒牌將軍之『車大炮』與『講大話』等句，雖係方言俗語，却不無風味與幽默，薈萃而陶冶之，可成一種偉大民族用以表情的豐富語言，由最高學術機關釐定之。中國言文一致的前途，蓋大有希望，余不敏，實翹首以觀其成焉。（一九六三年十月二十三日燈下急草）

漫画天下

又擋一次板

看他還能走多遠

自由談

不必要的爭執

馬五先生

最近在香港舉行的「龍岡宗親大會」，原係中國劉關張趙四姓人在海外共同組織的一種社團，不含政治作用的。但這次由台灣前來參加宗親大會的代表團，手持着「中華民國代表團」的旗幟，身佩着同樣徽章，表現了濃厚的政治意味，終因懸掛國旗問題的爭持，台灣代表宣告退席了！

自從中華民國政府遷移到台灣後，國際間即有所謂「兩個中國」的陰謀醞釀不已，而在文字宣傳上，指稱我政府爲「台灣政府」。所以，我們在國際外交場合或世界運動大會中，一定要維護中華民國的固有立場，決不含糊遷就。可是，龍岡宗親會的組織成員，全係僑居海外各地區的中國人，而且都具有反共非共的意志，也就是中華民國的公民之一，台灣區的代表打着「中華民國代表團」旗號，即使其餘的預會人員，發生一種反感：「難道我們就是別國的代表不成？」至於會場懸掛國旗一事，乃與當地政府的政策有關，主持其事者，心裏儘管是擁護中華民國的，然以顧慮到當地政府的關係（他們多已加入了英籍），亦不敢跟台灣區的代表沆瀣一氣。在這種情形之下，台灣的代表不歡而散，我認爲大可不必，因爲這是中國人的宗親會，與國際外交無關，談不到國家的體面問題。

我在本報上一期論海外宣傳問題的文字中，指出要因地制宜，不能膠柱鼓瑟而爲之，纔可望獲得預期的效果。這次台灣區參加龍岡宗親大會的作法，在宣傳上即犯了膠柱鼓瑟的毛病，足資警惕。我希望政府主持宣傳大計的袞袞諸公，取鑑這項失敗的故事，今後對於海外的宣傳方法，妥爲籌維，知所運用，而不流於千篇一律的八股制藝窠臼中，實所企幸！

麻雀雖小獵之者衆
第六屆屏東市長 執政黨四人競爭

（本報屏東市航訊）不久來臨的第六屆屏東市長選舉，執政黨的黨內提名登記完畢，登記者竟得四名之多，鹿死誰手，將待黨方抉擇，暗中競爭之烈，可想而知。

這次參加屏東市長執政黨黨內提名登記的四個人爲邱慶德、張朝任、林石鼓、鄭榮乾等四人。有人名之爲「屏市四虎」！這四個人，個個都有其來頭。如邱慶德是現任市長，一般看法他被挑中的希望頗大。青年黨籍的市代表[illegible]亮財就說：依照目前政情而觀察，非邱慶德莫屬。張朝任的實力，一般說來，是仍然不可忽視的，因爲他曾蟬聯過三、四屆屏東市長。林石鼓是現任代表會主席，也是現任省府委員兼代高雄縣長林石城的弟弟，「朝內有人好做官」。林石鼓自己當然亦滿肚密圈。最後一個鄭榮乾，曾任上屆代表會的副主席，似乎他最弱了，所以有人說他不自量力，但也有人否認此說的眞確性。（袁文德）

立委質詢。侃侃而道
今日財經有三大毒瘤
重稅政策所產生的假出口案
誇大政策所招致的外銷萎縮
人情主義所產生的經濟政策

（本報記者台北航訊）立法院第三十二會期中，立委們所重視的中日外交關係與水災兩問題，台北報紙報導甚詳，這裏記者是就其他幾個重要的課題，作爲綜合報導，本文是其第一篇。

首先要談的是財經問題。財經已成大家今日所關心的大事，誠如立委黃煥如所質詢：「目前財經最大問題有三：（一）重稅政策所產生之假出口案；（二）誇大政策所招致的外銷萎縮；（三）人情主義所產生之經濟政策。以上三項，形成今日財經三大毒瘤，欲圖發展經濟，培養財源，首須除此毒瘤」。

重稅政策與假出口：重稅政策足以妨害經濟發展，此乃盡人皆知的。黃委員說：「政府爲獎勵投資，一再自動減免稅捐，雖減免範圍太狹，收效不大，證以國防特捐取銷後鐵路公路收入增加情形，益足證明此方向之正確」。比如假出口案，係在「商人重利」，「不惜觸犯法犯」，「公務員祿不養廉」，「以身試法」的情形下「孕育而成」。「由於關稅及部份貨物稅稅率偏高，稅負過重，假出口原料漏稅內銷，可獲厚利，又可騙領退稅，同時尚可憑假出口實績進口結匯；三重利誘之下，官商勾結，而法紀蕩然無存矣」。

近三年來關稅收入，退稅數額與外匯加工出口總額，如加以分析，可疑之處甚多。黃煥如委員列舉事實說明：「查四十九年關稅收入爲新台幣十三億四千餘萬元，外貿會全年加工出口統計爲三千三百餘萬美元，退稅額爲新台幣三億九千餘萬元；五十年關稅收入爲新台幣十五億三千餘萬元，比上年增加百分一四，加工出口外匯爲五千三百餘萬美元，比上年增加百分六〇。退稅額爲新台幣四億五千餘萬元，比上年僅增百分一五•四；五十一年關稅收入新台幣十六億四千餘萬元，比五十年僅增加百分七•二，加工出口外匯爲八千一百餘萬美元，比五十年亦僅增加百分五三，而退稅額竟增至九億六千餘萬元，比五十年增加一倍以上。根據上項比例推算……五十一年虛報出口騙領退稅數額，至少在兩億元以上；現已經法院追回數字，僅新台幣一千五百餘萬元。爲安定工商業，縱不願擴大追究，但必須徹底了解病根所在，才能對症下藥，使不肖之徒，有的警惕，不致重蹈法網」。

誇大政策與外銷萎縮：海島經濟，重在發展外銷，年來外銷萎縮，爲經濟最大毒瘤，若究其病源，不外乎：「技術落後，產品低劣，不能與外貨競爭；稅捐利息負担過重，管理浪費，成本增加；檢驗制度不健全，商人投機取巧，以僞亂真，外銷退貨，影響商譽；國外市場不穩定，生產過剩，不能配合外銷需要」。此爲「外銷萎縮內在因素」，應該自己有效控制」。同時，「各國爲保護國內生產，多採提高關稅壁壘，與限制外貨進口，亦爲外銷萎縮重大原因」。像紡織業之擴充，形成浪費。

黃委員說：紡織業「現有紡釘五十八萬，計棉紡釘四十六萬，毛紡釘三萬，人造纖維紡釘七萬八千，超過實際需要二倍，必須發展外銷，始能生存。四十五年東南亞抵制日貨，爲紡織業黃金時代，當時爲爭取外銷市場，擴充紡釘，將近一倍。因貪圖便宜，新[illegible]，多失時效，一旦日貨解凍，我即無法與之競爭，被迫退出東南亞市場，外銷萎縮，內銷過剩，迫令首次封釘減產四分之一，勉強渡過難關，此爲第一次盲目擴充所招致之外銷萎縮，亦即誇大政策之惡果。嗣經多方努力，開闢南韓與歐美新市場，一度繼續繁榮，乃又繼續擴充紡釘一倍以上，詎又好景不常，南韓拒用外貨，美亦限制紗布進口，歐洲共同市場建立後，我更無法插足，第二次被迫封釘減產四分之一，依然無法突破難關，一面要求降低利率，一面提高內銷價格，以內銷補貼外銷」。最後，並「進一步採取內銷聯營，強制漲價，違反自由競爭，加重國民負担，形成經濟毒瘤，此爲第二次盲目擴充所招致之外銷萎縮」。因而「多數紡織廠，均將變成唐榮第二，不僅拖垮銀行，且將拖垮整個經濟，此爲當前經濟最大毒瘤，必須早日徹底割治者」。

人情主義與經濟政策：黃委員質詢時指出：「商戰時代，一切重功利，不重人情，天演淘汰，優勝劣敗，王道精神與人情主義，徒爲弊竇淵藪。例如：唐榮負債超過資產，根據五種估價，至少亦不敷七千餘萬元，早應依法破產清理，徹底更新，乃爲維持人情體面，引用總動員法，派人監理，四次改組，由民營變爲公營，國庫墊款逾七億，一再提高內銷價格，謀以內銷補貼外銷，因浪費無法減少，五十一年平均每月仍虧損三百四十萬元，現仍繼續虧損，由台銀繼續借墊，變成國庫無底洞……此種政策是否經濟自殺」？

像「殷台自始即爲騙局，政府偏重感情，再三遷就，首先借款造船，簽訂十年運油合約，使國內油輪無油可運；其次同意擴大油輪噸位，兩艘油輪由二萬六千噸改爲三萬六千噸，高雄港淺，實際只能容納三萬二千噸載重輪進口，使政府蒙受長期超付新輪運費損失。最後彼因造船運油目的已達，撤回股款，停付租金，理應即時解約，又同意派人管理，担負開支，並將招商台航兩艘一萬二千五百噸新貨輪，交其承造，價欵超過日造三分之一，時間延長一年，工程費超收百分二五，國庫直接間接損失，將近兩億。……此種人情主義，是否經濟自殺」？又如：「政府對民營事業之扶助，多憑感情，毫無制度，一經建立關係……繼續借欵，以債養債，如工礦、農林、大秦、遠東、裕隆等公司，每家台銀借欵，多達數億，少亦數千萬元，時常瀕臨危險邊緣，多由台銀直接派人監理。例如工礦公司舊欠一億二千九百餘萬元，新借七千五百萬元，一律年息五厘，爲公民營事業所未有，尚有臨時保證貸欵，仍不能改善財務，年有虧損，負債超過四億元，等於唐榮第二（按：工礦公司董事長即現任省議會副議長許金德）。又如裕隆公司與日技術合作，製造汽車，政府保障內銷，限制外貨進口，每輛價格超過時價一倍，增加國內消費者負担，合作期限屆滿，仍不能獨立生產，等於代日推銷，政府尚須供給將近一億元之低利貸欵。諸如此類之貸欵，助長浪費……妨害經濟發展，是否經濟自殺」？

立委黃煥如沉痛指摘：「國營事業之中紡、雍興、台北三紡織廠，早均負債超過資產，連年虧損，變成吃光主義；早應轉移民營或合併經營，乃因人事意見紛歧，政策舉棋不定，連年空談，因循坐談，形成經濟毒瘤」。而「招商局因經營不善」，終於「組織整理機構派員整頓」，「政府當局爲什麼明知故昧，自陷深淵」呢？

基隆旅居記
仲公

勝利還鄉夢一場

抗戰勝利消息證實後，跟即掀起了還鄉的熱潮，宜賓市上到處擺地攤，一些江佬（川人對外省人稱呼）把衣物家俱胡亂的拍賣，作爲還鄉資斧，一冊商務版的辭源，僅售法幣五元，其便宜可以想見。後來由於共匪稱兵作亂，交通阻塞，這些下江佬均陷於進退維谷，哭笑不得。那時，見此情勢，我不敢遽作還鄉準備。[illegible]年三月，幾[illegible]以後出生的。[illegible]已十二，「從[illegible]兄大喊其[illegible]錯覺。會發生久別親友，紛來問訊，恍若陶元亮之賦歸，「引壺觴以自酌，眄庭柯而怡顏」。亂後室家團聚，確屬別有一番樂趣。

我家有宅一區，薄田數畝，粗足自給。屋後園土寬廣，我於廿三年離家時，曾在這些園地上，親手栽植李樹近千株，均已成林結實。鄉村五月，閒人稀少，我每日携着幼子稚孫，徜徉於李林之間，剖甘分肥，殊足自適其適。昔諸葛武侯惟一的家當，是成都有桑八百株，即不作丞相，亦可有飯吃。我有李樹千株，還不足自豪嗎？那時對人世的富貴，殆已等於浮雲芻狗矣。

可是好景難常！通貨膨脹的幅度越來越大，我到家時二百元法幣可購進稻谷一石，至十一月已非五百元莫辦。鄉中艱苦情形，與日俱增，千村百落，蕭條異常。那時大局一天一天在惡化，鄉間土共四起，鬧得風聲鶴唳。至十二月初旬一個大雪紛飛的晚上，我家對門金姓人家，忽被土共數十人明火執仗，刦掠一空，臨去還刦持他全家老少，脫去衣服，拘繫一室，金老先生因中寒過甚，不到三天，一命嗚呼！其餘都已凍個半死。看此光景，里閭已無安枕之日，祇得襆被出門，再走蜀道，急景凋年，留在重慶友人處度歲。後應賀國光先生之招，始去西昌，參贊戎幕。（二）

香港與大陸
毛共欲把所有中小學全變成農民的養成所

中共在大陸各地中小學校，最近又大力推行「農業技術」和「農業的美好遠景」的教育運動，目的在使每一個中小學畢業生，都能夠聽從「黨」的分派，回到農村去做一個農民。

據中秋節曾回開平縣探親甫返抵港的周×碧小姐對本報記者說：大陸各地中小學校，除了農忙時節及假日都要到農村參加勞動外，最近又被每星期增加了兩課時的「農業技術理論指導」和兩課時的「農業的美好遠景」，欲使每一個中小學生畢業以後都樂意地作一個「新時代的農民」。

周小姐說：中共推行這樣的所謂教育，已是好幾年前的事了，曾因這樣的教育給予中小學生的身心防碍極大，以往兩年來稍爲緩和，現在却鑑於青年農民紛紛逃亡，農村極端缺乏勞動力，又要大搞農業，乃認爲非先教育好接班的農民——現在的中小學生，是做不到的，因而舊調重彈，並且加強進行。

周小姐說：所謂「農業技術理論指導」課，無非是重提那些「深耕細作」、「小株密植」等的耕作「原理」，及如何使用各種化學肥料，如何製作各種綠肥……至於「農業的美好遠景」課，則多係上「大課」或集體參觀「公社」和展覽會的圖片，內容無非是強調農村將來也要城市化，有交通車，有商店、電影院，免費醫療所，以及農村亦將「機械化」，一切的勞作都由機器代替……等等美好遠景的空頭支票之類。

周小姐說：但中共當局此種做法，其實不被歡迎，已引起學生和家長極大的反感。學生們有些很坦白地說：做農民是最悲慘的，一則長年累月都沒有假期，（歷年來「公社」正式宣佈放假的祗有「五一勞動節」、十·一的「國慶」、和農曆年卅日和年初一這四天），二則要在風吹雨淋日炙的情況下幹沉重的勞動，三則所配給的粮食却比任何一種行業的人都少。大部份農民家長更說：我們辛辛苦苦送自己的子女去學校讀書，目的就是不願他（她）們再做農民，因爲我們做了一生的農民，已經嘗夠做農民的苦味了。如果讀了書還要作農民，那又何必進學校，我們做父母的便是最好的教師了。

周小姐的看法，中共要搞好農業實在沒有希望，因爲存在的問題太多，根本的則是老百姓不喜歡共產政權；故認爲若非中共垮台，大陸農業以及其他各業都絕對搞不好。（敬斯）

港霍亂蔓延可慮
死者又增加一名

（本報訊）香港霍亂症繼續的蔓延不已，情殊可慮。廿三日又發現兩宗，使本年香港霍亂患者增加至七十二宗。

廿三日發現的兩宗霍亂，其一爲已死的六十六歲婦人，經解剖後證實其爲霍亂致死者。因此亦使本年香港居民之直接死於霍亂者增至二人。

迄至廿三日，霍亂情形如次：

在醫院內臨床之霍亂症廿八宗。

在檢驗中的霍亂疑症二十二宗。

在檢疫所之接觸者八十三人。

南越勞工政策及其成效

西貢通訊

各該衛生機構由各位衛生人員主理。包括有：三十五位醫科博士，一百四十五位助理醫生及助手，三十四位接生婦。

這些機構及衛生人員，使工人及其家庭每年獲得探病，檢查體格及治療的約五萬人以上。

爲工人治病的事情最爲切要，可是預防疾病的事也獲展開。一個研究及提防各種職業病及危機的委會已經成立了，負責研究這項問題之專家已研究、指導及尋求適用的各種切要之辦法，以提防由於機器、用具抑或化學質可能造成工人殘廢病及災害的事情發生。

在經過幾次檢查企業與勞工部人員各項合理的勸告之後，各企業經已給予工人裝備了衣服、面具、手套或將機器包蓋，以期避免在職業上的每一項危險。

社會安寧方面

單是給予工人保護健康尚未足夠，工人的生活尚須獲得再加照顧，尤其是在社會安寧的領域上爲然。這包括：

工人須要獲得享受家庭津貼，爲一項合理公平的方式，以養育本身的家庭。

工人不論國籍、年齡、男或女，均獲得領取妻及兒女之津貼。工人獲得免費的申請各項證件，俾作初步的辦理享受家庭津貼。家庭津貼欵項發與工人的工作，由各調劑庫負責，津貼費是由各資方以分担額的方式分担的。現時，越南共和國中在政府監督之下，有四個調劑庫活動着，這便是法國調劑庫，越南調劑庫，都城調劑庫及越南中區調劑庫。

自一九五五年迄今，每年工人獲享家庭津貼金額約一億元，只在一九六二年，這個數字已增至一億五千萬元。

關於在各頓田的工人，他們獲享供給米粮，以代替付給家庭津貼，但是月薪工人，則可獲領一項現欵之家庭津貼。工人之生活又再獲保證，尤其是在各項不測事件發生時，如當退職，生育或受災害的時候。

在生育的場合中，女工人獲休息八星期。在這期間中獲享半薪。在老弱殘廢之場合中，工人須要退職，抑或無犯過失而被資方退辭，律例也規定了補助的條欵如下：

（一）工人已工作了兩年的，獲享一個月薪之補助。

（二）工人已工作了三年的，獲享兩個月薪之補助。

（三）工作了三年以上的，則每在加多工作三年的階段中，獲享一個月的補助；如未足夠三年的，則凡每六個月的，獲享五天之薪給。

這項補助，使工人一時雖失業了，在生活方面及等待另尋職業時可有了着落，或有助於適齡退休時，有一筆可足爲基本之資金以資謀生。

在勞工受災害或工人受傷或死亡的場合之中，法律有明確的規定，應當爲工人醫治及賠償之事。去年中，越南國家經濟委會及勞工咨詢委會表決通過勞工部的提議，定下了勞工保險制度以保證勞工發生災害的賠償。

這是給與工人生活在社會安寧方面中很爲需要保護的效果之特點。

除此之外，工人的生活尚需要其他方便，如住屋，包括適合於一個人之精神及肉體方面，供應粮食機構，學校，平民飯店，俱樂部，兒童寄托所，轉移方面，寺廟，教堂，閱書報室，戲院，各種體育機構等等。

這些方便條件，有助於工人之生活，導致他們減低支銷，并可藉此使他們集體的生活獲得更有保證。（下）

報人普立茲傳

汶津譯

一年之後，在一九一一年十月二十九日那天，一條船在南加州的卡萊頓港停船。約瑟夫．普立茲在那船上，正在彌留中。在一息尚存之際，他柔聲的用德文說：「柔和，完全柔和地——完全柔和——」柔和地，全然柔和地，不會感到什麼痛苦，死神降臨了。

那條船上的人眼裏都飽含着淚水，他們的心悼傷不已。他們已失去一位他們深愛的偉人。

×　×　×

二十年後，一九三一的時候，另外一些男女心傷淚落。他們是世界報的員工們。他們不能置信他們的報紙被出售了。這是很不尋常的事情。這份報不能再存在了。一張報不能賺錢就得出售或關門大吉。但不該是世界報！它是與衆不同的。普立茲的遺囑裏特別叮嚀世界報不能出售；它是一個公衆的褓姆。普立茲的三個兒子保證世界報將繼續存在。

可是，這三個兒子也不能使世界報照常出版了。美國的經濟恐慌打擊着一切行業。大的報紙集團收購着獨家經營的報紙。只有一個大無畏的發行人像普立茲自己那樣，才能禁得起這種風暴的考驗。

普氏兄弟決定維持聖路易郵快報而出售紐約世界報。這是始料不及的，快報竟成爲普立茲報紙的一脈單傳。當他們的父親丟下郵報去紐約另闢新天地時，他對那份報已毫無興趣。他派年輕的約瑟夫．普立茲．約尼爾，去聖路易，而授辦報的機宜，而那位年輕普立茲卻愛上了這報紙和城市，就此不願他適了。

現在，約瑟夫的孫子擁有美國最好的報紙之一。聖路易郵快報仍屬普立茲家所有。這是一張足以使它的創辦人引以爲傲的報紙。

約瑟夫．普立茲如果知道他已在多方面幫了美國的作家們，他更會自豪了。獲得普立茲獎金的作者往往享有最高令譽。這項獎金促進了報刊和書籍的寫作。

普立茲在哥倫比亞大學創辦新聞學院的夢想，也已如願以償。該學院已爲新聞界培養出數以千計的新聞人材。如今，幾乎每一專科學校和大學都有新聞院系設立。

約瑟夫．普立茲逝世迄今，已將近五十年。而聖路易郵快報仍每天刊出普氏在因瞎眼離開報界時寫下的信條：

×　×　×

我知道郵快報將永遠遵循它一貫的原則。它將爲進步和改革而奮鬥。它將和不公和腐化作戰。它永不屬於任何黨派。它將站在窮人一邊，並支援一切公衆的利益。它永遠保持言論自由。約瑟夫．普立茲，一九〇七年四月十日。

×　×　×

這些普立茲一度所作的預言，今天已爲聖路易郵快報一一付諸實踐。

（四三．全書完。伊雷士．諸伯原著）

藝術叢話

爲此，藝術家如果開始在其作品中引入自由與抽象，便會使他的作品更人文化，而更少自然化。像德國的新康德主義者的哲學家們呢，他們則很仔細的在自然的與文化的中間加以分別。文化的當然是嚴格的人文的產品，在藝術作品中這樣的引入人文主義，這種作品自然也就稱爲人文中心的了。

總之，奧德嘉的主張並不足以說定當代藝術是非人文的。士林哲學家們說定當代的藝術已經離開了人的最後目的，已經不附屬於道德了，這也是不對的。人的行爲總是帶着人文的，而當代的藝術可以說是走向了人文的高峯。尤以抽象藝術，更是人文的極度表現。破壞了客觀世界，但可歎的很，我們這裏一般人文主義的學者，竟而反對抽象藝術。殊不知這乃是思想上的自我矛盾，不懂得哲學的邏輯連屬，也可以說沒有眞正哲學精神的陶冶。

但讀者不要誤會，因着上面的一句話，就認爲抽象藝術是對的，我們只是說人文主義者很自然的應該承認爲抽象藝術，這乃是人文主義哲學的自然結果啊。

抽象藝術漫談

趙雅博

客觀世界的破壞

有人說中國藝術的大寫意畫，就是客觀世界破壞的濫觴。這個雖然也不無道理，但是這與世界當代之畫壇運動，並無相關。西洋藝術，客觀世界之毀滅，可以說起自西班牙近代名畫家高雅（Goya）以後，藝術的趨勢，已具有不可否認的色調，趨向着在藝術作品中取消客體。每一個藝術界的新運動，都是更多一步的取消客觀的實在性。這些步驟的終結，無疑的，我們已看出：在藝術的方法中，已經整個的消滅客體了。在客體的消滅中，隨之而來的，自然是紊亂的現象，同時還有分散與無規則的狀態，汲汲惶惶，不可一世；這種雜亂無章的狀態，其解決的惟一方法，乃是恢復客體，也就是說客體在藝術界，重新掌握到主勢。

今天的哲學，已經爲我們證明了，無有客體的人，無有支持人的客體的實在，也就是沒有環境，要件，事物，人物，地理和歷史的襯托，這樣的人乃是最少的人，不是一個完美的人。我們每個人都是有血有肉的人，同時我們每個人也都是藝術家之一。人在實際上不能脫離客體而存在；同樣的，在藝術中，我們知道藝術乃是人的產品，如果在某種形態中，不想自殺，藝術作品也不能沒有客體。在目前藝術紊亂的緊張中，唯一能夠重建起來的標的，是在於走向客體的恢復，是在於藝術作品重新重視客體。

但是讀者不要誤會：我們主張藝術是要走復古的路綫。不，歷史性是不容許我們復古的。爲此，這種客體世界的再征服，並不是恢復原有結構。需要從今天的藝術歷史程序中最後的姿態，來與以貫徹。如果從西班牙名畫家魏拉斯加和高雅的寫實主義開始，失去了客觀實在性；那麼，同樣的，我們也能夠並應該可能從形成今日的一切抽象主義的理想主義的根基開始，使客體的實在性重新再征服藝術界。（未完）

瘟君續夢

第十回：集會議圖存　天寒日暮　空言難自救　鬼哭神愁

毛澤東說道：「光說這一連也就夠了。」

羅瑞卿說道：「這個連是有光榮歷史的連，解放戰爭時期參加過錦州、天津戰役，進軍兩廣時，參加過衡寶戰役，一九五三年又曾參加志願軍入朝作戰。一九五八年回國入駐四川至今。這個連隊過去在戰隊中以勇敢頑强著稱，能攻能守，一九四七年在錦州以西的楊杖子抗擊過敵人一個營兵力的八次反撲，天津戰役，這個連是全師的尖刀連，三分鐘突破敵人設防重地民權門，軍黨委授予鋼刀連的稱號。以後大家統稱之爲鋼刀連。」

聶榮臻說道：「這些情形我都知道，這個連的六十名士兵都是四川人。」

陳毅連忙說道：「四川人是最能打仗的。」

劉伯承吃了一驚，趕快翻起單眼看他。陳毅自知失言，偸眼看下毛澤東也在瞪眼瞅他，當時嚇得抓耳搔腮，十分不安。

劉少奇問道：「這個鋼刀連現在怎樣呢？」

毛澤東冷笑一聲：「已經生銹了，馬上就要變成一堆廢鐵。」

陳毅聽了更爲不安。

羅瑞卿接着說道：「這個連士兵共計六十人，可是去年家中遭受災害的有二十四人。去年五月份到年底，有十個士兵的家裏死了人，共死了十六人，其中因鬧災荒患水腫病死亡的有九個大。」

毛澤東問道：「他們家中死了人怎能怪到我的身上？」

羅瑞卿說道：「他們不一定是怪主席，這裏原因很多，去年八月以後，連裏的口粮又降低了，他們就鬧着不夠吃。」

鄧小平插嘴問道：「這個連究竟發生了什麼情況，你到現在還未談到正題。」

羅瑞卿說道：「並未出什麼大的問題，祗是大家普遍呈現鬆勁思想，亂說閒話。有的戰士接到家裏來信叫苦後，懷疑粮食到那裏去了，爲啥子不夠吃。是不是國家把粮食扣下來不給老百姓吃。」

鄧小平搖頭道：「這眞是胡思亂想，國家有粮食爲啥子不給老百姓吃。」

羅瑞卿道：「有的又說：當兵嘛，就是要多吃一點，兵馬未動，粮草先行，現在軍隊口粮也降低了，老百姓吃粮一定更困難。」

別人還未開口，賀龍搶着說道：「這段話說的對。當兵就是爲了吃喝，老實講我賀老大死都不怕，就是不能餓，當年要不是餓極了，我就不會提着兩把菜刀革命了。」

賀龍張牙舞爪的講，大家都是看着他笑。

羅瑞卿又道：「還有人編成快報：當兵好，當兵好，聽到吃飯就往飯堂跑，每人只吃一大碗，走起路來跌跤跤。」

賀龍一伸大姆指連搖了幾搖，說道：「這首詩實在作得好，聽起來和毛主席的詩差不多，既然一大碗吃不飽，應該給他兩大碗吃才是。」

羅瑞卿看見一開口，這個渾人就在裏邊打岔，又不敢出言攔他，恐怕引起衝突。

（三一〇）

我國醫生，在民前，名稱甚多；專爲皇帝、后妃服務者，曰：「太醫」，亦稱「御醫」。此類醫生，非有名望、地位、歷史，而又爲王公、大臣所薦論、所薦舉者，則殊不易入選。然一經被任，責任至重，禍福亦難測；故地位雖高，賞賜雖厚，而人多不願爲也。此外，還有「儒醫」、「世醫」、「知醫」、「巫醫」、「偽婦醫」、「祝由科醫」，以及「走江湖郎中」、「打拳頭賣膏藥者」，林林總總，指不勝屈。

何謂「儒醫」？讀書人求功名不成，而習醫以爲業，故曰「儒醫」也。昔者，宋范文正公有言：「不爲良相，當爲良醫」。然而，世之儒醫，入朝而能發揮匡時之略，應世而眞能利民救人者，有幾人哉！

何謂「世醫」？有三代行醫歷史，而祖若父且有名於時者，可以稱世醫矣。惟在其日，世醫地位雖高，終不及儒醫較名貴也。蓋儒醫立藥方，必書序，詳論病源及現狀；暨用何藥疏解？引書證脈，恭詳裴慎，他醫則不一定有序論也。又，往時之中醫生，診法之最高原則，爲「望聞問切」；望者，觀其面色也。聞者，聽其聲音與脈搏動數也。問者，詳問病情經過也。切者，切脈也。

閒話中醫

黃伯遠

今之西醫，外科有各種日新月異之檢查儀器，檢查五臟，腸胃，膀胱各部分，而以電映攝出病人內部之傷患，照準部位，開刀割治，其效果，如響斯應，顧此項解剖治法，我國古代即已有之。如黃帝時之俞跗，彼之爲人治病也，「不以湯藥醴酒鑱石，撟引案杌，毒熨一撥；見病之應，因五臟（同臟）之輸，乃割皮解肌，訣脈結筋，搦髓腦，揲荒，爪幕，湔浣腸胃，漱滌五藏……」（見史記、扁鵲、倉公列傳）云云。此即古之「解剖」，今之所謂「外科手術」也。（案：湯藥醴酒，湯是用藥煎成之藥湯。藥，各色藥物。醴，清泉也。酒，飲或洗抹也。鑱石，即針石。撟引案杌……謂：用按摩之術，提其身如熊顧鳥伸也）

中醫之測驗病人寒熱：一、是觀面色，二、是看舌本；三、是以指切額，四、是聽脈搏，五、是審聲音。西醫則只用一枚寒熱針便可，而且委其責於護理，逐日看其進度而已。至于切脈，也委之于護理；由于西醫已有測聽器，腦腹背每一部分，有了變化，他儘可以聽出，所以不注重於切脈。是則部位測聽，比較脈搏檢驗，更爲準確，乃無可疑問者。（一）

悲劇意味

舒蘇

人類最深摯的情感，不在眉開眼笑間，不在天下有情人都成眷屬的大快人心的團圓裏，乃在悲哀不得意無可奈何的時節所發生的至性至情的同情心。因此悲劇的內涵，能將個人小我的利害一齊納於至高的同情之中，而產生各種思力深沉、意味深長、感人至深的小說、戲劇、詩歌……。

可惜我國的悲劇觀念，較爲薄弱，過去的才子佳人的小說戲曲不說，即以近代文學與影劇而論，多半也祗圖紙面上和銀幕上的大快人心。有的人會解釋，我們是一個最具同情心的民族，不忍以現實生活中的悲慘際遇，印上紙張或搬上銀幕。因此「異鄉人」的作者卡謬，便有人以爲他是一個冷酷的人。莫泊桑也是一個殘酷的人。其實，這是不健全的觀念。只要我們眞正用靈心讀過卡謬和莫泊桑的作品，無不以爲在他們的筆鋒下，在字裏行間，蘊蓄着很多的同情心與對人間的憐憫，使人激發而興起欲加改造的道德勇氣。

最近在自由中國寶座列爲首位的「梁山伯與祝英台」，未嘗不是因爲它具有悲劇的型態，而給人深深的喝采。這雖是一千多年以前的故事，然在我們現代社會雖道絕無類似的情形發生？據說有許多老公公老婆婆看過以後眼淚盈盈，我相信，假使他們也有小兒女幷有對婚姻的執着情形，看過後難道還能固執自己的成見？多少該有些讓步了吧！

然而有人批評梁片寶座的原因，不是因爲一般人迷於一個明星，迷於黃梅調的歌詞。果如是，這又使我們的觀衆走到一條可怕的悲劇路上去了。關於明星，我不想說什麼，因爲這不是影評。至於黃梅調，有人說是「黃禍」，有人說是「四面楚歌」，我也不想妄贊一詞。但給予大衆的「耳災」却是實在的事。所以我想說一個故事：有一天我在公路車站候車，聽到兩個人的對話：

「你今天看了什麼電影？」

「梁山伯與祝英台。」

「流了眼淚沒有？」

「我還想笑哩！」

「你這個人未免太沒有心肝了！」

「嘿嘿！老兄，你的心腸太好了，看見人家哭的有板有眼，又唱又舞，也能陪着流眼淚。」

最後這個回答，給了我一個強烈的震顫。怪道我看過了梁片以後，覺得不是我心中所想的那一回事，不像往往看過了悲劇片以後有一種眼澀心酸的況味。原來是被黃梅調沖淡了。頗憶兒時，祖父逝世，母親嬸嬸姑姑們又訴又說的號啕大哭，便不覺得有多少悲痛，但是當看見父親叔叔的暗暗飲泣，却會自然的跟着流眼淚，才會想起愛我疼我的祖父已經死去了。

悲劇並不是哭。而我們的悲劇，總不能免去這一套。梁片如此，紅樓夢的影片也不能免此，一些粗淺的以近代爲背景的悲劇也不能跳出窠臼，使人看了，只是覺得全身發麻，引人氣而不是同情。可是看看人家的影片，便不是這回事了。

這樣說也許有外國的月亮比我們圓之嫌，但我們要平心靜氣的就事論事。試以「魂斷藍橋」來說，沒有哭聲。當羅勃泰萊站在藍橋上，以那種迷惘的神態，回憶着往事，人間爲何有那麼多的苦難？而這些苦難又都是人們自己挖掘的「墳墓」……爲什麼？爲什麼啊！這印象所以我以爲我們的悲劇的路，一定要有一個改良，要深一些！挖掘得更深一些！說笑話的人首先自己笑起來的辦法，成嗎？

海味閒談

閒話池田勇人

諸葛文侯

現在日本首相池田勇人，最近對美國記者說了一些侮蔑中華民國的話，咱們朝野人士都感到驚震而不勝其憤慨，認爲太豈有此理！實則我們如其知道池田的出身和知識，也就見怪不怪，無足深責也。

池田在二次大戰前，即一直服務於日本大藏省（財政部），專幹稅收工作，由末職小吏慢慢爬起來的。戰後吉田茂第一次組閣，以石橋湛三爲大藏大臣，而擢任池田爲次官，這時日本尙在被佔領期間，政府一切措施，皆得聽命於盟軍總部，而石橋對於美國改造日本的方法——尤其是關於財經政策，頗有反感，然以居於「積弱之勢」的環境中，敢怒而不敢言，盟總亦認爲石橋不聽話，遇事予以爲齕。於是，石橋乃採取消極態度，僅由次長池田勇人出面，跟盟總的美國人士周旋，俄而石橋宣告辭職，由池田代理部務。這時美國對日本的財政問題，擬訂一種「道奇計劃」，原則是緊縮通貨發行，嚴令日本遵辦，池田毫無異議地奉命唯謹，美國方面即頗贊許他這種「唯一」的作風，樂予支持。迨吉田二次組閣時，池田依着美國人

石橋任職不久，忽罹心臟病，難膺繁劇，不能不告退，自民黨高層幹部的河野一郎、佐藤榮作，都有拜相的野心與資格，但二人皆不爲黨內元老與吉田茂所喜悅，池田原係吉田的舊部，其人雖庸碌，但不似河野、佐藤之桀驁不馴，且可以乞取美國人的好感，他就在這種「蜀中無大將，廖化作先鋒」的形勢之下，由於元老吉田茂的支持，僥倖居首相高位了。[illegible]眼見池田託賴美國庇蔭，雄心未已，而自己又抱有濃厚的反美思想——他本來亦是反共的人物——要想東山再起，除非另闢政治路線，於是乎，他由反共而蛻變爲親共，以代表團團長身份，跑到中共區域去舉行工商業展覽會，談判貿易問題，實際是跟池田作政治競賽，希望捲土重來而已。

池田拜相後，會經訪問英法美與西德各國，旨在創造政治資本。然法總統戴高樂與池田晤談後，對人說：「我以爲跟一國的首相談話，必不尋常，誰知這位日本首相所談的，是些市儈言論，有如商人談生意經呢！」池田在訪問菲律賓時，竟大言不慚，說日本要出面調解印尼與馬來西亞聯邦的糾紛，菲總統麥卡柏加當面即給他一大釘子，說是時機未到，請池田先生不必枉費心機。但他唾面自甘，滿不在乎。

池田由於不學無術，既不知彼，亦不知己，只以爲抱住美國的大腿，就百無禁忌了。他瞧着美國當局對中共的姑息，協言行，死心眼兒地不贊成中華民國採取軍事反攻大陸的行動，乃拾取美國人的牙慧，向美記者胡說八道，藉以討好，却不顧自己國家的生存利害關係，連外交禮貌亦忘記了。像這種謭陋笨拙，出身低微的政治人物，在國際間到處丟醜失格，亦毫無所謂，他對新聞記者口不擇言，瞎說中國問題，理有固然，狗咀裏是長不出象牙來的！

夫案郾城再捷，並絳州垣曲縣諸捷，賜詔獎將士。詔曰：「自羯胡入寇，今十五年。我師臨陣，何啻百戰？曾未聞遠以孤軍，當茲巨孽，抗犬羊並集之衆於平原曠野之中，如今日之用命者也。蓋卿忠義貫於神明，威惠孚於士卒，暨爾在行之旅，咸懷敵愾之心，陷陣摧堅，計不反顧，鏖戰屢合，醜類敗奔。念茲鋒鏑之交，重有傷夷之苦，俾爾至此，時予之辜。惟虜勢之已窮，而吾軍之方振。尙效功名之志，亟聞殄滅之期。戩想忠勤，彌深嘉歎。降關子錢廿萬貫，犒賞戰士。故茲獎諭，想宜知悉」。遣中使，詔賜王貴等袍帶各一，以褒其功，賜御札命飛給付。札曰：「朕嘗聞卿泰稱王貴、張憲、徐慶數立戰效，深可倚辦。方今正賴將佐竭力效死，助卿報國，以濟事功。理宜先有以旌賞之。其王貴等各賜捻金綫戰袍一領，金束帶一條，至可給付也。十二日付岳飛」。兀朮又聚其衆，併力復

南宋偏安有人才

李仲侯

來，頓兵十二萬於臨潁縣。十三日，楊再興以三百騎至小商橋與賊遇，再興驟與之戰，殺虜二千餘人，並萬戶撒八孛堇、千戶百人長毛毛可百餘人，再興死之。張憲繼至，破其潰兵八千，兀朮夜遁。郾城方再捷，飛謂子雲曰：「賊犯郾城屢失利，必回鋒以攻潁昌，汝宜速以背嵬援王貴。」既而兀朮果以兵十萬騎三萬來。於是貴將遊奕，雲將背嵬，戰於城西廟陣，自舞陽橋以南，橫亘十餘里，金鼓震天，城堞爲搖。貴令諸軍勿牽馬執俘，覘梆而發，以騎兵八百挺前決戰，步軍張左右翼繼進。自辰至午，戰方酣，董先胡清繼之，虜大敗，死者五千餘人，殺其統軍上將軍夏金吾（失其名）並千戶五人，擒渤海漢兒王松壽，女眞漢兒都提點，千戶張來孫，千戶阿黎不，左班祗候承制田𡐊以下七十八人，小番二千餘人，獲馬三千餘匹，及雪護闌馬一匹，金印十枚以獻。兀朮狼狽遁去，副統軍粘罕孛堇重傷，輿至京師而死。十八日張憲之將徐慶、李山等，復捷於臨潁之東北，破其衆六千，獲馬百匹，追奔十五里。

飛獨以其軍進至朱仙鎮，距京師僅四十五里。兀朮復聚兵，且悉京師兵十萬來敵，對壘而陣。飛按兵不動，遣驍將以背嵬騎五百奮擊，大破之，兀朮奔還京師。飛遂令李(?)陵臺令朱正甫行視諸陵，安永昌、永熙等陵，神臺株之廢伐者，補而全之。俱勝而進兵朱仙鎮，兀朮收潰兵對壘而陣。飛承奏，乞乘機破滅，以復故壤，仍寓嘉歎之意，賜御札報曰：「覽卿奏，兀朮現聚兵對壘，卿欲乘時破滅巢穴，備見忠義之氣，通於神明。已令張俊自淮西，韓世忠自東京，擇利並進，若虜賊窮蹙，便當乘勢殄滅；如奸謀詭計，尙有以應之，諒卿亦能料敵。楊琪自東京逃歸，有所見，宜令錄本付卿，亦欲卿知也。」（進止御札，想九七）

霜降雜話

漁翁

玉海云：「五日爲一候，三候爲一氣，故一歲有二十四氣」。每月二氣，寒露後十五日霜降，在陰曆九月初八日，即陽曆十月二十四日。從此氣候漸冷，因水氣凝結，其地之溫度，在冰度下，到結成微細顆粒而爲霜。詩經：「蒹葭蒼蒼，白露爲霜」。將進入寒來暑往，入冬季節矣。

霜降時，古有迎霜之宴，以享佳節。據北京歲華錄載：「燕俗於霜降前後，設宴相邀，謂之『霜宴』。坊間食兔，又謂之迎霜兔」。以兔經霜而肉味佳，能補衷益氣，故陸放翁有：「迎霜新兔美」，「十月新霜兔正肥」之載詠。

有清一代，各省綠營，於霜降節，排列甲仗，出西郊之外，行軍禮而返，俗稱霜降。按即月令季秋，教田獵習五戎之意，猶漢立秋貙劉也。今之閱兵，會操，與各項軍事演習，亦往往沿古制而於此季行之。（上）

自由報
THE FREE NEWS
第三八七期
中華民國僑務委員會頒發 台僑新字第三二三號登記證
中華郵政台字第一二八一號執照登記爲第一類新聞紙類
（每星期三、六出版）
每份港幣壹角 台灣本售價新台幣壹元五角
社長：雷嘯岑
督印人：黃行當
社址：香港銅鑼灣道二十號四樓
20 CAUSEWAY RD 3RD FL. HONG KONG
TEL: 771726 電報掛號：7191
台灣分社

政治上的「門神」式與「灶神」式人物

雷嘯岑

門神的作用是點綴門面，所以壯觀瞻也。它跟屋內人的關係，介乎親疏之間，即在房門敞開時，它是置身於廳堂之內，窺及全家人的日常動態；迨大門一經關上，便成爲陌路之人了。這情形，很像政治上的一般羣衆和政黨中的普通黨員。灶神經常坐在屋內，早晚與人們結香火之緣，且負有監察人們善惡行爲，舉以上達天庭的職權，它跟屋內人的關係特別密切，隨時博得他們的獻媚供奉，所以孔聖人亦有「寧媚於灶」的說法。它的地位，與政治上的核心幹部和忠貞份子相同，而其對上帝奏報人間功罪是非的情形，又與政治上所謂「小報告」殊無二致。因此，我們不妨從社會史觀來檢討這兩種人的性能，或許可供當代政治家的參考吧？

灶神式人物的使用價值

這類人士都是政治上擁有最高權力者的親信幹部，所謂「心膂股肱之臣」是也。他們有的是曾經出死入生，冒險犯難，爲統治主打天下時期的「從龍之士」，有的是緣於鄉鄙宗親戚族之誼而得勢的「豐沛子弟」，有的是基於上述各種人事關係，拔茅連茹而躋居政壇要津的時代寵兒。這般人對上的一片忠誠心情，是無可懷疑的，在創業垂統的過程中，他們亦多少表現過服務的勞績，深得統治主的信任。因而他們祇有「親君」的地位，在政治上預聞機要，參贊密勿，隨時担負特殊使命，對文武百官進行督察考核工作，成爲統治主的耳目手足，言聽計從，潛力甚大。從好的方面看，這般人對國家確是有貢獻的。

可是，就因爲他們在政治上的地位特殊，關係非凡，自然而然地便構成一種派系，而具有強烈的排他性。不特是在他們的小天地中，不能讓普通的智勇辯力之士，插足於其間，且在政府各部門的人事上，亦發生滲透支配作用，令人側目，對於一般文武官吏的功過是非，賞罰黜陟，他們都有考核報告的權能，但其自身的功過是非，除了統治主個人的直覺以外，別人却無從置喙，古今中外歷史上所謂「宮廷政治」與「特權階級」，就是這樣形成的。這些人在政治上的既得利益，如此得天獨厚，莫之與京，即自然產生患得患失的心理，昕夕念茲在茲，唯以鞏固既得利益爲急務，而置國計民生的利害得失於次要，慢慢地趨於腐化的保守主義，雖才智之士，亦逐漸變質，消失了進取的勇氣，時間越長，惰性越深，觀念亦日益陳舊，胸襟相應狹隘，思想即爲之硬化了。這在承平時期，尚能勉強應付支持下去，一旦國家發生變亂，這般人就缺乏應變的能力，非不爲也，是不能也。所以，在國事蜩螗之際，政治上儘管要求革新，統治主亦有見及此，倡導革新庶政，終以這般灶神式人物充斥於政壇中，他們便係阻碍着新局面發展的革新對象，教若輩從事於應變革新運動，不啻是騎馬以尋馬，作賊喊捉賊，那有可能呢？亂世的政治人物，首須忠實可靠，而灶神式人物在這方面是爲統治主所深信的，職是之故，他們縱然沒有革新應變之可能，仍不失其爲忠貞之士，保持既得利益，而使政治上不發生新陳代謝作用，承平之世是他們的天下，變亂之世依然是他們的天下，下情因而壅於上聞，賢才因而暗受阻遏，更加深國運迍邅的程度，而撥亂反正的中興氣象，乃可望不可即了！

亂世需要門神式人才

在中國歷史上有一項昭著的定律，即自三代以來，一直到滿清王朝覆沒止，凡是國內發生大變亂，無論其爲揭竿而起，篝火狐鳴的盜匪蘊亂也罷，是一羣邪教妖人、替天行道的謀叛行爲也罷，或者是一些野心家所脅持的農民暴動也罷，祇要它構成了動搖國本的勢力，若要撥亂反正，救平叛逆，舊有那般既得利益集團人物，決不足以語此，試看歷史上若干朝代的中興紀錄，那一役不是得力於新進人才，克奏膚功的呢？其中最爲近代人所熟悉的中興史事，就莫過於滿清中葉曾國藩之討平太平軍了。曾氏原係一個沒沒無聞的三甲進士，出入翰苑，講習理學，沒有實際的政治地位，亦與在朝的既得利益集團，少所往還，更談不上特殊關係，其本身亦無政治派系的小組織作護符，完全是個閒散的士大夫，在滿漢差別待遇的政壇中，他連「門神」的資格亦尚缺欠。祇因當時清政窳敗，國內變亂頻起，無法收拾，清祚搖搖欲墜，幸相肅順建議革新政治，重用漢人，咸豐帝採納肅順的主張，適因太平軍進犯湖南，即拔擢在家鄉練團的曾國藩爲兵部侍郎兼銜差大臣，教他領兵戡亂，付以重任。當時一般舊有既得利益集團的文武官吏，一致對曾氏表示侮蔑拒斥的態度，駐在長沙的「綠營」官兵，且公然糾衆哄鬧於曾氏的辦公處，逼得他遷到衡陽去練兵以避之。然清帝對他信任不貳，任何小報告或讒言皆置不理，凡曾氏建議改革的事項，毫無保留地一律付諸實施，外而疆吏與左右親近者，反對曾氏的人雖多，而清帝對曾氏的信任即愈堅，因而使曾氏深感知遇之恩，奮力圖報，終奏中興之功，延續了清朝半世紀的命運。他在攻破南京後，不作取代清帝地位的念頭，雖然怵於客觀環境，有所顧慮，但對清室感恩知己的心理因素，亦佔重要成份，殆爲無可否認之事。

若就門神式人物是否忠誠可鄙而言，這是相對性的問題，「君之視臣如手足，則臣視君如父母，君之視臣如草芥，則臣視君如寇仇」，此義古今一揆，絕無二致。政治人物除却極其少數的狼子野心、自外生成之徒而外，沒有居心就是要作亂臣賊子的。凡屬發生中道背叛的情形，總是君臣之間日常相處的方法不無乖誤，而其最大原因即爲誠信未孚，賞罰失措，亡其誠信問題，關係甚鉅，人是感情動物，至誠所至，金石爲開，上以公誠馭下，下必以忠義事上，勢所必至，理有固然。最足以反證這種事實的，就是唐太宗李世民，他所信用的文武幹部，多是原有的反動份子和降虜貳臣，如其帶着有色眼鏡以鑑衡政治人物，這類人雖不予以消除，亦決無信任之理。然唐太宗以「誠字」來相處，即使反側之徒亦蛻變爲忠貞之士，弼成貞觀之治的盛業。曾有人建議他對某些問題反應詞色如何，即可辨別忠奸心情，他答言我要以誠待天下人，自身先作僞，豈是爲君之道？再看宋太祖趙匡胤杯酒釋兵權那番談理的言詞，何等眞切而令人感動，自然使後人再不滋生「陳橋兵變」的妄念了。

亂世需要應變之才，應變必須有非常的措施，門神式的人物，平日蕭然在野，沒有既得利益的顧慮，亦很少政治恩怨存在，一旦爲國家担當衝繁艱巨的大任，他就可以不顧一切的興利除弊，發抒自己的抱負，表現時勢造英雄的績業，而國家的中興機運即降臨了。時代儘管不同，眞理總是一樣，人性亦不會變成獸性的，謀國者其三思之！

漫畫天下　南施

U.S.
經濟

赫魯：「我比你走得快！」

蘇吉關係

動彈不得

讀自由

剛剛經過政府核准註冊、向在籌備中的「香港民主自治黨」爲着爭奪領導權位的關係，內鬨大作，兩位「主席」被解除職務了。不管其中的是是非非如何，這證明現代的中國智識份子搞政治「唔係個皮」——粵語「不夠料」之謂也。

我根據四十年來的經驗所得，認爲吾國一般士大夫組織政治團體的目的只有兩種，即爭取領袖地位與解決生活問題是也。這二者互相表裏倚伏，實係一物之兩面，而與古之士大夫所謂「爲貧而仕」的本質，并無二致。

西方各國的知識界人士，在青壯年時期，一心一意的努力於奠定家人生計基礎，行有餘力，隨其興趣之所在，從事政治活動，因此，政治人物的貪污行爲，亦就比較少見。咱們中國的讀書人，十九都是以從政爲解決生活的捷徑，而從政的利器莫過於組織政黨，既有政黨，即不能不領導人，居於

知識份子的悲哀

領導地位者，在政治上自不愁沒有出路，於是乎，爭奪領導權位乃成了必然律。尚在孕育中的政治團體，爲着領導權的搶攘，可能胎死腹中，一哄而散；已經產生的政團，亦因此隨時鬧分裂，演醜劇，令人目不忍睹。此中癥結，只是解決生活之一念橫亙於胸，所謂政見，所謂體制紀律，都是些胡扯瞎纏之談而已。

沒有若干志同道合，具有殉道精神的基本幹部，就不必亂搞政黨組織；沒有爲大衆服務，犧利不先，赴義恐後的高尚情操，就不要妄覬領袖地位；否則若不弄成殺雞聚會、打狗散場的結局者，鮮矣！從人生的意義設想，搞政治乃是不務正業的行爲，士生今日，謀生之道多端，報國之途非一，揚名顯親的方法亦不少，又何必一定非搞政治不可呢？政治生活原不厚若城牆，心不黑如油漆，行不侔於盜賊者，既不宜從政，尤不應組黨，凡我知識界同仁，其念之哉！

馮五先生

基隆旅居記

仲公

由西昌撤到台北

歲月易逝，我住西昌，又快三年。那時大地逐漸變色，共匪自渡江後，鐵蹄所屆，鷄犬無存，消息惡劣，驚心動魄。我曾看到共匪地下人員在朝天門一帶到處散布火頭，使偌大的重慶市，弄得赤燄張天，恐怖匝地。也看到軍公人員由渝撤蓉，在白市驛機場擺上十數里長龍，哭聲震野，拼命逃亡的那種紊亂場面。我們在西昌雖說一時尚未遭難，但那種內心的沉痛，死亡的恐怖，實與內地同胞，無有二致。自卅八年年底，成渝淪陷，中樞遷台，整個大陸被共匪獲括，僅剩下西昌所轄十縣與兩設治局這塊唯一的乾淨土，還是照着平常一樣在發號施令。賀總司令於卅九年元旦就職兼任西康省主席，我還替他擬過一篇政策性的宣言。我們發揮了大無畏的精神，團結所有的反共人士，在這高原上，樹起上反共抗俄的大纛，每個人都在大聲疾呼，號召全國同胞起來抗暴。我們有誓死鬥爭的決心，有拼戰到底的勇氣；那時外來的接濟援助，全告斷絕，幸而台灣間日還有十來架飛機輸送軍用補給，我們的精神上，獲得了無限的安慰。這樣孤軍奮鬥，硬撑死拼，到了卅九年三月廿六晚，西昌四郊的武裝共匪如洪水般湧來，我們的作戰部隊，浴血苦戰已二十餘天，犧牲殆盡，但從無有人豎過白旗。殘餘的部隊都逃往夷區，變成了游擊隊伍。是夕我們奉命撤退，乘着最後一架飛機，飛離了西昌。關於這段詳情，我曾寫過一篇「邛都憶往」登在本報，不再贅述。

我們在離開西昌的那架飛機，所載還不足二十人，是與胡宗南將軍的座機同時起飛的。二十六晚天快亮時到達海口，二十八日續航抵台北，在松山機場着陸。那時虎口餘生，纍纍若喪家之犬，行李丟光，身無長物，祇得暫寄住新北投一個老長官家。閒得無聊，天天去逛台北市，採聽大局消息。（三）

朴正熙當選第二任總統後　南韓政局仍不容樂觀

美國掣肘與政客搗亂是其癥結　經濟難望搞好政局何望能安定

（本報漢城通訊）本年四月便呈現動盪不寧的南韓政局，至十月十五日全國大選的完成，表面上總算告一段落。可是從此次大選的結果展望南韓政局，前途尚暗藏無限隱憂，絕不樂觀。

參加這次總統競選的人物，計民主共和黨朴正熙，（以軍人爲構成核心的政黨，也等於是軍事政府的執政黨），在野黨爲民政黨尹普善，正民會卞榮泰，秋風會吳在冰，新興黨張攊輿。各候選人物所得的票數，朴正熙四，六六二，九八三票，尹普善四，五〇四，一〇五票，其餘三個小在野黨的總票數爲七八〇，二〇一票。而具有投票資格的南韓選民總數是一二，九八一，三二二名。

朴正熙這次僅以極少的十六萬票優勢壓倒在野黨的尹普善，雖然當選，却過於勉強。他本年十二月中旬，結束二年半的軍事政權接任第三共和國之首任總統後，可掌握南韓的未來四年間政權，顯見定於十一月二十六日將舉行的國會議員選舉關係甚重大，能否順利推行新的民主政治，是爲其關鍵。

十六日傍晚，軍事政權新聞部長李厚洛在發表朴正熙當選總統之同時，曾說明今後新政府的「施政方針」：「朴正熙總統，對大韓民國的新政府，無論政治，經濟，文化，社會，以及所有各種政策均將以加以檢討，以便糾正過去錯誤。至於對各在野黨的攻擊則不考慮報復，以建立一個標準民主政府……」，但這樣便可以安定政局嗎？

儘管朴正熙抱着滿懷誠意想重建大韓民國，但包括各在野黨的一般南韓知識階層，則認定朴氏的當選是軍事政權的延續，前途希望極微。

當前南韓的最大難關，是經濟與社會問題。南韓的經濟，幾乎完全仰賴美援支持。本身的農業、工業落後，輸出品爲數不多。而農業方面，連續兩年發生空前所未見的大天災，所產穀物不能維持民食，因而飢民遍地，農村是一片淒涼景色。同時鄉村中的農民被飢寒所迫，不能在鄉村安居，紛紛湧入都市，在都市裏又無法找到謀生職業，遂到處流浪，以乞討維持生命。以首都漢城爲例，觸目都是失業的人羣，這便形成了嚴重社會問題。而這一問題非趕急設法解決不可，否則南韓的社會便無法趨於安定，最後可能動搖政權根基。

朴正熙對韓國情勢頗有相當瞭解，他兩年多前攫軍事政變取得政權後，曾以南韓舉國之力，從事建設發電所，肥料，水泥，纖維等工廠，希望以之作爲南韓經濟基礎，將來以工業品輸出，賺取外幣。同時對農業方面，又發放農業貸款，政府直接配給肥料。上述對工農兩項政策之措施，曾使南韓經濟稍有好轉跡象，鄉村中的農民也鬆了一口氣。然而，軍事政府又突然實施幣制改革，遭到嚴重失敗，使對工農努力的成果化爲烏有，經濟情形越發陷入嚴重危機，而整個社會也有崩潰的徵兆，因而失掉民心，給在野政客造成了攻擊的口實，這便是此次大選不能獲得絕對壓倒優勢的主要原因。

另一原因爲美國的不高興，處處給予麻煩與掣肘，希望弄垮軍事政權，恢復民主之政。譬如在大選之一週前，美國已決定援助南韓的一千五百萬美元，而在大選時，美國又聲明將此項援款延期撥交。並暗示所謂「延期」，是無限期的，這實在是對朴正熙的一個致命的打擊。美國認爲朴正熙是南韓人民所不滿意的，非重新建立一個由政治家主持的民主政府不可。也就是希望南韓要推行像美國那樣的民主政治。此爲美國當局的如意算盤，這對韓國當然是具有無可估計的影響力的。

現在朴正熙當選總統，快結束軍政了，但美國對他還是不高興，不過不能不接受現實而已。要美國全力予以支持搞好南韓，十九辦不到。

因此，朴正熙當選總統後之南韓政局前途，無論內政，外交，難關重重，打開極不容易。因而影響到政局難期穩定。尤其是那些在野黨派的政治家們，對朴正熙的政權皆持反感，不肯予以協力，他們幕後又與美國保持默契，他們依然對新政府多方掣肘，藉以打擊朴正熙。由此種種，朴正熙政權的前途其實不容樂觀。

香港長時期制水　工業界深爲發愁

（本報訊）當局宣佈今後七個月仍繼續實施四天一供水之後，香港一般居民固然爲水發愁，工業界更大爲担憂，深怕難免繼續減產。水荒影響工業甚普遍，而以紡織業中的漂染業爲最，五個月來已減產百分五十。因而亦牽連織布、成衣、製衣等業。

香港與大陸

適令填報海外親人調查表　毛共利用僑眷收整華僑

一爲勒索錢財。再爲政治運用　並把留居大陸的僑眷作爲人質

中共最近又組織僑屬僑眷進行學習，還要他（她）們坦白填寫海外親人調查表，其目的一爲「鼓勵」僑屬僑眷向海外親人爭取外匯，再爲切實掌握海外僑胞的職業和政治背景，以便加以運用，而把居留大陸的僑眷僑屬作爲人質。

中秋節曾回梅縣探親甫返抵港之江尙×君透露：梅縣地區最近曾掀起了所謂「反崇洋」、「反講洋」、和「反思洋」的政治運動，此項運動對象包括市民、農民及僑屬僑眷等，而又特別針對僑屬僑眷。運動的內容是不得對南洋（尤其是對香港和澳門）有崇拜之傾向；不得講及南洋如何的好；不得有思念南洋嚮往南洋的思想。

江尙×君說：幾年來由於大陸糧食和日用物資奇缺，普遍每人每個月只有一二兩油，一年也僅有一兩次爲數以兩計的肉類，穿的用的物資更缺少得可憐。比較吃穿得像樣一點的，祇有僑屬僑眷，因爲他（她）們的生活都是由海外親人支持的。這一來，一般人便產生上列的「崇洋」、「講洋」、「思洋」的思想，進而相率提出出洋申請，甚而實行逃亡偷渡。中共之所以特別注重僑屬僑眷的思想，正是爲此。但還有其他更卑鄙的用心。

江尙×君說：「學習」的內容無非是盡量醜化僑居地，譬如，共幹詆譭香港說，香港的中國人是如何如何的受外國人的欺侮，生活如何的艱苦，黑社會壞人如何兇殘迫害平民……總之把香港說成是一個恐怖之極的地方。他們居然要僑屬們進行「南洋好還是祖國好」的專題討論。他們還指使利用一些老華僑向羣衆報告過去在南洋的苦況，竟欲藉此使人相信除了「祖國」以外，到處都是黑暗的罪惡的社會。

江尙×君說：中共在組織僑屬僑眷「學習」之餘，還要他（她）們填寫詳細的調查表，該表與過去填寫的表格都不同，是特別詳盡的而又特別注意留居海外之親人的。除了要填表人填寫自己的履歷，社會關係，思想轉變情況之外，還逐個填寫海外親人之姓名、別號、年齡，何時出國的？出國手續是如何辦理的？過去曾任何職？過去曾與那些「反動份子」來往過？現在僑居地任何職？有何可證明是任該職的？現在的政治背景如何？經濟情況如何？每月匯回多少錢、多少食物和其他物資？有無另寄給其他親友？等等，强調必須坦白填報；如果將來被發現有疑點或認爲不夠坦白時，將會受到處罰。

江尙×君說：大家都明白中共此舉的目的在於：（一）調查僑胞經濟情況，以便勒索；（二）調查僑胞的政治背景，以便加以運用，而以僑眷僑屬作爲人質。（敬斯）

高港烟波

本報記者趙家驊

△高雄港務局對內所發行之「高港簡報」，在其九月廿六日出版之一期第一版上的頭條新聞稱：「中央財經首長滋臨本港，視察南部加工出口區」。港務局在該局「招待所」大事予以招待。但在其第二版，則又有如是一段消息：本局近奉台灣省政府轉奉行政院令，略謂：「公務人員不得利用視察調查等機會，接受地方官民之招待或餽贈，公務員服務法著有明文規定。如有違反，當予查明嚴辦，以肅官箴，而資儆戒」。本局業以五二、九、四、高港人一字第一六一六九號令飭所屬一體遵照云云。眞是一個饒有趣味的對照。

△高市籍省議員黃饒，某日驅車往訪省議員李源棧，府前下車，探頭入內，見廳內圍坐數十人，李起立延之入內，黃詰李曰：「莫非開會乎？」李答曰：「非也。此皆爲余之選民，彼等凡百諸事，有所驅使交余奔走効勞者，余皆一一聽取意見。整日如此，故無閒暇也」。黃覥顏曰：「余向不接見訪客，蓋不勝其厭煩；雖門可羅雀，難得逍遙自在也」。兩相對照，其忙與閒，有若霄壤。李源棧家徒四壁，窮措大也，而竟能赤手空拳在高市與「衆英豪」爭其雄長，豈偶然也哉！（上）

南越改土目標及作法

西貢通訊

越南共和國的土地改革計劃，其目標在於使大多數的佃農和一無所有的農夫，人人都成爲一塊土地的主人，亦即是「耕者有其田」。爲達成此目標，越南共和國正以三種方式推進的，這就是：

（壹）設立營田。

（貳）改革田地。

（叁）組織國家農信局

一、營田方面

營田即是墾荒，就是從人民到一個墾荒之區域開闢耕地和建立新農莊。故此在社會觀點方面，營田是將人口稠密地區的人疏散到人口稀少之地區，使到能共享溫飽。在國家經濟觀點方面，則是增加田地的面積和農產品之產量。

營田制度在越南極早即被採用，陳、黎朝代即設有戶部和承政職，專門負責研究和考察荒蕪之田地呈上朝廷，以命令各府、縣官督促民夫開闢。迨阮朝，更大力開闢營田。阮映王分嘉定爲四個開墾「營」，不願參加耕種的人即被充爲兵士，以給「夫兵」返回耕作，並在其他各地召募民衆到各「營」協助開闢，此等人被稱爲「田卒」。到明命朝代，由於阮公著作家兼營田使的創見和經營之才幹，墾荒工程更獲輝煌之成績。因除了發展經濟目的之外，阮氏還以營田作爲消除各遊手好閒，爲各退伍軍人解決生活問題，以及作爲集中劣民之所。靠着這樣，在南定，寧平和廣安等新闢地區，前時本是盜匪之巢穴，後來變成一望無垠之良田，同時是富庶之新農莊。

吳廷琰總統執政後，他親身視察多個水澤和高原區之餘，認爲：

（甲）在各水澤和高原區有一百四十二萬五千公畝可種植的土地，只有十萬六千一百七十五畝營田獲得開發。

（乙）全國居民未得調和之分配。

（丙）今多處置荒難檢查之地區。

（丁）高山同胞燒山的禍害破壞了高原之林產和土質。

（戊）中部平原同胞困難的生活和地形狹窄而磽瘠，多山腰，難使之工業化。

因此認爲只有大步的促進營田計劃，才能合時和迅速之解決上述五種現象。

越南營田計劃的目標

（甲）振興經濟，分配居民。

經過法、日和越共長時期的焦土破壞之後，越南經濟枯竭，農業失去了戰前之可觀地位，現在之營田計劃是注重於增加生產面積，利用農業機械開發，以改進農耕技術，鼓勵種植工業用樹木，期使以後出入口能獲致平衡，同時，藉以解決分配居民，即工人問題，務使能夠恢復戰前的可觀地位。

（乙）共同發展，改進民生。

藉着建立新鄉村，將可集中人民成爲一個大村莊，以便於建立各公益機構和發動各種集體之工作。

此種發展工作並基於改善高山同胞之生活之特別目的，因彼等之生活方式極簡單，而彼等耕種的方式，又損害到彼等亦如國家之將來，那是因爲彼等燒山之習慣，將使被焚燒之範圍逐年增加。比如在邦美蜀省後面一片遼濶的地區，由邦當以至消公，因爲沿襲着不知幾許的歲月之後，這個地帶已成爲焦土一片，堅硬如石，不能再開發，和直接減低了該區之雨水量，甚且更波及了邦美蜀、百里居。另方面，山胞種植極少，彼等須以野生樹幹代替菜蔬來吃，跑了五七十公里才買到食鹽和藥品。教育工作亦受阻碍，只有接近平原人民居住之村莊的山胞村落才有學校。故此，各營田中心，將幫助彼等的子女有求學之機會，而大人亦能學到種植之方法，意識到衛生，使生活較快的得到改進。

實現營田組織的計劃

（甲）考察地點。考察地點之事，是由營田總委府技術署之農耕專員負責。山胞喜歡居住在高原，而越南人則喜歡居住在平原，以便於吸取食用水。所以，在考察地點時，應有所分別，每處定居地點，平常應有足夠一千人以上的耕作園地。（一）

藝術漫談

抽象藝術漫談

趙雅博

客體實在性破壞的步驟，其遠起源是在印象主義與野獸主義中；在立體主義，其近起源則是在於立體主義、表現主義與未來主義之中。這幾種論調，乃是藝術上極奇特的幾個運動，是它們給予了抽象藝術出現的歷史條件。這幾種藝術主義，並沒有一種自認爲其目的是在藝術作品中摧毀客體的實在性，但是在事實上，這幾個運動，每個都閃避客體的實在性，而集中作品的問題在其他的藝術原素中，這些原素乃是在客體以外的原素，更多有關於立體或者來自主體的原素，也就是說是藝術家自己和他的主觀看法的原素。現在我們且一一略加討論：

一、印像主義。印像主義在自己的作品中，並無意要表現客體之實在性，它只是要反映在某一指定的時間，有關客體的主觀印像。在這種方式下，客體透過藝術作品，開始失去了它的根基，常存，而如同感覺印像一樣，成了一閃即逝，流動不居的。在一切情形下，這一藝術運動，雖然不是摒棄客體，但也是剝削它的自立體與永存性的特徵，而轉成了形態時常變化的表現。不錯，這樣的客體，將是根據我們所領會時間關係，有着不同的外觀。在印象主義中，特別是在其最後期間，已經開始了客體的確定破壞，在Seurat, Van Gogh, Gauguin（賽拉，梵高，高更）的作品中，這種現象已經很有力量與爲人清楚的看見了。

二、客體在其自立體的實在性之外，並在作品的表現中，其失了性質上附加實在性，竭力的將性質的附加實在性，表現而歸縮到純量的附加性上。這種走向客體實在性的破壞的新階段，是由Cezanne發現，而生根於現象主義中。他的主張是：「在自然界中應該學習觀看球形，圓柱和錐體」。由這點，我們就可以看出幾何抽象主義的線索了。

三、野獸主義的趨勢。野獸主義是對印像主義的反應，部分的是來自宛高與高更的影響。這一主義給客體找回來了性質（質的方面）的特徵——這是說顏色的特徵，但這乃是以任意的姿態出之。爲此，野獸主義並未能征服或恢復客體，而在顏色方面，倒加速了破壞客體的斜坡，在顏色的客體原素方面，加入了主體的作僞、誇張與創造。客體在剝削了自立體的特徵以後，在顏色只是顯出了純附加體的作用。

四、立體主義。立體主義是繼續地在走着破壞客體實在性的大道，在第三個容積中破壞着客體的實在性。所謂第三種容積乃爲深度是也。客體在主義中的表現，乃是一個極爲複雜的方式。立體主義是有意用其平面的投射，代替取消了的客體容積的，不過却時時混淆不清，在實在性的幾何化中，立體主義是由Cezanne而成功了，雖然他的意思只是將立體主義的形態引歸到平面幾何上。（未完）

泰山丈人峯

吉庭

泰山，爲五嶽之一，在今山東泰安縣北，位我國之東方，故曰「東嶽」，又名岱宗。岱，大也，宗，言其爲諸山之所宗也。書云：「歲二月東巡狩至於岱宗」，按東，南，西，北四嶽，向爲天子巡狩之所。

史記正義引道書記福地：「泰山高四千九百丈二尺」。又漢官儀云：「泰山高四十里」，而周圍達一百六十里以上，蜿蜒起伏，氣象萬千。唐韓愈文章，爲諸儒之冠，當時學者，仰之如泰山北斗。足見泰山之崇高偉大，爲國人所景仰也。

山上有中天，二天，南天三門。中天門有八仙橋，天祝爵，斗母宮，王母池，水簾洞，孔子登臨處等。而天祝殿內，保存宋時「啓蹕廻鑾圖」之彩色畫，爲頗有名氣的藝術作品。二天門有古松五株，枝幹蒼翠，傳秦始皇以「五大夫」封之。南天門有玉皇頂，在此可看浴日勝景，與南嶽「觀日出處」，同蟲東南輝映之美。

其餘峯巒溪洞，不可勝數。而「丈人峯」在山頂，特出羣峯之表。

據泰山道理記：「絕頂西晃許爲丈人峯，狀如老人傴僂。」西陽雜俎：「唐玄宗封禪泰山，張說爲封禪使，女婿鄭鎰，原九品官，封禪後，因說驟遷五品，玄宗快而問之，鎰無辭以對，黃旛綽曰：此泰山之力也」。俗稱妻父曰「泰山」，曰「丈人」，本此。

泰山有丈人峯，故稱妻父爲丈人，泰山爲東嶽，又轉稱爲岳丈。漢書：「單于謂漢天子我丈人行」，其時漢以女妻單于，故有此稱，是爲妻父稱丈人之始。又妻之父爲岳父，妻之母爲岳母，因泰山而及於泰水，呼妻之母爲泰水者，不知出於何書也。

我國習俗，男結婚之次日，偕妻至岳家，拜見岳父母，俗有「爲老婆拜丈人」語。如岳父母逝世，每以「泰山其頹」，與「泰水生寒」輓之。孔子歌曰：「泰山其頹乎！梁木其壞乎！哲人其萎乎！」此乃孔子自喻也。後人因用爲推尊賢哲之語。尤以岳丈故世，而用「泰山其頹」，可謂天衣無縫矣。

又按丈人峯，在泰山絕頂，常爲雲所罩着，名爲「泰山戴帽」。有時雲將山峯切爲兩段，好似山上有山，又稱之曰「泰山扎腰」。此峯爲泰山八大景之一，昔人所謂雲以山爲體，山以雲爲衣也。

三十年前，筆者曾一度攀登，領略此名山風味不少，尤其在孔子登臨處，低徊流連，而興景仰之思，今雖投荒南天，猶有無限留戀焉。

寫君續夢

第十回：集會議圖存　天寒日暮　空言難自救　鬼哭神愁

朱德看透羅瑞卿的意思，低聲說道：「雲卿，咱們不要插嘴，聽瑞卿同志報告好了。」

賀龍抬頭看看羅瑞卿，咕嘟着嘴不再開口。

羅瑞卿接着說道：「還有人說：吃不飽飯，那來的幹勁，怎能完成任務。連裏有少數戰士對三面紅旗發生懷疑，四班副班長雷天忠說：公社化以後，收成爲啥不如從前了。有的對災情懷疑說：年年都有災害嗎？」

毛澤東說道：「這些東西竟然敢對三面紅旗發生懷疑，太要不得了。收成不如從前，是爲了天災的影响，干公社什麼事。老實說這幾年若沒有公社，更不知要糟到什麼程度了。」

羅瑞卿說道：「願意講話的還是好的，大部份士兵聽說家裏受災死了人，只是哭泣，什麼事也不肯作，也不講話。」

鄧小平問道：「像這樣下去，會不會養成反動思想呢？」

羅瑞卿說道：「已經發現部份士兵具有反動思想，第八班副班長劉勝華原是貧農出身，去年在一次射擊預習中竟然說：將來復員時，我什麼都不幹，只要一枝槍。別人問他要槍作什麼？他答：反黨。」

劉伯承說道：「像這種人到還不要緊，他只是說說出了一口氣就算了。最可怕的是一些算細賬的人，日日在盤算粮食那裏去了，爲什麼不夠吃，等到他自己以爲尋到答案時，必然會帶頭反黨的。」

羅瑞卿連說：「對了，事實正是如此！該連七班副班長王祖吉就是那樣的人。去年他家裏死了四個人，他日日在說：去年家鄉不是全沒收成，怎麼死了人，他的排長有一次試探問他：你看粮食爲什麼緊張，他馬上回答：有兩條件，一是黨的領導，二是鬧災荒。」

劉少奇問道：「像這種士兵，你們怎麼處理呢？」

羅瑞卿說道：「這麼多的人，殺不勝殺，又怕操之過急，激起事變，祇好加强政治工作，展開兩憶三查的教育運動，實行以來，頗有成效，原來對於吃粮情況不滿意的有三十二人，現在已經有二十五人想通了，剩下七個人思想方面還有問題。一種是對三面紅旗認識模糊和具有不滿情緒的，共計十八人，其中有十五個人思想已經搞通，思想上還不通的現在只剩下三個人。一種是對三面紅旗嚴重不滿的祇有兩個人，經過反覆教育後，到現在還是同樣不滿，目前仍在教育中。」

毛澤東一拍桌子：「兩個人還值得費這麼大的事，乾脆鎮壓了也就完了。」

羅瑞卿說道：「鎮壓這兩個人容易，祇是恐怕引起團體不安，所以暫時祇好寬容他們。」

周恩來問道：「陸軍情形如此，海空軍怎麼樣呢？」

羅瑞卿說道：「情形差不多，空軍自從劉承司逃走後，士氣更爲低落。」

陳毅說道：「我就是想起這個問題，陸軍說是因爲減了口粮，心懷不滿，空軍的口粮並沒減啊！劉承司爲什麼要飛去台灣呢？」

（三一一）

閒話中醫

黃伯遠

但，考之史書，扁鵲之答虢國中庶子（虢國之醫官）曰：「夫子之爲方也，若以管窺天，以郄視文；越人（扁鵲本姓，名越人，扁鵲其字也）之爲方也，不待切脈」云云。可見古名醫之診病也，亦不專恃切脈。故跟着，他又說：「望色，聽聲，寫形，言病之所在；聞病之陽，論得其陰；聞病之陰，論得其陽；病應見於大表，不出千里，決者至衆，不可曲止也」。這是說：醫者意也！神而明之，不能委曲盡言。要窺其大表，而不可從枝節判斷。因病有變化，時刻不同，故不可曲言其止境，而必須全般觀察，望聞問切，不可偏廢也。

但，由於中醫之奇術長方，多秘不傳。以扁鵲醫術之精，四方行醫，救世至切，遍秦，竟不免爲秦太醫李醯所妬，使人刺殺之。其醫術遂不傳。扁鵲之醫雖有弟子多人，已不及其師；況醫於其師之因藝被害，多隱而不顯，故其後遂無聞者。

漢初，有淳於意者，臨菑人，隱於吏，爲太倉長，故稱：「太倉公」。呂后時，曾受師同郡元里公乘陽慶，慶無子，使意盡去其故方，而悉以己所持有之禁方予之。遂得傳黃帝、扁鵲之脈書，五色診病，知人死生，決嫌疑，定可治，及藥論甚精云。案：扁鵲嘗過齊，過趙而死於秦。此元里公乘陽慶者，或卽扁鵲之弟子。史稱其爲人治病，決生死多驗。然亦因左右行遊諸侯，不以家爲家，或不爲人治病，而得罪病家，爲怨家所告。當刑！吏送之長安；幸其少女緹縈，上書願以身代父罪，文帝悲其意，會比歲遺除肉刑三（黥、劓、左右趾，凡三），乃赦之。可見秦漢之際，醫道可爲而亦不易爲！因而醫道日漸衰微，或秘而不傳，或傳而不盡，或則甘自焚棄。如三國時之華陀，亦一事也。

何謂「知醫」？病症而知，則診。不知，則不診。是曰：「知醫」。但，知醫云者，亦有通才碩學，見症多，而名亦者著；其自矜，曰：「知」，乃先站穩腳步，不願醫則推以不知；或希望甚微，亦謝不知！以免損名或召致怨尤耳。

至於巫醫？多藉怪力亂神以惑衆，乃醫界中最不祥之物。往時，愚夫愚婦多，故受惑者亦夥。民國後，學校普徧，男女智識日增；此輩亦日見減少，甚至於無已。

何謂「畬婦醫」？少時在廣東之連山，赤溪等地常見之。因是處多畬民雜居，他們不信醫，而自有其治病之一套。（二）

菊花酒

蔣君

菊月，謂陰歷九月也。以其時菊花盛開，故名。陸機纂要京雜記：「菊華舒時，並采莖葉，雜黍米釀之，至來年九月九日始熟，就飲焉，故謂之菊華酒。」

古人以九月九日，日月並應，皆爲陽數，故曰重陽，又稱重九。黃花匝地，白雁書天，秋色平分，正是登高覽勝之最好季節，故蘇東坡所謂四時令節，惟清明與重陽，不宜虛度也。

重陽佳節之所必需者，首推「菊花酒」，據續齊諧記：「汝南桓景，隨費長房遊學累年，長房謂曰：九月九日，汝家中當有災，宜急去，令家人各作絳囊，盛茱萸以繫臂，登高飲菊花酒，此禍可除。景如言，舉家登山，夕還，見雞犬牛羊，一時暴斃。長房聞之曰：「此可代也。」又風土記：「漢俗，九日飲菊花酒，以祓除不祥。」是則飲菊花酒之習，早已成爲重陽之習尚矣。

千金月令：「酒必採茱萸甘菊泛之」。蓋茱可避邪，菊能補脾，有延年益壽之功用。據魏文帝與鍾繇書云：「惟芳菊紛然獨榮，非夫含乾坤之純和，體芬芳之淑氣，孰能如此！故屈平悲冉冉之將老，思餐秋菊之落英，輔體延年，莫斯之貴。謹奉一束，以助彭祖之術。」又戚夫人侍兒賈佩蘭在宮內，每逢九月九日，佩茱萸，食蓬餌，飲菊花酒，令人長壽。陶淵明詩云：「酒能祛百慮，菊解制頹齡。」足見此品爲人間所重視。

古之詩人，每逢九日，載酒登高，而有不少之名句。崔曙九日登望仙台，有曰：「且欲近尋彭澤宰，陶然共醉菊花杯。」陶淵明愛菊，又喜杯中物，九日無酒，出籬邊悵望久之，忽見白衣人至，乃王弘送酒使也，卽便就酌，醉後而歸。坦率天眞，傳爲佳話。

唐王勃九日詩：「九日重陽節，開門有菊花；不知來送酒，若個是陶家？」李白九日龍山飲詩：「九日龍山飲，黃花笑逐臣；醉看風帽落，舞愛月留人。」又宋楊萬里九日卽事：「茱萸未苦香，今菊頓然黃；浮英泛蕊多多著，舊酒新醅細細嘗。」黃庭堅鷓鴣天詞，亦有「黃菊枝頭破曉寒，人生莫放酒杯乾」之句。菊具晴香，玉液輕浮，別有一般滋味也。

吾人今日在流浪中，過此令節，誠不免有「獨在異鄉爲異客，每逢佳節倍思親」之感矣！「何日請纓提銳旅，一鞭直渡清河洛」！有是人乎？天下歸心焉！

海嶠臺談薈

想起一些日本朋友

諸葛文侯

因爲日本首相池田勇人核准以工業設備貸助中共政權，繼又發表對中華民國政府極不友好的言論，吾國人固然不勝憤慨，如自民黨的元老大野伴睦，接到我總統府秘書長張岳軍先生談論池田勇人失策與失言問題的私函時，曾對人大呼「可馬嫌」——日語「困苦」之意——表示無限憂鬱的心情，說是「對不起蔣總統」。前衆議院議員淺原健三亦是我國的眞誠朋友，他毫無保留地指斥池田勇人有虧職守，最近曾對在東京旅行的我立法委員楊管北兄慨言道：「我愛護中華民國的心情，與愛護日本是一樣的，我們應該用甚末方法來幫助中華民國，纔有實效呢？這問題我苦思熟慮已久，現在更迫切需求答案了。」

四年前，我在日本東京出席「國際筆會年會」之際，曾與前任首相蘆田均（現已去世）、「日本大陸問題研究所」主持人土居明夫，「日美文化協會」首腦松本重治，日本文化界名人嘉治隆一諸位暢談，這些人對我國皆表示深切的關懷，而於中國民外交問題，研討尤多。松本敘述他在上次中日戰爭時期的一項國民外交故事，很有趣。

當年他是「日本電訊同盟社」上海特派員，因欽慕蔣百里先生的才學，於「七、七」事變前，曾請人介紹，拜蔣氏爲師，執弟子禮甚恭，隨時以政治軍事問題向蔣老師叩教。中日戰爭發作後，某日他與蔣氏談到戰事前途，表示憂慮，蔣謂：「你們日本軍部太沒有人才，假使請我去作顧問，對於結束中日戰役的方法，輕而易舉，一定成功。」松本原是贊成中日合作的，他跟當時在任的外交部長廣田宏毅私交甚好，聽了蔣老師這番談論之後，卽偷偷地跑回東京，把蔣氏之言密告廣田，請其向軍部建議，聘任蔣老師爲參謀顧問，卽由蔣在上海直接跟日本駐華派遣軍統帥協商停戰事宜，報告東京決定。廣田語以在戰時聘請敵國人士作軍事顧問，似係史無前例的事，而且亦很危險，不便冒昧建議云。松本向不灰心，又向同盟社主持人游說此事，得到的答復是教他趕快回到上海，以免消息傳出，被軍部捉將官裏去，枉遭大禍。松本祇好敗興而返，亦不敢將這件事情告訴蔣老師。他談完這段故事後，猶不勝感嘅系之哩！

松本又提到吾友蕭三爺同茲兄，他說：「哈！你們這位中央通訊社長『蕭樣』，眞是個反日大將啦！他跟我平日交情很不錯，但在戰前我們談到中日問題時，一定面紅耳赤的爭論不已，頗有咄咄逼人之概。可是，由於我的內心裏是主張中日親善合作的，對他的反日態度很能諒解，所以我們的友誼始終保持着，你回到台北時，請代我問候他。」松本最後告訴我：戰後吉田茂首相曾請他作駐美大使，他不幹，認爲作官沒有甚末意思，還是自由職業的生活好！（一）

南宋偏安有人才

李仲侯

先是飛自紹興五年遣義士梁興敗金人於太行，殺其偽馬五太師及萬戶耿光祿，破平陽府神山縣；遣張橫敗金人於憲州，擒嵐憲兩州同知及岢嵐軍事判官；遣高岫（關）魏等破懷州萬善鎮；又密遣梁興等宣布朝廷德意，招結兩河忠義豪傑之人，相與犄角破賊。又遣邊俊、李喜等渡河撫諭，申固其約，河東山寨韋詮等，皆斂兵固堡，以待王師。烏陵思謀，虜之黠酋也，亦不能制其下，但諭百姓曰：「毋輕動！俟岳將軍來，當迎降」。或率其部伍，舉兵來歸。李通之衆五百餘人，胡清之衆一千一百八人，李寶之衆八千，李興之衆二千，懷衛州張恩等九人，相繼而至。白馬山寨首領孫洪等，偽統制王鎮、統領崔慶、將官李覲、乖義郎李清及崔虎、劉永壽、孟泉、葉旺等，皆全率所部至麾下，以至虜酋之腹心禁街如龍虎大王忔查，千戶高勇之屬，及張仔楊進等，亦密受飛旗牓，率其衆自北方來降。韓常又以潁昌之敗失夏金吾；金吾兀朮子壻也，畏罪不敢還，屯於長葛，密遣使願以其衆五萬降，飛遣賈興報許之。是時，虜酋動息及其山川險隘，飛盡得其實，自磁相開德澤潞晉絳汾隰豪傑，期日興兵，衆所揭旗，皆以岳爲號，聞風響應。及是朱仙鎮之捷，飛欲乘勝深入，兩河忠義百萬，聞飛不日渡河，奔命如恐不及，各齎兵仗粮食，團結以援飛。父老百姓爭挽車牽牛載粮以餽義軍。頂盆焚香迎拜而候之者，充滿道路。虜所置守令，熟視莫視誰何。自燕以南，號令不復行。兀朮以敗故，復簽軍以抗飛，河北諸郡無一人從者。乃自歎曰：「自我起北方以來，未有如今日之挫衄」。飛亦喜語其下曰：「直搗黃龍府，與諸君痛飲」。此卽後來黃龍痛飲故實之出處。

相傳飛一日行軍遇雨，下馬徒步行，以習勞也。廟傍山崚險，飛指問曰：「諸將黃龍城乎？其城若此山之高。某舊能飲，嘗有酒失，老母戒其勿飲，主上亦命戒之，某自後不復飲。他日俟至黃龍城，當大張樂飲酒，以觀打城，城破，每人以兩橐駝金予之，以慰今日之勞」。蓋飛之志，直欲恢復燕地，洗蕩虜穴，不但取還中原已也。至飛欲至黃王倫傳：「時有商人陳忠密告倫，二帝在黃龍府。倫遂與朱弁，洪浩以金遣忠往黃龍府潛通意。由此兩宮始知高宗卽位矣」。飛之志取黃龍，無非想激勵士氣，迎還二聖耳。

時方盡受降之策，指日渡河。秦檜私於金人，力主和議，欲盡撤淮以北之衆。聞飛將成功，大懼！遂力請於上，下詔班師。飛上疏曰：「契勘金人重兵盡聚東京，屢經敗衄，銳氣沮喪。內外震駭。聞之諜者，敵欲棄其輜重，疾走渡河。況今豪傑向風，士卒用命，天時人事，強弱已見，功及垂成，時不再來，機難輕失！臣日夜料之熟矣，惟陛下圖之」！

（九八）

劍門關

廖匡

峨嵋天下秀，夔門天下雄，劍門天下險，此皆蜀中之勝地也。劍門卽劍門關，爲蜀中險要之一，位於川西劍閣二十餘里。山勢雄偉，崖巍屹立。關口上有「天下雄關」四字，旁置石碣，題「漢大將軍姜伯約屯兵處」。

山有三巨峯，由關上觀之，不過覺其巉峨雄險而已；一出關外，則三峯列峙，儼然斧削，由顛至麓，不知幾千仞，矹嶢壁立，高聳天際。中峯特高，體卻中闊，而頂趺略窄，狀如棗核。左右兩峯，嵯峨側立，有如中峯之衛士。三峯連接處，各裂一縫，其狹如綫；右縫爲一小溪流，左則公路也。由關內循公路出，回顧此巉岏之狀，莫不歎爲奇觀。杜工部謂：「一夫怒當關，百萬未可傍。」非過言也。而岑參謂：「凜凜三伏寒，巉巉五丁跡」。亦足狀此關之雄偉。蜀中關隘雖多，其險要當無逾於此。晉元康中，李特隨流人入蜀，顧盼險阻，箕踞太息曰：「劉禪有如此地，而面縛於人，豈非庸材耶？」昔人重視此關有如此者。今日思懷鄉關，徒令人感慨萬千也。

奉和煥章感懷即步原韻

石壘

刦餘滄海尙風波，孤憤爭如衆醉何。
休論便臣媒楚誤，應驚客子帝秦多。
術慚隱豹斑生霧，遇鮮饕魚鋏待歌。
髀肉催生天未曙，吳鈎終笑夜空摩。

霜降雜話

漁翁

禮記：「霜露既降，君子履之，必有淒愴之心」。故古之詩人，觸景生情，而有感喟之作。杜甫詩：「玉露凋霜楓樹林，巫山巫峽氣蕭森。」張繼詩：「月落烏啼霜滿天，江楓漁火對愁眠。」均因羈旅，見霜而悲秋也。

然而，霜雖威嚴，祗能凍害虫，傷草木，而不能凋蒼松與翠柏。松柏抑且經霜而益茂，所謂歲寒而後知松柏也。猶之世亂而後知忠臣。是則經霜傲雪，足以表現人類之忠貞與氣節。

筆者避秦南來時，鬢眉尙碧，十餘年間，已惹得滿頭皆霜矣。堪傲者，髮雖白而志氣不改，精神尤佳，行見光復有日，放歌還家在望矣。

自由報
內儲警台報字第〇三壹號內銷證
THE FREE NEWS
第三八八期
中華民國僑務委員會登記
台誌新字第三二三號登記證
中華郵政台字第一二八二號執照
登記爲第一類新聞紙類
（本週刊每星期三、六出版）
每份港幣壹角
台灣零售價新台幣貳元
社長：雷嘯岑
督印人：黃行宮
社址：香港銅鑼灣高士威道二十號四樓
20. CAUSEWAY RD 3RD FL HONG KONG
TEL. 771726
承印者：正風印刷廠
地址：香港灣仔高士打道二二一號
台灣分社
台北市西寧南路宏泰大樓二樓
電話：三〇三四六
台郵儲金劃撥戶二九二五二

「時不我與」之懼

．方南．

由於日本對北平進行勾搭，展開「兩面外交」；由於法國也擬承認中共偽政權；中華民國處境愈困，乃屬必然。我們應該有「時不我與」之懼，速即着眼在時機的創造，提防有利時間的逐漸消失。

日本首相池田特派代表大野伴睦頃正抵台，企圖以詭巧的遊說，緩和我朝野對日本的不滿情緒。我們首須認識的是：日本當局旨在以笑面外交來消磨我們的時間，使他們能夠在時間上找取利益與方便。他們說什麼合作反共都是廢話。

揭開英國、日本，及其他西方國家對中共爭取貿易市場的眞正企圖，濃厚的政治投資意味是不容否認的。它們早已看穿了毛澤東的窮困相，打算乘危施餌，徐觀其變，伺其變而施行軟化、分化的柔巧手段。它們認定中共決不可能強起來，也認定中共與蘇俄必然長期分裂。它們已從時間上找到利益，當然更會向時間上預期更多的收穫。

日本正要開闢可變的方向，研求漸變的策略。它已厭倦於長何美國的色笑，和跟從美國的經濟指揮棒作着不自然的跳舞。它在多方摸索與試探。按之最近事實，它曾展開「經濟南進」的摸索，因此而與印尼打交道，插手於印尼、菲律賓與馬來西亞的三角糾紛中。這一摸索業已碰壁了。馬來西亞已因英國的大力支持而強硬對付印尼，而菲、馬之間的調人已由泰國起而取代日本。另一摸索向大陸進行，但因此而招致我們中華民國朝野的憤怒。於是，大野也因池田的敦促而不得不來台灣之行了。

摸索與試探都需有較長的時間，日本對我的笑面外交與親善詞令所想獲致的不是什麼，就是時間。而時間在我們卻是非常寶貴的。

放觀大陸方面，我們應該看出毛澤東正在期求的也是一個可以拖下去的時間。因此，他自然要和日本勾搭鬼混下去。

毛澤東本已陷入絕境，但仍未放棄希望。他的希望不外幾點：一是赫魯曉夫垮台；二是天賜豐年；三是大陸人民繼續忍受壓搾，反不起來；四是自由世界的姑息主義者願意和他苟且胡混，給他多方面揩油討便宜的機會；五是國軍被拖着反攻的腿子，依然動彈不得。看透了毛澤東的心事，他在拖與混當中切防內變。只要有了可以拖與混的時間，他相信還可以「待天下之變」。

對這一點，我們必須明澈認識，由此而提高警惕，認定今日之局，時間對我們是不利的。敵人要拖，我們必須使他無法再拖。在我們來說，任何一分時間的白白消磨都是罪過。

我認爲，這時候要打破一切假相，切勿爲任何假相所蒙惑。更勿爲任何假話所陶醉。十五年了，何只「險阻艱難，備嘗之矣」，事實更是「人之情僞，盡知之矣」！日本對我猶且如此，何況其他？聯合國保一席何足欣喜？美國人空言慰勉何足重視？人家對我們任何「安撫」都是多餘的。只問自己能不能振起革命精神，在今後「有限的時間」之內，向大陸開創新局。

所謂「有限的時間」的「有限」兩字，絕非說得太過悲觀。我們如仍呆守而無所作爲，不敢採取主動，勉強保持現狀的時間當然是有限的。要化有限爲無限的唯一方法，便是向大陸開闢新徑，創立新局。馬伏波將軍曾說，「不能爲人患」是大丈夫的恥辱。這正是今天我們必須切念的一句警語。當今之世，我們不能「爲人患」，人必將爲我患，欺騙與凌辱勢必交接而來。我們如仍因循不振，渾渾噩噩地消磨時間，時間必然消磨以至消滅我們。所以，在今天而說「時不我與」，決不是過份的危詞。

我們如能坦白自檢，必須承認曾經走失過一個最好的反攻時機。假令在去年「五月逃亡潮」發生的時候，國軍的游擊隊如早已在大陸生根，整個形勢必然改觀，決不容毛澤東有今天這一段拖混的時間了。這留給我們的教訓是什麼呢？我們應該由此知道：良好的時機稍縱即逝。如要迅速捕捉時機，必須經常做到最好的準備。就我們整個準備與部署而言，應該是一個反應力極強的戰鬥體。進一步說，要主動地創造時機，組成這樣的戰鬥體尤爲萬不可缺的第一個步驟。

當然，這不是說過去十五年的時間都已浪費掉。過去我們利用時間的原則是：鞏固自己，改造自己，加強自己的戰鬥力，相反的一方面，也給敵人以暴露罪惡的時間。到現在，敵人罪惡貫盈的時間到了，「毋庸，將自及」這句話是不該說，也不該想及的。國際姑息主義者在這時候所作的一切事情，已使時間對我們逐漸不利。我們便不該做一個「引滿而不發」的弓箭手。

就我個人的看法是：反攻應該每一分鐘都可開始。這如只是宣傳的詞令，那便萬二分不對。因爲「時不我與」的恐懼實太過急迫。假如反攻確可隨時實施，我便覺得目前台灣整個氣氛太過鬆緩。除了軍事方面不可知，如單就外交、宣傳各方面的表現看來，一般是反應力不夠強、甚而可說反應緩慢，沒有勁道。這好像還未形成一個戰鬥體。

戰鬥的時候應該到了！每一部份每一工作人員都該似球場上「在狀態中」的球員，具備高度的反應力去應付賽事才成。

漫画天下

不知自量

卡斯特羅：「你出多少？」

自由談

不必重視

爲着毛共派赴日本搞工商企業活動的所謂代表團的通譯員周鴻慶事件，近來咱們與論界鬧得滿天神佛，對日本政府大事斥責，認爲太豈有此理了！

周某在外國既有請求政治庇護的行動，又親筆函請中華民國駐日本大使館職員，代辦前往台灣的手續，而中途忽然變卦，願意重返大陸去。這表示其人若不是害着深沉的神經病，便係一個意志薄弱、毫無主張的「混人」。假使他是個好樣兒的漢子，既然在自由世界的監護中，縱有共黨份子及其同路人前來誘惑脅迫，亦決不會變更初衷，拿生命當作玩兒的。因此，我們雖然指斥日本政府不人道，根本還要怪周某二三其德，亂演醜劇，徒然丟人失格啊！

至於日本當道的「慣種」作風，原是他們固有那種「燒大火」的民族性所使然。它不惜以價值幾千萬美元的工業設備，賒給毛共作獻媚之資，對於一個自願重回大陸去送死的中國旅客，它自然循他人之慨，樂得作順水人情，藉以討好毛共了。跟日本政府辦外交，必須採取川諺所謂「跡倒爬」的方法，完全以勢利爲主，無所謂正義人道，亦無信義交情之可言。咱們朝野人士以及海外同胞，爲着周鴻慶問題，大罵日本政府豈有此理，他們是不在乎的，我希望到此止步，不必再談了。

像周某這類意志不堅定、思想很糊塗的人兒，即使他投奔到自由世界，并不見得能夠發生甚末大作用，就心理作戰而言，對毛共亦未必就有甚末了不起的損害。事實上，毛共方面的空軍人員和宣傳工作幹部等，早有投到自由祖國的，周某之來與不來，無關宏旨也。

咱們的唯一急務，是要反攻復國，否則共區人民縱然像東德人民一樣，天天投奔到台灣來，不特於事無濟，且將使台灣人滿爲患，引起嚴重的社會問題。所以，我們對周鴻慶事件，實在用不着特別重視的！

馮三先生

香港與大陸

上海紡織廠多數關門

棉產歉收。原料不繼

少數以舊棉改造成品極其低劣　氣候轉寒大陸同胞冬衣無着落

由於原來盛產棉花之黃河流域棉產歉收，致共區紡織工廠紛紛關閉，少數勉強開半工者，皆僅靠破布舊棉加工改造權充棉花使用，成品因而素質低落，不堪使用。

據本港某製衣公司職員黃若×君最近接到他留居上海的胞弟來信透露：上海市原有數十家大、中型紡織廠的，由於近幾年來，大陸棉產地區連遭各種災害（包括旱災、水災、虫災和人爲的災害），棉花歉收，紡織原料缺乏，數十家的大、中型紡織廠紛紛倒閉或合併，現在祇有江新、上濱、品隆等寥寥數家了。就是這數家紡織廠，亦感原料來源不足，早以破布舊棉加工品代之，故成品極其低劣不堪用。

黃若×君的胞弟係任職於上海品隆紡織廠，原爲該廠「技師」，後來却被調至原料採購部門工作。他是畢業於「清華大學」電機工程系的，初分配爲該廠「技師」，還多少有點接近所學的東西，後來就由於原料供應不繼，廠方加強「開源」工作，乃從各部門中抽調一部份人員調集「採購部」，藉使工廠不致因而關門。來信說：所謂「採購部」，主要的工作就是收買破爛棉衣。採購部有五六十人，分成十多個小組，分別到市區和市郊各處進行收購工作，每一小組都携有巨型的網袋，推着大板車，作爲乘載原料的工具，舉凡破衣、破襪、破毛巾、破棉襖、破棉胎……均爲採購對象，有什麼要什麼，價錢論斤計，每斤共幣五角至一元。來信慨嘆「採購部」的工作甚爲艱辛，「組織」上雖然說是暫時的工作，但多月於茲了，却仍然還要去出門收購那些「破銅爛鐵」。

另有一位客家菜館的職工陳君，最近亦接到大陸家人由蕉嶺縣來信，除了要求按月寄錢和粮包以外，特別要求在天冷時節，能寄回一些舊衣服，雖在香港認爲是無法再穿的，他們亦迫切歡迎。來信說：在大陸要自己製新衣，是根本不可能的事，因爲大家都沒有錢。就算你有錢，人亦受到「布證」的限制，每人每年祇有兩市尺的「布證」，全年的「供應量」做條底褲均感不敷，怎能做衣服？又說：就算有錢又有「布證」，却亦未必願意去買大陸出產的布匹，蓋近年來在大陸市面所出售之布匹，皆甚爲「化學」的，新衣穿過一兩次一浸水之後，便呈見裂痕，人們稱之爲「見水溶」。誰肯上當呢？（敬斯）

本於有競爭才有進步原則

立委質詢力主開放報禁

強調不准新辦報紙無充分理由　徒然造成獨佔現象好歹總賺錢

（本報記者吳越台北航訊）自陽明山會談過後沉寂了好一陣子的開放報紙登記問題，立法委員牛踐初於立法院第三十二會期第三次會議又舊事重提，向行政院質詢。他認爲政府不開放報紙登記，是違反扶植政策，違背企業競爭原則，命令與事實不符，容易造成獨佔現象。基於這四點看法，牛委員對不開放報紙登記表示反對。但此項有關新聞界的新聞，被此間報紙忽略，未予刊出，成爲漏網新聞。

牛委員說：政府對於報紙一向是採取扶植的政策的，因此有若干措施和規定都是對報紙有很多優待，如第一、配紙。過去所有報館用的白報紙都是由政府配給，現在是廢止了。第二、配粮。抗戰期中行過，現已廢止。第三、分攤公告費。凡政府機關所有公告費，均由各報社平均分攤。第四，傳遞優待。所有公營交通機構對報紙的傳遞一律優待。第五、免徵營業稅。

牛委員認爲，我們的政策既要扶植報紙，却一面又不開放報紙登記，扼殺新生報紙，對我們的政策豈不是一個很大的諷刺？世界上任何一個民主法治國家沒有不准人民辦報的，只有我們中華民國是如此。

政府爲何不開放報紙登記，牛委員說他是「百思不得其解」。也許政府認爲如果開放報紙登記，可能自由中國的報紙會太多了，超過實際的需要。假如政府有這種觀念，他認爲是不對的。他舉個例子來印證他見解，他說：大家都知道在美國辦報是不受限制的，只要有錢就可以辦報，毫無困難。照這樣看來，豈不是要報社林立，多的難以數計了嗎？但是事實不然，他們的報社並不如我們想像之多。即以首都所在地華盛頓來說，總共祇有三家報紙，華盛頓每日新聞，華盛頓郵報，華盛頓明星報。再以人口最多的紐約市來說，一千多萬人口，大小報紙共有十餘家，著名的只有紐約時報等六家。以人口次多的芝加哥來說，大小報紙共七家，著名的只有兩家。舊金山大小報紙共六家，著名的僅三家。洛山磯共八家報紙，著名的僅兩家。波士頓共只有六家報紙，著名的僅一家。美國這幾個著名的大城市爲何報社不如我們所想像的那樣多，最大原因是在美國辦報資本要很大，設備一定要合乎標準才可以，否則無法與別人競爭。他們的報紙是在企業競爭下求生存，不好者淘汰，所以儘管美國辦報沒有限制，而美國各地並沒有很多報紙。這個事實，是足可以消除政府對於開放登記，報紙一定很多，超過實際需要的顧慮了。

因爲不開放報紙登記，致使自由中國沒有新的報紙產生，已有的報紙，好的固然存在，壞的也依然存在；辦得好的賺錢，辦得壞的也不賠本，不過是多賺與少賺之分而已。這種情形是絕對不能發生企業競爭下的「適者生存不適者淘汰」的作用，不啻是對既得利益的現有報紙予以安全保障。

政府現在所以不准開放登記有一個依據，是出版法施行細則第廿七條之規定：「戰時各省政府及直轄市政府爲計劃供應出版品所需之紙張及其他印刷原料，應基於節約原則及中央政府之命令調節轄區內新聞紙雜誌之數量」。但牛踐初委員在質詢中不同意這個理由，他認爲施行細則，是行政命令，這個命令的重點在節約供應白報紙，可是現在的實況已不同了，我們自由中國對於紙類生產不僅足夠內銷，而且可供外銷，外銷數額，前年是三百八十九萬美金，去年是三百六十八萬美金，今年尚未終了，不知數字多少，但由前兩年紙類外銷的情形，可知我們足夠內銷毫無問題了。因此施行細則第二十七條的規定已完全與事實不符，不應該繼續施行。

牛委員最後在質詢中指出，不開放報紙登記，是造成現有報紙的獨佔，他說：現在全台灣計公營與民營報紙，共有二十九家，以台灣人口與面積比例來說，這二十九家報紙是否已夠社會需要？是不是算少？姑置不論，但是現在政府不開放報紙登記，造成現有報紙的獨佔，沒有新的報紙產生，由現有二十九家報紙長久獨佔下去，不加改善，則使自由中國的新聞紙無競爭，無競爭何能相互促成進步？（本報）

基隆旅居記

仲公

進退失據無枝棲

其時雖經古寧頭一戰，擋住了共匪指向台灣的箭頭，蔣總統復行視事，更振奮了海內外的人心，然大陸撤退而來的機關學校部隊，似尚雜亂無章，人心浮動，大局儼然不可終日。有錢的人，已千方百計，打出境主意；好些人辦領身份證，故意將職業顛倒，原在軍隊的，改爲教育界，從政的改作從商。我住在新北投，感覺這塊天地確實太褊窄了，除了酒吧，旅館，茶室之外，別無所有，秦樓楚館，夜夜笙歌鼎沸，車馬之聲，常須徹旦方歇。使憂懷國事，苦憶家園的征人，住在這樣一個鬧區裏，不但無絲毫歡愉情緒，反而愁上加愁。後來曾在湘北抗日打游擊著名的王鄭波兄來到此地，與我同居一張榻榻米上，入晚抵足而眠，白天則放言無忌，胸心爲之稍紓。

中國有句俗語：「下水思命，上岸思財」。自古以來，所謂「成仁取義」，「視死如歸」，要非大智大勇聖賢豪傑之士，未易做到；凡人出死入生之後，想再活下去，就得有希望，就得有企求。我們最後由西昌來到台灣的這一羣，雖是鬥敗了的雞公，但個個莫不以英雄豪傑自命，至少都各人具有一副孤臣孽子的情懷，想到台灣喫飯在意想上是不成問題的。我在北投，眼見西昌偕來的同事，有的已由上級分派赴政工幹校，也有再進部隊服務的，惟有我這要筆桿的老傖，孑然無所附麗。想到我在西昌任上校科長，是國防部發布的命令，現在仍然去找老主顧，或有幾分可靠，我乃把這次來台的經過，將參加西昌抗暴情形也上扯一段，約摸寫了千多字的陳情表遞上去，所得的答覆是：「文職人員，例不錄用」八個字，這纔令我有點慌了。我想台灣公教人員正在凍結，如欲向機關挿一脚進去，談何容易！做小生意吧？又一無資本，二是外行；最後想去香港依傍我的親戚，藉可探望家庭消息。那時的我眞是進退失據，殊有點躊躇莫決。（四）

高港烟波

本報記者趙家驊

△教師節前夕，高市有私立三信商職（仿日式自稱高商）校長林瓊瑤，宴請該校教師於豪華餐廳，席間杯觥交錯，酒酣耳熱之際，羣起高唱日本軍歌，其樂似不可支者。按此際正忘是朝野齊聲痛恨日本負恩義，對不起中國之時，高市教育界居然有此奇怪表現，該怎麼說呢？有人謂爲「無恥」，實恐尤有甚焉。

△省教育廳曾三令五申中等學校禁止代書商推銷教科書，然就高市而言，確乎是令歸令，樹歸樹，既不陽奉，硬要陰違。按教育廳令五點是這樣的：①同一教科書每生只須購用一種；②參考書不得列入購書單，應屆畢業班複習教材得由學校印發講義；③中外地圖及歷史圖表得由授課教師開列書名，任學生自由選購，不必列入書單，唯須購用內政部、教育部或國立編譯館所審定的版本；④中英文字典、辭典、大小楷字帖不限定版本，應由學生自由選購，已備有一種者不得再令增購；⑤本學期各年級學生全部用書清單，應在本月底以前繕送教育廳核備。

△僅就最後的「教育廳並特別規定學校教職員不得爲書商推銷教科書」這一點看，教育廳未免把教職員看得太高了，實際這種有油水的事那裏輪得到教職員？這是教育科與校長方面的事。不少人都知道：學校報至教育科的書單，必需教育科介紹幾種書，書單始可通過；而學校給學生的通知單，上面却又加了幾種，與學校報至教育科的又不同。[illegible]否則有失政府威嚴。茲將本市一八中與九中之代辦書籍項目作一統計：[illegible]學校方面自然有其他的方法強迫學生去買。至於「爲什麼這樣做」，還用問嗎？還堪問嗎！

希望年青人接棒子

王雲五請辭官

（本報記者吳越台北航訊）行政院副院長王雲五二十二日在立法院答覆質詢時暗示他有倦勤之意。

王副院長已向當局早請辭職，其辭職書上月底即已送出，惟尚未獲得批示。

王副院長自四十九年出任行政院副院長，迄今已達四年。王氏今年七十六歲，他向記者說：按照公務員退休法，他早該退休了，雖然一位政務官不受年齡的限制。這些年來，他也從來生過病，但在處理複雜的公務時，往往不免有疲勞和不耐之感。王雲老說：也許在太平盛世，年老一點尚無所謂，現在世變日亟，形勢緊張，年輕人總較老年人勝任繁劇，何況在人生的這場接力賽中，我們也應該趁早把棒子遞給年輕的一代了。

來函照登

一、准本院陶委員百川、于委員鎭洲、田委員欲樸、陳委員訪先、金委員越光本年十月二日函開：「九月十八日香港自由報載：「台北地院檢察官熊家會因承辦假出口案彈劾英僑梅谷案，而被監察院先後兩次提案彈劾。據說：曾經提案彈劾熊家會的某監委，在五年多前曾涉嫌瀆職案，最近司法行政部對法院承辦之案件，重申前令，不得積壓，因此，某監委之瀆職（僞造文書）貪污案，乃由地院檢察官熊家會積極偵辦中。」該報並在按語中指出：「假出口彈劾案，提案委員爲陶百川、于鎭洲、田欲樸，梅谷彈劾案，提案委員爲陳訪先、金越光。」該項報導如果確實，在百川等提案委員中必有一人爲僞造文書或瀆職案而由熊家會檢察官偵查。但百川等五人從未有此類情事。茲爲澈查眞相，擬請由院函請台北地檢處查覆百川等五人在過去五年中是否有該報所稱之瀆職案或其他案件由熊檢察官或其他檢察官偵查。並請其即覆。」等由，當經由院函准台灣台北地方法院檢察處十月十一日北檢沛文字第〇七二六號函開：「一、52監台院調字第二五五二號函敬悉。二、查本處在過去五年中並未受理貴院委員陶百川、于鎭洲、田欲樸、陳訪先、金越光五先生瀆職或其他案件。三、覆請查照」等由。二、相應依出版法第十五條之規定，函請查照惠予更正爲荷

監察院秘書處

南越土改目標及作法

西貢通訊

（乙）籌備計劃。應視每一地點之地理環境，幫助定居者之金錢和食米，協助建築屋宇，置農具（耕牛、犁耙、種子），建立公益機構（公營處、施藥處、產育院、學校）。籌備發給園地之面積和種植樹木，以劃土機械劃平土地。

（丙）運動移民。在地方行政當局協助下，進行登記名單暫時居住處，接濟和運送等事宜。

（丁）定居。分地段，組織建築屋宇，組織公共機構（如開井、醫治、衛生、教育），組織行政，政治，成立社村，申請發地契給移民，將各實現的地點漸漸地方化。

（戊）指導耕作。集體作各類工業樹木，視每地點之氣候，使生產能合理化，發給品種優良的種子，設培育樹苗圃，在別處購買品種優良的樹苗。之外，並鼓勵移民多種植副農產品，協助成立接濟和消費合作社。

營田計劃的成果

現在已有約一百處營田地點，最小的地點佔面積一百公畝，中等約五百公畝，最大者爲四千公畝，分佈在邦美蜀、百里居、安川、巴川、福隆、福綏、建豐、建祥、平陽、建和、堅江、寧順等省。上述各省份的營田地點，昔時原是一些荒蕪之地，但今天巳成爲地方上和移民的民衆富庶農莊，容納人數達十萬以上。這些包括有平原和高山同胞的移民，以前都是無產階級，生活困苦，是地方上之重担，現在移居到營田地點去，不但彼等生活問題得解決，而且還能樹起家園和使到人口的分佈得到均勻。

顯然，目前那些營田地點都顯示着生氣勃勃，翠綠一片，穀米，玉蜀黍，瓜菓，工業樹木，榮蔬，副農產品等都能大量生產，使每個家庭都能過着安居樂業之生活，而山胞燒山的陋習也大爲減少了。以機械耕種的問題，由於帶來了驚人的成果，所以使到各農民都注意到改善耕種方法的事，營田的繁盛對工商業的發展亦有莫大之關係。

二、改革田地方面

越南共和國所主張的改革田地政策，乃是介乎殖民封建，與越共之間的一項最合理的辦法。

越南原是一個農業國家，幾乎全部人口都集中在農村，所以改革田地應視爲一項首要的國策。在封建時代，田地未得平均分配，少數人擁有田地千頃以上，而大多數的佃農則貧無立錐，故無產的佃農須屈身向剝削成性之田主租賃耕地。若任由此種富者剝削貧者之現象繼續存在，少數已富裕者愈富裕，大多數貧乏者愈貧乏，似此，試問如何能達到社會的平等呢？

至於越共，則主張廢除私有化，將全部田地集中在「黨」的名目下，把全部農民變成一種時代的新農奴。然而，在達到廢除私有制，以將農民變成農奴之前，共產黨曾採取惡毒、野蠻之手段，如分別成份，設立人民法庭，和以「公審」來殺害若干原只具有一些資產者之生命，當田地已握在「黨」的手內之後，彼等即以評價政策來徵收農業稅，藉以囊括農民之全部穀米。所以說他們囊括農民的全穀米，是因爲彼等只留下給每人七十公斤以作爲全年食糧，餘下者就以累進形式抽稅，因爲收穫之穀米中分給家內的人，每人得四百公斤時，便應繳納百分之四十五農業稅。試問每人一年衣、食、住、行、藥物等的開支，須有二噸穀米的代價才算勉強足夠，而今有到四百公斤時，「黨」已括去近半數了，怎叫今日在北越僞政權統治下的人民，不面臨飢寒交迫之困難處境！（二）

藝術叢談

抽象藝術漫談

趙雅博

五、表現主義。在表現主義中，我們也可以看到高更與宛高參加。這一種藝術的學說，本來是起自反應印像主義的，對於破壞客體的力量，乃是很大的。它認爲，藝術作品構成藝術家的完好內心的表現，這個是不能反映的，而是要重新創造客體的實在性，爲了以後能表現它。韓詩彌（Ends-chmid）說：「實在性應該是我們所創造的，並不應以已有固定的事實來滿足我們」。在這個美學的觀念中，表現主義很清楚的使我們看出它是日爾曼的產品，是以觀念論爲其根基的，並且他們也願意有一切的藝術自由。這個在抽象主義中我們是看得到反響與回聲的！

六、最後我們要提一提未來主義。這是義大利的產品。它認爲客體的實在性只是純可變，是一種動的藝術，動力主義的藝術，一種純運動性，在這裏也有觀念論的根子在。未來主義者認定客體乃是消失在動力的波流中。這個主義的主張認爲客體的形式，如同立體主義所塑造的格式，只能在靜止的狀態下捉獲它們，只能在最神聖的不動下尋得它們。至論安置在運動中的客體，它是要丟失了自己本有的客觀實在性，丟失它的有，而溶解在純變中。談到未來主義者在接觸到客體實在性的破壞時，可以說已經到了最後一級，它構成的藝術運動趨勢，對抽象藝術的影響，可以說是直接的。

未來主義者也並不是直接想破壞實在性的人們，而只是一種間接方式，因爲未來主義只是全力集中在運動上。因之，它也是與其他運動一樣，是較遠或較近的方式致力於對象的破壞。是的，我再重複一句，這一切的藝術運動，總是多多少少破壞了客體運動，但是在方式方面則是間接的，而這個整個的或部份的破壞，則是附屬在其他問題的解決上。至論藝術有意的激起美感經驗，而斬斷客觀的實體，則是抽象藝術的主要情勢，恐怕我們更可以洽切的稱之爲抽象主義了。

抽象主義

藝術破壞客體實在性的程序，在造型藝術的內部，眞可說是達成了完境。眞的，到這個時代程序的最後階段，藝術家們對於破壞藝術中的客體性，已經不是有意無意的問題，而是被歷史事實的強迫，不得不爾了。於是客觀的實在性被剝奪了，藝術精神都沉浸於純主觀主義中，因之，我們可以說，藝術精神完全是建基在觀念論的根子中，深深紮在觀念哲學的心懷內，當代藝術精神浮沉於哲學思想中，這正是百年來的一件鐵的事實。（未完）

劉氛傑鄉錄

婆娑生

余前爲天文臺寫梨園叢話，幾近年半。多記每個伶票的事蹟，劇圈的動態，由筆端而印入報紙，以傳給讀者欣賞。本報特派員索稿，焦思至再，仍從劇壇中尋求，比較資料稍多。人生本是戲場，古人有「浮生若夢」之言。世界如一大戲場，一幕一幕的在搬演，許多事蹟，竟是歷史重演。今日的情勢，又何嘗不是戰國時代的遠景，縱橫捭闔，赤禍極權，到處摧毀自由民主，用盡手法，以遂其據慾。所以合縱連橫，兩大壁壘，伊于胡底，是縹緲太空，行看獲其果。因此定名縹緲錄，祇限於戲劇。縹緲云者，是虛無若有之意。所記事跡，原本是千眞萬確，可是後信然耶？其未足信耶？是在讀者。五六十年來，談劇必先數譚英秀（鑫培），因以爲始，再續老鄉親，叔岩菊朋等等，以及梅程尚荀，皆記其故事。

譚鑫培闊綽排場

談平劇，就近六十年來說，大家心目中，多推崇譚鑫培。大王譚鑫培，也稱小叫天。其先家中有堂曰英秀，故或名譚英秀。早年不得意，也在江湖上走班，而習武生；後來進了程長庚所領的戲班，頗受青眼而指譚氏也。

慈禧迷於戲，常由南府點傳伶工進宮，唱戲作娛。譚氏尤爲特寵。上行下效，當時一班王公大臣，有幾位在那裏關心國事？一天到晚，專在聽小叫天的唱？極力琢磨，如何拖腔？如何噴口？那句走低？那句拔高？沉迷更甚。慈禧於譚氏，除了迭加賞賜，猶以爲未足，畀以內廷供奉，尊爲譚貝勒，實是荒唐之典，史所未有也。民初客故都，聞友談及，某次譚值差內廷，遲遲未行。已屆扮戲，猶未滋止，派人催場，內務府總管那洞（後來入閣掌密）竟向譚請安，求其入速速登場，成全其事，以免遭受慈禧發怒而懲罰。亦可笑之至，應列入官塲現形記。

譚氏有這樣的氣燄，所以他到上海，最後兩次，非常闊綽，儼然是王公大臣氣派，一切供應，極其奢靡。前後共來六次。光緒廿九年初來，在天仙舞台，包銀備三千二百；民元再來，漲至每月六千。排場之闊，歷次所無，住小花園之寶和里，一天供給印度煙土二兩，每日下午三時起牀，先飽啖福壽上品，再吃燕窩粥，水果。八時用晚餐，必有雞湯，外加小菜四色，飯菜四色。吃飽以後，再啖壽膏，將近十時，坐鋼絲輪轎車赴園，扮戲登場。散戲約在十二時半，回寓先就煙榻養神補氣。二時左右，吃白糖蓮心粥，再吸煙若干時，魚更三躍，方始就寢。每天供應飯菜，包括借來之同行伙伴，及其消耗之煙資，約計銀幣百元——普通平民三月的伙食，眞是豪家的舉動，人多爲之咋舌。（一）

第十回：集會議圖存　天寒日暮
空言難自救　鬼哭神愁

羅瑞卿苦笑道：「空軍雖然吃得飽，家裏也有餓死人的，所以他們的鬥志也很消沉。」

毛澤東說道：「你說到這個問題，我又想起去年十二月十九日台灣飛機飛到北京上空偵察的事，你以後派人調查到底是怎麼回事。」

李富春說道：「那天晚上，突然飛機場槍砲齊發，打了一個多鐘頭，整個北京城內人心十分混亂，我們家的褓姆都偷偷在一起說：這回老蔣眞打回來了。個個喜形於色，有一兩天時間，服務時都變了樣，你們說多麼可怕。」

陳毅問道：「那天晚上到底發生了什麼情況，我就知道是國民黨飛機空襲，可是又不便打聽。究竟對方那晚派來幾架飛機，從什麼地方起飛，飛行半徑何以能延伸到北京，希望瑞卿同志能詳細談。」

羅瑞卿無可奈何說道：「敵人那天祇有一架飛機是P二V型海王式螺旋槳推進的偵察機。」

劉伯承聽到這裏，首先「啊呀」了一聲，說道：「螺旋槳推進機怎麼能從台灣飛到北京來偵察，到底它是從那裏起飛的，搞清楚沒有。」

羅瑞卿苦笑道：「當然是從台灣起飛，國民黨無論如何也不能在大陸設有空軍基地。」

獨眼龍搖頭幌腦地說道：「國民黨的駕駛員簡直是神仙，螺旋槳推進式飛機最近十年來已經被淘汰，噴射機也由米格十五進步到了米格二十一，敵人居然還用噴射機飛到北京上空來偵察，又能安然回去，我眞不知道怎麼說才好。」說過又搖頭嘆了幾口氣。

聶榮臻說道：「國民黨空軍人員技術優良，本來是舉世公認的，尤其是那個雷虎特技小組……」

毛澤東嘆口氣道：「我每次看見台灣報紙上登載雷虎小組表演情形，心裏就覺得癢癢地十分難受，我要有那一套本錢，在西藏也不會退兵，乾脆我就出動空軍同紅頭阿三幹上了。」

劉伯承斜着單眼問道：「我現在還是不明白，國民黨那一架偵察機飛到北京上空時，咱們的高射砲人員怎麼未能把它打下來，是不是飛的太高。」

羅瑞卿說道：「那架飛機飛到北京上空時，是一千尺，後來下降到六百尺，大概是準備攝影。」

賀龍聽到這裏，也驚得跳起來，說道：「六百公尺，用機關槍也打下來了，咱們的防空部隊是不是都睡覺了。」

劉伯承斜着單眼笑道：「雲卿，那天晚上槍砲齊鳴，比過年還熱鬧，你會沒有聽見。」

賀龍笑道：「我那天晚上一個人閒得無聊，燙了半斤大麯，喝過醉醺醺一睡，什麼也不知道。第二天屋裏人告訴我夜裏有槍砲聲，我說一定是加緊演習，準備去解放台灣，做夢也未想到人家飛機飛到咱們頭上了，幸虧它是來偵察，假若那天它要拋下兩個炸彈，我在夢中被炸死了才眞冤枉呢！」

羅瑞卿說道：「轟炸到不致於，你大可放心，美國人在這裏可以幫我們忙。」

（二五一）

閒話中醫

黃伯遠

嘗見一產婦，爲人家兒女治病，在日落時，以坭爐一具，烈炭熾爐中；炭上置一明礬，婦口嚼檳榔及檳榔葉，念念有詞，少頃，炭火熄滅，視爐中礬與炭灰凝結成一骨骼形，身首手足微似小孩。婦以鉗夾出，吐口中物，於礬灰結成之混凝物。時病家已豫置清水一罌於案上，婦以物浸水中，口仍念念有詞，然後強病者飲罌水三分之一，餘水自噴於口，向室內四周噴之。明日，過其門，則病者已在戶內嬉戲矣。此事若非親目所覩，則難以置信耳。

至於「祝由科」，以兩湖較常聞，廣東亦有之。報上亦時有刊載此一門醫術，因余只聞而未目覩，故未敢論述。但近時，亦少所聞及矣。

談到「走江湖郎中」，信如諸葛文侯先生所談之二、三事，他們之中，並不一定都是騙飯吃者之流，其間也有一二所長，或一技秘方，未可一概抹煞之也。此輩有背負葫蘆，中揷多種生草藥，而故露出其末端，使人一望即知其爲韓康賣藥之流。而且身穿道士服裝，足踏多耳芒鞋，手搖銅鈴，藉以引致婦孺出覩，亦招徠生意之一道也。在五、六十年前，我所見到的「江湖郎中」，除上述一類外，還有專賣瘡毒膏藥的花柳醫生，他們腰間繫着一節尺許長的竹筒，兩端粘上活剝的青蛙皮，用膠或漆封密；此項玩意，喚作蛙鼓。邊行邊用食、中二指擊之，其聲淵然，藉以代表賣膏藥呼喚聲。所有膏藥，除以一隻小木箱裝放，懸於肩背外，又以若干一串一串的掛滿身上，這些便是專治瘡癩雜症的所謂「花柳醫生」。

在清末民初，我在廣東、福建兩省，還沒見到有正式開業採用西法拔牙治牙的醫生；有之，只是「過街拔牙郎中」，和坐在城隍廟，擺在旗下街，將軍、左、右副都統衙門前大廣場的「拔牙郎中」而已。他們不知從那裏蒐集整千整百的廢牙，一串又一排的，掛在帳篷外，表示這是他們的成績。我曾見過好幾次，他們替人拔牙，先是用手把病牙搖幾下，跟着從箱子裏取出一把斧頭鉗，和一些用棉裹着的，不知什麼東西，吆吆喝喝幾聲，叫被拔牙者閉着眼睛！「說時遲，那時快！」只見他左手虛幌一下，把患者之口張開，右手那把斧頭鉗，已鑽入口中，患者一聲「哎唷」！那隻病牙，已夾在鉗子裏了。

當我在七、八歲的時候，我有一隻門牙是突出唇外的。父親把我帶去城隍廟，只化了五角小洋錢，便把那隻越軌的牙拔掉了；如今我已是七十歲，那隻沒拔去的門牙，依然未壞！而再長出來的那一隻，則在六十五歲時，自然地脫掉了。時至今日，牙醫已成爲專門的一科，往時的「江湖拔牙郎中」，早已無復存在，言念及此，未嘗不感慨系之耳。（三）

王摩詰詩畫

漁翁

輞川，在陝西藍田縣，輞谷川口，即嶢山之口，兩山夾峙，川水從此北流入灞。其路隨山麓鑿石爲之，甚險狹；過此則豁然開朗，四顧山巒掩映，若無路然。輞南其景愈奇。計地二十里而至「鹿苑寺」，山水奇勝，唐詩人王維曾有別業在焉。

王維，字摩詰，山西太原人。史稱九歲知屬辭，與王勃同爲早熟之作家。如「題友人雲母障子」詩，「過秦王墓」詩，爲十五歲所作；「洛陽女兒行」，十六歲所作；「九日憶山東兄弟」，十七歲所作；「桃源行」，「李陵詠」諸篇，十九歲所作。而措詞鍊句，爐火純青，恍若天成，其才思之敏捷，誠有過人處也。

年十九，赴京兆府試，中第一名解頭。二十一歲成進士。玄宗時，官尚書右丞，此世所以稱王右丞也。摩詰不徒工詩，書畫亦佳，均多田園風味，陶淵明以來第一人也。嘗曰：「凡畫山水，意在筆先。」此其所以非凡品也。新唐書本傳載：「維善畫，畫思入神。至山水平遠，雲勢石色，繪工以爲天機獨到，學者所不及也」。蘇東坡亦善詩畫，而稱摩詰「詩中有畫，畫中有詩」。

摩詰在輞川別墅，日與道友裴廸浮舟往來，彈琴賦詩，以此自樂。觀其與裴廸書，有云：「夜登華子岡，輞水淪漣，與月上下；寒山遠火，明滅林外；深巷寒犬，吠聲如豹；村墟夜舂，復與疏鐘相間：……」描寫歷歷如畫。

又據唐朝名畫錄載：「王維畫輞川圖，山谷鬱盤，雲水飛動，意出塵外，怪生筆端。」秦太虛云：「余臥病，高符仲携輞川圖示余曰：閱此可以愈疾。余甚喜，若與摩詰入輞川，數日疾愈。」畫可療病，殆有一種神趣，從亦可知其畫之爲士林所推重。

摩詰輞川圖，是在其別業輞川別墅所繪成的當地風光，爲我國歷史上最珍貴作品之一，其中有雪中芭蕉一幀，亦負盛名。此畫着重於意境之象徵與抒寫，而非點滴刻劃之寫實，以蕭疏清淡水墨，開浪漫畫派之風，而成爲南宗之祖。

摩詰詩以五言爲最佳，所賦雜詩：「君自故鄉來，應知故鄉事；來日綺窗前，寒梅著花未？」見鄉人而不談民生疾苦，與親友狀況，祇落筆於窗前梅花，豈詩人不問蒼生問鬼神歟？非也。運筆之妙，可意會，而不可以言宣，雖未把安史之亂，直接形諸紙端，其關心故鄉之情，呼之欲出，所謂「哀而不傷」者也。

摩詰「晚年惟好靜，萬事不關心」，而以玄談寄情。在輞川閒居時，他的名句很多，如「時倚簷前樹，遠看原上村」；「渡頭餘落日，墟里上孤烟」；無一而非白描，寥寥數字，勝過立體照像，洵大手筆也。

想起一些日本朋友

海嘯樓談薈

諸葛文侯

蘆田均是個學者，戰前著有「新社會學」一書，我在留學日本時，讀過他這本著作，但不認識他，戰後他做過一次內閣首相。我於四年前在東京遇着他，首先談到他所著的「新社會學」內容，他笑道：「你能說日本話？很不錯！」我答以曾在日本讀過五年書，當然懂得日語的。他說：「貴國人有許多留日學生，並不一定能講日語呀！」相與軒渠不已。

繼而我提起日本輿論與文教界的左傾反美情況，他認爲那是少數人的幼稚病，不必重視，並舉例說明曰：「前幾天我到橫濱商業專科學校講演，主張日本應該贊成美國把原子武器存儲到三島來。我們自己既無自衛的實力，而又反對友邦幫助我們保衛安全生活，這不是『馬鹿』（蠢材）思想嗎？我說完這段話之後，舉目四望在座千餘名聽衆的反應情緒如何，却沒有一人起來表示異議的，即此可見大多數日本人決不爲左傾言論所蠱惑啊！」

他這種見解殊正確，如日本前任外交部長岡崎勝男，兩年前在東京競選國會議員時，即以日本決不能採取中立政策作競選演說題材，結果當選了。誠如老友松室孝良對我所說：「東京各個報紙的左傾言論，都是爲着多銷報份的生意眼而然，主筆和編輯人的思想另是一回事。」

我對蘆田談起中日國民外交應該加强進行一事，他極表同意。再問他有何高見？他侃侃而對曰：「我希望貴國政府不要派遣達官顯宦來日本進行國民外交工作，這是事倍功半的作法，甚或弄到相反的結果，我已有此經驗了。」愚謂願聞其詳，他繼續說道：「去年（指民國四十七年）貴國一位政治大員到東京訪問時，日本外務大臣藤山愛一郎，鄭重其事地召集文教工商各界人士，舉行盛大的座談會歡迎他。我亦是被邀參加的，事前曾經費了一晝夜的思考工夫，擬出五項問題，都是關於中共政權的實際事情，以便在座談會中向貴國那位政治大員請教的。屆時我首先發言，陸續提出了兩項問題，表示我個人的觀感所及，就教於友邦貴賓。詎料得到的答覆，只是握着拳頭不斷揮舞，口中大叫『可恥的共匪』『可殺的共匪』這類口號之外，別無他詞。我覺得這是問道於盲，實在無慘之至！祇有提着帽子先行退席，再不願意續談其餘的幾個問題了！」我聽罷蘆田這番話，亦爲之「氣結」難過。後來我由駐日大使館職員鄧友德兄介紹，訪晤嘉治隆一於其私寓中，談到中日國民外交問題，他亦有同感，認爲咱們政府總是教達官貴人到日本搞國民外交，可謂文不對題，而咱們的駐日大使沈覲鼎，也很少跟日本社會各界人士接觸，中日之間除却官式酬酢外，談不上外交作用。

綜觀上述情形，今日日本當道對我以怨報德的行爲，咱們自己亦多少負有「人謀不臧」的責任吧？「行有不慊於心，則反求諸己」，這就是我寫這段回憶錄的用意所在也。（完）

南宋偏安有人才

李仲侯

飛疏累千百言，上亦銳意恢復，欲觀成效，以御札報之曰：「得卿十八日奏，言措置班師機會，誠爲可惜。卿忠義許國，言詞激切，朕心不忘。卿且少駐近便得地利處，報楊沂中、劉錡同共相度。如有機會可乘，約期并進。如且休止，以觀敵釁，亦須聲援相及。楊沂中已于今月廿五日起發，卿可照知。遣此親札，諒宜體悉。付岳飛」。

秦檜聞之益懼，知飛之志，必不可和，乃先詔韓世忠、張俊、楊沂中、劉錡各以本軍歸，而後言於上，以飛孤軍不可留，乞令班師。一日而奉金書字牌者十有二。飛嗟惋至泣下，東向再拜曰：「臣十年之力，廢於一旦。非臣不稱職，權臣秦檜實誤陛下也」！諸軍既先退，飛孤軍深在敵境，懼兀朮知之，斷其歸路，乃聲言將翌日舉兵渡河。兀朮疑京城之民爲飛，夜棄城而出，北遁百里，飛始班師。父老人民大失望，遮飛馬首痛哭而訴曰：「我等頂香盆，運糧草以迎官軍，虜人悉知之；今日相公去此，某等不遺噍類矣」！飛亦立馬悲咽，命左右取詔書以示曰：「朝廷有詔，吾不得擅留」。勞苦再四而遣之。哭聲震野。

及至蔡，有進士數百輩及僧道父老百姓，咸集於庭，進士一人相率叩頭曰：「某等淪陷腥羶，將逾一紀。伏聞宣相整軍北來，志在恢復，某等跂望車馬之音，以日爲歲。今先聲所至，故疆漸復，醜虜鳥奔，民方室家相慶，以爲幸脫左衽。忽聞宣相班師，誠所未喻。宣相縱不以中原赤子爲心，其亦忍棄垂成之功耶？」飛謝之曰：「今日之事，豈予所欲哉」！命出詔書置几上，士相率歷階視之，皆大哭相顧曰：「然則將奈何」？飛不得已乃白：「吾今爲汝圖矣」，乃以漢六郡之閑田處之，且留軍五日待其徙。從而遷者，道路不絕，今襄漢多是焉。

方兀朮夜棄京師，將遂渡河，有太學生叩馬諫曰：「太子毋走，京城可守也。岳少保兵且退矣」！兀朮曰：「岳少保以五百騎，破吾精兵十萬，京中外日夜望其來，何謂可守？」生曰：「不然！自古未有權臣在內，而大將能立功於外者。以愚觀之，岳少保禍且不免，況欲成功乎」？生蓋陰知檜與兀朮事，故以爲言。兀朮亦悟其說，乃卒留師。翌日果聞班師。識者謂使飛得乘此機以往，北虜雖强，不足平也；故土雖失，不足復也。一簣功虧，萬古遺恨！

飛既還，虜人得伺其實，無所忌憚，兵勢漸振，向之已復州縣，又稍稍被寇矣。飛奉詔還自朱仙鎭，將朝於行在，會韓世忠在淮陽，楊沂中在徐州，朝廷命世忠留兵西淝，復賜御札，令趨京西牽制。札曰：「比聞卿已趣裝入覲，但以甚慰朕懷佇欲見之意，然卿昨在京西與虜接戰，遂遣諸軍犄角並進。今韓世忠在淮陽城下，楊沂中已何敢意向爲牽制之勢。俟諸處已爲進止，大計無虞，然後相見未晚也。遣此親札，諒深體悉。付岳飛」。（九九）

武侯祠

匡謬

凡遊成都者，莫不觀光武侯祠。祠在東門外三里許，即杜工部所謂「丞相祠堂何處尋，錦官城外柏森森」。即指此也。祠門橫額，僅書「昭烈廟」，殊無丞相祠字跡，然成都人均以「丞相祠」稱之，似由來久矣。祠內有長甬道，兩側柏樹甚多，既高且老，枝幹參天，人行其下，氣象蕭森，相傳此均蜀漢時所植，以狀觀之，雖不如是古老，然數百年以上之物，則爲無疑義。

前殿祀昭烈帝像，左殿祀關公像，右殿祀張桓侯像，皆英武有生氣。兩廡配祀蜀漢文武功臣數十人像；東廡以龐士元爲首，西廡以趙雲爲首，像前各鐫小傳，讀之瞭然。後殿祀武侯像，素面疏髯，宛然書生也。殿後有昭烈帝衣冠塚，名惠陵，甚崇閎，內植古柏修竹甚繁。祠內楹聯甚多，而以清人陳[illegible]一聯最爲人稱道，聯云：「誓欲龍驤虎視，以揩蕩中原，驚風雨，泣鬼神，前出師表，後出師表，兩出師表裂天崩，求續承正統，失蕭曹，見伊呂，西漢功臣，東漢功臣，」甚合武侯身份。

辜鴻銘與胡適之

燕謀

辜鴻銘字湯生，奇士也。自號「東南西北人」，解曰：「東娶於日本，南生於[illegible]，西學於蘇格蘭愛丁堡，北居於北京。」辜教於北大，與胡適之同事。其思想相映成趣。辜守舊而胡維新。辜美女子小足，而胡則以纏足爲不人道。胡有時服西服，而辜則經常著長袍馬褂，昂然出入大學之門。而蔡校長皆優禮之。

一日，胡講中國哲學史，生徒雲集，溢門爲患；鴻銘作色曰：「何物小子，如此大膽！少間，令過我。」生以之告胡，胡笑曰：「大學固宜包羅萬有；學術，公器也！守一隅，拘一格非通人之雅量，尤非所以爲大學也。諸君善會其通可耳。」竟不赴約解紛，語妙天下。

或有西人某問辜曰：「異哉！貴國風尚乃崇多妻。先生有說乎？」鴻銘笑對曰：「君知衆杯翼壺之理乎？一壺而杯衆，宜也。夫一而妻衆，亦宜也。」

內僑台報字第〇三壹號內銷證

自由報

THE FREE NEWS

第三八九期

每份港幣壹角
台灣零售價新台幣壹元

社長：雷嘯岑

20 CAUSEWAY RD 3RD FL
HONG KONG
TEL. 771726

台灣分社

「兩個中國」與「寶島台灣」

逸民

所謂兩個中國之說，像幽靈一般的在國際間趑趄徘徊，若隱若現，這是繼十年以前所謂「託管台灣」之計以後的另一重大陰謀，在若干國際政客的心目中，自然認爲如此支配世局的大計，必須盡量保密，而且事前不一定要取得當事人之同意的。

在若干國際事件中，這幽靈常常忽然陰風颯颯，顯露半面，例如印度尼赫魯，一面與中共打仗，一面却主張中共應入聯合國；反面的話，他雖不說明，看來他似乎可以讓中華民國同時存在的。又如馬來西亞成立前後，有若干迹象，它可以與中華民國締交，但九月十六日以後，馬方重要人士表示：他們只能承認「台灣政府」。然當今世界，在法理上說，根本沒有什麼「台灣政府」。而馬來西亞這個新國家，乃是標榜反共的，也可以說，就是因爲堅決反共，才湊合而成的，然其對中華民國之態度如此，可見其背後站立着「兩個中國」的國際陰謀製造者，耳提面命，已有先入之成見了。

至於最近傳說中之戴高樂對中國的意向，更其使人迷惑。因法國與中華民國的邦交，從未中斷，雙方都駐有使節，而且中國的外交部長不久前還訪問巴黎，與戴高樂談話四十分鐘，乃戴氏竟有擬承認中共僞政權而又同時保持對中華民國邦交之如意算盤，這眞不知從何說起？看起來，那兩個中國的幽靈，竟已纏到這位素以倔强著稱的歐陸强人身上了。

十月卅日，華盛頓地區重要報紙之一的「巴爾的摩太陽報」，刊出該報巡廻記者魯凱塞在台北訪問陳副總統的紀載，據陳副總統說：「很多西方人士沉迷於『一廂情願的想法』，認爲分別承認北平政權和中華民國，將會帶來和平，但事實並不如此，相反的，這樣的政策，將使聯合國破產，我們中國人知道只有一個中國，所謂兩個中國的解決辦法，只是一種幻想和妄想。」陳副總統又說：「過去西方人士曾鼓吹兩個越南，及至分爲南越、北越之後，我們已經看到那個地方所發生的事情了」。他說：「領土縱可分割，但思想和文化是不能分割的。」

陳副總統復提到「有一個時期，英國曾促美國說服中華民國讓出金門、馬祖外島，據說英國提出的建議，是在保有這些外島與保有聯合國席位之間作選擇」。陳副總統說：「如果他不得不作選擇的話，將毫無疑問的選擇外島」。

這眞是堂皇正大，夠種而又極具氣魄的一種堅强表示！本來，我們是聯合國的原始發起與創立者的五强之一，故也擁有安全理事會的當然否決權之一，誰知自大陸事變後，我國竟每年要向聯合國「過關」一次，等於一個普通人持有旅行「派司」，每年要向移民機關簽證一次一樣，如果不簽，你就隨時要走。以一堂堂國家，弄到如此地步，則聯合國之席位，也就不足重視了。聯合國乃是由各國聯合而產生，並非各國依賴聯合國而存在。順理成章，自宜參加，翻雲覆雨，那又何必求榮反辱呢？當世國家，也儘有若干未加入聯合國，依然可以發奮圖强的。

我們認爲問題的重點，仍在「反求諸己」。即是今天的中國人，究竟有不有「兩個中國」的潛意識在隱約作祟？

這十來年有若干新名詞，很值得注意。例如「自由中國」這個名稱，儼然是模仿第二次大戰期間「自由法國」而來。於是有人覺得比擬不倫，今日之中華民國，不能與當日流亡英國倫敦之自由法國相提並論，旋經政府糾正，也經識者闡釋，戢諸本報，可以覆按。

又如「寶島台灣」這一稱謂，竟然在台風行一時，不但形諸文字，發爲演詞，而且印成圖籍，到處推銷。曾有人迭次皺眉而談，說是見之林目，聞之刺耳，誠不知台島究從何時實起？其實是爲何人所發現？而其所實之內容又若何？實在莫名其妙！

先查台灣變爲寶島之時間：在中國文獻古籍中，似乎很難找到這一名稱。鄭成功經營台灣之初，闢草萊，披荊棘，并未視爲子孫永寶之地。甲午戰後，割與日本，滿清王朝暨全國人民亦未叫出它是寶島。爲的既是寶島，如何便割與人呢？當初清朝却是把它當化外荒島於戰敗後割棄的。迨我國對日抗戰勝利，復員接收，也沒有聽人喊出這個名詞。或曰：台灣之變爲寶島，恐怕是開始於韓戰發生，美國第七艦隊開入台灣海峽以後吧？若然，則台灣之「寶」，似爲保障，保護，及保全之「保」也。其然，豈其然乎？

中國數千年的文化孕育，是教人以德行爲寶，以人才爲寶，不重視物質之寶的。故徑寸之珠，盈尺之璧，均不足珍貴，這在古籍史料中，是常見不鮮的。最有名的一則是史記吳起列傳中所載：

「文侯以吳起善用兵，廉平盡能得士心，乃以爲西河守以拒秦、韓。魏文侯既卒，起事其子武侯。武侯浮西河而下，中流顧而謂吳起曰：美哉山河之固，此魏國之寶也。起對曰：在德不在險。昔三苗氏左洞庭，右彭蠡，德義不修，禹滅之。夏桀之居，左河濟，右泰華，伊闕在其南，羊腸在其北，修政不仁，湯放之。殷紂之國，左孟門，右太行，常山在其北，大河經其南，修政不德，武王殺之。由此觀之，在德不在險。若君不修德，舟中之人，盡爲敵國也」。

吳起雖爲曾子之徒，因爲品行有虧，終爲師門所逐，乃以兵法名世。但此議居然爲立國的不刋之論，故太史公不以人廢言，而傳神以紀之。

是台灣之所以名爲寶島，若非指的是出產世俗所稱的寶物，而係指的是海峽之險，敵難進犯，實不可不冷靜的參閱以上一段紀載。究有第七艦隊橫亘於前，若台灣稱爲寶島，則該艦隊豈不應先錫以「寶隊」之名乎？

台灣既原無寶名，及政府遷台之後，乃忽而寶之。然則喪失之大陸彷彿已無可寶，是否視若敝屣，棄之不足惜呢？進一步，更易使人誤會，既以播遷暫居之地爲寶，則苟安自得之樂，失意忘形之驕，豈非溢於言表？而國際間之野心政客，自亦可採撮國人滿意於寶島之情緒，搜試兩個中國之方案，以淆惑世人觀聽。

我國大陸以寶著名，或正式命名爲寶的也不少。但其意義，似乎均與現在流行的寶島台灣不同。例如說：「東北有三寶——人參、貂皮、烏拉草」。又如寶雞，寶慶，寶山，及香港九龍原來所屬的寶安等，都係府縣之名，當初命名，各有其來源依據，或指特產，或演神話，更或寄託希望。倒是眞正形容險要與富庶的地方，却極少以寶名的。如國策的秦策篇說：

「田肥美，民殷富，戰車萬乘，奮擊百萬，沃野千里，蓄積饒多，地勢形便，此所謂天府」。

這是指現在的陝西省而言，當戰國及秦漢之際，它却是如此形勢，所謂被山帶河，百二重關，以建瓴之勢，虎視中原，再加上西蜀李冰父子水利建設，收效宏廣，亦有天府之國之稱，以故秦漢及唐，均賴之以統一全國，創建帝業，發揚國威。然而古今來，却無人將雍，益等處，名之曰寶州或寶省的。

有人說：或者因爲台灣的風景、名勝特別優美，而古跡亦復繁多，又加以中央遷徙，人傑地靈，故於不知不覺中，發現其可寶，遂也自以寶島呼之矣。然果如其說，則以名勝、風景，尤其古跡著稱之地，在整個中國之內，何止千百處？豈獨台灣？又若以中央徙居，便足珍貴，這是將來歷史上的事，似乎不宜由當前現在的人自吹自捧。

例如杭州，在宋初曰餘杭郡，及高宗南渡，建都於此，乃改爲臨安郡，雖屬偏安，然其命名，亦甚有臨時安頓，不忘故都之意，固未敢公然以山外青山爲寶也。

（下轉第二版）

漫畫天下

施南

「握手」吧！

俄共四十六年的「慶祝」

讀自由

一片國際逆流

馬五先生

法國當道有與中共政權結交的意嚮，美國商務部長說是要考慮對東西國家貿易的限制政策——即是企圖與中共區域通商牟利的煙幕言論。至於英國與日本之急於爭取中國大陸市場，更是彰著的情形，而西德政府一定努力跟進，殆爲意料中事，因爲新任內閣總理艾哈德，素來就是只求經濟發展，不管政治作用的。

這一切現象，都是基於國際形勢之發展而產生的。如果中俄共之間爲着革命路綫問題爭論不休，甚至俄帶眞是糾合全球的多數共黨，把毛共暫時排斥於共產陣營之外，則以英美爲主幹的所謂自由國家，勢必更進一步的對毛共要好獻媚，趨蹌唯恐弗及。理由很簡單，只要英美法日各國的共產黨不起來奪取政權，縱使全球其他的地區都赤化了，他們亦毫無所謂的。至於「自由運動」「集體安全」云云，乃是騙人的鬼話連篇，不值一哂。我敢武斷地說：假使毛共答應美國要求，公開聲明不以武力進攻台灣的話，美國早就承認毛共政權了。聯合國大會每年搞一次所謂中國代表權問題的辯論投票把戲，而以「擱置一年再說」收場，即係美英藉此對毛共開着一扇妥協之門，有所期待也。英國在國際間，素來是不講甚末正義公道的，美國又何嘗有甚末道義之可言？民國十六年春間，各個帝國主義國家的軍艦砲擊南京革命軍之役，英美即最爲出力，日本軍艦却沒有同惡共濟。知道了這項歷史事實，即知英美現時對中國問題的搞法，理有固然，不足爲奇。

然則中華民國政府對於這種國際逆流，如何應付纔好呢？答案還是我說過的舊話：至少亦要表現「敗事有餘」的作法，不惜乾坤一擲，庶有死裏求生，因禍得福之可能。如其依然墨守成規，專跟別人講交情，講道義，一覺醒來，此身已被別人當作了出賣品，最幸運亦不過保持着一個所謂「台灣共和國」，那就噬臍莫及了！

立委質詢「金包案」

本報台北記者

在國營事業單位中之金屬鑛業公司的鑛區內，十年前，發生「金包案」，曾經轟動社會，蒙古籍立委榮照認爲政府未作妥善處理，特就此問題提出質詢。

金包案經過

榮照首先說明實情：「查金屬鑛業公司鑛工盜取金包之位置，在四坑二巷道地方，光復以前，日人後宮者曾發現一斷脈金鑛，爲繼尋脈源，暫封其口；至民國四十九年方爲鑛工發現，即開始盜取，至五十一年月，才爆發金包案，計夥同盜取者共二十六人，捕獲十一人，在逃者十五人；所稱在逃僅二人，此不實者一。金包案發生時，已被盜取黃金二萬六千餘兩，所稱僅三百餘兩，相差百倍，此不實者二。」又「前此該鑛區內之第石尾第三坑，被盜取黃金約一萬六千餘兩。十二方管礦砂，每方管可提千餘兩，石尾一、二坑，新二坑，寶盛坑被盜取者約三千六百餘兩。」榮照詢問：「如此隱瞞事實，使本案得不到正確處理辦法，居心何在？」

榮照翻出十年前瑞三公司盜取黃金案，政府迄未依法處理一事爲例，他質詢：「金屬公司另一盜案：即民國四十三年間，金屬公司礦區內梅樹坪區發現瑞三公司在其鑛坑掘洞道至金屬公司第七坑盜取黃金約五、六萬兩，至今未聞依法處理歸國家財富繳庫。顯有包庇分肥之嫌，所以要問爲何令盜取？」就經濟政策而言，榮照說：「現在金屬公司負實際責任各位先生均以專家身份，受國家重託，該公司預算不能平衡的嚴重局面，應如何善盡職責，加强管理使國庫減少負担。近年國家高倡加速經濟發展，支援反攻國策，允宜人盡其才，地盡其利，又何以百姓申請業置鑛區，指出向可取之鑛亦均不受理，其貨棄於地，及宵小盜取，實在違反經濟政策。」據榮照的估計：「每日平均爲三百人盜取，每人盜取價值爲新台幣一百元計，即國家每日損失三萬元」，個月共九十萬元，一年則高達千餘萬元，十年則一億餘元。此使國家蒙受如此重大損失，有忝職守，莫此爲甚，試問何以任其貽誤國家。」

銀行是當舖

川籍立委彭善承質詢說：「……美國幸福雜誌有一篇對台灣的報導，批評中國的銀行是當舖，沒有抵押品，就無法以信用換取週轉資金，因此銀行失去了調劑金融，融通資金，扶助經濟事業發展的功能。」但是「儘管要抵押才能貸欵，而各銀行仍不免有幾十億的呆賬，這眞是利既不生而弊仍然是難防。我不知財政部長對外國人這種批評持如何看法？」社會信用不能建立，社會經濟就永難發展。」彭委員說：「像日本，扶植企業家、工商資金的融通，不僅不要抵押，而且不要利息，儘量扶植其發展。結果日本的工商企業蓬勃的繁滋長起來。而我們的國家，對銀行資金的運用，這種當舖的作法，老是更改不了。美援會最近也有這種感覺，所以定有小型工業貸欵辦法，在抵押貸欵之外，尙有信用貸欵，利息比抵押多一分，交各銀行辦理；可是美援會的這項決定，各銀行都不願照辦，因爲手續費祗有二厘，而責任甚大，所以不感興趣。這在私人銀行不做，猶有可說，而在扶植工商企業的國家銀行，如中信局交通銀行，不做是說不過去的。美援會副主委員是財政部長兼任，美援會的決定，如何做不通？是否欺騙老百姓？國家銀行由財政部管轄……國家銀行多一事不如少一事的作風，這些從業人員對人民對社會對國家不負責任的態度，應該澈底加以糾正。」

立法委員黃玉明提出「爲促進法治以强化國力的問題質詢行政院」。

他說：「法治的國家，首先在政府人員重法以爲自治，然後執法以法爲守，人民以法爲守。」然而「我國當前的現象爲何？」若「就司法機關之處理詐欺訟案爲例喻：商場惡性倒閉詐欺之風日熾，司法部亦一再申令嚴辦，但檢察官若非提到人民告訴，乃爲避嫌疑，視若無睹；受害人民爲怕官司纏繞，而告訴不願，此所謂法之行未盡其正也。其受害之大者，幸而告得檢察官公訴到推事審判，詐欺者自不惜以其詐欺所得之財通關審判，審判很易法取心證而受其通關，因之詐欺案之告訴人多歸敗訴，可請司法部多予抽查，便證知所單爲不謬。此亦所謂法之行未盡其正也。」因此，「民間有評語：「好法官有四等」，謂四等者：辦案必依法，紅包回頭，爲一等好。辦案必依法，紅包應人酬，爲二等好。辦案必依法，紅包先交收，爲三等好。辦案必依法，紅包先交還苛求，爲四等好。所謂壞法官者[illegible]證黑白，理由妙筆造，主文賣價格。」這[illegible]，在人民的認定，其好處在依法，使是非不亂，民無冤抑，官貪民濟，義所當爲云爾。」

又如：「同一爲法令所限之事，權勢者所請必極得其權便，而百姓則重重受阻，人乎等，爲百姓所疑惑，法隨勢轉，法因人變的觀念，已很在百姓腦海中，此至足以影響其對政府之信仰，爲法治日退之徵象。總之，崇法若不先由於上，勢難實其下，且必招民怨，爲世亂之源。」黃玉明對「檢察權未盡其所振作，審判權未盡用得正確，不無感爲遺憾！」

「兩個中國」與「寶島臺灣」

（上接第一版）

抗戰時期，中樞遷徙重慶，先後八年，三峽之險，可以拒敵，雲霧瀰漫，足以防空，陪都地層，全屬石岩，是以隧壕交錯，隱避便捷，而川西平原有若江南，後方生產蓬勃日盛，僅川康二省人口即足與當時之德國相頡頏。誠屬近代之天府，塞戰之勝地，而大後方省區之完整者，尙有川、黔、滇、康、陝、甘、寧、青，及新疆西藏等處，然當時全國上下，豪情勝概，氣勢磅礴，雖戰局逆轉，形勢極端危殆之際，人人多有收復失土還於故都之雄心，既少求田問舍之事，亦無偏安於現狀之圖，只聞保衛大後方之口號，絕未聞以後方或戰時首都爲寶省寶都者。

再查所謂「寶島」之內容，究何所指？孟子曰：「諸侯之寶三：土地、人民、政事。寶珠玉者，殃必及身」。這與近代所說「國家之要素爲領土，人民，主權」的意義相符合。是則所有中國的領土，尺寸之地，均爲中國之寶，何獨限於台灣呢？至於人民與政事，那就更不用細說了。

中國的全部領土面積，爲一千一百四十五萬餘平方公里，而台灣則爲三萬六千平方公里，在全國只佔千分之三，即爲百分之小數點三左右，僅略大於海南島──海南島爲三萬四千平方公里──較之大陸最小省份的浙江，只及其三分之一。至其重要物產，據沙學浚所編，經內政部審定之地圖簡表上所載的台灣欄，是出產：「稻米、甘薯、蔗糖、木材、樟腦、茶葉、水泥、煤、香蕉、菠蘿、香茅油、魚、鹽、水電。」等。

台灣之土地面積如此，而物產之品類如彼，若果竟與大陸絕緣，在今日世界，是否能構成一個眞正的獨立國家？誠非吾人所能想像。而「寶島」之聲，竟洋洋盈耳，不管是與「兩個中國」之魔影，互相呼應，不亦怪哉！

最後，吾人謹敢提出兩句口號式的建議，即是：

如欲反對兩個中國，請勿再說寶島台灣。

立委封中平慨乎言之

法官中有不少害羣之馬

毫無心肝只要有錢不惜製造冤獄
主實行陪審制重用廉明嚴懲貪枉

（本報記者台北航訊）立法委員封中平對若干不肖司法人員受賄問題，提出嚴詞質詢。他說：「很多法官，品德高尙，公正廉明，令人尊敬愛戴。鄭部長接任後，更是悉心整頓。但是還有不少害羣之馬，毫無心肝，只要有錢，就不管事實證據，也不問天理良心，也不想製造冤獄的罪惡及其影響，眞是可痛可痛！」

封中平說：「爲了保障人權，爲了人民生命財產，爲了法律及法官的尊嚴，有幾點意見，請教鄭部長：①擬請實行陪審制度。②擬請設置告密箱，鼓勵人民檢舉貪污法官。③裁判顯有重大錯誤之案件，應予該法官嚴厲懲處。④擬請鄭部長對所屬法官嚴加考察偵查，如高等法院推事戴民貴之流，只知有錢不知有法，品行卑汚，天理淪喪，有辱司法尊嚴，請予查察嚴辦。⑤重用公正廉明之法官，嚴懲貪贓枉法之推（事）檢（察官）。」

× × ×

讀者投書

台北市民歡迎黃啓瑞復職

佐唐

因涉訟案被停職二年餘之台北市長黃啓瑞，近以案情昭雪，依法可以復行視事。黃氏這一復職問題，是地方自治的實施當中，爲一項史無前例的事情，在台省成爲令人矚目的一件事。尤其是台北的市民，對於黃氏的復職，更掀起了一股歡迎的熱潮。筆者雖亦忝屬市民之一，但與黃氏素昧生平，向無一面之雅，然對黃之復職，亦頗寄予切望，其原因不外兩點：一爲基於「善善惡惡」之心理驅使；二爲受了衆人的「薰陶」，假而成爲「擁黃派」，在不知不覺中，亦捲入「擁黃」之熱潮中（筆者所謂捲入此熱潮中，係指心理反應狀態而言，非有行動之謂也。因余既非黃之親友故相識，當然談不到赴黃宅道賀敦請；且亦無閒情逸緻參與什麼歡迎酒會一類的聚會場合。故在行動上「擁黃」之考績，怕只好得到零分）。在這一熱潮中，筆者根據新聞報導，與接觸各界人士的意見，冷眼旁觀的分析台北市民促黃復職的因素，大約不外左述各點：

一、黃氏爲民選市長，其市長的職位，無異即是代表了市民權利所在之象徵。在黃氏依法可復職後，市民們當然不願再見到他們共同權利之被剝奪。

二、黃氏的停職與復職，均是法律問題，市民雖不願任何人藉任何理由而破壞了法律的尊嚴。

三、官方曖昧不明的態度，引起了市民的疑慮和困惑（如官派的周代市長，一再表示願繼續的爲市民多做事，周氏這一熱心公務的表示，極引起了市民反感，認爲周於公於私都沒有再爲戀棧的必要，故有人在報端批評他這一行爲，頗有久據「荊州」而吝於歸還之企圖；而省民政廳又未能在法院判決黃氏無罪後，立即宣佈應准黃氏復職──在本案的法律程序，是應在法院判決後，即應予以復職，不需再有延宕的必要──一直拖到行政處分完了，再宣佈黃氏可以復職。但與此一聲明之同時，民政主管當局又表示不希望黃氏復職的意見（見十月廿六日台北中華日報）。官方的這些超越了法律觀點的舉措，反而促致了市民迎黃復職的熱潮。

四、黃氏的被停職，是法律所施予之約束；但黃氏的應復職，也是法律應有的保障。若僅施約束而不予保障，則對黃氏有欠公平。市民的迎黃復職，也是在促致法律給黃保障之實現。

五、黃的爲人，市民大多都知道是位忠厚老實人，在政治上不善於耍手法，所以有「好好先生」之譽。黃氏雖以品德見重於人，但在政治舞台上的跟斗，也是栽在這個上面。當他涉訟後，在政治上受的打擊頗大，情況也很寞落。基於社會同情弱者的心理，所以市民們不願讓這位「好好先生」齎志含恨的就此一去了事。大家都願好人終會出頭的日子到來，所以要歡迎他快點復職。

六、市民對現況不滿的心理，也促成了迎黃早日復職的要求。由於官派的代市長周某，在主市政的兩年多以來，所給市民的觀感，未見得太佳，輿論對之也是毀多於譽，在市民的比較觀當中，似乎認爲有今不如昔之感。這也是市民促黃復職之一因素。

七、至於有人擬利用競選前之微妙作用，而促黃氏復職者，雖說不能全無其人，但其數量恐微之又微（筆者所接觸之各階層若干人士中，贊成黃之復職者，尙未發現有一人挾有競選之目的者。因現時執政黨黨內市長提名尙在登記報名階段，將來何人參加黨內提名競選？何人可獲提名？均尙在未可知之天。在黨內提名尙無眉目前，擬競選者即擬利用黃氏復職，以爲普選時之助力，則未免言之過早。若謂周代市民之人望不孚，輿情不洽，樹敵太多，與之有隙者，擬趁促黃復職之機會，顯點顏色給周看看，使他頭痛一番的事，則不能說沒有。）因之絕大多數的市民，都是眞心實意的希望着黃的復職，則是毫無疑問的。

由於台北市民衷心的歡迎黃氏復職的一事，就連帶的使人感到民主政治的令人可貴可愛。人人都認爲市長的復職與否是關係着每個人之權利，也關係着每個人的榮辱，每個人都當爲自己的事一樣的期待着。這種情事，只有在民主政治的社會中才可出現，若在共產極權的社會裏，這是連做夢也不會想到的事。

南越土改目標及作法

西貢通訊

相反，越南共和政府在改革田地之進展實現方針是「耕者有其田」之政策。農民有基本之田地耕作，以維持家庭之溫飽和社會的自由，適合人位一個基層基礎，藉以建立一個自由平等的國家。

越南共和國之改革田地計劃分爲：

（壹）以二項規制，担保在五年內之開發權來改善佃農之生活，和將每正收穫季之最高租率定爲百分之廿五。

（貳）重新開墾在各亂離年份中之置荒田地。

（叁）限定田主之所有權，限田主應將多出之田地賣給政府，再由政府賣給佃農，或贈予無產的農民，以造就新的小資產農民階層。

（四）予各有田地被政府收買的地主以各種方便，如協助彼等購買國營或具有政府資本在內之公司之股份，作爲參加工業化鄉土之投資。

這種計劃將分爲兩個階段進行。第一個階段：目的是以適當的律例改善佃農的生活，規定地主與佃農之間相關的條約。這個階段是由一九五五年第二和第七號諭令規定開始施行者。

第二個階段：是收買擁有田地在一百公畝的剩出部份，以分配給各佃農，每佃農可買一塊三至五公畝之田地。這個階段是由一九五六年十月廿二日，第五十七號諭令規定開始施行者。

第一個階段

（甲）：一九五五年一月八日，第二號諭令與越南佃農規制之主要的條文計有：

—佃農契約最短的期限是五年，和可默認再繼續。

—每年的租率，不能在正收穫季之百分之十五以下和百分之廿五以上。佃農不會被追要繳租，如果在意外場合中使到收穫損害到三分之二時。

契約共立一式三份，地主只能在具備下列情形下解除契約：

一：收回田地以自己耕種，或分給一或多位十八歲以上直系親人；但條件是該契約經已施行了三年以上者。

二：因爲正當之理由，如佃農不還租或多次延遲租期。

如果地主欲將自己之田地賣出，佃農有優先購買權；但如果佃農不使用此種優先權，而給第三個人購買時，新地主須得繼續採用舊契約之各規定。

第二號諭令並預期籌立各級之農務委會—如社、村、郡、省等。成員包括有地主和佃農，負責解決地主和佃農兩方面之爭執。如果有一方面拒絕農務委會的決定時，爭執事件將提交田地特別法庭裁判。

（乙）：一九五五年二月五日，第七號諭令和重新開發置荒田地事之主要部份，計有：

地主置荒的田地如佃農願重新開發，可簽訂一項三年期的契約，第一年全免租金；第二年還一半；第三年還四分之三。在這頭三年中，地主獲免納田地稅。如屬於地主不在的場合，田地所在地的社議會可代表地主簽訂特別契約，約期滿後，再與原佃農簽訂通常五年期之契約。

—給移民，殉國戰士的眷屬，退伍軍人有優先權，簽訂是項開發田地之契約。（三）

劇氛縹緲錄

婆娑生

初聽譚夜半二時

海長劉冠雄爲其母慶七十壽，在鐵獅子胡同寓邸稱觴，先君與劉子在財政部同事，因此送禮往賀。是晚彩串，均爲南月牙胡同票友。記得有恩禹之吳彩霞的審頭刺湯，喬藎臣紀文屏的五人義，言菊朋章曉珊的汾河灣等，共有十二齣，三時開始，天明打住。譚與陳德霖唱武家坡進窰，出台爲夜半二時，余已甚磕睡，因天氣尚冷，先君督促，始聽此戲，覺得韻味尚好聽，但不知好到如何程度。散戲回家，天已微曦，蒙被大睏，醒來已在午後，一天休沐，爲了聽戲，悉予犧牲，當時以爲殊不値得。

苦守戲園再聽譚

故都舊式戲園，賣票方式，不是購票進場，是進場以後，找定坐位，在池子（臺前的中間），或走廊下，或上下場，才由看座前來取茶葉去泡開水，再行收錢。實在是合乎先到先坐。所以聽看必須早去，更要在開演以前進場，方能挑選好座位。至於捧他的老客，則派工友帶錢來佔幾排，故遲去必在廊下，因上下場也多是老顧客所佔，不是現在的對號入座（北平的對號辦法，是眞光劇場開始），非常不便。後來看梅蘭芳已費事，猶不及聽老譚之更費事。

譚氏在民初，有點積蓄，在大外郎營自置住屋，很寬敞，有房七八間，另外現欵，也有四五萬，但是子女六七人，有一位賢德的妻室。每月接應堂會五六場，收入在三千以外，很夠舒適。在外面戲院唱的時候很少；不過爲了維持同行起見，每月不得不演一二天，帮助他們。海報一出，紛紛定座，每場客滿。故聽他的戲，必須抱定「困守」的精神，才能滿意。

民五某假日，譚氏在東安市場吉祥園唱捉放曹，公堂起，宿店止。海報揭貼，大家爭往。余因黃孟和世叔約同往觀，十時半到東來順吃羊肉，飽餐後進園，排到第九排座位，票價一元二角，連茶賫共付二元八角。等到下午一時開鑼，老譚到四時登場，所幸事先購好芝麻醬燒餅，放在袋中，否則饑腸轆轆。宿店唱完，已近六時。困守了八小時，才聽得舒服，比余第一次所聽，却勝過不少。那時生活雖不昂貴，但這一會聽戲，孟叔化了銀幣八元！好在園中肅靜，鴉雀無聲，眞是夠勁。

百元的搶背

中國銀行總裁孫多森，爲其太夫人七十壽，假宣武城南江西會館彩觴慶祝。孫爲已故壽州相國孫家鼐之子，太夫人即相國元配，門生故舊滿京華，當然極一時之盛。是晚特煩譚氏瑤卿的探母，僅演至哭堂別家，而無回令，以譚王均不贊同回令，言定酬一千五百。但有許多貴賓，知此時的鑫培不無偷工減料，出關闖營的身段，已不再搶背（就地滾下來一觔斗），諸客興趣特高，共湊五百元，告後台戲提調相商，請譚氏依然搶背，現塲即奉銀幣五百。譚曰：「我不能爲此五百，再來一摔，送掉一條老命」。堅不肯允。求之至再，依然無動於中。此段佳話盛傳都下，多以一搶背而獲[illegible]許，比之唱一齣戲，省事多多，亦可見其聲價之不凡。（二）

藝術叢話

抽象藝術漫談

趙雅博

本世紀裡，虎塞爾出而主張現象論的學說，主張走向事物本身，抽象藝術趨勢的新藝術就開始逃出事象世界外。一九一五年上，馬雷味（Malevich）就放棄了宇宙世界，以便消失在「只有情感是實在的曠野中」；一九二七年上，海德格建定了人類存在的第一存在組織乃是「物在世界」，因此，如果不是人的存在自己拼棄自己，並有意取消自己的話，世界便是不能取消的。換句話說，要否認世界，一定也要否認人的存在。採用或承襲這種哲學，便指出了當代抽象主義的一個缺點，這個缺點，我們稱之爲時代錯誤。後來我們還可以更多更詳的看出，在抽象主義與抽象觀念中，是存在着一個不可歸縮與澈底的對立，拒絕客體的抽象藝術，是沒有辦法與抽象的眞觀念相共聯合的。

這種客觀實在性的丟失，一方面給予了藝術家在藝術的表現上，一種純主觀性不相稱與曲解的表現；另方面，由於上面的結果，而發生一種在藝術交流能力上可泣的減少，就是說藝術作品使我們瞭解它的能力變小了許多。爲此，藝術作品就丟失了它的社會性，而作成了少數人的玩賞品，很多次變成了瘋狂的個人主義的作品。這個最後的現象，在今天新藝術中，表現得最爲明顯，因而大部份都構成了不可描寫的紊亂，每一位藝術家，都有個人單獨的言語，來表現自己的意義。不錯，藝術因爲丟失了客觀的實在性，遂就成了人人不能瞭解的作品，人類與民族之間，彼此之所以能互相瞭解，共同生活，互相無隔，客觀的實在性，乃是唯一的膠合點。只有客體物，或者客觀的，理想的實在性，才是人類一切容積的支持者。利用新的發現，人能夠增加或提升這種客觀的實在性；利用新的觀念——當然也是客觀的觀念——來改善實在性，當然也能夠利用這些破壞並降低實在性；不過人們却不能夠屏絕它，否認它。因爲如果這樣，人乃是否認自己，屏絕自己，將自己迷亂消失在想像玩具內的虛無中，這是不能成立的（當然人否認客體，其含蓄的意義，仍然是承認客體的，因爲只要承認我，就得承認非我——對立於我者，這就是客觀實在體了）。

人對於這種客觀實在性的附屬，乃是不得已的，我們有生以來，就是受着這樣客觀實在性的壓迫，在這項事上，我們是沒有自由的，沒有一點點自由的。人，正如賈斯伯所指出的，在某些位置——限制上是一定受限制的，並也不可能超越它們，因爲它們是全越過我們自由存在的可能性的。這種本體論的眞理，乃是人的整個存在的根本組織的限定。當然由於人而生出的產物，自然也有着這樣的限定。（未完）

瘟君續夢

第十回：集會議圖存　天寒日暮　空言難自救　鬼哭神愁

劉伯承問道：「不要把話扯得太遠，到底那天晚上我們空軍怎樣迎戰的。」

羅瑞卿道：「那天作戰情況是這樣的，敵人一架海王式螺旋槳推進偵察機進到北京上空進行偵察空投，我們的防空部隊是由一個機動高射砲羣組織而成。這個羣共有：八十五毫米高射砲六門；三十七毫米高射砲六十三門；十四點五毫米高射機槍十八挺；十二點七毫米機槍十二挺；探照燈十六台。」

劉伯承斜着單眼說道：「這個羣的火力不弱呀！」

羅瑞卿苦笑道：「當然是，好的武器都配備在這裏了。」

聶榮臻說道：「大概是飛機飛得太高」。

羅瑞卿搖頭道：「也不是的，敵機進入砲羣時，高度爲一千米，瞬即降至六百米，飛行時速爲三百六十公里。」

陳毅問道：「這種情況最宜於地面部隊作戰的，他們怎麼不打呢？是不是沒找到目標。」

羅瑞卿答道：「更不是的，探照燈找到目標有兩分鐘之久，敵機正安然自炮羣中通過。」

聶榮臻問道：「炮羣爲什麼不打呢？」

羅瑞卿苦笑道：「打是打了，全羣十七個連，除掉一個高射機槍連未打之外，其餘全部强烈開火射擊。共打出去八五高射炮彈和三七炮彈六百六十二發，高射機關槍彈五千五百五十四發。」

賀龍忍不住了，一拍桌子說道：「他們大概是在發禮炮，歡迎國民黨的飛機。」

大家不料渾人一語中的，都是望着他笑。

羅瑞卿說道：「這件事發生之後，我就特派空軍司令部作戰部處長戴冰，空軍高射炮兵指揮部副參謀長何易風，北京軍區高射炮兵指揮部副參謀長湯道成等同志共同到現地視察，發現這個裏面的問題很多。首先是羣的兩位領導幹部都先後離職，羣長離隊一個半月到戰鬥開始才歸隊，政委在戰役前十七天離開，戰役結束後兩日才回來，也未向北京軍區高射炮兵指揮部報告，自己隨意交給副羣長代理。」

劉伯承冷笑道：「這種部隊眼裏那還有什麼組織觀念，更不懂軍紀爲何物，要能打仗才是怪事哩！」

羅瑞卿綳着眉頭說道：「問題也並非一端，就當敵機侵入的當夜，該羣却被抽調了一百二十五名主要戰鬥骨幹，去參加一九六一年的教學法集訓。由於人事調動太大，臨時感到炮手不足，要拉人頂替，以汽車司機頂替七炮手，新兵頂替最重要的一炮手。班長因爲人手不足，有的去搬炮彈、有的帮手操作，顧不得指揮，全部亂成一團。」

大家一齊搖頭，劉伯承噗口氣，「我幾年未過問軍事，怎麼混亂到這種情形。」

羅瑞卿說道：「因爲失去指揮，所以亂成一團，該打的沒有打，不該打的亂打一陣，當探照燈已照中敵機，全連已捕捉到敵機，連長不及時下令開火，却忙於向營部報告。還有一個連副連長在春勝在整個過程中祇下『壓縮』、『停放』兩個口令，並未下令開放。」

劉少奇問道：「這個副連長是不是有問題呢？」　（二五三）

閒話中醫

黃伯遠

末次，說一說「打拳頭賣膏藥」者。本來在清代以前，賣拳頭就是「跑江湖」，打把式，賣解者一類。他們的把戲，有如下各種：（一）耍弄槍棒；（二）走繩，拋繩；（三）變戲法；（四）烟戲；（五）猴熊狗戲；（六）鬼打鬼；（七）變形的人；（八）皮影戲；（九）街邊戲；（十）布袋戲。此外尚有多種，因不涉於本文，暫止不談。

所謂「打拳頭賣膏藥」者，原來，清咸豐以後，外國之毛瑟槍，在清軍之綠營裏，已漸多使用；弓箭刀戟，日見淘汰。因而學技擊，習騎射者，已不如從前之熱中。一般耍拳使棒者，其武藝亦每況而愈下，不得不以耍拳爲名，賣藥爲實，藉資變通。而所售之藥，則全係鐵打刀傷，止血駁骨之類。其中武藝平常者，則每以「苦肉計」爲號召，自己挖肉，自己補瘡；自己打腫面皮，自己抹藥；藉以證明他的藥是確有效果的。觀衆見其以身嘗試，情形可憐，縱不需要，也不得不解囊相助了。然自抗戰以還，此種「打拳賣藥」者，在大陸粵閩兩省都，幾已絕迹。

四十五年，余自香江之台，住在鄉村，所見到的，不是「打拳使槍賣刀傷藥」，而是以另一姿態出現。他們一行三、五、七人不等，有生、有旦、還有小丑，擴音器等等；是又以男女合班演戲賣藥爲引誘矣。而所賣之藥，不是獨步單方，却是「百病皆驗」：婦女白帶可治，老人腰酸骨痛可治，甚而小兒驚風亦可治；演到他們自以爲最精采之一幕，而藥囊出現。由於「看戲無票」，而且還要看完戲的結局，因此，不買也要買了。至于藥的效驗如何？只好姑妄聽之，而不能姑妄服之也。

閒嘗論之：我國之醫生，懷有奇才碩學者，每不願傳其術於人，不知何解。即如史所載之長桑君，若非扁鵲遇之，而又事之惟謹，且十餘年，亦不得傳其學也。觀其語扁鵲曰：「我有禁方，年老，欲傳與公？公毋泄」！既欲傳之矣，而又鄭重戒之曰：「毋泄」！豈「神人」亦畏人算計與賊害耶？傳又云：「……乃出其懷中藥，予扁鵲。」且謂曰：「飲以上池之水，三十日當知物矣。」乃悉取其禁方書，盡與扁鵲。忽然不見？殆非人也」！於是，扁鵲受其禁方書，取上池水（露水之不落地者，以乘或器承之是」，飲其藥，三十日，遂能視見隔牆之人。以此觀病，盡見人之五臟癥結。（四）

趣詩雜寫

漁翁

凡文之有聲韻可歌詠者，謂之「詩」。古多四言，仿自風雅，漸變爲樂府長短句；魏晉以後，多五言七言。相傳五言起於蘇武李陵之贈答，七言起於漢武之柏梁。詩至唐代而大盛，遂有古體近體之分，古體即仿樂府之作，近體則律詩及絕句是。

詩爲心聲，可以淑性，陶情，消愁，解悶，而爲天籟之元音也。若措詞鍊句，出於自然，諧而有趣者，易於流傳，每爲婦人孺子所樂於背誦。茲舉數則，以佐筆談。

宋鍾弱翁帥平涼，一方士通謁，有牧童牽黃犢隨之，弱翁指牧童曰：「道人能賦此乎？」答曰：「不煩我語，是兒能之。」牧童乃操筆大書云：「草鋪橫野六七里，笛弄晚風三四聲；歸來飽飯黃昏後，不脫簑衣臥月明。」既去，郡人見方士担兩大魏，長歌出郭，迹之不見。兩魏乃二口，或謂此呂洞賓也。

朱元晦熹，宋新安人，清康熙中，升位於十哲之次，而以朱子稱之。朱有婿家清寒，嘗訪之，適婿外出，其女以葱湯麥飯相待，深感簡陋不安，朱不以爲然，口占一絕云：「葱湯麥飯兩相宜，葱補丹田麥療飢；莫謂此中風味薄，前村還有未炊時。」讀其詩，則知甘於粗糲，安於淡薄，而其推己及人之心，更無微不至。

五代末，有呂蒙正者，字聖功，河南人。家清貧，其妻甚賢，雖牛衣對泣，而無怨言。臘月二十三日，有祭灶之舉，蒙正向屠肆賒肉數兩，值屠者外出，其婦憐其貧而賒與之；及屠歸，大怒！向蒙正索肉，而肉已在釜中，竟搶起而去。蒙正太息之下，因援詩代祚以焚之曰：「一炷清香一縷烟，灶君今日上朝天；玉皇若問人間事，爲道文章不值錢。」

明楊文懿公答其子弟詩云：「紙紙書來祗爲牆，讓渠數尺有何妨？試登萬里長城望，不見當年秦始皇。」李鴻章督兩江時，其族人與鄰居爭牆地，涉訟連年，族人乞援於鴻章，以求勝訴，鴻章在原函尾寫七絕一首云：「千里家書爲堵牆，讓他數尺有何妨？長城萬里今猶在，不見當年秦始皇。」與楊文懿詩雷同，僅易數字，傲然脫胎楊詩。族人見詩即罷訟焉。

古人有生兒詩云：「世人生子望聰明，我爲聰明誤一生；惟願孩兒愚且魯，無災無痛到公卿。」聰明人爲不與世俗浮沉，往往所遇多厄，府人則每多厚福。是詩蓋感時諷世之作。此所謂溫柔敦厚之旨歟！又古有生孫詩：「記得當年生我兒，我兒今又生孫兒；我兒飢餓憑他餓，莫遣孫兒餓我兒。」兒不我養，致受飢寒，然[illegible]

傳李太白在采石磯，醉後入水捉月而死，有墓在江濱，遊人題詩雖多，鮮無佳句，梅之渙書一絕云：「采石江邊一堆土，李白之名高千古；來來往往一首詩，魯班門前弄大斧。」魯班，即公輸子，爲魯之巧人，由一斧頭可製出許多技巧來。在詩仙李太白墓吟詠，固無異於在魯班門前弄斧也。梅題此詩後，即不復再有獻醜者矣。

在白話詩選上，有乞丐詠狗詩：「我討我的飯，與爾何相干？生爲勢利犬，獨咬破衣裳」！此詩不僅爲犬詠，且爲奔走權貴而欺凌弱小者當頭一棒也。

還有一首「勸戒尋花問柳」詩，足以啓迷警世，可作晨鐘暮鼓，詩云：「花酒塲中莫流連，花酒原來枉費錢；酒醉猖狂還有醒，花迷撩亂不知天。魚因吞餌投江岸，蝶爲尋花到野川。寄語光明諸子弟，莫貪花酒誤青年。」

。………附啓………。

本期稿件特擠，「香港與大陸」及「基隆旅居記」均暫停一期。

編輯部啓

南宋偏安有人才

李仲侯

飛自奉命班師後，懇不自得，自知爲檜所忌，終不得其所志；用兵動衆，恢拓土宇，今日得之，明日棄之，養寇殘民，無補國事，乃上章力請解兵柄，致仕。上賜詔曰：「具悉。卿勇略冠時，威名服衆。分鎮一道，使敵人無侵侮之虞。盡節本朝，致將士有忠誠之效。方資長算，助予遠圖。未有息戈之期，而有告老之請，雖卿所志，固當自於林。而臣事君，可遽忘於王室？所請宜不允」。

九月，飛自廬州入覲。時虜人大擾河南，分兵趨川陝，上命飛應之，以董先、王貴行。至是復告急，[illegible]正月，兀朮、韓常與龍虎大王先驅渡淮，賜御札令飛以兵至江州，札曰：「據探報，虜人自壽春府遣兵渡淮，已在廬州界上。張俊、劉錡等現合力措置捍敵，卿可星夜前來江州，乘機照應，出其前後，使賊腹背受敵，不能枝梧。投機之會，正在今日。以卿忠勇，志吞此賊，當即就道。付此親札，卿宜體悉。付岳飛」。

二月飛在鄂，未奉前詔，念虜既舉國入寇，巢穴必虛，若長驅京洛，虜必奔命，可以坐制其弊。既遣奏，又欲亟過廣師，是日再抗疏曰：「今虜在淮西，臣欲擣虛，勢必得利。萬一以爲寇方在近，未暇遠圖，即乞且親至蘄黃相度，以議攻却。且虜知荆鄂宿師，必自九江進援，今欲出此，貴得不拘，使敵罔測」。未至，賜御札趣出兵，札曰：「比以金賊侵犯淮西，已在廬州。張俊，楊沂中、劉錡見併力與賊相拒，已親諭卿乘此機會，提兵合擊，必成大功，副卿素志。卿可星夜倍道來江州，或從蘄黃繞出其後，腹背擊賊。機會在此，朝夕須報，再遣親札，想宜體悉。付岳飛」。初七日，再賜御札趣出兵，蓋其時虜已迫和州也，札曰：「虜犯淮西，與張俊和州相拒。已遣親札，趣卿倍道前來，合力破賊。卑夜以俟。卿忠智冠世，今日之舉，社稷所繫，貴在神速，少緩恐失機會也。再遣手札，卿當深悉。七日付岳飛」。九日飛始奉出兵江州之詔，下令以十一日庚辰就道，且以奏聞。未至，十日詔遣中使張去爲至飛軍，賜御札促其兵，札曰：「虜寇聚於淮西，張俊、楊沂中、劉錡已於和州巢縣下寨，與賊相拒。韓世忠出兵濠上。卿宜倍道共乘機會。前所發親札，卿得之必已就道。今遣張去爲往喻朕意，卿更須兼程，無貽後時之悔。諒卿忠智出於天性，不俟多訓也。付岳飛」。（一〇〇）

海嘯齋談薈

無事少開大會，有錢多打小牌，四圈打過八圈來，樂得逍遙自在。先打邊張幺九，後打紅中發財，自摩平斷算三台，還有許多妖怪！

——調寄西江月——

這首詞，是四川雅士張必果卅年前寫作的。我報導出來，希望現時在台北一般酷好開會生活的黨政人員，對此韻事有所領略，少開一些專說廢話的大小會議，騰出精神來多做些有益於國計民生的工作。再不然，即無妨呼朋引類，乘暇打打麻將消遣，也比瞎開會議衛生得多啊！

雅人韻事

諸葛文侯

張氏巴蜀人，曾任川省軍頭劉湘的秘書長有年。居常好作雀牌之戲，但其術不精，故不願參預輸贏較大的局面，亦不與生人作樂。原詞末句「還有許多妖怪」云者，指雀牌中附帶有各種加番的花色，如財神、元寶、貓兒、耗子，以及「花、合、元、喜」「春、夏、秋、冬」之類，四川的雀牌尚有四張「聽用」，所以張氏統名之爲「妖怪」也。

張住家重慶，有妻奇妬而兇悍，畏之如虎，然其妻並不正道，紅杏出墻，時有所聞，張不敢究問也。民國二十年初夏，中樞召開「國民會議」，張氏膺選川省國民代表之一，偕同仁聯袂赴南京出席，會畢遨游上海，遲遲回川，其妻頗滋疑慮，每遇由南京歸來的國民代表們，即問「必果爲啥不早回？」諸人素知張氏有季常之癖，乃故弄玄虛，答以必果在上海迷戀一美女，樂不思蜀矣。其妻聞之大怒曰：「負心人回來，必與俱死！」友輩又將婦言飛函告知張氏，張恐慌之餘，匆卒馳歸，但過門不敢入，逕至成都，於報紙上刊登啓事云：

必果代表國民，遨游京滬，得暇吟風弄月，未能免俗，若言惹草沾花，則吾豈敢！緬維太座天威咫尺，一時誤信流言，乃過門而却步，待餘怒之轉舒。而今而後，改過自新，男（南）人不復反矣。謹此伏祈矜察！

友輩見之大噱，乃舉以告張婦曰：「所謂不復反矣」的「反」字，是必果表示不再回家的決心，希望大嫂莫再追究他遲遲回川這樁事，吾輩自當勸他跟大嫂和好如初」。婦欣然同意，但其淫行亦從此更甚矣。一日，張氏於烟榻間與劉湘所屬師長范紹增談及茲事，范憤然道：「格老子，這種事情豈是大丈夫所能忍受的？我教人把她整了就是！」張忙答謂：「還是讓我先死罷，老兄何必爲我帶上人命債呢！」越歲，張氏忽以暴卒聞，其妻草草料理葬事後，囊括張氏所遺財物，與一壯年男子離渝別去，不知所終。必果讀書頗多，性沉潛，善作雅謔，愚曾一度晤之於劉湘座中，認爲能員，殊不料其竟受制於一鄉曲婦人之手，而不得其死然，悲夫！

尺牘

謬匡

爾雅謂簡曰畢。說文：簡，牒也，札也。又謂之牘。史記匈奴傳：漢以尺一牘。注曰：木簡也。今云尺牘者，便文耳。中庸疏：簡牒畢，同物而異名。又曰策。蔡雍書：策，簡也；其制長二尺，短者半之，其次一長一短。兩編下附單，執一札謂之簡；連編諸簡，乃名爲策。古人書册字象之矣。許慎曰：象其札，一長一短，中有二編之形是也。當爲册矣。獨斷又曰：凡書字有多有少，一行可盡者書之簡，簡不容書之方，方不容書之册。儀禮不及百名，書於方是也。方，版也。簡方册三別矣。或曰簡隨事記之積多，第日月後先登之册。若然，則簡者，今之稿子草稿也。杜預曰：大事書於册，小事書於簡牘而已。又一說也。

古人官寺之籍，大約如斯。士大夫通問簡札之度，無文以言之。莊周書列禦寇篇，不離苞苴竿牘。是則當時有貽遺辭語候問也。又曰：手簡古人親操筆引紙焉，猶曰脫之古人之指端云爾。畢，郭璞未之詳，禮記「呻其佔畢」。鄭公曰：畢，簡也。

自由報
內政部登記證內版台誌字第○三三號
THE FREE NEWS
第○三九一期
中華民國僑務委員會頒發
台教新字第三二三號登記證
中華郵政台字第一二八二號執照
登記為第一類新聞紙類
（半週刊每星期三、六出版）
每份港幣壹角
台灣零售價新台幣弍元
社長：雷嘯岑
督印人：黃行靈
社址：香港銅鑼灣高士威道二十號四樓
20. CAUSEWAY RD 3RD. FL.
HONG KONG
TEL. 771726　電報掛號：7191
承印者：四風印刷廠
地址：香港灣仔高士打道二二一號
台灣分社
台北市西寧南路壹壹柒號二樓
電話：三○三四六
台郵撥儲金戶九二五二

由越南政變看世界反共前途

雷嘯岑

這次越南軍人以「苦迭打」手段，奪取政權，且將總統吳廷琰兄弟加以殺害，而其新政策又聲明仍是反共的，更要跟美國親密合作。可見政變的本質與政治思想無關，完全是對人問題。此一幕悲劇之演出，不特影響越南前途，即對亞洲、乃至於其他受共禍威脅的自由地區，亦具有潛在的刺激作用，未可忽視。

（一）

事實很顯明，越南悲劇的幕後導演者乃是美國當局。如經常反映或左右美國政府意見的「紐約時報」，早就倡出要在越南實行軍事政變以推翻吳廷琰政府的主張，白宮即繼之以停止對越南的經濟援助；當政變發作之前，駐在越南境內協助剿共的美軍官千餘人和士兵，已奉命集中於西貢，而駐防台灣海峽的第七艦隊，亦奉命派艦馳赴越南海面警戒，揚言護僑；同時，在越南工作的美國記者，對外宣稱越南的政變就要發生了。綜合這些情況，儘管美國務院堅決否認預聞此事，越南革命委員會亦聲明并無外人參預政變之役，實係欲蓋彌彰，朦蔽不了歷歷在目、斑斑可考的事實啊！

吳廷琰政府是否應該推翻，我認為這是次要問題。如果吳氏真是由於秘密與越共妥協勾結，為越民所唾棄，因而被民眾送上了斷頭台，有如法蘭西大革命時的路易十六然，事由自作，固無所謂。可是，所謂與越共妥協之說，迄無迹象可尋，這純係對吳氏個人不滿的外國通訊社捏造之詞，藉為鼓動越南政變的宣傳口實而已。職是之故，我們就不能不注意到幾項關係自由人類安危前途的重大問題了。

第一：美國領導自由世界的方法，是以軍經力量援助一切反共的友邦，幫助他們建設自衛實力，又標榜着不干涉內政與安全互助政策，因而一般自由國家——尤其是弱小國家，對美國的向心力很堅定而濃厚，認為是自由之神。實際上美國對亞洲受援國家，乃極盡其干涉內政之能事，較諸俄帝對於其附庸國家的干涉程度，更超過倍蓰。譬如毛酋澤東近來因反對俄帝的對外政策，竟至公然詆訾赫魯歇夫，指為馬列主義叛徒，這比吳廷琰對美國不十分服從的情形，嚴重多了。然俄帝除卻停止經援之外，并未教唆中共軍隊實行政變以打倒毛澤東政權，而將他置之死地，相反地，還表示願與毛酋和解，說是不要給資本主義國家以挑撥離間之機。如今美國對越南這種搞法，在亞洲人的心目中，認為比俄帝更可怕，為着反對共產帝國主義而接受資本帝國主義的強權控制，則唯之與阿，相去幾何？這對於美國領導自由世界的信譽損失，何等重大呢！

第二：基於集體安全、利害與共的觀念，我們亦不反對美國有時過問受援國家的內政事項，但不能蔑視友邦的自尊心，抹煞其民族的獨立人格，而以頤指氣使的優越感來干預友邦的內政，這是合理的條件。美國當局指摘吳廷琰不民主，是家族政治，要求吳氏把他的兄弟吳廷儒夫婦驅逐去國，否則聲言要推翻他。這就不是友邦相處之道，而係主子對待僕從的面目，稍有自尊心的人，很難忍受。後來吳廷琰之採取高壓手段以對付反對派，終致流於意氣用事，臨難之際，亦拒絕美大使的援救建議，不能不說是美國相煎太急，迫之使然的。談到「家族政治」問題，美總統甘廼廸先生的令弟和內親，何嘗不是因甘總統的關係而高據要津呢？至於民主問題更難說了。美國人總是憑着自己的尺度來衡量別人，動則以揠苗助長的方法，強迫別國實行美式的生活，卻不問別國的傳統文化和社會結構以及生產關係是何狀態，別人一時做不到，就要把他一腳踢開。這種作風的本身便是極端不民主，怎能教人信服呢？吳廷琰歧視佛教徒的行為固然要不得，然與美國人歧視黑種人的暴力手段，如隨便使用炸彈攻擊黑人教堂，炸死若干黑人子弟的殘忍情狀，似無軒輊，美國又將何辭以自解呢？

第三：美國對受援國家的內政，如其一例干涉，毫無假借，自亦可以教人諒解。可是，英國在戰後接受美援最多，美國不特遇事尊重英國的主權，不敢隨便干涉它的內政外交，英國有時候且干預美國的外交政策，事證孔多，不遑枚舉，即法德與日本各國所受美援之賜，亦大過於南越南韓諸邦多矣，美國對於這些國家的內政，并不如其對越、韓干涉之甚。厚彼薄此，怕強欺弱，這是世界盟主的應有作風嗎？美國視「美援」為萬應如意[illegible]，咱們亞洲人却不相信這一套，嗟來之食，莫不引為恥辱的，希望美國朋友多多辨識東方文化精神，不要墮入唯物主義的魔道纔好！

（二）

曾任哈佛大學校長，現為美總統甘廼廸高等顧問的斯萊辛格（Arthur Schlesinger），數月前在印度發表演說，闡明美國的外交政策，是以實驗主義為基準的，今日是友邦，明日亦可以變成敵國，全憑實驗的利害觀點以採取外交行動，所謂「理性」也者，不過是實驗主義的一種工具罷了。他這套說法，即係現階段美國對外政策及其行動的總註解，悃愊無華，天真可愛。實驗主義與重商主義相輔相成，一是皆以利己為本，也就是市儈思想。既然注重現實的利害關係，即自然沒有甚末政治理想之可言。如是乎，美國一面獎許、援助那些採取兩面人作風的所謂中立主義國家，同時又以害怕吳廷琰政府改趨中立路綫為口實，急於策動越南政變，將吳氏打倒而消滅之。美國一面領導自由世界的反共運動，亦認定中國共產政權是好戰集團，是亞洲禍亂之源，同時却堅決阻止反共的中華民國政府對大陸實行軍事反攻，更與中共從事妥協談判，企圖修好通商。總而言之，唯利是圖，別無所謂。祇要美國本身的安全繁榮不受到危害，別國赤化與否，無所容心，這樣便符合了美國的利益。這就證明美國不惜以軍經援助自由國家的真正目的，是要利用這些國家作工具，一切為美國利益而服務犧牲。所以，斯萊辛的言論，確確實實是美國現行對外政策的真諦所在，深堪玩味而猛省之。

有人預言，美國必須受到一次重大的打擊——如國內勞工羣眾大罷工，黑白人種到處發生流血鬥爭，或者再來一次經濟大恐慌等等，纔可望改變其領導自由世界的作風，揚棄實驗主義，而以政治理想為圭臬。我却躭心美國經不起這種考驗，一旦受到重大的打擊後，很可能一蹶不振，無可救藥，原因是文化精神太薄弱。像咱們中國在立國數千年之中，雖受過幾次的亡國大禍，也曾嘗到國際帝國主義的瓜分滋味，并無堅甲利兵的實力可恃，但由於文化精神深厚而強韌的潛能，終得巋然獨立，不隨西方的羅馬帝國以俱逝，若專靠實驗主義以圖存——如所謂「以夷制夷」的外交政策——中國早已萬劫不復了！據說，美國的文教界人士，近來研究中國歷史文化之風盛行，日前哥倫比亞大學亦宣稱他們聯合若干學術機構，將以十二萬美元的費用，從事於中國明代史的研究工作。可惜熱心有餘，方法不足，一個國家的歷史文化，具有關聯性，互為因果的，片斷的認識，勢必陷於「捫燭以為日，叩盤以為月」的蒙昧見解，搔不着癢處，看不出癥結的。

美國這次對越南問題的作法，實在太過於輕率幼稚了。吳廷琰已矣，然其影響於亞洲人心、世界反共前途者，至為深鉅，美國若想補救，即請從修正其不健全的實驗主義始！

漫畫天下　南施

先行一着

毫無辦法

讀自由

怪象

香港居民四百萬人之中，百分之九十五都是中國人，對於近年來由大陸上輸出海隅的黃梅調歌曲，認為庸俗而又單調，趣味索然；其中絕無政治作用。因此，凡是以黃梅調作號召之資的電影片，如「梁山伯與祝英台」之類，在香港并不吃香，賣座成績欠佳。

然而，這種黃梅調的電影片到了台灣，竟大走其紅運，打破了中外各種影戲的票房紀錄，且對一個沒沒無聞的演員，大捧特捧，表現着歇斯特里亞式的崇拜狂。可見住在香港的數百萬中國人，皆缺乏賞鑑第八感藝術作品的能力，非向台灣省境的同胞學習不可！

很奇怪，自從中樞政府還到台灣以來，凡屬共黨在大陸上搞出來的文藝與教育事物，不管它的內容如何，一概嚴禁流傳到台灣，即過去早已刊行的科學書籍，如數理化學之類，祇要是共區再版的，亦在查禁之列，以免有「為匪張目」和「毒化思想」之嫌。唯有曾經毛共提倡的黃梅調這種低級趣味的玩藝，居然風靡台灣；受到朝野間的格外獎許，可謂異數也矣！

尤其可怪的，台灣方面對於海外反共非共的一般文化戰士或藝人，似乎不屑重視，獨對海外一些二三流的電影明星——尤其是女性，却視同國寶，尊崇唯恐弗及。難怪有人指出電影明星是現階段中華民國的頭等國民了！試看最近台北的電影院，藉着某海外女明星隨片登台的名義，竟公開規定着三百元一張的票價，雖與政府向來厲行的娛樂場限價政策大相違悖，亦無所謂。這不是怪事年年有，今年特別多嗎？

我說這些話的用意沒有別的，只是希望政府當局對於關係國家安危前途的文化事業，要有兼籌併顧的健全政策與設施，隨便胡搞，絕對有害無益，仔思想想罷！

馬五先生

屏東工業策進會 掛了兩年空招牌

（本報記者屏東航訊）屏東縣工業發展投資策進會，有名無實，徒耗公帑，地方人士多認為急待檢討改進。

台省各縣市工業發展投資策進會，起源於民國四十九年三月四日，為由桃園縣政府所創辦（由建設局工商課劃出），組織工業策進委員會，縣長兼任主任委員，建設局長、各科室主官，地方民意代表，工商鉅富等分別兼任副主任委員及委員，並遴聘總幹事斯其職。時經年餘，確對建立桃園地方良好投資環境，發展區域工業，及繁榮地方經濟，奠定了良好基礎。於是這項頗具建設性的機構，為「美援會投資小組」所重視，遂協商「中國生產力貿易中心」，共同補助全省各縣市均正式成立工業策進會。

屏東縣工業發展投資策進會，於五十一年一月二十日正式成立，除聘僱陳文案担任總幹事外，並由新開股長方新吉兼任專員，負一切計劃、運用、督導、考核之責。經費方面除由美援會投資小組補助五八〇〇〇元，中國生產力貿易中心補助一八〇〇〇元外，並由縣政府工商管理費撥出一八〇〇〇元，三筆合計為新台幣九四〇〇〇元，作為開辦經費。

另縣政府每年度均由工商管理費項下編列四二〇〇〇元，撥充使用。

但據有關方面提供資料：該策進會成立及今一年又十個月，計共開了八次委員會，辦了十二件公文，協助有關投資設廠人解決了一件土地案子。

因此，地方人士認為：該策進會的成立，無非是給縣長李世昌找到了機會，安插一些競選功臣，徒耗公帑，至於對發展地方工業，繁榮地方經濟，根本毫無裨益。因此，為求「實事求是」的「裨益地方」，多主張對之澈底檢討，力求改進，否則徒擁虛名何用？（袁文德）

立法院質詢中 楊寶琳主張修正記者法

修正重點不是如何去約束記者 而是對記者權益給予明確保障

（本報記者吳越台北航訊）立法委員楊寶琳日前在立法院質詢中，主張將暫緩實施之記者法加以修訂實施。

根據政府的施政報告，目前全國計有報紙及通訊社共九十二家，雜誌七百一十七家，由此可知，新聞事業現在正日趨發達，所以楊委員認為有實施新聞記者法的必要。

我國本來有一部記者法，是民國三十二年一月三十日制定，二月十五日公佈，但三十四年八月二十三日又經國民政府下令暫緩施行，當時暫緩施行的原因是內容規定對記者約束過嚴，新聞界頗多非難，因之暫緩實行。楊寶琳主張在目前的情形下，應該對那部記者法加以修正，修正的重點不是如何去約束記者，而是對記者的權益給予明確的保障，同時嚴密組織，並確定其資格，發揮記者對社會國家的最大功能。

楊寶琳在質詢中說：目前自由職業者多有法律限制及保障，例如律師法，會計師法，已先後公佈，醫師法的再修正亦正在審議中，新聞記者同為自由職業者，何以記者法不加以修正呢？

世界各民主國家，對新聞記者已分別制定法律，予以合理保障。楊寶琳在質詢中指出，美國早在一九三三年便實行產業復興法，內中對新聞記者的職業保障，對於工資工時均有規定。日本規定，報社欲解雇記者時，必須於兩週前通知。德國新聞記者可向記者協會保險，一半保險金由僱主負担，記者得到生活保障，自可執其正義之筆，反映輿論，對宣揚文化之功效，更為宏大。同時，因記者生活能獲得保障，其少數濫用職權者亦必為之消除，所以記者法是亟應加以修正實施的。

本年九月一日，台北市新聞記者公會舉行年會時，即有會員臨時提案，檢舉某報記者行為不檢情事，主張開除會籍。所以楊寶琳主張修正實施記者法，不但對記者權益可以加以保障，就是在記者自律自清上，也必有積極的功效可說。

基隆旅居記

仲公

半通烏紗十二年

是年十月中旬，我於無意中接到香港親戚轉來的一封家書，信中所說，隱約其詞，但有兩點很明顯：一是家信中告訴我六月十五日我次女瑞娥發嫁，十六日三女秋娥接着又出閣。鄉間兩日接連嫁出兩女，是件反常的事。二是內人在信上說，家事我可不必射心，如果能在港找到工作，儘可不必回家。家鄉鄉政不通，有欵也不必付來。我離家已三年，如果故鄉情況無異，斷沒有妻子拒絕丈夫回家之理！就此兩點判斷，足見共匪已在鄉間普遍展開清算鬥爭了。

船到橋頭自然直，卅九年歲事將闌之際，同鄉謝貫一先生競選基隆市第一任民選市長獲捷，我由賀主席介紹去佔筆札之役。在新北投胡亂度過了除夕，於謝氏就職時，我的二肩行李就挑進了市政府。不料受領這半通烏紗，一坐下去就幹了十二年多，這眞大大出乎我的意外！在這樣一個漫長歲月裏，您要問我的生活有何趣味嗎？可以說梁任公當年寫的文章，早已為我作了註脚，他在「美術與生活」一篇中說：「人若活得無趣，恐怕不活着還好些。而且勉強活也活不下去。怎樣會活得無趣呢？第一種我叫他做石縫的生活，擠得緊緊的，沒有絲毫開拓餘地，又好像披枷帶鎖，永遠走不出牢獄」。這差不多是我在基隆前半段生活的寫照。他又說：「第二種我叫他做沙漠的生活，乾透了沒有一毫潤澤，板死了沒有一毫變化；又好像蠟人一般，沒有一點血色；又好像一株枯樹，庾子山說的：『此樹婆娑，生意盡矣！』這樣生活，是否還叫做生活，實屬一個問題」。這完全為我在基隆後半段以迄於今所寫出的形容詞。人如不死，終無所逃於天地之間，您說基隆不好，我還得在此活下去，昔人說：「退此一步，便無死所」，天地雖大，何處是我容身之地。

基隆原初的名字叫雞籠（滿清同治七年纔正名為基隆），大抵聲取番音字取像形。基隆究竟是何時開闢的，應該以台灣之發現為斷，史記秦始皇本紀載：「齊人徐市等上書，言海中有三神山，名曰蓬萊、方丈、瀛洲，僊人居之。請得齋戒，與童男女求之。於是遣童男女數千人入海求僊人」。後來連雅堂著台灣通史，把這段史記，加以分析，他說：「或曰：蓬萊方丈為日本琉球，而台灣則瀛洲也。語雖鑿空，頗近情理；蓋以是時航海未精，又少探測，海外縹緲，虛無遂疑為僊境矣。台灣與日本琉球鼎立東海，山川秀美，地理氣候，大略相同，長青之草，不謝之花，非方士所謂僊境也歟？徐福（即徐市）能否來台灣，今雖無可確證，而五百童男女之散處日本琉球者，後嗣不絕；然則秦時男女或有往來台灣者，未可知也」。（五）

鐵路局貨運所 業務弊端百出

（本報記者台北航訊）台灣省鐵路局貨運服務總所業務弊端百出，使國家蒙受損害，年達六千餘萬元。因而立法委員關大成特就此提出質詢。

關大成首先指出：自從「涌運公司改隸鐵路局，更名為貨運服務總所時，該通運公司應收未收運費共有若干？貨運服務總所接管後實收若干？究竟差額若干？那裏去了？何以未能澈底查明數字？」

其次，「貨運服務總所為唯一宗備的運營機構，下設十個分所，六十七個站，擁有員工二千七百餘人，掌握全台的大部倉庫，凡公營事業單位的大宗貨物，均與該所簽訂鐵路運輸長期合約，每月承包數量達百萬餘噸。按道理講，該所隸屬鐵路局，職司營運，所承攬貨物，自當直營，不必假手他人。但事實却不然，該所將所承攬的貨物，全部轉包民營公司行號，經由商民承包後，再交由鐵路運。」

關大成說：「如此人力物力兩全的龐大運營機構，有何理由不自行經營運輸？何以要轉包商民？如果說該所直營運貨為困難，只能做些中間人工作，足證該所本身亦無存在價值；何況該所現已虧損兩千餘萬元，虛靡國帑，徒增人民負担，政府何不將該所出售民營，可以收回資金，充實交通建設經費」呢？

關大成揭發該所為什麼要轉包商民營運的內幕，詢問政府「為何不澈查該所轉包商民圖利私人的弊端？」又：「查承包貨運佣金，每噸為新台幣五元七角（包裝三．一元到達二．六元）。而該所或分所與各託運單位簽約，只收佣金五角七分，即全部佣金百分之十；該所因收入甚微，陷於虧損，其餘運費，連同佣金百分之九十，（五元一角三分），均由承包商收下。據說此百分之九十佣金，即藉轉包商民辦法，而流入私囊。估計每噸佣金五元一角三分，每月貨運一百萬噸計算，則每月是項佣金約五百餘萬元，每年約六千餘萬元，十年即六億餘元。」

關大成強調：如果「認為該貨運服務總所尚有存在必要，何不令該所取銷轉包，自行營運，快除弊端，將全部佣金納入公庫，不但不斷損，還可獲大量盈餘。」

香港與大陸

大陸同胞慘無寒衣 共幹乘機作弊發財

還說寒冷不可怕多勞動就行

凉秋九月，大陸同胞寒衣未剪裁，亦休想竟有福氣著得上寒衣，眼看北風行將呼呼作響，誰都在耽心着這個冬天會變為「凍死骨」。當然衣服的黑市買賣是有之的，有的共幹又因此發了橫財。

上月底曾回佛山市專為送親人寒衣的謝老太太對記者說：佛山城鄉的同胞，除共幹而外，無不缺乏禦寒衣着，亦幾乎所有的百姓都沒有資格做得起冬衣，根本的原因是沒有錢，吃都吃不飽，還說什麼穿？再則每人每年祇得二尺多一點「布證」，那夠添置衣服（詳見本報三八八期）？唯一希望是海外親人接濟了，但海外有親人的人有多少呢！

謝老太太說：她這次回去，主要就是帶一些衣服給親人。她說在大陸，不管我們認為不能再穿了的破爛衣服，大家都視同至寶。謝老太太的老家有一位鄰居婦人，這次看見了謝老太太，對於謝老太太的穿著，看了又看，摸了又摸的說：妳們在香港的人眞幸福，穿的都是絲綢呢絨，妳們吃的當然也好；可是我們呢？連一件禦寒甚而遮羞的東西都沒有！她說她現在祇有兩件單衫了，以前她所有棉衣，早都改裝給孩子們穿了，新製則既沒有錢，也沒有布證，眼看今年冬天是無法渡過了。又說：不但我如此，大家都一樣。她說時聲淚俱下，感傷異常，謝老太太看到這種情況，便送了一件舊毛衣給她，那婦人竟感激得跪在地上向謝老太太致謝。

謝老太太說：雖然老百姓人人都因缺乏衣着，惟恐變成凍死骨，但那些共幹却乘機上下其手的發橫財。有的共幹是賣「布證」的，有些則賣不需「布證」的衣服，前者是農村公社掌握「布證」的黨支書，後者是合作社，供銷社的共幹。那種黑市賣買的利潤好大！每一尺的「布證」售價為共幣壹元至元半；至於不需要「布證」可購買的衣服同樣貴得驚人，一條卡機布質的男人褲子要共幣二十多元，一條絨褲竟要六十多元共幣。買得起的人當然不會多，但那些共幹因此發一筆橫財却亦不成問題。

謝老太太說：在農村裏所有百姓都因為缺乏寒衣而感到凄涼恐怖，乃中共人員恬不知恥，亂發謬論，說是寒冷並不可怕，大家祇要多出力，多勞動，身上便會發出熱來，熬過寒冬了云云。

謝老太太還告訴記者說，她在幾天以後，又要再送衣服回去了，為的是共黨不准人們多帶東西，帶的都要說自己用的，雖然去的人出來時都祇穿一套單衣，連穿的襪子底衣等都留下給親人了，共黨何嘗不知，無非裝聾詐瞎的在那裏掩耳盜鈴，因為你多去一次總得多在大陸花些港幣，對共黨大有好處啊！（敬斯）

「買了輸定不買窮定」 秋季大馬票暢銷 頭獎可逾百五萬

【本報訊】香港的秋季大馬票，定本月九日開彩，迄本月六日為止，銷數已超過三百一十萬張，最後的七、八兩日，購者勢必空前踴躍，一般相信將必可銷到三百五十萬張，甚或不止此數。果眞銷出三百五十萬張，頭獎彩金將超過一百五十萬元，確可算是一個富翁了。

香港求生活不是容易事，發財夢又人人有之，馬票暢銷，蓋即以此。雖然銷數越多則獲獎的機會越小，但「搶彩」的僥倖心理，仍然至足誘人，廣東同胞所謂「買了輸定，不買窮定」，誰願「窮定」呢？於是而就甘心選擇「輸定」而無悔矣！

南越土改目標及作法

西貢通訊

第二個階段

一九五六年十月廿二日第五十七號諭令與出讓田地給佃農事之規定，改革田地計劃第一個階段之目的，是基於改善與担保佃農之地位。至於第二個階段之目的，是幫助各佃農，無產貧農，逃避共禍的人，和移民等，成為彼等正從事耕作之田地的主人。其主要之辦法有三：

一：公平的分配田地。

二：幫助農佃，無產貧農成為小地主。

三：發展農業生產，指導各大地主進而向工業方面發展。

諭令的條文可分為：

（一）：地主得擁有田地最多的面積是一百畝，多出者由政府收買以三至五畝分為一塊賣給佃農，購買者的優先次序為：甲：在該田地上耕作在二年之上的佃農；乙：為殉國者的親人或為國出力而傷殘者；丙：各逃避共禍，或遷撥後再回鄉者；丁：各失業者；戊：只有三畝之下但擁有五個子女之上的小地主；己：無田地者。

（二）：購買由政府收買後賣出的田地之佃農，欵項可分於六年內六次平均清還，田地的價值是以政府向各大地主收買時的價錢計算。

三：新地主在獲分配日之年內，不能將分得的田地再賣出，轉給他人或將之抵押。將剩出田地出讓的大地主，政府根據下列形式賠償：

甲、被收買的地田的價值中百分之十，以現金清還。

乙、餘下者以有國家担保不能轉給別人的具有期債票清還，並享有百分之三利息，和在十二年期內全部還清。

此種債票可用作清還對於農業，信用基金或田地稅的稅項，或購買國營的工業或企業股份的代金。

政府並擁有一個命名為改革農村部，並擁有各專門人材負起為農民服務的大任。

二：國家農信局

越南多數農民是小地主或佃農，通常只擁有一塊小土地上耕作，園地面積狹窄，而且沿用古老的耕種方式，因此難實現合理的開墾計劃以達到最高的生產率。加以資金嚴重短缺，這便是造成農業不發達的原因。

在法屬時期，專注重於離間或貧窮化以便於統治的政策，忽視於供應資本以發展經濟之需，農民只得奔走借貸，忍受高利貸欵之禍。於一九四五年至一九五五年，亦有二個供應資本機構，是即：國家農耕合作信用與平民農業信用；但這兩個機構因為在社和現在省欠缺組織，所以在發展經濟之計劃中呈露出不能勝任。另一方面，貸出之欵項是多個部門管理，所以，在借貸事務中發生紛亂與遲緩之現象。

新穩農信政策

為便振興農村經濟，改善農民之生活，政府曾提倡農信政策，及在一九五七年四月一日頒行第六十七號諭令，設立國家農信局以負責施行該政策。在諭令中第一條文即有明白的說明農信局的目標：「發展農村經濟，改善民衆生活，經由施行一種微利農貸政策而實現之；幫助各私人或法人從事發展農業、畜牧、漁業、林業及農村小工業。」（四）

藝術叢談

抽象藝術漫談

趙雅博

藝術家們，在我們前面所分析過的程序最後，由於忘掉了我們上面提出的本體眞理，相信自己可以剝去一切的客觀機械，而投身入一個完全的自由，想入非非的使用着它。殊不知他們並不曾佔有這樣的東西。並且更進一步，他們竟有一種狂妄思想，竟有意從自己的職責中解脫出來，彷彿是在畫布上可以放材料，在木板上放油料，而並沒有一點技術，一個實際而又實際的知識，使他能從材料中抽出其最後的美學可能性。

現在，可說是到了藝術上完全剝奪客體的時候，藝術家也可以說佔有完全無缺的自由，為所欲為。但是這種自由的使用，我們要知道並不是沒有限制的，人們有的自由是有限制的，如果無限制的使用，依照所選擇的路線，是在冒着喪失的危險或成功的可能的。在這樣的十字街頭，藝術如果要完全毀去了客觀的指針，是很難得到一個得救或光輝的道路的。如果要想有一個成功的道路，則要：（一）保護並拯救晚近時代所征服的一切藝術實在性；（二）要超越一切以前的趨勢，以便使所選擇的路子構成一個眞正的藝術進步；（三）要藉着重新征服客體來拯救藝術；（四）要拯救藝術的社會容積。關於第三點：理由有三項：首先是只有自客觀實在性共通所洋溢出來的現存，才能人與人，民族與民族之間彼此交談，瞭解與相通，有了客體實在的共同性，才算有了共同的言語。其次是只有客觀的實在性才能喚醒藝術家的美的靈感與情緒。第三是有藉着雕造在作品當中的客觀實在性，才能在觀衆中喚醒美感，一如在藝術家的喚醒美感一樣。最後，我們需要知道並沒有純粹的美感與情緒，它們一定要與一個客體發生關係。一切心理的現象，從普蘭達諾已經發現了，乃是觀念的，有意識的，它們是指向着客體的；沒有客體，它們便沒有產生的可能，在客體上才能找到它們的根基。人是不能不受客體影響的，否則他便不是人了。關在象牙之塔的作家美感只是想像的事；沒有客體，人們不但不能認識事物，就是連自己也是不能認識的。這一點我們需要切實自信，不然的話，美藝是無從談起的。

在藝術上設法破壞客觀實在性所創造的情勢，給予了兩種不同的反應：一個是在於屏絕客體，另一個是更為明智的，它是在設法恢復客體。

屏絕客體也有兩種不同而名貴的型態：一、其中的一派，幾乎是所有的抽象主義者的藝術家們都在遵循着。這一種型態，是在排除地利用着藝術固有的方法，利用着的質量，體積，形式，構造，顏色與線條。從簡單而任意的變換着這些元素而構成一個作品，用來喚醒美感，無疑的也生出了美的快感。但是這一派的學說，並沒有說這些，也沒有強調這些。相反地，根據這派的人士，他們是污損了他們想喚醒的純粹情感。馬雷未池（Malev ch）的超越主義就是這種型態的代表。（未完）

劇氛縹緲錄

娑婆生

鑫培搶親趣事

老譚自幼定婚某氏，迨其成人，家道中落。其岳嫌培窮困，已露悔婚而謀退之之意，其未婚妻知此事，頗不直乃父所為，抱定從一而終，不想另配。鑫培微聞前途多舛，托人力勸乃岳，斷却此念，終未獲首肯，積欲難消，始作挺而走險之事。

某日，譚持刀逕赴岳家，其岳出覷，心中有畏懼。詢以何事，譚慨然陳述，迫問是否擇吉成親？乃岳猶作吞吞吐吐之言，不作肯定。此時岳家全至屛風後偷聽，未婚妻亦在焉。幾經衝突，為時稍久，譚已窺見其妻，因直奔後堂將妻扶持而出，乃岳猶說既欲成親，必須預備妝奩，稍俟時日，謀作緩兵之兵。譚即轉問其妻，有何意見。妻云：我跟你走，沒有旁的話。譚遂謝却妝奩，携妻而去，家中結綵成婚。這位賢妻，實大有助於譚，生五子二女，克勤克儉，孝道事姑，廿年後家道漸興，以至小康。迨尊號貝勒，已是夫人氣派，因此譚氏成功，內助有力焉。

五子不肖兩賢婿

英秀遺憾，生有五子，竟無有傳其衣缽。每歎不及余氏三代，一三勝，紫雲一叔岩，這是為叔岩造機會所在。實則五子小培，尚有功夫，很掛譚味，但不能勝繁劇，每多終場草率了事。某次，在三慶唱八大錘，斷臂以後，返至說書，忽然忘其所以，左臂浮動，觀者闔堂大笑。但是伶工之家，最享清福，莫如小培一人。幼年受父親蔭培，晚歲承愛子侍奉，數百伶工，也祇有他，並找不到可以偶之。富英得乃父充邊配，成為硬裏子，猶記民廿四，富英來漢口，在光明演出全本羣英會，乃父前飾孔明，後演魯肅，震動三鎮的戲迷。其所以能抗運頁者，有這樣硬的裏子，馬氏竟莫余毒也。次子善操琴，手音法皆不賴，常在廊房頭條暢懷春走票。出手聲音很清亮，所借不肯研究，仍是公子哥兒的習氣，提個鳥籠，玩玩鼻煙，儘其吃喝玩樂。却不及其弟子楊寶忠，反而琴藝大著，得有盛名。三四兩子，亦復如兄，照樣也是這一套，非特不講究唱唸，即連做作也不鑽探。譚氏見此情形，亦不能把勁夫教，因此所有珍秘絕活，束之高閣，已決定不再傳於敗子；而叔岩對譚則敬若神明，前後行藏如一轍，譚家秘奧，盡為偷去。譚氏有二女很賢淑，嫁王又宸、夏月潤，皆梨園子弟，事鑫培極孝敬，為了子不肯學，始寄托於婿館，定下傳婿不傳子之例。兩婿之中，比較又宸的成就為大，臉譜韻味，能有十之六七，圓熟穩練，非後輩所能及。惜乎是票友出身，不能靠把，老譚絕技，無法學到，終輸於叔岩。其近於譚者，有寶馬，寄子，碰碑，探母，黃金台，失空斬，連營寨，打棍出箱，很可叫座。他在唱的時候，也請通天教主王瑤卿為配，沒有幾下，如何能成！其享名地點，祇在平津，未及滬漢。（三）

虛君續夢

第十回：集會議圖存 天寒日暮　空言難自救 鬼哭神愁

羅瑞卿道：「政治問題到沒有，就是亂。有些部隊因為沒有訓練，到時候又亂成一團，四砲手大部份不會裝方向、高低和提前修正量主要射擊準尺，小高砲連的三砲手不會裝距離，敵機飛得近了，距離裝得遠，敵機飛得遠了，距離却又裝得近。有些砲手在搬運砲彈時跌倒，爬起來又找不到砲位。」

部小平說道：「是不是故意如此，我近來對於保密實在沒有信心。也許是敵人已經滲透進我們的部隊裏邊來，故意製造許多事故。」

賀龍連連點頭道：「一點不錯，試看六中全會那一次，主席剛宣佈不幹，馬上台灣就廣播出來了，消息眞快，好似主席自己告訴他們的一樣。」

毛澤東搖頭苦笑道：「你這個渾人，越說越不像話，大概你懷疑我是國民黨的特務了，你這頂帽子幸虧蓋在我頭上，換換人可眞受不了呢？」大家不由得都笑起來。賀龍臉紅紅不再作聲。

羅瑞卿又說道：「武器保養也太差，所以故障特別多，參加戰鬥的共計四十九門高射砲，三十挺高射機關槍，就發生了大小故障五十五起，其中人為故障三十三起，機械故障三十二起，全羅六門中高砲有五門打不響，六挺機槍二十四管就有九管打不響。」

周恩來說道：「這個恐怕是眞有人破壞，否則不會出這麼多的故障。假若不徹底檢查，下次敵機再來，他們還會供給轟炸目標呢？」

羅瑞卿嘆口氣：「說起這次事件，問題眞是太多，○二○八部隊高射砲營第二連指導員扣占五，在作戰時看到一班供應不上砲彈，五砲手壓彈出了毛病，他却站在那裏不理，實際上他原是一個技術幹部，打砲比士兵內行得多。」

毛澤東點頭道：「這個傢伙一定是國民黨的特務，就從他身上想辦法，絕對可以抓着正點子的。」

羅瑞卿道：「扣占五是個優秀共產黨員，又是一名青年團員，也曾經得過表揚，實在查不出他有什麼可疑之處。」

毛澤東說道：「你怎麼近來有點胡塗了，越是特務越隱藏得高明，像劉斐、郭汝瑰，在國民黨內作到軍令部次長，第三廳廳長，不到最後誰知道他是咱們的人。」

賀龍一拍手，嚷道：「主席說的對呀，所以我就斷定咱們這房裏一定有人家的人。」

賀龍一言驚四座，大家都為之變色。劉伯承又想站起來問他，被陳毅在旁死命按住。

毛澤東也看出情形不對，一拍桌子：「混賬，這房裏怎會有國民黨的特務，要有就是你。」

賀龍挨了罵，當時抱着頭不再開口。

毛澤東說道：「軍事問題是不能拿到中全會上去討論的，免得弄不好又走漏了消息，被國民黨知道。可是，也應當有個對策，我今天找你們，主要就是商議這一點，怎麼挽救軍心，提高士氣。」

羅瑞卿說道：「要提高士氣，必須從改善軍人待遇作起，據我知道，各部份軍士待遇實在太差，不僅物資不足，精神上尤其空虛。」

（二五四）

閒話中醫

黃伯遠

果其言而不紕繆者，則此長桑君爲神仙，而扁鵲亦經過神仙改造之半仙人耳。這，完全是神話，而不合邏輯者也。以余意度之，扁鵲受長桑君禁方書，或爲事實，而其所謂「禁方書」也，不外以「望聞問切」，爲研判受病之原；以藥石鍼砭，熨炙取毒，甚至解皮割肌，湔浣五臟，腸胃，爲治病之道，則是事實也。是則今之西醫，所謂以器聽，以電視，以刀解，以針輸，以鉗攫，林林總總，我國古代之名醫，都兼而有之！不過，今之所藉，一切儀器第一，人人皆可學而致之，致而精之；而古之藉，非賢不傳，非道德不授，更非能「神而明之者」不予，故其術多湮沒失傳，爲可惜耳！

素問云：「面色青者，脈當弦急；面色赤者，脈當浮而短；面色黑，脈當沈浮而滑也」。故望色而知表，切脈而明裏也。

又云：「好哭者，肺病；好歌者，脾病；好妄言者，心病；好呻吟者，腎病；好叫呼者，肝病也」。故聽聲而知病在某一部位也。

又云：「欲得溫，而不欲見人者，藏（同臟）家病也。欲得寒，而見人者，府（同腑）家病也」。故寫形察狀，而知病在臟或在腑也。換言之，即是說：病人蒙首而臥，意在求煖，是臟部有病也。露面而臥，意在取涼，乃腑腹有病也。明乎此，則中西醫之爲道，總脫不了望聞問切四字！故得症下藥，不難，難在見症不明，失之毫釐，差之千里矣，可不慎哉！

善乎！漢初名醫太倉公之對孝文帝曰：「帝問臣意（太倉公姓淳于，名意）診病決生死，能全無失乎？臣意對曰：『意治病人，必先切其脈，乃治之！敗逆者，不可治；其順者，乃之！心不精，則切脈難準，所期可治，然亦時時失之。臣意不全也』！可謂切於實際之言矣。

每見今之名醫，時醫，公醫，私醫，什九門庭如市，應接不暇；而謂能專心壹志，對每個病者，都能盡其所應負之責，而無疚於衷，豈不危危乎其難哉？何況，賢如太倉公，尚有覤可治則治，不可治則不治之辯，爲世訴病，被告當刑；若非其女緹縈上書，文帝赦其罪，而其時又適除三肉刑（劓、黥、左右足趾也），否則，不腐（宮刑）亦刖（去兩足後筋也）！至如扁鵲，行遊天下，亦竟以伎術而見害。雖古今時代不同，情形亦異，然醫之爲業，能盡如人意者，亦難矣哉！輒因感觸所及，書其一知半解如此，不自知其龐雜也。（五。完）

我的退居所

舒蘇

我是一個不愛矯飾的人，但處於所謂的文明社會，多少不由得不矯飾。所以有人說：「一個人必須要有一個退居之所，在那裏他能毫無保留地還他本來面目；唯有在單獨自處時，才能有着眞正的自由。」

「我呢？上班的時間不用說，既使下班以後，是回到好幾個人擁在一間的宿舍裏，不由得要說些言不由衷的「謊話」，做些莫名其妙的「傻事」。這不是很可悲麼？但並不！我也有我的退居之所。它是我們市鎮後面的一個山崗。公餘或是例假，我大都投在它的懷抱；無論是身體或心靈，全都投在它的懷抱裏。

今天夕陽柔和，秋風初起，稍具涼意了。我挾了幾本心愛的書（其實，十次有五次，我未嘗翻過），這也許是文明社會所薰陶出來的虛妄！）啣了一支烟，雙手插在褲袋裏，低着頭，以悠閒的方步踱上了山崗。

這山崗眞是優美而寧靜。當我初次發現的時候，情不自禁的像一個教徒般地跪下來，感謝主待我的優厚。它有兩個小山稀疏的青竹與茂密的相思樹；中間的凹部是一片油綠如茵的草地。我常喜歡把鞋襪脫了，在那嫵媚柔軟的草地上徜徉，徘徊，或者躺下去以書枕頭，凝望西天燦爛的彩霞變幻消長，有似人間的悲歡離合。我也常常想埋在自己心底的情人，能否知道我這個「大地之子」的戀情？可憐惜的是自己缺乏打破這世俗束縛的勇氣，沒有反抗傳統觀念的精神，到頭來便祇有一切心愛藏在心底，因爲的過向可以預期的悲劇的路。我有時也讀讀書，翻到那頁讀那頁，隨興所之，而自得其樂。我有時或者又朗誦幾首詩，聲音大得驚人，要被人聽到一定以爲我有神經病。而其實，我不過是想要宣洩一些胸中的憂鬱罷了。

有幾隻小鳥正在竹林裏歌唱，自由自在的跳躍，似乎那個世界都是它們的。我忽然稚氣大發，也要參加一份；因爲猛然憶起幼年時代的活躍情境——常喜歡爬上竹子去，故意將身體一歪，竹梢支持不住，便像一根弧綫一樣彎轉的飄落地面。——雖然事隔二十年，我想還有這點能耐。一經嘗試，總算還不失自己所望，只是竹枝的半中間已經折開了。

我望着漫草叢生卻並不十分陡峭的山徑，往常我是慢慢的走上走下的，今天卻想耍一下童心往下奔還未想定究竟要不要這樣做時，已經開始往下跑了，挾着的書本也掉了，身體也不太聽自己的控制；幸好順手抓住了徑旁的一根小樹，可是餘勁猶在，我便順着兜了好幾個圈子。到了山南下面，眞的感到有些疲乏了。我已很久沒有像這般的運動過，於是躺在草地上休息一會，盡量使自己安適，舒服。我居然將身體躺成了「大」字形，這是最肆無忌憚的姿式，爲在文明的社會所不容。在人面前，當我們面對一位長者之時，固然必需正襟危坐，免得給別人以沒有教養的感覺，即使是朋友之間吧，雖然可以比較隨便點，卻也不好過份的放肆。我在朋友間就得到過一個「懶」字的封號，原因是我每每在人家的客廳中，躺在沙發中要比坐的時候多，並且還要將脚放在茶椅上。至於女士們，實在比男子所受的束縛更要多；現在最時新的坐姿是兩膝併攏，歪向一邊。我承認這姿態的確很優美；不過，多麼難受啊！

海嶠雲談

薄命女兒林今惜

蒍葛文倞

林今惜原係福建籍，自幼生長在江南蘇州，語言與生活習慣皆係江南風光，又是實際的吳姝。笄年墮入風塵中，張豔幟於上海，亦負時譽。

我國對日抗戰中期，日本軍閥在上海設立傀儡政權——「新政府」，而以閩省詩人梁鴻志（衆異）爲首長。梁在上海遇到了林今惜，驚賞其質，藏諸金屋，林自己教她識字讀書，又請人教她的繪事，儼然要步武清代貳臣錢謙益與名妓柳如是的故轍，今惜亦以爲長得其所，怡然相安。

詎好景不常，未久，日本軍戰敗，無條件投降了。中華民國政府首先就要接收京滬，分別緝拿叛國的漢奸，梁鴻志自知不免，乃將在上海購置的藏嬌屋一棟，附以若干財物，概行贈予今惜，以示甜愛，且留紀念。中有一項珍貴品，即梁氏自己審定而手鈔的詩稿三大軼，希望今惜什襲藏之，冀他日得友好知音之士，代爲鐫梓刊行於世。

梁氏被逮繫獄後，今惜蟄居滬上。維時中樞各機關紛紛派員赴淪陷區各大都市進行接收事宜，中多志在「刼收」財物，假公濟私。糧食部派到上海接收糧食機構的人員，係皖人王滋常王寄一兄弟二人，他們特別注意於梁鴻志的家屬和財產，把林今惜找到了，於是乎，連女人帶財物，一概由王滋常接收，據爲己有。乃弟王寄一查知林今惜有個妹妹，姿色不惡，也就將她接收過來，作爲簉室。由於林今惜是梁鴻志的姨太太，手中頗有些財物，而梁氏又經過很久時間纔判處死刑的，王滋當害怕風聲傳播，招來物議，急將林妹帶到蕪湖安置，不許她再赴上海或南京去。當年政府所派接收人員的行爲，大率類是，老百姓們看得清清楚楚，怎會對政府有好感呢？

大陸淪陷後，章士釗每到海隅來，即向人詢問梁衆異的自訂詩稿安在？有人告訴他：此項手鈔本落在蕪湖人王某手中，王某與林今惜皆未離開大陸，可以找到的。他很興奮，說是一定設法尋得原稿，付諸剞劂。我想王某很可能爲着這幾卷詩稿而被共黨清算鬥爭，林妹亦必然抱琵琶另向別彈，她現年亦不過三十多歲，猶屬青春時期，大可「翻身」也。果若是，則佛家所謂因果報應之說，似乎亦有若干眞理存焉。

南宋偏安有人才

李仲侯

飛時以寒嗽在告，庚辰力疾發鄂渚，會所乞合諸帥兵破敵之奏始至，賜御札褒嘉，札曰：

「昨得卿奏，欲合諸將兵破敵，備見忠誼許國之意，嘉歎不已。今虜犯淮西，張俊、楊沂中、劉錡已併力與賊相拒，卿若乘此機會，急提兵會合，必成大功。以朕所見，若卿兵自蘄黃繞出其後，腹背擊賊，似爲良策。卿更審度，兵貴神速，不可失機會也。再遣親札，想宜體悉。付岳飛。」

飛即復奏照應張俊等會兵狀，時朝廷得歸正人所報，十五日復賜御札促出兵，札曰：

「比屢遣手札，並面諭屬官，仍遣中使，趣卿提兵前來，共破虜賊。諒卿忠奮許國之心，必當力摧醜言，以摅素志。今據歸正人備說金賊桀黠頭首，皆在淮西，朕度破敵成功，非卿不可，若一舉奏功，庶朕去年宥密之詔，不爲虛言。況朕素以社稷之計，倚重於卿，今機會在此，曉夕以佇出師之報。再遣此札，卿宜體悉」。

飛始沓奉前詔，及益疾馳以行，十七日飛前奏始至。時朝廷亦急欲遏虜師，賜御札報諭，令姑綏京洛之策。札曰：

「屢發手詔，及毛敦書張去爲繼往諭旨，朝夕需卿出師之報。覽二月四日奏，備悉卿意。然事有輕重，今江浙駐蹕，賊馬近在淮西，勢所當先。兼韓世忠、張俊、楊沂中、劉錡、李顯忠等，皆已與賊對壘，卿須親提勁兵，星夜前來蘄黃，逕趨壽春，出其賊後，合力剿除兇渠，則天下定矣。想卿聞此，即便就道，再遣親札，宜深體悉。付岳飛」。

是日既詔令綏京洛之策，而飛乞出蘄黃之奏始至，復賜御札嘉獎，札曰：

「得卿奏，欲躬親前去蘄黃州，相度形勢利害，貴得不拘於九江。以卿天資忠厚，乃心王室，諒惟早夜籌畫，必思有以濟國家之急。若得卿出蘄黃，逕搗壽春，與韓世忠、張俊相應，大事何患不濟？中興基業，在此一舉，覽奏不勝嘉歎。再遣親札，卿宜體悉。十七日未時付岳飛」。

飛出師蘄黃，親以背嵬先驅，疾馳入廬州。兀朮懲潁昌之敗，聞軍至，宵遁。韓常亦以長葛乞降之舊，先退兵渡淮。得張俊報，虜已渡淮盡絕，乃還軍舒州，且以奏聞，候進止。上因捷書屢至，遣內侍省都知陳永錫乘傳往淮西勞軍，歷覲戰地，宣勞甚渥。并賜諸將詔，詔曰：

「蠢彼狂胡，輕犯淮右。惟爾將士，忠憤一心。執銳爭先，刻期前進。誓敵王愾，用殲世仇。既逆沮其鋒，遂屢摧其醜類。捷書累至，軍聲大張。蓋自兵興以來，未有今日之盛也。況淮東之軍，且出其後。荊鄂之衆，復來自南。合吾仁義之師，當彼殘暴之寇。天時人事，理若相符。靖亂息民，其在茲舉。尚思困獸之鬥，務保全功。罔俾隻輪之還，庶殄遺育。念爾暴露之苦，軫予當饋之歎。爰錫親書，往昭至意。其增激於義概，以並茂於功多。受鉞策勳，具有盟誓。高爵厚祿，朕不汝忘。故茲詔示，想宜知悉」。（一〇一）

章太炎之諧謔

繆匡

一代漢學大家章太炎，生平博聞強記，學識深邃，性情古怪，自視極高，於世事不滿者，輒作申申之詈。但有時亦詼諧謔浪，風趣橫生。

當蘇報案發生，太炎被捕繫獄，清廷以其文中有觸犯「聖諱」之處，汚辱元首。太炎當庭答辯曰：「我只知清帝乃滿人，不知有所謂『聖諱』。」法官以太炎爲當世之名士，詢其曾中試否？得何科名？太炎微笑答曰：「我未滿天飛，何窠之有？」蓋竟誤科試爲鳥窠也。聞者絕倒。

太炎居滬時，一日約田桓、汪東、但燾等作長夜談。田於匆促之間，未及着夾褲，欲返取之。衆不許，即請開始聯句。田桓應之曰：「不穿褲子是田桓」，汪續曰：「窮極無聊兩縣官」。因汪與但，均曾担任縣官也。但曰：「剩有圖書三萬卷」，太炎笑謂：「圖書三萬卷應值幾多錢」？亦可見宦囊之豐富矣。乃吟結句曰：「地皮刮盡水都乾」，衆爲捧腹大笑。

太炎亡命東京之時，當地警察調查其戶口，其調查表內有職業，出身，年齡等項，囑其填寫。太炎應之，填云：「職業」聖人；「出身」私生子；「年齡」，萬壽無疆。見者無不掩口，喜其戲弄之妙也。蓋日人私生子特多，太炎故諷之耳。

內僑警台報字第○三壹號內銷證

自由報
THE FREE NEWS

第三九一期

中華民國僑務委員會發給
台僑新字第三二三號登記證
中華郵政台字第一二八二號執照
登記爲第一類新聞紙類
（半週刊每星期三、六出版）
每份港幣壹角
台灣零售價新台幣弍元
社長：雷嘯岑
督印人：黃行靈
社址：香港銅鑼灣高士威道二十號四樓
20 CAUSEWAY RD 3RD FL. HONG KONG
TEL. 771726　電報掛號：7191
承印者：田風印刷廠
地址：香港灣仔高士打道二一二號
台灣分社
台北市西寧南路壹壹零號二樓
電話：六四三○三
台北郵政信箱二五二九戶

敬告美國人！

蔡俊光

中華民國五十二年十一月一日，亦即西曆一九六三年十一月一日，南越軍人在美國甘廼迪政府鼓勵與支持下，發動了一次粗暴得近乎野蠻的叛亂，卒將現政府推倒，吳廷琰總統及其介弟吳廷儒同遭殺害，而是役橫死或負傷於西貢市街的亦不下百數十人，舉世震駭，盟友惶惑。於是乎，越南人之血肉橫飛，美國人乃志得意滿了！雖則事後美當局者多方掩蓋和洗刷其沾有血污的身手，除由國務院主管遠東事務官招待記者聲明無預此次越變之外，復慫恿越叛軍首要出頭砌詞辯護美國「沒有」介入，又復惺惺作態，指責越叛軍殺害吳廷琰總統兄弟之舉，乃「不僅爲可遺憾者，且爲不可寬宥者」，命令其駐西貢使館通知叛軍領袖，稱「此間覩吳氏兄弟之死，爲新政權開端時的一項不愉快發展」。不僅此也，越變發生一週後，他們搖首弄姿，徐徐始承認此一南越新政權，誣爲初未接西貢使館報告其新閣成員云。凡此種種駝鳥式的掩飾手法，果誰欺？欺天乎！遠的不談，試問當此次越變前這兩三個月時間中，美國人所加於越南政府的脅迫和壓力，難道不是已大大超過了對待一個盟友的限度？由八月下旬起，駐越美大使洛奇之預言可能政變，警告吳氏政府若不如此如彼的遵從美國的做法，短期內即會垮台，甚而鼓勵吳氏異己者在美組織甚麼越南「影子內閣」，急不及待的必欲去之而後快，終至於宣佈撤退駐越軍援團官兵千餘人，以威脅其就範。這種舉措，何止是外交上的失儀，簡直爲惡毒的陷害。是故，美國人於越變事後之曉曉飾辯，適所以自暴其醜陋，抑又何苦來哉？蓋司馬昭之心，路人皆知也。

如今吳氏已矣，死者不可復生；這一悲在反共陣營中的大不幸事件，且不必細論其事誰是誰非，其人爲功爲罪罷。放在我們自由世界反共人士眼前惟一的要著：厥爲美國人今後是否有勇氣補過不驕飾，不驕盈，挺起胸膛面對着今日越南險象環生的殘局，把她好好收拾，使她安定下來，以免拖壞亞洲反共現勢。須知眼前的南越，外有強敵的壓境，內有驕兵悍將的跳梁跋扈，此輩讀書不多，器識平凡，權位利欲之念充盈，你擠我奪之爭必起。近年他們慣見一朝槍桿在手，把心一橫，稱兵作亂，則取富貴如拾草芥，前此之伊拉克，敘利亞……取法良多，軍人一舉飛昇，則叱咤風雲，這麼便宜事，怎不心焉嚮往呢？這是未來越局的內憂之一。其次，吳廷琰昆季執掌越政達九年，毀譽不一，愛憎互見，今一旦慘戮於亂軍槍刀之下，誰無君父，誰無知己，皆可死義。何況，由其弟吳廷儒長期控馭之特種軍團數萬人，豈能一朝解甲，即俯首貼耳而臣事新主；永不思伺隙而動乎？據法新社九日西貢電稱：「吳廷儒曾撥大批金錢，交與效忠吳氏政府人員，以備政府一旦被推翻時，即進行一連串的行動與陰謀……特種部隊於政變後，會投入地下」，此項報導，若非空穴來風，則十足可證越局來日之多艱，此內憂者二。今次吳氏兄弟之該死與否，公道自在人心，若有其平日之愛戴者，懔於在新政權下難以立足，抱「丈夫不得志不南走越則北走胡」之心，索性投靠北越胡志明，以圖洩憤，則大可增加共方聲勢，使越局難於收拾，此內憂者三。至於共黨的顛覆陰謀，五花八門，皆非輕率如美國人者所能及料。今日越共們勢將乘美國駐越當局及西貢一班新權貴，給勝利沖昏了頭腦時，嗾使其游擊武裝人馬，故作前受暴政迫反、挺而走險的可憐姿態，僞稱輸誠，携械來歸，以便內部顛覆，這一手，尤使人咋舌，不可不愼防的。昨九日美聯社西貢電報道：有所謂「社會民主黨」頭目洪登曉其人偕其徒侶二百名游擊隊人員，携同輕重機槍、臼砲等武器向新政權投効，當堂使西貢美越雙方當權人物歡呼跳叫，要對吳廷琰政府所指言的越共游擊隊重新估價。浮躁可哂，亦危險孰甚！

是的我們不嫌贅說今日美國人務要有勇氣補過，不虛飾，不驕盈，那麼，領導反共大業才有成功指望。倘若始終以其「愚而好自用，賤而好自專」的態度，頤指氣使，文過飾非，而欲君臨天下，長爲自由世界盟主，其可得乎？他們在南越這一次的所爲，不能不顧影自慚，神明內疚，但又缺之勇氣認錯，於是無聊極思，除強調吳氏兄弟如何「摧殘佛教徒」以解嘲外，又刻畫盡致指吳氏兄弟如何「秘密與北越談和」這些莫須有罪狀，想藉此冲淡世人對其作爲的醜惡觀感，殊不知這種從共黨學來的「扣帽子」下流作風，早爲識者聞之作嘔，唾棄惟恐不及。今天美國人當然自詡其在南越策動政變成功，以爲大可示天下以「順我者生，逆我者亡」的赫赫聲威，以爲凡受美援國家孰敢抗顏逆旨？若不信邪，請看昔有南韓李承晚之倒台，今有南越吳家兄弟之送命，殺雞警猴，世稱傑作。然區區一介中國人民亦敢在這裏正告美國人：你們且慢得意忘形，切戒囂張胡爲，像在越南導演的醜劇，究竟爲禍爲福，尚有待將來的事實印證呢！

美國人對於亞洲方面的共黨向外擴張勢力，表示格外關心，不惜給亞洲各個瀕受共黨侵略威脅的國家以軍經援助，這是値得稱讚的。可是，我們根據許多事實，證明美援所到之處，反共工作尚屬次要，憑着美援以干涉別國內政，纔是當務之急。十四年前，當中共在中國大陸上進行全面叛亂的時候，美國指摘中華民國政府不民主，而贊揚中共爲「土地改良主義者」，強迫我政府與共黨和談，要跟它組織聯合政府，把中國作爲美式生活的試驗場，却不顧六億人民的生存利害關係。我政府不同意這種作法，美國即停止一切軍經援助，即中國政府自己花錢向美國商家購買的軍需品，亦禁止出口，一面又由美駐華大使策動一般在野的反對派，組織「第三勢力」，以與現有政府對抗，唯恐共黨的力量或不足以使全局糜爛，把現政府推倒，更要製造一些替共黨張目助勢的反側集團，這樣就叫作「民主」！結果是「土地改良主義者」固然奪取了政權，未辜負美國的期望，却以「美帝」爲死敵，絕不接受美國友好意見。似此慘痛的歷史教訓，美國人尚不省察領悟，又以同樣的作法加之於越南，眞是太可哂而且可憐了！

今後美國對於接受美援的自由國家，如不以消除共禍爲第一義，而仍亟亟於干涉別國的內政，效法共黨的內部顛覆伎倆，對友邦製造政變，以爲這就是美國領導自由世界的有效方略。縱使如願以償，然在受援國家的人民心理上，留下一種深刻的裂痕與反感，決非物質力量所能平復的。誠如本報社長雷嘯岑先生所說：「爲着反抗共產帝國主義，而接受資本帝國主義的強權控制，則唯之與阿，相去幾何」呢？所以，我希望美國人要將越南這次政變引爲慚德，平心靜氣地檢討一下對亞洲自由國家的領導方法，糾正其層見迭出的錯誤思想與行爲，先使受援國家的人心，對美國具有善良的觀感，纔是根本大計。

漫画天下

可愛的資本主義！

夢醒了？

要對歷史負責

馬五先生

昨天（十二日）是中華民國國父孫先生的誕辰，他所創立的中國國民黨，亦在台北舉行全國代表大會，忝爲國家公民而兼國民黨黨員之一的小區區，逢此良辰佳日，心情興奮無量，亦復感慨萬千。

國父能夠剷除帝制，締造民國，垂績業於百世的基本因素，除却天賦睿智卓識以外，就是處事公正，對人誠信，因而全國的智勇辯力之士，無論男女老少，皆自動地接受他的領導，各盡所能，効命馳驅，連外國人亦有爲他的革命事業而犧牲性命者！

詎料他逝世不到四十年，而其艱難締造的中華民國，竟陷於危急存亡的境況中，這實在是國民黨人的奇恥，亦係全國人民的大辱。咱們這些號稱爲「孫文主義」信徒的人，當紀念國父誕辰之際，應該站在他的遺像之前，抱頭痛哭，自承罪過，立志救國，以贖前愆。

救國之道無他，祇要效法國父那種處事公正、對人誠信的作風，即可以號召全國民衆，集中力量，共赴一的。國父在生之日，他所領導的革命團體，從同盟會到中國國民黨，數十年間，無論是在野在朝，從來就未聞有甚末私人派系的小組織存在。他遭遇過若干次的危難時期，亦未曾先以是否忠貞份子的懷疑態度，來鑑衡一般同志。他完全憑着「天下爲公」、「與人爲善」的崇高精神以駕馭有衆，感召世人，所以終能創造豐功偉烈，永垂不朽。今日我們反共救國之役，其艱苦的程度，視國父當年反對帝制的革命運動，有過之而無不及，大家如果不能私淑國父處事對人的崇高精神，身體而力行之，就休想有克奏膚功的希望！

凡我同志，現時對國父可說是敗家之子，對國民亦係待罪之身，唯有一致努力自愛，拿出良心血性來，爲國奮鬥，把私人的利害得失觀念，掃除乾淨，纔配稱爲「孫文主義」信徒，否則後世歷史家，決不會饒恕我們的！

香港與大陸

中共橫征暴斂、搜刮民脂永無止境，最近又向農實行「收購」所謂「多餘」的物資，使農民在一小塊「自留地」上辛苦所得勞動成果，又化爲烏有；而且「收購」應付的欵項又被共黨以「償還農貸」爲名，悉數扣除，否則亦祇給以有其名而無其實的銀行貯蓄券，還是等於白白送給共黨而已。

據曾回惠陽縣掃墓甫返抵港的鍾師奶向記者透露：大陸目前又在進行「收購」農民「多餘」物資工作，在實行「收購」前，曾先展開廣泛的宣傳運動，要求每一個農民都將「多餘」的或「暫時用不到」的東西，包括粮食、副產品、衣物等，賣給國家，說是如此一則可以把家裏多餘的「死的」東西變成「活」的資金，以投入其他的副業生產；再則可以幫助解決「國家」的暫時性的困難……兩者都被說成爲個人對國家的一件「好事」。

毛共剝削農民無微不至　強迫收購所謂多餘物資
而且並不付值諉為「償還農貸」　農民在自留地辛苦所得悉付東流

鍾師奶說：如此宣傳之後，各公社便紛紛設立「收購站」，「公社黨支書」和「供銷社」的共幹則爲「收購員」。他們逐戶去向農民進行「收購」。到每一家時，先要農民自己報出要賣多少東西給政府。對於「自動願意」將多餘的物資賣給政府而又賣得多的，給予「表揚」；對於一些「頑固」不肯把多餘的物資賣給政府的人，則進行翻箱倒櫃的「調查」，若調查結果與所報不符，便給加上「破壞收購工作」的罪名，抓去「法辦」，包括管制或勞改，東西當然給拿去了。

鍾師奶說：中共的所謂「收購」，若果是一分錢一分貨，那麼農民如果眞有多餘的物資，有什麼不願賣給「收購站」的？但是，中共之所謂「收購」，其實等同搶刦——一切的交易都不是現金的，較幸運者還可以得到有名無實的銀行儲蓄券，而大部份的農民出售「多餘」物資所得之欵項，是被共黨以「償還農貸」爲名，給扣除去了。難怪農民們欲哭無淚，唉聲歎氣。

鍾師奶家鄉所屬「公社」，有一位五十多歲的老太太，她終年勤勞耕作，對她那一小塊「自留地」更爲細心，所以倒有些蔬菜、蕃薯之類的收成，以爲在以後的幾個月中，不怕餓肚子了，蕃薯之類是可以有得吃的；豈料這次的「收購員」到她家時，她一口謝絕沒什麼「多餘」物資賣給政府。那些「收購員」初時不露聲色，隔日則派人挑着數担蘿筐不由分說的將那位老太太全部蕃薯都挑走無遺！並還向圍觀的羣衆宣佈，說她不單破壞「黨」的收購工作，還說她匿藏這些食物，是準備在荒月期間，進行黑市的投機買賣的，將予懲罰。那位老太太眼看自己僅有的糧食都被搬走，還被不明不白地加上些大的罪名，一時氣不過了，悄悄地走進廚房，提着柴刀，猛向一名共幹劈去！那名共幹即時重傷倒地。之後那位老太太回頭就猛向牆角撞去，致釀成慘劇。（敬斯）

台北市下屆市長選舉　傳執政黨屬意林頂立
市議會又作敦促為政院轄市活動

（本報記者吳越台北航訊）台北市昇格爲院轄市的問題，前不久台省主席黃杰曾經正式說明政府並無此一計劃，（本報已報導過）何以近來又甚囂塵上，一些熱衷份子且組織了一個「台北市昇格院轄市促進委員會」，鬧得像煞有介事？

台北市改院轄市的活動，市議會自第三屆（民國四十二年）以還，迄今已歷五屆，爲期十年以上，歷經大會討論通過同一議案好幾次。而且每次的此一提案，必是在市長改選前不久提出；不過，這次比歷次都鬧得更起勁就是了。

上（十）月十七日，由台北市議會議長張祥傳召集，議員王習孔主持，邀請贊成北市昇格的各界人士舉行座談會，成立一個「台北市昇格院轄市促進委員會」，推選出常務委員廿五人，另決定由台北市十個區各推選常務委員一人參加。

贊同台北市改院轄市的理由，爲台北市是目前首都所在地，人口在百萬以上，爲政治經濟文化重鎮，應早日昇格爲院轄市。若干與會而表示強烈反對台北市改院轄市的人，在會上均不能盡所欲言，市議員李賜卿便因此中止發言，立即退席的。

台北市議會歷屆冒出的此一建議將台北改院轄市的議案，所據理由，除了上述幾點外，還有一個足以打動市民心理的理由，是說台北改爲院轄市後，原繳省的稅收無須繳省，北市可獲一筆鉅額財源，以充建設本市之用，可以增進市民福利。

台北市繳省稅收，是省庫的一大財源，因此站在省府的立場；當然不願這筆財源失去，所以省議會前幾年也通過一個提案，反對台北市昇格爲院轄市。台北市議會對省議會的此一決定，又當然不滿，於是通過一個譴責省議會的案件。使這兩級民意機構，鬧得很不愉快。

後來，市議會似乎覺得如果在經費方而不使省方滿意的話，台北市昇格的問題，必然是個阻碍，所以對於扣留繳省稅收的口氣，便有所鬆動了，就是不主張全部扣留，只主張扣留一半。比如市議會第四屆第二次大會議員余未成的提案就說：「本市有關民生需要之建設，決非普通市之財力所能勝任之……至財用方面，改制後，原屬省稅收入劃而歸市，[illegible]施自易，省庫雖略有減少，然本市經濟之[illegible]賴台省爲孕育，其中自可劃撥半數以協省，在省則減少甚微，在市則實力充沛。」

市議會後來似乎又還覺得現收一半並不[illegible]省，未必能使省滿足，所以乾脆主張「一[illegible]文不扣」，藉以爭取省方的同情。這可以從市議會第五屆第九次臨時會議，議員沈應松、李黃[illegible]等人的臨時動議案中理由說：「惟政府過去因省府財政調度之顧慮而躊躇難決，以致遷延迄今，實則本市若爲全省財政調度所需，仍可由市列入專欵補助省府，並無損於地方建設之大局」。

根據市議會以上兩案看來，證明「台北改院轄市可以增稅收充實本市建設」的話，不過是一個美麗的幌子。因此，市議會對主張省稅仍繳省的兩案意見，並未透露到外間來，以便到現在還能拿着「扣留省稅建設北市」的話來打動市民的心。

政府目前對於台北市昇格問題，並無任何示可的意思，但北市議長張祥傳等爲甚麼要大力來促成呢？據熟悉台北市政治行情的人士分析：明年四月即將改選市長，周百鍊、張祥傳、彭德等人都有意於此。可是，彭德雖是台北市黨部主任委員，但彭非本市人，羣衆基礎不夠；張祥傳也自知無論黨內提名[illegible]社會[illegible]，都難[illegible]，所以[illegible]促進北市昇格[illegible]。如果北市昇格成功了，[illegible]由政府派任，[illegible]自然[illegible]坐上市長[illegible]。[illegible]心目中的「競選」，而由政府派任[illegible]都坐不成[illegible]搞法。

台北昇格院轄市　市議員有反對者
說是昇格對北市無實益

（本報記者呂文台北航訊）台北市議員李賜卿是反對將台北市改爲院轄市的，李賜卿說：第五屆台北市長選舉，明年四月就要投票，在選舉前來搞台北市昇格爲院轄市的運動，動機似有不妥。

李賜卿議員對台北市改爲院轄市後，因爲截留繳省稅收，可以增加北市建設財源的說法表示不同意，他說：這種說法是不可靠的。根據稅捐處的資料，北市五十三年度的稅收預算數是十二億一千七百四十五萬餘元，北市可以分配到的預算數是四億零六百八十六萬餘元，改爲院轄市後，則可以分配到五億六千一百零四萬餘元，亦不過比現在分配到的增加一億五千四百一十七萬多而已。他說：「稅捐處的這一數字並不正確；然他所知，台北市全年稅收是十八億元，假設台北市眞的改院轄市，除了繳交中央半數外，只剩下九億元可以自行支配；但依照法規規定，院轄市須自行負担教育經費百分之廿五，即二億二千餘萬元，剩餘便只有六億餘元了。現在台北市總預算是五億，那麼，即令改爲院轄市，多下來的錢，固然比目前要多一億餘元，但到時候市政府編制勢必擴大，負担加重，還有甚麼錢可供本市建設？

李賜卿進一步提出一個大家忽略了的大問題：台北如昇格爲院轄市，附近的八個衛星鄉鎮，如蘆洲、三重、新莊、中和、士林、內湖等都要併入台北市，這些鄉鎮一點建設的成績都沒有，劃入台北市，當然應由台北市來負責建設；目前台北市自己建設都還不夠，再背上八個大包袱，到時只怕台北建設不但不能改善，反而受到拖累，要想維持現在這樣的建設都不可能。

台北如果改爲院轄市，現在台北市區的各級省立大專中學，像師範大學、工專、護專、商專、師專、護職、省建中、一女、二女、成功、中一、女師、盲啞學校、附小等大中小學，都要由省立改爲市立了，這些鉅額教育經費[illegible]。李賜卿說：台北市如改院轄市後，[illegible]歸省，同時卻又平空增加許多的負担，如何得了？他說：由此看來，[illegible]主張稅收照繳省方者，眞正目的何在？

李賜卿向記者表示：他是民意代表，對於市民的權益，認爲台北市改爲院轄市對台北本身沒有好處，同時又剝奪了市民自選市長之權，他要反對。

台灣番族發祥地

三國志、隋書、宋史，都有關於台灣或基隆的發現，即近於鷄籠，殊難采信。直到明朝張燮著東西洋考載：「鷄籠山淡水在澎湖之東北，故名北港，又名東番云。深山大澤，聚落星散，凡十五社（每社千人或五六百人），無君長，徭賦，以子女多者爲雄長，聽其號令。」在明永樂以至嘉靖年間，基隆地區，均爲平埔番所據，其族目凱塔格南，最初由頂雙溪河口登陸，番族於舊社附近，成爲台灣基隆之發祥地。明天啓六年，西班牙人進據基隆，以社寮島（即今之和平島）爲根據，並在島上建天主教堂及學校，收

基隆旅居記

仲公

容七番漢人，投以紳學哲學，積極擴張勢力，及用宗教去籠絡番民。那時西班牙人居留基隆者約三百人，淡水約二百人，同時荷蘭人據有台灣南部，對基隆淡水的西班牙人勢力日張，感覺不滿，崇禎十四年九月四日，西班牙人以孤軍無援，只得棄城逃走，至此基隆遂爲荷蘭人所據。到明永曆十五年十二月，鄭成功入台，驅逐荷人出境，基隆始隸屬中國版圖。

漢人蹤跡，基隆在鄭氏時代，尚少人自八里坌移居基隆，總有漢人聚落和商店出現，稱爲崁仔頂街，是爲基隆市街的嚆矢。後至乾隆年間，又於高砂市場及海水碼頭之間，建築新社街與街仔街；嘉慶初年開闢道路，以通宜蘭，基隆的交通地位逐漸見重要。到此移民漸多，因感覺平地狹隘，就開始填海，修建新港路碼頭，至道光二十一年，基隆港口附近居民已有七〇〇〇多戶。那年正逢中英鴉片戰爭發生；明年英國海軍進攻基隆，結果爲我們的守軍擊退。

當時，歐洲人船隻航行東亞的漸多，看到基隆是一個良好的港口，並且附近出產煤礦，英國和美國的海軍都曾派員前來調查，寫有一篇很長的調查報告，道光卅年，英國駐北京公使曾要求清廷准許英人在基隆開採煤礦，但未得清廷許可。（六）

霍亂增至九十五宗　當局發動重行注射

（本報訊）十一日午間醫務處證實發現霍亂新患者兩宗，一爲六十一歲婦人，另一爲八歲小童。至此，香港今年所發現的霍亂病患者，已增至九十五名之多。迄至十一日午，霍亂情況如下：死者二十四人；治癒還家者七十六人；在醫院臨床患者九人，但死於他病者二人；證實無菌疑症者十八人；在檢疫中之帶菌者一人；已治癒還家之帶菌者一百零三人；在檢疫所之接觸者二十八人；已回家之接觸者一千八百三十六人。

又因霍亂蔓延不已，居民注射多已超過半年，當局開始發動重打防疫針，以期徹底加以撲滅。

長天星耀・薄海風從

慶祝國父九八誕辰紀念獻辭

馬樹禮

今天恭逢國父孫先生九八誕辰紀念，我們緬懷國父倡導革命締造中華民國的偉績豐功，顧念本身當前反共復國的大業重任，矚觀世局，時會方艱，當思所以矧精竭慮，恢揚國父未竟的志業，善盡我們應負的任務。

國父以先知先覺的睿聰聖智，昭示我們革命的大道。其手創的三民主義、五權憲法，實爲貫通古今融匯中西，集大成而治於一爐的最說，是「順乎天理，應乎人情，適乎世界之潮流，合乎人羣之需要」的理論體系。眞正是復興國家民族，促進人類和平，「放之四海而皆準」的治國寶典。

國父遠矚高瞻，其學說主義之精深博大，世無與匹。我們這說法絕非誇矜，而是有事實可以充份證明的。就貼近數十年的世界局勢發展情形看，那些以剝削殖民地爲能事的資本帝國主義，固然爲時代所淘汰，自居優越凌辱他人的極權納粹主義，更不爲人類社會所歡迎，至於共產黨強調歷史唯物觀點，主張階級鬥爭，乃至泯滅人性，不擇手段；走上循環不斷鬥爭清算的道路，舊階級被鬥倒了，却又形成了一個新階級，而且這新階級騎在人民頭上作威作福，任意殺戮奴役異己。這是演出了亘古未有的慘酷現象，更造成了人類世界無窮的禍患。

國父對於世界上種種不合理現象的發展，早已洞燭機先，故其手創的三民主義，完全是針對着這些弊端，而預爲防範避免的。他主張先求國內所有人民的政治經濟地位機會的均等，造成一個昇平康樂的國家社會，然後再進而謀求世界的國家民族，都能平等和諧相處，以躋於世界大同的境界。國父這種政治理論，在當年尚有不少人覺得理想過高，不易實現，因而不肯悉力奉行。今日我們飽經憂患困厄之餘，再細察世界人類思想潮流的趨向，不由不深深敬佩國父的眞知灼見。自世界二次大戰以還，寰球各國形勢，已有很大的演變。帝國主義固已趨於沒落，而共產赤禍却又乘機披猖，在目前狀況之下，大家才覺悟認識，唯有三民主義，才眞正是挽救世界人類劫運的最正確途徑。見三民主義非但適用於中國，而且適用於任何國家，眞正是「放諸四海而皆準」的寶典。我們蔣總統曾經鄭重指出，當前這一時代是「三民主義的世紀」，這實在是十分確當的至理名言。

我們何幸而得有這如「日月經天，江河行地」的寶典——三民主義，大家應如何珍惜愛護，如何努力奉行，這才是今天中華民國全國人民應盡的職責。

我們須知三民主義是「極高明」而又「道中庸」的，故實際上十分淺近易行。而且國父早就把一切施行的方法步驟，以深入淺出的解說，條分縷析地指示給我們。只要我們決心努力奉行，就必然可以達到目的。他就是怕大家畏難，故反覆曉諭我們「知難行易」，[illegible]務於躬行實踐。

國父認爲事之成功，必須從「心理建設」做起。尤其是革命大業，更需要「改造人心」。他說：「夫國者，人之積也。人者，心之器也。國家政治者，一人羣心理之現象也。」「是以建國之基，當發端於心理。」他又說：「夫事有順乎天理，應乎人情，適乎世界之潮流，合乎人羣之需要，而爲先知先覺者所決志行之，則斷無不成者也。」此今古之革命維新，與邦建國等事業是也。」又說：「吾志所向，一往無前，愈挫愈奮，再接再厲，用能鼓動風潮，造成時勢。」不怕其不能成，怕的是沒有實行這種的決心和勇氣。又從何發生出來的呢？

國父本着我們中華民族文化傳統的道理，指出那是由於「誠意」而來。國父於民國八年闡明[illegible]時，[illegible]「孫文[illegible]正心誠意[illegible]」。[illegible]六個字[illegible]「至誠[illegible]一心一德，共任艱鉅」。[illegible]所謂「正心誠意」，[illegible]之誠。[illegible]我們要愛國愛人，負起救國救世的大任，並要負責任的具體行動；勉求學問，琢磨道德，以引進人羣之道」。因爲要「物競之人羣，弱者愚者[illegible]爭存之義，已成舊說。今則人類進化，非相匡相助，[illegible]」我們[illegible]人，責無旁貸，[illegible]國難未已，必須痛下決心，努力奮鬥，遵循着國父所昭示的三民主義，消除赤禍，光復國土，實現於中國，宏揚於世界。這是我們今天慶祝國父誕辰紀念當中，應加深切體認的一點要義。

藝術叢語

抽象藝術漫談

趙雅博

二、另一個當代藝術的型態——自然是說的也要屏絕客觀實體者，它是在於將自己關閉在一個瘋狂的主觀主義中，藝術作品歸縮到用它的語言只是表達出純主觀的思想印像，而這個藝術家的印像，乃是由於在藝術作品中所擯棄的客體所喚醒的，你說這是不是一件大怪事呢？藝術界這一趨勢的主要代表人物，可以說是巴賽納（Bazaine），他的大部份的產品都是這樣。

思想恢復客體的意向，也有着不同的派別，大致可分別爲兩大組：第一組是試着尋找容易的道路，走向復古，回溯歷史，從印像主義起，如同是藝術的冒險一樣，秩序完全紊亂，如同是歷史也可以倒流一樣。這是不可能的。因之這一派的容易復古運動，並未曾能解決問題，反而使之更爲嚴重，使這種恢復運動，完全失敗，並且使藝術運動半世紀以來所得到的進步，也完全塌台。二、由於客體的摧毀，在藝術的闌地內，再要恢復習慣的客體實在性，已經成了難事。藝術上這一實在性，在反抗將純粹的顏色溶合在藝術之中，在反抗着線條與形式的作主，在反抗近些年來，在藝術上所獲得的含蓄的理智特性！再一方面還有僅僅可以克勝的困難，這些困難含有着背叛客體的事實，迫使着許多藝術家，當時的藝術家，在當時藝術界認爲尚未開發的新世界內，去在這客觀的世界內，尋找他們的靈感。這些尚未開發的新世界，乃是人類由科學與技術的開闢與獲得的。比如數學形象，原子與結晶體結構，生命的組織與血型，放射性的結果與天文學的發現，音樂作品原理與樂理等等……要這樣，藝術的作品能夠獲得藝術的新進步，而並不完全棄絕客體。康丁斯吉與孟德良就是這一派的人物。

上面提過的一切最後的趨勢，除去了主張打回頭與退步的趨勢，都是本名的進入了抽象主義，都有美術的價值的。在這一切的趨勢中，也都滿定了前面兩個要求，來挽救藝術當前的紊亂現象。然而也可以說都失敗了。恐怕只有一個良好而困難的解決辦法，就是恢復客體，恢復完整的客體，但要借助於抽象作用，一點也不丟掉新藝術的新獲得，但也並不決絕的去乞援於不是傳統藝術表現的對象——這些對象是藉着物理或數學或只是藉着感覺的抽象而得的。這個感覺視覺並可藉工具得到。我們可以看出來，只有這最後者才可以稱得起是本着的抽象畫，也只有它在當代藝術中開了一個新的而共同的影響。至論這個稱得起爲本名的抽象畫，究竟如何，以後我們慢慢的再談到。（未完）

劇氛縹緲錄

婆娑生

月潤則是愛國伶人，民初，曾參加敢死隊，攻打江南製造局而光復上海，在滬濱打天下。與馮子和，潘月樵，毛韻珂，趙君玉等爲儔，多排眷念家邦、激揚民氣的新戲，重做作，不講究閙妙的腔調，頗有聲色，名望也不小。惟與京朝派脫節；譚氏的拿手，月潤均不能之。數次來滬，皆是月潤侍奉乃岳，絲毫無差，所以答應他末次的登台，是九畝地新舞台落成開幕的大典，留得永久的紀念。其對壻的喜愛，於此可知其心緒矣。

六次來滬最後尤盛

譚氏先後來滬，約計六次：（一）光緒五年在石路金桂茶園，年三十三。（二）光緒十年在新丹桂，偕大奎官同來，年三十八。（三）庚子拳亂後一年，在桂仙茶園，包銀每月二千元，年五十五。（四）光緒廿九年在天仙舞台，包銀漲至每月三千五百，年五十七。（五）民元應黃楚九之聘，在新新舞台，偕孫怡雲，德珺如，金秀山，慈瑞泉，文榮壽同來，住小花園，包銀改爲每月六千。（六）民四應夏月潤之請，在九畝地新舞台，賣座之盛，歷次所未有，聲滿春申，膾炙人口，譚調大傳，時已六十有七歲矣。回平以後，翌年逝世。

新異的配搭

譚氏民四到滬，因九畝地新舞台落成，其壻夏月潤充該臺總管，爲求第一批紅利，北上敦請乃岳南來。譚以上次旅居享受，頗覺舒適，兼欲去普陀山進香，乃約定允唱七日，戲碼是失空斬，烏盆計，珠簾寨，捉放宿店，盜魂鈴等。這次南來未帶配角，就地取材，不免有些緊張，多在先一日聚集排練，由月潤提調，譚氏則不到場。目前與雅歌集舊侶朱聯馥兄談及首夕失空斬，有新異的配搭，猶能記得。有潘月樵（一名小連生）的王平，許奎官的馬謖，夏月潤的趙雲，曹甫臣的司馬懿，夏月珊、邱治雲的老軍。這些上海戲園的角色，居然把失空斬唱得有聲有色，與京朝派無甚差別，個個功力精到，唱得如此痛快，譚甚得意，力誇乃壻的調度適宜，把一向自傲，對同行常有折辱的老譚，從茲對上海的角兒，有另眼相看之態度，未始非此劇所召致。在場衆衆，以看得愜意，皆大歡喜。（四）

瘟君續夢

第十回：集會議圖存　天寒日暮　空言難自救　鬼哭神愁

毛澤東道：「軍中情況究竟怎樣差，你可以把具體情況報告一下。」

羅瑞卿說道：「一般的情緒都很低，物資供應也差，許多重要的事件我都已經向主席報告過了，再說還是那些事。」

聶榮臻問道：「據說軍中物資浪費十分嚴重，另一方面部隊糧食供應又很差，是不是後勤部門出了毛病。」

羅瑞卿點頭道：「正是如此，總後勤部有一個時期變成了有物皆糟蹋，無官不貪污。」

毛澤東一瞪眼：「這是怎麼搞的，屢次整風怎麼沒起一點作用。」

羅瑞卿說道：「整風對總後勤部一向不起作用，一九五八年反教條主義運動，由於當時任總後勤部部長洪學智同志的抗拒，根本就未反到總後勤部去，裏面的壞份子，官僚主義作風，絲毫未受到影响。」

毛澤東冷笑一聲：「我知道洪學智是受了彭德懷、黃克誠的指示，有意和我爲難，他們這個反黨集團眞的把黨和我害苦了，高低不能再寬容他們，這次開會一定要明白宣佈撤銷他的黨內職務，不必再替他保留這個假面子了。」

周恩來問道：「民兵的情形是不是好一點。」

羅瑞卿苦笑道：「民兵情形更糟，已經超出想像之外的壞。假若把希望寄在民兵身上，是一定要落空的。」

周恩來詫異道：「各級幹部報告，有關民兵問題，都說很好，發展得很快，怎麼這樣糟法。」

羅瑞卿不敢開口，抬頭看看毛澤東。

毛澤東說道：「你把傅秋濤同志關於河南民兵檢查報告，向大家說一說。」

羅瑞卿想了一下，說道：「關於民兵的混亂情況，總參謀部也不斷得到報告，爲了明瞭眞象，經過軍委六十四次辦公會議決定，特派傅秋濤同志率領一個工作組，去河南檢查民兵工作，這個檢查組共計四十人，其中由總參謀部派出二十二人，其中有正副處長六人，總政治部派出四人，武漢軍區派出十四人。他們到了鄭州，分到各軍分區及重災城市展開普遍檢查，共計工作了四十天，所得到的情況，確實大出我們意料之外。本來根據河南省黨委及人委呈報，全省共有民兵一千九百九十八萬多人，佔全省人口百分之三十九強。可是經過調查之後，覺得同事實很有距離。就以豫東夏邑縣來說，那是一個著名的民風強悍之區，以前不知出了多少有名土匪，可是該縣一共十三個公社，只有七個公社眞有民兵組織，四個公社，祇有一部份生產隊有民兵組織，只有營級以上民兵幹部，而沒有班、排、連的組織，一個公社根本就完全沒有民兵組織。」

周恩來說道：「照這樣講法，河南民兵恐怕連五百萬也沒有，難爲吳芝圃，他一口氣就多報了一千五百萬人。」

羅瑞卿嘆口氣：「有五百萬，到好了，據我看連五十萬也沒有，檢查組在豫西浙川進行檢查時，更爲失望。」

劉伯承奇怪道：「浙川縣是最容易組織民兵的地方，從別廷芳起，到劉顧三，薛子正，可說是根深蒂固，一九四八年我派陳賡同志一直向豫西進軍時，吃了當地民兵的大虧。怎麼現在沒人肯當民兵了呢？」

（二五五）

觀世音

漁翁

佛爲釋教之祖，卽釋迦牟尼也，以成佛超凡爲旨。當後漢明帝時，佛教自西域傳入中國，至晉宋間而大盛。迄今雖科學昌明，而此風猶未稍替，善男信女之奉行佛教者，尤以祀觀音菩薩至虔。國內各地，皆有觀音廟之設，卽家內神龕上，亦列有「大慈大悲觀音菩薩神位」。故俗云：「家家如是觀世音」。

觀世音亦卽觀音。法華經云：「苦惱衆生，一心稱名，菩薩卽時觀其音聲，皆得解脫，以是名觀世音。」唐人諱世字，故稱觀音。

觀音又稱「自在」，據「般若波羅蜜多心經」載：「觀自在菩薩，行深般若波羅蜜多時，照見五蘊皆空。」「法藏疏」云：「於時理無礙之境，觀達自在，故立此名」。又各觀音廟內，嘗鐫有「自在自觀觀自在；如來如見見如來」一聯，按如來，佛號，無所從來，亦無所去，故名。以如來對自在，固天衣無縫也。

宋朱弁「曲洧舊聞」：「蔣穎叔守汝日，用香山僧之請，取唐律師弟子義常所書天神，言大悲之事，潤色爲傳，載過去國莊王，不知何國王；有三女，最幼爲妙善，施手眼救父疾，其論甚偉。」今人以觀世音爲妙莊王之第三女，本此。又「吳縣舊志」指爲梁妙嚴公主得道成佛，故世俗謂觀音爲女子，並有「觀音老母」之稱。

但胡石麟筆叢，王世貞觀音本紀，皆謂古時無作婦人像者。世有謂觀音爲普賢菩薩所化身，清俞曲園「茶香室叢鈔」云：「今人知觀音菩薩，曾見女子身，不知普賢菩薩亦曾現女子身也」。按普賢與文殊爲佛門二聖，行彌法界曰普，位隣極聖曰賢。觀此，則觀音本男身，化現爲女子而已，故世人又以大士稱之。

俗所謂觀音誕，每年有三日，陰曆二月十九日，爲觀音誕生日；六月十九日，爲道成圓滿日；九月十九日，爲昇坐蓮台日。善男信女則統稱此三日爲觀音誕。

三十年前，筆者三遊南嶽時，適六月十九日，進香者，以婦人爲最多，隨入一古寺，正殿爲「觀音大士」，兩旁聯語雖多，卒無佳句。該寺住持尼，頗通翰墨，屬題一聯，乃應之曰：「活現女人身，不假蛾眉，能使古今稱大士；由來眞佛子，本無色相，却從玄妙解觀音。」雖以「觀音大士」四字，自覺欲速不達也。閱年遊此，而該尼已用木鐫懸正殿，並向筆者合十道謝，迄今思之，猶在目前。

避難來港，十有四年，尋名勝，訪古蹟，所至有詠。記過白雲山上之觀音廟，蒼松翠柏，風景絕勝，古人所謂「天下名山僧佔多」，信然。

閒話寫別

黃伯逵

寫別，讀別，在科舉時代，是讀書人之恥。因爲文章做得不好，尚可以委責于主司「有眼無珠」；而寫別被粘，便無話可說也。同時，往日的私塾先生，是個別教授的。在入塾之初，好的先生，必每人授以一本「識字辨」，每隔一日，則寫三五箇形象相同的字，如：「戊戌戍戎」、「己已巳」，「魯魚亥豕」，「官臣巨」等字，使之作深入的認識與辨別。而且每字分析「平上去入」四聲，例如：「於戲」二字，在四書裏，都是當作「嗚呼」使用。「說」字可借用作「悅」字，「匈」可作「胸」，「藏」可作「臟」，不一而足。因古字少，都可借用也。

由于當日的「私塾」先生，對於識字一門，是十分注重的，故學生一入聖門，首先便從識字開始，打穩基礎，故少有讀別和寫別的毛病。而在今日，小學校既不注重識字，大、中，專更無論矣。只要有人寫得出，大家用得通，便成爲字矣。既無人糾而正之，甚至文人學者，也從而跟着錯，不以爲怪。可不歎耶？不過，如果創造創得通，寫別寫得有道理，也就無話可說。但，事實上，不是「畫蛇添足」，便是「牛頭不對馬咀」。現在，試舉幾個隨時隨地可見的別字，寫給大家參考參考，便知所言不謬也。

一、「家具」之「家」與「具」二字，合之是「家庭用具」也。何等明白貼切？但我走遍全台北市，所見到「家具」店的招牌，百分之九十九，都寫作「傢俱」店了。試問：「傢」字對于家庭用具，有什麼關聯？「俱」字屬於動詞，是「意見一同」，「行動一同」之意；對於家具又有什麼痛癢？而且「傢俱」二字，照讀字面，是上仄下平；今口中所念的（家具）是「平仄！」而招牌上所寫的是「仄平」（傢俱）；不但言與文不對，卽「傢俱」二字，用來代替「家具」，也絕無絲毫意義。本來舊時有人稱「家具」爲「家俬」，亦作「傢俬」；讀來雖無意義，而在平仄上，還可以協調適順。若以「家具」爲「傢俱」。則誠不知其所云爾！

二、「嘗試」之「嘗」字，明明從尚；尚字下有口，而口下又有甘旨之旨，然則嘗而試之，用作「祭祀蒸嘗」，用作「嘗試口味」，有何不對？而必再添上一箇口？作「嚐」！別人在提倡簡體字，我們則嫌「嘗」字筆畫太少，却要再加上一口，這不是「畫蛇添足」，自作聰明嗎？然而天下滔滔，既無人糾正之，反而大家跟着錯，而不以爲非！一般新時代之文人學者，反認爲寫嘗試而不添口者，爲頑固，爲不通，豈不可哀可歎也？

三、以「念」作「唸」。本來「念」字之含義，是凡事不忘於心者曰「念」。又：讀書而出聲者，曰：「讀書」。讀書而不出聲者，曰：「念書」。故念字從今從心。從今者，由今思昨；從心者，默記於心也。可是，以「念」爲「唸」者，既不明「念」字之意義，以爲「念」須動口，遂又把他加上一箇口寫作「唸」。如「念念有詞」，「念念不忘」；都變爲「唸唸有詞」，「唸唸不忘」矣。這亦是「畫蛇添足」之又一例也。

四、「館」字從「食」，從「宮」，有仕有食也。故語云：「館穀」，「館甥」；不獨舍之而已，且含有招待之意。可是，一般酒館，旅館，茶館，命相館，擇日館等等，除了國家[illegible]

（一〇二）

南宋偏安有人才

李仲侯

三月初一日復賜札令會合張俊，平蕩壽春，札曰：「聞虜人已過壽春，卿可與張俊會合，[illegible]楊沂中，劉錡並往克復。得之則盡行平蕩，使賊不得停迹，以除後患，則卿此來不爲徒行也。有所措置，開具奏來。一日付岳飛」。朝廷得韓世忠奏，復賜御札，趣飛會合平蕩，札曰：「韓世忠奏，已親提兵自濠往壽春，卿可約與相見，從長措置。虜人若未全退，或已退復來援戰，卽當乘其旣敗，痛與勦戮，使知懲畏。若已退不復來，則壽春順昌皆可平蕩靜盡，免其後來之害。以卿體國之意，必協心共濟，不致二三也。遣此親札，諒宜深悉。付岳飛」。

兀朮聞飛退師，用酈瓊計，復窺濠州。飛聞警，於四日夜發舒州進援。朝廷得警奏，十一日賜御札趣出兵，札曰：「兀朮再窺濠州，韓世忠、張俊、楊沂中、劉錡皆已提軍到淮上。以卿忠智許國，聞之必卽日引道。切須遥赴廬州，審度事勢，以圖壽春。廬通水運，而諸路漕臣，皆萃於彼，卿軍至糧草不乏，又因以屏蔽江上。軍國兩濟，計無出此。已行下諸漕，爲卿一軍辦糧草，不受缺乏。付此親札，卿須體悉。十一月未時付岳飛」。飛已先詔出師援濠，朝廷猶未知。十一日飛還舒之奏始至，乃賜御札嘉獎飛恭謹之節，而趣令夾擊，以定大功。札曰：

「得卿奏，知卿屬官自張俊處歸，報虜已渡淮，卿只在舒州聽候朝廷指揮，此以見卿小心恭愼，不專輒進退，深爲得體，朕所嘉歎。據報兀朮用酈瓊計，復來窺伺濠州，韓世忠已與張俊、楊沂中會於濠上，劉錡在廬州拓皋一帶屯軍，卿可星夜提精兵裹糧起發，前來廬州就糧，直趨壽春，與韓世忠等夾擊，可望擒殺兀朮，以定大功。此一機會，不可失也。廬州通水運，有諸路漕臣在彼運糧，急遣札，卿切體悉。十日二更付岳飛」。

飛自舒州疾馳，以十三日至定遠縣。兀朮先於八日破濠州，張俊以全軍駐於黃連鎮，去濠六十里不能救。楊沂中趨濠城，覆於虜，王德救之而免。兀朮方據濠，聞飛將至，復遁，夜渡淮不能軍。時朝廷方得飛發舒州之奏，乃賜御札嘉獎，札曰：

「得卿奏，卿聞命卽往廬州，遵陸勤勞，轉餉艱阻，卿不復顧問，必遄其行，非一意許國，誰肯如此！據探報兀朮復窺濠州，韓世忠八日乘捷至城下，張俊、楊沂中、劉錡先兩日盡統所部前去會合，更得卿一軍同力，此賊不足平也。中興勳業，在此一舉！卿之此行，適中機會，覽奏再三，嘉歎不已。遣此嘉獎，卿宜悉之。」

海嶠閒談

蟄居美國的李宗仁氏，最近忽然靜極思動，發表政治言論，教西方人士到中國大陸上看看，也到台灣地區走走，比較一下人民生活情形孰爲優劣？在我的想像中，李德公似乎沒有自動發出這類外交詞令的智能。仔細打聽之下，果不出所料，據說是被一個僑居在新大陸的中國外交界渣滓人物利用玩弄而然的。此人因爲要求作聯合國的出席代表不遂，乃教唆李氏發出嬌嗔之談，藉以洩憤示威。這跟當年毛邦初利用「李代總統」名義替他作貪污保鏢的手法一樣，上當的只是李氏而已。

想起李宗仁

諸葛文侯

我認爲李氏的政治智能差缺，是有若干事實根據的，試舉一犖犖大端，以資佐證焉。

民國卅八年中央政府遷到廣州之際，毛共勢力雖猖獗，但兩粵和川滇黔暨湘南一帶，尚在我政府統治之下，國軍實力亦不弱。當時陸軍總司令張發奎與華中軍政長官白崇禧協商決定，擬悉索敝賦，在粵湘地區對共軍作最後一次決戰。但是時國防部長係由行政院長閻百川兼任着，閻氏對華南情形不熟悉，指揮調遣難期靈敏，不如由白氏担任國防部長之職，張氏則以陸軍總司令統帶大軍作戰，粵中諸將領皆贊其議。是項計劃報經李代總統同意了，約定由李向閻院長說明一切，付諸實施，旋李閻二人秘密晤談此事，張白卽坐在外面房間等候消息。迨閻辭去後，張白詢李是否已經談好？李竟謂「我看他還想兼任下去，根本就不便提出此案。」張聞之大爲沮喪，深感不足與謀，卽日呈辭陸軍總司令職務，携家到香港隱居，置理亂於不聞了。後來李宗仁在美國聲稱張氏是替他在華南組織游擊部隊的大將，而張氏立卽登報否認，殆源於此也。

李宗仁這人，忠厚有餘，知識不足，左右親信又沒有個像樣的人才，遇事只見其小，不識其大。卽如他當年由香港赴美國時發表談話，但斤斤於爭執美援的支配權，却不知道那時美國政府不特停止了對我國的軍經援助，連我政府斥資在美國購買的軍需品，亦被禁止出口了！他到了美國之後，居然印製中華民國總統府的公文紙類，到處行使總統職權，而不惜以流亡政府自居，丟醜失格，莫逾於此。嗣後國民大會和監察院，電請他回國來實行代總統職權，他還不知所以自處，復電聲明在美國照樣執行總統職責，迫得國大代表們正式予以罷免。如此的智慧，如此的作風，在中國近代史上尋不出第二個同樣的政治人物。共黨若要利用他，實際上，他的剩餘價值亦有限得很，何足道哉！

譚古琴

匡謬

琴乃我古樂器之一，相傳爲神農氏所作。說文云：「琴者禁也。」神農所作「洞越」，「練朱」五絃，周加二絃，成爲七絃。長三尺六寸三分損益之，各爲徽識，而飾以金玉之圓點，謂之「徽」，全絃凡十三徽，以指按而彈之，凡十三音也。琴書云：「昔者神農造琴以定神情，禁淫僻，去邪慾，反其天眞者也。」是古人造琴，不僅是極聽而已。

關於琴的創始者，另說爲伏羲所造，其時則早於神農一千二百六十年。又一說爲晏龍所造（黃帝之子），則後於神農矣。至於由五絃加爲七絃，除前說之外，另說是堯所加。

琴的美譚無過於荀子：「伯牙鼓琴，鍾子期聽之。伯牙志在高山，子期曰：善哉！巍巍乎如高山。少選之間，志在流水，子期曰：善哉！洋洋乎如流水！及子期死，伯牙破琴絕絃，終身不復鼓。」古人之鼓琴與今人異者，今人唯以娛人，古人則不然；所謂「定神情、禁淫僻、去邪慾」，雖不必如此嚴謹，但其高山流水之間，其志趣之高潔，則確不同於流俗。琴書說：「舜彈五絃之琴而天下治，堯加二絃以合君臣之恩」。又孔子困於匡，而絃歌不絕，是何等心曠神潤！其弟子宓子賤單父，也懂得「鳴琴而治」。都是一個道理。

又「說苑」載：「荊軻左把秦王，右持匕首，擬揕其胸；王乞聽琴死，召姬人鼓琴。琴聲曰：『羅縠單衣，可裂而絕；八尺屏風，可超而越；鹿盧之劍，可負而拔。』王奮袖而去。……」此又是何等緊張而復何等從容的場面？

內倫警台報字第〇三壹號內銷證

自由報

THE FREE NEWS

第三九二期

中華民國僑務委員會核准登記
台教新字第二三一三號登記證
中華郵政台字第一二八二號執照登記爲第一類新聞紙類
（每逢星期三、六出版）
每份港幣壹角
台灣零售價新台幣貳元
社長：雷嘯岑
督印人：黃行富
社址：香港銅鑼灣高士威道二十號四樓
20 CAUSEWAY RD 3RD FL. HONG KONG
TEL. 771726　電報掛號：7191
承印者：田風印刷廠
地址：香港灣仔高士打道二二一號
台灣分社
台北市西寧南路壹壹零號二樓
電話：三〇三四六
台郵撥儲金戶九二五二

中國文字語言的優點與缺點

——國人語音如何趨於一致——

陳曼卿

最近偶爾見到一本由一間雜誌社代理發行，有關中國文字音韻問題的著作品，由於封面的裝璜和內容的設計，以及規劃文字音韻等等剽竊釐定的各種說法，就可以看出那是怎樣一本出版物了。正想提筆寫文時，閱本報第三八六期吳本中先生所寫「中國的語言及文字問題」一文，同時列舉了一件事實：「收到英（國）友（人）……航函一件，勸再赴英，可寓其家，他們（指英籍友人）的兩個子女，若能學中文（當然包括語言在內）實乃至幸之事云云」。我讀過之後，深深感到今天這個科學進步的時代，我們經已察覺中國的文字和語言趕不上時代了。然此時此地，竟還有人主張把中國文字的音韻，弄成開倒車的想法和作法，曷勝慨歎！

可悲的現象

眼前舉一個很明顯的事例，凡是由長江流域、中原地區、華北以及西南各省來到香港的人，和本地人交談時，往往要借用「英語」來作爲傳情表意的媒介（這在香港的中層上層社會常常見到）。如果是在商業場合，更是屢見不鮮隨處皆然的了。中國人對於歐美外籍人士的交往，在語言方面，無可諱言適倒是一種應有的禮節，固無足深責或怪異的。可是，這種現象却往往出現在中國人自己交往的場合，這實在是可哂而又可悲的事情，甚至還有人說：這簡直是國人的恥辱！但是，此時此地的一些中國人，爲甚麼在本國人的交往場合，竟也廢棄了自已的語言不講，要用英語來代替呢？難道這樣就是時髦嗎？也可能是沒有一種共通的、或彼此都熟練的語言，來作表達意思的媒介，不無值得原諒的地方。

筆者在這裏，僅就我們中國的文字和語言，粗疏地談談它的優點與缺點。我們知道，中國文字的優點，是以「表意」爲主的一種獨立方塊字。同時，是在距今兩千壹百八十年前（公元前三世紀）就已經統一了的。

古代的文字

因各地書寫的工具不同，所以字體形式也不一樣。秦始皇統一了中國，嚴刑峻法，才由李斯奏議：將點畫成形有音有義的文字，規定一律使用小篆和隸書，這就是史書上說的「書同文」了。大約文字統一後的四百年（公元前二二〇至公元一八〇）被一班高級文士，爲了個人利祿名位，就將那時已至成熟階段的文字，儘量用在學術方面去發揮，還滲合了一些甚麼陰陽、五行、讖緯，符命等等的理論進去。文字倒是進步和成功了，但使中國的學術，不期然而然地就一直衰頹下來。一般人都覺得當時的那種文字，方士的氣味濃厚，使哲學也成了迷信。

在東漢明帝（永平）以後，梵文隨佛教傳入中國，此後的魏晉南北朝以及隋唐（中葉）的六百年間（公元七世紀前），更因清談浮虛的風尚相繼，復被後一批的文士，一窠蜂似的，又將中國文字應用到譯述梵文（梵音）方面去發展，因此成就了古代以中國文字移植佛學繙譯佛書方面的不朽價值。在這段時期當中，也有兩部承先啓後、在文字上具有特殊意義的著述，那就是東漢末年許愼的「說文解字」。

文字的新發展

許愼的「說文解字」，是闡釋漢代以前的所謂「六書」的，大要不外是幫助當時把我們這種綜合性的文字，從新的由字義方面去歸類和整理，俾於應用一途。可是，在那個時代，經已感到文字大有不夠使用的現象。爲了這一緣故，復因時代需要，又加以書寫工具的進步和發展，由東漢到中唐的各個朝代，都產生了不少的新「倉頡」，創造出不少新的文字，適應那段時期廣泛應用文字以表意和屬辭的需要。這當中，在字形字音字義各方面，都有長足的進展，但多拘泥於體制訓詁音韻這方面。

文字經過前後一千年時期（公元前二世紀至公元八世紀）的演變，若就中國文字和語言來說，也還有相當的距離是不相連貫的。那就是說，文字是文字（文言），語言是語言（一般口頭用語），而文字也僅能代表當時的中上層社會，倘從文字單方面的需要和發展的途徑來觀察，倒是無可非議的事實，的確是進步了。

當其時，韻文的大量興起，自然是需要更多的文字來應用。由於中國的字形向來就很完整，以及字音字義隨着時代的不斷演進，變文俗曲的風靡流行，往後，廣泛地就把民間的口頭俗語，也逐漸採用一些，加進文字中去使用。所以，在許愼著「說文解字」的時候，中國文字祗不過九千三百五十三個。晉代呂忱的「字林」也不過一萬二千八百廿四字。到了宋代（公元十世紀）另從陳彭年修「廣韻」一書，才明白新舊文字的發展，已增至二萬六千一百九十四字了。

話文的初期配合

宋代活字版印刷術發明，以及前者的勸教人（信佛）、說話人、茶寮酒肆街邊或市集空地說書講故事，所用的「話本」，「平話」等的普遍流傳（較多白說語文），又因宋元詞曲戲劇等大半都是淺近文言，這樣才使文字漸漸同語言接近。更爲了普及略識之無的民間閱讀通假字、異體字、簡化字（自然也有不少錯別字）的範圍，也就越來越廣濶，會意，轉注，假借，偏旁等的新體字大量產生，熙寧初（十一世紀中葉）的「集韵」一書，前後經過大約三十年的搜集，就列出了五萬三千五百二十五字。

計自東漢末年黃巾作亂，征討烏桓鮮卑，相繼帶來兩晉時的五胡亂華，北宋的南遷，直至金元入主中國，約近一千一百年（二世紀至十三世紀）人民多次由北而南的大量遷徙，語言混雜，但文字却始終保持方塊字形的完整。到了元明時期，正統的「文言文」文字愈漸衰微，繼由一些唐代遺留下來的短篇故事，改串長篇的章回小說，日新月異的興起，盛極一時。但都是文白雜用，既粗劣而又笨拙的語文，類似說話人的筆記故事。嗣被那時流浪江湖不得志的文人，將那些較爲可取的故事史實「話本」，酌意修辭另行改編，用通俗流暢近於白話體裁的文字寫出來，這才算使文字和當時語言合流打成一片。明季西人來華貿易傳教，發現他們的羅馬文，也能拼出中國的方塊字，這不能不說是對中西文化交流的一大貢獻和便利。

到了清代，康熙朝的第一部「字典」誕生，大要不外是便利那班飽學之士，閱讀古代的經史子集的異體字與同音字的搜集，雖多，但對不少變文俗曲戲劇襯字塾音等用字，還是一概忽略。我們知道，語言是隨着時代潮流而變換的，從前民間流行的一些語詞，現已不合實用，也正像今天的甚麼「裏外太空」和「衛星」等的不大爲人重視，可能在廿年卅年後會大行其道。

現代白話文

五四以後最近五十年，白話文體的風起雲湧，辭源辭海相繼而世，也剔除了康熙字典上原有的一些偏僻而又艱深不常見用的文字，總數還是超過六萬。可是却幫助了我們對新舊辭彙的解釋，和歷史上的名物制度，古今地名，成語典故，百業術語，以及動物植物礦物哲學醫學數學等名詞，才算有了一個比較統一性的說明，這總比舊時代的私熟老師一文一字的「訓」的方法，要高明精進得多。但是，晚近廿年來不少科學上的新成就、新名詞，還有待搜集和整理。

（下轉第二版）

漫畫天下

南施

世界革命

流　流　流

兩個痴人

拉丁美洲

宣傳箱　宣傳箱

去到那裡鬥到那裡

日前在香港的一張晚報上，看到一則國際新聞的兩行大字標題，第一行爲「日相命部長擬定」，第二行爲「改善交通礦場安全」。驟看之下，不免大爲詫異，怎末，日本的算命先生亦在政府設置着官職，專替公共事業場所鑑定風水嗎？迨細閱內容，原來是編輯先生以簡練的古文筆法來命題，因而使我發生錯覺了。

像我這樣對於古文缺乏修養的讀者，竟不理解那標題的涵義，是指日本內閣首相池田勇人，飭令主管鐵路與工礦事業的部長們，擬定今後改善交通、礦場的安全方法，而乃望文生義，弄成如此「離譜」的錯覺，可哂孰甚哉！

文化萬花筒

香港居民雖然百分之九十五以上都是中國人，但談到中國文字問題，却有一種特殊的表現。有的是囫圇吞棗、不求甚解的亂綴詞句，如「以及」寫成「與及」，「風靡」說成「瘋靡」之類；有的是佶屈聱牙，刻意摹擬秦漢以上的古文筆調，如上述標題之類。若就報紙文字必須通俗化的原則設想，這是不足爲訓的。

可是，放眼瞧瞧香港的教育界現象，阿貓阿狗都可以爲人師表，登壇施教，祇有當舞廳大班、或作洋行買辦西崽能力的人物，也可以充任大專學校校長，而學校又要向政府的商業機關繳納牌照費，不特此也，官辦的中文大學，亦須以英語對中國青年講授課程。在這種文化教育薰陶之下的社會大衆，自然談不到中國文學問題了。古的太古了，新的又太新，不通的更令人百思莫得其所解，這便是香港的中國文化特徵，吾無以名之，只可錫以「文化萬花筒」的雅號罷！

馬五先生

北市之瘤違章建築 操刀一割要過五關

（本報台北航訊）台北市政府為了配合黃主席提出的整理和消除違章建築的決策，對於現有台北市三萬多戶的違章建築，已開始普遍調查，據有關方面透露，調查進行的很順利，但恐將來執行的時候，不會如預期的那麼簡單了。

說到台北市的違章建築，確實是歷任市長最困擾和最大的難題，癥結在於（一）公私都感沒有錢，拆除違建談何容易？（二）違章建築的數字又很大，拆東不拆西不行，拆小不拆大更不行。（三）尚有一項顧慮，是住違章建築的多屬貧苦大衆，尤其大多數是大陸來的義民，在台灣無親無靠，不拆勉可蔽風禦寒，拆了，叫他們怎麼辦？（四）也還有人為的困難，有些人有關係，達官顯宦有連帶，絕對拆不了；有些人，捉迷藏，你明拆我暗蓋，永無休止。（五）人為的困難中之一，最是市政府工務局主管都市計劃違章建築的官員，專門明着拆暗裏縱，從中取利，或是玩弄手法，擅自變更計劃，把一些合法的硬是弄得不合法，不合法的反而變成合法，在這裏面搞些滋潤，這種事已是屢見不鮮。譬如，八德路與敦化路，本是一條直綫路面，他偏要弄成曲綫或折綫路面，總之弄成一條似折似曲的非直綫路面，到頭來工務局同老百姓打官司，工務局長林×倉因而停職。最近又有復興南北路預定綫，本來也是直綫，工務局為了保全與自己有關的一些人的非法利益，結果把一條好好的路，弄得似曲似折，簡直八不像，因此也就侵犯了許多合法居民的利益。據悉，這些人已經提出自訴了；看樣子，工務局又要吃一場官司了。否則，工務局將如何否定他們發出的許可證，這倒是一支極好的插曲呢！

還有就是申請建築一層，到頭來變成了兩層或三層；申請建築六層，結果建了拾一層；與論轟動了，議會鬧騰了，拆不了，還是拆不了，因為據說這些違建比高麗參還要滋補呢！

違章建築可說是台北市的「瘤」。實是在所必「割」的，但要割瘤，必得多方配合，澈底研究，並實事求是。光憑說得好聽，不察實情，怎麼行呢！（章）

在監察院年會上 陶百川檢討黃啓瑞案

力主調查高院法官有無枉法弄法 可能影響黃啓瑞復職醞釀

（本報記者台北航訊）正當各方擁護黃啓瑞復職之聲徹雲霄，復職似成定局之際，不料，監委陶百川在監察院年會上檢討台灣高等法院刑庭審理黃案之法官，認為有枉法玩法之嫌，極力主張調查，強調如發現法官枉法，則提案彈劾，如發現法官玩法，應加以研究後處理。顯示此舉大大影響了黃啓瑞的復職。

陶百川的檢討謂：第一，「現在縣市長由於經過民選的關係，並未經過銓敘的程序，究竟他們在法律上的官階是簡任或薦任？不很確定。但我們可以推想他是簡任官，因為縣市以下的局長，如警察局長，工務局長，都是簡任官。」他說：「我最近提出一個彈劾案，彈劾的對象是台南縣民政局長，省政府把他送到公務員懲戒會懲戒，結果被退回了。公務員懲戒會說，簡任官之彈劾案，是經過監察院的審查而成立的，應由監察院送來才能受理。這個立法的用意在什麼地方呢？就是保障簡任官對簡任官的懲戒是要經過民意機關監察院審查後，才可以送懲戒，否則，公務員懲戒會不能懲戒。這一個制度我覺得非常好，尊重簡任官，同時對其地位加以保障。」

儘管縣市政府的局長是如此的程序，省政府無權將簡任官直接移送懲戒機關，就是送去，懲戒機關也不受理。可是民選縣市長並未經過這種法定程序，因為民選縣市長的官階沒有確立，而不受此保障，省政府可以直接移送懲戒會，而懲戒會居然也受理。所以陶委員認為：「與立法精神完全違背」。他說：「以後縣市長的懲戒」，「省政府或者內政部不得直接移送公務員懲戒委員會，以貫徹保障公務人員的立法精神。最近，由於黃啓瑞的案子，引起我的注意」，因為「黃啓瑞的案子」是省政府移送公務員懲戒委員會的，公務員懲戒會處理了。」

陶百川說：「市民住宅案，黃啓瑞太太向包商借一百萬元，沒有利息，這……應該治罪。公車處購料，那簡直買一個螺絲都要賄賂，科員、科長、處長、會計、都貪被牽涉到裏面，集體污。而市長受市民之託，疏於職責，只給予記過處分，顯然是有意放縱。此例一開，以後，任何一個官要貪賍，就叫太太收賍好了，自己祇受記過處分。這樣的國家，那得不亂？還得了嗎？這種作法，在公務員懲戒會的大部份委員，已經相習成風。」這「大部份懲戒委員如此寬縱不法公務員，以致我們的彈劾，懲戒會的懲戒，都不能發生嚇阻之效，真可歎息！」

但監察院對公務員懲戒委員會有什麼辦法？一點辦法都沒有。陶百川說：「我認為不能向司法院提糾正案，因為糾正案是專對行政部份的，同時公務員懲戒會的決議，是全體委員負責的。如我們要彈劾，就彈劾公務員懲戒會全體委員。這個彈劾案即使提出來，送到那裏去，我們沒有第二個公務員懲戒委員會，對他們提出彈劾案，結果還只能送到他們那裏去，等於要他們自己懲戒自己，在事實上，是有困難的。」那麼，怎麼辦呢？陶百川說：「因此，我只有希望公務員懲戒委員會的委員，善盡職責，不要亂送人情。」

第二，陶百川不僅責人，且提出建議要監察院自我檢討。他說：「說到黃啓瑞的案子，我查了一下院裏的檔案，有關兩個案都經院會討論過：一是市民住宅案，一是公車處購料舞弊案。這兩案經院會討論後交委員會，委員會推兩位委員調查，調查結果沒有提出彈劾。……我想，重要原因也許因為看到這個案已送法院，將來一定會判罪坐牢，所以沒有提彈劾案；即使宣判無罪，到時候再提也還來得及。這一種做法，在我們院裏很通行，但有流弊。一個案子，假定要看法院的行動，那法院對重大刑案可能拖二年三年，甚至四年，說不定調查委員早已經忘記，或者調查委員的氣已經鬆了，對於問題已記憶不清，他也不會再彈劾了。好多人就這樣逃掉的。所以我現在想建議大家檢討一下，是不是可以這樣：凡是一個公務員，牽涉到刑事的案子，縱經送法院審理，而經本院調查認為應彈劾，不必看法院的動靜，依法予以彈劾送公務員懲戒委員會，要擱讓他去擱，不要我們來擱。這樣，我們職權的行使，就格外的圓滿，同時法律所要求我們的也是如此。」（上）

香港與大陸

毛共又在攪戲劇改革 竟指忠孝節義為反動

馬師曾紅綫女均受到嚴厲批判

中共在大陸最近又如火如荼的在進行「戲劇改革」的工作，着重批判劇目中的忠、孝、節、義的情節，指其全是「封建道德」的表揚，著名粵劇伶人馬師曾、紅綫女等亦受到了批判。

此間某大專學院的一位教授，最近接到其留居大陸的女兒來信中透露：中共最近曾集訓大批的高級知識份子，要將其訓練成黨員，分撥到戲劇、文化、教育等機構去，以主持大規模的「戲劇改革」工作。

來信說：中共認為戲劇的任務不是僅僅為了娛樂觀衆，而更主要的使命是與文化、教育、新聞等一樣，有着教育觀衆的任務。中共認為以粵劇為例，皆未能為無產階級服務，相反的，說粵劇受資產階級以及殖民地思想的影響，是「極為可怕的」！舞台上充滿着與無產階級思想意識背道而馳的資產階級、封建社會思想，而以這種「光怪陸離」的情節在「毒化」人民的思想。

來信說：中共在這次的「戲劇改革」中，特別着重消除劇目中的忠、孝、節、義的情節，指它們是有害於「黨的領導」，說它們全是封建社會的統治者用來統治人民的工具。封建社會與共產主義社會是對立不相容的，封建社會所表揚的東西，不會有甚麼「人民性」的，與現在的「忠於黨」，「忠於組織」，「聽毛主席的話」……等等觀念是不相容的，是有抵觸的。

來信說：中共認為粵劇中有許多劇目都以此等忠、孝、節、義的故事為題材，因此也就把人民羣衆的思想意識帶回到「個人主義」和「家族主義」的領域中，大大妨礙了「黨」和「毛主席」的領導。中共聲言這樣的劇目是反「黨」反「人民」的，是百害而無一利的。

來信提到被中共誘騙回大陸的粵劇名伶馬師曾、紅綫女等亦受到批判，據說，馬師曾等認為粵劇的傳統的節目當中，有不少是小市民觀衆所愛好的東西，尤其是關於節、義方面的故事，此種小市民意識趣味是客觀存在的，所以在編演時便不能根本否認了。馬師曾等又認為，觀衆來劇場是為了娛樂，絕不是為了去受教育，所以主張編演劇目要「投其所好，力求健康，逐步提高」的十二個字作為理論根據，尤以「投其所好」為前提，說是這樣才能夠吸引觀衆。中共當局於是對馬師曾等的理論加予嚴厲批判，指為「看不到今天工農羣衆思想覺悟，看不到各階層人民在黨的領導教育下的新面貌，忘記了戲曲是要担負教育羣衆的任務……」（敬斯）

基隆旅居記

仲公

對外通商之始

咸豐元年，外國商船開始在淡水基隆貿易，由官方發給執照，並征收稅金。咸豐十年，天津條約簽訂，淡水基隆正式闢為商埠，成為淡水的副港。據淡水廳志載：「咸豐元年，洋船始在滬尾、雞籠，依商貿易，官照商船徵稅。九年新換條約，兩江總督何桂清奏准美國先在潮州、台灣開市，福州將軍東純，閩浙總督慶端，福建巡撫瑞璸，會奏在台設關通商：……十年春，清派道員區天民，會同台灣鎮林向榮，道孔昭，慈府洪毓琛等商辦，以淡水之八里坌為通商碼頭，對岸之滬尾設立海關。——其北路之雞籠，香山之後壠，中港，鹿港，南路之鹿耳，打狗，大小各口，又一律禁止洋船前往貿易，定章奏報。同治六年六月廿二日，滬尾開關徵稅……稅務司旋至總理衙門，請於雞籠，打狗（即旗後）府城之鹿耳（即安平）三處通商，部議准行。八月十九日雞籠開禁……三年四月打狗港，鹿耳門亦開禁，凡四口，以滬尾為正口，雞籠，打狗，鹿耳為外口，徵收銀冊，均由滬尾總口轄繳關庫」。

這段記載，為基隆對外通商之始，亦為台灣設立海關之開端，不可不述。同治元年在滬尾（即淡水）設立海關正口，二年在雞籠（即基隆）設海關外口，兩口每年徵稅約銀六萬兩，以後即無定額。

同治十一年，基隆因人口漸繁，內外商船輻輳，清廷乃在此地設立海防同知，專管海上防務；同時設煤務司，從事官辦採礦業務，以後關於基隆的發展大事，自光緒元年至民國十三年約略可記者如下：

光緒元年，設台北府分府通判於基隆，兼理行政及撫務。光緒七年又設官船往來基隆與福州之間。

光緒十年中法戰役發生，法將古拔進攻基隆，街市部份為法軍佔領，清軍退至獅球嶺固守，相持八個月，法軍終於不支，敗退。

光緒十二年，基隆通福州的海底電線完成。光緒十三年，開始建築基隆與台北間的鐵路，光緒十七年十月通車。到此基隆和台北間的交通，漸臻方便。（七）

中國文字語言的優點與缺點

（自第一版轉來）

到了目前這個時代，科學進步更是瞬息千里。我們中國的方塊「表意」文字，偏僻的固不能用，就是繁難的也應當儘可能的合理簡化。但不能使字義全失，失棄字義就如同失棄「綜合性」文字的價值。也就是說，儘可能地保留它的優點，避免使用上的缺點，才能配合當前這個時代。還有不少新的辭彙，更應當規劃統一，便於吸收歐美科學方面新的發現，協助工業和商業上的前途展開，同時做到文字就是語言，白話文中當省略更要省略，以符合語言就是文字的本旨。

我們知道，自創新意的隨便濫用文字，結果這種文字只有逐漸被人忽視、遺忘，甚至有不用這種文字的可能！因為我們中國文字目前有六億以上的人口使用，這比之使用「英文」的人口三億多還要多出一倍。也就是說，文字語言「新陳代謝」工作，還得加倍努力。如果是有意那種使人看不懂，或無是不自然的字句，都無是不是用車。但怎樣保持我們的這種文字上的傳統優點，那就只有陸續減除一些難字和偏僻字類，求其文從字順，避免使用上的障礙與缺點，以期適應時代，繼往開來。（上）

南越土改目標及作法

西貢通訊

從可知農信貸欵是在發展越南共和國經濟路徑中直接發展私有化的計劃，並循着下列各重點實施：

（一）農貸之事，首先注重在農業區域方面，與殖民時期忘却農民，及共產獨裁者視農民為廉價的生產工具之主張不同。南越共和政府的目標是如何提高每階層人們的物質與精神生活，並從「經濟購買力薄弱」階層方面開始。

（二）排除在農莊內高利貸的長年經濟慘禍。

（三）因為在各從事經濟活動的行業中都與貸出資本給農業、畜牧、漁業、林業、和小工業之農信貸欵有密切的聯繫。

（四）改革田地，減少租率。政府收買大地主剩餘的田地，此等大地主在金錢或物產方面都無法可給佃農借貸，另方面各新的小地主須要資本，以從事開發新得到之土地，所以，此時需要有一項合理的信用政策來有效地維護改革田地之重大措施。

（五）忠誠於人位主義，敬重人勝於金錢，故貧窮的佃農無不動產作為借貸之保證，亦可貸欵來進行短期之作業；只有長期之貸欵才要有財產來抵押。

（六）各合作社、集體經營組織獲得優先貸欵，以一方面作為鼓勵共同發展，一方面完成人位途徑之社會經濟使命，是即開發國內的各種利源、組織生產、合理地分配產品及各商品化農產等等。

簡而言之，農信政策首先是基於提高農業的生產，改善農村生活，務使對農莊有聯繫的各經濟行業有所增益。

農信運動之展望

國家農信局的成績，吳廷琰於一九五八年十月六日在國會宣讀的文告中曾提及：「在我們的社會中，由昔日到現在都要受高利貸的剝削。農信政策不但已幫助農民增加出產，不但能長久且能提高彼等之生活水準……」迄今，在貸出之數目中，農信局在實現建設經濟和農村社會之計劃中，佔有重要的地位」。

然而，對於一個貧窮而受到長期戰亂之國家，還有許多需要實現之事，故農信方面仍注重於下列各重點：

（一）促進節儉貯蓄與實現合作財政自足計劃。

（二）更積極促進各合作社，尤其是各農民協會貸欵充作資本事宜。

（三）農業機械化，改善生產技術，指導農民脫離古老方法和採用科學方法。只有這樣，才能增加農產品產量，這樣農信貸出之欵項，對改進民生才有切實的影响。

（四）發展種植工業性樹木。

（五）以長期性貸欵方式，幫助各工業變製營業，以作大規模開發的資本。

（六）與營田計劃配合，貸欵以穩定各定居區。

（七）改善高原區少數民族的生活。

（八）供應資本給各畜牧、漁業、林業等行業。

（九）供應資本以重建家園，協助農民返回耕種各區因亂離而置荒的田地。

（十）給各省與社貸欵，以積極促進共同發展。（五．完）

藝術叢話

抽象藝術漫談

趙雅博

藝術與精神生活

從藝術最嚴格的意義說來，藝術乃是一種精神生活的表現，因之，它也成了精神物的專有物。為此，要談藝術，也只能在那有自由意志與理性生活者來談，在這種場合內，藝術才有其嚴格意義。是的，我們需要知道藝術歷史性的根子是紮在精神性上，因為只有精神物才是歷史的，他是智慧的與自由的。並且由於這個精神物，它的一切產品也就成了歷史性的。沒有精神便沒有藝術。藝術因着兩個基本理由而要求精神性：一、從產生藝術的源泉方面來說，藝術品是來自靈感的，而所謂靈感的湊成，固然複雜至極，不過大致都認為它是在一切理知性與意識性之先，它是精神的先意識性；二、從藝術的河道來說，這就是從指揮靈感的水流，來將它表達成一個指定的方式來說，藝術就成了我們實際瞭解的能力。然而精神生活乃是純粹的適度的能力精神生活，是一種在無有無名的絕對黑暗中的夢，如果沒有精神生活的覺醒，使自己第一個能力，藉着純粹精神的工作，也就是說在神給人創置的條件之下，發展自己凌駕物質之上的精神生活，那末，這樣的人便是醉生夢死，便是行屍走肉，不足以稱為人。當然這樣的人，可以說是沒有的，不過在程度上有高有低而已。

我們每個人的精神生活的表達，要藉着物質事物的運用，也就是藉着受造物與我們相似的人。這些東西都是客觀的實體，當然其最後的根據我們要推到極致，推到第一個無來源，不受造的有，而這個有乃是最美與極美，最善與極善，他支持一切客體，而不受任何客體支配，有了他才有真正的客體。在這種方式下，我們可以看客觀為喚醒精神生活的近原因，沒有客體的事物，我們便沒有一點表現精神生活的可能，就連藝術生活的可能也無法表現。其次是客觀事物乃我們現世與神性建立自然關係交往的必要條件，神性藉此表達在我們人身上。最後客觀的實在性乃是人類彼此交往的唯一可能基礎。

從此，我們可以知道客觀的實有性，乃是使我們的第一能力成為現實的近原因，也就是說是我們精神生活的來源與萌芽。因之，我們也可以說它構成我們精神生活的本有部份，構成這個稱為小天地的人。為此，不論是人，也不論是藝術，都不能擯棄這個形成自己本有部份的客觀實體。一切相反意義的意向，我們可以看它們作為一種遊戲，但是絕不會得到勝利的，因為一切想與客觀實在性脫離關係的意向，在其中都括有着：衝斷人與人間的關係，而想將人類據以為共同瞭解的根基拿去，人類將如何彼此瞭解呢？其次也斷絕了與神性的來往，無法達到它，最後，精神生活就沒有了可能性。因為整個精神生活是要依據着客觀實在性的，是在這個場合中修習，增長與發展。（未完）

劉氛傑鄉錄

婆娑生

群臣宴的異徵

譚氏生平有一事，十足表現其性格，成為異徵。當項城袁氏，受了奸佞的包圍，以為二次革命被撲滅，北洋子弟遍布國內，時機成熟，妄思登位大寶，南面稱帝，僭號洪憲。元旦登基，受羣佞朝賀，始大宴百僚於南海之懷仁堂，彩觴娛賓。一班籌備之奸佞，不知請譚唱何戲為恰合，磋商至再，猶豫未決。或有獻者，以為元旦朝賀，何妨由譚氏唱「羣臣宴」，是所謂元旦佳節，大宴羣臣之意，譚聞之微笑，亟稱甚是。實則此戲原名打鼓罵曹，未必恭敬於曹氏也。屆期，譚氏以為袁世凱，戊戌害六君子，逼迫光緒囚居瀛台。辛亥仗民軍聲勢，欺隆裕無能，凌儀冲幼，迫其退位。壬子改選總統，亦用力取而非德服，於是利令智昏，陰謀篡奪，十足巨憝行徑，思藉此洩憤。因此唱得特別賣力，抑揚頓挫，歷來所無。打鼓之佳，確有正平三撾之妙，聽到者皆言以前絕無。當日場中各僚，咸報以彩聲，袁氏亦誤為譚伶巴結，掀髯會笑，特別頒賞，未知其心曲也。

洪洋洞奇讖

譚氏究屬名伶，羣臣宴一事，已有異徵。乃其死也，又有洪洋洞奇讖，因此齣一名六郎歸位，不意成為伶界大角凋謝之由，人咸以為異。事為雲南起義，武鳴陸榮廷，受梁任公游說，傾向倒袁，出兵驅逐龍濟光，底定兩廣。討袁之役，是再造民國，黎宋卿攝總統位，擢升為兩廣巡閱使，邀其來京晤敘。陸氏抵故都，首先是兩廣旅京同鄉，歡宴於金魚胡同那家花園，舉行堂會。不惜斥鉅額戲份，厲徵名伶，當然少不了老譚，並指定唱重頭戲，列大軸，譚適患微疾，精神極萎頓，情懇求免。同鄉諸君均不肯允，必欲羅致，最後托步軍統領江朝宗強邀，不得已而允唱洪洋洞，賴以芙蓉膏支持，勉強登場。無如體力實在不濟，演來極衰頹，唱得很凄涼，而觀者抑認為很合劇中人楊延昭身份，非常滿意，彩聲四起。孰知年齡望七，疲勞過度，抑鬱在懷，劇散歸寓，而疾大作，發熱甚高，油盡燈枯，雖經西醫注射強心退熱針，心臟乏力，終至罔效，未及一旬不治而逝。一代名伶，於焉隕落。

生平的三畏

鑫培晚年，入民國以後，一生有三畏，皆力予躲避。（一）在田桂鳳走紅時，所演之劇，多半是玩笑的一類，很合觀眾口胃，例如送灰麵，絨花計，關王廟，蝴蝶夢等。譚與之同台搭班，因其威力，祇好讓唱大軸，否則田氏演完，即行抽籤開閘，起而行者過半。譚氏見此情形，深具戒心，如唱大軸，必排極硬之戲碼，以鎮壓之。有時兩人合演坐樓殺惜，則滿坑滿谷，擠塞不通。（二）民初，梅蘭芳出道，譚氏猶不以為意。民三，湖北同鄉會舉行團拜，在湖廣會館彩串，排定梅氏唱嫦娥奔月，列壓軸，大軸為譚演捉放宿店。奔月下場，已是夜十二時半，座客紛作鳥獸散。譚目睹此情，很有感歎，前有桂鳳，今有蘭芳，皆受其壓迫，此後甚難。其實登場過晚，座容厭倦，亦未計及戲之好壞，為主要之因。（五）

瘟君續夢

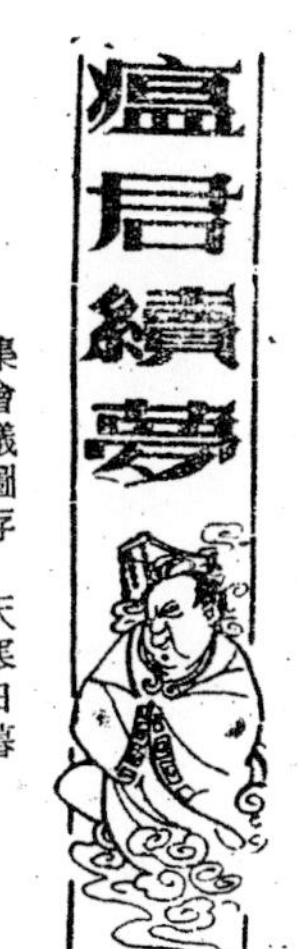

第十記：集會議圖存　天寒日暮　空言難自救　鬼哭神愁

羅瑞卿道：「檢查組在浙川訪問了二十個適齡青年，其中祇有一個公社會計承認是民兵，其餘十九個都不承認是民兵。」

周恩來說道：「可能這些人根本就不是民兵，他當然不會承認。」

羅瑞卿苦笑道：「這個話就難說了，究竟誰是民兵呢？例如鄭州市金水公社南陽菜場的民兵，公社報告有一個民兵營，下轄三個連，共計六百二十人，可是，經過檢查核審、只有十六個看菜的人自認是民兵，你問他們班長是誰，排長是誰根本不知道，實際上這個公社根本就沒有民兵的組織。」

毛澤東閉着眼含着一支紙烟靜靜在聽，聽到這裏猛然睜開眼說道：「這件事基本上就是一個騙局，從公社到省級，層層在騙，最後騙到黨中央來。」

周恩來說道：「無論如何，河南省委會要負很大責任，他們知道真實情況就不應該同謀騙黨中央及國務院，他們若是不知道情況，就證明他們是官僚主義，只會在辦公室擬計劃，填表冊而不下鄉去瞭解情況，都是不可原諒的。」

劉少奇問道：「民兵所以辦得這樣糟，是不是因為缺乏幹部呢？」

羅瑞卿說道：「沒有民兵的縣份，當然也沒有幹部了。至於有民兵組織的縣份，幹部到不缺乏，就是素質太差。有些地方民兵幹部假借追捕流竄式緝私的名義，指揮一些民兵攔路搶刼，打人罵人，姦淫婦女無所不為。如商城縣的民兵到是組織起來了，全縣十三個公社的武裝部長，嚴重違法亂紀的就有十一人，佔百分之八十四，全縣四十一個民兵團長，嚴重違法亂紀的三十人，佔百分之七十三，全縣二百二十四個民兵營長，嚴重違法亂紀的一百六十五人，佔百分之七十四。」

毛澤東皺眉說道：「我們現在不理會是否違法亂紀，問題是能不能打仗，一旦國民黨打回來時，民兵是否能遍地開花同敵人作戰。」

羅瑞卿說道：「別的省份也許好些，河南實在太差，本來根據河南省軍區報告總參謀部，全省民間武力相當強大，照他們的報告來看，等到國民黨軍隊打回來時，不用解放軍作戰，光是民兵就可以把敵人解決了。」

毛澤東一拍大腿：「這句話說的對呀！我的希望也正在此，解放軍我還留着同美帝國主義和現代修正主義份子拚呢？」

羅瑞卿一見毛澤東拿錯了用神，當時反而不知怎麼說好，一時怔住了。

毛澤東瞪着大眼等了一時，看見羅瑞卿不開口，又急了，問道：「你下面還有什麼話，怎麼不講了。」

羅瑞卿慢吞吞的說道：「說出來也許會使主席失望，實際情形與報告距離有兩萬五千里，就以永城縣來說，該縣與夏邑交界，也是民風最強悍地區，人民最喜歡舞刀弄槍，該縣共有三千四百三十九枝槍，最近作了一次詳細檢查，竟然損壞了一千五百多枝。」

（二五六）

重整道德

漁翁

道者，理也，謂一定之理，人所共由之路也。德者，得也，謂行道而有所得，以德行使人感化也。不僅爲立身之本，抑爲維繫社會安全幸福之基。古來聖賢垂訓，皆以道德爲依歸。孔子說：「志於道，據於道」是也。

吾華向稱文明禮義之邦，有五千餘年之悠久歷史，實賴綱常倫理道德有以維繫之，發揚之。第一次世界大戰後，世人急於功利，而兢兢於物質上之科學方面，日新月異，以求滿足人類衣食住行之需要；隨之而有消滅人類之利器比賽，演成社會上擾攘不安之局面。物質觀念日濃，而道德觀念日薄，長此以往，未來浩劫，不堪設想！

提倡科學，不能忽略道德之發揚，兩者相互表裏，庶幾化干戈爲玉帛，易瘴癘爲祥和，人人不獨親其親，長其長，而日進世界於大同。

欲挽叔季之人心，拯垂危之世道，非修乎德，行乎道不可。修德行道，以之處己，則順而明；以之待人，則愛而公；以之接物，則和而平；以之用世，則厚而忠矣。道德兩字，包涵甚廣，簡言之在乎仁義而已。吾人從論語，大學，中庸上研討，知孔子所謂道德者，乃以仁義爲中心，苟無仁與義，則一切皆虛偽，欺騙，同床異夢，爾詐我虞矣。

仁者，人所以爲人之理也：愛人無私者謂之仁。孔子曰：「汎愛衆，而親仁。」韓愈釋之曰「博愛之謂仁」。以天下萬物而爲一體，能相親相愛，方能互助合作，而無爭奪侵略之行爲。孔子答顏淵問曰：「克己復禮爲仁」；答樊遲曰：「愛人」；答仲弓曰：「己所不欲，勿施於人」是也。

說文：「仁，親也。」注云：「親者，密至也。」。故仁即禮樂之所繫，道德之所歸焉。義者，宜也。謂裁制事物，使各得其宜也。在社會上，不以私害公，不損人利己，處處爲人類謀幸福，夫是之曰義。孟子曰：「生吾所欲也，義亦吾所欲也，二者不可得兼，舍生取義。」因大義可以參天也。

現今世界上有一部份人，鑒於道德淪喪，大聲疾呼，倡組道德重整會，證明有心者漸趨覺悟，深知徒物質而無道德，等於有軀殼而無靈魂之危險，固急要之圖也。尤其共黨統治下，人羣已不知綱常道德爲何物，與牛馬無殊，可憫孰甚。是知吾人今之重責，無逾於將孔孟學說，發揚而光大之，使人人知禮明恥，去逆效順，天下事始可爲。

萬安橋

黃伯遠

萬安橋，俗稱洛陽橋，在福建省之泉州洛陽鎭。洛陽屬惠安縣，而橋則跨連晉江、惠安二縣；乃昔日福泉陸行交通孔道也。橋爲石造，石梁厚達二、三尺，長丈餘。與北五省連亘之萬里長城，同爲中國僅存之偉大建築物。建於宋代蔡端惠公襄，世俗相傳有「夏得海故事」，在廈門之平劇班，於清季曾編有「洛陽橋本事劇」，連演經旬，亦如萬里長城之有孟姜女送寒衣，爲一城一橋，點綴生色不少。

故事之本身，乃蔡端惠在母腹時，其母渡江，風作，舟將覆！母跪舟中禱天，忽有字見於天空，云：「蔡相公在舟中……。」風立止，字亦隨滅。詢其母，知爲蔡姓，衆謝復賀曰：「母必生男！他日且貴」！母亦誓曰：「果爾，必令兒造橋利衆」！旣濟，果誕子，即端惠也。後蔡官泉州，即集資建橋，命吏測其最深處；適有隸飲醉，聞官喊云：「誰是下得海者」！以爲喚已也。即跪應曰：「小人是也」！官遂擲一牒示之，命三日覆命。醒後始悟，然已不得悔！乃持牒自沈於海。

是夕，蔡夢隸書一醋字於牒，叩首繳令。醒而悟曰：「是月之廿一日酉時也」。遂命吏集工儲材，周五里準時待命；至期，水果盡退，經旬始漲，橋遂完成云。

後人立祠於橋端祀蔡襄，並塑夏隸像於廊下。余有過萬安橋句云：「百里江城五里橋，天風長撼萬安潮；眼前醉隸如能醒？抵足何妨借一宵」！蓋爲「醉隸」咏也。果有其人乎？乃捨生取義者也！能與一醉，雖與鬼爲友，亦所欣慕焉。

案：我國古代工程，如大禹鑿龍門，始皇建阿房宮，隋煬廣溝通淮河，造迷樓；其工程之偉大，以及構造之巧妙，方之萬里長城，洛陽橋，縱未可等量齊觀，亦一時一代之偉大建築。如阿房宮與迷樓，若能保全至今，闢爲公園，與民同享，豈非盛事？獨惜建之也綦難，而毀之也則甚易；除了周文王幾有與民同樂的胸襟外，若始皇、項羽、劉季、楊廣輩，都夠不上格。否則，這些空前絕後的建築，如能保留，其藝術的價值，豈近代的葫蘆依樣的百層大廈所能比擬？然而，我國人一人享之嫌未足，衆人享之不願闢，最好死後能帶到棺材裏去；如其不能，而環境又不許可自己佔有則付之一炬！其本意並非與衆共棄，而實盜名欺世耳！若此種劣根性不除，天下匈匈，亂曷由止？

即如毛共之輩，彼等之所謂「革命」，乃革衆人之命！所謂「主義」？乃主衆人之產！求一己、一家、一族的快樂享受而已！彼之所謂：「爲人民而非爲一己」？試問彼等佔得北平後，能把「故宮」改爲「魔宮」的「勤政堂」、「保和殿」，「萬壽山」、「頤和園」等等亭臺樓閣，讓人民以共樂？而自己一幫的共產黨徒，「社會主義者」，則處華門狗竇之區，與囚首垢面，飢腹雷鳴，衣裳藍縷的老百姓同其甘苦乎？是知皆不然矣！奈何爲之倀者，爲之爪牙者，猶未覺悟，而甘與同盡，待末日之宣判也！

南宋偏安有人才

李仲侯

飛得張俊報，韓世忠先以四日自招信泗州還楚，而俊亦以十四日還軍滁州，飛旣獨以孤軍駐定遠，而虜已悉遁，乃復還軍，且具以奏聞。未至，朝廷以未知世忠還楚，十七日，復賜御札令飛出濠壽牽制。札曰：

「累得卿奏，往來廬舒間，想極勞頓。一行將士，日夜暴露之苦，道路登涉之勤，朕心念念不忘。比以韓世忠尙在濠州與賊相距，獨力恐難支持，累奏告急；卿智力有餘，可爲朕經度，擇利提師，一出濠壽間牽制賊勢，以援世忠。想卿忠義許國，必以宗社大計爲念，無分彼此。劉錡一軍，已專令間道先行；張俊、楊沂中亦遣兵前去，並卿欲知。十七日付岳飛」。

後來淮西戰役，即秦檜、萬俟□用爲誣陷飛之罪名。據大理寺獄案，謂敵寇淮西，飛曾受親札十有五次，不即策應，爲擁兵逗遛，當斬。寃獄初起，奏檜先搜飛家，得御札數篋，東之左藏南庫以滅迹，故當時人士，均莫能明其眞相，每誤於御札之多，認爲飛確有觀望之事。即愛飛者，亦多引將在外之說，爲之曲解。及後飛三子霖請於孝宗還之，霖子珂以淮西十五御札，辨驗彙次，凡出師應援之先後皆可考，始知飛實於奉詔後三日即行而沉寃遂白。飛軍自定遠驚退兀朮後，詔令先次遣發軍馬同歸，量帶親兵，於舒州權暫駐紮，聽侯指揮，起發前來奏事。

初張浚在相位，以諸大將久握重兵難制，欲漸取兵屬督府而以儒臣將之。會淮西軍叛，浚坐謫去。趙鼎繼相，王庶在樞府，而罷其兵權，檜納之。乃密奏於上，以柘皋之捷，召韓世忠、張俊、岳飛并赴行在，論功行賞。時世忠、俊已至，而飛獨後，檜與參知政事王次翁憂之，謀以明日率三大將置酒湖上，欲出則語直省官曰：「姑待岳少保來」，益令堂廚豐其燕具。如此展期，以待，至六七日，及此飛乃至，上即召入對，諭旨令其與給事中兼直學士院林待聘分草三制，是夕鎖院。二十四日飛除樞密院使，加食邑實封，制曰：

「朕躬履多虞，規恢大業。惟文武幷用，式嚴密勿之司。必知勇兼全，克任本兵之寄。眷時人傑，久總戎韜。肆酬勳望之隆，俾贊樞機之要。誕敭渙號，敷告明朝。少保武勝定國軍節度使，充湖北京西路宣撫使，兼河南北路招討使，兼營田大使，武昌郡開國公，食邑五千四百戶實封貳千叁百戶岳飛，果毅而明，深沉以武。奇謀秘計，早推韜略之高。英概雄姿，凜有威名之盛。自服勤於邊圉，實捍禦於邦家。作鎮上流，屹若金湯之勢。宣威殊俗，震於犬羊之羣。（一〇三）

我的社會生活

雷嘯岑

我在本報寫過了「我的學生生活」後，有些朋友和門人，勸我不妨把四十年來自己經歷的社會生活實況，摘要紀錄出來，構成一篇完整的傳記文字，似非毫無意義的事。我是出生於清光緒甲午中日戰爭後、戊戌政變前的兩年之間的人，也就是從呱呱落地之日起，即視息於風雲變幻、動盪不安的大時代中，直到而今，還是過着亂離生活。這其間，經過了不少的憂患歲月，也遭遇過若干艱難困苦的環境，更身經目擊着一些人間的悲喜劇和醜劇，偶爾回憶前塵往事，即不禁啼笑悔恨的情緒交織於心胸，咄咄書空，難以排遣。

我敍述個人的社會生活經歷，內容不免要牽涉到若干師友長官和現代的顯要人物，知我罪我，所不敢必。但我願對上帝發誓，所敍述的決無半點誣枉矯飾之處，良心上泰然自安，絕不發生慚怍的感覺。我原是個極其平庸的人，說謊並不值半文錢，何必無聊乃爾呢！

初入社會

民國十四年（公元一九二五年）秋初，我從日本早稻田大學畢業回國來，接受北京私立民國大學的聘約（校長就是現任立法委員雷殷先生），担任教師職務，講授政治學概論與哲學概論，繼又兼任該校附屬中學部主任，併主講高初中各班的國文課程。這時我年紀不到三十歲，决心從事教書生活至少兩年以上，俟瞭解國內的大概情形後，再作其他的活動。此際中國國民黨在北京發展很快，勢力相當雄厚，但左右兩派人士鬥爭甚烈，分裂爲兩個黨部，即南花園與翠花胡同兩派，前者以易培基、朱家驊爲主幹，後者以徐謙、顧孟餘爲中心人物。我自知是個好事之徒，在日本東京時期，即搞黨務工作，跟所謂左派份子對立鬥爭了兩年，如果參預北京的黨務，一定會脫離教書崗位，有悖初衷，所以始終不向北京任何一個市黨部報到，中學同學老友郭春濤，當時再三約我赴翠花胡同的黨部去，我亦婉詞謝絕了。但我不時到張家口李協和（烈鈞）將軍處作遠足旅行，李將軍和馮玉祥隨時託我密帶書信至北京交給民黨元老張繼、李石曾諸人，因而常出入於張李二公和易培基之門，暗中還是爲黨服役，殆所謂積習難忘也。

民國十五年一月間，學校正在寒假中，閒暇無事。某日，李協和將軍由張家口剛到北京，即派遣一位福建人姓陳的參謀到民國大學來，邀我赴西直門車站上一談，我欣然應命而往。李公說他這次是受「西北邊防督辦」馮玉祥囑託，前去天津協助民黨老同志直隸督辦孫岳（禹行）處理軍務。因爲此時奉軍張宗昌和李景林兩部人馬，合力進攻直隸，馮玉祥的大將鹿鍾麟統率西北軍暨孫岳的部隊，在滄州一帶跟奉軍作戰，李公是西北軍的總監，又與孫督辦爲莫逆之交，所以馮玉祥請他赴天津督署坐鎮，即可使馮孫兩方的軍事行動融洽無間。他堅邀我同去天津幫忙，担負秘書任務，許我於戰事結束後，仍回民大教書。情不可却，祗好答應。誰知從此乃投入政治漩渦之中，不由自主地拋却了教書生涯，這對我個人究竟得失孰多，很難講啦！（一）

談酒與人

黃葉村人

酒是敗德損人之物，故禹戒旨酒。酒是延年益壽，樂天免禍之良友，故陸放翁年登耄耋，詩不離酒，酒不離詩。阮嗣宗一醉無臧否，竟而避免司馬之禍，鍾會之擾。酒是慢性的「自殺良方」，故信陵君「醇酒婦人」，劉伯倫「死便埋我」！酒是殺身滅族的媒介，故灌夫罵座，魏其侯自爵，都難免三族同哀。……總之，酒能亂性，亦能樂天安命，問題在人而不在酒；所謂少飲無傷，豪飲不必。是也。

昔日，嚴仲子拜母登堂，三杯黃湯灌肚，枳深井里姊弟，便一家爲之效死而無悔！此酒之能感人以壯、以俠、以義，可歌、可泣、可興、可懷者也。霸陵醉尉，因一醉而輕視李將軍，卒召殺身之禍，此則不獨自斯伊戚，亦能使人造孽！李廣百戰不封侯，非數奇，實坐量狹，故終亦難免於自殺。是則酒醉之爲害，自造孽不足，還要累人盛德，可不愼哉！

我少壯之時，白蘭地一飲兩瓶，啤酒日以繼夜飲，以箱（每箱四打）計，而不以數數也。醉時或酣眠乎美人之側而不知，或臥街邊，一身被剝光而不覺。自從抗戰軍興，即戒飲。蓋平生飲酒有三辯：一、不獨飲。二、無敵手不飲。三、飲必醉！然亦無病，數十年無病。五十年春，忽得異疾，割腹取出肉瘤大小五顆，手術七小時，輸血三千西西。醫言：此酒病積毒所蘊也。病之起因爲眾秘不出。可是，酒能害人，亦能延壽，蓋平生好酒，不飲便罷，飲必佳釀，雜酒不飲也。有人說：余之臟腑乃鐵鑄者，余笑答：非也！乃膏粱，白蘭地浸熟耳。雖笑話，亦事實也。今則談酒色變，無復當日勝概矣。

自由報

內僑郵台報字第〇三壹號內銷證

自由報 THE FREE NEWS

第三九三期

中華民國僑務委員會頒發 僑教新字第三二三號登記證 中華郵政台字第一二八二號執照 登記爲第一類新聞紙類（本週刊每星期三、六出版）

每份港幣壹角 台灣零售價新台幣弍元

社長：雷嘯岑 督印人：黃行靈

社址：香港銅鑼灣高士威道二十號四樓 20 CAUSEWAY RD 3RD FL. HONG KONG TEL. 771726 電報掛號：7191

承印者：田風印刷廠 地址：香港灣仔高士打道二二一號

台灣分社 台北市西寧南路壹壹零號二樓 電話：三〇三四六 台郵掛號金戶九二五二

中國文字語言的優點與缺點

——國人語音如何趨於一致——

陳曼卿

中國各地的語言和語音，因爲方言互異，南北不同，所以在距今四十多年前，就有人大聲疾呼，提倡標準語音（國語）了。我們從古書的「論語」中，也可以尋出一些綫索或痕跡來，可以說這是古今共通的現象，那就是「詩云……」了。比如說「詩經」大概就是古代的「官話」吧！因爲西周與東遷後的春秋時代，我們不能忽略三千年前的中國已是禮儀之邦。但是黎民百姓還是從事農桑墾殖等類的勞動工作，凡是帝王貴冑諸侯大伯公卿大夫等名位都是世襲的，他們才有接受文化教育的種種權利。自從孔子（也是貴冑後代）開了普及教育的這道大門，用貴冑訓練家臣（幫閒或助手）的方法─六藝─來教育平民，可能還是任由來學的人選擇一藝（科）或二藝來學或問呢！因此他的門徒有三千人，那自然是老少年齡不等，還有父子先後來就學的，也有叔姪兄弟同來的。後來，學問眞正成功的祇有七十二人。到孔子死後，才出這七十二賢人中的子夏等六十四弟子撰「仲尼微言」─把孔子在世時教誨他們的一些作人處世的重要點，分別寫出來，成爲儒學上曠古絕今的重要文獻「論語」。

共同的官話——詩

當春秋時代，諸侯間的盟會，以及重要的外交禮節，都有歌「詩」一端。這可能就是後來一般人說的「館」文「歟」文了（盟「會」之地設「館」，「詩」誦之以文）。因此孔子教他的門弟子說「小子莫若學詩乎？詩可以興，可以觀，可以羣，可以怨，邇之事父，遠之事君，多識鳥獸草木之名」七事。又說「誦詩三百，授之以政：使於四方」，言「詩」與內政外交的關係。還一再微婉的向他們「學詩乎？」「不學詩，無以言！」這足以證明「詩」的內容和價值與應用的廣泛了。「使於四方」不就是辦外交所習用的「官話」嗎？但都是言文（文言的倒裝句）。這種類似當時官話的「詩」，不僅微婉，而且堂皇，可能還很嚴肅！「無以言」不是當時的「語言」麼？這裏特別提出給研究古今文字學者認爲「幾乎可以說沒有語言學」的明證。

戰國末年，百家爭鳴，那些游說四方的天才，可能都是一些語言大家。他們也有一套事實上確能利人而又成全自己的本領。秦始皇統一中國，全靠這班人的擘劃，而他也只把中國各種不同的文字銷燬，不久他也跟着完蛋了。語言和語音的問題一直懸下來，漢代的文人雖也提到「方言」和「通語」（通俗語言）的事，但「詔書律令」就是那班小官小吏也一樣不十分全看得懂。漢魏兩晉南北朝隋唐五代宋元明清這些朝代，中國民間經過無數次的流離遷徙，南腔北調，胡金混雜，語音的轉變也不知其自然而然地直接間接都改變了多少次，但都是隨着時代而進化。

語音怎樣趨於一致

我們不要忽略早在南北朝（六朝）以及隋唐之世（六世紀至九世紀）的那些勸人作教的「佛經」（信佛的），就是幾世紀（七世紀初）的劉知幾的「史通」也曾評論史家得失，主張用「當世口語」，是作實錄的人，拘於過頑固派的結果還是不行。唐末五代北宋南宋（十世紀至十三世紀）期間才把說一些故事的人講語言，民間成語的辭彙，輪廓才落到這一角，關於文字聲韻方面的著作，但那班騷人墨客和文人都是……

那自然是老學士的專利品。民間雖也有一股「暗流」唱念歌謠或戲曲存在，但這股「暗流」之始終是不能登「大雅之堂」。除了文字之外，因「方言」語音的不同，語言和語音的問題一直隔閡，每個人爲要使對方明白了解自己的意思，最簡便的方法，莫過於用語言，即非尋求一種共通的語言，來作爲傳達和表意的媒介不可。

距今四十多年前，教育當局提倡國語，當時反對北平語音的人所在多有。但是因爲北平建都有五百多年歷史，比較文雅，中國的文人才子，我們的口語，如果發展屬吐，較衡均多，有六億多人口的國家，類似這種共同一統的語言，只憑文字書寫下去，持續這種不同，先讓佳屬一種語言，再設同一的語法，使能要講語言的，結果以後各地同人都是語音的統一，補遍了各地方的缺點，所以是全國的語音……

同屬一種語音的語言，就比較容易校正。語音裏包含的各種音素，有關聲調的急徐、清濁、長短、高低、強弱、屈折、輕重等的差異了。據現代語言學家分析，全國各地語音的說法，北平語音有抑揚頓挫，約爲四百多種，單調平實，福州語音却有八百多種，所以福州語言第一難學，除非幼年或少年時期即學習，到了中年以後，很難學會，更不容易學好。我們對於任何事物，須要順着時代的自然趨勢，用人力去促成，語言和語音的適應潮流也是一樣。

聲律的相互配合

這裏附帶談談語音和韻的問題。上古時代各地方言及語音，我們已無從查考了。交往，就是當時諸侯間的文字禮節上書寫大體一樣，雖說不同。因爲文字繁密，語言更不會一樣的。孔子教他的門弟子學「詩」，這種「詩」類似官話，而是通行的共通語言（文言）。自秦統一文字後，在兩漢（西元前二〇二─西元二二〇）四百多年中，先打通了文字這一步，工作本就忽略了語言，只在書面上。遣牛角尖的孫弘雖也要求將「詔書律令」和語言接近，類似文字……

西漢文學者只講「平」「入」，讀音方面，直到東漢才有統一的註釋，股朝末年一在西漢末在朝一股新興士人，是應運而生的註譯者，及江東孫炎（三世紀中葉）、魏李登（三世紀中）、呂靜（五世紀末）……

合特別流行的「方言」、「通語」，是揚子雲法言結果還用文字語言註釋方法，都自己享受，或說漢武帝時的創作，在「樂府」十九章、「八賦」之歌，合詩以爲律呂，開始於創造律呂之後，把「古事」託黃帝，到軒轅有熊氏的時候，所說黃帝命伶倫，亦不奇怪哉！

在南齊（五世紀末），有李登（三世紀中）屬音義一類，呂靜（五世紀末）仿作韻集。又……已是後來的事了，王肅的聲韻自語音，（二世紀）的周易（三世紀）的範國狹窄，則後來周顒、沈約的四聲切韻，此後才是沈約等人的考文審音，接着是周顒的「四聲」一大盛事。於當時，大集沙門（和尚）於京邸，造經唄新聲，竟陵王子良……

四韻四聲，譯讀佛經的「平、上、去、入」三聲，創爲周沈四聲譜，這是將梵文（梵音）的優點，應用到我們這種方塊孤立文字上，參照梵語的拼音，而求漢語的適應，將中國字的一字一音，讀時使之轉讀四聲，聲韻更增完美。但四聲只不過一種抽象概念，並不能定爲全國相同的標準。

家學者將全國各地語言分爲「官話區」、「吳語區」、「閩語區」、客家語區等，在目前看來已不夠精密了。至於各地方言的語音、聲調、語法、詞彙等，如能運用更新進步的方法，先從比較容易的語詞分析，用正確謹嚴的科學方法加以糾正，改革「發音」爲第一。無論音韻也好，學術也好，本來就是學術的範圍，學術的眼光，推陳出新，求其符合時代的目的，用共通互曉的文字語言，何嘗不是跟隨時代演進的一種工具呢！但求適應時代需要，解除若干障礙和困難，便是進步的表現了。（下）

結語

處在今天這個學術已進步到瞬息千里的時代，好處固然，我們應當保留自己的好處，就是人家的好處，我們也一樣要吸收。凡事都要配合時代，符合實際需要。文字語言更要顧慮到時時刻刻……

漫畫天下　南施

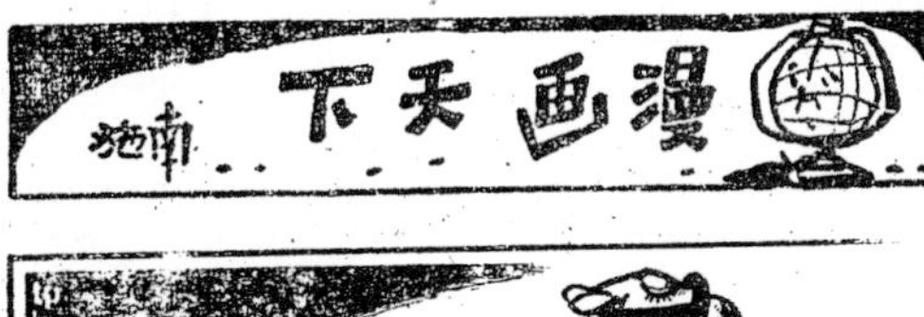

良謀妙策

如何學習？

自由談

民主自由這四個字，成了現代人的口頭禪，但在共產社會中，只聞其「民主」之聲洋洋盈耳，并且以「民主」譏誚資本主義的民主是假的，而共產社會自己却不談自由民主的問題，這證明他們的民主是假話，自由之可言亦不敢說哩！

依我看來，民主固可貴，自由尤可珍，如果二者之間要我選擇，我絕對選擇自由。因爲民主所謂的意義是注重政治。作用，民主大衆的國事由人民作主，官吏服務只是公僕云云，選舉實際上并不是那末回事，結果距離甚遠，甚至背道而馳的；能談國事的人民，也須扯淡之所謂民主，不過是讓一般熱衷政治的人昭彰者也。

我愛自由

馬五先生

至於共產社會的民主，實係假藉民主招牌的專制，別名實行個人獨裁者，而其他政人生最重要的，亦比比然也。事情莫過於自由，所謂「不自由，毋寧死」之說，一點也不過份。人民除了依法對政府應有的義務外，自在地過生活，任何人干涉不能，自由履行其受自己的理想，這樣謀生計，符合人性的自由，執政者祇要日常生活……

中國官的功名富貴的士大夫，有作皇帝機會罷了。所以，民主政治的方式很多，并無一定的界說，孰爲優劣，聚訟紛紜。英國是君主制，但不失其爲民主憲政的先進國家，美國號稱爲世界上最民主的邦國，然眞正享有民主權力的，祇是極少數白種人，階級人士─黑種人連讀書的自由亦沒有！尼克遜是窮漢出身，他跟富豪人家的甘廼廸競選總統職位，即非失敗不可。

作皇帝也罷，主席也罷，皆屬無關宏旨。總統也罷，或之，即令他名之爲「公僕」，乃至有如香港人所說的「打工仔」，然而沒有人生的民衆還是受壓迫，……樂趣，社會狀態，現象中「日出而作，日入而息」，那種「帝力於我何有哉」，就是後代的社會生活，在一般明不專制的社會，歷史上的民主，現在一般不專制的社會生活亦比……情形好得多！過去我也喜歡唱民主的調調兒，而今體驗多了，意識到所謂民主，自由於民主，已勝過統治階級，非對人的組織和連環性，智慧，統治人物，如其懂得自由與必要的組織的政治運用技巧，許多紛亂的動亂，都可以消弭於無形。

陶百川檢討黃啓瑞案

（續上期）

第三，提到黃啓瑞的案子，陶百川說：「公車處購料舞弊的案子，地方法院所判決的被告人數相當多，而且判得也重，但是到了高等法院，都判得很輕，最重的是二年。按法律規定，可以判到七年，而祇判了二年。當時立法院通過懲治貪污條例，社會一般的要求：對貪官污吏都認爲應該從重懲辦。可是黃啓瑞案，一到高等法院，竟判得更輕，黃啓瑞、呂志超，本來都是有罪的，都宣判無罪，其餘全體被告都減刑，較初審判決打了七折八扣。其中有兩個收賄最多的一個姓莊，一個姓顧，兩人都判決都減爲兩年。至於高等法院的，黃市長夫人黃朱金鳳，在判決書上說她賄賂三十萬元，卻宣告緩刑，沒有執行。檢察官也不上訴就確定了。一個市長夫人，假市長的關係，貪贓三十萬元之多，那還有什麼可以原諒的？對黃啓瑞宣告無罪，我不指責，因爲我沒有辦這個案子，至於他的夫人，在判決書上明明說她貪贓三十萬元，爲什麼要給她緩刑？在這個案子中也有貪贓一萬元的，照樣要坐一年的監牢，身爲市長夫人，貪贓三十萬元，就宣告緩刑，這個我覺得沒有法子解釋。」

陶百川以皮作琼案爲例認爲辦理黃啓瑞案的法官枉法審判。他說：「由於黃案，我就想到從前林產管理局皮作琼案的；他本人沒有證據可以證明他貪贓，卻判了八年，理由是他的太太收受人家的禮物。這兩個案子是相同的，爲什麼皮作琼判重刑而黃啓瑞無罪，皮作琼太太被判重刑而黃啓瑞太太宣告緩刑？我曾問過高等法院主辦這個案的兩位推事，一是汪推事，一是梁推事，這兩位推事，在黃啓瑞案子宣判以後，沒有幾天，升爲最高法院推事，這不是因爲辦理黃啓瑞案子特別辦的好，比其他的人辦理作琼案子更好，所以給他獎勵？」

「我要問司法當局，審判要負兩種責任，一種責任是枉法犯瀆職罪。假定這兩位推事枉法，他們應該負刑事責任。還有一種責任是玩法，拿法律來玩弄。表面看，他並不枉法，但他確實玩弄法律以達到某種目的，這就很難予以責任了。現在院裏已向法院調這個案的卷來，我希望大家判斷一下，究竟是枉法還是玩法？假定枉法，我們一定提彈劾；假定玩法，應該如何治罪？院裏沒有先例，大家可以研究一下。」

自從黃啓瑞宣判無罪後，接着是有的人民團體遊行及舞獅等擁護黃啓瑞復職，而台北市議會議長張祥傳領銜發柬，在中山堂舉行盛大酒會，擁護黃氏復職。而在市長提名前夕，監察委員檢討黃案經此間報紙報導後，許多未看黃案判決書的人，乃恍然大悟了。記者靜觀此間的形勢，儘管擁護黃復職工作已臨成熟階段，但恐怕不可能了。因爲假定監察院對辦理黃案的法官提案彈劾，則黃案可能要重行審理，換言之，黃案尚不能算完全確定。至於彈劾案能否提出或何時提出，那就全看監委們如何打算了。（完）

毛共在沿海大規模捕人

顯與國軍突擊隊活動有關

曾有逃亡行動的青年亦是其對象　同時推動麻醉青年的無產幸福觀

香港與大陸

中共又在沿海地區大規模捕人，另一方面卻又在農村公社中推動「幸福問題」的觀念教育，前者顯與國軍突擊隊的登陸活動有關，後者則是麻醉青年，加以毒化，俾爲己用。

據上月底由惠陽縣偷渡來港的農民何若×君透露：惠陽縣以及廣東沿海其他地區的「公社」，均痛感主要勞動力的缺乏，其原因乃由於青年農民大都若不是逃亡至港、澳了，便是盲流到大城市去了。那些尚留在鄉村的，亦幹勁」，一致認爲在共產黨統治下，絕無「幸福」可言，因此做起事來總是沒精打彩，敷衍塞責而已。由於國軍突擊隊不斷登陸活動，中共更着急了，乃實行大規模逮捕，五類份子是其對象，曾有逃亡行動的青年，亦是其對象。同時又在青年中掀起所謂「幸福問題」的宣傳和學習。

何若×君稱：在他逃港之前，他所屬的「公社」裏，已抓了不少的人，罪名爲「不可靠」份子。何若×君自認他是一個幸運者，因爲在同一個「公社」中，準備逃走的有九個青年農民，卻多因事機不密，先後被捕，並聽說被捕的大部份被送到新疆的牧場或東北的林場去「勞改」，否則即使可以留在原地，也被給剃了光頭和眉毛，以便於管制監視。

何若×君又說：在此同時，中共又在各「公社」特別在學校中進行「幸福問題」的教育，宣稱要使每一個青年都建立「無產階級的幸福觀」，何若×君說：共幹們首先要求每一個青年都應該了解「幸福」的涵義，尤應知道無產階級的「幸福」與「剝削階級」的幸福是絕然不同的。它們搬出馬列八股說：無產階級的幸福觀，是把享受和創造看作統一的觀念，其出發點是爲了「集體」和「大多數人」的；而「剝削階級」的幸福觀，卻說是把享受和創造看作兩個對立的觀念，認爲創造是一種勞動的過程，因而也是一種不快樂的事情，還說他們對於「幸福」的出發點也僅爲了個人和少數人。

共幹亂喊「革命口號」，要所有的人民都要理解「無產階級」的「歷史責任」，說是無產階級的戰鬥之最後目標，是要在全世界「消滅剝削和壓迫」，「解放」全人類。甚至還指出現階段的大陸同胞，談享受是過早的，因爲「全世界尚有一半以上的人口，仍然在帝國主義和資本主義的奴役下呻吟」。所以共幹們要求所有人民都「公而忘私」和「大公無私」，因爲目前還是一個「過渡時期」，還是「一窮二白」，還不能向生活最高標準看齊云云。

何若×君說：中共的這些口號，大家看夠了，明白它是把戲了，所以大家不但仍和以前一樣，口裏雖不說，心頭卻好笑，笑那些共幹其實祇是「口花花」，只管教人們要有「無產階級的幸福觀」，而它們自己卻是如假包換的「剝削階級的幸福觀」。（敬斯）

今天的政治上有四個大毛病

監委馬空羣指出：

（本報記者台北航訊）監察委員馬空羣在監察院一年一度的檢討會議上說：「我們今天必須提倡說真話，聽真話。」不但如此，他並「希望有說話之責的人要說真話，有採納之權的人要聽真話。」所以他把監察委員喻爲「政治醫生」，做政治醫生就必須把政治上的毛病診察出來。

這位貴州籍的監委認爲：「今天政治上的毛病」，有「四個大毛病」，那「就是繁複、散漫、虛假、曚蔽。」他說：「第一去繁複。政府是爲人民辦事的，要政務能夠順利推行，然後纔能去爲人民解決問題。然而我們今天的政府和人民都被這繁複二字所困擾。」

他說「一是法令繁複，二是機構繁複，三是手續繁複。我們的法令真是多如牛毛，發生一件事來一套法令，攪來攪去，真弄得人頭昏。好像是法令萬能，只要有了法令，似乎這件事就解決了。然而實行起來，法令自法令，事實自事實，法令不過是白紙黑字，放在那裏作樣品而已。所謂法令愈多而弊愈深。執行的人如果照法令嚴格執行就行不通，人民方面誰也搞不清那麼多的法令，於是只好通同作弊了。至於機構方面，總是疊床架屋，彼此牽擾，常常爲了一個新發的事件，政府因爲特別重視它，於是不交給主管的機關或有關的機關去辦理，而另設一個機構去主持，因此這一類臨時性的機構便越來越多，侵越了原有機關的職權還不算，最不好的是使一項工作許多機關都有關係，推行起來必須多方聯繫，多方協調，遷延時日，事權不專，反使工作進行增加困難。」

「而手續方面，那種繁複的情形更是令人害怕！今天無論人民向政府機關有點什麼申請，一開始就要填一套表格，這樣填那樣填，有許多不關緊要的不必填的也得填，有許多似是而非無從填起的也得填，有的格子裏只有一小點空白但又非寫一大堆話說不清的也得填；這裏要蓋章，那裏要簽字；這裏要照片，那裏要身份證；攪得人頭昏眼花。但這樣便算解決？還隔得遠呢！還要找這個，再會那個，翻了這一道門坎再翻那一道門坎，不是這裏要補辦什麼手續，便是那裏還要補什麼證件，等到補了什麼，又有什麼地方還不合法了，於是只得鑽門路去向紅包求救。今天這種情形普遍都是如此，以致弄得人民到處都是怨言。」

馬空羣以美國兵領餉爲例說：「美國部隊裏一個士兵要領餉或補給，只要一個簽字就解決了一切，這些就沒有什麼聽說有什麼表什麼冊什麼「證」種種花樣。我們乘飛機到歐美旅行，就可以很明顯的看出在外國下飛機的手續何等簡單明瞭，而在我們的手續就較別人繁了。」

楊雄的「法言」說：「君子之道有四易：簡而易用也，要而易守也，炳而易見也，法而易言也。」馬空羣認爲：「這四易，實在是挽救今日這種繁複病症的要訣。所以除去繁複也很簡單，只要能夠做到：法簡易行，人人明白；裁併機構，專一責守；簡化手續，力求便民。」（上）

基隆旅居記

仲公

設市於今卅八年

光緒十四年，由淡水廳劃出東北部的基隆，金包裏，三貂與石碇等四堡，設立基隆廳，成爲獨立行政區。

台灣割讓與日本後，日本軍隊於光緒廿一年六月四日進佔基隆，次日即成立基隆民政署，未久改爲基隆支廳，隸屬台北縣。光緒廿三年五月，廢止支廳，改稱辦務署，將原來基隆支廳所轄四個堡，劃爲基隆、金包裏，頂雙溪及水返脚等辦務署，仍轄台北縣。光緒廿四年廢金包裏辦務署，將管轄劃歸基隆辦務署。同年基隆自來水廠興工，至光緒廿八年完成。光緒廿五年，又將三貂堡及文山堡的溪尾寮庄，大坪庄，灣潭庄劃歸基隆管區。光緒廿六年復以石碇堡劃歸基隆管理，到此基隆辦務署又恢復支廳時之管轄範圍了。

光緒廿七年起，日本人將台灣全省設置廿二廳，基隆廳下轄金包裏，水返脚，瑞芳與頂雙溪等四支廳。光緒卅一年再調整轄區，基隆廳計包括上述金、基、貂、石四堡和文山堡，太平庄，島山庄，溪尾庄，料角庄，以及基隆嶼，彭佳嶼，棉花嶼和花瓶嶼等。

宣統元年基隆始有電燈，并開闢海水浴場。

宣統二年廢止廳制，將原來基隆廳的全部，和深坑廳之大部，合併而成立台北州。

民國八年，基隆與台北間的雙軌鐵路完成，八堵至瑞芳間的鐵路亦通車。

民國九年，台灣地方政區改制，基隆改制爲一郡，下轄基隆街與萬里、金山，七堵，瑞芳，貢寮，雙溪等六庄，仍隸屬台北州。

基隆在日本統治的前半期，日本當局對市政建設甚爲積極，譬如改良港口，興築鐵路，整頓市容，對外發展貿易，無不努力從事。到了民國十三年，基隆因商務漸盛，人口日多，符合設市條件，就在那年十二月和高雄同時設市，至今天已有卅八年設市的歷史了。

以上是基隆制建逐漸發展以至正式成立市政府的大畧情形。至於基隆自光復後，即實行市港分治，正式設置基隆市政府，隸屬台灣省政府，同時成立基隆港務局，隸屬台灣省交通處。市港行政，都重新劃分，各不相紊。

基隆既爲一國際港口，關於原來築港的情形也有一提的必要：基隆港未經人工改建以前，潮落時盡是險灘，水道甚淺，一千噸的輪船，是無法進口的，必須停在基隆港外，起貨上下多感不方便。後來基隆的人工築港，雖然大部份完成於日據時期，但最初實開始於劉銘傳巡撫任內。（八）

讀者投書

台北市長人選要慎重

丁儆

台北市長又快到選舉的時候了，在選舉之前，執政黨已經在進行黨內的提名候選。在這提名圈定候選人之際，我以台北市選民的資格，敬向執政黨當局，提供幾點作爲參考。

在目前台北市爲今日戰時的首都，反攻大陸時發號施令的司令台，被提名爲市長候選人的，應該是一個文武兼備的人才，使平時市政的措施有所作爲，對戰時需要的肆應要經得起考驗。要選擇這樣的一個人才，在執政黨來說，是不難解決的，問題是在省籍的區別而已。在當局號召海內外大團結的目標下，今日台灣的萬千人士，不應再有內外省籍之分，製造分裂，自亂陣容，所以應該依照憲法規定，祗須在所在地取得被選權的人士，任何人均可爲候選人原則下，不問其省籍如何，以確保當選爲第一，適任台北市長爲第二，能適應軍事要求爲第三，在這三個條件之下，不分畛域，全面精選，不存成見，大公無私，然後此一候選人，始能爲全體市民所歡迎與擁戴，來爲市民、社會與國家忠誠服務。

閒話台北三大學

七十叟

引子

老朽濫竽教育界，已經四十多年了，現在雖已孫兒繞膝，照說應該退休家居，享享清福了。然而生活逼人，不但不能「退」而「休息」，却反要夾着書包，奔走於三所大學之間——台大、政大和師大。

讀者們，且不要以爲作育英才，是一大樂事，以爲老朽身兼三教職是學界重鎮。其實，說穿了一文不值，因爲我教書的目的，也僅是爲了鐘點費，使得孫兒們吃得飽些，穿得暖些而已。

先說兼課的痛苦。第一，在開學之前，即須加緊部署，使三校授課時間不得衝突，然後還要顧到自己的精力及學生聽講的時間，是否正是午間打瞌睡的時間。

在我教的三個學校中，由於所授課程不同，所以聽講的學生情緒，也不一樣，不過大致說來，台大的學生聽講很認真，也喜歡發問；師大的學生樸質無華，尚肯唸書；政大的學生則心浮氣燥，缺少書卷氣。至於先生在台大像我這樣老朽較多，但教授中作學問者尚多，無人以教授作政治階梯，故學術空氣尚濃。政大中有大部教授亦「政」亦「學」，不過近年來正向學術之途邁進。師範大學，由於學校有歷史，故名教授亦多，但却有日益退化之勢。以下，試就各該大學一般情形，閒話一番。

台大有北大遺風

台灣大學，自傅斯年任校長時起，即將北大遺風移至這所學校，後錢思亮主持校務，雖已遠不如傅先生主校時之勵精圖治，但錢本人亦並不做壞事且能守成。所以尚能保持學府的「清淨」和「無爲而始」的北大傳統。當然錢長台大，胡適博士是他的後台，在師資上及道義上，均予充份支持。

在台大教書的同人，每一人或二人即有一研究室，雖然研究室中桌上灰塵厚似銅錢，但在灰塵中，却也具有些書卷氣，所以不去打掃，無人打掃，都無碍於學術研究。

台大的長處，應該還是教務辦得最好，學生和教授，都本乎寧缺勿濫，所以十多年來，眞的造就出不少人才。不過這所大學，却和老朽同樣，充滿了暮氣，除開醫學院之外，新的學術思想進不來，且有故步自封之勢；但教授在校，尚受尊重，各種會議席上，教授的發言，亦具有份量，且受重視，所循者，爲「教授治校」的原則。

至於學生，研究風氣頗盛，坐圖書館之人不少，叫座的教授授課時，多座無虛席。這些年來，其他各校學生多鬧事，製造新聞，台大則無；考其原因，殆爲讀書風氣頗盛，學生多無暇製造事端也。

師大最不尊師重道

師範大學，自杜元載博士繼劉眞先生主持校務後，亦已大不如昔，其中怪現象之一，爲師大教授，是最不受校當局尊重。過去教員休息室較大，但出版組看那屋子不錯，於是教員休息室搬了家。更奇的是該校遇有宿舍出缺，職員優先，教員最後。超授鐘點費及博士、碩士研究生指導鐘點費，每半年學期結束時，發放一次，兼任教授鐘點費開學三個月後，發放一次；欠薪情形，亟似北洋政府對教授的情形。（上）

藝術叢話

抽象藝術漫談

趙雅博

人與事物

人從其有生第一個時間開始，他便沈浸在事物中，埋入在客觀的實在性中，受着事物實在性的包圍。他的精神生活是從他與事物關係中產生出來。這一客觀的實在性給人提供了一個深度廣度無限經驗的園地，這個園地的範圍是包括着自然世界與文化世界的。從文化世界中，人類同時也得明瞭自己，由自己的行爲與產品，對自己的過去，現在與未來，皆能瞭解。不但一人如此，人類亦莫不皆然。但是客觀的實在性，其所提供於人的，並不只是一種外觀，而是很多方面。我們知道客觀的實在性，推原到始，乃是一個。但是由於這一個客觀的實在性，又生出多少的客觀實在性，我們人在不同的外衣下，在外表的附加體下，來看到它的結構，但是每個客觀實在性的單獨與普遍的圓滿本質，乃是鎖在事物本身的深處，是被那表面的，附加的外衣所遮蓋隱蔽着。爲此，海拉克留說：「自然喜歡隱蔽自己」。也正因着這種關係，我們人對於自然或其事理，往往有所蔽。

我們知道了自然喜歡隱蔽自己，同時對抽象藝術在其正確與原始意義中，我們可以認爲它是要深入在事物以內，去尋找深處的美。這個美乃是住在客觀的實在性內，對於它的附加指定乃是隱蔽的。精神生活是起自一種關係，同時它也是一種共同關係，藉着它，人們對客觀的實在性加以撞衝，而深入到它的各種外衣之中；不過在同時，我們也應該說人也是被客觀的實在性衝撞而深入。於此我們要發生問題：這種人與客觀實在性的互相撞衝，互相深入，是一下俱備的呢？或者是逐漸而成的呢？無疑的，我們要說是後者，是逐漸的完成，並且進行的很慢，也要求很大的努力。客觀的實在性，我們可以說它是無窮無盡的，最低限度是無法被我們探究窮盡的；還有客觀實在性的深度，也可以說是無止無休的，它是深藏在圍繞着它本質的外表大衣的面具之下，使用着它的抵抗力，不願意被衝進去；它正彷彿一位深閨獨處的少女，害怕人們好奇的目光，掩掩遮遮，不給千呼萬喚他是不肯少抛露頭面的。但是我們也需要指出，在客觀實在性一面，它有着興奮與興趣，想深入到人的深處。因此我們可以說人與客觀的實在性是如同兩位對手一樣的出現，彼此互相排擊，彼此互相爭鬥，彼此都想要深入到對方的心腹與內臟。客觀的實在性，在透過人類感情感覺的盔甲，而指向人的精神根子。人呢，它也是想在透過客觀實在性的表面與附加的大衣，而深入到它的本體，而予以把握發掘，永永不失。好多次，因爲人類精神的吝嗇，人們往往滑倒在事物感覺表面上，而事物也只是衝入感官圈內，或者只是一種感覺的領會，而不能或未會更深的進入雷池；在這種情形下，雙方都不會有深入，而只是一種接觸而已。（未完）

劉系傑鄉錄

婆娑生

（三）坤伶劉喜奎學成來京獻藝，多在白天演出，偶或在週末演兩晚，於糧食店中和園。譚氏間或在大柵欄三慶登台，與劉對陣。捧譚者往中和測探上座情形，歸告譚氏，曰：觀衆溢滿，座無隙地。而三慶上座，至多不過七八成而已。以後譚爲人言，有「男怕梅蘭芳，女怕劉喜奎」，成爲口頭禪，顧曲者均知之。

盜魂鈴的折辱

人非聖賢，孰能無過，譚氏亦不免焉。民初，譚爲搴蘭芳，亦約其在鮮魚口天樂園，唱四郎探母，梅氏欣然就之。不料登台前兩日，譚氏忽患感冒，故演出之日，不能得心應手，嗓音大打折扣，僅演至闈營止，園主向觀衆報告：等待病體稍好，重行再演。亦無閧鬧，且事後隔半月，履行諾言，辦到。但在台上受了折辱。當其末次來滬，連日排演得意傑作，天天滿座，乃增夏月潤商懇奢望。最末一夕，貼出輕易不演之盜魂鈴，未到五時座已定完，迨登場演唱，某前稍不經心，差落過門，座有知音，報以倒彩。譚當時氣忿，草草終場，次日輟演。一時引起公憤。滬上時有雅歌集、久記兩票房，人材衆，聲威盛，迫譚認錯。特指定劇目，續演三日，否則從此不准來上海。譚不欲允，經月潤苦求，以上海包銀之厚，有所垂涎，勉允續演二晚，始寢其事。譚氏對上海的票友，亦開始戒懼。

弟子觀摩的禁例

老譚雖無確傳的弟子，但對弟子的禁例甚嚴，即是他有演出，不許弟子在場觀看，如有違，立即斥逐，從此不再指點。因此每次登場，內行多不敢坐池座觀摩，恐爲其所見不太方便。按北平各班，從前也有此陋規，以旣是要學，誠心拜師，巧妙的偷腔，爲一種恥辱，不夠大方。余叔岩學譚，苦心孤詣，每次必坐在緊靠上場的包廂角落，前面有人遮蔽，是譚氏眼力所看不到者，所以一切絕竅，大半爲其揣摹而成心得，人有見者，亦不敢以告老譚，似乎有傷朋友挑撥之嫌，此爲譚所未料及。獨言菊朋以票友身份，向學校請假，堂皇去觀，後亦以譚派爲傳，是倖得之，未折肱也。

王四與陳十二

鑫培生平所佩服的票友，除紅豆館主溥侗外，要數天津王君直。君直行四，爲鹽商紈總，饒有資產。幼年耽於票，專習譚派，嗓音酷似，學力亦精，發音高亢，幾可亂眞。傳言君直某次來平，友朋邀其在煤市街飯莊小飲，一時興至，隨即清唱。譚氏亦在鄰座吃飯，聽之頻加首肯，謂同坐者曰：王四爺名不虛傳。後經雙方友人介紹，遂相訂交，嗣後君直常請指正一二，於是藝益精，其名聲在侗五、叔岩、菊朋之上，旋組春陽友會，造成不少的名伶。

譚氏逝後，其腔調能維於不墜者，約十餘年，皆四川陳彥衡，擎天砥柱之功也。彥衡行十二，四川宜賓人，其父任山東各州縣官，隨侍在魯，客居歷下，喜與票友相往還，弱冠已以胡琴知名。其後乃父爲捐同知晉京，苦研譚調與梅（雨田）琴，浸淫近卅年，獨得其秘，琴唱兩絕，名聞全國。海內之嗜音律者，負笈求教，即叔岩、菊朋、韓慎先，皆先後及門，有聲於時。其他學戲習琴之徒，踵接肩摩，更難確計。高亭公司所灌之操琴幾折曲牌，清朗響越，得未曾有，因與梅雨田、孫佐臣同列入琴聖之儔，並爲譚派傳人。（六）

盧君續夢

第十回：集會議圖存　天寒日暮　空言難自救　鬼哭神愁

大家聽了一齊搖頭歎息。

羅瑞卿又繼續說道：「孟津縣一個義務兵李紅娃，一九五五年入伍當兵，組織上發給一支步槍，他拿回去就放在自己的床上，到了一九五八年退伍，那支槍還放在原處，紋風未動。」

聶榮臻問道：「這樣說來，孟津縣的民兵根本未曾操練過，也未負担過任何任務。」

獨眼龍冷笑一聲：「這樣也好，最低限度他還未曾帶槍下去搶刦。」

賀龍嚷道：「這個小子也眞笨，旣然一條槍放在那裏根本無用，乾脆當廢鐵賣了買二斤猪肉吃也好。」

朱德苦笑道：「雲卿，你怎麼時刻忘不掉吃。」

賀龍睜着大眼說道：「老總，你眞胡塗，俗語說的好，千里做官，都是爲了吃穿。不是爲了想吃得好，穿得好，坐汽車，住洋房，我們爲什麼要革命。」

陳毅連忙插口道：「賀大爺，你還少說一件，主要爲了漂亮女人。」

毛澤東一瞪眼：「混賬，這是開會，不是叫你們去天橋說相聲，你們兩個一個好吃，一個好色，正是一對不成器的東西。」

賀龍一挨罵就咕嘟着嘴不開口，陳毅心裏在想，我們兩個無論如何不成器，也只好一樣，你兩樣都好，又怎麼說呢？

陳毅嘴裏並未說出來，毛澤東突然問道：「你閉着嘴，瞪着眼，心裏在想什麼？」

陳毅陡然一驚，連忙說：「我在想民兵。」

毛澤東一翻眼：「胡說，你一定心裏在想我又好吃，又好女人，憑什麼資格罵你們，是也不是？」

陳毅這一驚非同小可，連忙站起來兩隻手一齊擺着說道：「報告主席，我要有這樣想法，就管叫天打雷劈我。」

大家哄然笑起來。

毛澤東說道：「你心裏要有這樣想法，可就不對了，你們不能同我比的。歷史上有一個什麼和尚，是從西域來的，到了中國之後又吃肉，又討老婆還生孩子。他的一些徒子徒孫就看得眼紅。老和尚知道了，把大家都找來，拿一鉢鐵針，一張口就吞下肚去，然後再取一鉢放在那裏，說道：『誰能把這鉢鐵針吞下去，也可以討老婆吃肉。』小和尚都嚇跑了，再也沒人敢說老師父不守戒律了。」

賀龍連忙問道：「主席是不是也想吞一鉢鐵針給我們看看。」

賀龍一句話又逗的閧堂。

毛澤東恨恨說道：「你這個渾人，終究我是被你氣死。」

羅瑞卿看見越說離題越遠。就趕快插口說道：「賀龍同志剛才雖然是講笑話，事實上可眞有賣槍的。」

賀龍聽了這句話，當時連拍幾下大腿，又伸起大姆指說道：「這才是好樣的！叫什麼名字，找來給我看看，他賣了槍是不是買猪肉吃了。」

大家都不好意思再笑，都看出賀龍出神。

（二五七）

歷代選美雜譚

周燕謀

選美之風，今已普及世界各國，年中大小規模的選美無慮百計，「××小姐」或「××美人」名目有至堪發噱者。考選美之舉，中國是很早實行的國家，不過當時之選美方式與作用與今日大異其趣而已。

後漢書皇后紀云：「漢法，常因八月算人，遣中大夫與掖庭丞及相工，於洛陽鄉中閱視良家童女，年十三以上，二十以下，姿色端麗，合相法者，載入後宮，擇視可否，乃用登御。」此為漢代已有選美之舉的記載。當時選美不僅要姿色端麗，而且必須合於相法。此不僅要有美的條件，而且要有高貴福態。

晉朝也有選美的舉措，晉史：「晉武帝博選良家女充後宮，使楊后揀選。名家盛族之女，多敗衣瘁貌，以避此選。胡貴妃名芳，初入選，號泣，左右止之曰：陛下聞聲。芳曰：死且不畏，何畏陛下。」今日選美，唯恐落選；如一經當選，到為無尚光榮，皆大歡喜；古代美人如被選中，竟與今日落選相似，此古今美人之不同者也。

元代選美更是擴大範圍，非僅選於中國，而且選外國美女以進。元史耶律楚材傳：「太宗時，脫歡請選天下室女，楚材止之，帝怒。楚材曰：向擇美女二十八人，足備使令。今復選，恐擾民，乃止。」又耶律鑄傳載：「世祖時，耶律鑄言有司以采室女，乘時害民，請令大郡歲取三人，小郡二人，擇其可者，厚賜其父母，否則遣還，從之。」

元史記載選高麗美女云：「文宗以宗中高麗女不顏帖你，賜丞相雅克特穆爾。高麗王請割國中田以為資奩。」順帝次皇后奇氏，完者忽都，本高麗女，選入宮，有寵，遂高麗首先效尤，而其時選美未已。台臣上言：「……而近來屢遣使選媵妾，使生女不舉，女長不嫁，乞禁止。」

明代選美，也有選高麗美女的，二十二史劄記：「明永樂中，高麗尤有貢女之例，成祖有妃權氏，即高麗人也。後封賢妃。」二十二史劄記又云：「明史載明祖之制，凡天下親王之后妃宮嬪，慎選民家女為之，進者弗受，故妃后多採之民間。國初，惟成祖仁孝皇后為徐中山女，其時法制未定也。惟後宮多出民間。故每新君登極，有選秀女之詔。」明稗類抄：「成化中，命婦入朝，尚書施純妻甚端麗，皇太后諦視久之，顧左右曰：……」又湧幢小品：「……江南……在選中，過吳江二十里，一夕髮頓長八尺，故其地遂名八尺。後入宮，生皇第九子壽王。」武宗叢說：「武帝南巡至揚州，知府蔣瑤力拒嬖倖江彬等，彬傳旨要秀女，瑤曰：止知府有三女，民間並無，彬語塞。」（上）

文昌魚與挂皮青蛙

黃伯遠

文昌魚，產於福建廈門同安間的海面，地名「劉五店」；即高崎與五通相對之海面也。此魚形態甚小，全身玉白色，既非脊椎動物，亦不是無脊椎動物；而是介於「有無」二者之間的一種自然進化的生物。

牠沒有腦經，無臟腑，無脊椎；全身只憑一種經絡，維持體內血液的循環而已。由於體形極小，而體內組織又不健全，故不易生長。在春末夏初，僅曇花一現，即告消滅。來，不知其所從來；去，不知其所從去；為異耳。

當漁艇捕得後，立即駛往旁近海之高崎、集美、同安、或廈門、五通、禾山等處銷售。過午，則售價減低，鮮味亦漸消失也。烹飪之法，一般皆用雞蛋攪和豆粉油煎成餅；亦有蒸食者，味亦佳。但不能遠銷為憾耳！惟漳州、海澄、石碼，當此魚盛產時，偶亦可以嘗到鮮味，乃為潮水沖至，不常見也。

據老漁人云：此魚生化在高崎，五通海旁之礁石間，廣東之文昌縣亦有之；其產量且較同、廈海岸者為多，故名「文昌魚。」案：文昌在海南島之瓊州，余曾經其地，惜時在深秋，市中不見，固未遑一問耳。近見此間某刊物誤以「劉五店」為「劉玉君」，為之忍俊不禁。案閩南語以「店」為「住」，以「五」為「我」。故「劉五店」云者，即是說：「留我住」也。是地原為由廈往福州通路，清代在高崎設有防汛及驛站，士子赴府（泉州府）及省會試，往回例須經此。後人以站名地，又以「留我店」為土語，乃改為「劉五店」。其實，既無「劉五」其人，亦乏劉五之「店」。同時，閩西南各地亦有很多通路名「留我店」者，蓋取義在「留我」，而非「劉五」或「劉六」也。

同安陳南谷言：清末，商城洪梓青軍門永安，以福建水師提督，駐節廈門。洪嗜食青蛙，每讌賓客，席必有「挂皮青蛙」，非炒非燉而是燜。燜者，水不能多，亦不能少，調和五味後，放入上湯，用文火燜之。其關鍵在放入多少湯，迨熟，亦仍多少湯出鍋。何以能致此？乃隨時加入上湯，不令乾涸耳。

先是，洪之廚司某，每為洪烹青蛙，皆去皮；某次，洪讌客南普陀，命其廚司往治饌，廚司烹青蛙，以碎瓷片剝皮，皮盡脫，置器中，上覆以蓋，歷時甚久，猶蹦跳器中，閣閣不已。會住持入廚，見而合什曰：「善哉！阿彌陀佛」！廚司曰：「師不忍耶？吾剝蛙皮不下萬張矣！每以為恨；然業此，不知如何而後能解脫也」？

住持曰：「不能免其死，減輕其死之痛苦，亦功德也」！因教以挂皮燜蛙之法。且為之解曰：「凡生物之被慘屠而死者，其肉必韌實無味，況剝皮耶」？如留皮而燜之，減少其痛苦，燜時亦免直接為湯所泡，則更甜滑矣」。廚司亦合什曰：「師是戒行中人，何以亦善庖廚也」？住持白：「此亦善知識耳！何必食葷腥，乃為知味耶」？他日，廚師果製挂皮青蛙以進。洪啖之而甘，問：「前時何以未諳此法」？廚司因言：「此僧家慈悲法也」。洪聞，心微動，從此少啖青蛙矣。然挂皮田蛙在廈門各大酒樓，乃名重一時焉。

清鼎既革，洪返河南商城。其後，白狼入商城，舉家皆為所賊害；廈人聞者，莫不扼腕；迷信者則謂：「白狼賊乃田蛙所投生」云。姑妄聽之可也！又：洪之廚師離職後，初與洪之巡捕官韓某，營南軒於廈門夕陽寮，亦以善烹挂皮青蛙名於時。日寇犯廈，其廚司來港設肆中環，嘗試者多閩人，今不知其人尚存否耳？

南宋偏安有人才

李仲侯

「功屢紀於旂常，任實同於柱石。念提兵百戰，已深料敵制勝之方。而受任一隅，未究折衝消難之略。鬱雄圖而弗展，慨平世之何時。是用蔽自朕心，付以國柄。參畀事樞之重，仍班狐棘之榮。近資發蹤指示之奇，遠緝摧陷廓清之績。庶極用人之效，亟成戡亂之圖。於戲！上下交而志同，朕方深於注意。將相和則士附，爾益務於叶心。其懋壯猷，用服明訓。可特授樞密副使，依前少保，加食邑七百戶，實食封三百戶。」

飛一再上章辭樞密副使職，時樞密使張俊與秦檜意合，故力贊議和，且覺朝廷欲罷兵權，即首納所統兵，上從其請。復召范同入對，命林待聘草詔書獎諭，詔詞畧曰：「李郭在唐，俱稱名將，有大功於王室。然光弼負不釋位之訓，陷於嫌隙；而子儀聞命就道，以勛名福祿自終。是則功臣去就趨舍之際，是非利害之端，豈不較然著明」。意蓋有所指也。

上謂韓世忠、張俊、岳飛曰：「朕昔付卿等一路宣撫之權尚小，今付卿等以樞府本兵之權甚大，卿等宜共為一心，勿分彼此，則兵力全而莫之能禦，顧如兀朮，何足掃乎」？是日，詔宣撫使並罷，遇出師臨時取旨施行。仍令統制官等，各以職次高下，輪替入見。蓋宋自太祖得國於孤兒寡婦之手，杯酒釋兵，於蕩平羣雄之後，時慮天下議其後，故形成內重外輕，兵勢削弱，遼夏侵迫，備受屈辱，迺高宗不此之鑑，本其一貫家法，詔罷宣撫，收兵朝廷，而天下事益不堪問矣。

五月十一日，詔韓世忠留院供職，俊與飛並以本職按閱軍馬，措置戰守，同以樞密行府為名，撫定韓世忠軍於楚州。飛與張俊往辭秦檜，檜謂之曰：「且備反側」。世忠初無反側意，蓋為此語，欲激其軍使為變，因得以罪世忠耳。飛答之曰：「世忠歸朝，楚軍之軍，即朝廷之軍也」。檜色變，惡飛語直。獨張俊承檜意。飛知與檜、俊意不合，遂乞罷樞副，別委異能，同張俊措置戰守。詔不允。

張俊知世忠嘗以謀刦虜使，敗和議，忤檜，承檜夙旨，欲分其背嵬，謂飛曰：「上留世忠，而使吾曹分其軍，朝廷意可知也」。飛曰：「不然，國家所賴以圖恢復者，惟自家三四輩。萬一主上復令韓太保典軍，吾儕將何顏以見之」？俊大不樂。比至楚州，乘城行視，俊顧飛曰：「當修城以為守備計」。飛曰：「吾曹所當戮力以圖剋復，豈可為退保計耶」？俊怫然變色，還誣於二候兵，以微罪斬之。（一〇四）

我的社會生活

雷嘯岑

到了天津，跟李將軍一道住在直隸督辦署內，張溥泉（繼）先生亦常是座上客。孫督辦把軍民兩政的重要事項，一律付託李公代為處理，我每天起草文電、函件、和對前綫作戰部隊的命令，有許多軍事術語我不懂，李公娓娓解說，不厭其詳，使我獲益不淺。某日，我隨着他到馬廠前綫視察，在一個村莊上的民家歇宿時，聽到那步槍和機關槍的流彈，不斷地飛過屋頂或簷下，吱吱有聲，我頗表驚惶，認為很危險。李大笑道：「你們文人沒有到過戰場，所以膽小。這有甚末可怕？你放心，我既然不怕死，你絕對死不了的！」他再把戰區的地形與敵我所處的位置，用地圖給我分析，且將所謂「射界」「射程」與「死角」，皆一一指說明白。迨我們乘車回天津途中，他又隨地為我講解攻守與地形的關係，抵達督署後，再問我沿途見有若干橋樑涵洞？答以未留意，他笑謂：「你若是個軍人，即非注意這些事情不可，否則沒有不打敗仗的。」

直隸境內的戰事，持續到四月初旬（民十五年），國民軍（馮孫的軍隊旗號為國民軍）失敗了！李將軍和孫督辦於夜間擬坐專車赴北京，命我携帶督署密電碼、印信及機密文件等一小提箱，與李公的隨從副官田師程同赴火車站，搭坐專車偕行。我們上車就睡，認為安全無虞，到三更時分，我與田君一覺醒來，火車猶未開出，據站長說，因為軍車擁擠，秩序凌亂，專車無法駛行，孫李二公早已改坐小汽車去了。這使我倆如聞晴天霹靂之聲，不知如何是好。最後決定赴天津日本租界暫避，但僱不到車輛，只好步行前往，然路徑不熟，瞎走一陣，天明纔走到日租界邊境，祇見難民成千人蝟集着，日本兵持槍阻止人羣進入租界，而奉軍的便衣隊已在市區到處放槍，擊殺路人，情形殊危急。我搶步趨至日本兵前，用日語聲明是剛從大沽口上岸來的留日學生，日本兵瞧着我的帽上綴有一枚早稻田大學的校徽，信以為眞，特別許可我和田君進到租界內，旋下榻「熙來飯店」，幸而不缺旅費。過了一星期，京津交通恢復了，我趕回北京，探知李協和將軍駐在西郊的西山，急往晤面，他見到我即忻然道：「我躭心你會被敵人俘去，居然逃脫了，幸運幸運。」我即依照原約，仍回民國大學教書。詎料未到一個月，吳佩孚和張作霖的「聯軍」進攻北京，原駐京畿的西北軍全部撤往南口了，孫岳的國民第三軍，方振武的國民第五軍，亦退入張家口。吳張的軍隊到北京即搜捕國民黨人，指為「赤化份子」——他們自稱為「討赤聯軍」——我因為跟李協和將軍在天津工作了幾個月，害怕被人告發，遭到禍事，不敢留在北京，只有向張家口投奔之一途。當我離京的前一天，有兩位民大專修科的女生（都是東北人），各携首飾一小篋，到教員宿舍來，請我代為保管，以防萬一有兵變刦掠情事發作。我語以自身亦不安全，即將逃往張垣，碍難効力，她們聞之錯愕，繼乃要求隨我一道逃難，說：在北京舉目無親，實在害怕。我想茲事體大，不是好玩兒的，自忖能力非薄，後顧多憂，祇好委婉告慰她們不必畏懼，學生決無問題，況且她們又是東北人，更不會發生意外的，她們默然含淚辭去。這件事我至今負疚在心，不能忘也。（二）

有感

庭詩

一曲黃梅抵死狂，凌波仙子最當行。
傾城仕女齊歡暢，那管金門是戰場！
爭聽後庭國破時，遺民歲歲望王師！
先生不作撐旗手；張目文章意亦癡。
臺上輕歌咽不成，鄉情親意不分明；
憐渠錦上添花客，負汝冰心一片清。（註）
吞聲誰與話伶仃，驀地溫情盡眼青。
問是生男生女好？信知生女作明星。

（註）在福建同鄉會所謂「加冕禮」之節目中，凌波唱黃梅調咽不成聲。她仍以養母籍是從，解決閩粵籍貫之爭。

內僑警台報字第〇三壹號內銷證

自由報

THE FREE NEWS

第三九四期

中華民國僑務委員會頒發
台救新字第三二三號登記證
中華郵政台字第一二八二號執照
登記爲第一類新聞紙類
（半週刊每星期三、六出版）
每份港幣壹角
台灣零售價新台幣貳元
社長：雷嘯岑
督印人：黃行富
社址：香港銅鑼灣高士威道二十號四樓
20. CAUSEWAY RD 3RD FL.
HONG KONG
TEL. 771726　電報掛號：7191
承印者：四風印刷廠
地址：香港灣仔高士打道二二一號
台灣分社
台北市西寧南路壹壹零號二樓
電話：三〇三四六
台郵撥帳戶九二五二

解開人事上的兩個死結

·李仲侯·

最近台灣省政府召集爲期三天的人事行政會議，這是台灣十年來討論人事行政的一次盛大集會，台北各報都有社評，寄以殷切期許。這次集會的中心議題，曾對人事任用、俸給、考績、訓練、進修、退休、撫卹以及組織編制、福利待遇等事項，都有詳盡的研討，林林總總，蔚爲大觀，是否見諸實行，且聽下回分解。

按台灣的土地面積，祗佔全國領土面積千分之三，現擁有公務員十七萬五千五百十七人，俸給的總數字，已自可觀，還有六十萬大軍的餉糈支應，政府的負担，是夠沉重的。通常公務員的增加，是隨人口爲比例，民國卅九年，台灣祗有五百五十多萬人，到了四十年，也僅七百八十多萬，再過十年，即是民國五十年，突然增到一千一百多萬，現正以世界上最高的人口增殖率速度，即每年千分之卅五的增殖率作跳躍式的高升，如果增殖率不變，本省人口確在作複利式的增殖，不到三五年，即增加一個台灣，又不多久，可以增加到數倍於現在的人口！由於人口的飛躍膨脹、公務人員之年有增加，自屬無可避免，今後要減輕人口和公務員的雙重壓力，惟一的辦法，就是提早打回大陸，可是未登大陸之前，又必須苦撐下去。

當翻閱台灣現行的人事法令彙編，統計上下兩巨冊，現已編至二千四百五十六頁，日前銓叙部石部長在人事會議席上宣布，又另擬了一套完整的公務人員法，一俟完成立法手續，即可公布實施，這樣看來，人事法規又須添上新頁。古人說：徒法不能以自行，今日台灣的人事法令，有些似已失去時效，有些已無法適應變局，這些法令至少似可整理廢止三分之一。老子有言，法令滋彰，盜賊多有。人是最難管理的東西，新立一法，他就在這法的夾縫裏尋找罅隙，弄弊端，最好能簡化許多不必要的法令，免得辦理人事的人員傷腦筋，免得當公務員的礙手礙脚，動輒得咎。

今天台灣各級政府，莫不三令五申，要求提高行政效率，轉移政治風氣。但是有些公務員，好似洩了氣的皮球，始終鼓不起勇氣，情緒低落，前所罕見，是何故也？大抵台灣的公務員，除却宿舍實物有配給外，日常應用及一切消費，都須自理。現今洋化之風，瀰漫台省地區，到處是一片金迷紙醉現象，這雖可以顯示出台灣的繁榮和進步，可是窮苦的公務員和升斗小民就夠苦了。公務員居住在這四週講究物質享受的環境中，高級一點的家庭，廚房沒有電冰箱，客廳裏沒有電視機，是不夠派頭的。中國人又有講究應酬的習慣。今天在台灣當個公務員，維持他個人的生活已是勉强了，要贍養父母和妻孥，就感覺實在捉襟見肘。我誠不瞭解，國民黨中央黨部，前年頒訂的婚喪喜慶節約辦法，規定送禮不得超過二十元，宴客不許超出四菜一湯，這本是節約靡費的一項最好辦法，爲何時至今日，還未見諸普遍實行？現時各機關學校的人員，百分之七八十都是執政黨的黨員，很可以運用黨的力量，糾正改革這種不正常的奢侈風氣，責成黨員互相監督，如果不服從黨的約束，違反了黨的節約規定，黨員小組即可不客氣的向上級檢舉，使這個違反了節約的黨員，受到黨的紀律制裁。假使在台各機關學校的黨員，都能起帶頭作用，其餘的非黨員也就跟着而來，一時蔚爲風向，不但現時流行這種奢侈之風，立可大加改革，其他一切不良的風習，也可潛移默化。

今之爲政者，並不是不知公務員待遇非薄，生活清苦，如近日恢復年終獎金和增加子女教育補助費，都是朝着提高公務員福利的方向走。但是人人懷着奢望，一時間要加薪幾成，全體總結起來就需要好多億，政府要籌措這末一筆龐大的經費，決不是一蹴可幾的事。如果今日社會上的奢侈浪費之風，不予設法糾正，縱使政府格外體恤，把現有的待遇增加一倍，也無補於公務人員的貧困生活。

從前專制時代，正從各品官吏，皆有各色各樣的制服規定，今日政府，何以對公務員不能爲他們規定一套質樸整齊的服裝？由於台灣奢靡成風，公務員平時上班，隨便穿穿，還無所謂，一逢開會，或參加喜慶宴會之類，都得西裝畢挺，本地的出品，還嫌不夠洋氣，必須穿一兩千元一套歐美質料的西裝，纔可以登大雅之堂，否則周旋於衣冠楚楚的賓朋間，不免自慚形穢。記得抗戰時期，我們在重慶大後方，都是穿的一套布料中山裝，無論開會赴宴，老是這一套，並不感覺失格。今天國家所處的環境，比對日抗戰時期艱苦多了，而一般公職人員的生活却競衒奢靡，太反常了！今之公務員，既配有宿舍實物，何不仿照軍隊之例，配給冬夏服裝，如果每人有了一二套整潔的制服，大家一律穿上，自無寒傖之感，反而顯得高貴了。政府既爲公務員限制了應酬浪費的支出，又完全爲他們解決了衣食住行的問題，他們不愁食，不愁穿，自無須終日營營去找外快，講應酬，他們的生活情趣，也自然會和軍人一樣的安定下來，他們的勇氣自然會提高，他們的工作效率自然會加强，政治上的貪污之風，也可望減少，乃至於肅清。

今天台灣人事上的大患，莫過於仕途壅塞，就業艱難。每年大專畢業一萬多人，還有高普考及格及各種特種考試及格和社會上失業份子，個個都想就業，實際除學師範的可以分發各級學校任教，工程經濟出身的，可由各企業或銀行容納部份實習外，其餘都須自謀出路。故台灣一般鑽營奔競之風盛行，但看看各機關的人事動態，現有機關人員，自大陸來台的在職已逾十年，本省籍的，多從日據時代幹起，既少有升遷機會，更無流轉處所，每個機關中的公務員，如不害病死亡，或犯罪坐牢，就休想有個缺出。同時機關中的臨時雇用人員，守候補正，少則已三五年，多至上十年，如遇相當缺出，在人情道義上也應該遞補。這樣一來，外邊人想跨進這個機關，眞是難於登天。這種情形，台灣各級政府的人事雖不承認，也自然陷於冰凍狀態了。

今日在野的人才既如此擁擠，而進身之階梯又如此窄狹，唯一的辦法，祇有鼓勵老一輩的人退休，要退休的多，纔能拔取賢才，添進每個機關的新血輪，發揮新陳代謝作用。公務人員退休法，自經前年修正後，確實進步多了。可是四十九年退休的，祇三百六十四人，五十年退休的僅五百零五人，照現有在職人員計算不過千分之三點五，而且退休人員的成份，多屬低級職員，或係負債難於生活的人士。這種不踴躍的情形，其故安在？因目前在職的公務員，如係拖家携眷由大陸來台的，人口日增，負累日重，如在台灣成家的亦已兒女成行，一個薦任一級能獲得最高俸數的公務員退休待遇，領取一次退休金亦不過新台幣六七萬元，雖然原配宿舍可暫居住，但這點錢自難長久維持一家生活，如果坐吃山空，不到三兩年，就會花光了。公務人員一旦退休，政府對他的生死就不管了，他患了疾病，已無保險的醫藥，他遇到急難，已無告貸的門路。我們幼時讀韓愈送楊少尹序，當時歡送他退休的人，是何等熱鬧？回到他舊時的家園，又是何等溫暖？專制時代，凡大一點的官吏，告老還鄉，地方官遇到逢年過節，須要親自上門。（下轉第三版）

漫画天下　南施

聯合國：「那是要不得的東西！」

禍之將至

自由談

有所不為

馮五先生

當吳廷琰在越南尚未垮台的時候，我未曾對他恭維過，且曾經指摘他歧視華僑，壓迫佛教徒的行爲是昧於治道，大不應該。治他被部屬推倒殺害之後，我却要替他鳴不平。因爲越南這次的軍事政變，完全是由原來拔識、支持他最力，又獎許備至的美國當局教唆起來的，乃是一種有計劃的謀害，而不折不扣的表演着「趙孟之所貴，趙孟能賤之」的强權主義作風。站在亞洲人的立場，基於所謂「安全互助」的義理，我不能如流俗的見解，在吳氏當權執政，炙手可熱之際，即譽之爲反共英雄，爲偉大的政治家，一旦他垮台了，又罵之爲獨夫，認爲罪該萬死！

假使越南的倒吳運動，眞是越人自發的，那就是吳氏自作自受，無話可說，我們的觀感另是一樣。然而，越南的政教糾紛一發生，美國即公然主張在越南要搞「軍事政變」，推翻吳氏政權，繼以停止經援，調回與吳氏接近的特種部隊訓練人李查遜，而美國衆議員代表團到越南調查後的報告書，雖對吳廷琰頗多讚許之詞，亦置不顧。

美國人經常强調民主生活與人道主義，但民主政治最忌諱使用暴力以改變政治局面，更反對殺人流血行爲，部屬隨便叫殺國家元首，這是民主憲政嗎？美國使館把一個在政治庇護中的吳廷瑈，亦移交軍事委員會審訊，這又是甚末人道主義？吳廷琰有其致敗之由，却無被人處殺之理，更不應由外國人來導演這幕悲劇，這便是我對吳氏不願作落井下石之談的所以然。

亞洲人雖然窮困，但國格與人格并不比別人低下，爲着貪求美援而甘作「衰仔」，抹煞正義公道，過事表現着「天王聖明，臣罪當誅」的詞色，至少至少，我這個中國人是有所不爲的！

香港與大陸

毛共攪選舉學習把戲 老百姓齒冷毫無興趣

中共不久前又在大陸地區實行自欺欺人的「選舉學習」運動，強迫每一個人都要學習「選舉法」，並要每一個「有選舉權」的人都要參加投票，以表示「民主」。但各階層的人對中共此種把戲均表示齒冷，毫無興趣，任由共幹亂攪一陣完事。

據上月初曾回梅縣為親人送寒衣甫返抵港的余師奶透露：中共最近在各地進行「選舉」工作，強迫每一個人都得參加「公社」舉辦的「選舉法學習」運動。所謂「學習」也者，實則是被強迫去聽共幹的訓話，無非都是說過去國民政府時期，怎樣怎樣的不民主，人民不能過問政治，現在有了「人民的政府」，是「人民當家作主」了，人民「選舉」出來的代表並不是什麼了不起的官，而是人民大衆的「勤務員」：：云云。學習期間，中共還預先佈置若干「積極份子」，在大會中「自由」發言，大大歌頌「黨」的領導，歌頌十多年來在「人民的政府」領導下人民大衆的「民主生活」。

余師奶說：在「學習選舉法」之後，便進行選民登記，除了「五類份子」和不滿十八歲的人及「精神不健全」的人無「選舉權」外，其他的人均被迫集體到選區，按時進行投票，不得缺席，也不得遲到。據共幹說：如果不參加選舉投票，則等於不關心「國家大事」，是一種「反動的落後的思想」。當然，這也是有罪的。

余師奶說：雖然中共是大張旗鼓的攪這項選舉學習，自彈自唱，自吹自擂，人民大衆卻絲毫不感興趣。余師奶稱：中共就是在攪選舉學習之中，其做法亦實在赤裸裸的表現了它的獨裁。譬如各選區的「被選人」，都是先由該選區的「黨委會」提出的，而且是等額的提出（即該選區要選出若干人，便提出若干人）；這樣，人民在投票之時，自然也祇能投那些「黨委會」提出的候選人了，什麼選舉呢！而且人民都是被集體驅往選舉區的，中共又藉詞因為有許多選民都「文化程度極低」，連填寫選票都不會為由，派了大批的共幹，到選舉場作「臨場指導」；所謂指導也者，實則進行監視，許多人民也就老實不客氣把選票交給它們，由它們一手去包辦，倒亦省得躭心弄錯吃苦頭。

余師奶說：這因為中共此種把戲，大家已經看多了，人人齒冷，表面則是木然無動於中，中共要什麼就是什麼，誰亦懶得多費心，橫順費心也是枉然，而且還會引起麻煩。據說中共對於人民的冷淡並不是不知其中原委，但它們欺人自欺，宣傳選舉學習辦得很出色，人民都行使了選舉權，選出了「好人」做代表。真是活見鬼！（敬斯）

為爭取下屆議員與市長 南市已入秣馬厲兵狀態

葉廷珪已宣佈決定要競選市長 執政黨提名何人出馬煞費思量

（本報台南航訊）第六屆市議員及第五屆市長選舉，將分別在明（五十三）年一月間及四月間舉行。議員的選舉距今只有兩個多月，市長選舉也不過半年時間，因之有意逐鹿者，現已在積極佈署、秣馬厲兵中。執政黨台南市黨部辦理提名登記的議員候選人共有四十六名，其中除現任議員周王倩綺（女空軍之母）因年事已高及魯繼龍（台米廠老板）因被債務所迫不擬再出馬外，其他執政黨籍現任議員十六名均全部參加黨內提名登記；執政黨籍新出馬者則有三十人。至於非執政黨人士有意出馬競選者，現知為數亦達十五六人，合計當在六十人左右。至於執政黨將來究竟提名多少人，就不可知了。

一般的意見都說，台南市現任議員中，有三分之二是有問題的人物。這「問題」二字，所指的是說其人格，學問，經驗都不合乎做議員。是以希望台南市民在即將來臨的這一次第六屆議員選舉中，確能各憑良心，投下神聖的一票，再不要把台南市議會攪得烏烟瘴氣一團糟。

有意競選市長的，執政黨方面計有黃業、邱鴻恩、歐雲明等；現任市長辛文炳則據說尚在猶豫不決之中。以目前南市地方情形看，黃業可能是執政黨方面有意培植的一個。黃業以往曾任兩屆省議員，現任南市黨部副主委，出身南市安南區，與第二屆市長楊請係屬同一地區，亦屬同一派系。他自第三屆市長競選時就雄心勃勃，有意參加黨內登記提名，當時因為楊清連任競選而作罷。但該屆雖然楊清經過執政黨提名連位競選，終於失敗在捲土重來的黨外人士葉廷珪之手。在第四屆市長競選時，黃業也很積極的活動，結果卻因黨內提名辛文炳與葉廷珪競選，辛文炳勉強選中了。這次第五屆市長競選，執政黨的唯一勁敵仍為曾任第一，三兩屆市長的葉廷珪，葉已宣佈決定出馬競選，這不能不使執政黨方面深具戒心。

現任市長辛文炳有「好好先生」之稱，他在本屆市長任內，因為係執政黨的關係，在建設及若干方面確有其表現，但由於「人和」這方面的「公共關係」攪不好，確使得這位「好好先生」大傷腦筋，如南市議會議員集體辭職及國民住宅比價案的風波，在在使得辛文炳確實是非常的頭痛。這次市長競選黨內提名登記，他還未參加，正是為此。

執政黨南市黨部方面所考慮者，就是提名黃業呢？抑是提名辛文炳連任競選呢？這是深費考慮的。據說辛文炳做了這屆市長後，確實是有些「倦厭」了，他本人曾對人言：「說實在的，我不是職業公務員，做一任市長也就夠了」。但這是否眞話呢？是否以退為進的戰術呢？非到最後關頭，難以預斷。執政黨最後提名何人出馬，正是市民所非常關心的事。（朱鐸）

基隆旅居記

仲公

港口初建

劉銘傳

劉銘傳在光緒十五年奏准清廷，選當時台灣首富林維源總辦基隆築港事宜；林氏受命之後，即延聘工程人員，測量港灣，從事設計，先購置拖泥船以疏濬航道，並填築當時火車站一帶的海灘，使海陸交通得到聯接。這項填充港口用地的工程，係利用兵工人力，由兵勇搬運附近山邱的砂土，並用汽車採運金包里一帶之石料，砌築臨港碼頭之駁岸，火車站前一段碼頭，因築有石階，以便客貨上下。今日四號碼頭一帶，即為劉銘傳當初築港的碼頭基地。按劉氏最初的築港計劃，大體包括：一、疏濬田寮港、蚵殼港及石硬港（即今的旭川運河），便利貨物駁運。二、填築內港，在港內填海地區靠海一邊，先用石塊砌築堤岸，擁船之側，加打護岸木樁，然後一邊挖泥，即以挖得之泥填築岸內之地。三、建築倉庫，架設橋梁，接連港灣東西兩岸，並另建一橋跨越牛稠港。

台灣割讓與日本後，日本政府為發展台日的航運，以便加強控制。惟當時築港還未完成，三千噸級輪船，還須寄泊基隆港外一哩半之地，冬季風勢強烈，海上波濤洶湧，客貨駁運，極為不便。（九）

台灣區公所的官 架子最大難侍候

（本報台北航訊）不知是那一個聰明人首先講出來的：「台灣有三種女人的臉色，是教人最難接受的，那就是；車掌小姐，護士小姐，銀行小姐」。這說法可眞是有學問。凡是在台灣住過的人，對於這說法的反應，一定點頭稱是，或者報以一個「會心的微笑」。當然，在這三種身份的小姐當中，也儘有和和氣氣者在，祇是大體言之，她們的臉色，確乎眞是很教人難受。

女人之外的男士[illegible]

除散漫與摒虛假 是當前兩大急務

馬空羣檢討政治上四毛病

第二除散漫，他說：「今天的散漫情形，可以分為個人與機關兩方面來講：個人方面表現的是精神散漫與工作散漫。大多數的公務員精神都欠振作，缺乏一個人生的最高理想以為集中精神和意志的中心，以致內心常感空虛，沒有奮發積極的朝氣，很少能夠在學問修養上去求進益。多數的人，都是喜歡看小說，打小牌，以消磨時光。腰包充裕的便是上酒家、進賭場，去過那紙醉金迷的糜爛生活。在工作方面表現的是因循、敷衍、不負責任、不守本分；最容易看到的是在機關裏，雖然辦公時間已到，但辦公室內還是零零落落的沒有幾個人。至於政府機關方面，許多地方還不能切實的做到統一化與組織化，以致還是感到紛紜雜亂，形成一種散漫的現象。」

馬空羣說政府機關各自為政的現象，眞是「五花八門」。他舉例說：「譬如各機關的預算還是照十餘年前的標準，在編列時，通常是照各該機關上年決算增加百分之五；但因歷年物價指數繼續增加，無法應付，於是各機關只好去臨時追加預算。那些有辦法的機關，便可以爭到鉅大的數目，無辦法的只好望洋興歎。又如各中央機關的辦公處所，政府本來應該有一個統一的籌劃和分配，以維體制和觀瞻，但事實上都是各機關自己設法，以致有的中央機關的辦公處所，竟簡陋得還不及各縣的一些人民團體的辦事處，而有的機關卻除了宏大的辦公衙門外，還擁有華麗的招待所，聯誼社。再如公務人員的宿舍，交通工具及薪津待遇等等，無一不是有的機構異常優裕，一切特殊，有的機構則一籌莫展。」

馬空羣希望政府：「要清除這種散漫的現象。」而清除之道，「首先希望政府要正視問題，不要躲閃推拖，處處應該照顧全局，採取適當的辦法未解決問題。要切實做到統一化與組織化。不要誤認為窮困便不能做到統一化組織化，倒是越窮困越應該做到統一化組織化。只要處理問題切實允當，公平合理，不再有散漫的現象，風氣一變，那種個人的精神與工作的散漫情形，也就可以清除了。」

第三摒虛假，馬空羣指出：「今天社會上虛假的風氣已經很盛，政府機關負有領導人民的責任，一舉一動影响人民極大，處處都應該為民表率，建立一個為人民瞻仰取法的標準，來挽救這種頹風纔是。不幸的是，一般不肯的公務人員，為了自私自利，不惜盡量的去作偽作弊，去騙政府騙人民，在那裏推波助瀾，助長此風，使政府也蒙上了污點，減低了人民對政府的尊重與信賴。尤其可惜的，是我們的政府不但不能清除這虛假之風，反在不經意中，好像還在那裏提倡作假。因為政府有許多的規定，不能適合實際情形，明知施行起來無法行通，只有造假作偽之一途，但也視若無睹，不予解決，這無異是教人去作假作弊。最明顯的例子，是讓一般機關作假報銷。譬如各縣市地方機關的事務辦公費，還是依照四十年度的老標準，按各該機關核定預算員額每月每人一百元計算編列，省級和中央機關稍高一點，亦很有限；但十餘年來，物價已漲若干倍，此項事務辦公費就從未調整過，迫得各機關只好在別項經費內去勻支，然後再照預算編造假報銷。又如出差旅費，從五十一年九月起，雖略加調整，但所加極微，以委任職人員而言，每日出差旅費以之支付住宿旅館及日食三餐，仍不夠用，迫得若干人只好去虛報日數，以補不足。如各機關的預算編列，一般都很緊縮，實際支付都要超出預算，不得已只好假借名義，做假報告去請求追加預算，以彌補虧空。」

各級政府機關及國營事業機構的預算，在編列時種種造假或巧立名目的情形，已成了公開的秘密。如果照實具報，那就只有自討苦吃。此乃虛假之泉源，如欲消此類風，必須由政府先將這種作假的根源剷除。（中）

閒話台北三大學

七十叟

關於師大欠薪，學界聞名，一說，係該校管錢人員，拿去放利息，一說爲省教育廳遲遲不發；但中興大學與法商學院，同屬省教育廳管轄，則無積欠薪水情事。

不過師大訓導工作，辦得不錯，該校當局，雖不尊師重道，學生們對教授，尚執禮甚恭，學生敬尊師長，予教書匠們，些許安慰也。

據說梁實秋、田沛霖等名教授之所以尚能在師大安身立命，實因喜愛師大學生之氣質，而不做轉移陣地之打算。

據統計，省立師範大學，總務第一，爲學校之無上權威；職員次之；教書匠則爲被賜來賜去之人，所謂末等人也。

政治大學力爭上游

政治大學，自劉季洪主持校政以來，正兢兢業業，力爭上游，且爲三所大學中最尊師重道之學校，試舉數例以做證明。

（一）該校對教授行文，遣詞用句，客氣之至；上課下課時，以轎車接送教授。

（二）教授休息室房屋既寬大，沙發坐椅亦舒適，教授所用茶葉，並非次貨。

（三）薪津及鐘點費準時按月發下，每月發薪津時，師大、台大不同，前兩校所出告示爲某某月薪津已發，希持章至出納處領取，而政大的告示則曰：某月薪津或鐘點費已備妥，「請助工友」至出納領取。

（四）政大所出校刊，置教授休息室中待人自取一份；台大、師大則不然，教授多不知校中情形。尤有甚者，台大將兼任教授名單，列於附錄之中，而師大則根本不列名，此舉無異表示兼任教授，在台大等於職員錄中之附錄，在師大則根本無視兼任教授之存在也。

政大在學術界，雖尚無地位，但由於劉校長之禮賢下士，及學校總務辦理至佳，教師深受尊重，深信於若干年後，必可成爲一著名之大學也。

政治大學之訓導工作，迄未成功，蓋以該校僑生既多，讀書風氣，尤不濃厚。如何培養讀書風氣，及養成敦厚、純樸之學風，實爲該校當務之急也。（下）

五十二年十一月一日在溫州街

藝術叢語

抽象藝術漫談

趙雅博

也有很多次客觀的實在性，深入到精神的堂奧中，這是因爲精神也有不少時候首先推測探尋了客觀實在性的本質；後來，精神會尋到事物的最後意義，它們的完全可瞭解性，它們的美，他們的善，並且也能夠深入到客觀實在性的最後理由之中，這就是神的理智了。在第一種情形中，人們對於事物的瞭解，乃是看見事物的外表，如同它們現存於我們感覺的形色。在後者的情況中，事物的被認識，乃如同事物本身一樣。達到事物本身的認識，在美學來看，可以有兩種不同的方式：一種是直觀，一種是抽象。由於這兩個方式，人是能夠深入到客觀實在性的深處的，並如此的領會瞭解而得有事物本質的觀念。如果人在這樣認識領會與瞭解了事物以後，他也就能夠用一種美術的作品，來發明或表顯這種觀念，而變成了藝術家。這樣的藝術家可以是具形畫家，也可以是抽象畫家，他們的作品也可以是具形作品，也可以是抽象作品，這個就在於他如何瞭解事物，特別是在於他如何表顯它們了。現在，如果藝術家的工作，在自己最初的開始，就彷彿是客觀實在性的概念，那末在他的向外表現的工作上，自然也不能拒絕或不要客觀的實在性了。同樣，藝術家由於他是有精神的動物，他一樣也不能拋棄主觀的實在性，就是在那是客觀最具形的作品上，也絕不含糊的現表着他的主觀實在性。在藝術作品中，無論是拋棄摒絕了主觀或客觀的任何實在性之一，也是不可能的。不要說是拋棄其中之一是否眞正可能，就連在這二者之間，表現得和諧不足，或者未能恰如其分（這就是藝術作品所以分高低的關係與理由），這便是完成了一個割裂不全的意向，總也得不到順利的效果，而只是一種犯罪性的紊亂與醜態，使存在的基本定律受到了損害而並加以逾越。只有在事物與精神的共同互入，精神與事物的一致融解，才有美的直觀，它將當前而又隱蔽在事物當中的美顯示給我們人類。因此，海德格稱藝術作品乃是人與事物衝突的產品。眞正的藝術作品，只是存在於保有使美的直觀可能的原素中，美術的作品乃是從它而出。因爲只有兩個相對極的合一，才能生出光明的火花，來光照一切眞正的藝術作品，也生出一切眞正的藝術作品。藝術脫不開客觀與主觀實在性的和諧一致，藝術作品的最高極致就是在兩極完全一致的和諧中脫出，產生，並留於後世。

事物的美

美是隱蔽在事物之中，是藉着它們而出現；在遇有機會時，美遇到了許可它出現的物質環境，有幾次是光華四溢，有幾次是隱而不顯；但是，它極少（也可說是常常不顯露它最原始的美，這是因爲事物不可忽視與頑强的陰影所隱蔽。雖然如此，但是事物仍然是一種媒介，透過它才能表達出美來。在事物中，具有藝術創造的原始靈感的源頭，並且是唯一的源頭。（未完）

捧譚著稱的記者

清末民初，劇壇新趨勢，是譚鑫培獨映於國內，觀者聽者無不崇服。以文字而捧譚最力者，祇有兩人：爲凌霄漢閣主人徐一士與尊譚閣主馮小隱（馮二先生之兄）。徐每日爲上海時報寫通訊，談劇之中，常述老譚，引起江南人士的珍視。其評譚氏的寶馬，有云：以藝術眼光來看，夠得上心與技術融合了。其貌清臞，其神煥發，與劇中人適應。唱別有會心，諸緣輻湊，謂之傳作也可。末段舞鐧耍板，把亂彈的閃板垛字的口技，用得眞絕。特別注意，還是頭場的三眼，及中場的散板，見身分，寫心情，有超越技術的價值，可說字字珠璣。

汪桂芬延續程派

談到譚汪孫三派，祇有桂芬以先故世，未及見之，大概他於庚子拳亂以前，留人記念不止。當在光緒六年，程玉山（長庚）歿於京師，程調成絕響。汪桂芬係程氏弟子，又爲琴師，在程氏之腔調。但所習程戲不多，乃請益於樂家老舖同仁堂掌櫃周子衡，行腔吐字，大有進境。拿手持程派，獨立劇壇約有廿年，始終不衰。及後鑫培崛起，彼此分庭抗禮，並不爭競，目的在維持門業，譚氏對汪，亦敬[illegible]何之重義，非後來者泯滅友誼，在所不顧也。

好戲如文昭關、讓成都、取帥印、華容道等，爲其獨擅，旁人無法敢試。其嗓音特宏，而且堅挺，拔高之音，竟能震耳，齊如山曾謂其天賦，實勝譚，且確切。桂芬有異貌，其頭特大，人送稱爲汪大頭而不名。自長庚歿後，桂芬即搭[illegible]

劉氏傑伶錄

婁姿生

巧玲焚劵俊山收骨

從前名伶當以梅巧玲爲傑出，有人曾說梅家後代的繁榮與顯名，皆巧玲一生能仗義所積陰功，才有蘭芳的拔萃。朋友談及巧玲焚劵，事，不過是他生平爲人之一端，已見其胸襟之不尋常。傳有某舉子來京應試，二次迄未獲中。客居會館中，雖無須納付房租，一日三餐，每月也須十兩左右，因此心中抑鬱，遂常赴戲園觀巧玲演唱，久之漸稔，頗感其誠。梅得暇往會館訪問，見其旅次殊蕭瑟，深憫其困頓，當予周濟三五兩不等，某君頗感其義。但其爲人頗高傲，設有不足，不肯啓齒，巧玲亦不知之。爲了生活所需，某君常以衣服托會館長班，赴當舖押錢自活。某歲初冬，巧玲偶過其室，見其牀頭僅有薄布單一條，詢之長工始知其情，乃出二十餘兩，悉以贖回，讓其使用，並囑長工每日爲舉炭取暖，某君方得度寒。明年夏，某君病痢，巧玲四五日不來，心疑之，又往探視，堅囑請醫來診，某君必欲署劵立據，方接受借銀，巧玲允之，經醫診治半月方愈。（七）

解開人事上的兩個死結

（自第一版轉來）

問候起居，咨詢時政得失，其敬老尊賢的禮儀，又是何等隆重？雖然現已進入工業社會，勞心勞力，都是計工論酬，退休後，政府社會對他冷淡，原無足怪。可是老一輩的人，他決不會這樣想，他耐不住這種冷落，他寧願在機關呆下去，容易打發歲月的光陰。況在公務員退休法第五條第一欵規定，年滿六十五歲者應令退休，但在這條末尾又加上一個但書，「公務員已達第一項第一欵之年，如尙堪任職，服務機關得依事實之需要，轉請銓叙部延長之，但至多以十年爲限」，因爲有了這一但書，就可以藉口，到了退休之年不願退休的人，就可一再陳情，延長時間，祇要他有理由說得對，政府莫奈伊何。

於今要鼓勵公務員退休，最緊要的，政府不要出自勒令式的給予退休金——實係遣散費，不要視爲是一種施捨的恩惠，最低限度退休人員的疾病保險，仍應照常，並應責成其退休機關主管，多予照顧。如若他的生活確屬發生困難，當地政府也應酌加救助。如果能如此，則請求退休的人自會踴躍起來。當今政府在人事上如要貫澈新陳代謝的政策，實捨此莫由。

待遇，退休，成了今日台灣人事上難於解開的兩個死結。待遇方面，如確能限制靡費，革新生活；退休方面，確能多方鼓勵，自動自發；這兩個死結，至少可以解開一半。

瘟君續夢

第十回：集會議圖存　天寒日暮　空言難自救　鬼哭神愁

羅瑞卿說道：「東明縣武裝部長在慶安竟然把四十多支步槍當廢鐵賣掉。」

劉伯承問道：「槍支怎能隨便買賣，他敢賣難得還有人敢買，這問題就不單是民兵一方面了。」

羅瑞卿說道：「槍枝本來有點毛病，他異想天開把它折成一段一段拿去賣給小型煉鋼廠，而且又不是賣給一家，所以把煉鋼的幹部矇混過去了。」

毛澤東問道：「他既然賣得這樣巧妙，後來怎麼又發現了呢？」

羅瑞卿說道：「最後一查四十多支步槍沒有了，當然要追究到他的身上，他到乾脆直截了當承認作廢鐵賣了，並且說出一大堆理由。」

陳毅笑道：「賣公家槍還有一大堆理由，一個女人去偷漢子也有大堆理由了。」

羅瑞卿說道：「他說國家正在進行全民大煉鋼，煉出來的鋼都是留作製造新武器用，這些破槍遲早都是變成廢鐵，早賣了還乾淨。」

毛澤東一拍桌子：「混賬，太混賬，他早晚都要死，爲什麼現在不去死，早死了不是更乾淨嗎？」

劉伯承問道：「這些壞份子畢竟是個別現象，我們現在要知道的是訓練情況怎麼樣？」

羅瑞卿說道：「更是一塌胡塗。有些地區因爲民兵集結不起來，就利用救濟作爲號召，凡是受訓的民兵，可以領到救濟糧，如光山縣一個地區就發了兩萬一千多斤救濟糧。」

李富春正在打瞌睡，聽到這裏大吃了一驚，猛然睜開眼問道：「假若每個縣都是這樣攪法，倉庫裏面剩的一點預備糧也就攪光了。」

李先念說道：「攪光了糧，有沒有成績，訓練的經過又怎樣？」

羅瑞卿苦笑道：「糧食吃完了，人也跑光了，鄧縣厚坡公社訓練二百人，訓練未完畢就跑了一百二十人。」

劉伯承冷笑道：「我們共產黨只知道向人民要糧，現在調過來發糧給人民吃，世界眞是變了。」

李先念問道：「照這樣說來，根本就沒有訓練，怎麼報紙上還經常出現滿堂紅的消息。」

羅瑞卿搖頭道：「都是假的。光山縣把射擊較好的民兵名字報在一起，對上就稱爲滿堂紅師。」

毛澤東冷笑道：「就連這個集在一起的滿堂紅師據我看也是假的，眞要他們實彈演習，恐怕成績一定很差。主管民兵的幹部既然敢欺騙上級，自然什麼辦法都拿得出來。」

羅瑞卿連連點頭道：「主席的判斷正確極了，有些地方民兵幹部的作風更爲惡劣，最該死的是新野縣新店公社，民兵實彈演習成績極差，主持訓練的縣人民武裝部副部長劉喜增就燒熱了彈頭，在靶上燙滿彈着點，然後抬着這個靶到南陽軍分區去報喜，還得了獎牌，獎旗及實物獎品，並通令全軍分區，表揚爲滿堂紅師。」

大家聽了一齊搖頭，劉伯承冷笑道：「這個劉喜增應該派到宣傳部工作，在鄉下實在屈了才。」

（二五八）

又趙爾沂著劉大姑傳：「大姑京師人，光緒在青宮時，詔選元妃，大姑與郭后及后女弟同入選。郭后選中，后女弟及大姑賜金幣還。凡落選女子，貴家爭聘致爲重。后女弟遂成山伯夫人，大姑獨不肯嫁。貴戚納聘，悉却之。謂母曰：被選後，與今元妃同臥起三月，外間何等子乃議婚耶？遂守貞以歿。」

歷代選美雜譚

周燕謀

明代以前，帝王選美，選自民間。而清代則盛行選美則選自貴族，故名之曰「選秀女」。大清會典載：「凡秀女之及歲者，三歲而一選。應選者具名冊名牌而引閱。」這是有清一代的選美制度。所謂「一朝選在君王側」，甚至擠上母儀寶座，又是何等光輝。掌握過中國政權的第二個女人——慈禧皇太后，便是從秀女中選出來的一個寶貝，左右了我國四十餘年的政權，其喧赫幾可與武則天並駕齊驅。

秀女者，凡旗籍蒙古護軍領以上，漢軍筆帖式驍校以上之女子，列入冊籍爲秀女者是也。選秀女三年一次，例於選舉期前，先取具族長保結，證明秀女身份，然後由駐防本旗參領佐領，再加查覈，造具名冊呈送八旗都統。八旗都統彙集各旗秀女姓名年籍，咨行戶部，由戶部將秀女年歲若干，以上者，應列被選，奏陳請旨，再行行知八旗都統，然後由本旗行文各省，令於應列入選舉之秀女，限定期內入京參加競選。各地秀女到齊之後，由本旗彙齊秀女總數奏請另行定期選閱。

清代選秀女已較以往各代進步，有初選複選二級；初選評判員，由派定，入選者稱爲「記名」，凡「記名」之秀女，得參加複選。「複選評判」則由皇帝親自担任。如初選無記名秀女及複選不記名秀女皆爲落選，此後可由父母另行擇配。入選秀女，由皇帝指配宗室近支。此制始於乾隆朝。嘉慶五年上諭：「朕綜理庶務，皆由舊章。從前皇考高宗純皇帝，每次挑選八旗秀女時，特派王等於聖祖仁皇帝派衍廿四近支宗室內，查明應進綠頭牌者指配。今挑選秀女，自應遵照此例，於世宗（雍正廟號）憲皇帝派衍近支宗室內，按其世系指配。著將此旨交派出王等，嗣後應行進呈宗室等名次，惟於世宗憲皇帝派衍近支宗室，繕寫綠頭牌照例呈進，俟朕挑選秀女時，酌量指配。永著爲令。」故凡入選秀女經指配後，其對衆即爲皇帝期功之親，登上龍門而成爲皇親國戚了。

秀女競選之日，佳麗如雲，秀女們乘坐特備的車輛，儼然香車美人。初選之際，由本旗領排章京，按照秀女原定編排次序，將車中秀女推領至神武門外之東柵欄下車，然後交由領排太監引見評閱。此時欽派評判的王公貝勒，燕瘦環肥，多拔其好的分別記名，小姐競選程序算告終結。（下）

滕王閣

匡謬

滕王閣得王勃之「滕王閣序」而名遐千古。王勃滕王閣作序事，新舊唐書勃傳則謂考：「九月九日，都督大宴滕王閣，宿命其壻作序以夸賓客，因出紙筆遍請客，莫敢當，至勃，沆然不辭。都督怒起更衣，遣吏伺其文輒報，一再報，語益工，乃矍然曰：天才也！請遂成文，極歡罷。」按勃死於上元二年往交趾，渡海墮水而死，年僅二十九耳。

滕王閣據南昌縣志載：「滕王閣在章江門外，唐滕王元嬰建。後都督閻公於九日，諸僚屬於閣上，王勃往交趾省親，（按王勃前後二次往交趾，最後墮水，舟次馬當，神托步，許助以風，一夕至南昌，因與宴，請作序，一坐驚服。復有王緒爲賦，王緒爲記，韓文公稱三王是也。」

滕王閣自唐初建造，至晚清已不知幾經滄桑。而其閣之建造情形與閣之狀貌，均無可詳者。元虞集龍興路重修滕王閣記謂：「閣之崇爲尺四十有四，深如崇之度，而廣倍之。棼宇虛敞，丹刻華麗。」信非所謂「飛閣流丹」虛語。

滕王閣至宋大觀、元至、元統間被燬，呂南宮「登滕王閣詩」云：「帝子驕奢起高閣，到今連歲爲增修」是也。閣燬後，由觀察使紒干重建。宋大觀元統累修前後，撰記者爲右丞相范丞志，學士姚燧、虞集。明初太祖幸南昌，故宴寮臣於閣上，放陳友諒所畜鹿於西山。然閣久而頹廢，遺址亦淪廢。正統初，布政司吳潤，於其地築館，作迎恩之堂。」景泰中，都御韓雍，復於堂後建重屋，取韓記中語，名曰「西江第一樓」。成化西，司，空，甫陽吳世賢，復名曰「滕王閣」。明人鄒雖聞，更加其治。西詩云：「滕王高閣何年廢？孫子高名百世香。」嘉靖丙戌，都御使武陵陳洪謨撫江右，撤其舊而重建之方大美相繼修葺，俱有記。陳洪謨修竣後之滕王閣，面貌似比初建時華麗得多，陳洪謨賦對閣之描繪云：「……結鶯鸞之紛寵，窮舞鳳之婢娟。儼雕甍之宛爾，恍緲閣之依然。伊左縈而右拂，若前而後旋。爰乃朱棟綿亘，綺疏菀倩。由房窗高寮婉轉。爨桂樹之玲瓏，搖華欲之縷紛。勢未盡而欲敘，闕狀將翔而又變。丹青圖畫，若有神仙。飾之翠羽，錯以金鋼。鶯鴦起於梁上，玫瑰生於圖間。」可謂洋洋大觀矣。

閣復燬於清康熙間，由巡撫安世鼎重建。癸未巡撫張志棟，特建亭本閣，左以奉御書滕王閣序。丙戌閣災及亭而火熄。是歲巡撫郎延極復建。雍正辛亥閣燬，亭復無恙。乾隆丙辰，總督趙宏恩，巡撫佘岳兆重建。癸亥布政使彭家屏，復其舊額曰「西江第一樓」刻石嵌壁。己己於閣後建延恩亭。丙申巡撫海成移於閣前。道光丙午復燬，次年修復。咸豐癸丑亂，同治間亂平，巡撫劉坤一重集閣，凡兩層。閣中王勃序，北平翁方綱書，前趙文敏孟頫、董文敏其昌皆嘗書之，久無其跡。上層前樓額曰「西江第一樓」。後樓小亭書韓文公記。門扁曰「仙人舊館」，李春園太守書。姚鐵松中丞亟稱賞，欲乞爲書，李不可。

觀上一頁簡史，這座「桂殿蘭宮」的高閣，確實飽經滄桑。遙想當年王勃作序之時，已曾歎過「勝地不常，盛筵難再」！抗戰勝利之後，南昌人士曾一席提議重建新閣，以表揚文獻而垂久遠，市府特以廣徵發起人，後因工程浩大，不果行。赤流泗濫後的滕王閣是怎樣的面目？更是不敢想像了。

我的社會生活

雷嘯岑

陽曆四月間的北京氣候，還是要穿皮大衣的。我於四月末，穿着一件貓皮外套，偕同學兼同事潘廷幹兄（他現住台灣高雄市），赴西直門外「京綏鐵路」站，擬搭西北軍前敵總指揮張之江的專車，前往張家口避難。潘兄先走過天橋，在站上候我，當我提着行李走到天橋中間之際，忽有奉軍飛機一架，飛臨車站上空投彈，目標是炸張之江那輛專車。但炸彈偏差落在天橋旁，轟然一聲，碎片在我左右觸及鐵橋欄杆，劈劈劇響，我被炸彈聲震撼到失去了知覺，在天橋上木立着不動，旋聞潘兄遠遠地大呼：「嘯岑，你還不走下來！」」這纔清醒過來，總以爲受了傷，急以雙手按摩腰身，並無痛楚之感。匆忙走下天橋，而專車已蠕蠕開動，我們即躍登車箱中。在車上聽張之江將軍說：幸而敵機投下的炸彈尚小，如果是大型的，不但是我與天橋要同歸於盡，就是他那輛專車亦保不住的。險矣哉！

到了張家口，我和李將軍的秘書周松山（湖南人），副官田師程等，一起住在火車站旁邊的一座平房中，到也逍遙自在，馮督辦玉祥委我以參議閒職，除了月領薪金一百廿元外，無所事事。周松山自負爲文武全材——他能寫一手很可觀的顏體字——鬱鬱不得志，常發牢騷，跟居停相處得不甚融洽，未幾，他取道晉省南歸了，於是，李將軍便教我接任秘書職務。

繼而馮玉祥爲緩和吳佩孚、張作霖聯合進攻西北軍的行動，通電下野赴莫斯科，由張之江代理西北陸軍總司令兼西北邊防督辦兩職。然在南口指揮對吳、張作戰的大將鹿鍾麟，既在大同附近與山西閻錫山軍對壘的旅長韓復榘，都對張代總司令不服帖，而鹿、韓二人又互相水火。內外形勢對西北軍皆不利，張之江惕然憂危，乃挽李協和、孫禹行兩位以同盟會老同志的關係，出面與閻錫山和談，希望山西採中立態度，對馮軍不要相逼太急。李孫二公即派我作代表，持着他們的親筆信，赴太原見閻督軍叩教。民十五年五月初，我由晉北大同，經雁門關直達太原，受到閻先生優禮招待，幾度晤談之後，閻答應晉軍決不越出大同境——只要西北軍亦不進攻大同。他再三對我表示其依然忠於國民黨的意志，且以吳佩孚拍來的密電一件給我看，內容是教閻氏把最近被晉軍在歸德俘虜到太原的國民黨人孔庚、田桐二位，押解至吳氏的「討賊聯軍總部」，聽候發落。閻謂「這事我決不幹，萬一吳軍進入太原，準備將孔、田二人送到五台山上隱藏起來。」我乘機叩問可否允許我見見這兩位先生，他說可以，即派一位參謀領我到曾任閻氏參謀長的雲南軍人李勉之家中（是孔、田的幽禁處），雖初次與二位晤面，但他們知道我是李協和孫禹行的代表，一見如故，向我高談潤論時局問題，主張西北軍放棄張家口，全軍由晉北的「左雲」「右玉」疾趨至太原，以晉省爲根據地，然後出娘子關，拒吳佩孚的後路，保證成功。孔先生主張尤力，他作過晉北鎮守使，對晉北一帶的地形，和現時晉軍在該方面佈防的兵力，知之甚詳，教我趕快回去密報李孫二公轉囑西北軍按照此計行事。我們在一間客房裏談話，沒人監視，因得暢所欲言。後來我亦將此情報告了，但在莫斯科的馮玉祥不贊成，這是當時担任西北軍參謀處長吾友曹浩森兄告訴我的。（三）

閒話相命

花香月上樓小品

黃伯遠

相，相貌也；命，運命也。故談相者，不離命運；亦猶論命者，定命扯到相貌耳。二者雖有別，而結論則一。是曰「相命」，亦稱「命相」。是乃古今相命人之定稱。以下先言相。

鄭綮擬養一貓，必擇「五短」。何謂「五短」？首如豹，頸短；尾如麒麟，身短；四蹄短。」足短，乃取！故得之而畜子以絕。此相物之小者也。

故郝某將軍，爲求良馬，相於余，余曰：「身首矯健，骨體無雜色；或驕嘶而不易就範；或騁驥而止，絕韁而馳；或翹首而首俯，顧人欲下而驚躍也；此良驥也。」問：「良禽擇木而棲，良馬擇人而事。彼亦欲得善騎者，自薦其身而已。無如其知狀而驚，終不敢上，不顧則仆矣；又安從而得良馬哉！一言以蔽之，人試馬，馬亦試人耳。苟非壯士，安得良駒？此相物之大者也。」將軍以爲然。

由是言之，猶有相，馬有相，甚至牛、羊、犬、彘，皆有相。人爲萬物之靈，奈何無相？不觀乎，李闖眇一目，終爲賊！建文帝貌不揚，卒失位！李得色嚇而氣短，雖期善終！張子房男身而女相，雖貴爲王者師，而一生有位無權！周亞夫影子鎖口，當困餓而死！鄧通口賤，餓山其待！馬服言詩，亦招閥凶！故知相與命，言與行，相爲表裏。談相莫如談命，談命又莫如談德行。人有善果，福必隨之；人有惡果，禍亦生焉。禍福以善惡爲轉移，非以相命爲終結也！

漢李廣，身與匈奴大小七十餘戰，號稱飛將軍。而其部曲才能不及中人，以殺匈奴功，取侯者數十人，而廣竟終其身不得侯。何邪？廣嘗以問望氣者（相人也）王朔，朔對曰：「將軍自念，豈嘗有所恨乎？」廣曰：「吾嘗爲隴西守，羌嘗反，吾誘而降，降者八百餘人，吾詐而同日殺之。至今大恨，獨此耳！」朔曰：「禍莫大於殺已降，此乃將軍所以不得侯者也。」余曰：「此亦想當然耳！」蓋軍旅之事，變化難逆測，羌人反，反而又降，自亦能復叛；倘變起倉卒，而廣兵少，奈何？廣爲萬全計，誘而殺之，未可厚非也。縱曰有罪，爲公而罪，罪亦得所，無所恨也！其所以不侯，乃別有故。廣不言，故朔亦不願揭而罪之耳。

廣嘗因罪廢，贖爲庶人，屏居藍田南山中。夜從一騎出，從人田間飲。還至霸陵亭，霸陵尉醉，呵止廣。廣騎曰：「故李將軍！」尉曰：「今將軍尚不得夜行，何乃故也！」止廣宿亭下。居亡何，天子召拜廣右北平太守，廣即請霸陵尉與俱，至軍而斬之。夫李廣夜行，霸陵尉止之宿亭下，是能執法者也。廣奈何假公濟私，殺守法不阿者？是其人器度淺狹！以私怨而殺人。其不得侯，乃在此，而非在彼耳！蓋相貌者，人之表也。宅心行事者，人之裏也。李廣誘殺降羌，可恕也！李廣擅殺霸陵尉，不可恕也。故王朔誘令廣自言，而廣只言其前者，彼殆亦自知陰謀殺人爲不可恕乎？

（未完）

所懼。

南宋偏安有人才

——李仲侯——

韓世忠軍吏耿著與總領胡紡言：「二樞密來楚州，必分世忠之軍」。且曰：「本要無事，却是生事」。紡上之朝；檜捕著下大吏，擇酷吏治獄，將以搖誣世忠。飛歎曰：「吾與世忠同王事，而使之以不辜被罪，吾爲負世忠」！乃馳書告以檜意。世忠大懼，亟奏乞見，投地自明。上驚諭之曰：「安有是」？明日宰執奏事，上以詰檜，且促具著獄。於是著止坐妄言，追官杖脊，黥流古陽軍，而分軍之事不復究矣。俊於是大憾飛；及歸，倡言於朝，謂飛議棄山陽，專欲保江，且密以飛報世忠事告檜，檜聞之益怒。

初萬俟卨提點湖北州獄，飛宣撫荊湖，遇之不以禮，卨憾之。入覲陛辭，希檜意，譖岳飛於朝，留爲監察御史。時檜謀收諸將兵權，卨力助之，諸大將起行伍，高官大職，已極其欲，盍示逗遛之罰，使知

內信暨台報字第○三壹號內銷暫

自由報

THE FREE NEWS

第三九五期

中華民國僑務委員會登記證 台報新字第三二三號登記證 中華郵政台字第一二二一號執照 登記爲第一類新聞紙類

（半週刊每星期三、六出版）

每份港幣壹角 台灣零售價新台幣貳元

社長：雷嘯岑

督印人：黃行雲

社址：香港銅鑼灣高士威道二十號四樓 20 CAUSEWAY RD 3RD FL. HONG KONG

TEL. 771726 電報掛號：7191

承印者：田風印刷廠 地址：香港灣仔高士打道一二一號

台灣分社 台北市西寧南路金象大樓二樓 電話：三〇三四六 台郵撥帳戶九二二五

甘迺廸總統未完成的『新境界』

——和平戰畧計劃——

郭甄泰

美國總統甘迺廸先生不幸遇刺逝世了！一代英豪，賫志以沒，這不特是美國的一大損失，自由世界亦深感喪失了一位勇敢而有作爲的領導人物，曷勝痛悼！

他在白宮主政近三年的時間，依其「新境界」的觀念和抱負，創進了一種「和平戰畧」計劃，以與俄共集團相周旋，這項大政方針，仍爲繼任總統所信守，自屬意料中事。我們特加檢討，以表示對甘總統的「去思」云爾。

和平戰畧的輪廓

甘總統的和平戰畧思想體系，首先見之於本年九月廿日他在聯合國大會的演說，要求共產世界埋葬冷戰，并提示了六項具體意見：

一、開闢新時代。展開一個東西兩方積極合作之新時代，並繼之以管制核子武器，開闢到達世界歷史上一長久與有成果時代之途徑。

二、和平合作完全裁軍。氫彈不一定是勝利，反之勝利屬於和平合作，在各方面如裁軍，文化交流，南極探險合作，尋求新協議，不惜任何代價避免發生戰爭；繼續談判防止突襲及禁止地下核子試驗；禁止載有原子武器之太空工具在地球軌道上飛行；採行具有適當保證以達到完全裁軍之途徑。

三、太空合作。滙合美蘇兩國科學與財政之力量，在太空競賽方面密切合作。

四、種族平等。『一切人類均享有公正與平等之權利』。

五、支持聯合國軍。贊成組織聯合國軍，予以後勤方面之援助以及物質上之支持。

六、援助發展落後國家。

美國對於此項戰畧，已有若干措施表示其誠意，希望蘇俄亦能採取同樣行動。

如一、八月十二日美國於核子禁試條約簽字後之首次十七國裁軍會議復會時，曾提出新建議，要求交換軍事情報，防止突然襲擊，在若干地區設立非核子地區，簽訂互不侵犯條約，在對方國家設立管制站，將大量的鈾二三五分裂物資，不再用以製造核子武器而改用作和平用途。二、八月十三日與蘇俄協議禁止太空核子武器，即同意在太空不設核子武器。三、九月十三日美國防部宣佈，在本年間美國已從歐洲撤退部隊七千人，連同去年所撤退者在內，總數已達二萬二千人。十月十九日美國防副部長吉伯垂在芝加哥演說，公開表明美國有將從海外撤退部隊的計劃。九月二十七日美國防部透露由法國撤除五千四百名補給及勤務部隊。最近美國和日本在舉行非正式談判，減少美國駐日軍事人員計劃，包括縮小駐日空軍之規模，減少日本境內美國基地之數目，以及美軍人員眷屬撤回美國。美國駐琉球的海軍戰隊和駐韓國的兩個美國陸軍師亦有可能部份的撤回美國。其目的均在於緩和世界緊張局勢。四、十月十日美國准許蘇俄向美國購買大量的小麥。蘇俄今年大歉收，據說食粮缺乏達百分之一七，農業經濟危機甚爲嚴重，長此以往，可能威脅其國家的生存，甘迺迪於此時並不乘人之危，利用蘇俄粮荒，作爲冷戰武器，批准賣給蘇俄小麥一億五千萬包，價值約爲二億五千萬美元。此舉表示美國救災邺鄰，對於蘇俄一視同仁，確有「和平共存」之誠意。

和平戰畧前途瞻望

甘迺迪的「和平戰畧」，自核子禁試條約成立以來雖正在積極推行，但此並非單方面之努力所能成功，主要關鍵，尚在於赫魯雪夫之「和平共存」政策能否配合。因之，下述各項問題，必須護得解決，方能達到成功之目的。

（甲）核子戰爭問題。和平戰畧的重要目的爲避免核子戰事，避免核子戰爭之方法爲禁止核子製造，儲存，徹底銷燬一切核子武器，但此對於核子國家等於使其放棄武裝，與虎謀牙，無何可能。況西方戰畧家認爲西方國家兵員，不及共產集團國家，必須在核子武器上保持優勢，以平衡共產國家傳統武器中兵員之充足，甚難實現。不得已而求其次，有須達成下述各項協議。

1.規定核子國家最高核子力量，停止核子武器製造。現在美蘇兩國之核子武力，已可互相嚇阻，毀滅對方。但現在兩方均仍在大量製造，核子武器的毀滅力量急遽增加，與和平氣氛不合，亟宜協議各國最高核子力量，藉以阻止核子武器競賽。

2.美蘇兩方交換軍事情報，並在對方設立管制站。現在核子戰爭結果爲世界毀滅，美蘇英等核子國家均在設法避免，不致驟然發生。惟「兩大核子國家均有於數分鐘內發射之火箭，核子彈頭偶然出發射地點射出之危險機會甚大」，突發意外之誤會，恐所難免，尚應於平日交換軍事情報，並設立管制站，以防意外。

3.在若干地區設立非核子地區。此項計劃，波蘭外長曾於一九五七年首次向世界提出，去年三月復在裁軍會議中提出中歐非核子區計劃，並獲得中立集團國家的支持。本年五月蘇俄曾向美英及地中海沿岸各國提出非核子地中海的建議，美國因蘇俄對裁軍或減縮武裝從未採取措施，認爲此一建議的目標，僅爲針對北大西洋組織南歐的防衛部隊，打破現行軍事均勢，予以拒絕。最近亞洲西太平洋非核子區，非洲非核子區，拉丁美洲非核子區等建議，均陸續有人主張，如世界全面裁軍及裁減武裝問題能有具體進展，則非核子地區建議，旨在不置不用，縮減核子武裝部署，不造不儲，減少核子威脅，自應酌予設立，藉以增加和平氣氛。

4.撤除在外國領土設立之飛彈基地。蘇俄要求取消外國基地，禁止在外國領土設立飛彈基地，爲十餘年來裁軍會議中之老問題，美國不贊成。本年三月美國計劃取消九十七個基地設備，其中十一個均爲海外基地，大部份均在日本，台灣，韓國及西歐等地。土耳其及意大利美國飛彈基地亦已於本年四月間予以拆除，已有逐漸廢止海外基地及飛彈基地之趨向。此因爲美國義勇兵飛彈與北極星飛彈大量生產之結果，但美國藉逐漸減少海外基地及飛彈基地，緩和世界之緊張氣氛，亦爲其中原因之一。將來蘇俄如有誠意實行全面裁軍，美國海外基地及飛彈基地，自應酌量撤除，藉以配合甘迺迪之「和平戰畧」。

5.分裂物資改爲和平用途。此項主張爲美國本年在裁軍會議中之建議，係要求將大量的鈾二三五分裂物資，不再用於製造核子武器，改爲和平用途，並願獻出六萬公斤的分裂物，但希望蘇俄亦以四萬公斤的分裂性原料作爲和平使用，蘇俄對此表示反對。現如核子武器能以全面禁試，則分裂物資，軍用分量減少，此項計劃，蘇俄已無反對理由。

6.防止核子武器知識傳播。現在世界核子國家已有美，蘇，英三國，法國亦已有製造核子能力，在不久之將來尚有許多核子國家可能陸續出現。核子國家愈多，核子戰爭發生機會愈增多，人類毀滅機會亦愈多。職此之故，核子國家對於核子知識之傳播，自應盡力防止，以期減少人類毀滅之機會。美國不供給法國核子知識，致爲法國所憤恨。（上）

漫画天下

黑怎變紅？

何從救濟！

自由談

美總統被刺感言

美總統甘迺迪先生被刺的眞正原因何在，還是個謎。但被捕的疑犯奧斯華是兇手，似乎可以認定了。問題在他行兇的動機如何？據美方消息說，疑犯是個神槍手，曾投奔蘇俄，娶有俄婦，自承爲馬克斯主義者，又係同情古巴卡斯特洛政權的積極份子。等由准此，行刺的動機即純屬政治性—是共產黨人爲着世界革命利益而進行的政治暗殺計劃，證以莫斯科方面聞得甘總統被刺的消息，即再三指稱這是右翼份子幹的這類宣傳詞色，似屬可信。然就美俄近來所表現的「和平共存」外交行動，以及蘇俄急於企求美國協助它解除粮食恐慌、改進農業生產技術的現實利害設想，說俄共此時要教唆第五縱隊暗殺對它採取友好政策的甘總統，又覺得未免太不近情理，也太不合唯物辯證法了。至於古巴的卡斯特洛，則他無此胆量，亦沒有殺害甘總統的必要。

我認爲奧斯華的殺人行爲，跟美國社會人士的一般生活習慣頗有關係。美國社會視兒童和青年人爲寶貝，自幼即驕縱成性，隨便爲出，養成一種瞎胡鬧的頑劣性格，長大了自然難以改變。刺殺甘總統的兇手奧斯華係廿四歲的青年人，思想可能是左傾的，知識却未必夠水準—或許根本就是個旣無家庭教育、又缺乏學校教育的頑劣成性之徒，他瞧着甘總統跟州長在那兒向廣大的羣衆演說後，乘坐蓬車疾馳而去，乃遠遠地以打靶心情，嘗試射擊一下，却不瞭解這是滔天的罪行！

治國之道，首重民德，在民主社會中，民德的關係尤其重大。英美同種同文，但民性却然各別，像甘總統這種慘劇，在英國即不致發生。這是文化問題，值得思索研討也。

馮玉先生

香港與大陸

毛共又加強控制農民 自留地有已被剝奪者

中共在一年以前，曾放寬對農民的管制，發還部份之「自留地」，並允許農村集市自由貿易（即自由市場），但最近，中共又重行加強了對農民的管制，並對一些曾利用「自留地」產品作「投機買賣」的農民進行鬥爭，收回其「自留地」，沒收「非法」買賣之物品及其所得欵項。

此間某中學國文教員黃先生，最近接到他留居大陸親人來信說：

中共在一年以前，由於「總路綫」「大躍進」，「人民公社」等所謂「三面紅旗」失敗以後，饑荒遍於大陸，人民怨聲衝天，不但農業失敗，工業因缺之原料而幾致全面停頓。中共爲挽救經濟整個窒息的危機，同時也爲了緩和人民的反抗情緒，曾一度放寬對農民的管制，發還部份的私人財產——一小塊「自留地」，並准許農民搞副業，以及允許農民以「自留地」的產品在農村集市進行自由貿易，使大陸饑荒畧爲減輕。這因爲，實際的情形是：凡事中共不插手，人民有力量過活，中共一加管制，必然弄得烏烟瘴氣。然而中共的主義固然要求統治一切與刧奪一切，中共的現實環境，亦非繼續的榨取農民，它自己便活不下去。這是惡性循環，亦證明中共是非垮不可。

來信說：當中共無辦法不能不畧予放鬆，發還一部份「自留地」給農民後，儘管那祗是每人僅得十分之一畝至三十分之一畝的一小塊土地，但農民的生産情緒顯然提高了，大家都極其努力地經營自己的土地，使「自留地」確實有了產品；農民又兼營副業，可將一些產品在「自由市場」出售，大陸經濟危機，確實爲之局部緩和了。但這種經濟危機的稍爲緩和，却又被中共認爲是它經濟上和政治上的「逆流」。中共的幹部和宣傳機構，都不斷在大聲疾呼，要遏止此一「逆流」，才能鞏固「社會主義的集體所有制」。他們說：「目前在大陸的農村或城市，仍然存在着社會主義和資本主義兩條道路的激烈鬥爭」，而在農村中，這種鬥爭，在有了「自留地」之後，更爲顯著。他們說農民忘了「公社」的生產，拼命在「自留地」工作而祗對公社之集體生產敷衍了事。而「自由市場」的「非法」的買賣，甚至投機倒把，這種「資本主義自發傾向」，尤其嚴重地影響了「國家」的經濟和「社會主義的政治路綫」云云。

因此，來信說：中共最近又在頻頻開會，對那些有「嚴重資本主義思想」的農民，進行鎮壓，將他（她）們給予「集體鬥爭」，或勞改，更或沒收「非法」買賣之物品和欵項，以及收回那小塊的「自留地」。

（敬斯）

屏東推廣椰子種植 只許成功不容失敗

這事業不應被牽入政治將其搗亂

（本報屏東航訊）屏東縣推廣椰子種植事業成敗問題，縣議會發出猛烈抨擊之事，此間絕大多數人士，認爲純屬政治問題，殊堪遺憾。

作此看法者的根據不外乎是①推廣椰子種植事業，是李世昌（現任縣長）就職三年六個月以來的重要施政工作，而李世昌又已於十月十七日向執政黨辦妥候選人登記手續，決心競選蟬聯下（五）屆縣長，據說他競選蟬聯的唯一資本，正是以推廣椰子種植事業成果作賭注，以號召縣民的選票。

②李世昌於、職三週年時，在執政黨主持的從政同志工作檢討會上提出的施政報告，執政黨方面表示非常滿意，因此外界盛傳下（五）屆李世昌競選縣長，黨方將予以全力支持之說。

③董錦樹（現任議長）主持議會達十年之久，此次放棄議員競選，既揚言非爭奪下屆縣長不可，同時又已於十月三十日向執政黨部辦妥黨內候選人登記；董錦樹在議會頗獲議員支持，因此爲了達到競選目的，這一不尋常的質詢，抨擊，就被認爲是縣長競選的前哨戰了。

當然，也有少數人認爲議員在議會上對縣政提出質詢，乃是民主政治的表現，殊不能視之爲什麼政治問題。

唯無論如何，屏東椰子推廣種植事業是一個値得嘗試的計劃，但望不因此次的議會抨擊，而影響及於這一件新興事業的順利推行。本來，凡是一件新事業在開始時，不免有困難，亦免不了有波折，問題只在主其事者高瞻遠矚，不計困難，任勞任怨，堅定努力，自可底於成功。即如議會對這件工作在執行上所指出的錯誤與缺點而提出檢討，負責執行的人，就該有勇氣去面對錯誤，並力求改善，承認缺點，並極力減少缺點，那麼，議會的抨擊，倒是有大功於此一新事業的成功了。

屏東縣椰子推廣種植計劃，原定四年完成，經費總額是一千萬元新台幣（由縣府編列六百萬，另請求省府、農復會及有關機關補助四成計四百萬），計劃種植目標爲一千萬株。計劃執行於茲，已歷三年五個月，經費部份，除縣府三年來所編列四百萬用作購進椰種外，縣府第四年預算列有二百萬元；至於有關機關補助款，尚未全部撥到。迄目前止，已撥發椰苗計廿一萬株，餘除苗圃尚有大批幼苗在培孕中，其餘椰苗亦正在陸續進口中。預計四年完成一千萬株之目標，據說是有絕對信心與把握的。至於已撥發的椰苗廿一萬株，供鄉鎮公所及其他機關學校，私人等之種植情形，根據實地檢查結果，適應土質管理負責，又成長良好者，佔百分之九三點五六；因私人申請種植，而缺乏良好管理以致死亡者，佔百分之六點四四。至於議員所指出的有人以私人申請椰苗，轉手出售圖利一節，不管是否空穴來風，主持人總該引爲鑒誡，從實調查，並切實嚴防竟然有此種情事之發生。

再如議員所質詢的①申請「不要存置野林」，及加強「海岸林」等地之種植；②儘量利用公地放租種植；③砍掉海岸林原來木麻黃防風林，改植椰子：據說前一、二兩點意見，正係原訂四年計劃中所將進行的工作，後一點砍掉木麻黃防風林，則不知省府是否同意。根據專家勘察結果所提出的意見，是可在林空隙地內緣——原來木麻黃防風綫林間間種椰子。是該加以試行辦理的。

又議員反對目前組織椰子生產合作社一事，一般意見，作如其組織合作社而能有大量資金作投資，以協助擴大椰子種植事業，何樂而不爲？目前是就心沒有人肯投出大資金而已。總之，屏東縣推廣椰子種植事業，看來是一件對人民，對地方，對國家均皆有益的事業，已經開始了，只許成功，不容失敗。而成功則必須各方協力，在作法上，在資金上，在計劃上，更加充實，才是最要緊的。（袁文德）

偽裝矇蔽自欺欺人 是何等可怕的現象

馬空羣檢討政治慨乎言之

第四是杜矇蔽，馬空羣說：「矇蔽就是把事實的眞象掩蓋起來，不讓人看明白，怕人看到事實的眞象，自然就不免有一種不可見人的毛病存在裏面。怕人看到眞象的人，實際上自己也未看到眞象，因爲必須『自蔽』，然後纔能去『蔽人』。自己爲利慾所蔽，眼裏看到的都是利慾，自然就眞象不明。自己既不明眞象，更怕人看到眞象，只好又加上一層偽裝去矇蔽他人。於是矇蔽社會，矇蔽上級，以使大家都變成盲人，這是何等可怕的現象！社會盲目了，無所適從，必致發生混亂；上級盲目了，則估計錯誤，一切設施不合實際，可要發生大問題了。今天不幸的是我們若干的公務人員乃至若干的機構，都不免患了這種病症。往往對內是一套，對外又另是一套；對下是一套，對上又另是一套；最不好的是一件事明明發生了問題，還是把它掩蔽起來，不讓上級知道，讓它在那裏腐蝕敗壞，不管將來能否收拾，只要在自己任內可以敷衍過去就算了。這種作風如不改變，不惟影響政務推行，而對我們反攻復國的工作，必致發生極大障礙。」

要改變此風，馬空羣說：必須公務人員「大徹大悟，去私爲公；一方面還希望上級政府，要注意『兼聽兼看』，要與各方面多接觸，要能夠聽到最低層的聲音。」

馬空羣講了幾個歷史故事：「記得明太祖洪武十年，曾下詔書，凡是天下臣民言事的，可以實封直達御前，不必經過他人轉呈。這便是前人要希望聽到最低層的聲音所採的一種辦法。多聽固然重要，而更重要的是要多聽那不好聽的話。過去隋煬帝就不喜歡聽不好的話，所以週圍的人只好把事實掩蔽起來，編一套好聽的話去講給他聽，結果盜賊四起，天下紛亂，而他一個人還蒙在鼓裏一點也不知道，等到賊人打到身邊來，這纔明白，但已無救了。古代的君主，不容易與人民接觸，而週圍的人，又用各種各樣的方法，去投其所好，去包圍他，去進攻他，誠如唐太宗所說的：『人主唯有一心，而攻之者甚衆，或以勇力，或以辯口，或以諂諛，或以奸詐，或以嗜慾，輻湊攻之，各求自售，以取寵祿，人主稍懈而受其一，則危亡隨之。』在上的人，既然以週圍有衆多的人向他進攻，各以各的方法去迷惑他，假使稍一不愼，而只聽信少數人的說話，而忽畧了多數人的意見，自然不會徹底明白眞象；眞象不明，則一切的計劃設施，就難免錯誤，發生問題。」今天是民主時代，特別須要直接的與人民接觸，不可假手他人。」

馬空羣強調民心軍心的重要。他說今天政治人物只知道抓錢和抓權，這對反共復國工作是一大阻碍。他力言必須徹底打倒抓錢抓權這兩個主義。（下）

基隆旅居記

仲公

日據時港口建設

光緒廿二年三月，日本首先組織「基隆築港調查委員會」，得十萬日圓爲台灣縱貫鐵路及基隆築港調查費。同年內，該委員會即對基隆的潮汐，氣象，地形，地質，淤積以及築港材料等提出調查報告。光緒廿四年夏，築港業務由總督府民政部土木課接管，決議建設基隆爲軍商兩用港口，訂定一個四年築港計劃，經費二百四十四萬日圓，工程於光緒廿五年開始，主要的是浚深港內的淤泥，設置繫船浮筒，以及填塞淺海等。全部工程於光緒廿九年竣工，港內已可同時容納三千噸級輪船四艘。

光緒卅二年，日本在基隆開始第二期築港工程，經費六百二十萬日圓，主要工程爲擴充灣內錨地，修建一至四號碼頭，疏濬田寮港與旭川運河，建築仙洞鼻防波堤，增建倉庫，電力起重機及臨時貨棧，擴充塡海地，重造護堤及淺水碼頭，以及新建三砂灣避風港等。至民國元年完成。到這時候基隆港的規模粗具，每年碼頭轉運量約達二十五萬噸，可同時容納三千噸至一萬噸之輪船十二艘了。

宣統元年，日本又在基隆訂定了第三期八年築港計劃，預算經費五百一十七萬日圓，繼續擴充港內設備，工程開始於民國元年，與建五至一八號碼頭，主要目的在改進碼頭的設備，時間延長達十七年之久。其中在民國六年至九年這一段，曾一度停工。民國九年後，世界各國商業復甦，台灣的貿易轉盛，進出船隻增多，基隆港當時的設備，已不敷需要，日本政府又追加經費一〇、六九八、九四六日圓，再度擴充基隆的港口設備。民國十八年三期築港工程完成以後，基隆碼頭的運轉力就增至一、三五〇、〇〇〇噸，港內可同時容納一、〇〇〇噸至二〇、〇〇〇噸輪船十八艘，其中碼頭部份可同時停泊輪船十三艘。（十）

香港補助津貼學校 學生超過廿一萬衆

（本報訊）香港人口急劇增加，官立學校難應需求，當局以積極協助社團興學，及推行津貼補助政策，以減少失學學童，經已獲得良好的發展。

據統計，香港現有補助及津貼中小學共四百九十六間，學生共二十一萬零一百五十九人，計爲：

津貼小學共七間，學生人數一千九百七十一人；補助小學四百五十四間，學生人數十八萬七千六百八十人；津貼中學二十二間，學生人數一萬六千六百八十四人；補助中學十三間，學生人數三千八百二十四人。

在津貼小學中，共有教師五十九人，其中男教師十三人，女教師四十六人。

在補助小學中，共有教師五千二百一十八人，其中男教師二千三百九十一人，女教師二千八百二十七人。

津貼中學共有教師七百二十八名，其中男教師三百二十五名，女教師四百零三名。

補助中學共有教師一百八十六名，其中男教師一百二十五名，女教師六十一名。

津貼學校和補助學校大都由慈善團體或教會設立，政府負責補助不足之數，即補助薪金支出（以及批准費用）與學費收入之間的差額。

香港人口的激增，除每月約一萬嬰兒出生外，還有難民湧入，學位的需要日形迫切，所以政府除與建官校外，乃實行補助慈善團體和教會的學校。由於政府所建的官校，未能追上學童的增加，所以補助學校與津貼學校的地位愈形重要。

接受教訓。策勵未來

大陸是怎樣淪陷掉的？

吳文蔚

中共封據大陸後，此亂戰爭，遂告轉入了一個新的階段。至此，我們不能不承認了已往的政策失敗，同時更不得不接受這一失敗的教訓，進而作爲光復中原救國拯民的大計之借鏡。

我們雖然暫時退據台灣，但我們的戡亂戰爭還沒有進行到底；我們尚在繼續努力扭轉這一局勢，必期澈底消滅共產匪徒，以實現民有、民治、民享的革命任務。

我們檢討敵我勝敗的因素，可以歸納起來分做兩方面說起：一是我們的國際友人認識錯誤，使我們受了拖累；另一是由於我們的政策未能完全適合制敵，處處陷於被動而招致敗北。現在先從第一方面來說起。

史諾，這一個匪徒是「中華蘇維埃聯邦」的紅軍傳聲筒，不知道陷害了多少的中國青年男女學生。在他著的一些小冊子裏面，他竭盡智力地宣傳紅軍的英勇與紅軍領袖們的怎樣能幹和作風超卓，他把這一批實際是李闖張獻忠一流匪盜的叛逆——民國史上的大土匪——近世以來人類僅有的一次紅禍——共產棍徒們的强盜生涯，描寫得生龍活虎，儼如上帝降生，對於中國人民的貢獻，好像是亙古以來沒有可與它比擬的救星一樣！他從朱毛井岡山的會合建立中華蘇維埃政府寫起，中間經過二萬五千里的長征（其實是紅軍快將沒落時的一次大流竄），一直到了荒涼的陝北延安終結，把這一羣烏合之衆的匪徒的興起與沒落，再由沒落而僞稍參加抗戰，擴充地盤的形形色色，統統加以潤飾，說得淋漓盡緻，盡量地鼓吹共產匪徒們禍國殃民的事實，形容得有如聖主明君去開創天國一般。他把這部書分印成很多小冊子；此外又寫了些毛澤東，朱德，周恩來等匪徒頭目的傳記，和報導延安的種種生氣蓬勃之虛假狀態。

在他描寫匪共產徒們盤踞在江西景崗山時的情景時說：

「土地是重新分配了，稅租是減輕了，集體的事業在廣泛的建立，一九三三年的江西地方，就有一千個以上的蘇維埃合作社。在這裏沒有失業，沒有鴉片，沒有娼妓，沒有童奴，沒有強制婚姻；在這個和平區域裏，工人和貧農的生活已大有進步，人民的教育很普及，在三四年之內，共黨已提高了大衆的教育程度，這是在其他農村所難以達到的」。

又在「二萬五千里長征」的敍述中，描寫這批匪徒流竄的情形是：

「這般青年們懷抱着不熄的熱情，永久的希望和瘋狂的革命樂觀情緒，像火焰一樣，具有冒險、創造、勇氣、歡樂、勝利、堅忍、犧牲、及忠誠等美德，他們堅信無論人，自然和上帝，甚至死，都不會使他們失敗。這一切在奧德賽的歷史裏才能找到，在現代是無前例的。」

他更描寫共產匪徒們到達延安的活動情形時說：

「這一方面，或許就寄有最重大直接的和平利益；在這個基地（指延安）可以自由訓練，配備，訓練新人才，以爲革命之幹部。」

（一一）

藝術叢話

抽象藝術漫談

趙雅博

如果有意思將這個客觀的元素，從藝術作品中與以取消或剝奪——如同有些派的抽象主義者所作——這乃是將藝術作品與宇宙總體必需聯結在一起的關係消，而喪失了他們極深的意義。藝術作品，如果從整個的形上深根拔起，如果隨着去認爲，則沒有一點可激起美感衝動，並且將它從人的整個存在中拖倒，而只將它引歸到一個表面的美感，好多次這種感受只是限制於表面和諧顏色的快慰。因此，這種作品，實際來講，能提醒許多事件，然而如同今日所說，却又什麼也不澈底的說出。

客觀美的範疇乃是在於事物是表現給我們美麗，而同時又給我們隱蔽了美麗。實在，我們在目前的情形下，也就是說，我們在有血有肉的人的情形下，我們是從事物開始而得到美。沒有事物，我們無法獲得美的認識。但是事物也爲我們隱蔽美。爲什麼？根據古典哲學與士林哲學，和所謂爲美的形上構成體，乃是形式的光輝。爲了要這個形式帶着它的光輝透過物質的黑暗，爲了要透過物質，透過隱蔽美麗的物質，而表現出某種程度的美，同一的物質在對形式的關係下，它要保持着下列的特徵：完整性與比例性。實在，只有物質的完整性與比例性，才是那讓形式大放光明的根基。它是光明的構成者，光明乃是透過物質而表現形式的光輝的唯一方法。這些個光輝燦爛的形式，是因着物質而使之成爲個體化多元化。這些形式是佔有其美自典型形式的原始而真正的美。這些形式的光輝全都與這個典型的形式相符應，這個一切美典型與原始的形式，根據柏拉圖的說法，乃是在於觀念的理念世界中；而美呢，則本質是封鎖在事物自然形式的每個形式中。如果要根據古典所定的說法呢，典型形式則只有是神的觀念，而這個觀念在本質上是與神的智慧同一；並且因爲在神內，在觀念上我們找到一切事物的存在，當然這個一切事物，也包括着個別事物與特殊事物。是的，我們承認一切事物，自然也承認每個事物。每個事物由於它有它的本質，也就是共相的形式，而成爲是它個人，也就不是其他個事的東西，縱使它與其他東西是同一類的，它仍然是與它們有分別。這個形式，並不只是典型的——無論是神明的或超自然的形式，它也是那每個事物自然的形式，而這個光輝物與常常美麗的；然而困難是形式顯示出它的最初的光輝。純粹本質的純粹光輝，只有在神的悟力中才有。形式只有在種存在在才表現出來；這個存在，對於人來說，那就是物質與形式的本體結合。物質不但隱蔽起形式來，並且還使形式成爲不能淨化的，人們不能夠將具有純粹本質的形式把握得住的。（未完）

劉氛傑鄉錄

婁婆生

秋闈再入闈應試，此爲第三次，榜發又未中選。未久即病，纏綿兩月，終告不治。舉喪之日，同鄉多人湊集賻儀，苦無以善其後。巧玲來弔，抵靈次，痛哭失聲，如喪知音。旋即詢問情況，即贈厚賻百兩，爲經營埋葬之費。並告諸同鄉，其生前因病中醫藥所需，曾借過三次，約計四百餘兩，立有三券，今已無用，即就靈前白燭火上，舉以焚之，同鄉皆爲感動，同聲致謝。茲事畢後，胖巧玲義聲震動九城，而戲園寶座，遂成天天客滿，無非欽其爲人也。

庚子拳禍作，當時有識之士，尤其是嘉興許景澄，曾出使西歐，對於「扶清滅洋」，認爲不堪足信，力持非議，廷爭甚力。皆后慈禧於中外大勢，根本不能認清，見有異議，視爲大逆不道，再加端王之羣譖於側，忠臣被戮，約有十餘。內有浙江三忠，是徐用儀、許景澄，袁爽秋。皆官至侍郎正卿，悉被繫拘，未經審問，綁赴菜市口問斬。斬後，暴屍街口，無人敢爲收殮，其狀甚慘。徐許兩家因有眷屬旅平，迭經哀懇，始准收埋。而袁爽秋則義伶侯俊山爲收其骨事，名傳都下。

侯俊山籍張家口，在平唱綁子花旦，極負聲名，遂被人稱十三旦，是爲梅巧玲以後，想九霄以外，有數的伶官。爽秋生前，當往戲園觀劇，極賞其藝，常有吟詠贈之，風其講忠義，明孝節，不可隨流逐污。俊山甚感之，漸成知己。爽秋雖清廉，俸祿節餘，輒以饋遺，已非泛泛之交。事發倉猝，二日成讞，不及營救。俊山聞其耗，奔赴刑場，則已伏刑，抱屍號啕大哭。刑官斥之使退，涕泣而返；越二日，往請刑官，願予收殮。同行有勸其不可去，以免株連，俊山慨然曰：如因爲袁而獲罪，即死，亦所願也。卒爲購衣服，買厚棺，埋葬城南。迨變亂平定，袁氏眷屬自洞廬北來，始扶柩南下。忠臣而有義士，足以光耀伶史矣。

變產維護四喜班

清制，如遇國喪（皇帝太后之死），則城中所有戲園，不能演戲，停止鑼鼓，約須一年。戲班中人如爲生活關係，祇可到城外鄉鎮間去唱，仍不許穿紅戴綠，着劇中人服裝，僅穿便服。又還不可打大鑼，敲堂鼓，管制甚嚴。梅巧玲主持四喜班，就遭遇到同治的喪忌，使他困頓不堪，竟至變產。因爲他維護一班同人的生活，並未出城演戲，照常開發每位每月的戲份（即包銀），初時全數發給。到了半年，商量先發五六成，不足之數，開戲再補。實則發了半年，已無餘欵，再發則本身家中米菜，已起恐慌。乃向其好友名旦時小福（即名鬚生時慧寶之父）去借。小福因沒有這重擔子，家道原本素封，再加積蓄，很可度日，當時借他有一萬兩。不過維持到將滿孝的最後二月，依然空空如也了。巧玲不得已，遂將自己住屋變賣，結果總算朋友幫助，改賣爲押，籌到五六千兩，度過難關。其維護同人的精神，同班之人，無不感激萬分。次年開鑼，悉聽調度，於是始有八本雁門關之排出，朱蓮芬、時小福、王桂官等名角，均在羅致之列。此戲共唱兩月，一本唱五六天，天天滿座。唱完之後，接排他戲，其收穫則贖回押屋，歸還小福，發清欠薪，尚餘二三千兩。此後康莊大道，多是佳境，舊京人稱其好心獲善報。（八）

瘟君續夢

第十回：集會議圖存　天寒日暮；空言難自救　鬼哭神愁

劉少奇說道：「談到現在，基本問題還在黨員的思想，應該從這方面着手。」

毛澤東說道：「我們的黨已經進行過幾次整風，不過，近來起的作用似乎不大，不知道什麼原因？」

停了半晌，鄧小平說道：「我看是由於缺乏督導，光是每一個省自行整風，大家都有了溫情主義，祇要能馬虎過關，也就算了，那能收到預期的效果呢？」

劉少奇說道：「有溫情主義還算好的，最怕是倚仗整風作爲護符，乘機去整意見不合的同志，那就更糟了。」

毛澤東想了一下，說道：「說來說去，實在是我們的國家太大，黨員也太多，黨中央實在監視不過來，各省若不能自我克制，遵照黨中央的指示去辦理，自然就成爲具文了。」

鄧小平說道：「當初中央局若不撤銷，情形也許好些。」

毛澤東說道：「撤銷中央局是爲了反對割據，尤其是東北局的高崗，華東局的饒漱石都變成了獨立王國，若不撤銷中央局，怎能連根拔掉他們的勢力。」

鄧小平說道：「目前獨立王國的情形已不會再度發生，可不可以在重要地區恢復中央局的組織。」

毛澤東看看劉少奇同周恩來，問道：「你們的意見怎樣？」

劉少奇說道：「小平同志的建議很有價值，不過，問題很大，似乎要從新考慮一下。」

周恩來也接着說道：「當初撤銷中央局已費了很大力氣，此時再恢復，確不是一件簡單的事。尤其是人事情況已經和過去不同了。」

劉少奇同周恩來在任何問題上都持相反態度，祇有這次立場却大體一致，就是因爲恢復中央局對他們兩個都不利。就劉少奇來說，中共黨權大部握在他的手裏，假若增加了幾個中央局，無形中就分去了他的權力，萬一中央局的負責人再出一個高崗，更可能危及他的地位，所以對中央局持反對態度；至於周恩來也是爲了自己的權力着想，一旦成立中央局就等於在省與「國務院」之間又加上一個中間階級，而且中央局又是純黨務機構，想指揮它都難，情形比較以前的大行政區還要糟，所以周恩來搶先提出反對意見。

至於鄧小平的想法又恰恰相反，鄧小平本來屬於劉少奇一系，近年來羽毛漸豐，就想獨樹一幟，尤其是自從一九六〇年在莫斯科開會大罵赫魯曉夫之後，毛澤東對他的誤會已經消失，也有意扶植他自成一系，以與劉、周兩系抗衡。可是，鄧小平在中共方面無論如何也趕不過周恩來同劉少奇，祇有從下層用功夫，尤其是正當中共下級黨務廢弛，黨員腐化，提供一個發展的良機，所以鄧小平想起恢復中央局的辦法。

毛澤東對於過去大行政區尾大不掉的情況，也有點担心，不過他的一貫主張是在黨內多製造派系，以便從中操縱，所以對鄧小平的建議，仍然表示同情。當時又向其他的人看了一眼，問道：「各位同志對於小平同志的意見是否贊同。」

（二九九）

圍棋神童宋溫善

周燕謀

圍棋之道，有賴天資，然亦貴努力。但據說：高手多出自幼慧。吳靖源及甫自日本歸國之圍棋神童皆其例也。吳氏奕技，今日之造詣雄視國際棋壇，人皆知之詳晳，其奕棋嘉話，亦復到處流傳。

昔有湖北圍棋神童宋溫善者，今人多不甚知，是或其早夭之故歟？溫善爲漢陽人，父名宋泰生，工詩文，從事鄂省新聞事業甚久。其人性好奕，爲人亦高潔，雅不屑與顯貴周旋。對於圍棋，泰生常抱清閒益智觀，而恥爲職業棋手。彼每見棋壇名手而陪顯要奕者，則鄙之爲清客篾片行爲，甚爲嫉惡。平日對於子女，竟以下棋爲禁例，謂孩子們當以用功勤學爲尚，博奕往往而荒疏學業，非所宜也。

某日，因風雨之阻，孤坐無聊，遂獨自擺譜；時其子溫善九歲，適侍於側，忽對棋譜某局表示意見。泰生斥之曰：童子何知？妄多嘴耶！溫善不服，請畢其說，泰生聽之，覺其理甚高，驚詢其故曰：汝亦解奕乎？對曰：未之習也，然覺圍奕似不甚難。泰生姑試之，輒與之對局，甫落數子，即覺其藝不凡。愈後泰生則愈覺吃力！極意經營，僅勝其兩目而已。此爲溫善初次出手，而乃翁則積二十年之功力者也。奕罷，泰生問其從何學來？答曰：未之學也。有時偸看人奕，遂自悟耳。

後於某日，泰生偕之登黃鶴樓，與茗肆諸奕手奕，皆大驚詫，以爲熙幾上段，烏有不學而成者？是以一時神童之名，大噪於武漢棋壇。然泰生雖亦異之，而仍戒其常奕。

合肥段執政之奕技極劣，而愛圍道特深。凡此中高手，皆悉羅致門下。晚年息影興會，仍濃。聞宋溫善之名，企欲一晤。遣人致意，乃泰生𢪷拒不允。段請之益堅，卒經親友斡旋，約定以一月爲期，除歸宿外，不受任何餽贈，亦不得見諸報端。段允其所約，於是父子遂爲馬廠之上賓矣。每與段奕，段必北，[illegible]然無忤。一月之期屆滿，別時，以照片二幀分贈父子、親筆題款，稱溫善爲老弟，稱泰生爲老先生。其時段已垂垂七十之年矣，而溫善老弟僅十二齡；而所謂老先生之泰生，亦不過三十七八。忘年之交，洵佳話也。

二十七年，泰生携溫善入川，逆水溯江而上，至姊歸，逆水上灘，不意船上桅桿被拉縴掠倒，擊中溫善前額，頓時仆地氣絕。此乃飛來橫禍，無不驚詫。泰生臨屍歎曰：是兒夙慧，短折，殆有前定，數之所在，奚戚爲？溫善死時，年僅十七耳。泰生乃就其江濱死所掩埋，草草畢事，此民國二十七間事也。

談八節

漁翁

一年分春夏秋冬四時，立春，春分，立夏，夏至，立秋，秋分，立冬，冬至則八節也。左傳凡分至啓閉必書雲物疏：「凡春秋分，冬夏至，立春立夏爲啓，立秋立冬爲閉；用此八節之日，必登觀台，書其所見雲物氣色」。晉書律曆志：「炎帝分八節，以始農功。」又周髀算經注：「二至者，寒暑之極；二分者，陰陽之和；四立者生長收藏之始。是爲八節。」

可是民間，往往以元宵，即「上元」，清明，端陽，中元，中秋，重陽，冬至，除夕爲八節者。雖無所據，而因以上各日，均殺鷄宰豕，熱烈異常，故以爲佳節所在，而忘却古所謂二至二分與四立也。茲從俗所稱八節，簡畧寫在下面：

陰歷正月十五日爲「元宵」，見「東京夢華錄」。一稱「元夕」，又曰「元夜」，謂上元之夜也。宋周必大平園續稿云：「元宵煮浮圓子，前輩似未曾賦此，坐間成四韻」。後人因子爲元宵。元宵玩燈，起於唐代，而盛於宋明，至今此風猶未大替。

春分後十五日爲清明，因值暮春三月，萬物清潔，天氣明朗而得名。前三日曰「寒食」，爲紀念義士介之推者也。五代史載：「寒食清明，上墓野祭」。愼終追遠，具有深長之意義。

五月五日，曰端陽，又稱端午。以夏正建寅，五月爲午月，謂五月之開端也。春秋時，楚三閭大夫屈原，於五月五日，投入湖南汨羅江中以殉國，後人因於是日用龍舟競渡以紀念之。

七月望日爲中元。見道經。中元施食，本道家法。而釋家效之，作「盂蘭盆法會」，較道家尤爲熱烈。事出目連入地獄救母。因此，後人每逢中元日，即設壇建醮，超幽度亡，演成今日之「盂蘭勝會」。

八月十五日，恰當三秋之正中，故名中秋。陳後主造月宮，唐明皇遊月宮，以及嫦娥奔月，玉兎搗藥，吳剛伐桂，均屬中秋之神話。中秋玩月，始於唐。以餅賞月，始於宋，而盛於明。傳因明太祖起義時，在月餅上藏一紙條，內書「八月十五殺韃子」七字，得民響應，終光復漢家河山。

九月九日，古以日月皆値陽數，因名重陽，又稱重九。因東漢道家桓景登高避災，後人遂定是日爲登高節。唐宋以重九講武習射，謂之「賽馬節」。明俗爲迎女歸寧，名「女兒節」。清俗稿百工入夜操作，曰「夜作節」。民國三十一年，規定爲「體育節」。而尤以孟嘉落帽故事，騷人墨客，往往作文酒之會，「茱萸會」，「菊花酒」，已成爲重陽佳節之習尚矣。

大雪十五日後，即冬至，又曰長至；前一日名小至。粵人有「冬大過年」語；北方人，也有「冬至大過年」之口頭禪。是因爲我國從前有一時代以冬至爲歲首者，後來雖然改變，而積重難返，仍爲人間所重視。

一年最後之日，曰除日，入夜爲除夕，謂除舊而更新也。除夕圍爐團坐，達旦不寐，謂之守歲。民間以是日爲過年佳節，較其他節令爲最熱烈。

過節爲民間所喜樂，而今日之大陸，饑無以爲食，寒無以爲衣，焉有樂之可言！同時，飄泊海隅者，年復一年，而王師未動，豈徒「佳節倍思親」而已哉！

閒話相命（續）

黃伯遠

閒嘗論之：韓信功高而見殺，李廣才氣過人而受厄；二人遭際雖不同，而命運則皆否。然信嘗受辱於胯下，既貴而不念舊惡，且授淮陰少年以官；而廣之爲人，太史公雖贊許之，謂「桃李不言，下自成蹊」。然觀此，其不如信也遠矣。偶因談相，而及霸陵尉事，亦將替古人舒一口不平之氣。非詞費也。

閒文少叙，言歸正傳。昔司馬子長爲劉季立本紀曰：「高祖隆準而龍顏。」項羽本紀曰：「舜目蓋重瞳子，羽亦重瞳子。」是二人者，皆生有異相者也。然劉季成事，而項羽則敗事。豈後者不如前者邪？顯舜亦爲帝也。吾故曰：「非也！相人之定塋，定其貴與賤耳。非定其成敗與榮辱也。羽一怒而殺秦降卒四十萬，舜如是乎？季如是乎？若使羽得統一天下，而成帝業者，則秦滅而楚興，狼之與虎，有何異邪？故天能予人以貴賤，而不能予人以功罪也！能操之者，惟巳！既非天，也非命。能知此，可與言道矣。孔子曰：「五十而知天命。」此天命之爲義也。

昔周亞夫，軍細柳，令出，而全軍肅！使人主自歎勿如。威則威矣！尊亦尊矣！「大丈夫當如是也。」然彼又焉知「殺身種禍」伏於斯矣！韓淮陰被縛後車，生殺予奪，操在人手，猶曰：「能將百萬！」名此二子者，苟能善知所處，又何立而不驕，謙退而保泰，又何至死或族哉！惟其知進而不知止，知盈而不知虛，一旦時移勢異，操刀者在前，執俎者迫後，橫走無路，此時乃悔，晚矣。

余不知相，而喜談相。余之論相，認爲：凡人相之不同，亦各如其面；徒相其表，未爲知竅也。能察其裏，而又能誘其衷，使自言之而不覺。於是正言以針砭之；婉辭以諷之精；此所謂「相術」也。術而能，可以相天下士矣！豈僅有助於拯人心，起衰靡哉？如其謬柱鼓瑟，執一卷「麻衣相法」，排八字「天干地支」，便曰：「相與命盡於斯」矣！豈不謬也。以下談命。

以天干（甲乙丙丁戊己庚辛壬癸）十數，地支（子丑寅卯辰巳午未申酉戌亥）十二數，配合生年月日時，例如：癸卯年，甲辰月、乙巳日、丙午時；是謂「八字」。從而「金木水火土」五行數，而匯合「東南西北中」五方位，益以歷代師承之所謂「私人秘笈」，用九九歸原的算法，或另以「秘」法，自乘自除，自打自算，便是算命。而人之一生，榮枯否泰，「生老病死苦」，便都被算無遺矣。這竟直是「相人」給人「造命」！而不是人生來便有「定命」也。（未完）

我的社會生活

雷嘯岑

我在太原住了十天，即回張垣復命。此行結果，只得到晉軍不向大同以外出擊的保證而已。但我個人有一件事却值得紀念，即承閻百川先生的啓示，把原來的學名廢了，改以字行。我的學名原係一個「篤」字，閻先生第二次跟我談話完畢後，笑謂：「尊名與宋代的亡國之君相同，似乎不甚好。」我答以改了就是。他說：「若決意要改，你住宿的招待所內，即有很好質料的德國出產的名片紙，就在太原新印若干盒帶回去罷。」次日，我向招待所執事者討取了兩盒名片紙，自己寫好現在的名字，請他代爲石印，從此乃實行名號一致了。

我從太原回到張家口之後，西北軍總部爲加强下級軍官的政治訓練，特設立「西北軍政治宣講團」，張之江兼團長，而以李忻（顯堂）爲副團長，派我作教務長。在籌備開學期間，我常跟副團長及其他的職員會商訓練方針，纔知道他們的政治知識尚未入門，但我是客卿，未便多所主張，草草決定一些課程，即由總部下令指定第一期調訓人員，我記得吉鴻昌，梁冠英皆在其列——此時他們都是團長階級！——預定八月一日正式開課。詎知戰局變化莫測，這項政治訓練工作終告流產了！

闖過了天羅地網

民國十五年七月終，南口方面的戰況突趨惡化，總指揮鹿鍾麟迭次告急，馮玉祥在莫斯科據報，即電令全軍西撤至綏遠、平地泉一帶（即陰山山麓）。到八月初旬，張垣各文武機關從事疏散，人心惶惶，李協和將軍單騎先赴外蒙古庫倫，我和民黨老同志皖人張秋白及其友好郭增愷三人，亦準備向庫倫去者，後來又有內蒙籍的國會議員金佑三、西北軍砲兵團長張健侯二人，臨時加入。此時「西北銀行」發行的鈔票，在市面上已不受歡迎了，幸而代督辦張之江送現大洋八百個袁頭給我們作旅費，我與張秋白兄乃決計隨軍西行，到了平地泉再說。至於孫岳先生的國民第三軍，後來由徐永昌出面與晉閻接洽收編，開入山西境內，孫氏亦從晉省繞返天津去了。

民十五年八月十七日，是我一生最不能忘記的一天。西北軍文武高級幹部自張之江以次各要員，決定本日下午二時乘坐最後一輛專車離開張垣，預先通知我和張秋白兄搭車同走。屆時我倆動員勤務兵捎着兩只皮箱和舖蓋捲，向車站進發，我自己提着一個裝有八百元現洋的旅行袋，跟在後面，誰知那八百元現洋的份量殊不輕，手提着步行，感覺越走越沉重，慢慢地就讓張秋白兄和勤務兵了。當我蹣跚走過一輛停在路軌上的軍車前，忽聞車上有人呼喚我，抬頭一望，乃是孫岳先生所部國民第三軍的袁旅長（山西人，名字忘記了），他教我搭坐他這輛專車同行，說是車上只有他和士兵七八名而已。我當然樂意，即登車休息。袁旅長命士兵將若干個四方形的木箱（內裝砲彈）拼成一座很寬敞的床位，再蓋上幾張毛氈，安置着枕頭，擺上鴉片烟燈，他一面躺下吞雲吐霧，一面派人赴張督辦專車上，把我的行李取來。他又笑語我道：「咱們別忙，吃過晚飯再走，反正是專車，我要幾時開行都可以。」我倆正在高談闊論中，猛聽到張秋白兄在車窗旁大呼「嘯岑！嘯岑！」之聲，我急忙走下車去問他有何要事？他說：「張督辦未見到你上車，再三詢問，你還是到那輛專車上去罷！」我表示不願意，他不由分說的拉住我的手，强制執行，走到車上，即派勤務兵把我的行李搬回去，專車立即開行了。車中乘客甚擁擠，並無安歇的餘地，當時我很埋怨秋白不該拉我來受罪，誰知他竟是我的救命恩人啊！（四）

南宋偏安有人才

李仲侯

張俊歸自楚州，與檜合謀擠飛，令高劾飛對將佐言山陽不可守，高遂上言：「竊見樞密副使岳飛，爵高祿厚，志滿意得。平昔功名之念，日以頹惰。今春敵寇大入，疆埸騷然，陛下促飛出師，以爲犄角，璽書絡繹，使者相繼於道；而乃稽違詔旨，不以時發。久之一至舒蘄，匆卒復還。所幸諸帥兵力自能却賊，不然則其敗國事，可勝言哉！比與同列按兵淮上，公對將佐謂山陽爲不可守，沮喪士氣，動搖民心，遠近聞之，無不失望。伏望免飛副樞密職事，出之於外，以伸邦憲」！

時劉錡以順昌之役驟貴，張俊、楊沂中嫉之，至是二人言於朝曰：「淮西之役，岳飛不赴援，劉錡戰不力」。遂罷錡兵，命知荆南府。飛請劉錡掌兵，不許。飛亦自知不爲檜所容，力請罷職。萬俟卨旣劾飛，未報；御史中丞何鑄，殿中侍御史羅汝楫，復交疏論之，大畧謂飛被旨起兵，則畧至龍舒而不進，銜命出使，則欲棄山陽而不守；以飛平日不應至此，豈非忠衰於君耶？自登樞筦，鬱鬱不樂，日謀引去，嘗對人言：此官職數年前執政除某而某不願爲者！妄自尊大，畧無忌憚。近嘗倡言山陽之不可守，軍民搖惑。使飛言遂行，則幾失山陽，後雖斬飛何益？伏乞速賜處分，俾得閑祠，以爲不忠之戒。（一〇六）

自由報

內政部台報字第〇三壹號內銷證

THE FREE NEWS

第三九六期

中華民國僑務委員會項僑
自由新字第三三三號登記證
中華郵政台字第一二八二號執照
登記為第一類新聞紙類
（本週刊每星期三、六出版）
每份港幣壹角
台灣本售價新台幣弍元
社　長：雷嘯岑
督印人：黃行驚
社址：香港銅鑼灣高士威道二十號四樓
20 CAUSEWAY RD 3RD FL. HONG KONG
TEL. 771726　電報掛號：7191
承印者：田風印刷廠
地址：香港灣仔高士打道二二一號
台灣分社
台北市西寧南路壹壹本號二樓
電話：三〇三四六
台郵掛號金戶九二五二

甘廼廸總統未完成的『新境界』
——和平戰畧計劃——

·郭甄泰·

蘇俄與中共交惡亦係因蘇俄廢棄俄匪技術協定，恐懼中共將有核子製造之能力，目的均在於防止核子武器知識之傳播，此後對於核子武器知識，仍應繼續防止傳播，藉以延緩並遏阻核子國家之增加。

（乙）裁軍問題。部份禁試核子條約，是走向和平的第一步，世界和平的真正關鍵，仍在於東西雙方。十多年來的裁軍問題能否獲得解決。據聯合國「裁軍的經濟及社會後果」發表的結論：「世界每年關於軍事的費用一千二百億元，相當於全球的貨物與服務生產總結的百份之八至百分之九，等於所有未開發國家國民收入總值約三分之二。二、蘇俄，中共，美國，英國，法國，加拿大及西德等八國的軍費開支佔去全世界軍費總額的百分之八十五。三、全球軍人數目為二千萬，從事於軍火生產者為三千萬人，使從事於軍備的人數達五千萬之鉅。」設使以各國所用軍費之半數改用於建築，改良城市，改進日用生產品，開發落後地區，則各國人民之生活水準當必能數倍於今日，而所謂落後地區開發問題，亦必能獲得適當之解決，共產主義毒素，自已無發展之餘地矣。故裁軍實為甘廼廸「和平戰略」最重要之一環，如欲獲得進展，下列三項問題必須予以注意。

1.停止地下核試。核子禁試條約雖已簽訂，地下核試則在約外，核子武器為整個軍備之一部份，故宜協議一併禁試，完成裁軍工作之一部份，作為全面裁軍之第一步驟。

2.分期裁減兵員與停造傳統武器。美國的世界性新裁軍計劃，曾在去年日內瓦十七國裁軍會議中透露：「共分為二階段，第一階段規定在三年內將核子武器及普通軍備之主要項目削減百分之三十，第二個階段規定在三年內將第一階段仍存之軍備再削減百分之五十」，此項計劃，必須設法推動，促其實現。並須對於裁軍設定視察及查證辦法，以昭信守。

3.蘇俄放棄赤化世界企圖。美國鑑於世界戰爭的可能性，日益縮小，業已首先放棄「解放」，「鬪埗」，戰爭邊緣等引人口號，蘇俄則仍倡言思想不能共存，其領導者「並未放棄他們統治世界的目標，亦無放棄採取他們認為安全的方法，以達到這項目標的決心」，因之自由世界現在尚無理由可以懸而弊戒，裁軍問題因之甚難獲得具體之進展，應敦促蘇俄放棄赤化世界野心，摒除滲透顛覆等方式，以領導地位的競爭，代替毀滅的競爭，以成就的競爭，代替恐嚇的競爭。

（丙）危險地區問題。現在東西兩方紛爭之地區主要為西德及古巴。古巴蘇俄飛彈基地業已拆除，蘇俄兵員已由一萬七千減至七千餘，情勢已形緩和。惟柏林及德國問題則仍嚴重。八月九日赫魯雪夫會對美國官員表示：「德國問題，尚難解決，任何解決方式均將導致戰爭」。十月十一日，廿葛會談時，蘇俄對柏林等重大問題仍頑強拒作讓步。十月十二日魯斯克說：「在柏林與德國問題未解決前，不會有眞正和平」由此可見柏林及德國問題，甚難解決。但此等重大問題如不能妥為處理，予以解決，則廿廼廸之「和平戰畧」遲早必將以節外生枝，兇終隙末。西德新總理艾哈德主張：結束蘇俄經已進行達十五年之久之冷戰，要求「成立一個團體，成員為美，英，法，蘇四國，共同工作，處理德國事務，直至簽訂最後和平條約為止」，亦不失為一種方法，亟應對此設法獲得協議，以期減少戰爭恐怖：

1.東西兩方從速訂立互不侵犯條約。

2.東西兩方由對峙地區分期撤兵。

3.依照艾哈德之主張，成立一美英法蘇團體，處理德國事務。

4.强力扶植西德，使西德迅有與蘇俄談判之地位與實力。

5.撤除東德圍牆，促進東西德成立文化，貿易等協定，以資溝通雙方情感。

（丁）落後地區開發問題。現在世界人口已達三十億，其中半數人口約十五億均陷於飢餓或營養不足之狀態，六分之一人口約五億均生活在落後地區，例如緬甸百分之二十五人口營養不足，印度，巴基坦及錫蘭約有百分之二十五至百分之三十二人口營養不足，中國大陸最少亦有百分之二十人口陷於飢饉。在此全世界三分之二的落後區內，半數學齡兒童失學，構成全世界文盲達二十億之衆，國民所得水準甚低，每人所得，每年不超過一百美元，一生不能溫飽」。甘迺廸說：「人類不能在核子戰爭的型態中生存」也不能夠忍耐豪

[illegible]

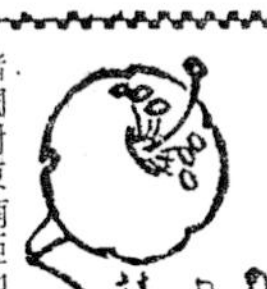

[illegible]

夜郎自大

馮五先生

[illegible]

[illegible]……自將有莫大之貢獻。美國對此如能以研究核武力之努力與熱心，予以研究，最短期間內，必可優予為之，大有成就。

甘迺廸之「和平戰略」（下）

漫畫天下　南施

時價不同，隨時更換

不知死活

屏東毛猪生產前程似錦

有待訂立計劃大量投資

（本報屏東航訊）毛猪在屏東縣向爲一項重要農業副產，產量居全省各縣市之冠。但由於十年前所曾發生的一次大猪瘟，一時死於瘟疫丹毒者不計其數，元氣大傷，農民談猪瘟而色變，惶恐萬狀，視養猪爲畏途。及後縣政府爲挽救是項農業副產，決定排除一切艱難阻礙，實施猪瘟丹毒防治工作，並於民國四十三年間擬具根絕防治計劃呈省核准，奉指定爲猪瘟防治示範區，由農復會、農林廳分別補助經費，並協助技術指導，屏東縣的養猪事業，始再步上發展之途。

由於屏東在防治猪瘟曾不斷進行研究，一分耕耘一分收獲，卒完成了免化猪瘟疫苗，以代替結晶紫疫苗，爲全省猪瘟防治史寫下劃時代之一頁。民國四十六年四月，進一步又創辦猪隻人工授精，進行改良品種，亦獲得卓越成就，遂使屏東猪隻產量大增，不但金馬地區的軍用猪隻，由政府指定由屏東猪供應，就是外銷香港，日本的肉猪，亦特別指定由屏東猪供應。因爲屏東的三品種猪，甚爲優秀，瘦肉多而肥肉少，在國外市場倍受歡迎。

據甫自日本考察畜牧事業歸國的屏東縣建設局長康玉湖的說法，日本畜產事業，由於能夠①重視研究工作；②經費充裕（政府貸放低利資金）；③完整的各種畜牧法規，而得步上了「經營企業化」，「產品工業化」，「設備科學化」，「貿易自由化」的階段；然而在「猪瘟防治」，「防疫費」，「農民養猪習慣與基礎」，「人工授精費」，以及「地方家畜保健」……等工作，尚不如我們屏東縣的認眞，澈底，普遍，確實，以及收費低廉，所以我們眞正有我們的長處，並亦爲歷次來台考察的日本專家所一致公認的事實。

現在農復會特會同物資局、農林廳及土地銀行、縣農會等有關機關，資助三千萬元在屏東縣試辦「綜合性養猪」計劃，旨在促使屏東縣的養猪事業更趨於企業化；既發展屏東縣農村經濟，又可從而爲國家爭取外匯收入。根據專家的意見：如果我政府有關當局，能對日本，歐美各國的畜牧事業的優點予以儘量吸收，詳加研究，再配合我們自己的環境，儲定各種畜產事業實施方案，投以大量資金，無息或低利貸予農民，又低價配給飼料，以鼓勵普遍從事生產，深信不獨可趕上日本及歐美各國，甚至在十年內，可創出遠勝他們的成績來。但不知政府注意及此否？

屏東係台省農業縣份之一，由於地理環境，在工業方面固至今一籌莫展，但在農業方面，條件很好，果能充份利用，配合之以必要之財力，與作法，實在前程似錦，未可限量。（袁文德）

國軍突擊隊加強活動聲中 五華本月初有起義事件

聚衆搶奪公社槍械然後拉隊上山 共幹稱已予悉數解決但未必可信

香港與大陸

本月初旬，廣東五華縣水口的「公社」，曾有十多名「五類份子」實行起義，衝入了公社「保安部」，搶奪了槍械和彈葯逃往山區，嗣後公安部隊予以追擊，經激戰後，據共幹稱全給解決了，但未必可信。

據一位曾身歷其境幷中流彈成傷陳姓僑屬，來信其本港的親人，除要求速寄葯物外，對該次事件報告了經過。來信說：在本月九日早晨，他正和幾位社員在公社辦事處附近察視稻田灌溉情況之際，忽聞公社裏有格鬥的聲音傳出，後來又看見公社一個幹部匆忙從窗口跳出，拼命奔逃。他們正在疑惑不解出了何事時，繼之有十多名的「五類份子」緊張的從公社衝出，他們每人都持着槍，身上又揹着包袱迅速地向公社附近的山裏奔去。至此我們明白這是怎麼的一回事了，但仍佯作一無所知，繼續在附近的田裏工作。約半點鐘之後，先擁來了大批的民兵，繼而又來了大批的五華縣「公安人員」，它們先在公社內轉了一轉，走出來看見他們在附近工作，便硬拉他們帶路去追趕，因爲我們是目睹者。）無可奈何，他們衹好同那些「公安人員」和民兵一道去了。

來信說：他們當時很驚恐，既希望找不到那些「五類份子」，免得打起戰來，又就心果眞找不到會有禍事臨頭，比如被指他們與「五類份子」勾結，眞是橫也難，順也難。但終於在一個山谷中，大家看到那些「五類份子」的影子了，但就在這個時候，忽然從山上打下一陣槍彈，他和一個民兵都立刻中了彈，他是打中了大腿，走動不得了，祇好爬到較安全的田坎下，痛得打滾也沒有人理會他。之後是密集的槍聲與喊叫聲，如是約莫二個鐘頭後，我才被抬到五華的人民醫院進行救治。事後據共幹說：那些暴動的「五類份子」十幾個全被解決了。却未必是事實。

來信說：這次暴動的十多個「五類份子」，是由一位「下放」來的「右派份子」所領導的。據說他們是因爲怕被鬥爭，爲求死裏逃生，遂冒險的進行暴動。因爲在去月間，共幹會爲了國軍游擊隊活動加劇，發動全體社員進行「檢舉運動」，說要檢舉所有的「壞人」、「壞事」、「壞言」。在檢舉運動中，有不少人已被列爲有問題的人，那十多位「五類份子」就是其中者。傳說共幹準備在秋收冬種之後，要實行一次大規模的整肅鬥爭。可能那些「五類份子」確是認爲遲早難免一死，於是便發生了這次暴動事件，實行與中共拼命。

來信又說：五華最近常聽見有遊擊隊出現，還傳聞可從台灣陸續獲得接濟，這來，許多人便不惜冒險的參加打游擊了。

來信告訴他香港的親人，他的傷勢幸而不大嚴重，祇傷了肉而沒有傷骨，祇是流血太多，身體極爲虛弱，所以請求寄回一些藥物與補品之類。

基隆旅居記

仲公

日本南侵之準備到了民國十四年至廿四年，基隆第四期築港工程又開始了，經費爲一千零四十二萬日圓，以增加船席，浚深航道，擴充倉庫容量爲主要目標。港內航道和泊地都浚深至九公尺以上，所有航席合計可同時容納一千噸級至二萬噸級輪船三十一艘。並建築海港大樓，將所有關港務，航政與關稅等十二個機關集中辦公。同時又浚深和平島以南與三沙灣間的水面，將原來停泊內港各處的大小漁船，集中此處，成爲專用漁港。又延長田寮港與旭川運河，使原來泊在港內各處的木駁船，得轉入運河，減少港面擁擠情形。民國廿四年，基隆第四次築港工程完成，全年碼頭運轉力就增至二千八百萬噸了。

後來日本積極準備南侵，故，決定的台灣爲南侵基地，從民國二十五年起，更進行基隆第五次築港計劃，經費預算達一千四百一十七萬二千圓，主要工程爲建築外港港口深水防波堤，一萬與二萬噸之乾船塢各一座，並浚深和平島乾船塢口外之水面，便利船隻進塢，並保航行安全。原定民國卅四年完工，後來日軍太平洋戰爭失利，工程中途停頓，預算已用去一千一百二十五萬七千日圓。到此基隆碼頭的運轉能力，賴以增至三百萬噸以上。（十一）

中共竟要共青團員全做特殊打小報告

另據就讀於廣州市中山大學中文系的學生黃卓×君，最近寫給香港他的一位老同學的信，除羡慕其能生活在香港外，還透露稱：中山大學黨委會最近召開了「共青團」的各級會議，討論幷學習了所謂山西省孝義縣「團縣委會」的「試驗工作」。該「試驗工作」主題係要求每一個「共青團員」，在每一個月內，至少爲「黨」做一件有利的「好事」。據說山西孝義縣團縣委會曾有四千四百餘「團員」參加了此項活動，一共爲中共做了十五萬餘件「好事」，「反映」了「打小報告也」八萬多項情況，對「黨」和「政府」，有極大的幫助。

來信說：中共中山大學黨委會認爲，孝義縣的該項試驗工作，大大加强了「黨」、「團」和廣大青年的密切關係，有助於「黨」的領導；故亦要求每一個「共青團員」向該縣的團員學習，要求每個團員都得訂出「具體計劃」，譬如在一個月內準備「反映」多少情況，交多少個「知心」朋友等。

來信說：中共惟恐「共青團員」對比的反感和不重視，及將此項「運動」大肆渲染，列舉該項活動有許多「優點」：1可以培養青年關心「黨」和「國家」的大事，不致明哲保身，渾渾噩噩；2、可以培養青年的「共產主義道德品質」，因爲處處留意別人，亦處處被別人留意，在這種「互相幫助」的情況下，自然會自約其行爲；3、可以選取「共青團員」的優秀份子，培育「黨」和「國家」的領導人員；4、可以使「黨」和「團」的工作有生氣，瞭解「黨」和「團」周圍的實際情況，以便對先進者表揚，對落後者攜帶；5、可以改變大多數共幹所具有的無所事事或官僚作風；6、可以加强「黨」「團」與青年爲一體，擴大「黨」「團」對青年的領導和影響；7、可以增强「黨」、「團」的威信；8、可以使青年們在思想仍充滿着資產階級思想的社會中，認清那些是「思想意識」是要保留，那些是要刪除……（敬斯）

讀者投書

四面楚歌中的周百鍊 提名成敗皆可卜無咎

志浩

台北市下屆市長黨內提名之競逐者，夠多已報名，代理市長周百鍊自亦在其列。現提名雖尚未至決定階段，以北市全般情況言，周氏競選之休咎，由下述各事觀之，則可不待龜蓍者矣！

其一，周任代市長後，頗以勝利者而自居，其盛氣凌人之態，令其總角交之停職市長黃啓瑞，甚爲恚憤！（如交接時，周主在北市中山堂盛大舉行典禮，以壯聲勢，黃峻拒之。周之舉措多類此）是以黃周間原有之介蒂，乃成爲不解之仇怨。以黃氏在地方上之羣衆基礎言，黃氏在未來之選舉上，實有舉足輕重之影響，黃周交惡既深，則對周之選舉爲利爲害，不言自喻矣！

其次，周氏側身宦場後，頗有官氣之習染，驕衿之情自所難免，致與各方頗形杆格，與市議會經常處於劍拔弩張之狀態中，而議長張祥傳與之尤勢同冰炭。張爲人洒脫重義而不拘細節者，乃周氏竟與之各走極端，促致張氏毅然放棄議會而逐鹿市長提名，有與周一決雌雄意。張在地方上之人和，較周爲佳；而周在經濟上則優於張，故二者之勢在伯仲間。二氏之結嫌，在選舉上自爲雙方共有之損失也。

其三，周氏與市黨部間之不和諧者有日矣！蓋周以一寂寂無聞之內科大夫，自介入政黨後，即力爭上游，不三數年，竟躋於大人先生之列。自六年前榮登省府委員後，其身價陡增，顯非前此斤斤爭取小組長分區部委員之時代可比。周之位既日尊，而其意亦日高，昔周所視爲蝺蝺然之市黨部，今則頗不感興趣矣！是以市級黨部之價值，在周之眼光下，有每況愈下之慨！而現任市主委彭德，在本省籍之高級幹部中，爲一佼佼者。其在十餘年前，即曾與王民寧爭第一屆民選市長提名人，惜黨方一時之疏誤，致鑄成王爲一無名小卒之高玉樹所乘之失，黨迄引爲恥。彭在十年前既對市長有問津之雅，今諒亦未全爲忘情。惟彭甚虔誠於宗教信仰，其爲人處事，已頗臻樂天知命之境，故對競選雖具信心，但甚不願主動的爭取，其對此事，堅持聽命乃可赴，自爲則不敏之立場。雖然如此，而周迄以彭爲其勁敵視之，每遇機會，輒思予以打擊，期壓抑其出馬之可能性。周用心之著者，莫若本屆省議員之選舉，周對市黨部之輔選工作，陽不爲助，陰且阻之，是已爲衆所週知者。殊不知此舉，適觸黨衆之怒，僉以周爲攀附組織而踞要職，其對組織不應如此不尊重，甚至擬有主張予以黨紀制裁之者。罹此後果，迨非周始料所及者也。

至另一提名登記人王成章，軍校出身，籍江西，在光復後即服務本省，現雖退役，但仍具樸質無華軍人本色，在本省警察民防體育界頗有潛力，且北市之內地籍居民，亦佔半數之衆，是以王氏亦爲在選戰上不可輕侮之人物。王周間過去本一無恩怨，惟以王氏首先參加提名登記，致觸周氏怒，是以始有隙。上月台北各界在中山堂歡迎黃啓瑞復職之盛大酒會，即爲王張等諸人所策動者。該酒會明爲迎黃，實乃驅周。王發表講話，對周亦極盡皮裏陽秋之詞意。是以王周之結嫌，則不啻爲周又憑添一選舉上之絆脚石也。

以上爲周與北市地方具有選舉影響力之諸巨頭，所結恩怨之大概情勢。可見周之競選前途正多艱，尚需多作堅苦之奮鬥。或有謂周樹敵衆，處境劣，盍不放棄競選乎？此則因周自代市長後，勢成騎虎，今若臨陣退却，何能自圓其說？聞周以是否參加登記，與其智囊反覆研商，竟不能遽決，其進退維谷之窘狀，已可想見。且夫市長之寶座，自有誘人之魔力，平白放棄，又何能甘心？且畏敵怯陣，徒然自暴其弱，是乃玩政治者之所大忌。覩乎今日台灣搞選舉起家者，有實力者固大有人在；而色厲內荏虛張聲勢者亦所在多有。蓋後者有選必競者，乃在善於見機行事，欲達成其所競之目的，固不在乎其必選不可也。近年來靠作競選狀而攫獲高位者，實已數見不鮮！故主張周氏退出競選者，誠爲不識時勢之陋見也。好在周氏之競又與衆不同，其成固可眞除市長，使實至而名歸；敗亦仍可穩當其省委而無所愧怍！誠有爲俗諺所謂「輸贏皆有糖吃」之奇妙效用也。是故競選之得失於周氏有哉？而周氏又何爲而不競者乎？

接受教訓。策勵未來
大陸是怎樣淪陷掉的？

吳文蔚

史諾爲共產黨匪徒們宣傳所寫出的種種小册子，除過儘量誇大這批匪徒的搶刼暴動喻之爲天堂神聖以外，又加以抗日救國的渲染了色彩，藉以招引中國的學生青年羨慕嚮往去投入共黨魔窟。這些小册子，在抗戰開始前後，曾風靡一時，因而麻醉了許多青年同胞，不加思慮的加入了匪幫組織，受了匪徒的欺騙利用！

其實，平心而論，在那一時期的學生青年，沒一個是眞正瞭解了共產主義而發生信仰去加入共產黨的；大都是一大批一大批的受了史諾的紅色小册子的宣傳而誤入了共產黨之彀的。

由於史諾的無恥投機，委實陷害了無數的中國青年男女學生，陷害了成千成萬的中國同胞，助長了共產黨的叛亂勢力日益膨脹。史諾之對於中華民國，簡直是罪孽深重，絕對不可原諒的！

說完了史諾這個無恥的投機傢伙，我們不妨再提一提史廸威這個負有實際軍權的粗獷武人。這一位粗暴而橫蠻的將軍，對於中國命運的影響之深，也的確是一言難盡！

在抗戰中期，當日本海軍發動了珍珠港的事變後，中美兩國因而成了盟友。美國政府藉保護緬甸，派來了史廸威將軍担任印緬的聯軍總司令和中國戰區統帥蔣委員長的參謀長。

史廸威是一個過於自負的人，他又有一種毫無見地的主張性格，他對於處理任何事情，常不加以熟思考慮，一知半解，他便要决心硬性規定而苛求實現。他從不肯把寶貴的心思用在認識透澈與衡量輕重上。凡是他所看到的或聽到的，以及他所意味到的事物，他認爲對，你就得跟着他說對；否則，他便會馬上表現不愉快，或是出口說你一個鄙吝頑固！

史廸威負責的一切軍事權力，我們在此可以捨而不談，但是他對於我們國家的友誼上，與對我最高統帥蔣委員長的禮貌上，却絲毫不加以顧及，盡量的侮蔑，詆毀，中傷。對於我們的政府軍不懷信任，而一味的藉遷偏見來歌頌共產黨的戰功。在他的荒謬手稿中，竟這樣寫着：「國民黨：腐化，怠忽，紛亂，鄙吝，苛稅和斂人做買賣。」

「共產黨：減稅，減租，減利潤，增產提高，說到做到。」

史廸威將軍自一九四二年三月來華，從未到過共產黨的游擊區或邊區以及他的老巢陝北延安去視察一次，迄至一九四四年的十[illegible]是不會看到過共產黨[illegible]眞」╳邊區是白是黑，[illegible]正代表他明瞭中共，[illegible]是聽到一些美國記者[illegible]的優越軍事與行政[illegible]共產黨駐重慶的政客[illegible]語所刺激，他從不加以慎思明辨，就聽信了這些無稽的宣傳謠諑，作爲他排泄私怨的有力工具，報到羅斯福與美國的人民面前，藉以使我國家信譽動搖，國民政府的領導力喪失，而給專事以抗日爲名，襲擊友軍，擴張地盤，實行政治滲透，從事游而不擊的共產黨軍隊，以伸展實力的機會。

繼史廸威之侮蔑報告後，接着又有同情共產黨，稱共產黨爲中國的農民改革主義者，是另一民主作風爲中國政治出現的華萊士先生，也是以一知半解的頭腦，以自命共產黨通的口吻稱贊延安，以不加修飾的褒濫詞句，空泛而浮滑的檢拾消息，作爲事實報告，使羅斯福總統及美國人民，對我們都懷有不同往昔的看法，對我國家元首的輕蔑的侮詞，在在都足以打擊我政府與國家元首的威信，從側面助長了共產黨，支持了共產黨的實力擴張，培植了他日奪取政權的武裝叛亂力量！

接着，威爾基及一般二三流的美國政要也相繼到了重慶，他們回到美國，仍然是要亂說一陣，說蔣委員長領導的國民政府衰弱無力，搖搖欲墜！同時親共份子的高斯大使及其高級館員，也同樣的囘到美國胡言妄語。（二）

劉郎餘錄

娑婆生

當時三鼎甲

與巧玲同時，有朱蓮芬，是朱幼芬之祖。幼芬在蘭芳未紅之時，頗有名，後來塌中萎靡不得意。蓮芬比較善演崑旦，與王桂官（楞仙）的琴挑，稱一絕。他因其時屈於環境，也是像姑之列，所居名雲和堂，李蓴客極暱愛之，常召往度曲，有時夜深即陪侍焉。在蓴客日記中常提到蓮芬，似乎三日不見，便難消渴。另爲時小福，則工正旦青衣，其所演之戲，如桑園會、武家坡、汾河灣等，皆不穿紅披爲擅長；腔調完全大路子，後亦無傳者。子時慧，又名慧寶，習鬚生，學李派，後人誤以爲學老鄉親，皆未知其調也。因從山陰魏匏公遊，寫魏碑，極有氣息，挺勁得神。故其演戲迷傳，當場揮毫，寫斗方大字，無不叫絕。梅朱時三位，在當年亦幾如三鼎甲，其紅不亞以後之四大名旦也。

大鎖的成就，聊慰暮境

巧玲自己以胖巧玲成名，馳譽京華，但也極盼有子能繼其業，無如兩子皆未能遂其願望，不得已始令大瑣（即梅雨田）習琴。大瑣對於琴藝，也很奇怪，非常有興趣與心得，由老師指點幾下，拉出來即鏗鏘有聲音；斯時巧玲已知其子必可成才，更多方邀友爲其多加啓廸，浸淫約三年，已極不凡，在梨園行，大家知道這跨竈有人。凡是人才，必須要有人提挈，方能顯露，搞政治是如此，劇藝也不能例外。雨田琴藝既精，却是受譚鑫培所聘用，由於不意之中，被他發現，邀其爲助。初試，再試，終至倚畀。無論譚氏什麼腔調，稍稍一講，即便奏效。到幾年以後，即無論如何，譚氏不講，雨田悉能拉出，一絲不苟，托得圓轉自如。於是譚不能離梅，而梅亦成爲了琴聖，在梨園行獨步文場，孫佐臣視有愧色。等到他成名，巧玲已逝，但其暮境已獲慰藉。梅氏這家由雨田承接；才孕育這蘭芳再去。故就梅氏家乘，三代之中，也未中斷，巧玲—雨田—蘭芳。

萊衣承懽三里河畔

民九，蘭芳爲其祖母慶八十壽，亦卽巧玲之婦，受乃孫的獻頌。當時舊京士大夫，投詩祝賀，不下千件，其中樊樊山雲門自撰律詩四首，自寫壽屏四條，最爲名貴。其他易實甫順鼎，羅瘦公惇曧，也有賀聯立軸。卽水竹邨人徐世昌，段合肥祺瑞，王士珍、馮國璋也分別致賀。名畫家、名書家無不搜羅殆盡。紅豆館主溥侗自撰自書一聯，襯得更是十分古雅。幾乎壽堂之中，成爲目不暇給，其情調較之達官顯要，更爲別緻，以雅趣橫生，而無俗氛也。（九）

藝術叢語

抽象藝術漫談

趙雅博

如此說來，把握到美，把握到光輝的形式，乃是一個無限無量的事物。爲此，藝術的作品，只不過是形式美的部份而有限制的領會，總也達不到永恆的特點，縱讓將全部的美術作品，冶於一爐，無可奈何，是總不能脫出了時間性，而獲得永恆美的。一如時間不是永恆，藝術也無法永恆，事物的美是有限的，因爲不是純形式，藝術品也無法獲得全部美。

從上面種種的觀察中，我們可以獲得下面的幾個結論：

（一）只有形式才是一個客體或對象的形式或本質，只有在客體或對象中，才能把握住形式；這樣把握到或者註解的形式，在其本質上或者在意念上，是包括着對象或客體的。

（二）一切的對象或客體成爲美的，由於它佔有一個形式，它才成爲美的。因爲我們知道，一切的形式都是完整，因之也都是美麗光輝的。

（三）但是並不是一切客體或對象是能完全表現出它的形式美的；如果那個實現此一形式的物質，在聯合形式時，不會聯合了完整性與比例，來作爲美的表現，則形式的完整便無從表現了。這樣說來，完整與比例對美的表現是必要的，因之一切的客體，就其本質來看——不就它的附加體的表現，乃是一個美的奧秘。

（四）沒有對這些自然的形式，或者是全部的，或者是部份的把握，美的創造自然是不可能的。

（五）藝術家藉着深入在事物中，來把握它光輝的形式，從此可以得到一個典型形式的相似。在這種意義下，達文西是能夠說：「藝術家的頭腦是變得與神的頭腦相似的」。

論形式

形式這個名辭，也西洋拉丁文是Forma，普通用爲哲學名辭，特別是亞利斯多德哲學與多瑪斯派的哲學家，常常使用這個名辭。在他們的哲學中，主張一切都是由形式與物質所湊合，而以形式爲主，物質不過是潛能，而形式則爲現實，爲一物的構成因，爲一物的主要因，意義是很多的。我們此地不加細討論。我們將在哲學叢談中，加細介紹。現在我們所要討論的是藝術上的形式問題。也就是說，在藝術上，形式的意義與作用。

形式，在今天的藝術界是很常討論的問題。無論是抽象藝術家，無論是古典藝術家，都離不開形式這個名詞，不過在意義方面，有些分別。有抽象藝術趨勢的人，他們所說的形式，我們要懂爲幾何的形式，這種形乃是由於線的變化，線的變化因之成了這一派形式的根本原素，而那些古典派或具形的藝術家們所談的形式，乃是所謂客體的形象或客體的質的形式。（未完）

瘟君續夢

第十回：集會議圖存 天寒日暮 空言難自救 鬼哭神愁

別人都未開口，李先念却搶着說道：「假若恢復中央局，人選問題最好還是就地取材。因爲經過十多年時間，有許多省級同志都已鍛鍊得很堅強，可以負較重要的責任了。」

李先念爲什麼講這個話呢？也是存了一種私心，也算得很淸楚，假若從黨中央派人下去領導中央局，未必派得到他，就算毛澤東派他去担任一處中央局第一書記，還是不上算，因爲他現任政治局委員，書記處書記，行政方面又是「副總理」兼「財政部長」，距離最高金字塔政治局常委只差半級，所遺下的政治局副主席，常委一缺必然要挑一名財經人員補上，只有從他同李富春兩人中間揀一個，李富春病體支離，朝不保夕，自以他的希望爲大，李先念在此種情形下，自不肯下去主持中央局。可是又怕毛澤東派了一些閑人去任中央局第一書記，在地方生了根，與他也不利，最好的辦法莫過於就地取材，因爲過去跟他在一起的舊紅四方面軍系統出來的幹部，目前任省委第一書記的就有陶鑄，王任重，劉建勛，黃火青，都有出頭的機會。李先念打了這個主意，就極力主張由省級幹部升充。

毛澤東說道：「要恢復中央局，是不是和從前一樣，保留六個中央局。」

鄧小平說道：「按照全國地形來說，有六個中央局就夠了，分局大可不必了。」

毛澤東向全場掃射一眼，問道：「大家還有什麼意見沒有？」

劉少奇同周恩來本來都不願意恢復中央局，後來聽到李先念說就地取材，覺得也只是換湯不換藥，無非多一道衙門，原任的省委第一書記卽使升爲中央局第一書記，也不見得就敢跋扈，不聽命令，想到這裏，他們兩個也就不反對了。

毛澤東說道：「中央局的人事，以華北局最簡單，第一書記順理成章應該由彭眞同志担任了。」

大家一齊拍掌贊成，彭眞却站起來說道：「華北局第一書記我不願出任，請主席仍派別人吧？」

彭眞竟然不肯担任華北局第一書記，大家都有點愕然，劉少奇同鄧小平尤感關切。大家都不明白彭眞何以不幹，其實彭眞的小算盤打的非常精，他算一算如若担任華北局第一書記，勢必要放棄在中央的職位，首先是中央書記處書記同人代會秘書長都保不住，彭眞自己算一算實在不夠本，所以當塲拒絕。

毛澤東奇怪道：「這項任務除你之外，還找不到其他的人，你爲什麼不幹呢？」

彭眞說道：「我的工作太忙，實在分不出時間去領導地方黨務工作，所以我不願担任，假若主席肯接受我的意見，最好能把北京市劃在華北局之外，因爲北京市是首都，應該直屬於中央領導。」

劉少奇聽到這裏暗暗點頭，心想這個山西人的算盤實在打得精。

（二六〇）

曳瑟知林說老譚

豁公

雖不知道，伶界大王譚鑫培，乃是一代老生的宗匠，也是一切劇藝的結晶，他的成就是在形而上的！任何名優之技巧，雖極玄妙，但仍不難以語言文字刻畫出來。惟獨譚之技巧，玄之又玄，大多數只可意會，不可言傳！是知超凡入聖至高無上之藝術，確是不可思議。

他在清末民初，已是舉國聞名之特級劇人，雖黃口孺子，沒有不知道小叫天的！（按小叫天係譚早年的藝名，原來譚父名志道，藝名三元，是個唱老旦的。因爲嗓音尖銳，頗似叫天鳥聲，人遂呼之以「譚叫天」而不名；老譚襲用乃翁之徽號，故取名爲「小叫天」。）故庚子年八國聯軍入京時，畏友狄楚青（葆賢，筆名平子，亦作平等閣主人，創辦時報及有正書局，爲一多才多藝之報人。）所作「日下竹枝詞」曾有句云：「國家興亡誰管得？滿城爭說叫天兒！」

他先是唱武生，故對於武工，亦有特殊之成就！無論「交手」（徒手相撲），「對壘」（武器爭鬥），每一動作，都有來歷，有步位，也有份兩；絕不同於一般之花拳繡腿，中看而不中用！特別是用單刀，能一方面掩護本身之肢體使人無法近前；一方面襲擊對方之要害，使他防不勝防！當他使出各種解數時，人們祇聽得呼呼刀響，同時人影刀光，合而爲一，形成一團白氣！連專門的技擊家，都要自愧不如！這在他去「獅子樓」的武松，「翠屛山」的石秀時，表現得尤爲澈底。因之人都稱他「單刀小叫天」。

他就憑這把單刀，用在戲上，固已博得無上之榮譽，而在戲劇以外，更獲致了一位心愛的夫人。

原來他的老伴兒侯氏，和他本是青梅竹馬的小友，感情是融洽的。在理雙方都出於梨園世家，結爲秦晉，應爲家長們之所樂從，但事實上却並不簡單，原因是侯富譚貧，這就給他們雙方，劃出一條深濶的鴻溝。

因之譚家屢次託人去提親，侯家總是推推委委的。最後礙於大媒之情面，雖予勉强應允，但有一個相當苛刻的要求！即是聘禮要四金四銀，四季衣著，每季都是四套，外加若干禮金！這在當時譚家的財力，是絕對辦不到的。（一）

瀛海幽光又弱一箇

黃葉村人

有「北溥南張」之稱的國畫家溥心畬先生，已於本月十八日晨謝世矣。溥先生之死，舉世知與不知，莫不一洒同情之淚。論者謂：「先生風流儒雅，世比之爲趙王孫」云。余謂：「此說不足以況溥先生也！」蓋先生雖以詩畫名世，傾動一時，然此特先生餘事耳！不足以概述先生生平志節與行述也。

先生於其蓋棺論定之日，能博得世人一洒同情之淚者，乃爲其當日寇建立僞滿洲國之日，日酋一再登門造請，先生以滿人天潢貴胄之親，不北走胡求功名，炫身以耀族；且慨然曰：「豈有當乾道潛淵之時，徇小人徼倖之請，孔懷得國，罔念正名者！」（見張目寒所寫溥心畬先生事畧）足見其人之高風勁節，足以名世而勵俗；不僅「還金拒畫」（見事畧）明大義，識大體而已。此其一。

共匪禍國，簒據大陸，先生毅然挈眷，不避艱險，播遷台灣；其明見機先，義不居後的愛國貞誠，又豈純盜虛聲，陷身匪窟，或自投羅網之齊白石、葉恭綽、章士釗輩之倫，所能望其項背邪？當日寇投降之日，先生即膺選爲滿族國大代表，獻替之餘，並出其餘緒，爲台灣省立師範大學教授，以培育後進，發揚中華民族國粹藝術之精華。此與終年屢月爲藝術而藝術，僕僕於洋塵萬里之藝術家，兩者相較，又何止距離十萬八千里也。此其二。

報載：先生之病爲「鼻癌」，曾在中心診所醫治甚久。五月間轉到榮民醫院，曾接受「鈷六十」治療。先生以受治艮苦，難以忍受，乃離院，改延中醫，卒亦不治。最近三月來，情況益惡化，兩顋且洞穿，水漿難下，靠椅而寐，不能安榻而睡也。尙憶前年余入醫院割治前列腺時，友人葉君之岳母，亦患鼻癌，一割而愈，今尙健在也。或言先生之疾，非癌；中醫之名爲「疳」。因先生喜嗅花香，嘗以各色花端於鼻端而聞之；花有毒菌，侵入鼻孔，遂成疳。此種菌，見肉即蛀，愈擠愈深，抵死不放，無藥可治，故謂之疳！疳生於鼻，七竅全通，非藥石所能療也。余非醫生，錄以俟知者論焉。或又言：先生愛抽香烟，而所抽又多次烟，日月積累，此與癌症有關。總之，香烟與花香，多聞多吸，都非良好習慣。先生已矣！後有同癖者宜戒也。

報又載，先生之論畫云：「他對古字畫鑑賞之看法，不重視眞假，而欣賞其好壞。他認爲值得流傳和保存的作品，是完美的藝術品的本身，而不是藝術品的作者的姓名和印鑑。」這一看法，筆者的見解是：「眞與假雖然不必重視，但有一點是要注意的，譬如說：某一幅畫的藝術本身是好的，而那幅畫是假的，已減低了一半價值，還是無可取的。因爲作者本身，已不能自信自己，不得不冒別人之名以求售，是其人之品行已沒有可取，那嗎，畫雖好，是誰畫的呢？世有無名的英雄，沒有無名的善士，恐怕沒有無名的字畫吧！」

因爲賞鑑，眞假是第一！同時，人品也是第一！好壞乃在其次。這是我的看法。何以言之？蓋人間世，凡百事物，貴在求眞！不眞，則「唐寅虎嘯」矣！何況書畫之事，假如人之名以行，縱有佳作，也沒有什麼意思；此眞假之不能不辨者也。若畫是好畫，人是假名，每一箇人來賞鑑，都得先向他解釋一番，說：「這是贗品，但，畫却是好的」，縱許不憚煩，而觀者的印象已起了疑問，還有什麼好賞鑑的呢？

又譬如有一幅史道隣的字，或是黃石齋的畫，而這幅字與畫，都是好的，但却是贗品！那嗎，取其字與畫的藝術本身，是字畫上的人沒足取了；取其名字與印鑑呢？假使有人問到這，我恐怕不能自答。要知道從來賞鑑家的取捨，是重視作者的人品比藝術的本身爲重要！如果一幅岳武穆或文文山的字，即使寫得不甚精采，或有了破損，也是不肯放過的；蓋重其人也。報因閱讀報紙，聊識我人對賞鑑觀感而已，非有他意也。

至於溥儒先生，余聞其名而未見其人，僅於報章上閱其遺像，雖蕭然若儒素，而神采凜然；聞其生平所著，有「四書經義雜證」、「爾雅釋言經證」、「寒玉堂論書」、「寒玉堂千文」、「經籍擇言」、「寒玉堂詩集」等書；然則亦今之傳人也！而僅以畫名，是則發潛德之幽光，仍有待也。詩以悼之：「宋葉王孫自有眞，風流儒雅是傳人；寧知更有清高節，竹動松蒼萬古新」。

我的社會生活

雷嘯岑

原來袁旅長那輛專車於夜分駛出車站不遠，因爲沒有跟前站聯絡好，突與迎面而來的一輛快車砰然撞上，這一劇烈的震動力，乃使袁氏車中的若干箱砲彈一齊爆炸，車上各人全體化爲灰燼，連車箱亦炸成破片了！假使我不被秋白兄生拉活扯地强迫到張督辦的車上去，還有命嗎？冥冥之中，死生似有定數，曾國藩說：「不信書，信運氣」，我很贊同他的說法。充此一念，我對於生平所遭遇的一切憂樂得失事情，也就泰然無所容於心了。

平地泉這時是京綏鐵路的終點站，再過去即係通甘肅的要地——五原。我們休息兩天之後，由西北軍總部撥給了一部新置的「道奇」牌卡車，以便馳赴庫倫。恰有原在西北軍服務的蘇俄軍事顧問團職員八名，也要前往外蒙古，乃相約集體出發，沿途食宿與共，並組織臨時旅行隊，每人配備着步槍一支，推舉俄顧問某爲隊長，我作聯絡員。因爲這些俄國朋友都不會說華語，我們亦不懂俄語——雖然勉强可以說些英語，但此時蘇俄人反對英帝甚力，聽到英語即怒目相向，表示不屑理睬——剛好他們八人之中，有個會說日本話的，遇事即由我負傳譯雙方語意之責。平時從張家口到庫倫的汽車行程，七天即可到達，從平地泉出發，應該五天就行了。然我們以不熟悉道路，只按照地圖前進，竟在黃沙萬里無人烟的戈壁沙漠中，奔馳了十天纔抵目的地，其間發生過若干驚奇險阻的事情，值得說說。

游牧民族的唯一財產就是馬羊兩類牲畜，蒙古人的羊畜尤多。某夜，我在一個「蒙古堡」——蒙人住宅的名稱——席地而臥，擁衾酣夢正濃之際，棉被忽爲潮水浸透，全身受冷而驚醒了好夢，急起以電筒照視之，前後左右有大小五六隻羊兒倚偎着我的鋪衾，安然躺睡，便溺不已，把我的褥和棉被都浸濕了！因此我祇好坐以待旦，自認晦氣，這算是我實行「與鹿豕游」的原始生活現象吧？內蒙雖空曠，但比較外蒙開發多了，我們每天都能夠選擇一塊「水草之地」歇宿。某日深宵，我個人睡在卡車上——因不願再與羊羣同臥了——於黝黑天氣的睡夢中，彷彿有物觸及身體，張目省視，竟是一隻很高大的野狼，前兩足爬到卡車邊沿，雙目烱烱有若電炬，正要跳上來咬我，我大爲驚駭，提起步槍迎頭射擊，未中，牠即逃走，却驚動了在附近住宿的同行諸君，以爲出了甚末事。假如那輛卡車的車身不高，我縱然不被野狼吃掉，亦必被咬傷無疑也。

我們的坐車是新貨色，比蘇俄顧問們所用的卡車走得快些，進入外蒙地區後，只見一片黃沙，漫無涯際。某晨，我們的車子先開走，說明是打前站，於傍晚時分在找好住宿的地點，等候那大家。不料次晨將出發時，那一會說日本話的俄人以驕倨的詞色對我說道：「奉隊長命令，不許你們的車子再帶頭走，否則我們就要開鎗射殺你們！」我詰問甚末理由？答謂「這是命令，沒有理由可說。」我氣極了，主張各行其是，跟他們幹，但張秋白兄再三勸我忍耐，不必在旅行中鬧出不幸的事情來。他的年齡要長我將近廿歲，是老大哥——也可說是本黨的老前輩，祇好接受他的勸告，忍氣吞聲，讓那些蘇俄老毛子的車輛先開。從此我對共產黨人的反感更大，憎恨的心情越發深厚，認爲共產黨徒是沒有人性的傢伙，不能跟他相處的！（五）

閒話相命（續）

黃伯遠

不過，相者爲人相命，閱人既多，在千百人中，自然也會有「幸而言中」的。只是少之又少而已。當初，我在六七歲的時候，廣州城隍廟有位陳鐵石相士，在廣州是很有名氣的。父親帶我找他看相，那時他已是三四十歲的人了。他把着我的左手掌看了一回，邊說：「看你有姊妹兄弟……還是孤掌；也許不會有姊妹兄弟！」我口快：「唔！我有姐姊和弟弟啊！」他沉着面，立即改口道：「細佬哥！我沒有講完哩！」然後，他吞了一口唾，繼續道：「……將來只有你幫忙他們；他們是不會幫忙你的！……」父親聽了，頻頻點頭。我那時年紀雖小，但心裏却有數。可是，這位陳先生經我一嚇，對於我的命，却批得很準。後來除却他把我批到六十歲止，以下不批了，就只這一點不準外，其他都有七八成準而且確！這就是我說的，閱人既多，自然也會有「幸而言中」的了。

民國四十年，我住在香江，偶而經過筲箕灣，赫然又見到陳鐵石命相的布蓬招字。我想：我已六十多歲了，如果是他，當是百歲以上的人瑞了。於是，向裏面看一看，雖然隔別了數十年，印象還是有的，可惜我看到的，年齡相差太遠了，便沒有興趣進內領教了。否則，當年的小孩子和當年的「大相士」，重再異地相會，自然也是顛沛流離中，不可多得的佳話。

本來「醫卜星相」，在上古之世，同樣是受人尊敬的。太史公有「日者列傳」，也有「龜策列傳」。如日者列傳所載，司馬季主，連中大夫宋忠、博士賈誼，聽他一席話，竟至「失神落魄」，「芒然無色」。

生」。這又豈是今日之「擇日先生」，「賣卜老叟」，所能望其項背者？據司馬季主所說：聽了他的卦詞，忠臣會明白尊君事上，孝子會更進而善養其親，……而且鬼神也會感格來受饗，……而不獨病或可愈，死或可生，患或可免，事或可成，嫁子娶婦，可以養生送老而已。而其所得之酬報，不過數十百錢，何嘗而不可卜也。可惜，年代遞遭，江河日下，降至清末，「醫卜星相」，除醫道還受人尊重外，其他已成爲「末落文人」無聊的職業了。

總而言之：要算命，最好不必求救於相命先生。當三更半夜，睡醒的時候，自己拿把算盤，替自己第一算：今天做的事，是對或否？如此積累乘除，分別善惡，而後自己作總評，計算將來的禍福。這比請教算命先生代排八字，更現實。正如司馬季主所云：「醫卜星相，所得幾何？」留一條「末路文人」謀生之路，也未始不是感德之一事？我們正不必吹毛求疵，迫人太甚呢！（本篇完）

自由報
THE FREE NEWS
第三九七期
內僑聲台報字第〇二壹號
中華民國僑務委員會頒發
台教新字第三二三號登記證
中華郵政台字第一二八二號執照
登記爲第一類新聞紙類
（本週刊每星期三、六出版）
每份港幣壹角
台灣零售價新台幣弍元
社長：雷嘯岑
督印人：黃行富
社址：香港銅鑼灣高士威道二十號四樓
20 CAUSEWAY RD 3RD FL. HONG KONG
TEL. 771726　電報掛號：7191
承印者：四風印刷廠
地址：香港灣仔高士打道二二一號
台灣分社
台北市西寧南路壹壹柒號二樓
電話：三〇三四六
台郵撥帳戶九二五二

我們不能坐而待亡！

·劉士路·

編者按：本文作者是從大陸逃亡出來，在海隅某專科學院讀書的青年學生，他以滿腔愛國熱情，寫成這篇文字，送交本報，其志可嘉，而其精神極勇敢可佩，特爲刊佈如左。

凡是由鐵幕中逃亡出來的中國人民，不論是流落香港、外國或到了台灣，在這多年來，都有一個共同的願望——政府能早日興師，伐罪弔民，光復神州。然而，十多年了！我們仍然不能重回故土，仍然是一個亡命之徒！甚至我們國家的處境，在國際「姑息主義」和「功利主義」的逆流中，正日趨險惡！「兩個中國」、「中台國」、「台灣共和國」之說，日益囂張！此乃中華民族生死存亡的時機了！我們要向中華民國政府呼籲：我們不能再等待了！我們要求參加反攻復國的「敢死隊」！立即打回老家去！

看吧！近幾個月來，國際姑息主義和功利主義者是如何的囂張：

忘恩負義的日本，在將全套尼龍工廠設備供給中共之後，繼而與中共簽訂出售肥料協定，互派「代表團」進行訪問；

法國前總理富爾，在戴高樂總統鼓勵下前往中共區訪問，並將對中共採取新政策；

美國軍經援代表團抵達台北，並討論在三五年內，停止對我國的軍經援助；

聯合國秘書長宇丹於本（十一）月十二日談話謂：中國雖向爲人口衆多的大國，但因其內亂相仍，自趨削弱，始終不能在世界政治上發生勢力。現在，中共對於世界問題就不是這樣了。所以，如關於世界和平與安全問題的討論，把中共蔑視不顧，是否爲明智之態度或者能否解決問題，實可注意；

美國總統（不幸得很，現已爲前總統了！）甘迺迪於十一月十四日對記者談話稱：只要中共有意與各國和平共存，美國將可對之考慮其政策。

凡此種種，都說明我們的國家正處於危難中，世界的強權國家對我們反攻復國的國策，不特不表同情，而且它們正惟恐落後的與中國人民不共戴天的毛共進行貿易，甚而討價還價地欲出賣我們。君不見從一九五五年八月至現在，美毛在華沙（原在日內瓦）已談判了一百多次嗎？

試考我國近一百多年來的歷史，中國之所以淪於今日之地步，乃主要由於十九世紀中葉以來，世界強權國家對我們之掠奪侵凌，尤以第二次世界大戰以後之美國，它藉「美援」、「顧問」之名，嘗壓迫我們而方便共產黨。此固然是美國之文化本質決定他們無有使「天下宴然」的智慧，以及不能承認他人之「善」，祇能以自己的生活尺度，衡量他人。此外，也不難看出，世界的強權國歷來都是希望我們中國爲四分五裂之局面的，這樣才便於他們對中國的政治和經濟的侵略。就像現在中國的情況，若毛共不再天天罵美帝國主義，或願意與它們進行國際貿易時，那些唯利是圖的國家，立即就會改變它們的政策與中共和好的。它們絕不希望我們反攻大陸，統一中國的。去年的五月，因中港邊境掀起洶湧的逃亡潮，我們舉國上下，蠢皆高呼反攻大陸，中共亦感誠惶誠恐；不料，美國當局却爲中共注射定心劑，在華沙的「美毛談判」席上向毛共提出保證：「美國不支持中華民國反攻大陸的任何計劃。」美國今日之所以仍舊把我們當「朋友」仍以經濟「援助」我們，此實在是，我們中華民國的存在，有利於「美國利益」，美國不過是把我們當作一個基地，當作美國西太平洋門口的一個看門者，可悲亦復可憤！

現今世界的國際外交，根本沒有什麼「公理」、「正義」可言，亦無「仁義」、「道德」的存在，強權就是公理正義，只要符合本國的利益（甚至本國少數統治者的利益），什麼仁義道德，都不棄之不顧！美國如是，英國如是，日本如是，印尼、印度更是。由此，我們應該明白，在我們認爲是生死存亡決定關頭的反攻復國戰爭中，那些唯利是圖的「強國」絕不會，抱着人道正義的立場，拔刀相助的。所以我們不應該再存在奢望「友邦」幫助的，應該自己創造新的局面。只要我們興師反攻，在大陸上能佔有小小的地盤，可以清楚看出我們有復國的可能時，這些「功利主義」的國家，便就會爭先恐後對我們獻殷勤了！此無他，爲「功利」也！唯恐我們復國後，翻起臉來，不與他們進行經濟交往也。所以，這場反攻復國的戰爭，我們不必顧慮沒有「友邦」援助的問題，到了相當的時機，將不求而自至的。

十多年來，我們失却了多次反攻復國的好機會，諸如朝鮮戰爭時期，大陸的鳴放時期，去年的五月逃亡潮時期……我們若能興師反攻，定可得到預期的勝利。然而，都失去了！這固然是國際上存在客觀條件的約束（如與美國簽訂的共同防禦條約就是），但，亦不能不承認，政府當局歷年來多少有點抱着「等待」政策。所謂「等待」者，乃等待國際形勢之變化（包括美國對台灣政策的改變和第三次世界大戰爆發）；等待大陸人民大規模的反暴運動。然此爲至愚之策！以往史實鑿鑿可證，長期抱持等待政策偏安一隅者，莫不終趨滅亡。東晉恭帝之偏安江左、南宋孝宗皇帝之偏安江南，皆因他們在南渡初期，不能利用人心一致和高漲的士氣，揮軍北伐，收復中原，乃長期等待而使人心鬆懈了。把國家民族之奇恥大辱皆置之度外，結果自難免敗亡矣！南宋陳亮上孝宗皇帝第一書云：「臣惟中國，天地之正氣也，天命所鍾也，人心所會也，衣冠禮樂所萃也，百代帝王之所相承也。挈中國衣冠禮樂而寓之偏方，雖天命人心猶有所係；然豈以是爲可久安而無事也？天地之正氣，鬱遏而久不得騁，必然有所發洩，而天命人心，固非偏方所可久係也。」諸葛亮後出師表亦云：「……然不伐賊，王業亦亡，惟坐而待亡，孰與伐之……。」又曰：「欲以一州之地與賊支久，此臣之未解者也。」可見早在千多年前的陳亮諸葛亮便知一州之地無法與賊久支，長久的等待政策是坐而待亡也！

我們要等待美國改變政策，支持中華民國反攻大陸，或希望第三次世界大戰發生，隨着「自由世界的勝利」？再去收復大陸（有如第二次大戰因盟國的勝利而收復日本帝國主義所佔領的地方）。這種希望，當然不是絕無可能，但畢竟是微乎其微。美國的改變對華政策，我們可從美國數十年來的一貫政策和唯利是圖，自私自利的本性看出上面之斷語。再說第三次世界大戰吧！誰都明白今天是原子時代，大戰的結果是「自由世界」與「共產集團」的同歸於盡，美國不願先行發動戰爭，蘇俄亦不敢妄動，祇能在核子武器僵持的國際形勢下，作長時期的冷戰，險相環生則有之，眞正的大戰則不易觸發。

至於等待大陸人民的大規模反暴動，再從事「外合」的反攻，這也近乎塞責的政策。蓋共產黨十多年來在大陸的殘暴統治，已消滅了民間可能反抗的力量，人民搜不出隔日之糧食，連一口鐵釘都逼着送去「大煉鋼鐵」了，兼之共黨的「鐵血政策」和嚴密的組織，大陸人民雖恨不得噬共黨之肉，吮共黨之血，亦無可奈何，決不能以揭竿而起的羣衆去對抗手持機槍的的共黨軍隊，所以，我們不能再等待渺茫的遠景來臨了。

相反的，我們應該利用大陸毛共的嚴重危機——在內有全國人民反共抗暴情緒的高漲；在外有自由世界、中立國家甚而共產集團國家的鬥爭，形成空前的孤立，發動全面的反攻。在此，我們建議國政府，立即組織十萬人的反共復國「敢死隊」，把伐罪弔民反攻復國的神聖事業提到日程上來，並向全世界的華僑和大陸上的共軍與人民公告，使之能同時響應，庶幾短期內可望獲得全面的勝利。

漫畫天下

前路如何？

可憐的小傢伙

政治技術與智慧

馮玉先生

素來跟美國當道鬧別扭、倔強剛愎成性的法國總統戴高樂，於美總統甘迺廸安葬之日，親到華盛頓執紼。他這項行動，不特表現着政治家光明磊落的風度，亦對法美邦交，乃至於自由世界前途，具有良好的影響，是高度的政治藝術。

日本輿論界以其首相池田勇人，在華府參加甘總統葬禮影片中，而露笑容，指爲失態，同聲憤慨抨擊。這是表示人類精神文明的優點，不愧爲健全的輿論政治。

毛共代表廖承志，在華沙的所謂「世界和平理事會議」中，反對悼惜美總統甘迺廸被刺的提議，拍桌打椅，大吵大鬧。這是人類劣根性之充分表現，也是共產主義者以仇恨爲生存活動的典型寫照，可名之爲「獸性政治」。

法總統與日本報紙的行爲態度，係人性與理性的自然發抒，人之所以異於禽獸，文明與野蠻之所由區別，皆源於此。尤其是戴高樂先生的作風，聰明機警，善於利用時機，專爲國家利益打算，決不感情用事。他原係職業軍人出身，但其政治手腕，却比一般職業政治人物尤爲高明，殊堪稱讚。

美國參議院外委會主席富爾布萊德，竟在電視廣播中，悻悻然對戴高樂申申而詈，指摘戴氏常以「不必要的攻訐」加諸英美，說盎格魯、撒克遜民族已落伍了。這很像孩提之童跟鄰兒不睦時，見着對方便跑到自己家門口，即大叫「不許你到我們這兒來玩」的幼稚氣概可哂已極！

搞政治就是變戲法，法人人會變，各有巧妙不同，最忌諱妄自意氣，不識大體，有如下棋然，一着得法，劣勢轉爲優勢，一着失錯，則全局皆非，應付國際外交，更須特別留意，決不可掉以輕心。我們從這次甘迺廸總統的安葬典禮中，即看出世界各國政治人物的智慧高下爲何如了。

基隆旅居記

仲公

基隆港今日規模

基隆港有優點也有缺點，優點爲：一，港內無大河川入注，附近海岸盡爲岩石，可免泥沙淤塞之患；二、港灣附近盛產煤炭，水源不乏，給水供煤，兩都便利；三、就台灣的出口貿易言，基隆要較高雄更加接近國內消費的大中心，例如上海，南京，青島，天津與大連等；四、如論台灣的進口貿易，基隆接近台北，即國內消費台物資供應中心，亦較高雄爲近。缺點爲：一、雨季太長，雨量過多，不利於貨物的裝卸，而台灣輸出糖、米、水泥與茶葉等，皆最忌淋雨；二、港口三面環山，市區無擴充餘地；三、離本省主要出口農產及農產加工品之產區較遠；四、冬天東北季風經常強烈，港口附近海面，波濤洶湧，小船航行，極爲不便。

日本當時傾大力開埠築港時，港內原來有兩個小島，一名爲母島，位於港內東邊，即今日信五路和港東街相交之處，形勢如瓢，北高南低，全島盡是砂岩，最高點拔海一九，六公尺，長一八二公尺，平均寬四五點五公尺，總平積八，二九八方公尺，與港內西邊的鱟公島相對峙，二者距離一六四公尺。鱟公島南北約長一〇九公尺，東西寬約七八公尺，海拔三點三公尺，周圍約三二八公尺。日本在宣統元年築港工程進行期中，這兩個島都被剷平，所得巖石，盡以填海，亦可見其工程之艱鉅矣。這項填海工程，自最初開工以來，共得產地四五〇，〇〇〇方公尺，其目的係在使海岸綫整齊，其性質與浚港相類似，當日填成之地，現在一部份爲市街，一部份則爲碼頭。

日本據台五十年，先後曾五次擴建基隆港，其用心之積極，可以想見。後來太平洋戰爭期間，基隆曾慘遭轟炸，損失奇重，港內被炸沉的輪船，大小合計達一六〇艘以上，航道爲之阻塞，直至民國卅七年，纔將港內外主要水域之沉船打撈淨盡。

今天的基隆港，計分內港，外港，漁港三部，水域面積共約三，六〇〇，〇〇〇平方公尺；其中水深超過九公尺的，計二，一〇〇，〇〇〇平方公尺，水深不足九公尺的，計一，五〇〇，〇〇〇平方公尺，港底的地質，內港爲粘土層，外港多貝殼沉積砂土，尚便錨錠。港灣每晝夜海潮漲落各一次，但漲落水位之差，極不一致，最大爲一點六公尺，最小則僅〇點三公尺，漲潮落潮的時候，港口每八時均有三浬之流速，惟港內之流速則較緩。

現有繫船碼頭十八座，全長二、七〇五六公尺，可同時停泊三、〇〇〇噸級至二〇，〇〇〇噸級船十五艘。內港另有浮筒四只，可同時繫泊三千噸級以上二萬噸級以下大輪船四艘。浮碼頭四個，平時雖供繫留小船之用，但必要時可停泊一〇，〇〇〇至二〇，〇〇〇噸級輪船四艘，合計港內可同時停泊輪船四十餘艘。本港碼頭位置之選擇，頗受自然環境的限制，所有深水碼頭及碼頭倉庫，皆在內港西岸，其配置似已達飽和狀態。（十二）

從根爛到頂。不敗亡何待

毛共青年團員變質益深

貪污舞弊盜竊黑市買賣無惡而不作
死馬當活馬醫忙攪四好團支部運動

香港與大陸

由於中共大部份的「共青團員」都腐化「變質」，有了嚴重的「資產階級思想」，甚而不少已流爲「人民的敵人」，所以中共又在大陸地區展開「四好團支部」的運動，目的便在挽救「共青團」——「黨」的助手的失靈。

一位就讀於湖南長沙師範學院的學生某君，不久前曾寫信給在港的親人透露：曾被中共譽爲「黨的助手」，「青年的先鋒」的「共青團」，現在大部份成員都腐化墮落，不少團員幹部都有貪污，舞弊，盜竊，黑市買賣……等犯罪行爲，甚而有所謂「忘恩負義」者，竟與「國民黨的特務」勾結在一起，進行「反黨」「反人民」的活動。

來信說：鑒於上述的情況，中共在大陸不少地區又推行一種共青團的「四好團支部」運動，所謂「四好」者，及「政治思想工作好；三好（身體好，學習好，工作好）活動開展得好；組織生活健全好；聯系羣衆作風好。」這次的「四好」運動要求每一個支部達到下列的目的：①提高每一個「團員」和團幹的認識，把「四好團支部」運動作爲在「黨」內的兩條陣綫（資產階級和無產階級）的鬥爭，應該一無顧慮解除思想上的阻力。②要求團支部對基層共幹的訓練和領導核心。由團市委訓練支部書記，團委總支訓練支部委員，支部訓練組長，組員聯系團員。③加強檢查、定期評比，總結推廣領導「團」組織的先進經驗，遴選優秀的團員作爲「支部的尖兵」。④促進「團支部」的工作走入正常秩序，要求建立學習工作的計劃，團員管理制，團員名冊，青年「積極分子」名冊，團員鑑定表……等。

來信說，中共這次的「四好團支部」運動是包涵着獎懲兩個方面的。把一些原已做到「四好」的支部總結工作經驗，向團員大會作報告，在書面上也給予宣揚，因有的團支部書記，因爲「工作好」成了「支部尖兵」，甚而有一下子被拔到「院市人代」的。至於不少共青團團員，作風惡劣有犯罪的行爲者，則視其情節輕重，最輕者祇在團支部會議中給予嚴厲批評，並以「共青團的榮譽感」去號召他（她）「改邪歸正」；較爲嚴重者，則將之公開鬥爭，清算他（她）們的犯罪行爲和思想意識；最嚴重者，則立即加以逮捕勞改。

來信又告訴他的親人說：他也是一個共青團員，在這次的「四好團支部」中，雖他是「中間」份子，沒有被獎也沒有被懲，但精神上所付的代價是太大了，眼看自己幾位好友，都被揪去鬥爭，很是心驚肉跳！（敬斯）

執政黨提名登記延期後

高雄下屆市長競選

暫時陷入觀望階段

（本報記者趙家驊高雄航訊）高雄市下屆市長執政黨的提名登記，因參與競選者並不踴躍，經延期至十二月十五日止，由於執政黨表示下屆市長候選人決不再「徵調」，致使有意角逐者或憂或喜，因之不少人都尚抱觀望的態度。

目前除執政黨籍的黨員律師王逸公業已正式登記外，據聞蔡崇禮的領表是代陳啓川，陳水淋的領表是代陳武璋，彼二人確屬本市最矚目的人物。

陳武璋曾任三屆高雄市長，任內政績表現殊佳，智囊人物包括各方英豪，思想開明，無門戶地域之分，故人材薈萃，庶政大興，舉其犖犖大者計有：全省首創土地重劃，爲外縣市所師法。開闢壽山公園及愛河公園；興建體育館，堆肥公廠，國民住宅；興建國二三路，並鋪裝高級柏油路面；興建建國橋，電化屠宰場。擴建本市第三水源工程，增購公車五十輛及渡輪兩艘；興建高雄學苑及學生宿舍等。以上都是陳武璋的具體表現。

本屆市長陳啓川上任之初，即抱不願幹的態度在幹，除了視貪污如仇一點外，開創興建方面似鮮有大的作爲，諸如：一、攤販大樓爲其競選之諾言，至今猶未實現，致使市面攤販到處充斥。二、教育的腐敗，如八、九中代辦費的弊端，尤其皮鞋一項最驚人，其他尚不一而足。三、與醫學院的糾紛鬧得滿城風雨，弄得醫界對他頗不諒解，引起反應。四、數年來沒有參加過里民大會，與市民的距離非常遙遠，爲前數任市長所無者。至建設方面微有成就，土木課工程的設施招標確有若干革新，如通訊招標，消除了舞弊圍標等情事，此一點值得稱道。六、至財政方面就捐稅一項不太理想，傳說除市長本人欠稅達七八百萬元之鉅，若所傳屬實，則對財政收支不無影響也。

目前外傳陳啓川戀棧之意甚濃，將來是否被提名，尚難預斷，很可能的將來由此間市黨部將彼二人呈報省方，圈選一人，足爲市民所擁戴，以及力能與黨外人士相頡抗者。

黨外人士現任省議員李源棧，確係雄才大略，深得民心的人物；若以陳啓川來對李源棧，那等於鷄蛋碰石頭；若以陳武璋對李源棧，則正是棋逢對手，將來勝負誰屬，殊難預測。不過李源棧與陳武璋，彼此都懷存戒懼乃是事實，兩雄如其相對一拼，相差的票數，將不至懸殊甚大，則可斷言。

省府何時修訂都市計劃？

——本報台中記者熊徵宇——

在黃杰主席上任之初今年春天，省府透過新聞宣佈過一個決定，說是要在五十三會計年度裏，修訂五個省轄市的都市計劃，來配合本省人口的增加與經濟發展的現狀和社會繁榮的需要。

但是到如今，五十三會計年度已經過了一半，而五十四年度的「施政指導綱要」也早已由省府提出，但是這個修訂都市計劃的決定，似乎連消息也沒有了。而這種決定，自非一般原則性的行政構想可比，當然也不是「崇法務實，節用愛民」之類的抱負與槩舉便行，而是要有作爲有事實的。

應該公開計劃

這原因，正如省府當時在報上所說：「本省五個省轄市的都市計劃，還是日據時代訂的，各方面，都已不適合目前的情況，如果再不從速修訂，不但是人民感到不切實際，而且政府辦理市政建設也難以進行」。既有這種認識，爲何濃雲不雨？而如何才能達到配合人口增加發展現狀的需要呢？我想這是值得研討的。

我覺得這個計劃值得省府公開，讓大家提一點意見。如果只是多開幾條道路，多做幾間房子，把馬路拓寬伸長一些，裝些銀光照亮的街燈，是不能解決都市問題，不能達到要求的效果的。

補救環境的限制

這個計劃的結構如今還沒有提出來，無從討論其基本精神是否具有長期性的實際效用，也無從討論能不能夠配合人口增加與促進經濟繁榮。但是覺得，先決條件乃在如何補救客觀環境所遭受的限制？其設計基礎與方案的製訂，能否適應都市發展的變化，爲這樣的變化提供有利的客觀環境？似乎都是值得討論的一些問題。

我知道，市政專家們對台灣都市計劃的意見，似乎持有兩種不同的主張：一是主張儘可能的兼顧現狀，發展新的社區；一是主張改變現狀，以作爲衛星的發展。

我覺得，這兩種主張是可以合而爲一的。那是說，一方面考慮到新社區發展的可能性；一方面發展都市的衛星地區。補救目前所遭受的客觀環境的限制。

大市政家路易士．納爾遜（Neison P Lewis）有幾句話是都市計劃的深遠目標。他說：

「都市計劃的設計，最主要的乃是一種先見的運用，以及都市及其郊區，能適行合理的路綫，爲有步驟的發展，並顧及市民的健康和便利與一切工商企業的活動。」

容納的內容很多

但以省政府修訂都市計劃的要求，乃在配合增加促進經濟繁榮而言，那就不是納爾遜所說的這幾句話所能容納的。那該在都市的人口與潛力，城市工業的發展現象，以及人口就業機會與「邊際自行營業」的各種問題上加以探討。把適於這些問題的結論，溶之於工程建設的都市計劃內，才能適應台灣省政府所揭舉的要求。才適於本省五個省轄市的實際需要。才是一種比較理想的，也可以說是完整的都市計劃。才能運用人口的增加配合都市的發展。

這是一個龐大而需要多種知識的問題，以一個外行人來談這些問題，也許是種浪費。但我基於採訪台灣省政七、八年來的一些體認，提出幾點淺浮的看法。

勞力該配合生產

這些年來，由於大陸人口的湧至，而人口的出生率遠超過死亡，（這兩年來出生率比較減低）以及大批青年由農村遷入城市，而形成都市的迅速擴展，人口密度的大增現象，到處都顯然可見。城市人口的增加率，較之都市多兩倍。

於是各城市的任何空地上都有小的房屋建築搭蓋起來。在繁華的街道兩側增加了很多臨時貨攤；尤其是台北市的三輪車伕，已遠超過所需要的數量，而挑夫、散工、和很多其他邊際自行營業的人們，與日俱增，競相謀生。（上）

香港工展會昨開幕

規模與佈置均勝歷屆

【本報訊】香港中華廠商聯合會主辦的第廿一屆工業展覽會，經於三日下午四時正式揭幕，由港督柏立基主持。大門樓燈飾一日晚七時起大放光明，使紅磡區生色不少。

本屆工會展至明年一月七日止，爲期卅六天。會場面積達卅二萬方呎，實爲歷屆工展會之冠，而在型式、設備及佈置上，都極爲新式。

會場中央有工業出品陳列中心一座，陳列區有攤位一百卅二個，圓形特大攤位及特大攤位十四個，普通攤位四百八十六個，機器原料陳列單位六個，總計共有攤位八百四十二個，參展廠商及團體共二百零七個單位。

大陸是怎樣淪陷掉的？

接受教訓。策勵未來

吳文蔚

這情形，已被以後接替大使的赫爾利將軍勇敢揭穿。赫氏曾以很直率的態度，向羅斯福總統提出了大使館人員的瀆職證據，卒將幾位親共份子的館員調回國去。

繼史迪威先任蔣委員長的參謀長的是魏德邁將軍。魏氏曾對中國貢獻出他極盡友誼的超人智慧，當他完成了史迪威將軍所未曾顯示的一切力量，他還向我最高統帥蔣委員長提出了要求美英蘇法和中國於戰後實行五強共同監護東北主權的建議。

這件事，無論魏氏在當時有如何超人的眼光與卓識，甚或目前的情景是如何值得留念魏氏建議與回憶，但吾人可以瞭解蔣委員長當時聲明拒絕的用意，即日本侵略實自「九一八」開始，中國抗日即係爲收復東北領土而戰。如果吾人要求五強共同監護東北，則中國八年抗戰的鮮血等於白流，蔣委員長代表中華民族繼承炎黃祖先傳統，自當勇於收回已失的領土主權。至於東北至今不幸淪陷匪手，但吾人除自責未能克盡厥職外，雅爾達之秘密協定，更是最大的因素。

羅斯福總統，在雅爾達秘密協定中，付予蘇俄的便宜，實無異於把中國的主權交與了共產黨。這種事實，在戰後中共軍隊從蘇俄手中移轉過來的大批日軍彈藥軍械，以及許多城市如張家口、赤峯等都市，就是一個有力的證明。當時毛澤東朱德命令林彪率領所謂「東北民主聯軍」，如蟻族一般的深入蘇俄佔領之下的東北九省，很快的便被中共軍隊控制了各重要據點，但蘇俄軍隊還在一味拖延撤退，阻止國軍前往接收。

赫爾利將軍的熾誠斡旋，實由於杜魯門總統未能把中共認清，杜氏的一番苦口婆心，總以爲與共產黨談判，中國才可以富強安定，不料此舉正好上了共產黨的大當。赫爾利於歸國述職之際，又受到參議員康納利的嚴厲指責，於是他便氣忿辭職，並在辭職函中公開的指出：

「美國的對華政策，顯然沒有獲得國務院的職業外交家支持；這些職業外交家們，與中共確實是一個鼻孔出氣的！」

杜魯門又派特使馬歇爾將軍使華調停，然而馬氏竟深中共匪的奸計，同時他並堅持杜魯門總統指定的與共黨成立「聯合政府」的主張。

所謂聯合政府的成立，實際等於爲共產黨的接管統治鋪成一條坦平的路軌，這情形是很顯明的。杜魯門在國內既不肯跟美共布魯德組織聯合政府，亦不肯讓佔領一明尼蘇達州的美共成立一個叛亂政權，保留一支軍隊，自行發行鈔票，收稅，畧地，進攻華盛頓，却強迫使中國國民政府跟那割據邊區、自練軍隊、發行鈔票、征收賦稅、而且時常攻擊國軍的共產黨成立聯合政府，還要同他談判調停。能說這不是引狼入室的荒唐舉動麽？馬歇爾雖然自命智慧高明，但弄來弄去，吃虧的總是國民政府，他被周恩來翫玩弄於股掌而不自知！

馬歇爾原以極愉快的心情和具有信心的把握，於一九四六年元月十日發佈了「停戰和令」，與中共代表周恩來，政府代表張治中組成了三人小組，同時在舉行的政治協商會議，準備成立聯合政府的原則下，成立了若干執行小組，每日環飛各戰區，努力爲執行停戰而勞瘁。（三）

藝術叢話

抽象藝術漫談

趙雅博

這兩種形式的觀念，照實說來，是非常貧乏的，因爲他們太過嚴狹。因爲根據一般情形，如果說有數學（或稱爲量）形式存在，並也有質的形式的存在，這些形式都是附加的形式，因之，它們自然不是客體的唯一形式，也不是它們的基本形式；自然也不是客體的本身，也不是表現客體的本身。要表現客體的本身，這個使命乃是自立體形式的任命與使命，只有它才是客觀化的本質。這個自立體的形式，在每個客體上，才是唯一的形式，是它佔有着許許多多的附加形式。自立體就是物的本身，它自己獨立在自己身上，以自己爲主體，在觀念上是不需要附加體的。比如我們說人，不必說他是黑、白、大小（我們說在觀念上，因爲在事實上，個體自立體常有附加體伴隨着的）。而附加體是一個「有」，它必需依賴其他體爲他的主體，而不能自己獨立存在。比如我們說「白」，我們一定要知道白的什麼，說大，一定要知道大的什麼，它沒有加在自立體上，乃是不可瞭解的。

不過，無論是自立體的形式，或者附加體的形式，一定都能是共同的，或個體的，這要看主體對它的看法如何。實際上，自立體的個體形式與自立體的共相形式，乃是一件事，只是共相形式並沒有在理智以外的存在，而自立體個體的存在的形式則是在表現出來幷個體的存在，這是它們的分別。說一個比喻：「人」有靈魂，靈魂是人的自立體的形式，它可以是具體而個體的，也可以是共相的；就靈魂的觀念來說，它是共相的，但如果就其與某人的肉體結合爲一個某具體的人的具體自立體的形式了。說過了這些意義，我們才能再談其餘。

由自立體形式而構成的「有」，大致說來，可以分爲兩種，有些是無理性或無自由的有，在這些「有」中，個體的本質是藉着它的存在表現出來，這些有是[illegible]「有」，他們具有很大的能力，範鑄自己，他們在一定的範圍內，能夠改造自己，範鑄自己很多很多。

附加形式的產生於客體上，乃是自立體形式與物質結合的必然結果。這是只要自立體形式與物質結合，而有了具體的存在，而成了一個事物，自然而必然的就有附加體的形式了。這種附加形式的方法，一共有二，這是依照它們的來由源而分別，就是說看它們是出於形式或者是出於物質。在第一種場合內，那形式是本然附加的；在第二種場合裏，形式是單純附加的。（未完）

劇氛偉鄉錄

婆娑生

壽堂設故都前門三里河織雲公所，車水馬龍，延長有五里。余因王片石道長（時年六十二）約，合送詩軸，由片老撰句並寫，亦甚古樸，始參與此從未有過之堂會。三時開鑼，由富連成科班唱三齣，接着是高慶奎（反串丑角）諸茹香（鄧伯道）的桑園寄子，已很別緻。蘭芳（張才）硯秋（周蝶梅），張文斌李敬山慈瑞泉（大老爺書吏四老爺）的打麵缸，那份滑稽，令人噴飯，也祇有此一次，與後來侗五的雙搖會，可稱瑜亮。下爲余叔岩的艷陽樓，飾高登，很有俞菊生（毛包）的風度，全場叫絕。蘭芳玉芙硯秋反串花蓬春呼延豹泰仁，四人開打，有條不紊。再爲楊小樓范寶亭許德義的狀元印，正派武工戲，聲勢奪人。大軸爲蘭芳鳳卿德霖的麻姑獻壽，散戲已過四更時候。缸兩戲，在園子裏，化多少錢也看不到，其間動九城，戲迷與捧梅者，一體全到，而此老太太却享此福，論者謂巧玲之積德，不無有因。

孫處奇癖有三不

孫菊仙是天津人，業商，操米斛生涯。但亦會經武舉試，故其身腿也殊矯捷。爲人極豪爽，待友以誠，此與譚氏有異。因喜唱戲入京，投三慶班程長庚部，力爲私淑，無所見長，但是長庚的一股剛音，已爲其所揣摩。因未能有展出，長庚未予重視之。菊仙在平無聊，遂南行走上海，時有浙人劉維忠，在滬開設丹桂茶園，孫即隸居該園客串，與楊月樓（小樓之父）輪流演唱，亦未太顯。不久返津再行研習，此同治五年事。迨過了六年半，其藝始大有進境，重復南來，在小東門，自設昇平茶園，名伶李春來熊文通劉鳳林佐之，生意鼎盛，始大大成名。

惜乎不久遭遇穆宗國忌而停。光緒二年北上，則不如前，百般招徠，以圖卸肩，自己又重入丹桂，以包銀貼補。其時有無賴佟四，以同鄉關係，逼其進他所辦的金桂茶園演唱，孫佯作允許，未數日，托病而辭，私遁回津，其後即入故都。三大名鬚生譚汪孫，獨有孫氏成名却在海上，由南而北，始露頭角，是與其餘兩人爲有異也。

孫氏晉京不久，漸受顧曲者重視，聲譽鵲起，傳入內廷，被選爲南府一員，供奉當差，但未足以擅譚氏也。生平有「三不奇癖」：除吸淡巴菰外，尚有「一不喜歡拍照，爲有傷神形。二不喜灌唱片，爲懼有凝他的衷氣。三不收徒弟，顧慮良莠不齊，恐招後來叛師。再則無適當人才，學得不好，反貽譏誚，是以龔雲甫馬連良皆被拒絕。後來天罡侍者陳剛叔，雙克庭，與現在台灣的李東園，多半看其本子，略予提示，總算拜過師儀，絕未耳提面命，每齣指點著。

內廷供奉，依然見寵

孫處再度晉京，被內務府選入南府承差，雖未能與譚氏相抗，但亦不弱。因爲許多戲如逍遙津，完璧歸趙，桑園寄子等，譚氏無此激昂而沉痛，仍讓一着。慈禧是個大戲迷，極其內行，戲的好壞，一目瞭然。試看她爲了要楊小樓演水簾洞，要有水能噴出，在頤和園所建戲台，能旋轉，當時上海還沒有，其窮奢可知。在內廷當差，約有廿年，而庚子亂作，孫氏遂避走天津，未幾去上海小隱。辛丑和約成，兩宮回鑾，遂不願再往北平，詭稱病逝，於是在民初改稱老鄉親，所幸隆裕不嗜戲，而南府亦銷歇，孫始獲悠悠自在，來往平津滬三埠，儘其遊覽自徜矣。（十）

虛君續夢

第十回：集會議圖存　天寒日暮　空言難自救　鬼哭神愁

毛澤東說道：「這到也是個辦法，我們就決定把北京市直屬黨中央領導。只是華北局由誰來領導呢？」

大家沉默一時，彭眞說道：「我看李雪峯同志到很合適，不知道主席意見怎麼樣？」

鄧小平說道：「我的意見也是如此，雪峯同志若出任華北局第一書記到是人地都相宜。」

彭眞和鄧小平一齊推荐彭眞，別人也沒有意見，事實上中共高級頭目中，只有彭眞與李雪峯是山西人，可以算是北方的幹部，其餘都是南方人，因此彭眞提出李雪峯，大家也都覺得合適。鄧小平因爲李雪峯是書處的書記，更希望把他推出去，在下層擴展勢力。毛澤東雖然覺得華北局地位重要，應該控制在湖南人的手裏，可是因爲事先沒有防備，一時到提不出適當人選，再看到大家都贊成李雪峯，也就只好算了。

「華北局」問題解決以後，毛澤東忽然想起「東北局」地位更形重要，萬不能再落入像高崗一類人的手中。當時未等別人開口搶着說道：「東北局第一書記我看派宋任窮去好了，他到合適。」

這個宋任窮是湖南人，屬於毛澤東的死黨，過去毛澤東就把他安劉伯承同鄧小平的隊伍裏邊，担任副政治委員，實際是作毛澤東的耳目，劉、鄧兩人一舉一動，毛澤東都瞭如指掌。共軍佔領四川雲貴之後，宋任窮也曾被派往雲南担任短期省委書記，不久又調回北平，一九五八年中共八大會議當選中央委員，又担任中共「國務院」的「第二機械工業部部長」，一貫替毛澤東當坐探，本來毛澤東是離不開他，此次實在是想不出心腹人員可以坐鎮東北，只好把這張王牌打出去。

毛澤東推出宋任窮，沒有人敢插嘴，就算決定。

劉少奇突然問道：「雪峯同志當了華北局第一書記，他原任黨中央書記處書記，工業交通部部長又怎麼辦！」

劉少奇提出這個問題，表面看來很簡單，骨子裏却非常嚴重，因爲交通工業部的副部長是李立三，李雪峯外調，勢難兼顧，按說應由李立三遞升，但是大家都了解毛澤東同李立三的感情，所以沒人敢插嘴。

停了半晌，毛澤東突然問道：「李立三最近學習情形怎樣，思想有無進步。」

劉少奇說道：「看情形到是有點進步，毛澤東還集他就看得很熟。」

毛澤東笑道：「這完全是騙人的交易，認不得眞的，不過話說回來了，肯騙人還算是有進步，像陳紹禹簡直連騙人的事也不願作，我看他是要帶着花崗石頭腦到墳墓裏去了。」說過哈哈大笑起來。大家也一齊陪着乾笑一陣。

停了一時，還是無人開口，毛澤東說道：「李立三本來是跟雪峯同志的，還讓他跟雪峯同志去好了，華北局裏面還有什麼有名無實的工作，給他一份，當作養活一個老太爺算了。」

大家都笑起來。

劉少奇說道：「華北局第一書記下面還有幾名副書記，派他名也就可以了」。（二六一）

鑫培這人，是開絃音而知雅樂的！為此他就下了最大的決心，預先買了一把純鋼的單刀，把牠磨得飛快的藏在身邊，然後到酒館裏去，喝了兩壺白乾，藉着酒力壯胆，一口氣跑到侯家去說：

「侯大爺！請恕小孩的無禮，帶着兵器上門！我祇要請教您一句話：您的令嫒到底是給我不給？給就叫她出來跟我同出去；要不然，我這把刀，今兒是白的進來紅的出去！您到是給不給吧？」說着就把面前的椅子一腳踢開，睜着一雙血紅的眼睛，一把雪亮的單刀，燃得火辣辣的，那樣子就要剁人。侯老板做夢也沒想到小叫天給他頑命；祇嚇得面如死灰，口中不斷的說：「給……給……給，給你給你，我一定把她給你！」「給你就叫她出來！要不然我就動手，咱們誰也別打算活着。」小叫天聲色俱厲，下了這個哀的美敦書。侯小姐的眼看着這個事態很嚴重，只好紅着臉走出來說：「你可別胡來！我這就跟你走，反正我是爸爸許給你的，人家也不能說我什麼旁的。」「你頭裏走！」鑫培毫不猶豫的，提着刀說：「誰要敢來阻攔，我就摘他的腦袋瓜兒。」

曳瑟知林說老譚

豁公

這就是譚老板當年結婚之過程；痛快確是痛快，然而他也受了不少的委曲，因為在那時候，恰值他的父親老叫天噪音「塌中」，不能唱戲，他自己又未成名，一家大小的生活，的確是夠苦的。他為飢寒所迫，曾經出為人家護院的鏢師，這種奴隸變相之清客，他當然幹不久長，只好出外搭「粥班」（所謂粥班，即是草臺戲班！因為待遇菲薄，拿的戲份兒，不夠吃飯，只能喝粥，所以稱為粥班！）唱戲。

此項「粥班」之出演，根本沒有固定的地址！大底今天在甲村唱戲，明天也許要移到乙莊，再明天則在丙鎮，好像走馬燈一樣轉來轉去，一天息不停！並且不論路程之遠近，總要連夜趕去，不能誤期！要趕路又要唱戲，這還不夠苦嗎？

然而抱關擊柝，未始非磨練英雄！他就這樣苦幹了一個時期，由於他那不斷的刻苦練工，居然把劇藝也練好了！這才得到友人的推薦，搭了大老板程長庚的「三慶班」（係當時北平「四大徽班」之首！）為「武行頭」。程即被人稱為「伶聖」之老生泰斗，亦即「伶界三傑」（即程與余三勝張二奎）之龍頭；鑫培能加入他的班內，充當「武行」擋首」，當然是榮幸的！但譚老板，並不以此為滿足，除了照例演他的武生戲外，對程氏之老生戲，特地加以觀摩！無論一舉一動，一字一音，他都默識於心，隨時簡練揣摩，再三複習，一點兒也不放鬆。原來他有一副三音（即是高音平音與低音）俱備的「雲遮月」佳咮！唱武生不能盡量的發揮，所以他準備改唱老生。（二）

談馬票

漁翁

世界上最寶貴而為人類所必需者，算是金錢了。有了金錢，可以解決衣食住行四大需要。但在錢字構成而言，左旁為金，右有兩戈，豈非是用金屬的戈，爭取而來？是則為着金錢，往往發生鬥爭和搶奪，弄到社會動盪不安，蓋有由也。

錢固有利，亦有害。利的方面，可以給人類一切享受；害的方面，一家飽暖千家怨，甚至有懷璧其罪的危險性。換言之，錢是實貨，又屬萬惡。可是人知其為萬惡，有危險，卻拚命去掙扎，欲求一而十，十而百，百而千，千而萬而無止數。尤其作不勞而獲的混財夢者比比皆然。俗云：「人無混財不富，馬無夜草不肥」，馬票之一紙風行，良有以也。

馬票是發混財的「好」機會，幸而中了首獎，剎那間，就成為富翁，可解決本身和子孫永久之生計；即或落空，也不過耗去兩元而已，所以大家認為這是如意算盤。

香港的馬會，每年有大賽馬三次，而以春季大賽為甚。在域多利亞城東郊跑馬地舉行，前面大海，後靠高山，把縱橫約三里有多的平原，團團擁住，成為一美麗山谷。英人利用這山谷平原，開闢賽馬場，根據英字，譯成「愉閩」，後來又改譯「快活谷」，但大家所知道的，還是「跑馬地」。

因為稱賽馬為「跑馬」，而以廣場名「地」，如「操兵地」，「打波地」，所以賽馬場，即名之曰「跑馬地」。每屆賽馬之日，熱鬧異常，吸引成千整萬的馬迷，前往觀馬、投注客，交通便為之擁塞。

馬票每張兩元。每季銷售額，近年恆在二三百萬份以上。開獎後，入圍者約百人左右，首獎達百萬餘元，二三獎亦可得數十萬和十餘萬不等。以大多數人之金錢，歸於一二三人與少數人之身上，像無數細流而匯成江河，此俗所謂「衆人抬一」也。

買了馬票的人，日思夜想，莫不希望獲得此筆混財，以為終身取之不盡，用之不竭。無如這希望微之又微。結果都成為失望。據某次都得首獎者，在未得以前，很自由，很肥胖，逍遙自若，一中獎後，便隱起來，一切都不自由，由快活而顧慮，由肥胖而弱，足見金錢能利人，亦能害人也。

筆者初入港時，感季子囊空，床頭金盡，曾屢試窮通，而屢次成空。今而後，不再作非非想，將賺馬票錢，用之於書籍中；自以為「書中自有黃金屋」，「書中自有千鍾粟」，到落得一個實際的收穫。

花香月上樓小品

香港人的術語

黃伯遠

香港人好為術語，案：術語即隱語，市井買賣人，尤喜用之，意謂：非此不夠雅。其實，經常聽到講術語的地方，莫過於港澳二、三流茶居茶樓。此等茶座，茶客多講生意經，茶房「後生」也愛喊術語；「喊」，謂之「囒」！因而「喊帳」，謂之「囒帳」。「囒」讀如「艾」，音稍偏；叫也。「茶後生」，雖然不必箇箇都有高深的學問，但「囒」出來的術語，也時有幽默感。例如茶客是相熟的，兩人來光顧一元一角的話，他要和他開玩笑，隨便「囒」一聲：「兩仔爺開」！這樣不痛不痒，亦痛亦癢是會令他啼笑不得的。又如你一箇人，佔座很久，臨去，只飲了一盅茶的話，你切記防備着他們會罵（喊）你「和尚吃清齋」！至少也得塞兩件餅在袋子裏，回家給小孩子，免得「有胃口」。有，無也。讀如冒。有胃口，不舒服也）

至於福州和北平的小吃店，他們的「企錢」，（即茶館師傅）也有其祖傳的一套。他們的嘴巴，老是像唱歌一樣的喊箇不停。手中執着的鑊匙，則像「青蜓舞燈芯」，在鑊面敲箇不停！仔細一聽，原來是唱着客人所點的菜。什麼「肉絲炸菜炒黃鱔」，「醋溜排骨」，「紅燒豆腐」，有幾多，唱幾多，周而復始，你唱你的，他唱他的，鬧箇不停。這是什麼玩意呢？大概一、是表示生意鼎盛，應接不暇。二、是客人多，點的菜也多，不唱着，恐怕忘記。三、用精神體力的時候，不停出聲，是會生病的。以上推斷，是否準確，就不得而知了。

不過有一點要提醒顧客注意的！那就是他們的「調調兒」唱得愈起勁，鑊匙刮得愈響亮的時候，噴在鑊子裏的鼻涕口水，也就愈泗愈多了。嗚呼休哉！所以這些「能唱能敲」，「能叫能跳」的閩平館子，經過一次領教之後，我是永遠不敢去領教的啦！還有一箇插曲，附帶在此一談。有一次，我到一家餅店去參觀，餅師正在製餅乾。他把做好的餅乾，一塊一塊的，排滿了一張大木板；然後拿一碗淨水，以口含水，向着餅乾上面噴去！從此，我就不敢向一般「土餅店」購食餅乾和餅了。中國人有句老話，叫做：「眼不見為淨」！一枱八大八小的燕窩魚翅席，那一碟一碟，沒有經過大師傅的口嘗過，然後始輪到貴客們去嘗啦？

閒話少說，下面試把一些經常聽到的香港術語列出，並加以注明，亦研究地方方言的一助也！

一、「騎牛揾馬。」（揾讀如穩，找也。有二義：一、急事緩辦，一、永遠追不上。）

二、「淘古井」。（此譏壯男交老女，意別有在也。）

（未完）

我的社會生涯

我們於八月終到達庫倫的第三天，馮玉祥將軍和陝西靖國軍總司令于右任先生二人，亦從莫斯科聯袂回到庫倫來了。馮氏曾請李協和，張秋白和我這幾個國民黨人吃飯，聲述他這次回到西北軍的唯一目的，就是實行國民革命，信仰三民主義，過去以耶穌教義治軍的那套方法，決意放棄，不彈此調了。他表示要我回到西北軍工作，我遜謝之。第二天他又託李協公與張秋白兄轉我接應他的邀約。我對李公說：「此人言行詭詐，不敢信賴」，李笑謂：「他如果始終假到底，也就是真的了，何妨試試看！」我執意不肯，他亦就不勉強我了。繼而張秋白兄密語我道：「馮總司令派我（張自稱）赴海參威去聯絡東三省的馬賊，擾亂張作霖後方。他已經跟蘇俄方面協商好了，將來如果需要武器彈藥接濟馬賊，即由俄方隨時供應，並指定現時駐在伯力的遠東紅軍總司令布魯轍——即曾在廣州担任國府軍事顧問團主任的加倫將軍，以全權處理此事。你既不願回西北軍，即請幫助我幹這項革命工作，郭增愷兄當然一道去。」我欣然同意。過了幾天，張和我與郭增愷，張健侯四人，由庫倫乘汽車前往西北利亞鐵路終點「烏金斯克」，再搭火車前進，李協和先生亦同路出發。

我們一行到了赤塔後，因秋白兄續道赴伯力而晤加倫將軍之故，在赤塔小住數日，乃遇到一位姓王的吉林人。他蓄着長鬚，人皆呼「王鬍子」而不名，其人朗爽有江湖氣，在當地開設一家酒店，有一年青貌美的德國籍太太相助為理。他跟東三省方面的馬賊首領們很熟悉，樂意給我們拉綫接觸，我每天必到他家談談。某日我與王鬍子暢談時，他問我有無蘇俄駐外蒙使館的護照？我從懷中取出護照給他看，他好像並不認識俄文，倒持着那張護照交給他太太審視。可是，他的俄語又說得很流暢，我知道王鬍子一定是個粗人，連中國字亦不認識的，他的俄語是久居俄國後，自然聽慣說慣的結果而已。我在護照上化名黃彬（Whang Bing），王太太看過之後，即以驚異的詞色告語她丈夫道：「這位黃先生一定是個中國的要人，護照上註明：黃先生在俄國旅行中，凡有任何事物需要俄人協助時，當地政府機關必須盡力為之。」王氏把太太的話翻譯出來，我笑謂並非甚末要人，這不過因為西北軍的關係，俄國使館特別客氣罷了。但王太太不相信，她誠懇地向我提出一項要求，請我設法疏通蘇俄政府，允許她夫婦回到中國去。當時我滿口應承，王鬍子亦表示感謝不已。可惜這件事我並未辦到，實在對不起這兩位熱愛祖國的朋友，歉疚之至！

我們到了海參威，住在一家政府所有的西式大旅館中。這兒的居民有半數都是中國人，生活相當優裕，市內即有兩座演皮黃戲劇的戲院，我們在此搞東三省的革命運動，暢所欲為，肆無忌憚。可是，這時正是俄共政權建立初期，當地的俄國人民却很窮苦，在西北利亞一帶即到處見有餓死道傍的。某夕，我走過一條黑暗的冷巷中，忽有一中年俄婦，從僻處搶步出來，拉住我的右手，使勁往裏面拖，口中唸唸有詞，不知說的甚末。我掙扎不從，她的臂力比我大，快要被她拖進一所屋宇中的剎那間，我聽到巷內有人唱着日本歌曲走過，即以日語高聲呼救，登時有一男子聞聲前來，對那俄婦說了幾句俄國話，她纔鬆手讓我逃出巷外。我當然深深地感謝那位日本人，他對我說：「這兒的白俄人很多都在飢餓中，他們常常教婦女們在夜間勾引外來旅客到家裏，把旅客身上的財物和衣服掠取之後，再行殺害，把屍體投入海中去。你今晚幸而遇到我，否則大禍臨頭，一切完了！」我聽罷，毛骨悚然，從此再不敢在外面夜行了。（六）

南宋偏安有人才

李仲侯

高聳四上，又錄其副示之，飛乃三上章乞解樞柄，制曰：

「臣已累具劄子，乞解樞密副使職事，伏蒙聖恩降詔不允者。露章待罪，自覺衛斂之過優。溫詔示恩，猶闕俞音之下逮。再陳愚意，仰瀆淵聽。僾念臣濫竊樞廷，誤陪國論。貪榮滋甚，補報蔑然。豈惟曠職之可虞，抑亦妨賢之是懼。冀保全於終始，宜遠引於山林。伏望孕慈，察其誠心，實非矯飾。速降聖旨，許罷機政。取進止。」

初九日，罷樞密副使，充萬壽觀使。帝雖許奉祠而猶深惜其去，恩禮如舊，制詞褒美。制曰：

「聯樞而贊廟謨，式重股肱之寄。擁節旄而奉朝請，徐隆禮貌之恩。乃眷勳臣，方居密席。遽懷退身之懇，蓋推從欲之仁。宣告大廷，用孚爾衆。少保樞密副使武昌郡開國公，食邑六千一百戶，實食封二千六百戶岳飛，稟資沈毅，挺質沈雄，方畧得古良將之風，忠勇有烈丈夫之操。奮身許國，彰趙王之曼纓。勵志圖功，撫臧宮之鳴劍。自總幹方之任，久專制閫之權。惟績用之殊尤，亦恩褒之備至。戢驛導節，既燮組於大邦。孤位朝，遂進班於亞保。茲闡茂，偉纓以洪樞。熙資籌幄之奇，以輯平戎之畧。煩言之薦至，摘深衷以交攻。有駁予聞，實乖衆望。朕方記功掩過，事將抑而不揚。爾乃引咎自言，章既却而復上。諒惟誠之已悟，雖敦諭而莫回。是用崇使範於殊庭，畀齋壇於舊服。留以自近，示不遺。以全始終之宜，以盡君臣之契。於戲！寵以寬科全祿，光武所以保功臣之終。會無貳色猜情，鄧公所以得君子之致。朕方盟此而御下，爾尚念茲而事君。往哉惟朕，服我明訓。可特授武勝定國軍節度使，依前少保，充萬壽觀使，仍奉朝請。主者施行」。（一〇七）

自由報
THE FREE NEWS
第三九八期
社長：雷嘯岑
20 CAUSEWAY RD 3RD FL
HONG KONG
TEL. 771726
台灣分社

台灣應創設地方自治實驗區

姚志成

最近行政院鑒於政風腐敗，績效不彰，乃遵照總統「革新動員，戰鬥」之昭示下，積極革新政治，尤注意改進地方自治，實施都市土地改革，期在建設之基礎，以增加人民福利，洵爲明智之舉。

一

目前政治之亟宜改革，殆爲不可否認之事實，然經易達成政治建設之目的，殊堪注視。我認爲今日無論談宜從地方自治着手，否則流於空洞，流於形式，最低限度，亦應……

九年來到台北後，若細加檢討，即不難發現其事與願違……

地方自治與人民自治，其說不如說自治倒是地方官與民治，儘管有領導，人民亦有機構，它是實際上的黨的節重，所以乃政院着手推行地方自治，改進實施有效、可以避免了數十區實驗，由三、自立、發示範區，以理……

……發現第一個大弊端，現在政治上影響政府威信頗爲嚴重，雖然以政治革新爲號召，而千頭萬緒，觀念與作風，仍以舊有工作人員爲主……

第二、人民對於地方自治的利害，祇能看到重現實，對政治素來之興趣，十餘年來……

二

國父在地方自治開始實行法中指示，詳細政府在推行時，當可因地方時宜，但大的方針，不能因時而制決……

因台灣地區狹小，交通便利，實驗區之影響力，更易迅速推廣也……

死亡隊伍

自投羅網

……如此且安獲至關於粮食，人民利生？欠私囊飽，農會報有如此公家……

三

老病院、醫療事業等，均作以救災救貧，中地方合作社其係業務，工作在台灣最多，爲借貸放款……

從中取利，殆與典當業無殊。至於農業合作、工業合作、生產合作、消費合作等等，則如鳳毛麟角矣。

父遺教地方自治，必須根據實際需要，訂立新方法，另切朝令夕改，避免實行無法，得有人治，徒託空言……

國父所示，民衆交化，美化而節約，所均以育樂，如戲院、酬結婚……

民黨九全大會中，蔣總裁在我國除中共以外，事前軍事文化建設，社會建設，最重要的是和平建設……心理建設，均應以自治着手……

選自治登高，實驗地方自治區域，各縣市依自治實驗區域之實驗……提出西夫之實驗區，以見地方自治之責，倘能引起社會人士大衆的研討提倡，何幸如之！

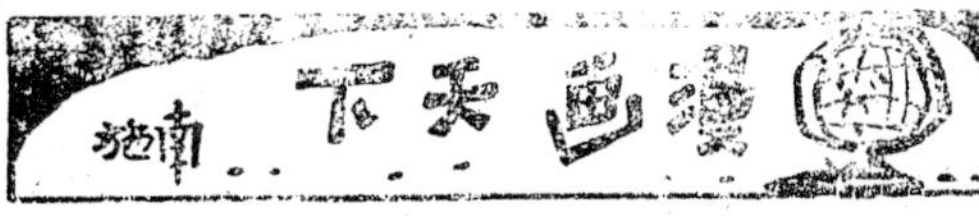

心勞日拙

馮五先生

共人士，寫給寄居台灣的親屬戚友們的招降書信，見着就令人作嘔不置。如最近由前任金陵女子大學校長吳貽芳出名，致函張岳軍先生勸降，尤爲幼稚萬分，可哂可鄙！

不特那些招降書札的內容，命意措詞，平篇一律，也沒有兩樣，一切都是那一套陳腔濫調……即其……

隔海的毛共，常常在報紙上刊載着陷身在大陸的……

毛共表面上又死七八顆頭，此地孫中山先生不放手，以爲捧着孫中山先生，乃可詐取海內外的人心，殊不知孫公革命四十年所創造的中華民國，體和國旗，亦被毛共毀棄了，你就是把他捧上了三十三……

而劇斥，爲即放不禁屁，放要唾之以口沫，豈有此理！

天理人了，亦壞事做絕，共產黨徒有如盜匪，激起了衆的反感……

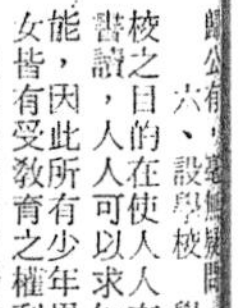

毛共因爲與俄修赫魯雪夫反目，敵對的恩怨關係，近來又大唱其愛國主義，毛對俄國老毛子，然中國人對俄國的傳統思想，有回憶共當年向反俄共「一面倒」，呼「史大林爺爺」，喊「蘇聯老大哥」那種肉麻的往事，所謂今天再要人民大家愛護毛共的與俄帝抗衡，人民和國愛國講話，以「唔，該你就是」……

東笑…

國唯有毛先生第一，中華民國的國旗，恢復中華民國之自由，生活在號稱的和平共存之下，給人士的，一切宣傳口號，一句粵語，「都是心勞日拙」……

香港與大陸

共幹事前支票全不兌現 秋收後農民照樣餓肚

配給絲毫未增欲半飽而不得

廣東省境的秋收工作已完竣，但是農民仍然沒有增加糧食的供應，還是要餓肚皮；收成壞的地區，還說要「計劃渡荒」，至於收成較好的地區，共幹則以需要支援災區，支援城市等搪塞，農民全無好處，祇能眼巴巴看見共幹把糧食運走。

據曾囘增城縣送寒衣給親人甫返抵港的張師奶透露：廣東省境的秋收工作已經完竣，農民的米缸的米却仍然不夠吃，非餓肚皮不可。在沒有進行秋收之前，共幹曾極力號召農民做好秋收工作，不能浪費一粒糧食，它們曾提出在秋收完畢後來一次「評比」的工作，對那些「工作積極」的農民予以物質的獎勵，有的公社共幹還曾經開出支票，說是祇要今年的秋收做得好，大家便不會再缺少糧食了。因此有不少農民竟然也對這次的秋收寄予極大希望，認爲今後可以不再餓肚子了。但是，曾幾何時，農民們是又一次受騙了。

張師奶稱：對於這次的秋收工作，不少農民確實肯用力氣，有些人是想評得「模範」，希望能分得一點東西，更多的人則希望秋收後能增加糧食的配給，忘記了累受共黨欺騙的教訓。然而現在秋收工作完成了，共幹却東支西吾，不提增配糧食的話，有的却乾脆把全部責任推到「上級」那裏去，說這是「上級」的命令，「上級」說要怎樣辦便怎樣辦。

張師奶說：農民在秋收後的糧食配額，仍是和以前一樣，按若干等分，計爲：主要勞動力每月配糧卅市斤穀，次要勞動力爲每月廿四斤穀，小學生每月配給廿斤穀，由一歲至六歲的小孩的配給量則由五市斤到十五市斤；五類份子大部份每月祇有十五斤穀而已。無人不要餓肚皮。

據說：若干農民曾向公社共幹詢問：究竟糧食拿到那裏去了，爲甚麼大家永遠都要這樣餓肚子。共幹無詞以對，於是召集了羣衆大會，硬要大家進行討論，題目是：我們應不應該支援工業城市？我們應不應該支援災區？我們應不應該，支援祖國？等等大帽子扣下來，外表是要大家討論，實際是斥責那些想吃飽的人。共幹在會中要大家提意見，結果誰都想得到，無非是共幹所預先安排的「積極分子」紛紛站起來「發言」，指出不能「自私自利」，應該把自己生產的「一部份糧食」去支援城市，支援災區，支援「國家建設」！又說如果不同意這樣做的人，簡直就是沒有一點「愛國」精神，更是與「社會主義」背道而馳的「反革命份子」！在此情況下，農民除了舉手「贊成」「情願挨餓之外，還能做些什麼？（敬斯）

執政黨提名登記展期後 屏東縣長競爭益見激烈

張豐緒是否出馬最爲各方所注意 已登記的李世昌董錦樹各有算盤

（本報屏東航訊）台灣省第五屆縣市長選舉，執政黨辦理黨內候選人提名登記宣佈延期截止後，使屏東縣的提名爭奪戰益見激烈。

屏東縣下屆縣長執政黨黨內候選人提名登記，迄記者發稿日止，仍祇有現任縣長李世昌，及現任議長董錦樹二人辦妥登記手續，但有心覬覦縣長寶座的，決不止李董二人。

李世昌企圖當選連任是不成問題的，當執政黨於十月十六日宣佈開始辦理黨內候選人提名登記的次（十七）日，他就迫不及待，一馬當先辦妥了登記手續。據接近他的若干人說：李世昌在黨內的提名方面，早已從地方而省級到中央，順利過關斬將，勝券在握，已成定局。并認爲執政黨對屏東下屆縣長提名登記手續，祇不過是徒具形式而已。

消息傳出後，地方人士頗表重視，但眞假莫明。李企圖連任的根據，一是他是現任縣長，諸多方便。二是李在本屆任內，雖無特殊性的政績表現，亦未見有甚具體重大過失。三是李就職三週年時在從政黨員的工作報告書頗獲執政黨佳評。四是監察委員一行，於十月上旬蒞屏視察，對屏東推廣種植椰子事業計劃，綜合性養猪計劃，執行成果，極表滿意，而加強其份量。

董錦樹在屏東主持議會三屆了，由於他平易近人，對地方貢獻頁多，已在縣民們心目中奠定下不可磨滅的基礎。他是十月三十日辦妥登記手續的。但董能否通過執政黨提名一關，不無問題，原因是①董有時不大服從黨的命令，②又沒有良好經濟基礎作競選後盾。

最值得注意的是現任省議員張豐緒。張台大法學院畢業後，曾赴美深造，是屏東首任民選縣長張山鐘第三男，是忠厚誠樸不可多得的有爲青年。遠在二個月以前，張山鐘老先生表示，下屆縣長張豐緒仍不擬問津，並有意繼續支持李世昌競選。然近一個月以內，突然轉變意念，有意於下屆縣長。除張豐緒個人於十一月十一日向記者表示而外，盛傳張山鐘老先生曾親自晉謁國民黨屏東縣黨部鄭培仕主委。至少說明，張豐緒正在探測政情，積極佈署之中。另外靑年黨籍現任縣議員黃振三，在屏東下層社會頗具潛在實力，他自本屆省議員落選後，就一直積極地在佈署着下屆縣長的選舉。

根據熟悉政情的人士分析：認爲屏東下屆縣長選舉，勢必有一場激烈的混戰。其所根據爲：一、依目前情勢觀測，李世昌被提名已在預料之中，不過他被提名後，能否當選，還得看張山鐘是否全力支持。按李屬張派，如張豐緒放棄提名，甚至放棄競選，則將是表示支持李之競選，是無疑問的。二、董錦樹在一般人心目中，認爲他競選縣長的時機已告成熟，在張豐緒、李世昌、黃振三之中，除張豐緒外，仍無人能與之抗衡，若李世昌、黃振三出來競選，他是有絕對壓倒之力。也許最使他傷感的是，執政黨不提他的名。有人估計，他過去曾因爭奪議長寶座，而不惜違紀競選，那末在未來縣長選舉時，如時機絕對有利於他，他是否舊調重彈，再來一次冒險？董五十七歲了，他能再多等機會嗎？三、縱然執政黨提名李世昌，而張豐緒、董錦樹二人皆服從黨的命令，放棄一切競選機遇，但如此，靑年黨籍的黃振三，可能一躍而出，與李世昌力爭，成敗難預卜，但必然是激戰。四、假若執政黨能改變計劃，而提名張豐緒競選，他個人當然未必聲望超羣，然他父親張山鐘老先生在地方上，確有振臂一呼，萬山齊應之勢，其他有意問鼎者，都祇有望而興嘆，不爭而自退矣！

按上情分析，李世昌、董錦樹、黃振三、張豐緒等四人的關係，及選票的來源，幾乎是相互關連的。因李世昌屬張山鐘派，與張豐緒的票源無疑相同。董錦樹黃振三雖然各有黨派，然私人關係較好，黃振三曾表示，祇要董錦樹競選縣長，他將放棄，作全力支持。由此亦可證明未來競選作戰路綫，是怎麼回事了。（袁文德）

基隆旅居記

仲公

至於碼頭起卸設備，現甚齊全良好，公私倉庫，佔地約一三〇，〇〇〇平方公尺，總計可容貨物二〇三，〇〇〇公噸，大部份爲鋼骨水泥建築，能防火防濕。基隆因多雨之故，所有貨物都要倉庫容納，各碼頭大部裝有電動起重機，全港各碼頭共有十五架，還有陸上及水上起重機多架，其容量自三噸以至八十噸，可供船舶裝卸之用。定期客船之來基隆者，均停泊於二、三、四號碼頭，二號碼頭並設有電動跳板，便利旅客登岸。

凡完備港口，必有乾船塢之設備，民國五年基隆港最初在牛稠港內完成三，〇〇〇噸級乾船塢一座，其後因進出船隻噸位漸大，於民國廿六年開始建造二〇，〇〇〇噸級乾船塢一座，至民國卅年竣工，塢周爲修船及造船工廠，建有停船碼頭二一七公尺。民國卅一年，復着手建造一〇，〇〇〇噸級乾船塢一座，後因戰事逆轉停工，工程約完成了十分之八。這兩個乾船塢，都位置在和平島防波堤西側。

港口東西兩岸以及仙洞鼻與和平島，共築有防波堤四道，以抵擋外海波濤。仙洞鼻的防波堤，完成於宣統三年，計長二三六公尺；民國二年延長爲三二七公尺，用以屏障內港。和平島防波堤完工於民國十一年，長二三六公尺，藉以掩護漁港。（十三）

工展幸運日 有名表可得

（本報訊）香港工業出品展覽會開幕後，大昌洋行送來瑞士名廠發達表十八隻，作爲幸運日觀衆獎品，計發達雲雀型自動日曆表六隻，發達眞善美日曆表六隻，發達鑽石玻璃女裝表六隻，由宣傳部分配作各幸運日觀衆獎品。

省府何時修訂都市計劃？

—本報台中記者熊徵宇—

但是因爲這些生活方式，都是古老的農業社會的營業方式，不但不能有助於城市工商業發展，反而成爲都市的贅瘤。因之違章建築一天一天的多了起來，環境衛生越來越糟，市容街道爲之阻塞，而龐大的人力資源，與我們目前所需要的工業發展的目標不能結合。所以生活水準不能提高，國民所得仍然低落。

要求增加城市的就業人數，要求進一步的提高國民所得，則必需加速發展新工業所提供的富源，同時利用可靠的實際資料和有效的工商管理辦法，支持新工業的發展，使市民謀生的要求和勞力，配合工業生產的需要。

本省目前工商企業的特徵，還是用人力操作的比較多，而用機器製造的過程較小。但是因爲這種工廠不多，所以超額的增加人員固然可以提高一些就業人數，但却相對的減低了每個工人的生產量和每日勞動的價值。

自行營業問題

由於這種原因，自然使城市的人口轉入自營行業以謀生存。他們用各種方式自行創造工作，於是各種小販與各種家庭工業，以及拉板車，踩三輪車的，邊際的自營行業，就供給若干失業者以邊際就業的機會。而這些人，有的是來自大陸，有的是由密集的農村中被排擠到都市來的本省人。因爲他們在主觀和客觀的因素上，不能從事於農耕生產。

在本省人的份子裏，有一部份是大專和中等學校的畢業生，他們沒有充份的就業機會，就集聚一點小資本和勞力，參加邊際自行營業的行列。於是造成街面的混亂，而同時，由於他們以少額資本投資，納稅很少，甚至不需付稅，所以用廉價爲號召，形成與大商店競爭的場面，劇烈地使普通商業無法獲利。

「先見的運用」

如果就省政府所釐舉的修訂都市計劃的目標，乃在配合人口增加和經濟發展的現狀的話，這些問題都是本問題。這些問題不解決，而只在房屋、道路、和各種公共工程上下功夫，那就成爲純粹的建築性的都市計劃，亦如市政學家路易士・納爾遜所說的目標的一事：「顧及市民的康樂與便利一切工商企業的活動」。不能達成「一種先見的運用。」

這種先見的運用是多方面的。而我們要求「配合人口的增加和經濟發展的現狀」，當然更應該有更適合的「先見的運用」。

不但是解決目前存在的各種問題，還得更進一步的，就各都市，如台北、台中、台南、基隆、高雄各自地理環境與工商情況，而主要則在「先見」各都市未來的發展趨勢。這種修訂計劃，才具有修訂意義。

研討工業實況

我們要求都市計劃能以配合人口增加促進經濟發展，要求都市計劃不是純建築性的，就不能只在建築上下功夫，而是包容就業與提高工商發展上，與經濟和工業方面來探討。

本省目前的經濟和工業，還是政府居於重要地位。最大的工廠多數都是公營事業，是政府在光復台灣後，從日本人株式會社與日人的手中接收過來的。所以本省人士所集聚的較小數額的財富畢竟是有限的。

例如實施「耕者有其田」政策所開放的四大公司，可以說是本省人士小數集資的典型。但因多種原因，經營大都不好，在目前，充其量只能說是維持現狀，要求發展是談不到的。而唯一的資產比較雄厚的唐榮鐵工廠，如今亦已被改爲公營。

擴展小型工廠

所以光復以來直到現在，民間尚無充份的資金承購較大的工廠。儘管中央和省府都有把公營開放民營的方針，但實際上很難做到。即或目前去做，也只能以貸款方式，或者聚集僑資。還有不少的例證，說明台灣工業缺乏有效的計劃與整體的配合。

所以都市計劃的立意，必需要考慮到如何供應低利貸款，使民營小型工廠擴展生產，加之以生產保養與運銷等等方面的技術的提供與協助。

增加更多的手工業是每個都市都需要的，而適當的小型機械和有效的生產技術，以及合理的工資與合理的利潤，乃至於技藝的養成，都值得容納在都市計劃內，誘導「邊際自行營業」的市民，投入一種工業計劃內，運用人力資源，達成配合人口增加促進經濟發展的要求。設立適當的救濟機構，注意工業的安全措施，建築平民住宅與改善環境衛生，都是值得也必需具有積極性的列入都市計劃內的。（中）

大陸是怎樣淪陷掉的？
接受教訓。策勵未來

吳文蔚

在這裏，筆者擬舉出一個動人的揷曲，藉以預卜這一次馬歇爾特使出面調停的後果與結局。

當三人小組飛到太原時，閻錫山將軍以地主之誼，邀宴馬歇爾，周恩來，張治中三人小組執行停戰令的使命之餘，在茶叙，馬歇爾對閻將軍提出這樣的一個問題：

「閻先生，你是很有經驗的一位老將軍，你看我這次來華調停所負的任務與使命，能否獲得成功呢？」閻答曰：「你是爲我們國家的統一和平而努力，當然不過，我可不敢斷定你，我是希望你成功，必能成功。」

「我是有這信心期獲成功，因爲我願意給共產黨更多的好處」。馬氏又說。

「看他是要甚麼？如果他是要便宜貨，你便給他便宜貨當然成功；要是你給他便宜貨，他要的是工廠，那就難說了」！閻答。

「若是我這次調停不獲成功，那我便要調回在華的所有軍隊與人員，到那時，你們的東北可守不住」。馬再說。

「不但東北守不住，即華北恐怕也守不住」。閻答。

事隔數年，大陸淪陷，美國的一位女記者訪問閻錫山將軍時，重提起這件事問道：

「閻將軍，你怎麼知道連華北也守不住呢？」

閻將軍說：「共產黨跟我們作戰，是整個的面，而我們是點與綫，最後由綫而點，結果連點也告放棄。抗日期間，日軍是點與綫，我們是整個的面，山西的日軍司令進軍到黃河邊的風陵渡，不敢再過黃河取西安。一再指命山西的日軍司令，北平的日軍司令要他渡河取西安，他給北平的日軍司令回電申述理由說：「別說取西安，就是取蘭州和進四川都可以有把握。惟是山西就有幾十萬游擊隊，潛伏在交通綫兩岸，一旦渡河出擊，這樣長的交通綫被游擊隊伏擊截斷，我們的補給那就眞夠危險。因此，北平的日軍司令，方才停止了這項命令。那時我們處的環境和抗戰時的日軍完全一樣。所以我說連華北也守不住」。

馬歇爾於一九四六年三月十三日，由重慶飛回華盛頓向杜魯門報告時，他滿面含着笑容，認爲他這使命將會順利完全達到，可是等他回來和閻錫山將軍經過這一席談話，他便懷有幾分隱憂，不幾日，這種預料中的事項便一幕一幕的出現了。共軍到處發動攻勢，並破壞了政協決議。馬歇爾雖曾一再請政府下停戰令，可是，共軍老是抱定一面談，一面打，打打談談，談談打打的策略，馬歇爾這一偉大的調停使命，終於完全失敗而告返國，在他向杜魯門的報告書中，曾公開承認了「簡直無法可使中共好好坐下和政府代表商談各項問題」的良心話。

和談破裂了，共軍攻城略地的軍事行動更積極的在各戰場展開了。政府在這時宣佈了戡亂剿匪令。但是共軍趁和談的停戰機會，已經恢復了優勢的戰略地位，許多都市皆被共軍層層包圍，失敗的種子已經在國軍的點，綫區，隱隱地生出了根苗，以後的節節敗退，便不是稀奇的事了。（四）

老鄉親命名的由來

故友炭伯言兄，曾在中央日報副刊，寫伶工的藝名，有云：孫菊仙早名孫處，後來尊稱爲老鄉親，不知如何有此稱呼。因偶與其弟子李東園兄談之，始知其事。

某年，天津爲辦冬賑義務戲，由賓善堂慈善機關承其事，警察廳長楊以德特別贊助，是定有孫氏唱硃砂痣代認子，其拿手一名劇也。購票踴躍，未到二日，即行售罄，約可收二萬元。屆期，天氣特冷，孫突患感冒，嗓啞不能成聲，堅請回戲。班主趙廣順以票已收大半，不能退票。力求楊以德同往其寓，陪請登台；孫不獲已，被拉至下天仙戲園，力疾勉強扮演登場，台下歡聲有如雷動。

孫氏出場，唱完了「今夜晚前後廳紅燈喨亮，料不想年邁人又做新郎。」兩句，即將髯口卸下，向大衆鞠躬，說道諸位善士，贊助義舉，多來捧場，非常感謝。無奈兄弟今日有病，實在嗓啞唱不出，想咱們多是老鄉親，當可原諒。改日病好再行重唱，以答雅意。我現在代表災民，向各位叩頭道謝，就此結束。觀衆報以熱烈的掌聲，高興而散。越月餘，補唱一場，以酬顧曲，即以老鄉親懸牌，以後相沿成習。暮年到上海北平，貼出海報，也是如此相告。

劇氛傑鄉錄

婆婆生

識龔馬　指迷途

龔雲甫原是票友出身，當其未確定唱何角色，曾慕孫之名，踵門拜謁，請求錄爲弟子。孫氏囑其試嗓一唱，結果告之，你雌音甚重，不宜學生，因爲未必能亮，不如學老旦，能自創一格，揣摹劇中人性情，也可成名。龔謹受其教，歸京專揣摹老旦，每日試喉，未及二年，即已名噪，已可與謝寶雲、文榮壽相較量，旋亦供奉內廷，稱曰龍處。

馬連良在富連成科班滿科以後，但不足兩年，即行辭去，心想自己的嗓子，決難學譚，不得已，念頭亦轉到孫氏身上，遄赴天津，備禮往拜。迨見孫處，而陳一切，孫即告以你是大舌頭，如何能學我的腔調，難免畫虎不成反類犬之譏。馬苦求設法，即授以雍涼關一劇。本試歸京後，[illegible]再作計議。今之談劇者，即誤以爲馬是孫氏弟子，[illegible]孫既授，[illegible]不如自創格調，也許可以成名。可見他的法眼，能指迷途，是又一[illegible]每自苦尋，[illegible]道余叔岩如今日是無戲，[illegible]每夜有知，一定時候吊嗓，於是必往宣武門外椿樹上頭條，在余家牆外溜鞿，竊聽叔岩引吭高歌，才懂得不少的竅門，皆孫氏所指示的。

賞識尚程　盡力提挈

四大名旦，經孫氏提拔的有二人，爲尚小雲與程硯秋。當小雲在正樂社出科後，頗有成績，受人另眼相覷。小雲的唱，近乎余紫雲的路子，發音剛銳而脆，頓挫之處，有異於梅氏。但苦無機緣，與名伶配搭，有人爲其代向孫氏說項，請予提拔，孫即允許，主人囑侯機會。某次堂會慶壽，主人請孫定戲目，孫允唱三娘教子，並言定旦角王春娥，即找尚小雲，當時辦戲諸君，咸以爲異。屆期，小雲謹愼唱做，處處不苟，把教子唱得聲色動人，終到後台，小雲趕速卸裝，洗臉，走到孫氏面前請安，並說謝謝老爺子栽培，極爲恭順。孫氏呵呵大笑，說我的眼力如何？大家齊聲附和，說沒有錯兒！一班內行就傳出去，老鄉親選定配角，今後是尚小雲，而小雲亦沾沾自喜，聲價頓高。（十一）

藝術叢談

抽象藝術漫談

趙雅博

這些簡單單純的附加形式，因爲它們只是出於物質的，所以我們從它們中找到美的表現，是較比在原有於自立體形式中的美更爲遙遠，這是在自立體形式中美的表現較顯明，在附加的形式中比較隱晦。也就是說：美原始是在自立體形式中找到是，在本然的附加形式中，美乃那單純附加形式中的美，而在本然附加形式中的一種平淡的反映。

作一個實際的比喻，可能使我們瞭解上述的道理，比如顏色，它乃是一個客體單純的附加形式，這個客體比如是一座建築吧。可是在其他的事物中，比如綠色在翡翠中，就成了本然的附加形式，這時候顏色就算獲得了一個更高階的美，但它並不是自立體，不過却也是不可分離的，這樣使作爲這個形體本體的美麗形式表現的感覺的感官。因爲附加的形式乃常常是感覺的形式，既是感覺的形式，它們便藉着感官的方法或媒介，才能爲我們所把握認識並瞭解。

這些附加與感覺的形式，在它們一面，它們也佔有一種本質，而這種本質就是這附加或感覺形式的所以形成，我們的理智，藉着對純個體與物質指定作了抽象的工夫，對它是能夠瞭解的。理智的抽象工夫，分爲三級，有物理抽象，有數學抽象，也有本質——即形上抽象。此地我們只談一下前二者，這個對藝術具有密切關係的。

在物理抽象中，我們的智力專看它的固有性，也就是專看它主動或被動的質；在數學抽象中是不看上述的質，而只看客體的量與量的指定。這後者的抽象乃是幾何形式，目前的藝術特別是抽象藝術對這種形式，運用着並盈自運用着。抽象的形式，無論是理的，或數學的形式，它們都是與附加具體的形式有分別的，具體的形式就是抽象的形式。這些抽象形式，依照它們是抽象形式，由於它們是抽象的純粹事實，它們乃在於物質而屬於物質的。在美的呈現上，對於這一點是不能完全忽視的，沒有物質因素，美也沒有辦法呈現的。

談過了附加體的形式，我們該談談自立體的形式了。這其間困難是很多的，不過我們將盡可能的使它淺顯一點。

我們知道，自立體的形式乃是產生客體或對象全部美的因素。它能夠是共相的或者個體的，雖然我們也知道共相形式對個體形式具有影響。這[illegible]趨向這一切事物止於至善的意思。趨向[illegible]在自立體的形式中受着限定，一個事物自立體的形式告訴我們[illegible]事物的本質，在這種意義下，一個自立體的形式所指的，是與事物的本質一致而同義的，它是脫出了純物質的指定。（未完）

瘟君續夢

第十回：集會議圖存　天寒日暮
空言難自救　鬼哭神愁

華北局人事解決之後，接着討論其他地區人事，其中西南同華東到簡單，西南局以四川爲中心，四川省委第一書記李井泉已是政治局委員，華東局設在上海，上海市委第一書記柯慶施也是政治局委員，而且過去又担任上海市分局書記，這兩個人是順理成章升任中央局第一書記。剩下的只有西北和中南兩部份了。

西北局所轄各省省委第一書記論經歷首推王恩茂，也只有王恩茂是中央委員，而且代理過新疆分局的書記。可是西北局設在蘭州，王恩茂却在迪化，雖然交通方便，飛機當日可達，但是總不能用飛機辦公。王恩茂本來也可以調任甘肅省委第一書記，可是新疆局勢日緊，他在那裏比較熟手，一時又不好把他調回來，所以王恩茂就不可能担任西北局第一書記。

另外還有一個合適的人是馬明方，也是中央委員，曾任過陝西省委書記，也就是後來的第一書記，又担任過中共中央財貿部部長，可是，毛澤東已決定派他去東北局担任第三書記與宋任窮及第二書記歐陽欽同事，剛剛決定自不便更動，剩下就沒有合適人選，一時倒僵住了。

停了一時，劉少奇說道：「西北情形比較複雜，要想出一個特別能幹的同志才可以担任，不妨停一停再說，先把中南局的問題解決。」

毛澤東說道：「中南局第一書記大概就是陶鑄了，在那一區是沒有人比他強的。」

周恩來說道：「陶鑄同志雖然合適，不過也和王恩茂的情形一樣，他不能到武漢辦公的。」

毛澤東說道：「那還不容易，乾脆把中南局搬到廣州就是了。」

劉少奇點頭說道：「主席意見正確極了，目前國民黨的特務活動，以廣東福建最受威脅，把中南局放在廣州，就近也可以集中力量對付國民黨的特務。」

周恩來問道：「陶鑄同志任第一書記，以下人事怎麼安排呢？」

毛澤東說道：「第二書記應給王任重，他的辦法多，會種試驗田，放豐產衛星。」

鄧小平說道：「任重同志雖然能幹，不過，畢竟資歷稍差，他只是候補中委，如若担任第二書記，像陳郁、吳芝圃兩位同志怎麼安排。」

劉少奇說道：「吳芝圃因爲犯錯誤太多，已經降爲河南省委第二書記，對他是不必多所顧慮，事實上現任河南省委第一書記劉建勛也是候補中委，吳芝圃若是不服，鬧情緒就是目無組織，一定要受處分。到是陳郁同志在七屆中委會就是候補中委，此時要他居於王任重之下，到是有點困難。」

毛澤東敲了兩下桌子，說道：「這個容易，陳郁也派到中南局作書記，不必再排第二、第三，就叫常務書記好了。」

鄧小平遲疑道：「這個名詞太生疏，以前沒有用過。」

毛澤東笑道：「馬克思未出世之前，共產黨名詞也未有人說過。」大家都笑起來，陳郁就被派爲中南局常務書記。（二六二）

曳瑟知林說老譚

豁公

過了一個相當的時期，他自信對於老生所需之技能無所不有；特地託人向大老板說：「金福（係譚老板之本名）過去也學過老生，但不知道學得了沒有？他想試着唱兩天，希望大老板給他指正一番。」大老板本是樂於提攜後進的；心想金福這孩子確是不錯，武生有了這樣的成就，還要研究老生！當日就派他在「中軸」前唱「天水關」。

那時的譚老板，唱老生，在藝術上，也許還有不到的地方，同時對於武生粗豪之氣概，也未能洗刷淸淨！因之人們就給了他一個歌謠式的批評說：

「叫天本是黃天霸，他也配唱天水關？」那就是說，小叫天祇合扮演「施公案」的黃天霸，那裏配唱綸巾羽扇的武鄉侯呢。

又他的嗓音，雖甜潤而不宏亮，不似程（長庚）張（二奎）之實大聲洪！而且唱時喜雜青衣的腔調，故又給他加了一個「母蝎子」徽號！原因是早年唱戲，都講求調高響逸，裂石穿雲！而我們的譚老板，却不是這麼樣的。（譚經常唱「六半調」。）

當時的程大老板，的確是不愧爲伶聖的！他不但對於劇藝有着許多寶貴的發揚，即其待人接物之熱忱，亦爲大多數人所不及！他認爲譚的嗓音，雖較遜於他與二奎，三勝，九齡，月樓之淵大沈雄；却也並非細弱，但因未得運用之技巧，遂致飄浮無力，這是不難糾正的！特地把譚叫到家裏去，把他自己對於「咬字」「發音」「行腔」「使板」之訣竅，無保留傳授給他。而譚也極肯用功，往往對一字一音之運用，摩擬複習到數十百遍，務窮其奧而後已，他除把程氏傳授的一切，盡量的予以接收外，並將張余，王，楊之技巧，兼收並蓄，細大不捐！同時參入己意，融會而貫通之，終於把他自己，造成一個無上的全才老生！吾友陳彥衡常云：「演戲最忌雷同！腔調雖妙，不可重歌，身段雖佳，不能復用，誠以數見不鮮易於令人生厭也！老角劇詞，有多至數十句者，則腔調有時而窮；譚鑫培每於劇之長詞，予以減裁變化，務使一句一腔，絕不相犯！此其善學前輩處。非獨唱工如此，做工亦然，如『空城計』出城聽老軍語時，身段神情，凡三變，無一重者！斬謖入帳，以左手，而以右手指王平。及帶馬謖，則以扇歸右手，即以扇指馬謖，雖小節亦不合掌！他如『探母』叩頭摔髮止一下！『殺惜』插刀入鞘止一滑！刪繁就簡，倍見精神！名角之勝人處，正自貴精而不貴多，關於譚精湛之劇藝，雖數萬言不能罄，此特舉其例耳。」是知譚之被人尊稱爲伶王，並不是倖致的。（三）

焚書坑儒

漁翁

秦政幷吞六國，統一天下，因三皇稱皇，五帝稱帝，故兼稱皇帝，自爲始皇帝，以世計數，意欲傳之子孫萬千世。其所施政策，務在愚民與防民；如焚詩書，坑儒生，偶語者棄市，同時收天下兵器，鑄爲十二金人，認爲如此民皆知識無知，而又手無寸鐵，便可長治久安，雖歷萬世而不替。但結果實得其反，不二世而亡。

我國歷代統治者，懼智識份子爲亂而陷害之，使人人愚魯而得於臥治者，當以秦始皇爲首。文章碣題焚書坑儒云：「竹帛烟銷帝業虛，昔年曾是祖龍居；坑灰未冷江東亂，劉項原來不讀書。」見「古今詩話」。

秦之焚書，僅屬通都大邑，而天下之大，藏於窮鄉僻壤者，豈一一盡燒之哉。祇有黃石公一本書，已足推翻嬴秦之暴政，亦惟有張子房一讀書人，便能佐劉邦以粉碎秦朝之統治。故明南海陳恭尹讀秦紀云：「謗聲易弭怨難除，秦法雖嚴亦甚疏；夜半橋邊呼孺子，人間猶有未燒書」。又古詩一絕云：「焚書祇是要人愚，人未愚時國已墟；惟有一人愚不得，又從黃石讀兵書」。

秦之坑儒，據史載：始皇以咸陽諸生，是古非今，惑亂黔首，乃坑殺侯生，盧生等四百六十餘人。而天下之大，智識份子豈止此數？如陸賈，酈食其，叔孫通等，皆秦時有名之讀書人，後爲漢定朝儀，制典禮，使南越，下陳留，佐建國，良有足多者矣。

秦之焚書坑儒，旨在愚民，以爲從此便無反叛朝廷者。誰知反之者爲劉邦與項羽，皆非讀書人。劉邦，字季，沛縣豐邑人，泗上一亭長，等於今之保長，舉義於豐沛。項羽，名籍，下相人，力能扛鼎，起兵於吳中。一聲反秦，而國人從之。愚民政策，果可恃乎！

當漢兵入關時，尚有許多書籍未焚者，而劉邦祇收圖書，項羽只知縱火，而置詩書於不顧，故有「祇收圖籍不收書」之謳。足見劉項是老粗，而非智識份子，章碣謂爲不讀書，誠然。

再說秦之收兵器，使民間無寸鐵以謀叛者，而天下之大，豈十二金人，即可搜刮殆盡哉！博浪之鐵錐，已足以寒秦皇之膽。陳剛中題博浪沙曰：「如何十二金人外，尚有民間鐵未銷。」見「柳亭詩話」。又有「焚書已種阿房火，鑄鐵何來博浪錐」以譏之。

秦之亡也，不亡於知識份子，而亡於不讀書之劉邦項羽，不亡於堅甲利刃，而亡於揭竿舉義之陳勝吳廣，此則爲始皇所不及逆料。得天下易，治天下難，不從勤政愛民着手，而以控制，鎮壓，燒殺，恐嚇爲事，安得而望於長治久安？

今日竊據大陸之共黨，其對智識份子之仇視與殘害，較秦始皇有過之無不及，而同時復將古聖賢之書籍竄改，作焚書之變相，欲以鞏固其統治權。殊不知，流亡而之四方者，皆智識份子也，古聖賢及諸子百家典籍，流在天涯海角者，又復汗牛而充棟。且亡秦者，爲不事詩書之陳吳，所不用戈矛之陳項，謂焚詩書，坑儒生，收兵器，有何用哉！然則，推翻今日之共黨極權統治者，又豈無劉項陳吳其人。拭目望之也！（本篇完）

香港人的術語

（續）

黃伯遠

三、「召老藕。」（粵語謂咀嚼爲召。召字從刀從口，意亦通。召老藕與淘古井義同）

四、「打虎頭」。（指經手銀錢，從中尅扣漁利者。但虎之頭是打不破的，而且危險性大。）

五、「香山鹹蝦蒸猪肉」。（譏人之貪生怕死者。案：黃士俊，明季進士，其鄉有河通海，礁甚多，時有覆舟之患。鄉人迷信風水，謂得黃鎖之可免。黃笑云：「甚好！但我捨不得香山鹹蝦蒸猪肉耳！奈何？」一鄉傳爲笑話。香山今之中山也。）

六、「射三雄。」（孤注一擲也。廣人賭攤，以三門博一門，中則十贏三，輸則全負焉。）

七、「和尚吃淸齋。」（譏上茶樓只淨飲而不吃東西者。）

八、「陳村種。」（罵人之好使錢者）。

九、「咁骨子」。（咁，語之助詞，骨子，物之巧妙者。）

十、「找高佬。」（入當鋪也）。

十一、「留蔭妹」。（前額覆有劉海之少女也。留讀如馬騮之騮，蔭讀作陰，妹讀如杯，微偏；下二字皆以仄作平。）

十二、「余滲縣。」（指人家姬妾之嬌小玲瓏者。）

十三、「紅鬚佬。」（多能而不精，只好當雜角。）

十四、「冇牙佬」。「冇，即無，讀如武；指吃軟飯者，言其無恥也。）

十五、「銹水。」（攞錢也。古以錢爲泉。）

十六、「痲瘋佬偷雞。」（算了罷！得回也不敢食。）

十七、「伯爺公跌落屎坑。」（喻人之爬不起也。）

十八、「矮仔咩樓梯。」（此言人之上不得枱盤者）。咩，綁於背也。咩字取音不取義。）

十九、「老鼠拖冬瓜」。（吃得，偷不得。）

二十、「黃鱔炒猪肉。」（嚇小孩子語：係唔係想打咧。）

廿一、「盲公睇戲。」（心中有數，目中無人。）

廿二、「賊仔打更。」（做賊喊捉賊。）

廿三、「飛象過河。」（監硬嚟也！監音鑑，讀仄。）

廿四、「唔使吼。」（不必想也！吼字，取義同覬覦，非吼叫之吼也。）

其餘從畧。

我的社會生活

雷嘯岑

我在海參威住了幾箇月，因爲舊有行李都丟光了，全身衣帽格式，都是俄式的所謂列寧裝。到了是年十一月，報載廣州的革命軍已佔領湘鄂省區，歸心似箭，即與秋白，增愷三人聯袂回滬，抵步後，住入英租界西藏路的「一品香」旅社。詎過了三數小時後，該社帳房竟要我搬場到別處去，而秋白與增愷又無問題，我怒詰是何理由？答曰：「近來南京孫聯帥（孫傳芳）與上海公共租界當局有協定，中國軍警可以在租界內拘捕革命黨人。你先生全身裝束特別，且携帶着許多俄文地圖（這是我在俄國購買的俄製中國分省地圖），一望而知爲革命黨，萬一出了事，不但你先生本身危險，我們旅社亦將受到連累，所以先生還是搬到法租界或日租界，比較安全些。」秋白兄認爲帳房所說不無理由，反正是花錢租住房屋，何必定要住在一品香呢？他自告奮勇，出去替我尋找朋友住宅內的餘屋，到晚間，他果然找得法租界鈞培里劉億德醫生的診所樓上一個亭子間，劉氏原係在西北軍服務的，我們曾在庫倫見過一面，可謂人地相宜，我馬上搬到劉宅去了。

我身上原有的八百現大洋旅費，到上海後，消耗得不到五十元了。本來預計即日南歸省親，晃見久別的祖父和父母暨叔叔們，但湘鄂間戰事未停，而湖南省的共黨勢力尤其梟張，隨便格殺在他們眼中視爲「反動派」的人士，名儒葉德輝就是他們殺害的，因而逡巡瞻顧，暫時流落上海，慢慢地把僅有的一只舊手錶，也送進了當舖，最後祇剩下香港用的銀角子一毫而已。這種港幣，上海并不通行，唯有「先施」「永安」公司可用，某日雨中，肚皮實在飢餓難忍了，乃持傘由寓所步行至永安公司，用那一毫錢的港幣買了一大塊麵包帶回來，吃了一半，再多喝些開水，使牠在腹內發酵膨脹，同時躺在床上不動，以免消化太快，另一半留作晚飯之需。劉醫生太太是蘇州人，見我白天睡着，問我「阿是有啥格毛病？」我說稍覺頭痛，她要給我藥吃，我忙說「不用不用」，休息一會就好了的。我不願使別人知道自己的窮乏之相，表面上還是如四川話所謂「充殼子」，裝成有錢人的樣兒。這種毛病至今亦未改，殊可哂也。

「山窮水盡疑無路，柳暗花明又一村」，我正陷在忍飢挨餓的潦倒生活中，又沒有可以告貸的親友，仰屋興嗟，無可爲計之際，報載李協和先生由廣州到了上海，住在滄州飯店，他此行是回江西原籍奔母喪，馬上就離滬。我急忙叩見，告以窘狀，他說爲喪葬事宜，花錢不少，籌得的現欵又有限，只能給我一百元濟急。這是民十五年十二月初的事。我得着這百元現金，以十五元購置了一套中山裝，餘則留作日常生活費用。這時國民政府在上海設有「政治分會」，從事秘密活動，主其事者爲鈕惕生、吳稚暉、蔡孑民諸先生，鄭毓秀亦係其中一份子，我跟張鈕先生曾到政治分會地址去接洽。鈕先生聽說我最近要回湖南，即以政治分會的幾封機密函札，交我順便帶到武漢，面致徐謙（這時徐是中央黨政聯席會議主席）等人。可是，據朋友說，孫傳芳在南京下關檢查過境旅客甚嚴，外國輪船亦無例外，遇有可疑人物，即行拘捕上岸究治，因此，我大感惶惑。但在上海又快要絕糧餓飯了，非南行不可，乃問計於在北四川路開設「內山書店」的日人內山完造，他介紹我晤見當時在上海旅游的已故宮崎寅藏——即譔「卅三年落花夢」說部之白浪滔天——之弟某某（名字已忘記），我跟他的侄兒宮崎龍介原是好友，迨我說明來意後，他相約兩天必有回音。（七）

內僑管台報字第〇三壹號內銷證

自由報

THE FREE NEWS

第三九九期

中華民國僑務委員會頒發 台報新字第三三二號登記證
中華郵政台字第一二八二號執照登記爲第一類新聞紙類
（逢星期三、六出版）

每份港幣壹角　台灣零售價新台幣壹元

社長：雷嘯岑
督印人：黃行富

社址：香港銅鑼灣高士威道二十號三樓
20 CAUSEWAY RD 3RD FL.
HONG KONG
TEL. 771726　電報掛號：7191
承印者：田風印刷廠
地址：香港灣仔高士打道二一二號

台灣分社
台北市西寧南路壹壹壹號二樓
電話：三〇三四六
台郵撥儲金户九二五二

從地緣、經濟看大局

·方南·

看最近世局變化，占我們民族命運，我覺得有兩個問題很值得注意，特於本文舉列出來，提供研究。

一、民族主義再度抬頭當中，「地緣政治」的一套舊理論正在支配着若干國家當權人物的心腦。例如法國、日本、英國、甚至西德，都在致力於製造「兩個中國」，競遣經濟使節前赴大陸，與中共商談貿易。這除了一時急功求利的短見，還有他們在「地緣政治」方面的着眼點。

西歐有一派政治地理學者認爲：地球上得天獨厚的國家，只有美、俄及中國。原因是：只這三個國家能夠擁有一片大地，且在人口、資源、與地理位置三者，同具最優越的條件。這三個之中，人口最多是中國，只在「組織力」方面仍未配合得上。至於其他的國家，都夠不上這種資格。據此以看今天法國企圖拉攏中共的眞正動機，無非基於地緣政治的觀點，有它自己的一種看法。法國戴高樂總統具堅强的民族優越感。但他只能使法國仍爲一個强國，决不能使法國成爲一强而且大的國家。殖民時代過去了。西歐幾個强國都不可能是眞正又强又大的國家，連英國亦是如此。就戴高樂的眼光看，蘇俄和美國的强大都該受到嫉忌。蘇俄在政治上與軍事上的侵略力量，固然可怕，美國的經濟力量使他刺眼與驚心。這是他致力於促進西歐六國共同市場，倡導法德合作，進而籌組西歐聯邦的基本原因。他在使用方式，逐漸拼湊的在兩大國之外造成第三個大國。基此，他自以爲有理由贊成「兩個中國」之說，圖使另一個大而未强的國家由內部分裂開去並圖以中共爲牽制蘇俄的一着棋子了。這對於蘇俄的「强大」可能是一種打擊，而事實上，這樣的中共是不會眞正强大起來的。他這種看法可以代表幾個强國當權人物的看法，連日本也在其內。當然，我們可以說這是短視與荒唐，但在迷戀於地緣政治學說以及講究「均勢」政策的人，用他自己的尺度來計算，爲他自己的「民族利益」投下賭注，他還會自以爲是，不悟其難的。

我們不妨據此以論日本的企圖。任何有眼光的日本人都該知道，處在蘇俄與中共一對赤鉗夾攻之下的日本，在形勢上是很難抵抗的。有史以來，從未遭過兩股大力交攻的危險。日本迄仍站在自由陣營之內，靠美國「海權」力量來支持，對抗來自「陸權」的侵陵，很難有安全可言。中國大陸赤孽消除，它才可有安枕之望。現在，日本却急於向中共獻媚，實行「貿易進軍」，這是什麼原因呢？大概可以這樣看：日本執政當局會認爲中共將與蘇俄長期分裂。而且，中共决不可能眞正成爲强大。它對蘇俄可以發生制衡的作用，同時對其他國家的盲衝亂撞將會緩慢軟弱下去。這樣，日本便恃南與台灣爲前衞，續圖經濟發展，覬機以待變了。它最近對南韓新政府情好交歡，情詞迫切，當然是地緣政治有以致之。它雖不能恢復第二次大戰以前的全盛態勢，奄有全韓與台灣，並且侵入我們的東北，但如南韓能夠站穩，台灣保持現狀，它也會覺得沒有什麼近憂，不妨玩一玩縱橫捭闔的老把戲向國際政治賭場投注了。日本也跟從崇尚功利的西方國家是能强而決不能大的一類國家，目前的當權人物又都是毫無遠見的低級現實主義者，唯以機詐爲高的逐利主義者。如此決策，並不足奇。當然我們必須透澈看淸這點，認識今天在反共旗幟下面掩護着什麼魔鬼。什麼是這些魔鬼的思想根源。我們當然不容許魔鬼們把中華民國命運釘死在台灣一島。

二、近來許多國際重大變化都與經濟問題有關。經濟力量足以決定一個集團或一個國家的盛衰，這是越來越明顯的趨勢，有許多例證可以舉出。今後我們謀國之道，必須特別着眼於此。

蘇俄正在處於經濟退潮中。它高喊「和平共存」，暫時放棄參與「征月」競賽，實由於自知經濟力量比不上美國，預料經濟危機必將逐漸惡化才會轉採以退爲進的策略，突然來一次急劇變動。

蘇俄和中共鬧到這樣不快，起因是韓戰，主要的根源還在乎「工業蘇俄，農業中共」這個鐵定方針，在蘇俄方面决不改變。中共這回鬧扭別引起的嚴重變化，是在東歐各個赤色附庸國家越來越要「經濟自主」，不願永遠統屬於蘇俄的經濟計劃之下，達成有利於蘇俄剝削與統御的經濟文化。這在共產集團內部的經濟分裂，會令到蘇俄越要爲自己一國的經濟力量作一次新的全盤打算。我們可以預料得到在赫魯曉夫主持下的經濟發展計劃，將必傾注全力於農業生產的改進。蘇俄需要一個「埋頭建設時期」，企圖在若干年後再和美國一競長短。它畢竟是「强而大」的國家，工業基礎已固，佔有優良的地理形勢，只須克復農業的困難，它便可再出面「問鼎中原」。現在它會對東歐懷柔，對拉丁美洲執着地潛進，對中共則採用軟硬兼施的策略與手段，先行收拾毛澤東，再作其他打算。

美國與蘇俄的「兩大鬥爭」，最後勝負仍决定於經濟力量。蘇俄大概自信可以安穩度過這個經濟退潮，附加上政治的鬥爭術數，有機會在最後一擊之中把美國打倒。

放觀其他方面，西歐六國共同市場與英國談判的不諧，英國極力支持大馬來西亞對抗印尼，印尼與阿聯分在中東及東南亞製造變亂，日本企圖以印尼爲橋樑以實行經濟南進等等，種種明爭暗奪都脫不了經濟關係。乃至中共最近在北平召開僞「人代會」所發表的宣傳文件，亦要指證蘇俄犯有「擾亂經濟」的罪行。這一切都可提供我們一個切實的教訓，這年頭只有一句話該說：「利而已矣，何必曰義。」

談地緣政治也好，談經濟利益與貿易市場也好，都附屬在民族主義才有得談。記得國父孫先生昔年作過一妙喻，有人問他：既倡大同主義，還要不要民族主義？中山先生的舉例是：有一個苦力工人買了一張彩票，放在挑竿裏，當他知道彩票中了頭獎時，高興得把挑竿丟向水裏去了，結果是空歡喜了一場。這個比喻，最好今天拿在毛澤東面前說。毛澤東早在宣言「一面倒」的時候，把挑竿丟向水裏去了，今天簡直什麼都花光了，還有資格拿「經濟好轉」這句空話去騙人麼？

這樣，我們應該分三方面看：第一、美國與蘇俄各有所恃，各有其自己的經濟打算，「和平共存」的幌子有一半是假，也有一半是眞。蘇俄希望本身在贏取時間，而美國則浪費時間。第二、西歐各强國與日本都在逐利上面打主意，認爲「兩個中國」對他們有利。第三、中共的經濟絕症絕不可能在短期內顯出起色，它雖擱置了重工業，着力於輕工業建設，但決無迅速奏功之理。更以蘇俄農業生產至今仍然失敗爲例，可決定大陸農業必然長期失敗下去。針對它在政治上經濟上多年來慘重的失敗，我們只要恢復建國時期的革命精神，毋需外援也可以致勝的。這是我們要認清國際大局，決定我們自己的戰鬥方針與戰鬥方式的決定關頭。

漫畫天下

南施

毛酋：「大力幫忙，把我升高！」

克酋：「我們暫時不要動！」

自由談

政治家的座右銘

馬五先生

已故美國總統甘迺廸，他在未進入白宮時，寫過一本叫作「當仁不讓」（Profiles in Courage）的書，刊行於世，中譯本我閱讀過；既作總統後，他發表的言論文字尤多，報紙上隨時揭載着。可是，我特別讚美他說的兩句話：「權力使人中毒，詩歌使人淨化。」這不但是意義滿深雋永，措詞亦很優美合度。更難得的是他在初入白宮主政之際，即有這種警覺性的開明思想，不愧爲讀書有得的民主政治家。

政治權力有如鴉片煙與海洛英一樣，人們一經沾染着它，即容易上癮，並且日益深沉，終致中毒而不自覺。凡是權力中毒的人，都自信是愛國愛民的救世主，非如此即不能施展抱負，完成使命。却不省悟自己的想法與作法，是否合宜而有效？更不顧顧念大多數人民的意志是否贊同？一意孤行，肆無忌憚，而內部的矛盾分裂因素，乃潛滋暗長不已，漸漸地釀成天下大亂的結果，上焉者，黯然去位，一無所有，下焉者身敗名裂，成爲歷史上的千古罪人，不亦僨乎！

詩人的心境是悲憫爲懷，溫柔敦厚，他嚮往人間世的和諧生活，排斥爲目的不擇手段的鬥爭方法，對於政治權力，每視爲不祥之物，避之若浼。所以，詩人的心情經常淨化而純潔，與政治人物截然有別。假使人類的社會生活，皆如柏拉圖設計的「哲人政府」，教詩人主宰於其間，所謂「和平共存」之說，還成問題嗎？

然而，古往今來，不特未見有詩人成爲救國救民的時代英雄，即柏拉圖所想望的哲人政府，亦永無實現之可能，滔滔者盡是些講打講殺，擅作威福的權力中毒之輩，此人類社會之所以治少而亂多也！欲救其弊，只有希望政治人物的血液中，滲雜着一些詩人的氣質，而使權力中毒的毛病，不致陷於絕症痼疾，無可救藥。民主制度固不失爲特效劑，然尙非根本治療之方，必須居政治高位者有讀書的習慣和智慧──縱不讀詩書，亦有聽受讀書人之意見的雅量，懂得權力中毒的害處，纔可以造成政通人和的盛世之治。甘迺廸先生這兩句話，大可作爲一般政治家的座右銘。

反共建國聯盟會議與在野黨團結問題

——本報台北記者——

自從國民黨總裁交議的籌組「中華民國反共建國聯盟」一案，經國民黨第九次全國代表大會通過後，此間輿論殷切期待，主張應速籌組，樂觀其成。在野黨的人士對此雖不願公開表示意見，私下據說抱的是「等着瞧」的態度。另據政壇消息靈通人士透露，國民黨已着手進行了，至於將來該聯盟的地位，可能比陽明山會談較高些，卻未必有抗戰時期的參政會那樣的權威。

據說：參加反共建國聯盟會議的人士，將包括各黨派及社會賢達，暨各職業各階層的領導份子，在海內外具有代表性而無發言機會的人士。而由反共建國聯盟會議，產生「反共建國綱領」。將來的反共建國綱領的內容，又據說可能以國民黨八屆三中全會所提的「反共建國綱領」爲藍本。

按國民黨八屆三中全會所提「反共建國綱領」內容分爲：總綱，政治，經濟，社會，文教等五大類。它在「總綱」中開宗明義地指出：

（一）貫徹反共抗俄國策，一切行動以消滅共匪，光復大陸爲最高準繩。團結海內外及大陸地區反共人士及反共黨派，密切合作，共同奮鬥，加速完成光復大業。

（二）厲行民主法治，依據憲法，保障人民之一切自由與權利。

（三）實施民生主義經濟政策，加速經濟發展，充實國力，改善人民生活。

（四）尊重聯合國憲章，維護國際正義，加強美國及其他民主國家之合作，溝通反共方略，建立世界集體安全組織，支援鐵幕內反共革命運動，以加速匪俄之崩潰。

由這個反共建國綱領中的「總綱」以觀，反共建國聯盟會議的性質，亦就一目瞭然了。但據說國民黨可能基於時機關係，尚未公佈反共建國聯盟會議的全部內容。而在野黨人士之持保留態度，或許也就由此而來。

有的人說，反共建國聯盟會議是否積極進行，需要看看目前四分五裂的青年黨和民社黨能否眞正團結；從青、民兩黨能否團結問題來預測「民主政治氣象」，是不會錯到那裏去的。果其然也，那就殊不樂觀了，青年黨和民社黨現在幾乎可說並無可以團結的跡象。

先看青年黨的團結問題。

遠事不必說，就以最近十二月二日該黨四十週年創黨紀念一事而言，事先，該黨臨全會中執會通過議案，決定擴大舉行公開慶祝黨慶；但由於該黨劉東巖及其他人士從中斡旋，希望臨全會同意慶祝黨慶，由中團、臨全會，整理會三方面共同舉行，否則，三方面都不要公開舉行慶祝儀式，同時，大家都不對外發表「談話式」的新聞。此事經臨全會研究後，最後，總算讓步，同意對內不對外舉行黨慶活動，也不發佈新聞。但此一君子協定，不遵守諾言者爲「中團」和整理會兩方面，前者發表談話，後者在台北賓館公開舉行。（上）

梅縣來信一字一淚

大陸百姓慘受毛共煎熬

捱餓受罪永遠沒有休止

曾有「僑鄉」和「文化之城」之稱的梅縣的市民，在全力支援農村秋收冬種工作，剛從農村帶着疲憊的身體回來時，又被投到「一場巨大規模重新教育人的社會主義教育運動」中，捱着精神上的痛苦折磨！

此間一位大專學生，接到其以前的同學，現住梅縣城某君來信說：十一月初，梅縣「縣委會」發出號召，要求每一個店員，機關幹部和市民，都支援農村秋收工作，所以，他們這批年青的店員，也被要求起「帶頭」作用，組成一個支援農村的「先進隊」，一個月來沒有洗臉，沒有洗身也沒有換衣服，因爲他（她）們的「先進隊」是「住在田間」，「吃在田間」的，而且多分派到山區，或沼澤地區去工作。在這期間，許多人累病了。寫信的某君，就在工作中疲勞過度，終於支持不住，暈了過去，很久才被人發覺救醒，差點兒連命都送掉了。

來信說：完成任務由農村回到城裏之後，滿以爲可以休息一下的，但才放下包袱，召開「慶功大會」時，縣委會又宣佈了一項「巨大規模重新教育人的運動」，以達到仇恨「舊社會」，熱愛「新社會」的目的。

來信說：縣委書記在大會上指出：由於近幾年來各階層的人民（包括無產階級的職工），都普遍存在着輕視體力勞動，不安心於工作，羨慕資產階級的生活方式，而且缺乏階級覺悟，尤其是不少過去的資本家和小業主，雖然曾經過累次的受教育，但他們原來的思想和本性卻未徹底拔去，一有機會可乘時，便顯出原來面目，甚而變本加厲的「走資本主義道路」了，諸如投機倒把，黑市買賣，散佈反共謠言等。所以有需要來一次大規模的政治思想教育、運動。

來信又說：這次的「教育運動」，是採取「大會教育」和「自我教育」的方式」。這包括，大會上典型的「老職工」「述苦」，以達到「傳苦」、「引苦」的目的；而在會外則每個人都要進「憶苦」，以期「會內述苦」和「會外憶苦」相結合，「典型憶苦」和「群衆憶苦」相結合。而在群衆性的「憶苦」高潮過了之後，則進行寫「店史」，「家史」和個人的「苦史」，也要求每個人進行檢舉活動（包括檢舉自己和檢舉別人）。凡是自己認爲有害於「社會主義」，有害於「黨」的思想和言行，都加以檢舉揭發，以達到「自我教育」和「教育別人」的效果，俾對「別有企圖」的人進行打擊。

來信一字一淚的故事結論：總之，我們是「先天有罪」的罷！活着就是爲了挨餓，爲了受罪。但亦說：難道我們的受罪是一輩子的嗎？何時才是我們免於受饑餓，受活罪之時？（敬斯）

改台北市為院轄市

中央政府並無此意

（本報記者台北航訊）由台北市議會若干議員暨議長張祥傳所組織的「台北市院轄市促進委員會」力主改台北市爲院轄市一事，到記者撰此通訊時止，行政院不但沒有這個打算，連談也沒有談過這個問題。此事業經內政部長連震東證實。

台北市不能升格爲院轄市的理由，記者早在兩個月前，就在本報第三八零期的通訊中說明了。其中所舉，與連部長於十一月二十七日在立法院內政委員會所說的理由正相同。連部長個人對台北市不能改爲院轄市的看法是：如台北市改爲院轄市，而台北四週的鄉鎮縣轄市如三重市、板橋鎮、永和鎮、景美鎮、木柵鄉、南港鎮和陽明山的士林、北投兩鎮，必須歸併台北市，但這些鄉鎮縣轄市隸屬於台北縣，試問台北縣議會會同意嗎？又如台灣省政府會同意台北改爲院轄市嗎？不同意的原因，係基於財政問題。比方台北縣不同意乃因這些鄉鎮縣轄市爲工業地區，每年稅收相當可觀，如把這些地區併入台北市，則勢將影響財政收入，故極難同意。省政府也是基於同一理由而不同意的。同時，一個市政是否做得好，並非該市的本身問題，而是隣縣的問題。像水災問題，就必須該市的週圍隣縣配合，才能徹底解決。如改爲院轄市，省可以不管了。

就政治觀瞻而言，連氏指出：本省實施地方自治，縣市長都是民選。台北市改院轄市後，依據憲法規定，院轄市長和省長的地位相同，目前省長由於情形特殊，尚未民選。如果這十多年來，台北市長也未民選，情有可說，然而台北市長一向民選，改院轄市後，市長如由政府委派而不民選的話，勢必影響中外觀瞻。此乃政策問題，不能輕易改弦更張。

從改善市政言，連氏認爲：市政的好與不好，問題不在市長的民選或官派，治本之道，必須擴大市政編制，提高職權，及將市收財稅應用於市地方，省政府不再統籌分配，使市財政充裕；此外聘請市政專家協助市政建設，這樣，市政自然改善了。

最後，連部長說：如果台北縣的隣鎮縣轄市歸併台北市，則縣與市的財產劃分問題，也是一個極難解決的問題。過去，本省劃分縣治時，有幾個縣與縣（市）的財產問題，迄未弄清楚。他又說：如台北改院轄市後，將來台灣警備司令部遷往何處？

工展觀衆踴躍

鱷魚恤生意興隆

（本報訊）工展會人潮擁擠，盛況空前，但因今年工展會場地遼闊，入場遊客雖多，仍未致有過於迫擠不便景象，惟場內則確實人山人海，工展十條街道，每一條都熱鬧異常。遊客入場人數，較去屆大爲增加。

△星加坡中華總商會參觀工展團，六日自星抵港後，七日到工展會參觀，該團團長高德根，爲星加坡中華總商會會長。該團除來港參觀工展會外，並致力促進港星馬貿易，中華廠商聯合會會長黃篤修，以該會會員廠號，歷來與星馬貿易關係密切，且團員中多屬友好，特定於十二日假大同酒家設筵招待，並通函全體會員，踴躍參加。

△工展會當局，爲提倡香港工業，日前曾發出通知，歡迎各學校社團，集體參觀工展，已獲得各學校，社團之熱烈響應，經已接得十家學校逾二千人參觀工展。

△鱷魚恤本屆工展期間，贈送物品甚豐，買一件衫，隨衫奉送領證（免費換領證。）別針及鱷魚襪。由九元八角起，皆有這種優待，連日來遊客擁擠，顧客非常之多。前日鱷魚館獲得攤位比賽亞軍，尤其是活潑而又雍容的鱷魚小姐，更吸引遊客。（白）

省府何時修訂都市計劃？

——本報台中記者熊微宇——

把握計劃的實質

我們覺得，在都市計劃的設計基礎上，不管是發展新的社區，抑是作衛星的發展，或者是在兩者兼顧的情形下去做，都需要以都市需要與根本，以全面情況與發展的趨勢爲原則。

加強這計劃的實質，使其不偏袒於房屋道路以及公共工程的建設；這樣才能使這計劃負起配合人口增加，促進經濟繁榮的使命。

所以必需就各都市有關促進經濟發展的各方面的經濟情形，加以愼審的確實的清查與檢討。

同樣必需的，得搜集各都市工商業可靠的資料，依照類別與規模分列的商號，以及工廠數目估計營業上與增產上的趨勢，局部的使市民獲得充份的就業機會，使市場獲得經濟的穩定。不如此，那末所謂都市計劃的修訂，只是多開幾條馬路，多做幾間房子；把馬路擴寬伸長一點，製幾排銀光照亮的街燈，在都市中閃閃發亮而已。

都市混亂的局面與工商業不景氣的現象，仍然在燈光下喘息。失業的人們仍然在馬路上閒蕩。

防範各種弊端

我們要重覆的說，五個省轄市的都市修訂計劃，必需着眼於都市的內在實質與建築上的各種需要。

而道路的開闢，土地的徵收交換，以及新社區的設置與各種公益和公用地的預定與保留，在在都有受益的利害關係。就以往的許多情形看，很可能發生官商勾結的種種毛病。

所以我們主張都市計劃應該公開，使每一個市民瞭解它的內容與都市發展的可能趨勢。

這樣做，一來可以防範在政風敗壞的今天可能發生的流弊，二則可以使市民在各自的建築上有所打算。

比如使政府困擾了很多年，而直到如今還不能解決的違章建築，雖然是有些貧困的市民迫於生活，聚集一起搭蓋的棚戶，但也有一大部份違章建築，是由於土地購買人不明瞭都市計劃的內容，或是事後才曉得屬於禁建的預定用地造成的錯悞。

更有一些特權份子明知故犯，在預用地上興建房屋轉手牟利。像這樣的房屋經過不是次買賣讓渡以後，就成爲不能取締的合法建築，對都市建築，障礙太大。

政府如能公開都市計劃，就可以避免這些事情。

黃杰幾時下筆

公開，所以都市計劃的意義，不止在消極上可以止作奸犯科，還具有避免使市民得以共損失，同爲都市計劃發展研討的積極意義。

能眞正解決問題的政策才是好政策，集思廣益的計劃畢竟比少數幾個人的主意高。

省府黃杰主席就任以來已近一年，在省政的構思與實施上，除了一般性的業務以外，似乎沒有提出一種創造性的計劃與方案。就省政上所必需開創的許多問題上說，這一都市計劃的修訂，算得上是個大手筆，若能做得切合實際，那功效不但是可以達到配合人口增加促進經濟發展的現狀與繁榮，也是黃杰先生在其任內對台灣對國家的貢獻。

國事蜩螗，時不我予，面對世界風雲，該是我們的政治領袖們拿出魄力來做事的時候。我們的黃主席，幾是下筆呢？（下）

接受教訓。策勵未來
大陸是怎樣淪陷掉的？

吳文蔚

，這一個時期，眞是把國民政府在八年抗戰中所得的勝利，弄成了曇花一現，共產集團的叛亂猖狂，在中國大陸以後終於赤焰燎原，匪軍的鐵蹄，已由黃河兩岸伸展到長江邊上。

美國的記者們，稱美國這一時期的對華政策，是「總是給共產黨幫忙找出路」，或是「幫了共產黨反來挨巴掌」的種種老實話。

尤有進者，正當我們在華南西南艱苦地遏止共軍的瘋狂前進時，杜魯門總統又發表了對華外交白皮書，表現盡了他推波助瀾的「總是給共產黨找出路」的一貫作風，使我民心士氣急轉直下，所受影響，簡直嚴重到無可復加！

司徒雷登這一位自命爲中國通的外交家，在華數十年的歷史，用心於辦理燕京大學，有了這兩個條件，他便以燕京校長的資格，担任了杜魯門總統的駐華大使。

這一位先生的「自命爲中國通」的來歷，究係自何說起，我不知道。但是事實證明，他之所謂「中國通」也者，只是表現在「執行幫助給中國共產黨找出路」方面，此外還有一件事，就是暗地裏扶持了一種爛污組織的大集合——名之爲中國的第三勢力！他們的口號是反共並反蔣，實際上是妙想天開，想在中共匪帮之外，另成立一個「自由政府」，藉以代替中華民國的國民政府政權。

司徒之所謂「中國通」，除此以外，便不知他能「通」甚末事了。

據說司徒雷登之帮助給共產黨找出路，完全是受了出身燕京的一批共產黨徒包圍，由於師生之情，一經甜言灌耳，便失掉了主張。等到以後發覺了共產黨的魔術，由助共而進行反共之際，可是又受了另一方面的小集團鼓吹，使得他對蔣主席發生懷疑，因而在暗中扶持一批所謂「自由人士」，企圖必要時讓這批「自由人士」起而執政，而名之爲「中國的第三勢力」。可是，這批勢力賓貝們，又太不與司徒先生爭氣了，所有的表現，只是騙了美國友人的一筆善款，樂得逍遙自在，優哉遊哉而已。

敍述至此，不妨提一下端納了。他以蔣委員長的顧問資格，和共產黨的傳聲筒史諾合演雙簧，一拍一合，一個用筆宣傳，一個用口誇張，兩個人合夥爲中共賣力，到這裏，算是完成了一篇總賬。我們在大陸上的失敗，友人不予諒解的種種事實經過，可以說是既顯且明，我們爲顧全友人而受的拖累，無論如何，都不能不說是一項主要的因素呢！

現在我們再從另一方面說，這方面是屬於我們的政策陷於被動所招致的。

共匪在大陸上致勝的原因，是由於它的政策御政略，政略生戰略，戰略生戰術，戰術定戰鬥；然後再以戰鬥完成戰術使命，以戰術完成戰略要求，以戰略完成政略規劃，以政略完成政策的黨化與赤化之目的。

它的政策以時地配合赤化黨化擴展爲目的，以政略普遍的發動人民戰爭爲規劃，以戰略驅使駭浪巨濤覆舟爲使命，以戰術造成人海民軍打殲滅仗爲要求，以戰鬥實行以明擊暗，以大吃小，以劣打優，以猛勝疲爲任務。

我們知道了它的政策，政略，戰略，戰術和戰鬥的一脈聯帶性之後，便可以從其運用中，來研究牠的分期發展的經過。（五）

藝術叢談

抽象藝術漫談

趙雅博

我們在自然哲學中主張，每個物的構成，是依賴着物質與形式的，物質與形式是截然不同的兩件事，形式只就是名詞來說，它便是不同並與物質整個相反的。自立體的形式，由於它是事物本身本質的構成者，由於它是事物的最高最深的祕蹟，它很自然地深藏在由物質材料的而生的附加體指定的厚厚的帳幕之下，藉着這些附加體的指定，形式很胆小的開始出現，要與那注意的精神，有意捕捉它的精神相結合相羨慕。從這裏我們還可以說，雖然智力能夠直觀的或抽象的深入於事物之中，但是那構成事物的自立體形式，總也不能將它的完全圓成，顯示出來。智力能最多獲得的，乃是由於逐漸的前進，連續的接近，而接近到事物的本質。是的，這只是智力的工夫，也只有智力可以作到，因爲物的本質，就其固有的天性來說，他乃是完全超出感覺的領會，感官的把握，感官的接近的。這其間的道理，因爲感官是有形體有組織的，它們所能接近的只是有形事物，然而有形事物的形色大小，只是附加體，只是量與質等等的表現，而事物的本質則是無形的，感官沒有認識無形的能力，所以它們不能認識事物的本質——就其爲本質來說，如果說感官認識本質，說本質是可感覺的，那只是由偶然來說，而並不是本質地就認識的，我們稱這種本質爲偶然可感覺者。所謂偶然可感覺者，乃是說一個事物的特徵，或事物之所以構成事物的感官所能認識者，必需要由於我們的智力才可以認識。不過，我們知道智力也需要賴有感官的協助，由於感官的協助，我們的理智從可感覺的外形，也就是從事物可感覺的附加體的感官知識的協助，我們可以認識那些事物的自立體，美或一致性等樣的特徵。這樣的認識，我們也稱之爲偶然可感覺的事物。雖然我們的智力可以認識物質的本質，然而實在來說，這並不是容易的事情，深入到事物本質，對理智來說，也是一件難事。

藝術的表現，是一種形式的表現，這是無甚異議的事，因之對藝術的解釋，是可以接受自然形式的。我們要知道自然的形式便是事物形式的本身，它是與物質或材料對立的，它也抵抗着改變；在這樣的形式爲我們的理智所把握或獲得以後，並將它表現在一種像藝術一樣的東西之時，它自然而然的反對着降凡在一個物質之中。這是說自然形式在被抽象出來以後，有獨立存在的價值，不必也不能如事物形體形式一樣的適用在物質或材料上。我們也要知道抽象的形式是共相的，事物的形式是具體而個體的，二者有關，但不是一件事，用不着降凡。（未完）

劇氛縹緲錄

婆娑生

程硯秋未脫離其師榮蝶仙前，向不在外搭班，每在東大市浙慈會館的春陽友會走票吊嗓，其時尚未研究程腔也。民九，孫氏爲友人搭桌唱戲，在東安市場中華舞台，唱硃砂痣代認子，劇中有吳大娘一角，原係二旦身份，但是在當所唱一段，如爲二黃慢板，亦是硬裏子。其友詢問需找那位，孫氏想到如請吳彩霞，則不足爲奇，決定找硯秋。經人往商，硯秋一口答應，人或告之，這是老鄉親提拔您的。硯秋說我會謝他。演出之日，未到七時，中華舞台客滿。硃砂痣登場，歡聲雷動。那段未開言的慢板，硯秋唱來似泣如訴，哀感欲絕，即坐在一旁的韓員外（老鄉親），也微笑示意。認子一場，高潮湧起，大家在贊好聲中，並說程硯秋不離經，大有可造。程對於孫氏，也感恩無旣。到後來程尙兩氏均告成名，孫氏的判斷，一些也不走樣。

扶持登場，奇異的碰碑

孫氏在滬末次登台，爲托兆碰碑，其時視覺已甚模糊，聽覺猶勉强，因已年過八十有二，是無足怪。那時貼出海報，依然滿座，可知其聲威未衰。當楊令公出場，由檢場人將他扶持而出，好在他聽到鑼鼓點，居然在台上走得一些不差，不過所唱腔調，依稀存眞，未能黃鐘大呂，激昂頓挫，可是悲憤氣息，仍是很帥。卸甲丟盔，不過比劃樣兒，由檢場人接去。至於碰的姿式，僅搖頭三下，而往後一退，徐徐倒下去，台下照常喝采，絕無有叫倒好者，人皆尊其年高德劭，不故意挑眼，也可見以前聽戲人的氣度雅量，爲現今所不及者。

所見孫劇　僅得其四

孫派唱腔以實大聲宏，而率直乾脆，不弄花腔爲勝。其細音如絲，而聲宏若雷，宛如石破天驚之概。丹田衷氣不足者，不敢一試，絕少宗承。梨園行中人視爲畏途，其擅長拿手如罵王朗，罵楊廣，七星燈，雍涼關，逍遙津，魚藏劍，文昭關，浣紗計，硃砂痣，三娘教子，桑園寄子等，均精采備至，觀聽之餘，廻腸盪氣，心境一快。民國初元，其年事已高，不常在平市演出，偶來一唱，舉市若狂。民六，在鮮魚口天樂園與吳彩霞演桑園寄子，爲其傑作。將流離顛沛，無可奈何的鄧伯道，描寫殆盡，祭墳捨子的唱，更是精到，歎兄弟與見墳台這段中，末句有「這黃土埋定了無價寶珍」，用噴口來收這珍字，既是蒼老有勁，且含蓄不盡，後此無人能如此唱法。

某年歲尾，第一舞台演唱窩窩頭義務戲，爲了增收票價以濟同行，售券原定每張三四元，增至六七元，特約孫氏來平，演四進士，飾宋士杰，黃衫白髮，活現義俠氣概。而乾淨俐落，較麒馬兩氏爲高明多多，尤其身材魁偉，有丈夫態。在偷書吹燈，與萬氏調趣，極見老夫徐娘在閨房的一種眞態，趣味横生。在公堂念信，斬釘截鐵，大氣磅礴，與李順亭的毛朋，一對答如流，爲生平所見佳劇之一。九陣風（閻嵐秋）原本擅武旦，不料此戲却特別風韻，持燭謀，掛紅肚兒，嬌滴催睡，紅顏白髮，倍加益趣，難得！此戲夜半二時登場，三時半完，下接小樓蘭芳之長板坡，散戲已天際發曉矣。（十二）

盧君續夢

第十回：集會議圖存　天寒日暮　空言難自救　鬼哭神愁

人事確定之後，大體就算解決，決定召開中全會。中共中委本來是九十七人，其中雖然死了幾個，由候補補上，仍然是九十七人，此次只出席八十三人，其餘十四人大部是出了問題或者受管制，被剝奪了出席的權利。

會議一開始先討論莫斯科共黨大會的聲明，由鄧小平報告會議經過。

鄧小平說道：「這次莫科斯會議，在少奇同志領導下，出發時又得到毛主席的指示，所以能順利完成任務，戰勝了現代修正主義，通過了符合馬列主義的莫斯科聲明。」鄧小平說到這裏，毛澤東先在台上拍手，下面登時響起一片掌聲。

鄧小平又接着說道：「不過，修正主義勢力十分强大，我們仍不可鬆懈了鬥爭，緊防修正主義思想在社會主義陣營傳播。例如在這次大會上，修正主義的領導份子，就曾經替鐵托擦粉，想把南斯拉夫拉回社會主義陣營，當時在我黨堅決反對下未能成功，可是修正主義份子又把目標轉向阿爾巴尼亞，施行諸般恫嚇，想驅逐阿爾巴尼亞勞動黨出場，幸得中國及朝鮮兩國同志力持正義，擊敗了現代修正主義的陰謀。」

台上台下又是一片掌聲。

鄧小平繼續說道：「莫斯科聲明在現階段是符合中國人民利益的，我們要堅決支持它，任何人想破壞莫斯科聲明，一定要遭到堅强反擊。」

台下又響起一片掌聲。鄧小平滿面春風走過去。

下面臨到李富春的經濟報告，李富春因爲連徵素針打的多，肺病已經好轉，精神也比過去爲佳，走到麥克風前，把預先擬好的「一九六〇年國民經濟計劃執行情況和一九六一年國民經濟計劃主要指標的報告。」

李富春一開始就誇張農業的增產，說一九五九年農業總產值增長百分之十六點七，糧食增長百分之八，棉花增長百分之十四點七六。

柯慶施忍不住了，問道：「富春同志，你這些數目字是從那裏來的。」

李富春說道：「是根據國家統計局的公報。」

柯慶施說道：「國家統計局的資料怎能用，他們善於將無作有，一九五八年糧產統計最初是七千五百億斤，經過一次核算竟然減去兩千五百億斤，少了三分之一。你根據這種資料來擬訂預算，將要會遭到重大困難。」

柯慶施一帶頭，出席人員紛紛展開攻擊。

李井泉說道：「提起國家統計局的數字我就有氣，一九六零年春夏兩季，各地普遍缺棉花，紡織工廠被逼只好用野雜纖維作原料，省委會通令各級幹部督促人民上山去採集野纖維，工廠裏面又不熟悉處理野纖維的過程，機器受了很大損害，經過織出的棉紗只能製麻袋。這種困難情形，全國是普遍的，可是國家統計局竟然說棉花增長了百分之十四點七六。這是從那裏說起呢？」

李富春被攻的目瞪口呆，一張蒼白的臉變得飛紅，一句話也答不出。（二六三）

曳瑟知林說老譚

豁公

按說譚老板是有福的！俗稱「五男二女，七子團圓」。譚之子，恰合這個數字！但可惜五男之中，祇有藝名小培之譚五獨負時譽；其餘四位，同樣的泛泛無聞！人們大多以譚大譚二譚三譚四呼之。

譚大學的是「經勵科」，可是他從不外就，祇在家裏給他老爺子管事！二三四俱學「場面」，若問他們學的是「文場」還是「武場」？並且學到了什麼程度？那我只有抱歉，無以報命，因爲我和他們根本沒有接觸的機會！但看老譚登場時，琴師一定要用梅雨田（即梅大鎖，蘭芳之伯父也。）鼓佬要用李五或劉順；便知他們的玩藝，無疑的不大高明。

小培長的和乃翁一模一樣，學的也是老生，而他那副「雲遮月」嗓音，也和他父親不相上下！假使他能在阿翁的教導下致力劇藝，得到「譚派」眞傳，便無疑的是一個老譚化身！無奈他淺嘗即止，一得自封，專在吃喝玩樂上用功！而把天賦的大好伶材給埋沒了。爲此老譚常說：「小培這孩子，確是一塊挺好的材料，他要能有一半像楊小樓那樣的肯下苦工，不愁不是一個像樣的角兒！那麼我就是死了也閉眼睛！」

然而小培是我行我素，始終沒有如他爸爸的期望，把他自己造成一個像樣的角兒！可是他很有福份！先享他爸爸的福，後享他令郎（富英）的福，祇在他乃翁已死，富英尚未成名之短時期中，爲了解決一家的生活問題，不得不收拾起玩樂的野心，長日登台作劇，以博饔飧，唱做一切，大體上未嘗不似乃翁，但若細加玩味，便覺「葉公之龍，似龍而非龍者也。」

但這話要說回來，當我們呼朋引類側帽聆歌時，與其聽貫大元、王文源那種生吞活剝枯燥無味之「譚腔」，就不如聽譚小培具體而微之「譚腔」，慰情聊勝於無了。

矮子隊裏選將軍，富英在老譚的子孫中，確是差强人意的一個！他的劇藝，是在馬連良等之上的。

不過我們談富英就談富英，不要因爲他是老譚的文孫，就認爲他是一個地道的「譚派」！原因的譚大王去世時，富英才十來歲，正在「富連成科班」裏作科；科班學生，是很少有機會和家裏人聚首的！故他對乃祖的戲，是否曾經看到都成問題！又那有面聆祖訓心領神會的事呢？（四）

一首開心詩

漁翁

有唐一代，經過武韋安史的變亂，一般文人學士，離鄉背井，遠避到天涯海角，過着抑鬱窮愁的生活，往往由窮愁而發爲詩歌，一字一淚，描寫出飄泊的心情，令人不忍卒讀！

在唐詩三百首中，泰半出於窮愁之作，窮愁而詩工，故千百年下，猶爲後人所口誦心維而不已。試讀杜甫「月下憶舍弟」，有曰：「有弟皆分散，無家問死生」。時杜因亂携家至秦，而有弟在許，無從問其死生，此言有弟無家之苦。白居易自河南經亂，關內阻饑，兄弟離散，各在一方，因望月感賦云：「田園寥落干戈後，骨肉流離道路中」！尤以末句：「一夜鄉心五處同」爲更悲切。杜荀鶴「時世行」，有「時挑野菜和根煮，旋斫生柴帶葉燒」句，言田婦之夫，因兵亂而困守蓬茅，野菜，生柴，食之用之，困窮之狀，蓋可想見。此外沈佺期雜詩：「聞道黃龍戍，頻年不解兵」，崔塗除夜有懷：「漸與骨肉遠，轉於僮僕親」，以及「等是有家歸未得」各句，悽涼感慨，人同此境，多麼沉痛！

雖然，唐詩三百首，爲離亂窮愁之作，而其中却有一首最開心的，便是杜甫避難四川劍閣時，「聞官軍收河南河北」而寫出一首七律：

「劍外忽傳收薊北，初聞涕淚滿衣裳！却顧妻子愁何許？漫卷詩書喜欲狂。白日放歌須縱酒，青春作伴好還鄉；即從巴峽穿巫峽，便下襄陽向洛陽！」

讀了這首詩以後，憂者以喜，病者以愈，尤其流亡海隅者，每到抑鬱窮愁時，個個都唸着那「縱酒還鄉」以自解，希望不久之後，便得如杜甫那樣，很興奮的發出「放歌」的快樂聲音！

兵頭花園

前人

筆者性好漫遊，觀山玩水，在幼年時代已然。初入此地，門人蔣棣，知我心愛山水，首先介紹「兵頭花園」，謂其清而不濁，雅而不俗。

這園的位置，在花園道西，忌連拿利東，上亞厘畢道南，羅便臣道北，從皇后道上去，見兩旁林木幽秀，花草鮮妍，幾不知繁華場合，而竟有如許的清涼世界在。一入園內，有可息，可望，園的周圍，種植了不少溫帶植物和熱帶植物，原產地包括亞洲，美洲，非洲等處，每一種植物，都豎着一木牌，把其名稱和出產地點，寫在上面，給遊人研究木本與草本的便利。

筆者坐在臨江的一塊木椅上，看往來船隻，浮在海面，如一羣鷗鳥然。轉頭望太平山，與雲霞相接，青的山，綠的水，誠令人心曠神怡。後來每遇抑鬱不遣時，便着屐，載酒，宵散步其間，在空氣新鮮的廣大草坪，領畧自然界風味，一觴一詠，百悶俱消，此李白所謂：「不知何處是他鄉」也耶？此地遊者，不少是騷人墨客，往往藉清幽地方，作吟哦之資料，筆者曾得五言一首：「載酒兵頭上，山花笑又來；爲憐風景好，一步一徘徊。」

郎罷與老豆

黃伯遠

廣東人對人稱父，不曰父親，不曰爸爸，而曰「老豆」！「老豆」乃何解？他省人亦不知何解。其實「老豆」乃「老竇」之訛也！蓋三字經曰：「竇燕山，有義方，教五子，名俱揚」。此老竇之稱之所本也。然則老竇之稱，既有所本，亦且雅馴，人自不察耳。

至於福建上游人（指福州，林森等縣市）之稱人父曰：「郎罷」，則匪夷所思耳！按「郎罷」二字，見於書籍者，惟聊齋志異有之。其事甚趣，謂：閩人某，官於京，娶妾，合歡之夕，其妻不能寐，潛至妾宿處偷聽，聞床笫作響，妾頻喚：「郎罷」！「郎罷」！「郎罷」！妻不能忍，首頻觸戶有聲，夫驚起，戶啟，有人倒仆，燭之，則妻也！口中猶喃喃云：「誰家郎罷被汝呼」！余謂：滿留仲性族諧，此滿清氏故譯作「郎罷」，而製作此一笑話耳。

蓋福州人呼己爲「奴」，自謙也。與蘇州人呼己爲「儂」，同一意思。所謂「郎罷」，聽譯作「奴爸」！意云：我的爸也！然文人好奇，故意把

云廣東人對人稱物無禮貌耶？可是閩南人或外省人有稱人之父或己父爲「老貨仔」者，以父作「貨」已不應該，況又「仔」之耶？是皆部分不識字者之過也。而粵人不然，同一類之稱謂，曰：「伯爺公」！既已伯之矣，而又爺，又公，可謂尊之至也。至於「外省仔」

一面糾正之也。

万俟卨與馬其

[illegible]

意。遂誣岳於朝，留爲監察御史。即首劾飛，揚言：「山陽不可守」！助秦羅織「莫須有」，陷岳家父子於死的四奸之一也。

案：宋代有二万俟，另一人爲万俟雅言；工於詞，崇寧中，充大晟府製撰，有大聲集五卷行世。宋亡以後，万俟一姓，舉世詬病，此一氏族，遂無聞焉。愈者，其子孫恥於爲佞臣之後，已易姓矣。（未完）

我的社會生活

雷嘯岑

後來承宮崎先生介紹今井武夫來找我，今井乃是日本軍部派在中國的特工人員，知道孫傳芳不敢開罪日本人的。他替我化名「春木俊三」，買了一張由滬直至武漢的日本輪船頭等艙票，上船時要我改穿和服，對中國人亦須說日本話，我的行李交給他——他亦一道乘輪前往武漢。到了南京下關時孫軍派人上船檢查旅客，他教我坐在房內閉門莫出來，如果孫軍敲門，即大聲用日本話罵「馬鹿野郎」！萬一孫軍强迫茶房從外面打開房門進來了，儘可大膽發脾氣不理他們。我說這樣豈不是要鬧出岔子來嗎？今井謂：「我必然站在一旁觀察，相機行事，決無問題。但有一點切不可疏忽：卽你在船上千萬莫說華語。」我如法泡製，果然安全通過南京了。在船上每次吃飯時，我總是跟日本人一桌，說話不多，等到船行至九江碼頭，黃膺白（郛）先生上船來了，我在大餐間跟他談話很久，當然是使用國語的。那位船長詢問我道：「春木先生，你究竟是日本人？抑是中國人呢？」我說明原因後，黃先生亦大笑了。

到達漢口之日，我身上祇剩有一塊大洋的旅費，而人地生疏，不勝焦灼，但既來之，則安之，上岸後住在「交通旅社」，已是午夜時分了。次晨起來，走到馬路上蹓躂一番，希望能夠遇見熟人求助，果然皇天不負苦心人，忽然看到在日本早稻田大學同窗何倫方（湖南汝城縣人），坐着黃包車走過，我高呼一聲，他立刻下車來，問我住在那兒，兩人携手到了「交通旅社」，他告訴我，現任武漢市財政局主任科員。我說：「別的話慢慢談吧，我身無半文，請你想法子接濟一下。」他搜索口袋裏共有現鈔十七元，盡數供給我了。他繼將他辦公室的電話號碼寫下，教我隨時跟他聯絡，匆匆告別。我有了旅費，心情十分愉快，即持着「上海政治分會」的護封信件，僱車前往「南洋兄弟烟草公司」樓上，（這是黨政聯席會議的辦公處）而晤徐季龍（謙）先生，把信件交給他。他過去原是馮玉祥的高級幕僚，認識我的，卽很親切地問我願做甚麼工作？我看當時武漢共產黨人那樣囂張，不願厠足於其間，答以擬回湖南家鄉省親，再出來請徐先生安排工作，他點頭同意。這時是民十六年一月間了。

回到旅社，想起民國十年冬間在長沙跟共產黨要員夏曦（湖南益陽人）相識，彼此很談得來，現時他是湖南省黨部的主要人物，政治地位很高，乃寫信向他敘舊，且告以擬回湘省親一道赴長沙時一定拜候他，希望他回信指教——實際是試探他對我的觀感如何。信是掛號寄去的，但過了十多天亦沒有回音，料定共黨對我感想不好，卽中止回家省親之行。旋得張秋白兄由上海來信，介紹我去訪晤住在漢口的皖省老友凌鐵庵（現任國大代表，住在台北。）鐵庵豪邁之氣溢於眉宇，不失老革命黨人的風格，一見如故，教我卽日移居到他家裏，替我解決了食宿問題，雪裏送炭，隆情可感！試問現時的國民黨人，對一個素昧生平的落拓青年同志，能有這種照顧的熱情嗎？（八）

南宋偏安有人才

李仲侯

再上，飛上章辭兩鎮節度使充萬壽觀使恩命，詔不允。乃一再力辭前命，乞在外宮觀差遣，詔仍不許。詔曰：「具悉。卿登翊樞筦，會未淹時。乃以人言，遽求釋位。惟去就之義，卿之所敦。顧終始之恩，朕安敢廢？茲用舊以節鉞之榮，畀之祠祿之優。君臣之間，庶幾無愧！令惟所欲，又何辭焉。所請宜不允」。

秦檜必欲殺飛，密誘飛之部曲，以能告飛事者，寵以優賞。卒無應命。又遣人伺其下，與飛有微怨者，輒引致之，使附其黨，否則脅之以禍。聞王貴嘗以潁昌怯戰之故，爲岳雲所折，貴比其凱旋，飛猶怒不止，欲斬之，以諸將懇請獲免；又因民居火，貴帳下卒盜取民蘆筏以蔽其家，飛得見之，卽斬以徇，杖貴一百。檜、俊意貴必憾飛父子，使人誘之，貴不欲，曰：「相公爲大將，寧免以賞罰用人？苟以爲怨，將不勝其怨矣」！檜、俊不能屈，乃求得貴家私事以刦之，貴懼而從。

時又得王俊者，嘗從戰無功，歲久不遷，頗怨飛。且位副張憲，屢以姦貪爲憲所裁，與憲有隙。俊本一黠卒，始在東平府告其徒呼千等罪，得爲都頭；自是以告訐爲利，不問是否。自出身以來，無非以告訐得者，軍中號王鵰兒。鵰兒者，鷙搏無義之稱也。檜俊使人諭之，輒從。於是檜俊相與謀，以爲張憲、貴、俊等皆飛之部將，使其徒自相攻發而因及其父子，庶主上不疑。（一〇八）

自由報

THE FREE NEWS

內政部台報字第〇三壹號內銷證

第四〇〇期

中華民國僑務委員會頒發
台灣新字第三二三號登記證
中華郵政台字第一二八二號執照
登記爲第一類新聞紙類
（半週刊每星期三、六出版）
每份港幣壹角
台灣零售價新台幣弍元
社長：雷嘯岑
督印人：黃行富
社址：香港銅鑼灣高士威道二十號四樓
20. CAUSEWAY RD 3RD. FL
HONG KONG
TEL. 771726　電報掛號：7191
承印者：田風印刷廠
地址：香港灣仔高士打道二二一號
台灣分社
台北市西寧南路壹壹零號二樓
電話：三〇三四六
台郵撥儲金戶九二五二

論美國對中共的等待政策

·陳侃·

華盛頓十日路透社電訊：美國務院檢討遠東局勢的報告書，斷定中共繼續敵視美國，有種種情形證明中共仍在維持高度的緊張局勢，幷將美國描成爲和平的障碍。因此，繼任總統詹遜決心維持在外交上和貿易上隔離中共的政策，直至中共表明願意改變對美態度、及其在遠東方面的政策爲止。美國要中共放鬆對印度、越南及其他亞洲非共產國家的壓力，終止對台灣的武力威脅，幷且不以武力作外交工具。

根據這項報導，再證以美國務長官魯斯克日前對「農業協會」演說，認爲俄帝與中共幷未放棄征服全世界的革命目標，中俄共之間的理論鬧劇，亦可能彌縫，最後聲稱：「我們絕無理由鬆弛其警惕和努力」。可見美國當局對於中共的認識，已有長足的進步，然其所持的對策，仍是十五年前那套消極的等待政策——等待中共對美國改取友好態度，實現「和平共存」的願望。我們認爲這是完全不切實際的幻想，於事無濟也。

共黨必以「美帝」爲死敵

共產主義者對於世界革命的鬥爭策略，一貫地是採取「擒賊擒王」的攻堅主義。自一九一七年俄共政權成立之後，直至一九四一年第二次世界大戰爆發時爲止，俄共的第三國際系統，始終是以反對英國爲首務，如一九二八年莫斯科第三國際執委會訓令中共的「反帝運動」綱領中，即明白指示「鼓勵羣衆對歐美人實施暴動，尤以英國人爲主要目標」，因爲這時候的英國，不特在國際政治上居於領導地位，即國際間的經濟活動，亦以倫敦爲中心，所以他們非視英國爲死敵不可。自二次大戰後，美國已取代英國舊時的世界領導地位，而其實力且較「英帝」更強大，他們乃以反美爲第一義了。俄酋赫魯歇夫由於國內的農業危機，一時無法克服，沒有力量跟美國從事大規模的軍備競賽，且恐因此而喪失專政權力，莫保首領，他要藉和平姿態來賺得美國的大量經濟援助，渡過難關，這與列寧當年接受德意志帝國的屈辱和約，用意幷無二致。史大林在被希特勒大軍痛擊之際，自動解散第三國際組織，熱心參加「國聯」，高唱「一國社會主義建設」論調，處處表示着與資本主義國家妥協態度。迨二次大戰剛告停止，他那猙獰的眞面目即顯露出來，使羅斯福總統亦氣得要死（見李海上將回憶錄）。這都是婦孺皆知的眼前事實，證明共產主義者的世界革命目標和策略，萬變不渝其宗，和平與鬥爭係同一意義的。美國當局既認定中俄共的口舌之爭，不難彌縫，則對於共產主義者的攻堅主義，應該徹底憬悟，而以養癰貽患爲戒。

中共決不會向「美帝」低頭

甘迺廸總統於被刺前夕，會在記者招待會中表示，只要中共改變對美國的敵視態度，美國即將考慮其現行的遠東政策。實則美國在一九四九年中共席捲大陸時，即已對中共表現妥協的好意，駐華大使司徒雷登奉命不隨同我政府撤離南京，準備跟中共進行友好談判，然中共置之不理。艾森豪政府與中共在華沙舉行的「大使級談判」，但求中共答應不以武力侵犯台灣，即可修好論交，不惜予以經濟援助，然中共始終不讓步。美國若欲利用中俄共鬥嘴反目的機會，迫使中共向美國改取笑臉，那就未免太過於幼稚謭陋了。中共在世界革命的思想上，固無跟美國妥協之可能，在目前的環境與形勢之下，更沒有向美國低頭之必要，否則它與赫魯歇夫的外交道路相同，還有甚末資格來對赫酋辯論馬列主義的革命總路綫呢？美國越是跟俄共接近，中共即越要表示其「仇視美帝，鄙視美帝」的阿Q精神，於情於理於勢，皆非如此不可的！美國要求中共對亞洲的非共產地區放鬆威脅壓力，對台灣聲明不以武力進犯，然後可與中共結交，在中共的思惟中，這是漫天要價，毫無還價的生意可談。反正全面大戰不會發生，而美俄雙方皆害怕介入任何地區的局部戰爭，它更樂得在亞洲從事直接的武力擴張，在非洲乃至拉丁美洲，進行間接的滲透攻勢，肆無忌憚，游刃有餘，憑甚末理由，有甚末必要，應向美國低頭呢？所以，美國對中共的等待政策——亦可謂單相思病，除却自我陶醉以外，實在毫無是處。假如俄共許取美國經援，解除了內部的經濟危機，增進了農業生產，中俄共一旦棄嫌修好了，中共內部的困難亦就爲之減少，甚且大大消弭了，美國等待政策所獲致的後果，若不是冒着戰爭危險，在亞洲與中共作實力攤牌行動，就只有讓步屈服之一途。無論從那方面設想，美國決不能從「等待政策」中，取得符合美國利益的半點好處，殆可斷言。若希望在等待期間，中國人民能起來革命，不須外力應援，即可推翻毛共政權，那就殷鑑不遠，請看匈牙利人民當年反共運動的結果好了！

漫画天下　南施

要不得的東西

還有什麽生意可爭？

中共的唯一

尅星

蘇俄暫時不給予中共以經濟援助，充其量對重工業發生相當影響，使它不能積極發展核子武器，沮喪其稱雄於世界的野心而已。至於一窮二白的大陸人民生活無法改善，它却滿不在乎。美國在外交上和貿易上隔離中共，那更是隔靴搔癢之談，但它不發生大作用。毛共最怕的事，即係台灣的中華民國政府，號召海內外百分之九十以上的反共非共人民，實行軍事反攻，[illegible]亂[illegible]。這在理論上是中國的內政問題，在事實上是局部戰爭——也就是所謂內戰，別國不能干預介入的。儘管中俄共之間，曾經簽訂有軍事同盟條約，然其中明白規定是共同對付來自外國——日本——的攻擊，中華民國政府對大陸討伐毛共，蘇俄即沒有共同防禦的義務。雖然赫魯歇夫早年亦說過「進攻中共即等於進攻蘇俄」的話，但他對古巴亦曾如是云云，結果臨着美國擺出不惜一戰的陣勢，祗好認輸，即把放置在古巴的飛彈，黯然撤走了。這就切切實實地表示蘇俄此時沒有觸發大戰的力量，即證明美國當道經常顧慮台灣的國軍若實行軍事反攻，勢必引起蘇俄參戰，因而使美國亦被迫捲入漩渦之說，乃是多餘的。西方人士憑其硬化的科學頭腦，機械的統計知識，總以爲台灣的六十萬兵員，與毛共的數百萬正規軍，以及更龐大的民兵數量，殊不成比例，難有制勝的把握，却忽視其他關係甚鉅的士氣、戰力因素，如民心與政治作用等。希特勒當年如果不將烏克蘭這些佔領地區的俄人視爲俘虜奴工，而讓俄人自由自治，史大林的共產帝國，雖擁有十倍於德軍的兵力，亦早已潰滅了。毛共的軍隊雖多，一經外來實力打擊，內部必起變化，由思想動搖而趨於行動反叛，實意料中事。至於大陸人民之乘機起義，贊助國軍，更不待言。這種情形，我們在一九二六年革命軍由廣東北伐之役，經歷甚多，決非誇大之詞。所以，美國利用目前的有利時機，在幕後支持國軍反攻大陸，其效用實比等待中共被迫而對美國改取友好政策爲切實而深鉅。很簡明的理由，中共如其接受上述美國的各項要求，它根本就不成其爲共產主義者了，可能嗎？「雖有智慧，不如乘勢，雖有鎡基，不如待時」，目前的時與勢，皆對自由世界有利，而對中共是惡運，美國再不改變對華政策，將來必有後悔莫及之日啊！

自由談

政局感言

行政院長陳辭修先生卸職了。他原是以副總統兼任院長，雖因健康關係而暫息仔肩，然對國家政務仍有指導督促之責，我們對於他之辭去兼職，即談不到惜別的話，所不能已於言者，在彼不在此也。

自從大陸淪陷前夕起，陳先生即受命於危難之際，在台灣担任省主席兼東南軍政長官的艱鉅職責，有如駕駛扁舟一葉，行進於風雨飄搖之中，苦心撐拄，迥異尋常，光是爲着整理從大陸各地撤來台灣的國軍部隊，即不知費盡若干心血，吃過幾多辛苦，也招致了無數的怨尤，例如經他撤除的舊有國軍建制的「軍部」番號，便有幾十個，其繁劇可以概見。今日國軍素質之煥然一新，戰鬥實力之堅强卓越，如果沒有他這種大刀濶斧、勇於負責的基本工作，豈能倖致嗎？繼而陳先生又受任行政院長，先後垂九年，諸如實施土地改革，整頓財政金融，促進經濟建設，發展工商企業，創興農田水利等等，困心衡慮，遺大投艱，終於績效卓然可觀，奠定了國家復興的强固基礎。這都是彰彰在目，世人共喻的事實，他對國家、對領袖，可謂無負職守了。

在民主政治社會中，固然不能說國事非某人担當大任不可的話，但如陳先生這樣奮不顧身，摩頂放踵以利天下的氣魄和毅力，却不是人皆有之的精神，而今日國家所急需的行政人才，乃是勇於負責、敢作敢爲的開創進取之士，决非規行矩步，顧後瞻前的保守作風所能濟事的。因此，陳兼院長之辭職，在個人原非得已，對國家殆不無損失也。

俗言「蕭規曹隨」，我希望繼其任者，能追隨陳先生那種開創進取的規模，而勿沾沾於守成率舊，庶幾可與言「革新，動員，戰鬥」之義。否則盛名之下難爲繼，縱不折鼎覆餗，亦將含羞帶愧以終，可不愼乎！

馮[illegible]先生

校正

上期本版「從地緣、經濟看大局」，內有「達成有利於蘇俄剝削與統御的經濟一元化」句，「一元化」三字誤爲「文化」兩字，易滋誤解，特校正。

交通秩序一榻糊塗 台南有「萬里長城」
「萬里長城萬里長，長城內外一團糟。」

（本報台南航訊）「萬里長城萬里長，長城外面是故鄉」，這首名歌從抗戰時代流行迄今。可是如今在這個古城——台南市，卻把這首歌詞給它改寫了，改寫為：「萬里長城萬里長，長城內外一團糟」。這是如何的說法呢？

原來這是說台南市政當局，為整理市區繁盛地帶的中正路，西門路兩處交通秩序起見，就在這兩條馬路的中央兩邊築起一道「萬里長城」。本來，這兩條馬路確是交通擁塞，機動車輛、三輪車、腳踏車，加上攤販與行人，使得交通秩序一塌糊塗。但是，這兩條馬路本不夠寬坦，現在市政當局每隔近丈栽上一根三四尺高的水泥柱，水泥柱的中間再用尼龍的繩子串起來，計中正路從民生綠園起到運河前止，西門路從府前路轉角起到寶美樓圓環止，而由於中正、西門兩條馬路是十字交叉，銜接起來，恍眼一看確實像一道「萬里長城」；當然這座「長城」並不是用來防止「敵人」侵入，而是防止「市虎」闖禍，然而這「長城」的中央假使有兩輛大型卡車並肩駛過，其中間的距離僅有一線之隔，如果雙方一不謹慎駕駛，即有「吻」的可能。還有「長城」中央行駛甲種車輛，而「長城」外的兩邊行駛乙種車輛，在理論上來講這倒應當算是合乎交通管理的原則的，但是，事實並不合乎理想；由於「市虎」往往把這「長城」的水泥柱撞倒，再加上「長城」外的腳踏車、三輪車亦時常發生「吻」的危險，所以變成：「長城內外一團糟」了。

因為這座「長城」，不難想到一首詩的下兩句：「萬里長城今猶在，不見當年秦始皇」！所以，假定把這兩句詩給它改寫一下為：「萬量長城今何在，想見當年辛市長」。這意思是說：台南市的這座「長城」是在現任市長辛文炳任內建造的，是不是經得起考驗永久保持着？還是不久的將來又會被人拆除？這就要讓以後的事實來證明了！（朱鍾）

省府市府都莫奈他何
基隆一校長竟三次抗交
使三千餘師生晝無水飲夜無電燈

（本報台北航訊）基隆最近發生一件校長抗交的怪事。緣基隆市信義國民學校為全市一間最大的小學，共有學生三千五百多名，最近經台灣省政府查實，以該校校長陳震，涉嫌貪污瀆職及偽造文書，由基隆地方法院檢察處提起公訴，省府十月廿四日正式命令予以停職處分。公文到達市府後，市長林番王即下令派督學明光普前往代理。詎意於省府命令下達之翌日，該校長陳震，竟遷怒於教育科長洪玉山，待其上班後即往辦公室理論，一語不合，即將洪科長猛摑一記耳光，打得他火光四迸。廿八日明督學前往接事，陳竟避不見面。後來陳知理輸，請求於十一月十日移交，詎到期又匿不見面。林市長莫奈伊何，祇得呈報省府再飭，期廿五日飭令移交，誰知到期陳震又公然抗交，拒不理睬。自省府發市停職命令，迄今已約兩個月，該校三千餘師生，均陷入羣龍無首狀態，晝無水飲，夜無電燈，淒慘之狀，難以形容。而前後三次抗交，市政府和省政府都莫奈他何，確不失為台灣學界一等強人。現任市長林番王，因係民社黨，他最近看到同黨唯一之台東縣長余登發停職查辦，已感兔死狐悲，噤若寒蟬，不敢對這強人陳震加以壓力。獨怪現任台省府主席黃杰，夙以湖南人那種硬派作風見重於時，而這位強人陳震是一位芝蔴大的小官，竟敢三次抗交，實為現行政治的一大諷刺，不知省府威信何存，殊堪浩歎。（十一月廿八日）

祝古稀老太太壽將軍發言成笑柄

（本報台北航訊）台灣全省第六屆縣市議員選舉，已定明年元月投票，各地競選高潮，已進入白熱化。跟着是第五屆縣市長選舉，定在明年四月投票，各地想爭奪縣市長寶座的，亦在加緊部署。上屆縣市長選舉，國民黨唯一失敗的地區，是基隆市和高雄縣，這兩匹黑馬，都出自民社黨。近高雄縣長余登發，已被省府因案停職，剩下基隆林番王，正在作孤軍奮鬥。他在市長任內，快將四年，他與太太朱鳳娥打離婚官司，鬧笑話甚多（近偏已言歸於好）。可是他在任內添築的中小學校不少，鋪修道路橋樑亦多。這人做官有一種特別作風，他不跑上級衙門，他不講無謂應酬，他不向報紙亂發表談話，他對人言，吶吶欲不出諸口，他祇默默無語的埋首在幹，他對民眾很接近，他的人緣很好，雖年登六十大壽，但寶刀未老，還有問鼎下屆市長的雄心。

下屆市長選舉，因為國民黨認為基隆是一大缺口，黨內外人士，正想羣起逐鹿。最有趣的，聞現駐基隆海軍第三軍區關世傑將軍，因為某報為他登了幾篇捧場的文章，說政府要徵調他競選基隆市長，風風雨雨，傳遍基隆。關將軍亦一心以為鴻鵠將至，躍躍欲試。我將這位將軍，素昧平生，久想一挹其議論丰采，適上月某日，接到基隆市府某科長為其令堂七十做壽的一份請帖，特地由台北驅車赴基隆。是日假座海員黨部大樓，設數十桌，壽宇宏開，布置得富麗堂皇。開始由林市長朗誦祝壽詞，繼而關司令在滿堂掌聲中登台致詞，詞中一再強調萬壽無疆，已使人有點不耐，最有趣的，致詞末後的結句，是敬祝這位老太太多子多孫。當時全場聽到這句話的時候，頗起了一點騷動，大家興起了一種莫名其妙的感想。誠然近時在台灣最流行的一句話是人生七十纔開始；這位老太太，現時膝下只有一男一女，誠嫌太少，但她現年已屆古稀，你再要她多子多孫，在事實上可已不可能。少數的軍人歷來有一種癖好，喜好搞政治，歡喜附庸風雅，從前韓復榘出語的笑話太多，以「情感」誤為「性感」。此殆其類歟？（十一月廿九日）

反共建國聯盟會議與在野黨團結問題
——本報台北記者——

再從青年黨臨全會和「中園」所提出的兩個團結方，綱領草案來分析，該黨[illegible]題，不但是「夜長夢多」，直是冰炭不相投。

臨全會的團結方案指出：自團結方案簽訂之日起，六個月內召開全國代表大會（第一條）。全國代表大會除因不可抗力外，倘不如期召開，有在台過半數之代表，即可自動集會。（第八條）全國代表大會召集人，請由海內外年高望重者九人任之（第二條）。全代會代表名單，應於全國代表大會籌備會成立後三個月以內公布（第三條二項）。而全代會籌備會由三方面推舉十九人為籌備委員，並在團結方案簽訂後兩星期內成立籌備會，其職權為：審查代表資格，確定代表名額並編造名冊；辦理出席代表之選舉（當然代表除外），指導台灣省黨部出席代表之選舉；擬訂黨章及政綱修正草案；決定召開代表大會的日期；編擬全國代表大會收支預算：辦理召開全代會其他有關事務（第七條）。在全國代表大會召開前，由臨全會、中園、整理會三方面主席舉行聯席會商處理事項，計有：甲、全代會籌備工作之策進事項；乙、對外交涉聯絡事項；丙、對外發言事項；丁、經費之收入及支配事項；戊、其他必要聯繫事項。在全代會閉幕之日，三方面黨部即行撤銷。

「中園」的團結方案主張：中央組織設中央委員會暨評檢委員會，中央委員會設主席若干人，推主席三人，對外代表青年黨，對內則輪值綜理黨務。中央委員若干人，並設常務委員會（第三條）。中委會設秘書處，設秘書處長一人，副處長若干人，秘書幹事若干人（第四條）。另設內務，外務、組織，宣傳及其他委員會，暨設召集人若干，分別處理黨務。（第五條）中央委員會設全代會籌備會，以籌備委員若干人組織之，商訂有關召集全代會各項事宜。

對於「中園」的方案，據說臨全會由於過去的教訓和經驗，是不會接受的。而臨全會的團結方案，中園方面甚於既得利益，當然不肯同意的。由此觀察，青年黨的團結問題，目前其實難於產生使人興奮的消息。

民社黨的團結問題：自從蔣勻田宣佈自政黨組織退休後，而張君勱之得意門生楊永乾又於前月赴美，致使該黨四號方面，已陷入癱瘓狀態。而原係四號方面的郭虞裳，孫亞夫卻與向構父派和李緞派打得火熱。但據該黨人士說，他們之間，仍舊同床異夢。同時，李緞因參加六召集人會議，而同派之劉政原等又反對李緞而不合作，使其形成「孤家寡人」。至於向派之蔡家聲等，亦否定向構父之代表性。所以民社黨的團結，照目前的形勢言，也幾乎可說是無法實現的。

在野黨派之內部團結與否，對反共建國聯盟會議有何影響？這就要看政府對該項會議的重視程度而定了。如果該會議旨在促進中華民國朝野人士的大團結，而這次的團結又只許成功不許失敗的話，則只要大家開誠布公，天下何事不可為！但假使反共建國聯盟會議係陽明山會議的引伸，則在野黨的團結與不團結，都無關宏旨了。

畢竟如何呢，且看今後事實發展。（下）

監委張國柱在檢討會上
對國營事業有嚴詞批評

（本報記者張健生台北航訊）近年來，各方面對國營事業頗多指責，監察院方面，監委曹啓文所提「經濟部所屬十五國營事業單位調查報告」書雖曾因「護航」而幾乎「胎死腹中」，但另一監委張國柱在檢討會上對國營事業也有嚴詞批評，其要點如次：

（一）監委張國柱指出：「根據所得有關資料，發覺他們（國營事業機構）的人事制度很不健全。」怎樣不健全？國營事業單位的員工有五萬二千多人，不但沒有完整的人事制度，且有各自為政的事實。譬如：進用新人既不依法經考試機關考試，也不自行公開招考，多由私人憑人情關係介紹或推薦，致難吸收優秀人才，而所用人員，難免濫竽充數之輩。

張國柱說：「在經濟部座談會中，我們詢問主管部門負責人士，他們提出種種解釋，或謂考試機關所定的法規，不適宜於生產事業機構，或謂考試機關舉辦的手續種種過於呆板等等。其實，他們的種種說法，都屬於技術方面的問題，均可加以研商改善。」其次，在職人員的晉級升等，既不採行法定公務人員升等考試制度，其本身也無合理的措施，只依主管人的意向決定，因此，服務成績優異的，並不一定能夠晉升，而有特殊背景者，難免[illegible]等倖進，遂致工作情緒難期鼓勵，優秀人員無以保障。

最不合理的是：經濟部向各事業單位借調人員佔所有員額的半數。至如何借調？既無適當的法規可資遵循，而被借調人不但在其原服務單位支領薪津，享受福利，並在調用機關中兼享各種福利，造成待遇不平等，影響工作情緒。經濟部應制訂人事借調辦法與待遇標準。由此可見，當前國營事業中的專門人才不夠，而不必要的冗員過多，所以人事的浪費和缺乏效率，乃為一般人所公認的事實。這種事實的形成，與人事任用大有關係。由於人事制度的不健全，不僅影響業務的發展，且影響國家整個的政治風氣。

張國柱建議政府「正式設置一個合理的機構，如北洋政府時期的『將軍府』一類的單位，專門安置退除役將級人員。」他說：「各國營事業機構，安置退除役人員約一百五十餘人，每年支費不下三四百萬元，在各事業機構枉任重大負担，而這些被安置的人員，多因沒有工作，坐領乾薪，顧名思義，於心不安；但他們都是半生戎馬，為國效命，政府應予以名正言順的適當安排」，較為妥當。（上）

搪瓷熱水瓶公會
攤位美觀材料新

（本報訊）香港搪瓷工業同業公會及香港熱水瓶工業同業公會聯合陳列攤位，在工展第七街，由金錢熱水瓶廠報效全部建築材料，所有膠瓦、膠管，馬賽克及鋁質擠壓條，俱屬董之英氏新創工業，該攤位形制結構美妙，色彩柔和，連日來觀眾大感興趣，內部陳設清雅華麗，香港搪瓷及熱水瓶製品，各類代表性出品頗具吸引力。（白）

接受教訓。策勵未來
大陸是怎樣淪陷掉的？

吳文蔚

抗戰以前，紅軍流竄到陝北，經我尾追窮剿的結果，實力不足兩萬人，與劉子丹的陝北紅軍會合後，從山西敗北到陝北老巢，實力損達五分之一，總數仍不及三萬人。抗戰初期，由第八路軍改爲第十八集團軍，曾大張旗鼓，號召青年，吸收學生，但實力仍不足四萬人。當時武器惡劣，多屬土造洋槍，砲無一尊，一師之中，不過幾挺輕重機槍，這時候，它便決定以抗日名義求發展的策略，八年之中，完全根據這一策略來產生政略，戰略，戰術，戰鬥的原則，從事內亂，直到了抗戰勝利席捲大陸爲止，仍是本定這個方針，沒有絲毫改變。

它發展武力的方法，一是明目張膽，控制要害，強繳國軍轉移陣地的武裝；一是搜集民間武器，組織廣大人民羣衆，強編民兵和地方團隊；一是深入農村實行政治滲透；一是實行面的控制，打擊我之輜重及零星小部隊，這是第一期。

抗戰中期，共軍會襲擊鹿鍾麟朱懷冰等強大部隊，遂致該二部於不防中悉數覆沒。抗戰末期，又採取自由行動，不聽政府命令，在各戰區，隨時藉「誤會」口實，攻擊我國軍部隊，奪取輜重，擴張力量，尤以第二戰區受創最鉅，損失最重。以後又擅增番號，在晉冀察綏等地區，擴展到三十萬衆，這是第二期。

抗日勝利後，公然叛亂，藉馬歇爾調停之機，擴展到六十餘萬；再從和談破裂，採取了以明擊暗的方策，以大吃小的殲滅戰略，以水覆舟的人海戰術，使國軍由面而綫，由綫而點，最後點亦逐漸覆沒，而它則係由面連綫，由綫通點，以迄完全席捲大陸，這是第三期。

它使用時地配合的政策，按時空計劃，分時空開展，一日一日的擴大赤區範圍，一日一日的鞏固佔領地區。同時又在無止境的擴大佔領基礎，從這基礎中產生出普遍性的民衆武裝政略——即匪慣用的所謂人民戰爭。而用這種普遍性的民衆武裝政略——人民戰爭，與我作戰。依當時情況說，我們的武力佔優勢，器械更優良，又有現代化學、知識的軍事幹部，對付劣勢武力，粗劣武器，和由鄉村工農中選出來的無現代軍事知識的幹部，無論從那一方面說起，我們都應該取得絕對勝利。但事實適得其反，這原因是不在軍力的強弱優劣，而是由於我們的政略失敗。

共匪用組織民衆的武裝手段，由組織而進展到控制民衆的生活與生產，人民如其離開它的政權，便不能夠單獨生活，再加上以清算的方式，恐怖的手段，肅清了反對與中立的人，造成鐵幕內血肉不可分離的集結體，而實行牠造成駭浪巨濤以水覆舟的戰略。這裏的「民衆」，是指的無產階級及準無產階級而言；這裏的「武裝」，是指的不僅武裝其身體，而且還武裝了他的頭腦。武裝頭腦，就是洗腦工作，用「訴苦」的方式，煽起窮人不滿現實的情緒，灌輸他們對富人及土豪、劣紳、官僚、軍閥的仇恨思想，建立堅決的，無理想的，永久不變的，爲拚命到底的奮鬥觀念。

共匪它用這種以駭濤巨浪般的覆舟戰略，以廣大的土地作海谷，以民衆掩護的武裝作暗礁，以諜報據點作水雷，對敵人，大來則避，小來則打，使我軍衝不入，滲不透，縱然拚命衝入滲透，也必無能爲力。牠不以軍隊爲軍隊，而以民衆爲軍隊，成爲以水覆舟的戰略，產生以明擊暗、以大吃小的戰術。（六）

劇苑傑鈔錄

婆娑生

在東安市場聽老鄉親的硃砂痣，其妙在認子，天賜呼了一聲爹爹，孫氏一副笑容可掬，低聲允之，活現龍鍾老態，喜極而沸之情，妙極佳極，座客叫絕。不久，名律師汪子健父壽，在金魚胡同那家花園堂會，名伶薈集。其最著者，是老十三旦王長林的小放牛，孫氏、張紫仙、高盛麟的三娘教子，二老同台，一時難逢。紫仙爲名青衣，廿年前甚著名，與孫配搭，其晉之尖響，與陳德霖相近，極好。孫之舉步蹣跚，唱做率眞，活畫忠義之管家，非連夏舉所可能擬其萬一。旅故都十五年，僅此一見，自欣眼福。

長勝放刁　老孫顯能

談到上海伶工，在四十年前，有一個名叫龍長勝，雖非京朝科班子弟，但是多半在那裏學來。他的玩藝也很不錯，武老生戲也拿得起來。某次，老鄉親與其約好，前半齣由其唱忠臣不怕死—即罵楊廣，後半齣由龍唱南陽關。不意在開戲前的一小時，龍故意放刁，差人來告病假，孫氏頗有懷疑，也無可如何。後台中人有點恐慌，即問孫要改戲碼否！孫氏回答由他接唱南陽關，後台均以爲異。當時也不貼告改唱，迨罵楊廣完畢，由伍保回去報信，囑他在台上多走一些圓場（其時並無休息五分鐘），等待孫氏着靴出場，念威風飄蕩的引子，台下掌聲雷動，終齣精神飽滿，觀者稱快。劇終回去，並誇示於友人，你有沒有聽過孫菊仙的南陽關，未去的人，反引以爲憾。此亦趣聞也。

三戲特點　唱詞增多

逍遙津爲孫氏獨擅的戲，譚氏不敢動，遑論他人。其中有「欺寡人」句，接連來唱。就近今來講，劉鴻聲唱祗有十一個，高慶奎從而仿之。麒麟輩祗唱九句或七句。獨老鄉親能唱廿一句。今其弟子李東園錄音送美國去的，就完全與孫氏相同，精采百出。再如探母坐宮，楊延輝所唱我好比，老詞也是十個，譚鑫培把它改爲四句，而孫氏則爲八句，首句是「我好比中秋月，烏雲遮蓋。」現在的後輩，竟有認爲孫氏未必能唱探母，實是訛也。又上天台據傳爲盧台子傑作，在「孤離了龍書案」這一段，有一百零八句，普通皆是三十餘句，而孫氏則內有十餘，差不多有六十句左右。此三劇的唱詞，皆與人有異，也就可見名角自有安排，不同隨俗，與今之論劇者，有天淵之別。

尚王二徒　各有千秋

孫氏雖擬不收門弟子，但是尚仙舫、王筱生兩人，皆折服，致禮，其中尤以尚氏更爲師所寵。其所寵之由，是凡孫氏所需，尚氏悉爲設法致之，雖斥多金，在所不惜，供應之誠，即其子亦勿有逮。尚氏家中經營洋廣雜貨，範圍頗大，當時投資是廿萬。因此廣雜貨，無不具備。所惜仙舫病嗓，所登台者，僅有上天台一齣。一生調儘抓字，不能習唱。但孫氏秘本，極有收藏。在初識之時，對孫氏猶未五體投地，自觀七星燈後，始爲欽折，倍加琢磨，故有許多學孫者，皆尚氏爲他們指點，等於承轉之人。（十三）

藝術叢話

抽象藝術漫談

趙雅博

然而，我們也要理會，要使我們所說的表現或呈現（姑且定爲藝術的）成爲可能的，是應該使用物質方法的；不錯，有了這些所能用物質方法所拖曳而來的加添物，也就是說由它們來形成固有偶然（附加的）形式——這種形式當然該是專合於某種呈現的，我們所要作的形式表現，才容易的大放光明，而具有該形式的光輝。

從這上面寥寥數語看來，我們知道，這些物質方法，這些加添物，這些非自立體的形式，像顏色，線條，體積，表面，深廣等形式，都是附加體的形式，它們只有方法上的原始與本然價值，它們指定是爲表現或呈出自立體的形式或者是本質的。從這裏我們也能夠曉得，附加體的形式是方法，自立體的形式是目的，二者有分別，但是不能分開，如果要像若干的抽象畫家們——我們也可以稱他們是僞抽象藝術者——所作的；[illegible]方法特徵，而將它轉成了目的，這時候要發生的現象將是：（一）要分裂或者崩潰了宇宙的秩序，而這個秩序應該保全並保有，它與事物是一致的。特別是如果沒有了宇宙的秩序，藝術的呈現與藝術家，便無所用其技能了。（二）這樣並且是將美的最原始的源泉，自立體的形式，給藝術作品剝奪了去，藝術品將不成爲藝術品了。

藝術品的美，自立體的形式是多多少少隱藏着的，藉着或透過附加體的表現或依附而呈現出來。然而藝術作品，如果不要自立體形式了，雖然本然的附加體形式還依然存在於藝術作品中，藝術品美麗的光輝一定要消失與破壞了，因爲不要自立體的形式，乃是將本爲方法的東西，使之當作目的的在藝術作品中存在。而如此，美還有不被破壞了的嗎？最後，如果藝術品沒有自立體形式，藝術品自身就缺乏了形上的深度，沒有了本體的意義，因之也就沒有足夠表現的能力了，因之，藝術品也就不成爲藝術品了。到此結論，我們可以對各種形式與藝術的關係，有個大概的了解了。

美的領會

美是什麼？這是一個很難而複雜的問題，要找一個適當的定義，並不是一件像我們想像的那樣容易簡單的事。不過在這裏，我們並不想給美來下一個定義，而是願意只就對美的領會，來一次較爲詳細的說明，使我們逐漸的，歸納的由淺及深，對美有所瞭解，因之對藝術也有所眞的認識。

對於美的領會，需要有三個不可或缺的因素：首先需要在客體內有形式的表達，這形式乃是美的所由生。沒有形式，美便是不可見的。沒有表達，我們也看不見形式。而形式又一定是在客體之內，沒有客體，形式則無所寄托。（未完）

盧君續夢

第十回：集會議圖存　天寒日暮／空言難自救　鬼哭神愁

彭眞說道：「富春同志這個報告實在漏洞百出，即使在中常會通過，交到人代常委會也會引起爭辯的。」

李富春當時不知所措，結結巴巴說道：「這個問題怎麼辦呢？除非我把這篇報告收回，否則我只有這樣說。因爲這是國家統計局供給我的數字，我不依據它又依據什麼呢？」

彭眞說道：「我們目前最大困難是經濟，這已不必諱言，我建議中全會作一次徹底討論，然後把意見送交國務院辦理。」

李富春聽了這段話眞是如逢大赦，自己在台上連連拍手道：「彭眞同志的意見對極了，就這樣辦，我的報告可以收回了。」

坐在主席台上的林楓，就向毛澤東看。毛澤東遙遙點下頭，林楓馬上就宣佈討論農業問題。

林楓宣佈之後，會場頓時活躍起來，許多代表都紛紛起立要求發言。

河北省委第一書記林鐵說道：「我們目前的困難，實在說都是蘇聯給予的，自從去年七月蘇聯撕毀了數百個合同，撤走一千三百名專家之後，我們經濟情況就陷於困難境地，工業大部停頓，農業自然減產，各方面都跟着發生問題，追源禍始，應當由蘇聯負責，可是，各級黨員幹部還不了解，我建議應該把蘇聯背信的情況，敎育各級幹部，使他們知道責任在什麼地方，不要把造成飢荒的原因歸咎於黨中央。」

毛澤東對林鐵的話非常欣賞，坐在台上連連點頭。

吳玉章說道：「根據人民大學學生反映，近來不但猪肉絕跡，連蔬菜也買不到了，據說整個北京城內，除去專供首長買菜的小菜場之外，其他菜市大部都停頓了。北京尚且如此，鄉下如何得了。我們報紙日日宣傳養猪，到底猪養到那裏去了。」

葉季壯說道：「這件事要分幾方面說，吳老剛才提到猪到那裏去了，大概說有四個去處，第一是大部肥猪運到蘇聯還了債。第二，我們黨員，部隊及行政幹部連同家屬少說也有五千萬人，這批人的肉食是需要供給的。第三，運到香港澳門換了外滙。」

葉季壯說到這裏頓住了。吳玉章問道：「你祇說了三個去處，還有一個是什麼地方，究竟送去了何處。」

葉季壯抬頭看下毛澤東，苦笑道：「還有一個去處就是被養猪的人偸吃了。」

葉季壯說出這一段話，全場爲之震驚，賀龍更是氣得圓睜老鼠眼。

陶鑄起身說道：「季壯同志的話是不錯的，最近農村地主、富農及壞份子又大爲活躍，他們到處造謠，說台灣即將反攻，又說蘇聯出兵佔了新疆，許多無知的幹部都被嚇住了，像偸宰猪、牛及三鳥，尚是小事。」

毛澤東聽到這裏忍不住了，說道：「既然發現有壞份子，就該鎮壓，這是絲毫馬虎不得的，只是不知道壞份子有多少呢？」

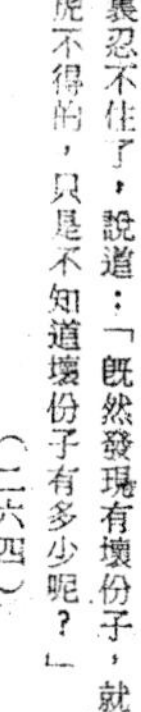

（二六四）

曳瑟知林說老譚

谿公

據我所知，富英的藝事，是在作科時紮的根基！教導他的是老伶工葉春善，蕭長華，王喜秀諸人！出科之後，又在他父親的督促下磨練了一個時期。最後，列入余大賢（叔岩）門牆，又受到了許多良好的訓練，這裏面自然也有「譚派」的成份，然而其他的成份實居多數！這又怎能認爲地道的「譚派」？

還要知道，老譚是無戲不能，而也無戲不精的！他最恰心的「撒手鐧」，無疑是「鎮潭州」，「寧武關」，「戰長沙」，和「胭脂褶」，什麼的！可是這幾齣戲，富英根本就不能動！而他所自命爲看家狗的「定軍山」，恰與乃祖所演的顯有不同！老譚的「定軍山」，我是觀光過很多次的，切知其「工架」「步伐」，處處都與鑼鼓相呼應，絕不是尋常路子！上場不用「四擊頭」助威，兩手也不拉「靠牌」！態度從容而沉着，充分的顯出黃老將軍威嚴來！剛把韓浩、夏侯尚殺敗，立刻就耍「大刀花」下場，耍過「正花」與「迴花」之後，就表演出刀翻身、邁步勒馬的「身段」，隨着「急急風」鑼鼓收科！那個姿態，實在是太好看啦！又唱到「含羞帶愧臉（讀儉）無光」時，就在鑼鼓「收頭」中要「刀花」下，同時一笑而別，跨馬斜趨，含笑回首，騷眉生動，奕奕有神，不但畫出老將黃忠之精神，連着戰馬奔騰之情況，也被他襯托出來！自始至終，唱念做打之精采，層見叠出，美不勝收，試問富英，能不能這樣做？會不會這樣做呢？

自然富英也有其可取之處，例如「在黃羅寶帳領將令，氣煞老將黃漢升……」那一段，「二六板」中，就有幾個「帥腔」，唱得悲壯蒼涼，相當「掛味」！「工架」，「刀花」，「步伐」，雖無乃祖那樣的「邊式」，却也落落大方，沒有小家子氣！自不失爲庸中佼佼者。

但可惜的是他唱「這封書信來得巧，助俺黃忠立功勞……」那一段「流水」，唱到「頭通鼓戰飯造，二通鼓緊戰袍……」云云，所使之「腔」，直「貧」得令人掩耳不迭！不但他藝進於聖之乃祖無此唱法，便是尋常角色，亦不至如此荒唐！而他還自鳴得意，

這的確是意外的。

他還有個令弟，名叫盛英，也在「富連成」「作科」，學的也是老生，可是始終沒唱過「正戲」！至多是在「八義圖」裏去公孫杵臼，「捉放曹」裏去呂伯奢，「硃砂痣」裏去吳相公，他在戲上之成就，也就可想而知了。

還有個外號譚綿花的，在上海新舞台裏「跑宮女」！他是譚家老幾的兒子我不知道；反正總是老譚的苗裔！人說：「譚家的戲飯，都被譚大王一人吃了！」這話倒也有一點像呢。（五・完）

大被同眠話古今

周燕謀

今之「被」，古人則謂之「衾」。古人之「被」，則今日之「睡衣」也。說文云：「被，寢衣也，長一身有半」。又「通訓定聲」云：「臥衣曰被，大被曰衾」。是則今人之所謂被，即古人睡時用之單衣也。孟子盡心篇曰：「被袗衣」。陸機詩云：「龍鸞被廣柳」，注云「猶衣也」。說文衾字條：「衾，大被也。詩召南小星云：「抱衾與裯」。陳奐傳疏云：「凡人入寢，必衣寢衣而加衾」。古人之被曰衾，而且尚且有階級之分，荀子禮論云：「衣衾多少、厚薄之數也。」注云：「君錦衾，大夫縞衾，士緇衾也。」古人用衾尚有官品之分，而今日則人人可得擁尼龍被矣。

古人所用之「被子」（衾），多用布和棉所製成，以獸皮製成者，爲太古時代之被子。李白詩有「布被暖如春」，又云「未收木棉褥」。唐求詩云：「獸皮裁褥暖」。陸游詩云：「紙被圍身皮雪天，白於狐腋軟於綿」。皮日休詩亦云：「兜皮衾暖篷舟穩」，皆可爲證矣。至於富貴之家，則享用絲棉被、鶴絨被等。

古人製被，却相當講究，杜陽雜編云：「唐元和中，大軫國貢神錦被，用冰蠶絲所織，其上龍紋鳳彩，殆非人工。暑日覆之，清涼透體。」又云：「同昌公主宮中，設神絲被，繡三千鴛鴦，間以奇花異卉，五彩輝映」。難怪乎古人有所謂「被底鴛鴦」之艷喻了。據開元天寶遺事云：「明皇避暑遊興慶池，與妃子晝寢水殿中，宮嬪輩憑欄倚檻爭看雌雄二 戲於水中；帝適擁貴妃於鎖金帳內，謂宮嬪曰：『爾等愛水中 ，爭如我被底鴛鴦』」。吾國人嫁女，亦喜用綢緞繡成龍鳳鴛鴦做被面，作爲嫁粧之一。

古人有一個爲了一床被子而發奮的故事，據書：裴之橫，不事產業。其兄之高，爲狹被、蔬食以激之。之橫曰：大丈夫富貴，當作百幅被！自是折節讀書，後爲吳太守。此即得力於其兄「狹被」之賜。

又漢姜肱與弟仲海、季江，友愛逾恆，雖各娶妻，不忍分寢，作大被而共臥。此世稱「大被同眠」之佳話也。

據說甘肅省會蘭州附近之人，而今仍流傳着「大被同眠」之奇俗，一家大小，上至父母，下至哥嫂弟妹子女，咸一絲不掛，同床共衾，了無避嫌。由於該地天候特寒，長年積雪，高越門檻，他們認爲在那冰天雪地中，穿着內衣褲捲被而臥，總比穿厚大衣再蓋上棉被爲暖，又一人獨宿，遠不如大夥兒「大被同眠」舒服。他們根據所謂「貼肉生溫」的道理，因此索性合家實行「大被同眠」，日子久了，便成爲一種傳統習俗。

我的社會生涯

雷嘯岑

我住在淩家閒暇無事，此時李協和先生已出任江西省政府主席，曾接得老友湯志先兄由南昌來電，邀我即日赴贛，我不想去。一日，我在馬路上逛着，遇到了原在日本東京的熟人鄂省馬念一（後改名馬哲民，是個共產仁兄。），當年我們在東京同是國民黨員，但思想對立，主張互異，彼此鬥爭很劇烈。他望到我時，頷首微笑而去，並未佇足交談，我亦笑應之而已。過了一星期，我從外面回到淩宅，入門即聞淩大小姐說：「剛才有幾個穿藍布短裝的人，到我家門口詢問是否有姓雷的住在這兒？答有，他不在家。再問有甚末事，他們無言就走了。」我聽罷，即知道是凶耗。因爲當時共黨組織的「工人糾察隊」，都是穿的藍布短裝，他們隨便拘捕「反動份子」，格殺勿論。大概是馬念一看見我在漢口，即向共黨報告，說我是個著名的反共份子，所以糾察隊要來拿我了。我馬上出去購買船票，於當天晚上乘船前往九江，轉赴南昌投止，免遭不測之禍。臨行祇將內容密告鐵庵，他亦贊成我避之則吉。

到南昌即住在狀元井李協和先生的公館內，依然恢復了秘書工作。此時國共兩派已由暗鬥而趨於明爭，中央黨部在南昌辦公，而徐季龍、孫科、顧孟餘、陳公博以及若干以共產黨身份跨任國民黨中委的人士，亦在武漢掛起中央黨部招牌，互爭權力。二月間，原在南昌的中委譚延闓、李協和、陳果夫等，應邀赴武漢會商黨政大計，我亦跟隨李先生而去，在漢口住了兩天，決定中央黨部移至武漢，李先生即回到南昌了。當李在武漢時，革命軍第八軍長兼前敵總指揮唐生智來見他，一進到客廳，即以雙足蹬在椅上，旁若無人的大罵蔣總司令反革命。唐辭去後，我對李公說，此人毫無禮貌，十足的軍閥派頭。李謂：「現在是他們的天下，還談甚末禮貌呢！」我在漢口又曾聽到中委兼交通部長孫科的講演，有「國民黨的組織可以解散，請第三國際來領導國民革命運動」之說，不勝駭異，亦舉以報告李公，問他作何感想？他說：「凡是不近人情的事，我都不贊成。」

中央黨部的分裂現象雖告終止了，但共黨在湘鄂贛各省區的醜亂行爲更見積極。此時江西的駐軍是朱培德所領國民革命軍第三軍，以師長王鈞兼任南昌警備司令，教導團長朱德兼任南昌公安局長。朱培德原係雲南講武堂出身的，李協和先生是他的老師，又是相從多年的老長官，他爲表示尊重李老師的政治職權起見，乃把軍部移到九江去。南昌城內外，另駐有杭毅的憲兵團（杭氏已赴浙，由第一營長顧濟兼代團長），蔡忠笏的砲兵旅，廖士翹的工兵營，蔣鼎文的警衛團（未發槍械），皆直屬於革命軍總司令南昌行營。蔣總司令早已赴下游督師進攻南京、上海去了，行營職務初由總參議張岳軍主持，未幾，張亦離贛，交李協和兼攝。嗣是我每天跟着李到行營辦公半天，有重要事情皆告訴我，他曾笑謂：「我是假總司令，你就作我的假參謀長罷！」

民十六年四月中旬，汪精衛回到武漢政府作主席，高呼「革命的向左來，不革命的滾開去」這類激烈口號，隨即下令免去蔣總司令的職務。共產黨勢力猖獗[illegible]甚，南昌的工人和學生羣衆，在共黨指揮之下，常於市內遊行示威，拘捕異己者，秩序騷然，而負有治安責任的王鈞、朱德二人，熟視放縱，不加過問。王鈞亦係雲南講武堂的學生，表面上對李協公敷衍備至，每天必來行營叩見李公一次，其人烟容滿面，而臉上無肉，聲似破鑼，一望即知其非善類也。（九）

万俟卨與馬其薩（續）

戲劇中有風波亭一齣，演岳家父子被害，劇中小丑扮問官者，即万俟卨也。万俟出場報姓氏，「万」讀作「萬」，「俟」照念原音，「卨」讀「窩」，傳訛已久。自從木刻書革故鼎新，改印鉛字後，植字部工首，多以一部譯電碼爲藍本，編排字架；由於「卨」字，電碼是沒有的，所以字架也就缺如。「万」字是有的，在第一頁一畫，不知是校對先生，或是植字工友，自作聰明，認爲「万」字是簡寫，故把它「植正」爲「萬」。或是不知一畫裏有這箇「万」字，二者必居其一！因爲一字之差，輾轉傳訛，既誤後學讀別，識別，同時也使奸佞遁形，宜有校正之必要也。昔秦學士（忘其名，見兩般秋雨盦隨筆）有題岳墓聯云：「人從宋後少名檜；我到墳前愧姓秦」！觀此，可見後之人與奸佞同姓，猶以爲愧，然則「万俟」之爲氏，乃更特別爲人注意者；若非絕後，必已改姓無疑耳！

花樓小品

黃伯遠

少時聞故老言：食品中之油條，始於宋末。宋帝昺沈於崖門，其遺臣遺民、多流亡兩粵；因恨秦檜夫婦害岳飛，致忠臣義士解體，宋室坐是淪亡，遂製油條，粵人名之曰：「油炸鬼」！「鬼」者，「檜」字音之轉也。油炸檜皆孖條，此喻檜與王氏也。

又一食品爲「馬其薩」，始創於蘇杭，後來更盛於廣州；此物以麥粉搓爲條，如孩指大小，粉中混入蛋、豬油、用油炸脆，放於四方馬口鐵盤，然後更以麥芽糖煑糖，倒入盤中，乾後，以刀切爲方塊，面上鋪些芫茜或芝麻便成。據云：「馬其薩」乃爲万俟卨而製；「馬其薩」云者，乃「密異基」音之轉也。吾閱龍岩蘇逸雲先生「臥雲樓筆記」有一則記事云：韓侂冑當政時，市有售凍豆漿者，以匙敲盌云：「冷的吃一盞」！「冷的吃一盞」！」如是者經旬。地方有司，疑其有意詛咒秉國鈞者，乃拘而笞之，並枷以示衆！蓋責其所云「冷的」，乃「寒」也。「寒」，音「韓」；「盞」，音「斬」；乃暗示：「姓韓的要吃一斬」之意云爾。如其是者，則此賣漿者，固是製謎專家，而此官必也是猜謎能手；否則，錯認賣漿者爲「謎博士」，豈非寃哉枉也邪！

案：今日香港各大小茶樓所售之「馬仔」即上文所述之「馬其薩」。不知何時被改稱爲「馬仔」耳。因在民初，廣州、香港尚稱「馬其薩」也。一說：香港人指一般爲外國人作爪牙，作耳目，而陷害同胞者爲「馬仔」。是馬仔者，即漢奸之別稱！以喻秦檜、万俟卨輩，亦無不當耳！（本篇完）

倪鶴笙之風趣

匡謬

臨桂倪鶴笙孝廉，突梯滑稽，近世之東方曼倩也。光宣間曾遊福建某中丞幕，某無子而多女，撫闈時又生女，滋不悅。僚友諗其情，各賀以詩，窮極藻麗，冀博青睞，中丞意氣殊蔑如。乃得鶴笙詩，獨大喜，其詩云：「世間只有無花果，豈有花繁果轉無？留取中鋒筆力在，明年好寫抱兒圖。」語極平淡，而辭意雙關，「寸鐵不持矜白戰。」所以終爲詩家所貴歟？未幾，鶴笙得知泉州，或謂即食此詩之果。亦謔話也。

泉州乃八閩優缺，鶴笙宦囊殊可觀；又性不羈，故鼎革後無復仕進之意。既得返初服，因益縱情狹邪，春盤酢齒，隨在傾倒，野草閒花，逐處流連。嘗爲某妓寮書一聯於廳事曰：「唯本色英雄方能到此；是可憐兒女何必苛求？」其襟抱可想。及老，精力就衰，而追懷疇昔，彌如隔世，少年風懷，始然稍殺矣。則又自撰一聯以弔曰：「空山月明，一鶴獨舞；江南草長，羣鶯亂飛」。鶴笙歿後，其遺稿殊不多見，其後亦無知名者。獨以上之遊戲文字，至今膾炙嶺西士大夫間。

南宋偏安有人才

李仲侯

張俊乃自爲文狀付王俊，妄言張憲謀還飛兵，使告之王貴，乃使貴執憲以歸於己。是時俊附檜黨，檜方專國擅權，威動人主，風旨所向，無敢違忤，是非黑白，在檜呼吸間，自非守道不屈之士，未有不折而從之者，故貴等唯其所使。憲未至，張俊預爲獄待之，屬吏王應求請於俊，以爲密院無推勘法，恐壞亂祖宗之制。俊不從，親行鞫煉，使憲自誣，謂得岳雲手書，命憲營還兵。計憲被血無全膚，竟不服！俊手自具獄，以獄之成告於檜。

十月械憲至行在，下之棘寺。十三日檜奏乞召飛父子證張憲事，上曰：「刑所以止亂，若妄有追證，動搖人心」。不許檜！不復請。（一〇九）

內銷台報字第〇三三壹號內銷證

自由報

FREE NEWS

第一〇四一期

每份港幣壹角

社長：雷嘯岑

督印人：黃行憲

20 CAUSEWAY RD 3RD FL. HONG KONG

TEL. 771726

台灣分社

本報啟事

自本期起，本報版面略有改變：除第一版時事漫畫縮減地位，另增闢「今日與明日」的時事述評外，第三版增加文藝作品，二四兩版內容亦將力求充實。文藝作品及第四版散文各欄，更歡迎讀者投稿，以文會友，無任翹企！

甘迺廸總統逝世後的美國前途觀

顧翊群

憶兩年前甘迺廸總統就職之初，我曾在本報著文指出甘氏之責任，最重要者首為對共產世界之鬥爭，應自被動而轉為主動。次為對經濟之力求進展，以解除美元所受之威脅。兩年餘以來，甘氏對經濟方面之措施，雖尚未臻至當，而為經濟學者中之穩健派所批評，然其虛心選用財政金融人員，使歐洲等國中央銀行家，以及國際貨幣基金等，與美當局通力合作，而使美國國民生產與所得不斷上騰，黃金外流數量亦有減少模樣，則收效甚宏。雖此中成就一部份係由於共產世界之糧食收成欠佳，廹使俄國在國外大批拋售黃金之間接後果，但甘氏對左派學者膨脹通貨之勸告，未肯全部接受，亦有功焉。第其在應付共產國家之侵略方面則舉棋不定，至今日仍落後手。且其贊成與侵略者共簽停止試核協定，以及文化協定，更同意自由國家大批出售糧食與共產諸國，則為祇顧目前而養癰貽患之舉，蓋受實驗主義諸左派學者勸誘之結果也。

甘氏為一英雄式之人物，苟其幼年與少年時，能如晉文公之艱苦備嘗，復有名師益友之從旁指導，則就職後自應於中俄共分裂而大陸連年荒旱時，與我國政府協商，助我以軍火糧食及登陸艇等等，俾我方反攻大陸克奏膚功，而將人類劫運挽回。惜乎其為左派學者包圍，而無乾綱獨斷之決心，致不能有漢武帝唐太宗之成就，終為小人物所暗殺，可為扼腕嘆息也已！

赫酋：「這件合你穿了」

人命獵者

甘氏登台後，昆弟戚友相繼登庸，顯赫不可一世，吾輩中國書生早已認為其勢不能攸久。蓋美國歷史不到兩百年，其學者中對儒道哲理無認識，甘氏左右亦無人以[illegible]語相告。今日其雙親孤孀暨子女等之傷心，確值得吾人同情。但如美國漢學家中有真正了解持盈保泰、謙以自牧之道者，對伊等詳細解說，則甘氏所受宵小之忌妒，與各方之逢迎，不致過度，自可望克保天年也。

現代西方人與古代中西人士對歷史之看法不同。伊等不信天道天理，而信人定勝天，故認歷史為人類中之強有力者所創造，而走上霸道政治。孔子所謂「吾道一以貫之」，孟子所謂「天下定於一」之主張，均非許萊辛格（總統顧問）、傅伯萊（參院外委會主席）等人所能瞭解贊同。伊等篤信相對主義，認政治之道在乎不講原則，而專力注重多種事實以便隨時求適應。此種主張普通人可藉以謀求生計，與世浮沉，但非居上位負治國平天下之責任者所應有之看法也。

吾人試放眼一觀歷史，凡強有力者如秦始皇、亞歷山大、凱撒、曹操、拿破崙、希特拉、史大林之流，無一人於生前所代人類設計之歷史，死後亦能依照伊等之計畫而實現。哲學家黑格爾名此為「理性之狡猾」，而無形中證明我國自易書詩禮等所以傳下人有憂患之意識，及秉國鈞者必需虔誠敬畏之傳統，實有顛撲不滅之至理存焉。史大林已為赫魯歇夫所清算，赫氏開發處女地之計劃，業經肯定的被證明為失敗，故赫氏死後有被俄共清算之可能。而毛澤東氏死後亦有被中共清算之可能。此所謂「天道好還」，乃「歷史之判斷 Judgment of history」之一種也。

當前西方政客與學者，均高呼人類此後應當停止戰爭而永慶昇平。但伊等在國內則縱容青年放縱自恣，不加以管束。全世界青年在人口中比重日增，在美國廿五歲以下青年至一九六六年便居該國人口百分之五十以上。此有如在巨火上放一不通氣之水壺，火愈熱則水汽與壓力愈增，焉能免於最後之爆炸乎？我曾引用亨廷頓教授「文化之來源」書中討論氣候部分，謂廿世紀下期有一長期之（週期性的）乾旱時期。照近年亞非美歐之氣候而言，亨氏之預測可能不幸而言中。若然者，則世界行將走向我國朝代末年之黃巢與李自成現象矣！

詹森總統穩健有餘，但亦係一崇奉實驗主義之人，而不能以道德信條領導民衆者。目前伊在議院中口碑尚佳，但無人能担保其在此後十四月中能不被批評與攻擊。此後美國各民族各階層與勞資長幼之意見不一致，祇能愈演愈烈。每歲民衆所購逾二百萬支之槍械，據聞均係以廢鐵與機械零件方式，自海外輪入而須行裝配再行售出者。聯邦政府最近方有嚴格管制之擬議，民衆便有反對之呼聲，將來如黑種青年人手一槍，則禍患之來將無底止也。吾人固承認美國會協助各國，美人樂善好施者亦所在甚多。但本春秋責備賢者之義，認美國如不經過災難，使美人老少男女均有憂患意識，而認人生終係為悲劇式的，則世局尚難達到轉機之時會，殊可憂危，故不能已言如此！（十二月六日華府）

今日與明日

何如

蘇俄的窘狀

美總統甘迺廸安葬時，國際大賓執紼者甚眾，蘇俄代表米高揚獨愴然而泣下，在聯合國會議中的葛洛米柯亦然；克里姆林宮又將行刺甘總統的兇犯奧斯華德當年在俄國的生活紀錄，急忙送交美國參考。前者是對敵人慈悲為懷，素為共產黨人所忌諱的溫情主義表演，後者是蘇俄自開國以來，得未曾有的非常舉動—把機密文件原封送給外國政府—這是違背共產政權的傳統作風。

即此可知蘇俄內部的糧食恐慌相當嚴重，非仰賴美國援之以手，赫魯歇夫的專政獨裁權力，即有崩潰之虞。

最近毛共所謂「人代大會」閉幕之日，毛酋澤東對衆宣讀俄共中央黨部來函，內容是要求毛共停止理論爭吵，提出四點妥協意見，如答應暫緩召開全球共黨大會以討論中俄共爭執問題，即其一端。毛共踩住赫魯歇夫的痛腳，依然嘖嘖詐咋，發表其臭長的反唇相稽之詞，而有所謂「列寧和史大林的和平共處政策」的說法，表示要與赫魯歇夫鬥到底。

蘇俄的窘狀畢露，而自由世界的內部矛盾亦因之日增了。

逆流汜濫中

美國亟亟於勞徠拊循毛共，希望它能改變「仇美」的態度，變成目前蘇俄對美國的溫和情形，以待世界之變化。美國聲明隨時開放着和平友好的門戶，迎接毛共的「和平共存」行動，一切都好商量。（見國務院遠東事務助理長官希曼斯最近的公開演說）

英國素來對毛共主張姑息妥協，自不待言。法國要搞歐洲第三勢力，以與美國分庭抗禮，它在此時對毛共拋媚眼、送秋波，實無足異。日本人的勢利性是著名的，在朝人物不能不唯美國馬首是瞻，稍有顧忌，另由在野的政客如石橋湛三之類，假藉工商界代表名義，向毛共從事勾結，担負着在朝黨—自由民主黨—的別動隊任務，乃意料中事。至於西德與加拿大，早跟毛共發生了深切的經濟關係，自然贊成自由世界與毛共苟和的。

這一切，皆導源於蘇俄的農業經濟恐慌，以及中俄共之反目內鬨，大家都想乘機混水摸魚，擴奪共產地區的貿易利益，祇要有生意可做，有利潤可圖，而全面戰爭又不致觸發，甚末「自由運動」，大可置之度外，若夫「兩個中國」之製造，更不在話下了！

我們的唯一出路

中華民國政府如果願意以「兩個中國」之一自居，苟安一隅，得過且過，那當然很安全寫意，台灣永遠不會沉淪，殆可斷言，但在國際間不過是個「妾媵」地位，明年的聯合國大會時，夠我們嘔氣的。否則千言萬語只有一條生路：打回大陸去！

打回大陸當然不是空喊口號所能實現的，咱們有種種先決條件限制着。可是，咱們不能先軍事反攻，必要時何當不可以進行「外交反攻」呢？譬如強權主義者要搞「兩個中國」，咱們就採取自主的外交行動，表示不受一切國際條約的義務約束，要出賣亦由自己決定，把局面弄亂，使大家混不成，這也比俯仰由人的生活為夠種啊！

政治要人的安全問題

美國繼任總統詹遜，每到外面走動時，特務人員即作嚴密的警戒保護，最近他到紐約公幹，為着保衛他的安全，即動員了警察和特工五千人，備從事。這當然是有鑑於甘迺廸總統被刺的慘痛教訓，不得不然。

政治人物如其真有被仇家欲得而甘心的事實存在，要想防備不遭暗算，那是很不容易的事，雖出門警蹕，護衛周密，亦復防不勝防，掛一而漏萬的。尤其是現代科學昌明，殺人的利器亦日新月異，與舊時代的「五步流血」情形，迥不相侔。祇有像史太林之流的專制魔王那樣，出門多在夜間，車乘裝甲避彈，而且[illegible]，或許可以減少一些被暗算的危險性，但亦不能絕對保險。假使現時業已接近成功的「死光」發明，將來有如今日人們日常使用電筒然，普遍應用於社會大衆之中，那就根本無從防備了。老子說：「掊斗折衡，而民不爭」，正是這種義理。

古代專制帝王不但是很少出門，且不輕易見人，至於向群衆集合場所演說訓話這類事情，根本就沒有，因而個人的安全，比較無虞。時至今日，人類進化到民主世紀了，政治領袖人物的生活動態，必須平民化，總算合理夠格，甘迺廸先生便是這樣的作風，却不免於遭受暗殺之禍。可見政治生活的黑暗面，大過於光明面，可慨也矣！

中國儒家的政治哲學，首重德行與誠意，唯德可以服人，唯誠可以感人。政治人物如果遇事以德行與誠意為先，自然獲得社會大衆的愛戴，無形之中即消弭了仇恨心理，暗殺於我何有哉？所以，我認為身居政治高位者，必以讀書明理，修德存誠為先務，光是講權威，嚴護衛，把生命安全寄托於特工與軍警之手，那是很危險的。國父孫先生在世時的政治行動，比甘迺廸總統更民主，而其所處的環境尤其惡劣，隨時皆有遭受暗算之可能，但他從未遇到過，唯一原因就是他的德行與誠意足以感服群倫，即政敵亦無例外也。

馮三先生

監委張國柱在檢討會上
對國營事業有嚴詞批評

（二）棉紡織業合作公約問題，由於內銷無績效，所以業者認爲加重負担。查全台灣棉紡織業共有廿四家，其中國營者三家，民營者廿一家，在今年春間，爲了擴展外銷，謀求產銷平衡，統籌購棉，並調節內外銷供應，以達合作外銷目的，經協訂棉紡業合作公約，全文共十五條。其中第七條規定：「進口棉花，依其到岸價格，收取百分之二十五作爲合作基金，由貸款銀行於各廠商提用棉花時代爲收取，並專戶存儲。」第八條規定：棉紡織品出口時，照退稅申請書及其原棉結滙證明書對岸棉價的百分之二十五退還基金，並依出口棉紡織品結滙金額的百分之五發給獎勵金。此一措施，就其績效與政策來檢討：

關於內銷方面，合約嚴定內銷的限額，並規定內銷紡織品是不退還基金的，這就是要迫使內銷價格提高百分之廿五，以三成內銷高價之所得的[illegible]來補助外銷損失。但最近七八個月以來，因爲各廠商存紗存貨很多，事實上，內銷價格並沒有多大上漲，就績效言，沒有得到預期的成果，反增業者的負累。以政策而言，政治應以大衆民生爲第一，縱使能如所期內銷價漲，在自由經濟下加重大衆負担，以接濟少數棉紡業主之損失，似非政府之所應爲。至於外銷方面，原則以外銷部份退還合作基金，並發給獎勵金，以鼓勵外銷銷量之增加，但實施時所收者多，而所退者少，每包紗所用棉花收取其價格百分之二十五合作基金，假定爲一千四百元，外銷部份所謂推廣費用約五百六十元，只有八百四十元（包括獎勵金在內）佔收數的百分六十，一收一退使廠商淨損百分四〇，尚不包括收退期間之借款利息在內。縱使予以減低銀行貸款利息，其所減少之利息負担，亦爲合作基金之損失所抵銷。商人是精於計算的，既感得不償失，故多表不滿，雖則外銷量稍有增加，漏稅數少，產品亦較前進步，但並未達到預期的效果。

張國柱認爲全省二十一家紡織者，多屬於家族的；而不是現代企業化的經營，如不改善這種現象，政府的任何輔導，只是治標而不會有美滿的效果。

（三）至於國營的三家紡織廠爲台北紗廠、新竹紡織廠、中和紡織廠，其經營情形如何？根據張國柱所說：「這三家國營的紡織業的營運，從無一點政策性的措施，幾乎完全是一種應付的態度，他們只憑自上海撤退來台建立時運來了一點機器，即苟延殘喘，自生自滅。」因爲這三家工廠債累不堪，無論在設備管理，資金或經營方面，都未予以積極的輔導。本來公營事業有其國家的雄厚背景，各方面都應該要發揮示範作用，但是這幾家廠非但發揮不了示範作用，而且事事落後，形成危機日深的狀況，他們既然發生不了任何有利作用，爲什麼還要讓他們存在呢？聽說幾年來，早就預備出售的，但以不易出售，近乃準備合併經營，不過合併的問題很多，比如資金方面，人事方面，都是很難解決的。由於政府過去確實沒有盡到應盡的能事，因而造成了今天這種進退兩難的狀態。今後如果合併，無論對於資金或人事的問題，以至經營的問題，都須有大刀闊斧實事求是的精神與方策，通盤籌劃徹底予以解決，才可望有發展。（下）

監委曹啟文呼籲團結救國
反共是國之大事生死存亡之道 必需海內外一德一心齊趨一的

（本報記者台北航訊）監委曹啟文呼籲「政黨休戰，三黨團結，一致對外。」

他說：「今天我們有一個最大的缺點，最大的危機，就是假的風氣太盛。假到什麼程度呢？自己明明缺點很多，還要粉飾；自己明明不會，硬要說行。」由於「大家做事都不實在，甚至於真正做事的倒了霉了，但會搞公共關係的倒是好了。所以在這種風氣之下，真正能夠負責任的人，到起不來。今天是非常的時代，必須要用非常的人才能担當非常的使命，如果再用些花言巧語的，只懂得做公共關係的人，這種虛偽的做法，就是今天我們嚴重的病，最大的缺點。所以這樣一個風氣應該如何才能糾正過來，就是我們應該考慮的問題」

曹啟文說：「還有一個缺點就是不協和，到今天還是如此。國民黨裏面是如此，青年黨民社黨亦復如此。日前，我讀了一篇羅列所著的伍道遠先生傳，敍述在大陸時，羅伍兩位先生並肩作戰對抗共匪的情形，讀後很爲感動。羅先生說，伍先生是青年黨，但我不認爲他是青年黨，我認爲是忠貞謀國之士。我們到了今天這個地步，實在再也不能區分誰是你的人，誰是我的人。做天下事而不能用天下人，這是不對的。何況大敵當前，而敵人又是千古未有的？我們要與敵人鬥，又要把甲乙丙丁分得清清楚楚，你雖才華蓋世，但不是我的人，所以不用你。相反的，你今天那怕是個奴才，只要你始終低頭跟我走，我就用你。「親賢臣，遠小人，此先漢所以興隆也！親小人，遠賢臣，此後漢所以傾頹也！」這是千古名言。國民黨今天應該要使青年黨民社黨合作，不應該使他們搞得焦頭爛額。同時國民黨本身也應該合作。因爲今天要反共，反共是國之大事，死生之地，存亡之道，不可不察也！今天不是誰成功，誰失敗的問題，要下海都得下海，要成功都能成功。大家睜眼看看，這是什麼世界了！今天我們不能回大陸，還在這裏分你的分我的，這種政治風氣是要不得的。今天我們要反攻大陸，全國上下就要憑團結成一條心，包括海內外同胞，去把敵人消滅。我覺得即使我們用了最恰當的人，發揮最高的智慧，盡了最大的努力，也不是在短時間內容易把頑強的敵人消滅的。但是，今天非但不能團結成一條心，大家還在講門戶，講派系，你是國民黨，我是民社黨。在青年黨裏面，又是他一派，我一派；民社黨裏面，也是他一派，我一派。」

曹啟文說：「雖然赫毛兩個人在那裏鬥爭，但如果僅僅把這件事情來作爲樂觀，並不是我們之福。他們兩個人鬥法，鬥勝鬥敗都不是我們的事。我覺得我們今天要趕快停止黨派之間的鬥爭。不但青年黨要團結一塊，民社黨要團結一塊，國民黨也要團結一塊。然後三黨再團結一塊，大家開誠佈公。如果大家還分你我，在我看，只有下海一條路，沒有第二條路可走。我覺得這是值得大家檢討和猛省的一件事。」

香港與大陸

毛共搞五好企業運動
百姓學乖了原封不動
以騙對騙。半斤八兩

中共最近又在大陸各工廠企業中大搞「五好企業」的政治運動，要求每個企業機構工作幹部一方面能夠「生產第一流的產品」，一方面又要成爲具有「社會主義覺悟」，有「文化技術」，有組織性紀律性的職工隊伍。

原在惠陽糖廠工作，去年逃亡來港的青年黃君，最近接到其過去同事來函，對中共搞「五好企業」運動敍述甚詳。

來信說：中共由於「三面紅旗」的失敗，「大躍進」成了「大躍退」，三年多來，大陸的所有工廠企業，不論其政治工作，計劃的擬訂，生產的管理，甚而職工生活的紀律，幹部的作風等，都亂作一團糟，因而大陸的工業，不單是停滯不前，大部份早已關門，不如改革，全面倒閉亦不爲奇。

中共便是因此而在大陸掀起其「五好企業」的政治運動的。「五好企業」也者，是要政治工作好；計劃完成好；企業管理好；生活管理好；幹部作風好」。中共而且亂吹，說是經過此項運動後，要能夠生產物美價廉的「第一流產品」，也要使每一個職工都應具有「社會主義」的「覺悟，有文化技術，有組織性幷有紀律性。

來信說：這項「政治運動」是多方面的進行的，首先是來一個大調動；從工廠企業的「黨委會」起，一直到各個生產車間，生產小組，都來一個「調動」。其目的，一方是調進一些新的幹部，擠去一些「不適合」工業生產的人到農村；更主要的目的，還是使每一個職工都覺得週圍都是不熟稔的人，深具戒心，不得不表現「積極」。

其次，是開展一個檔案的複查工作，每個職工都得「塡表」（按：這是大陸人民最害怕的事，常常因爲不小心所塡的與過去塡過的不符，引起共幹的追查，出問題者亦多在此。）而且還要特別注重近年來的思想和言行的表現。中共認爲有問題的，都給予一定的處罰，輕則批評警告，重則鬥爭、管制、勞改。中共還要求每一個職工都進行一次過去工作的得失的檢查，且追查得失的原因。同時，中共還把大部份的職工家屬遣返原籍，說她們是防礙生產的主要原因之一，不管是老的幼的都無例外。

再其次是加強生產的計劃和管理，新調不少幹部以任該科工作，另又增加大量的採購員，說是要擴大原料的來源。

中共這樣做有什麼收穫嗎？中共自己當然說收穫甚大。但來信卻指出根本不是那麼回事，原因是大陸同胞都被中共教乖了，盡有應付中共的能力了，大家表面順從，骨子裏根本不是那麼回事，那來的收穫？這叫以騙對騙，半斤八兩。（敬斯）

振興公司工展攤位
顧客如雲皆大歡喜

（本報訊）振興糖菓餅乾公司一年一度的酬賓大贈送，在工展攤位第八街，由於歷史悠久，出品精良，且時屆聖誕新年，到遊工展觀衆莫不人手一袋，各得其所。

振興公司出品各種賀年糖菓、餅乾款式繁多，一律特價優待，如馳名之克力架原價四元，買二送一；菓汁夾心餅原價五元五，特價四元。尤以該廠今年新製品蜜乳酥也是買二送一。查該蜜乳酥功能養顏健脾，開胃，含多種營養質素，不獨大人食後有益，亦爲兒童之珍品——其主要原料選用上等純蜜，乳酪，麥精，牛奶等製造。由於品質精美，早已風行海外。其他振興出品大概特價七八折酬賓，顧客如雲，理所當然。

△第廿一屆香港工業出品展覽會會長黃篤修，林根成，蔡章閣，尹致中，以星加坡中華總商會觀展團團長高德根，及泰京廣肇會館觀展團團長李永琛等，率領代表團，來港參觀廿一屆工展會，工展會首腦及廠商會同人爲盡地主之誼，於十二日下午八時，在大同酒家設宴歡迎，情況至爲熱烈。

△第廿一屆香港工業出品展覽會，爲提起本港外商及出入口商對本港工業出品認識，及增進對外出口貿易，於展覽會期內，分期招待外商，十日爲第一天，各出入口商外商參觀者有倫敦父子公司，高士美公司，其士有限公司，世界商業公司，中國藝術公司，永亨貿易公司，永華公司，聯合行，開利公司等三十二單位七十一人。

△歷屆工展會所辦理節目中，服裝表演是一個異常熱鬧的節目，且是最受歡迎之演出。第廿一屆工展會開幕以來，入場觀衆甚多，各方好評如潮。現大會爲宣揚本港棉織，絲織，呢絨製品，故決舉辦服裝表演，各廠號已紛紛報名參加，限定十二日下午五時止截報名，並預定於十九日晚作第一次演出。（白）

母親

方南

在五歲的時候，我被母親提着辮子放向一個深深的池塘裏，險些被淹死。

那是她在神經錯亂以後幹出來的事。

那年，我的大哥死了。他是一個很聰明的孩子，才十歲大，書已經讀得很好。一場惡病帶他離開這個世界，母親哭得死去活來。一天，母親由村子赴向墟場，途中看見一頭小犬兒，她把犬兒抱向懷裏，痛哭起來。

由那時起，她患了神經病。她抱着小犬回家，喊着我大哥的名字。

那時我還未懂得人事，更不知道那是一個可怕的開始。我見母親哭，我也哭了。母親拿着我的一條手臂，用口咬得我很痛。我只是發征，不知道這究竟是什麼一回事。同巷的婦母都到我們家裏來，勸母親要珍重身體。

以後，母親的病時發時止。病發時，懷中總是抱着一頭犬兒，夜裏不停地唱歌，歌裏的主要字眼，就是我大哥的名字。病好了，她是緘默的，慈祥得似一位佛母。我跟她到豆棚架兒摘豆角，到田裏割禾，到蔗寮吃糖蔗棍子，充份享受她給我的慈愛，快活得像小天使；但是，逢着她病發時，我的苦是沒有人能夠和我分担的。

從多年的經驗，我最怕是母親遇着小犬兒，或者晚上失眠。犬兒會把她的老病誘發；失眠會使她唱歌，唱歌會使她唸起我大哥的名字。

五年、十年、二十年，這情形沒有改變。母親的病隔一年或兩年必發一次。那發得最兇的一次是，她囑着要替我大哥討一個陰間的老婆。爲了這一件事，鬧了不少的麻煩，卒之，婚事告成，娶的是王家死去多年的女兒，她是六歲死去的，十六歲出嫁，算起來，那年我大哥該是十八歲了。這事辦好，母親的心願告償，連續六個月的大病霍然而愈。

我由十一歲起到城裏讀書，爲了母親的病，常常要趕回鄉間侍病。

有一個很奇怪的習慣，當母親病發作得最兇，沒人敢和她接近時，只要遇着我（她的最愛的兒子）便會鎮定下來，不再罵人和打人。我自己感覺到，對於她這個因痛憶亡兒而發生的病症，只有我才是最有效的大醫生。我沒有什麼靈藥，我看見她的病症便要流淚，但我不敢流淚，因爲我知道，她需要從我的眼光裏吸收到一種對她的神經最有效的安撫劑。我不能讓她看見我流淚。

母親逝世十二年了。我常在夢裏看見她，不是唱着歌兒便是拿着一根木棍兒。但我從未夢見她拿着木棍兒打我。我一生不會受過母親的鞭撻，即使是她在極度失去常性的時候也沒有打過我。那次，她提着我的辮子把我放到池塘裏去，也只是打算替我洗一個最舒服的澡。

每在夢醒時，思念母親，我的淚只有直流。

藝術叢話

抽象藝術漫談

趙雅博

其次是對這一形式，需要有感覺的或者理智的領會。在這裏，我們所說的領會，就等於認識。這是說，要領會美，一定要有形式的預先認識，這是很顯然的。只有形式，只要孤立的形式，如果沒有感覺的或理智知識，又那裏來的美呢？形式是不會孤芳自賞的。

、第三個要素，就是認識或領會美者的主體（我們這裏說的主體指的是人）的特殊與精神的準備。這種準備要藉着某種滿足，使主體感動的與這個形式相適應。這最後的要素，也是缺之不可的，一如知識的構成一樣，有了客體，主體以外，必定二者的相結合，在美的領會上，這種準備就是主體客體的相連結下。

是的，有了這最後的準備一項，形式的領會，就根據使我們佔有形式的感覺或理智知識得以證實了。現在我們且更詳盡的談一談。

（一）美的爲物，可以眞、善合一而同爲物的最高特徵，也可以說能適應一切的超越觀念來說的。這是就「有」的超越最高特徵的。不過這個超越的最高特徵，却有能爲我們的感覺所能把握，並且，在嚴格的自然界限以內，一切的美，無論是感覺的，也無論是理智的，都應該從感官的與件開始被認識。無論什麼樣的知識，其開始都是也沒有例外。並且主要的是先由於我們的外感官的耳目，然後再進入內感官，再轉而至於我們的智力。借着感官，我們可以取得本然感覺的美，我們也可以取得偶然感覺的美以及在本質上是理智的美。我們的美感之起，雖然起自感官，起自感覺，但是在實際上則是千變萬化，神妙無方，有時只是某種色彩的感覺取得，美感便沛然而莫之能禦，有時候只是一個細微的聲，松風海嘯，鳥語獸鳴，美感就會油之而起；有時候只是一個塊然物的看到，風掃敗葉，雨打殘荷，怒濤排空，雪捲千堆；一香，一笑，一顰，一淚，在在都會引起人的美感，在在都會引起人的出神，實例極多，我們是無法一一列舉的。都是我們感官中一個本然感覺的姿態，這一切都對於美的表達，功德無量。爲了使我們上述的美的表達成爲可能的，正正恰恰的需要那被結構成爲客體（或對象）的物質，應該佔有需要的完整性與比例性，這個前面我們已經提過。它們對於自立體形式的光輝，輝耀光明到客體的最後附加的指定是很需要的，就是（不但自然的美應該這樣，就是藝術——人造美，也沒有例外，不過在這完整性與比例以外，藝術家還應知道給物質材料，注入他所願意或強調的那種形式的美，一是受着附加體的這種薄紗所遮的隱，一樣也能得爲人在其隱蔽的全體中所偶爲人，並且藉着感覺的全體領會中所偶然地，取得客體本身的美，這個美並不給我們一個客體的質或量的外觀，而是給我們客體的一本個感覺的像內，而這個是能夠爲想像能力所保有，也被着想像淨鍊，以便將這個感覺的像紬繹成一個象徵；而這個象徵乃是一切象徵藝術的根據與基石，並且藉着我們創造想像的能力，和其他的像配合組織，而構成一幅象徵的美的藝術品！（未完）

劇氛傑錄

婆娑生

，尚氏開始識孫，即識爲孫一騷，喻其有如驟鳴也。某次，孫演七星燈，許多同好堅邀一觀，固辭不獲。是日因天氣太冷，上座不佳，祗有四成左右。孫氏的琴師徐鏡波告之曰：大爺今天氣候這樣冷，這台下不滿兩百的觀衆，確實是爲欣賞您的玩藝而來，可算得是知音，你老要特加賣力，以慰他們的所望。於是孫氏鼓足勇氣，特別卯上（即出力之意），皆大歡喜。尚氏聽了也異常佩服，從此凡是孫氏登台必聽，並搜得秘本，一腔一調，盡在掌握。現在旅台的孫氏傳人李東園，從師以後，凡是研習腔調，孫必囑向尚去尋，然後經其試唱，當面指點。所苦者尚氏除睡覺以外，每日均在煙館吸阿芙蓉，東園即每日赴館，在煙榻之旁，敲句尋腔，有五六年。

王筱生亦崇拜孫氏而學戲，嗓音勝尚氏，能戲較多，常有彩串，所苦未能下海，總是走票，所入不多，難以窺紅。而其家道又不如尚，故在老鄉親逝世後，極爲困頓。幸其抄存孫氏劇本尚不少，遇到囊中如洗的時候，就向李東園索欵，云：你給我五十元，我給你一本子，東園輒應之。習以爲常，前後所取，約有三四千，而東園遂獲劇本有五六十種，至今能演唱至六十餘齣。皆筑生因窮所需，使其得有成就。由此可見飲啄皆有前定，不能強求也。

天演貴胄，劇藝超群

在未談余叔岩之前，必須先述紅豆館主，他是超特的名票，而非伶工也。自光宣之間名票，以迄民初，約有廿年，此奇異的名票，是譽滿都下，爲內行任何人所折服，皆尊稱爲侗五爺而不名，見之無不屈膝請安，其聲威之尊，無出其右。余曾云有一位了不起人物，在平劇界，確是曠絕古今，後無來者，厥惟紅豆館主。蘇少卿兄曾尊其爲全國之劇學大師，的非過譽。

侗五是清宣宗（道光）之曾孫，文宗（咸豐）之姪孫，與溥儀、溥儒等爲從堂兄弟，其賢能與溥儒相近，書畫琴棋，無所不精。書法挺秀，學褚遂良體裁，頗得神髓。擅彈七絃琴。又善圍棋。學問淵博，集思廣益，雖無多著作，但出筆每不俗。旗籍多以名爲姓，因號侗厚齋，又字溥西園，另名希遠。在玩票時，稱侗厚齋將軍，一名紅豆館主。論詩畫時，名溥西園先生。大成曲譜後知音集有紀云，溥西園自幼玩票遺興，譽重南北，並擅詩書畫三絕，平津名角，莫不投其門下，弟子以百數計。平劇崑曲秘笈，無慮千百，悉能串演，出神入化，震驚梨苑。與海上之徐凌雲，同稱南徐北溥，爲曲壇二怪傑，是可傳矣。（十四）

瘟君續夢

第十回，集會議圖存　天寒日暮　亦言難自救　鬼哭神愁

陶鑄不敢再接腔。毛澤東就指着羅瑞卿，要他說。

羅瑞卿說道：「根據公安部的估計，壞份子約佔百分之幾。」

毛澤東一瞪眼：「到底是百分之幾，這個數字一點也不能含糊的，百分之一已經六百五十萬，假若是百分之九就有五千多萬，你不能隨便說得這麼輕鬆。」

羅瑞卿紅着臉說道：「確實數字眞的沒有統計出，不過，可以知道壞份子都是，地主，資本家。」

周恩來搖頭道：「這件事恐怕還有問題，眞是照主席的估計，最高額達到五千多萬，試問那裏有這麼多的地主，資本家。」

劉伯承說道：「這個數字確實相當嚇人，我國人口雖有六億五千萬，女人佔了一半，再除老人，小孩，眞正的中年人大約只佔六分之一，也不過一億多些，如若壞份子佔了五千多萬，豈不是佔了一半還多。」

毛澤東連連頓脚，說道：「解放以來，根據『康生計劃』，地主、資本家及國民黨人員差不多一網打盡，少說也殺了兩千萬，怎麼會越來越多，公安部門太麻痺了。」

毛澤東提到『康生計劃』，全場都向康生看，康生坐在台上十分得意，把一付高度近視眼鏡摘下來擦擦又戴上，右腿架到左腿上，一味搖幌。

說起康生計劃，到是中國人民的一大刼數。當大陸初淪陷時，未及逃出的公教人員及稍爲殷實人家，自知爲共產黨所不容，就東藏西躲，有的且參加游擊隊與共產黨拚命，社會秩序一時混亂不堪，中共當時在西南各省還要同國軍作戰，自無力對付這批義民。中共中央開會商量對策，康生尙主管特務機構，毛澤東就要他發言。

康生說道：「國民黨殘餘份子及地主、資本家，這批人在社會上佔了很大比例，而且又都有學識，經驗閱歷也較我們各級幹部高一著，若不把這批人消滅，基層工作是很難展開的。」

毛澤東說道：「你的分析對極了，有什麼辦法能把他們消滅呢？」

康生笑道：「這是一個大迂廻的戰署，要假以時日，性急是不成的。要消滅敵人，首先要明白敵人的心理，解放以後，眞正的死硬份子大部逃向台灣，小部逃往香港，留在國內的人，都沒有和黨作對到底的決心，只因下級幹部執行政策時過於偏左，迫使他們挺而走險，祗要我們表示寬大，凡是回家的既往不咎，而且命令各級幹部，一定要徹底執行，不問過去有多大血債，不怕殺過一百個共產黨員，只要回來安份守己，不再生事，以前的罪過，一筆勾銷，相信不到半年時間就全部回來了。」

毛澤東說道：「你這個辦法固然可以消滅亂源，不過，留下這批人也相當危險，國民黨一旦打回來，他們一定要起而響應。」

康生笑道：「我說的只是第一步，到了他們全部回家後，只要下一道命令，各地一齊動手，一夜之間就全部抓起來了，到時愛怎麼處置就怎麼處置，還怕什麼人抗議嗎？」

（二六五）

共軍用「遮不住敵人眼睛的仗不打」，「不明瞭的仗不打」，「沒把握的仗不打」，爲運用戰術的三原則。它如何以明擊暗呢？即控制着當地人民，自己的情形不讓民衆告訴我們，我方的情形，則教人民盡量的告訴它，就是在我們的地區內，也有牠的地工和諜報人員，甚至我們的機關部隊中，亦有它的滲透份子潛伏着，我軍的一舉一動，它都十分明瞭。因而它常常在明處，我常常在暗處，所以共匪乃能實行以明擊暗的戰術，在把握住上述三原則，每次與我交鋒，都能對我增加損失，而減少自己的損害。

總而言之，共匪是以地下造亂，知道自己的兵力及一切條件與我軍相差太遠，欲以武力取勝不易，便取以政策掩護政略，用政略來掩護戰略，再用戰略來掩護戰術戰鬥，然後以時地配合，擴展叛亂行動。實行普遍性的民衆武裝政略，運用以水覆舟的戰略，

接受教訓·策勵未來 大陸是怎樣淪陷掉的？

吳文蔚

把握住以明擊暗以大吃小的戰術戰鬥，做到了逐次累進擴大其武力的效果。匪實現這一套聯鎖戰法，是在其佔領區域內，很迅速的用赤化恐怖的清算手段，以經濟條件，組織勞動民衆。使組織即成爲人民的生活保障，把控制面的地區內人民，陷於離開共匪便不能生活的環境中，人民的一切行動都必須與匪一致，而且成爲血肉不可分離的關係，是人民維護它的組織，就是保障自己的生命。

共匪做完了這套組織的功夫之後，使人民變作牛馬，它的政略戰略，戰術，戰鬥，都能充份的一一實現。於是便造成了以水覆舟的駭浪巨濤，爲所欲爲，避所當避，有利則打，有害則逃，勝仗多而敗仗少，收穫大而損失小。這就是共匪逐漸壯大，肆行擴張，以致席捲大陸的一大因素。

共匪這種做法，完全是「集歷史」的行爲。自來造兵造亂的人，都是無限度的奪民財，強民命；作爲牠造亂的資本。共匪的亂，不僅如此，而且是集歷史上的奪民財強民命的辦法，盡量的採用而集中實行。因此牠崇拜的不是堯舜聖賢，而是流寇黃巢李闖。

牠不僅是「集歷史」的，而且還是「超歷史」的；牠是乘着社會的病態與恐慌的紛擾現象，以赤化政策，恐怖手段，提出解放世界的口號，但其方法，是用政治的方式，經濟的條件，在造亂上煽動勞動大衆，以解放口號，作爲造亂的工具。（七）

女傑秦良玉

漁翁

四川，古稱天府之國，山有峨眉之勝，水有岷瀘之秀，山水鍾靈，代產聞人，漢有司馬相如，唐有李白，宋有三蘇，文章詩賦，膾炙人口。而明末女將秦良玉，敬恭桑梓，捍衛國家，爲崇禎帝所嘉勉，御筆賦詩以旌其功，後之人讀史，羨爲巾幗英雄焉。

秦良玉，四川忠州人。忠州城西樂天鎮有一溪，曰「鳴玉」，其父秦葵即以地而爲女名。良玉生性聰穎，饒膽智，善騎射，常爲男子裝。時馬震南爲石柱土司，石柱距忠州約百里，馬原籍山東，爲漢伏波將軍馬援之後裔，有姪曰馬千乘，一書生也，探親於任所，歷久而未歸。

一日，適苗族舉行婚禮，央馬土司爲證婚人，不許漢人參加。千乘好奇心動，化裝苗人隨往觀禮焉。按苗俗重女輕男，婚禮甚有風趣；男與女分立兩旁，中央即證婚之漢人，苗女手持鮮花，若屬意誰，即將鮮花擲給誰，而男子不能反抗。男子接花後，即正式成爲夫婦。良玉以千乘狀貌恂恂，擲之以花，因此，千里姻緣一綫牽，而有情人不期然而成眷屬矣。婚後，一爲說禮樂而敦詩書，一爲執干戈以衛社稷，於是文武交流，千乘教妻讀書，良玉教夫學劍，夫唱婦隨，合力訓練一支精銳兵馬，號曰「白桿兵」。因襲乃叔之職而坐鎮石柱焉。

明萬曆二十八年，貴州苗人作亂，良玉隨夫率兵平之，凱旋時，千乘在途患疫病死，良玉忍痛承其職，恭桑敬梓，民咸德之。迨萬曆四十[illegible]防務張，滿清崛起，良玉率軍勤王，奉命守「[illegible]關」，卽今之「山海關」也，銅牆鐵壁，敵人不敢越雷池一步，國勢得轉危爲安。局面甫定，而四川[illegible]，一面練兵，一面勦亂，督勵，底定川黔兵，尤建殊勛，事聞，官拜都督，名噪一時。

崇禎九年，滿軍又迫近京都，局勢險惡，良玉聞警，即毀家紓難，統「白桿兵」兼程北上，收復灤州，進據永平而兵，以解京師之圍。崇禎聆捷，即派員送綵幣羊酒，以勞將士，同時，又召見良玉於平台上，慰勉備至，親拜御筆，以彰有功。賜詩四首，詩曰：

「學就西川八陣圖，鴛鴦袖裏握兵符，由來巾幗甘心受，何必將軍是丈夫。」

蜀錦征袍自剪成，桃花馬上請長纓，世間多少奇男子，誰肯沙場萬里行。

露宿風餐誓不辭，願將鮮血代胭脂，凱歌馬上清平曲，不是昭君出塞時。

憑將箕帚掃[illegible]，一派歡聲動地[illegible]，試看他年麟閣上，丹青先畫美人圖。」

上面四首御詩，[illegible]用石鑄於川東石柱[illegible]

我的社會生活

雷嘯岑

繼而武漢方面派人送來譚組安（延闓）先生致李協公的親筆信一件，由我拆閱轉呈，內容是勸李公不要跟蔣總司令合作，應與武漢政府一致，中有「盼兄勿以蓋世勳名，竟爲一人之殉」等語。來人聲言要候回信帶歸，我問李公如何答覆，他沉思有頃，吩咐我道：「你卽擬一簡單信稿，只說凡事之不近人情者，皆非烈鈞所願聞也。」我遵命寫好，請李公簽名（他對朋友寫信，素來親自簽名而不蓋章。）交給來人拿走。譚先生原函是親筆寫的，行書好極了，我將牠收藏篋中，視爲珍品。過了一星期，武漢政府卽明令撤免李公的省主席職務，任命朱培德承其乏，另由徐謙秘密到九江與朱氏協商大計，消息傳來，南昌人心更爲浮動，工人與學生們尤其任意胡鬧。某日晨九時，江西省府教育廳長程天放被學生羣衆捉去了！李公聞訊，[illegible]請他制止學生暴行，恢復程氏的自由，派我持函赴警備部面交王氏，王謂此事應找公安局長朱德，他帶着我同往公安局，由王氏說明來意，我未開腔，朱德厲聲答道：「軍閥李烈鈞的信，何必理他呢！」我看情形不好，立卽辭出回到行營報告李公，主張及早離開此地爲要。李公[illegible]今天便要打它一個落花流水呀！」是夜在李公館內秘密商定，日內卽從南昌赴杭州，再轉上海、南京。

次日下午五時，我將行營的大小印信，密電碼，官邸紙張，蔣總司令私章一顆，全部檢好，裝入手提箱內，擬携至李宅，隨身帶走。當我走到大門口時，衛兵已換了新面孔，不由分說，把我扣押，到了後門一所小房間內，直至晚上十二時，既沒人來訊問，也不給我飯食，不知犯何罪？這時飢渴交迫，得渾身出冷汗，李公竟全然不知道我被拘囚這回事，嚴卒又不許我搖電話，忽而一穿中山裝的青年人從窗前走過，我試行招呼道：「這位同志請進來談談」，他卽應聲進入屋內，察看他胸前所佩的布章，是個連黨代表（姓張，名字已忘了），跟我和顏悅色的談，知道他是貴州人。我[illegible]出身和職業。他談到革命理論，問我看過戴季陶所寫的「國民革命與C.P」那本小冊子否？我說：「那是反革命的思想言論，素來不屑看這類刊物。」他以愉快的表情答道：「你的思想很正確，[illegible]」

陪同到大門口，握手申謝而別，迨走回李公館，已是下半夜二句鐘了。李公聞得我的聲音，從臥室中走出來，言道：「我怕你被學生們抓去了，四處打聽皆不清楚，很就心呵！」說罷，他卽就寢。我剛在房內洗臉，外面敲門聲急，卽往啓開大門，乃是憲兵團第二營的連長饒吉甫（湖南人），氣急敗壞的說有緊急事情報告，詢以何事？他說：「我們的團長顧潞反了，現刻他跟王鈞的部屬在某處樓上開會，商量憲兵團改編，升他爲團長。請李代總司令卽下一道手令，派第二營去逮捕他，以遏亂萌，到明天就不行了。因爲憲兵團的實力以第一營最強，我們二三營合起來亦敵不過他，反要被其挾持從逆。」我說君意甚佳，但李公已睡，深夜未便驚動。饒謂：「就由君秘書代寫手令，蓋上李公的私章交我拿去執行亦可」。我想茲事體大，憲兵團各級官長都是蔣總司令的學生，萬一弄出不良的後果來，責任很重大，我担當不起，祇好婉言告以明天再說，他很失望地悵然辭去。（十）

有爲大才槃槃，英氣滂薄，向懷大志，夙抱宏願，雖不欲由科舉而進入仕途，爲五斗米折腰，而退處於講學著述，甘布衣而終老死；然平日至熱心於經世致用之學，力考古今中外拯民救國之方，富國强兵之道，冀以布衣一躍而居『一人之下』，『百官之上』，伸其抱負，展其經綸，登斯民於袵席，措國家於磐石，使國家民族能揚眉吐氣於並世强國之林。

有清末葉，甲午（光緒二十年）一役，國勢一落千丈，經此敗，致招外人之覬覦，漸啓瓜分之陰謀，國事岌岌，危達極點。康氏一有心人也，目擊時艱，憂憤如焚，本其不忍之心，秉王船山『有家而不忍家之毀；有國而不欲國之亡；有天下而不欲天下之失黎民；有黎民而恐或亂之；有子孫而恐莫保之。』之念，而思有以易天下，變乾坤，一洗國家之恥辱，還我堂堂華冑之本來面目，才上可以對祖宗，中可以對國人，下可以對自己，夫然後可以對後世。乃冒大險難，不顧生死，一而再，再而三，而至於七次上書，力主

康有爲的覲對

丘峻

變法維新，極言『守舊不可，必當求變；緩變不可，必當速變；小變不可，必當全變』！書初上（光緒十四年十一月）而不能達，守舊頑固大臣且目之爲『狂士』。再上（光緒二十一年四月八日公車上書）又不爲奏聞，而京師上下則咸爲震動。書再上之明日，氏舉進士第，定四月十一日引見，授工部虞衡司主事；而不願爲五斗米折腰，卒不到任。對日和約簽訂（光緒二十一年三月二十三日），拒和之論已成過去，允宜乘國恥之方新，及時變法以圖强，復草『萬言書』上達天聽。德宗見條陳（四月十一日），大受感動，痛哭者三日夜，於氏劇加器重。是爲康氏受知於光緒之始。

同年（光緒二十一年）五月，作第四次之上書，內容較前益詳盡，又不得達。迨膠州案起，形勢嚴重，又以二十三年十二月，更發憤而有第五次之上書，雖詞句激烈，亦委婉沉痛，中有『竊恐自爾之後，皇上與諸臣，雖欲苟安旦夕，歌舞湖山，而不可得矣！且恐皇上與諸臣，求爲長安布衣而不可得矣！』之言，讀者爲之撟舌。書達工部，莫肯代奏。惟因京中人展轉傳抄，津滬報紙爲之登載，因之流傳頗廣。給事中高燮曾閱其書，頗感動，益以楊銳之請，乃抗疏奏荐。時帝師翁同龢已復相，悔前不用其說，亦甚言於上。原氏以書不得上達，擬於十一月十九日束裝南歸，行前向翁投書辭行，並痛言國事之危，時機不可再失。翁乃於是日凌晨退朝，卽趕往南海會館，氏猶未起，排闥直入汗漫舫，握手而言曰：「毋行，吾今晨力薦君於上矣，謂『康有爲之才過臣百倍，請皇上舉國以聽』！上將大用君矣，不可行！」歸計以止。（一）

南宋偏安有人才

李仲侯

十三日，矯詔召飛入，岳雲亦逮至。前一夕，有以檜謀語飛者，使白辨，飛曰：「使天有日，必不使忠臣陷不義；萬一不幸，亦何所逃！」明日使者至，笑曰：「皇天后土，可表此心耳！」初命何鑄鞫其無辜，改命万俟卨，卨不知所問，[illegible]又誣飛使于鵬、孫革致書[illegible]廷。[illegible]乃妄稱憲書已焚其書，無可證者。時檜力主與金議和，[illegible]禮部侍郎魏良臣、知閤門事[illegible]等竭報，大[illegible]也。

十一月兀朮既陷楚州，引兵渡淮入，南至六合，西臨昭信，晝夜不絕。[illegible]急欲求和，[illegible]表略曰：「[illegible]自鄧州西四十里并南四十里爲界，[illegible]割屬光化軍，爲敝邑沿邊州城。既蒙恩造，許備藩方，世世子孫，謹守臣節。」（一一〇）

內僑警台報字第〇三壹號內銷證

自由報

THE FREE NEWS

第四〇二期

中華民國僑務委員會頒發
台數新字第三二三號登記證
中華郵政台字第一二八二號執照
登記爲第一類新聞紙類
（本週刊每星期三、六出版）
每份港幣壹角
台灣零售價新台幣弍元
社長：雷嘯岑
督印人：黃行建
社址：香港銅鑼灣高士威道二十號四樓
20. CAUSEWAY RD 3RD FL.
HONG KONG
TEL. 771726　電報掛號：7191
承印者：四風印刷廠
地址：香港灣仔高士打道二二一號
台灣分社
台北市西寧南路金奎大樓二樓
電話：三〇三四六
台郵撥儲金户九二五二

對當前我國外交的管見

孟廣樸

外交之道，基本條件是國力的强弱問題，無所謂道義，亦無所謂公理，專是講究現實利害，互相利用而已。因此，有時候弱國亦可能憑着外交策略而漸入佳境，扭轉頹勢，要在高瞻遠矚，把握時機，毋固、毋我、毋必，一是皆以爭取國家的大我利益爲本。動不得意氣，掉不得輕心，恩怨不必太分明，敵友有時亦異勢，所以，世人乃有釋「外交」爲說謊工夫者，言雖過激，不無道理存焉。準此以觀察我們的外交政策，有許多地方卽值得檢討。

當年英國承認毛共政權之際，它希望我們駐倫敦的領事館不必撤消，依然維持商務關係。但我們激於意氣，拒不接受，而英國駐台灣淡水的領事館却照樣存在，雖遭遇任何困難拂逆，亦甘之如飴。這表示英國人的外交手腕，深沉老練，强過我們，而我們在英國乃喪失了一個可以公開活動的外交據點，增加困難不少。事實上，英國之承認毛共政權，固係一種策略，毛共亦始終對「英帝」沒有好感，彼此爾詐我虞，因循敷衍，心照不宣，這便是外交！我們對英國却明心見性，恩怨顯然，毫無隱諱，這是强國的外交方式，非所語於國運迍邅之秋也。

法國總統戴高樂，在二次大戰期間，即對美國表示疏遠，當年羅斯福總統於開羅會議的歸途中，約戴氏到卡薩布蘭卡晤面，戴氏亦拒不應。迨他出任法國元首後，處處跟美國鬧別扭，使北大西洋公約體系亦幾乎陷於難堪之境。可是，美總統甘迺廸遇刺安葬時，戴高樂却親往華府執紼，前倨後恭，彬彬有禮。他這一行動，把美法兩國間積存的若干不愉快、乃至於誤解敵視的心情，掃除了大半，對法國以及自由世界皆有良好影響，這便是外交！若就現時的中美關係而言，不管別國的政治要人是否赴華府參加甘迺廸葬禮，但我們必須派大員前往——最好是行政元首出馬，纔是把握時機的明智措施。然而我們計不出此，放過了千載難逢的機會。海外僑胞在電視傳眞照片中，只見各國元首、首相或外交部長參加執紼，連南韓、南越的大員亦赫然在目，却看不到我國代表的影兒，好不洩氣啊！

我們對日本的國策，在抗戰勝利時，已宣示不報復主義，在簽訂和約時，又放棄了損害賠償的要求，允屬仁至義盡了。但日本民族勢利成性，我們是熟悉的，它現時基於眼前的實際利害關係，唯美國馬首是瞻，而對我國表示淡漠態度，對毛共頻送秋波，也就是間接受着美國的影響，情勢昭然可覩。我們若認爲可以原諒容忍，就應該在外交上多邊下工夫，但求大體不差，維持正常交誼，而不必希望它以德報德。若認爲這種見利忘義的朋友，可有可無，即不妨毅然決然地斷絕邦交，亦不見得在國際上就有甚末了不起的惡劣後果。最壞是舉棋不定，而又遇事期待它作眞誠的友邦，結果唯有自尋煩惱，啼笑皆非。例如日本以輕工業設備賒給毛共這回事，我們只是嚴重抗議，它就充耳不聞，現在又要以六萬噸鋼鐵售給毛共了，我們的外交方針，究竟是採取甚末重點呢？至於周鴻慶事件，根本就不是甚末大不了的問題，比較香港政府將潛逃到海隅來的中國大羣難民遣返大陸，渺乎小矣！我們若因此事而與日本鬧決裂，大可不必。周某原是個神經不正常的末職譯員，比較英美那些科技人才，以及蘇俄的外交幹員互相投奔雙方的情形，更不足道。我們抗議日本政府不可隨便將周某遣返大陸則可，若視爲邦交存亡的關鍵，那就值得研究了。

●自二次大戰結束迄今，我們政府的對日外交，可謂完全失敗。就官式外交而言，從佔領期間的軍事代表團長，到和約簽訂後的外交使節，沒有一個是適才適事，勝任愉快的，而國民外交根本不注意，偶爾有些涉及國民外交的事宜，不是由在朝的達官貴人，從事官樣文章的表面應酬，就是一些不明瞭日本情形，也不懂得日本語文的人物，作隔靴搔癢的活動，張皇幽渺，績效爲零。英美兩國具有二位一體的深厚傳統關係，然英國在美國的國民外交工作，其範圍之廣泛，耗費人力財力之鉅大，百倍於我們的對日外交行爲，這是一種强烈的對照，殊堪猛省。

近幾年來，我們的外交心力，全部傾注於非洲新興諸國，爲的是爭取聯合國大會中的支持票，這當然是應有之義。可是，從根本設想，如果美國的對華政策一變，這些新興國家即難保不轉變態度，而願意跟我們共患難到底的。因此，我們把全副精神消耗於這方面，似非上上之策。中華民國原係聯合國的保姆，如今每年竟讓一般參加的羣衆，吱吱喳喳來辯論我們的席位問題，已是莫大的恥辱，再要爲這撈什子的纏夾二問題，悉索敝賦以赴之，未免得不償失吧？只要有力量，有作法，聯合國席位之有無，毫不相干，西德便是很好的榜樣！

在實行軍事反攻之前，外交工作的關係特別重大，而以對日本、法國和東南亞各國的外交，實爲當務之急。我們的外交策略固然有問題，而外交人才之選還尤其要緊，舊有的觀念與作風，必須徹底革新改進，纔可望轉捩局勢，克奏外交之膚功。

討厭的裝飾

可怕的害虫

今日与明日

一片苟和之聲

美總統詹森在聯合國演說，聲明美國將爲消除國際冷戰而努力不懈，藉以創進人類的永久和平生活。國務長官魯斯克在北大西洋公約外長會議中，亦表示相信蘇俄的「和平共存」誠意，希望西方國家一體同情俄共以與中共對抗。這是厲行爲目的不擇手段的實驗主義，披瀝由衷之言。

明年是美英兩國的大選之年，無論在朝黨或在野黨，爲着爭取選票的關係，皆得以「和平」爲香餌，不斷地大聲叫賣，鍥而不舍。只要中共不向印度、越南大舉進攻，至少在未來的十二個月內，「和平共存」聲浪，必然充溢於西方資本主義社會中，而讓俄帝得着喘息機會，渡過難關。至於到頭來對自由世界爲禍爲福，抑非實驗主義者所願思考了！

專家的見解

美國的蘇俄問題專家肯南說：中俄共的裂痕很難彌補了，然亦決不致於大破裂，世界共產集團將分成兩個軸心，一爲莫斯科，一爲北平，彼此將作長期間的對立鬥爭。

我想請教專家一下：西方國家——尤其是美國，對於共產世界這種鬩牆內鬨的時機，除却看熱鬧、攪生意經之外，究竟作何打算？有何對策？即令共產極權主義不復向外擴張了，是否就使世界人類長此過着一半自由、一半奴役的生活，而視爲無足輕重呢？果若是，我敢肯定的預言，資本主義世界即非被埋葬不可啊！

誰嚇阻了誰？

美國當局盼望西方國家贊助蘇俄嚇阻中共的好戰行爲，英、德、法、加拿大諸外長皆表示異議，眞是「發言盈廷，誰肯執其咎」，表現着思想混亂的極致。

可是，彈丸之地的高棉王子施漢諾，藉着中共的支持，却對美英表示絕交，再對美國提出復交的條件，要美國官員道歉，要撤換美國駐高棉的使節，要停止「美國之音」關於高棉事項的廣播。咄咄逼人，嘆觀止矣！同時，印尼蘇卡諾亦倚仗中共作倀，對大馬聯邦實施軍事威脅，英國當道大爲緊張。這些都是西方所謂嚇阻政策的報應，怕鬼者必被鬼祟，可憐亦復可哂也。

何如

可愛的民主風格

英國前任首相麥美倫，卸職後即在自己投資獨立的出版事業機構中，怡然幹着編輯職務，出門時，跟社會大衆一道排隊坐「巴士」。民主，吾聞其語，如見其人，民主社會生活之可愛也，有如是夫！

民主與官僚作風的關鍵，就在文化思想的觀念問題上。你如果把政治上的一切官位！自縣長以至於總統——皆視爲只是人類生活過程中的一種符號，不足珍貴，也沒有驕其妻妾鄉黨的價值，則不論在朝與在野，都是一樣的。在朝時，有如優孟衣冠之置身前台做戲，走入後台，依然跟衆位弟兄們談笑爲歡，樂也融融。這樣，你就是做過大總統，也不會覺得自己的肋骨比別人多了一根，而在意識形態上，表現着與衆不同的損相。反之，便是俗氣薰人，醜態畢露，除却給人們以談笑資料而外，還有甚末呢？

凡是具有官僚氣質的人，一旦在野，總要保持着在朝的那副面貌，這不外乎兩種心理作用：一是官癮中了毒，對人若不裝模作樣，表示自己是鐘鳴鼎食的人物，即以爲有失身價了。我有個朋友過去在大陸上作過一次縣長之後，家裏經常僱用一位書記，每有外來信件，皆由書記折閱，用鑷子摘由登記，外寫「呈閱」二字送給他，而他即於每項「摘由」欄內，用紅筆批註「擬復」或「存查」字樣，這不是過官癮嗎？別人覺得肉麻，他却十分有趣。二是害怕別人瞧不起他，非得擺出個了不起的仕官派頭不可，這叫作自卑感。實則別人是否重視他的原因，與官位不相干，品格與學問纔是主要條件哩！

英國人的民主風格，我認爲比美國人更可欽遲，因爲他們來得很自然，而又不激不隨。這是文化思想的修養關係，人們在觀念上都把作官看成是不足稀奇的末務，民主生活即如布帛菽粟，徹底的大衆化了，猗歟盛哉！

馬五先生

預料明春便可實現
台灣省政府即將改組
黃杰調使越南或出任參謀總長
繼任人可能是陳大慶或彭孟緝

（本報記者熊徵宇台中航訊）當陳副總統辭去行政院兼職見報後，省政府所在地之中興新村，同時傳出另一消息：台灣省政府亦將改組。而台北方面，亦有此一說。

嚴家淦就職發表政務委員名單後，此說更濃，似非政治敏感。傳說中稱：省府黃達雲主席將外放越南出任大使。但亦有調任參謀總長之說。

頃據權威人士分析，此一消息，不無所本。就越南言，政變以後，軍人持國，以達雲將軍當年在該一地區之各種深厚關係，出使彼邦，實為可能。尤其就目前反攻形勢而言，黃杰之奉使越南，允為適宜。

越南腹地與大陸接壤各境，均為黃主席當年進退之所，在軍事上，更具意義。

而調參謀總長之說，較之前職可能性小，但彭孟緝總長任期將屆，當亦可能。

該人士稱：如此說有自，勢在明春可見諸事實。而黃杰先生在這兩職務上對國家的貢獻，必較任省主席為大。因黃杰先生之觀念與經歷，均具率師之猷，對於政治策劃與現代行政，似較前者遜色。

如此一變動成為事實，接掌省政者，據目前傳說警總陳大慶的可能性大；亦有彭孟緝將軍接篆之說。

（本報記者熊徵宇台中航訊）由於省府秘書長郭澄調中央黨部某組總幹事之說已成過去，於是新聞處長吳紹璲回黨部之說繼起。此一傳說，可能性大，因吳紹璲在周至柔主席任內時出掌新聞處，為中央黨部所支持。（十二月，十五日）

監委葉時修指出
台省選舉還沒辦的好
省政府把法規改得莫明其妙
執行人員偏私破壞優良風氣

（本報記者台北航訊）監委葉時修指責省政府把地方選舉法規改的「莫明其妙」，執行選舉工作的人員「偏私」，破壞選舉優良的風氣；諸如「警察助選，公教人員助選的事件，却非常普遍，而且沒有眞正取締過，也許是沒有取締的誠心。」他說「這怎麼可以辦好選舉？」

葉時修在監察院政治總檢討會上說：「內政方面的問題很多，我首先要提出選舉的問題來談談。明年一月將有一次選舉，選舉縣市議員和鄉鎮長，四月又要選舉縣市長。選舉已辦理多年，應該辦得很好，有經驗而有規模；但是老實說，今天的選舉制度還沒有好好建立起來。選舉制度是民主政治非常良好的制度，大家憑着各人的政見能力和資望來向社會取得參加政治的權利，不是用勢力，不是用金錢，更不是互相攻擊得來的。這一種和平而公正的制度，我們却沒有好好建立起來。我們對於選舉應該造成一種和平與節約的風氣，這種風氣我們也沒有造成。原來選舉是和平競賽，並非化錢活動的；而我們現在的選舉只有化錢，現在的選舉只有增加了地方派系的鬥爭，增加人民與社會方面感情的惡劣，並沒有造成良好的選舉風氣」

這是什麼緣故？葉時修認為：「這個原因很多，我也不詳細提出來說。我想最主要的原因，第一就是我們的法規未盡良善，而且常常修改，常常變更，有時候甚至改變的莫明其妙。譬如以前的選舉，每個競選人都可以自由發表政見，但是後來加以限制，不准公開的私人發表政見，一定要在公辦的政見發表會上才能夠發表。這是一個格外束縛。是到了下次選舉時，是不是發覺過嚴，有修正和改變呢？還是維持下去呢？我曾經說：選舉法規訂定的時候，必須經過詳細考慮，既經訂好之後，應施行一個當時期，非萬不得已，不要隨便加以修正。至於不合情理的規定，我自然希望改掉，如果改來改去，這不是治絲益紛嗎？現在每屆選舉差不多都有所修正，不但競選人不知道，老百姓更不知道，就連辦理選舉事務的公務人員都搞不清楚了。關於這個問題，我在內政部會經提出來過：對於選舉法規不要隨便改變，這正如公共汽車路綫一樣，那一路車走什麼路綫，大家都因為坐熟了，所以知道得清楚。比如零南車怎樣走法，行之有素，大家曉得以後，就可以放心去坐了。如果今天改一個路綫，明天又改一個路綫，試問這樣的公路車如何坐法？所以法規就像公車路一樣，一定要大家走熟了，走行了。改來改去，使人們不易養成習慣，選舉的規模也就不易建立起來，這是第一個原因。另一個原因，我們要把選舉辦好，必須拿出很大的決心與誠意才行。」

葉時修說：「所謂誠意，所謂決心，就是要有把選舉辦好的誠意和決心。也就是說要有公正切實的做法，不能有所偏，有所私。我們在法律上看到規定得很清楚，但是執行的時候，就偏了，就私了。選舉辦得好不好，對於某一個人選舉的成功或失敗關係很小，而對於辦理選舉是否達到公正，節約的目的，關係却非常重大。常聽說某些人選舉時，可以有許多方便之處。比如規定在選舉的十天以前，競選人不能發表政見或參加競選活動；但是某些人就有這個方便，在人家不能作選舉活動之前，他早就可以從事活動了。這就是私與偏的毛病，把選舉的優良風氣破壞了。還有，某一個人競選，他的助選員可以到處跑，而且有很多的便利。但是另一競選人，他的助選員就要處處受到限制；如果要到某一個地方去，警察就找他的麻煩，說是他以前發生過什麼事情，請他到警察局坐一下。也可能是很小的違警事情留在檔案裏，不審問也不拘留，就是請他坐在那裏，故意把他競選活動的時間就擱下去。這一種偏私，實在很難教人家心服。我認為要使選舉辦好，所訂的法規固然要非常合情合理，執行法規的時候，尤要非常公正，不能有偏或私。」

葉時修說：「譬如講，公教人員和警察不得助選，大家都曉得有這個規定，這個規定是絕對應該的。但是警察助選，公教人員助選的事情，却非常普遍，而且沒有眞正取締過。也許是沒有取締的誠心。這怎麼可以辦得好選舉？我希望執行法令的人要公公道道，把這個民主政治的基本工作——選舉辦好。下一次的選舉馬上要來了，這又是一次考驗。不要每次選舉都給人家批評和不滿。這是我對於選舉提出的一點意見。我這個意見是原則性的，我不舉那一件事情，也不舉那一個例子，我希望選舉不要弄得使人家心裏不服，結果反而喪失人心，這損失要大得多。我們比某一個人的當選，不希望拿這一個小的勝利，來影響人民一般的心理。」

香港與大陸

毛共文教衛生幹部
政治思想亦告動搖

中共最近在大陸各地召開「文教衛生政治工作會議」，討論如何進一步加强文教衛生基層政治思想工作，强調文教衛生工作要為無產階級服務，為工、農、兵服務，並堅持「政治掛帥」，和「階級鬥爭」的路綫。

據甫由惠陽縣逃亡抵澳門的小學教師韓××君透露：中共最近在廣東省各縣市召集文教衛生的「代表」，開其「政治工作會議」，據說主要為了文教衛生界存在相當嚴重的問題，諸如有濃厚的資產階級思想，「反動的行為」等，目的在糾正這些傾向，欲使文教衛生基層單位形成「無產階級的思想陣地」，并不斷的鞏固和擴大。

韓××君稱：這次的政治工作會議，代表是文化，教育，和衛生事業各單位的黨員幹部或「積極份子」；會議會檢討多年來文教衛生的各個基層單位所存在嚴重的問題。譬如，惠陽縣有一家中學，因為主持該校校務者，是一名不學無術而又官僚作風極重的共幹，所以，該校的一切制度都亂作一團，一般學校在近年來都相對地減少了勞動的時間，但是該校却仍然繼續增加學生的勞動時間，致使學生發出抱怨，不少學生都不願在學校義務勞動，索性自動退學回家生產。該校原有四百多名學生，在一年內祇剩下數十名了，教師無書可教，祇能在學校的農場進行「自供自給」的勞動了。又譬如衛生事業部門，幾乎每一間醫院或診療所的工作人員的思想，都存在嚴重的問題，最普遍而又最明顯的，是不願「為無產階級服務」，「為工農兵服務」。每當調配他們到農村或工廠服務時，總是表示不滿，不願前往；就算到了農村或工廠，服務態度也異常惡劣。中共認為這是由於「資產階段的陣陣香風」吸引着他們，在城市裏無論如何比在農村或工廠的生活條件是較好一點的，而且衛生設備也比農村工廠好，所以每一個工作人員極力創造不下放的條件，形成城市「人材擠迫」，農村工廠則缺少衛生工作人員的「怪現象」。

韓××君又稱：該次會議，要求每一個代表，回到原單位之後，都要抓緊如下各項「大事」：（一）大力推行馬克思列寧主義，「毛澤東思想」的學習，並加强時事政治教育；（二）必須貫澈執行「黨中央」「關於學校、醫院、劇團工作的「指示」，並提高工作質量；健全各項制度；（三）有計劃地組織教師、演員、醫生等政治思想學習和業務進修，以提高思想和業務的水平；（四）加强以「黨員」、「團員」為核心的領導作用；（五）繼續要求大家分清「人民內部矛盾」及「敵我矛盾」，堅持「政治掛帥」和「階級鬥爭」的路綫等等。（敬斯）

基隆旅居記

仲公

基隆市在民國卅五年以前，全市土地面積不過四六、七六方公里，三十六年一月將原來台北縣屬之七堵鄉劃歸本市，土地面積增至一三二、三〇方公里，幾乎擴充了三倍，目前基隆市東西最大長度約十八公里，南北最大寬度約十二公里，在行政區劃上，分為中正、信義、仁愛、安樂、中山、七堵和暖暖七個區。

基隆市有七個附屬小島，計為和平島（原名社寮島），中山仔，桶盤嶼，基隆嶼、彭佳嶼、棉花嶼和花瓶嶼等，面積合計不過二、四八方公里。其中以彭佳嶼為最大，面積一、一四方公里；此島孤懸海外，在咸豐初年，曾有居民二十餘戶，以捕魚為業，光緒十年，法國艦隊侵擾基隆，該島漁民，因避難內遷，後來宣統元年設置燈塔，始再有居民。

基隆河川以基隆河為最長。這條河橫貫本市中部，市區內所有的平地，全部分佈於基隆河及其支流兩岸。從基隆到台北以及從基隆到宜蘭的交通路綫，皆係循基隆河的河谷而行。基隆河發源於台北縣平溪鄉石底西南，先向東北流，繼而向北流，至瑞芳以南鄉折向西流，然後進入基隆市區。該河雖以基隆為名，但並不在基隆入海，而一直流至台北市附近滙入淡水河。基隆河在市區內所有支流，在西北岸者，都從西北流向東南，在東南岸者，都從東南流向西北。這河在基隆境內僅為上游的一段，蜿蜒於八堵七堵五堵間，水淺流急，到五堵以下，纔可通舟楫。（十四）

工展會為首兩星期
觀衆已超過五十萬

（本報訊）第二十屆香港工業出品展覽會開幕迄十七日的兩星期內，工展會場遊客突破五十萬紀錄，今後因幸運日，廉價日及選舉工展小姐等助興節目繁多，觀衆勢必更見踴躍，打破以往紀錄，絕無問題。

△工展會舉辦兒童繪畫比賽，應徵者極衆，東方藝術學院致該工展負責人，為贊助工展會鼓勵兒童發展繪畫天才起見，願送出該校兒童繪畫班，中國或西洋畫兩組，免費學額五名，免費期間三個月，以便進修。凡大會入選優勝之前五名，均可獲得此項獎勵。

△本屆工展期間，白花油舉行大贈送，買油送大熱水瓶及精美日曆，家庭用品與原子筆，日記簿，雪花露等，多買多送，因是日日顧客如雲。

△香港歷史悠久的糖菓餅乾振興公司今年在工展內大贈送，樣樣八七折優待，買二送一。尤以今年的榮譽出品蜜乳酥，入口不獨香酥化，且營養豐富，養顏開胃，童叟咸宜，也是買二送一。

△近數年來，本港工業突飛猛進，出品種類日益繁多，且逐步改良，由於價廉物美的關係，所以到處都受到販家與用家的歡迎，近年向遠洋拓展市場，能夠獲得極大的成就，其故即在於此。

今年舉行的第廿一屆工展會，因重於陳列，所以參加展出的出品特多，用能獲得到港參展的外商衆多好評。

△同珍醬油罐頭公司，其榮譽出品除醬油風行港九，為各大酒家及家庭主婦所樂用外，該公司之豆豉鯪魚及清炸鯪魚尤為港九人士所愛好，因該公司之鯪魚係採自新界魚塘，生鮮炸，并重金禮聘數十年經驗之名師泡製，因此不獨骨香肉酥，不淡不鹹堪稱和味，可以助膳，抑可餸酒，且價廉物美，誠家庭恩物。（白）

下棋

南

如果你需要發洩你的英雄欲和優越感，最好是在下棋的時候找個機會向對方「剝光豬」。

這是一個由來已久的傳說：輸了「剝光豬」一盤，等如輸三十二盤。下棋而被剝光豬，比較賽球吃光蛋更為丟面子。所以能夠「剝」對方的「光豬」是一種勝利的奇跡。勝利不值得稀罕，難得是在進行「剝光豬」的情況下，看到對方作絕望抵抗時，那種輾轉就死的慘狀，這很足以使勝利者獲得心理上的滿足，什麼英雄慾，優越感，虐待狂，都得到發洩的良好機會了。

貓兒捉到了小鼠，把它一口吞下肚裏去，那是乾脆的勝利。但是，大多數貓兒不會輕易吃下一頭剛弄到手的把小鼠，必要使它輾轉受虐，一會兒放走它，一會兒再把它捉住，像諸葛亮七擒孟獲一般，而最後仍不肯放給它一條活路。大概「剝光豬」者的「過癮」處，和這些貓兒沒有什麼不同。就我的經驗來說，我在下棋時做過了猫，但也做過了鼠。

我的經驗是：被剝光豬而做鼠，欲死不得，欲哭無淚，除了以革命者的氣概把棋盤一手翻亂以外，簡直沒有更好的報復。而做猫呢？當正在十分過癮時被這麼一攪，便只有大叫「反了，反了」，雖則明知這是游戲，心裏總覺有點餘憾。

我由九歲起懂得下棋，便開始鬧「剝光豬」的玩意。現在，我的孩子都長大了，看他們下棋，也一樣常常吵着「剝光豬」。我常常覺得：這是人性使然。其實，何只人性是這樣的呢？貓不是人，貓如早懂得下棋，也一樣要鬧剝光豬呢。

記得有一個故事：在一間屋子裏，兩對棋友分在樓上和樓下弈棋，樓下的一對由吵鬧到打架，鬧得一團糟，樓上卻一點聲音也沒有。樓下的一對終於慚愧起來了，齊說：「他們的修養太好了，我們應該向他們看齊。」

於是，兩人拖着手跑到樓上觀看，原來樓上的一對正在互相用手緊握着咽喉，死不肯放，都已絕息了。這故事有一個嘲諷的中心是：下棋的人不會眞正有「君子風度」。

下棋很難做得到不動氣。為了輸棋而哭，或者攪亂棋盤，把棋子扔向痰盂裏。我在童年時候都有過豐富的經驗。現在我只喜看棋，很少下棋，看得多了，才懂得一點弈理。我認為那些懂得「弈法」的「高手」們也很少能夠做到不動氣。至於有資格下「衛生棋」的人，在我所認識的棋友中亦不多見。

看棋遇到這種場面最有趣：一班人圍着一個棋盤，看兩個人在對弈。旁觀者始而各有批評，進而實行出頭干涉，四面都是呼喝之聲，分不出誰是主客，只見滿盤都是手指。棋子似乎不知聽誰的命令才好，每每失魂落魄地給甲推了一下，又給乙猛拉一把，勝負終於胡裏胡塗地决定了。可能是這邊無端被搶去一隻車，那邊突然發現丟失了主帥，於是全盤大亂，一哄而散，難得那些自以為是的「軍師」們還在吵得面紅耳熱，拿出最大的熱情作「各為其主」的歷史辯護。

告訴你：這樣還好。不然的話，「剝人之光豬者，人亦剝其光豬」，才正糟哩？

你不要笑那「一哄而散」的活劇，也不要輕信那些藉編棋譜來沽名釣譽的大宗師。他們只像許多御用的歷史家一樣徇私，慣把勝利歸之於少數的「棋王」，並且隱藏了這些勝利者的過失。棋壇如果等如一個充滿陰謀鬥爭的小朝廷，也就不會有眞正可信的歷史，而且在那種競爭「王位」的棋賽裏，下棋時的殺伐聲一樣是恐怖的。

劇苑傑鈔錄

婆娑生

崑曲平劇　腹笥廣博

天下事，一切皆是際遇，均隨環境而顯其事蹟，設使清祚不絕，侗五劇技，絕不能與世人相見。因其是天潢貴冑，斷無犧牲色相，公之於世，其絕妙才藝，將湮沒無傳矣。即有知之者，亦不過親貴王公而已。任何說得那樣盡善，未經目覩，絕難信以為眞。幸而清室覆亡，轉使其卓絕之技，成名於國內，殆是天意，可稱奇事。

侗五習劇，很下苦工，他是滿清皇室的近支，但開始即常到梅雨田家去，雨田對他也非常隨便，除了見面互相請安道好，這是旗人普通的禮節，餘無拘束。侗五對梅氏很謙和，對於有關音樂牌子，崑曲，皮黃許多問題，皆陸續提出詢問，而雨田則有問必答，每經解答指示，悉能了然，因此每去，侗五無不滿意而返。虛心請益，為其特長。

研習之初，先學崑曲，對於曲譜，一律收藏，多至十餘種，極為豐富，所以能與上海徐凌雲，並駕齊驅，光照南北。後來言樂會組織，被推為盟主，悉聽調度，成績輝煌，是民十年間，陡然更改劇壇氣氛，成為風雅之頌，恍如重見乾嘉盛況。（乾隆嘉慶時代，皮黃未興，盡是崑曲。）其後兼習皮黃，談到成功之訣，仍因家境富裕，好延賓客，英秀（譚鑫培），何九（何桂山唱淨），桂官（王楞仙），石頭（陳德霖），拴子（王長林），金福（姓錢），桂鳳（姓田），增祿（姓姚），皆是其門客，而為鼎鼎名伶；故所研之戲，能達到包括生旦淨丑，一網盡收。尤其學問深湛，懂到戲的核心，必須鞭辟入裏，幾乎每齣小動作，揣摹至再，使其神化，切合劇中人身份。咬字吐音，分別陰陽平仄，纖細不苟，嘴裏發音乾淨，絕無拖沓之聲。板眼尺寸，恰落到點，為其司鼓操琴者，無不小心翼翼，深懼差池。譚鑫培會在大庭廣衆之中，而誇其眞了不起，當時無匹。

初見雙齣　驚為異才

民八旅讀舊京，首見紅豆館主演出，是參議員廣東梁氏堂會，假宣武城南江西會館宴客。是夕，侗五演羣英會，盜書打蓋，戲單並寫有「准代舞劍」四字，當時甚以為異。此劇的舞劍，有何名貴，值得大書而特書！其後見其他伶工演此，均無舞劍，始為恍然。侗五之所能，聞說傳自名小生王楞仙（桂官）親授，所以舞劍那一場，舉手投足，旋轉身段，各種姿式，皆極好看而妙，大有公瑾當年雅歌投壺的情景，內行的小生，無人能可比擬。扮相英颯，風度雅馴，一副儒將氣概。尤其將眼的傳神，忽怒嗔，忽竊笑，妙到秋毫顚，令人驚欲絕。音調剛中夾柔，相映甚佳。配[illegible]桂仙的黃蓋，蕭長華的蔣幹，高慶奎的魯肅，眞能說是珠聯璧合，因此在肅靜無聲中，座客凝視而欣賞。此周公瑾，聞說程繼仙自歎不如，遑論餘子？（十五）

藝術叢談

抽象藝術漫談

趙雅博

我們從前文可以看出，所說的作為整個美的來源的光輝形式，到現在還是隱蔽而由附加性的指定所遮蓋着，也就是說，我們未能直接看到美的光輝形式，所看到的只是由於形色大小的種種指定的附加形式，從這裏我們窺出美的自立體形式來，是的，只有藉着理智的知識，開始淨化形式，也就是理智作着抽象，對附加性的形式到自立體的形式，一步步的抽提着，美是包含在形式內，但並不因此而達到取得形式之內。特別是自立體的形式，很不易在其純淨無垢中取得。要想在純淨中獲得美，那並不是感覺的工夫，而乃是理性的活動。憑着理性，我們最好稱之為主動理性的活動，才能將物質的元素，從形式上剝奪而去，而使形式大放光明，純淨明晰；這種剝奪的工夫，就是我們所說的抽象。從客體上一步步的抽剝着，忽視着其一層一層的要素，更清楚的說，就是將客體的有形有色的部份，分級前進，愈來愈高的提出並表達它的無形無色，非此不可，純為所是的部份，如此逐漸達到物的本質，也就是達到形上美。這種抽象的層次，我們前面已經提出，有物理抽象，只注視主動或被動質的固有特徵；有數理抽象，只注視物的量的固有特徵；最後是形上抽象，就是注視物的本質。當然本質並不是我們可得而見，可接而觸，可嗅而覺，可聽而聞，可嘗而味的東西，我們所注意的則是它的自立體形式，它顯示於理性的光明，則有大小多少的不同，並且對於美的領會。理性方面的領會，比起感覺方面的領會程序要複雜得多了。因之，瞭解理智美比起瞭解感覺美來，要困難得多了。不但如此，就是在理智的秩序中，其困難的程度也不一樣，如果理智美的程度愈高，則瞭解起來便愈發困難，從感覺抽象到數理抽象，然後再由數理抽象到形上抽象，這是人智逐漸進步，也是人智對實在界的步步升高的瞭解。感覺知識，已經不易瞭解了，譬如苦是什麼，甜是什麼，紅是什麼，綠是什麼，我們的口舌已經沒有辦法形容，必需配合了他人與我相同的經驗，二感交流，推人及己。如果沒有瞭解感覺事物的感官，感覺知識便永不會為我們所瞭解，感覺美又何嘗不然？再推而至於數理美，形上美，更是困難加多了。由物理抽象與數學抽象而得到的形式，無可懷疑比起由感覺像所給我們隱藏並遮蔽的形式更為純淨，更為高級，更為難懂。但是並不由此，而數學與感覺形式停止其為附加體的形式，並且附加體形式的感覺像的美，在人來說，可能覺得比物理或數理的抽象美更美。這也是因為人是主體，瞭解是自己的事，而美又在自己的主觀判斷，並且在事物上，感覺像中可以並常包括着自立體形式的一切美，那末很自然的能夠比在那只物理或數理附加體的形式觀念內的美更美，因為這樣附加體的形式已經失去了與實物—自立體形式的接觸了。（未完）

瘟君

第十回：集會議圖存　天寒日暮　空言難自救　鬼哭神愁

毛澤東鼓掌大笑道：「實在是妙計，這個計劃，我們就定名為康生計劃好了。」

康生計劃實行以後，中共基層幹部果然態度大變，無論什麼人，捉到了最多判幾年監禁，監獄更為特別，門首只有一個老軍把門，內面一切自治，犯人按照體力分配工作，工作時間共八小時，下班之後可以回家，唯一規定就是不准外出，每天要回到監獄過夜。許多被判了罪的人，反而覺得了卻一樁心事，橫豎過上三五年就可以回家作一個安份守己的良民，還跑幹什麼？於是未被捉到的也都陸續回來報到，共幹也十分客氣，只要填張表，繳出黨證也就算了。中間差不多有一年工夫，逃亡人士都回去了，中共就開始製造輿論，許多老百姓都抱怨中共太寬大了，並且編成歌謠：「天不怕，地不怕，就怕共產黨講寬大。」中共為了「順從民意」，不寬大了，幾乎在同一天內全國展開大逮捕，至於已經判刑服役的人，一律重審，十之八九審過均處死刑。

中共究竟逮捕了多少人，無法統計，但是，毛澤東後來對着外國記者搖頭幌腦的說：「資本主義人士及反動份子都說我們殺了兩千萬人，其實那有這些，不過七八十萬而已。」也就是這次為最多。

「康生計劃」雖然成功，康生本人卻走了下坡，因為康生在中共內部比較接近周恩來。劉少奇握有黨權，自不肯把特務大權落入周系人物之手，康生終於被擠出中央，到山東任山東分局書記，山東省政府主席，偏偏又和頂頭上司華東局第一書記饒漱石合不來，在山東又立不住腳，狼狽回去北平。後來饒漱石雖被整肅，康生得也沒有外放的機會，只好逛逛琉璃廠古書，玩玩古董，後來又發憤研究西廂記，批評王實甫不通，西廂記文理不順，好在從他嘴裏講出來，無論怎樣，也沒有人敢提出批評，於是康生就成為西廂記專家。

康生黑了許多年，由政治局委員降為候補，內心苦悶可想而知，不料毛澤東此時忽然又提起「康生計劃」，大家都知道康生要出頭了。

毛澤東接着說道：「為了鎮壓反動份子，我想康生同志可以再擬一個計劃。」台下一齊鼓起掌來。

康生臉上登時變色，一團高興化為烏有，停了半晌，站起來說道：「要對付反動份子，先要研究亂源何在。目前是人民思亂，還是受了國民黨特務的策動。」

羅瑞卿點頭道：「兩個因素都有。」

康生說道：「民心思亂，自然是受了生活的影響，假若生活稍為好些，他們的反動心理自然就逐漸化除了。至於對付國民黨特務，除去界邊嚴密封鎖外，還要加強統戰工作，例如香港澳門那麼多的反動份子，我們雖然大力推行統戰，結果只說回來一個衛立煌，不能起絲毫作用，應該從這些地方用點力才是。」

毛澤東點頭道：「你說的道理十分正確，只是怎樣行動卻要你擬訂出來一個計劃，交統戰部執行。」（二六六）

大陸是怎樣淪陷掉的？

接受教訓‧策勵未來

吳文蔚

如此做法，牠可謂乘時得勢，順水推舟。反之，我們沒有像牠這樣做法，又受了資本主義國家的社會病象，形成了日加重累，增大遲滯，走入了逆水逆風的困境。因之，我們的人民，多屬盲目受騙，陷入了牠的圈套，於是就演成了愈加速共匪順水順風的速度，更拖累自己，陷入了逆水逆風的困境，因而牠便成了超歷史的勝，我便變成了趕不上歷史的敗。

共匪用「集歷史」「超歷史」的造亂行爲，加以赤化政策，恐怖手段，沒收富人的財產，收買鄉村惡棍，一面用極慘酷的毒刑，慘殺富人全家性命，藉以恐怖窮人；一面使地方幹部，以跑腫腿、磨破嘴的辛苦，用假謙和的態度欺騙人民，並用惡毒的唯物方式分配生產工具，使人民生產及生活與牠的政權成了血肉不可分離的關係，控制人民，圈起鐵幕，凝成所謂「解放」團力。牠的辦法，是用逐次的清算方式，在黨內分忠實黨員，普通黨員，着色黨員，（共黨稱之謂抹紅）黨外又有利用關係，藉用關係，暫用關係等等。牠的清算方法，本着牠的矛盾統一法則，需要利用劣紳、土豪、官僚、軍閥，不惜以極尊崇的禮貌，恭維劣紳、土豪、官僚、軍閥，以四人轎迎接，更進而改爲黨員抬轎，表示崇高至敬。利用完畢，再用多種方式剷除。對暫用關係的人，用暫用完畢法清除；藉用關係的人，以藉用完畢法清除。對他的黨員，先清算着色黨員，再以「坦白」使之求死不得的方式清算不堅定的黨員；對鄉村的民衆，則實行拉中農清算富農，拉小農清算中農，拉貧農清算小農，最後再清算貧農。

國軍在山西作戰，曾獲得共匪派員持交縣級以上幹部傳閱的一個極機密的文件，此一文件是規定傳閱完畢仍由傳遞者即行收回的指示。這個指示是因清算上、中、小農之後，又再清算貧農。匪的地方幹部，對清算貧農持反對態度。但匪共中央强調：「我們的革命目標，是要解放世界，這種任務是如何的艱鉅？我們解放了中國，即可能惹起英美等帝國主義的聯軍來進攻，我們那時候必須連兵帶人民及物資向後撤退，使敵人一切不知；等我們退到相當距離，斷他的後路困斃他，我們才能應付帝國主義的進攻。」（八）

冬至一故事

漁翁

陰曆大雪後十五日爲冬至，在陽曆十二月二十二日或二十三日。冬至又稱「長至」；自冬至起，日長一綫，故名。冬至前一日，俗謂「小至」，杜子美詠小至詩，成爲千古名句。廣東人有「冬大過年」，北方人也有「冬至大如年」之口頭禪。其說確有據，因爲我國在周秦以前，是以十一月爲正月，稱爲建子；後來雖改制，以建寅爲正月，而積重難返，冬至節仍爲人間所重視。

時至今日，我想起一個故事來，事見晉書：「周顗母李氏，冬至置酒，舉觴賜三子，曰：『吾本渡江，託足無所，不謂爾等並貴，列吾目前，吾復何憂？』嵩（顗弟）起曰：『恐不如尊旨：伯仁（顗字）志大而才短，名重而識闇，好乘人之弊，此非自全之道！嵩性抗直，亦不容於世。惟阿奴碌碌，當在阿母目下耳。』阿奴（謨小字也）後果如其言。」

我國歷代南遷者，有三焉：一爲東晉，一爲南宋，一爲南明。周顗爲晉之世家，其父周浚，亦極能幹。浚死後，適胡人爲亂，她攜三子南渡，得脫危險地帶，在慶幸之餘，所以逢佳節，而說出一番開心語，認爲偏安江左，可以永享榮華也。可是，此母僅知其子之貴，而不知其子之性格，能否合乎亂世？周顗爲新亭對泣之主角人物，時東晉建立未久，一班過江名士，時常到建康城外之新亭，作文酒之會，一日，周顗在席間歎曰：「風景不殊，舉目有山河之異！」此兩句，足以代表當時一羣避難人物的心理。故當時在座者，聞言皆「愴然淚下」。

後來王敦作亂，王導詣台待罪，顗申救甚至，而導不知。後王敦召問周顗何如？導不答，遂被殺！後導見顗申救之表，泣曰：「我雖不殺伯仁，伯仁由我而死」。雖然，王敦以周顗爲南北之望，必欲置之於死地，但導爲之從弟，能得導一言之游揚，未必不可以得免，故導有「伯仁由我而死」之歎也。

再說周嵩，性情亢直，當晉元帝即位之初，因直言而從京外調；後乃兄被害，嵩憤恨不平，曰：「亡兄天下人，爲天下人所殺，復何所弔？」因一言之失，王敦對嵩，心存疑忌，暗使人探訪，故亦不免死於王敦之手。兄弟兩人之結局，果應嵩當日之預言。

在兄弟三人中，免於難者，僅最幼之周謨耳。謨名氣最弱，不招人忌。待王敦死，謨爲兄伸冤，並請追贈，同時彼亦得封西平侯，爵位在兩兄之上。俗云：「庸人多厚福」，其信然乎！

今者，世局更甚於往昔，流亡於海隅者，雖逃出鐵幕，而猶不能保不伐，必信必誠，尺寸之打算。以周母之居安忘危，周顗之名氣過大，周嵩之直而不遜，處亂世而無方，何妨引爲警惕，不露鋒芒，大智若愚，方能待時之來，齊奮吾力，還我河山，掃除奸匪也！

康有為的觀對

丘峻

德宗前閱氏條陳，久已心儀其人，今又得翁同龢等之交薦，復鑑於國勢之積弱，外侮之日亟，知非維新不足以圖治，非變法不可以救民救國，勵精圖治，擬即予召見。禮部尚書許應騤等及恭親王奕訢尼之，謂「本朝成例，非四品以上官員，不能召見。康有爲小臣，皇上有所詢問，可命大臣傳語，儘可先詢問變法之宜。若可採擇，乃令召見。」帝雖許不即召見，而氏所上書竟達上手，其讀至「恐皇上求爲長安布衣而不可得」等語，乃肅然動容，指告軍機大臣曰：「若非忠肝義胆，不顧生死之人，安敢以此直言陳於朕前乎！」歎息良久，命召見。又爲恭親王所阻。然其決心用康，蓋已定於此時矣。

二十四年一月三日，總理衙門奉命傳氏問話於西花廳，奕訢、奕劻，猶以王爺之尊，不願與氏相見，出席者僅翁同龢，李鴻章，榮祿，廖壽恒，張蔭桓五人。談話由午後三時起，天黑方休。其談話梗概如下：

榮祿首謂：『祖宗之法不能變！』

氏答：『用祖宗之法，以治祖宗之地；今祖宗之地且不能守，何有於祖宗之法？即如此地爲總理衙門，已非祖宗之法所有。因時制宜，誠非得已。』

廖壽恒問：『法應如何變？』

氏答：『宜變法律，首須變更官制。』

李鴻章問：『然則六部盡撤，則例盡棄乎？』

氏答：『今爲列國並立之時，非復一統之世，今之法律官制，皆一統之法，弱亡中國，皆此物也，誠宜盡撤；即一時不能盡去，亦當斟酌改定，新制乃可推行。』

翁同龢問：『欵如何籌？』

氏答：『日本銀行紙幣，法國印花，印度田稅，若制度既變，可比現在增加十倍。』備言各國度支，可資借鏡。又復放言高論，對法律，學校，農，工，商、礦諸政，及建設鐵路，郵電，海陸軍諸端，逐一加以陳述。更說明日本維新，倣效西法甚備，與我相近，最易摹仿。因述所著「日本明治變法考」及「俄大彼得變政記」二書，可供採鑑。

翌日，各大臣覆命，翁以所談覆命，並對氏有所稱許，奕訢則建議，仍令條陳所見，若有可採，再行召見。氏乃於同月八日，上「統籌全局」書，並進呈前記二書，及英人李提摩太（Timothy Richard）所編譯之泰西新史攬要，列國變通興盛記，時事新論，列國歲計政要諸書。疏上，德宗然之，即發交總理各國事務五大臣會議，詳加研究，一面遍讀氏所進呈各書，益明所以處理當前國事之道，其改革之心愈加堅强。（二）

我的社會生活

雷嘯岑

李協和先生的省主席職務尚未交代，然南昌市內此時已遍見「驅逐軍閥李烈鈞」的標語出現，李公亦不再赴行營辦公，決計日內出發東下，分別對行營直屬各部隊下達向東開拔的命令，這時已是四月終旬了。新任省主席朱培德於某夜到南昌來晉謁李公，商談交接事宜，我在隔室聽到李公以激越語氣訓示朱氏道：「你要好好作主席，我當然贊成，但得好好地維持秩序，不要使我的家鄉陷於糜爛之境，以保持你我二十年來的友誼。」朱答道：「請老師放心，行營的一根皮帶我都不會要的。」李更憤然曰：「行營與我無關，我不過暫時照料一下而已。我是希望你對江西好好的治理，不要讓共產黨太胡鬧了。」師生二人很不愉快地談了半小時，情形殊爲尷尬，政治生活之汨沒理性如此，可怕可怕！

民國十六年五月初的清晨七時，李協和先生坐着一乘轎子赴城外河邊，我和李公的外甥田師程等人，隨從步行前往，一齊坐上一艘木船，渡過彼岸，向贛東進發。另有行營直屬的憲兵團第二營（營長是鄂人），蔣鼎文的警衛團，亦按照命令行事，同時開拔隨行，只有憲兵團第一營果然叛變了，第三營亦被劫持而去。這些部隊每天需要給養，李公仍以省主席兼代總司令行營職務的名義，沿途向各縣政府提欵，由我綜理其事，另電告新任主席朱培德備查。各縣令多係李公委任的，他們一致奉命維謹，軍食得不匱之。我們走到鉛山縣，住在一所教堂裏，李公忽患咯血症，而醫藥缺乏，病勢日益沉重，只好停留休息。某日李公喚我到榻前，教我寫遺囑，以備萬一，我竭力安慰他，認爲尚無必要。他說：「我何嘗不希望好呢？凡事預則立，準備着不用，亦無不可。」於是乎，他口述，我筆記，共計寫了三張遺言：一是囑李夫人帶同兒女們到福建娘家去（此時李夫人和兒女們已由天津到了上海。）；二是致意武漢譚組安先生，希望本黨革命方針不要違反總理遺教；三是致意蔣總司令表示訣別，並保薦革命軍第十四軍（軍長賴世璜是李公舊部）黨代表熊式輝忠誠有爲，盼加裁培。」寫罷，李公望着我說道：「你年青，前程無量，用不着我操心。」這時我忍不住泣下沾襟，便謂：「先生，你累了，明天再談罷！」即將那幾張遺囑稿藏入衣袋中，走下樓來，預定若李公病勢真正到了危急之際，纔請他簽字，同時用我的名字拍電蔣總司令，報告李公病狀。過了幾天，李公的病況已有起色了，他傳令向上饒出發，第一天他乘輿只走了二十華里，即在途中遇到江西籍的醫生吳碩佐，隨帶着一挑西藥，迎面而來，說是奉蔣總司令之命，趕來替李主席醫病的，李公聞之甚慰，[illegible]。一天，[illegible]營長[illegible]，那位四川人，[illegible]在南昌叛變[illegible]，生[illegible]，忽然馳來[illegible]扣留了[illegible]部隊後，晉謁李主席，談話[illegible]致蔣總司令[illegible]，不能[illegible]公擬請[illegible]，內容是證明[illegible]，另派相當職務[illegible]。我不蓋章，[illegible]貞[illegible]。我不願意幹[illegible]，教他把電稿留下[illegible]，但他很老練，他說[illegible]，給他自己當場[illegible]拍發，他坐着不走，[illegible]辦後，我以電話吩咐電局不報發[illegible]，當日下午，即跟[illegible]南京就道[illegible]辭，我說：「你趕快前去新京報到[illegible]需要[illegible]。」（十一）

南宋偏安有人才

李仲侯

「每年皇帝生辰並旦，遣使稱賀不絕，歲貢銀絹廿五萬兩匹。自壬戌年爲首，每春季般送至泗州交納。有渝此盟，明神是殛，墜命亡氏，踣其國家。臣今既進誓表，伏望上國早降誓詔，庶使敝邑，永爲憑焉。」何鑄至汴見兀朮，遂如金，卒見金主，且歸割地。尋復遣使來，求商、秦之半，及和尚原、方山原，遂命周聿、鄭剛中等分畫京西唐、鄧二州，及陝西商、秦二州之半，以大散關爲界。於是宋僅有兩浙、兩淮、江東、西、湖南、北、西蜀、福建、廣東、廣西十五路，京西南路止有襄陽一府，陝西路止有階、成、和、鳳四州，凡府州軍監一百八十五，縣七百三。金既畫界，建五京，置十四總管府，是爲十九路，其間散府九，節鎮卅六，守禦郡廿二，刺史郡七十三，軍十有六，縣六百三十二。

皆憂懼。岳飛自十月十三日以後坐獄，[illegible]

內政部登記證內版台報字第〇三三號

自由報
THE FREE NEWS
第三〇四期

社長：雷嘯岑
督印人：黃行雲
社址：香港銅鑼灣高士威道二十號四樓
20 CAUSEWAY RD 3RD FL. HONG KONG
TEL. 771726　電報掛號：7191
承印者：四風印刷廠
地址：香港灣仔高士打道二二一號
台灣分社
台北市西寧南路壹壹零號二樓
電話：三〇二四六
台郵帳號金戶九二八二

可慮的「苟安時期」

·方南·

自由世界將有一個「苟安時期」。西方國家久已渴望的「冷戰解凍時期」快要來了（英首相何謨最近公開表示，明年是冷戰解凍年）。他們朝野上下的精神心理將會由此而懈弛，對反共的大前提愈要苟安，對自私自利的打算愈更積極，對經濟利益的明爭暗鬥愈變得卑鄙下流，不擇手段，不分敵友。

這一趨勢必將對我們中華民國發生嚴重惡劣的影響。原因是：他們可以暫時苟安，我們却萬萬不可苟安。

看蘇俄業已決定的國策，必將埋頭於農業建設，以「一國的經濟自固」為唯一要圖。對於全球各地共黨的支援策動，將會分別輕重與主從，作或進或退或緩或急的處理。美國在這個時期也會陸續由海外撤軍，放棄若干軍事基地，減輕軍事上的負担，從頭再打經濟算盤，

今後大家都會忙於做生意，談貿易，在經濟上打出路，闢地盤。資本主義國家的劣根性會由此而有充分暴露的機會了。

當然，共產集團也有困難，民族主義已在他們內部爆出火花，由政治、軍事、以至經濟都不再是一元化，蘇俄確在陷入巨大困難中。樂觀的看法是：整個共產集團恰似當年的太平天國，由於諸王分裂而停頓不前，終將破碎分解而完蛋。但將來事實恐怕未必如此。蘇俄仍可處四塞之境而自固。它目前退可自存，大概不會就此破碎。由它這一退而滋長自由世界的「苟安心理」，充分暴露資本主義國家的劣根性，其中利害得失的比率，我們必須用深遠的眼光去評衡。

蘇俄今天的工業成就不容輕估。它的經濟潛力確屬深厚，這是事實。俄共誇稱這是共產主義的偉大成就，只是可笑的廢話。以納粹德國那種作風施之於蘇俄，不要麵飽牛油，只要飛機大砲，長期傾力於重工業的發展，那是任何專橫的軍國主義者都優為之。但是，我們如認定蘇俄決不能把農業生產改進與提升，因而判定它的經濟總力永遠趕不上美國，那恐怕也是太輕率的預斷。赫魯曉夫比史大林更強的地方，是比較能以靈活的伸縮適應環境的變動。他被毛澤東指為「修正主義者」，而他的長處確實就是懂得隨時修正手段與技術，雖則他仍有一個不變的原則。假如他能吸收美國農業科學技術的一些長處，並在政策上對農民作某種修正式的讓步，說不定他也可能克服這一方面的困難，終於使蘇俄的經濟力是再度躍進的。

所以我們要有這樣的一個假定：赫魯曉夫宣佈以七年期間促使蘇俄趕上美國，並非信口胡說，而是確有這種野心。遠在幾年以前，他已看上了美國農業的輝煌成就，不恤虛心考求，屢向美國專家拉攏。像這樣一個深謀遠慮的傢伙，能進亦能退，才是可怕。

美國經濟的潛力恐怕快要發揮到盡頭，目前只以「保泰持盈」為急務，蘇俄却在許多方面仍未達到飽和點，經濟上並不缺乏可以開發的「處女地」，這如就長遠競賽的前途看，我們決不能草率判定美國必然永遠壓在蘇俄上頭。以往由於軍備競賽劇烈，美國軍需工業極為發揚，今後會有一個值得注意的轉變時期，就美國經濟的全貌看，樂觀的因素原不太多，弱點却也不少。

大局趨勢既是如此，中華民國必須有自己的精確打算。在經濟上儘速擺脫美援是很重要的一着。在軍事上要保持適當的聯繫而免受牽制，這裏面當然存有技術上的問題。我們必須有一個透澈的認識：世局變化到這個階段，業已造成中華民國以自力對中共單獨決鬥的新局。在政治上，在軍事上，我們要精細地研究敵人大大小小的弱點，和尋求打擊所有這種弱點的一切法門，盡可能和儘速付之實行。

我們更應該把信心確立於如下的一點：在經濟上和政治上，我們都比敵人佔有很明顯的優勢。只要我們能設法在軍事上發揮潛力，在這一點獲致扭轉的機會，勝利斷然便屬於我們了。

中共決不可能解開經濟上的死結，農業生產的改進是完全沒有希望的。蘇俄提高農業生產的希望比它大得多，因為赫魯曉夫是「修正主義者」，而毛澤東仍然死抱着「人民公社」那一襤褸的紅旗，怎也不肯認眞修正，仍想有一天再對農民大大鬥爭一次。大陸人口比較蘇俄多幾倍，「以農立國」的一貫性仍然無可變更，毛澤東那個「公社夢」仍要長期發下去，經濟怎會有改進的可能？這便是我們要牢牢把握的一點，切信我們在「單對單」的戰鬥中仍可掌握制勝的契機。

當然，蘇俄才是自由世界最大的公敵。但在我們自己來說，必須首先推翻中共，光復大陸，才可造成一個新的形勢，拿出我們的力量，為整個世界命運着想，提供更大的貢獻。

「風雨如晦，雞鳴不已」，當許多個國家快要在「苟安時期」陷入「催眠狀態」的危險關頭，正是我們要認眞提起精神去奮鬥的時候。

別人可以苟安，我們萬萬苟安不得。苟安便是鴆毒，逸豫必然導引我們走向滅亡。我們該在這個關頭特別提高警惕！

赫酋：「喂，不准亂鑽！」

這工作早應做了！

今日与明日

大迂迴戰術

周恩來此次訪非，主要目標是阿聯，自從毛共拒絕可命坡六國建議之後，毛共與亞非國家關係即陷於低潮，除去那個口口聲聲要毛共保護的「小兒科」施哈諾之外，大部都同毛共疏遠，尤其是阿聯的納薩，一貫同尼赫魯狼狽為奸，在毛印爭執中，最偏袒印度。毛共目前想打破孤立形勢，不惜將大塊土地割讓與緬甸、尼泊爾、巴基斯坦、阿富汗，以求取與國。但是要想改變毛印之間的關係，非先取得納薩的諒解不可。在目前世界上，只有納薩一個人具有調解毛印之爭的力量，也只有納薩提出的建議，尼赫魯不至於一味搖頭。所以周恩來採取了這樣一個迂迴戰略，從納薩下手，希望假道開羅通往新德里。

不過，周酋這次如意算盤還是落了空，納薩明知道尼赫魯見過鬼怕黑，不敢再同毛共打交道，即使同周恩來開一次會議的興趣也沒有，納薩自不願作這個出力不討好的調解人，即使在納、周聯合公報中，也仍然強調「支持可命坡會議上所倡導的和平努力」，而可命坡建議實際上是為毛共拒絕了的，除非毛共改變立場，仍然不能直接談判，周酋這一計劃算是直接被納薩所拒絕。

中央突破

周酋想和印度和解的願望雖然落了空，但是拉攏非洲以打擊蘇聯的陰謀却收到部份效果，尤其是當周酋抵達開羅之後，突然有一名迦納學生在莫斯科被殺，正激起非洲人的憤怒。適在此時，聯大討論擴大經社、安全兩理事會席位，以位置亞非集團，蘇聯却加以反對，指出除非毛共獲准加入聯大，聯大組織即不得變更。蘇聯此項立場，可能是為了示好毛共，表達兄弟般的情誼。毛共馬上發表聲明，指蘇聯有意移禍江東，毛共使自身未能加入聯大，仍希望聯大能擴大組織，以容納亞非集團，這一悶棍，確實打得蘇聯有些招架不住，除去由消息報發表一篇聲明，譴責毛共賣友之外，也不得不改變立場，贊成擴大聯大組織。赫毛之間爭奪非洲，已經有相當時間，周酋這次訪非，施行一項中央突破戰術，把蘇聯打敗了。

此外無成

周酋訪非成就僅限於此，此外看不出尚有何種成就。至於公報中所提毛共支持阿拉伯國家收回巴勒斯坦，阿聯支持毛共「解放台灣」，都是連篇鬼話，相信他們自己看到這一條，內心也會忍不住笑的。

言之醜也

毛共近來對俄共頭子赫魯歇夫的鬥嘴工作，越搞越起勁。可是，言多必失，話說多了，即不免破綻百出，令人感覺好笑，乃至於肉麻哪！

例如毛共最近發表的反赫長文，自詡為「堅決反對蘇聯與美國間之正面衝突」，而以他們「不使蘇俄介入韓戰與台灣海峽危機中」，為避免美俄直接衝突的反證，以期反駁赫酋指他們好戰之說，這便是笑話奇談。毛共之參加韓戰，明明是遵奉「史大林爺爺」的命令而然，這時候正是毛共厲行「一面倒」政策，專為俄帝負弩前驅，沒有考慮之餘地。史大林當時就因為原子武器居於劣勢，不敢跟美國正面衝突，又從英國方面得到機密情報，知道美國不會擴大韓戰範圍，進攻中國大陸，這纔教毛共介入韓戰的。至於毛共砲轟金門之役，俄帝早本就不贊成此舉的內幕，已經毛共自己揭露過了，還說甚末使美俄避免直接衝突的廢話呢？這真是所可道也，言之醜也！

共產黨人的宣傳魔術就是這末一套，他們若要恭維你，天下之美皆可以歸諸你身上，反之，一切罪過都集於對方。翻手為雲覆手雨，不問事實，也不論是非，更不管別人相信與否，閉着眼睛胡謅瞎鬧。對內如是，對外亦復如是，無所謂信用，亦無所謂廉恥。等到圖窮匕見，無法自圓其說時，就用「辯證法」來作解嘲遮羞之資，事證昭彰，不遑枚舉，只看他們過去在大陸上為着「鳴放」運動失策，而託詞於「陽謀」以殘害異己的宣傳方法，即思過半矣。

因此，我們對於赫毛二人的口舌之爭，只能以看戲台上表演[illegible]相罵的閒劇心情，予以欣賞，切不可寄存甚末幻想，認為對自由世界或有某種樂觀的因素。隨時像煞有介事的發表，英美那般共黨問題專家們「高見」，既說中俄共的裂痕已沒法彌縫，勢必各行其是，又說共產主義者征服世界的目標，毫無變更，說來說去，令人[illegible]。我認為報紙上刊載這類消息，實與刊載好萊塢明星的腐爛生活情形相同，都是糟蹋了寶貴篇幅，太無謂了。

千辛萬苦始有今日
港疫埠招牌除卸
歷時五月餘患者百多名

（本報訊）香港「霍亂疫埠」的招牌於廿日除下了，阿彌陀佛，皆大歡喜。雖稱之爲「聖誕禮品」可也。

今年的霍亂，始於六月廿七日，終於十二月四日，先後歷時一百六十一天。患者一百一十四名，即平均每三天便有兩宗霍亂症發生。以下是去今兩年霍亂有關數字的比較。

年份	一九六二年	一九六三年
霍亂發生日期	八月廿三日	六月廿七日
解除疫埠日期	十月十一日	十二月廿日
霍亂歷時	五十天	一百六十一天
患者	九人	一百一十四人
死亡	一人	六人

從上表中可以看出：①今年的霍亂較去年來得早，提前了兩個多月；②今年霍亂流行的時間長，較去年多了一百一十一天；③今年患者的人數大增，較去年多了一百零五人，死亡人數也多了五人。

還有一個特點：今年秋季，霍亂沒有因天氣轉涼而歛迹，反而變本加厲，在九月底至十月間的一個月內，增加霍亂症五十宗，僅十月份發生的霍亂，便幾乎佔了全年霍亂症總數的一半。這個反常現象連醫界也感到難於解釋，只好歸咎於人口擠、水荒及心理上的鬆弛等原因。

今年的霍亂症已經絕跡，但難保明年不會再來。所以，除了經常注意個人及環境衛生，提高警惕外，還要每隔六個月便自動注射一次防霍劑。事實已證明，這是一種最有效的預防辦法。

或謂來得實突然或謂並非突然

行政院改組前前後後

嚴家淦所獲同意票多得出人意料
開口強調公意政治且待事實作答

（本報記者台北航訊）行憲以來的行政院改組，這次是第九次。有些人說行政院這次改組，較以前幾次突然，但亦有人不作如是觀。

行政院改組的消息，台北大華晚報最早所獨家報導，該報亦因刊登這則新聞而使讀者另眼相看，大家都說該報頂瓜瓜。不過卻少有人知道該報負責人在當天曾受某些人的凌厲指責，如不是另一日報負責人解圍的話，事情也可能會鬧得很不歡。新聞記者這碗飯實在不好喫，所謂新聞自由，看起來很容易，做起來卻不是那麼簡單了。

行政院這次改組的過程中，到底有些什麼「新聞」呢？首先聽聽各方面對嚴內閣個人的反應如何？大體上說來，一般對嚴氏被提名組閣，均認爲這是好現象，因爲他是文人啊！文人執政有文人的好處；民主政治在建立的初期，也許文人是較能融和各方面的意見來適應當前的環境。這是立監兩院內在舉行座談會時，經過大家的發言而獲得的結論。因而，立法院在十二月十日行使同意投票權時，嚴氏在出席的四百四十一位立法委員中，而獲得三六五票，同意票率達百分之八三・二，成爲行憲後第二位得同意票最高的行政院長；這倒很出手各方面的意料之外。

嚴家淦得如此多的票，究其原因，不外乎政治淵緣，外加人緣的結合。此功泰半應歸於副揆余井塘先生，因爲余氏和立法院的關係很深。其次是東北籍六十二位立委的全力支持。而嚴氏在立委投同意票之前，曾分別到住在台北方面的委員家中作禮貌上的拜訪，至於住在外縣市的委員，他也利用長途電話向大家問好，當然亦有若干關係。

東北籍的六十二位委員，曾由梁肅戎委員領銜致函嚴氏和上書總統。這封「八行書」的結果，據說使「黑馬」董文琦入了閣。而由於董之入閣，連帶地使湖南籍的賀衷寒，也成爲不管部的政委了。

東北籍的立法委員有六十二人，其中五十六人隸屬於執政黨，另有六人爲「社會賢達」。由於國民黨第九屆中共委員中，沒有一個中央委員是東北人，所以黨籍委員頗有感慨；於是有些熱心的委員，便出面舉行「同志餐會」，並決定以後的「餐會」，應邀請全體東北委員參加。就在這個時候，內閣改組的消息經證實後，東北大連市的立委侯庭督等多人，便決定舉行第二次餐會，討論「八行書」簽名的事，那份措詞婉轉的函件，有一位委員曾希望大家諒解，他是不是可以不參加簽名；結果，這位委員還是簽了名，但不是第一名。

有關方面決定東北吉林的董文琦入閣的原則，也是基於「人和」的原則，因爲東北籍有一位資望頗深的李委員，爲董氏的至友，所以關係方面煞費苦心，旨在促進並改善國會和行政院之間關係而已。

至於蒙藏委員會田委員長，他和監察委員王枕華等，一直沒有搞好關係，甚至公堂相見，雙方在台北地方法院相互告狀，糾纏至今，仍未解決。新任委員長郭寄嶠先生，將來的前途如何？目前就有人爲之担心，因爲這是一個吃力不討好的會，一不小心，會遭無妄之災的。

嚴家淦以文人作相國，他在就職那天首次記者招待會中，開宗明義的說：「民主政治是所謂『公意的政治』，而公意的表達，則是新聞與輿論的最大功能。政治原是管理衆人之事，平時自必須依賴新聞報導，重視輿論反映。從另一個角度上看，政府施政，也應透過新聞的報導與評述，來達到宣達政令的目的。所以，加強政府與輿論界的關係，應是加強政府與民衆間的公共關係的重要工作。」

不知道幾句話是否即是嚴家淦今後施政的方向和目標。我們等着看事實之表現罷！

香港與大陸

大陸民衆反共更激烈
毛共又實行鐵血鎮壓

中共最近又在大陸地區，實行大規模的懲壓反共運動，不少地區皆如火如荼的進行「公審大會」，會場中佈滿全付武裝的「民兵」，有若大敵當前，不少舊日的「地主」、「官吏」、「資本家」，均被重行判罪，槍斃，勞改和管制均有。

據汕頭市一位職工寫信給此間一位友人韓××君所透露：汕頭市反共份子的活動確實很厲害，這種活動，中共認爲已影响到它的軍事，政治和經濟方面了。據說這些反共份子有從台灣潛入來的，有以前曾被中共清算鬥爭過但未殺掉的「五類份子」，而且還有原屬「革命領導者」的「無產階級」份子。

來信說：就由於上述這種情況，中共在近兩月來，又進行一次有步驟有計劃的鎮壓「反革命」運動，它們首先在其御用的報刊上發表醜化「反革命」份子的文學，指這些人是如何受帝國主義者唆使，在進行破壞社會主義的建設，並進一步「反攻倒算」，欲向全體貧僱農和無產階級復仇；另一方面中共又掀起所謂「訴苦」、「傳苦」、「憶苦」的運動，要人民永遠記住過去國民黨時期，人民是如何「受壓迫」，「受剝削」，藉以引起人民羣衆仇視國民黨以及所有實行在地下做着反共活動的份子。

來信說：繼這種醜化和惡毒攻擊之後，便在城市的各機關工廠、農村公社及駐軍，普遍掀起揭發「反革命」的運動；揭發的對象是包括自己、親友，或耳聞目睹的壞人壞事，然後對那些「有罪者」實行「公審」，並予以嚴厲的判刑。來信人所屬的「公社」在有一次的「公審」大會中，便會一下子整了近廿名的「反動份子」，其中有一個爲由香港潛回的「特務」和兩名潛伏在大陸「地主」，都被宣佈了判處死刑。其餘尚有不少以前是商人的都被指爲大規模進行黑市買賣，嚴重破壞「國家」的經濟。而出人意料的，是在被宣判的「反革命」份子當中，有一名竟是共產黨員，有一名是軍隊的少尉軍官。他們兩個的罪名却都是張貼「反動標語」，說他們忘恩負義，企圖在羣衆中散佈「反動」的種籽。結果兩個人都被判處十年的徒刑。

來信說：在一家工廠中，也會進行一次「公審」大會，宣佈了不少破壞份子的罪名。在「公審」時，曾有數以百計的全副武裝的「民兵」，將工廠四面包圍住，有若大敵當前，唯恐工廠的工人階級都同情被鬥爭者，而引起暴動事件。

來信又說：現在整個汕頭市都如風聲鶴唳，緊張異常，人們的一行一言都得倍加小心，唯恐一下子失言，而引致大禍臨頭。以往十幾年大家便已明哲保身，見面不肯多說話，儼然「六親不認」了，現在更是加倍的各自當心，不但不敢多言語，連看人亦不敢多看一眼。（敬斯）

敢誇愛國不後人
海外僑胞捐款勞軍

（本報台北航訊）海外僑胞捐款勞軍及救濟大陸逃港難胞者，絡繹不絕，茲彙誌如次：

△菲華反共抗俄總會，爲響應救濟大陸逃港難胞運動，特發起的旅菲華僑捐獻，頃已募得第三批款項新台幣一百四十四萬八千零七十二元四角一分。該總會曾於去年募集第一批及第二批款項新台幣各一百萬元，由僑務委員會轉送有關單位查收，並報請行政院頒給該總會匾額題詞及捐款人獎狀，以資鼓勵。

△旅法僑胞黃晚姐頃捐款法幣二十新法郎，以救濟大陸逃港難胞，現已由我駐法大使館轉至國內有關單位。僑務委員會已致函嘉勉。

△旅智利葵埠中華公所頃捐款美金二百元，慰勞三軍將士。該款已由僑務委員會轉交有關單位，並頒給獎狀。

△旅牙買加華僑黃就安等頃捐款新台幣三萬零五百元，慰勞三軍將士。該款業經僑務委員會送往有關單位，並頒給獎狀，以資鼓勵。

旅菲律賓華僑周卿雲等頃捐款菲幣三萬一千元，興建菲律賓宿務東方中學校舍，僑務委員會特分別頒給銀質獎章、獎狀，以資鼓勵。

△東京中華中學爲發展華僑職業教育配合當地實際需要，決定首先創辦英文打字訓練班，經數月之籌備，已舉行始業典禮，到有華僑文化教育界人士多人，中國銀行東京分行經理李志賢，並捐贈該班英文打字機六架，且在會中舉行贈送儀式。現該班招收學生暫以該校高中部學生爲對象，以後逐步擴大對外招生，每一期修業期限爲六個月，並已正式呈請僑務委員會立案中。

△旅日本大阪華僑總會副會長陳阿讚，爲促進僑胞之團結，發揚互助精神，以利僑界之繁榮發展起見，特聯合志同道合之僑領等多人，創設「中國信用組合」，已於十二月五日正式開幕。該組合計劃週密，運營健全，預料必可對僑界有所貢獻。該組合之理監事業已選出，計爲：理事長陳阿讚，常務理事周木松，理事張秋庚、劉道明、何國華、村岡慶二，監事邱添壽、陳捷塗。

△緬甸自由青年文學社爲溝通中緬文化，陶冶青年德性，特集合會友編譯出版「中華民國歷史故事」、「大禹治水」、「項 和孔子」、「孫中山先生幼年生活」、「工程師詹天佑」、「匡衡偸光」、「武訓興學」、「窮困而努力的范仲淹」等二十一篇。發行以來，甚受中緬青年讀者歡迎。

△旅菲律賓華僑青年醫學博士許康寧，牙醫博士楊少暉參加本年菲政府醫士會考，以優異成績分別膺獲第一名。現年二十五歲的許康寧，現服務於菲律賓總醫院外科部，此次參加菲律賓政府醫士會考，在及格的一千四百多人中，以九十一分成績，名列第一。獲牙科第一名的楊少暉，現年二十二歲，此次得膺牙醫會考第一名，爲該校博得很大的光榮。楊少暉現服務於菲律賓大學牙科學院助教，他和許康寧均將於明年赴美繼續深造。

訂正

上期本版頭條新聞題目：「台灣省政府即將改組」，改字誤植政字，特訂正。

編輯部

送殯雜想

在一次送殯的典禮中，我開始了解到裝飾的用處。我雖不是一個不修邊幅的人，却從來不大講究修飾。現在我才知道，批盪裝飾這門行業範圍很濶，是人類社會不可缺少的事物之一。

從前我曾經有過這樣的看法：送殯的人大概可分三類：一是死者的親屬，二是死者最密切的朋友，三是一列列的飯碗。大出殯必有許多參加執紼行列的人，多半是爲了飯碗關係而來。他們的職業工作一向對死者有着不同程度的關連，這時照例要來參加這一行列。觀衆們會覺得這種大出殯頗夠熱鬧，大概是因爲有了這一列列飯碗做裝飾吧！所謂「素車白馬，備極哀榮」，那「榮」字便把裝飾的意義表達得相當清楚了。

在禮堂裏面看着那副打磨得頗爲光亮的棺木，我有一個感覺：人們在送殯當中不會覺得太難過，是因爲那醜陋的屍體被棺木掩蓋住了，棺木上面還有一些飾粉令人看來會發生美感，「死的美化」無非由於裝飾發揮了作用吧！

小時候讀孟子，見說人死要用棺木掩蓋，是因孝子不忍見尊親的屍骸被許多不中看的虫類吮嗳所致。這會使我認爲很有理由。

但是，我對於孟子書裏「弔者大悅」那一句話，始終認爲費解。「弔喪」本該悲哀，怎會「大悅」呢！這一刻我忽然讀通了孟子，明瞭人死要有「飾終」之禮，只要裝飾得好，達到「美化」的目的，弔者應該「大悅」了！我由此發覺「飾終」的一個「飾」字，眞是絕妙好詞。

僧侶們各式各樣的衣袍，以及舉禮作法時的各種器皿與儀仗，包括誦經唱詩的腔口音調，都有裝飾的意味，也就有美化的作用。古今中外宗廟朝廷教堂的一切禮節都可作如是觀。畫家的傑構用作這方面去，便是第一流的裝飾品，羅馬教堂與敦煌石窟壁上的名畫都可作如是觀。

進一步想到中國古代文豪的「諛墓文」，該算是「裝飾藝術」發揮到了盡頭的特種產品。

最後我想到藝術家用於生人的裝飾，這可從若干詩集裏面找出「應酬詩」的佳作來做標本。

我不敢說禮節是「虛僞的裝飾」，可是僞者，人爲也，禮節總是人爲的東西。聖人喜歡講「禮樂」之教，用意本佳，只是希望用裝飾達成「美的教育」而已。

想到禮，我又想到孔子說的「巧言令色，鮮美仁」。其實，「巧言令色」也是交際家的一種裝飾呢。很多交際家能夠常常掛着一絲美妙的笑容在面上，令人看了自然會對他有了好感。我自問怎也學不來。

再想到美國人做商業廣告的裝飾藝術，和共產黨做政治宣傳的裝飾藝術，我不願再想下去了。

藝術叢語

抽象藝術漫談

趙雅博

另外在表現美一方面，愈是與物質相聯結的更緊密的，愈容易表現；但是卻愈難瞭解與領會。愈是與物質距離較遠，愈是不容易表現；但在瞭解與領會方面，却是更爲容易瞭解與領會。這因爲畫筆或音符是有形的東西，以有形來表達有形易，以有形來表達無形難；在瞭解方面因爲是歸於理性，理性不能直接接近有形，而傾向於無形，故瞭解無形易。因之，表現有形的，感覺的，附加體的形式易，表現自立體的形式較難。自立體的形式又分而爲二，一是個體的自立體形式，一是共相的自立體形式。前者與物質連結相近，後者不連結而相遠。所以前者易表現而難懂，後者難表現而易懂。這樣說來，我們可以說，抽象藝術是難於表達了；至於易懂，也可以是作者自己易懂，如無弦外之音，觀者也容易瞭解。這是說立的抽象藝術，也是說的作者就物說物，就理說理，而不是從弦外之音說的。因爲弦外之音的表現與爲人瞭解，必需有共同的基礎，不然的話，其意義就可以成爲各式各樣的了。

美是一件很神秘的事件，原本是一個，但是由於人的基本認識有二，因之，美在我們人身，也被分爲二了。我們是人，有肉體，肉體具有感官，藉着感官我們也能把握到美的形式，也就是說把握到形式的光輝，這個光輝是光耀在客體整個的物質上，並且也成爲比例，就是說均稱之至；藉着理智呢，我們可以瞭解從質或量方面的附加體形式引申出來的美，我們也可以瞭解自立體形式的原始美。然而讀者不要錯想，我們這樣的領會是將美的外延完全佔領了，不，還有美的本體，或者說是絕對美，在脫出了我們的知識，這種美是另一個方式，是整個形式美的原始美，是屬於神的觀念的美，是一種典型美，沒有達到默觀神的地步，對於這種美是不能瞭解的。從這裏看，我們可以得悉美可以是感覺美，理智美，還有原美，也就是絕對美，無限美。然而究其原始則是一個絕對美的類型，只有它是眞正美，其他的美則是分受於它。而這種分受並不是同性的，乃是一種創造美，是類比意義的美，也就是說其中有類似點，一個是絕對美，無限美，一個則是相對美，有限美，在是美一點上，有其相似。

對於美的瞭解，等級愈高，愈難瞭解，在我們所寫美的領會階段中，我們是理會得出的，到最後的階段，這種絕對美的瞭解，乍看去，彷彿是不能勝過去的一樣，然而究其實，人並不是一點點也不能瞭解這件美的，因爲我們每人都有一個願意至美至善的心意，這個心願在現世不能滿足，但這個心願也不該落空，來世的事且不必說，就是在現世我們也應該對這至善盡美，最高美有所瞭解。一方面我們須要藉着理性和意志，另方面有了神的協助，以神不變而永恆的光明，光照着我們脆弱的天性，使我們能夠默觀神聖的眞美。但是這種境界並不是人人能夠達成的，在藝術家們的靈感勃發時，彷彿是有了一點端倪。這是一種神秘的事，也是一種神秘的默觀，在於認識的本性。神的超自然的本質，在於熱愛神的事物，而這種經歷並不是超自然的，乃是由經驗而得的。神修家們彷彿經驗到了神秘的境界，他們彷彿經驗到了神秘的無窮美，善，從神的唯一基源中，來享受整個的美，而同時又可能將這最高的美，以人的辦法，缺而不全的表現出來。也就是說以神聖之美的經驗，造成藝術美的靈感，使我們能從中窺見美的偉大，美的高越，也使我們能悟到眞正的美，美的自身與美渾然一體，融合無間，此情此景，只宜天上有，而人世只是暫短偶然，但已經可以使人神魂超越，三月不知肉味了！（未完）

劇氛傑鈔錄

婆婆生

羣英會劇終，下接蘭芳的千金一笑，時已魚更三躍，侗五田桂鳳的坐樓殺惜登場，座客未散，翹首靜待，因其不凡而獨步京塵，無人可及。嗓音雖略帶沙，但韻味飄逸，佳腔迭出。出場的四平調，有一句普通多唱「這富貴豈容人妄想」，他把改爲「大丈夫豈肯入賊黨」，完全表示宋江投梁山做叛盜的心跡，並不十分情願，是出於逼成的趨勢，由於劫法場後，不去則死，祇有如此。鬧院的火熾，與婆惜針鋒相對，田桂鳳雖雞皮鶴髮，但是那股勁兒，確實銳不可當，後來叔岩與他合演，幾乎壓住。在侗五則信手拈來，不能使招尤，是殺惜。精細不待多言。後台適無黑色褶子，侗五表示無此衣服，即不續演。俞振庭（戲管事）特乘汽車赴椿樹頭條家中取來，方始再續。因劇情關係，前藍後黑，即是由吵鬧而演成兇殺，愈爭愈烈的情緒，成爲兩種姿態。若夫夢同之溫情欲撥，氣忿之抽刀欲殺，心理完全不同，表現極其逼眞。等到婆惜苛求迭出，件件辦到，書信要在堂上再交，心中的氣，不可遏止，說到「大姐，你你……不要逼出事來」一句，妙在逼出事來四字，忽然帶出顫音，以示內心的氣，斤兩甚重。更表現心中憤極，但情緒實懷，一副急欲透洩之景，刻畫入微。究竟是殺人，不是簡單。不殺則收不回這封信，殺了閻下無窮後禍，故在一邊將手插入靴裏，取那裁紙小刀，抖索不停，幾至無力，實在心愛的佳人，頃刻隕命，何等慘酷，互相配合，眞是拍案叫絕。桂鳳的閻惜交，不愧斲輪老手，將潑辣，兇狠，而實具風騷，描摹得淋漓盡致，無一不佳。自宋江動怒以後，面部表情，似乎有恃無恐，但驚訝難免，內心仍懼，畢現無遺。持剪之驚嚇，碎步之佳，渾身戰顫，從見桂鳳唱過，以後竟無人達此境地，可說名角之貴。此與拔刀之抖索，實具異曲同工之妙。嗜劇四十年，亦未得再見能勝此者，此曲祇應天上聞，不禁喟然。

兄弟同串　一齣連陞

故友變成甫，爲從事金融的逆友，喜飲與余有同癖，每逢散值，輒相偕同往徜徉於隆福香福全酒溫兩館之間，月有數次，余之酒量，可云如此造成。某夕在東城買飲，變君忽告余，今晚某王的福壽堂有小型堂會，其中有倫四侗五之連陞店，爲勿同往一觀。遂罷飯同往北池子某邸花園，座客不過二百，演者皆是名票，有一是延菊朋世哲生章曉珊等。壓軸爲倫貝子侗伶。戲串六齣，是兄弟同串，最爲出色，亦傳佳話。倫四飾王明方，侗飾店家，比合無一突梯滑稽，尖鋼悉稱。此齣在外間絕對看不到，實爲眼福。首次見侗五演丑角，其從容滑稽，吐詞雋永，貴在淵博而精到。名家動作，（十六）

虛眉續夢

第十回：集會議圖存　天寒日暮　空言難自救　鬼哭神愁

李維漢一看點名點到他的頭上，不能再裝胡塗，站起來說道：「關於海外統戰工作，這幾年來並不是沒有成績，例如有幾位反動文化人，還有一名桂系的大將，現在都替我們工作，一九五六年還到北平來觀過光。」

毛澤東說道：「那次觀光是花三千元港幣一個收買來的，能起什麼作用呢？一旦不給他錢，他馬上又反共了。」

周恩來說道：「用錢買本來很正確，當初江陰砲台也是用兩千條黃金買下來的，問題是錢花了要能發生作用。統戰部在海外收買的範圍太小，每年國慶日來觀禮的總是那幾個人，而且還一年少過一年，這就不成了。爲什麼不多收買一些，價錢也應該出的高些，橫豎這筆經費是不愁用得完的。」

李維漢說道：「沒有辦法呀！我們價錢定的非常高，留在香港的關、張二將，誰要把他倆勸回來，可以得獎金三十萬港幣，結果還是白費，連敢上門去勸說一頓的人都沒有。」

周恩來說道：「工作沒有效，自然是工作人員不力，尤其是拿統戰津貼的人，更要加以鞭策才成。」

李維漢不敢再分辯，只是苦笑。

九中全會大體問題都已決定，剩下的只有經濟死結仍然無法解決。

李先念說道：「目前要想增加農業生產，必須放寬一點，讓人民保有自留地，開放農村貿易市場，否則，這樣一直下去，明年的飢荒可能更重。」

劉少奇說道：「增加自留地，開放農村市場，固然可以刺激生產，但是，也容易滋長富農思想，到是不可不防的。」

李先念說道：「政策是可以隨時變的，明年度情況稍爲好轉，我們可以宣佈收回自留地，關閉農村市場。以前就行過好多次，人民也沒有辦法。」

劉少奇說道：「開放農村市場，增加自留地只是手段之一，我看目前急救辦法，還是從野生植物、動物上打主意，推行一個普遍性運動，在麥收前幾個月，人民生活完全交給野生植物、動物，到了麥收後，看看收成怎樣，再開放農村自由市場也還不遲。」

毛澤東一拍大腿，說道：「對，就這樣辦！人民是有彈性的，把他們交給野生動植物，他們一樣能生活，政府和黨不要背上這個包袱。」

參加會議的各省省委第一書記，省長都來自民間，雖然知道這個辦法行不通，但是經劉少奇提議，毛澤東贊同，還有誰敢反對，當時就一致通過了。

會議結束後，整個大陸展開了收穫野生動植物運動，一時如火如荼，可憐的是人民，糧食配給已經停止，一日兩餐，完全寄託在山上河邊，凡是能吃的，不問蛇鼠虫蟻，草根樹皮，一律找來裹腹，到了最後，連觀音土也當作糧食，許多人因此中毒死去，整個大陸眞的是天昏地暗，鬼哭神愁！但是，中共却對外宣稱人民已經戰勝天災，度過飢荒，却不知道這次飢荒是吃草根樹皮觀音土度過的。

（二六七）

接受教訓。策勵未來
大陸是怎樣淪陷掉的？
吳文蔚

「到那時我們的人民中，不僅不要一個反動的人不要一個中立的人，就是同情我們的人也不可靠；必須是個個人離開我們不能生活，才能同我們奮鬥到底，才能不泄露我們的眞情。如果不清算貧農，貧農能自己靠自己生活，到了帝國主義進攻時，這樣的貧農，一定會動搖，至低限度，也是存中立心理。

「我們必須清算貧農，才能保證我們的最後勝利。至於清算貧農，不要用特別的方法，只是說明：『人民解放軍是爲人民作戰，不上前綫的人，應該負担公糧，』先向他要今年的公糧。如果要了他還有，再向他追要去年的。要了去年的還有，再向他追要前年的。要的他不能生活了，一面救濟他，一面給他分配生產工具，使他的生產，生活，和我們的政權（共產政權）連繫在一起，他才能同我們奮鬥到底」。

又另外得到共軍的一個鼓勵幹部的文件，名爲「不怕原子彈」，其內容說：「英，美帝國主義有原子彈，我們必須有反原子彈，才能對付敵人的原子彈。因爲敵人的原子彈是軍事原子彈，我們的反原子彈，是政治原子彈。英美帝國主義對我們的進轟炸大城，我們把東方大陸廣大的土地與人民，努力組織成與我們成了，一而內不可分離的關係，就成了反原子彈的對策，就可使敵人的原子彈無法發揮其功效。這是我們的反原子彈的做法」。也就是說我們有反原子彈，便不怕英美帝國主義的原子彈。況且我們現在已經有了原子彈，反過來我們拿上原子彈，轟炸英美帝國主義的大城，毀滅他的工業區，英美沒有反原子彈的組織，他一定會陷到束手無策。我們不怕第三次大戰，我們反來迎接第三次大戰」！

我們得到這兩個文件，才知道共匪的最後想法和做法，是完成牠最後目標上的需要。我們從此更知道牠爲甚麼需要鐵幕，和怎麼樣的製造鐵幕。

這種做法，共產黨不僅不能讓外國的新聞記者明瞭，也更不能使牠控制區的人民知道；至於牠控制區以外的人，那就更無從知道了。否則便失掉了牠欺騙世人的作用，造成牠控制區以外的中國人及歐美國家的堅強之抵抗，限制了牠擴張侵略的發展。（九）

詠史詩
黃伯遠

顧橫波
離怪尙書生有恨，但聞小字亦顏開；夫人裙下皆名士，拜倒無妨一笑來！

柳如是
李香不嫁侯公子，如是偏來偶牧齋；奪得龍頭失牝牡，生生死死孰安排。

李香君
血染桃花紈扇紅，投懷香散玉玲瓏；詩人寂寞佳人去，十二巫峯不再逢。

陳圓圓
懊惱詩人兩句詩，成王敗賊汝何知；衝冠有髮爲誰怒，國破家亡髮亦絲。

哭父親
張健生

先父超羣公，在故鄉是以老實氣的匠人，也是老實的生意人。由於他捨不得自己辛辛苦苦所創的產業，更由於他以爲自己不是政治人物，所以沒有走離匪區。但終未能逃過匪的清算鬥爭，以及迫害，因而於三年前，即五十年四月二十八日死於故鄉——江蘇省泰興縣。這個不幸的消息，我是最近才知道的；我聽到這個噩耗之後，哭了好幾夜，連續失眠也有半月之久。這篇悼念他老人家的文字，足足寫了三十次以上，才勉强完成，因爲我的情緒激盪而不安定，心情沉痛異常。蓋人間最痛苦的悽慘的事，莫若有家歸不得，父死子不知，如今雖知父死卻不能奔喪！

同時，父親死的時候，幷不知道像我這樣未盡孝道的兒子是不是還在人間活着。像我這樣的兒子，對得起生我養我教我的父親嗎？古人說：「積穀防飢，養兒防老」。可是像我這個爲人子者，從來就沒有盡過侍養父親的責任，更沒有盡過「父母有疾，湯藥必親嘗」的孝心，怎不愧爲人子哩！

父親雖然死了，但是他的精神還活着，尤其他那和藹、眞誠以及嚴於自己寬恕別人的精神，我是終身不能忘懷的。我小的時候，每逢學校假期，他總是要我多讀些課本以外的四書，像幼學啦，古文觀止啦，論語啦，十三經啦，這一類的書，父親可以背，儘管他只會幾年的私塾，由於家境的關係，在十幾歲的時候，就被祖父送去做學徒，但他對綫裝的古書，卻下過功夫的，因而他老人家的事業，和在做人作事處世方面，是成功的，我是萬不及他的。

我們家境在曾祖父之前，尚稱小康。由於曾祖父死得太早，以致曾祖母在十八歲的時候，就成了未亡人，那時，曾祖母已有一個月的身孕，而族中的無賴者，想欺侮她，幸而曾祖母娘家還有些財勢，把她接回去，直到祖父祥壽公出世，長大成人，與祖母結婚的時候，才回家來。然而房屋和田地已被族人典押淨盡，故家境從此不好。

祖父讀書讀到二十三歲，結果僅僅會寫自己的名字，是個十足的莊稼人。祖父生五男乙女，長子即先父超羣公。先父生我們弟妹五人，我是長子。（上）

我的社會生活
雷嘯岑

我們由上饒經玉山，入浙東，直至杭州停下。蔣鼎文的警衛團，奉命駐在衢州整訓。繼而李公派我赴南京革命軍總司令部交差，把南昌行營的大小印信和重要文件，一律呈繳。我首先見到總參議張岳軍先生，他拿起那顆總司令的官章，對着總部同寅說道：「這顆章子未被共產黨搶去，是要感謝協和先生和雷秘書這般人的。」我遜謝之。岳軍先生又問道：「憲兵營長顧潛在南昌是否有搗亂行爲？許多從南昌來的黃埔學生，都指證他叛變了，軍法處擬判以死刑，總司令尙未畫諾。你是第三者，目擊當日情形的，請你說句公道話，以便定案。」我知道顧氏是叛變了的，然由我一言而送掉他的性命，大可不必。若要我來證明他是忠貞份子，又違背良心，竊所不取。乃答道：「在南昌的黃埔學生，比我更清楚當時的軍事情形，我不敢說甚末。」我在南京住了三天，即回杭州西湖，跟李先生一道住下，再不想勞碌奔波了。

從民國十五年一月起，到十六年五月止，我由北京開始逃難，經太原、張家口、綏遠、平地泉，再入內外蒙古、西伯利亞、海參威，轉至上海、漢口、南昌以迄杭州，這在地圖上亦要察看許久吧？我在每一地方沒有安居到三箇月，總是棲棲皇皇，不遑寧處，不知行了若干萬里的路，也遭遇到若干危難險阻的事情，等於闖過了天羅地網，幸告無恙。這在人生的過程中，可謂多釆多姿，然其中的艱辛滋味，也就夠受的了。

開始踏進仕途

我進大學讀書之始，父親來信教我治法律學，說我斷斷不守繩墨，必須明法，藉資陶冶。但我對法學不感興趣，竟選擇了政治經濟科，乃奠定了高等游民的本質，一輩子亦在污穢的政治場中翻跟斗，孽由自作，悔之晚矣！

民國十六年五月間，南京國府已正式成立，大舉清除共黨，胡漢民尙在上海隱居觀變中。蔣總司令迭電李協和入京協商大計，蓋李已被推選爲國府五常委之一也。（其餘四人係汪兆銘，蔡元培，胡漢民，于右任）李於五月下旬應召由杭州至南京，蔣總司令優禮有加，會語李氏就參謀本部和陸軍部，這兩個中央機構，擇其一部，自行組織成立，以國府常委兼任部長，但李謙辭之。另推薦我在革命軍總司令部作參議，派在參謀長室服務（參謀長係朱紹良將軍），同時我仍爲李公司記室之役。既而蔣總司令與馮玉祥約定在徐州初次晤面，也教李公介紹一個與西北軍有關係的人，先赴徐州打前站，李公又推我去。我在徐州住了五天，即回南京，在下關僱坐馬車，行至城內「棲溪山莊」附近的空曠地帶時，遠遠瞧見一排憲兵，押解一名犯人，用黃包車拉着，迎面而來，迫到近距離處審視之，乃是曾在南昌謀叛的那位憲兵營長顧潛，押赴刑場正典刑的！他雙手被綁，住在車沿上，一見到我，即大呼「雷秘書你救我呀！」不已，其聲悽慘不忍聞，但我有甚末方法營救他呢？回到寓所，急忙吩咐勤務兵帶着一些錢，馳赴刑場看看有人來收屍否，如其沒人過問，即由我料理他的身後，聊盡朋友之誼。旋據勤務兵回報，已有人收殮了。這事使我的心靈上頗受震動，假使那日我對總司令部總參議張岳軍先生垂詢此案時，替顧君說句違背良心的好話，或許可免其一死，而今眼見他綁赴刑場，聞其呼救之聲而無可爲計，眞是難過極了。（十二）

康有爲的觀對
丘峻

迄四月二十三日，『明定國是』上諭頒布，德宗乃下引用新人，實行改革的決心，不惜對慈禧作攤牌之表示，使慶親王奕劻轉告曰：『朕不能爲亡國之君，若不與我權，我寧遜位！』慈禧聞言，大發雷霆；惟因內心別懷鬼胎，乃採納奕劻『欲擒故縱』詭計，仍由奕劻伴以『皇上欲辦之事，太后決不阻止』之言復命。從此，太后與皇帝間既成冰炭，而『政變』之禍根於是深植矣。

德宗既下『明定國是』上諭，於是御門誓衆，表示維新變法，勢在必行。會翰林院侍讀學士徐致靖奏舉康有爲，張元濟，黃遵憲，譚嗣同，梁啓超五人，請皇上召置左右，以備論思，與講新政，或置諸大學堂令之課士，或開譯書局令人譯書，必能措置裕如，成效神速。同時，湖南巡撫陳寶箴，內閣學士張伯熙，又皆薦康氏才大可用。至是，德宗乃排除萬難，於四月二十五日，命康氏預備於二十八日召見。雖經慈禧以『殺雞警猴』之手段，被迫於二十七日罷翁相國職，而德宗仍不顧一切，於是日特旨召見有爲於頤和園之仁壽殿。

四月二十八日，康氏入朝房，遇榮祿謝恩同對，與談變法事。稍頃，榮祿入對，即面劾氏莠言亂政。榮下，氏即入對。德宗紆尊降貴，迎於門首。氏跪稱：『南海小臣叩見。』德宗含笑扶起，詢問年歲出身，見朱卷『十三世爲士』語，撫掌大笑，優渥賜坐。氏即慷慨啓奏，答對如后：

康：『四夷交迫，分割洊至，覆亡無日！』

帝：『皆守舊所致之耳。』

康：『皇上聖明，洞悉病源所在，則藥即在此。既知守舊之致禍，則非盡變舊法，咸與維新，不能自強。』

帝：『今日誠非變法不可！』

康：『近歲非不言變法，然小變而不全變，舉其一而不改其二，連類並敗，必至無功。譬如一殿，材既壞敗，勢將傾覆，若小小彌縫補漏，風雨既至，終至傾壓；必須拆而更築，乃可庇託。然更築新基，則地之廣袤，度之高下，磚石楹桷之多寡，窗門欞檻之闊窄，灰釘竹屑之瑣細，皆須全局統算，然後庀材鳩工，殿乃可成；有一小缺，必無成功，而風雨終不能蔽也。』

帝以爲然。

康：『今數十年諸臣所言變法者，率皆略變其一端，而未嘗籌及全體。……又所謂變法者，須自制度法律先爲改定。……今所言變法者，是變事耳，非變法也。臣請皇上變法，須先統籌全局而變之，又請先開制度局而變法律，乃爲有效。』

帝以爲然。（三）

南宋偏安有人才
李仲華

上述：「檜手書小紙，令老吏付獄中，遂報飛死」。係行實編年所載；似岳飛之死，乃出於檜之暗殺也者。實則飛係奉旨特賜死。張憲岳雲依軍法。

岳飛死後，和議益堅，秦檜挾虜勢自重，上則劫持人主，下則箝制輿論，無有敢爲飛訟冤者。迨紹興廿五年，秦檜自斃，虜益猖獗。至卅一年，距飛死已廿有一年，金大舉入寇；朝廷欲振作士氣，遂採太學生程宏圖議，詔飛家自便。卅二年，孝宗受禪，詔復飛原官，訪求其屍，以禮改葬棲霞。而飛之沉冤，遂以大白。

淳熙五年，太常少卿顏度奏請定謚，初擬忠愍，詔令別定。太常以宗社再安，强禦不服，猛虎在山，藜藿不採，爲折衝禦侮曰武；定亂安民，秋毫無犯，危身奉上，確然不移，爲布德執義曰穆。請謚武穆。制曰可。寧宗嘉泰四年，韓侂胄定議伐金，欲風勵諸將，遂追封武穆爲鄂王。理宗寶慶元年，特旨改謚忠武。景定二年又改謚忠文。

元至元九年詔武穆加賜保義，餘如宋。明洪武九年，詔仍謚武穆，從祀歷代帝王廟，配宋太祖享。隆慶四年，詔仍謚忠武。萬曆四十三年，加封爲三界靖魔大帝保刧昌運岳武王。此歷代賜謚之經過也。（一一二）

內政部台報字第〇三號內銷證

自由報

THE FREE NEWS

第四〇四期

中華民國僑務委員會頒發
台執新字第三二三號登記證
中華郵政台字第一二八二號執照
登記爲第一類新聞紙類
（本週刊每星期三、六出版）
每份港幣壹角
台灣零售價新台幣弍元
社長：雷嘯岑
督印人：黃行審
社址：香港銅鑼灣高士威道二十號四樓
20. CAUSEWAY RD 3RD FL.
HONG KONG
TEL. 771726　電報掛號：7191
承印者：田風印刷廠
地址：香港灣仔高士打道二二一號
台灣分社
台北市西寧南路壹壹叁號二樓
電話：三〇三四六
台郵撥儲金戶九二五二

戴高樂的遠東外交及對中共承認問題

·吳本中·

法國人對其在遠東的舊日聲威及政治經濟影響，絕不會忘情的。戴高樂更不會健忘。

「自由中國」的對法外交，若長此不生不死，有若無，虛作實；十五年，空空度過，無人才，鮮決策，更不知己知彼；則前途茫茫，殊令憂國者扼腕。

談起台北對法外交，眞是一篇傷心史。十五年矣！弄到現在地步，一縷幽魂，有若即將斷絕者，實不能不使愛國者拍案憤慨！嘆外交無人，國事日非。『行有不得，反求諸己。』求外交失敗之因，我們不能不先對自己加一番嚴格檢討！

第一，我們應當深知法國人是聰明的，是有學問的，對於遠東情況不是不瞭解的。他們愛自由，崇民主，更絕對不能接受共黨的集體生活方式，或邱吉爾罵共黨的所謂『編隊』制度，『羣體』動作等等反個性，反人性的政治或社會形態。戴高樂的堅決反共是不成問題的，亦是代表大多數信仰天主教法國人民的意志的。這一點是根本與我們是知己。不過，他們可能看見我們在台灣的許多作風是沒出息的，復國前途渺乎茫哉，倘如我們用十幾年的外交工夫，潛移默化，在法國各界下工夫，委婉其態，循循其言，告以我民族五千年的文明禮教，絕非莫斯科舶來品可以改變的。極權集體，非中國人的人格可能長期忍受。尤其要勸他們應高瞻遠矚，看淸楚中國的天下將歸何等中國人，遠東的天下又終將爲何人的天下。外交是要有眼光的而不在乎目前的投機，法國人是可能漸漸明瞭，漸漸認識我們的。

第二，法國對阿爾及利亞戰爭經年，是法國人的絕大傷心事，常怨美國以同盟國而暗助法殖民地叛黨，聯合國大會又常加譴責。自由中國亦隨聲附和，在法國人看法，此乃中國在國際舞台上不給面子。法國在越南的痛心事，亦認爲我國在成功湖有『助桀爲虐』之蹟。在外交上，我們這類作爲，既不獲阿爾及利亞及越南之感激，而法國却又不肯忘掉。多年來在政治上，法國常對我們不理不睬，冷淡而遠之，外交不能開展，不爲無因！

第三，以經濟貿易而言，法國何嘗不謀求先與台北接近。我們本來應當給他們一點便宜佔，放大眼光，以利外交之進行。造船，建壩，諸種水利工程，法人均優爲之，何以不讓他們包工？君不見香港政府建造海中之噴射機跑道，大嶼山水堤及獅子山鐵路隧道等均爲法人所包辦者乎？小焉者如法著名柔諾廠流線型小汽車今日且風行香港矣。凡此均法國人士有勢力者親口牢騷而入吾人之耳者。他們的派駐港台機構人員，多年來早已天天在辦公室作調察工作，詳打算盤，台北早已應當警惕，『禮尚往來』，我們要法國同我們好，可是我們給法國什麼的好處呢？

第四，外交有時是虛，然虛以求實，非徒虛有其表也。不要以爲：遞『國書』焉，證『全權』焉，舉香檳焉，頌元首耶，巧詞令焉，整衣冠焉，等等，都以爲是外交能事矣。然這是虛以求實者。善外交者須時時刻刻，顛沛必於斯，造次必於斯，志切不忘，如何於國有利，如何於民有福，專求其實耳。我們的外交官求其能深懂外邦禮儀、風俗人情者，僅僅做到外交『虛』字，已不可多得。求其能跑到像戴高樂那樣深沉有大略，哲學有素養，而能使他重視，稍獲實益，微利外交，更尋乎其難矣。淺淺者不但不足以言外交，且實足以亂國。當國者正襟好想一想，我們的對法外交十多年來，是不是流於浮淺，虛而不實？未作成基本確實工作，未深入人家的政治，經濟，文化，新聞等等各階層？三年多以前，除筆者夫婦外，純爲法國人的晚餐席上，聽一位懂中文熟悉中南半島情形自高棉寮國來港之一位法國軍官談論，對美國在該區工作，不滿憤激之情，溢於言表，頗爲筆者所想不到。然今回憶其言，誠有『不幸而言中』者。法國之對遠東外交政策積極，必隨而復現，乃必然與當然之事，固不待戴高樂沉默數年而終有堅定聲明，然後可知也。以往因：（一）中共對法國太不客氣，『一面倒』唯『老大哥』之馬首是瞻，奚落戴高樂；（二）一貫敵視法國，對越南反法，公開贊助，鼓勵阿爾及利亞猛力反法，使法國與中共立於互不相容之敵對地位；（三）法國與大陸中共經濟貿易，兩方面無所求，亦不能有所求；（四）國際政治場合，中共與法國多是處於對立或格格不入情況之下。而台北終不知利用此絕大好時機，以改善中法外交。今則國際政局變動，法國大陸似形成極誘人的市場，在法國人方面早已垂涎三尺，中共外交政策不但不敵美，獨步歐陸，且思插手遠東，分法一杯羹，許『同志』之雅，再無越南，阿爾及利亞等事件之惱人，而部份禁核公約之不簽字，則戴高樂與毛澤東又不期而合。[illegible]等國之後。然而，吾默揣世界大勢，詳聽法國人士言談，復爲戴高樂着想，法對中共，經濟貿易則謀求之，文化互通，自亦可爲之；若乃堂堂外交承認，正式交換大使，斯乃重大政治性決定，不但危害中法兩大民族友誼與前途，對於非洲，近東，以及美國英國，聯合國等均將有連帶關係，起不可估計的影響與作用，則不可不愼重者也！當然，這是戴氏一個人腦筋中的事，恐事先亦不會告知他的外交部長。承認共黨中國乎？不承認乎？用何方式？有何種先決條件？何時承認？何時發表？吾人不願作預言家。所可斷定者，誠如前幾日來敝寓茶點辦理政治事件之法高級使領官員所言：『戴總統對此事所決定的因素，一定是最高政治性的而不是經濟性的』。

（一九六三年十二月廿六日午）

同是那一套

盲從

自由談

哀實驗主義者

美國與蘇俄簽訂了禁止核子試爆協定後，沾沾自喜，認爲是創進世界和平的一大功績。如是乎，國務長官魯斯克呼籲西方國家一致信任蘇俄的「和平共存」誠意，而主張對中俄共的革命理論爭執，應該聲援俄共；一面又由主管遠東外交的大員希斯曼，向中共送秋波，聲明美國開着談判之門，亦願意跟中共「和平共存」。這是實驗主義者的一副可憐相，令人不忍卒睹！

若謂强權國家之間簽訂了一種停止軍備競賽的協定，天下就從此太平了，實係樸素的幼稚病。二次大戰之前，世界列强不特簽訂了「非戰公約」，而美英與日本這三個擁有强大海權的國家，且很縝密的簽立了所謂「五、五、三之比」的海軍協定，其內容視現在美英俄所訂的禁止核爆方法更詳明而具體。然結果等於具文，其信用價值尚不及繕寫條約與協定的那張白紙哩！

實驗主義者經常爲其短視政策解嘲遮羞的說詞，即認定核子大戰的結果是兩敗俱傷，同歸於盡。然則各個核子國家何不相約將儲存的核武器，一律丟到大海中去，以徹底消除核子戰爭呢？光是禁止今後繼續發展核武器，而又要藉着已有的同樣武器來逞强示威，這不是厝薪救火的愚昧行爲嗎？

按照今日這些實驗主義者的想法與作法，當年羅斯福總統即不應該視納粹主義爲疫癘，而極力鼓吹防疫工作，介入世界大戰。因爲希特勒曾公開說明：「若謂德國有進侵美國的野心，即不啻說德國要向天空摘取星斗」。這種保證，比今日蘇俄的「和平共存」之說，切實多了。羅斯福注重理想，着眼於全人類的禍福前途，而不斤斤於美國利益，乃使美國一躍而居於世界盟主地位，非偶然也。

實驗主義者只想安坐着世界盟主的高位，却沒有作盟主的智慧與魄力，勢非將前人創造的國家光榮喪盡不可，不亦大可悲哀乎！

馬五先生

今日與明日

美艦開印度洋

美國政府宣佈將派艦隊開入印度洋，訪問印度同巴基斯坦。美國此舉，也許是給印度打氣，堅定尼赫魯的抗共決心，但對整個局勢來說，似乎並無裨益。巴基斯坦並不表示歡迎，因爲巴基斯坦一貫認爲美國偏袒印度，憤而和毛共打交道，最初也許是有心作態，向美國示威，到了最近，看出巴基斯坦眞是在左傾了，如同毛共訂航空協定，邀請周恩來訪巴，情形假如再惡化下去，很可能退出東南亞公約及中央公約。如此以來，美國在東南亞及中東的防衛體系就整個崩潰了。

印度對美艦訪問，雖無拒絕之意，也並不十分歡迎，因爲尼赫魯一貫在國際上招搖撞騙，就是靠着不結盟的幌子，美艦訪問印度，加上英美印舉行聯合演習，無形中撕毀了印度不結盟的外皮，對尼赫魯來說，也是一個損失。

印尼的反對

毛共對美艦訪問，正大事攻擊。最妙的還是印尼的那個蘇加諾也高聲反對。蘇加諾反對的理由十分有趣，因爲蘇加諾已把印度洋改名爲印度尼西亞洋，美艦開入印度尼西亞洋，胆敢不先徵求印尼總統的同意，蘇加諾自然非反對不可了。幸而蘇加諾眼光還短，假若他把大西洋也改稱蘇加諾洋，這個世界的交通就大成問題了。

印尼的反對還有另外原因，恐怕美艦此來，有意爲大馬來西亞助威。因此，最近要訪問菲律賓，仍然打算與菲律賓結成聯合陣綫以抗大馬。菲律賓如果眞的採取行動，美國將更爲困難。

美國的困難

美國此次出動艦隊訪問印度洋，內心並不是要打仗，而是恐怕這個地區發生戰爭，事先起警告作用。不知這樣以來，反而增加了外交上的困難，雖不致促進戰爭，却也無裨於實際。

香港與大陸

愚而好自用又一例

毛共蠻幹粵北種棉花 棉既無收糧食亦泡影

怨天復尤人竟然凍結百姓布證

粵共不學無術，強迫農民把稻田改種棉花，聲言打破「南粮北棉」的自然規律，結果是兩樣俱無，迫得又減少農民的粮食和布料的供應，以解決「自然的災荒」。

此間一位大專學生李××君，最近接到其留居大陸的老同學來信，除要求寄舊衣服和粮食外，道及是項可哂事情。

來信說：一年以前，中共曾在廣州市召開了「工業原料學會」的「年會」，討論如何「開源」工業的原料問題，尤其是關於紡織工業的原料。會議中決定了兩項主要開源方法：其一是發動大批的職工到城鄉收購舊破衣布，（此事本欄早期已有詳細報導。）其二是要改變「自然規律」，在南方抽出一部份稻田，改種棉花。

來信說：中共幹部認為在廣東地區種植棉花，前途是可以樂觀的，它們還唯恐農民墨守成規，不敢違背「南粮北棉」的常律，乃大肆加以鼓吹宣傳。共幹認為①中國的黃河流域地區，原來也沒有種棉的，乃係由印度傳入廣東，再而傳到北方去的，所以廣東種棉是早於北方；②廣東省可以種植「海島棉」，這樣便不致因雨量多，氣溫高而影響棉的生長；③如果發生了虫害，南方地區勞力比較充足，可發動大批人民進行滅虫運動；④廣東省有一定的紡織工業，人口衆多，消費量頗大，如果在廣東種棉，則可解決「生產配置」的太問題了。因此，在共幹此種不學無術和官僚作風之下，乃把粵北的不少稻田，改種了棉花。

來信說：由於南方地區根本不適合棉花的生長，多雨而又高溫，再加上農民無種植棉花的經驗，棉花不是虫啦死了便是排水工作做得不好而浸死了。就這樣，中共想要棉花要不到，反而也失去粮食的收成。

來信又說：中共這種無知的蠻幹所引起的後果，它們不單不徹底的進行檢查，反而把責任推之農民的「保守思想」和自然的「天災」。解決的方法也就祇有「減少配額」了。所以，今年秋收以後，粵北地區人民的粮食配額一點也沒有增加，普通勞動力的仍是配給廿多斤穀，而且還被強行收購「自留地」所出產的副食品。至於布匹的配給簡直是等於零，每個人一年二市尺的布證，過去還可以拿去買一條毛巾和一對襪，而現在却全部布證都被凍結，所發出的布證也宣佈無效了。

來信說：大陸人民除了一小部份有海外親友接濟之外，（共幹當不在此例）其餘大部份人民皆痛缺禦寒的衣服。在街上，人們披着爛麻包袋或草織的「圍裙」以禦寒是司空見慣的，儼然上古原始社會，街頭巷尾隨時可以看到凍死骨哩！

在立院檢討葛樂禮風災

袁良驊高呼振飭紀綱

（本報台北航訊）以提出「寃獄賠償法」及主張修正出版法而贏得聲譽的立委袁良驊，日前在立院檢討葛樂禮颱風災害責任問題，高呼振飭紀綱，頗為人所矚目。茲誌其言論如次：

今天檢討葛樂禮颱風的災害，我認為應首先研究責任誰屬，究竟此責任是由天公負之，或是由人負之，倘未把責任弄清楚，任由官吏各有各說，則今後挽救水災問題，永遠找不出道理來。我認為此次災害的造成，石門水庫執行長徐鼐應負大部責任。他造成此次災害時對新聞記者說，台灣在兩千年來沒有過這樣大雨。我翻過很多書籍却找不到台灣有兩千年的歷史，僅在明代中葉才有台灣記載。四百多年以前，中國人說這是蓬萊仙島海外神山，那裏有水文紀錄，請問徐鼐先生憑有什麼根據，請告訴我。徐鼐先生還對新聞記者說波密拉颱風不過四百多公厘，現在有一千二百多公厘，好像此次造成災害的責任，應由天公負之，與他無關。如不稍明地形，此種說法很易被其瞞騙過。

此次新竹雨量確有一千二百多公厘，但台北地區僅和前次波密拉一樣只有四百多公厘。須知在石門水庫附近，新竹和台北區間有一座高山地名叫做插天山，這是新竹與台北的分水嶺，新竹的雨水是向南流，台北區的雨水是向北流，兩不相關，我不知道徐鼐先生竟有呼風喚雨的本領，能將新竹的水換到台北來淹沒我們。我們也知道同一雨量時下得時間愈長，水位就愈低，時間愈短，水位就愈高，稍明水利的都知道。你們都反過來說了沒人相信的。我認為造成此次慘重水災，是徐鼐先生好大喜功的一念之差而鑄成大錯。

本人監督過廣東虎門北山水庫，畧懂一二。須知石門水庫周圍有二十三公里寬，高的一三七公尺；如在沒有洪水時，大約要等一年才能將水儲滿。但徐鼐宣佈水庫於今年九月底完工，因此他天天希望有颱風來，好一下子將水庫灌滿，到落成典禮時，好示給人家看，能有大禹之能以表其功勳。這些我都不怪他。他既有這偉大企圖，也應該有同樣的智力和定力，以便一旦洪水之來知道怎樣可以防洪。可是等到洪水一來，他便不相信這土石壩能擋得住洪水，豈不是天大笑話？石門水庫是由他自己參與設計，土石壩由他自己經手監督，照一般規矩，應該是譬如每立方公尺的水壓力有一萬磅，土石壩每立方公尺就要築成一萬五千磅的抵抗力，才不會出毛病。由於他自己不相信自己，事到臨頭就慌亂神迷，手足無措，他曾對新聞記者說，他自己已陷於精神崩潰的地步。徐鼐先生在精神崩潰之下怎能不鑄此大錯。他這一恐慌，一下子就把所有的水門一齊開放，水勢之猛烈情形，我無以名之，只可說是陰曆八月十八日錢塘江的潮水一樣驚心動魄。我的房子後邊，却好在正對潮頭之傍邊，看得很清楚，想不到在台北又看到一次錢塘觀潮，一來不到十分鐘，院子裏便進水。他為何要放水，到如今我還莫名其妙。水庫根本就不應放水。日月潭不也是水庫嗎？各位先生曾聽見過日月潭放水嗎？沒有沒有。如果洪水一來你就放水，等颱風過後當然是乾天，那要等到何時才能將水庫的水灌滿，使起灌溉作用？如此年復一年，石門水庫又怎能負起灌溉作用。（上）

讀者投書

市長復職一波三過折 印歸原主斯人獨愁然

台北市長黃啓瑞的復職，擾攘了兩個多月後，終於在本月十六日實現。當年黃氏所交給周百鍊的幾顆印信，仍由周氏原璧歸還於黃氏。兩番交接，悲喜互易，周氏自有一番酸楚在心頭也。

黃氏復職的事，自十月初開始鬧起，中間忽冷忽熱的經過一段時間，迄十一月後半月，原擁黃之熱心份子，均心灰意冷，對黃已不存復職希望；而懼黃復職之周代市長派，則認為黃不會復職之信心日益堅強，而為周佈署競選之事益趨積極（周原對提名登記甚猶豫，嗣於獲得黃氏確不致復職之報後，始辦理登記）是以周遂認為可高枕無憂矣！詎意正值周派彈冠相慶之際，黃氏突申請復職，消息傳出後，周曾挽出其有深厚交往之某一位二三流之小人物，迭訪黃氏，擬勸告黃氏在復職後立即辭職。惟走訪再四，均未相值。翌日黃招待記者，且表示其決不中途辭退之決心，至此某小人物始悵然若失！而周氏亦始恍然如大夢之方醒！於是乃慌亂其手腳，而不得不作移交之準備矣！黃氏之復職，在極盡雲譎波詭之變幻後，至此始告塵埃落定，一切乃歸於平復。

由黃氏的停職和復職的演變經過言，執政的國民黨，其態度是光明磊落的，它既未在黃案發生之初，運用其影響力量去為它的從政黨員作掩庇的行為；而黃氏在被判無罪之後，復又尊重法律，聽由黃氏依法復職，而不加絲毫之干預。由此一事，即足以證明國民黨已確實具備了一個民主政黨所應具之風範。這在中華民國的憲政史上，應為國人所欣慰的現象。

其次有關黃氏個人，也有頗足稱道者：黃氏素有「好好先生」之名，但由於黃氏這次毅然突破一切困擾，決定復職，這顯示了「好好先生」之為人作事，並非無原則無立場者；而且充分的表現了他的有所不為與所為的標格。這一點頗有給市民以「刮目相看」的感覺。大家的公認，黃氏如果要競選第六屆市長時，台北市民絕大多數均將舉雙手歡迎。若謂黃氏之復職，堪為第六屆市長鋪路，誰曰不然？

黃氏復職，最為愁然而憂者，唯有代市長周百鍊。周代市長二年餘，平昔已自認為下（五）屆之市長非我莫屬，而且正在積極的運用代市長的優越條件，佈署競選之當兒，竟驟然的失去了一切有利的憑藉。已經坐穩了的市長寶座，竟失之一旦；何況這一失，大有「黃鶴一去不復返」之虞？

至於黃氏之復職，對執政黨之提名，亦有或多或少之影響。當派周氏代理市長之初，黨方似已決定以周氏為未來之提名人，俾使周氏利用代市長之機會，奠立一點選舉之基礎。殊料執政黨苦心孤詣培植周氏之結果，反因周氏之一味驕恣用事，以致造成對周極不利之情勢。請到周氏在北市人緣之壞，大概以「千夫所指」來形容之，不能謂為過份。在如此情況下，執政黨若仍以周氏為提名人，則所遭受之失敗，恐較九年前尤慘！因此執政黨對提名人選問題，聞早已在重新考慮之中。當然在黃氏復職後，黨方對此問題之研究更加積極而已。

據傳聞黨方之提名人選，擬以徵召方式出之。因現已登記之十二人中，較為受注意者，僅周百鍊、張祥傳及王成章三人而已。周氏因形勢逆轉，固不足為論矣！而張祥傳氏，黨方仍殷盼其能續主議壇；雖然張氏曾堅決表示不願再為馮婦，但黨方徵召之意仍甚堅，張氏平昔之黨性極強，且其個人對得失素無禁於懷，而其欲與一決雌雄之對手周百鍊，如不獲提名，張氏可能應徵召而再返議壇也。至王成章氏之行政經驗與才華，以之任市長，自為上選；惜王氏非台省籍，在此時此地，黨方之政策，以扶植本省籍人士担任地治工作為原則，在此大前提下，王氏能被考慮之成份殊甚尠。傳說中黨方擬徵召之對象計有三：其一為前省議長黃朝琴氏；其二為現任中央副秘書長徐慶鐘氏；其三為市主委彭德氏。此三人中，黨對黃之倚畀甚切，惟以黃氏今日之聲價言，已非區區一省轄市長之池中物，是以恐難為黃氏所接受。至徐彭二氏均屬一時之選，但各有所長短，徐氏在北市社會基礎不逮彭氏，但徵召彭氏較徵召徐氏對周百鍊之刺激則較大。是以黨方迄在慎重研究中。然不論黨方徵召何人，則來歲市長之選舉，國民黨之提名人，將獲必然之勝利。因執政黨已不再蹈九年前之覆轍，先慎選提名人選，良好的選擇，即為成功的一半；而且國民黨亦不致再走輕敵之舊路，是以執政黨之必勝，則勿容置疑者也。（志浩）

白花油工展大贈送 天時毛衫生意滔滔

（本報訊）工展白花油攤位，由黃事長顯榮親自設計，以雄偉見稱，榮獲攤位比賽優異獎，並聘十二金釵工姐在攤位服務，因是生意倍加興旺，顧客如雲。該攤大贈送情形如下：①買廿四元者，送大熱水壺一個，或公仔油二罇，另送日曆一個。②買十二元者，送小熱水壺一個，或公仔油乙罇，另送日曆一個。③買八元者，送五號油乙罇，日曆一個。④買四元者，送日曆一個，或日記簿一本或雪花露一罇。⑤買二元者，送原子筆一支，或膠杯一個。多買多送，機會難逢。

△工展第八街的攤位，天時織造毛衫廠之攤位，矗立巍峨壯觀，陳設其產品羊毛衫，更稱輝煌齊美，獲最多中外遊客好評，爭相購買。天時織造廠歷史悠久，所出品各種男女毛衫，外銷早以馳名風行世界各地，為最具歷史的一家名廠。廠址青山道永康街五十二號。該廠為在工展一年一度酬賓起見，在場內均有特價優待，故自參展以來，生意滔滔（附圖即天時攤位）。（白）

香港再度成為疫埠

（本報訊）香港「霍亂疫埠」的招牌，甫於十二月二十日宣佈卸除，居民剛正輕鬆的透一口氣之時，二十三日，便又證實一宗新的霍亂病例，於是再宣佈戴上「疫埠」的頭銜。一卸一加，為時不過三天而已。

含蓄

方南

梁山伯祝英台是中國的羅米歐朱麗葉。不管是誰演這兩個角色，這齣戲總不愁沒有觀眾的。說來也許不容易令人相信，我每看這齣戲時，最看重的卻是士九這個書童。原因很簡單，我對古代的書童一向有點偏愛。

第一流的詩、詞、文、乃至畫，中國藝人都特別講究「含蓄之美」。梁山伯祝英台的戀愛就是妙在「含蓄」。這是我的看法。

唯能「含蓄」才會「耐看」，據說，因為內裏存着「有餘而未盡之意」，看之不完，想之不盡，所以耐得久看、長看。梁山伯祝英台這齣戲所以令人百看不厭，是不是和「含蓄之美」有關呢？我認為值得研究。

西廂記裏張君瑞崔鶯鶯的戀愛是沒有多大含蓄的。紅娘很突出地搶了兩個主角的鏡頭。沒有紅娘便不該有西廂記，這是我的看法。也許張君瑞崔鶯鶯的戀愛也可用「含蓄」的方式博得更多同情，但這「含蓄」卻被紅娘挑破了。紅娘把一部西廂記變成喜劇，是因為把含蓄的改變為不含蓄的，而梁山伯祝英台則以「含蓄之美」構成一部永久賺人眼淚的愛情悲劇。

西廂記用一個侍婢紅娘做主角，而梁山伯祝英台的書童士九則只是一個配角。以往中國文藝巨著寫侍婢寫得出色，當以紅樓夢為第一，紅娘是在晴雯之前尤為特出的一個。可惜書童一直沒有享受過這份權利。

看戲看到書生出場，後面跟着一個書童挑着行李，我這個傻瓜總是給書童以較多的注意，這不只看梁山伯的士九是如此。我每想到那一挑行李裏面的書卷含有多重，而且多半會想到陶淵明的一句妙話和蘇東坡的幾句好詞。這在我看來，都是很有「含蓄之美」的好東西。

陶淵明曾遺一力與其子，寄語道：「此亦人子也，汝善視之」！這眞的是無須多說了。陶淵明用這樣的心腸去對待書童，這便是陶淵明之所以為陶淵明。

蘇東坡的一首臨江仙詞，有幾句道：「夜飲東坡醒復醉，歸來彷彿三更，家童鼻息已雷鳴，呼門都不應，倚杖聽江聲！」每讀此詞，我便想到坡翁在三更時份喝醉了酒回到宅前敲門時的心境。他會是這樣想的：我自己喝酒喝得有趣，書童睡覺也該睡得有味呢！我可別着急，等他好好睡一會兒，我且自對着好風好水，醒醒腦筋吧！

正因他對書童有這副好心腸，所以他在「倚杖聽江聲」時，絕妙的靈感來了，好句來了，他後來寫成的一首詞便自自然然的成為傳誦不衰的好作品。

陶淵明的妙話和蘇東坡的好詞都有「含蓄之美」。這是學不來的。我這句話的意思是：你着意要含蓄時，那就不成為含蓄了，也就沒有「含蓄之美」了。例如我寫這篇東西，一寫便完，話說完了，我自己也忘記說過什麼了。

劇氛縹緲錄

婆娑生

空前絕後　雙搖會

蒙古參議員烏澤聲先生，為其母慶七十壽，特在故都西城舊刑部街鍾秋岩丈的花園，搭台彩觴。是夕戲碼的特徵，即無蘭芳，而有叔岩、繼先的鎖泗州，老十三旦（侯俊山）叔岩的八大鎚，小樓的狀元印。壓軸為玩笑戲「雙搖會」，是開任何辦戲的所無。這齣戲單，余在卅七年曾寄亡友鄭子褒（梅花館主）在半月戲劇發表，傳為佳話。也是看了卅年的平劇，沒有這樣的安排，可說好曲祗有一回聞。角色的分配，俏五自飾相公，余叔岩、言菊朋分飾街坊，一向多用丑角，此次用兩位名鬚生，可見俏五的威望。荀慧生飾書僮，卻是文質彬彬，沒有現在大鵬所演的胡鬧。諸茹香、程硯秋飾大娘二娘，其滑稽可令人噴飯。而叔岩、菊朋的看點子，搖頭大擺，要弄捧口，與鑼鼓配合，真是妙絕。俏五卻一無神氣，活如怕老婆，聽他們擺佈，做得很像，好戲而是妙極也。

提拔蔣朱　戲鳳殺惜

某年，同仁堂主人樂家，在三里河織雲公所，為其母慶壽，戲碼之佳，也是罕見。劇目列有琴雪芳的白門樓，程硯秋的玉堂春，紅豆館主和玉筍詞人的戲鳳，蘭芳的麻姑獻壽，楊小樓的狀元印。閱單後，頗訝此詞人為誰，是否未知名的票友？抑是旗籍閨秀？偶爾消遣。及出場始知為老友蔣君稼，此為第一次登台。依照伶票向有的慣例，首次演唱，必須要名家珊翼，而俏五字厚齋，頗肯提挈後進，不遺餘力，極符其名，君稼即其一也。君稼從陳石頭學戲，宗余紫雲。身段由路三寶說的，聲調比之蘭芳剛而帶脆。末演以前，吊嗓三四回，排身段五六次，始而登場，把情竇初開的鄉姑娘，描摹得夠眞切。俏五的正德，書卷氣息，在叔岩之上，脫盡火氣，不傷大雅，瀟灑已極。余嘗云余梅的戲鳳，可以常見，而厚齋所演，祗此一遭。是晚最不愉快，是有惡少追求琴雪芳，未得親其謦咳，竟叫通倒好，極意騷擾。在人家壽堂，竟有如此之惡容，設非好戲，使闔座掃興，道德喪盡如此！

敵偽時代，俏五無法走避，而所存古物，多半鬻去，伶俜無聊。受了漢奸王克敏所嗾，走南京，汪逆精衛延聘為蒙藏委員會委員長，為了生活，蒙此大錯。時朱琴心南歸，困居蘇州，也為財源，赴京謁俏，請其援引。俏憫其遭際，允與合演坐樓殺惜，假首都大戲院，閧動白下，全院客滿，綜其收入，約值赤金百兩。琴心獲此支援，遂組班在南京演了一時戲，以維其後來度活，皆俏五提挈之力。

一曲彈詞

劇壇

震驚

崑曲唱法，調門既高，且無過門，尤難換氣，如非精於此道，頗難致之。而崑曲的生行，尤以彈詞為最難唱，因其曲既長且冗，而腔更繁並複，字甚多，無些功力，輒不敢唱全。惟俏五庶幾近之，在言樂會中，確可稱雄。

蘇州汪棣卿，是言樂會一份子，善唱窮苦的小生，每週演出，必有其戲，與同人極為相稔，亦非常融洽。其尊人七秩壽，當然無多餘欵，舉辦堂會，社中同人發起醵資公祝，假座西單牌樓報子街同和堂綵觴，以表敬意。（十七）

抽象藝術漫談

藝術談

趙雅博

美的默觀的同化

美的默觀或者稱之為美的觀賞。美固然是客觀的，有絕對美的客觀存在，然後才有自然界分受而來的相對美。絕對美是唯一無二的美，是有靈智的——就是一般哲學所謂的神，上帝，天主，造物主，他是客觀的純美；一切其他的美都是由他而來。這個純美，有沒有主觀的欣賞，觀賞或默觀是沒有關係的，他是自給自足的，他可以孤芳自賞。其他一切的客觀美，如果沒有主觀的觀賞或默觀，美便成了孤獨物，沒有關係。為此它們必需與主觀者發生關係。而這個主觀者則是人。動物沒有美的觀念和默觀，神則超出了默觀的境界，為此不談美則已，要談美便不能不談美的默觀或觀賞。不談美的默觀或觀賞則已，如果要談美的默觀或觀賞，則不能不談人的默觀或觀賞。

有人說美是感覺，並不是知識——共相知識。動物有感覺，自然也有美感或美的默觀或觀賞。

這裏我們將分兩面來說：（一）感覺就是感官能力來講，自然不是知識。這是說：就感覺本身來說，感覺並不是知識。但是如果就感覺的結果來說，感覺也是知識，並且是構成共相知識的要件與素材。生來的瞎子沒有顏色的感覺，生來的聾人沒有聲音的瞭解，生來麻木不仁者，在麻木不仁的部份，沒有感覺的領會。沒有感覺便沒有知識。沒有顏色與聲音，使無從構成美的觀賞，最低限度是無從構成感覺美的觀賞。

動物沒有美感或美的默觀。首先我們要分清美感不是快感。美並不等於快樂。其次是動物有感覺，但並沒有觀念，也就是說沒有共相知識。動物只有感覺知識，並沒有脫離感覺、抽象感覺而走向共相的觀念或知識。屬於感覺方面的，如果沒有心靈欣賞，則只是快感，只是滿足感官的需要，而不是美感。對於美的默觀，是需要在感官之外另有心靈的。動物沒有理性，不能推動；沒有理性，也不能抽象；沒有理性，也不能深入內層，為此我們說動物沒有美的默觀。

無論如何美的默觀，是對美的認識，自然是美的知識。知識，如同蒲羅亭所說，應該與被知者相似。他說：「眼睛必要使自已相似，而相似被看見的客體，才達到默觀這個客體。一個眼睛，如果不是日現為與日頭相似，總也看不見日頭。一個心靈如果不是美麗的，總也看不見美麗。如果相默觀天主或美，一定該整個的先成為神的與美的。先應該上升至智慧本身，在那裏會知道一切觀念都是美的。」這一段文字的意義，這個使自已相似客體的說法，就是知識要同化被認識的事物。這種同化也就是同其天性，我們也稱之為生命的同化，這是知識的要件。（未完）

瘟君續夢

第十一回　舊債新仇　索逋遭白眼　內憂外患　平憤仗蒼頭

中共九中全會閉幕之後，內部情形尚未見好轉，同蘇聯的關係卻更緊張了。

自從赫魯曉夫一口氣撤走一千三百多名專家，撕毀了三百多個合同之後，中蘇共之間的政治關係固然趨於低潮，經濟情況也陷於停頓。

劉少奇去莫斯科開會時，本來想同蘇聯商談恢復經濟援助，不料會議一開始就形成僵局，鄧小平又指着赫魯曉夫一罵，更鬧得不可收拾，以後雖然雙方勉強彌縫，發表了「莫斯科聲明」，但基本感情已經破裂，劉少奇明知請求援助也是白碰釘子，當時也就擱下不提。

根據中共與蘇聯訂的協定，中共欠蘇聯的債務，其中包括從東北掠去的機器再度賣給中共的代價，韓戰時的軍火費，以及蘇聯專家在共區薪給的貸款，全部要中共以糧食、油類及輕工業用品償還。

中共每年按照規定數目，如數運到還有多餘，蘇聯軍隊吃的穿的都是中國老百姓的血汗，中共雖然樣樣短缺，但是運到蘇聯的卻不敢減少，多年以來，中國老百姓餓死成千成萬，但中共對蘇聯的信用，卻堅守不渝。

到了劉少奇去莫斯科開會時，共區經濟實在山窮水盡，工廠幾乎全部停工，一切輕工業產品也停頓了，農村更是赤地萬里，收成毫無，在一九六〇年底的幾個月中，中共運去蘇聯物品日漸減少，過了年就幾乎全部斷絕。

莫斯科市民的食物日用品，大部靠中共進獻，一旦中共斷絕供應，莫斯科各食物店頓時大起恐慌，馬路上市民購物，擺了千人長龍，主管對外貿易的官員，看見情況不妙，就反映上去，層層報到赫魯曉夫跟前。

赫魯曉夫當時把主管貿易的第一副總理米高揚找來，商量應付之方。

赫魯曉夫說道：「最近兩個月來，中國忽然斷絕糧食同日用品的供應，引起我們本身供應緊張，我看這又是毛澤東的陰謀，想藉此陷害我。」

米高揚摸着小鬍子說道：「據我們派在中國的工作人員回來說，他們最近也實在窮困的很。」

赫魯曉夫大笑道：「阿米尼亞的商人，你怎麼忽然胡塗起來，你說中國現在窮困，我請問你，毛澤東治下的中國，幾時富過。為什麼半年以前物資供應不缺，到了莫斯科聲明發表之後，忽然斷絕了呢？」

米高揚笑道：「我的任務就是算賬，不但算自己還要算人家，中國的經濟情形我比你了解。毛澤東政府成立的最初年，花的錢是國民黨留下的，以後幾年是毛澤東搞什麼總路線，大躍進，人民公社，變戲法變來的。到了現在中國從滿清到國民黨政府，幾百年的積餘被他用光了，騙老百姓的錢也花完了，現在到眞是窮透了，去年運來的小麥就有在加拿大購買的，我就知道他們的國力用盡了，當時就通知有關部門，與中國的任何貿易都要停止，只進不出，一文錢的貨也不要賒出去，就是防的這一手，所以我對目前的情況並不感到驚奇。」

（二六八）

接受教訓。策勵未來

大陸是怎樣淪陷掉的？

吳文蔚

共產黨造成了鐵幕控制了廣大的農村後，他有三個幹部，三個土造手榴彈，便可利用；村中被牠收買了的地痞流氓，控制一個鄉村；三十個幹部，即可控制十個鄉村；三百個幹部，即可控制一縣。牠控制了這些地方後，行政上有七個「有」：就是「有政權」，「有粮食」，「有壯丁」，「有軍服」，「有土造武器」，「有人民輸力」，「有人民諜報」。

我們戡亂剿匪，也必須控制廣大的面，做我們軍事上兵員物力的補給。要控制廣大的面，便不能不與匪爭奪村莊。但我們在農村中，沒有純淨的民衆組織，就不能不用幹部控制村莊。要控制村莊，必須藉武力以圖控制。

我們要佔領一個敵我交錯的村莊，派上一連兵去，匪的幹部武裝人民，完全拿上歡迎及支差的態度，瞭解了我們的實力後，次日的拂曉，便可調上三五倍的兵力，以裹應外合的手段，來解決我們。這是匪所說的「戰鬥增加」。我若派上一營一團的武裝去，他便調上附近三二百里三五倍的兵力來解決我們，這是匪所說的「戰術增加」。我們若派上一師兩師的兵力去，他便又調上千里以外的七八倍兵力來解決我們，這是匪所說的「戰畧增加」。匪佔了大的便宜，反笑我們的部隊是「輸送隊」。此爲匪政治軍事兩利雙收的最巧妙辦法；牠不僅控制了鄉村，施行了政權，收有了土地、有了人民之效，一面並藉控制鄉村爲手段，達到牠逐漸解決我們爭奪鄉村的部隊爲目的。此實爲我們損失部隊，縮小區域的一個主要因素。亦爲共匪壯大部隊，擴大區域的唯一手段。使我們優良的器械盡失，敵人獲得了我們的優良器械，使我們越弱，敵人越強。

此等結果，完全不在兵力。而在政畧，此實爲我們在軍事上的最大吃虧。但這種吃虧，還不能不吃，爲甚麼呢？因爲我們的政畧，不是面的政畧，當然沒有控制面的做法。既無控制面的做法，則無論從政治上看，軍事上看，都應該爭取鄉村，保持我們廣大的土地與人民，以充裕我們的兵源與財源。此爭奪鄉村，遂使我們走上必然性的失敗途徑。

所謂必然性的失敗途徑，就是說我們必然要爭鄉村，爭鄉村必然失敗，遂使我們爭鄉村的部隊成了匪的軍械，服裝，兵源的「輸送隊」。結果我們是鄉村與兵員兩損，匪反以佔奪鄉村得了消滅我們的部隊的機會。此實爲時局急轉直下的主要因素！（十）

哭父親

張健生

先父生於清光緒乙未年，死於民國五十年，享壽六十七歲。然而他的一生，是患難多於安樂。他除了把族人典押的土地贖回外，並完成叔輩的學業，如三叔在南京勵志社做事，和五叔在遺族學校任職，都是他培植出來的。像故鄉（泰興縣黃橋鎮附近）有名的三砲台遺跡，就是先父在北伐時替革命軍所設計并一手建築起來的。由於他平時做事認眞，待人誠懇，生活簡樸，所以鄉人對他都有好評。

中年後，先父改業經商。但未幾，七七事變，全國一致抗日，於是他以耕種爲業。自此之後，家庭更入困境。二十九年的中秋後，我年才十七歲，先父風聞汪僞政權將征抽壯丁，乃將我送到杭州，暫住在一位遠房叔公處。未幾，我去天目山讀書。勝利後始回家。

民國三十二年間，我被汪僞政權諜報機關，即杭州「七十六號」的漢奸李某拘捕，罪名是國軍的「特務」云云。當時，李某勒索黃金百兩，始能免罪。事爲先父所悉，乃將田地典押若干，化了一筆可觀的錢，才把我贖出來。當他老人家看到我從「牢籠」中走出來時，含着淚安慰我，並無半句怨言。此情此景，猶如日昨，怎教我不痛哭呢！到了第三天，我什麼話也沒有說，仍舊走了。

這件事，在當時頗使父親難過，特別是他回到家鄉之後，曾受盡親友們的指責，和族人的冷言冷語。勝利後我回家，父親和母親都沒有告訴我這事情，還是大妹妹偷偷的對我說的。當我提起此事時，先父還責備我不應該提它呢！他始終以爲兒子做的對。

三十五年春間，先父曾問起我的未來計劃，當時我沒有具體的回答，他也就未再問過我。事後，我到杭州，才曉得父親當時問我未來計劃的用意是：他本希望我繼承他的事業，不要再出來，因爲我是長子，而老人家抱孫兒的心又切，所以才有這一問。不過，我沒有從正面答覆，他已看出我是不會留在家鄉的，於是也就不問了。這事，是三叔後來在來信中告訴我的。孰料，自此別後，竟成永訣，再也無法看到父親慈祥的笑容，重聚天倫之樂了。這，怎不使我悲痛萬分！

先父經常在家書中訓示我讀書的方法，做人的道理，處世的哲學。他常常說：任何書，不怕讀不通，只怕不去讀；一遍讀不懂，二遍，三遍……直到讀通和讀懂爲止。甚至讀通後，還要經常不斷地去讀它，這是讀書自修的方法。做人最難，但是以「誠信」二字待人，所謂不誠無物，所謂信必由中，此即忠恕之道，也就是做人的起碼要件。

有一次，先父在家書中以左文「周鄭交質」來暗示他對當時和談的看法。儘管他有此看法，當我寫信勸他拋棄家庭把二弟帶出來時，他不忍心把三個妹妹和母親放在家裏受苦難，而又不肯明白告訴我。

古人說：「四十而不惑」。又說：「三十而立」。可是我雖成家，而事業立在何處？還未知數！目前，終日爲生活而爬方格子，靠賣稿渡日，豈先父之所料的！有時候，因爲職務的關係，得罪於人而不知，招怨於人而不知，何以自解！似此，所謂立業，所謂不惑，又怎能？父親不能多教導我一些嗎？——現在是不可能了，唉！今後我將更力行先父在世時給我的遺訓，以慰老人家在天之靈。（下）

我的社會生活

雷嘯岑

這時國民政府未設主席，只有五個常務委員，然在南京的僅爲蔡元培與李協和二人，而蔡先生專理黨務，事實上，國府的日常政務，完全是由李公主持的（胡漢民後來纔到南京綜持黨務）。他乃明令任命我爲國府秘書，從此每天到府辦公，不再兼任總司令部的差事了。這是我正式涉足於行政界的開宗明義第一章，若照舊有政治上的人事法規，必須憑資歷以授職任官的話，我是大大的躐等越了！革命時代固不講究這套，但實際上這是利少害多的作法，政治之不容易上軌道，沒有健全的人事制度，實爲主要原因，我在國府就鬧過一次處理公文的大笑話呢！

是年八月十二日，蔣總司令忽然通電下野，回到奉化去了。胡漢民，蔡元培，吳稚暉諸先生，皆先後離京，而李協公任事如常。我曾經勸他亦到上海去觀變一時，表示與蔣先生共進退之意，但他却怪蔣先生在採取這樣重大的行動之前，竟不跟他商談一下，認爲不夠朋友。繼而李宗仁、白崇禧進京來了，主張寧漢政府合流，由李協公出面與武漢譚組安先生接洽，原在上海的西山會議派主要人士張繼、覃振等亦來南京促成此事，很迅速地完成了合流的工作，由寧漢滬三方的黨部合組特別委員會，作爲最高權力機關。譚先生仍任國府主席，李協公以常委弼助一切。一夕，李協公忽問我在南昌接得的譚組安先生那封信尚在否？他要原璧奉還譚先生，免留痕迹，我說自行燒掉可也。他笑道：「你不懂，自己縱然毀去了，別人總是不放心的，唯有原物交回對方，纔是忠信處友之道。」我即將原信檢交李公，認爲又增加了一項做人的智識呢！經過龍潭戰役之後——孫傳芳、張宗昌進襲南京——革命軍繼續北伐，由白崇禧担任前敵總指揮，打到山東臨城時，白來電報告前綫戰況，譚主席批以「由秘書處據情轉函軍委會」，即由我擬稿呈核。我在函內乃大發議論，評判軍情，洋洋長篇大作，譚先生見着，啞然吩咐我道：「不必這末費力，你祇將原電全文抄錄後，再加以『等情據此，奉諭轉達貴會查照』這兩句話就行了」。當時我慚悚到無地自容，對譚公自認不懂公文程式，以致鬧此笑話。他說：「誰亦沒有在學校讀過公文程式的教科書，這不算是甚末錯誤。我告訴你一個要訣，每天得暇，到檔案室取閱舊卷，仔細查看那些長篇公文的內容，其中即有若干承轉通飭的關節，都有一定的例行詞句和格式，祇要瞭解其竅要所在，自然融滙貫通，立即成爲內行了。」我遵命行事，果然不錯。曾國藩主張對僚屬要「勤教」，先賢奬掖後進的風範，値得現代一般大人先生們效法的。

迨十月下旬，國府決定下令討伐武漢叛將唐生智，於定期會議的先日，譚主席命我起草討伐令文，但須擬成三種體裁，即一長一短與中件稿是也。第二天我把擬好的三稿呈閱，他首先看過那篇檄文式的長稿後他對我說：「昨天晚上我仔細想一想，認爲「唐某只是個地方疆吏，中央政府要討伐他，猶如父母因事怒斥兒子，要打就打，不必說理由的。惟有以下犯上的反抗行動，乃須向社會說明理由，歷數對方的罪狀，以期博得世人同情。所以，你這文章作得很好，却不需要了。你另寫一道討伐令文，只說某官某姓名，抗命叛，着即褫去本兼各職，交由全國軍警一體緝拿歸案訊辦。此令！」我退出主席室，即將情形向李協公報告，言下頗埋怨譚公昨天何必教我擬這類不需要的文稿，累得我熬了一個通夜，太無謂了。李答曰：「這是主席故意要測驗一下你這洋秀才的國學根柢如何，以便隨時給以適才適事的任務。你應該感謝主席的美意，不可亂發牢騷。」原來譚公是藉題考試我，慚愧慚愧。（十三）

康有爲的觀對

丘峻

康：「臣爲變法之事，嘗考各國變法之故，曲折之宜，擇其可施行於中國者，斟酌而損益之；輯有專書，其中章程條理，皆已具備。若皇上決意變法，可備採擇，但待推行耳。泰西講求三百年而治，日本施行三十年而强，吾中國國土之大，人口之衆，變法三年，即可自立；此後則蒸蒸日上，富强可駕萬國！以皇上之聖圖自强，在反掌間耳！」

帝：「然，你條理甚詳。」

康：「皇上之聖已見及此，何爲久而不舉，坐致割弱？」反詰皇上。

帝以目睨簾外而嘆曰：「奈制肘何！」俄頃又曰：「國事全誤於守舊諸臣之手，朕豈不知；但朕之權不能去之，且盈廷皆是，勢難盡去，莫奈之何！」

康心知帝見阻於太后，無可如無，乃云：「就皇上現在之權，行可變之事，雖不能盡變，而握要以圖，亦足以救中國。惟方今大臣，皆老耄守舊，不通外國之故，皇上欲倚之以變法，猶緣木以求魚也。」

帝：「伊等皆不留心辦事。」

康：「大臣等非不欲留心也，奈以資格遷轉，至大位時，精力已衰；又多兼差，實無暇晷，無從讀書，實無如何；故累奉旨辦學堂，辦商務，彼等少年所學皆無之，實不知所辦也。皇上欲變法，請勿去舊衙門，而惟增置新衙門，勿黜守舊大臣，惟擢有用小臣，廣其登薦，予以召對，察其才否，皇上親拔之，不吝爵賞，破格擢用。方今軍機總署，並已用差，但用京卿御史兩官，分任內部諸差，則已無事不辦。其高位重祿之舊人則姑聽之。而新政之事，惟責之於小臣，則彼等舊大臣，既無辦事之勞，復無失位之懼，而怨謗自息矣。即皇上雖有黜陟之全權，而待此輩大臣，亦祇當如日本之待藩侯故事，設爲華族，立五等之爵以處之，厚祿以養之而已，不必盡去之也。惟彼等事事守舊，請皇上多下詔書，示以意旨所在；凡變法之事，皆特下詔書，彼等即無從議駁。」

帝：「然。」

康：「昨聞賞李鴻章張蔭桓寶星，何不明下詔書？」

帝一笑。

康：「自割台後，民心已離，非多得皇上哀痛之詔，無以收拾之也！」

帝：「然。」（四）

南宋偏安有人才

李仲侯

至於廟祀，則宋乾道六年初建於鄂，號曰忠烈。嘉定十四年後改臨安智果寺爲武穆香火院，賜額褒忠衍福。明景泰五年武功伯徐有貞創廟湯陰，御題爲精忠之廟。此僅就敕建者而言，其他私謚，尚不勝數。清代因存華夷之界，祀關而不祀岳。民國初元，乃令關岳並祀，從此武穆廟食，遂徧全國。

岳王千古銜冤，相傳南宋大理寺獄內有風波亭，即爲飛就義之處。風波亭遺址，爲今杭州市北浣紗路浙江第一監獄。然亦有謂係岳王故第，乃万俟　承秦檜意旨，特置以拘禁岳飛者。就其與岳飛故第毗連之點觀察，則後說亦不無理由。然徧攷載籍，終不得其根據，要當以前說爲是。據金山寺志：「有道月禪師者，値岳王班師過寺，道月勸其勿歸，贈詩有「風波亭下水滔滔」之句。飛不聽。後下大理寺，有亭匾曰「風波」！亦異事也。（一一三）

史地傳記類　PC0280

自由人（十二）

編　　者 / 陳正茂
責任編輯 / 邵亢虎
圖文排版 / 彭君浩
封面設計 / 陳佩蓉

法律顧問 / 毛國樑　律師
印製經銷 / 秀威資訊科技股份有限公司
114台北市內湖區瑞光路76巷65號1樓
電話：+886-2-2796-3638　傳真：+886-2-2796-1377
http://www.showwe.com.tw
劃撥帳號 / 19563868　戶名：秀威資訊科技股份有限公司
讀者服務信箱：service@showwe.com.tw
展售門市 / 國家書店（松江門市）
104台北市中山區松江路209號1樓
電話：+886-2-2518-0207　傳真：+886-2-2518-0778
網路訂購 / 秀威網路書店：http://www.bodbooks.com.tw
國家網路書店：http://www.govbooks.com.tw

2012年12月復刻版
定價：2500元

國家圖書館出版品預行編目

自由人 / 陳正茂編. -- 一版. -- 臺北市 : 秀威資訊科技,
2012. 12-
冊； 公分. -- (史地傳記類)
BOD版
ISBN 978-986-326-020-2(第1冊 : 精裝). --
ISBN 978-986-326-016-5(第2冊 : 精裝). --
ISBN 978-986-326-017-2(第3冊 : 精裝). --
ISBN 978-986-326-018-9(第4冊 : 精裝). --
ISBN 978-986-326-019-6(第5冊 : 精裝). --
ISBN 978-986-326-022-6(第6冊 : 精裝). --
ISBN 978-986-326-023-3(第7冊 : 精裝). --
ISBN 978-986-326-024-0(第8冊 : 精裝). --
ISBN 978-986-326-025-7(第9冊 : 精裝). --
ISBN 978-986-326-026-4(第10冊 : 精裝). --
ISBN 978-986-326-034-9(第11冊 : 精裝). --
ISBN 978-986-326-035-6(第12冊 : 精裝). --
ISBN 978-986-326-036-3(第13冊 : 精裝). --
ISBN 978-986-326-037-0(第14冊 : 精裝). --
ISBN 978-986-326-038-7(第15冊 : 精裝). --
ISBN 978-986-326-039-4(第16冊 : 精裝). --
ISBN 978-986-326-040-0(第17冊 : 精裝). --
ISBN 978-986-326-041-7(第18冊 : 精裝). --
ISBN 978-986-326-042-4(第19冊 : 精裝). --
ISBN 978-986-326-043-1(第20冊 : 精裝). --

1. 報紙 2. 香港特別行政區

059.92　　101021409

讀者回函卡

感謝您購買本書，為提升服務品質，請填妥以下資料，將讀者回函卡直接寄回或傳真本公司，收到您的寶貴意見後，我們會收藏記錄及檢討，謝謝！

如您需要了解本公司最新出版書目、購書優惠或企劃活動，歡迎您上網查詢或下載相關資料：http:// www.showwe.com.tw

您購買的書名：________________________________

出生日期：________年________月________日

學歷：□高中（含）以下　□大專　□研究所（含）以上

職業：□製造業　□金融業　□資訊業　□軍警　□傳播業　□自由業

□服務業　□公務員　□教職　□學生　□家管　□其它____

購書地點：□網路書店　□實體書店　□書展　□郵購　□贈閱　□其他

您從何得知本書的消息？

□網路書店　□實體書店　□網路搜尋　□電子報　□書訊　□雜誌

□傳播媒體　□親友推薦　□網站推薦　□部落格　□其他________

您對本書的評價：（請填代號　1.非常滿意　2.滿意　3.尚可　4.再改進）

封面設計____　版面編排____　內容____　文／譯筆____　價格____

讀完書後您覺得：

□很有收穫　□有收穫　□收穫不多　□沒收穫

對我們的建議：________________________________

____

____

____

請貼
郵票

11466
台北市內湖區瑞光路 76 巷 65 號 1 樓

秀威資訊科技股份有限公司 收

BOD 數位出版事業部

....

（請沿線對折寄回，謝謝！）

姓　　名：＿＿＿＿＿＿＿＿　年齡：＿＿＿＿　性別：□女　□男

郵遞區號：□□□□□

地　　址：＿＿＿＿＿＿＿＿＿＿＿＿＿＿＿＿＿＿

聯絡電話：(日)＿＿＿＿＿＿＿＿＿ (夜)＿＿＿＿＿＿＿＿＿

E-mail：＿＿＿＿＿＿＿＿＿＿＿＿＿＿＿＿＿＿